REALLEXIKON FÜR ANTIKE UND CHRISTENTUM

BAND VIII

REALLEXIKON
FÜR
ANTIKE UND CHRISTENTUM

SACHWÖRTERBUCH ZUR AUSEINANDERSETZUNG
DES CHRISTENTUMS MIT DER ANTIKEN WELT

IN VERBINDUNG MIT CARSTEN COLPE, ALBRECHT DIHLE,

BERNHARD KÖTTING, JAN HENDRIK WASZINK

HERAUSGEGEBEN VON

THEODOR KLAUSER

BAND VIII:

Fluchtafel (Defixion) - Gebet I

1972

ANTON HIERSEMANN · STUTTGART

BEGRÜNDET VON

FRANZ JOSEPH DÖLGER, THEODOR KLAUSER, HELMUT KRUSE,

HANS LIETZMANN, JAN HENDRIK WASZINK

TECHNISCHE REDAKTION

Hermann Keulen (bis 1970);   Rotraud Reis (seit 1970)

REDAKTIONSSCHLUSS DER LIEFERUNGEN VON BAND VIII

Lieferung 57 Bogen   1–5 (Fluchtafel – Fortschritt):   30. April 1969
Lieferung 58 Bogen   6–10 (Fortschritt – Fremder):   30. September 1969
Lieferung 59 Bogen 11–15 (Fremder – Friede):   30. November 1969
Lieferung 60 Bogen 16–20 (Friede – Fulgentius):   31. März 1970
Lieferung 61 Bogen 21–25 (Fulgentius – Galilaea):   31. Dezember 1970
Lieferung 62 Bogen 26–30 (Galilaea – Gallia II):   31. Juli 1971
Lieferung 63 Bogen 31–35 (Gallia II – Gastfreundschaft): 31. Dezember 1971
Lieferung 64 Bogen 36–40 (Gastfreundschaft – Gebet I):   31. März 1972

Korrekturhinweis:

Im Artikel Fluß II (ikonographisch) sind bei Abb. 2 und 4 auf Sp. 79 und 87/8
die Zeichnungen (nicht die Legenden) vertauscht.

ISBN 3-7772-5006-6 (Werk)
ISBN 3-7772-7218-3 (Bd. 8)
© 1972 Anton Hiersemann, Stuttgart

Satz und Druck: Allgäuer Zeitungsverlag, Kempten
Einband: Großbuchbinderei Ernst Riethmüller, Stuttgart
Printed in Germany

VORWORT

Im Vorwort zum 6. Bande des Reallexikons, datiert vom 1. April 1966, wurde mitgeteilt, daß die Verantwortung für das Unternehmen von einem Herausgeberkreis übernommen werden solle; die Namen der Mitglieder dieses Kollegiums waren fortan auf dem Titelblatt der Bände zu lesen. Aus besonderen Gründen schien es wünschenswert, den Herausgeberkreis vom 9. Band an um zwei weitere Mitglieder zu vergrößern. Die neuen Mitherausgeber sind: ERNST DASSMANN, dritter Nachfolger von Franz Joseph Dölger auf dessen Bonner Lehrstuhl, und WOLFGANG SPEYER, den Benutzern des Lexikons seit langem als Mitarbeiter bekannt.

Ungefähr gleichzeitig ist die Leitung des „Franz Joseph Dölger-Instituts an der Universität Bonn", des Redaktionszentrums des Lexikons, in neue Hände übergegangen. Der Unterzeichnete, der bisherige Direktor, hat aus Alters- und Krankheitsgründen sein Amt niedergelegt. Als seinen Nachfolger hat der Wissenschaftsminister des Landes Nordrhein-Westfalen auf Vorschlag der durch die Satzung des Instituts vorgesehenen Gremien den oben genannten Professor ERNST DASSMANN bestellt.

Das Gesamtverzeichnis der im „Jahrbuch für Antike und Christentum" bisher vorgelegten Nachtragsartikel, die später einmal in einem Ergänzungsband zum Reallexikon zusammengefaßt werden, ist auf der letzten Seite dieses Bandes des RAC zu finden.

Bonn-Ippendorf, 7. April 1972   THEODOR KLAUSER

INHALT

CONTENTS

TABLE DE MATIÈRES

INDICE

Fluchtafel (Defixion).

Anders als die von der religiösen u. staatlichen Gemeinschaft verkündeten oder angedrohten Verfluchungen, anders auch als die vom einzelnen zur Vergeltung erlittenen Unrechts ausgesprochenen Flüche ist die Defixion zu werten. Sie gehört als Bindezauber zur sympathetischen Schadenmagie, die in die vorgeschichtliche Zeit der Menschheit zurückreicht. Vom gewöhnlichen Fluch unterscheidet sie sich ferner durch folgendes: Stets werden die unterirdischen Gottheiten angerufen, während im sonstigen Fluch diese neben anderen vorkommen können. Das Motiv der Defixion ist unsittlich, da sie aus Haß u. Neid gegen mißliebige u. gefürchtete Personen angewendet wird, um sie auf bestimmte Zeit geistig oder körperlich zu schädigen, an jeder Tätigkeit zu hindern oder für immer zu beseitigen (vgl. R. Wünsch bei E. Ziebarth, Art. F.: PW Suppl. 7 [1940] 202). Diese Art des Fluchs wird griechisch als Bindung: κατάδεσμος, κατάδεσις, καταδεῖν (vgl. Kagarow 26f), lateinisch als defigere ‚festheften, durchbohren‘ bezeichnet. Das zugehörige Substantiv ‚defixio‘ läßt sich nicht vor dem 6. Jh. nC. nachweisen (ThesLL 5, 1, 356, 82; defiso: L'Année Épigr. [1939] nr. 136, 17; zu defigere vgl. ThesLL 5, 1, 342, 31/41). Dieser lat. Bezeichnung liegt die Vorstellung zugrunde, daß ‚die Wirkung des Zaubers einem durchbohrenden Stich gleicht‘ (vgl. Kuhnert 2374; zum Nagel bei der Defixion vgl. ebd.; Kagarow 10/4 u.: A. Hug, Art. Nagel: PW 16, 2 [1935] 1580). Auch devotio, devovere hat mitunter die Bedeutung von

defixio u. defigere: vgl. S. Tafel: ThesLL 5, 1, 878f. 882, 5/40. – An Lösung des Schaden-Fluchs wurde grundsätzlich nicht gedacht: in einem athen. Fluch (4. Jh.) wird erklärt: ‚Ich binde u. löse nicht‘ (Wilhelm 120; Deissmann, LO⁴ 259); eine Ausnahme stellt Audollent nr. 137 dar; zur Fluchlösung vgl. Speyer, 1189/91. Daß man an die verderbliche Wirkung dieser Flüche nicht nur in den unteren Volksschichten geglaubt hat, steht außer Zweifel (vgl. Ziebarth, Neue Verfluchungstafeln 1024; Wilhelm 105f). Schwerlich wurden so viele bekannte, auf Bleilamellen verzeichnete Persönlichkeiten nur von ungebildeten Gegnern durch Defixion getroffen. Daß im 1. Jh. vC. in höheren Kreisen der Glaube an die das Gedächtnis lähmende Wirkung von Zauberei (veneficia u. cantiones) lebte, bekräftigt die von Cicero höhnisch mitgeteilte Beschuldigung der Titinia durch den vergeßlichen Curio (Cic. Brut. 60, 217; vgl. Moraux, Défixion 44₂). Nach Tac. ann. 2, 69, 5 u. 3, 13, 2 sollen Defixionen u. Devotionen den Tod des Germanicus herbeigeführt haben (vgl. Suet. Calig. 3, 3; Dio Cass. 57, 18, 9). Plinius n.h. 28, 4, 19 sagt: defigi diris deprecationibus nemo non metuit. – Die Defixion hat auch auf die höhere Literatur eingewirkt; vgl. zB. C. Zipfel, Quatenus Ovidius in Ibide Callimachum aliosque fontes imprimis defixiones secutus sit, Diss. Leipzig (1910); V. Buchheit, Studien zum Corpus Priapeorum = Zetemata 28 (1962) 93/6. – Da dieser Fluchtypus eine Art des Schadenzaubers darstellt, ist es klar, daß es keine christl. Defixion geben kann, wohl aber Defixionen einzelner Christen. Es besteht hier also die Kontinuität von Volksglaube oder Volksaberglaube, von Magie u. moralischer Niedertracht.

A. Griechisch. I. Früheste Bezeugung. Homer u. Platon. Wenn auch erst Platon von diesen Katadesmoi spricht (s. u. Sp. 3f), so reicht ihre Anwendung doch gewiß in weit frühere Zeit zurück. Homer weiß von der Fähigkeit olympischer Götter, nach eigenem Ermessen Menschen durch wortlosen, nur gedachten Willen plötzlich außer Tätigkeit zu setzen, zu ‚binden‘, zu ‚fesseln‘ (δεῖν: Il. 14, 73; πεδᾶν: 4, 517; 13, 435; καταπεδᾶν: 19, 94). Zeus, sagt Agamemnon Il. 14, 73, hat uns Sinn u. Hände gebunden (vgl. Björck 120; Moraux, Défixion 53; vgl. ferner Il. 2, 111; 9, 18 u. F. Pfister, Art. Epode: PW Suppl. 4 [1924] 325). Die homerischen Gedichte schreiben solche ‚Bindungen‘ nur dem göttlichen Willen ohne künstliche Mittel zu. Die Frage nach der κατάδεσις unter Menschen bleibt offen. Wohl stößt einmal Menelaos eine schlimme Verwünschung gegen die Achäer aus Il. 7, 99: ‚Möget ihr alle zu Wasser u. Erde werden!‘ Aber von dieser volkstümlich formulierten Defixion, die den Bedrohten gleich das Äußerste anwünscht, wird keine Erfüllung erwartet; göttliche Mitwirkung wird nicht beansprucht. – Für uns begegnet der Begriff κατάδεσμος zuerst bei Platon. In der Politeia u. den Nomoi verrät er Kenntnis von Unheil wirkenden magischen Handlungen (vgl. S. Eitrem: SymbOsl 21 [1941] 52f). Neben ἐπωδαί (vgl. Pfister aO. 327f) u. ἐπαγωγαί (vgl. Rohde, Psyche 2, 87₃) spricht er auch von κατάδεσμοι, durch die der magisch Kundige sich die Götter dienstbar machen zu können vorgibt (resp. 364 C), um mit ihrer Hilfe Feinde seiner gläubigen Kunden zu schädigen. Ebenfalls bezeugt er leg. 933 AB, wo neben μαγγανεῖαι u. ἐπωδαί die sogenannten καταδέσεις genannt werden, den Glauben u. die Furcht des Volkes vor diesem Zauber u. der Wirkung der Wachsfigurinen, die als Mittel magischer Verwünschung an Haustüren, Dreiwegen u. Gräbern angebracht sind. Jedoch gesteht er ebd. selbst: es lasse sich nicht leicht erkennen, wie es mit magischen Dingen wirklich beschaffen sei. Diese ungewisse, zweiflerische Stellungnahme dürfte sich aus seiner Dämonentheorie erklären lassen (vgl. Rohde, Psyche aO. u. Eitrem aO. 50f).

II. Beschreibstoffe. Neben dieser literarischen Bezeugung besitzen wir als unmittelbare Zeugnisse die teilweise noch dem 5. Jh. vC. angehörenden attischen Bleilamellen (vgl. Peek 89/91; SEG 10 [1949] nr. 394f). Mögen die Wahl gerade dieses Beschreibstoffes u. seine allgemeine Verbreitung wie die dauernde Verwendung zu Verwünschungszwecken alte abergläubische Vorstellungen oder rein praktische Gründe bestimmt haben (vgl. Audollent 47*/9*; Kagarow 9f), jedenfalls tritt hinter dem Blei, das als Inbegriff der Schwere, Kälte, auch Nutzlosigkeit (Wünsch, DTA 105) u. Machtlosigkeit (Ziebarth, Neue F. nr. 7) u. erst später als Sympathiemetall des Unheil wirkenden Planeten Kronos-Saturn galt, die Verwendung anderer Stoffe wie Ostraka (Nilsson, Rel. 1², 801 Abb. 8; PGM O 1f; O 5; K. Preisendanz: ArchPapForsch 11 [1935] 159), Meermuscheln (Audollent nr. 234), Talkstein (ebd. nr. 18/21; vgl. L. Robert, Collection Froehner 1 [Paris 1936]

107), Papyrus mit angewandtem Fluchzauber (PGM VIII), Gemmen (Bonner nr. 103/15) u. a. m. (vgl. Audollent 47*₁₀/₄) ganz wesentlich zurück; zu Blei als Beschreibstoff vgl. ferner V. Gardthausen, Griech. Paläographie 1² (1911) 26/8 u. La Penna 20*.

III. Bleilamellen. Platon hat die Blei-Fluchlamelle zweifellos gekannt, die nach Ausweis der Funde zu seiner Zeit in Attika häufig gebraucht wurde. Er mag sie ohne nähere Bezeichnung unter καταδέσεις, κατάδεσμοι verstanden haben (Nilsson, Rel. 1², 800), wenn er sich auch über ihre Anwendungsformen nicht äußert, die ihm gewiß so bekannt waren, wie die der sympathetischen Wachspuppen (s. o. Sp. 3). Tatsächlich geht aus den zahlreichen Blei-Fluchlamellen (vgl. bes. Wünsch, DTA; Audollent; Ziebarth, Neue F.; Neue Verfluchungstafeln) nicht hervor, wie ihre Schreiber u. Hersteller sie zur Wirkung brachten. Anweisungen für diese wichtige Frage, wie sie die späteren Zauberformulare der PGM für die synkretistischen Lamellen überliefern, sind nicht auf uns gekommen.

IV. Defixionsfigurinen. Hierher gehört der auch Platon bekannte u. von ihm leg. 933 B erwähnte, durch Analogiezauber bewirkte κατάδεσμος mit Verwendung menschengestaltiger Figurinen, der sympathetisch wirksam gedachten Fluchpuppen. Was ihnen, die aus Wachs, Ton, Kalkstein, Bronze, Blei u. a. Stoffen gebildet sein konnten, der Verfluchende an Üblem zufügte, mußte durch magische Fernwirkung auch von der Person, die sie darstellten, erlitten werden (vgl. E. Kuhnert, Feuerzauber: RhMus 49 [1894] 45/55 nach PGM IV 296/407 mit literarischen Parallelen aus Antike u. Neuzeit). Belege dieser vielleicht ältesten Form menschlicher Verfluchung haben sich aus frühesten bis in späteste Zeiten erhalten (vgl. Abt 80f; Ch. Dugas, Figurines d'envoûtement trouvées à Délos: BullCorrHell 39 [1915] 413/23; K. Preisendanz: ArchPapForsch 11 [1935] 163f). Oft tragen diese Figurinen kurze Beschriftungen mit Namen der Verfluchten, Fesseln, Defixion mit Nägeln oder Verstümmelungen (vgl. R. Wünsch, Eine antike Rachepuppe: Philol 61 [1902] 26/31). Neben ihnen übte man ebenso sinnentsprechende Verfluchung durch ‚Sargzauber‘. Die auf Bleistreifen geritzten Namen der Verwünschten, zuweilen mit ihrer gezeichneten oder plastisch gebildeten Wiedergabe, wurden in ein kleines Behältnis aus Blei gelegt u. in der Erde oder in Gräbern beigesetzt: so bei einem neueren Fund vom Kerameikos (um 400 vC.) mit sechs Namen von Verfluchten, ein Prozeß-Fluch; vgl. J. Trumpf, F. u. Rachepuppe: MittDArchInstAthen 73 (1958) 94/102 mit Abb.; ähnliche frühere Funde aus Athen bei F. Cumont, Une figurine grecque d'envoûtement: CRAcInscr 1913, 412/21; aus Kertsch (Pantikapaion) bei K. Preisendanz: FuF 6 (1930) 149 mit Abb.; zu einem Grabfund aus Hadrumet K. Preisendanz: ArchPapForsch 9 (1930) 149 (Cagnat) u. Audollent nr. 305*. Ein Verhinderungssargzauber mit einer Krokodilfigur aus Ton wird PGM XIII 320/6 empfohlen.

V. Behandlung der Defixionslamellen. a. Beschriftung. Wie diese durch Besprechung wirksam gedachten Figurinen sind auch die auf Bleilamellen, Papyrus, Pergament u. sonstigem Beschreibmaterial nur gezeichneten menschlichen oder tierischen Gestalten als leibhaftige Vertreter der fluchbetroffenen Wesen zu werten, so besonders sinnfällig die geritzten Darstellungen der gefesselten Rennfahrer auf röm. Defixionslamellen bei Wünsch, Sethianische Verfluchungstafeln 23. 28. 40 u. zahlreiche Zeichnungen der griech. Zauberpapyri (Abb. in PGM Bd. 1 u. 2). Daß die gleiche Bedeutung auch den nur mit dem Namen des oder beliebig vieler Verfluchten versehenen Bleilamellen zukam, beweist die Menge solcher, vor allem früher Exemplare. In den Namen sah der Verfluchende die Verkörperung der Personen, denen er Unheil jeder Art oder Tod anwünscht. Durch Zusammenfalten, Einrollen u. Durchbohren mit Nägeln erleiden die auf der Lamelle verzeichneten Menschen die Qualen der von ihrem Verflucher bestimmten Mißhandlung. Wenn man die gleiche Bestimmung völlig unbeschriebenen Bleitäfelchen, wie den etwa 40 in einem Brunnen des Département des Deux Sèvres gefundenen (Audollent nr. 109; vgl. auch Wünsch, Neue F. 268f), zumessen darf, so haben sich in ihnen wohl Relikte der ursprünglichsten Form dieser Fluchart erhalten, bei der die Namen der Verwünschten aus magischer Scheu nur gesprochen, nicht geschrieben wurden.

b. Weiterleitung an die Unterirdischen. Die Weiterleitung konnte auf den verschiedensten unterirdischen Wegen erfolgen, doch immer mit dem Ziel, zu den unterweltlichen Mächten zu gelangen. Man verbarg sie an geheimen Orten wie Gräbern, Särgen u. Mumien, dem sichersten Aufenthalt von Geistern männlicher u. weiblicher (Audollent nr. 93) Toten, besonders vorzeitig u. gewaltsam Verstorbener, ferner in Aschenurnen, aber auch in Brunnenschächten, Flüssen, Quellen, im Meer u. an anderen Stellen, die eine Verbindung mit der Unterwelt, ihren Göttern u. Dämonen zu ermöglichen schienen (vgl. Audollent 110*/7*).

VI. Erweiterung des F.textes. Defixionsgottheiten. Im Lauf der gegenseitigen Berührung von Magie u. Religion konnte die Erweiterung der Fluchformeln durch Angabe des unterweltlichen Gottes, dem die verwünschte Person überantwortet werden sollte, nicht ausbleiben. Es sind die Götter, die, wie Platon weiß (resp. 364 BC; leg. 909 B), von Zauberkundigen veranlaßt werden können, ihnen zu schlimmem Tun ihre Dienste zu leisten, also die Mächte der Unterwelt, die in den F.texten immer wieder mit verschiedenen Formen der Anrede, doch zunächst ohne Drohung u. Mittel der Gewalt, zur Mitwirkung beim Vollzug von κατάδεσμοι oder κάτοχοι beschworen werden: ‚Ich werde sie (eine Sosikleia) binden gemeinsam mit Hekate u. den Erinyen' (Wünsch, DTA 108; Kaibel nr. 1136); vgl. auch Speyer 1213f. Zu Zwangsmitteln gegen göttliche Macht greift der Magier erst in der späteren Zeit. – Nicht einer bestimmten Gottheit der Unterwelt wird der Verfluchte zur Bindung überwiesen, sondern alle höllischen Mächte stehen dafür zur Verfügung, ohne daß sich die Gründe für die Wahl der einzelnen Götter erkennen ließen. Oft wendet sich der Verflucher an zwei oder mehrere Götter zugleich. Wo vielfach die ausdrückliche Angabe von Fluchgottheiten fehlt, wird zweifellos die Mitwirkung der Unterwelt überhaupt angenommen.

a. Hermes, Hekate. Am häufigsten begegnet Hermes in seinem unterirdischen Charakter als Geisterbeherrscher, als Chthonios, Katochos, Katuchios (vgl. Abt 229 u. 230₅; Kagarow 59₂); oft erscheint neben ihm Hekate Chthonia, so Wünsch, DTA 105/7 (bald nach 400), in einer Gestalt mit Hermes vereinigt PGM III 47f (Hermekate). Eigenartige Lamellen-Flüche werden Hermes zugeleitet, so, wenn ihm allein ein uns Unbekannter im 4. Jh. eine Reihe ihm mißliebiger Athener auf einem Bleistreifen (Wilhelm 121; Deissmann, LO⁴ 259) mit dem Vermerk ausliefert: καταδῶ καὶ οὐκ ἀναλύσω, womit er die Defixion als unlösbar bezeichnet. Nur in gewissen Fällen ließen sich Flüche aufheben (vgl. Speyer 1191). Bestimmungen zur Lösung eines Katochos werden zB. PGM VII 438f mitgeteilt; von einer magischen Lamelle wird gerühmt, sie mache Bannungen wirkungslos: καταδέσμους ἀναλύσεις (PGM IV 2177). Schon im 5. Jh. wußte man von zauberkundigen ἀναλύται, die sich auf diese Kunst verstanden (vgl. R. Münsterberg, Zu den attischen F.: JhÖstArchInst 7 [1904] 144). Die zweimalige Ablehnung einer etwaigen Zurücknahme dieser Verwünschung seiner Gegner mag ebenso sehr zeigen, wieviel dem Verflucher an ihrer Erledigung lag, wie die dem Gott schmeichelnde Anführung gewichtiger Beinamen wie ὁ δόλιος, ὁ κάτοχος, ὁ ἐριούνιος. Wenn schließlich die Inschrift des Bleifluchstreifens mit den hier auffallenden Worten Θεοί. Ἀγαθὴ Τύχη einsetzt, so sollte dadurch wohl der F.text gegen etwaige Störung durch Gegenzauber geschützt werden. Vergleichbar ist die Einleitung Θεός. Τύχη ἀγαθή bei Wünsch, DTA 158 u. Θεός. Θεοί vor dem zeitlich späteren Zauberbuch von Leiden (PGM XIII; vgl. A. Dieterich, Abraxas [1891] 169; Peterson 323 [Nachtrag zu 224₂]; Münsterberg aO.; Deissmann, LO⁴ 259).

b. Persephone; Unterweltsbriefe. Persephone wird in verschiedenen Schreibformen (vgl. Audollent 463 [Reg.]) mit der Übernahme Verfluchter beauftragt, meist in Verein mit Hermes Chthonios, so in einer frühen attischen Lamelle des 4. Jh., die stark vernagelt war (Audollent nr. 50). Mit Hermes schien Persephone geeignet, Unterweltsbriefe, in die man Verfluchungen kleidete, entgegenzunehmen, wie die Bleitafel Wünsch, DTA 103: Ἑρμῇ καὶ Περσεφόνη τήνδε ἐπιστολὴν ἀποπέμπω (vgl. Wilhelm 122/5; weiteres Beispiel aus dem 4. Jh. vC. bei Wünsch, DTA 102). Wenn auch alle schriftlich geäußerten Katadesmoi, einschließlich der nur aus Namen bestehenden, die Aufgabe von Unterweltsbriefen zu erfüllen hatten u. so mit A. Wilhelm: TrProcAmPhilolAss 28 (1897) 23* ταχυδρομεῖα heißen können, haben sich doch bisher nur diese beiden ἐπιστολαί-Belege gefunden; wohl auch Adressen bei Ziebarth, Neue Verfluchungstafeln nr. 20. 26. Sonst wird den Unterirdischen das Lesen von γράμματα zugesprochen. So soll der Totengeist (Pasianax) einen Fluch lesen (Audollent nr. 43. 44 [2. oder 3. Jh.]), ebenso die ἤιθεοι (ebd. nr. 52). Nach Wort, Sinn u. Zweck können diese ἐπιστολαί alter Zeit lediglich ‚Aufträge‘, ‚Befehle‘ zur Verfluchung bedeutet haben, nicht eigentliche ‚Briefe‘, deren äußere Form sich gelegentlich

in späteren lateinischen F. deutlich zeigt. So bei Audollent nr. 96a, wo die Außenseite der Lamelle der Adresse vorbehalten bleibt: inimicorum nomina ad ... inferos, während die Innenseite den ‚Brief‘ enthält, d. h. die Liste verfluchter Feinde, die den Inferi überantwortet werden (vgl. zu dieser oft besprochenen ‚Jenseitskorrespondenz‘ Björck 90/100).

c. Ge. Auch die unterirdische Erdgöttin zählt zu den wirksamen Fluchgöttinnen. Als ‚liebe Erde‘ wird sie auf einer durchnagelten Lamelle (Wünsch, DTA 98) um Beistand gebeten. In frühe Zeit (um 380 vC.) geht die wohl als Brief gedachte Überweisung eines Ktesias u. seines Anhangs an den höllischen Bund von Ge Katochos, Hermes Chthonios u. Persephone (Phresephnne) zurück (Wünsch, DTA 101; vgl. ferner Ziebarth, Neue Verfluchungstafeln nr. 22).

d. Praxidikai, Erinyen. Neben den genannten chthonischen Mächten begegnen weit seltener die Praxidikai, die, wie Ge schmeichelnd als φίλαι angeredet, auf einer attischen Bleilamelle einem Gegner alles zum Unheil ausschlagen lassen sollen (Wünsch, DTA 109; vgl. Ziebarth, Neue Verfluchungstafeln nr. 20b). Ein in Verwünschungen nicht häufiges Gelübde beschließt diese F.: für seine Erfüllung ‚werde ich euch (den Praxidikai) Dankopfer bringen‘. Ähnlich verspricht der Verflucher eines Eleutheros der Kyria Demeter auf Sizilien (1. Jh. nC.): ποτσω ἀργύρεον σπάδικα (SEG 4 [1930] nr. 61); der Gegner einer Tychene aus Minturnae (Audollent nr. 190) verheißt den Dii inferi Dankopfer, wenn er die Verfluchte in allen ihren Körperteilen hinsiechen sehe. – Mitunter wendet sich der Fluch an die Erinyen, so in der Agora-Lamelle bei G. W. Elderkin: Hesperia 6 (1937) 390f, wo sie zusammen mit Hekate, Persephone, Pluton u. Hermes Diakonos als Helfer angerufen werden, während die Arai offenbar vermieden werden. Die wenigen für sie beanspruchten Belege beruhen auf unsicheren Lesungen (s. auch Speyer 1196).

VII. Verflucher u. Verfluchte. Ohne Gewissensscheu haben Angehörige aller Volksschichten Verfluchungen jeden Härtegrades angewendet, um sich mißliebiger Mitmenschen zu entledigen oder sie zu schädigen. Auch Sklaven verwendeten die Defixion; vgl. F. Bömer, Untersuchungen über die Religion d. Sklaven in Griechenland u. Rom 4 = AbhMainz 10 (1963) bes. 121/38. Nicht nur einzelne Personen verfallen dem Fluch, der vorübergehenden oder bleibenden Schaden, Krankheit oder selbst Tod bewirken soll. Sehr oft sind es auch ganze Gruppen von Menschen, wie die vielen Listen männlicher u. weiblicher Namen in den Sammlungen von Wünsch u. Audollent zeigen. Der Verfluchende bleibt fast immer anonym.

VIII. Politische Defixion. Ohne Kenntnis der näheren Umstände wird man nur schwer eine Massenverfluchung wie die bei Ziebarth, Neue Verfluchungstafeln nr. 1 verstehen, der (bei Verderb vieler Namen) über hundert Personen zum Opfer fallen sollten, wie es der Schreiber dieser äußerlich besonders dicken Bleitafel unmißverständlich kündet: ‚Ich binde, vergrabe sie, tilge sie aus den Menschen‘. Eine ähnliche Fluchformel gegen Prozeßgegner (um 300 vC.) steht auf einer fünfmal durchnagelten Bleiplatte: ‚Sie alle (acht Personen, einen Koch mit Anhang) binde, tilge, vergrabe, vernagle ich‘ (Audollent nr. 49). Fluchgottheiten werden auf beiden Lamellen nicht angerufen. Durch den Akt des Vergrabens allein sollten die Verwünschungen schon ihr Ziel erreichen. Daß es sich im ersten Fall um Verfluchung politischer Gegner handelte, hat E. Ziebarth einleuchtend dargestellt (Aus neuen attischen F.: Praktika de l'Académie d'Athènes 9 [1934] 134). Eine Anzahl bekannter attischer Persönlichkeiten des 4. Jh. ließ sich zwar ermitteln, doch ohne Licht auf den Anlaß dieser Verwünschung oder den Verflucher u. seine Genossen zu werfen. Wenn aber die Verfluchten ‚zur allerersten attischen Gesellschaft des 4. Jh. gehörten‘ (Ziebarth), darf man in ihren Gegnern Glieder einer ähnlichen sozialen Gruppe sehen, die im Glauben an die vernichtende Wirkung des Fluchs befangen waren. Diesem Wahn konnte sich selbst in gehobenen griechischen u. römischen Volkskreisen kaum jemand entziehen (s. o. Sp. 2).

IX. Prozeß-Defixion. Aus der großen Masse von Fluchlamellen heben sich einige Gruppen mit gleichen Motiven heraus. Am bekanntesten sind die sog. Prozeß-Flüche, die meist aus Attika, dem Land dauernder Rechtshändel, stammen (5./4. Jh. vC.). Ihre Verfasser sind die öffentlich Beklagten, die ihre Gegner u. den Anlaß ihrer Vorladung zum Gericht gut genug kennen, um sich nicht auf den Erfolg ihrer Verteidigung zu verlassen. Sie greifen darum zur Verfluchung, mit der sie ihre Widersacher zu ‚binden‘ hoffen. Daß diese Rechtshändel sehr oft im geheimen von der unsichtbaren Hilfe

der Magie begleitet wurden, beweisen die vielen Fluchlamellen, die gewiß nur einen geringen Teil der einst in zahlloser Masse vorhandenen darstellen. Allein die von R. Wünsch u. E. Ziebarth aus Attika gesammelten, von A. Audollent aus den Mittelmeerländern edierten Exemplare (vgl. auch Abt 57$_1$) zeigen anschaulich das Bemühen dieser Zaubergläubigen, ihre mit Namen bezeichneten Ankläger, die gegnerischen Anwälte u. Mithelfer (Wünsch, DTA 38, 7; 39, 20), die Zeugen (ebd. 25, 5; 65, 4; 68a, 10) u. alle, die etwa im Prozeßverlauf belastend auftreten könnten, selbst die Richter (ebd. 65, 4; 67a, 11; Ziebarth, Neue Verfluchungstafeln 1032), durch die Wirkung ihrer ‚Bindung‘ an einer Verurteilung zu hindern.

X. Verfluchung geistiger u. körperlicher Fähigkeiten. Dabei richtet sich der Fluch sehr oft nicht nur gegen die feindliche Person im allgemeinen, sondern gegen alle ihre Organe u. Körperteile, namentlich gegen die geistigen Kräfte, die dem Ankläger u. seinem Anhang zur Prozeßführung unentbehrlich sind. In vielen Variationen wiederholen sich die Verwünschungen von γλῶττα, στόμα, ψυχή, dazu der Hände u. Füße, die gefesselt oder zu Blei werden sollen. So verflucht eine der ältesten Blei-Defixionen (Anf. 5. Jh.) aus dem Demetertempel von Selinunt (SEG 4 [1930] nr. 37; vgl. auch nr. 38) die Zunge des Anklägers u. seines Anwalts. Die überaus häufige Verfluchung der Zunge in Attika hat Deissmann, LO^4 259 hervorgehoben; hier wies er auch auf die Fluchbindung der Zunge in einer mandäischen Schaleninschrift des Louvre hin. Neben der Zunge werden νοῦς u. μνήμη ‚gebunden‘. Der Widersacher soll die Fähigkeit, zu denken u. sich an den Grund seiner Anklage zu erinnern, verlieren (Wünsch, DTA Ind. 5c; vgl. auch die von P. Moraux mit umfassendem Kommentar veröffentlichte Defixion von Istanbul [um 300 nC.]).

XI. Glieder-Defixion. Die vollkommenste Wirkung versprach man sich von den ‚Glieder-Flüchen‘, die in griechischer wie lateinischer Sprache überliefert sind (Audollent nr. 41f; Wünsch, DTA 50; Audollent nr. 190). Kein noch so unscheinbarer Teil durfte fluchfrei bleiben, selbst die Eingeweide werden nicht vergessen, wie auf der großen Bleilamelle eines Agora-Fundes aus Athen (3. Jh. nC.; vgl. G. W. Elderkin: Hesperia 6 [1937] 382/9), wo nach Verwünschung aller Glieder einer Philostrata auch ihr ganzes Innere (Z. 19. 31) der Vernichtung durch Seth-Typhon übergeben wird; so auch in der von Th. Mommsen edierten lateinischen Verfluchung aus einem Grab von Minturnae (Wünsch, DTA 27*; Audollent nr. 190; I. Pfaff, Über tabellae defixionum bei Griechen u. Römern: Arch. f. Kriminal-Anthropol. u. Kriminal. 42 [1911] 163), wo über dreißig Teile einer Tychene, darunter auch ihre 'intestina' (Z. 10), den dii inferi überantwortet werden (vgl. ferner Audollent nr. 250). Solche 'Bindungen' u. Defixionen von Körper u. Geist konnten Angehörige aller Berufe u. Volksklassen treffen, überhaupt jeden, der in Streitigkeiten verwickelt war (vgl. Wünsch, DTA Ind. 4; E. Ziebarth: Praktika de l'Académie d'Athènes 9 [1934] 132/6; J. Trumpf: MittDArchInstAthen 73 [1958] 101f zu den Handwerker-Flüchen).

XII. Strafe für Schaden-Fluch. Dieser Schadenzauber wurde bei Entdeckung gesetzlich geahndet; so schon von den Dirae von Teos vJ. 479 vC. (vgl. Ditt. Syll. 1³, 37f) u. noch bei Paul. sent. 5, 23, 15: Todesstrafe, nämlich Kreuzigung oder Tötung durch Tiere, für obcantare, defigere, obligare (vgl. Abt 13 u. A. A. Barb, The survival of magic arts: The conflict between paganism and christianity in the fourth century, ed. A. Momigliano [Oxford 1963] 100/25, bes. 102). Darum glaubte sich wohl der Schreiber einer gegen Diebe gerichteten Fluchlamelle vor den Göttern entschuldigen zu müssen: Z. 1/4. 29: er handle nicht freiwillig so, sondern aus Notwehr gegen Diebe (G. W. Elderkin: Hesperia 6 [1937] 390f).

B. Synkretistisch. Die Defixion der Griechen war mit wenigen Anrufen an die unterirdischen Gottheiten ausgekommen. Dieses Bild änderte sich mit dem Sieg des religiösen Synkretismus im Späthellenismus u. der Kaiserzeit. Die komplizierten Mittel der synkretistischen Zauberei mit ihrer Dämonologie verdrängten die einfachen Formen der altgriechischen Verwünschung. Der Privatmann verfügte nicht über das nötige Wissen, den Schadenzauber erfolgreich anzuwenden; er bedurfte des fachkundigen Magiers, der Macht über einen mächtigen Totengeist besaß.

I. Magische Formulare. Verschiedene aus den ersten nachchristlichen Jahrhunderten erhaltene Zauberformulare in Form von Papyrusrollen u. -codices aus Ägypten unterrichten über die umständlichen Vorgänge zum Vollzug der Schaden- u. Fluchmagie; Texte bei Preisendanz, PGM Bd. 1 u. 2 (I/LX); zu Bd. 3

(LXI/LXXXI; 16 Indices), der nicht erschienen ist, vgl. K. Preisendanz: ByzZs 59 (1966) 391₁ u. ders.: Misc. crit. 203/17; ebd. Inhaltsangabe. Bibliographie: Preisendanz, Zauberpapyri 104/67.

II. Die neuen Defixionsformen. Trotz starker Erweiterung der neuen F.texte wird die Bleilamelle selbst für lange Beschriftungen weiterhin verwendet, bis sie im christlichen Aberglauben u. Zauberwesen ihre Traditionskraft einbüßt. Auf ihr erscheinen jetzt die unverständlichen Wortgebilde der voces magicae (zu den onomata barbara vgl. I. Opelt-W. Speyer, Art. Barbar: JbAC 10 [1967] 265f) bald als sog. Zauber-Logoi oder als geheime Namen von Dämonen u. Göttern, bald zu magischem Zwang der Geisterwelt oder zum Schutz gegen sie, mystische Vokale, zauberische Zeichen ('Charaktere'), sympathetisch wirkende Figuren u. Darstellungen, mehrfach wiederholte Beschwörungen u. Anrufungen mächtiger Götter mit ihren authentischen Namen: das alles, vermehrt durch die ausführliche Verfluchung selbst, füllt jetzt die Schreibfläche von Recto u. Verso der Bleilamelle (vgl. K. Preisendanz: Mitt. Pap. Samml. Öst. Nat. Bibl. 5 [1956] 115f). Hervorzuheben sind die erotische 'Bindung' (φιλτροκατάδεσμος) im großen Pariser Zauberpapyrus: PGM IV 296/408; Audollent 83*/7*, deren Kernstück, Beschwörung eines Totendämons, auf einer Bleilamelle steht (s. u. Sp. 22f), u. das Formular in einem Zauberpapyrus des Britischen Museums: PGM V 304/69 (Wünsch, DTA 30*f). Nach solchen Vorlagen wurden die meisten Lamellen-Flüche seit der Zeitwende abgefaßt, die in ihrer mit Redewerk überladenen Eigenart besonders nach Alexandria als Entstehungsort zu weisen scheinen, sich aber auch in Attika, der Heimat der alten Defixion, einbürgerten. So die auf Fieberkrankheit u. Tod einer Frau (Gamete) zielende Verfluchung mit Zauberworten (Audollent nr. 51; vgl. Ziebarth, Neue Verfluchungstafeln nr. 24) oder die Lamelle gegen einen Naupaktier, der aus Athen vertrieben werden soll, mit Zauberlogos u. Voces magicae (Ziebarth ebd. nr. 25) oder die neuen Agorafunde mit wortreicher Verwünschung eines Mannes (Eros), der mit Hilfe von Typhon-Seth u. Sabaoth den Verstand verlieren soll (von G. W. Elderkin: Hesperia 5 [1936] 43/9 ins 3. Jh. nC. datiert).

III. Die großen synkretistischen Defixionen. a. Curium. Einige größere Gruppen von F.-

texten aus den frühen nachchristlichen Jahrhunderten stellen durch ihre inhaltlichen u. formalen Eigenheiten oft praktizierte u. wirksame Typen synkretistischer Defixion dar: so ein Grabfund von 16 Bleilamellen aus dem kyprischen Kurion (3. Jh.), die dem Katadesmos von Prozeßgegnern gelten u. ein Fluchschema zeigen, das neben der Beschwörung griechischer Chthonioi (Pluton, Kura, Hekate, Hermes, auch Erinyen) auffallend an die alexandrinische Tafel Audollent nr. 38 erinnert: der ägyptisch-ptolemäische Einfluß auf Kypros macht sich auch hier bemerkbar, unbeschadet der Eigenart der Lamellen von Kurion, die mit hexametrischer Anrufung der Totengeister beginnen (die Texte bei Wünsch, DTA 18*f; Audollent nr. 22/37; L. Robert, Collection Froehner 1 [Paris 1936] nr. 60). Durchsetzt mit Beschwörungen bekannter u. fremder Götter (Σισοχώρ, Εὐμάζω, Στερξέρξ u. a.), mit dicht gedrängten magischen Voces u. Logoi, mit schlimmsten Verwünschungen suchen sie die Gegner zu lähmen u. zu entkräften: ὀργή u. θυμός gegen den Verflucher sollen sie verlieren u. der Stimme, Sprache u. Zunge beraubt werden. Der Vollzug dieser ,Knebelflüche' steht den Totengeistern der vorzeitig u. gewaltsam aus dem Dasein Geschiedenen zu, die dem Befehl der im Grab angebrachten ,Knebellamelle', παραθήκη φιμωτική, κατάθεμα φιμωτικόν, gehorchen müssen. Die hier gehäuften magischen Zwänge führen die Technik der späten Verfluchung auf eine bis dahin nicht erreichte Stufe des synkretistischen Katadesmos, die auch den gewagtesten Forderungen der Zauberformulare gerecht wird. Daß in diesem Lamellenfund von Kurion das Werk eines kyprischen Magiers vorliegt, der nach gleicher Vorlage die untereinander fast gleichen Defixionstafeln herstellte u. im gleichen Grab versteckte, scheint unzweifelhaft.

b. Ägypten. Mit dem Aufgebot der hier beschworenen Dämonen u. angerufenen Götter können sich nur die sehr wenigen aus Ägypten erhaltenen sowie die zahlreichen aus kleinafrikanischen u. römischen Gräbern u. Särgen gewonnenen Bleilamellen messen. Daß gerade Alexandria, ein Zentrum des Synkretismus, bisher lediglich einen nach Zweck nicht eindeutig bestimmbaren Katadesmos liefern konnte (Wünsch, DTA 15*; Audollent nr. 38), hat schwerlich ein Mangel an solchen Dokumenten des Angriffs- u. Fluchzaubers verschuldet. Das schon früh (1849) in die Bibliothèque

Nationale gekommene Exemplar (3. Jh. nC.) sollte in griech. Sprache einen Annianos durch Fluchwirkung seinem Gegner (vor Gericht?) unterwerfen u. den Totengeistern überantworten. Der Text weist die Redewendungen u. Rezepte der magischen Formulare auf, aus denen der Hersteller Ionikos oder vielmehr der beauftragte Magier seine eingehende Kenntnis von πραγματεία (15) u. κατάδεσμος ἐνεργής (31f) bezogen hat; vgl. bes. PGM III 43/8 zu Z. 10/4; Björck 116. Daß hier neben den Inferi noch die πότνια Γῆ χθονία (29) beschworen wird, den Fluch auszuführen u. zu sichern, beweist die Zähigkeit der durch Jahrhunderte erhaltenen religiös-abergläubischen Tradition u. ihre Wanderung von Attika nach Ägypten. Ganz synkretistischen Charakter trägt die von P. Collart, Une nouvelle tabella defixionis d'Égypte: RevPhilol 4 (1930) 248/56 edierte, späte (5. Jh.?) Defixionslamelle aus unbekanntem ägyptischen Fundort. Sie beschwört einen Totengeist bei Hekate, der Kyria Brimo, mit gewaltigem Aufwand an künstlichen Dämonennamen (nicht ohne Abrasax, Eulamon, Iao, Sabaoth), an energetischen Voces, Logoi u. Buchstabenfiguren, Vokalen u. Charakteren, um den Prozeßgegner zu freundlichem Verhalten zu nötigen, ein Thymokatochon, das sich in gemäßigter Form des Katadesmos schon dem Phylakterion nähert (vgl. Bonner 104). Es bezeichnet die Arbeitsweise des Herstellers dieser fast nur aus Paradestücken paganer Zauberelemente bestehenden Defixion, gewiß eines Magus griechischer Herkunft, daß er sich aus der niederen Zone seiner Beschwörung nach Angabe eines Zauberformulars zu gehobener Anrufung erhebt, um den Nekydaimon des Grabes zu beschwören bei dem ,großen Gott, dem körpergestaltigen, dem körperlosen, der das Licht herabzieht, dem Herrn des ersten Werdens'. Diese Epiklesen u. Wendungen mag der Magus selbst oder schon ein älterer Kompilator zur stärkeren Wirkung dem Gebet einer jüdisch-gnostischen Kultgemeinde (vgl. Sabaoth, Abrasax) entnommen u. seinem synkretistischen Machwerk beigemischt haben. Ähnliche religionsgeschichtlich bemerkenswerte Anleihen weisen mitunter die Zauberpapyri u. Fluchlamellen späterer Zeit auf, besonders die Bleidefixionen vieler Rennfahrer u. Arenakämpfer in Karthago (vgl. Audollent nr. 232/45; SEG 9 [1944] nr. 838), Hadrumet (Audollent nr. 279/95), Syrien (SEG 7 [1934] nr. 213. 234) u. Rom (Audollent nr. 159/87).

c. Kleinafrika: Hadrumet, Karthago. Über Anlaß u. Zweck dieser zeitlich wie örtlich verschiedenen Defixionen besteht kein Zweifel: Mit Hilfe des Binde- u. Schadenzaubers sollen sie die Angehörigen der in Zirkus u. Amphitheater um Siegespreis u. Leben konkurrierenden Parteien lähmen u. vernichten (vgl. W. Thieling, Der Hellenismus in Kleinafrika [1911; Nachdr. 1964] 43/8). Es ist unbestimmt, wo u. wann sie zuerst angewendet wurden. Nur selten erwähnen die aus Ägypten kommenden Zauberpapyri ein magisches Mittel zum Bannen von Wagenlenkern u. Rennpferden (so PGM III 162; ähnl. VII 429; vgl. ebd. III 14/24; IV 2212/7). Defixionsformulare hat man gerade in Ägypten ebensowenig gefunden wie circensische Fluchlamellen, die jedoch aus den Gräbern Kleinafrikas in Menge ans Licht traten. An die hundert Stück haben Karthago u. Hadrumet aus dem 2. u. 3. Jh. geliefert. Diese gewiß nur geringen Reste einstiger reicher Bestände zeugen für die in Kleinafrika verbreitete Defixion. Wie überall suchte man auch hier durch Binde-Fluch den Gerichtsgegner unschädlich zu machen u. seine Zunge zu lähmen. Alle karthagischen Prozeß-F. sind lateinisch verfaßt. Die anderen bald lateinisch, bald griechisch geschriebenen Defixionen gehen auf Rechnung der sprachlich gemischten Bevölkerung, während lateinische Schreibung griechischer Texte (Audollent nr. 243) u. griechische Umschrift lateinischer Defixionen (Audollent nr. 231. 252. 267. 269f. 304) ihren Grund im Zauberglauben selbst finden dürften. Unter den kleinafrikanischen Bleilamellen (etwa 20 griechische, 40 lateinische u. 30 griechisch-lateinische) fehlt es auch an Liebeszwängen nicht. An erster Stelle steht die große hadrumetische Beschwörung eines Totendämons durch eine Domitiana (Audollent nr. 271; Wünsch, Antike F. nr. 5; ders., Neue F. 253f; Kommentar von A. Deissmann, Bibelstudien [1895] 25/54; L. Blau, Das altjüdische Zauberwesen [1898] 96/112). Wie die gegen Rennfahrer gerichtete Lamelle von Karthago Audollent nr. 242 (vgl. Wünsch, Neue F. 248/59; ders., Antike F. nr. 4) wendet sie sich an den Geist eines unbekannten Toten mit einem Exorzismus, der den Nekydaimon zum unbedingten Gehorsam zwingen soll u. dabei eine höchst eigenartige Welt von abergläubischen u. zugleich religiösen Vorstellungen enthüllt, die sich überwiegend aus jüdischen, doch auch sonstigen schwer bestimmbaren Formen gnostischen u. paganen Glaubens gebildet haben muß. Mag es auch scheinen, der Magus beschwöre mit der verwirrenden Aufzählung göttlicher Namen, Eigenschaften u. Großtaten eine ganze Reihe von Einzelgöttern, so gelten sie doch nur einer einzigen Gottheit. Aus den zahlreichen Anklängen an Stellen des AT, der LXX, an nachbiblische Gebete u. religiöse Züge des Judentums, auch aus entstellten Gottesnamen geht hervor, daß sich alle Attribute u. Epiklesen dieser Beschwörungen (Audollent nr. 242. 271) nur auf den einen Gott Israels, den so oft angerufenen Iao beziehen können, wie das im einzelnen nach A. Deissmann L. Blau erwiesen hat, der weniger in der alexandrinischen Bibel (so Deissmann) als im religiösen altjüdischen Gedankengut die Quelle fand. Wenn sie in ihrer ältesten Fassung Werk jüdischer Magi waren, konnten sie späterhin leicht für beliebigen Zweck verändert u. von Jude, Heide oder Christ mit Hilfe eines Zauberkundigen gebraucht werden. Die beiden Defixionstexte von Karthago u. Hadrumet unterscheiden sich jedoch nicht unwesentlich. Während die gegen karthagische Rennfahrer gerichtete Verfluchung (Audollent nr. 242) nach jeder Epiklese ein nomen arcanum beifügt, um die Anrufung energetisch zu stärken, verzichtet der Katadesmos aus Hadrumet (Audollent nr. 271) auf alle Zauberworte u. scheint so auf einer höheren Stufe der Magie zu stehen. Daß auch den Herstellern der Bleidefixionen von Kleinafrika Formulare vorlagen, nach denen sie ihre F.texte für Rennfahrer u. ihre Pferde, Tierkämpfer u. Liebende verfaßten, beweisen die vielen gleichlautenden Beschwörungen u. Anrufungen in den F., die auch nach den Studien von Deissmann, Wünsch, Blau u. a. eingehender Untersuchung u. neuer Lesung dringend bedürfen.

d. Rom: Via Appia. Zeitlich gesehen erhalten die Verfluchungslamellen der karthagischen u. hadrumetischen Rennfahrer des 2. u. 3. Jh. eine Fortsetzung in einer größeren Gruppe meist umfänglicher circensischer Bleidefixionen des 5. Jh., die in Gräbern der Via Appia zum Vorschein kamen. Daß sich die römischen Jockeys auch schon lange zuvor alles Verderben auf Bleitafeln anfluchten, wird man nicht bezweifeln, auch wenn sich bis heute nur diese späten u. eigenartigen Exemplare erhalten haben, deren Texte u. sympathetischen Zeichnungen noch nicht in allem überzeugend gedeutet werden konnten. Als

Werk der sethianischen Gnostiker hat sie R. Wünsch, Sethianische Verfluchungstafeln nachzuweisen gesucht, da er in der vorherrschenden dämonischen, tierköpfigen Gestalt dieser Bleilamellen den ägyptischen Gott Seth-Typhon mit Eselskopf dargestellt sah. Zuvor hatten J. Matter, Une excursion gnostique en Italie (Straßburg-Paris 1852) u. C. W. King, The Gnostics and their remains ancient and mediaeval [2](London 1887) einen Anubis als Schakal oder Hund zu erkennen geglaubt. Diese Vermutungen finden jedoch in den zugehörigen Verfluchungstexten u. Dämonennamen keinerlei Stütze. Da nun diese mit Namen nicht bezeichnete, aber zweifellos dämonische Figur regelmäßig mit Defixion von Wagenlenkern u. ihren Pferden erscheint (Wünsch, Sethianische Verfluchungstafeln nr. 20/38; Audollent nr. 140/87 ohne Abb.), liegt es nah, sie nicht für den eselsköpfigen Seth, sondern für einen pferdeköpfigen, von den Agitatoren des Zirkus verehrten Dämon der Hölle zu halten, eine Deutung, die ich näher in anderem Zusammenhang ausgeführt habe (Preisendanz, Akephalos 22/30). Aber auch mit dieser Auffassung (vgl. auch A. Procopé-Walter: ARW 30 [1933] 51; Bonner 114; Moraux, Défixion 20 Anm.) läßt sich die von Wünsch angenommene Beziehung römischer Jockeys oder ihrer beauftragten griechischen Magier wenn nicht gerade zur sethianischen, so doch zu einer populären, aus Aberglauben u. Religion gemischten gnostischen Richtung aufrecht erhalten, der die Vorstellung pferdegesichtiger Schreckensgestalten nicht fremd war. So kennt die Pistis Sophia (GCS 45, 248, 18 [Schmidt-Till]) einen ‚großen Dämon mit Pferdegesicht, der mit der Seele des Mörders in der Welt umherkreist‘, an den auch Lästerer mit der Zunge angebunden werden (250, 25f). Wenn dieser hier namenlose Dämon in den Defixionstexten bezeichnet wird als der, ‚der unter der Erde sich wieder erneuert, der unter der Erde Kreise hält, der unter der Ananke steht‘, so genügen solche umschreibenden Epiklesen nicht, ihn mit einer bestimmten Gestalt des synkretistisch-magischen Pandaimonions zu identifizieren. Werden doch in diese Texte auch ägyptische Elemente gemischt, leicht erkennbar in der immer wiederholten Anrufung des Osiris, mit der sich die eines Eulamon, wohl des assyrischen ‚ewigen‘ Gottes ‚ullamu‘ (vgl. R. Ganschinietz: ARW 17 [1914] 343) zu ver-

binden pflegt. Als mächtigem Unterweltsgott sind dem Pferdeköpfigen zwei Paredroi, nur mit dem Oberkörper sichtbar, zu beiden Seiten beigesellt, die als ‚heilige Beisitzer‘ angerufen werden, um sie zur Mitwirkung beim Bindezauber zu veranlassen. Dem gleichen Zweck dienen jedoch noch weitere Beschwörungen der engbeschriebenen, mit sympathetischen Zeichnungen versehenen Lamellen: Überraschend werden weibliche Dämonen beigezogen, die man hier nicht vermutet u. infolge der stark oxydierten Überlieferung ihrer Namenformen nur mühsam ermitteln kann. Dämoninnen des ausdörrenden Fiebers, des unterirdischen Wassers u. Hekate-Aidonaia selbst werden beschworen, die zur Ohnmacht gebannten Rivalen kopf-, fuß- u. kraftlos zu machen, wie das die sympathetischen Zeichnungen bekräftigen (vgl. Preisendanz, Akephalos 30/4). Wenn Wünsch eine gnostische Göttin ‚hagia Symphonia‘ erkennen wollte, so sind hier vielmehr die heiligen ‚Symphonia‘ gemeint (vgl. Preisendanz, Akephalos 34), d. h. die im Zauber immer wiederkehrenden sieben heiligen Planetenvokale, die zusammen mit den heiligen Charakteren, Eulamon, den Paredroi u. den jüdischen Engeln u. Erzengeln als Helfer des F.zaubers zum Verderben der rivalisierenden Wagenlenker u. ihrer Pferde beschworen werden. Auch in diesen römischen F.texten wird man weniger Herkunft aus bestimmter gnostischer Quelle als aus allgemein verbreiteter synkretistischer Schadenmagie zu erkennen haben.

C. **Italisch.** I. Sprache. Im Gegensatz zu den aus Griechenland stammenden Blei-Fluchlamellen zeigen die des italischen Raums ein uneinheitliches Bild. Abgesehen vom überall gleichen Beschreibstoff wechselt ihre Sprache mit der landschaftlichen Herkunft der Verwünschenden oder der von ihnen Beauftragten, deren meist kursive Schrift sich oft schwer entziffern läßt.

a. Griechisch. Von diesen zeitlich jüngeren lateinischen F.texten Italiens heben sich die griechisch abgefaßten u. geschriebenen ab, die bis ins 5. Jh. vC. zurückgehen, so eine Prozeß-F. aus Selinunt, 500/450 (SEG 4 [1930] nr. 37), sehr früh auch die griech. Defixion mit chalkidischen Buchstaben (ebd. nr. 93; Audollent nr. 302*). Übten die Griechen aus Magna Graecia diese Fluchart, so gab es doch auch Träger guter römischer Namen, die sich griechischer Defixionstexte bedienten, wie ein Vitruvius Felix aus Cumae, der seiner Frau Valeria Quadratilla wegen Untreue die schlimmsten Strafen der Unterweltsgötter anflucht (Audollent nr. 198 [2. oder 3. Jh.]).

b. Lateinisch. Hinter dem hohen Alter der griech. Defixion Italiens tritt die lateinische zurück. Falls hier nicht ein zufälliges Versagen der Funde vorliegt, so gehören bis jetzt nur wenige Lamellen in vorchristl. Zeit. Als älteste (2. Jh.) dürfte eine lat. Defixio aus einem samnitisch-römischen Grab von Pompeji gelten (A. Degrassi, Inscriptiones latinae liberae rei publicae 2 [Firenze 1963] nr. 1147; vgl. R. Sabbadini: RivFilol 46 [1918] 108/11; mit wenigen anderen gehört die von Latte, Röm. Rel. 268 als frühester lat. Beleg genannte Lamelle von Rheneia (CIL 1², 2520; Inscr. de Délos nr. 2534) ins 1. Jh. (um 93 vC.; vgl. Degrassi aO. zu nr. 1150).

c. Etruskisch. In ältere Zeit scheinen wohl etruskisch-römische F. zurückzugehen, soweit sie überhaupt datierbar sind wie Audollent nr. 128 (3. Jh. vC.). Einfluß der etruskischen Defixion auf die römische wäre denkbar, doch erschwert die noch mangelhafte Kenntnis des Etruskischen u. der altlateinischen Dialekte (Audollent nr. 136. 209) ein sicheres Urteil.

II. Defixion im Heilglauben. Daß Defixion als religiöser Ritus schon im Rom des 4. Jh. vC. ausgeübt wurde, beweist ein Bericht bei Liv. 7, 3, 3 über die Bannung einer Pest, die man iJ. 365 vC. durch Einschlagen eines Nagels im Tempel des Iuppiter Stator nach älterem Vorgang zu stillen suchte; weitere Fälle bei Latte, Röm. Rel. 154, der auf ähnliche Nagelung im etruskischen Tempel der Nortia von Volsinii hinweist (Liv. 7, 3, 7). In frühe Zeiten wird auch der von Plinius n. h. 28, 17 ohne Quellenangabe erwähnte abergläubische Brauch zurückgehen, den Dämon der Epilepsie da festzunageln, wo der Kopf des Kranken zuerst aufgefallen ist (vgl. Kuhnert 2374; A. Hug, Art. Nagel: PW 16, 2 [1935] 1580).

III. Frühe u. magische Defixion. Wie die alten griech. F.formeln sind auch die frühen lateinischen einfach gehalten. Das gilt für die Defixionen italischer wie fremder Länder, wohin sie auf verschiedenen Wegen durch Händler, Legionäre, Kolonisten u. Magier gelangten. Die Kunst der Zauberer wurde nur da zur Herstellung der beliebten Namenlisten von Verfluchten nötig, wo sich an die schrift-

liche Verwünschung auch eine magische Handlung anschloß wie bei den aquitanischen Lamellen aus der Zeit M. Aurels (Audollent nr. 111f; E. Diehl, Vulgärlateinische Inschriften = Kl. Texte 62 [1910] nr. 856; Wünsch, Neue F. 241/4; Audollent nr. 241, 15/7), die einen Analogiezauber voraussetzen (Audollent 81*).

IV. Weiterleitung an die Unterirdischen. Damit die lat. Fluchlamellen ihre Wirkung voll entfalteten, übergab man sie, wie dies bei den griechischen üblich war, den Mächten des Totenreiches. Diese wurden oft nicht näher benannt. Es genügte, so bei einfachen Namenlisten, sie an einem unterirdischen Ort wie in Gräbern, alten Brunnenschächten, Totenkammern, Aschenurnen, niederzulegen u. festzunageln, wo die Verbindung mit den hier hausenden Totengeistern gesichert erschien.

V. Defixion als ‚Brief‘. Die lateinische Defixion hat die frühe Briefeinkleidung der griechischen übernommen. In den Beschriftungen des Rectos von Audollent nr. 96, einer langen Liste verwünschter Personen (um 100 nC.), u. Audollent nr. 97 darf man Adressen an die Inferi u. Manes erkennen, wobei die noch erhaltene Verschnürung von Audollent nr. 96 den Briefcharakter betont. Dieser zeigt sich auch da, wo Flüche nicht unmittelbar ausgesprochen, sondern als Anträge auf Vernichtung eines NN der Gottheit übermittelt werden. Mit persönlicher Anrede an die Götter kann diese briefliche Defixion einsetzen: ‚Sancte Dite pater et Veracura et Cerbere Auxilie .. vos precor, faciatis Eudemum ... ad regnum infernum; ... defigo Eudemum‘ (Fluchlamelle aus Carnuntum [2. Jh. nC.] bei Egger 1, 81/97).

VI. Defixionsgottheiten. Solche Defixionen, die Devotionen gleichkommen, indem sie den Unterweltlichen ihr Opfer zum Tod überantworten, finden sich im Bereich der lat. F. öfters. Für Vollstreckung von Defixionen kommen im röm. Bereich nur unterirdische Gewalten in Frage. Bald sind es die (di) inferi u. die Manes (di Parentes), bald Dis Pater, Pluto, Iuppiter infernus (Egger 2, 24/33) u. Proserpina, Veracura, Iuno (Egger ebd.), Domna Nemesis (vgl. A. Oxé, Ein röm. Fluchtäfelchen aus Caerleon [England]: Germania 15 [1931] 16f), sanctus deus Mercurius infernus (Audollent nr. 251), sogar das magnum Chaos (ebd.). Den Nymphae oder Aquae ferventes wird ein Q. Letinius Lupus aus ungenanntem Grund ausgeliefert (Audollent nr. 129 aus Arretium [2. Jh. nC.]); sie sollen ihn innerhalb eines Jahres töten (vgl. K. Ziegler: Textbuch zur Rel.gesch. von E. Lehmann-H. Haas [2][1922] 231); zur verderblichen Macht der Nymphen bzw. des Wassers vgl. Wünsch, DTA 29*; J. Tambornino, De antiquorum daemonismo = RGVV 7, 3 (1909) 65f u. M. Ninck, Die Bedeutung des Wassers im Kult u. Leben der Alten = Philol. Suppl. 14, 2 (1921; Nachdr. 1960) 36/8. 41/4. Ohne Namen werden die zu Dämonen gewordenen Totenseelen der Gefallenen des Amphitheaters von Karthago beschworen (Audollent nr. 251 [2. Jh.]): es sind die ‚animae huius loci‘, wohl eines Massengrabes von umgekommenen Arenakämpfern. Sie sollen mit den unterweltlichen Richtern u. den ‚reges demoniorum‘ den Tod einiger ‚venatores‘ veranlassen; vgl. die griech. Defixionslamelle aus Cumae, auf der die Dämonen u. Seelen der weiblichen u. männlichen Toten eines Grabes mit dem König der Geister u. den Göttern der Unterwelt zur Verfluchung einer Quadratilla beschworen werden (Audollent nr. 198).

VII. Schadenzweck. Die lat. Defixion bezweckt wie die griechische das leibliche u. geistige Verderben des Feindes, das Mißlingen seines Tuns, Versagen aller seiner Organe, oft auch seinen Tod. Mitunter wird bestimmt, bis zu welcher Frist die Verfluchung erfolgt sein müsse u. wann sie einzusetzen habe (vgl. Moraux, Défixion 54₃).

VIII. Hellenistischer Einfluß. Oft sind die verfluchenden Wendungen unmittelbar aus griech. Vorlagen ins Lateinische übersetzt, so die Anrede an den Totengeist. Auch die spätere Entwicklung der ursprünglich einfachen lat. Defixion zur wort- u. umfangreichen Verfluchung folgte dem griech. Vorbild. Damit drangen die zauberwichtigen Fremdelemente der voces magicae u. sympathetischen Zeichnungen in die lat. F.texte ein, die bis zum 2. Jh. nC. frei von Zauberworten geblieben zu sein scheinen, wenn auf die Datierung der erhaltenen Bleilamellen bei Jeanneret 235 Verlaß ist. Wann sich der italisch-römische Volksglaube zuerst der nomina barbara bediente, wissen wir nicht. Literarisch begegnen sie zuerst bei Cato, der sie aber nicht zu schädlichem Zweck, sondern zur iatromagischen Besprechung (cantio) von Verrenkung u. Knochenbruch empfiehlt (agr. 160; vgl. Heim 529. 533/5. 565). Überwiegend

sind die voces magicae der lat. Fluchlamellen griechischen Vorlagen entnommen. Sie in die lat. Texte einzufügen, dürfte den Magiern oft schwer gefallen sein. Sie mußten beide Sprachen verstehen, wenn sie die Transkription ganzer griechischer Zauberlogoi in lateinischer Form vornahmen (Audollent nr. 243. 250. 252f); die Bleitafeln aus Kleinafrika bieten Beispiele.

IX. Prozeß-Defixion. Auch die Anlässe sind den griechischen eng verwandt. Abgesehen von den häufigen unbestimmbaren, nur mit Namen oder Fluchformel versehenen Lamellen, die zu allen Zeiten (1./3. Jh.) vorkommen (vgl. Jeanneret 236 nr. 4), läßt sich auch im lat. Sprachbereich, jedoch weniger in Rom als in den Provinzen u. bes. in Kleinafrika (Karthago mit 10 Lamellen), der Prozeß-Fluch beobachten, der freilich im Verhältnis zum altattischen stark an Beliebtheit eingebüßt hat, wohl ein Verdienst des verbesserten röm. Gerichtswesens.

X. Haß- u. Liebes-Defixion. Unter den lat. imprecationes amatoriae sind die kleinafrikanischen besonders zu beachten. Die in anderen Gegenden gefundenen, gegen weibliche Personen gerichteten Lamellen lassen den Grund der Verfluchung meist nicht erkennen, der aber oft Eifersucht gewesen sein wird, so wenn eine Rhodine durch Dis pater dem Licinius Faustus auf immer verhaßt gemacht (Audollent nr. 139) oder wenn Tychene mit allen Gliedern u. Organen den Inferni zu schleichendem Siechtum überantwortet wird (Audollent nr. 190 [Minturnae]). Defixion zum Zweck der Trennung u. Verfeindung (διάκοπος) ist dem griech. Schadenzauber geläufig; auch der etruskische kennt ihn: zwei gefesselte Bleistatuetten von Mann u. Weib (Cecnas u. Velia Satnea) aus einem etruskischen Grab verfolgten den gleichen Zweck (vgl. L. Mariani, Osservazioni intorno alle statuette plumbee Sovanesi: Ausonia 4 [1909] 40. 43 Abb. 12a, b). Anders die lat. Liebeszwänge aus Karthago u. Hadrumet, deren Hersteller mit erotischen Wünschen nicht zurückhalten. Darin gleichen sie ihren griech. Vorbildern, wie sie auch gern durch Anwendung der griech. Schrift Ansehen u. Wirkungskraft zu stärken suchen; so in den lat. Liebeszwängen Audollent nr. 231 (Karthago) u. nr. 270 (Hadrumet), deren Verfasser, wohl beauftragte Magier, beide Sprachen verstanden u. griech. Vorlagen besaßen. Beispiel einer ausführlichen synkretistischen Liebesdefixion in latei-

nischem Wortlaut, aber griechischer Schrift
ist die Lamelle Audollent nr. 270 aus einem
hadrumetischen Grab des 2. Jh.: eine Septima
will durch sie die Liebe eines Sextilius erzwingen; sie beschwört ägyptische, chaldäi-
sche, jüdische sowie griechische Unterwelts-
mächte u. bedroht die Osiris-Mumie. Wenn
sie sich aber selbst mit dem ‚großen Dekan
des großen Gottes‘ identifiziert u. sich damit
die Gewalt über alle Götter anmaßt, beweist
das wohl die ursprüngliche Bestimmung des
F.formulars für männliche Benutzer (vgl. ferner Audollent nr. 267).

XI. Zirkus-Defixion. Daß im zweisprachigen
Kleinafrika neben griechischen Defixionen
von Rennwagenlenkern u. ihren Pferden auch
lateinische mit gleichem Zweck in Gebrauch
waren, erscheint nur natürlich, u. wohl nur
zufällig sind bisher in Karthago im Gegensatz
zu Hadrumet wenige derartige Bleilamellen
gefunden, so Audollent nr. 233 mit den lat.
Namen von 28 Rennpferden (ohne Wagenlenker) u. dem magischen Befehl an den To-
tendämon des Grabes, aus seinem Schlaf zu
erwachen u. die ihm überantworteten Pferde
bewegungslos zu machen. Wenige griech. Voces beleben die Verfluchung, während die
lat. Defixion Audollent nr. 243 durch eine
künstlich aufgebaute Sammlung wohlbekann-
ter, im Schwindeschema geschriebener Zauberworte energetisiert wird (ganz ähnlich das
von P. Collart publizierte Thymokatochon,
angeblich aus Ägypten; s. o. Sp. 14). Im Gegensatz zu Karthago hat Hadrumet viele lat.
Zirkus-Flüche auf Blei geliefert, die inventa-
risch genau die Namen der zum Rennen bestimmten Pferde u. ihrer Agitatores defigie-
ren. Nicht weniger als 60 Pferde verzeichnet
die Lamelle Audollent nr. 284 neben ihren
7 Wagenlenkern. Diese F.texte weichen von
der üblichen griech. Form ab u. zeigen auch
unter sich keine einheitliche Fassung. Nur
vereinzelte Gruppen unter diesen etwa 30
Lamellen lassen die Arbeit bestimmter Hersteller, wohl beauftragter Magier, vermuten.
Sie verwenden nicht die gewohnte griech. Beschwörung der Grabdämonen u. verwenden
auch nur sparsam die voces magicae. Mit
lateinischen, an die Dämonen gerichteten
Zwangsformeln umklammern sie die Verfluchungen von Lenkern u. Pferden. Nach
Schrift, Sprache u. Inhalt fällt die lat. Lamelle (Audollent nr. 295) aus Hadrumet auf.
Nur dieser Defixionstext wird mit dem griechischen, im synkretistischen Zauber oft ge-

brauchten ‚Yesemigadon‘-Logos u. anderen
magischen Worten aus dem Hekate-Kreis eingeleitet, denen sich die Verwünschung u. ‚Ver-
leumdung‘ (διαβολή) eines Wagenlenkers Ser-
vatus anschließt. Sein Viergespann wird dreimal den daemones infernales, aber auch der
Domina Campana, wohl der Herrin des Ache-
rusischen Sumpfes (Hekate), zum Katadesmos an den Zirkustagen preisgegeben. Es soll
stürzen, wie auch der Grabdämon selbst, Ju-
cundus, einst ein gewaltsames Ende gefunden hat u. zum ‚biothanatos‘ geworden ist;
zur eigentümlichen Anrede des Totendämons
mit seinem einstigen menschlichen Namen
vgl. Rohde, Psyche 2, 424 f u. Delatte 136, 11
(christlich). Daß die lat. F.texte Kleinafrikas
durchweg stark griechisch beeinflußt sind, hat
Jeanneret 237 mit der zweisprachigen Bevölkerung von Karthago u. Hadrumet begründet. Wenn er aber den außerhalb dieser
Landschaft gefundenen Bleidefixionen diese
Beimischung abspricht, bleibt doch auf
manche Ausnahmen hinzuweisen. Wohl nirgends im Römischen Reich mochte es in
Städten u. im Gefolge der Heere an Magiern
oder Zauberkundigen mit Kenntnis beider
Sprachen fehlen. Ihnen darf man F.texte zuschreiben, deren lateinischer Wortlaut mit
griechischen Zutaten versehen ist, wie etwa
die lat. Defixion aus Carnuntum mit zwei
griechischen Amuletteinlagen (s. o. Sp. 20)
oder die des römischen Bäckers Praesteticius
(Wünsch, Sethianische Verfluchungstafeln nr.
1; Audollent nr. 140), in der griechische Planetenvokale u. die Namen des Osiris u. Eulamon vorkommen.

D. Christlich. Die Defixion widersprach so
sehr dem Geist des Evangeliums, daß sie
weitgehend mit dem Heidentum untergehen
mußte. Es gibt daher keine christl. Defixion,
sondern nur Defixion bei Christen, die den
ererbten heidn. Volksglauben noch nicht aufgegeben hatten.

I. Neues Testament. Vier Stellen setzen wohl
Kenntnis des heidnischen Bindezaubers durch
Defixion voraus. Mc. 7, 35: ἐλύθη ὁ δεσμὸς
τῆς γλώσσης αὐτοῦ: in mancher Defixion begegnet der Ausdruck ‚Bindung der Zunge‘,
das γλωσσόδημα (s. Sp. 10 u. 26 f). Den Zusammenhang hat Deissmann, LO[4] 258/61 gesehen, der zum Vergleich treffend auf Lc. 13, 16
hinweist (vgl. Kagarow 27). An beiden Stellen
ist daran gedacht, daß der Teufel die Bindung vollzogen hat. Jesus löst den Menschen
von der dämonischen Fessel (vgl. S. Eitrem-

H. Herter, Art. Bindezauber: o. Bd. 2, 380/5). Auch 1 Cor. 5, 4f u. 1 Tim. 1, 20 sind ohne die heidnische Defixion nicht ganz zu verstehen (vgl. ferner Speyer 1244/50).

II. Ende der Defixionslamelle. Heiligenwunder als Gegenmaßnahme. Wie lang noch die Bleilamelle für F.texte verwendet wurde, entzieht sich genauer Bestimmung. Obwohl die in allen Volkskreisen, auch den christlichen, höchst beliebten Wagenrennen noch in späten Zeiten mit fanatischem Eifer der Zirkusparteien betrieben wurden (vgl. Friedländer, Sittengesch. 2[9] [1920] 21/50), kamen doch aus diesen Jahrhunderten keine Blei-Fluchlamellen mehr zum Vorschein. Wenn 364 ein Wagenlenker zum Tod verurteilt wurde, weil er seinen Sohn Magie erlernen ließ (Amm. Marc. 26, 3, 3), u. Cassiodor (var. 3, 51, 2) von einem Agitator aus dem Orient berichtet, daß er seiner Siege wegen als Zauberer galt, fehlt doch der Hinweis auf den Gebrauch von Fluchlamellen (vgl. auch Arnob. 1, 43). Man könnte sie im Bericht des Hieronymus von den imprecationes daemoniacae eines Rennwagenlenkers von *Gaza gegen seinen christlichen Rivalen vermuten. Der hl. Hilarion machte sie mit Weihwasser unschädlich. Bei Gaza befreite er auch eine virgo dei von der Liebesleidenschaft, die sie mit portenta quaedam verborum et figurae portentosae einer magisch wirkenden Metalltafel (aeris Cyprii lamina) angezaubert bekommen hatte (v. Hilar. 20f [PL 23, 38/40]; vgl. Audollent 121*f). Nach Cyrill. Scyth. v. Euthym. 57 (78f Schwartz) erscheint der hl. Euthymius einem kranken Mönch u. heilt ihn, indem er aus dessen Leib eine Zinntafel mit Schriftzeichen, das Werk eines heidn. Zauberers, herausholt. In den Wundern der hl. Cyrus u. Johannes von Sophronius, Patriarch v. Jerusalem (634/8), wird die verborgene Ursache der lähmenden Defixion des Kypriers Theodoros auf Geheiß der Heiligen unter seiner Zimmerschwelle entdeckt (wohl eine Bleilamelle), woraufhin ihr Schreiber, ein Hebräer, sofort stirbt (PG 87, 3, 3625; vgl. Rohde, Psyche 2, 425 u. Audollent 122*). Auch die Erlösung eines zauberisch durch eine metallene Defixionsfigurine gelähmten Theophilos durch die gleichen Heiligen verrät in der Schilderung genaue Kenntnis der heidn. Defixion, dem das christl. Wunder erfolgreich entgegenwirkt (PG 87, 3, 3541/8; vgl. Audollent 122*f).

III. Übernahme der Defixion. Der Gebrauch des Bindezaubers ließ sich auch in christli-

cher Zeit so wenig unterdrücken wie in der heidnischen, als die röm. Gesetzgebung das Verbrechen des defigere, obligare u. obcantare erfolglos mit dem Tod bedrohte (s. o. Sp. 11). Da heidnische Zauberer jüdische u. christliche Gottes- u. Engelnamen (zB. Arael: Delatte 237, 10) öfter in ihre Texte aufgenommen haben, ist es nicht immer zweifelsfrei auszumachen, ob ein solcher Text synkretistisch-heidnisch oder synkretistisch-jüdisch bzw. christlich ist (vgl. Aug. in Joh. 7, 6 [CCL 36, 70]; E. von Dobschütz, Art. Charms and amulets [christian]: ERE 3 [1910] 414. 420f). Zwei Beispiele wohl synkretistisch-christlicher Defixion besprechen H. C. Youtie-C. Bonner: TrProcAmPhilolAss 68 (1937) 43/77. Unter den auf Papyrus überlieferten koptischen Fluchtexten, die A. Kropp veröffentlicht hat (Ausgew. kopt. Zaubertexte 1/3 [Bruxelles 1930/1]), finden sich neben Rache-Flüchen (vgl. Speyer 1271) mehrere Defixionen: nr. 74 (2, 242f K.) ist ein γλωσσόδημα, also ein Bindezauber; nr. 68 (2, 228 K.) verflucht die Zeugungskraft eines Mannes (vgl. nr. 14, 109/18 [2, 47f K.]); vgl. ferner nr. 75 (2, 243/7 K.) u. Kropp 3 § 302f. Wie die Formularsammlungen der griech. Zauberpapyri unter ihren magischen Rezepten Anweisungen für Defixionen überliefern, so haben in ihrer Nachfolge die Zauberhandschriften des griech.-lat. MA nicht wenige dieser Texte erhalten. Wie die heidnischen Verwünschungen sollten sie dazu dienen, zum Zweck des persönlichen Schutzes oder zur Befriedigung von Haß u. Neid gefürchtete Gegner wehrlos zu machen u., wenn nicht zu beseitigen, sie doch an Sprache u. Denken zu lähmen u. damit, ein besonders häufiger Fall, ihre belastenden Aussagen vor Gericht zu verhindern. So überliefern diese Texte Anweisungen, nach denen der christliche Defigent bald selbst die ‚Bindung der Zunge‘, das γλωσσόδημα, vollzieht wie in einer Handschrift von Athen (vgl. bes. Delatte 89. 96f), bald es den mit magischer Kunst beschworenen Geistern befiehlt (ebd. 623, 5; ganz ähnlich im großen Pariser Zaubercorpus cod. gr. 2316, bei R. Reitzenstein, Poimandres [1904] 295); bald wendet er sich mit dem Ansinnen der Verwünschung seiner Gegner unmittelbar an Christus (s. Delatte 89, 7f). Die Defixion selbst erfolgt nicht mehr durch Hilfe unterweltlicher Mächte, sondern durch Namen u. Kraft der hl. Dreieinigkeit (Delatte 97). Wie auf den heidnischen Blei-Fluchla-

mellen werden in den christl. Zauberformu-
laren die lebenswichtigen Organe u. Wesens-
teile der Gegner verwünscht (vgl. zB. Delatte
96, 14f; weitere ‚Glossodemata‘ ebd. 672f
Reg. s. v.). Auf welchen Wegen die Praktiken
zur ‚Bindung‘ bekannter u. unbekannter Personen aus heidnischer Zeit ins Christentum
gedrungen sind, läßt sich manchmal noch
zeigen, selbst wenn Mittelglieder ausgefallen
oder nicht mehr nachweisbar sind. So bestimmt ein griech. Papyrustext des 4. Jh. nC.
(PGM V 70/95), zur Bannung eines Diebs ein
Auge zwischen magische Vokale auf eine
Wand zu zeichnen u. beim Hersagen der Beschwörung mit einem Hammer zu schlagen:
der Schuldige wird die Schläge in seinem
Auge verspüren. Ganz ähnlich begegnet diese
Defixion in späten Hss.: cod. Laur. pl. 86,
14f. 17 u. cod. Bibl. Nat. Athen. 1265; vgl.
Delatte 67 u. 625, 20 (πῆξον ἧλον); dazu
A. Jacoby, Ein hellenistisches Ordal: ARW
16 (1913) 122/6; K. Preisendanz: Hess. Blätter f. Volksk. 12 (1913) 139/43. Schließlich
erscheint der gleiche Katadesmos christianisiert u. verdeutscht, wohl über eine unbekannte lateinische Fassung, in den Zauberrezepten
des Heidelberger cod. germ. Pal. 229; dazu
Preisendanz aO. 142f. – Im MA u. in der Neuzeit ist Schadenzauber mit Hilfe der Rachepuppe weit stärker zu belegen als durch Defixion; vgl. F. Skutsch: Mitt. Schles. Ges.
Volksk. 13/4 (1911) 525/51, bes. 532/51 (= Kl.
Schriften [1914] 455/79); Müller-Bergström,
Art. Rachepuppe: Bächtold-St. 7 (1935/6)
459/63 u. Tiemann, Art. Schreiben, Schrift,
Geschriebenes: ebd. 9 (1938/41) Nachträge
364f. 382.

IV. Apotropäischer Fluch im christl. Phylakterion. a. Bleilamelle von Tragurium. Auf die
Entwertung der Blei-F. dürfte das Ausbleiben
solcher Funde aus dem 5. u. späteren Jahrhunderten hinweisen, aber auch die zunehmende Verwendung der bisher fast nur dem
Schadenzauber dienenden Bleilamelle zu phy-
laktischen, Übel abwehrenden Zwecken. Diese
Wandlung ist wohl durch christlichen Einfluß
erfolgt. Ein Beispiel bietet die in christliche
Worte u. Zeichen gekleidete vulgärlateinische
Anhängelamelle aus Tragurium (CIL 3, 2, 961).
Sie defigiert nicht so sehr den bösen Geist,
sondern warnt ihn mit Berufung auf den
Namen ‚Ieso Cristi‘, den Träger des Amuletts
anzugreifen (cave te); Zeit: 6. Jh. (Wünsch,
Antike F. 26/8); 4./5. Jh. (J. Mallon, Paléo-
graphie Romaine [Madrid 1952] 183 [Taf.

24, 3]); oft ediert; vgl. K. Preisendanz: Arch-
PapForsch 11 (1935) 157.

b. Defixion als Hausschutz. Daß man sich
auch weiterhin bei Bedarf der überkommenen Fluch- u. Verwünschungsweise, nur jetzt
unter Mitwirkung christlicher, himmlischer
Mächte bediente, war zunächst verständlich
in Kreisen, die der neuen Religion noch nicht
innerlich verbunden waren. Sie kombinierten
bedenkenlos Phylakterion u. Defixion, wie
ein Hausschutz des 6. Jh. aus Ägypten zeigt
(PGM 2): Der hl. Phokas behütet das Haus, u.
der Skorpion wird mit ägyptischen, jüdischen
u. griechischen Zauberworten defigiert; über
der Tür steht im Schwindeschema ‚Aphrodite‘. Stärker zeigt sich dieser Synkretismus
PGM 3: die Defixion des Skorpions weist die
Formel Χριστὸν Μαρία γεννᾷ auf; die Zauberworte, die mit dem Namen des höchsten
Gottes, ‚Vokalen u. dem heidnischen Dämon
Bainchooch‘ verbunden sind, schließen mit
Christus, Maria, Α u. Ω, dem Chrismon u.
‚ichthys‘ (vgl. M. N. Tod, The scorpion in
Graeco-roman Egypt: JEgArch 25 [1939] 55/
61). – Zum christl. Rache- u. Vergeltungsfluch
vgl. Speyer 1253/7. 1271. 1278/81.

A. Abt, Die Apologie des Apuleius von Ma-
daura u. die antike Zauberei = RGVV 4, 2
(1908). – A. Audollent, Defixionum tabellae,
quotquot innotuerunt . . . praeter Atticas (Paris
1904). – G. Björck, Der Fluch d. Christen Sabinus
(Uppsala 1938). – C. Bonner, Studies in magical
amulets chiefly graeco-egyptian: University of
Michigan Studies 49 (Ann Arbor 1950). – A.
Delatte, Anecdota Atheniensia 1 = Bibl. Fac.
Philos. Lettr. Univ. Liége 36 (Liége 1937). –
R. Egger, Römische Antike u. frühes Christentum 1 (Klagenfurt 1962) 81/97. 277/90; 2 (ebd.
1963) 24/33. 247/53. 348/69. – R. Heim, Incan-
tamenta magica graeca latina: JbbKlPh Suppl.
19 (1893) 463/575. – M. Jeanneret, La langue
des tablettes d'exécration latines: RevPhil 40
(1916) 225/258; ebd. 41 (1917) 5/99. 126/53. 249/
57. – E. G. Kagarow, Griechische F.: Eos, Suppl.
4 (1929) bes. 28/49; Form u. Stil der Texte
der griech. F.: ARW 21 (1922) 494/7. – E.
Kuhnert, Art. Defixio: PW 4, 2 (1901)
2373/7. – A. La Penna, Ausgabe von Ovid, Ibis
(Firenze 1957) 30*f (Bibliographie von 1930/57).
– P. Moraux, Une imprécation funéraire à
Néocésarée = Bibl. arch. et hist. de l'Inst.
franç. d'Arch. d'Istanbul 4 (1959); Une défixion
judiciaire au Musée d'Istanbul = Ac. Roy. de
Belgique, Mém. 54, 2 (1940). – W. Peek, Inschriften, Ostraka, F.: Kerameikos 3 (1941) bes.
89/100 mit Tafeln. – E. Peterson, ΕΙΣ ΘΕΟΣ
= Forsch. z. Rel. u. Lit. d. AT u. NT, NF 24
(1926). – F. Pradel, Griechische u. süditalienische

Gebete, Beschwörungen u. Rezepte des MA = RGVV 3, 3 (1907). – K. Preisendanz, Papyri Graecae magicae. Die griechischen Zauberpapyri 1 (1928); 2 (1931); Akephalos. Der kopflose Gott = Beihefte zum Alten Orient 8 (1926); Die griech. Zauberpapyri: ArchPapForsch 8 (1927) 104/167; Die griech. u. lat. Zaubertafeln: ebd. 9 (1930) 119/54 u. ebd. 11 (1935) 153/64; Zur Überlieferungsgeschichte der spätantiken Magie: Zentralbl. f. Bibliothekswesen, Beih. 75 (1950) 223/40; Zur synkretistischen Magie im römischen Ägypten: Mitteil. aus der Pap.sammlung der Öst. Nat. Bibl. 5 (1956) 111/25; Zur Überlieferung der griech. Zauberpapyri: Miscellanea critica, Festschr. B. G. Teubner 1 (1964) 203/17. – SGDI = Sammlung der griech. Dialektinschriften v. H. Collitz-F. Bechtel 3, 2 (1905). – E. Schwyzer, Die Vulgärsprache der attischen F.: Neue JbbKl-Altertum 5 (1900) 244/62. – H. Solin, Eine neue F. aus Ostia = Comm. hum. litt. 42, 3 (Helsinki 1968). – W. Speyer, Art. Fluch: RAC 7, 1160/288. – A. Wilhelm, Über die Zeit einiger attischer F.: JhÖstArchInst 7 (1904) 105/26. – R. Wünsch, Defixionum tabellae Atticae = Corp. Inscr. Att. 3, 3 App. (1897) = Wünsch, DTA; Sethianische Verfluchungstafeln aus Rom (1898); Neue F.: RhMus 55 (1900) 62/85. 232/71; Antike F. = Kl. T. 20² (1912). – E. Ziebarth, Art. F.: PW Suppl. 7 (1940) 202/4; Neue attische F.: NGGött 1899, 105/35; Neue Verfluchungstafeln aus Attika, Boiotien u. Euboia: SbBerlin 33 (1934) 1022/50.   *K. Preisendanz †.*

Flügel s. Flügel der Seele I u. II; Engel (o. Bd. 5, 53/322).

Flügel (Flug) der Seele I.

A. Nichtchristlich. I. Allgemein. Die Antike wußte, daß ψυχή mit dem Verb ψύχω, ‚blasen‘, zusammenhängt u. daß animus oder anima sich mit ἄνεμος, ‚Wind‘, deckt (Lact. opif. 17, 2; Cassiod. an. 3, 7). Da die Seele aus ‚Luft‘ besteht, ist es nicht weiter erstaunlich, daß sich ein vornehmlich bei den Griechen durch zahlreiche Darstellungen von der archaischen Zeit an bezeugter, weit verbreiteter primitiver Glaube (vgl. Weicker) die menschliche Seele als F.wesen oder Vogel vorstellt. Dieser Seelenvogel entflieht dem Munde des Sterbenden (vgl. Mart. Cap. 2, 165; Claud. paneg. 4 cons. Hon. 233). Die Annahme, daß die Sirenen, gefährliche menschenköpfige Vögel, ursprünglich geisternde Seelen gewesen seien, ist freilich durch K. Latte: Festschr. z. Feier des 200jährigen Bestehens d. Akad. d. Wiss. Göttingen (1951) 67/74 widerlegt worden. Nach den orphischen Hymnen bezieht die Seele den menschlichen Leib unter dem Hauch der Winde; umgekehrt können sich die Seelen nach dem Tode ungehindert in die Sternensphäre aufschwingen, wenn sie nicht den Strafen des Unterweltpurgatoriums verfallen sind (Texte bei Turcan). Bis in die späte Zeit hinein wird Psyche mit Schmetterlings-F. dargestellt, dem Symbol der Unsterblichkeit. Griechisch ψυχή, lateinisch anima u. animula, sardisch ispiritu bezeichnen den Schmetterling (vgl. J. André, Notes philologiques: RevPhil 88 [1962] 12). Auch bei der Himmelfahrt wird der Verstorbene gern als Vogel, meist als Adler dargestellt (F. Cumont, Lux perpetua [Paris 1949] 294/6). Daher schwebte über Platons Grab ein Adler u. sprach zu denen, die vorübergingen: ‚Ich vertrete Platons Seele, die gen Olymp geflogen ist; den der Erde entsprossenen Körper birgt der attische Boden‘ (Diog. Laert. 3, 44 [Anth. Pal. 7, 62]). Der Vogel symbolisiert das Davonfliegen der unsterblichen Seele.

II. Platon. Nach der Tradition, von der Maximos v. Tyros uns berichtet (10, 2 [112 H.]), hat Pythagoras als erster Grieche behauptet, die Seele fliege vom Leibe fort, ohne zu altern oder zu sterben. Mehr als jeder andere aber hat Platon den orphischen Mythen vom Flug der Seele dauernde Geltung verschafft, indem er ihnen im Phaidros philosophischen Gehalt verlieh (246 A/56 E). Nach ihm ist die Seele jene Kraft, die ein F.gespann u. seinen Lenker zusammenhält. Da F. ihrer Natur nach zur Höhe streben, sind ursprünglich alle Seelen vollkommen u. schweben wie Göttergespanne in die Höhe; denn das Göttliche nährt u. entwickelt die F.ausrüstung der Seele. Die menschliche Seele betrachtet die Fahrt des Götterzuges. Die Götter, die neidlos sind u. wie ein Chor, bilden das Geleit (στρατιά) des Zeus; dieser treibt seinen F.wagen voran u. führt sie zum Zenit der Himmelskuppel, von wo man den ‚überhimmlischen Ort‘, τόπος ὑπερουράνιος, erblicken kann, die Ebene der Wahrheit (vgl. Axioch. 371 C), der Gerechtigkeit, des Maßes u. des Wissens (ἐπιστήμη); hier erhalten die Seelenrosse Ambrosia zur Speise, Nektar zum Trank. Wenn aber zum Gespann der menschlichen Seele ein widerspenstiges u. daher ungezügeltes Pferd gehört, so stoßen die Seelen aneinander, reiben ihr Gefieder, die F. gehen verloren; ihre Speise ist jetzt die Meinung, die δόξα, statt des Wissens, der ἐπιστήμη, die ihrem Gefieder bis dahin die Leichtigkeit verlieh; die Seelen werden schwer u. sinken in irdische Körper herab. Das Gesetz der ᾿Αδράστεια, des Schicksals, das die Wiederverkörperung regelt, verlangt 10000 Jahre Sühne, ehe die Seele ihre F. wiedererlangt. Aber der Philosoph fühlt bei der ersten liebend erschauernden Erinnerung an die Schönheit die F. neu wachsen; wie ein junger Vogel, der sich ungeduldig aufschwingen will, blickt er zur Höhe (vgl. ep. 7, 348 A). Grausam gefesselt an den ‚Körper, sein Grab‘ (σῶμα – σῆμα), wie die Auster an ihre Muschel, tränkt, wärmt u. belebt der Anblick des Schönen das Wachstum der Federn; ein Gefühl des Kitzels begleitet es. Denn Eros ist weniger ‚der, der fliegt‘ als der ‚Gefiederte‘ wegen seines Vermögens, Federn wachsen zu lassen. Die Liebenden aber, deren Liebe nicht rein genug ist, bleiben im Augenblick, da sie den Körper verlassen, flügellos. Da sie sich aber bemüht haben, F. zu erlangen, widerfährt ihnen das Glück der Vereinigung in den unteren Himmelszonen, wo sie verweilen, bis sie F. erhalten. Auch an anderer Stelle ist bei Platon die Rede vom Flug der Seele. Im Phaidon (70 A. 77 B/D. 84 B) erinnert Kebes an die Ungläubigen, nach deren Ansicht die Seele, wenn sie den Leib nach dem Tode verläßt, wie Wind oder Rauch verweht; Sokrates antwortet mit der Annahme, der Mensch könne sich F. schaffen, fortfliegen u. die Erde von oben betrachten, ja sein Haupt erheben bis zur Betrachtung der ‚überhimmlischen‘ Wirklichkeit (Phaed. 109 E; wiederaufgenommen Hermet. 5, 5 [1, 62, 6 N.-F.]). Im Timaios (81 D) heißt es, die Seele fliege freudig fort, sobald sie von den Banden des Körpers befreit sei (vgl. resp. 469 D). Im Ion (534 B) wird der Dichter als ein der *Biene ähnliches F.wesen bezeichnet. Nach dem Theaitetos

(173 E) ‚richtet der Gedanke seinen Flug überall hin‘, indem er, wie Pindar sagt, ‚die Tiefen der Erde‘ u. ihre Ausdehnung ergründet, indem er dem Lauf der Sterne folgt ‚bis zu den Grenzen des Himmels‘. In den Gesetzen (10, 905 A) trifft der göttliche Urteilsspruch selbst diejenigen, ‚die groß genug geworden sind, um bis zum Himmel hinauffliegen zu können‘. Für den Phaidros ist eigentümlich, daß hier der Aufstieg zu den νοούμενα, den Platon als eine Art Himmelfahrt im Bilde des Fluges der Seele auffaßt, versinnbildlicht wird. Der Phaidros ist in vielen heute verlorenen Kommentaren erläutert worden, vornehmlich von Jamblich, Syrianos u. Proklos; ihre Phaidrosexegese hat Bielmeier untersucht. Der vollständig erhaltene wortreiche Kommentar des Hermias v. Alexandrien stammt aus der 2. Hälfte des 5. Jh. nC. (Ausgabe von P. Couvreur: Bibl-ÉcHautÉt, Scienc. hist. et phil. 133 [Paris 1901]). Die verlorenen Kommentare werden uns durch Zitate oder Paraphrasen der Phaidrosstelle über den Flug der Seele einigermaßen ersetzt. Dies mythische Bild wird bald bezogen auf das Entweichen der Seele aus dem Leibe nach dem physischen Tod oder seiner Abtötung durch die Askese, bald auf den Flug durch die materielle Welt (die letztgenannte Deutung hat offenbar vornehmlich Poseidonios entwickelt; vgl. dazu Jones), bald auch auf die ekstatische Schau der Intellegibilia.

III. Mittlerer Platonismus u. Stoa. Der mittlere Platonismus u. die Stoa haben für das Bild vom Seelenflug eine besondere Vorliebe. Nach Cicero beginnt das wahre Leben erst, wenn die Seele den Banden ihres Kerkers, des Leibes, entflohen u. zu den Göttern geflogen ist (evolat: somn. Scip. 3, 14; Macrob. somn. 1, 10, 5; Cic. Lael. 4, 14; vgl. div. 1, 114; de or. 2, 6, 22). Diese Anschauung geht in gerader Linie auf den Phaidon (64) zurück, wo Sokrates versichert, er werde, nachdem er den Schierlingsbecher getrunken habe, davonfliegen (avolaturum), ohne hier unten irgend etwas zurückzulassen; niemand werde ihn dann noch fassen können (Tusc. 1, 103). Je mehr die Seele durch das Studium der schönen Künste gereinigt ist u. sich dem Wohl des Staates gewidmet hat, um so schneller erreicht sie im Flug (pervolat) den ihr zukommenden Ort, das Wesen, das ihr gleich ist (somn. Scip. 9, 29; frg. philos. 9, 12 bei Lact. inst. 7, 8, 6 [610, 3], hier Platon zugeschrieben; 3, 19, 3 [241]). Horaz schließt das 2. Odenbuch mit dem Hinweis auf die Schwinge (penna), die ihn durch den reinen Äther tragen u. seinem Werke Unsterblichkeit sichern wird (c. 2, 20, 1). Er beschreibt seine Verwandlung in einen glattgefiederten Schwan, den sein Flug schneller als Ikarus bis zu den fernsten Völkern tragen werde; damit überträgt er auf den Dichter ein Bild, das die Griechen auf Sokrates angewandt hatten u. das bis zu Olympiodor immer wieder begegnet. In den Römeroden erklärt Horaz in fast religiösem Ton, daß uns die Himmelspforte nur durch die virtus, die ‚mit verächtlichem F.schlag die Versammlungen des Pöbels u. die sumpfige Niederung flieht‘, geöffnet werde (c. 3, 2, 24).

IV. Philon. Nach Philon verlangt die Ethik der Gebote nicht, daß man aus dem Diesseits in den Himmel auswandert, wie wenn man F. hätte (praem. 80). Moses aber legte seinen Körper ab, der ihn wie eine Muschel umgab (vgl. Plat. Phaedr. 250 C), um zu fliegen (virt. 76). Fliegen besteht in der Tat darin, daß man die Nichtigkeit des diesseitigen Lebens erkennt u. dem Grabe des Leibes entrinnt, um in den Äther zu gelangen u. sich für immer den himmlischen Dingen zuzuwenden (somn. 1, 139). Unsere Seele braucht F., um den Äther zu durchqueren (spec. leg. 2, 45). Die Vernunft dessen, der sich der vita contemplativa ergibt, erhebt sich mit einem einzigen F.schlag; sie betrachtet die Atmosphäre u. ihre Veränderungen; sie steigt dann immer höher empor zum Äther u. in die Kreisbahn der Himmelskörper u. dreht sich mit den Reigentänzen der Planeten u. Fixsterne nach den Gesetzen der vollkommenen Musik, im Banne der Liebe zur Weisheit, die ihre Bahn lenkt; sie steht dann hoch über der ganzen sinnlich wahrnehmenden Welt, u. hier angekommen, schaut sie das Intelligible, die Urbilder u. Ideen der sinnlich wahrnehmbaren Dinge; von nüchterner Trunkenheit erfaßt, schwingt sie sich auf bis zum Zenit, der Kuppel der rein geistigen Dinge, u. glaubt, bis zur Gottheit vorzudringen (opif. m. 70; vgl. plant. 22). Über sich selbst so hoch emporgehoben wird sie auch alle Teile ihrer Seele dorthin ziehen (migr. Abr. 168). So schwingt sich die Vernunft, wenn sie sich einen Begriff vom Guten gebildet hat, in aller Freiheit mit mächtigem F.schlag zu diesem auf; sie läßt das Böse hinter sich, diesen Zwillingsbruder des Guten, wie ja auch Isaak zwei Zwillings-

söhne hatte (praem. 62). Das Böse steht ja außerhalb des ‚göttlichen Chors‘ (Plat. Phaedr. 247 A; vgl. Philo quis rer. div. her. 241; fuga et inv. 62; spec. leg. 2, 249; qu. o. p. l. 13; leg. alleg. 1, 61). Nach spec. leg. 1, 207 kreist die beflügelte Seele des Gottesfreundes, nachdem sie sich von der Erde gen Himmel aufgeschwungen hat, im Äther, in dem Verlangen, am Reigen der Sterne teilzunehmen, den die Gottheit anführt. Doch besteht für den Kontemplativen stets die Gefahr, auf die Erde zurückzustürzen (qu. det. pot. ins. sol. 152). Vereinzelt trägt Philon auch eine allegorische Auslegung der F. vor. In Quis rer. div. her. 126 deutet er die Turteltaube u. die Taube, die Jahwe Abraham ergreifen heißt (Gen. 15, 9), als göttliche u. menschliche Weisheit, die beide zur Höhe tragen. Boyancé, L' exégèse zeigt, daß die philosophische Interpretation des Phaidros stark von Antiochos v. Askalon abhängig ist.

V. Synkretismus. Seneca zählt seinem Freunde Lucilius die klassischen Probleme des Schicksals der Seele auf; darunter auch das folgende: welchen Gebrauch macht die Seele von ihrer Freiheit, sowie sie einmal dem Käfig des Diesseits (cavea) entronnen ist u. sich in die Ätherregionen zurückgezogen hat (ep. 88, 34)? Um Marcia über den allzu frühen Tod ihres Sohnes zu trösten, versichert er, die Seele des jungen Mannes werde, mit weniger Schmutz beladen, leichteren Flugs zur Heimat aufsteigen, wo sie einst in den himmlischen Räumen frei umhergeschweift war. Darin liegt eine Reminiszenz an den Phaidros; denn Seneca fügt sogleich hinzu, daß nach Platon die Seele des Weisen dem Tode zustrebe (cons. Marc. 23, 1f). – Plutarch versteht wie Philon den F.wagen des Zeus (246 E) als die schnelle u. harmonische Himmelsbewegung (quaest. conv. 9, 4; vgl. Philo quaest. in Gen. 3, 3, 172; quis rer. div. her. 301). In De exilio 17, 607 D bezeichnet er die Seele, die noch an den Leib gefesselt ist, als Auster in der Muschel (250 C). Im Traktat Non posse suaviter vivi 28, 3 schildert er, wie die Philosophen ihren Blick nach oben richten, voll Ungeduld, dem Leib zu entfliehen u. dem Lichte zuzustreben, wie das Vögelchen im Phaidros (249 D). Er erinnert auch an Zeus, der, seinen F.wagen lenkend, über die Welt wache (246 E; 22, 3). In De def. orac. 22 beschreibt Plutarch die ‚Ebene der Wahrheit‘ (248 B), den Aufenthaltsort der

Intelligibilia, die der Mensch, selbst wenn er sittlich gut sei, nur alle 10000 Jahre wiedersehen könne (248 E). Er ist überzeugt, daß Platon seine Lehre vom Flügel der Seele Homer (Il. 16, 856) verdanke (Hom. v. et poes. 122 [7, 397 Bern.]). – Epiktet meint, dem Menschen sei die Freiheit eigentümlich wie dem Vogel, er vermöge den Käfig nicht zu ertragen: er wolle im Freien leben u. singen, wann er wolle (diss. 4, 1, 25; vgl. frg. 88 [491 Schenkl]). – Im 2. Jh. nC. beschreibt Albinos, wie die Seelen, vom Leibe geschieden, an den Fahrten der Götter teilhaben (epit. 27, 3 [248 A]) u. die ‚Ebene der Wahrheit' schauen (248 B). Er meint, Platon wolle mit dem F. der Seele die eingeborene Idee, die φυσική ἔννοια, bezeichnen (4, 6). – Attikos (frg. 9 Baudry, bei Eus. praep. ev. 15, 13, 1 f) behauptet, Aristoteles sei im Gegensatz zu Platon nicht fähig gewesen, die ‚Ebene der Wahrheit' (248 B), d. h. das Wesen der Ideen, zu schauen, wohin die Seele mit aller Kraft strebe u. ringe (247 B). – In der 2. Hälfte des 2. Jh. gibt Maximos v. Tyros in den Philosophumena 1, 5 (8 f H.) eine schematische Erläuterung von Phaidros 252 B. Nach ihm ist der F.apparat, den Gott der Seele verliehen hat, Eros selbst. Es ist Eros, der die Seele emporhebt u. sie so leicht macht, daß sie ihren Begierden nacheilen kann. Die Philosophen nennen diesen F.-apparat den menschlichen Trieb. Der Ausdruck ὁρμή ist stoisch, wie auch die φυσική ἔννοια des Albinos. Maximos zitiert ferner (41, 3 [476 H.]) das Wort aus dem Phaidros, wonach der Neid außerhalb des Chors der Götter bleibt (247 A). – Der Verfasser der Hermetica greift 5, 5 den Ausdruck des Phaidon (109 E) wieder auf u. wünscht, er hätte F., um gen Himmel zu fliegen u. einen Augenblick lang die wunderbare Ordnung der Welt zu betrachten, vor allem aber ‚Gott, den Unsichtbaren, der sichtbar wird in den Werken, die er schafft'. Ein anderes Fragment aus den Hermetica läßt Isis erklären, daß sie ein unsterbliches Wesen besitze; denn sie durchziehe die ‚Ebene der Wahrheit' (frg. bei Joh. Stob. 25, 4).

VI. Neuplatoniker. a. Plotin. Auch die Neuplatoniker ließen sich vom Phaidros anregen. Plotin erklärt, daß die Seele an sich rein, ‚geflügelt u. vollkommen' sei (enn. 1, 8, 14, 20 [246 B]). Sogar unsere Einzelseele besitze Vollkommenheit, wenn sie sich mit der vollkommenen Seele verbinde; wenn wir aufhören, Menschen zu sein, durchschweife sie den

Himmel u. regiere die Welt (enn. 4, 8, 2, 20; 5, 8, 7, 34 [246 C]). Nur ihr besseres Teil vermöge bis zum reinen Gedanken aufzusteigen (enn. 5, 3, 4, 13 [246 C]). Der Philosoph hat F., die ihn zur Höhe tragen, wenn er nur ein wenig angeleitet wird (enn. 1, 3, 3, 1 f [246 C]). Die Dialektik befreit von der Lüge u. nährt unsere Seele in der ‚Ebene der Wahrheit' (enn. 1, 3, 4, 11 [248 B]). Diese ‚Ebene der Wahrheit' ist nicht räumlich zu verstehen; denn der Flug durch die Wesenheiten (οὐσίαι) ist ein Verharren in sich (enn. 6, 7, 13, 34). Wenn das Auge der Seele sich auf die Himmelskuppel richtet, erblickt sie nach Platon die intelligible Welt (enn. 4, 5, 3, 23 [247 B]). Oder besser noch: nicht außerhalb von uns, sondern durch In-sich-selbst-Blicken erschaut die Seele die Mäßigkeit u. die Gerechtigkeit (enn. 4, 7, 10, 43 [247 D]). Unsere Seele ringt u. unternimmt die äußerste Anstrengung (247 B), um an der Schau des Schönen teilzuhaben, die zugleich eine glückliche Vision bedeutet (enn. 1, 6, 7, 30 [250 B]), denen verheißen, die an ihrem eigenen ‚Standbild' gearbeitet haben (252 D), bis sie die Mäßigkeit auf ihrem heiligen Thron sitzen sehen (enn. 1, 6, 9, 13 [254 B]). In diesem Augenblick nimmt die Seele teil am Zuge der Götter, die den intelligiblen Himmel schauen, weil sie die Himmelskuppel mit ihren Häuptern überragen (enn. 5, 8, 3, 27/36; 5, 8, 10, 1/18 [247 A/249 C]). Gegenwärtig aber befindet sich unsere Seele hier unten auf der Erde, verbannt in den Kerker des Leibes; denn durch den Sturz hat sie ihre F. verloren (enn. 4, 8, 1, 36 [246 C. 248 C]). Sie ist hier gefangen, weil sie eine persönliche Schuld auf sich geladen hat (enn. 4, 8, 4, 22). Durch den Verlust ihrer F. hat sie sich getrennt von der Weltseele, mit der zusammen sie die Welt regierte (enn. 4, 3, 7, 12/20 [246 BC]). Zu Unrecht lassen die Gnostiker den Verlust der F. mit der Schöpfung zusammenfallen; denn in Wirklichkeit ist die Weltseele schöpferisch tätig, ohne die Intelligibilia zu vergessen, weder neigt sie sich der Materie zu noch erfährt sie irgendeine Einbuße (enn. 2, 9, 4, 1). Das Nachwachsen des Gefieders ist gebunden an die Vereinigung der Seele mit Eros, mit seinem Liebesempfinden für die Gottheit im Jenseits (enn. 6, 9, 9, 23/7 [252 B]). Es gibt daher drei Arten Menschen: Die einen (die Epikureer), die sich mit dem Eindruck der sinnlich wahrnehmbaren Dinge begnügen: Sie sind wie diese schwerfälligen Vögel, die

die Erde lieben u. die durch ihr Gewicht unfähig sind, sehr hoch zu steigen, obwohl die
Natur ihnen F. verliehen hat. Die anderen
(die Stoiker) streben dem Schönen zu; jedoch
sind sie unfähig, die obere Region zu erblik-
ken; sie sinken in die praktische Tugend zurück, die darin besteht, zwischen den Handlungen zu wählen; dabei handelt es sich um
irdische Dinge. Die dritten (die Platoniker)
haben im Gegensatz dazu einen durchdrin-
genden Blick; sie gewahren das Licht in der
Höhe, erheben sich über Wolken u. Finsternis des Diesseits bis zum ‚Ort der Wahrheit‘;
denn sie haben die Anlagen des wahren Philosophen, d. h. sie haben eine Natur, die das
Schöne zu zeugen liebt (enn. 5, 9, 1 f [248 B/
D]).

b. Porphyrios. Er argumentiert mit der Ordnung der Elemente, um zu beweisen, daß ein
aus der Erde erschaffener Leib, wie der Leib
Christi oder der Auferstandenen, nicht gen
Himmel geflogen sein kann (c. Christ. frg. 35
Harnack). Die Erzeugung des Menschen bedeutet Verlust der F. u. gleicht dem Vogel-
fang; dennoch ist die Seele nicht gefangen
wie ein Vogel im Käfig, d. h. örtlich, sondern
nur in ihren Tätigkeiten beschränkt (ad
Gaur. 2, 3; 12, 3; 14, 4; vgl. sent. 28; diese
Frage hat Porphyrios wahrscheinlich in den
Symmikta Zetemata behandelt; vgl. H. Dörrie, Porphyrios' Symmikta Zetemata = Zetemata 20 [1959] 82. 97).

c. Hierokles. Hierokles, Schüler Plutarchs v.
Athen zu Beginn des 5. Jh., zitiert in seinem
Kommentar über den 54. Goldenen Vers des
Pythagoras die Phaidrosstelle mit dem Gesetz der Adrasteia, nach dem die Seele, die
dem Zug des Zeus nicht gelehrig zu folgen
vermag, ihre F. verliert u. zur Erde stürzt
(248 C), um ein sterbliches Wesen zu bewohnen. Hierokles paraphrasiert diesen Vers folgendermaßen: die Flucht von Gott weg u. der
Verlust der F. stürzen uns in die Region der
Toten, wohin alle Übel zusammenströmen;
umgekehrt aber läßt das Ablegen jeder Neigung zu dem, was sterblich ist, d. h. die Fähigkeit, Tugenden wachsen zu lassen, uns wie
dem Vogel Federn wachsen (251 B) u. zu
einem Ort zurückkehren, der von allen Übeln
frei ist, zur göttlichen Glückseligkeit (24, 54),
zum ätherischen Ort unserer ursprünglichen
Glückseligkeit. Dies erreichen wir, wenn wir
die irdischen Dinge fliehen u. die Kraft neu
beleben, die uns mit Gott vereint; dann beschützen unsere Läuterungen den leuchten-

den Wagen der Verstandesseele u. verleihen
ihm F. für den Wiederaufstieg zu Gott (26,
67/9).

d. Proklos u. Spätere. In seiner Schrift De
providentia 7 versichert Proklos, daß die
Freiheit der göttlichen oder menschlichen
Seele eigentümlich sei, so daß wir, wie Platon
sagt, den Göttern gleich, mit ihnen die Welt
regieren; denn die vollkommene Seele wandelt auf F. in den Höhen (246 C). Dieses Vorrecht sei den göttlichsten unter den menschlichen Seelen vorbehalten, während die
schlechtesten unter ihnen der Gefangenschaft
des Leibes vollständig verhaftet seien. Die
meisten Seelen jedoch nähmen eine Mittel-
stellung ein; diese entgingen in dem Maße, in
dem sie die Leidenschaft ablegten, auf F. der
Notwendigkeit (24,10/8 [135 Böse]). Proklos
kommt auf die Phaidrosabschnitte ausführlich zurück in De malorum subsistentia:
Wenn den Seelen der Menschen F. wachsen
(251 C) u. sie an Weisheit gewinnen, so leben
sie, den Göttern ähnlich, im Guten; ihr Leben ist ein Reigen der Tugenden, u. sie erheben ihre Seele bis zu dem erhabenen Ort, wo
die Seele am Gelage der Götter teilhat (247 C;
12, 4/9 [192 B.]); sie verwalten die Welt
(246 C) zusammen mit den Göttern u. betrachten die Wesenheiten. Diese Seelen bewegen sich in den Höhen. Die meisten Seelen
aber verlieren ihr inneres Leben u. ihre F.
(22, 11 [201 B.]); im Gedränge um den Vorrang verkrüppeln sie (248 B), werden die
Beute aller Übel u. stürzen in die Tiefe (23, 3/
10 [201 B.]). Unfähig, dem göttlichen Zuge
zu folgen, füllt eine solche Seele sich an mit
Verderbnis u. erreicht die ‚Ebene des Vergessens‘ (resp. 621 A) statt die ‚Ebene der
Wahrheit‘ u. tut sich gütlich an der Meinung,
der δόξα (248 B; 24, 5/18 [203 B.]). Während
die beschaulichen Seelen das Haupt ihres Wagenlenkers dem ‚überhimmlischen Ort‘ ent-
gegenheben, ist die schlechte Seele durch die
Unerfahrenheit ihres Lenkers mit hinabge-
rissen (33, 4/9 [214 B.]). – Im Kommentar
zum Alkibiades erwähnt Proklos den Verlust
der F. als Beispiel der Wandlung zum Bösen;
eine solche Wandlung endet damit, daß man
sich selbst u. das, was besser ist als man selbst,
vergißt (20, 6 [9 Westerink]). Der Wiederaufstieg zum Göttlichen ist das einzig mögliche
Heil der Seele; denn nur die Gottheit nährt u.
tränkt die Schwingen der Seele (246 E; 29, 10
[13 W.]). Als Seele sind wir von der Vernunft
abhängig; aber als körperverhaftete Seele

brauchen wir einen Daimon. Der Lenker unseres Leibes, die Vernunft, ist gleichzeitig Lenker der Seele, weil sie allein die unberührbare Wesenheit des ‚überhimmlischen Ortes‘ schauen kann (77, 9 [34 W.]), wo Gerechtigkeit, Mäßigkeit u. Wissen (247C/D) auf ihren Sockeln thronen (254B; 272, 3 [125 W.]). Nur derjenige Mensch ist wahrhaft würdig, am Zug des Zeus teilzunehmen, der selbst zu lenken versteht (253C/E), u. zwar kraft seiner Verachtung des Diesseits u. seines Wunsches, mit Zeus die Verwaltung der Welt zu teilen (149, 1/6 [67 W.]). Die menschlichen Seelen aber, deren Lenker untauglich sind, suchen nur das Gedränge u. beschädigen ihr Gefieder (248B; 227, 13 [105 W.]). – Diese Lehre vom Sturz der Seelen entwickelt Proklos vornehmlich in seinem Timaioskommentar. Er erläutert, daß bei diesem oder jenem Gott das Gespann u. der Lenker der Seele gut seien. Nicht aber sei es so mit unserer Einzelseele bestellt; daher rühre der Verlust der F.; er treibe die Seele zum Sturz in die Materie; himmlische Götter u. ‚Dämonen‘ regelten die Entsendung der Seelen zur Zeugung hin (1, 52, 20 Diehl). Durch den Verlust der F. gelange die Seele zum Ort der Frechheit, der Verbannung fern von Gott u. werde dadurch im wahrsten Sinne des Wortes ‚gottlos‘ (2, 108, 17 D.). Sie stürze u. vergesse die göttlichen Wesen (3, 43, 7; 255, 26; 258, 17; 325, 14; 334, 24; 349, 14 D.). – Noch einmal führt Proklos im Kommentar zum Staat aus, daß die Seele, solange sie F. besitze, in den Höhen weile u. die ganze Welt zusammen mit den Göttern lenke; jedoch neige sie von oben dem mangelhaften Leben der Sterblichen zu (2, 99, 6 Kroll). Sie hat den ‚Ort der Wahrheit‘ (248B) mit dem ‚Ort des Vergessens‘ vertauscht (2, 346, 19 [resp. 621A]). Dennoch habe jede Seele von Natur aus in der Muschelschale ihres Leibes (250C) den tiefen Wunsch, mit schnellem F.schlag zu den Höhen zurückzukehren, die ihre Heimat sind (1, 120, 9; 2, 126, 10/2; 143, 28 K.). Nur zögen die Leidenschaften des Körpers sie herab u. behinderten sie; denn zwiefältig sei ihre Macht: die einen entwickelten ihr Gefieder, die anderen verdürben es (2, 51, 17 K.). – Wenn man eine Vorstellung von der Ausführlichkeit u. Sorgfalt gewinnen will, mit der die späten Kommentatoren den Phaidrosabschnitt paraphrasierten, kann man die 80 Seiten lesen, die Hermias darüber schrieb (120/200 Couvreur). Er scheint einem heute verlorenen Kommentar

Jamblichs zum Phaidros häufig ganz nahe zu folgen. In der Spätzeit wurde der Seelenflug im Bedarfsfall durch Schweben konkretisiert; es handelt sich dabei um einen hagiographischen Topos, der seit dem 4. Jh. bei den Neuplatonikern heimisch wurde. Einige behaupteten zB., daß Jamblich sich im Augenblick des Gebets 10 Ellen über die Erde erhob (Eunap. vit. soph. 24; vor ihm schon Lucian. philops. 13 nicht ohne Spott von den hyperboreischen Weisen; Philostr. v. Apoll. 3, 15; 6, 11 von den Brahmanen; die apokryphen Johannesakten 39 [AAA 2, 1, 196f] sagen dasselbe von Jesus). Man versicherte, daß umgekehrt der mißratene Vertreter des kontemplativen Lebens sich zwar zu erheben vermöge, aber dann in einer spektakulären Weise abstürze, wie Ikarus oder Simon Magus (vgl. noch Max. Taur. s. 31, 3 [CCL 23, 123 = PL 57, 489A]).

e. Simplikios. In seinem Kommentar zum Encheiridion Epiktets äußert sich der Alexandriner Simplikios, Schüler des Ammonios, des Sohnes des Hermias: wenn die vollkommene menschliche Seele zu Gott fliege, sich in den Höhen bewege u. die ganze Welt regiere (246C), dann müsse Gott, der Schöpfer der Seele, a fortiori voll Fürsorge sein für die Wesen, die er erschaffen habe (31 [104, 32 Duebner]).

f. Olympiodor. In seinem Kommentar zum Ersten Alkibiades schildert Olympiodor, wie Sokrates im Traum einen flügellosen Schwan erblickt habe, der sich auf seinen Schoß setzte, wo ihm F. wuchsen; dann sei der Schwan von dannen geflogen u. habe einen melodischen Gesang ertönen lassen, Vorzeichen des Ruhmes, der Sokrates nach seinem Tode bestimmt war (2, 3 [4 Westerink]). Olympiodor erwähnt auch den Abstieg der Seele, die ihre F. aus Liebe zum Leibe verliert u. damit in den Bereich des Werdens abstürzt (5, 5 [7]; 17, 7 [14]). Er erwähnt ausdrücklich die Phaidrosstelle über Eros ‚den Gefiederten‘ (252B; 227, 8 [141 W.]).

B. Christlich. I. Griechen. a. Apologeten. 1. Justin, Theophilos, Tatian. In der ersten Hälfte des 2. Jh. liefert Platon, das ‚Arsenal der Häretiker‘ (Tert. an. 23, 5), dem Gnostiker Basilides den Wortschatz für seine Theorie von den drei Filiationen. Die Sohnschaft rüstet sich mit Schwingen aus, ähnlich denen, womit Platon im Phaidros die Seele ausstattet. Diesen F. nennt Basilides Hl. Geist. Durch ihn empfängt die Sohnschaft Wohltaten, durch ihn spendet sie auch solche. Da der Vogel ohne F. oder F. ohne Vogel ohnmächtig sind, ist die Verbindung zwischen der Sohnschaft u. dem Hl. Geist eng (Basilid. bei Hipp. ref. 7, 22, 10 [199]). Ohne sich einer solchen Doktrin anzuschließen, greifen die Orthodoxen gerne auf die Sprache des Phaidros zurück u. setzen sie zugleich in Bezug zu Bibelstellen, wo vom Flug des Vogels die Rede ist (Ps. 16, 8; 17, 11; 54, 7; 90, 4; 102, 5; 103, 3; 123, 7; 138, 9; Prov. 1, 17; 7, 23; 23, 5; Jes. 40, 31; Hes. 1, 24 usw.). Bereits Justin sagt, daß die Schau der Ideen dem Gedanken F. verleihe (dial. 2, 6). Der Apologet Athenagoras sieht in seiner ‚Fürsprache für die Christen‘ 23 im ‚großen Zeus mit dem F.wagen‘ des Phaidros (246 E) einen heidn. Text, der dem Monotheismus günstig sei (vgl. Orig. c. Cels. 8, 4; Euseb. theoph. 96, 14 Gressmann). Der Verfasser der Cohortatio ad Graecos 31 zieht denselben Text heran, um Ezechiel zu kommentieren. Nach Theophilos v. Antiochien fliegen diejenigen, die sich von ihren Sünden bekehren u. ein gerechtes Leben führen, mit ihrer Seele wie Vögel fort; denn sie betrachten die oberen Wahrheiten u. ergeben sich in den Willen Gottes; im Gegensatz dazu gleichen diejenigen, die Gott nicht kennen u. in Gottlosigkeit verharren, Vögeln, die trotz ihrer F. nicht fliegen können (ad Autol. 2, 17). Nach Tatian verleiht der vollkommene Geist der Seele F.; die Seele, die sich gegen den Geist verschließt, gleicht einem kleinen Vogel, der sich vorbeugt u. aus dem Nest fällt; so erging es den Dämonen, die aus dem Himmel verjagt wurden, so auch unseren Stammeltern, die aus dem Paradiese vertrieben wurden (ad Graec. 19 [22, 10]). – Hippolyt verspottet diejenigen, die an begrenzte Götter glauben wie an Zeus, den Lenker des F.-wagens (246 E; ref. 19, 7 [Diels, Doxogr. Graec. 568, 2]; vgl. ref. 5, 9, 16; 7, 22, 10). Bei Auslegung von Psalmenversen sagt er: ‚Jeder Jünger Christi, der voll Furcht u. Liebe ist, erschauert (251 A) vor den Geheimnissen, die Gott majestätisch offenbart; dem Himmel zufliegend (249 D) verbirgt er sich hier, ohne der Lust zuliebe zur Erde zurückzukehren; vielmehr steigt er durch die Liebe weiter aufwärts. Denn der Seele müßten F. wachsen durch den Geist, damit sie aufsteigen kann u. ‚der Leib mit ihr‘ (in Ps. 17; P. Nautin, Le dossier d'Hippolyte et de Méliton [Paris 1953] 180₁). Obwohl Hippolyt den Mittleren Platonikern wie Albinos oder Ma-

ximos v. Tyros sehr nahe steht, ersetzt Hippolyt doch Eros durch Agape.

2. Klemens v. Alexandrien. Klemens schildert in platonischer Terminologie die christl. Lehre vom Sündenfall u. der Erlösung durch die Gnade. Im Protreptikos (10, 93, 3) erwähnt er den Schatz des Heils, dem wir eilig zustreben, wenn wir Freunde des Logos geworden sind. Dann steigen von hier unten zusammen mit uns unsere guten Taten auf, getragen von den F. der Wahrheit. Kurz danach fordert Klemens den Menschen auf, er solle sein Haupt von der Erde zu den Himmelsräumen erheben; dann werde der Herr uns den F. der Einfalt verleihen; denn die Kinder der Erde brauchten F., damit sie die Erde verlassen u. den Himmel bewohnen könnten; die einzige Voraussetzung dafür sei unsere Bußgesinnung (10, 106, 3). In den Stromateis fügt Klemens hinzu, daß die Worte der Wahrheit uns nähren u. uns F. wachsen lassen, damit wir den Himmel erreichen können (1, 1, 4, 3 [5, 7 Stählin]). Klemens zitiert das Fragment einer verlorenen Tragödie des Euripides: ‚Ich habe goldene F. am Rükken ... u., emporgehoben zum unermeßlichen Äther, werde ich zu Zeus fliegen‘; aber er kommentiert dieses Fragment in christl. Sprache: ‚Möchte der Geist Christi mir F. verleihen, auf daß ich zu meinem lieben Jerusalem fliegen könnte‘ (strom. 4, 26, 172, 2 [324, 19 St.]). In einem Abschnitt über die Hoffnung legt Klemens die Phaidrosstelle so aus, als handele es sich darum, daß die Seele, die sich selbst besitzt, fähig sei, an einer übermenschlichen Weisheit teilzuhaben; denn die Liebe zu dieser Weisheit (zugleich Eros u. Agape) verleihe ihr F., damit sie gen Himmel fliegen u. das Ziel ihrer Hoffnung erreichen könne. Dieses Ziel sei das ewige Leben (strom. 5, 2, 14, 2 [335, 6 St.]), d. h. die Teilnahme am göttlichen Chor, von dem ‚der Neid ausgeschlossen‘ ist (247 A; Clem. Alex. strom. aO. [345, 25 St.]). ‚Sei es, daß der Vater jeden an sich zieht, der rein lebt ..., sei es, daß unsere innere Freiheit im Streben nach der Kenntnis des Guten bebend die Hindernisse überspringt (251 D; vgl. Philo spec. leg. 1, 207), nie geschieht es ohne eine besondere Gnade, daß der Seele F. wachsen (249 D) u. sie sich zu den transzendenten Dingen erhebt, indem sie jegliche Schwere ablegt‘ (246 D. 247 B; strom. 5, 13, 83, 1 [381, 19 St.]). Der Mensch, dessen Seele F. trägt, kann sie durch das Streben nach dem Besseren erheben u. sie

durch Verachtung der Bande des Fleisches dazu zwingen, zu den Heiligtümern (Hebr. 9, 25) fortzuschreiten (strom. 7, 7, 40, 1 [30, 23 St.]).

b. Origenes. Bei Widerlegung der christenfeindlichen Angriffe des Kelsos erklärt Origenes, die Fellkleider, die Adam bei seiner Vertreibung aus dem Paradiese anlegte (Gen. 3, 21), hätten eine mystische Bedeutung, die erhabener sei als das platonische Symbol des Verlusts der F. als Bild des Abstiegs der Seele zur Erde (246 B/C; c. Cels. 4, 40 [313, 28 Koetschau]). Nachdem Origenes jedoch das Werk des Dämons in der Heilsgeschichte beschrieben hat, schließt er: ‚Diese Belege zeigen, wie gewisse Wesen, die ihre F. verloren u. sich dem anschlossen, der sie als erster verloren hatte, das Böse erzeugten . . .; der Mensch hat es unterlassen, teilzuhaben am Brot des Lebens u. am Trank der Wahrheit, während doch deren Genuß genügt hätte, um sich F. zu verschaffen (251 B), gemäß dem Worte des hochweisen Salomo über den wahrhaft Reichen: ‘Adler-F. hat er sich geschaffen; damit kehrt er zurück zum Hause seines Herrn' (prov. 23, 5; vgl. in Mt. 46 [PG 13, 1669 D]) . . . Der Erzfeind (Satan) hat als erster in der Zeit, als überall Friede u. Glück herrschten, seine F. verloren u. stürzte aus dem Ort der Seligkeit ab' (c. Cels. 6, 43 [114 f K.]). Wie ein Vogelsteller sucht der Teufel jetzt unsere Seelen zu fangen (in Ez. 7: Hier. in Ez.: PL 25, 745 B). Die reine, schwerelose Seele verläßt die dichten Körper u. schwingt sich in die Lüfte bis hinauf zu den Orten, die den reinsten, ätherischen Körpern vorbehalten sind (246 B/247 C; c. Cels. 7, 5 [156, 25]). Nach dem Hohen Lied ist diese reine Seele die Taube, die Braut des Wortes, erfüllt vom Hl. Geist, der auf Jesus bei der Taufe im Jordan herabstieg (in Cant. 3 [218, 3; 223, 14]; vgl. in Jer. frg. 83 [267, 7]; in Is. 40, 31; frg. 40 [218, 28]). In De principiis bekennt Origenes kühn, am Weltende würden die Seelen ihre Kerker verlassen; dabei würden einige nur langsam vorwärtskommen, während andere sich im Fluge vorwärtsbewegten wegen ihrer Rührigkeit u. ihres Eifers (1, 7, 5 [93]; vgl. Hier. ep. 124, 4, 2; Cic. Tusc. 1, 31, 75 [47 Fohlen]). Wenn man Gregor v. Nyssa glauben dürfte, der Origenes nicht nennt, hätte dieser in De principiis sogar behauptet, daß die Seelen, die ihre F. infolge ihres Hangs zum Bösen während ihres Aufenthalts in den himmlischen Höhen verloren hätten (248 B), nicht nur in menschliche Leiber stürzen, sondern sogar bis zur Stufe tierischer u. pflanzlicher Lebewesen hinabsinken, zur Strafe für ihre Bosheit. Stufenweise könnten sie dann wieder aufsteigen, bis sie an ihren himmlischen Ort zurückgekehrt seien. Die Tugend lasse ihnen neue F. wachsen (251 C. 255 D) u. sie zu den Höhen zurückkehren, wie die Bosheit sie der F. beraubte u. zur Erde herabstürzen ließ (246 B), wo sie dann mit der rohen Materie verbunden wurden (Orig. princ. 1, 8, 4 [103, 2]; Greg. Nyss. an. et res.: PG 46, 112 C; vgl. Gronau 22). Origenes pfropft also dem platonischen Mythos von der Präexistenz der Seelen eine Sündenlehre auf, die auf der Willensfreiheit basiert. Er versichert, nach der Hl. Schrift sei die materielle Welt ein Strafort für die Seelen.

c. Methodios v. Olympos. Er war der Feind der Lehre des Origenes, doch bleibt er Platon nicht weniger treu als dieser; er ahmt ihn in seinem eigenen Gastmahl nach, indem er das Bild des Seelenflugs mit Vorliebe für die Beschreibung der Jungfräulichkeit verwendet. Es gibt, sagt er, edle Seelen, die ihr Seelengespann den Höhen zulenken (Tim. 69 C); sie vermögen leicht bis zum Zenit des Himmelsgewölbes hinaufzuspringen u. hier die Unverweslichkeit zu betrachten (247 B/C; 1, 1, 11 [7, 17]). Zu Beginn des 8. Buches versichert Methodios, die Jungfräulichkeit nähre u. entfalte den Seelen-F. (251 B), so daß wir unseren Blick zur Höhe lenken (249 D) u. schwungvoll in die Lüfte aufsteigen, ohne den Anruf der Dämonen, dieser Sirenen, zu beachten. Viele Menschen fänden in der Tat ihr Vergnügen darin, in die Irre zu gehen; sie verlören ihre F. (248 C), würden immer schwerer, bis sie schließlich bis hier unten herabsänken; solches geschehe durch den Verlust der Keuschheit, der Energiequelle für die Schwingen. Denn Arete, die Tugend, habe ihren Namen davon, daß sie die Seelen himmelwärts hebe (248 A). Diejenigen, die ihre F. verlieren u. den Lüsten zustürzen, klagen u. seufzen unaufhörlich, weil sie in die Wahrheit nicht eingeweiht seien (248 B). Seelen aber, die gute F. haben u. leicht seien, erheben ihr Haupt bis zum ‚überhimmlischen Ort' (247 C. 249 C) u. gewahren von fern, was kein Sterblicher je gesehen, nämlich die schönen ‚Wiesen der Unvergänglichkeit'. Denn der F. der Jungfräulichkeit könne seiner Natur nach nur zur Höhe tragen, zum reinen Äther u.

zum Leben der Engel. Die jungfräulichen Seelen, die für Christus gestritten haben, werden als erste zu den ‚Wiesen' hingeführt, nach denen sie sich in Sehnsucht verzehrt hätten (248 A). Sie betrachten hier ein glänzendes u. beseligendes Bild (250 B): Gerechtigkeit u. Weisheit (247 D; 8, 1, 2f [81/3]). In De resurrectione schließlich erwähnt Methodios die geistigen F. der Vernunft, welche die Lüste vernichten (1, 6 [288, 2]). – In der Linie des Methodios kann PsBasilius sagen, die Unversehrtheit schenke der Seele den F., den sie benötige, um die unversehrte Göttlichkeit erreichen zu können (lib. de virg. 2 [PG 30, 672 B]).

d. Eusebius v. Caesarea. Euseb. zitiert als irrig ausführlich verschiedene Stellen aus dem Phaidros, vor allem die über den illegitimen Eros (255 B/E; praep. ev. 13, 20, 1/6 [250f Mras]) u. die über die Seele, die alle 10000 Jahre ihre F. wiedererlange (248 E/ 249 B; praep. ev. 13, 16, 8 [235f]). Er greift aber selbst zum Wortschatz des Phaidros, wenn er die Kirche Jesu beschreibt, die einerseits in der Tiefe verwurzelt sei, sich aber andererseits im Gebet bis zum Himmelsgewölbe erhebe (246 D. 247 B; praep. ev. 1, 3, 11 [12/5]). Er setzt auch Ps. 138, 8: ‚Wenn ich zum Himmel hinaufsteige, so bist du dort' in Beziehung zu dem Wort aus Platons Gesetzen (905 A), nach dem der Mensch dem Urteilsspruch im Jenseits nicht entgehen kann, selbst wenn er so groß geworden sei, daß er zum Himmel emporfliegen könne (praep. ev. 12, 52, 32 [161]).

e. Athanasios, Asterios. Athanasios beschreibt eine Vision des hl. Antonius: F.wesen (246 C) suchen zum Himmel emporzufliegen, aber ein scheußlicher Riese versucht sie zurückzustoßen; diejenigen, die ihm zu seinem großen Bedauern entgehen, fliegen in aller Sicherheit in der Höhe. Eine Stimme macht Antonius darauf aufmerksam, daß die Wesen trotz des Dämons aufgestiegen sind (v. Ant. 66 u. die Übersetzungen [PG 26, 937 A = 163 Hoppenbrouwers]). Der Arianer Asterios Sophistes greift in seinem unlängst entdeckten Psalmenkommentar nicht weniger gern auf das Bild vom F. zurück, zB. wenn er sagt, die Gerechtigkeit verleihe dem Gebet F.; oder umgekehrt, die eitle Ruhmsucht gebe einem kleinen Vogel F. (hom. 4, 9; 13, 8 [26, 22; 96, 2 Richard]).

f. Kappadokier. 1. Basilius. Um zu erkennen, wie Basilius das Bild von den F. der Seele entwickelt hat, genügt es, seinen Brief an eine Witwe zu lesen: Wie der Vogelsteller eine Taube mit Duft salbt, damit sie die Artgenossen anlockt, so habe er selbst die Seelen-F. ihres Sohnes mit Duft gesalbt, damit sie mit ihm zum Nest des Glaubens fliegt (ep. 10 [40f Courtonne]; vgl. dazu Opelt). Dieser Brief erscheint ungefähr in derselben Form in der Korrespondenz Gregors v. Nyssa (73/4 Pasquali) u. stammt nach P. Maas (Zu den Beziehungen zwischen Kirchenvätern u. Sophisten 1: SbB [1912] 990₅) von jenem.

2. Gregor v. Nazianz. Gregor nennt Basilius in seinem Enkomion den ‚Gefiederten' der Wüste; denselben Namen hatte Platon (252 B) Eros beigelegt wegen seiner Fähigkeit, F. wachsen zu lassen (or. 43 [20], 81 [PG 36, 604 B]; vgl. or. 2, 22 [PG 35, 432]). Basilius ist also ein Zauberer, der die Menschen an sich lockt, um sie der Welt zu entziehen u. sie Gott zu schenken. Gregor selbst verspricht in seinen autobiographischen Gedichten, er werde die Federn der eiligen Sehnsucht reinigen, um mit kräftigem F.schlag den Äther zu erreichen (c. 2, 2, 88, 65/75 [PG 37, 1438]; vgl. Synes. hymn. 1, 619. 701: Bitte an Gott, er möge ihm F. verleihen). Nach einer Predigt Gregors besteht die Kontemplation darin, daß man sich durch den Hauch des Hl. Geistes von der Erde gen Himmel erhebe u. im Himmel (246 B) mit den Engeln wandle (or. 2, 7 [PG 35, 414 BC]).

3. Gregor v. Nyssa. Gregor hat, wie wir gesehen haben, die Auslegung der Seelen-F. durch Origenes zitiert, um sie zu widerlegen, soweit sie Metensomatosen voraussetzt (vgl. hom. opif. 28 [PG 44, 229 C. 232 A]). In seinen Augen widerspricht der ewige Kreislauf von Absturz u. Aufstieg der Seele der Dauerhaftigkeit der himmlischen Seligkeit. Und wenn die Seele bis in eine Pflanze herabsinke, wieso verleihe der Verlust der F. dieser Pflanze eben in dem Augenblick eine Seele, in dem der Gärtner sie pflanzt (an. et res.: PG 46, 117 A)? Diese Kritik an Origenes hindert aber Gregor nicht daran, den Text des Phaidros ziemlich wörtlich selbst zu verwerten, so in der Laudatio funebris seines Bruders: Basilius, so sagt Gregor, erhob sein Haupt (249 C) dem Jenseits entgegen, über die sinnlich wahrnehmbare Welt hinaus, er erlangte den Besitz der Intellegibilia u. kreiste in den Höhen, gleichrangig mit den himmlischen Mächten (246 B), ohne daß irgendein vom Fleisch herkommendes Gewicht diesen Flug des Geistes behinderte (in laud. Bas.: PG 46,

813 D; vgl. c. Eunom. 1 [PG 45, 249 D. 1121 A]; v. Macr.: PG 46, 972 A = 383 Callahan). Denn die Tugend ist eine beschwingende Sache, die uns dahinfliegen läßt wie die Wolken (de virgin.: PG 46, 324 B. 345 B. 393 D). Wenn uns F. wachsen u. wir sicher über das Himmelsgewölbe hinausdringen, entdecken wir die ‚überhimmlische Erde‘ (247 B/C; or. 2 [PG 44, 1209 A]). – Diesen Faden hat Gregor lange ausgesponnen u. aus dem Seelen-F. eine der Grundlagen seiner mystischen Theologie gemacht, die vor allem J. Daniélou untersucht hat. Wenn Gott uns befiehlt, wir sollten fliegen, so tut er das deshalb, weil er uns mit einem natürlichen F. ausgerüstet hat (beatit. or. 6 [PG 44, 1265 D]), selbst wenn wir hier auf einer niedrigeren Stufe stehen als die Vögel (vgl. hom. opif. 7 [PG 44, 141 A/D]). Gott selbst, nach dessen Bilde wir geschaffen sind, besitzt F.: seine Macht, seine Seligkeit, seine Unverderblichkeit. Durch den Ungehorsam der Stammeseltern haben wir den Schlupfwinkel des göttlichen Fittichs verlassen u. unsere eigenen F. verloren, indem wir uns der Erde zuneigten. Die Gnade aber hat sich geoffenbart, damit wir unsere alten F. wiedergewinnen, indem uns durch die Tugenden, die Frömmigkeit u. die Gerechtigkeit, ein neues Gefieder wächst. So beschaffen sind in Wahrheit die F. der Taube, d. h. des Hl. Geistes (in Cant. hom. 15 [PG 44, 1101 = 448 f Jäger]). Der Aufstieg desjenigen, der die Kontemplation übt, ist ganz das Gegenteil des Aufsteigens einer Düne, bei der die Bewegung keinen Fortschritt bringt; hier aber gehen Festigkeit u. Beweglichkeit Hand in Hand (v. Moys. 2, 243 f [PG 44, 407 D = 110 Daniélou²]). Das Leben in der Welt u. seine falschen Güter spannen gleichsam ein Spinnennetz, um uns darin zu fangen; derjenige, der die Kontemplation liebt, fliegt nicht wie eine Fliege umher u. gerät schließlich in dieses Netz; nein, sein F. ist kräftig u. schnell wie der des Adlers (Jes. 40, 31), er zerreißt das Netz (in Ps. 8 [PG 44, 465 C]). Die F. des geistlichen Flugs, die der Psalmist sich wünschte (Ps. 54, 7), lassen sich auch mit denen der Taube des Hl. Geistes vergleichen; sie erlauben es, die Lüfte zu durchqueren, die Gestirne des Äthers zu erreichen, schließlich die unwandelbare Schönheit, die von der göttlichen Weisheit abhängig ist (or. dom. or. 2 [PG 44, 1140 B]). Das einzige Seelengefährt (Tim. 69 C) ist ein himmlischer F., Gabe der Herrlichkeit Got-

tes (in Ps. tract. 1, 7 [PG 44, 456 A]): die Annahme einer Art himmlischen Lebenswandels. Damit wird man der Taube gleich. Dieser Vogel bezeichnet die Wirksamkeit des Hl. Geistes, sei es, weil die Taube keine Galle besitzt, sei es, weil ihr natürlicher Duft den üblen Geruch des Fleisches verjagt. So findet derjenige, der sich über die Dinge der Welt erhebt, die Schönheit, die uns selbst schön u. glänzend macht wie sie selbst (virg. 11 [PG 46, 365 C = 294 Cavarnos]). Das Evangelium bezeichnet mit Recht als Vögel des Himmels diejenigen, die sich der Kontemplation hingegeben haben (hex.: PG 44, 64 A). Wenn das Hohe Lied mehrere Male die Braut ‚meine Taube‘ nennt, so geschieht dies, weil die menschliche Seele ein Abglanz der ursprünglichen Schönheit ist, deren Symbol die Taube des Geistes ist (in Cant. hom. 5 [150, 13/151, 2. 160. 184/5 Langerbeck]). Obwohl der Mensch von Natur aus dem Wechsel unterworfen ist, steigt der Seelen-F. durch sein fortgesetztes Streben nach dem Besseren (perf.: PG 46, 285 BC) endlos aufwärts, von Anstrengung zu Anstrengung, von Fortschritt zu Fortschritt zu einem immer neuen Jenseits (zu dieser Epektasis vgl. Phil. 3, 13; v. Moys. 2, 224 [PG 44, 401 AB. 405 D = 104 Daniélou²]). So vereinigen sich das platonische Thema vom F. der Seele u. das ntl. von der Taube bei der Taufe Jesu im Vers von Ps. 54, 7 f: ‚Wenn ich die F. der Taube hätte, so flöge ich fort u. ließe mich im Frieden nieder‘. Wenn der Psalmist von den Vögeln spricht, die in den Zedern des Libanon nisten (103, 16), bezeichnet er damit die Seelen, die in der Tugend ihre Bleibe gefunden haben (in Cant. hom. 4 [111, 3 L.]).

g. Asketische Schriften. Die asketischen Schriften vom Ende des 4. Jh. erwähnen den Seelenflug sehr oft. Joh. Chrys. ist der Meinung, die Beflügelung des Geistes durch den Verzicht auf die Welt unter der Mitwirkung der Gnade verleihe der Seele größere Fähigkeiten, über das Meer zu fliegen oder über die Wogen des Lebens, als ein Vogel sie besitze; die Seele fliege dann in solcher Höhe, daß die Pfeile des Teufels, d. h. die böse Begierde, sie nicht zu treffen vermögen (in Hebr. hom. 22, 3 [PG 63, 375]). Das Mitleid, sagt er später, habe goldene Schwingen (ebd. 32, 4 [PG 63, 442]). – Palladios, der Verfasser der Historia Lausiaca, versichert, die hl. Melania habe sich durch die Lektüre von Heiligenleben von der trügerischen Gnosis befreit, F. erlangt u.

sei bei ihrem Tode zum geistigen Vogel geworden, um zu Christus zu fliegen (55, 3). – Evagrius Ponticus vor allem spricht sehr häufig von den F. Er sagt, die F. der Tugend erlaubten der Seele, ihren üblichen Aufenthaltsort zu verlassen, die Luft zu durchmessen u. sich bis zum Himmel zu erheben; die Betrachtung des Guten beflügele zum Fluge zur intelligiblen Wesenheit (tr. ad Eulog. 2. 15 [PG 79, 1096 B. 1112 D]). Da der Mönch von Glücksgütern entblößt ist, besitzt er den leichten F. des Adlers, der in großen Höhen fliegt u. nur, wenn es unbedingt nötig ist, zur irdischen Nahrung hinabsteigt; sonst aber kreist er (246 C) gemeinsam mit den Wesen der Höhe (octo spir. mal. 7 [PG 79, 1152 C]). Die Seele, die des Körpers ledig ist, dringt vor in die Regionen der Gnosis, wohin der F. der Apatheia sie trägt u. wo er ihr Ruhe gibt; die geistige Gnosis ist für den Geist des wahren Gnostikers ein F. Er fliegt innerhalb der Dinge dieser Welt gleichsam von Baum zu Baum, bis es ihm gelingt, zum Baum des Lebens vorzustoßen (cent. 2, 6; 3, 56). Die Gnosis reißt den Geist wie auf einem F. hinweg u. trennt ihn von der körperlichen Welt (ep. 27; diese Texte sammelte bereits R. Draguet, L' Histoire Lausiaque, une oeuvre écrite dans l' esprit d' Évagre: RevHistEccl 42 [1947] 30 f). Der F. des Geistes bedeutet die Kontemplation der Dreifaltigkeit, in welcher die hl. Einheit verehrt wird (Fragment bei J. Muyldermans, Evagriana Syriaca [Louvain 1952] 163). Am Ende des 5. Jh. redet der Syrer Narsai die Seele folgendermaßen an: ,O Vogel, dessen Flügel rascher sind als die eines Vogels; er besitzt einen Leib u. mag doch von ihm nicht wegfliegen' (A. Allgeier, Ein syrischer Memrā über die Seele in religionsgeschichtlichem Rahmen: ARW 21 [1923] 384 Z. 173).

h. Theodoret v. Kyrrhos, Dionysios Areop. Theodoret, bemüht, die Vorsehung zu erweisen u. zu rechtfertigen, hebt hervor, daß der Mensch kein Recht habe, sich über den Mangel an F. zu beklagen; denn er verfüge über geistige F.; sein Geist sei schneller als jeder beliebige Vogel u. selbst als die Winde. Obwohl an die Erde gebunden u. in das Gefängnis des Leibes eingeschlossen, durcheile die Seele die Welt; sie spreche mit ihren Freunden, auch wenn sie fern sind; mehr noch, sie durchmesse den Himmel u. seine Schönheiten, ja sie erhebe sich sogar noch über den Himmel, um sich das Jenseits vor-

zustellen. Es sei besser für uns, einen flügellosen Körper zu haben u. einen Geist, der den Vögeln überlegen ist, so daß wir sie einzufangen vermögen (prov. or. 5 [PG 83, 632 CD]). – In der Linie des Joh. Chrys., für den die F. der Seraphim konkret geistige Wirklichkeiten ausdrückten (in Is. 6, 2f [PG 56, 70]), erläutert PsDionysios, der eifrige Leser des Proklos, ausführlich die F.paare der Seraphim in der Vision des Isaias u. ihren hyperkosmischen Charakter (eccl. hier. 4, 7). Er betont, daß diese sechs F. im ersten, mittleren u. letzten Verständnis den Aufstieg zum Göttlichen bedeuten (hier. cael.: 157 Heil-Gandillac). Der F. symbolisiere in Wahrheit die Bereitschaft zum Aufstieg, während das Himmlische das Abstreifen jeder Niedrigkeit u. den Aufstieg zur Höhe versinnbilde (ebd. 177).

II. Lateiner. a. Tertullian. Die christl.-latein. Literatur kennt den Flug der Seele von Anfang an. Im Apologeticum erklärt Tertullian, jeder Geist, Engel oder Dämon, sei geschwind, also ein Vogel (22, 8). Er erwähnt die Phaidrosstelle, wo von Zeus u. dem Zug der Götter u. Dämonen die Rede ist, benützt sie aber, um den Polytheismus zu bekämpfen (24, 3). Er stellt den Teufel als Vogelsteller hin, der dem Seelenvogel von unserer Geburt an auflauert (an. 39, 1; dazu Waszink im Komm. 442); dieses Bild sollte im Westen eine lange Nachfolge haben.

b. Arnobius, Laktanz. Im 2. Buch seiner Schrift Adv. nationes bekämpft Arnobius die Lehren, die die Vorstellung vom Flug der Seele voraussetzen. Er bekämpft ausführlich gewisse platonisierende Leute (Gnostiker? Neuplatoniker?), nach denen die ursprünglich göttlichen Seelen, mit allen Kenntnissen ausgerüstet, den menschlichen Leibern entgegenfliegen (2, 22). Diese Leute behaupten, sie hätten, sowie sie einmal von den Gliedern des Leibes befreit wären, F., mit denen sie bis zu den Sternen fliegen könnten (2, 33), u. sie besäßen Formeln magischer Herkunft, die die Wirksamkeit der Dämonen der Lüfte zu bannen vermöchten, die den Aufstieg der Seelen zum Äther zu hindern versuchen (2, 62); so gelinge es der Seele, zum Lichte zu fliegen (2, 77). Arnobius kennt die ferne Quelle der Lehre dieser ,viri novi': er zitiert selbst wörtlich die Phaidrosstelle (246 E/ 247 A) über Juppiter, der an der Spitze des Götterzuges seinen F.wagen lenkt (3, 30). – Noch am Ende des 4. Jh. kennt der Heide

Ammianus Marcellinus Adrasteia (248 C) u. verleiht ihr F., Zeichen ihrer Geschwindigkeit (14, 11, 26). – Im Unterschied zu Arnobius hält sich Laktanz, wie wir o. Sp. 32f gesehen haben, an die platonische Stelle der Consolatio Ciceros, nach dem die gereinigten Seelen mit leichtem Fluge zu einem ihnen ähnlichen Wesen hinschweben.

c. Hilarius v. Poitiers. Er erklärt, er schreibe gegen die Arianer, weil der Kampf gegen den Köder des Todes, der die Vögel anlockt, einen unbehinderten u. sicheren Flug ermöglichen solle (trin. 6, 2). Er vergleicht Leib u. Seele mit zwei Vögeln, die zum Fliegen geschaffen sind; allerdings müsse der Leib sich die Natur der Seele zu eigen machen, d. h. geistig werden (in Mt. 10, 18), denn nur F.wesen vermöchten zum Himmelreich zu fliegen (ebd. 24, 11). Hilarius betont, der Mensch habe jetzt die F. erhalten, die der Psalmist sich wünschte; er gleiche damit der Taube; ihr geistlicher Flug kenne keine Ermüdung (in Ps. 118, 18. 24).

d. Ambrosius. Wie Methodios v. Olympos, jedoch unabhängig von ihm, stellt Ambros. zwischen der christl. Jungfräulichkeit u. dem Seelenflug des Phaidros eine enge Beziehung her. In De virginitate (15, 96/18, 117) erinnert er an den guten Wagenlenker der Seele, der trotz des störrischen Pferdes, das sich gegen das mit ihm zusammen angespannte empört (247 B. 254 A), zur ‚Ebene der Wahrheit‘ vordringt (248 B) u. zu einer Krippe, wo er seine Pferde mit Ambrosia statt mit Heu füttert (247 E). Im 17. Kap. rät er der Klosterfrau, sich gleich der jungfräulichen Biene der Georgica (4, 194/201) nicht forttragen zu lassen von der Brise der weltlichen Ruhmredigkeit, sondern die Kenntnis der Schwäche des Leibes als Ballast zu benützen, denn die Seele verfüge über einen Flug, der ihr eigentümlich sei; sie vermöge in einem einzigen Augenblick die Welt zu durcheilen; sowie sie ihr aufsässiges Pferd beschwichtigt habe, trügen ihre geistlichen Schwingen sie zum reinen ätherischen, ‚überhimmlischen Ort‘ (247 E), wo Gerechtigkeit, Nächstenliebe, Keuschheit, Güte, Weisheit weilen (vgl. 247 D). Es genüge, daß der ‚innere Vogel‘ in ihr fliege. Die genannten Tugenden seien es, die den F. der Seele nährten u. entwickelten (246 E). Zum Wesen des F. gehöre, daß er sich durch Bewegung aufschwinge (vgl. 246 D). Ebenso reihe sich die Seele, wenn sie sich von den Tugenden nähre, ein in den Zug (247 A), der

zum himmlischen Hause führe (vgl. 246 E); sie lasse den Neid hinter sich, der außerhalb des Chors der Engel herrsche (vgl. 247 A). Ambros. verteidigt diese Verwendung von Vergil u. Platon; denn diese beiden, so sagt er, hätten nur verschiedene Stellen der Bibel über F. oder Vögel geplündert. Die ausgebreiteten Arme des Gekreuzigten bezeichneten einen Vogel, der mit ausgebreiteten F. fliege (ebd. 17, 145; vgl. Tert. or. 29, 4; Arnob. Iun. in Ps. 35 [PL 53, 373 B]; Ambros. fug. 5, 29 [187, 17]). Wie Gregor v. Nyssa zitiert Ambros. Phil. 3, 13 über die Epektasis; es sei eine fortwährende Anstrengung nötig, fern von den Feuern der Welt; denn diese hätten das Wachs an den Ikarus-F. zum Schmelzen gebracht; die Fabel von Daedalus u. Ikarus lehre, daß der Flug für den reifen u. weisen Menschen sicher sei; daß jedoch der junge, der sich zuviel zutraue, seine F. verliere u. zerschmettert werde; denn der Flug sei schwierig (246 B. 247 B), wenn unsere Seelenrosse uneinig seien. Man sieht, wie eng Ambros. sich an Platon anschließt u. sich damit begnügt, den Mythos in christl. Allegorese einzukleiden. In De virginibus fordert Ambros. die Jungfrauen auf, F. des Geistes anzulegen, um sich über die Laster zu erheben u. zu Christus zu gelangen, der im Himmel lebe (1, 8, 44). Er erinnert an den Chor flügelschlagender Jungfrauen, der die neue Jungfrau geleite (1, 10, 61). Ihre Jugend, erneuert wie die des Adlers (Ps. 102, 5), besitze einen ‚inneren Vogel‘, der auf das Fleisch verzichte, wie der Adler auf seinem Flug (3, 2, 8; vgl. Evagr. Pont. octo spir. mal. 7 [PG 79, 1152]). – Ambros. schilt die Philosophen, die den Mythos von Daedalus u. Ikarus so auslegen (Verg. Aen. 6, 14/31), als ob der Mensch sich zum Vogel, der Vogel zum Menschen zu verwandeln vermöchte (exc. fratr. 2, 129). Er kann nicht zugeben, daß die Materie jemals zu fliegen vermöchte, auch nicht die Erde, als sie sich noch im chaotischen Zustand befand (hex. 1, 7, 25). Mit der jüd.-christl. Geschichte vom Fall Adams u. seiner Erlösung durch die Gnade verbindet Ambros. die platonische Vorstellung von der Seele, die, durch ihre Leidenschaften an den Kerker des Leibes festgenagelt (Phaed. 83 D), dennoch mit kräftigem F.schlag (revolare) zu ihrem einstigen Aufenthaltsort zurückkehrt (in Lc. 4, 65; Cain 2, 9, 36; vgl. PsHeges. 5, 53, 1 [CSEL 66, 410, 2f], wo Phaed. 114 B umschrieben ist). In De Isaac interpretiert Ambrosius das Hohe Lied mit Hilfe Platons: der Anruf an die Taube richte sich an die Seele, den geistigen Vogel (4, 34; 7, 59). Diese entrinne im Flug den Schlingen (Ps. 123, 7), d. h. den Lüsten; sie sind der Köder, der alle Übel zeugt (7, 61; vgl. Tim. 69 D). Die Seele ist ein F.wagen mit einem Lenker u. guten u. bösen Pferden (7, 65; vgl. Phaedr. 246 A/47 B). Die guten Pferde sind diejenigen, die sich unter das Joch Christi beugen (Mt. 11, 29). Diese erheben sich im Flug u. tragen die Seele über die Erde empor. Oder: der einzige gute Lenker ist Christus selbst; er versteht es, die Pferde zu zügeln oder für den letzten Sprung zum Himmel anzutreiben; dieser Endlauf ist ein geistiges Schauspiel (247 B), der ihnen erlaubt, den Preis (Phil. 3, 14) davonzutragen (8, 65). Ambros. leugnet nicht, daß er dieses Bild vom Endlauf der Seelen als Wagenrennen von den Philosophen übernimmt (8, 68). In der Schlußparänese behauptet er, die christl. Nächstenliebe besitze flammende Feuer-F.; diese sind für ihn entweder die beiden Testamente oder die Flammenzungen, die am Pfingstfest auf den Lippen der Apostel schwebten. Diese F. sind von der gleichen Art wie die, die Henoch zum Himmel entrückten, oder dem Feuerwagen des Elias oder dem Seraph, der die Lippen des Isaias mit glühender Kohle reinigte, eigneten (8, 77). ‚Lasset uns also diese F. anlegen, die uns zur Höhe tragen‘, schließt Ambros.; er endigt seine Predigt mit einer Christianisierung von Plotins Traktat über das Schöne. Die darauf folgende Predigt, De bono mortis, fordert uns von neuem dazu auf, auf den F. der Liebe aus dem Kerker des Leibes davonzufliegen, in uns den Adler von Ps. 102, 5 zu erwecken, der gen Himmel fliegt, wo es keine Schlingen gibt. Denn der Vogel, der zur Erde hinabfliegt oder sich nicht zu den Höhen zu erheben versteht, gerät in die Schlingen, auf den Vogelleim oder in die Netze. Zu solchen werden für die Seele die falschen Güter oder die Leidenschaften; sie sind Schlingen oder Vogelleim oder Nägel (5, 16 f; Hel. 8, 23; vgl. Phaed. 82 E. 83 D). Sogar diejenigen, die gute Taten begangen haben, vermögen nicht mehr, zu diesen zurückzukehren, sobald sie sich einmal in den Schlingen der Lust gefangen haben (in Lc. 7, 113). So legen wir selbst bisweilen Schlingen für uns aus (poen. 1, 14, 72, 50 f). – In De Abrah. sammelt Ambros. Bibelstellen von Vögeln u. vom Rauschen ihrer F. (Hes.

1, 24). Er erinnert im Gefolge Philons (quaest. 3, 3) an den F.wagen des Zeus aus dem Phaidros (246 E) u. an die Harmonie der Sphären aus dem Timaios (36 BC), versichert jedoch, in seinen Augen bedeute das Rauschen der F. die Tugenden, die die Melodie unseres Verhaltens bestimmen (2, 8, 53 f). Die F. des Glaubens trügen uns zum ‚überhimmlischen Ort‘ (2, 56). Auf den Schwingen ihrer geistigen Kraft steige die Seele zum Himmel empor (2, 58). – In De fuga saeculi zeigt Ambros., Ps. 141, 5: ‚jeder Schlupfwinkel fehlt mir‘, bedeute, damals seien die F. des Psalmisten schwer gewesen von den Wolken der Lüfte, so daß er nicht zu fliegen vermocht habe. Ein anderer Vers aber sage: ‚O hätte ich die F. der Taube; dann flöge ich fort u. fände Frieden!‘ (Ps. 54, 7); denn schon der geistliche Flug selbst bedeute Ruhe; der Psalmist breite seine Hände betend zu Gott, gleichsam als seien sie die F. seiner Seele. Wenn wir wollen, daß Christus uns erhebt, müssen wir zunächst aus eigener Kraft aufsteigen, d. h. die Welt fliehen. Christus habe uns das Beispiel eines solchen Aufstiegs gegeben, er litt, um die Heiden unter seine Fittiche zu nehmen (5, 27/31). Anderswo versichert Ambros., daß der Mensch ein Vogel des Himmels sei, der nicht zur Erde herabstürzen dürfe (in Ps. 118, 15, 34); Christus habe uns kostbare F. geschenkt, geistige F., wofern wir uns nur der Schlinge des Teufels zu entziehen vermögen, in der der Teufel das Herz des Judas fing (ebd. 118, 14, 38 f).

e. Zeno, Prudentius u. a. Oftmals haben die Kirchenväter die Vergilverse über den F. des Daedalus auf den Seelen-F. angewendet (vgl. P. Courcelle, Les pères de l' église devant les enfers virgiliens: ArchHistDoctrLittMoyenAge 22 [1955] 10 f). Ein im Umkreis des Ambros. entstandenes metrisches Epitaph des Manlius Theodorus auf seine Schwester Daedalia, eine virgo sacrata, zeigt an, daß sie wie ihr mythologischer Namensverwandter ein Mittel gesucht habe, in den Himmel zu kommen u., von Stern zu Stern aufsteigend, zu Christus zurückzukehren (CIL 5, 6240; ILCV 1700). Ähnliche Formeln mit dem ‚remigium alarum‘ Vergils (Aen. 6, 19) waren in christl. Grabgedichten gängig. Ein Loculus in der Katakombe der Domitilla, der älter ist als das 5. Jh., stellt den jungen Pasiphilos mit F. dar; sie sind mit Bändchen an den Schultern befestigt wie die des Daedalus oder Ikarus (vgl. E. Le Blant, De quelques types des temps païens reproduits par les premiers fidèles: MélArch 4 [1884] 379 mit Taf. 13,1 = DACL 1, 1, 1481 Fig. 339). – Unter denen, die Ambrosius nahestehen, erklärt Zeno v. Verona, Amor werde geflügelt abgebildet, weil er sehr schnell sei (1, 2, 8 [PL 11, 277 A]). Paulinus v. Nola vergleicht seinen Freund Ausonius mit Daedalus, der es verstanden habe, sein Ziel im Flug zu erreichen; seine eigenen dichterischen Versuche seien im Gegensatz dazu ebenso mutwillig wie der Versuch des Ikarus. Ausonius erwidert, vom geistigen Standpunkt aus betrachtet sei es Paulinus, der trotz seiner Jugend die Höhe erreiche (ep. 19 [MG AA 5, 2, 180, 32] = 23 [268, 47 Peiper]). In der Tat singt der bekehrte Paulinus von seiner Sehnsucht, F. zu haben wie die Taube (Ps. 54, 7), damit er am Chor der Heiligen teilnehmen könne, die Gott loben; trotz der Fessel des Leibes entflieht er im Geiste u. singt dem Herrn Loblieder (c. 17, 89). Der Aufstieg aber besteht im wesentlichen darin, dem Fleisch nicht nachzugeben; er bewahrt jedoch nicht davor, daß man im Flug niemals wieder zu den Ködern der Erde hinabstößt wie die Vögel, denen Netze (vgl. Prov. 1, 17) oder Schlingen gestellt sind (ep. 40, 9). Damit ist der platonische Kreislauf des unaufhörlichen Sturzes u. Aufstiegs der Seele ins Christliche umgesetzt. – Nach Gaudentius v. Brescia denkt der Psalmist, wenn er davon spricht, F. zu nehmen (Ps. 138, 7/9), an die F. des wahren Glaubens, die es erlauben, die Tiefe der Weisheit Gottes zu durchmessen; ohne diese F. stürzen die Häretiker zu einem irdischen u. fleischlichen Begriff von der Gottheit hinab (tract. 14, 6, 41). – In dieser Zeit der Arianergefahr erklärt Marius Victorinus in einem Hymnus, er wollte die Erde verlassen; dieses Wollen aber sei eine lahme Schwinge, wenn Christus ihm nicht helfe; er fleht zu ihm, er möge ihm die F. des Glaubens verleihen, damit er zu den Höhen in Gottes Nähe aufzusteigen vermöchte (2, 53 [632 Hadot]; 2, 1076). – Das Bild vom Vogel, der im Vogelleim gefangen ist, kehrt wieder bei Prudentius. Einerseits dankt er dem Schöpfer, daß er uns die Gabe verliehen habe, Vögel mit Leim zu fangen (cath. 3, 41/5). Andererseits aber schildert er ausführlich das Schicksal der Seelen im Bilde einer Schar gleichfarbiger Tauben, die vom Himmel herabfliegen; einmal zur Erde herabgestiegen, lassen sich die meisten von ihnen leicht mit dem Köder einer mit Leim bestrichenen

Speise fangen u. vermögen nun nicht mehr in die Lüfte aufzusteigen (ham. 802/23).
f. Hieronymus. Er erzählt, daß er oftmals im Traume zu fliegen glaube (adv. Ruf. 1, 31); er bedauert, der Erde zu sehr verhaftet zu sein, als daß er mit der Geschwindigkeit eines Vogels fliegen könne (ep. 49, 20). Seine Briefpartner fordert er auf, die schweren ‚Kamellasten des Reichtums' abzulegen, von denen das Evangelium spricht, um den geistigen Flug der Taube zu vollziehen (ep. 145, 1, 5; vgl. 118, 4; 120, 1; in Is. 60, 6); diese habe bei der Sintflut den Raben, den Vogel von schlechter Vorbedeutung, abgelöst u. habe Christus bei der Taufe im Jordan verkündigt (ep. 69, 6). F. sind für Hieron. auch das Symbol des Eifers der Paula, wenn sie sich zu den hl. Stätten begibt, oder Fabiolas, wenn sie ihren exegetischen Studien hingegeben ist (ep. 108, 7. 14; 64, 8). F. sind ferner dem Johannes eigentümlich, weil er jungfräulich war, also Mystiker (in Is. 56, 4f; adv. Iov. 1, 26). Enthaltsamkeit erlaubt dem Eremiten Heliodor einen Aufschwung gleicher Art (ep. 14, 10). Dieser Aufschwung ist uns allen für die Todesstunde verheißen, wenn wir, leicht wie die Lüfte, das Diesseits verlassen (ep. 140, 14). – Umgekehrt versichert Rufin, der den Philosophen Sextus übersetzt u. christianisiert, wir vermöchten selbst von F. getragen nicht die Größe Gottes zu entdecken (sent. 27 [15 Chadwick]).
g. Augustinus. 1. C. Academicos. In der Praefatio contra Academicos stellt Aug. die philosophischen Studien als ein Nest jener Seele dar, die den Banden überflüssiger Lüste entfliege (2, 3, 3f). In seiner Lehrfabel von den beiden Schwestern Philocalia u. Philosophia stellt er diese als zwei Vögel hin; die erste, die Liebe zum Schönen, ist durch den Leim der Begierde dem Himmel, ihrem eigentlichen Element, entrissen worden; sie klebt am Köder, ihre Federn sind verloren oder besudelt; so steckt sie im Käfig (cavea), der uns allen gemeinsam ist; dennoch vermag sie zu entfliehen. Leim u. Käfig sind Umdeutungen des Leims u. Gitters von Phaed. 82 E; nach Plato war das Gitter der Leib, durch welchen die Seele die Ideen schauen muß (cavea bezeichnet nach Ernout, Dict. étymol., einen Käfig für Vögel oder Raubtiere aus Holz oder Eisenstangen). Lukrez (3, 684; 6, 198) bestritt, daß die Seele vom Körper geschieden wie in einem Käfig lebe; Seneca u. Epiktet verglichen schon, wie wir

sahen, den Leib mit einem Käfig (s. o. Sp. 34);
Servius (zu Verg. Aen. 6, 724) u. Ambrosius
(bon. mort. 9, 38) vergleichen die im Leibe gefangene Seele mit einem Raubtier in seiner cavea (vgl. auch Amm. Marc. 19, 6, 3; 31, 8, 9).
Aug. zog es vor, die Seele mit dem Vogel im
Käfig zu vergleichen, der, solange der Käfig
nicht zerbrochen ist, nicht in die Lüfte, seinen eigentlichen Bereich, entweichen kann.
Er kennt dieses Bild höchstwahrscheinlich
durch Porphyrios (vgl. dazu o. Sp. 34). Dieser
hatte übrigens bestritten, daß die einmal in
den Körper gebannte Seele einem Vogel im
Käfig genau gleiche, d. h. darin enthalten sei
wie in einem Behälter. Proklos ging anscheinend in der Nachfolge Jamblichs so weit, daß
er behauptete, die Götter seien keine Jäger, die
die Seele in den Leib wie in einen Käfig ein-
schlössen; eine solche Vorstellung vom Band,
das Leib u. Seele vereinige, sei voll barbarischen Hochmuts (in Tim. 24 A [153 Diehl]).
Die Namensverwandtschaft zwischen der Philocalia u. der Philosophia, so fährt Aug. fort,
könne den Vogelsteller darauf hinweisen, daß
ein solcher Vogel nicht zu verachten sei. Die
Philosophia aber sei ein Vogel, der frei um-
herfliege, denn sie sei die wahre Schönheit,
die intelligible Schönheit. Daher seien unter
den Menschen diejenigen selten, die zum Staunen der großen Menge, die im Käfig verbleibe,
im Flug zu entrinnen vermögen (2, 3, 7). Li-
centius, der Verse der griech. Tragödie de-
klamiere, ohne sie zu verstehen, sei selbst
solch ein Vogel im Käfig (3, 4, 7). Der geistige
Flug zum Hafen der Philosophie sorge sich
nur um das Ziel; wenn man F. angelegt habe
wie Daedalus, werfe man sie ab, sobald man
am Ziel sei (3, 2, 3).

2. Soliloquien u. frühe Schriften. In den Soliloquien greift Aug. das Bild des mit Vogelleim gefangenen Vogels mit denselben Ausdrücken wieder auf, präzisiert jedoch, daß
die F. wegen des Leibes mit dem Leim der
sinnlich wahrnehmbaren Dinge verklebt seien,
weil sie nicht in bester Verfassung seien (vgl.
Phaedr. 246 C). Der Vogel vermag nicht in
die Lüfte, sein Element, aufzusteigen, er kann
von seinem Käfig hier unten nicht einmal das
intelligible Licht erblicken (1, 14, 24). – Im
Prolog zum 6. Buch von De musica erklärt
Aug., er verlasse den Lehrplan der gramma-
tici, um zu Gott, der Quelle der ewigen Zahlen, zu kommen; dabei aber wolle er eine vor-
sichtige Methode anwenden; denn er habe
Furcht davor, sich mit zu schwachen Schwin-

gen ungestüm in den Himmel zu wagen. Er
schreibe für diejenigen, die sich den Freien
Künsten widmeten, während Leser, die wenig von der Theorie verstünden, aber in die
christl. Glaubensmysterien eingeweiht seien,
in ihrem Flug dieses kindische Treiben zu
überholen vermöchten. Andere, die weder
Bildung noch die F. der Frömmigkeit besäßen, müßten erst im Nest des christl. Glaubens ihre F. wachsen lassen (246 E; 6, 1, 1). –
Annähernd gleichzeitig erinnert Aug. in De
quant. an. an die Zeiten seiner Kindheit, als
er es vorzog, auf Vogeljagd zu gehen, statt
zu studieren (21, 36). In De magist. beschreibt
er genauer die Technik des Vogelstellers mit
seinem Leim, seinen Stäbchen u. seinem Fal-
ken (10, 32). In De util. cred. vergleicht er
damit den Argumentenapparat der Manichäer; sie widerlegten sorgfältig verschiedene
Irrtümer, um dann ihre Lösung aufzudrän-
gen; so bedecke der Vogelsteller jedes Stück
Wasser mit Vogelscheuchen, damit die dur-
stigen Vögel sich am Leim fangen, der bei
einem Wasserpfuhl ausgelegt ist (1, 2). In
De mor. eccl. cath. erinnert Aug. anläßlich der christl. Standhaftigkeit gegenüber
Schmerzen an die lautere Seele, die jede Art
Folter überwinde, getragen von ihren F., auf
denen ihre Liebe für Gott ruhe; denn diese
keusche Liebe sei stärker als die Leidenschaft
für Gold, Ruhm oder Frauen (22, 41). Aug.
ist überzeugt, die Neuplatoniker würden,
wenn sie auferstünden u. aus Hochmut oder
Neid die Macht Christi leugneten, allein dadurch so festgeklebt u. besudelt sein, daß sie
nicht mehr zu dem höchsten Gut zurückzuflie-
gen vermöchten, nach dem sie suchten (ver.
rel. 5, 7). Ungefähr gleichzeitig (389 nC.) ermahnt Aug. brieflich seinen Freund Roma-
nianus, er solle über die Sorgen um vergängliche Güter hinwegfliegen, denn trotz der
Fülle von Honig habe die Biene nicht um-
sonst F. bekommen (ep. 15 Ende).

3. Confessiones. Der Verfasser der Confessiones verwendet wie im Phaidon 82 E die platonischen Bilder von Schlingen u. Leim auch
nebeneinander (6, 12, 21 f). Der verlorene
Sohn, sagt er, fliege auf unsichtbarem F. weit
fort von Gott; derselbe F. hätte ihn auch zu
Gott hintragen können (1, 18, 28; vgl. en. in
Ps. 38, 2, 10; 149, 5, 11). In den Augen des
Aug. sind die Mönche der Wüste neue Dae-
dali; ihre Schultern, befreit von der Bürde
der Nichtigkeiten, empfangen künstliche F.
(conf. 8, 7, 18). Ihn selbst hätten die Studien

zur manichäischen Häresie geführt; andere, die den kindlichen Geist hätten, warteten in Sicherheit im Nest der Kirche, bis ihnen F. wüchsen, die F. der Nächstenliebe, die aus der Nahrung (246 E) durch den wahren Glauben entstehen (vgl. Ps. 83, 4). Schutz bieten die Fittiche des Herrn (Ps. 16, 8; conf. 4, 16, 31). Jeder Exeget, der sich aus Hochmut aus dem Nest fallen lasse, stürze ab wie ein kleiner flügelloser Vogel; der Wanderer zertrete ihn, wenn nicht Gott einen Engel entsende, der ihn ins Nest zurücktrage, bis er das Fliegen erlernt habe (12, 27, 37). – Die Neuplatoniker glaubten, sie vermöchten sehr hoch zu fliegen; aber auch sie stürzten in den Abgrund; denn gerade ihr Hochmut hindere die Ausbildung der Seelen-F., der Tugenden (trin. 4, 12, 15). Sie behaupten, angesichts der Ordnung der Elemente könne ein irdischer Körper nicht im Himmel sein. Auf dieses Argument aus C. christ. des Porphyrios entgegnet Augustin, Gott sei alles möglich; auch die Vögel hätten einen Leib aus Erde, u. dennoch verweilten sie in den Lüften, weil der Schöpfer sie mit der Leichtigkeit der Federn u. der F. ausgestattet habe. Aug. gibt zu, die F. Gottes in den Psalmen müßten bildlich im Sinne von Schutz verstanden werden; denn der Mensch, Gottes Ebenbild, habe offensichtlich keine F. (civ. D. 17, 5, 4; ep. 148, 4, 13).

4. Sermones. In den Sermones hat Aug. das Bild vom Seelenflug häufig verwendet. Es handle sich, wenn man dem Himmel zustrebe, nicht darum, eine Leiter zu suchen oder sich materielle F. umzubinden (s. 345, 3; vgl. en. in Ps. 58 s. 2, 1 Ende). Man müsse sich F. wachsen lassen (246 E), bevor man zu fliegen versuche; sonst laufe man Gefahr zu stürzen, weil man die Höhe zu bald aufgesucht habe (s. 117, 5, 7; 255, 7, 7). Der Leim der irdischen Dinge verklebe unsere geistigen F., d. h. die Tugenden, die uns zu Gott emportragen (s. 107, 7, 8; 311, 4, 4). Die körperliche Liebe insbesondere hindere uns am Flug zur wahren Stätte der Ruhe, wohin die Taube des Psalms fliege (112, 6, 6). Aug. gesteht Porphyrios gerne zu, daß die Seelen der Gerechten gen Himmel fliegen u. bei der Gottheit ruhen. Er ist jedoch nicht seiner Ansicht, daß die Gestirne unsterblich seien. Vor allem weist er den Gedanken des Kreislaufs zurück, demzufolge sich die Seele nach einer gewissen Zeitspanne von neuem verkörpere (242, 4, 4). Nach Aug.

fliegen die Seelen in Abrahams Schoß, wenn sie keine andere Last haben als die geistigen F.; von ihnen habe Jesus gesagt: ‚Diese Bürde ist leicht' (Mt. 11, 29). Auch für die Vögel bedeute der F. eine Last, vornehmlich im Sommer; aber diese Last sei die notwendige Voraussetzung ihres Flugs (41, 5; 164, 5, 7; en. in Ps. 59, 8 Ende).

5. Enarrationes in Psalmos. In den Enarrationes stellt Aug. den Teufel gern als Vogelsteller hin, der den Seelen auflauert u. ihrer Begierde einen Köder auslegt (139, 12, 20). Er ist ein Eros, der Leim trägt, um uns in den Tartaros zu stürzen, statt uns F. zu verleihen, die uns zum Himmel emportragen. Wenn unsere F. gepicht sind, kann nur Gott sie befreien, so daß sie für uns nicht schwer sind (54, 7, 8). Ein geistiges Herz aber ist ein Vogel, über dem sich ein reiner Himmel spannt (103 s. 3, 5; vgl. 66, 3). Der Ausdruck des Ps. 103, 3: pennas ventorum bezeichnet die beiden F. der Seele, die den freien Flug erlauben; sie bestehen in der Liebe zu Gott u. in der Nächstenliebe; wenn man versucht, sich seinen eigenen F. anzuvertrauen, d. h. seinen eigenen Kräften, so werde man mit Sicherheit abstürzen (en. in Ps. 103 s. 1, 12f; vgl. 67, 18, 17; 121, 1, 10; 137, 4, 21; 149, 5, 13). Die Begierde hat uns aus dem Reiche der Lüfte vertrieben; dort waren wir zu Hause ohne Hindernis; so fing uns der Vogelsteller, weil wir vor Gott flohen. Christus, der Erlöser, aber läßt uns F. wachsen u. nährt sie (246 E) durch seine Lehren. Selbst geflügelt aber würden wir wie Ikarus ins Meer stürzen, wenn wir unsere Kräfte überschätzen; in der Tat müsse die Gnade unsere Willensfreiheit sichern (138, 12f). Sonst aber würden wir trotz der F. an der Leimrute kleben bleiben u. die Auferstehung des Leibes leugnen (s. 205, 7, 7). – Bisweilen legt Aug. den F. auch anders aus. So hat das Gebet zwei F., um sich zu Gott zu erheben: Fasten u. Almosen (s. 206, 2f; en. in Ps. 42, 8, 19) oder auch Vergebung u. Almosen (s. 205, 3). Bei Leo d. Gr. kehrt die Metapher von den zwei F. wieder; sie sind bald Glaube u. Liebe (s. 45, 2), bald Liebe u. Keuschheit (s. 55, 5).

h. Petrus Chrysologus. Mehrere spätere Afrikaner schildern den Teufel noch als Vogelsteller, der mit seinem Leim die Seelen zu fangen sucht; der Leim ist entweder die Frau, dann die Gunst des Vandalentyrannen (Ps.-Cypr. sing. cler. 10; PsVict. Vit. pass. VII mon. 8). Nicht weniger kühn aber als Gregor

v. Nazianz, der Basilius den ‚Gefiederten‘ genannt hatte (o. Sp. 46), kehrt Petrus Chrysol. das Bild vom Vogelsteller um; nach ihm war Petrus v. Ravenna ein Vogelsteller nach Art der Apostel; er fing die Seelen der jungen Leute wie Vögel ein (s. 107 [PL 52, 498 B]). Die Sünder, sagt er an anderer Stelle, fliegen zum Himmel dank den Schwingen der Vergebung (s. 167 [PL 52, 639 A]). Durch das Fasten werde der Mensch auf ganz natürliche Weise emporgehoben zum Flug zu Gott (s. 2 [PL 52, 188 A]).

i. Salonius. Für ihn haben die Heiligen F. des Glaubens, der Liebe, der Hoffnung; sie fliegen zur Kontemplation der himmlischen Wirklichkeiten; im Gegensatz zu den Vögeln fangen sie sich nicht in den Schlingen des Teufels; denn so scharf ist ihr Blick, daß sie das Nahen des Teufels merken u. sich vor den Sünden hüten (in prov.: PL 53, 969 BC). – Nach einem anonymen Prediger brachte der Engel Gabriel, als er zur Verkündigung hinabstieg, ‚durch seinen Flug den Himmel auf die Erde herab‘ (PsAug. s. Mai 168, 3).

j. Boethius. Mit ihm kehren wir offenkundig zu Platon zurück. In seiner Consolatio verspricht ihm die Philosophia, sie werde F. an seine Seele spannen, damit er sich gesund u. wohlbehalten zu den Höhen zu erheben vermöge u. jegliche Verwirrung abtue; sie werde ihn auf ihrem Wege zur Heimat zurückführen (Phaed. 66 B; vgl. P. Courcelle, Trames veritatis: Mélanges E. Gilson [Toronto-Paris 1959] 203/10) u. sogar auf einem Gespann (Tim. 69 C). Denn die Philosophie hat schnelle F. (246 E), sie tragen zum Himmelszenit; die Seele, die diese F. anlegt, verschmäht die Erde, durchmißt die Luft, die Wolken, dann die Gestirne; dort hält der Herr der Könige die Zügel der Welt u. lenkt seinen F.wagen (246 E). Dann aber erkennt der Geist des Menschen die vergessene Heimat (4 carm. 1). Boeth. vertraut also immer noch auf die Versprechungen des Phaidros.

k. Caesarius v. Arles. Er kommt häufig auf den Flug der Seele zu sprechen. Bei ihm ist, wie bei Basilius, der Teufel ein Vogelsteller, der den Tauben nachstellt. Er verblendet u. betäubt Seelen, die zum Ungehorsam oder zum Hochmut neigen, um durch sie als Köder noch andere anzulocken. Vor allem bekämpft er die lauen Kleriker, die nachlässigen Mönche, die müßigen Klosterfrauen (s. 237, 2). Für Caes. sind die beiden F. der Seele bisweilen das Almosen an die Armen u. das Almosen an die Brüder; dieses führt uns nach dem himmlischen Jerusalem, unserer Heimat, vorausgesetzt, daß wir dem Leim der Sünde ausweichen (34, 5f). Bisweilen auch sind die beiden Seelen-F. für ihn Demut u. Gehorsam (234, 2) oder Demut u. Keuschheit (236, 1). – Nach Cassiodor ist der Aufstieg zur Höhe umso leichter, je mehr man sich während des Lebens auf dieser Erde kasteit hat (an. 13, 9 [96 Halporn]).

l. Gregor d. Gr. Auch Gregor ist der Meinung, mit den pennati (prov. 1, 17) seien die Seelen guter Menschen gemeint, die sich aufschwingen u. den Netzen des Teufels entgehen (mor. 16, 30 [PL 75, 1136 A]). Ihr F. ist im wesentlichen die Sehnsucht nach Kontemplation; diese erhebt sie über sich hinaus bis zu Gott (mor. 18, 93 [PL 76, 96 A]; in Ez. 1, 3, 13 [PL 76, 812 A]; 2, 4, 17 [PL 76, 983 AB]). Der F. der Hoffnung hob den Apostel Paulus hinauf zu den Wirklichkeiten in der Höhe, als er noch auf Erden weilte (mor. 6, 16 [PL 75, 738 AB]). In der Vision Ezechiels bezeichnen die F. die Tugenden der Heiligen, die ihnen erlauben, sich emporzuschwingen (mor. 24, 19 [PL 76, 297 C. 298 A]; in Ez. 1, 4, 4 [PL 76, 817 A]; 1, 7, 22 [PL 76, 852 A]; 1, 8, 10 [PL 76, 853 A]; 1, 10, 31 [PL 76, 898 B]). Nach den Dialogen Gregors sahen die Brüder, die beim Tode des Abtes Spes zugegen waren, seinem Munde eine Taube entweichen; sie flog durch das Dach des Oratoriums u. stieg gen Himmel auf (4, 10 [PL 77, 336 A]). Ebenso sah Benedikt die Seele seiner Schwester Scholastica in Taubengestalt in die Tiefen des Himmels eindringen (2, 34). – Dergestalt mündet eine lange Tradition in der Hagiographie aus. Uranius hatte lediglich gesagt, Paulinus v. Nola habe jeden Tag gen Himmel fliegen wollen (ep. 5); nach Hieronymus fliegt die Seele, die der Bürde des Fleisches ledig ist, zu ihrem Schöpfer (ep. 39, 1, 5); nach Augustinus verhindert die Sünde, daß wir im Flug der Ruhe der Heiligen zustreben (en. in Ps. 7, 18). Fortunatus aber schildert den Tod des hl. Germanus als einen triumphalen Flug zum Himmel (v. Germ. 76, 208 [MG AA 4, 27, 26]).

III. Mittelalter. Unter dem Einfluß der Kirchenväter überdauert das Bild vom Seelenflug die Jahrhunderte u. erlebt im 11. u. 12. Jh. eine weitere Entfaltung. Psellos sagt, erfüllt von den Lehren der Neuplatoniker, in seiner Omnifaria doctrina, jede Seele erhebe sich mittels der Tugenden in die Lüfte zu vollkommener u. beseligender Kontemplation: der Schau Gottes (197 Wester.). Er bewundert Platon, weil er den ‚überhimmlischen Ort' besungen u. dort die Mächte lokalisiert habe, die die Welt regieren (247 C/E [120 Wester.]). Gleichzeitig bittet im Westen Johannes v. Fécamp Gott, er möge ihm ‚praepetes pennas' geben; diesen Ausdruck hatte Ambrosius von Vergil entliehen (conf. theol. 3, 98 [145 Leclercq]; vgl. 188, 72). Ivo v. Chartres fordert in der Nachfolge der Confessiones Augustins seine Briefpartner auf, sie sollten sich F. wachsen lassen, bevor sie zu fliegen versuchten (ep. 37 [152f Leclercq]). Vivian v. Prémontré spricht in Nachahmung Gregors d. Gr. von Ekstatikern, die der F. der Kontemplation emporgetragen habe (harmonia: PL 166, 1327). Mehr noch, der Biograph des hl. Norbert schildert ihn als Adler, der seine Jungen zum Fliegen antreibt, aber zugleich als Taube die Ruhe sucht u. sie auch anderen spendet; die Brüder, die Norberts Predigten hörten, suchten sich in ihrer Ekstase F. u. glaubten zu fliegen (9, 50 [PL 170, 1291 C]). Petrus Lombardus unterstreicht die Tatsache, daß der Flug der Seele uns bis in die Gegend der Ungleichheit von Gott entfernen kann (Plat. polit. 273 D; Aug. conf. 7, 10, 16). Petrus unterscheidet vier Arten F., die solche Wirkung haben (sermo comm.: B. Hauréau, Notices et extraits de quelques manuscrits lat. 3 [Paris 1890/3] 44; vgl. Bernardus: PL 183, 352 B; Rupert v. Deutz: PL 163, 80; Bonaventura, Traktat über die F. der Seraphim u. Cherubim). Das Bild von der Seele im Käfig kehrt wieder bei Wilhelm v. Saint-Thierry (ep. ad fratres De Monte Dei 12 [74, 20 Davy]: incaveatas), indes Ailred v. Rievaulx gerne auf den vom Leim gefangenen Vogel zurückkommt (specul. car. 1, 28 [PL 195, 531 BC]), der sich schließlich befreit (ebd. 1, 8; 1, 21; 1, 34; serm. ined. [128, 149 Talbot]). Adam Scotus betrachtet die Ekstase von Ostia als einen Flug auf den Schwingen der Sehnsucht (PL 198, 794 AB). – Die größten unter den modernen Profanautoren, Dante (parad. 15, 53f; 25, 49/50), Petrarca (fam. 5, 8, 2, 18 [26]; 22, 12, 24, 189 [135]), ja selbst Sainte-Beuve (Volupté 1 [131 Poux]) verschmähten es nicht, ihrerseits auf die traditionelle Sprache der platonischen u. christlichen Frömmigkeit zurückzugreifen. Theresia von Avila aber tut den platonischen Apparat als überflüssig ab, denn Gott ist innerlich; ‚um zu ihm zu gelangen, braucht die Seele keine F.; sie muß lediglich die Einsamkeit aufsuchen, den Blick nach innen wenden u. sich von einem so erhabenen Gast nicht entfernen' (Wege der Vollkommenheit 7 [5, 79]). Hier endet die lange Geschichte des Phaidros-Mythos.

IV. Zusammenfassung. Das aus dem Phaidros stammende Bild des Seelenvogels wurde viele Jahrhunderte lang auf die Kontemplation des Kosmos u. der geistigen Wesenheiten angewendet. Aber bald wurde dieses Bild mit jenen aus dem Phaidon verquickt, wo der Leib mit Leim oder Gitter verglichen wird; Leim u. Gitter werden dadurch zum Vogelleim u. zum Käfig. Seit Philon wird das F.bild mit verschiedenen Bibelstellen verknüpft, die von F. u. Vogel sprechen. Der platonische Zyklus von Sturz u. Wiederaufstieg der Seele weicht in der christl. Welt dem Zyklus vom Sturz durch die Sünde u. von der Rückkehr zu Gott durch die Kraft der Reue oder die Gnade, Rückkehr, die in die Visio beatifica einmündet. Bei Gregor v. Nyssa wird der Vogel, der zu diesem Aufstieg verhilft, zur Taube des Hl. Geistes. Selbst ein Heide wie Hierokles verglich die F. mit Tugenden. Diese Vorstellung gestattete jede allegorische Auslegung; sie war bis ins MA beliebt. Seit Methodios v. Olympos ist die Tugend, die die Seele am leichtesten macht, die asketische Jungfräulichkeit. Die gefallenen Engel vertauschen ihre F. gegen die Ausrüstung eines Vogelstellers, der nach dem Verderben der Seelen trachtet. Einige Kirchenväter sind so kühn, das Bild vom Vogelsteller sogar umzukehren u. auf die Anziehung zu übertragen, die von Männern ausgeht, die vom apostolischen Eifer erfüllt sind. Während die Hagiographen mit fast photographischer Genauigkeit den Seelenvogel beschreiben, der dem Munde des Sterbenden entweicht, nimmt Theresia von Avila eine Entwertung des Bildes vor: die F. sind in dem Augenblick überflüssig, in dem man Gott nicht mehr im Zenit des Himmels, sondern durch Innenschau im eigenen Herzensgrunde entdeckt.

A. D' ALÈS, Les ailes de l' âme: EphemTheol 10 (1933) 63/72. – P. ANTIN, Ailes et vol chez s. Jérôme: Orpheus 8 (1961) 163/5. – A. BIELMEIER, Die neuplatonische Phaidrosinterpretation. Ihr Werdegang u. ihre Eigenart = RhetStud 16 (1930) 1/96. – P. BOYANCÉ, La religion astrale de Platon à Cicéron: 2. Le mythe du Phèdre et le mysticisme astral: RevÉtGr 65 (1952) 321/30; Sur l' exégèse hellénistique du

Phèdre (Phèdre, p. 246 C): Miscellanea A. Rostagni (Torino 1963) 45/53. – P. Courcelle, Quelques symboles funéraires du néo-platonisme latin. Le vol de Dédale: RevÉtAnc 46 (1944) 65/73; Nouveaux aspects du néo-platonisme chez s. Ambroise: RevÉtLat 34 (1956) 226/32; La colle et le clou de l' âme: RevBelgPhilHist 36 (1958) 72/95; L' âme en cage: Parusia = Festgabe J. Hirschberger (1965) 103/16; La ,consolation de Philosophie' dans la tradition littéraire. Antécédents et postérité de Boèce (Paris 1967) 197/9 u. Taf. 119/24. – F. Cumont, Recherches sur le symbolisme funéraire des Romains (Paris 1942) 108/11. – J. Daniélou, Platonisme et théologie mystique ²(Paris 1953); La colombe et la ténèbre dans la mystique byzantine: EranosJb 23 (1954) 389/418; Le symbole baptismal du véhicule: Sciences ecclésiast. 10 (1958) 17/38; Message évangélique et culture hellénistique (Paris 1962) 115/21. – C. Gronau, De Basilio, Gregorio Nazianzeno Nyssenoque Platonis imitatoribus, Diss. Göttingen (1908) 20/7. – R. M. Jones, Posidonius and the flight of the mind through the universe: ClassPhil 21 (1926) 97/113. – P. Louis, Les métaphores de Platon (Paris 1945). – I. Opelt, Die duftgesalbte Taube als Lockvogel: JbAC 1 (1958) 109/11. – A. Orbe, Variaciones gnósticas sobre las alas del alma: Gregorianum 35 (1954) 18/55. – W. Schmid, Die Netze des Seelenfängers: Parola del Passato 45 (1955) 440/7. – F. Sühling, Die Taube als religiöses Symbol im christlichen Altertum = RQS Suppl. 24 (1930). – R. Turcan, L' âme-oiseau et l' eschatologie orphique: RevHistRel 155 (1959) 33/40. – O. Waser, Art. Eros: PW 6 (1907) 484/542. – J. H. Waszink, Ausg. von Tertullianus De anima (Amsterdam 1947). – G. Weicker, Der Seelenvogel in der alten Literatur u. Kunst (1902).

P. Courcelle (Übers. I. Opelt).

Flügel (Flug) der Seele II (Briefmotiv).

A. Griech.-römisch. Nächst den eher populären u. nicht mehr auf die Phaidrosexegese zurückführbaren Äußerungen über Seelenflug (vgl. u. a. Paul. Nol. c. 11, 57 f; Joh. Chrys. ep. 119) gibt es zahlreiche Belege für die F.vorstellung in der spätantiken Briefliteratur, die, wie es scheint, fest an diese Gattung gebunden waren. In ihnen ist die F.vorstellung primär, wogegen das Subjekt (F. der Seele, der Liebe, der Sehnsucht usw.) wechseln konnte. Im Mittelpunkt steht der Wunsch des Schreibers, die leidige διάστασις τόπων überwinden zu können u. die ersehnte leibliche συνουσία ohne Hindernisse von Raum, Zeit u. Schwerkraft zu verwirklichen (,Wenn ich ein Vöglein wär ...'). Zu den ältesten Zeugnissen der Epistolographie wird man Ov. her. 18, 49/54 u. trist. 3, 8, 1/10 zählen dürfen (beide Male auch ,F. des Ikarus'). Wie jedoch am. 3, 6, 13/6 zeigt, hatte das Motiv außerdem oder ursprünglich in der erotischen Poesie seinen Platz (vgl. die Briefmotive, die ehedem in der Topik περὶ φιλίας beheimatet waren). Auch Ov. trist. 4, 2, 60 (mente fugere in caelum) gehört wohl hierher. Eindeutig briefspezifisch ist dann PGiss 17, 12 (ὤφελον εἰ δυνάμεθα πέτασθαι καὶ ἐλθεῖν καὶ προσκυνῆσαί σε) aus dem 2. Jh. nC. Aber erst im 4. Jh. bei den literarischen Epistolographen fließen die Quellen reichlicher. Hier ist wichtig der schulmäßig schreibende ,Autor an Jamblich', ein Rhetor um 320 nC., dessen Briefe das Corpus Julians mitüberliefert hat (Näheres kurz bei J. Bidez, Julianausgabe [Paris 1960] 233/45). Er benutzt das Motiv für einen ganzen Brief (PsJulian. ep. 193 B.-C.): er möchte Ikarus sein, aber nach der Lage der Dinge (κατὰ τὸ δυνατόν ist hier obligat u. war auch Ansatz für sprichwörtliches δεύτερος πλοῦς) bleiben nur die F. des Briefes (diese auch ep. 183 [241, 21/242, 3 B.-C.]). Etwa eine Generation später kleidet auch Libanius das gattungsübliche Sehnsuchtsmotiv in den Wunsch zu fliegen (ep. 109, 2; 302, 6; vgl. 757; 1406 u. ö.; sowohl Pegasus wie Daedalus u. Ikarus sind vertreten).

B. Christlich. Daraufhin ergibt sich das Verständnis entsprechender Sätze in christlicher Epistolographie: erst hier kommt in aller Breite das F.motiv zum Zuge, u. die Wendungen ,F. des Geistes, der Liebe usw.' werden häufiger greifbar: sie haben ihren Sitz in der Gattung, nicht in philosophischer Tradition (zB. Joh. Chrys. ep. 129. 146. 183). – Daneben spürten nun christliche Epistolographen das Bedürfnis, die überkommene Version eindeutiger christlich zu färben, d. h. biblisch zu legitimieren. Dies geschah bemerkenswert einhellig in Ost u. West mit Hilfe von Ps. 55, 7 (54, 7 LXX). Diese Bibelstelle diente ja auch in der Phaidrosexegese als Berufungsinstanz (s. o. Sp. 41), entfaltete jedoch in der Briefliteratur eigenes Leben als Ersatz der ehedem mythologisch-sprichwörtlichen Verkleidung des Brieftopos ,F. der Sehnsucht' durch Daedalus-Ikarus. Die gattungsbedingte Rezeption von Ps. 55, 7 ist bei den Kappadokiern, bei Hieronymus u. bei Paulinus v. Nola nachzuweisen. Ältester Beleg ist Greg. Naz. ep. 42, 1 (vJ. 370;

=PsBasil. ep. 47; Ps. 55, 7 verbunden mit Ps. 103, 5b): geleitet vom πόθος-Motiv der Gattung, klaubt der Briefschreiber aus dem Psalmvers die Bildwörter heraus, um das ἀναπαύειν des leidenden Psalmisten im Sinne der traditionellen ἀνάπαυσις τοῦ πόθου zu deuten. Ebenfalls am Briefeingang u. in gleicher Funktion liest man den Psalmtext Basil. ep. 140, 1 (vJ. 373). Geraume Zeit danach treffen wir das Verfahren bei Hieronymus wieder, der eine Briefeinleitung in Ps. 55, 7 gipfeln läßt (ep. 71, 1; vJ. 398) oder wünscht, assumptis alis columbae beim Adressaten zu sein (ep. 143, 1). Paul. Nol. ep. 21, 5 (an Amandus; vJ. 401) dagegen münzt die Wendung pennas tamquam columbae assumere auf den Tabellarius als πτεροφόρος (ähnlich ep. 37, 1; von hier aus dürfte sich der als Basil. ep. 10 überlieferte Brief Gregors v. Nyssa [Greg. Nyss. ep. 21 Pasqu.] als Ausformung eines briefspezifischen Motivs erklären: eine kunstvoll stilisierte Invitatio, die das Stichwort ‚pennae columbae' aus der Laus tabellarii mit der Metapher ‚F. des Geistes' verknüpft). Der Bischof von Nola, der übrigens mit der richtigen bzw. der eschatologischen Auslegung der Psalmstelle sehr wohl vertraut ist (ep. 26, 1; 40, 8), flicht den Text mehrfach ausgesprochen gattungsbezogen ein (ep. 18, 8; 38, 9). Genau dahin gehört auch c. 17, 89/96: quis mihi pennas daret ut columbae, / ut choris illis citus interessem, / qui deum Christum duce te canentes / sidera pulsant? / sed licet pigro teneamur aegri / corporis nexu, tamen evolamus / mentibus post te dominoque tecum / dicimus hymnos. – Rezeption u. christliche Umformung des Motivs, für spätere Jahrhunderte in Ost u. West verbindlich, gehören in den größeren Rahmen der Christianisierung des antiken Briefes u. seiner Topik, die sich über den Papyrusbrief des 2./3. Jh. nC. bis Cicero zurückverfolgen läßt.

G. Karlsson, Idéologie et cérémonial dans l'épistolographie byzantine (Uppsala 1959). – H. Koskenniemi, Studien zur Idee u. Phraseologie des griech. Briefes bis 400 nC. (Helsinki 1956). – K. Thraede, Grundzüge griech.-röm. Brieftopik (1969). *K. Thraede.*

Flurumgang s. Amburbale (o. Bd. 1, 373/5); Bittprozession (o. Bd. 2, 422/9); Circumambulatio (o. Bd. 3, 143/52).

Fluß I (Naturelement).

A. Nichtchristlich. I. Griechisch-römisch 68. – II. Altes Testament. Jüdisch 69.
B. Christlich 70.

A. Nichtchristlich. I. Griechisch-römisch. F. u. Quellen galten als heilig (Il. 2, 522; 11, 726; 12, 21; Od. 10, 351; hom. Dem. hymn. 99; Aesch. Pers. 613; Anth. Pal. 9, 352; Stat. silv. 4, 7, 12; Claudian. c. 24, 260), was von Anfang an mit deren Göttlichkeit zusammenhängt (vgl. P. Wülfing-v. Martitz: Glotta 38 [1960] 289). Nicht eine kosmogonische oder theologische, sondern eine rein irdische Aussage liegt in der homerischen Wendung διιπετέος ποταμοῖο; διιπετής ist ursprünglich διαιπετής = καταφερής (vgl. POxy 2387 frg. 3 col. 2 v. 6f: M. Treu: Glotta 37 [1958] 260/75). Man wusch sich die Hände u. betete, ehe man F. überschritt (Hesiod. op. 737); Odysseus betet zu dem F., der ihm Landemöglichkeit gibt (Od. 5, 445); F. ruft man als Zeugen im Schwur an (Il. 3, 278). – Man opfert ihnen Rosse u. Stiere (Il. 21, 131f; Herodt. 7, 113; Diod. 5, 4; ohne Angabe der Opfertiere Xen. anab. 4, 3, 18). Während hier dem Element unmittelbar die Verehrung gezollt wird, findet man auch die fortgeschrittenere Personifikation von F.göttern da, wo ihnen gleich Zeus an Altären Stiere geschlachtet werden (Il. 11, 728; 23, 146; Schol. Il. 21, 194; Herodt. 6, 76; Ditt. Syll. 3³, 1024, 35ff). Auch Haaropfer wurden den F. dargebracht (Il. 23, 146; Aesch. choeph. 6 u. ö.). Kaum ist dabei an ursprüngliche Vernichtung von Haaren u. Nägeln zur Vermeidung von Schadenzauber zu denken: das Haar vertritt vielmehr die Person. Ähnlich schenkt man dem F.gott Sandalen: Hermes dem Alphaeus (hom. Herm. hymn. 139), Iason dem Anauros (Schol. Pind. Pyth. 133 Dr.; Apoll. Rh. 1, 10; Apollod. 1, 9, 16). – Anerkennend berichtet deshalb Herodot, daß die Perser es vermeiden, die F. zu verunreinigen (1, 138), u. Frevel gegen den F.gott sieht er mehrmals bestraft (1, 189; 2, 111). In Rom wurden an jedem 14. Mai 27 Binsenpuppen (Argei) vom Pons sublicius in den *Tiber geworfen (Ov. fast. 5, 621; Varro l. l. 7, 44). Das geschah wohl nicht zur Besänftigung des Stromgottes, sondern zur Entsühnung: die Puppen werden ‚schuldbeladen' dem F. übergeben, der sie fortträgt u. vernichtet (vgl. K. Latte, Röm. Religionsgeschichte [1960] 412/4). So war es auch beim Pharmakos, wie die Lexikographennotiz (Photius u. Suda s. v.) über περίψημα bestätigt (vgl. G. Stählin: ThWb 6, 83/92). Auf dem Titusbogen in Rom wird auch der *Jordan als Gott dargestellt, doch fand sich bisher kein Analogon dazu auf palästinischem Boden. Immerhin rechnet die Mischna (Chul. 2, 8) mit Opferschlachtungen für F., wenn sie diese verbietet; sie hat dabei wohl den Kult der Heiden des Landes (um die Zeitwende) im Auge. – Über die F.-quellen s. *Quelle. Man weiß allerdings auch von unheilvollem, dämonischem Einfluß, der sich an bestimmten Gewässern spürbar macht. Porphyrios soll aus einem Bad einen Dämon vertrieben haben (Eunap. v. soph. 4, 1 [9 Giangr.]). Dem liegt der antike Glaube an die dämonische Macht des Wassers zugrunde (vgl. Ninck passim). – Vgl. ferner *Unterwelts-F.

II. Altes Testament. Jüdisch. Für das AT gibt es keine F.götter oder F.geister, denn Gott allein ist der Herr der Wasser, ihr Schöpfer (Ps. 24, 1f; 93, 1f), der auch Ströme wieder zum Austrocknen bringen (Jes. 44, 27; Ps. 74, 15), ihr Wasser in Blut verwandeln kann (Ex. 7, 14ff; Ps. 78, 44), der ihren Lauf überhaupt bestimmt (Hab. 3, 9). Nirgends ist von einem Kult von Wassergottheiten die Rede. Das Verbot (Ex. 20, 4), Abbilder des unter der Erde im Wasser Befindlichen zu verehren, bezieht sich wenigstens nach der Erklärung durch Dtn. 4, 18 auf die Fische, nicht auf Wassernumina. Nichtsdestoweniger hat die Forschung am AT zeigen können, daß hinter manchen israelitischen F.- u. Quellensagen altertümliche Vorstellungen von F.-göttern u. Quellgeistern stehen. So muß die Geschichte vom Jakobskampf am Jabbok Gen. 32, 23/33 vor ihrer Einbettung in die jahwistische Tradition den Kampf eines Wanderers mit dem F.gott im Auge gehabt haben (vgl. Kaiser 95/9). Der Wanderer setzt den Angreifer durch einen Ringerkniff außer Gefecht, u. der Wehrlose bittet: Laß mich los, denn die Morgenröte ist heraufgezogen (vgl. Plaut. Amphitr. 532f, Juppiter zu Alkmene: qur me tenes ? tempus est: exire ex urbe priu' quam lucescat volo). Daran erkannte der Held der Sage, daß er es mit einem übernatürlichen Wesen zu tun hatte, nutzte die Situation u. erzwang vor der Freigabe dessen Segen (wie Menelaos den Meergreis Proteus festgehalten hat, bis ihm dieser sein Wissen offenbarte: Od. 10, 384ff). Mythische Vorstellungen von der Macht der F.gottheiten mögen auch in der Erzählung von der Hei-

lung des syrischen Generals Naaman (2 Reg. 5, 1/19) nachwirken; weder Gott noch der Prophet scheinen an der Heilung unmittelbar beteiligt, die einfach durch siebenmaliges Untertauchen im Jordan bewirkt wird (vgl. Kaiser 99f). Den ursprünglich magisch verstandenen Akt der Heilung durch den Stromgott versteht das israelitische Denken nur noch als Gehorsamsprobe des Syrers. Es ist sicher zu viel behauptet, wenn man in den Jes. 57, 5 erwähnten Kinderopfern oder in dem Zeremoniell von Dtn. 21, 1/9 Opfer an F.götter sieht (gegen Reymond 211). Das Wasser des Baches soll vielmehr die durch das Blut einer Kuh symbolisierte Blutschuld aus dem Lande fortführen: zu dem gleichen Zweck werden 1 Reg. 18, 40 die Baalspriester am Bach Kischon getötet, wird die Unreinheit aus dem Tempel an den Kidronbach geschafft (2 Chron. 29, 16). – Gelegentlich scheinen auch die Namen von F. u. Quellen darauf hinzudeuten, daß sie als Sitz von Geistern galten, wie Nachaliel Num. 21, 19 ‚Gottes-F.‘ Das Buch Henoch kennt Geister des Wassers (69, 22 [GCS 5, 89, 20]). – Vgl. ferner *Paradieses-F.

B. Christlich. Die Überzeugung der Heiden, daß F. u. Quellen von Geistern bewohnt seien (Plin. paneg. 32: aliquis amnibus genius), wurde auch von den Christen geteilt. Joh. 5, 3f kennt die volkstümliche Anschauung, daß ein Engel Gottes in den Teich Bethzatha hinabsteige u. ihn in Wallung bringe. Das monotheistische Denken macht aus dem Numen einen Engel. Auch Apc. 16, 5 tritt ein ‚Engel‘ der Wasser auf. Daß die Dämonen eine besondere Beziehung zum Wasser haben, erklärt die Apologie des Aristides: ‚den Dämonen dient das Wasser‘, bzw. ‚eignet das Wäßrige‘ (J. Geffcken, Zwei griech. Apologeten [1907] 5). Ob Mc. 5, 13 Par. (die in die Schweine gefahrenen Dämonen treiben diese in den See) für die Wasserliebe der Dämonen geltend gemacht werden kann (Canaan 154f), scheint zweifelhaft; der Akt stellt eher eine Äußerung der μανία dar (vgl. die Belege bei J. Wettstein 1, 356f). – Von einem Dämonenbrunnen berichtet um 200 PsMelito (apol. 5 [9, 426f Otto]); Zauberer empfahlen, Meerwasser hineinzuschütten, ne exsurgeret spiritus et damnum afferret. Tertullian (bapt. 5 [CSEL 20, 205]) ist überzeugt, daß immundi spiritus aquis incubant u. daß der böse Engel profanum commercium eiusdem elementi in perniciem hominis frequentat; schattige

3*

Quellen, abgelegene Bäche, Schwimmbassins, Kanäle in den Häusern, Zisternen u. Brunnen, die die Eigenschaft des Hinabziehens haben, erzählen davon. Daß mit dem Täufling noch Dämonen ins Wasser steigen, erfährt man aus den Exc. ex Theod. 83, u. noch der maronitische Exorzismus bittet um deren Abwehr (H. Denzinger, Ritus Orientalium 1 [1863] 345). Nach Athanasios inc. 47 (PG 25, 180 C) haben Dämonen Quellen u. F. besetzt; aber mit der Ankunft des Logos ist der Spuk vorbei: man vertreibt ihn mit dem bloßen Kreuzzeichen. Bei Prudentius redet Christus einen Dämon mit ventose liquor an (apoth. 411). Makarios erklärt, daß die Seele einen harten Kampf zu führen hat gegen Dämonen auf der Welt, denn da seien Drachenströme (hom. 43, 3 [PG 34, 773C = 287 Dörries]). – Nach altem Glauben hat Jesus in seiner Taufe das Wasser geheiligt u. gereinigt (Ign. Eph. 18, 2; Clem. Alex. ecl. proph. 7; Ev. Philippi 125, 8 [55 Till] u. a.; Belege bei Schlier u. Jacoby 45). Dabei wird schon früh Ps. 73 (74), 13f mitherangezogen u. Christus als der gefeiert, der den Drachen im Jordan bei seiner Taufe zertreten hat (Cyrill. Hier. cat. 3 [PG 33, 441]; PsAthan. quaest. ad Antioch. ducem 137, 7 [PG 28, 689]; vgl. Jacoby 73/6). – Der Kult von Quell- u. F.göttern wurde von den Christen eifrig bekämpft (Iust. 1 apol. 24, 1; Clem. Alex. protr. 4, 46, 2 u. a.), hat sich aber sehr lang insgeheim gehalten. Nach Epiphan. haer. 53, 1 hat die Sekte der Sampsäer das Wasser als Gottheit verehrt (vgl. W. Bousset, Hauptprobleme der Gnosis [1907] 280f). Den Kult des *Nil hat Konstantin untersagt (Eus. v. Const. 4, 25) u. den Nilmesser aus dem Sarapistempel in Alexandria in die Hauptkirche verlegt (Socr. h. e. 1, 18; vgl. Sozom. h. e. 5, 3, 3 [195 Bidez-Hansen]). Julian hat alles wieder rückgängig gemacht (ebd.). Unter Theodosius ergeht dann wieder ein Verbot des Nilkults (ebd. 7, 20, 2f [332]). Nach Libanios hätten die Christen die Abschaffung des Nilkultes aus einem gewissen Aberglauben gescheut (or. 30, 35f). Endlich wird Christus die Nilschwelle zugeschrieben (POxy 16, 1830, 4/6; vgl. zum Ganzen Hermann). Athanasios polemisiert gegen die Ägypter, weil sie Quellen u. F. als Götter verehren, obwohl sie ihren Schmutz hineinwaschen (or. c. gent. 24 [PG 25, 48C]); er argumentiert gegen die Göttlichkeit der F. damit, daß sie u. die Quellen von der Erde getragen

werden, wie die Erde vom Wasser; sie existieren also nur mit fremder Hilfe (ebd. 27 [25, 53C]; vgl. dazu Heinz 26ff). Eine ähnliche Beweisführung liefert Laktanz (div. inst. 2, 5 [CSEL 19, 114f, 119]). Es ist reine literarische Konvention, wenn ein Christ einen F.gott nennt, wie Basilius den heiligen Alphaios (ep. ad Lib. 348 [PG 32, 1093A]). Immer wieder trifft man freilich auf das fortlebende Brauchtum: Joh. Chrys. wendet sich gegen die Praxis von Frauen, die ihren kranken Kindern Amulette mit F.namen umhängen (in Col. 3 hom. 8, 5 [PG 62, 358]); Cyrill von Jer. nennt das Anzünden von Lampen u. das Räuchern an Quellen u. F. Teufelsdienst (cat. 19, 8 [PG 33, 1072 B]). – Noch die Christen zZt. Prokops glaubten an F.prodigien (anecd. 18, 38/40).

J. Amann, Die Zeusrede des Ailios Aristeides = Tüb. Beitr. z. Altertumswiss. 12 (1931) 64/6. 97f. – K. Baus, Der Kranz in Antike u. Christentum = Theophaneia 2 (1940) 31f. – T. Canaan, Haunted springs and water demons in Palestine: Journ. of the Palest. Orient. Soc. 1 (1921) 153/170. – F. J. Dölger, Der Exorzismus im altchristlichen Taufritual (1909) 160/7. – M. Eliade, Die Religionen u. das Heilige (1954) 234/9. – P. Gardner, Greek river-worship: Transactions Royal Soc. of Lit., 2. Ser. 11 (1878) 173/218. – W. Heinz, Entstehung u. Erscheinungsform der mythischen Religion nach Athanasios von Alexandrien, Diss. Bonn (1964). – A. Hermann, Der Nil u. die Christen: JbAC 2 (1959) 30/69. – J. A. Hild, Art. Flumina: DarS 2, 2, 1191/3. – A. Jacoby, Ein bisher unbeachteter apokrypher Bericht über die Taufe Jesu ... (1902) 45. 73/7. – O. Kaiser, Die mythische Bedeutung des Meeres in Ägypten, Ugarit u. Israel = ZNW Beih. 78 (1959). – Th. Klauser, Taufet in lebendigem Wasser: Pisciculi, Festschr. F. J. Dölger (1939) 157/64. – H. Leclercq, Art. Fleuves: DACL 5, 1760/1. – Lehnerdt, Art. F.götter: Roscher, Lex. 1, 2, 1487/96. – J. Le Gall, Recherches sur le culte du Tibre (Paris 1953). – O. Navarre, Art. Nymphae: DarS 4, 1, 124f. – M. P. Nilsson, Geschichte der griech. Religion 1 ²(1955) 236/40. 244/53. – M. Ninck, Die Bedeutung des Wassers im Kult u. Leben der Alten = Philologus Suppl. 14, 2 (1921). – L. Pfleger, Wasserkult u. heilige Quellen im Elsaß: Jahrb. f. Volkskunde, hrsg. v. G. Schreiber 3 (1938) 192/211. – K. H. Rengstorf, Art. Ποταμός: ThWb 6, 595/623. – Ph. Reymond, L'eau, sa vie, et sa signification dans l'Ancien Testament = Suppl. Vet. Test. 6 (Leiden 1958) 208/12. – H. Schlier, Religionsgeschichtliche Untersuchungen zu den Ignatiusbriefen = ZNW Beih. 8 (1929) 43/8. – L. Schmidt, Die

Ethik der alten Griechen 2 (1882) 85/7. – G.
Spaltmann, Das Wasser in der religiösen Anschauung der Völker, Diss. Bonn (1939). – J.
Toutain, Le culte des fleuves, sa forme primitive et ses principaux rites chez les peuples de
l' antiquité classique: L'Ethnographie NS 13/4
(Paris 15. avr./15. déc. 1926) 1/7. – F. van
Trigt, La signification de la lutte de Jacob
près du Yabboq (Gen. 32, 23/33): Oudtest. Stu-
diën 12 (1959) 280/309. – O. Waser, Art.
F.götter: PW 6, 2 (1909) 2774/815.

J. B. Bauer.

Fluß II (ikonographisch).

A. Nichtchristlich. I. Vorhellenistische Voraussetzungen 87. –
II. Hellenismus 87. – III. Römisch-kaiserzeitlich 75. a. Staatskunst 75. b. Private Denkmäler. 1. Sepulkralkunst 78. 2.
Altäre u. Weihreliefs 80. 3. Kunsthandwerk 80. 4. Dekoration von Privatbauten 81. 5. Buchillustration 82. 6. Sternzeichenbilder 82. – IV. Judentum 83.
B. Christlich 84. I. Themen des AT 84. – II. Themen des NT
(Jordantaufe) 89. – III. Paradiesthematik 90. – IV. Psalmen
95. – V. Christus Kosmokrator 96. – VI. Allegorische Dichtung 96. – VII. Mythologie 96. – VIII. Topographische u.
kosmographische Darstellungen 97. – IX. Astronomische
Hss. u. Sonstiges 97. – X. Zusammenfassung 98.
Parad.-F. = Paradiesfluß; Pers. (pers.) = Personifikation.

A. Nichtchristlich. Neben realer Darstellungsweise der F. gibt es früh die personifizierende.
Unter den Natur-Pers. der griech. u. röm.
Kunst stehen die F.pers. in vorderster Reihe.
I. Vorhellenistische Voraussetzungen. In der
ältesten Zeit haben die F.pers. den Charakter von Orts-Gottheiten; ihre Darstellung
schließt an Kultbilder an. Am frühesten dargestellt wird Acheloos, der in ganz Griechenland Verehrung genoß, gebildet als Mischwe-
sen, halb Mensch, halb Stier (Matz 91/101;
Hamdorf 10/12. 78/80). Später werden auch
andere F. als Stiermenschen gegeben (Imh.-
Bl. nr. 34/56) u. begegnen auch andere Tier-
bildungen, so Schlange, Wolf, Eber u.a. (ebd.
nr. 376. 379; Waser, F.götter 2782/4). Daneben findet sich früh rein menschliche Gestalt (zum Ganzen Hamdorf 12/7. 80/4).
Haupttypen sind nach griechischen Münzen: Mann-Stier, Stierprotome mit Menschen-
gesicht, jugendlicher Kopf mit Hörnchen,
nackte männliche Gestalt mit Hörnern, spen-
dend am Altar (Imh.-Bl. nr. 11. 38. 71. 87;
P. R. Franke-M. Hirmer, Die griech. Münze
[1964] Taf. 54. 56. 66. 110). Eine Gruppe für
sich bilden F.pers., die als Zuschauer einer
Komposition eingefügt sind (Matz 75/90).
II. Hellenismus. In hellenistischer Zeit tritt
bei den F.pers. das mythische Moment
zurück zugunsten der allegorischen Auffassung als Lokal-Pers. Die für die Folgezeit
maßgebenden Typen u. Motive bilden sich
aus. Am wichtigsten wird der gelagerte Typus

(Ketios u. Selinus auf dem pergamenischen
Telephos-Fries; Matz 116), seltener der sitzende (Acheloos auf Votivrelief der Dexippa
(AmJArch 68 [1964] 45f Taf. 17, 2; Helbig
2⁴, nr. 1914; 3. Jh. vC.). Der gelagerte Typus
erhält eine in Einzelzügen geprägte Ikonographie, wie sie eine katanische Münze des
3./2. Jh. zeigt: Amenanos gelagert, nackt,
auf Urne gestützt, mit Schilfrohr u. Füllhorn
(Imh.-Bl. nr. 100); sonst gehört zum Typus
der um die Hüften geschlagene Mantel. Vorbildlich wird die alexandrinische Nildarstel-
lung (sog. Nil v. Sieglin, Stuttgart; G. Lippold,
Griech. Plastik [1950] 326₃ Taf. 115, 3; A.
Adriani, Repertorio d'Arte dell'Egitto Greco-
Romano 2 [Palermo 1961] 55f nr. 195 Taf.
92 Abb. 304; 93 Abb. 306). Auf sie weist auch
die berühmte flavische Kolossalstatue im Vatikan zurück (Helbig 1⁴, nr. 440). Ein Zurückführen des Typus auf die Giebeleckfiguren in
Olympia u. am Parthenon (so Waser, F.-
götter 2786; Le Gall 32; Bonneau 336f. 340;
vgl. auch Hamdorf 15f) setzt diese als F.pers.
voraus, was fraglich ist (EncArteAnt 5, 659;
F. Brommer, Die Skulpturen der Parthenon-
Giebel [1963] 165ff); auch sind dabei nicht
die für den Typus charakteristischen Einzel-
merkmale berücksichtigt. Vorbildlich wirkt
auch die berühmte Gruppe des Eutychides,
um 300; im Anschluß an sie wird der Typus
der schwimmenden F.pers. zu Füßen der
Stadttyche beliebt, der auf Münzen erstmals
unter Tigranes, 83/69 vC. (Imh.-Bl. nr. 471),
erscheint, später, zur Kaiserzeit besonders
auf Münzen in Kilikien u. Syrien verbreitet
ist (Babelon 109ff; Dohrn, Tyche). Brustbilder schwimmender F.pers. auf Gemmen hellenistischer Zeit: Furtwängler, Gemmen 1,
Taf. 35, 8. 9. 11/9; 3, 168f. Bärtigkeit u.
Alter der F.pers. unterliegen keiner festen
Regel. Attribute sind Schilfrohr u. -kranz,
Füllhorn, (Steuer-) Ruder oder Schiffsprora
als Zeichen der Schiffbarkeit, bisweilen Fisch
(Imh.-Bl. nr. 142), Ähren. Bei *Nilus (Tazza
Farnese, ptolemäisch: Nil nach älterer Weise
sitzend; Bonneau 186/7) erscheinen auch Lo-
tos, Sphinx, Niltiere, Putten (als Nilellen),
ferner eine weibliche Gefährtin, Euthenia-
Isis (Hermann 57; Bonneau 330f). Auf rö-
mischen Münzen begegnet der Nil erst zur Kaiserzeit (Imh.-Bl. nr. 500/20. 533/8; Toynbee
30ff). Die F.pers. sind in der Regel männlich
(Ausnahmen finden Toynbee 16f u. Dohrn,
Mouseion 72; dagegen F. J. Hassel, Der Trajansbogen in Benevent [1966] 21₁₃₅). Mann-

weibliche Mischtypik erscheint bisweilen beim Nil (Helbig 1⁴, nr. 486) u. den auf Nilus gedeuteten Sternbildern Eridanus u. Wassermann (Boll-Gundel 975. 991). Weibliche Bildung deutet auf Quellnymphen (H. Herter: PW 17, 2 [1937] 1575/81). – Ikonographisch nächstverwandt sind die Meergottheiten; vorab Okeanos als Vater der F. (Hesiod. theog. 337/45. 364. 368) u. als der den Erdrand umkreisende Weltstrom. Spezielle Merkmale sind hier Krebsscheren, auch Krebsfühler am Kopf, ferner Steuerruder, Anker, Delphin u. andere Meertiere; dagegen erscheint der Regel nach kein Quellgefäß (Imh.-Bl. 398; Le Gall 29₅). Mit, auch statt Okeanos findet sich als weibliche Meeres-Pers. Thalassa (Boyce 70); als Gemahlin Tethys (Levi 1, 38). Meergott-Typik hat auch der in der Kaiserzeit auftretende Hafengott (Boyce; Lit. ebd. 71₂₉). In späterer Zeit vermischen sich die ikonographischen Merkmale, eine Identifizierung kann oft nur dem Bildzusammenhang entnommen werden. III. Römisch-kaiserzeitlich. Die Kunst der Kaiserzeit hat nichts Neues an Typen u. Motiven geschaffen. Sie arbeitet, neu kombinierend, mit den aus dem Hellenismus übernommenen Formen; dies ist ein auch auf anderen Gebieten greifbares Phänomen (vgl. W. Kroll, Studien zum Verständnis der röm. Literatur [1924] 139/84). Unterscheidungsmerkmal gegenüber dem Hellenismus ist eine Tendenz zur Vergeistigung; der Sachverhalt setzt sich fort, wird aber erweitert im Sinne einer Symbolisierung. Nur einige Hinweise aus der Fülle des Materials: Führend ist der Typus der gelagerten F.pers., vorbildlich repräsentiert durch die Kolossalstatuen des Nil im Vatikan (o. Sp. 74) u. seines Gegenstücks, des Tiber im Louvre (Le Gall 3ff Taf. 1). Weitere Beispiele Helbig 1⁴, nr. 14; 2⁴, nr. 1162. 1193. Neben den Werken der Großplastik stehen die zahllosen F.pers., die, bisweilen nur als ‚Raumfüllung' (Robert 54f), einem größeren Bildzusammenhang angehören. Hier liegen die Anknüpfungspunkte für die christl. Kunst. Da ein Typenkatalog angesichts der weitgehend festgelegten Ikonographie nichts verspricht, gruppieren wir die Denkmäler nach ihrer Zweckbestimmung. Mit zu berücksichtigen ist auch die Oceanus-Darstellung, die sich mit den F.pers. eng berührt. a. Staatskunst. In politisch-topographischer Bedeutung, als Vertreter der civitates devictae, sind F.pers. literarisch überliefert im Triumphzug Caesars 46 vC.: Primum de

Gallia triumphum transmiserat Rhenus et Rhodanus et ex auro captivus Oceanus; altera laurus Aegyptia: tunc in ferculis Nilus … (Flor. 2, 13, 88). Zahlreiche Schriftquellen bezeugen diese seit Caesar beliebte Erscheinung (vgl. W. Ehlers: PW 7A, 1 [1939] 503; zur Vorgeschichte Kallixeinos v. Rhodos: FGrHist 627 F 2). Das einzige erhaltene monumentale Zeugnis bietet der Titusbogen im kleinen Fries der Ostseite: im Triumphzug sieht man eine auf einer Bahre mitgetragene F.pers. mit Urne, die einzige außerhalb der christl. Kunst bekannte Darstellung des Jordan (Waser, Jord. 191f; L. Budde, Die Entstehung des antiken Repräsentationsbildes [1957] Abb. 21). Der ‚Sitz im Leben' im römischen Triumphwesen ist grundlegend für die Rolle der F.pers. in der Triumphalkunst. Zeugnisse: der im Münzbild überlieferte Bogen des Nero auf dem Capitol mit 2 gelagerten F.pers. in den Zwickeln (R. Brilliant, Gesture and Rank in Roman Art [New Haven 1963] Abb. 2, 52); der Trajansbogen in Benevent (Hassel aO. Taf. 3) an der Feldseite mit dem Danuvius u. einer weibl. F.pers., die als Euphrat (Toynbee 17) oder Theiss (Hassel 21) gedeutet wird. Am Severusbogen ist die Zahl der F.pers. vermehrt: 4 Paare bärtig alter u. jugendlich-unbärtiger F.pers., darüber die Eroberung an Strömen liegender Städte (Nash 1 Abb. 133. 135. 139). Ist hier noch topographischer Bezug möglich, so fällt dies am Konstantinsbogen fort: über den Seitendurchgängen lagern gleichfalls 4 Paare stereotyper F.pers. (L'Orange-G. Taf. 36a. c. d. f; 37a. b. c. e; Abb. 9; Nash 1 Abb. 110). Hier wird ein Bedeutungswandel greifbar: die F.pers. werden zu Symbolen der ‚Totalität des Orbis Romanus'; zugleich behalten sie ihren ‚alten mythischen Sinn' als ‚Nährgötter', die ‚das elementare Gedeihen der Provinzen' verkörpern (L'Orange-G. 158f). In diesem Sinn sind auch die 4 anonymen F.pers. an der Basisplatte der Arcadiussäule zu verstehen (Kollwitz 24, Beil. 5/7. 8 nr. 3). Die Deutung stützt sich auf Münzlegenden (Imh.-Bl. nr. 531: F.pers. mit Legende ‚Felicitas publica'; nr. 541: Rhenus mit ‚Salus provinciarum') u. auf zeitgenössische Panegyrik (Kollwitz 33 u. Anm. 12). Die Anknüpfungsmöglichkeit für die christl. Parad.-F.thematik ist deutlich. In der Tradition der im Triumphzug mitgeführten Bilder stehen auch die ‚historischen' Reliefs der Triumphalkunst mit ihren F.pers.: an der Trajanssäule Danuvius, schilfbekränzt aus den Wellen tauchend (K. Lehmann-Hartleben, Die Trajanssäule [1926] 112 Taf. 6; EncArteAnt 2, 757), u. derselbe an der Mark Aurels-Säule, mit ausgestreckter Rechten, ein beliebter, Anteil bekundender Gestus (C. Caprino - A. M. Colini usw., La colonna di Marco Aurelio [Roma 1955] 82 Taf. 4, 8). Am Konstantinsbogen erscheint Tiber unter dem Pons Milvius (L'Orange-G. 65/7 Taf. 10a). An der Arcadiussäule lagert eine weibliche F.pers. am Ende des Reliefbandes (Kollwitz, Beil. 8 nr. 1; G. Becatti, La colonna coclide istoriata [Roma 1960] 250). Hierher gehören auch F.pers. auf Münzen u. Medaillen, dem siegreichen Kaiser als Verkörperung unterworfener Länder beigegeben; so Euphrat u. Tigris zur Erinnerung an die Parthersiege (Imh.-Bl. nr. 528. 529). Eine trajanische Münze ersetzt den Triumphator durch Tiber, der das Knie auf Dacia setzt (Imh.-Bl. 547; Le Gall Taf. 12). Er ist Repräsentant für Rom wie Nilus für Ägypten. Weiteres für Tiber bei Le Gall 24f. – Charakteristisch für die Tendenz einer Sinnerweiterung vom individuellen Einzel-F. zum kosmischen Element ist die Rolle des Oceanus in der imperialen Ikonographie. Zusammen mit Terra signiert er die Weltherrschaft des Kaisers, ein Bildpaar von lange fortwirkender Bedeutung (Hanfmann 2, 20). Auf der Gemma Augustea steht Oceanus hinter Terra (EncArteAnt 2, 291 Abb. 431). Sonst sind beide korrespondierend gelagert (Imh.-Bl. nr. 565). Am Galeriusbogen in Saloniki rahmen Oceanus u. Terra die siegreichen Augusti (K. F. Kinch, L'arc de triomphe de Salonique [Paris 1890] 24 Taf. 6). Auch für die Büsten unter Halbbögen zu Füßen der Augusti, die oft als F.-pers. gedeutet werden (Kinch aO.; W. Volbach-M. Hirmer, Frühchristl. Kunst [1958] 43), dürfte kosmische Deutung als Caelus mit Himmelsgewölbe zutreffen (J. Kollwitz: RQS 44 [1936] 56). Das zentrale Motiv der auf dem verdoppelten Himmelsgewölbe thronenden Herrscher hat dann seine inhaltliche Entsprechung in den Eckfiguren Oceanus u. Terra, beidemale Symbole der Weltherrschaft (Kollwitz 44). In diesem Sinne erscheinen Oceanus u. Terra auch am Sockel ‚unter den Füßen' (Weihinschrift) eines verlorenen Reiterdenkmals Theodosius d. Gr. in Kpel, das bereits der christlichen Epoche angehört (Kollwitz 8). An die hier vorgeprägten Bildgedanken u. -formen knüpft später die Chri-

stus-Ikonographie an (u. Sp. 96). Wichtig wird ferner ein häufig begegnendes ikonographisches Motiv: die unter sich aufbäumenden Rossen gelagerte Orts-Pers., so Oceanus unter Sols Gespann am Konstantinsbogen (L'Orange-G. 162ff. 179ff Taf. 38a; Kollwitz 43), auch hier im Rahmen kosmischer Weltherrschaftssymbolik (s. Abb. 1).

Abb. 1. Rom, Konstantinsbogen. Sol-Oceanus-Medaillon (Zeichnung P. Wieland nach L' Orange-v. Gerkan).

b. Private Denkmäler. 1. Sepulkralkunst. F.-pers. gehören zum Bildrepertoire der hier verbreiteten mythologisch-erzählenden Darstellung. So in der Wandmalerei (etwa Helbig 2³, nr. 1452/4), besonders aber auf den mythologischen Sarkophagen. Hier findet man F.pers. in der Geschichte der Leda (Robert, Sark. 2 Abb. 2), des Paris-Urteils (ebd. Abb. 10: Quellnymphen), des Actaeon (ebd. 3, 1 Abb. 1), des Mars u. der Rhea Silvia (ebd. 3, 1 Abb. 88), des Hercules (ebd. 3, 1 Abb. 138), des Meleager (ebd. 3, 2 Abb. 230), des Endymion (ebd. 3, 1 Abb. 39. 40. 47. 48. 79: Quellnymphen), des Marsyas (ebd. 3, 2 Abb. 198/203. 205. 208), des Phaethon (ebd. 3, 3 Abb. 336/38. 340. 342/45: Eridanus). Von den kompositionsverwandten Meleagersarkophagen übernimmt ein Löwenjagdsarkophag in Reims das Motiv eines Torbogens, der im Zwickel eine F.pers. zeigt (G. Rodenwaldt: RömMitt 59 [1944] 191/203 Abb. 2, Taf. 31. 34). Die Deutung als Triumphbogen, zu dessen Bildrepertoire F.pers. gehören, legt sich nahe, zumal ein solcher hier neben

dem von Virtus begleiteten Feldherrn sinnvoll ist. Diese Deutung entspräche dem von
A. D. Nock (AmJArch 50 [1946] 157) betonten, auf das Leben des Verstorbenen gerichteten Sinngehalt des Bildprogramms der
Jagdsarkophage; anders Rodenwaldt aO.
196, dessen Hinweis auf F. Cumont (Symbolisme funéraire [Paris 1942] 125) die F.pers.
im Sinn einer Jenseitsspekulation als Hades-
F. deutet. – Seit Ende des 2. Jh. begegnet auf
den mythologischen Sarkophagen das Bildpaar Oceanus u. Terra häufig in der besprochenen Weise unter Rossen gelagert. So Oceanus beim Paris-Urteil (Robert, Sark. 2 Abb.
11), auf Endymionsarkophagen unter dem Gespann von Luna (ebd. 3, 1 Abb. 55. 58. [60].
65. 81), von Sol (ebd. Abb. 83); bei Proserpinas
Raub unter den Rossen Plutos, Abb. 2 (ebd. 3,

Abb. 2. Rom, Capitolin. Mus. Oceanus auf Pro-
serpina-Sarkophag (Zeichnung P. Wieland nach
Robert).

3 Abb. 391/4. 397. 402. 405/6. 410 f. 413);
auf Phaethonsarkophagen (ebd. 3, 3 Abb. 343.
345, 1 a; vgl. auch Abb. 332). Zum Ganzen
auch o. Bd. 5, 1137. Auf dem kapitolinischen
Prometheussarkophag gehört Oceanus ikonographisch sowohl mit Sol als auch mit Terra
zusammen (Helbig 2[4], nr. 1257). Zur Übernahme des Motivs auf Säulen-, dann Jahres-
zeitensarkophage Hanfmann 2, 17ff; F.
Matz, Ein röm. Meisterwerk (1958) Taf. A.
C. G. H. 1. Vgl. auch die Stuckreliefs im
Valeriergrab unter St. Peter (J. Toynbee-W.
Perkins, The Shrine of St. Peter [London
1956] Taf. 12. 13). Die inhaltliche Bedeutung
läßt sich über das Allgemeine hinaus, die
Funktion als Elemente der kosmischen Weltordnung, nicht fixieren. Wesentlich ist die
hier greifbare Tendenz zur ,Intensivierung'
des ,repräsentativen Charakters' (Matz aO.

137), das Zurücktreten des Mythologisch-Erzählenden zugunsten symbolischer Ausdrucksformen. Oceanus erscheint sonst in der
Grabeskunst häufig als Maske (an Sarkophagen: Rumpf, Ant. Sark. 5, 1, 125f; im Wand-
stuck: Toynbee-Perkins aO. 81; als Fresko
noch in der christl. Katakombe S. Callisto, 2.
H. 4. Jh.: Wilpert, Mal. 30 Taf. 134, 1). Als
Ganzfigur zeigt ihn ein Mosaik aus einem
röm. Hypogäum in Sousse (L. Foucher, Inv.
des mos., Sousse [Tunis 1960] 77 nr. 57. 168
Taf. 40; ders., Hadrumetum [Paris 1964]
294): Oceanus in F.gott-Typik gelagert, auf
Urne gestützt, gerahmt von 4 Windbüsten.
2. Altäre u. Weihreliefs. Bekannte Beispiele
sind die Pers. des Tiber auf dem Altar von
Ostia, 124 nC. (Le Gall 25 Taf. 8; W. Hermann, Röm. Götteraltäre [1961] 118/21) u.
auf der Basis Casali (Le Gall 26f Taf. 9; Helbig 1[4], nr. 268: Zeit des Septimius Sev.), beidemal im Rahmen römischer Gründungssagen.
Kult bezeugt das den Quellen u. Nymphen
errichtete Weihrelief des Epitynchanus im
kapitolin. Museum mit gelagerter Pers. des
Fons (Helbig 2[4], nr. 1332); ferner das Altär-
chen u. Votivrelief mit Aesontius (Isonzo)
in Aquileja (A. Calderini, Aquileia Romana
[Milano 1930] 158; G. Brusin, Aquileia [Udi-
ne 1929] 151 nr. 87. 88 u. Abb. 18; ders.,
Aquileia e Grado [5][Padova 1964] 164).
3. Kunsthandwerk. Die Bronzereliefs der
,Tensa Capitolina', 3. Jh., zeigen in einem
Zyklus der Jugend Achills mehrere F.pers.:
Styx als sitzende Quellnymphe bei Achills
,Taufe' durch Thetis; ein gelagerter Meergott
bei Achills Übergabe an Peleus (Matz aO.
85f; K. Weitzmann, Ancient Book Illumi-
nation [Cambridge/Mass. 1959] Taf. 28 Abb.
62a. b; L. Guerrini, Infanzia di Achille e sua
educazione presso Chirone, Studi Misc. 1
[Roma 1961] 43/53, mit Datierung um Mitte
4. Jh.; Helbig 2[4], nr. 1546). Auch auf der auf
den gleichen Archetyp zurückgehenden sog.
kapitolin. Brunnenmündung, um 4. Jh., ist
Styx weiblich (Weitzmann aO. Taf. 29 Abb.
63a gegen O. Waser: Roscher, Lex. 4, 1578
u. Abb. 1). Weitzmann aO. 55/59 vermutet
in dem auch sonst nachweisbaren Zyklus
ein Zeugnis verlorener hellenistischer Buchillustration alexandrinischen Ursprungs, den
er bis ins MA verfolgt. Im Unterschied zu
diesen Ortsallegorien haben auf der Silber-
schale von Parabiago (wohl 2. H. 4. Jh.)
Oceanus, Tethys u. die Nymphen Symbol-
charakter (Volbach-Hirmer aO. Taf. 107);

sie vertreten das Element des Wassers in einer ,breit angelegten kosmischen Szenerie' (L'Orange-G. 164$_1$. 175). Die Schale, sakraler Gegenstand u. Zeugnis des Kybele-Kults, zeigt das Fortleben privater heidnischer Frömmigkeit in christlicher Zeit (Friedländer, Docum. 45; A. Rumpf, Stilphasen der spätant. Kunst [1955] 21; Hanfmann 2, 82$_{241}$ [Lit.]).

4. Dekoration von Privatbauten. Zahllos sind die F.pers. im Schmuck römischer Villen u. Thermen. So in mythologischen Wandgemälden, wie im 1. Hadesbild der Odysseelandschaften im Vatikan (Helbig 2^3, nr. 414). Weiteres bei Waser, F.götter 2788; C. M. Dawson, Romano-Campanian Mythol. Landscape Painting ^{2}(New Haven 1965). — Von der Beliebtheit der F.pers. im Fußbodenmosaik geben die Funde in Antiochia ein Bild, Darstellungen, die zwischen Dekor u. Thema in der Schwebe bleiben. ,Halbmythologisch' sind zB. die Darstellungen von Ladon u. Psalis aus dem 2./3. Jh. (Levi 1, 205; 2 Taf. 46 c); das Wasser des Ladon entströmt hier dem Füllhorn, wie auch bei Ladon auf einem Glasgefäß aus Südrußland, um 200 (RömMitt 44 [1929] 63 Abb. 5 Taf. 13). Vgl. ferner Levi 1, 109f; 2 Taf. 18. — ,Halbtopographisch' sind die mit Provinz-Pers. verbundenen F.-pers., so die Brustbilder von Pyramos u. Tigris mit Kilikia (Levi 1, 57/9; 2 Taf. 9 b. c). Vgl. auch ebd. 1, 394. 540 Abb. 154 u. 203: Mas 'udije; ferner 1, 272f; 2 Taf. 63 d: Antiochia, hier in Thermen, wo F.pers. beliebt sind. — Noch in christlicher Zeit begegnen derartige Pers., so um die Mitte des 5. Jh. in Antiochia: ,Kastalia-Pallas' in den topographischen Rahmenbildern des Megalopsychia-Mosaiks (Levi 1, 329. 324 Abb. 136; G. Downey, Ancient Antioch [Princeton 1963] Abb. 45 nr. 59). — Charakteristisch für die kosmologischen Vorstellungen der Spätantike u. die Ablösung mythologischer Gestalten durch Natur-Pers. ist das eine Oceanus-Darstellung aufweisende Weltall-Gemälde im Winterbad zu Gaza (Antiochia?), das durch die Ekphrasis des Johannes v. Gaza (6. Jh.) überliefert ist, ein ,heidnisch gedachtes Ganze' trotz des vielleicht erst nachträglich eingefügten Kreuzzeichens (Friedländer, Joh. v. G. 147f. 153f. 185/6. 197/9; Taf. 1; G. Krahmer, De tabula mundi ab Joan. Gaz. descr., Diss. Halle [1920]; G. Downey, Antioch-on-the-Orontes 2, The Excavations of 1933/6 [Princeton 1938] 205ff; G. Hanfmann: Latomus 3

[1939] 112/8). — Von den zahlreichen Oceanus-Masken u. -Köpfen ist hervorzuheben das Mosaik in den Thermen von Sabratha (S. Aurigemma, L'Italia in Africa. Tripolitania 1 [Roma 1960] Taf. 5): Oceanus mit Früchtekranz in Art des Nil (anders L. Foucher, Hadrumetum [Paris 1964] 263$_{1060}$, der eine Beziehung zu dem im punischen Nordafrika verehrten syrischen Vegetations- u. Wassergott Hadad [o. Bd. 1, 1090f] annimmt). Den apotropäischen Charakter eines Oceanus-Kopfes bezeugt die Inschrift zu einem Mosaik aus Aïn Temouchent bei Sétif in Algier (Inv. des mos. de la Gaule et de l'Afrique 3 [Paris 1911] nr. 318; Friedländer, Docum. 23f Taf. 8; Levi 169$_5$; L. Foucher, La maison de la procession dionysiaque à El Jem [Paris 1963] Abb. 23; zum Thema ebd. 139/45 mit Liste von Mosaiken mit Oceanus-Kopf). Zur Weiterführung dieser Bildtradition in christlicher Zeit wird ein (verlorenes) Mosaik in Frampton/Dorset genannt, das einen Neptun-Kopf mit benachbartem Chi-Rho-Monogramm aufwies (J. M. C. Toynbee, Art in Britain under the Romans [Oxford 1964] 250/2; vgl. auch J. Engemann, Art. Fisch: o. Bd. 7, 1048). — Endlich sei auf die Oceanus-Darstellungen im Rahmen einer Meeresszenerie, ein weitverbreitetes Bildthema, hingewiesen (Thermen von Althiburus-Medeina; Inv. des mos. 2, Tunisie nr. 576; neugefundenes Mosaik in Kreuznach: s. B. Stümpel: MainzZs 63 [1968] 196/8 Taf. 55. 56). Der größere Themenkreis, dem es angehört, die Wasserlandschaften, begegnen später im Schmuck christlicher Kirchen (u. Sp. 94f).

5. Buchillustration. Die wichtigsten Vermittler antiker F.pers. an die christl. Periode sind illustrierte Hss. Die Beliebtheit der F.pers. auch in diesem Kunstzweig bezeugen die ältest erhaltenen Bildercodices aus dem 5. Jh., die beide einem älteren Vorbild folgen: Vergilius Vaticanus (o. Bd. 2, 746) pict. 2, zu Verg. georg. 3, 146 (J. De Wit, Die Miniaturen des Verg. Vat. [Amsterdam 1959] 20f Taf. 2, 1). Ferner Ilias Ambrosiana (o. Bd. 2, 744), Min. 52, zu Il. 21, 212: Skamander stehend, die Rechte im Sprechgestus erhoben, ein F.gott im alten mythischen Sinn u. integrierender Teil der Handlung; dagegen Min. 53: gelagert als Zuschauer (R. Bianchi-Bandinelli, Hellenist.-Byz. Miniatures of the Iliad [Olten 1955] 80f. 108f Abb. 88. 89 u. Taf. 3).

6. Sternzeichenbilder. Bei der Bedeutung der

Sternkunde für Altertum u. MA liegt hier ein wichtiger eigener Traditionsbereich. Es handelt sich einmal um Eridanus (ποταμός), der auf dem Globus Farnese als zwiefach geschlungenes Band gegeben ist (Thiele 29f Taf. 4; F. Saxl, Lectures 2 [London 1957] Taf. 45a; Boll-Gundel 989/93); üblich wird der gelagerte Typus (u. Sp. 97). Sodann um den Wassermann (ὑδροχόος). Er wird stehend, aus ein oder zwei Urnen gießend, dargestellt (Boll-Gundel 974/7); so in dem für frühhellenistisch gehaltenen Zodiacus des Marmordiskus von Brindisi (P. Wuilleumier, Tarente [Paris 1939] 544/7 Taf. 45, 2) u. auf dem Globus Farnese (Thiele 29 Taf. 6); ferner im Zodiak auf Münzen (Imh.-Bl. nr. 556/7), auf Mithrasdenkmälern, auf Sarkophagen, so dem Jahreszeitensarkophag Dumb. Oaks, auf dem Grabmal von Igel, im Filocalus-Kalender (H. Stern, Le calendrier de 354 [Paris 1953] 199 Taf. 37, 3).

IV. Judentum. Meer, Quellen, F. spielen im AT eine bedeutende Rolle als geographische Bestimmung, kosmisches Element u. soteriologisches Symbol. Dabei scheinen an manchen Stellen alte Vorstellungen von Wassergottheiten durch, werden aber entmythisiert (O. Kaiser, Die mythische Bedeutung des Meeres in Ägypten, Ugarit u. Israel ²[1962]; Reymond). Jüdische Jordan-Darstellungen fehlen. F.- oder Wasser-Pers. in jüdischen Darstellungen von atl. Szenen sind bisher nicht nachweisbar. In der Synagoge zu Dura sind Nil u. Rotes Meer, ebenso wie die 12 Ströme am Brunnen von Beer real, nicht als Pers. dargestellt (C. H. Kraeling, The Synagogue = The Excavations at Dura-Europos, Final Report 8, 1 [New Haven 1956] Taf. 52/3. 59. 67). – Verschiedenartig sind die Darstellungen des Wassermanns im Zodiacus des Fußbodenmosaiks palästinensischer Synagogen des 5./6. Jh. In Isfiya erscheint keine Pers., sondern nur eine Urne (M. Avi-Yonah: Quart-DepAntPal 3 [1934] 125; zu dieser Darstellungsweise Boll-Gundel 976; vgl. auch Elfenbeinpyxis des 6. Jh. mit Mosesszenen in Leningrad: DumbOPap 14 [1966] 59 Abb. 30). In Tiberias gießt der Wassermann in antiker Weise stehend (B. Goldmann, The Sacred Portal [Detroit 1966] 60 Abb. 19). Eine ikonographische Besonderheit findet sich in Beth Alpha: der Wassermann ist nicht gießend, sondern aus einem Brunnen schöpfend dargestellt mit der Beischrift ‚Schöpfeimer' (E. L. Sukenik, The Ancient Synagogue of Beth Alpha [Jerusalem 1932] Taf. 10). Kultischer Bezug liegt nahe u. zwar zur Feierlichkeit des Wasserschöpfens, das einen Höhepunkt des Laubhüttenfestes bildet u. auch kosmische Deutung erfuhr (vgl. EncJud 10, 695/7; Strack-B. 2, 799/805; Reymond 225f).

B. Christlich. In der frühchristl. Kunst sind Darstellungen von F. nicht zahlreich. F.pers. begegnen zuerst bei atl., später bei ntl. Szenen. Eine Gruppe für sich bilden die *Parad.-F., thematisch sowohl dem AT wie dem NT verbunden. Eine Sonderstellung nimmt der Psalter ein, der die Mehrheit seiner Bilder aus anderen Hss. ableitet, daneben aber auch eine eigene Bildart aufweist, die wortgetreue Illustration einzelner Psalmstellen; die frühest erhaltenen Darstellungen führen bereits in nachikonoklastische Zeit. Mit der Rezeption der Antike in der makedonischen u. karolingischen Renaissance mehren sich F.pers. wie Pers. überhaupt bei biblischen Themen. Ihre Beliebtheit erhellt aus dem Veto der Libri Carolini (PL 98, 1162): ,nonne divinis Scripturis eos contraire manifestum est, cum flumineos amnes in figuris hominum ... depingunt?' Denkmäler dieser späteren Periode mit heranzuziehen, ist wegen ihrer Bedeutung als Kopie wie als Kriterium für frühe Darstellungen erforderlich. Oft sind F.pers. aus antik-profanem Zusammenhang genommen u. Szenen eingefügt, die im Urtyp der entsprechenden Bibel-Hss. keine Pers. zeigten. Es ist daher zu scheiden einerseits zwischen F.pers., die unter dem Einfluß der Antike schon in frühchristlicher Zeit einer Szene beigegeben wurden u. zum traditionellen Bestand gehören (Jordan bei Elia Himmelfahrt), anderseits solchen, die erst später, in neuem Rückgriff auf die Antike hinzugefügt wurden (Jordan bei Josuas Durchzug). Im Ganzen liefert die Geschichte der F.pers. einen wertvollen Beitrag zur Frage des Verhältnisses von Antike u. Christentum; die Aufnahme von F.pers. bezeugt bereits in frühchristlicher, verstärkt in mittelbyzantinischer Zeit, ein Bewußtsein vom ‚Wert des antiken Erbes' u. seiner ‚Vereinbarkeit mit der christl. Tradition' (Weitzmann, Mythol. 4f).

I. Themen des AT. Die frühest erhaltene F.pers. begegnet auf dem Wannensarkophag von S. Maria Antiqua, um 270, Abb. 3 (Wilpert, Sark. Taf. 1; Klauser 11f. 23 Taf. 4, 1): als Abschluß der Jonasszene folgt hier an der 1. Wannenrundung die Sitzfigur des Meergottes Neptun mit Dreizack u. Urne. Auf ikonogra-

Abb. 3. Rom, S. Maria Antiqua. Neptun auf Wannensarkophag (Zeichnung P. Wieland nach Klauser).

phische Beziehung zu profanen Fischerszenen in Art der Brunnengruppe des 3. Jh. in Villa Borghese (Helbig 2⁴, nr. 1966) wies bereits Dölger hin (Ichth. 5, 662). Die ebd. 659/61 (ebenso Goodenough, Symb. 1, 100; 3 Abb. 79) als antik pagan herangezogene maritime Szene auf dem Marmorgefäß in Grottaferrata mit einer F.pers., die R. Eisler als christlichen Jordan gedeutet hatte, entfällt; sie wird der romanischen Kunst zugeschrieben (P. Toesca, Storia dell'arte Ital. 1 [Torino 1927] 827). – Erst in der 2. H. des 4. Jh. sind F.pers. erneut greifbar, wiederum in atl. Szenen. Vereinzelt in der Katakombenmalerei: im Coemeterium der Vigna Massimo (Wilpert, Mal. 31. 33. 387 Taf. 212; Levi 1, 59) wird die lagernde Eckfigur der unteren Szenenreihe als Tigris gedeutet im Blick auf die, freilich erst übernächste, Szene mit Tobias. Dagegen ist das öfter herangezogene Fresko mit Elia Himmelfahrt in der Domitilla-Katakombe auszuschalten (Wilpert, Mal. Taf. 230, 2); der rechts außen Stehende ist nicht Jordan (so K. Wessel: o. Bd. 4, 1157f; J. Daniélou, Les symboles chrét. primit. [Paris 1961] 86; Waser, Jord. 211f), denn alle Merkmale einer F.pers. fehlen. Ähnliche akklamierende Figuren begegnen auch sonst bei der Elia-Szene (vgl. Garrucci, Stor. 5 Taf. 327, 3); gegen ,Jordan' schon Wilpert aO. 418₆; DACL 6, 2, 2148f. Dagegen begegnet der Jordan mehrfach bei Elia Himmelfahrt auf Sarkophagen

in theodosianischer Zeit, während er auf älteren Darstellungen (Wilpert, Sark. 190, 3; 190, 6) wie auch außerhalb der Sarkophagkunst fehlt (Katakombe von Via Latina: Ferrua Taf. 23; Holztür von S. Sabina: Volbach-Hirmer aO. Taf. 104). Der Platz des Jordan ist unter Elias Rossen: Stadttor-Sarkophag Borghese im Louvre, Abb. 4 (Wilpert aO. 82, 2); Sarkophag unter dem Altar der Capp. della Colonna, S. Pietro in Vaticano (Garrucci aO.); Arles, Mus. Lap., Riefelsarkophag (Wilpert aO. 198, 1). Der Mailänder Stadttor-Sarkophag läßt an der gleichen Stelle durch ,ungeschickte Einfügung' des Sündenfalls anstelle des Jordan (H. U. v. Schoenebeck, Der Mailänder Sarkophag [1935] Abb. 6) die Priorität des Borghese-Entwurfs erkennen, auch die Absicht, die heidn. F.pers. zu eliminieren. J. Kollwitz (Probleme der theodosianischen Kunst: RivAC 39 [1963] 191/233), der in dem Sarkophag Borghese, bzw. dessen Vorlage, den ,Ausgangspunkt' der Stadttorgruppe erkennt, führt den Entwurf auf Rom u. eine kleine Oberschicht zurück, die sich ,als Träger der alten Traditionen' fühlte. Dem entspräche auch die Aufnahme der Jordan-Pers., ein Motiv, das dem Bilderkreis der röm. Plastik entstammt (o. Sp. 76). Auf die ikonographische Beziehung zum Sol-Oceanus-Medaillon des Konstantinsbogen wies schon Wilpert (Sark. Text 2, 269) hin; auf die zu den mythologischen Sarkophagen H. U. v. Schoenebeck: RömMitt 51 (1936) 277; E. Weigand: ByzZ 41 (1941) 155; Gerke, Vorkonst. Sark. 88₂. 262₃. Zum Inhaltlichen ist ein Titulus des Ambrosius beachtenswert, der den auffahrenden Elias u. Helios vergleicht (S. Merkle: RQS 10 [1896] 220 nr. 18). Es läßt sich also hier eine ,Ideenparallele' greifen, wie sie häufig bei Übernahme antiker Typen in die christl. Kunst vorliegt (Weitzmann, Grundl. 40. 98). Der Bildtypus lebt in der mittelbyz. Buchmalerei fort; Beispiele: Vat. gr. 699, fol. 66ᵛ (C. Stornajolo, Le miniature della topografia crist. di Cosma Indicopleuste [Milano 1908] Taf. 27); Sinai, Klosterbibl. cod. 1186, 10./11. Jh., fol. 109ʳ (L'Arte 12 [1909] Abb. S. 161). – Das Motiv der unter Rossen, diesmal Pharaos, gelagerten Pers., die hier das Rote Meer meint, oft in F.gott-Typik mit Urne, nehmen auch die Durchzugssarkophage (o. Bd. 4, 385/8) der theodosian. Zeit auf (Wilpert, Sark. Taf. 97, 1. 4; 209, 3; 210 [1]. 2; 211, 1. 2; 216 [7]. 8; vgl.

Abb. 4.   Paris, Louvre. Jordan auf Stadttor-Sarkophag Borghese (Zeichnung P. Wieland nach
v. Schoenbeck).

auch Gerke, Vorkonst. Sark. 88₂). Das Fehlen der Pers. auf Durchzugsdarstellungen außerhalb der Sarkophagkunst (Katak. von Via Latina; Holztür v. S. Sabina; Langhausmosaik in S. Maria Maggiore) weist auf Beheimatung des Motivs in der Plastik hin. Eine weibl. Quell-Pers. begegnet in der Wiener Genesis (o. Bd. 2, 751 nr. 22b), fol. 7 zu Gen. 24, 15/28 (H. Gerstinger, Die Wiener Genesis [1931] 86f. 161 Taf. 13/14; dazu Weitzmann, Mythol. 5). – Einer späteren Phase, der Antikenrezeption in der mittelbyz. Periode, gehören Darstellungen des Durchzugs durch das Rote Meer an, die im Wasser die Halbfigur der Erythra Thalassa zeigen, so in der Pariser Gregor-Hs. fol. 264ᵛ (o. Bd. 2, 748 nr. 19; H. Buchthal, The Miniatures of the Paris Psalter [London 1938] Taf. 23, 62) u. im Bristolpsalter, London, Brit. Ms. cod. add. 40731, fol. 127ʳ (S. Dufrenne, L'illustration des psautiers grecs du moyen âge 1 [Paris 1966] Taf. 55). Dagegen ist im Pariser Psalter, einem Hauptwerk der makedon. Renaissance (o. Bd. 2, 749 nr. 21; Buchthal aO. Taf. 9), auf fol. 419ᵛ außer Thalassa noch Bythos dargestellt, eine Pharao sich entgegenstellende gehörnte Athletengestalt ‚aus einer antiken Kampfszene entnommen' (K. Weitzmann: Jb. Kunstwiss. 6 [1929] 184). Beide Meeres-

Pers. erscheinen auch in der Regina-Bibel, cod. Vat. gr. 1, fol. 46ᵛ (Buchthal aO. Taf. 20, 43) u. in den byz. Oktateuchen des 12. Jh., Vat. gr. 746, fol. 192ᵛ u. ehem. Smyrna, fol. 81ᵛ (Buchthal aO. Taf. 23, 64; D.- C. Hesseling, Miniatures de l'octateuque gr. de Smyrne [Leyde 1909] Abb. 179). Ihr Fehlen im Oktateuch Vat. gr. 747, 11. Jh., fol. 89ᵛ, der den Archetyp am reinsten bewahrt, läßt die Meeres-Pers. als späteren Zusatz erkennen.–Die ältest bekannte Darstellung des Jordan-Durchzugs, in S. Maria Maggiore, zeigt keine F.pers. (H. Karpp, Die Mosaiken in S. Maria Maggiore zu Rom [1966] Abb. 128). Auch die Beschreibung des Paulinus läßt für die ‚pictura' zu Nola nicht auf Pers. des Jordan schließen (c. 27, 519/28; R. C. Goldschmidt, The Churches at Nola [Amsterdam 1940] 60f). Sie begegnet erst in der Josua-Rolle, cod. Vat. gr. 431, Bl. 2, in der 1. H. des 10. Jh. (K. Weitzmann, The Joshua Roll [Princeton 1948] 10/12. 69f Taf. 2 Abb. 5; Taf. 24 Abb. 85): der Typus ist antik, unantik jedoch die Anordnung oberhalb des F. In den Oktateuchen Vat. gr. 746, fol. 43ᵛ u. Smyrna, fol. 223ʳ sitzt der Jordan regelwidrig auf einem Berg. Das Fehlen der Pers. wiederum im Vat. gr. 747, fol. 219ʳ spricht zusätzlich für Zufügung zum Archetyp. – Den Prozeß des Einschmelzens antiker

Elemente beleuchtet ein Beispiel aus früh-
byz. Zeit: ein cyprischer Silberteller, um 610,
zeigt zur David-Goliath-Szene die Pers. des
Tales Elath, in F.gott-Typik; stilistische Kriterien sowie das Fehlen der Pers. in derselben
Szene auf einem Teller der gleichen Serie erweisen sie als spätere Zutat zum Bildthema
(Weitzmann, The Classical in Byz. Art 158).
II. Themen des NT (Jordantaufe). F.pers.
bei ntl. Themen begegnen erst später. Der
auf dem Deckel des Adelphia-Sarkophags
aus dem 2. Viertel des 4. Jh. bisweilen als F.-
pers. gedeutete bärtige Kopf dürfte am ehesten eine Berg- Pers. darstellen (S. L. Agnello,
Il sarc. di Ad. [Città del Vat. 1956] 65 Abb. 27;
Th. Klauser: Gnomon 28 [1956] 315). Die einzige F.pers. aus dem ntl. Bereich ist der Jordan
bei der Taufe Jesu. Auszuschalten ist ein Sarkophag in Servanne (Wilpert, Sark. 15, 2); die
als Jordan gedeutete Figur ist hier mit der Was-
serquelle nicht verbunden. Die frühest bekannten Darstellungen gehören erst dem 5.
Jh. an: 1) Das Kuppelmosaik des Bapti-
steriums der Orthodoxen in Ravenna, um 460,
zeigt den Jordan in Halbfigur auftauchend,
in antiker Typik, mit der Linken Schilfstengel u. Urne, rechts Tuch haltend (F. W.
Deichmann, Bauten u. Mosaiken v. Ravenna
[1958] Taf. 41; S. K. Kostoff, The Orthodox
Baptistry of Ravenna [New Haven 1965]
Abb. 43. 44). Die an zentraler Stelle angebrachte Pers. wurde also nicht als anstößig
empfunden. Soll sie auf das Vorhandensein
des ‚wahren Jordan im Taufwasser' hinweisen? (ThWb 6, 613. 623). 2) Kuppelmosaik
des Arianer-Baptisteriums in Ravenna, zw.
493/526 (Deichmann aO. Taf. 252. 254; Kostoff aO. Abb. 136): Jordan, in Ganzfigur,
sitzend, rechts Urne u. Schilfstengel haltend,
die linke Hand erhoben, Krebsscheren auf
dem Kopf (zu dieser Regelwidrigkeit Waser,
Jord. 194₃). 3) Werdener Elfenbeinkästchen
im Victoria and Albert Museum, aus dem 5.
Jh. (J. Natanson, Early Christian Ivories
[London 1953] Abb. 15). Während nr. 1/3 den
Jordan an bevorzugter Stelle neben Christus,
mit Johannes korrespondierend, zeigen, ist
er sonst klein u. untergeordnet dargestellt:
4) Säulentrommel in Istanbul, Archäol. Mus.,
aus dem 5. Jh., mit stark zerstörter Halbfigur
u. Urne im Wasser unterhalb des Engels links
von Christus (Volbach-Hirmer aO. Taf. 76; O.
Wulff, Altchristl. u. byz. Kunst 1 [1913] Abb.
169). 5) Elfenbeinkathedra in Ravenna, Erz-
bischöfl. Mus., um Mitte des 6. Jh. (G. Bovini,

La cattedra del vescovo Massimiano di Rav.
[Faenza 1957] 18). 6) Ein Elfenbein des 6.
Jh. in London, Brit. Mus. (Volbach, Elf. nr.
141 Taf. 46). 7) Ein Elfenbein der gleichen
Zeit in Lyon, Städt. Mus. (Volbach, Elf. nr. 149
Taf. 49). 8) u. 9) Fresken des 6./7. Jh. in Ka-
pelle 17 u. 30 des Apollon-Klosters in Bawit
(DACL 2, 1, 245 Abb. 1282; J. Clédat: Mé-
moires Inst. franç. Caire 12 [1904] Taf. 45;
39 [1916] Taf. 5). 10) Goldmedaillon aus Zy-
pern in Washington, Dumb. Oaks Coll., um
600/10 (Volbach-Hirmer aO. Taf. 248). 11) Anhänger des 6./7. Jh. in Berlin, Staatl. Mus.
(Wulff, Bildwerke 1 [1909] Taf. 40 nr. 827).
Nr. 5/11 zeigen, in Abweichung von antiker
F.gott-Typik, neue ikonographische Züge:
Jordan dient der Interpretation des Taufgeschehens; sein Abwenden oder Staunen (8)
verdeutlicht den Epiphanie-Charakter der
Taufe. Zum Motiv des ‚fliehenden' Jordan
(vgl. Ps. 113, 3 bzw. 114, 3; PsAmbros. hymn.
‚Illuminans Altissimus': 45 Bulst), das er auf
einen apokryphen, früh im Osten einflußreichen Taufbericht zurückführt, grundlegend A. Jacoby; im Anschluß an ihn G. Ristow. Weitere Jordan-Darstellungen gehören
dem frühen u. hohen MA an. Die Umbildung
der antiken Typik schreitet fort; Jordan, oft
in kleinstem Format gegeben, wird ‚herabge-
würdigt zum dämonischen Wesen mit Ab-
wehrgebärde' (Waser, Jord. 196. 206).
III. Paradiesthematik. Das Thema der Parad.-F. gehört sowohl dem AT (Genesis) als
auch dem NT (Apokalypse) an. Zu scheiden
ist inhaltlich zwischen erzählenden Schöpfungsszenen u. Symbolbildern eschatologisch-
soteriologischen Charakters. Ikonographisch
ist freilich mit der Aufnahme des Vierströme-
Motivs in die Szenerie des Endzeit-Paradie-
ses eine Verschmelzung beider Themenkreise
gegeben; theologisch ist sie schon im NT vorbereitet (1 Cor. 15; Rom. 5), entwickelt dann
bei den Kirchenvätern (Prud. cathem. 10,
161/4). Formal ist zu scheiden zwischen
personifizierender u. nichtpersonifizierender
Darstellungsweise, letztere in vormittelalter-
licher Zeit weitaus überwiegend. – Hier sollen
nur zwei Problemkreise aufgezeigt werden:
das Alter des Bildmotivs der Parad.-F. in
der Genesis-Illustration u. das Aufkommen
der personifizierenden Darstellungsweise. Von
Bedeutung ist hier eine dritte Gruppe von
Darstellungen: Parad.-F. in Bildzusammen-
hängen, die nichtbiblischen Charakter haben u.
dem Dekor nahestehen. Als ‚einzige authen-

tische frühchristl. Darstellung' von Parad.-
F. in Schöpfungsszenen nennt Schlee 26
das Diptychon Carrand in Florenz, das
Adam u. die Tiere zeigt, kein erzählendes,
sondern ein repräsentatives Bild (Volbach,
Elf. nr. 108: Ende 4. Jh.; J. Kollwitz: o. Bd. 4,
1127f: frühes 6. Jh.). Doch dürften darüber
hinaus Parad.-F. in nicht personifizierender
Darstellung in frühen Genesisbildern nicht
auszuschließen sein. Für den verlorenen
Genesiszyklus des 5. Jh. in Alt-St. Paul überliefern die Nachzeichnungen vJ. 1634 zwar
keine Parad.-F. (St. Waetzold, Die Kopien
des 17. Jh. nach Mosaiken u. Wandmalereien
in Rom [1964] Abb. 329/34); doch waren die
Fresken im 17. Jh. schon stark beschädigt u.
liegen Parad.-F. in späteren, der gleichen
Traditionsgruppe angehörenden Zyklen vor
(so S. Giovanni a P. Latina; Wilpert, Mos.
4 Taf. 252/5; zum Ganzen J. Garber, Wirkungen der frühchristl. Gemäldezyklen [1918]
28/48. 53). – Das Fehlen in der Wiener Genesis (H. Gerstinger, Wiener Genesis [1931]
Taf. 1) ist kein negatives Indiz: die Bildfolge
setzt, da die ersten Blätter verloren sind,
erst mit Gen. 3, 4 ein; zudem gibt die Hs. nur
eine Auswahl aus einer weit umfangreicheren
Vorlage (K. Weitzmann, Die Illustration der
LXX: Münchner Jb. 3/4 [1952/53] 101f).
Daß Darstellungen der Parad.-F. im Umkreis
der Wiener Genesis nicht unbekannt waren,
zeigt der zeitlich u. örtlich nahestehende Cod.
Rossanensis (A. Muñoz, Il cod. purpureo di
Ross. [Roma 1907] Taf. 4; H. Gerstinger -
K. Weitzmann: Beitr. z. Kunstgesch. u. Arch.
des Frühmittelalters [1962] 47): fol. 2ʳ zeigt
die 4 sich zu einem Strom vereinenden Quellen in einem thematisch zwar endzeitlichen
(zu Mt. 25, 1/13), ikonographisch aber einer
Schöpfungsszenerie nahestehenden Paradies-
bild (vgl. Gerstinger, Genesis Taf. 2). Man
könnte hier den Reflex einer in der Wiener
Hs. nicht mehr greifbaren Schöpfungsszene
mit Parad.-F. vermuten. – Einer anderen Ge-
nesis-Rezension als die Wiener Hs. folgen
die byzantinischen Oktateuche (K. Weitzmann, Observations on the Cotton Genesis
Fragments: Studies in honor of A. M. Friend
[Princeton 1955] 130f). Hier begegnet eine
eigene Darstellungsweise der Parad.-F.: Das
eine Mal ein das Bild horizontal durchziehen-
der F. (Vat. gr. 747, fol. 20ʳ; Vat. gr. 746, fol.
32ʳ; Smyrna, fol. 10ʳ; Hesseling aO. Abb. 14).
Das andere Mal vier von einem rechteckigen
Becken herabfließende Wasserläufe, in Vo-

gelschauperspektive gesehen, in Art antiker
mappae mundi, also in Anlehnung an wissenschaftliche Illustration (Vat. gr. 746, fol. 35ʳ;
Smyrna, fol. 11ʳ; D. V. Ainalov, The Hellenistic
Origins of Byz. Art, ed. C. Mango [New Brunswik 1961] 227 Abb. 128; Hesseling aO. Abb.
15). Daß es sich um alte Ikonographie handelt
(gegen Schlee 7), wird bestätigt durch das
Vorkommen auch in Cod. Vat. gr. 747, fol.
21ᵛ. – Hauptvertreter einer weiteren Rezen-
sion ist die Cotton Genesis, 6. Jh. Für ihre
verlorenen Schöpfungsszenen treten die Nar-
thexmosaiken des 13. Jh. von S. Marco, Venedig, ein, denen die Cotton-Genesis oder
eine zeitgenössische Kopie als Vorlage diente.
Hier begegnen bei Einführung Adams ins
Paradies die 4 Parad.-F., u. zwar personifiziert (J. J. Tikkanen, Die Genesismosaiken
von S. Marco [Helsingfors 1889] 32 Taf. 1, 4,
mit Hinweis auf die unantike Auffassung; R.
B. Greene, The Adam and Eve Cycle in the
Hortus Deliciarum: Studies in honor of A.
M. Friend [Princeton 1955] Taf. 55, 3d). Daß
schon die Vorlage Parad.-F. enthielt u. die
Pers. in S. Marco ursprünglich nichtpersoni-
fizierte F. ersetzen, wird angenommen (Schlee
8f); für das letzte kann das Fehlen von Pers.
überhaupt in der Cotton-Genesis geltend gemacht werden, wobei freilich ihr fragmenta-
rischer Erhaltungszustand keine endgültigen
Schlüsse erlaubt (Weitzmann, Cotton Gen.
127). In jedem Falle aber wird man dem Bild-
motiv der Parad.-F. als solchem nicht – wie
Schlee 26 – die Beheimatung in der früheren
Genesis-Illustration absprechen können. –
Hinfällig geworden ist sodann die These,
daß personifizierte Parad.-F. nicht vor der
Jahrtausendwende aufkommen. Ein 1957 ge-
machter Fund bezeugte solche erstmalig
schon für das 6. Jh., u. zwar in eben dem Umkreis alexandrinischer Kunst, dem auch die
Cotton-Genesis zugeschrieben wird: Das Fußbodenmosaik der 539 nC. geweihten Kirche
von Qasr el Lebia (Cyrenaica) gibt in seinen
Feldern auch die 4 namentlich bezeichneten
Pers. der Parad.-F., gelagert u. in antiker
Typik (B. Goodchild: London Illustr. News
231 [1957] 1034; H. Sichtermann: JbInst 74
[1959] 342/8; Hermann 63f; A. Grabar:
CahArch 12 [1962] 135/40). Die F.pers. rahmen paarweise die Pers. der ‚Ananeosis' u.
‚Kastalia'; christliche Paradiesvorstellungen
verbinden sich mit paganen von der Heilkraft
des Wassers. Geon hat Niltypik, eine in der
LXX gründende Gleichsetzung (Jer. 2, 18;

Sir. 24, 27; vgl. G. Hölscher, Drei Erdkarten. Ein Beitr. z. Erdkenntnis des hebr. Altertums: SbH 34, 3 [1943/4] 44; Hermann 38f u. Abb. 5; zur Gleichsetzung auch ThWb 6, 612$_{43}$; Du Cange, Gloss. s. v. Fluvius). Hinzu kommen Darstellungen in den Baptisterien von Ochrid (5. Jh. ?) u. von Mariana (Corsica, Ende 4. Jh.), die 1961 zutage kamen. Hier handelt es sich beide Male nur um Köpfe von F.pers., die dem mit Tiermotiven geschmückten Fußbodenmosaik an den 4 Ecken eingefügt sind, in Ochrid namentlich als Parad.-F. gekennzeichnet (G. Moracchini, Le pavement en mosaïque de la basilique paléo-chrétienne et du baptistère de Mariana: CahArch 13 [1962] 137/60 Abb. 14; dies., Les monuments paléochrétiens de la Corse [Paris 1967] 51/5 Abb. 59. 63/5). Das Bildschema, aus der Antike übernommen, setzt sich bis ins MA fort (Fußbodenmosaik von Die [Drôme], 11. Jh.; Schlee 121; Moracchini, Monuments Abb. 66). – Die weitaus zahlreichste Gruppe endlich bilden Denkmäler mit Parad.-F. in endzeitlichen Paradiesdarstellungen, hier durchweg nicht personifiziert. Hier gehören die 4 Ströme zu einer Reihe zusammenhängender Bildmotive, Berg, Lamm, Palme, Phönix u. Thron, die sinnbildlich die Doxa des erhöhten Herrn anzeigen. Einen festen Platz hat dies Bildrepertoire in Apsiskompositionen, deren ältest erhaltene, S. Costanza, nach Rom u. in spätkonstantinische Zeit führt. Die ‚signification eschatologique‘, die Février den Parad.-F. zuschreibt, fügt sich dem Grundtenor frühchristlicher Apsidenkunst ein (vgl. E. Dinkler, Das Apsismosaik von S. Apollinare in Classe [1964] bes. 115ff). Die weite Ausbreitung u. Variation des Themas kann hier nicht dargelegt werden. Hinzuweisen ist nur auf die ikonographische Verschmelzung mit anderen, sinnverwandten Themen, wie zB. dem Lebenswasser (trinkende Hirsche am Vierstromberg, auf Sarkophagdeckel Marseille bei F. Benoit, Sarcophages paléochrét. [Paris 1954] 73f u. Taf. 43, 2; am Lebensbrunnen, auf dem Mosaik aus Junca, wo die Parad.-F. namentlich bezeichnet sind; vgl. Février Abb. 6). Hierzu gehört auch die Verbindung von Parad.-F. u. Jordan. Sie geht zurück auf das AT (Sir. 24, 35/7) u. wird im Christentum theologisch in der Taufe begründet (Greg. Nyss. bapt.: PG 46, 420f); danach umfließt der Jordan die ganze Erde u. verbindet sich im Paradies mit den 4 Strömen. Zur kosmischen Auffassung des Jordan auch Cyrill v.

Jerus. in der 3. Taufkatechese 5 (PG 33, 434); zur Gleichsetzung von Okeanos u. μέγας ᾿Ιορδάνης in der Naassenerpredigt s. R. Reitzenstein-H.- H. Schaeder, Studien z. ant. Synkretismus (1926) 166. Neben den von Février notierten Darstellungen, der freilich 182f. 196 für die Malerei in SS. Pietro e Marcellino, für das Apsismosaik in SS. Cosma e Damiano sowie das Goldglas im Museo Sacro Vaticano (C. R. Morey, The Goldglass Coll. of the Vat. Libr. [C. del Vat. 1959] nr. 78) nicht überzeugend die Jordanes-Inschrift auf das Lamm auf dem Paradiesberg bezieht, steht als Unicum das Apsis-Mosaik in Hosios David in Thessaloniki aus der 2. H. des 5. Jh. (Ch. Ihm, Die Programme der christl. Apsismalerei [1960] nr. 38; Volbach-Hirmer aO. Abb. 134; T. Gerasimo: CahArch 10 [1959] bes. 280f; A. Grabar: ebd. bes. 291. 296). Hier entspringen unter dem in einer Aureole thronenden Christus die 4 Ströme, die nach den Seiten in einen fischreichen F.lauf münden (anders Schlee 86). In diesem taucht geduckt eine bärtige Halbfigur auf, Jordan, der mit dem vom Taufbild bekannten Gestus des Erschreckens die Epiphanie Christi bezeugt. – Die F.landschaften im Kirchenschmuck, letztlich auf antike Nillandschaften zurückgehend, bilden eine eigene Thematik. Als christlicher ‚locus amoenus‘ (Hermann 64/9) fügen sie sich der Paradiesthematik der Apsiden an, der Jordan als christlicher Nil. In den Apsiden begegnen im hohen MA wieder Pers., nicht der Parad.-F., aber des Jordan. Das Mosaik von S. Giovanni in Laterano von 1290 (Wilpert, Mos. 1, 190f Abb. 59) zeigt je eine stehende F.pers. (‚Jor‘ u. ‚Dan‘) als Eckfiguren; in der Strommitte gelagert ‚Jordanes‘; darüber die Parad.-F. aus einem Becken herabfließend wie in den Oktateuchen. Das Apsismosaik in S. Maria Maggiore von 1295 (Hermann Abb. 6; H. Karpp, Die Mosaiken in S. Maria Maggiore zu Rom [1966] Abb. 163. 171) zeigt je eine gelagerte F.pers. als Eckabschluß, eine davon weißhaarig. Zum ‚Rückgriff der röm. Spätdugentomalerei auf die christl. Spätantike‘ vgl. W. Paeseler: Beitr. z. Kunst des MA (1950) 157/70; F.W. Deichmann: ByzZ 54 (1961) 163. – In den Parad.-F. des MA leben antike ikonographische Züge fort (vgl. noch Schlee 121 Abb. 9; Février 192f). Die personifizierende Darstellung überwiegt (vgl. zB. den Buchdeckel in Paris, Mus. Cluny, um 1150/60, mit gehörntem Euphrat bei E. Dinkler-v. Schubert, Der Schrein der hl. Elisabeth zu Marburg [1964] Abb. 116; ferner das Oswaldreliquiar in Hildesheim, Domschatz, um 1170: Parad.-F. mit Fisch-Attribut, ebd. Abb. 117).

IV. Psalmen. Wiederholt begegnet, bedingt durch den liturgischen Festgebrauch der Psalmen, die Taufszene mit Jordan in den byz. Psaltern, speziell der sog. mönchischen Gruppe (s. o. Bd. 2, 749f), wie F.pers. überhaupt hier zahlreich sind. Aber wenn auch ein Nachleben der Antike in Einzelzügen greifbar ist (Krebsscheren, Hörner u. a.), so kann doch bei diesen koboldartigen Wesen, oft hockend u. wasserspeiend, ‚von einer unmittelbaren typenmäßigen Übernahme antiker Pers.... keine Rede sein‘ (K. Weitzmann, Byz. Buchmalerei [1935] 55f; Tikkanen 26f). Öfters tritt Jordan bei der Taufszene zu Psalm 113, 3 bzw. 114, 3 auf, so im Chludoffpsalter, Moskau, Hist. Mus. cod. gr. 129, fol. 116ᵛ (Tikkanen Abb. 31: Jordan u. Thalassa); ferner ebd. fol. 117ʳ (Ristow, Taufe Abb. 16: Jordan abgewandt, mit Pileus u. Exomis, ‚im Typus des altgriech. Charon‘; Waser, Jord. nr. 30). – Der negative Charakter der Jordan-Pers. erhellt aus ihrer Ersetzbarkeit durch den besiegten Drachen, so Chludoffpsalter fol. 72ᵛ, zu Ps. 73, 13ff (Tikkanen Abb. 64; Ristow, Taufe Abb. 17). – Von den überaus häufig als ‚Chiffre‘ für ‚aqua‘ auftretenden F.pers. nur zwei Beispiele: zu Ps. 1, 3 (decursus aquarum) erscheint im Bristolpsalter, fol. 8ᵛ, eine F.pers., die vom Baum herab eine Urne entleert (S. Dufrenne, L'illustration des psautiers grecs du Moyen Age = Biblioth. Cah. Arch. 1 [Paris 1966] Taf. 47); zu Ps. 136 (flumina Babylonis) zeigt der Psalter Paris, Bibl. Nat. cod. gr. 20, fol. 40ᵛ Euphrat von oben herabstürzend u. wasserspeiend (Dufrenne aO. Taf. 46). Unter den abendländischen Hss. stehen an erster Stelle die F.pers. in den Wortillustrationen des Utrechtpsalters (E. T. De Wald, The Illustrations of the Utrecht Psalter [Princeton 1932] Taf. 1. 30. 42. 53. 86. 90; s. o. Bd. 2, 757. 761 nr. 38); die Typik der F.pers. schließt an spätantike Vorbilder an. Anders im Stuttgarter Psalter fol. 54ʳ zu Ps. 41, 7, um 820/30 (E. T. De Wald, The Stuttgart Psalter [Princeton 1930] Faksimile), wo ‚Jor‘ u. ‚Dan‘, ohne Urnen, Jor mit Füllhorn mit Blumen, Dan weiblich, auftreten. Die zwei Jordanquellen begegnen erstmals bei Jos. ant. Iud. 1, 10, 1; 5, 3, 1; im MA sind sie geläufig, wie die Glossa ordinaria zu Gen. 14, 14ff: PL 113, 20 zeigt. Zum

Ganzen vgl. auch K. H. Rengstorf: ThWb 6, 609.

V. Christus Kosmokrator. Der antike Bildtypus des Herrschers, zu dessen Füßen Oceanus u. Terra lagern, wird erst in karolingischer Zeit auf Christus übertragen, so im Cod. Aureus von St. Emmeran, fol. 6ʳ (G. Leidinger, Der Cod. Aureus [1925] Faksimile). Diese Ikonographie wird auch bei der Kreuzigung Christi verwandt, so auf dem Deckel vom Perikopenbuch Heinrichs II (RDK 4, 1259/60, Abb. 1; zum Ganzen K. A. Wirth: RDK 5, 1073/5).

VI. Allegorische Dichtung. Die Illustrationen zu Prudentius Psychomachie, die auf einen spätantiken Archetyp zurückgeführt werden (R. Stettiner, Die illustrierten Prud.-Hss. [1895] 154/61; H. Woodruff, The Illuminated Mss. of Prud. Psychomachia [Cambridge/Mass. 1930] 4f), zeigen in der 1. Hss.-Gruppe, vor Vers 99 (pudicitia gladium Jordanis in undis/abluit) Jordan als bärtige F.pers. mit Urne u. ‚schilfartigem Gegenstand‘ (Stettiner aO. 156; Tafelbd. [1905] Taf. 20, 3; 43, 1; 52, 4 u. 10). In der 2. Hss.-Gruppe fehlt im allgem. die Jordan-Pers. Bei Cod. Par. 8085, 9. Jh., fol. 58ʳ vermutet Stettiner 252 (vgl. Taf. 88, 10) in einer verwischten Zeichnung neben der Urne den Versuch einer Jordan-Darstellung. Die Hs. Brüssel, Bibl. Roy. cod. 9968/72, 11. Jh., fol. 81ʳ zeigt 2 Figuren mit Urnen (Jor-Dan?; Stettiner 252 u. Taf. 183, 5; Woodruff aO. 31 Abb. 102).

VII. Mythologie. Der durch mythologische Darstellungen vermittelte Einfluß der Antike hat auf die christl. Ikonographie nachhaltig eingewirkt. Eine hervorragende Stellung als ‚key monument of the classical survival in the early christian period‘ (Weitzmann, Surv. 46) nimmt die Ilias Ambrosiana ein (o. Sp. 82). Der Periode einer Neuaufnahme mythologischer Illustrationen in mittelbyz. Zeit gehören sodann die F.pers. in den Cynegetica des PsOppian. (o. Bd. 2, 745 nr. 8) an. Die Hs. Venedig, Marc. gr. 749, 11. Jh., zeigt auf fol. 23ᵛ (Stadt Apameia) u. fol. 24ʳ (Herakles u. die Rinder des Geryon) in unantiker Weise am oberen Bildrand den Orontes, in Halbfigur mit Urne, der das Wasser waagerecht wie ein wehendes Band entfließt. Ähnliches findet sich in den Psaltern der mönchischen Gruppe, ‚a complete abandonment of the classical tradition‘ (Weitzmann, Mythol. 117/22 Abb. 137/38). Ebenso unklassisch ist die Darstellung des Alpheios in den Illustrationen zu PsNonnos (vgl. o. Bd. 2, 750 nr. 21a): Alpheios erscheint einmal als Pers. mit Urne, außerdem aber auch in dem seiner Urne entströmenden Wasser schwimmend, eine Vermischung von realer u. personifizierender Darstellung, die in der Antike nicht möglich ist (Weitzmann, Mythol. 26f. 75f; Abb. 26f).

VIII. Topographische u. kosmographische Darstellungen. Nichtpersonifiziert sind F. in kartographischen Darstellungen, so Jordan im Fußbodenmosaik der Kirche von Madaba, um 560/5 (M. Avi-Yonah, The Madaba Mosaic Map [Jerusalem 1954] Taf. 1. 2). Okeanos als Weltstrom die Erde umfließend begegnet auf einem von kartographischen Darstellungen beeinflußten Fußbodenmosaik der Demetrioskirche zu Nikopolis vom 2. Viertel des 6. Jh. (E. Kitzinger, Mosaic Pavements in the Greek East and the Question of a ‚Renaissance' under Justinian: Actes VIᵉ Congr. Internat. Études byz. 2 [Paris 1951] 215; ders.: DumbOPap 6 [1951] 83/122 Abb. 18 mit weiterem Material). Die Weltkarte des Kosmas Indikopleustes zeigt den erdumfließenden Ozean, ferner Euphrat, Tigris u. Geon, dessen Lauf dem Nil entspricht, aber im Paradies, jenseits des Ozean, entspringt (C. Stornajolo, Le miniature della topografia crist. di Cosma Indicopleuste [Milano 1908] Taf. 7; Hermann 42 Abb. 2). Aufnahme der naturwissenschaftlichen Darstellungsweise in die bibl. Illustration zeigen die byzantin. Oktateuche (o. Sp. 88). Zum Thema weiterhin Artikel *Fisch, *mappa mundi, *Nillandschaften.

IX. Astronomische Hss. u. Sonstiges. Außerordentlich wichtig für die Überlieferung antiker Typen von F.darstellungen sind die Sternzeichenbilder (vgl. Boll-Gundel 867/ 1071). Byzantinische u. karolingische Hss. überliefern in zT. vorzüglichen Kopien antike Vorlagen (F. Mütherich: Karoling. Kunst, Karl der Gr. 3 [1965] 50f). Text u. Sternbilderzyklus sind dabei nicht immer aneinandergebunden. Eridanus (vgl. o. Bd. 2, 761 nr. 32) wird in der Regel gelagert dargestellt. In den Hss. Wien, Nat. Bibl. cod. lat. 387, fol. 120ᶜ u. München, Clm 210, fol. 91ᵛ, beide 1. Viertel 9. Jh., ist er ganz bekleidet (weiblich? G. Swarzenski, Die Salzburger Malerei [1913] Taf. 9, 24/25). Gelegentlich ist Eridanus auch ganz nackt, gehörnt u. hält mit der Rechten die Urne, mit der Linken einen Fisch, so in cod. Vat. reg. lat. 309, um 840, fol. 98ᶜ (M. Vieil-

lard-Troiekouroff, Art carol. et art roman: CahArch 16 [1966] 101 Abb. 33 V). Selten wird Eridanus schreitend mit 2 Urnen dargestellt (A. Jeremias: Roscher, Lex. 4, 1467/ 8) oder schwimmend (vgl. F. Boll, Sphaera [1903] 541). – Wassermann (o. Bd. 2, 770 nr. 140) wird stehend, aus der Urne gießend gegeben. Zugrunde liegt ikonographisch der antike Typus des Wassergießers (vgl. Verg. Vat. pict. 16), thematisch die Gleichsetzung des Wassermanns mit dem Mundschenk Ganymed. – Unter den byz. Hss. zeigt die einzig fest datierbare aus der Zeit des Bilderstreites Cod. Vat. gr. 1291 (o. Bd. 2, 745 nr. 9; Boll-Gundel 1053), fol. 22ʳ den Wassermann in antikem Typus (Weitzmann, Byz. Buchmalerei Abb. 4). Ähnliche antike Typen zeigt auch Cod. Sangall. 902 (A. Merton, Die Buchmalerei v. St. Gallen [1912] Taf. 49), so daß für die byzantin. u. die abendländische Hs. die gleiche Quelle, u. zwar die römische Reichskunst, angenommen werden muß (Weitzmann aO. 1). Ähnlich auch der Wassermann im Planisphärium des direkt auf antike astronomische Hss. zurückgreifenden Cod. Vat. gr. 1087 (Boll-Gundel 898 Abb. 4; Dölger, Ichth. 5, 661); hier sieht man im Wasserstrahl einen Fisch, hinter dem Wassermann das Sternbild der Fische. – Auch sonst begegnen Wasser-Pers. in Hss. mit naturgeschichtlichem oder mit heilkundlichem Inhalt, so im Smyrnaer Physiologus, fol. 28ʳ, 116ʳ, 145ᵛ (o. Bd. 2, 747 nr. 15; J. Strzygowski, Der Bilderkreis des griech. Physiologus [1899] 19. 69; 40. 75. Taf. 21; 50. 75. Taf. 24); im Wiener Dioskurides (o. Bd. 2, 743 nr. 4; D. V. Ainalov, The Hellenistic Origins of Byz. Art [New Brunswik 1961] Abb. 32); im Autorenbild der ‚Precatio terrae', cod. Vindob. 93, fol. 33ᶜ (RDK 5, 1063 Abb. 33).

X. Zusammenfassung. F.pers. begegnen in der frühchristl. Kunst zunächst nicht häufig. Sie werden aufgenommen vorwiegend bei erzählenden Themen, zuerst des AT. Die antiken Vorbilder hierfür liegen im Bereich der maritimen Idylle (Neptun auf Wannensarkophag in S. Maria Antiqua) u. der Mythologie (Jordan bei Elia Himmelfahrt; Erythros Pontos beim Durchzug). Bei den letztgenannten Darstellungen ist die Anknüpfung an pagane römische Plastik, insbesondere die mytholog. Sarkophage, offensichtlich. – Die spärlich erhaltene frühchristl. Bibelillustration ist nur durch Einbeziehung späterer Hss. zu erhellen. Nur so läßt sich erweisen, daß zB.

beim Jordandurchzug die F.pers. in der ursprünglichen Textillustration gefehlt haben muß u. einem späteren Rückgriff auf die Antike, in der makedonischen Renaissance, entstammt. Hier wird die schlüsselhafte Bedeutung dieser Periode für das Fortleben antiker Pers. in der christl. Kunst deutlich. – Im Bereich der nichtbiblischen Buchillustration dagegen, bes. bei den astronomischen Hss., lassen sich seit der Antike durchlaufende Traditionslinien erkennen. – Ikonographisch wird die Typik der F.pers. aus der antiken Kunst übernommen; doch zeitigt die Tendenz zu theologischer Interpretation neue ikonographische Züge (Jordan bei Taufe Jesu). – Führend unter den christl. F.pers. ist Jordan. Dagegen begegnet die Pers. der Parad.-F. nur zögernd. Hier ließe sich kritische Reserve (möglicherweise aufgrund jüd. Einflusses?) gegenüber der Aufnahme antiker Pers. ablesen. Es fällt auf, daß die bislang bekannten frühesten Darstellungen personifizierter Parad.-F. im Rahmen nichtbiblischer, dem Dekor nahestehender Entwürfe auftreten. Offenbar hat hier die Unverbindlichkeit des Bildprogramms die Aufnahme der paganen Pers. erleichtert.

J. Babelon, Dieux fleuves: Arethuse 7 (1930) 109/115. – F. Boll-W. Gundel, Art. Sternbilder ... bei Griechen u. Römern: Roscher, Lex. 6, 867/1071. – D. Bonneau, La crue du Nil (Paris 1964). – A. A. Boyce, The Harbor of Pompeiopolis: AmJArch 62 (1958) 67/78. – T. Dohrn, Die Tyche von Antiochia (1960); Antike F.götter: Mouseion, Studien ... für O. H. Förster (1960) 69/72. – A. Février, Les quatres fleuves du Paradis: RivAC 32 (1956) 179/199. – P. Friedländer, Joh. v. Gaza u. Paulus Silentiarius, Kunstbeschreibungen justinian. Zeit (1912); Documents of Dying Paganism (Berkeley–Los Angeles 1945). – A. Furtwängler, Die antiken Gemmen 1/3 (1900). – A. Gerber, Naturpersonifikation in Poesie u. Kunst der Alten: JbbKlPhilol Suppl. 13 (1884) 239/318. – F. W. Hamdorf, Griech. Kultpers. der vorhellenistischen Zeit (1964). – G. Hanfmann, The Season Sarcophagus in Dumbarton Oaks 1/2 (Cambridge/Mass. 1951) bes. 2, 17/20. – W. Helbig, Wandgemälde der vom Vesuv verschütteten Städte Campaniens (1868). – A. Hermann, Der Nil u. die Christen: JbAC 2 (1959) 30/69. – H. Herter, Art. Okeanos: PW 17, 2 (1937) 2308/61. – F. Imhoof-Blumer, F.- u. Meergötter auf griech. u. röm. Münzen: Rev. Suisse Numismat. 23 (1924) 173/421. – A. Jacoby, Ein bisher unbeachteter apokr. Bericht über die Taufe Jesu nebst ... Erläuterungen zu den Darstellungen der Taufe Jesu (1902). – E. Kitzinger, Studies in Late Antique and Early Byz. Floor Mosaics 1: DumbOPap 6 (1951) 95/108. – Th. Klauser: J. Märki-Boehringer-F. W. Deichmann-Th. Klauser, Frühchristl. Sarkophage in Wort u. Bild (Olten 1966). – S. Kojić, Le culte des divinités fluviales dans nos régions: Starinar 17 (1967) 119/21. – J. Kollwitz, Oström. Plastik (1941). – J. Le Gall, Recherches sur le culte du Tibre (Paris 1953). – Lehnerdt, Art. F.götter: Roscher, Lex. 1, 2, 1487/96. – D. Levi, Antioch Mosaic Pavements (Princeton 1947). – H. P. L'Orange-A. v. Gerkan, Der spätantike Bildschmuck des Konstantinsbogens (1939). – J. v. Lorentz, Art. Naturgefühl: PW 16, 2 (1935) 1811/1885. – F. Matz, Die Naturpersonifikationen in der griech. Kunst, Diss. Göttingen (1913). – L. Petersen, Zur Gesch. der Personifikation in griech. Dichtung u. bildender Kunst (1939). – Ph. Reymond, L'eau, sa vie, et sa signification dans l'Ancien Testament = Suppl. Vet. Test. 6 (Leiden 1958) 208/12. – G. Ristow, Zur Personifikation des Jordan in Taufdarstellungen der frühen christl. Kunst: Aus der byzantinist. Arbeit der DDR 2 (1957) 120/26; Die Taufe Christi (1965). – C. Robert, Archäol. Hermeneutik (1919) 46/80. – K. Schauenburg, Art. F.götter: Lexikon der Alten Welt (Zürich 1965) 987/8. – E. Schlee, Die Ikonographie der Paradieses-F. (1937). – G. Schmidt, Art. F.götter: Kleiner Pauly 2 (1966) 585/7. – H. Sichtermann, Art. Fluviali Divinità: EncArteAnt 3 (1960) 715/7; Art. Oceano: ebd. 5 (1963) 619/21. – H. Steuding, Art. Lokalpersonifikationen: Roscher, Lex. 2, 2, 2074/2139. – J. Strzygowski, Ikonographie der Taufe Christi (1885). – G. Thiele, Antike Himmelsbilder (1898). – J. Tikkanen, Die Psalter-Illustration im MA (Helsingfors 1903). – J. M. C. Toynbee, The Hadrianic School (Cambridge 1937). – O. Waser, Art. F.götter: PW 6, 2 (1909) 2774/2815; Vom F.gott Jordan u. anderen Personifikationen: Festgabe A. Kaegi (1919) 191/217. – K. Weitzmann, Illustrations in Roll and Codex (Princeton 1947) bes. 168/171; Greek Mythology in Byz. Art (Princeton 1951); The Survival of Mythol. Representations in Early Christian and Byz. Art and their Impact on Christian Iconography: DumbOPap 14 (1960) 43/68; Geistige Grundlagen u. Wesen der Makedon. Renaissance = Arbeitsgem. f. Forschung 107 (1963); The Classical in Byz. Art: Byz. Art An European Art (Athens 1966) bes. 157ff. – G. Wissowa, Religion u. Kultus der Römer ²(1912) 219/225. – Princeton Index of Christian Art.

E. Dinkler – von Schubert.

Flußgötter s. Fluß II (ikonographisch).

Folter (juristisch).

A. Nichtchristlich. I. Athen. a. F. an Freien 101. b. F. an Sklaven 101. – II. Hellenist.-röm. Ägypten. a. Freie 104. b. Sklaven 104. – III. Rom. a. F. an Freien 105. b. F. an Sklaven 106. c. Glaubwürdigkeit der F.aussage 108.
B. Anwendung der F. beim Vorgehen der röm. Behörden gegen Christen. I. Zeit bis Nero 108. – II. Verfolgungen vor Decius 109. a. Zeit Trajans 109. b. Frühes 3. Jh. 110. – III. Zeit nach Decius 110.
C. Anwendung der F. durch Christen 111.

Die Termini βάσανος (fem.), στρέβλωσις, cruciatus, tormenta (plur. tantum) u. a. bezeichnen die mit bestimmten Geräten (*F.werkzeuge) vorgenommene körperliche Mißhandlung freier oder unfreier Personen, ohne daß sich jedoch allein aus dem Wortgebrauch der Zweck dieses Vorgehens bestimmen ließe. Das Verfahrensrecht kann die F. in Straf- wie in Zivilsachen in den Dienst der Wahrheitsfindung stellen, entweder gegen Beschuldigte oder gegen Zeugen. Es darf dabei nicht übersehen werden, daß der in der Literatur gelegentlich verwendete Ausdruck ‚inquisitorische F.' (zB. Ehrhardt 1776 u. ö.) sowohl die peinliche Befragung durch Staatsorgane als auch die im Akkusationsverfahren von Privatpersonen durchzuführende F. deckt. Von dieser zu Beweiszwecken erfolgten F. ist das Zufügen von Schmerzen als Strafmittel (Leibesstrafe, Verschärfung der Todesstrafe) u. als Mittel der Züchtigung zu unterscheiden.

A. Nichtchristlich. I. Athen. a. F. an Freien. Die F. freier Personen fand nur gegen Beschuldigte statt, welche entweder zum Geständnis eines Verbrechens oder, vornehmlich in Hochverrats- u. Asebieprozessen, zur Angabe von Mitschuldigen veranlaßt werden sollten (Belege s. Guggenheim 14/24; Lipsius 894 f). Dieser Art der peinlichen Befragung waren jedoch nur Fremde u. Metöken unterworfen, Bürger schützte ein unter Skamandrios ergangenes Psephisma (Andoc. 1, 43), welches vermutlich auch noch im 4. Jh. in Kraft stand. Wenn bei Lys. 13, 54; Dem. 25, 47 u. Plut. Phoc. 35 von der F. an Bürgern die Rede ist, scheint damit nur die strafverschärfende Tortur nach einem mit der Verurteilung verbundenen Verlust des Bürgerrechts gemeint zu sein; auf derartige Fälle könnte sich Cic. part. or. 118 beziehen (Turasiewicz 61/3). Die Leitung u. der Vollzug der F. an Freien erfolgte durch Vertreter der Polis (zB. tritt Andoc. 1, 43 der Untersuchungskommissär Peisandros auf).

b. F. an Sklaven. Zahlreich sind die von der Sklaven-F. handelnden Stellen (vgl. Glotz 678 f). Es geht zumeist darum, das Wissen, welches in der Regel zeugnisunfähige Sklaven von bestimmten Tatsachen hatten, im Prozeß zu verwerten. Die F.aussage, wie der Akt der peinlichen Befragung βάσανος genannt, wurde in der Praxis streng vom Prozeßzeugnis Freier (μαρτυρία) geschieden u. auch in der Rhetorik als eigene Gruppe der ἄτεχνοι πίστεις behandelt (Anaxim. rhet. 16; Aristot. rhet. 1355b 35/1356a 1; 1376b 31f). Die sowohl in öffentlichen als auch in Privatprozessen gehaltenen Gerichtsreden lassen weitgehend einheitliche Grundsätze erkennen, nach welchen eine glaubwürdige Sklavenaussage abzunehmen war. Es stand allein bei den Parteien, sich dieses Beweismittel zu verschaffen, u. zwar außergerichtlich, ohne Mitwirken einer staatlichen Autorität. Eine Partei forderte den künftigen Prozeßgegner auf, zur Überprüfung einer Behauptung Sklaven zur F. anzunehmen oder herauszugeben. Diese Aufforderung wurde in die Form einer πρόκλησις (s. Glotz 676f) gekleidet, ihr Wortlaut, der auch das genaue Thema der Befragung enthielt, in der Regel schriftlich niedergelegt. Nahm der Gegner die πρόκλησις an, hatte er, je nachdem, wessen Sklaven in Betracht kamen, entweder selbst die peinliche Befragung an den Leuten des Aufforderers durchzuführen oder seine eigenen Sklaven dem Aufforderer hierfür herauszugeben. Jedenfalls kam der zu Befragende in fremde Hände (die Befragung durch den Herrn wird ausdrücklich als Ausnahme bezeichnet, bzw. die Aussage verdächtigt, Antiph. 1, 11; 5, 32). Der Befragte wurde auf der F. keineswegs in der Art eines Kreuzverhörs über das Beweisthema vernommen, sondern hatte lediglich die schon in der πρόκλησις vorformulierte Behauptung zu bestätigen (ὁμολογεῖν) oder zu verneinen (ἄπαρνος γίγνεσθαι, zB. Antiph. 1, 7 u. 10). Das Ergebnis der Befragung wurde dem Gericht durch Zeugen übermittelt (Dem. 53, 24 in versiegelter Urkunde). Dem als Basanist einschreitenden Nichteigentümer oblag es, die Tortur anzuordnen u. abbrechen zu lassen (Antiph. 5, 32); blieb der Sklave bei der Aussage zugunsten seines Herrn, haftete jener für βλάβη (Dem. 37, 40; 59, 124). Wenn nach den aufgezeigten Grundsätzen einer am Ergebnis der Befragung interessierten Partei die Möglichkeit eingeräumt war, dem Befragten so lange zuzusetzen, bis die gewünschte Aussage erfolgte, so stand der Sklave andererseits vor u. nach der F. unter dem

Einfluß seines an der gegenteiligen Aussage interessierten Herrn. Diese Rollenverteilung im Verfahren u. die Tatsache, daß keine Partei die andere zur Herausgabe oder Annahme eines Sklaven zwingen konnte, könnten als Sicherheitsmechanismus für die Wahrheit der Aussage angesehen worden sein, der wegen seines primitiven Konzeptes (vgl. J. W. Headlam: ClassRev 7 [1893] 5) noch einem Stadium der formalen Beweistheorie entstammen dürfte. – In einem mehrfach gebrauchten Topos loben die Redner die βάσανος als sicherstes Beweismittel (Isae. 8, 12; Dem. 30, 37; Isocr. 17, 54); doch fallen diese Äußerungen stets im Zusammenhang damit, daß der Sprecher aus der Ablehnung seiner πρό-κλησις durch den Gegner Nutzen zu ziehen versucht: die Verweigerung des angeblich so sicheren Beweisverfahrens begründe die Vermutung, der Gegner habe die zu überprüfende Behauptung zugestanden (zB. Lyc. Leocr. 29/35; s. H. J. Wolff, Demosthenes als Advokat [1968] 17 zu Dem. 54, 27). Daß die F.aussage wie die übrigen Beweismittel (vgl. ders., Art. Griech. Recht: Lexikon der Alten Welt [1965] 2520) von den Heliasten frei gewürdigt werden konnte, zeigen die o. Sp. 102 angeführten rhetorischen Technai, welche hierzu Argumente in utramque partem anbieten, u. auch die Zweifel, die vor Gericht über den Wert bestimmter βάσανοι geäußert werden (Antiph. 5, 29/52; Lys. 7, 35). Die Tatsache, daß in den Reden kein einziger Fall einer auf eben beschriebene Weise abgelegten F.aussage überliefert ist (vgl. W. Wyse, The speeches of Isaeus [Cambridge 1904] 598; Lipsius 889₉₁), sondern nur Aufforderungen zur F., läßt vermuten, daß das Vertrauen in das private βάσανος-Verfahren bereits zur Zeit der Redner geschwunden war. Die zahlreich belegten προκλήσεις waren sämtlich als Finten geplant; die Aufforderungen hatten nämlich nicht die Durchführung der F. im Auge, sondern wollten aus der bereits vorhergesehenen Ablehnung lediglich ein Argument für ihren Prozeßstandpunkt gewinnen (vgl. W. Wyse, The Athenian judicial system in the fourth century: A companion to Greek studies ⁴[Cambridge 1931] 486f). Die Streitenden konnten mit einer privaten βάσανος nicht nur ein Beweismittel gewinnen, sondern auch den ganzen Rechtshandel außergerichtlich beenden (Lipsius 893₁₁₀). In diesen Fällen wurde eine dritte Person als Basanist bestellt. Unrichtig ist hingegen die These, die private

βάσανος habe ausschließlich diesem Zweck gedient (so J. W. Headlam: ClassRev 7 [1893] 1/5; ders.: ebd. 8 [1894] 136f). Neben der privaten F. von Sklaven ist auch die durch Staatsorgane überliefert (Lipsius 894₁₁₆), doch fehlen Anhaltspunkte dafür, um die Rolle dieser Aussagen im Prozeß festzustellen.

II. Hellenist.-röm. Ägypten. a. Freie. An Freien ist die F. (πειθανάγκη; s. U. Wilcken: ArchPapF 2 [1903] 119₁) für die ptolemäische Periode nur in Steuersachen sicher belegt; s. PAmh 31, 11 (112 vC.) u. ein Prostagma Euergetes II, PTebt 5, 58 (118 vC.), welches Priester davon ausdrücklich ausnimmt (s. Mitteis-Wilcken 2, 1, 22₁; Taubenschlag, StrR 65₄). Aus röm.-byzantinischer Zeit finden sich neben zahlreichen Zeugnissen für die F. als Leibesstrafe (Taubenschlag, StrR 107. 124) auch solche für ihre Anwendung zur Wahrheitsfindung. Steuersachen betrifft eine Notiz des Amm. Marc. 22, 16, 23. Das Protokoll einer von einem Strategen durchgeführten Untersuchung, POsl 17, 13 (136 nC.), berichtet, daß dieser zwei Personen durch ἐπι-πλήσσειν zum Geständnis eines Flurfrevels zu veranlassen suchte (s. dazu M. San Nicolò: SavZRom 52[1932]295f). Ein freier Zeuge wurde nach PAnt 87, 17 (3. Jh. nC.) auf der F. (βάσανος) über einen Raubüberfall vernommen (s. H. J. Wolff: SavZRom 79 [1962] 377), während nach PLips 40, 3, 21 (Ende 4./Anf. 5. Jh. nC.) in einem ähnlichen Fall die Freien vom τύπτεσθαι verschont blieben (s. ebd. Anm. des Herausgebers 132₂). Daß die F. von Freien erlaubt sei, nicht aber mit der auf Sklaven beschränkten Peitsche, stellt ein Edikt eines praeses Thebaidis fest, POxy 1186 (4. Jh. nC.; L. Mitteis: SavZRom 33 [1912] 640/5; vgl. Taubenschlag, StrR 124; unrichtig Freudenberger 119). Die Frage, ob die Behörden in Polizeifunktion oder als Untersuchungs-, Entscheidungs- oder Exekutionsinstanz einschritten, ist zumeist nicht klar zu beantworten (s. Wenger 834).

b. Sklaven. Eine sehr frühe Quelle überliefert Vorschriften über die Sklavenaussage im Zivilprozeß. PLille 1, 29 (= Mitteis-Wilcken 2, 2 nr. 369 [3. Jh. vC.]), Bruchstück eines griech. Stadtrechts (H. J. Wolff, Das Justizwesen der Ptolemäer [1962] 31₂ mit weiterer Lit.), spricht dem Sklaven die Zeugnisfähigkeit zu (1, 19f). Der βάσανος wird er, u. zwar vom Dikasterion, nur dann unterworfen, wenn dieses nicht aufgrund zusätzlich vorgelegter Urkunden entscheiden kann

(1, 21/6; Mitteis-Wilcken 2, 1, 278$_2$; Tauben-schlag, Law 95$_{139}$; E. Seidl, Ptolemäische Rechtsgeschichte ^{2}[1962] 105 hält die F. für zwingend vorgeschrieben). Den Prozeßparteien ist beim Akt der F. lediglich die Anwesenheit garantiert (1, 23 f). Dieses amtliche Verfahren trägt dem Grundsatz der Erforschung der materiellen Wahrheit in stärkerem Ausmaß Rechnung als die private βάσανος des attischen Rechts. Daß Sklaven jedenfalls im Bereich der Beamtenjustiz ohne die F. Zeugnis ablegen durften, geht aus den Eingaben anläßlich eines Liegenschaftsstreites hervor (PCairZen 4, 59. 620f [Regierung Euergetes]; Taubenschlag, Law 95$_{139}$). Der bereits angeführte PLips 40 gibt in 3, 20 Aufschluß über die F. beschuldigter Sklaven durch die röm. Verwaltung. Hingegen steht die im POxy 903, 1/11 (4. Jh. nC.) ausführlich geschilderte private βάσανος, die ein Gatte an den Sklaven seiner Frau vornahm, soweit ersichtlich mit einem Beweisverfahren nicht in Zusammenhang.

III. Rom. Eine ausführliche Darstellung der F. im Bereich des röm. Rechts bietet Ehrhardt, auf dessen sorgfältig zusammengestelltes Quellenmaterial hier allgemein verwiesen sei (ergänzend W. Waldstein, Art. Quaestio per tormenta: PW 24 [1963] 786f). Der Ausdruck tormenta war in der juristischen Terminologie, wie seine Gleichsetzung mit quaestio nahelegt (s. Waldstein ebd.), bis Diokletian stets auf die F. als Mittel der Wahrheitsfindung beschränkt, während er in späteren Quellen auch Leibesstrafen umfaßte (Ehrhardt 1776f).

a. F. an Freien. In republikanischer Zeit dürfte, wie Cic. part. or. 118 (Bedenken äußert Ehrhardt 1780) zu entnehmen ist, die F. von Freien, besonders Bürgern, nicht zulässig gewesen sein (Mommsen, StrR 405). Die von Ehrhardt 1780f angeführten Fälle betreffen jeweils Maßnahmen militärischer Führer in politischen Konfliktsituationen, woraus wohl kaum das Gegenteil abgeleitet werden kann. Freie Zeugen waren sicher von der F. ausgenommen (Liv. 8, 15, 8; Ehrhardt 1781, 40). Für römische Bürger blieb dieser Zustand bis Mark Aurel bestehen, jedoch von einer wesentlichen Ausnahme durchbrochen: des crimen maiestatis (s. Kunkel 772 mit weiterer Lit.) verdächtigte Personen wurden peinlich befragt (Belege bei Ehrhardt 1783; Mommsen, StrR 407$_4$). Nach dem Zeugnis eines diokletianischen Reskripts, Cod. Iust. 9, 41, 11, hat

Mark Aurel in diesem Zusammenhang als erster die Scheidung in honestiores u. humiliores (vgl. dazu G. Cardascia: RevHist 4, 28 [1950] 319) getroffen u. damit einen Teil der freien Bevölkerung über das crimen maiestatis hinaus der F. unterworfen. Über die exemten Personen u. die Fälle, in welchen die Ausnahme später wiederum nicht galt, s. Ehrhardt 1782/5. Zur Anwendung der F. an freien Nichtbürgern durch die röm. Provinzialbehörden s. o. Sp. 104; die christl. Quellen u. Sp. 111. Im obrigkeitlichen Verfahren war die F. nicht nur gegen Beschuldigte, sondern auch gegen Zeugen gestattet (Dig. 48, 18, 15 pr. Call. 5 cogn.; vgl. dazu R. Bonini, I ,libri de cognitionibus' di Callistrato [Milano 1964] 108f; Dig. 22, 5, 21, 2 Arcadius Charisius lib. sing. de testibus; Cod. Theod. 13, 9, 2f [vJ. 380]), ja sogar gegen private Schuldner (Cod. Theod. 9, 35, 2 [vJ. 376]; s. dazu auch Mitteis-Wilcken 2, 2 nr. 71, 6f [462 nC.], βάσανος an einem inhaftierten Bürgen).

b. F. an Sklaven. Die F.aussage der zeugnisunfähigen (s. Kaser, Zivilprozeßr. 282) Sklaven wurde sowohl im iudicium privatum wie auch publicum als Beweismittel verwendet. Von Zivilprozessen handeln zwei Stellen über Noxalklagen (Dig. 12, 4, 15 Pomp. 22 ad Sabin. u. Dig. 19, 5, 8 Papin. 27 quaest.), in welchen der Kläger den Sklaven über das vorgeworfene Delikt befragte. Um die Sklaven hierzu herauszuverlangen, dürfte dem Kläger jedoch nicht, wie Ehrhardt 1787, 66 annimmt, eine actio ad exhibendum zugestanden worden sein, sondern der noxal verklagte Eigentümer könnte sich eher unter dem indirekten Zwang, den Prozeß zu verlieren, wenn er das Beweisverfahren hintertreibe, zur Herausgabe bereitgefunden haben. Nach Dig. 21, 1, 58, 2 Paul. 5 resp. wurde ein servus fugitivus im Redhibitionsprozeß gefoltert; zur F. im Erbschaftsstreit s. Ehrhardt 1791, 3. Gegen unberechtigte F. durch Dritte konnte der dominus mit actio iniuriarum oder nach der lex Iulia de vi privata vorgehen (s. Ehrhardt 1786). Der älteste, allerdings indirekte Beleg für die Verwendung von F.aussagen Unfreier im Strafverfahren ist Liv. 8, 15, 8, das Dekret der pontifices, eine des Kultvergehens verdächtigte Vestalin möge familiam in potestate habere, wohl, damit ihre Leute der peinlichen Befragung zur Verfügung stehen. Im Verfahren vor den spätrepublikanischen Quästionen hat die Sklaven-F. einen festen, wenn auch nicht allzu bedeutenden

Platz. Aus ihrer spärlichen Erwähnung sind die Grundsätze der Befragung nur lückenhaft zu erkennen. Sicher war nicht eine Behörde, sondern der Ankläger im Rahmen seiner inquisitio (sowie zur Beschaffung von Zeugnissen; s. Kunkel 759) auch zur F. von Sklaven legitimiert (Mommsen, StrR 432). Fremde Sklaven durfte er allerdings nur mit Zustimmung des Eigentümers produzieren (Kunkel 763, 61), die des Angeklagten nicht in caput domini (Belege s. Ehrhardt 1789f). Nach Cic. Mil. 59f fand eine F. im Laufe des Prozesses statt (wohl unter Leitung des Anklägers [ebd. 60]), u. zwar in dem außerhalb der Gerichtsstätte gelegenen atrium Libertatis (Mommsen, StrR 432₃). Attius verwendete als Ankläger gegen Cluentius die Protokolle von vor dem Prozeß u. außerhalb Roms abgelegten F.aussagen (Cluent. 184): tabellae quaestionis plures proferuntur quae recitatae vobisque editae sunt, ... (Mommsen, StrR 432₄ verneint zu Unrecht die Verwendung derartiger Urkunden). In den Quästionen der Kaiserzeit ist die peinliche Befragung nur für zwei Fälle deutlicher greifbar. Gegenstand juristischer Erörterung war die Bestimmung der lex Iulia de adulteriis (18 vC.; s. Kunkel 770), welche der des Ehebruchs beschuldigten Gattin innerhalb von 60 Tagen nach der Scheidung verbot, Sklaven freizulassen (oder zu veräußern), ne mancipia per manumissionem quaestioni subducantur (Dig. 40, 9, 12 pr. Ulp. 4 adult.; s. H. Hausmaninger: SavZ-Rom 85 [1968] 481 mit weiterer Literatur; Ehrhardt 1788f). Diese lex geht vom Verbot der Befragung des Sklaven gegen den Eigentümer ab u. scheint sogar, sollte das befristete Verfügungsverbot nicht seinen Zweck verfehlen, im Akkusationsprozeß eine magistratisch erzwingbare peinliche Befragung vorzusehen (s. ebd. § 6; Sext. Caec. Africanus spricht von einer cognitio adulterii durch quaestio zumindest eines als conscius verdächtigten Sklaven). Das zweite Beispiel ist das iJ. 10 nC. (unter Protest des Juristen Cassius, s. Tac. ann. 14, 43/5) ergangene SC Silanianum, welches bestimmt, daß sämtliche unfreien Hausgenossen eines ermordeten Herrn, soweit sie ihm hätten zu Hilfe kommen können, zu foltern u. zu töten seien (dazu u. zur späteren Gesetzgebung s. Kaser, Privatr. 1, 245₂ u. 246₁₇ mit weiterer Lit.). Hier wurden die beiden Ziele der F., ihre Verwendung einerseits als Beweismittel, andererseits als Strafmittel völlig verwischt (Ehrhardt 1776, 45),

weshalb naheliegt, daß die Tortur Sache der Behörde war; Ulpian spricht von publica quaestio (Dig. 29, 5, 1 pr. 50 ed.). Erst nach Verschwinden des Akkusationsgrundsatzes aus dem Prozeßrecht (Kunkel 776/9; Kaser, Zivilprozeßr. 415f) verbietet ein Reskript Gordians die bis dahin wohl immer noch geübte domestica interrogatio u. versagt so außergerichtlich abgelegten F.aussagen die Beweiskraft im Prozeß (Cod. Iust. 9, 41, 6 [vJ. 240]). Der Wahrheitsfindung diente nur noch die von Amts wegen durchgeführte F., der auch Sklaven Dritter unterworfen werden konnten (Ehrhardt 1789). Neben der bisher behandelten Stellung der Sklaven als Auskunftspersonen im Prozeß war es auch möglich, sie als Beschuldigte auf der F. zu vernehmen. Soweit Sklaven in klassischer Zeit der accusatio unterworfen waren, konnte der Ankläger deren peinliche Befragung gegen Sicherheitsleistung für den Fall, daß sie nicht gestanden, durchsetzen (zB. Dig. 48, 5, 28 pr. Ulp. 3 adult.); im Amtsverfahren geschah die F. ohne weiteres (Ehrhardt 1788, 14).

c. Glaubwürdigkeit der F.aussage. Die juristische Literatur der Spätzeit u. die röm. Rhetorik befaßten sich auch mit der Frage nach der Glaubwürdigkeit der F.aussage. Ulpian gibt den Beamten Gesichtspunkte für die Würdigung derartiger Aussagen sowohl Freier als auch Sklaven an die Hand (Dig. 48, 18, 1, 23/7 Ulp. 8 off. proc.; für die Echtheit der Schrift s. F. Schulz, Geschichte der röm. Rechtswissenschaft [1961] 313₃ mit weiterer Lit.). Keineswegs kommt jenen Aussagen bindende Beweiskraft zu (Näheres bei Ehrhardt 1778, 35/1780, 21). Die rhetorischen Schriften setzen die attisch-hellenist. Tradition fort, für u. wider die Wahrscheinlichkeit der Aussage zu argumentieren (zB. Auct. ad Her. 2, 10; weitere Stellen bei R. Volkmann, Die Rhetorik der Griechen u. Römer ²[1885] 182f).

B. Anwendung der F. beim Vorgehen der röm. Behörden gegen Christen. I. Zeit bis Nero. Von der F. durch röm. Provinzialbehörden berichten bereits die ältesten christl. Quellen. Die Joh. 19, 1/5 geschilderte Geißelung Jesu betrachtet C. H. Dodd, Historical tradition in the fourth gospel (Cambridge 1963) 102f als Teil des Beweisverfahrens im Prozeß vor dem Statthalter (ebenso Ehrhardt 1792, 19; anders J. Blinzler, Der Prozeß Jesu ³[1960] 237). Während die duoviri der Stadt Philippi über Paulus u. Silas eine Auspeitschung als vorläufige Polizeimaßnahme verhängten, entging der Apostel in Jerusalem durch rechtzeitige Berufung auf sein röm. Bürgerrecht der peinlichen Befragung im Rahmen des Untersuchungsverfahrens (Act. 16, 22; 22, 24; s. dazu Wenger 290/3; Ehrhardt 1782, 18). Die unter Nero einschreitenden Magistrate könnten sich nach dem Brande Roms (64 nC.) gegen die Christen, die formell als incendiarii behandelt u. nicht um des nomen Christianum willen verfolgt wurden (Last 1210f), nach Tacitus Bericht der F. auch zur Ausforschung der Mitglieder der Gemeinde bedient haben; das indicium der Ergriffenen (Tac. ann. 15, 44, 6) wird wohl nicht immer freiwillig erfolgt sein.

II. Verfolgungen vor Decius. Die ersten Verfolgungen allein wegen der Tatsache des Christseins fallen in den Prinzipat der Flavier (Last 1212/4). Auf die Diskussion über die Rechtsgrundlage des behördlichen Einschreitens bis zum Jahre 249/50 kann hier nicht eingegangen werden; zur Literatur seit Last 1214/25 s. Freudenberger mit Nachweisen 13/5; vgl. auch T. D. Barnes: JRomStud 58 (1968) 32/50. Die ältere These, daß bereits ein Edikt gegen die Christen vorgelegen habe, wird durchweg abgelehnt. Die röm. Magistrate dürften je nach dem Druck der öffentlichen Meinung kraft ihrer Koerzitionsgewalt (vgl. dazu H. Last, Art. Coercitio: o. Bd. 3, 235/43) vorgegangen sein; Plinius bediente sich eines nach Meinung Freudenbergers (s. bes. 154) von den Quästionen beeinflußten Kognitionsverfahrens. Für die Anwendung der F. ist zwischen dem Zeugnis aus trajanischer Zeit u. den Quellen des frühen 3. Jh. ein erheblicher Unterschied festzustellen.

a. Zeit Trajans. Plinius referiert in seiner als Statthalter von Bithynien (111/3) an Trajan gerichteten Anfrage sein bisher gegen die Christen eingehaltenes Verfahren (ep. 10, 96; s. dazu die eingehende Untersuchung Freudenbergers). Dabei fällt vor allem die Tatsache auf, daß es Plinius unterließ, die F. gegen freie Angeklagte zu gebrauchen. Über Nichtbürger, die sich nach dreimaliger Frage als Christen bekannten, verhängte er sofort die Todesstrafe (ep. 10, 96, 3). Von Verschärfung durch Akte der Peinigung ist nicht die Rede. Renegaten u. Apostaten wurden hingegen aufgefordert, den Staatsgöttern zu opfern, u. nach Vollzug dieser Handlung entlassen (ep. 10, 96, 5f). Den Sachverhalt, welchen Plinius in umfangreichen Verhören er-

mittelt hatte (10, 96, 7), ließ er sich schließlich noch durch peinliche Befragung zweier mitangeklagter (Freudenberger 171) unfreier Diakonissen bestätigen (10, 96, 8). In seinem Reskript (Plin. ep. 10, 97) billigte der Princeps das Vorgehen des Plinius ausdrücklich; die supplicatio ture ac vino wird für jenes eigenartige Verfahren zum bindenden Entlastungsbeweis statuiert (die Auswirkungen dieser Bestimmung auf die Natur des strafbaren Tatbestandes behandelt Last 1213; s. auch Th. Mayer-Maly: Stud. Doc. Hist. Iur. 22 [1956] 327).

b. Frühes 3. Jh. Die etwa hundert Jahre später verfaßten Schriften Tertullians lassen (zumindest für die Provinz Africa) bereits eine andere Praxis erkennen. Wie zB. der Fall des Aper (Tert. Scap. 4 [CSEL 76, 13/5]) zeigt, sollten die als Christen Beschuldigten durch die F. zur supplicatio gezwungen werden, zweifellos ein Niederschlag der seit Mark Aurel (s. o. Sp. 105 f) herrschenden Richtung. Der Apologet wendet sich scharfsinnig gegen einen derartigen Gebrauch der tormenta (Scap. 4, 2 [13]): Quid enim amplius tibi (sc. proconsuli) mandatur quam nocentes confessos damnare, negantes autem ad tormenta revocare? Videtis ergo, quoquo modo ipsi vos contra mandata faciatis, ut confessos negare cogatis (ähnlich apol. 2, 10). Doch scheint dieser bestechend formulierte Vorwurf die Behörden aus zwei Gründen nicht zu treffen. Einmal wurde bereits in der zeitgenössischen Jurisprudenz die freie Würdigung auch der confessio gefordert (zB. Dig. 48, 18, 1, 27 Ulp. 8 off. proc.). Zum anderen war es wohl kaum das Ziel der Verfolger, das Christentum durch Liquidierung seiner Anhänger zu bekämpfen, sondern, wie schon Plin. ep. 10, 96, 9 anklingt, durch deren Abkehr von der ‚superstitio‘. Gerade dazu schien der immer noch im Rahmen des Beweisverfahrens ausgeübte (Freudenberger 134) faktische Opferzwang das geeignetste Mittel.

III. Zeit nach Decius. In einem dem vollen Wortlaut nach nicht bekannten Edikt (Quellen bei Vogt 1185) verpflichtete Decius iJ. 249/50 (vermutlich alle) Reichsbewohner, vor hierzu eigens eingesetzten Kommissionen die Romanae ceremoniae zu vollziehen (Last 1227; Freudenberger 132/5). Die auf der Rechtsgrundlage dieses Opfergebots einsetzenden systematischen Verfolgungen zogen Folterungen von stets wachsender Grausamkeit mit sich (s. Vogt 1185/98), welche die Bekenner entweder zum Opfer zwingen oder deren Todesstrafe verschärfen sollten. Beide Ziele sind jedoch in den von der patristischen Literatur überlieferten Fällen kaum zu trennen; über den zweifelhaften Wert des Großteils der Märtyrerakten s. F. Halkin, L' hagiographie byzantine au service de l' histoire: Proceedings of the 13th int. congr. of Byzantine studies (Oxford 1967) 345/54. Zu den brauchbaren Belegen über den Verlauf der anläßlich des Opferzwanges durchgeführten F. s. Ehrhardt 1792; vgl. auch den sehr frühen PBodmer 20 (ed. V. Martin [Genève 1963]), Akten des Märtyrerbischofs Phileas aus Thmuis (Zeit Diokletians); die Aufforderung zu opfern wird hier nicht von der F. begleitet.

C. Anwendung der F. durch Christen. Nach dem Sieg des Christentums wurde weder der Ruf nach genereller Abschaffung der F. erhoben, noch läßt sich eine Milderung der Praxis feststellen (Ehrhardt 1780, 35). Deutlich zeigen das zB. zwei Briefe des Synesius v. Cyrene, der das Vorgehen des Christen Andronikos, Statthalters der Libya Pentapolis, scharf kritisiert. Diesem Emporkömmling aus unterster sozialer Schicht (vgl. O. Seeck: PW 1, 2 [1894] 2164) wird nicht die Tatsache vorgeworfen, daß er die F. überhaupt verwende, sondern nur, daß er sie (ihr Zweck ist nicht genannt) öffentlich (unter größtem Aufsehen) habe vornehmen lassen (τὴν στοὰν τὴν βασίλειον, τὸ πάλαι κριτήριον, ἀποδείξας βασανιστήριον: ep. 57 [195c Hercher]) u. mit bislang in der Gegend offenbar noch nicht üblichen Instrumenten (δακτυλήθρα, ποδοστράβη, πιεστήριον, ῥινολαβίς, ὠτάγρα, χειλοστρόφιον: ep. 58 [201c H.]; vgl. dazu J. Vergote, Art. F.werkzeuge: u. Sp. 112/41). Auch in der Gesetzgebung der christl. Kaiser spiegelt sich die F. als selbstverständlicher Bestandteil des gerichtlichen Beweisverfahrens (s. o. Sp. 101 u. 105). – Über den hier behandelten Zeitraum hinaus gehen P. Fiorelli, La tortura giudiziaria nel diritto comune 1/2 (Milano 1953/4) u. (für die Antike unbrauchbar) F. Helbing-M. Bauer, Die Tortur, Geschichte der F. im Kriminalverfahren aller Zeiten u. Völker (1926).

E. Berneker, Art. βάσανοι: Der Kleine Pauly 1 (1964) 829. – A. P. Dorjahn, Evidence by torture in ancient Athenian courts: Studi in onore di V. Arangio-Ruiz 4 (Napoli 1953) 77/9. – A. Ehrhardt, Art. Tormenta 2: PW 6 A, 2 (1937) 1775/94. – R. Freudenberger, Das Verhalten der röm. Behörden gegen die Christen im 2. Jh. = Münchner Beitr. zur Papyrusforsch. u. antiken Rechtsgesch. 52 (1967). – G. Glotz, Art. Proklèsis: DarS 4, 1, 676/80. – M. Guggenheim, Die Bedeutung der Folterung im Attischen Processe (Zürich 1882). – M. Kaser, Das röm. Privatrecht 1 (1955); Das röm. Zivilprozeßrecht (1966). – W. Kunkel, Art. Quaestio 1: PW 24 (1963) 720/86. – H. Last, Art. Christenverfolgung II (juristisch): RAC 2 (1954) 1208/28. – Ch. Lécrivain, Art. Quaestio per tormenta: DarS 4, 1, 797f. – J. H. Lipsius, Das Attische Recht u. Rechtsverfahren 1/3 (1905/15). – R. Taubenschlag, Das Strafrecht im Rechte der Papyri (1916); The law of Greco-Roman Egypt in the light of the papyri ²(Warszawa 1955). – Th. Thalheim, Art. βάσανοι: PW 3, 1 (1899) 39f. – R. Turasiewicz, De servis testibus in Atheniensium iudiciis saec. V et IV a. Chr. n. per tormenta cruciatis (Wroclaw 1963) (Rez.: J. H. Thiel: Mnemosyne 4, 19 [1966] 312f; G. Thür: Iura 17 [1966] 269/73). – J. Vogt, Art. Christenverfolgung I (historisch): RAC 2 (1954) 1159/208. – L. Wenger, Die Quellen des röm. Rechts (1953). – J. Williams-G. W. Keeton, Art. Torture: EncyclBrit 22 (1963) 314.   *G. Thür.*

Folterwerkzeuge.

A. Nichtchristlich 112. I. Griechenland. a. Rad 113. b. Leiter 115. c. Κλοιός 115. d. Κύφων 116. e. Ποδοκάκη 117. f. Geißelung u. Prügelstrafe 118. – II. Rom. a. Eculeus 120. b. Nervus, compedes, manicae 123. c. Prügelstrafe u. Geißelung 124. – III. Orient. a. Persien 125. b. Israel 126. 1. Stockschläge 126. 2. Κλοιός 127. 3. F. der hellenistischen Zeit 127. c. Ägypten u. Mesopotamien 129.
B. Christlich. I. Rad 130. – II. Eculeus u. ἑρμητάριον 133. – III. Nervus u. ποδοκάκη 137. – IV. Stockschläge u. Geißelung 138.

A. Nichtchristlich. Die griech. u. lat. Schriftsteller erwähnen sehr häufig verschiedene Arten von Folterung, doch teilen sie nur selten Einzelheiten über die dabei verwendeten F. mit. Das erklärt sich teils durch die Vertrautheit ihrer Zeitgenossen mit den Folterverfahren, teils durch den ästhetischen Grundsatz, jede Beschreibung körperlichen Leidens zu vermeiden. Letzterer erklärt auch die Seltenheit von Darstellungen auf archäologischen Denkmälern (vgl. E. Le Blant, De quelques monuments antiques relatifs à la suite des affaires criminelles: RevArch 3, 13 [1889] 23/30. 145/62). – Augenscheinlich dienten die gleichen F. für die ‚quaestio per tormenta‘, d. h. die Folterung, die Sklaven Geständnisse u. Zeugenaussagen abnötigen sollte, wie auch für das ‚supplicium‘, das die Todesstrafe verschärfte. Häufig wurden diese F. aber auch in Ausübung der magistratischen

Koerzitionsgewalt zur Bestrafung bürgerlichen Ungehorsams oder leichterer Vergehen
angewendet (vgl. Cic. leg. 3, 6; s. u. Sp. 124).
I. Griechenland. a. Rad. Bei den Griechen war
die Folterung par excellence die Räderung.
Der geläufigste Ausdruck hierfür war τροχίζειν:
Antiph. 1, 20: τῷ γὰρ δημοκοίνῳ τροχισθεῖσα
παρεδόθη; Aristot. eth. Nic. 1153 b 19; probl.
935 b 29; Diod. 20, 71, 2; Anth. Pal. 5, 181,
3. – Zweck dieser Folterung sind die Dehnung
des Körpers u. Verrenkung der Glieder; sie
wurden durch das Verb στρεβλοῦν bezeichnet;
vgl. Aristoph. Lys. 845 f: οἷος ὁ σπασμὸς μ᾽
ἔχει χὠ τέτανος ὥσπερ ἐπὶ τροχοῦ στρεβλούμενον; ders. Plut. 875: ἐπὶ τοῦ τροχοῦ γὰρ
δεῖ σ᾽ ἐκεῖ στρεβλούμενον εἰπεῖν ἃ πεπανούργη-
κας; Dem. 29, 40; Philo leg. ad Gaium 30,
206; Plut. Nic. 30, 2; Phoc. 35, 1; Lucian.
Tox. 28. Mehrere andere Stellen bestätigen
dies: Plut. garrul. 12, 509 B; Ach. Tat. 6, 21, 1;
Phot. u. Suda s. v. τροχισθεῖσα (Bekker,
Anecd. Gr. 1, 306, 28): βασανισθεῖσα, ἀπὸ
τοῦ τροχοῦ, ὅ πέρ ἐστιν ὄργανον βασανιστι-
κόν, διατεῖνον τὰ σώματα. Die folgende Beschreibung ist zweifellos von einer griech.
Quelle, wahrscheinlich Menander, abhängig:
iactor, crucior, agitor, stimulor, vorsor in
amori᾽ rota, miser exanimor, feror, differor,
distrahor, diripior (Plaut. cist. 206/9). – ‚Jemanden auf das Rad flechten‘ hieß ἐπιθεῖναι
(Dio Chrys. 31, 83), ἀναβιβάζειν (Andoc. 1,
43), ‚auf das Rad geflochten sein‘ ἀναβῆναι
ἐπὶ τὸν τροχόν (Antiph. 5, 40). Der Delinquent lag rücklings auf der Felge des Rades,
u. diese konvexe Körperhaltung wurde durch
die Verba ἀνακλᾶσθαι u. λυγίζεσθαι ausgedrückt: Schol. Aristoph. pax 452; PsLucian.
Nero 7; Phalar. ep. 147, 3; Joseph. b. Iud. 2,
152. Aufgrund dieser Angaben u. besonders
der Beschreibung 4 Macc. 9, 11/10, 7 stellt sich
Roos die Anordnung des Rades folgendermaßen vor: ‚Der breite Radkranz bestand aus
drei parallel laufenden Reifen, von denen der
mittlere unabhängig von den äußeren in Bewegung gebracht werden konnte. Die Füße
des zu Folternden wurden an diese äußeren
Reifen des unbeweglich aufgerichteten Rades
festgebunden, die Hände wurden hinter den
Rücken gewunden u. vermittelst eines Strik-
kes an einem in den mittleren Reif eingelas-
senen Pflock befestigt. Nun setzte man den
Mittelreif in Bewegung, so daß die Arme des
Gefolterten rückwärts über seinen Kopf in die
Höhe gezogen u. aus den Schultern heraus-
gerenkt wurden‘ (93). Andererseits stellte

Roos fest, daß man das Vorhandensein eines
so komplizierten Gerätes nicht bei Privatleuten voraussetzen könne, die jedoch ebenfalls unter den für die Sklaven bestimmten
Foltergeräten über das Rad verfügten, wie
auch Pollux bezeugt: τῶν δὲ ἐν οἰκίᾳ σκευῶν
καὶ σκῦτος καὶ μάστιγες καὶ τροχοὶ καὶ
πέδαι καὶ στρέβλαι (10, 187). Roos schreibt,
in diesem Fall konnte die Folter stattfinden
‚auf einem einfachen Rade von ziemlicher
Größe, obgleich etwas weniger kunstgerecht
. . . Der Betreffende wurde mit den Füßen an
die Felgen des hinter seinem Rücken aufgestellten Rades festgebunden, seine rückwärts
gewundenen Arme wurden mittelst eines
langen Strickes nach hinten über die Wölbung
des Rades hinweggezogen, so daß die Hände
auf den Radreifen zu liegen kamen, während
das andere Ende des Strickes um einen hinter
dem Rade stehenden Pfahl befestigt wurde.
Drehte man nun das Rad in der Richtung der
Füße des Gefolterten, so wurde sein Körper
rücklings um den Radkranz herum nieder-
gebogen, u. seine Arme wurden hinter dem
Rücken in die Höhe gezerrt u. auf dieselbe
Weise ausgerenkt wie auf dem vorher beschriebenen speziellen Folterrade. Hatte man
so den erforderlichen Grad der Ausdehnung
erreicht, dann wurden die Handwurzeln des
Gepeinigten um die Felge gebunden, der an
dem Pfahl befestigte Strick wurde losgelöst‘
(97). – Aus all diesem ergibt sich, daß die
ersten Kommentatoren antiker Texte einen
Fehler begangen haben, indem sie die antike
Folter mit der Strafe der Räderung gleich-
setzten, wie sie im MA geübt wurde (Belege
bei Roos 87₁). Dagegen haben einige andere
Philologen diese Folter mit der Strafe Ixions
verglichen u. sich vorgestellt, der Delinquent
sei horizontal auf den Speichen eines Rades
befestigt worden, das man sich mit hoher Geschwindigkeit drehen ließ (vgl. Roos 88₁). Die
oben angeführten Stellen geben keinerlei Anhalt für eine solche Interpretation. – Die
Folterung mit dem Rad bei den Griechen entsprach derjenigen des eculeus bei den Römern.
Das Zeugnis des Apuleius ist in dieser Hinsicht eindeutig: nec rota, vel eculeus, more
Graecorum tormentis eius apparata iam
deera[n]t, sed offirmatus mira praesumptione
nullis verberibus ac ne ipsi succumbit igni
(met. 10, 10). Das Gleiche ergibt sich auch aus
der Gegenüberstellung zweier Stellen bei
Cicero: nam etiam in tormentis recte, honeste,
laudabiliter et ob eam rem bene vivi potest,

dum modo intelligas quid nunc dicam ‚bene'. Dico enim constanter, graviter, sapienter, fortiter. Haec etiam in eculeum coiciuntur, quo vita non adspirat beata (Tusc. 5, 5) u. In eo etiam putatur (sc. Theophrastus) dicere in rotam, id est genus quoddam tormenti apud Graecos, beatam vitam non escendere (ebd. 5, 9). Jedoch darf man aus diesen Angaben nicht schließen, daß es sich um das gleiche F. gehandelt habe. – Eine zweite Übereinstimmung zwischen dem Rad u. dem eculeus besteht darin, daß beide zusätzlich dazu dienten, das Opfer unbeweglich zu machen, um es weitere Foltern erdulden zu lassen. Der auf das Rad gestreckte Körper wurde der Geißelung unterworfen: ἐπὶ τοῦ τροχοῦ γ' ἕλκοιτο μαστιγούμενος (Aristoph. pax 452). Manchmal wird das Rad gleichzeitig mit ‚Feuer' u. ‚Eisen' erwähnt; diese dienten zweifellos dazu, verschiedene Körperteile zu brennen u. zu zerreißen: Philo in Flacc. 10, 84f; Charito 3, 4 (44 Blake); vgl. 4, 2 (58); Ach. Tat. 6, 22; vgl. 6, 21; 7, 12; Firm. Mat. math. 8, 15, 3. Es ist jedoch zu beachten, daß diese Stellen aus röm. Zeit stammen u. es daher möglich ist, daß in ihnen, die Geißelung ausgenommen, eine für den eculeus übliche Verwendung auf das Rad übertragen worden ist. – Nur einer der heidn. Autoren spricht von einer Verwendung des Rades, die der in den christl. Quellen anzutreffenden vergleichbar ist. Doch gehört dieser Verfasser in das 2. Jh. nC.: Phrynichus bietet in seiner Praep. sophistica als Erklärung von τροχισϑῆναι: ὑπὸ τροχοῦ κατατμηϑῆναι ἢ καταϑραυσϑῆναι (114, 17f Borries = Bekker, Anecd. Gr. 1, 66, 20f).

b. Leiter. Ein weiteres F. zur Ausdehnung des Körpers u. wahrscheinlich auch zum Ausrenken der Arme hieß κλῖμαξ. Es wird von Aristophanes erwähnt: ἐν κλίμακι δήσας (ran. 618f) u. in der gleichen Zeit auch von einem anonymen Dichter: τῇ κλίμακι διαστρέφονται κατὰ μέλη στρεβλούμενοι (CAF 3, 422 Kock). Seine Wirkungsweise ist darüber hinaus bei Photius u. in der Suda s. v. κλιμακίζειν beschrieben; vgl. Bekker, Anecd. Gr. 1, 272, 15/7; Etym. magn. 200, 55; 322, 37; Eustath. zu Hom. Od. 10, 560 (1669, 31f). Dieses F. ist demnach das Vorbild desjenigen, das noch im 18. Jh. in Prag verwendet wurde (Darstellung bei Roos 95).

c. Κλοιός. In seiner Beschreibung des Lebens im Gefängnis zeigt Lukian (Tox. 29/33), wie dieses F. während des Tages gebraucht u. bei Nacht durch das ξύλον ersetzt wird. Das Wort κλοιός bezeichnet gewöhnlich einen Halskragen. Dieser sollte den Gefangenen durch seine Größe u. sein Gewicht behindern. Eurip. Cycl. 235 erwähnt einen κλῳὸς τρίπηχυς. Aristophanes spricht lediglich vom Hals, der in diesem F. gefangen ist, das hier mit dem allgemeinen Ausdruck ξύλον bezeichnet wird: ἢν ... φιμώσητε τούτου τῷ ξύλῳ τὸν αὐχένα (nub. 592). Dagegen diente das Gerät nach Xenophon außerdem dazu, die Hände unbeweglich zu machen: δεδεμένος (Κινάδων) καὶ τὼ χεῖρε καὶ τὸν τράχηλον ἐν κλοιῷ, μαστιγούμενος καὶ κεντούμενος, αὐτός τε καὶ οἱ μετ' αὐτοῦ κατὰ τὴν πόλιν περιήγοντο (hist. Gr. 3, 3, 11; die oben erwähnte Lukianstelle scheint auf die gleiche Verwendung anzuspielen). Daher faßte E. Saglio das F. auf als ‚un carcan de bois, semblable à la cangue des Chinois, percé de trous par où passaient la tête, les mains ... du supplicié' (Art. Numellae: DarS 4, 1, 116f). Eine Bronze im Cabinet der Bibl. Nat. Paris stellt tatsächlich ein Gerät dieser Art dar (vgl. ebd. 117 Abb. 5340). Die angeführte Xenophonstelle zeigt, daß der Delinquent manchmal außerhalb des Gefängnisses mit dem κλοιός erschien. Das Gleiche scheint sich bei Eupol. (vgl. Athen. 6, 237 A) zu finden: εἶτ' αὐτὸν ὁ παῖς ϑύραζε ἐξαγαγὼν ἔχοντα κλοιὸν παρέδωκεν Οἰνεῖ.

d. Κύφων. Ein anderes F., der κύφων, war noch spezieller dazu bestimmt, den Delinquenten öffentlich zur Schau zu stellen: ἐφιλονείκησαν γὰρ αὐτοὺς οἱ ἐχϑροὶ ὥστε δεϑῆναι ἐν ἀγορᾷ ἐν τῷ κύφωνι (Aristot. pol. 1306b); κύφων δεσμός ἐστι ξύλινος ὃν οἱ μὲν κλοιὸν ὀνομάζουσιν οἱ δὲ κάλιον ... εἴρηται δὲ κύφων παρὰ τὸ τοὺς δεσμίους ἀναγκάζεσϑαι κύφειν (Schol. Aristoph. Plut. 476b); κύφωνες δὲ κλοιοὶ καὶ πάντες δεσμοὶ σιδηροῖ τε καὶ ἀλλοῖοι τιϑέμενοι περί τινος τράχηλον καὶ κεκυφέναι τοῦτον καταναγκάζοντες (ebd. 476; vgl. Suda s. v. κύφωνες; Hesych. s. v. κύφων). Im Unterschied zum κλοιός war dieses Gerät also wohl am Boden befestigt. Diese Art von Pranger wird erwähnt bei Aristoph. Plut. 476. 606; Crat. bei Poll. 10, 177; Lucian. necyom. 14; Zenob. 4, 7 (Paroem. Gr. 1, 85f). Auch Plut. Pericl. 28 bezieht sich wohl auf ihn: τοὺς τριηράρχους καὶ τοὺς ἐπιβάτας τῶν Σαμίων εἰς τὴν Μιλησίων ἀγορὰν ἀναγαγὼν καὶ σανίσι προσδήσας ἐφ' ἡμέρας δέκα ... προσέταξεν ἀνελεῖν, ξύλοις τὰς κεφαλὰς συγκόψαντας. Er diente auch zu einer besonderen Folter, für die dem Opfer zweifellos die Hände gefesselt waren, wie aus einem anonymen Autor (Aelian?) hervorgeht, den die Suda s. v. ἐπίκουρος u. κύφωνες zitiert: δεδέσθω ἐν κύφωνι πρὸς τῷ ἀρχείῳ ἡμερῶν εἴκοσιν, ἐπιρρεόμενος μέλιτι γυμνὸς καὶ γάλακτι, ἵνα ᾖ μελίτταις καὶ μυίαις δεῖπνον.

e. Ποδοκάκη. Das ξύλον, das bei Lukian (Tox. 29/33; s. o. Sp. 115f) dazu diente, die Beine unbeweglich zu machen, hieß auch ποδοκάκη. Allerdings läßt uns Plutarch wissen, daß nicht alle Gefangenen während der Nacht an das ξύλον gefesselt waren; einige lagen auf Strohsäcken auf dem Boden u. hatten die Füße mit Ketten gebunden (gen. Socr. 33, 598 B). Diese Fesseln waren auch unter den Namen πέδαι oder χοίνικες bekannt: Sol. 4, 34; vgl. Theogn. 539; Aeschyl. Prom. 6; Herond. 3, 95; Herodt. 5, 77; vgl. 3, 23; 7, 35; Plat. leg. 882 B; Plut. reg. et imp. apophth. 22, 181 B; Dem. 22, 84; 18, 129; Schol. Aristoph. Plut. 276; Ach. Tat. 5, 17, 3. Die ποδοκάκη findet sich Lysias 10, 16: Νόμος· δεδέσθαι δ’ ἐν τῇ ποδοκάκη ἡμέρας πέντε τὸν πόδα, ἐὰν προστιμήσῃ ἡ ἡλιαία (dies Gesetz des Solon wird auch Dem. 24, 733 zitiert); Lysias ebd.: ἡ ποδοκάκη αὕτη ἐστίν ... ὃ νῦν καλεῖται ἐν τῷ ξύλῳ δεδέσθαι. Diese Bemerkung des Redners erlaubt, auch in den folgenden Stellen eine Anspielung auf den gleichen Gegenstand zu sehen, was außerdem auch ein Scholion bestätigt: Herodt. 6, 75; Andoc. 1, 45; Aristoph. pax 479f; eq. 367; hierzu das Schol.: εἶδος δὲ δεσμωτηρίου τὸ ξύλον, ἣν ποδοκάκην λέγουσι καὶ ποδοστράβην. – Dieses F. war gleichzeitig Fessel u. Folter: ποδοκάκη, βασανιστήριόν τι ... ὄργανον εἰς ὃ στρεβλοῦταί τις δεσμούμενος τοὺς πόδας καὶ τὰς χεῖρας, ὅπερ καλεῖται καὶ ποδοστράβη (Schol. Dem. 733, 6; zu den ‚Händen‘ s. u. Sp. 127f); Suda s. v.: ἐν εἱρκτῇ τε καὶ ποδοκάκη στρεβλούμενοι καὶ ταλαιπωρούμενοι ἔμενον. Es bestand aus zwei Balken mit halbrunden Ausnehmungen, die runde Löcher bildeten, wenn die beiden Stücke mit Hilfe von Eisenstäben oder Eisenbändern zusammengepaßt wurden; vgl. Herodt. 9, 37: ἐδέδετο ἐν ξύλῳ σιδηροδέτῳ; diese Stelle zeigt auch, daß der Gefangene manchmal nur mit einem Fuß gefesselt wurde. – Ein Scholiast hat die ποδοκάκη demjenigen Gerät gleichgesetzt, von dem Aristoph. eq. 1049 spricht: τουτονὶ δῆσαί σ’ ἐκέλευ’ ἐν πεντεσυρίγγῳ ξύλῳ. Er beschreibt es als mit fünf Löchern versehen, in denen die Füße, die Hände u. der Hals eingeschlossen wurden.

Dieselbe Gleichsetzung findet sich bei Hesychius u. in der Suda s. v. πεντεσύριγγον (-συρίγγῳ) ξύλον (ξύλῳ). Die drei Zeugnisse haben offenbar nur den Wert eines einzigen. In einer dieser Frage gewidmeten Untersuchung hat P. Franchi de’ Cavalieri die Identität der beiden Geräte angenommen, jedoch bezweifelt, daß die ποδοκάκη eine so komplizierte Anordnung hatte (Scritti agiografici 1, 401/12: πεντεσύριγγον ξύλον). Tatsächlich gibt in den oben angeführten Stellen nichts einen Hinweis in diesem Sinne. Sie zeigen im Gegenteil, daß der κλοιός dazu diente, den Hals u. die Hände zu fesseln, u. daß die ποδοκάκη die Beine unbeweglich machen sollte; das vom Scholiasten beschriebene ξύλον mit fünf Löchern wäre, hinsichtlich der Verwendung der beiden letzten, unnütz gewesen. Durch Vergleich mit den christl. Zeugnissen über diese Fessel zeigt Franchi, daß sie dazu verwendet wurde, die Beine auseinanderzuspreizen, indem man sie in das erste u. dritte, vierte oder fünfte Loch einschloß; von einer größeren Zahl als fünf ist niemals die Rede; vgl. u. Sp. 138. Er schließt daraus, daß die ποδοκάκη fünf Löcher besaß u., wie ihr Name andeutet, ausschließlich zur Fesselung der Beine diente. Durch Verwendung des Ausdrucks von eq. 1049 wollte Aristophanes dieses Gerät dem κλοιός u. dem κύφων gegenüberstellen, die μονοσύριγγος oder höchstens τρισύριγγος waren. Franchi aO. 412 vermutet, daß die ursprüngliche Form der Scholie lautete: πεντεσυρίγγῳ ξύλῳ· τῇ ποδοκάκη, wie in der Suda, oder λέγει τὴν ποδοκάκην. Ein späterer Scholiast, der das Gerät nicht kannte, habe eine Konjektur nach eigenem Gutdünken zugefügt. Nimmt man diese sehr einleuchtende Hypothese an, so ergibt sich, daß ein ähnlicher Fehler auch von dem oben zitierten Demosthenes-Scholiasten begangen worden ist. Abschließend sei angemerkt, daß der auf einen vom Schlag Getroffenen angewendete Ausdruck πεντεσυρίγγῳ νόσῳ δεδεμένος des Polyeuktes in Aristot. rhet. 1411a 22 gut die Unbeweglichkeit des Gefangenen in der Fessel charakterisiert.

f. Geißelung u. Prügelstrafe. Die *Geißelung wurde auf sehr unterschiedliche Weise u. mit verschiedenartigen Geräten ausgeführt. Ein besonderes Verfahren, das man kaum erkannt hat, verdient hier erwähnt zu werden: zwei oder mehr Personen hoben den Delinquenten auf ihre Schultern u. hielten ihn waagerecht in der Schwebe, so daß er seinen

Rücken den Schlägen darbot. Die Anwendung in den Schulen wird von Herond. 3, 60f: οὐ ταχέως τοῦτον ἀρεῖτ' ἐπ' ὤμου u. von Liban. or. 19, 48 erwähnt. Nach dem lat. Lehnwort catomidiare (s. u. Sp. 125) muß die griech. Bezeichnung κατωμίζειν, κατωμισμός gelautet haben; doch sind diese Termini bisher nur in bezug auf ein besonderes Verfahren zur Wiedereinrenkung einer Verrenkung belegt. – Der ἀποτυμπανισμός war nicht etwa eine Art Kreuzigung an einem Brett oder σανίς (vgl. A. D. Keramopoullos, Ὁ Ἀποτυμπανισμός = Βιβλιοθήκη τῆς ἐν Ἀθήναις ἀρχαιολογικῆς ἑταιρίας 22 [Athen 1923]; L. Gernet, Sur l'exécution capitale: RevÉtGr 37 [1924] 261/93), sondern eine Art der Prügelstrafe, wie C. E. Owen gezeigt hat (JThSt 30 [1929] 259/66; vgl. bereits Th. Thalheim: PW 2 [1895] 190f). Das Wort ist vom Substantiv τύ(μ)πανον abgeleitet, das aller Wahrscheinlichkeit nach ein Gerät zur Anwendung dieser Strafe bezeichnete; vgl. Lucil. in der Anth. Pal. 11, 160: ἄξιοί εἰσι τυχεῖν πάντες ἑνὸς τυμπάνου; Schol. zSt.: ξύλον ἐν ᾧ ἐτύπτοντο ἐν τοῖς δικαστηρίοις; Schol. Aristoph. Plut. 476 a: τύμπανα· τιμωρικά εἰσιν ὄργανα ἀπὸ ξύλων κατεσκευασμένα ἐφ' οἷς ἐτυμπάνιζον; Sext. Emp. math. 2, 30. Vergleicht man diese Texte mit Aristot. rep. Athen. 45: Λυσίμαχον ... καθήμενον ἤδη μέλλοντα ἀποθνήσκειν ... ἀφείλετο ... ἐπωνυμίαν ἔσχεν ὁ ἀπὸ τοῦ τυμπάνου, so möchte man sich für berechtigt halten, das τύμπανον als einen Block (Tambour- oder Trommelform) anzusehen, auf den der Verurteilte gesetzt u. gefesselt wurde, ehe er die Schläge erhielt. Mehrere Lexikographen u. Grammatiker haben das τύμπανον dagegen irrig als Stock interpretiert; vgl. Bekker, Anecd. Gr. 1, 198, 20: ἀποτυμπανίσαι· τὸ τυμπάνῳ ἀποκτεῖναι, ὅ πέρ ἐστι ξύλον ὥσπερ ῥόπαλον; 1, 438, 12; Schol. Aristoph. Plut. 476a; Suda s. v. τύμπανα· βάκλα· ... ξύλα ἐν οἷς ἐτυμπάνιζον (vgl. Hesych.; das ἐν hat hier instrumentalen Sinn; vgl. als Beleg ebd. s. v. τύμπανον· ᾧ αἱ Βάκχαι κρούουσιν). – Das Substantiv ἀποτυμπανισμός wie auch das Verb ἀποτυμπανίζειν beziehen sich im allgemeinen auf die Hinrichtung durch die Prügelstrafe. Diese war die der röm. Enthauptung gleichwertige Kapitalstrafe der Griechen. Sie bestrafte den Mord (Lysias 13, 56: τῷ δημίῳ παρέδοτε καὶ ἀπετυμπανίσθη; POxy 15, 1798, 1, 7/10 [bezüglich der Mörder Philipps d. Gr.]) u. den Verrat (Lysias 13, 67; vgl. Dem. 8, 61; 9, 61; 19, 137). So kommt es

dazu, daß unter römischem Einfluß ἀποτυμπανίζειν sogar manchmal im Sinne von ‚enthaupten' verwendet wurde; vgl. Euph. bei Athen. 4, 154 C; Antiattic. (Bekker, Anecd. Gr. 1, 78, 31): ἀποκεφαλίζειν· ἀντὶ τοῦ ἀποτυμπανίζειν. Die in Frage stehenden Bezeichnungen beziehen sich auf die Todesstrafe auch an folgenden Stellen: Bekker, Anecd. Gr. 1, 438, 16: ἀποτυμπάνισον· ἄνελε, ὅ ἐστι φόνευσον; Suda s. v. ἀποτυμπάνισον· ἀνηλεῶς τι φόνευσον; aber auch an solchen Stellen, wo sie anderen Formen der Hinrichtung angenähert sind, so Lucian. catapl. 6: τοὺς ἐκ τυμπάνου καὶ τοὺς ἀνεσκολοπισμένους; Zeus trag. 19: ἀνασκολοπιζομένους δὲ καὶ τυμπανιζομένους. In gleicher Weise verstehen sie sich auch bei Aristot. rhet. 1383 a 5. 1385 a 10; rep. Athen. 45 (s. o. Sp. 119); Plut. Stoic. repugn. 32, 1049 D; soll. animal. 12, 968 E; Sulla 6, 8; Galba 8, 5. Es ist daher angebracht, ihnen den gleichen Sinn auch in den folgenden, zweifelhaft bleibenden Stellen zu geben: Plut. quomodo adulat. 17, 60 A; UPZ 119, 37.

II. Rom. a. Eculeus. Die Folter auf dem eculeus wird in der röm. Überlieferung ebenso häufig zitiert wie das Rad bei den Griechen. Doch sind Einzelangaben über seine Einrichtung u. Wirkungsweise sehr selten. Dies F. dehnte den Körper u. renkte die Glieder aus; vgl. Sen. ep. 67, 3: eculeo longior factus; Sil. Ital. 1, 175/7: per artem saevitiae extenti, quantum tormenta iubebant, creverunt artus; PsQuint. decl. 19, 12: ideo enim eculeos movebam artifex senex, tendebam fidiculas ratione saevitiae, ut leviter sedibus suis remota compago per singulos artus membra laxaret. Der Delinquent lag auf dem Gerät; vgl. Sen. ep. 66, 18: utrum aliquis ... in eculeo iaceat; Cic. Tusc. 5, 5: velut iste chorus virtutum in eculeum impositus ... Haec etiam in eculeum coiciuntur. – Ein Text des Pomponius Com. überliefert eine weitere, wenn auch ziemlich dunkle Einzelheit: ubi insilui in culeatum eculeum, ibi tolutim tortor (Non. Marc. 150, 14 Lindsay). Doch wird dieser Text klarer, wenn man ihn mit bestimmten Angaben christlicher Texte in Verbindung bringt. Das Wort κοχλίας bedeutet nicht nur Spirale oder Schraube, sondern nach Liddell-Scott auch ‚reel, spool, roller' (Winde, Spule, Rolle). Nun gibt die lat. Passio Theodorets v. Antiochia folgende Beschreibung: afferri eculeum iubet, suspendi Theodoritum imperat. quod praeceptum carnifices celeriter exsecuti, tam rota quam funibus beati martyris membra tendebant (Franchi, N. a. 6, 94). Die beiden Ausdrücke beziehen sich also auf eine Art Winde. Der gleiche Sinn von ,Winde' u. ,Kran' (d. h. Winde u. Rolle) kehrt beim Wort μάγγανον wieder, das sich in den christl. auf den eculeus u. auf das ἑρμητάριον bezogenen Quellen findet (vgl. G. W. H. Lampe, Patristic Greek Lexicon, s. v. μάγγανον: ,windlass or crane'). Aus all diesen Gründen nehmen wir an, daß der eculeus jene Form besaß, die ihm A. Gallonio zugeschrieben hat (Trattato degli istrumenti di martirio e delle varie maniere di martirizare [Rom 1591 u. 1594]; lat. Übers.: De martyrum cruciatibus [Paris 1659]; franz. Übers.: Tortures et tourments des martyrs chrétiens. Traité des instruments de martyre et des divers modes de supplice employés par les païens contre les chrétiens [Paris 1904]; vgl. unsere Abb. 1, nach C. U. Grupen, Disser-

Abb. 1. Eculeus.

tatio praeliminaris von den Tormentis Romanorum et Graecorum, insonderheit vom eculeo, tympano u. rota ferali u. ihren accessoriis, in: Observatio juris criminalis de applicatione tormentorum [Hannover 1754] Taf. A Abb. 8). Jedoch sind drei Einzelheiten zu berichtigen: 1. Die Darstellung des am Balken aufgehängten Opfers ist zu tilgen. 2. Möglicherweise waren die Stangen zur Bewegung der Winden gelegentlich durch Räder ersetzt, entsprechend dem Zeugnis der Passio des Theodoret. 3. Der Balken, auf dem das Opfer lag, muß sich tiefer befunden haben, nämlich in menschlicher Schulterhöhe, wie folgende Stelle bestätigt: eiusdem nominis philosophus (sc. Zeno Eleaticus), cum a Nearcho tyranno, de cuius nece consilium inierat,

torqueretur supplicii pariter atque indicandorum gratia consciorum, doloris victor, sed ultionis cupidus, esse dixit quod secreto audire eum admodum expediret, laxatoque eculeo, postquam insidiis opportunum animadvertit, aurem eius morsu corripuit nec ante dimisit quam et ipse vita et ille parte corporis privaretur (Val. Max. 3, 3, 3). Man versteht dann obendrein auch besser, wie der eculeus nach dem Zeugnis des Ammianus Marcellinus (26, 10, 13; 28, 1, 19) auch sozusagen in der Art eines κύφων benutzt werden konnte. – Die auf dem eculeus ausgespannten Menschen wurden häufig der Folter mit ,Feuer' u. ,Eisen' unterworfen; einige Beispiele von Geißelung finden sich gleichermaßen. Man brannte verschiedene Körperteile mit Fackeln oder laminae, d. h. in Feuer glühend gemachten Eisenklingen. Die Haut wurde mit Haken zerrissen; vgl. Sen. benef. 4, 21, 6; PsQuint. decl. 18, 11; 19, 15; Cod. Theod. 8, 1, 4: eculeis atque lacerationibus subiacere; Amm. Marc. 15, 7, 4. Man kann hieraus schließen, daß die Verwendung des eculeus bei Cic. Verr. 5, 163 vorausgesetzt ist (vgl. Hor. ep. 1, 15, 36). – Bei Sen. ep. 14, 5 ist der Begriff uncus für die Haken verwendet, doch die christl. Autoren nennen sie ungulae. Einige Verfasser von Glossen stellen diesen die fidiculae gleich, die zB. an folgenden Stellen erwähnt sind: Sen. cons. ad Marc. 20, 3; ira 3, 3, 6: eculei et fidiculae; 3, 19, 1: fidiculis, talaribus, eculeo, igne; Amm. Marc. 29, 1, 23: intenduntur eculei, expediuntur pondera plumbea cum fidiculis et verberibus, resultabant omnia truculentae vocis horroribus, inter catenarum sonitus ,tene claude conprime abde' ministris officiorum tristium clamitantibus. – Tatsächlich schreibt Isidor (orig. 5, 27, 20 Lindsay): ungulae dictae quod effodiant. haec et fidiculae, quia his rei in eculeo torquentur. Der Grammatiker Luctatius Placidus erklärt: fidiculae sunt ungulae quibus torquentur in eculeo adpensi (CorpGlossL 5, 69, 17 Loewe-Goetz; vgl. 5, 23, 15; 5, 632, 7; Schol. Prud. append. 29). Eine Schwierigkeit liegt darin, daß von einem Spannen u. Lockern der fidiculae gesprochen wird: PsQuint. decl. 19, 12 (s. o. Sp. 120): eculeos movebam ... tendebam fidiculas; Val. Max. 3, 3, 5: rupit enim verbera, fidiculas laxavit, solvit eculeum, laminas extinxit priusquam efficere potuit ut tyrannicidii conscios indicaret; vgl. Suet. Tib. 62, 2: ut larga ... potione ... oneratos ... fidicularum simul urinaeque tormento distenderet. Die beiden erstgenannten Texte zeigen jedenfalls, daß die fidiculae vom eculeus unterschieden waren u. daß sie nichts mit (beispielsweise) der Winde dieses F. zu tun hatten. Aufgrund der Glossen u. weil in den christl. Zeugnissen die fidiculae, die gemeinsam mit der Geißelung u. der Folter des Feuers auftreten, mit den ungulae abwechseln, glauben wir, uns die fidiculae als ein ausgeklügeltes F. in Form einer kleinen Leier (fides, fidium) vorstellen zu können, deren gespannte Saiten den Körper des Opfers, besonders seine Seiten, zerfetzten.

b. Nervus, compedes, manicae. Das röm. Gefängnis wies Analogien zu dem der Griechen auf: Einige Gefangene waren in der Fessel unbeweglich gemacht, andere hatten lediglich die Füße mit kurzen Ketten gefesselt: vgl. Lex XII tab. bei Gell. 20, 1, 45: vincito aut nervo aut compedibus; Cato bei Gell. 11, 18, 18: fures inquit privatorum furtorum in nervo atque in compedibus aetatem agunt. Die Plautusstellen capt. 722: ubi ponderosas crassas capiat compedes u. ebd. 734: iubete huic crassas compedes impingier erinnern an die χοίνικες παχεῖαι griechischer Autoren. Andererseits ist unbekannt, ob Plautus nicht auch an ein griech. Vorbild denkt, wenn er sagt: nam noctu nervo vinctus custodibitur (capt. 729) oder wenn er curc. 690 auf eine schmerzhafte Ausspannung der Beine anzuspielen scheint: atque ita te nervo torquebo, itidem ut catapultae solent. – Man findet in Rom keinerlei Erwähnung eines F., das dem κλοιός entspricht. Die furca, die den Hals umschloß, diente vornehmlich der Zurschaustellung des Delinquenten; sie ist daher eher das röm. Gegenstück zum κύφων. Sie war, wie ihr Name andeutet, eine Holzgabel; das Opfer war mit beiden Händen an ihre Enden gebunden: furcam ferens ductus est (Cic. div. 1, 55); er war ‚sub furca‘ (Val. Max. 1, 7, 4; Liv. 2, 36, 1; per. 55, 24 Roßbach); ausführlichere Beschreibung bei Plut. Coriol. 24, 5; quaest. Rom. 70, 280 EF. Die Anwendung der Strafe, die im allgemeinen von der Geißelung begleitet war (sub furca virgis caedere), hieß collum in furcam conicere (Aurel. Vict. epit. 5); cervicem furcae inserere (Suet. Nero 49); ἐμβάλλειν αὐχένα εἰς ξύλον δίκρουν (Cass. Dio frg. 9 [1, 21 Boiss.] = Zonar. 7, 8, 12). Sie erstreckte sich in erster Linie auf Sklaven; doch auch Freie konnten dieser Folter unterworfen werden; vgl. Suet. Nero 49; Aurel. Vict. epit. 5. Ein anderer Name für die furca

war patibulum (Macr. Sat. 1, 11, 3). – Den Gefangenen, oder bestimmten unter ihnen, konnten die Hände mit Handfesseln gebunden werden; vgl. Hor. ep. 1, 16, 76: argentum tollas licet. in manicis et compedibus saevo te sub custode tenebo; Verg. Aen. 2, 146; georg. 4, 439. In bezug auf Sklaven vgl. Plaut. most. 1065: ut, quom extemplo vocem, continuo exiliatis. manicas celeriter conectite; capt. 659: inicite huic manicas mastigiae; as. 302. – Mit den Ketten, von denen einige Texte sprechen (Cic. Verr. 2, 5, 41f; Val. Max. 6, 3, 3; Liv. 32, 26, 18; Cod. Theod. 9, 3, 1), können bald compedes u. manicae, bald andere Fesseln gemeint sein. – Wenn man Nonius Marcellus glauben soll, gebrauchten die Römer auch ein F., das gleichzeitig die Füße u. den Hals fesselte: numellae, machinae genus ligneum ad discruciandos noxios paratum, quo et collum et pedes immittunt (210 Lindsay). Festus scheint zum Ausdruck zu bringen, daß Plautus den Begriff nervus in uneigentlichem Sinn verwende, wenn er ihm die gleiche Aufgabe zuschreibe: nervum appellamus etiam ferreum vinculum, quo pedes impediuntur. quamquam Plautus eo etiam cervices vinciri ait (inc. frg. 32): ‚perfidiose captus edepol nervo cervices probat‘ (160/2 Lindsay); vgl. Plaut. rud. 887f: in columbari collum haud multo post erit; in nervom ille hodie nidamenta congeret. Auf jeden Fall konnte der in Pompeji ausgegrabene nervus lediglich die Füße fesseln. Er bietet trotzdem eine Besonderheit; denn er konnte für mehrere Leute gleichzeitig verwendet werden (vgl. F. F. Niccolini, Case di Pompei 1: Casa dei gladiatori [Napoli 1854] Taf. 1; Art. Numellae: DarS 4, 1, 117 Abb. 5341).

c. Prügelstrafe u. Geißelung. In der Kaiserzeit wurden Prügelstrafe u. *Geißelung vornehmlich für die quaestio verwendet. Darüber hinaus wurden sie als Strafe für kleinere Vergehen benutzt. Freie konnten nur der Prügelstrafe mit dem Militärknüttel oder fustis unterworfen werden, der die alten virgae ersetzte, während für Sklaven keinerlei Beschränkungen galten; vgl. Dig. 48, 19, 10 (Macer): ex quibus causis liber fustibus caesus . . ., ex his servus . . . flagellis caesus domino reddi iubetur; andererseits Dig. 48, 2, 6 (Ulp.): levia crimina audire et discutere de plano proconsulem oportet et vel liberare eos, quibus obiciuntur, vel fustibus castigare vel flagellis servos verberare. Die Zahl der Peitschenschläge, die Delinquenten aus dem

Sklavenstand verabreicht wurden, durfte nicht unter 100 liegen. Bestimmte Klassen von Freien konnten übrigens Stockschlägen nicht unterworfen werden: Dig. 48, 19, 28, 2 (Call.). In späterer Zeit waren Bleikugeln (plumbatae) an der Peitsche befestigt: Cod. Theod. 2, 14, 1; 12, 1, 80; 16, 5, 40, 7. Philo läßt uns wissen, daß freie Alexandriner nur mit den Rispen von Palmblättern ausgepeitscht werden durften: τοὺς μὲν γὰρ Αἰγυπτίους ἑτέραις (sc. μάστιξι) μαστίζεσθαι συμβέβηκε καὶ πρὸς ἑτέρων, τοὺς δὲ Ἀλεξανδρέας σπάθαις καὶ ὑπὸ σπαθηφόρων Ἀλεξανδρέων (in Flacc. 10, 78). – Die oben (Sp. 119) erwähnte besondere Art der Geißelung, die κατωμισμός geheißen haben muß, wird durch Cicero bezeugt, der auf ihre Anwendung in den Schulen anspielt: magister (sc. Caesar quasi ludi magister) adest citius quam putaramus; vereor ne in catomum Catoninos (fam. 7, 29, 1); weitere Zeugnisse bei Petronius: matrona ad ultionem decurrit vocatque cubicularios et me iubet catomidiari (132) u. Hist. Aug. Hadr. 18, 9: decoctores bonorum ... suorum catomidiari in amphitheatro et demitti iussit (vgl. das Gemälde aus Herculaneum: DarS 2, 1, 488 Abb. 2614; M. San Nicolò, Zur Prügelstrafe im Altertum: Arch. f. Kriminal-Anthropol. u. Kriminal. 52 [1913] 304/6).

III. Orient. a. Persien. Von orientalischen Folterpraktiken ist bei der Begegnung mit dem Christentum u. ihm verwandten Häresien nur die persische weitergeübt worden. Die antiken Autoren haben den Persern neben der Verstümmelung besonders grausame Foltern zugeschrieben. Herodot berichtet (5, 25), wie Sisamnes, einer der königlichen Richter, auf Befehl des Kambyses umgebracht wurde, weil er Geld für ein ungerechtes Urteil angenommen hatte. Er wurde anschließend geschunden; man schnitt seine Haut in Streifen u. bedeckte damit den Sitz, auf dem er Recht gesprochen hatte. Der König gab dem Sohn die Stellung des Vaters u. zwang ihn, sich auf den so geschmückten Sitz zu setzen. – Herodot berichtet 7, 39 von einem Fall von Zweiteilung: Der älteste Sohn des Lyders Pythios wird halbiert u. die Armee des Xerxes zieht zwischen den beiden Hälften der Leiche hindurch (vgl. Diod. 17, 83, 9). Die Androhung der Zerstückelung des Körpers Dan. 2, 5; 3, 96 schließt nicht unbedingt ein, daß die Babylonier die ersten gewesen seien, die diese Strafe anwandten. Wegen des späten Zeitpunktes der Redaktion des Buches ist die Möglichkeit persischen Einflusses nicht ausgeschlossen. – Ein magischer Brauch bestand darin, lebende Personen zu begraben (Herodt. 7, 114). Eine als σκαφεύειν bezeichnete Folter wird von Ctesias (FGrHist 688 F 14, 34) beschrieben: Der Verurteilte wurde in einen Trog eingeschlossen, wobei der Kopf, die Hände u. die Füße der Sonne u. den Insekten ausgesetzt wurden, bis dadurch der Tod eintrat. Die Perser gaben Verurteilte auch wilden Tieren preis (Dan. 6, 8. 13. 17) oder ließen sie durch Ersticken im 'Turm der Asche' zugrunde gehen (Ctes.: FGrHist 688 F 15, 50. 52). – Unter den Sassaniden wurden Diebe ins Gefängnis geworfen u. in Ketten gelegt, politisch gefährliche Personen im 'Schloß des Vergessens' eingesperrt. Prinzen, die sich empört hatten, wurden geblendet. Henken, Steinigung, Enthauptung mit dem Säbel u. Kreuzigung wurden angewandt. Auch das 26tägige Fesseln mit Eisenketten, woran unter Bahram I iJ. 276 Mani starb, muß man als Folterung bezeichnen; dem toten Körper wurden dann noch Haupt u. Hände abgehauen. Daß er auch geschunden u. die ausgestopfte Haut über ein Tor der Hauptstadt gehängt wurde, sagen bisher nur außermanichäische Quellen. Mit σταύρωσις, wie manichäische Texte diese Vorgänge gelegentlich, vielleicht in bewußter Reminiszenz an die Hinrichtung Jesu, bezeichnen, ist die gesamte Passion einschließlich des Todes, aber nicht die Kreuzigung im technischen Sinne gemeint (Belege bei O. Klima, Manis Zeit u. Leben [1962] 382/4. 393/6). Zum Ganzen vgl. C. Huart-L. Delaporte, L' Iran antique = Évolution de l'humanité 24 (Paris 1952) 285f. 389/91.

b. Israel. Unter den für Israel belegten Foltermethoden gab es solche, die Parallelen zu denen der griech.-röm. Welt aufweisen.

1. Stockschläge. Die gewöhnlichste körperliche Strafe waren Stockschläge. Der Verurteilte wurde auf den Bauch gelegt; die Zahl der Schläge entsprach der Schwere des Vergehens, durfte jedoch 40 nicht überschreiten (Dtn. 25, 2f). Nach der Rückkehr aus dem Exil erteilten die Juden in pharisäischer Ängstlichkeit nicht mehr als 39 Schläge, aus Furcht, die vom Gesetz vorgeschriebene Höchstzahl zu überschreiten (2 Cor. 11, 24). Unter griechischem oder römischem Einfluß wurden die Stockschläge durch die *Geißelung ersetzt (μαστιγοῦν, Mt. 10, 17 u. a.). Da diese mit einer Peitsche von drei Lederrie-

men ausgeführt wurde, gab man im Ganzen nur 13 Hiebe, was der Zahl 39 entsprach (Joseph. ant. Iud. 4, 238).

2. Κλοιός. Der κλοιός wurde bei den Juden den Kriegsgefangenen auferlegt u. war Zeichen der Versklavung; vgl. Dtn. 28, 48; 1 Reg. 12, 9/11 = 3 Reg. 12, 9/11 LXX; Jer. 27, 2f = 34, 2 LXX. Außerdem kannten sie die πέδαι: Sir. 6, 24. 29 LXX u. die Fessel, die sad (Job 13, 27; 33, 11) oder mahæpæket genannt wurde (Jer. 20, 2f; 29, 26 = 36, 26 LXX; 2 Chron. 16, 10).

3. F. der hellenistischen Zeit. Erst in hellenist. Zeit, in den Makkabäerbüchern, wird das Erscheinen der verschiedensten Arten von F. greifbar. Diese Texte, die von der Verfolgung durch Antiochos Epiphanes berichten, zeigen deutlich griechische u. römische Einflüsse; sie selbst hatten dann einen nicht geringen Einfluß auf christliche Schriften (s. u. Sp. 130). Im 2. Makkabäerbuch wird der alte Eleazar der Folter des τύμπανον unterworfen. τοσαῦτα δὲ εἰπὼν ἐπὶ τὸ τύμπανον εὐθέως ἦλθε (6, 28). Da der auf diese Marter anspielende Terminus ἐτυμπανίσθησαν von Hebr. 11, 35 in der Vulgata mit ‚distenti sunt‘ übersetzt wurde, haben viele Interpreten hier an den eculeus gedacht. Der Vers μέλλων δὲ ταῖς πληγαῖς τελευτᾶν (6, 30) läßt jedoch keinen Zweifel an der Verabreichung von Stockschlägen. Es handelt sich hier also um die Hinrichtung nach griechischer Art. Das 4. Makkabäerbuch ist ein um ein oder zwei Jahrhunderte jüngerer Panegyricus zum gleichen Thema. Da dieser früher dem Flavius Josephus zugeschrieben wurde, geht er häufig unter der Bezeichnung PsJosephus. Die stark weiterentwickelte Beschreibung der Foltern in diesem Buch entspricht nicht immer der des 2. Makkabäerbuches. Der Verfasser zählt 8, 12f die F. auf, die vor den sieben Brüdern ausgebreitet werden: Ταῦτα δὲ λέγων ἐκέλευσεν εἰς τὸ ἔμπροσθεν τιθέναι τὰ βασανιστήρια, ὅπως καὶ διὰ τοῦ φόβου πείσειεν αὐτοὺς μιαροφαγῆσαι. ὡς δὲ τροχούς τε καὶ ἀρθρέμβολα, στρεβλωτήριά τε καὶ τροχαντῆρας καὶ καταπέλτας καὶ λέβητας, τήγανά τε καὶ δακτυλήθρας καὶ χεῖρας σιδηρᾶς καὶ σφῆνας καὶ τὰ ζώπυρα τοῦ πυρὸς οἱ δορυφόροι προέθεσαν. Der τροχαντήρ wurde von den Lexikographen mit dem uncus der Römer gleichgesetzt. Die λέβητες (Kessel) u. die τήγανα werden ebenso 2 Macc. 7, 3 erwähnt. Das letztgenannte Wort bezeichnet Pfannen oder besser Blechplatten, die man im Feuer glü-

hend machte; dieses F. war auch in Babylon bekannt (Jer. 29, 22 = 36, 22 LXX; vgl. F. M. Abel, Les livres des Maccabées [Paris 1949] 372₃.₅). Die eisernen Hände sind nach 4 Macc. 9, 26 mit angespitzten Fingernägeln versehen u. dienen dazu, die Haut aufzureißen. Die δακτυλήθραι scheinen eine Art Daumenschrauben zu bezeichnen. Die ζώπυρα dienten wahrscheinlich nur zum Schüren des Feuers. Die Verwendung des Keils (σφῆν) ist in 11, 10 zugleich mit der καταπέλτη beschrieben; letztere war nach Hesychius εἶδος βασανιστηρίου ὡς ὅπλον χαλκοῦν, ἐν ᾧ ἐξαρθροῦσι τὰ μέλη οἱ δήμιοι. Ihre Wirkungsweise war demnach die gleiche wie diejenige der drei Geräte, die jetzt zu untersuchen bleiben. Mit dem Rad ist zweifellos das alte F. der Griechen gemeint, u. wir haben oben gesehen, daß Roos sich auf diesen Text stützte, um seine Wirkungsweise zu beschreiben. Tatsächlich wird 9, 13f gesagt: περὶ ὃν (sc. τροχὸν) κατατεινόμενος ὁ εὐγενὴς νεανίας ἔξαρθρος ἐγίνετο. καὶ κατὰ πᾶν μέλος κλώμενος ἐκακηγόρει, u. in Vers 19: τὸν τροχὸν προσεπικατέτεινον. Doch wird der Märtyrer im Gegensatz zum griech. Brauch ausgepeitscht, bevor er auf das Rad geknüpft wird. Die Folter mit dem Feuer wird wahrscheinlich ebenfalls in abweichender Weise ausgeführt: ‚Sie stellten ein Kohlenbecken unter ihn, u. während sie das Feuer schürten, spannten sie das Rad noch stärker. Das Rad war völlig mit Blut befleckt, die aufgehäuften Kohlen verlöschten unter einem Regen von Blut, u. die Fleischstücke verteilten sich ringsherum um die Radachsen‘ (9, 19f). Das starke Blutvergießen scheint anzudeuten, daß der Verfasser versäumt hat, die Folterung mit dem ‚Eisen‘ zu erwähnen. Dieses wird beim dritten der Brüder angewendet, bevor er auf das Rad gelegt wird (10, 7); dann fährt der Autor fort: ‚Während seine Wirbel um das Rad knirschten, sah er sein Fleisch in Fetzen u. die Blutstropfen, die aus seinen Eingeweiden flossen‘ (10, 8). In bezug auf den sechsten Bruder liest man: ‚Sie führten ihn zum Rad. Sie spannten ihn sorgfältig darauf, u. während sie ihm die Wirbel ausrenkten, brannten sie ihn mit kleinem Feuer. Dann machten sie spitze Spieße im Feuer glühend u. stießen sie ihm in den Rücken, durchbohrten seine Seiten u. verbrannten seine Eingeweide‘ (11, 17/9). – Mehrere Autoren haben ἀρθρέμβολα mit ‚eculei‘ übersetzt. Doch handelt es sich um F., mit denen die Glieder einzeln ausgerenkt wurden, wie A. Dupont-Sommer, Le quatrième livre des Machabées = Bibl. École des Hautes-Études, Sc. hist.-phil. 274 (1939) 119 u. Roos 105f richtig gesehen haben. Diese Geräte treten 10, 5 in Aktion: ‚Gereizt durch die Kühnheit dieser männlichen Worte rissen sie ihm mit Geräten zum Gliederausrenken die Hände u. Füße aus den Gelenken.' Dagegen haben die beiden soeben erwähnten Autoren das Wort στρεβλωτήρια mit ‚chevalets' bzw. ‚equuleus' übersetzt. Diese Interpretation ist einleuchtend; doch sollte man bemerken, daß dieser Begriff in dem in Frage stehenden Text wie auch bei Origenes (in Jer. 20, 2 [PG 16B, 2061]; exh. ad mart. 15 [GCS 2, 15]) alle zur Ausdehnung des Körpers u. Verrenkung der Glieder benutzten F. bezeichnen kann, also zB. auch die Leiter. Zum Ganzen vgl. H. Lesêtre, Art. Supplice: DictB 5, 2 (1957) 1883/5; E. Levesque, Art. Bastonnade: ebd. 1, 2 (1912) 1500/2.

c. Ägypten u. Mesopotamien. Das Strafrecht ist derjenige Teil des ägyptischen u. mesopotamischen Rechts, über den wir die wenigsten Nachrichten besitzen. Man findet hier keinerlei Erwähnung von F. oder ausgeklügelten Foltermethoden. In beiden Ländern waren Stockschläge die gebräuchlichste Körperstrafe. Sie wurden nach kunstvollen Berechnungen verabreicht u. konnten bis zu hundert Schlägen mit Stock oder Rute reichen. Bei den Babyloniern findet sich darüber hinaus die Geißelung, die aus 60 Schlägen mit dem Ochsenziemer bestand. Dies βούνευρον kehrt in christl. Texten häufig wieder (s. u. Sp. 138f). Stockschläge wurden auch bei der gerichtlichen Untersuchung angewendet; in Ägypten nahm man möglicherweise (nach einer Hypothese von T. E. Peet, The great tomb-robberies of the twentieth Egyptian dynasty [Oxford 1930] 21) auch eine Verrenkung von Händen u. Füßen vor. – Eine schwerere Strafe war die Verstümmelung, die meistens im Abschneiden der Nase oder von Nase u. Ohren bestand. Andererseits schnitten die Assyro-Babylonier entsprechend der Schwere des Vergehens einen Finger, eine Hand, die Zunge oder die Brüste ab, oder sie stachen dem oder der Schuldigen die Augen aus. Auch die Kastration wurde ausgeübt. Die Hinrichtung erfolgte in Mesopotamien durch Ertränken; in Ägypten warf man den Verurteilten den Krokodilen vor. Außerdem praktizierte man das Pfählen u. Verbrennen, letzteres zweifellos auf einem Scheiterhaufen u. bei den Baby-

loniern bisweilen in einem Ofen (Dan. 3, 6. 15/23) oder einer ‚Pfanne' (τήγανον; vgl. o. Sp. 127f). – Das Gefängnis scheint in beiden Ländern nicht mit besonderen Geräten zur Fesselung der Gefangenen ausgestattet gewesen zu sein. Zum Ganzen vgl. E. Seidl, Altägyptisches Recht: HdbOrient, Abt. 1, Erg. Bd. 3 (Leiden 1964) 1/48; V. Korošec, Keilschriftrecht: ebd. 49/219.

B. Christlich. I. Rad. Dieses F., das mit Termini bezeichnet wird, die an den griech. Gebrauch erinnern, findet sich nur in Panegyriken: so bei Joh. Chrysost. hom. in s. martyres 3: PG 50, 712: ἄλλους ἐπὶ τροχὸν καμπτομένους; Basil. hom. 18 (in Gordium mart. 4): PG 31, 500 B: ποῦ δὲ αἱ μολυβίδες (= plumbatae); ποῦ δὲ αἱ μάστιγες; ἐπὶ τροχοῦ κατατεινέσθω, ἐπὶ τοῦ ξύλου στρεβλούσθω. Es besteht Anlaß zu fragen, ob sich hinter diesen rhetorischen Termini nicht ein anderer Gegenstand verbirgt, nämlich der eculeus. – Außer diesen Beispielen begegnet uns das Rad nur in den von den Hagiographen ‚episch' genannten passiones, die unter dem Einfluß von 4 Macc. stehen (H. Delehaye, Les passions des martyrs et les genres littéraires [Bruxelles 1921] 281; ders., Les martyrs d'Égypte: AnalBoll 40 [1922] 153). Ebenso wie in dieser Schrift werden die folgenden Märtyrer auf dem Rad über einem Feuer gedreht: S. Charitina (BHG 300; PG 115, 1001/4), S. Christina (PSI 1 nr. 27 u. S. 62; M. Norsa: Atti ital. filol. class. 18 [1912] 323) u. S. Barbarus (BHG 219; H. Delehaye: AnalBoll 29 [1910] 294); vgl. Ephr. Syr. encom. in mart.: 3, 249 F Assemani: ἐθεώρουν τοὺς τροχοὺς μετὰ τρισμοῦ ἐν βίᾳ στρεφομένους ἐν πυρὶ καιομένῳ. Anzufügen ist das kopt. Fragment, das der Passio der 40 Märtyrer von Sebaste bei W. E. Crum, Cat. of the Coptic Mss. in the J. Rylands Library (Manchester-London 1909) nr. 94 vorausgeht. – Dagegen erscheint das Rad in den Märtyrerberichten des hl. Georg u. in damit verwandten Martyrien als Bestandteil eines anderen F. Dieses Gerät ist eine Art Presse, die unmittelbar oder mittelbar dazu dient, den Körper zu halbieren. Diese in Persien beheimatete Marter (s. o. Sp. 125) findet sich gerade in jenen Märtyrerakten, die dieses Land zum Schauplatz haben; vgl. H. Delehaye, Les versions grecques des actes des martyrs persans sous Sapor II: PO 2, 401/560; G. Wiessner, Zur Märtyrerüberlieferung aus der Christenverfolgung Schapurs II = Abh. Gött 3, 67 (1967); zu den manichäischen Märtyrern vgl. H. J. Polotsky, Manichäische Homilien (1934) 77, 18. Die Passio S. Pherbuthae, die an Herodt. 7, 39 erinnert, berichtet, wie man die Märtyrerin u. ihre beiden Gefährtinnen in zwei Teile sägen läßt u. die Königin von Persien, um geheilt zu werden, zwischen den Hälften des Körpers hindurchgeht, gefolgt von allen Soldaten des Lagers (PO 2, 442/4). Um diese Marter zu erdulden, wird die Heilige waagerecht zwischen zwei Pfählen aufgehängt. Die Passio des hl. Jonas verrät einen technischen Fortschritt: der Heilige wird zunächst in ein nach der daran befindlichen Winde κοχλίας genanntes Gerät eingeklemmt (PO 2, 434. 438; s. o. Sp. 120f). – Eine weitere Entwicklung zeigt sich in den Akten der hl. Ia. Diese wird in eine Presse (πραισόριον) gelegt; durch Zusammenziehen dieses F. wird das Opfer in Stücke geschnitten (ebd. 460). Die Worte καὶ ἐκύκλουν ἄνδρες σφίγγοντες ἐπὶ πολύ lassen das Vorhandensein einer Radwinde vermuten, die das Gerät in Betrieb setzt. Dieses Rad nun wird in den Martyrien des hl. Georg nicht nur erwähnt, sondern es bezeichnet darin das ganze F., ebenso wie die κοχλίας in den Akten des hl. Jonas. Da die Zweiteilung mit Hilfe einer Presse (hier πιαστήριον genannt) einem der Bearbeiter zweifellos unwahrscheinlich erschien, hat er diese mit Schneidegeräten aller Art versehen. Darüber hinaus beschreibt er das Rad selbst als mit Nägeln u. Bohrern besetzt, von denen nicht ersichtlich ist, wozu sie gedient haben könnten. Unter den von K. Krumbacher zusammengestellten Texten (Der hl. Georg in der griech. Überlieferung: AbhMünchen 25, 3 [1911]) beschreibt das Athener Volksbuch dieses F. folgendermaßen: προστάττει (ὁ βασιλέας) γενέσθαι τροχὸν παμμεγέθη καὶ ἐν τῷ τροχῷ ἐμπαγῆναι ἥλους καὶ τρυπανίσκους. καὶ ἀπαρτίσθη ὁ τροχὸς ὡσεὶ τεκτονικὸν πιαστήριον κατασκευασμένον ὑπεράνω μὲν ἔχον ξίφη, ὑποκάτω δὲ διστόμους μαχαίρας, καὶ κελεύει ἄγεσθαι αὐτὸν ἐπὶ τὸν τροχόν (5, 18/20) ... ἐβλήθη ἐν τῷ τροχῷ καὶ μεγάλως πιεσθεὶς εἰς δέκα μέρη ἐρράγη (6, 2f). Dieser Text stimmt fast wörtlich mit demjenigen der kopt. Version überein (W. E. A. Budge, The martyrdom and miracles of S. George [London 1888] 9. 178f. 211; Acta martyrum 2 [CSCO 86. 125 = Scr. Copt. 3, 2 (= 6), 279; Übers. 3, 2 (= 15), 184f]). Die gleiche Beschreibung findet sich, jedoch mit Varianten, im Pariser Volksbuch (Krumbacher aO. 22), dem Wiener Mischtext

(ebd. 33f) u. dem Reinen Normaltext (ebd. 44f). Diese Marter scheint lediglich eine Dublette der im Athener Volksbuch u. im Wiener Mischtext (ebd. 7f. 35) berichteten Zweiteilung mit der Säge zu sein. Sie könnte daher eine Erfindung eines der Verfasser der Akten des hl. Georg sein oder eines Vorbildes, von dem er abhing. Eine Parallele zur Passio des hl. Jonas findet sich in einer lat. Version des Martyriums des hl. Georg (W. Arndt: SbLeipzig 26 [1874] 56), in den kopt. Versionen der Akten der Apostel Andreas u. Bartholomäus, wo die Presse als ‚Rad' bezeichnet ist (I. Guidi, Frammenti copti 4: Rendic. Acc. Linc. ser. 4, 3 [1887] 186) u. in den koptischen Leidensberichten des hl. Lacaron u. des Sarapion v. Panephôsi (Acta martyrum 1 [CSCO 43. 44 = Scr. Copt. 3, 1 (= 3), 13. 72; Übers. 3, 1 (= 4), 18. 52]). Andererseits sind die Passiones des hl. Paphnutios (H. Delehaye: AnalBoll 40 [1922] 339), des Makarius v. Antiochia (H. Hyvernat, Les actes des martyrs d'Égypte [Paris 1886/90] 43) u. des Apa Anûb v. Naêsi (Acta martyrum 1 [CSCO 43. 44 = Scr. Copt. 3, 1 (= 3), 218f; Übers. 3, 1 (= 4), 134]) deutlich von den Akten des hl. Georg oder ihrem Prototyp abhängig. Die beiden erstgenannten bieten übrigens weitere Einzelheiten, die in der Legende des hl. Georg als persisch erkannt wurden (F. Cumont: RevHistRel 114 [1936] 5/41). – Die beiden rhetorischen Bearbeitungen der in Frage stehenden Legende beschreiben diese Folter auf unterschiedliche, wahrscheinlich von 4 Macc. beeinflußte Weise: Der Märtyrer ist an einem Rad befestigt, unter dem auf einem Balken oder Brett zerquetschende Werkzeuge befestigt sind (Krumbacher aO. 64f. 188). Der Verfasser der Akten des hl. Clemens v. Ancyra hat sich wahrscheinlich eine ähnliche Marter vorgestellt: ASS Ian. 3 (1863) 87, 20. Die Beschreibung des Martyriums der hl. Juliana (ASS Febr. 2 [1864] 877 EF) ist zu unbestimmt, um sich eine genauere Vorstellung zu machen. Doch lassen die beiden Säulen, die das Rad tragen, eine Verwandtschaft mit dem χαλκούργημα vermuten, auf dem die Version des Theodor Daphnopates den hl. Georg umkommen läßt (Krumbacher aO. 71f). – Die Phantasie der Hagiographen hat mit diesem Thema immer außergewöhnlichere Effekte erzielt. So wird etwa der hl. Mocius auf die Felgen zweier Räder gelegt, um ihn durch deren entgegengesetzte Bewegung zu zerteilen u. seine Glieder zu zerbrechen (H. Delehaye: AnalBoll 31

[1912] 171f; ASS Maii 2 [1866] 619 F). Das berühmte Rad der hl. Katharina setzt sich in Wirklichkeit aus vier mit Nägeln u. Sägen besetzten Rädern zusammen, die mit ihren Zähnen ineinandergreifen (J. Viteau, Passions des saints Écatérine et Pierre d'Alexandrie, Barbara et Anysia [Paris 1897] 61; P. Peeters, Une version arabe de la passion de Ste Catherine d'Alexandrie: AnalBoll 26 [1907] 27f). – Eine besondere Abart stellt schließlich das Martyrium des hl. Pantaleon dar: dieser wird um ein gewaltiges Rad herumgebunden, das man von einem Hügel herunterrollen läßt (PG 115, 469/72; ASS Iulii 6 [1868] 418 EF); der kopt. Text spricht von einem Mühlstein (F. Rossi: Atti Acc. Linc. ser. 5, Mem. 1 [1893] 59; Übers. 118).

II. Eculeus u. ἑρμητάριον. Die Mehrzahl der Leidensgeschichten von Märtyrern hat das Imperium Romanum zum Schauplatz. Daher ist es nicht verwunderlich, daß der eculeus in ihnen eine bedeutende Rolle spielt u. in fast allen Berichten wiederkehrt. Doch während er in früherer Zeit vorwiegend bei der quaestio verwendet wurde, dient er in den christlichen Akten zur Verschärfung der Strafe. In diesem Zusammenhang kann an den Einwand Tertullians erinnert werden: Veritatis extorquendae praesides de nobis solis mendacium elaboratis audire. Hoc sum, inquit, quod quaeris an sim. Quid me torques in perversum? Confiteor et torques; quid faceres, si negarem? (apol. 2, 13). Ein weiterer Unterschied ist, daß die christl. Autoren weniger zurückhaltend bei der Beschreibung der Foltern sind; häufig finden sie geradezu Gefallen an der Ausmalung der gräßlichsten Leiden. Ausdehnung des Körpers u. Ausrenkung der Glieder werden folgendermaßen beschrieben: cum eculeus corpus extenderet et sordidas paedore carceris manus post tergum vincula cohiberent (Hieron. ep. 1, 3 ad Innoc. [CSEL 54, 1, 1, 3]); corpus eculeo eminus pendere et uncis vinculisque crescere (Prud. perist. 10, 109f); vinctum retortis brachiis, sursum et deorsum extendite, compago donec ossium divulsa membratim crepet (ebd. 5, 109/12); miserum putatis, quod retortis pendeo extensus ulnis, quod revelluntur pedes, compago nervis quod sonat crepantibus (ebd. 10, 491/3). Die Passio des hl. Theodoret v. Antiochia teilt nicht nur mit, daß man dies mit Hilfe einer Winde (oder zweier Winden) bewirkte (s. o. Sp. 120f), sondern sie nennt auch die Länge des F. Denn in der Tat lautet die Fort-

setzung des oben zitierten Textes folgendermaßen: sed ordinante Domino ne sentiret iniuriam, ad supplicii longitudinem corpus extensum est, ita ut octo pedum virum laxata et inlaesa membra monstrarent (ed. Franchi, N. a. 6, 94). – Die schmerzhafte Folter auf dem eculeus war auch für die Christen häufig mit der Marter durch ‚Eisen' u. ‚Feuer' verbunden; vgl. Cypr. ad Donat. 10 (CSEL 3, 1, 11): ungula, eculeus u. ignis; PsCypr. laud. mart. 15 (CSEL 3, 3, 37); Prud. perist. 5, 61f; 10, 108. 481; Hieron. in Gal. 1, 6 (PL 26, 318): inter equuleos, fidiculas, ignesque distortus; August. ep. 133, 2 (PL 33, 509). – Die ungulae wurden vorzugsweise gegen die Seiten des Opfers gerichtet; man verglich sie mit Raubtierkrallen: ferarum vestigiis latera persecando (Cod. Theod. 9, 12, 1; vgl. 9, 16, 6); vgl. das Martyrium des hl. Theodoret v. Antiochia (Franchi, N. a. 6, 76f), wie auch die Passio SS. Dativi, Saturnini u. a. (ders., N. a. 8, 53, 3. 10; 56, 23f; 66, 9f). Trotzdem besaßen sie nur zwei Spitzen: bisulcas ungulas (Prud. perist. 1, 44); ungularum duplices sulcos (ebd. 5, 337) u. a. Der Singular ungula u. die Termini semiungulae u. uncus beziehen sich zweifellos auf ein Gerät mit nur einer Spitze. Die Passio SS. Carpi, Papyli et Agathonicae enthält den Ausdruck: proconsul iussit eum suspendi (sc. in eculeo) et ungulari (Franchi, N. a. 6, 43, 20); cum autem suspensus esset, iussit ut ungularetur (ebd. 44, 5). – Unter den obigen Belegen für die Folter mit Feuer bezeugen PsCypr. u. Prud. perist. 5, 61 die Verwendung von laminae, griechisch χαλκαῖ λέπιδες διάπυροι genannt (Eus. h. e. 5, 1, 21). Unter den Variationen dieser Folter findet sich auch der erhitzte Eisenhelm: S. Victor (W. E. A. Budge, Coptic martyrdoms [London 1914] 23, 18; Übers. 275); S. Banicarius (R. Basset, Le synaxaire arabe jacobite: PO 11, 537). Eine andere Neuerung ist, daß das Opfer auf dem eculeus über einem Feuer ausgespannt werden konnte. Die Akten des Priesters Felix u. der Diakone Fortunatus u. Achilleus erwähnen diese Einzelheit: ASS April. 3 (1866) 101 B. Zur Anwendung dieser Folter konnten die Märtyrer auch auf anderen F. ausgespannt werden: Joh. Chrysostomus spricht in einer Homilie über alle Märtyrer von einer eisernen Leiter (PG 50, 708, 53f; 709, 1; 711, 34; 712, 1f); Prudentius spielt auf den Rost des hl. Laurentius an (perist. 2, 359f); vgl. Pass. S. Vincentii 7 (326 Ruinart); ein anderer Verfasser spricht von einem eisernen Bett: Pass. Acindyni 6 (ASS Nov. 1 [1887] 466 A). Der Grill (ἐσχάρα) wurde in Antiochia benutzt (Eus. h. e. 8, 12, 2), aber auch andernorts (ebd. 8, 6, 3; Socrat. h. e. 3, 15; Prud. perist. 1, 56; vgl. Franchi, S. Lorenzo e il supplizio della graticola: Scritti agiografici 1, 383/99). Das eiserne Bett (κλίνη oder κράββατον), das nach Diod. 20, 71, 3 um 307 vC. von Agathocles, dem Tyrannen von Syrakus, gegen die Einwohner von Segesta verwendet wurde, kehrt in den koptischen Passiones folgender Heiligen wieder: S. Victor (Budge aO. 23; Übers. 275), SS. Pirow et Athom (H. Hyvernat, Les actes des martyrs de l'Égypte [Paris 1886/90] 143), S. Helias (G. Sobhy, Le martyre de S. Hélias [Kairo 1919] 25; Übers. 102), S. Ignatius (F. Rossi, La vita di S. Ilarione ed il martirio di S. Ignazio [Torino 1886] 69; Übers. 101), S. Timotheus (W. Till, Kopt. Heiligen- u. Martyrerlegenden 1 = OrChristAnal 102 [1935] 114, 22f; Übers. 122) u. a. Diese Foltern, die den Märtyrer zum Abfall bewegen sollten, sind von der des Eisernen Stuhles zu unterscheiden, die eine unmittelbare Hinrichtungsart darstellte; vgl. Greg. Nyss. v. Greg. Thaumat.: PG 46, 945 A; Eus. h. e. 5, 1, 38. 52; Basset aO. 706.– Es stellt sich nun die Frage, wie griechischsprechende Autoren das Wort eculeus in ihre Sprache übersetzt haben. Das Wort στρέβλη, das in anderen Texten Marter in allgemeinem Sinne bedeutet, scheint wohl bei Polyb. 18, 54, 7; Lucian. necyom. 14; Pollux 10, 187 dies F. zu bezeichnen. Die Passio der hl. Euphemia verwendet eine Umschreibung, die andere Angaben über den Aufbau dieses Gerätes bestätigt: κελεύει ὄργανον κατασκευασθῆναι διὰ τροχῶν (= τροχῶν) καὶ μέσον αὐτὴν βληθῆναι ἵνα τεινομένη καὶ συνθλιβομένη ἐν τάχει τὸ πνεῦμα ἀποδῷ ... ἔστρεφον οἱ ὑπηρέται τοὺς τροχοὺς καὶ πάντα μὲν μέλη τοῦ σώματος αὐτῆς κατεκλῶντο (ASS Sept. 5 [1868] 269 A). Doch die Mehrzahl christlicher Verfasser gab eculeus mit dem Wort ξύλον wieder, das bereits mehrere andere F. bezeichnete. Diese Bedeutung wird durch die Verwendung des Wortes in der bereits zitierten Basiliusstelle ἐπὶ τροχοῦ κατατεινέσθω, ἐπὶ τοῦ ξύλου στρεβλούσθω (hom. 18 [in Gordium mart. 4]: PG 31, 500 B) nahegelegt. Doch ganz besonders drängt sich diese Interpretation auf, wenn das ξύλον zur Anwendung der laceratio dient: πρῶτον μὲν μαστίζεται, εἶτα δὲ μετέωρος ἐπὶ τοῦ ξύλου γενομένη τὰς πλευρὰς αἰκίζεται: Eus. mart. Pal. 8, 5; So-

zom. h. e. 5, 11, 4 (GCS 50, 209); Pallad. v. Joh. Chrysost. 3: ἐπεδείκνυντο ξεσμὸν πλευρῶν ἐπὶ ξύλου (20, 17 Coleman-Norton = PG 47, 14); vgl. Mart. S. Theodoti Ancyrani (Franchi, N. a. 6, 134b, 30ff; 138b, 22ff). Die Erwähnung von (zwei) Winden in der Stelle Eus. h. e. 8, 10, 5 bestätigt unsere Identifizierung: οἱ μὲν γὰρ ὀπίσω τὼ χεῖρε δεθέντες περὶ τὸ ξύλον ἐξηρτῶντο καὶ μαγγάνοις τισὶ διετείνοντο πᾶν μέλος, εἶθ' οὕτως διὰ παντὸς τοῦ σώματος ἐπῆγον ἐκ κελεύσεως οἱ βασανισταί, οὐ καθάπερ τοῖς φονεῦσιν ἐπὶ τῶν πλευρῶν μόνον, ἀλλὰ καὶ τῆς γαστρὸς καὶ κνημῶν καὶ παρειῶν τοῖς ἀμυντηρίοις ἐκόλαζον. Die häufige Verwendung des eculeus erklärt auch, warum man so oft solche stereotypen Formulierungen findet wie die von Symeon Metaphrastes im Martyrium S. Panteleemonis 17 (PG 115, 465) verwendete: καὶ πρῶτα μὲν ξύλου ἀπήρτητο καὶ σιδηροῖς ὁ μάρτυς ὄνυξι κατεξέετο. πρὸς δὲ καὶ λαμπάδες πυρὸς ταῖς αὐτοῦ πλευραῖς ὑπεκαίοντο oder jene der Passio SS. mulierum XL martyrum 10 (H. Delehaye: AnalBoll 31 [1912] 202): κρεμάσαντες αὐτὸν ἐπὶ ξύλου ξέσατε εὐτόνως καὶ λαμπάδας προσάψατε αὐτοῦ ταῖς πλευραῖς. Dennoch hat es ein griech. Wort zur Bezeichnung des eculeus gegeben, nämlich ἑρμητάριον. Aber dieser Terminus findet sich praktisch nur in koptischen Texten. Die Christen in Ägypten haben ihn zweifellos aus der griech. Volkssprache übernommen, aber die attizisierenden Autoren verbannten ihn aus ihrer Sprache u. ersetzten ihn durch die beiden gerade besprochenen vornehmeren u. unbestimmteren Ausdrücke. So entspricht er auch in der kopt. Passion des hl. Pantaleon dem von Symeon Metaphrastes in der oben zitierten Stelle verwendeten Wort ξύλον; vgl. F. Rossi: Atti Acc. Linc. ser. 5, Mem. 1 (1893) 55; Übers. 117. Das erklärt auch die Art u. Weise, in der Athanasius vom ἑρμητάριον spricht: ἀλλὰ νῦν οἱ θαυμαστοὶ Ἀρειανοὶ ... ἐποίησαν ἐπὶ τῶν καλουμένων ἑρμηταρίων κρεμασθῆναι, καὶ τοσοῦτον αὐτῶν τρίτον ἔξεσαν τὰς πλευράς, ὅσον οὐδὲ οἱ ἀληθῶς κακοῦργοι πώποτε πεπόνθασι (apol. ad Constant. 33 [PG 25, 640 B]). Nur bei Ephraem kehrt dieser Terminus wieder: ταύτῃ γὰρ (τῇ ἐλπίδι) προσεῖχον οἱ μακάριοι μάρτυρες τοῦ Χριστοῦ ἐν τοῖς ἑρμηταρίοις καὶ ταῖς δειναῖς καὶ ποικιλίαις τιμωρίαις καὶ τῇ δριμύτητι τοῦ πυρὸς ταύτην εἶχον πρὸ ὀφθαλμῶν, τὴν ποθουμένην ἐλπίδα (panopl. ad mon.: 3, 220 A Assemani). Das Wort war den griech. Autoren so wenig geläufig, daß sie es gelegentlich in ἀρμεντάριον verwandelten; vgl. Mart. SS. Cyrici et Julittae: AnalBoll 1 (1882) 198, 7; 205, 17; Akten des hl. Hippolyt (S. de Magistris: Acta martyrum ad Ostia Tiberina [Romae 1795] 64), bisweilen auch in ἀρμαμεντάριον: Mart. S. Sabini 3, 1 (ArchSlavPhilol 18 [1896] 185). Ersteres ging ins Lateinische in der Form armentarium über: CorpGlossL 2, 25, 31. – Man hat ἑρμητάριον von ἕρμα (Stütze, Stützbalken) ableiten wollen (J. van den Gheyn, Note sur le mot ἑρμητάριον: Mélanges Ch. de Harlez [Leiden 1896] 321/4). Diese Bedeutung, die den dem Terminus eculeus nachgebildeten Wörtern cavaletto u. chevalet gemeinsam ist, entspricht sehr gut einem solchen Gerüst, wie es Gallonio gezeichnet hat (s. o. Sp. 121; unsere Abb. 1). Doch es gibt noch andere, wichtigere Argumente für die Gleichsetzung des ἑρμητάριον mit dem eculeus. Zunächst ist der Zusammenhang mit der laceratio im Text des Athanasius zu beachten. Das ἑρμητάριον erscheint in den kopt. Märtyrerakten mit derselben Häufigkeit wie der eculeus in den lat. Texten. Die kopt. Passio des hl. Thomas v. Schentalet bezeugt überdies die Ausrenkung der Glieder mittels Winden: ‚mit seinen Händen u. Füßen banden sie ihn auf das ἑρμητάριον, sie zogen an ihm, bis sich seine Glieder ausrenkten . . . der Erzengel Michael kam; er sprengte die Fesseln, die ihn banden, ohne daß die Soldaten, welche die Winden (μάγγανον) spannten, es bemerkten' (H. G. E. White, Monasteries of the Wadî 'n-Natrûn 1 [New York 1926] 101). Letztere Einzelheit kehrt in einer nicht identifizierten Passio wieder: ‚die eisernen Fesseln der Winden lösten sich auf wie Wasser . . . nur die Stiele blieben in ihren Händen' (W. Till, Kopt. Heiligen- u. Martyrerlegenden 2 = OrChristAnal 108 [1936] 132f). Es ist zu beachten, daß die erste Stelle nur zu verstehen ist, wenn das Opfer auf dem F. lag. Die gleiche Folgerung ergibt sich, wenn man in der kopt. Passio der hl. Theonoe v. Alexandria liest, daß diese vom ἑρμητάριον herabsteigt u. ganz allein wieder hinaufsteigt (hrsg. P. Devos: AnalBoll 71 [1953] 438, 2. 15f = lat. 447). All dies verbietet, im ἑρμητάριον einen Wippgalgen zu sehen, wie Roos annehmen wollte (105/8).

III. Nervus u. ποδοκάκη. Christliche Märtyrer wurden im allgemeinen der in römischen Gefängnissen üblichen Behandlung unterworfen. Wie oben gezeigt, waren in diesem Gefängniswesen bestimmten Gefangenen die Füße u.

Hände mit compedes u. manicae gefesselt. Möglicherweise spielt auf diese Einzelheit die Stelle der Apostelgeschichte an, nach der Petrus im Gefängnis von Jerusalem mit zwei Ketten gefesselt war (Act. 12, 6). Dagegen waren anderen Gefangenen die Füße im nervus unbeweglich gemacht, u. diese Behandlung scheint mit Vorliebe bei den Christen angewendet worden zu sein. So bei Paulus u. Silas in Act. 16, 24: ἔβαλεν αὐτοὺς εἰς τὴν ἐσωτέραν φυλακὴν καὶ τοὺς πόδας αὐτῶν ἠσφαλίσατο εἰς τὸ ξύλον; vgl. Joh. Chrysost. in Act. hom. 35, 2 (PG 60, 255, 37f): καὶ ἠσφαλίσατο, φησίν, εἰς τὸ ξύλον, ὡς ἂν εἴποι τις, εἰς τὸν νέρβον u. Pass. S. Perpetuae 8, 1 (23, 11 van Beek): καὶ εὐθὺς ἐν τῇ ἑσπέρᾳ ἐν ᾖ ἐν νέρβῳ ἐμείναμεν; Pass. S. Acyndini 3, 13 (ASS Nov. 1 [1887] 475 A); Mart. S. Guriae 7 (PG 116, 136 B); Tert. mart. 2, 10 (CCL 1, 1, 5); Cypr. ep. 39, 2, 2 (1, 98, 12 Bayard). – Außerdem verwandelte man häufig ihren Aufenthalt im Gefängnis durch die schmerzhafte Ausspreizung der Beine in eine andauernde Folter: Prud. perist. 5, 251; Paulin. Nol. c. 15, 184f (CSEL 30, 59); Eus. h. e. 5, 1, 27 (in Lyon): τὰς κατὰ τὴν εἱρκτὴν ἐν τῷ σκότει καὶ τῷ χαλεπωτάτῳ χωρίῳ συγκλείσεις· καὶ τὰς ἐν τῷ ξύλῳ διατάσεις τῶν ποδῶν, ἐπὶ πέμπτον διατεινομένων τρύπημα; ebd. 6, 39, 5; 8, 10, 8; Pass. SS. Chrysanthi et Dariae 16 (ASS Oct. 11 [1864] 480 D; in Rom): ἐμβάλλουσιν αὐτὸν εἰς ποδοκάκην καινὴν κάτοζον καὶ τρίτῳ κεντήματι τὰς κνήμας αὐτοῦ ἠσφαλίσαντο; Vita et mart. S. Luciani 12 (PG 114, 409 A; in Nicomedien); in Antiochia u. andernorts: Eus. mart. Pal. 2, 4; 1, 5; Pass. S. Theagenis 7 (Franchi, N. a. 4, 182); Acta S. Tarachi et al. 6 (ASS Oct. 5 [1868] 568 E). – Schließlich sei erwähnt, daß Marcus v. Arethusa bei der σκαφεύειν genannten Folter nicht in einen κύφων (s. o. Sp. 116 f) oder einen Trog (σκάφη, s. o. Sp. 126) eingeschlossen wurde, sondern in einen Weidenkorb, der bald γυργαθός genannt wurde (Theodrt. Cyr. h. e. 3, 7, 8 [184, 11 Parm.]), bald σαργάνη (Greg. Naz. c. Iulian. or. 1, 89 [PG 35, 620 B]).

IV. Stockschläge u. Geißelung. Eusebius gibt eine Aufzählung verschiedener Arten dieser Folter: οἱ μὲν ξύλοις ἔπαιον, ἕτεροι δὲ ῥάβδοις, ἄλλοι δὲ μάστιξιν, ἕτεροι δὲ πάλιν ἱμᾶσιν, ἄλλοι δὲ σχοινίοις (h. e. 8, 10, 4). Anzufügen wäre das Prügeln mit dem Ochsenziemer, der bereits in Mesopotamien benutzt wurde (s. o. Sp. 129). Dieser wird u. a. erwähnt: V. Danielis mon. hrsg. L. Clugnet:

RevOrChr 5 (1900) 388, 24; Cyrill. Scythopol. v. Euthymii 58 (81, 19 Schwartz [TU 49, 2 (1939)]); PsJoh. Damascen. v. Barlaam et Joasaph 28 (PG 96, 1129 B); in lateinischem Text: PLips 40, 3, 20: Et ad officium d(ixit): Τυπτέσθω. Et cumque buneuris caesus fuisset. Es gibt sogar ein Verb βουνευρίζω: Leont. Neapol. v. Joh. Eleem. 16 (34, 12 Gelzer); Marc. Diac. v. Porph. 99. – Die Palmzweige, mit denen beispielsweise die Jungfrau Daladsina in Luksor u. Anba Amsah von Koptos in Tkow geschlagen worden sind, sind zweifellos ein Nachklang der σπάθαι, die vordem für die Geißelung der Alexandriner vorbehalten waren (R. Basset, Le synaxaire arabe jacobite: PO 3, 312. 464). – Der κατωμισμός ist in der Pass. Petri et Pauli long. 65 bezeugt (AAA 1, 175): statuerunt ut publice cathomos (alii codd. cat[h]omis) caederetur (sc. Nero), quousque ut erat meritus expiraret; Pass. S. Afrae 18 (ASS Aug. 2 [1867] 58C): Porro sacrifica ne ... cathomis te caedi iubeam. W. de Grüneisen, Sainte Marie Antique (Roma 1911) 126. 431 nr. 35 bringt ein Fresko in S. Maria Antiqua, das die Legende trägt: Ubi scs. Cuiricus catomu(s) lebatus est; vgl. M. Guetschow, Eine Reliefplatte aus der Katakombe des Praetextatus: RivAC 9 (1932) 119/45; bes. Abb. 5. – Ein anderes Verfahren bestand darin, das Opfer waagerecht zwischen drei oder vier Pfählen auszuspannen: Pass. S. Andreae 10 (AAA 2, 1, 23): δηλώσας ἵνα δεθῇ τὰς χεῖρας καὶ τοὺς πόδας ὡς εἰς τριπάσσαλον τανυθῇ. Allerdings ist meist von vier Pfählen die Rede; vgl. Lact. mort. persec. 21, 4 (CSEL 27, 197, 1/3): si quis esset verberandus, defixi in stabulo pali quattuor stabant, ad quos nullus umquam servus distendi solebat. Aufgrund der Acta S. Tarachi et al. 20 (ASS Oct. 5 [1868] 573 A): τείνατε αὐτὸν τοῖς πάλοις καὶ νεύροις ὠμοῖς μαστίζετε, hat Franchi eine Stelle aus der Pass. S. Bonifacii folgendermaßen wiederhergestellt: ἄλλον διατεταμένον εἰς τέσσαρα ξύλα [καὶ ἐπὶ πολὺ μαστιζόμενον] ἄλλον περιζόμενον (cod.: περιζόμενον) ὑπὸ δημίων; vgl. die Akten des hl. Barbarus 7 (H. Delehaye: AnalBoll 29 [1910] 296); Pass. antiquior SS. Sergii et Bacchi 18 (ebd. 14 [1895] 388); Acta S. Theodori ducis 11 (ebd. 2 [1883] 364); Acta S. Menae 5 (ebd. 3 [1884] 263); Pass. S. Alexandri Romani 21 (ASS Maii 3 [1866] 197 E). Allerdings hat man den Terminus τετραπάσσαλον bis jetzt nur in der Pass. S. Theagenis 3 gefunden (N. a. 4, 180, 20); vgl. Franchi, Dove fu scritta la leggenda di S. Bonifazio?:

Scritti agiografici 2, 10 f (ders., Della furca e della sua sostituzione alla croce: ebd. 153). Unter den koptischen Texten erwähnen diese Folter das Encomium Theodots v. Ancyra auf den hl. Georg (Acta martyrum 2 [CSCO 86. 125 = Scr. Copt. 3, 2 (= 6), 208; Übers. 3, 2 (= 15), 141]) u. das Martyrium des hl. Mercur (W. E. A. Budge, Miscellaneous Copt. texts [London 1915] 239 = 295; Übers. 817 = 867). – Vom κατωμισμός ist die Rede im Psalm des Thomas 15, 16 f (C. R. C. Allberry, A Manichaean psalm-book 2 [1938] 222). Doch andere Zeugnisse zeigen, daß man es bei den Persern liebte, Gruppen von Männern die Aufgabe anzuvertrauen, das Opfer der Geißelung waagerecht u. ausgespannt zu halten; vgl. Akten der Ia 6; Akten des Acepsias, Joseph u. Aeithalas 14. 29. 34 (H. Delehaye, Les versions grecques des actes des martyrs persans sous Sapor II: PO 2, 457. 489f. 497. 500).

CH. AVEZOU, Art. Tympanum: DarS 5, 559/66. – J. A. BLANCHET, Art. Furca, Furcilla: DarS 2, 2, 1409. – E. CAILLEMER-G. HUMBERT, Art. Carcer: DarS 1, 2, 916/9. – A. EHRHARDT, Art. Tormenta: PW 6 A, 2 (1937) 1775/94. – G. FOUGÈRES, Art. Flagellum: DarS 2, 2, 1152/6. – P. FRANCHI DE' CAVALIERI, N(ote) a(giografiche) 1 = StT 8 (1902); N. a. 2 = StT 9 (1902); N. a. 3 = StT 22 (1909); N. a. 4 = StT 24 (1912); N. a. 5 = StT 27 (1915); N. a. 6 = StT 33 (1920); N. a. 7 = StT 49 (1928); N. a. 8 = StT 65 (1935); N. a. 9 = StT 175 (1953); Scritti agiografici 1 (1893/1900) = StT 221 (1962); 2 (1900/46) = StT 222 (1962); Indici = StT 223 (1964). – M. FUHRMANN, Art. Poena: PW Suppl. 9 (1962) 843/61; Art. Verbera: ebd. 1589/97. – G. GLOTZ-CH. LÉCRIVAIN, Art. Poena: DarS 4, 1, 520/42. – H. HITZIG, Art. Eculeus: PW 5, 2 (1905) 1931f. – G. LAFAYE, Art. Fidicula: DarS 2, 2, 1117; Art. Rota: DarS 4, 2, 896f; Art. Tormentum: DarS 5, 362f; Art. Ungula: DarS 5, 598. – CH. LÉCRIVAIN, Art. Quaestio per tormenta: DarS 4, 1, 797f; Art. Supplicium: DarS 4, 2, 1568/70; Art. Verber, Verbera: DarS 5, 736f. – E. ROOS, Das Rad als Folter- u. Hinrichtungswerkzeug im Altertum. Exkurs: Über den equuleus: Opusc. Arch. 7 = Acta Inst. Rom. Regn. Suec., Ser. in 4°, 16 (Lund 1952) 87/108. – E. SAGLIO, Art. Cippus: DarS 1, 2, 1185; Art. Compes: DarS 1, 2, 1428; Art. Equuleus: DarS 2, 1, 794; Art. Numellae, Nervus, Boiae: DarS 4, 1, 116f. – J. TOUTAIN, Art. Virga: DarS 5, 924f. – J. VERGOTE, Eculeus, Rad- u. Pressefolter in den ägypt. Märtyrerakten: ZNW 37 (1938) 239/50; Les principaux modes de supplice chez les anciens et dans les textes chrétiens: Bull. Inst. hist. Belge Rome

20 (1939) 141/63. – W. VOLLGRAFF, Art. Vinculum: DarS 5, 897f.

J. Vergote (Übers. J. Engemann).

Fons vitae s. Quelle.

Form, gesellschaftliche s. Lebensart.

Fornicatio s. Dirne (o. Bd. 3, 1141/213).

Fortleben s. Jenseitsvorstellungen, Unsterblichkeit.

Fortpflanzung s. Embryologie (o. Bd. 4, 1228/
44); Empfängnis (o. Bd. 4, 1245/55); Geschlechtsverkehr.

Fortschritt.

A. Griechisch-römisch. I. Zur Begrifflichkeit 141. – II. Kräfte
u. Träger. a. Mensch. 1. Nicht Götter 142. 2. Nicht Tierwelt 143.
b. Logos. 1. Vernunft 144. 2. Sprache u. Beredsamkeit 145. c.
Zeit u. Tradition 146. d. Herrschaft. 1. Athen 147. 2. Reich 148.
e. F.bewußtsein. 1. Ursprung u. Vervollkommnung 149. 2. Überlegenheit der Gegenwart 150. – III. Bereiche u. Ziele. a. Zivilisation. 1. Ursprung u. Umfang 151. 2. Ziele 152. 3. Stufen 153.
b. Technai u. Philosophie. 1. Einzeldisziplinen 154. 2. Philosophie 155. c. Gesellschaft u. Politik. 1. Ursprung 157. 2. Ziele
u. Methoden 158. – IV. Grenzen u. Gefahren. a. Ambivalenz 160.
b. F. u. Verfall 160.

B. Christlich. I. Offenbarung u. geistiger F. a. Heilsökonomie.
1. Allgemeines 161. 2. Justin-Theophilus 162. 3. Tertullian 164.
b. Kritik u. Deutung des Kultur-F. 1. Tertullian 166. 2. Origenes
166. 3. Laktanz 167. 4. Arnobius 169. 5. Eusebius 170. c. Christentum als F. 1. Veränderung gegen Tradition 171. 2. Heidentum als Verfall 172. – II. Kirche u. politischer F. a. Offenbarung
u. Politik 173. b. Imperium christianum als F. 173. – III.
Augustinus u. Orosius. a. Augustinus 175. b. Orosius 176. c.
Zusammenfassung 176. – IV. Innerkirchlicher F. 177.

C. Probleme des realen F. I. F.denken u. F. 178. – II. F. u.
Stagnation 178.

A. Griechisch-römisch. I. Zur Begrifflichkeit.
Das klassische F.bewußtsein kommt in einer
relativ festen Terminologie zum Ausdruck.
Ein Hinweis auf die Leitwörter mag helfen,
über diesen Artikel hinaus das vorchristl.
Material zu erschließen (für Traditions- u.
Quellenprobleme der unten verwerteten Texte
sei auf die jeweils vermerkte Literatur verwiesen; Edelsteins ausgezeichnetes Buch
konnte nur noch zT. berücksichtigt werden).
Zu den wichtigsten Wortgruppen zählen: a)
ἐπίδοσις, b) προαγωγή, c) προέρχεσθαι - pro-
gredi, d) προκοπή, e) εὕρημα. Zu a): ἐπιδι-
δόναι (transitiv προαγαγεῖν), oft mit ἐπὶ τὸ
βέλτιον, dann auch ἐπίδοσιν λαμβάνειν; die
ganze Gruppe oft u. fast terminologisch bei
Isokrates (s. u. Sp. 150f; Plat. Prot. 318 A; leg.
676 A 5f. 679 B 1f. 700 A 7f; Aristot. eth.
Nic. 1098a 23; mißverständlich I. Düring,
Aristoteles [1966] 532₁₃₇; gute Übersicht bei
Edelstein 92₇₉). Bis dahin hatte sich das kulturgeschichtliche Denken vorwiegend in e)
artikuliert (s. K. Thraede, Art. Erfinder II: o.

Bd. 5, 1191/278). Zwischen individuell u.
kollektiv oder zwischen Natur u. Gesellschaft
wird hier wie dort kaum unterschieden. Zu
b): vgl. u. a. Isocr. 4, 37; Aristot. eth. Nic.
1098a 23; pol. 1339a 12; Polyb. 6, 8, 4. Zu
c): übertragenes προέρχεσθαι, προϊέναι (pro-
gressus, processus) usw. deckt sich mit unserem Wort F. (Plat. leg. 678 B 7; Aristot.
metaph. 982b 21 bis hin zu Iambl. comm.
math. 83, 11 Festa; Cic. fin. 3, 18; Brut. 272);
hinzuzunehmen ist formelhaftes προϊόντος
τοῦ χρόνου (zuerst Herodt. 3, 96, jedoch
einschlägig erst an Stellen wie Diog. Oen. frg.
11 Gr.; Plat. leg. 678 B 5; Athenio frg. 1,
29 K.; Dicaearch. bei Porph. abst. 4, 2 =
frg. 49 Wehrli [24, 34]). Zu d): προκοπή steht
individuell (Stoa; Echtheit von Heracl.: VS
22 B 131 ist umstritten), seit Polybios auch
kollektiv (u. Sp. 148; προκόπτειν schon Thuc.
4, 60; 7, 50; das Subst. terminologisch erst im
Hellenismus). Noch erwähnt sei die Wortgruppe αὔξησις (Thuc. 1, 12, 1. 16; Timoth.
Pers. 234f; Aristot. pol. 1329 b 29f; soph. ref.
183b 22. 31; zB. pleonastisches ἐπὶ πλεῖον
αὐξάνειν Athenio frg. 1, 16. 25 K.; zu ἐπὶ τὸ
βέλτιον μετάθεσις bzw. mutare in melius s. Ladner 47f). Äußerungen des F.denkens sind aber
auf derlei Begriffe keineswegs beschränkt.

**II. Kräfte u. Träger. a. Mensch. 1. Nicht Göt-
ter.** Alte volkstümliche Anschauung, von
politischer Propaganda oft schwer zu trennen,
sah im F. von Natur zu Kultur das Werk der
Götter (o. Bd. 5, 1194/7, bes. zu Athene, Hermes u. Prometheus; Hom. h. Heph. [20] 2/7;
Pind. Pyth. 12, 5f. 21; Ol. 12, 10/2; Epicharm.:
VS 23 B 57, 5/7; Plat. polit. 274 BC [s. Joos
8] mit Polemik gegen die Herleitung der
τέχναι aus χρεία; vgl. Theiler, Gesch. 81f;
Diod. 5, 73, 7f u. sehr oft [s. Kienzle 12/4];
sodann als Topos der Laus artis; vgl. o. Bd. 5,
1201/4; entmythologisiert bei Aristot. metaph.
1074 b 8/13; Aristocl. bei Philopon. Nic. arith.
intr. 1 [1, 10 Hoche]; parodiert in der Komödie, zB. Telecl. frg. 1 K.; vgl. Eupol. frg.
160 K.). – Um das J. 500 vC. lehrt Xenophanes als erster den wirklichen menschlichen F.
(VS 21 B 18; Herter 481₇₈ mit Lit.). Mochte
fortan die geschichtliche Verantwortung des
Menschen (Plat. rep. 617 E) noch wie bei
Xenophanes (traditionell) mythoskritisch ausgesprochen werden (Diog. Oen. frg. 11, col. 2,
4f Gr.; Reflex bei Aristoph. frg. 569 K.; vgl.
Joos 24/35 zu Aeschyl. Prom. mit Lit.), so
war sie sonst selbstverständliche Grundlage
freien Denkens (Hippocr. vet. med. 3 [37, 27

Heiberg]; Plat. Prot. 322 A usw.; so auch
Sophocl. Ant. 332f; Eurip. suppl. 195f),
auch dort, wo politisch-rhetorisch die ältere
Version hinzutrat (Isocr. 4, 32; die bei Herter 481$_{78}$ referierte Ableitung aus Xenophanes
beruht wohl auf einer Fehlübersetzung des
ἤ . . . ἤ; vgl. 4, 28). Im Athen der 2. Hälfte des
5. Jh. vC. ist, abgesehen von der allgemeinen
Verbreitung teleologischer Denkweise (Edelstein 55), die F.idee vernehmlich entwickelt
(s. zB. J. H. Finley, Thucydides [Cambridge/
Mass. 1947] 82).

2. Nicht Tierwelt. Als das griech. Denken in
der Begegnung mit anderen Völkern das Gefälle der Kulturen u. Bräuche zu ergründen
begann, begriff es die (eigene) Überlegenheit
als Ergebnis eines Entwicklungsprozesses, der
die einzelnen Völker je verschieden weit vom
Urzustand fortgeführt hatte (von daher das
häufige ἔτι καὶ νῦν im Zusammenhang mit
der Rudimententheorie usw.), u. versuchte
daraufhin, sich über den entscheidenden F.
aus dem tierhaften Dasein zur Zivilisation
klarzuwerden (*Erfinder; *Kultur; daß der
Vergleich zweier Epochen oder Lebensformen Voraussetzung für den F.gedanken sei,
betont richtig R. G. Collingwood, The idea
of history [Oxford 1946] 321f, bes. 326. 328.
333; das gilt jedoch ähnlich für die Dekadenz-
theorie). So kehrt ,θηριωδῶς ζῆν' bzw. ,more
ferarum' u. ä. fast regelmäßig in den Schilderungen des fortschrittslosen primitiven
Stadiums wieder (Aeschyl. Prom. 443f. 452;
frg. 303 M.; Eurip. suppl. 201; TGF adesp.
470 N.²; Critias: VS 88 B 25, 1; Ditt. Syll.³
2, 704; Hippocr. vet. med. 3 [37, 27 H.]; Isocr.
3, 6; 4, 28; 15, 254; Athenio frg. 1, 23 K.;
PsDemosth. 25, 20; Agatharch. bei Diod. 3,
16, 7; 24, 2f; 31, 4; Diod. 1, 8, 1; Plut. Is.
70, 378F; Cic. inv. 1, 2; Lucret. 5, 932. 962;
Hor. sat. 1, 3, 105; Macrob. somn. Scip. 2, 10,
6 u. ö.). Man muß sich vergegenwärtigen,
daß die ,Tiere' dabei die φύσις verkörpern;
der Versuch, das Verhältnis von ,Natur' zu
,Kultur' zu bestimmen, mißriet freilich überall dort, wo die Bedeutung der *Gesellschaft
verkannt wurde (s. u. Sp. 157/60). Da abgesehen von πᾶσαι τέχναι (u. Sp. 152) ein Begriff für
,Kultur' fehlte, wurde sie zunächst als Gegensatz zum physischen Elend der Anfangs-
zeit beschrieben (Isocr. 15, 254: τοῦ θηριωδῶς
ζῆν ἀπηλλάγημεν) zusammen mit ,rudis', der
Beschreibung primitiver Kost usw. Da man
die Triebkräfte der ἀλλοίωσις βίου (Moschio
frg. 6, 19 N.²) ermittelte u. die (historische)

Überlegenheit des Menschen zugleich anthropologisch verstand, so mehrdeutig das blieb,
kam der Satz von der prinzipiellen Vorrangstellung des Menschenwesens vor den Tieren
in die F.entwürfe (das wurde bald Gemeinplatz, u. a. Lys. 2, 19; Isocr. 3, 5; Xen. mem.
4, 3, 10. 17; Polyb. 6, 6, 4; Cic. nat. deor. 2,
145 u. ö.; Vitruv. 2, 1, 36f; Asclep. zu Aristot.
metaph. 985a 10f [CAG 6, 2, 32/5]; Galen.
protr. 1 [103f Marqu.-Müller]; vgl. noch Epicur. frg. 368 Us.; Plut. adv. Colot. 30, 1124 E;
*Tier), oder es wurde nach den spezifisch
menschlichen Kräften des F. gefragt (zur
späteren Diskussion: Spoerri 150 mit Lit.) u.
systematisch das Verhältnis von τέχνη zu
φύσις u. τύχη erörtert (u. a. Peripatos, Poseidonios; für Euripides [zB. Iph. Aul. 745]
s. F. Solmsen: Philol 87 [1932] 9). Ganz allgemein gilt für den antiken F.gedanken: ,Ur-
sprung' u. ,Ziel', ,Natur' u. ,Kultur', Verfall
u. F. stehen einander nie scharf entgegen,
vielmehr herrscht in Kulturentstehungs-
lehre, Ethnographie usw. durchgehend ein
Doppelaspekt (vgl. u. a. A. Dihle: Entr. Fond.
Hardt 8 [1962] 218f. 221 zu Agatharchides):
die Urzeit (der Primitive) gilt als rückständig,
jedoch glaubt man gleichwohl an Entartung
(s. u. Sp. 160f). Was dem vorchristl. F.ge-
danken offenbar noch abgeht (man mag sagen:
vernünftigerweise), ist die Totalität der Welt
u. die Radikalität der Trennung von Natur
u. Geschichte (er hat ,Einsicht in die Grenzen des Menschen': Edelstein 55).

b. Logos. 1. Vernunft. Für Xenophanes bringt
empirische Forschung den F. zustande (VS
21 B 18): ,mit der Zeit u. dank dem Suchen
u. Finden der Menschen geht es weiter u.
wird besser' (E. Heitsch: RhMus 109 [1966]
220). Das blieb entscheidend, auch für Anthropologie u. Tiervergleich (Anaxag.: VS
59 B 12; Democr.: VS 68 B 30; Sophocl.
Ant. 335f; Eurip. Hipp. 916/24; Polyb. 6,
6, 4; anderes s. u. Sp. 146 sowie o. Bd. 5,
1213; Spoerri 161f; vgl. σοφία neben τέχνη
[Pind. Ol. 7, 50/3] oder εὕρημα [u. a. Plat.
Theaet. 150 C 8f]). Wo man nicht nur einen
Topos wiederholte, war über das anthropologische Merkmal hinaus der Aufwand an Mühe
u. Zeit zu betonen (Verg. georg. 1, 133f;
Plin. n. h. 14, 2; Claud. c. m. 9, 35 [proficere]),
den der vernünftige F. kostet (u. Sp. 146;
Aristot. soph. ref. 183b 23/5; vgl. bes. die
betonte ζήτησις in Hippocr. vet. med. 3 [37,
27 H.], vorher Xenophanes aO.). Die darin
vorausgesetzte Einheit von Philosophie u.

technischer Leistung, von Ethik u. wissenschaftlichem F. lebte als allgemeines Bildungsgut in Origo artis u. *Protreptikos weiter, obwohl die hellenistische Schulphilosophie sie eigentlich nicht gutheißen konnte. Erst Poseidonios hat wohl diese Inkongruenz aufgedeckt u. ethischen von technisch-wissenschaftlichem F. prinzipiell unterschieden, diesen aber nicht abgewertet, sondern in die Philosophie einzuordnen versucht (Sen. ep. 90 [Hinweis A. Dihle]). Daher rührt die Ähnlichkeit seiner diesbezüglichen Gedanken mit gattungsüblichen Motiven protreptischer Literatur (die frühere Forschung sah hier Poseidonios als Quelle). – Noch der Neuplatonismus war gleichfalls bemüht, dem F. philosophisch gerecht zu werden, zT. in Anlehnung an Aristoteles' F.modelle, u. nahm die F.wirksamkeit des Nus (εὑρήματα) als Beweis seiner göttlichen Qualität u. Herkunft in Anspruch, so offenbar die Gegner des Arnobius nat. 2, 18/20 (vgl. wieder PsPlat. Axioch. 370 B 2/ C 6 [Poseidonios?] u. Cic. u. Sp. 156; ferner Aristocl. bei Alex. Aphrod. an. 2, 110 f Bruns = Aristocl. vest. 4, 82, 34/40 Heiland; zur kosmologischen ad-hoc-Verwendung des F.-modells in der Philosophie s. u. Sp. 155 f).

2. Sprache u. Beredsamkeit. Früh galt auch die Sprache als Schritt aus dem Urzustand, spezifisch menschliche Stufe im F.prozeß, weder Zufall noch physische Selbstverständlichkeit (so in den meisten der genannten Entwürfe; anderes Material bei Spoerri 134/43). Die selbstbewußte rhetorische Paideia versicherte sich dieser dankbar anerkannten Errungenschaft, so daß etwa Isokrates den Logos (Sprache u. Vernunft) zum entscheidenden Träger des F. erklärte (wohl weniger als historischen Vorgang denn als verheißenes Ziel der eigenen Profession: u. a. 4, 47; 9, 7; 15, 253; Joos 69 f. 94/108). Sprache u. Beredsamkeit sind Ursprung, Höhepunkt u. Garant des F. Mit dergleichen Äußerungen literarischen Selbstbewußtseins haben sich später im (mittlerweile unpolitischen) Hin u. Her zwischen Rhetorik u. Philosophie die Verfechter der Beredsamkeit oft ihren Vorrang als Förderer des F., ja als Stifter der Gesellschaft bescheinigt (Nachhall dieser Tradition daher zB. Cic. inv. 1, 1/3; de or. 1, 30/4, in den Lehrbüchern zB. Quint. inst. 2, 16; F. Solmsen: Hermes 67 [1932] 152/4): ein protreptisches Modell, das nach Herkunft u. Gattung statt für oratio auch für ratio (Philosophie) gelten durfte (Cic. de or. 1, 9; Tusc. 1,

64; 5, 5 f). Der Weg zur sekundären Verwendung des F.denkens war damit beschritten, das Band zwischen Teleologie u. strenger Historizität gelockert. Es blieb das F.bewußtsein der einzelnen Technai u. philosophischen oder politischen Richtungen.

c. Zeit u. Tradition. Schon für Xenophanes bewirkte menschliche Vernunft den F. ‚im Laufe der Zeit' (ähnlich zB. Chaeremo frg. 21 N.²), während vordem die göttlich garantierte Dauer des ungeschichtlich Bestehenden gegolten hatte (o. Sp. 142). Gelegentlich wird der Zeit Eigengesetzlichkeit zugemessen (Diog. Oen. frg. 11, col. 2, 4/11 Gr.; Plat. rep. 376 C; Moschio frg. 6, 1f N.²; vgl. Edelstein 66; Philem. frg. 56 [4, 54 Mein.]; PsPlut. mus. 2, 1131 E; s. auch Guthrie 95 f). Für Aristoteles ist nicht nur durchweg die Zeit Träger des Wandels (u. a. phys. 224 a 34; 236 b 2), sondern durchaus auch regelrecht Subjekt des F. (eth. Nic. 1098 a 22/6; zum Schlußsatz vgl. u. a. pol. 1357 a 1f; einschränkend Edelstein 88). Texte mit dem Stichwort ‚allmählich' sehen teils in zeitlicher Entwicklung den Preis des mühevollen F., teils betonen sie den organischen Charakter des F.prozesses, in dem den πρῶτοι εὑρεταί gleiches Verdienst wie den ἐξεργαζόμενοι (u. Sp. 149 f) zukommt u. der F., zu dem die Wahrheit selbst treibt (Aristot. metaph. 984 b 9/11), über den Erfindungsgeist des einzelnen (so die Vorsokratiker durchweg) ‚objektiv' hinausgeht (Edelstein 84. 96; zu Aristoteles ebd. 88 f; o. Sp. 144; ferner Hippocr. vet. med. 3 [37, 27 H.]; Isocr. 4, 32; 9, 59; Xen. Cyrop. 6, 2, 29; Plat. leg. 678 B 9 f; Aristot. metaph. 982 b 14; 993 a 31/64; phys. 199 a 23 f; poet. 1449 a 9 f; Diod. 1, 8, 2. 3. 7. 8; Posid. bei Sen. ep. 90, 12; Lucr. 5, 535. 1105. 1293. 1367. 1370. 1384. 1454; Verg. georg. 1, 134; Aen. 8, 326; Cic. inv. 1, 3; Sen. ep. 91, 6; 95, 15; Manil. 1, 71 f; Quint. inst. 9, 4, 5; Iuven. 6, 19; Vitruv. 2, 1, 6; Max. Tyr. 66 Hob.; Claud. c. m. 9, 44/8). Das geht bis in Syntax u. Wortwahl (Beispiele: Hippocr. vet. med. 3 [37, 27 H.]: das der Hs. M zu entnehmende ζητεῖσθαι; vgl. A. Dihle: MusHelv 20 [1963] 136; ‚munuscula' in Verg. buc. 4, 18: H. Georgii, Die antike Vergilkritik in den Bukolika u. Georgika = Philol Suppl. 3 [1902] 233). Zeit u. Tradition umfassen natürlich auch Begriffe (Motive) wie Not, Nutzen u. Erfahrung als Triebkräfte des F. (hierfür s. die notfalls vermehrbaren Belege o. Bd. 5, 1214/6; Otto, Sprichw. nr. 1839). Die Einheit von Zeit, Sprache u. Vernunft im Schnittpunkt tätiger menschlicher Verantwortung wird spätestens seit dem Peripatos kaum noch festgehalten (ähnlich W. Theiler: MusHelv 1 [1944] 213), die Entdeckung, nur in mitmenschlicher Zeit seien der Vernunft Schritte nach vorn möglich, ist früh vom Idealismus verschüttet worden. Mit dem F.denken, wie es Xenophanes formuliert hatte, vertrug sich ein pseudoreligiöser Erkenntnisbegriff ebensowenig wie der (komplementäre) Gedanke an eine eigengesetzlich wirkende Entwicklung. Fortschrittler wie Protagoras bedurften des Entwicklungsgedankens nicht (Herter 471$_{33}$), wie denn wirklichem F. eine (teleologische) F.theorie im Wege steht. Ihm ist Zukunft Quelle, Gegenwart Mündung (ein ‚Gesetz‘ des F. ist bereits magisches Mißverständnis, das Rückfälle leugnet). Die alte Konzeption klingt bei Lukrez im berühmten Beschluß seines großen F.entwurfs nach: (die kulturellen u. gesellschaftlichen Leistungen) usus et impigrae simul experientia mentis/paulatim docuit pedetemptim progredientis (5, 1452f; zu paulatim-pedetemptim vgl. u. a. Quint. inst. 5, 7, 20).

d. Herrschaft. 1. Athen. Das demokratische Athen durfte Träger u. Spender des F. in Kultur, Wirtschaft u. Politik heißen (o. Bd. 5, 1200; ferner Herodt. 1, 60; Thuc. 1, 70, 2; Plat. apol. 29 D; Kienzle 78). So noch in Rom, das als einziges der Mittelmeervölker sich dem Vorbild zu assimilieren vermochte (Lucret. 6, 1f; Cic. Rosc. Am. 70; Flacc. 62; Liv. 28, 41, 17; Quint. inst. 5, 11, 38; Val. Max. 8, 9; Plin. ep. 8, 24, 2). In Athen selbst wird dieses F.bewußtsein mit Isokrates Literatur. Ihm ist der Logos Träger des F., Athen der einzige Boden, auf dem er gedeihen konnte (während die Barbaren im Tierzustand verharren, weswegen Kriege gegen sie gerechte Kriege sind: panath. 5, 163). Hier hat sich autochthon, im Gefolge unglaublichen Machtzuwachses (10, 68), erstmals Zivilisation entwickelt (4, 23/33), hier allein war es möglich, im Zeichen der *Philanthropia andere Staaten am F. teilhaben zu lassen (4, 29. 34/47). Unermeßliche F. stehen noch bevor (8, 13, 20). So hatte sich schon ältere athenische Propaganda vernehmen lassen, u. auch Isokrates will mit derlei Gedanken das Recht auf politische Hegemonie begründen (3, 32; 7, 40; 8, 13. 20. 127. 140; 9, 69; 10, 68). Ihm gelten sie auch in der Monarchie (9, 48). – Das epideiktische Modell (Städte, Reiche, Herrscher als Träger des F.)

blieb bis in die Spätantike verbindlich. Daß es bei ein u. demselben Schriftsteller den moralischen locus de saeculo nicht ausschloß u. die Dekadenzvorstellung neben sich sehr wohl duldete, gilt schon für Isokrates (F. Hampl: HistZ 188 [1959] 502/4); die Ursache liegt, namentlich von der 2. Hälfte des 4. Jh. an, in der Depolitisierung des F.gedankens (Wissenschaft u. Technik), im Vorherrschen der Individualethik (hellenist. Schulphilosophie) u. der entsprechenden publizistischen Verselbständigung poetischer F.ideen. Wissenschaft, Ethik u. Politik gingen ihre eigenen Wege, um so eher, als dem klassischen antiken F.gedanken weltanschauliche Totalität nicht eignete u. wirkliche Verfechter des politischen F. wie Protagoras mit gutem Grund auf eine ‚gesetzliche‘ Verankerung verzichtet hatten.

2. Reich. Polybios, ‚Höhepunkt des hellenistischen F.gedankens‘ (Lauffer 42), bedient sich stoischer Begriffe, um die Entwicklung des röm. Reiches als F. schlechthin, Rom als Gipfel des F. zu schildern (die Anlehnung an Begriffe u. Motive älterer griechischer Theorie schuf gedankliche Unstimmigkeiten u. traf die röm. Wirklichkeit nicht). Einige Grundzüge (die Trias φύσις – τύχη – ἀρετή, ebenfalls Schulgut, darf beiseitebleiben): im Aufstieg Roms sieht er einen unabänderlichen (30, 8), durch Katastrophen nur beschleunigten Prozeß (2, 65), der einem festen Telos folgt (1, 3, 10; 2, 37, 10; 4, 3; 6, 2, 10; 14, 1a, 2f) u. eine wunderbare geschichtliche οἰκονομία enthüllt (1, 4, 3; 6, 9, 15; 8, 2, 2; 9, 44, 2; vgl. 1, 4, 6 sowie u. a. 1, 13, 9 für das unverändert wirksame technomorphe Weltbild). Sie bezeichnet er, ebenso wie die Entwicklung der Technai (3, 59; 9, 2, 5; 10, 43f), ausdrücklich als F. (προκοπή: 1, 12, 7; 2, 37, 10; 3, 4, 2; 9, 24; 10, 47, 12). Im römischen Imperium hat alle frühere Geschichte ihr Ziel erreicht (1, 3, 10; 4, 1). Es überbietet alle bisherigen Weltreiche (1, 2, 2/7). Dieser hellenistische Topos (Häußler 127f) behält in den Laudes Romae seinen Platz (Palm 15) u. fließt von hier ins frühe Christentum (u. Sp. 163). Auch Plutarch, der an einen F. der Philanthropia in der Geschichte glaubt (fort. Rom. 1, 321 AB u. ö.), folgt den Regeln der Gattung, wenn er Rom als F. preist (u. a. fort. Rom. 1, 316 E; praec. ger. rep. 32, 824 AB), den er als Werk göttlicher Pronoia verstanden wissen will (fort. Rom. 1, 316 E; 11, 323 F), zudem natürlich als Lohn wahrer Arete (fort.

Rom. 1, 316 D; 2, 317 C; 8, 321 B: alte
Thesis; vgl. später etwa Dio Prus. 25, 8; Ael.
Arist. 26, 41. 43/51 Keil; anderes bei Palm
passim). Die röm. Historiker greifen das
Thema selbstverständlich auf (bis hin zu
Amm. Marc. 14, 6, 3), ebenso die Panegyrici
in Poesie u. Prosa (spätes Beispiel u. a. Claud. c.
15, 270/5; 24, 159/73). Griechischen Autoren
der Kaiserzeit gilt Rom als F. gegenüber
Griechenland (Dion. Hal. ant. Rom. 2, 17, 1f.
19 f; 7, 66, 4; 8, 80; vgl. 5, 17; 7, 72, 4). Das
Verhältnis Griechenland-Rom bzw. Über-
lieferung-F. wird gründlich ausgeschöpft,
etwa so: Rom gewährleiste gerade wegen seiner Überlieferungstreue den F. (Dion. Hal.
ebd. 7, 72, 4). Ähnlich dann Synkrisisliteratur
u. Exempla-Topik. Die Begrifflichkeit des
F.denkens (augmenta, mutare in melius usw.)
wird Münze politischer Publizistik (die Schul-
regeln u. a. bei Menander 3, 360, 25/32; 377,
10/5 Sp.; allgemein vgl. Gernentz). Roms
Reich, das Werk vieler Generationen (Cic.
rep. 2, 2f [vgl. Polybios] bis Amm. Marc. aO.),
ist Frucht beharrlicher Anstrengungen ebenso
wie organischer Entwicklung (R. Laqueur:
Probleme der Spätantike [1930] 2). Der
Lebensaltervergleich legte sich nahe. Anderen
Inhalt gab dem F.modell die Anschauung
vom Prinzipat als (wiederkehrender) *Aetas
aurea, die ‚paulatim‘ heranreift, ein F.motiv,
das bald zum deklamatorischen Lob auf den
jeweiligen Kaiser schrumpft, entsprechend
der Entwicklung von ‚saeculum‘ u. Säkular-
poesie. Strenge Teleologie wird nicht angestrebt, die wirkliche Folge der Zeiten dem
Zeitgeist geopfert, ‚an höchster Stelle‘ rezitierte Preisgabe durchdachter gesellschaftlicher Hoffnungen an die Verherrlichung zu-
fälliger kleinster Zeiträume (u. a. Paneg. Lat.
2, 3, 2f; 12, 1. 20, 1f Myn.; Auson. grat. act.
33; daneben Hist. Aug. Comm. 2f).
e. F.bewußtsein. 1. Ursprung u. Vervollkommnung. Das Leitmotiv ‚nulla res con-
summata est, dum incipit‘ (Sen. quaest. nat.
6, 5) war so alt u. verbreitet wie das F.denken
überhaupt (Cic. Brut. 71; Tac. ann. 11, 13, 2;
14, 3). Vor dieser Maxime verblaßte das Verdienst der *Erfinder, da das (προσ-) ἐξεργάζεσθαι gleichen Rang erheischte, zumal als
streng methodische ζήτησις (Hippocr. vet.
med. 3 [37, 27 H.]; Isocr. 4, 10; Aristot. eth.
Nic. 1098a 25f; Chaeremo frg. 21 N.²; Alexis
frg. 30, hier auch die θεῖα in den Erkenntnis-
optimismus einbezogen; vgl. Herter 481;
Aristocl. bei Philopon. Nic. arithm. intr. 1, 1

[1, 10; 2, 41 Hoche]; s. jedoch auch o. Sp. 142).
So konnten die einzelnen Disziplinen durch-
aus ein historisches Bewußtsein entwickeln.
Mit der Formel ἐξεργάζεσθαι-augere, dis-
ponere versuchten Griechen u. Römer fremde
Errungenschaften auf ihr Konto zu buchen
(o. Bd. 5, 1211/3. 1232f). ‚Invenire‘ können
auch Barbaren, ‚disponere‘ nur Gebildete
(Plin. ep. 3, 13, 3). Selbst *Imitatio dient dem
F. in Technai u. Politik (Quint. inst. 10, 2, 1f;
Paneg. Maxim. 8, 5). Assimilation bezeugt
nationales Vermögen (s. o. Sp. 149 zu Dion.
Hal. ant. Rom. 7, 72; Arrian. tact. 33, 2;
Symm. ep. 3, 11, 3; A. Alföldi, Die Kontornia-
ten [1943] 80f). Das peripatetische Schema
‚accepta et aucta‘ (Cic. Brut. 205; Sen. ep.
64, 7; vgl. noch Hippocr. art. 1: τὰ ἡμίεργα
εἰς τέλος ἐξεργάζεσθαι neben u. a. Aristot.
eth. Nic. 1098a 25; PsPlut. mus. 13, 1135 DE;
wohl parodiert im προσάγειν Athenio frg. 1,
19. 22 K.) ist noch geläufig, obwohl das universale F.bewußtsein längst verklungen war.
Sehr progressiv muten manche Sätze des
Philosophen Seneca an: wo man sich mit dem
Erreichten zufriedengebe, sei aller F. vereitelt (ep. 33, 10; ähnlich schon Isocr. 9, 7;
Aristot. pol. 1268b 40f; vgl. Lucret. 5, 170/3;
Cic. nat. deor. 2, 22; später Quint. inst. 9, 4, 3/5;
vgl. die Klage über den Stillstand des F. bei
Plin. n. h. 2, 117). ‚Inventuris inventa non ob-
stant‘ (ep. 79, 6), Autoritätsgläubigkeit könne
nur schaden (ep. 33, 10; vgl. 80, 1; Cic. nat. deor.
1, 10 u. Pease zSt.). ‚Faciamus ampliora, quae
accepimus‘ (ep. 64, 8), der Nachwelt zu Nutz,
die selbst F. schaffen wird: sie hören nicht
auf (ep. 64, 9). Prinzipielle Unabgeschlossen-
heit der Zukunft u. des menschlichen For-
schens: das sind Töne klassischen F.denkens.
Aber sie wollen nicht wirkliche F. hervorrufen, sondern rechnen mit der Kluft zwischen
Denken u. Geschichte u. bleiben unpolitische
Literatur (zur sozial bedingten Wirkungs-
losigkeit solcher Maximen für den allgemeinen
technischen F. vgl. Kiechle; u. Sp. 178f).
2. Überlegenheit der Gegenwart. Schon Isokrates hatte versichert, die F. in Technai u.
Gesellschaft seien stets denen zu danken gewesen, die, mit dem Bestehenden nicht zufrieden, gewagt hätten ἀεί τι κινεῖν τῶν μὴ
καλῶς ἐχόντων (9, 7). Das gibt den *Erfindern
Vorrang gegenüber den ἐξεργαζόμενοι: die
eigene oder zeitgenössische neue Lehre soll
als echte ἐπίδοσις gelten (Isocr. 4, 10). Solche Töne kannte bereits die Literatur des
frühen 5. Jh. (zB. Timoth.; s. dazu Edelstein

34f u. die historische Relativierung bei Aristot. metaph. 993b 15f). Ähnlich spricht Aristoteles von seiner Syllogistik (soph. ref. 183b 16/184b 8; Vokabular: αὔξησις, εὕρεσις, ἐπίδοσις, προαγωγή, παράδοσις). Gegenwärtig hat der F. Früchte gezeitigt, um welche einst die Götter anzugehen niemand gewagt hätte (Isocr. 8, 127; vgl. Sophocl. Ant. 366 u. Joos 28f). Ein beredtes Zeugnis des Hochgefühls der Sophistik hat uns Platon aufbewahrt (Hipp. mai. 281 D 3/7, ἐπίδοσις; ebd. 282 A die Geringschätzung des ‚Alten‘; Äußerungen über οἱ πάλαι bei Edelstein 34; vgl. Aristoph. av. 540f). Auch für Polybios liegt der Gipfel des F. in der Gegenwart (9, 2, 5; vgl. Thukydides). Je öfter wiederholt, desto weniger auf Einheit u. die Epochen der Geschichte bezogen, nutzt sich das entweder zur panegyrischen Schablone des ‚taceat superata vetustas‘ ab (Symm. or. 2, 17; ep. 2, 2; Claud. carm. 3, 283; 28, 660; Paneg. Lat. 4, 15, 1 Myn.) oder dient, wo nicht zur Selbstempfehlung von Literaten verdünnt (Plin. ep. 6, 21, 1; Symm. ep. 3, 44, 1; Apoll. Sid. c. 3, 8, 1), immerhin dazu, die psychologisch begreifliche (Eurip. Hipp. 183; Thuc. 2, 45; Lucret. 3, 957) Verfallsideologie in ihre Schranken zu weisen (Hor. ep. 2, 1, 28f; Sen. ep. 97, 1. 9f; 114, 2; Tac. Agr. 1; hist. 1, 3; ann. 2, 88; 3, 55; Mart. 5, 10; 8, 69; Macrob. Sat. 3, 14, 2). Nicht zuletzt angesichts einer ‚christlichen‘ Gegenwart schien es dann freilich geboten, wieder auf die gute alte Zeit zurückzuweichen (u. a. Celsus; vgl. o. Bd. 5, 1254f) oder den einst erreichten F., mittlerweile nur noch respektables Bildungserbe einer isolierten Oberschicht, als ‚hellenisch‘ gegen die (bereits arrivierten) ‚Barbaren‘ auszuspielen (Liban. ep. 18, 158; Palm 96f; zu Symmachus: Alföldi aO. 79).

III. Bereiche u. Ziele. a. Zivilisation. 1. Ursprung u. Umfang. Entscheidend war die Erkenntnis, daß der Prozeß von F. überhaupt begonnen hatte: der Schritt vom Urzustand zur Zivilisation, der die späteren Technai allererst ermöglichte (gleichwohl implizieren auch die optimistischen ‚Kulturentstehungslehren‘ als solche nicht schon eine F.idee: Edelstein 5). Daher greifen Origo artis u. *Protreptikos immer wieder auf das (gelegentlich modifizierte u. jedenfalls selten ‚wissenschaftlich‘ gemeinte) Modell der Urgeschichte zurück: die Triebkräfte Nus u. Logos waren hier wie dort dieselben (Cic. inv.

1, 1f; Verg. georg. 1, 118/59, bes. 133f; Vitruv. 2 pr. 5; 2, 1, 1/3; Manil. 1, 58f; Sen. ep. 90; Quint. inst. 2, 16, 12f; Galen. protr. 1 [103f Marqu.-Müller]; Iambl. protr. 10 [54/6 Pist.]; Aristocl. bei Philopon. Nic. arithm. intr. 1, 1 [1, 10 Hoche]; parodiert ebenfalls schon bei Athenio frg. 1 K.). Hatte die religiöse Kulturlehre zunächst nur den einen Schritt vom Urzustand zu πᾶσαι τέχναι gepriesen (Pind. Ol. 7, 50f; 13, 16f; Pyth. 1, 41f; Aeschyl. Prom. 110) u. die entsprechende Technai-Tafel assoziativ gebildet (Aeschyl. Prom. 462f; vgl. 442/50 das Gegenbild alter Kulturlosigkeit; Sophocl. Ant. 332f; Joos 37/54), so behalf man sich wohl mit diesem ältesten Ausdruck für ‚Kultur‘ auch weiterhin (u. a. Diog. Oen. frg. 11 Gr.; Aristoph. Plut. 160f; Philemo frg. 56 Mein.; PsPlat. epin. 977 D), begann jedoch, zT. unter dem Einfluß des neuen F.gedankens, sie in historischer Entwicklung zu sehen. So kam es zu den kulturgeschichtlichen Entwürfen. Sie gründen in der Idee zunehmender Planbarkeit menschlicher Verhältnisse auf mehr u. mehr Gebieten (daher die Vielzahl der verschiedensten Technai-Lehren). Dabei werden moralischer u. technischer F. stets in eins gesehen (selbst die hellenistische Schulphilosophie anerkennt das noch, obwohl sie auf Grund ihrer Ethik an technischem u. wissenschaftlichem F. eigentlich gar nicht interessiert war [Edelstein 138], wie dann Poseidonios durchschaute [A. Dihle]).

2. Ziele. Die allgemeine Zunahme an Rationalität steht voran. Anderes: das Wachstum des Wohlstandes (Isocr. 3, 32; 4, 42. 103; 8, 20. 140; vgl. 4, 189; Cic. rep. 1, 35), in der *Ernährung der F. zu ‚milderer‘ Kost (Herter 470; für das Schema Gras-Eicheln-Getreide vgl. zB. Kroll zu Cic. or. 31 u. das Sprichwort: ἅλις δρυός), aber auch die Kenntnis des Würzens (Theophr. bei Athen. 12, 511 D; Athenio frg. 1, 21f K.). Das Verb ἡμεροῦν wird oft allgemein Stichwort für die Befreiung aus ‚rohem‘ Urzustand (Diod. 1, 8, 5; 4, 2, 5; 17, 4f; 21, 6; 29, 6) u. den Schritt zur Gesittung (Polyb. 6, 47, 2; Cic. inv. 1, 2; Sest. 91; Dion. Hal. ant. Rom. 7, 72,4; 8, 80; Vitruv. 2, 1, 6; Plut. soll. an. 6, 964 A; Quint. inst. 9, 4, 5). Im Wachsen der *Philanthropia (o. Sp. 147f) erfährt auch die Sozialethik F. (Isocr. 7, 40; PsIsocr. 1, 12; Liv. 22, 60, 5; Vell. Pat. 2, 116, 3; für Tacitus s. Häußler 282f; spätantikes Beispiel: Iulian. ep. 89 [156, 16/57, 15 Bid.] mit bezeichnender religiöser Kulturlehre: Athene als Stifterin von Zivilisation wird gegen

Moses als Erfinder [Gen. 3, 21] ins Feld geführt).
Obschon zumeist konkret für einzelne Technai oder Politik formuliert, ruht der F. auf
der Einheit des geschichtlichen Lebens, dessen
Zukunft in rückwärtsgewandter Prophetie
als historische Stufen vergegenwärtigt wird.
Das erklärt, wieso der F.gedanke (parallel zu
wirklichen Entdeckungen) im 4. Jh. noch
kräftiger blüht als zur Zeit der Sophisten
(Edelstein 83 bringt diese Blüte mit der allgemeinen Depolitisierung frühhellenistischer
Zeit in Zusammenhang).
3. Stufen. Ein Vergleich der historischen Abrisse, die bisher nur in Einzelheiten zu Wort
gekommen sind, muß hier unterbleiben. Jedoch sei die wichtige Unterscheidung zwischen primärem u. sekundärem F. herausge-
hoben (bei ihr setzte auch die Kulturkritik an).
Man gewöhnte sich, auch entwicklungsge-
schichtlich, notwendige u. allenfalls entbehrliche Errungenschaften zu sondern. Demokrit, der das wohl zuerst getan hat (vgl. VS
68 B 144; K. Reinhardt: Hermes 47 [1912]
504; Joos 90), wollte die Technai streng auf
rationale Ziele bezogen wissen u. von emotio-
nal oder supranatural bedingten Tätigkeiten
abheben (Mantik, τὰ θεῖα, Poesie wurden
traditionell zu den Technai gezählt). So ließ
er den wirklichen F. von ἀνάγκη verursacht
sein (vgl. Epicur. frg. 227/30 Us.). Das wurde
bald literarische Münze (Isocr. 4, 40), zumal
die Grenze zwischen primärem u. sekundärem
F. objektiv nicht zu ermitteln war (so zählt
PsPlat. epin. 974 D Mantik zu den ἀναγκαῖα,
oder die ornamentale Stufe einer Techne [Cic.
leg. 1, 6 f] gilt als ihr Telos; Themist. 34 [447, 3 f
Dind.]). Die Unterscheidung erwies sich jedoch in vielerlei Zusammenhängen als fruchtbar (sie wirkte auch dort, wo F. überhaupt
bestritten wurde; vgl. O. Immisch, Agathar-
chidea: SbH 1919, 7, 57₁): Thuc. 1, 6, 3;
Plat. Prot. 321 D. 324 E; Crit. 110; rep.
373 A; leg. 677 D; Tim. 24 B (zu Gorg.
s. Herter 479₆₇); Aristot. metaph. 981 b 17 f.
21 f; 982 b 23/5; 983 a 10 f; pol. 1266 b 25;
1267 a 4 f. 14; 1291 a 2/4; 1329 b 23 f; 1331 b
11 f; top. 118 a 6; Xen. mem. 1, 4, 4 f. 6 f; 4,
3, 5; Dicaearch. 57 Wehrli; Polyb. 6, 7, 6 f; vgl.
3, 4, 10 f; Plut. Cat. min. 1, 5; Pyth. or. 24,
406 D u. ö.; Dio Prus. 3, 93; Themist. 26 (382,
9 f Dind.); 34 (447, 3 f); Iambl. comm. Pyth. 3
(218, 27 Vill.); Lucret. 4, 835 f; 5, 1102 f.
1390 f; Varro l. l. 8, 31; Cic. de or. 3, 135.
181; or. 185; fin. 3, 17 f; Tusc. 1, 62; off. 1,
130 f; Hor. sat. 1, 3, 96/110; Sen. ep. 90, 13;

Tac. Germ. 24, 1; Symm. ep. 10, 4, 3. Sie
bringt durchweg zum Ausdruck, daß end-
gültiger F. auf verantwortlicher Entscheidung
des Menschen beruht, auf διάκρισις, nicht
auf unabänderlichen Gesetzen.
b. Technai u. Philosophie. 1. Einzeldisziplinen. Die einzelnen Technai haben sich, vorwiegend zur Zeit wirklicher F., historisch verstanden (vgl. u. a. das häufige πρὸ τοῦ, antea,
adhuc in den Technai-Geschichten) u. mit
künftigem F. gerechnet (Hippocr. vet. med.
20; H. Herter: SudhArch 47 [1963] 270 f).
*Entwicklung heißt hier: lebendiger Prozeß
steter Neuschöpfungen (der Höhepunkt dieses Denkens liegt wieder im 4. Jh. vC.).
Im Rahmen der allgemeinen historischen
F.entwürfe, zu deren Grundbestand der
Schritt zu Nahrung, Kleidung, Hausbau,
Stadtgründung gehörten, fanden etliche Technai ihre Entstehung allgemein gewürdigt (daher oft Kulturentstehungslehren in Origo
artis u. *Protreptikos übernommen) u. prie-
sen ihre Bedeutung daraufhin oft recht laut-
stark (parodiert: Athenio frg. 1 K.). Als ernst-
hafte historische Forschung hat sich das F.-
bewußtsein in den Wissenschaftsgeschichten
des Peripatos niedergeschlagen (s. Edelstein
94 f), die für spätere Abrisse vorbildlich wurden (s. u. a. W. Tatarkiewicz, Classification
of arts in antiquity: JHistId 24 [1963] 23/
40). – Aus dem reichen Bestand der Entwick-
lungsgeschichten hier nur wenige Beispiele,
ohne Rücksicht auf Art u. Grad der Teleologie
(für Techne-Telos vgl. Galen. protr. 39 [129
Marqu. Müller]; E. Grumach, Physis u.
Agathon in der alten Stoa [1932] 64/71):
Seewesen: Thuc. 1, 4/14 (zugleich politisch);
Plin. n. h. 7, 191. – Poesie: Aristot. poet.
1449 a 9 f. – Musik: Aristox. harm. 1, 3, 4, 6 f
(s. Edelstein 70); Lucret. 5, 1397/411 (s.
Bailey zSt.); PsPlut. mus. 2, 1131 E; 13,
1135 DE. – Skulptur: Lysipp. bei Plin. n. h.
34, 65; B. Schweitzer, Xenokrates von Athen
(1932) 23/5; Häußler 116. – Architektur:
Vitruv. 2, 1 (nach Reinhardt Poseidonios; vgl.
Sen. ep. 90, 10. 17 u. Blankert 124/34; in
Wirklichkeit allgemeines Bildungsgut). –
Philosophie: Aristot. metaph. 993 b 11/9;
1093 a 15 ff; Cic. Tusc. 1, 38; vgl. Pohlenz zSt.;
Sen. ep. 95, 13 (in processu subtilitas crevit,
die ehemals peripatetische Ansicht; vgl. da-
gegen ep. 88, 44/6). 15; Aristocl. bei Philopon.
Nic. arithm. intr. 1 (1, 10 Hoche); Iambl. comm.
math. 26 (83, 6/22 Festa). – Schrift (Alphabet):
Ephoros: FGrHist 70 F 106; Plin. n. h. 7, 192;

Tac. ann. 11, 14. – Rhetorik: L. Radermacher,
Artium Scriptores = SbWien 227, 3 (1951);
Aristot. soph. ref. 183 b (anderes bei Edelstein
72 f); Auct. Her. 3, 14, 15; Cic. inv. 1, 2 f; de or.
2, 52 f; leg. 1, 6 f; Brut. 25/50. 70 f. 161; Dion.
Hal. or. vet. 1 (5, 3/4 Us.-Raderm.); Tac.
dial. 18; Quint. inst. 10, 2, 4/13. Ciceros Entwurf (bes. Brutus), von Tac. dial. 18 anerkannt, sieht ihn selbst als Gipfel des F. der
Beredsamkeit. Er romanisiert das Bild (Linie
Cato-Gracchen-Crassus-Cicero), indem er ver-
schweigt, daß erst griechischer Einfluß am
Ende des 2. Jh. den entscheidenden F. römischer Redekunst bewirkt hat. Horaz urteilte
unbefangen (wie andernorts auch Cicero; vgl.
Quint. fr. 1, 1, 27 f u. ö.): F. in der Kunst sei,
anders als bei den Griechen, in Rom kaum
möglich (ep. 2, 1, 90/102. 156: Graecia ... artes
intulit agresti Latio; gleichwohl fordert
Horaz in demselben Gedicht den F. des römischen Dramas).

2. Philosophie. Die Philosophie, als Band um
die Teildisziplinen, konnte sich zunächst noch
mit Grund als Inbegriff der wachsenden Rationalität verstehen. Scharf sprach sich ihr F.-
bewußtsein bei Aristoteles aus (protr. frg.
53 Rose = Cic. Tusc. 3, 69; vgl. soph. ref.
183 b; Platons Haltung ist schwer zu fassen
u. enthält sowohl Elemente älteren F.den-
kens als auch den Versuch, den F. gesetzlich
zu beschränken oder moralisch zu kontrol-
lieren; s. dazu Edelstein 102/18). Wie er das
demokratische F.denken streng teleologisch
ans Ende gebracht hat, so durfte er die Philosophie als Ursprung u. Ziel des F. einschätzen
(metaph. 981 b 8 ff; vgl. eth. Nic. 1140 a 17 ff;
1181 b 15 f sowie Cic. Tusc. 3, 69; F. Dirlmeier:
SbH 1962, 2, 40/3; I. Düring, Aristoteles [1966]
189; Nic. arithm. intr. 1, 2, 3 [4, 5/13 Hoche];
Iambl. protr. 10 [55, 21/5 Pist.]; comm. math.
26 Festa; in Nic. arithm. intr. 1, 10 [9,
13/23 Pist.]; Procl. Euclid. prol. 2 [64
Friedl.]), wie das schon Isokrates mit seiner
Lehre getan hatte (3, 5; 4, 41. 47. 189; 15,
253 f). Die aristotelische Gleichsetzung des
Telos mit dem Guten mutet als Krönung des
bildungsoptimistischen F.denkens an (s. jedoch u. Sp. 157). Als Grund u. Ziel des F.
haben auch späterhin philosophische Schulen
ihre Gründer oder ihre Lehren betrachtet (vgl.
Epikur: Lucret. 5, 82/90. 1161/93) u. diese
als einzige Gewähr des F. von der sonst ver-
meinten Dekadenz ausgenommen (das dabei
zunächst merkwürdige Ineinander von opti-
mistischer u. pessimistischer Geschichtsbe-

trachtung zB. bei Platon, Dikaiarch, Poseidonios, Lukrez, Plutarch, Macrobius ist alter-
erbt u. gemeinantik; vgl. Joos 20; Popper
124; o. Sp. 144). Das war jedoch ein Rückfall
in das, vom Peripatos prinzipiell überwundene, personalistische Modell vom πρῶτος
εὑρετής, das strenge Entwicklung leugnete
u. desto leichter dem verbreiteten Kultur-
pessimismus Einlaß gewährte. Leicht wandelte sich so das Geschichtsbild zum bloßen
Spiegel der jeweiligen Lehrmeinung, während
die Philosophie zunehmend zeitloser wurde,
zumal später in den neuplatonischen Schulen,
obwohl man immer wieder Technai u. Philosophie traditionell in eins zu sehen trachtete
(Taylor 184/7 zu Lukrez, Poseidonios, Polybios, Panaitios; Pohlenz zu Cic. Tusc. 1, 61.
64; o. Sp. 152). Die spätantike Philosophie
entlehnt Motive des klassischen F.denkens
ad hoc. So hat zB. Porphyrius, wenngleich in
seinem κόσμος νοητός die Zeit wenig bedeutete, technische F. als Auswirkungen der
μέση οὐσία der Menschenseele gewürdigt
(Arnob. 2, 19; vgl. A. J. Festugière, La révélation d' Hermès trismégiste 2 [Paris 1949]
361₄₅), Seele u. Geist nicht unterscheidend. In Umgestaltung älterer Mimesislehre
(zB. Poseidonios; vgl. PsPlat. Axioch. 370 B;
Cic. rep. 1, 22; nat. deor. 2, 88; Tusc. 1,
63 u. Pohlenz zSt.; Plat. politic. 274 D 6)
versteht er F. als Ausdruck der ὁμοίωσις
zwischen Gott u. dem ‚kleinen Demiurgen‘
Mensch (Porph. Boeth. bei Euseb. praep. ev.
11, 28, 9. 14 [GCS 8, 2, 64 f]; Theiler, Porph.
21 f). Die einst den F.begriff konstituierende
wirkliche Einheit von Denken u. Geschichte
(o. Sp. 146 zu ζήτησις), Mensch u. *Gesellschaft ist längst verloren, aller Anthropozentrik (Theiler, Porph. 53) zum Trotz. Zeitlichkeit des Denkens, F. als politische Entscheidung, Offenheit von Vernunft u. Gemeinwesen zueinander, dergleichen fehlt jetzt
völlig. – Als Macrobius, alter Tradition folgend (u. Sp. 158), in der Geschichtlichkeit des
Menschen, die man sich ja weiterhin modell-
haft am Kulturaufstieg klarzumachen pflegte,
den Beweis gegen die Ewigkeit der Welt zu
finden meinte (somn. Scip. 2, 10, 6), lieferte
das alte F.denken nur noch Teilargumente
im kosmologischen Gefecht (wie Macrob. aO.
7 zeigt, konnte die Verfallslehre dasselbe leisten). Ein universaler F. war undenkbar geworden, seit die Metaphysik den F. als gedankliche πρόοδος systematisiert hatte. Den
Bruch zwischen Denken u. Zeit setzte auch

das spätantike Christentum voraus, wenn es
angesichts der Reduktion des F.denkens auf
die reine Vernunft nunmehr, vermeintlich
Eigenes verfechtend, die Geschichtlichkeit
des Lebens betonte, die ja der klassische F.be-
griff von Anfang an enthalten hatte (o. Sp.
146f).

c. Gesellschaft u. Politik. 1. Ursprung. Der
Schritt zur Gesellschaft war in fast allen Entwürfen eine wichtige Phase. Das ἀτάκτως
oder σποράδην ζῆν der Urzeit ist Gegenbild
zum Stadium des Zusammenschlusses, je verschieden begründet (Isocr. 3, 5; 4, 39; 15,
254; Plat. Prot. 322 B 1/8; politic. 271 D;
PsPlat. Axioch. 370 B; Lucret. 5, 1108f; Cic.
inv. 1, 2; Tusc. 1, 62; 5, 5; Sest. 81; Diod.
1, 8, 2; Hor. sat. 1, 3, 104f; Verg. Aen. 8, 321;
vgl. Häußler 238f). Protagoras, der keine allmähliche Entwicklung der Technai anerkennt, ist lediglich am F. zur Politik interessiert (Herter 470/2). Die Sophistik hat erkannt, daß der F. zur *Gesellschaft u. damit
der Aufstieg des Menschen zum Sozialwesen
nicht in der ‚Natur‘ angelegt oder begründet
ist (Herodt. 7, 101/3; PsDem. 25, 15f; Anon.
Iambl. [Hinweis A. Dihle]). Diese wichtige Einsicht in die ‚Unnatürlichkeit‘ des menschlichen
Gesellschaftslebens wurde von der hellenistischen *Ethik durchweg preisgegeben. Mythos-
frei erzählt Aristoteles den F. politischer Organisation, Ehe-Haus-Dorf-Stadt, die möglichen Herrschaftsformen aus historischen Stufen u. Arbeitsverhältnissen ableitend (pol.
1252 a 24 ff). Jedoch schlägt hier Teleologie in
F.feindlichkeit um: anders als in den Technai
ist in der Politik Veränderung schädlich (pol.
1269 a 17 ff u. ö.; Plat. leg. 797 D). Damit ist
der F.begriff der Sophistik entpolitisiert (vgl.
Aristot. eth. Nic. 1181 a 17); daß ihm infolgedessen Männer von ganz unterschiedlicher
politischer Denkweise zugetan waren, beweist wohl die allgemeine Geltung des F.ge-
dankens im 4. Jh. (Edelstein 130, mit der
Warnung, reaktionäre Politik [zB. Plato,
Aristoteles] nicht mit F.feindlichkeit zu verwechseln). Aber das gleichermaßen naturalistisch wie technomorph verformte Gesell-
schaftsbild (Topitsch 35f), das staatliches
Handeln vom F. ausschließt, hat zugleich den
universalen F.begriff seiner Wurzeln beraubt.
Die Kluft zwischen Vernunft u. Geschichte, die
im F.begriff von Xenophanes bis Isokrates eins
waren, bzw. die Vorherrschaft von Individua-
lismus u. Naturalismus in der Ethik, bewirkt
schließlich ein doppeltes Geschichtsbild, das

für noch so progressiv klingende Äußerungen
(o. Sp. 150) von vornherein nur papierne Unerheblichkeit vorsah (die aus Poseidonios gewonnene Theorie bei Seneca selbst ep. 90;
vgl. Plat. rep. 597 A/D; E. R. Curtius: ZRom-
Philol 58 [1938] 17/9). Gesellschaftliche Konsequenzen waren weder vom Verfasser noch
vom Leser zu befürchten (Sen. aO. rechnet
schon nicht einmal mehr mit einer Wirkung
der Philosophie auf den F. der Technai u.
lehnt den älteren protreptischen Gedanken
‚philosophia nutrix omnium artium‘ ab;
Pohlenz zu Cic. Tusc. 1, 61/5). Auch der Versuch, kosmische u. geschichtliche *Zeit so in
Verhältnis zu setzen, daß dem F. Raum blieb
(Aristot. meteor. 351 a/353 a), hatte eine
Lösung nicht zu bringen vermocht: immer
wieder schob sich über die Erörterung des
menschlichen F. das Problem ‚Ewigkeit oder
Zeitlichkeit der Welt‘ (Dicaearch. frg. 47
Wehrli; Theophr. bei Philo aet. mundi 21/3
[112, 19/113, 6; 117, 10/119, 2 C.-W.-R.];
Lucret. 5, 338f; entgegengesetzt folgerte die
Stoa; vgl. M. Pohlenz, Die Stoa 1 [1948] 77,
wie später u. a. Macrob. somn. Scip. 2, 10, 6;
daher wohl auch die Unstimmigkeiten zwischen Lucret. 5, 324f u. 2, 1105/13; vgl. Taylor
183). Gleichwohl hat die vom F.denken kaum
berührte politische Ethik unter hellenistischem Einfluß besonders in Rom wirkliche F.
in Gesetzgebung, Moral u. Kultur gezeitigt.

2. Ziele u. Methoden. Der Verflüchtigung des
F. denkens in Philosophie u. Rhetorik ungeachtet blieb das historische Bewußtsein u. die
Einsicht, politische F. seien unerläßlich, bis
heran an die Zeit des frühen Christentums
lebendig (vgl. o. Sp. 148f). So weiß Kaiser
Claudius, quam multa in hac civitate novata
sint (Dessau 1, 212, 5 [Lyon]; Tac. ann. 11,
24: omnia, patres conscripti, quae nunc
vetustissima creduntur, nova fuere ... in-
veterascet hoc quoque, et quod hodie exem-
plis tuemur, inter exempla erit). Die Maxime
erscheint schon Liv. 4, 4, 4. Kaiser Marcus
macht sich klar, daß Utopien den F. nur
vereiteln (9, 29, 3/5): warte nicht auf den vollkommenen Staat, sondern freue dich über
kleine Verbesserungen (Plat. rep. 425 E hatte
stückweise Reformen verspottet). Kurz: wo
nicht Schultradition oder Weltanschauung
den Blick trübten, blieb die Notwendigkeit
politischer Reformen anerkannt (sie bedurften
eines Gesamtentwurfs nicht). Weniger das alte
F.denken als vielmehr die Ideologie von der
Wiederkehr der aetas aurea (*Erneuerung),

zwischen unhistorischem Verfallsbewußtsein
u. den Ansprüchen der Gegenwart vermittelnd
u. sehr bald zum rhetorischen Herrscherlob
klischiert, schuf politischem F. publizistisch
Raum. – Die F.topik der Laudes Romae u.
des βασιλικὸς λόγος (Panegyricus) liegt spätestens im letzten Drittel des 2. Jh. nC. fest.
Die Ziele des politischen F. haben sich naturgemäß seit der Zeit des peloponnesischen
Krieges kaum geändert (Einheit, *Friede,
*Gleichheit). Aristides konnte die Schlag-
wörter, die einst den Aufstieg Athens rechtfertigen sollten, nunmehr auf Rom anwenden
(or. 26 K. u. ö.), längst geäußerten Bedenken
zum Trotz (Thuc. 1, 13/9; Plat. leg. 678 C
über den Zusammenhang von F. u. Krieg;
Isocr. 8, 64 trägt dem Rechnung: politischer
F. unter Verzicht auf hegemoniale Ansprüche
zur See). Zunächst galt es natürlich den Gewinn an Macht (Isocr. 4, 20. 103; 10, 68
[ἐπίδοσις] u. ö.; Dion. Hal. ant. Rom. 1, 3. 5;
3, 3; 4, 2), oft als ‚Aufstieg aus kleinen Anfängen‘ gepriesen (Isocr. 4, 34; 9, 59; Cic.
Cael. 39; rep. 3, 24; Liv. pr. 4; 1, 8, 5f; 2, 1, 4f;
Dio Prus. 25, 8; Plut. fort. Rom. 9, 321 C;
Claud. c. 24, 138/40; ein Lieblingsmotiv Ovids
in den Fasti), herauszustellen, ein Topos, den
auch die Lehre vom Kultur-F. kannte (bis hin
zu Iambl. comm. math. 26 [83, 19 F.]: προελη-
λύθασιν ἐκ μικρῶν ἀφορμῶν, mit εὕρεσις zum persönlichen Kompliment verbunden zB. Basil.
ep. 20 [1, 51, 31 Gall.]), in der ja ebenfalls vom
*Frieden die Rede war (so noch Lucret. 5,
1108; Hor. sat. 1, 3, 104f; Verg. Aen. 8, 325).
Die Expansion Roms als Träger des F. bekommt die alten universalen Ziele zugeschrieben, die dann das Christentum erbte: Einheit
u. allgemeine Wohlfahrt der Völker (Polyb.
1, 3, 4 über Aristid. 26, 100 zu Claud. c. 5,
239f. 246f; vgl. Palm passim), Befriedung der
Welt (u. a. Isocr. 8, 20; Pausan. 8, 43; Hist.
Aug. Pr. 20, 3/6; Amm. Marc. 14, 6, 3), Sicher-
heit (u. a. Plin. paneg. 50, 7; Paneg. Lat. 2, 45,
1. 13 Myn.) u. Blüte des gesellschaftlichen
Lebens (wie securitas war auch felicitas pu-
blica Schlagwort). Wichtiger als Einzelbelege
(Kienzle 11f) ist der Einschub in Menanders
Lehrbuch (3, 377, 9/19 Sp.), der im Panegyri-
cus gelobt wissen will: εὐδαιμονία, reiches
Warenangebot (commercium-Motiv) u. hohe
Zahl von Festen, friedliche Bestellung des
Landes u. Sicherheit zur See, Ausbreitung der
Frömmigkeit u. Blüte der einzelnen Kulte, das
Fehlen jeglicher Furcht vor Krieg u. fremden
Völkern: die Waffen des Kaisers u. seine sieg-

reiche Hand schützen das Land u. verdienen
die Fürbitte seiner Untertanen (danach zB.
Hist. Aug. Pr. 20, 4/6; 23, 1/3; allgemein zur
Felicitas als Frucht hoher Sittlichkeit: Kienzle 49/51).
IV. Grenzen u. Gefahren. a. Ambivalenz.
Noch auf der Grenze zwischen religiöser F.deu-
tung (Aischylos; s. o. Sp. 142f) u. kritischem
Rationalismus (zB. Hippocr. vet. med.) hat
Sophokles in sein Hohelied des F. die Zwei-
schneidigkeit menschlicher δεινότης hinein-
komponiert (Ant. 332. 367; vgl. Aeschyl.
Prom. 59; Aristot. eth. Nic. 1144 a 23/8; Joos
41f; jedoch vgl. jetzt Müllers Einschränkungen im Komm. zSt.), u. Euripides hat vor ver-
messenem Vernunftglauben gewarnt (suppl.
214/8; vgl. τέχνη-τύχη in Iph. Aul. 745; vgl.
F. Solmsen: Philol 87 [1932] 9). Ältere Weisheit hieß die Erkenntnis bewahren, daß F.
den Menschen gefährdet, wo nicht ethische
Normen mitwirken. Technischer F. zerstört
unvermeidlich ältere Lebensformen u. muß
in Umdenken u. Neugruppierung beantwortet
werden. Platon band soziale Reformen an
sittlichen F. (leg. 737 A; die ἐπίδοσις-Stellen
676 A 5f. 679 D 1f; o. Sp. 141), ließ das Problem also in der Ethik aufgehen (entsprechend durfte in den Laudes Romae der F.
zum Imperium als Rechtens gelten, da es ἀρετή
von vornherein zugesprochen bekam), während Kynismus u. spätere Popularphilosophie den ethischen Wert des zivilisatorischen
F. bekanntlich überhaupt bestritten (vgl.
noch Sen. ep. 90, 8). Daß aber innerhalb
schon des antiken F.denkens das ‚Janusant-
litz‘ des F. bedacht wurde, zeigt noch Lukrez
(zB. 5, 1307: Eisen für Frieden u. Krieg; 5,
1012: Doppelsinn von mollescere; Taylor 191;
die Kategorien optimistisch-pessimistisch sind
hier u. überhaupt fernzuhalten; vgl. ferner
Ov. fast. 1, 91/226). Ob F. am Ende gelingt,
entscheidet sich für Lukrez am Durchbruch
des ebenso aufklärenden wie rettenden Wissens, als dessen Ziel er mit Epikur die *Freiheit von *Furcht proklamiert, Ergebnis des
bisherigen u. Saat alles künftigen F.
b. F. u. Verfall. Wo der F. vornehmlich in
kosmologischen oder vitalistischen Kategorien gedeutet wurde u. keine nennenswerte Zukunft mehr vorsah, es sei denn bei Realisten
in Politik u. Historie oder in unverbindlicher
Paränese, meldete sich die Dauer als Problem.
– So bekam der im Widerspruch zum klassischen F.denken konzipierte Höhepunkt,
zwangsläufig naturalistisch, Keime des Ver-

falls zugeschrieben. Wo man sich mit Maximen wie ‚omnia orta occidunt‘ (Sall. Iug. 2, 3; vgl. Kurfeß zSt. sowie Sen. ep. 71, 12; Stat. silv. 2, 1, 218f u. Otto, Sprichw. nr. 1194) nicht zufriedengab u. weder in Kreislauftheorie (kosmologisch) noch im bedenklichen Lebensaltervergleich (biologisch) eine Lösung sehen mochte, glaubte man es doch als geheimnisvolles Naturgesetz zu entdecken (Sen. contr. 1 pr. 7), daß im Höhepunkt zugleich die Peripetie enthalten sei, ein Problem, das sich, wie erwähnt, nur bei einem bestimmten Geschichtsbild, infolge willkürlicher oder zeitbedingter Festlegung eines ‚Höhepunktes‘ stellte (vgl. die Leerformel: ‚quidquid ad summum pervenit, incremento non relinquit locum‘, Sen. suas. 1, 3). Schon Polybios glaubte, Roms Größe nehme bereits ab (6, 57). Noch die zahlreichen Abwandlungen dieses Gedankens zeigen (bei Seneca d. Ä. bezieht er sich nur auf die Literatur; vgl. Norden, Kunstpr. 245f), daß er Elemente des älteren F.denkens (langsamer Aufstieg usw.) übernimmt, aber höchstens bis zur Gegenwart gelten läßt u. mit dem Verfallsbewußtsein verbindet (vgl. o. Sp. 144), beide von der geschichtlichen Verantwortung des Menschen gelöst, die ursprünglich im Zentrum des F.denkens stand. Das Modell Aufstieg-Abstieg war beliebig verwendbar (Rhetorik: Cic. Brut. 161. 296. 324, mit Cicero selbst als Gipfel; Petr. sat. 2, 7; allgemein u. a. Sen. quaest. nat. 3, 27, 2; cons. Marc. 23, 3; const. sap. 5, 4), ergänzte also die unangemessene Vorstellung eines automatischen F. (Vergangenheit) um die Idee des ebenso unvermeidlichen Abstiegs (Zukunft). – Die römische Anschauung vom Sittenverfall zehrte von hellenistischer Ethik, las diese jedoch in altrömische Verhältnisse hinein, so daß die Zeit nach etwa 200 vC. scheinbar vom Verfall gezeichnet war. In Wirklichkeit hatte erst griechischer Einfluß seit jener Zeit kulturelle F. gebracht (zur vergleichbaren unhistorisch-nachträglichen Nationalisierung bei Cicero s. o. Sp. 155).

B. Christlich. I. Offenbarung u. geistiger F. a. Heilsökonomie. 1. Allgemeines. Die Alternative ‚zyklisch oder linear‘ hat sich, wie für die Antike, so auch für AT u. NT als unangemessen erwiesen (E. Fuchs 83_{10}; Th. Boman, Das hebräische Denken im Vergleich mit dem Griechischen ^{3}[1959] 114f). Der F.gedanke, der Urgemeinde noch fremd (Näheres zu Exegese u. Auslegungsgeschichte bei E. Fuchs 79/99. 196), wird erst im 2. Jh. aus der o. Sp.

148f beschriebenen Tradition übernommen u. zur Idee eines Heilsplanes (‚Wie kann man nur auf so etwas verfallen?‘, E. Fuchs 83_{10}) ausgearbeitet (daß dem Rabbinat der Entwicklungsgedanke nicht unvertraut war, zeigt J. Scheftelowitz, Alt-Palästinensischer Bauernglaube [1925] 171f). ‚Stoische‘ Begrifflichkeit war mit der Überlieferung gegeben (o. Sp. 142). Da der auf die Offenbarung übertragene politische F.gedanke seiner Herkunft nach weder universalgeschichtlich ausreichte noch sich gegen andere Formen des F.denkens klar abgrenzen ließ u. ‚Offenbarung‘ ja nicht selbstverständlich gegeben war, sondern dogmatisch u. exegetisch verschieden verstanden wurde, konnten auch im Christentum die Ziele wechseln, je nach politischer Theologie u. Ethik. Das spätantike F.denken, das die Einheit der klassischen Auffassung einem ‚historizistischen‘ (Popper) Weltbild geopfert hatte, brachte die offene Frage nach dem Verhältnis zwischen Gegenwart u. Zukunft mit, es hatte das Problem ‚Stufe oder Ende‘ nicht lösen können (vgl. die Schwierigkeiten des Lebensaltervergleichs). Umgekehrt war die christl. Eschatologie inzwischen in eine ähnliche Problematik geraten (Lukas hatte eine erste Antwort zu geben versucht u. in seinem Doppelwerk das spätere Geschichtsverständnis bereits angebahnt); daher bestand in nachapostolischer Zeit eine Affinität zwischen F.gedanken u. Eschatologie. Da diese aus spätjüdischer Tradition feste Zukunftsvorstellungen (*Chiliasmus) geerbt hatte, die dem antiken F.denken gerade fehlten, war die Idee der Heilsgeschichte, die F. u. Endzeit zu verschmelzen trachtete, eine der Urkirche zwar unbekannte, aber zeitgerechte Lösung. – Der Zwang, die ehedem fraglose Einheit von AT u. NT, von Offenbarung u. Geschichte nunmehr teleologisch zu sichern, war namentlich vom Dualismus der Gnosis hervorgerufen. Sie abzuwehren, diente die Rezeption u. spirituelle Umformung des politischen F.gedankens. Ein zweites Gebiet, auf dem die vorchristliche F.idee, u. zwar die klassisch-realistische, Nachwirkungen zeitigte, ist die Apologetik. Der dritte Bereich endlich ist die nicht spiritualisierte, sondern nur christlich verbrämte Fassung des F.gedankens in der sog. eusebianischen Reichsidee.

2. Justin-Theophilus. Justin, der wohl älteste Zeuge einer heilsgeschichtlichen F.idee, vereinigt, angelehnt an zeitgenössische Philosophie, die genannte spätjüdische u. antike

Überlieferung zu einer spirituellen Theologie, die aufgrund ihrer Vorgeschichte jederzeit säkularisiert werden konnte u. daher schon in der Alten Kirche gegen die lediglich übermalende Christianisierung der Reichsideologie keinen ausreichenden Schutz bot, zumal beide Formen des christlichen F.gedankens zwar gleicher Herkunft waren, aber verschiedene Stoßrichtungen hatten. – Wichtig ist die Übernahme des Begriffs οἰκονομία (dispositio, dispensatio) aus der politischen Metaphysik durch Justin u. die Schriftsteller, die gleich ihm Judentum u. Heidentum auf dem Grunde der Vernunft antignostisch zu verschmelzen trachten (Iust. apol. 1, 52, 3; dial. 1, 14, 8; 34, 2; 39, 7 u. ö.). Subjekt der Oikonomia (apol. 2, 6, 3; dial. 30, 3; 45, 4) ist der Logos, Einheit aller bisherigen Geschichte. Seine permanente geschichtliche Selbstmitteilung ist Nomos des Christentums (Andresen 333), dessen Telos im Tausendjährigen Reich erfüllt sein wird. Damit ist zugleich die Schwierigkeit, die dem spätantiken Modell aus Dauer u. Stagnation erwuchs, zugunsten chiliastischer Hoffnung beseitigt u. der ursprünglich optimistische Grundzug wiederhergestellt (vgl. o. Sp. 161). Daß die Zyklentheorie, die schon in antiker Tradition nur eine Nebenrolle spielte, abgelehnt wurde (Iust. apol. 2, 7, 3; Tatian. or. 3, 6; vgl. 6, 1; für Origenes s. Mommsen 354), ergab sich daraus von selbst (nämlich aus Einlinigkeit u. Ziel der *Entwicklung, d. h. aus der Teleologie, nicht etwa aus dem ἐφ’ ἅπαξ der Inkarnation, die jetzt ja Durchgangsstadium geworden war). Andererseits beruhte die panegyrisch-politische Form des F.gedankens auf einem moralischen Geschichtsverständnis stoischen Gepräges, so daß sich zB. bei Justin die Lex Mosis zum Sittengesetz wandelt (dial. 43, 1; 45, 3f), während der christliche Glaube zur Moral verkürzt zu werden droht. – Den gleichen Grundgedanken sprechen um einiges zuversichtlicher u. historisch greifbarer Theophilus u. die Quellen des Irenaeus aus (Oikonomia-Stellen: N. Bonwetsch, Theologie des Irenaeus [1925] 69[1]; F. Loofs, Theophilus v. Antiochien adversus Marcionem = TU 46 [1930] 362[1]; F.terminologie: proficere in melius [vgl. zB. Iren. haer. 5, 10, 1f], augmentum-augere, provehi-progredi, fructus, maturitas). Die Menschheit entwickelt sich allmählich (sensim paulatimque: Iren. haer. 3, 23, 5; 5, 32, 1) zur Vollkommenheit (kollektive ἀφορμὴ προκοπῆς: Theophil. Autol. 2, 24f;

Iren. haer. 4, 39, 1; vgl. 37, 7). Das ist ein der Menschheit post lapsum innewohnendes Gesetz (Iren. haer. 4, 38, 4). Sein Ziel: Heranreifen zur vollkommenen Gotteserkenntnis (Iren. haer. 4, 37, 7; vgl. u. a. 5, 32, 1), bzw. Gottebenbildlichkeit (Theophil. Autol. 2, 27). Im Zusammenhang mit dem Altersbeweis (o. Bd. 5, 1249/57) entwickelt Theophilus, wie bereits die hellenistisch-jüdische Apologetik, eine sorgfältig durchgerechnete Weltchronologie (Autol. 3, 16/29). Die fortschreitende Offenbarung entfaltet sich in drei Stufen: prophetice per spiritum, adoptive per filium u. einst paternaliter in regno caelorum (Autol. 2, 27; Iren. haer. 5, 36, 1 [per gradus proficere]; anders die Stadien in Iren. haer. 4, 36; eine Epochengliederung ‚ante legem, sub lege, Messias‘ kennt auch das Spätjudentum: Sanh. 97a; Ab. Zara 9a; vgl. Barn. 15). – Damit ist der Grund für eine christl. Geschichtsphilosophie gelegt, die, individuell-mystisch oder kollektiv-kirchlich gefaßt, dem F.gedanken, unabhängig von der Logoschristologie des 2. Jh., zu weiteren Ausformungen verhalf (göttliche Paideusis bei Clem. Alex., Origenes usw.) u. zum historischen Selbstverständnis des Christentums beitrug. – Die Theologie des 2. Jh. hat sich also, um dem Dualismus der Gnosis zu begegnen, vorchristlicher Denkformen bedient u. mit Hilfe des panegyrisch-politischen F.modells, d. h. in Anlehnung an rhetorisches Schulgut, eine geistliche Teleologie ausgearbeitet. Die Front der Auseinandersetzung verläuft auch in diesem Fall (vgl. o. Bd. 7, 82) zwischen christlicher Gnosis dort, Christentum u. Antike hier. Die fortan verbindliche Lösung erwuchs nicht aus dem NT, sondern aus dem Bündnis des spätjüdischen mit antikem Geschichtsdenken gegen die NT-Exegese des gnostischen Christentums.

3. Tertullian. Im Westen hat Tertullian, der das dispositio-Schema oft verwendet, in seiner montanistischen Periode den Gedanken der geistlichen Teleologie unter anderem Vorzeichen übernommen, mit den Stufen ante legem, per legem, per evangelium, per paraclitum (virg. vel. 1, 4/6), jedoch ohne universalgeschichtlichen Rahmen. Wie die organische Natur paulatim ad fructum, nämlich zur mansuetudo heranreift (vgl. o. Sp. 152), so wächst Schritt für Schritt die menschliche iustitia unter Gottes Obhut (nam idem Deus iustitiae et creaturae, antignostisches Motiv). Die heils-, nicht universalgeschichtlichen Stu-

fen setzt Tertullian, im Vergleich Saat-Frucht lediglich das ‚paulatim ad meliora proficere‘ abbildend, mit den Lebensaltern in Beziehung: natura in rudimentis, lex-infantia, evangelium-iuventus, paraclitus-maturitas (zu virg. vel. 1, 4 vgl. u. a. assuescere bei Iren. haer. 5, 32, 1). Für den Menschen muß die Wahrheit Geschichte sein, muß sich in der Folge der Zeiten enthüllen, was in ‚Totalreaktion‘ nur Gott selbst zu erkennen vermag. Diesem Gedanken zuliebe entgeschichtlicht Tertullian das F.modell (virg. vel. 2, 1 ff im Anschluß an den Hauptgedanken in 1, 1 f breiter ausgeführt). Der geistlich-ethische F. des Menschenvolkes, die Offenbarung als F., ist in der seelischen Insuffizienz der Menschheit begründet, ohne daß recht klar wird, ob sie ante oder post lapsum einsetzt (‚primitiver Urzustand‘ ist ‚timor Dei‘, *Furcht), wie denn auch im Lebensaltervergleich Tertullian eine weder heilsgeschichtlich noch biologisch deutliche Stufe dem Stadium lex-infantia vorzuschalten genötigt war, offenbar deswegen, weil er sich im Zusammenhange dieses Entwurfs auf das Thema Schöpfung-Sünde nicht einlassen wollte (infantia vorzuverlegen u. pueritia dazuzunehmen, wie ieiun. 12 u. ö., wäre das durchaus Übliche gewesen). Der Ton liegt auf maturitas-Gegenwart-Paraklet (vgl. pud. 11; monog. 3), exegetische Grundlage ist einzig Joh. 14, 6 u. 16, 12 f, konkretzeitlich reden nur die beiden biologischen Vergleiche. Die betonte Abwertung der (kirchlichen) Tradition kommt also auch formal schön zum Ausdruck. Das überlieferte F.modell dient schließlich nur dazu, das montanistische Offenbarungs-Jetzt als Höhepunkt einer geschichtslosen Vergangenheit zu sichern. Wohl muß Tertullian einräumen, daß jenes immer wieder genannte ‚paulatim‘ doch zwangsläufig Tradition bilde (virg. vel. 2, 1), aber das Verhältnis des christlichen Glaubens zur Geschichte, das Justin, Theophilus u. a. mit Hilfe der Idee des universalen Logos oder Nomos geregelt hatten, bleibt bei Tertullian ungeklärt. Was er an Geschichte gerade noch gelten läßt, ist die Relativität u. Widersprüchlichkeit aller consuetudines (virg. vel. 2, 1 f; so denkt bereits der frühe Tertullian; vgl. Cochrane 246 zu Tert. nat. 1, 10; apol. 6; pall. 4, 2/4): det consuetudo fidem tempori, natura Deo (pall. 4, 1; anders cor. 6/8; *Gewohnheit). – Für die Verbindung typologischer Exegese mit Elementen des F.denkens s. u. a. Ladner passim (zB. 69$_{25}$ zu Ephra-

em. c. Nisib. 69, 10 ff; *Erneuerung; ‚Wahrheit‘ wird gegen ‚Gewohnheit‘ u. a. auch Ps.-Clem. hom. 4, 11, 1 ausgespielt).
b. Kritik u. Deutung des Kultur-F. 1. Tertullian. Tertullian erzählt pall. 3, 4 f, wie es zur menschlichen Kleidung kam (der Schritt von Fell- zu Stoffkleidung bildete in den alten F.-entwürfen eine wichtige Stufe zivilisatorischer Entwicklung). Dabei wählt er zur Beschreibung des Urzustandes die Paradiesesgeschichte Gen. 2 f, jedoch ohne Zitat, in aller Kürze, hochrhetorisch. ‚Quoquo primordio‘ umgeht alle historische oder gar exegetische Festlegung. Erste Stufe: Leben ohne jegliche Kleidung (nudus, investis; *Nacktheit). Das kannten die antiken Entwürfe natürlich nicht. Die atl. Erzählung, kulturgeschichtlich verwertet, belegt jetzt allerdings einen Übelstand des Anfangs der Menschengeschichte, keine paradiesische Idealzeit. Nächste Stufe: sapientia u. Feigenblatt (der atl. Kontext klingt nur eben an; vgl. haud dum licitum adhuc, deliquerat). Sodann: Fellkleidung in der Arbeitswelt. Mehr trug der Schöpfungsbericht nicht bei, spielt er doch in der Vorgeschichte der Zivilisation, die erst mit dem Schritt von natürlicher zu künstlicher Kleidung beginnt. Für das Aufkommen von Spinnen u. Weben, hier vierte Stufe, bedient sich Tertullian denn auch völkerkundlicher oder mythischer Abarten des F.gedankens (o. Bd. 5, 1262 f; Beweisziel: die Toga ist kein Monopol). Einen Rest klassischen F.denkens, das inzwischen längst popularisiert war, enthält die Unterscheidung tegere-ornare, bzw. necessitas-ambitio, hier kulturkritisch gewendet (wie cor. 15 f). Der Höhepunkt ist fast so zwielichtig wie der Uranfang, während sich sowohl das F.denken als auch die Dekadenztheorien über Licht u. Schatten klar geäußert hatten. Dazu paßt, wenn der Entwurf Tertullians, dem ‚quoquo primordio‘ zu Beginn entsprechend, mit dem Hinweis auf die Relativität aller Geschichte schließt (pall. 4, 1; Alternative: religio-tempus, natura-consuetudo; s. o. Sp. 165).
2. Origenes. Celsus hatte offenbar in der christl. Lehre die Anthropozentrik der Stoa wiederaufleben sehen u. daher auf die Überlegenheit der Tiere verwiesen, Antwort auf die christianisierte Teleologie des 2. Jh. (s. o. Sp. 156 zu Porphyrius, Sp. 162 f zu Justin, u. Sp. 169 f zu Arnobius). Ihr stellt achtzig Jahre später Origenes eine christl. Theorie der Kulturentwicklung entgegen, wie sie, formal ver-

gleichbar, zuerst Tertullian versucht hatte: dialektisch gewonnener christlicher F.gedanke gegen eine idealistisch-pessimistische Geschichtsanschauung. Laut Origenes c. Cels. 4, 76 ist gerade die Bedürftigkeit des Menschen der von Gott verordnete Antrieb zur Zivilisation. Daher besteht der von Celsus behauptete Widerspruch zwischen Anthropozentrik u. menschlicher ἔνδεια nicht. Gott hat den Menschen dürftiger als die Tiere bedacht, damit er seinen Geist bewähre, σύνεσις entwickle, τέχναι schaffe (statt im Überfluß träge dahinzuleben). Das alte Modell (Unterlegenheit des Menschen qua Naturwesen, jedoch Vernunft als spezifisches Merkmal u. Träger kultureller Entwicklung [o. Sp. 144f]), Origenes zumindest aus den Protreptici bekannt, wird hier in die Vorsehungslehre eingebaut; ursprünglich durchaus verschiedene Vorstellungen über die Triebkräfte des F. fließen zusammen. Der F. spiegelt die Providentia Dei, der den menschlichen Verstand ‚necessitate‘ (ἐνδείᾳ) auf die Bahn der Kultur drängt, damit er in der Gesellschaft fertige, was ihm von Natur fehlt (Reflex der alten Lehre vom Ergänzungsverhältnis Physis-Techne). Dem Beweisgang gemäß wählt Origenes als Ziele technischer Bemühung Kleidung u. Lebensunterhalt. – So folgen aufeinander: Ackerbau, Weinkultur, Gartenbestellung, landwirtschaftliche Werkzeuge. Obwohl zunächst nicht vorgesehen, schließen sich Hausbau samt Architektur u. Schiffahrt mit Nautik an (als Bedingung wirtschaftlicher Blüte s. v. Lebensunterhalt noch ins Schema passend). Fazit: ein geschlossener anthropozentrischer F.entwurf, jedoch ohne besonderen Rang der Zeit, ohne den ursprünglichen Rationalismus, ohne das F.bewußtsein, von dem die klassischen Abrisse lebten, kurz: stoisch wie epikureisch gefärbtes Schulgut, in dogmatisch-apologetischer Absicht supranatural (über Gott denkt Origenes wie Plutarch: H. Koch, Pronoia u. Paideusis [1932] 239). Mensch u. F. stehen dialektisch zueinander, F. vollzieht die gottgegebene Lex naturalis menschlicher Bedürftigkeit, ein Entwurf, der sich denen des Porphyrius u. Laktanz ebenbürtig an die Seite stellt (zu Greg. Nyss. s. o. Bd. 5, 1268).

3. Laktanz. An der Feindschaft zwischen akademischer Skepsis u. Stoa versucht Laktanz zu zeigen: die Philosophie ist der wirklichen Sapientia nicht begegnet (inst. 3, 4; 28, 10) u. hat ihr Nichtwissen zugeben müssen (3, 4,

14). Träger des F. kann sie nicht sein (so schon Sen. ep. 90 gegen Poseidonios, dort als Ehrenrettung der Philosophie). Als Betätigung der Scientia stammt er vielmehr aus ‚natura ipsa, usus frequens, necessitas‘ (inst. 3, 5, 1 ἀνάγκη); der ‚usus‘ (χρεία) hat die Technai zustandegebracht (Astronomie, Medizin, Landwirtschaft); jede von ihnen beruht auf Scientia, auf der Wahrnehmung des Notwendigen durch natürlichen Verstand u. geschichtliche Erfahrung (inst. 3, 5, 2). Daß die spezifisch menschliche F.tätigkeit mit der Philosophie nichts zu schaffen habe, läßt sich Laktanz von der Origo artis bestätigen: die Kultur sei nachweislich älter als das philosophische Denken (inst. 3, 16, 12/6; vgl. zB. Dion. Hal. or. vet. 1 [5, 3f Us. - Raderm.]; o. Bd. 5, 1261/3. 1265). Er will an der Philosophie vorbei die ‚wahre‘ Sophia auf die Vernunft als F.träger gründen; aber doch nur zunächst, denn schließlich ist ihm die F.tätigkeit des Denkens in Wahrheit eine Entfremdung des Geistes, da die gottgewollte Scientia nicht am Nützlichen hängen darf (inst. 3, 8, 25). Die technische Vernunft hingegen ist ethisch neutral, ja zeichnet den Menschen vor der Tierwelt gar nicht aus (inst. 3, 26. 28; vgl. 3, 10, 2/5). Was nützen schon Geographie oder Astronomie der beatitudo ? (3, 29; sie sind also gar kein wirklicher F.: Hilfe im Kampf gegen den Verfall der Wissenschaft war von diesen christl. Schriftstellern so wenig wie von der hellenistischen Schulphilosophie zu erwarten). Laktanz bezieht sich also auf das F.denken, um den F. moralisch u. theologisch zu entwerten. Er verwirft ‚pessimistisch‘ die freie Ratio, die zivilisatorische Rolle der Vernunft bedeutet ihm nichts (stillschweigende Auseinandersetzung mit Porphyrius ?). – In einem neuen Gedankengang setzt er bei der ursprünglichen Bedürftigkeit des Menschen ein, genau wie Origenes die providentielle Unterlegenheit unter die Tierwelt betonend. Anders als Origenes leitet er aus ihr nicht den technischen F. ab, der ihm wenig gilt, sondern den politischen F. (inst. 3, 23, 9f). ‚Bedürftigkeit‘ bedeutet demgemäß nicht Mangel an zivilisatorischer Ausstattung, sondern mitmenschliche Angewiesenheit als Weg zu Humanitas u. Gesellschaftsbildung. Das wird gegen die Stoa gesagt (inst. 3, 23, 8), aber gleichwohl aus der geschöpflichen Anlage abgeleitet, ohne die es zum politischen F. nie gekommen wäre (*Philanthropia als *Ebenbildlichkeit ergibt sich aus einer Theologia naturalis des Mängelwesens Mensch). Laktanz hat somit einen seiner anthropologisch-ethischen Hauptgedanken mit Hilfe eines leicht gemodelten F.motivs kulturhistorisch unterbaut. Spezifisch Christliches bringt er nicht vor, sondern verschmilzt stoische u. epikureische Ansätze der Sozialphilosophie, an der überkommenen individualistischen Herleitung der Gesellschaft festhaltend. – Im 6. Buch nimmt er diesen Faden wieder auf (6, 10), referiert F.entwürfe demokriteischer u. stoischer Provenienz (6, 10, 13/9; das alles wohl in Anlehnung an Cic. rep.; vgl. o. Bd. 5, 786), entnimmt jenen das Motiv der ‚imbecillitas‘ (vgl. Cic. fin. 2, 78/85; 3, 70f; id. Lael. 26f; Lact. epit. 54, 6), diesen die natürliche Begründung der Humanitas als congregatio u. gelangt damit unschwer zur angestrebten Gleichung humanitas = imbecillitas, zur Misericordia als Ursprung u. Grundlage menschlicher *Gesellschaft.

4. Arnobius. Viel stärker betont Arnobius das Moment der Zeit. In der Absicht, die Anmaßung menschlichen Denkens zu bekämpfen, betont er gegen Porphyrius (o. Sp. 156) immer wieder den entscheidenden Anteil von Geschichte u. Entwicklung: nicht die Vernunft, sondern elementare Bedürfnisse haben den F. in Gang gebracht (2, 17/9; im Unterschied zu Origenes u. Laktanz fehlt hier jede Beziehung auf göttliche Providenz; statt dessen mehrfach ‚paulatim‘ u. ‚certo tempore coepisse‘; vgl. 3, 19 gegen die Theologia naturalis; ‚certo tempore‘ [Lucret. 5, 823] gehört in die Tradition von der χρόνων τάξις [seit Anaximander; vgl. Plat. Prot. 320 D; polit. 272 D]). Nur Mangel an Selbsterkenntnis u. göttlicher Erleuchtung (Selbstwiderspruch der Gegner) habe elementare Bedürfnisse zur Aufwertung der Vernunft verwenden können (2, 19). – Folgerichtig hätte man sich dann doch auf die eingestandenermaßen wertlosen Artes liberales berufen müssen (2, 19). Alle spezifisch menschlichen Artes (Möbel, Schiff, Pflug, Kleidung) seien eben nicht Leistungen der ‚scientia‘, sondern ‚pauperrimae necessitatis inventa‘. Sie bezeugen mitnichten die göttliche Qualität der Seele, haben sich vielmehr ‚cum processu temporum paulatim meditatione‘ hier unten auf Erden entwickelt (2, 18). Gegen die Ansprüche der Vernunft verficht Arnobius die trotz Technai u. menschlicher *Hand unnachahmliche Überlegenheit der Tierwelt (2, 18). – Während die gegnerische Lehre immerhin als Aufruf hätte gelten

können, das eigene Menschsein zivilisatorisch tätig zu bewähren, verwirft der sceptique chrétien alle Ansprüche der Vernunft (zumal sie mit einem mündigen Menschen rechnen u. daher den politischen u. sozialen Status quo gefährden, 2, 29). Er spielt Motive des klassischen F.denkens (Not u. Zeit) gegen den eigentlichen F. aus (menschliche Vernunft; vgl. u. a. 2, 7), um das Menschenbild der zeitgenössischen Philosophie zu widerlegen (die Gedanken des Porphyrius hat Arnobius im Interesse seines Pessimismus auf diese Ebene geschoben). Solche derbe Alternative zwischen Vernunft u. Geschichte wäre dem klassischen F.denken unvollziehbar gewesen. Daß seine Motive wiederkehren, um wirklichen F. zu bekämpfen, ist weniger merkwürdig, wenn man ihre Rolle in der spätantiken Philosophie bedenkt (o. Sp. 156; vgl. Andresen 255).

5. Eusebius. Eher historisch ist die Christianisierung des F.denkens bei Eusebius gemeint (h. e. 1, 2, 17/23). Er deutet weit ausgiebiger als Tertullian (o. Sp. 166) das AT kulturhistorisch um, in der Absicht, das ‚späte‘ Datum der Inkarnation (vgl. o. Bd. 5, 1261f) als Ergebnis notwendig langfristiger heilsgeschichtlicher Entwicklung zu erweisen. Ziel allen F. ist die Lehre Christi (h. e. 1, 2, 17; 1, 4, 1/15 kennt dagegen einen F. einzig an Eusebeia; vgl. bes. 1, 4, 10). – Da aus dem paradiesischen Urzustand in einen untermenschlichen Status ‚gefallen‘ (Platos Metapher christlich hier zuerst; Vergleichsstellen bei W. Michaelis: ThWb 6, 169f), vermochte der Mensch die Wahrheit nicht zu begreifen (1, 2, 18 malt das tierhaft-verkommene Leben post lapsum in düstersten Farben: es fehlten Städte u. Technai, Gesetze u. Sprache, es herrschten Nomadentum, Mord u. Totschlag; 1, 2, 20 das alte Wortspiel λιμός-λοιμός [Hesiod; Lc. 21, 11]). Gottes Weisheit schließlich bahnt den F. an (1, 2, 21f): das Mosesgesetz, erste Gesetzgebung der Menschheit, bringt ἡμέρωσις u. πραότης (vgl. o. Sp. 152), aber auch *Freundschaft, *Frieden u. *Verkehr (s. o. Sp. 159f zur Enkomientopik). Offenbarungsreif ist die Menschheit erst zur Zeit der Pax Romana (1, 2, 23; vgl. u. Sp. 174/6). – Eusebius vereinigt hier auf dem Boden des Ökonomie-Schemas die biblische Erzählung mit Motiven der zivilisatorischen F.entwürfe. ‚Sünde‘ wird als Kulturverfall anschaulich, Frömmigkeit u. Kultur sind kaum geschieden, das AT wird Dokument biblischen Naturrechts:

Gott selbst verhilft zum F., Ausweg aus menschlich unvermeidbarem Zerfall.

c. Christentum als F. 1. Veränderung gegen Tradition. Die ältere Apologetik hatte sich, was die Kulturgeschichte betraf, im wesentlichen auf Kritik, Übernahme u. Abwandlung des Erfindertopos beschränkt (o. Bd. 5, 1247/ 61), wie das im griech. Christentum auch üblich blieb. Mochte Clem. Alex. den Entwicklungsgedanken zuweilen gegen die Verehrung der Tradition ins Feld geführt haben (protr. 10, 89), so vollzog sich die Ablösung von der hellenistisch-jüdischen Apologetik doch fast ausschließlich im Westen. Bereits Tertullian greift den Konservativismus der zeitgenössischen Bildungsschicht an: in Wirklichkeit hätten doch stets Veränderungen stattgefunden, die Verehrer des Mos maiorum nähmen täglich an ihnen teil. Der Einwand gegen die Neuheit des Christentums ist also bestenfalls Theorie, obendrein jedoch widerspricht sie dem geschichtlichen Leben (Tert. nat. 1, 10; apol. 6, 1/10; an. 30; pall. 2, 3f verfährt eher kosmologisch u. benutzt den paränetischen Topos von der Mutatio rerum; vgl. u. a. Sen. ep. 71, 12f; Marc. Aur. 6, 17; Orig. princ. 2, 3 u. Koetschau zSt.; Greg. Nyss. perf. 8, 1, 213 Jaeg.; Ladner 162). – Diesen Gedanken (nichtchristl. Vorläufer o. Sp. 158; Straub 54) greift Arnobius auf, um die geschichtliche Bedingtheit der alten Religion am Wandel ihrer Formen u. an der Einführung je neuer Kulte darzutun (2, 66/74). Zunächst: wer wird die *Erfinder beschuldigen, den F. inauguriert zu haben (2, 66; vgl. o. Sp. 150)? Nahrung, Kleidung, Hausbau wären ohne sie nie geschaffen (zu den Argumenten in 2, 69f s. o. Bd. 5, 1262). – Ambrosius hält dem Symmachus entgegen: F. (in melius proficere) ist keine Schande, zur Reform ist es nie zu spät (ep. 18, 7, 23). Die Schöpfung (vgl. o. Sp. 165 zu Tert.) ist ,in processu temporum' vom Dunkel zum Licht fortgeschritten, Entwicklung zum Besseren also kreatürliches, gottgewolltes Gesetz (ep. 18, 23; Gen. 1 als Legitimation des F.: der menschliche F. verhält sich zur Gesellschaft nicht anders als Gott zu seiner Schöpfung). Haben nicht auch in Roms Geschichte dauernde Veränderungen stattgefunden (ep. 18, 29)? Was besser u. was Ziel sei, weiß Ambrosius als Kirchenmann natürlich. Für seinen Gegner gründet in der ,servatio fidei' der Bestand des Reiches (Symm. rel. 3, 8). Er sieht die für Rom verbindliche, den F. ge-

währleistende Einheit von Politik u. Religion ins Wanken geraten. Ambrosius streitet ja, mit Maximen, die auch das vorchristl. Rom kannte, nicht etwa für den F. oder für ein besseres historisches Bewußtsein, sondern für eine andere Religionspolitik. Er gibt daher, was Symmachus von Amts wegen berichtet hat, verzerrt wieder. Der wirkliche Geschichtsverlauf beschäftigt ihn nur insoweit, als er religionspolitisch von Nutzen ist. Umgekehrt vermochte Symmachus als Altgläubiger in der sich anbietenden christlichen Staatsreligion eine vergleichbare Gewähr für Einheit u. F. des Reiches nicht zu sehen. – Noch etwa zwanzig Jahre später hat Prudentius die Antwort des Ambrosius poetisch verwertet. Symmachus folgen hieße allen F. beseitigen (c. Symm. 2, 277 ff geht er die F.stufen durch, um sie ironisch in Frage zu stellen). Ebenso religionsgeschichtlich spricht alles gegen die Berufung auf den Mos maiorum (ebd. 294/ 308; vgl. Schmid). Auch Prudentius gebraucht den F.gedanken ad hoc, als Unterbau seiner Vorstellung vom christlichen Rom, dem Ziel des politischen F. Mit Symmachus selbst hat das wohl wenig zu tun (die verbreitete Annahme, Prudentius sei an einer wirklichen Auseinandersetzung mit Symmachus gelegen gewesen, geht fehl). Der vielberedete christl. Romgedanke, Gegenstück zur eusebianischen Reichstheologie, ist ja wenig mehr als die weltanschauliche Verbrämung eines nationalkonservativen Christentums. Die ehedem ganz konkret gemeinte Einsicht in die Notwendigkeit politischer Veränderungen hatte sich in der christl. Apologetik zur Methode historischer Relativierung zugunsten kirchlicher Ansprüche ausgewachsen (denn die Kirchengeschichte selbst war ausgenommen; daß den heidnischen Zeitgenossen der Gedanke an Mutatio durchaus vertraut war, zeigt u. a. Hist. Aug. Comm. 2f; hier bot das Christentum jetzt ein Telos).

2. Heidentum als Verfall. Es lag nahe, am Rande dieser Argumentation dem Heidentum seine Hinfälligkeit zu bescheinigen (vgl. o. Sp. 170f zu Eusebius). So versichert Arnobius, diesmal den Gegnern die Bereitschaft zur *Erneuerung sehr wohl unterstellend, ihre Religion werde nichtsdestoweniger stets dem Altern preisgegeben sein; anders das Christentum, dem die Geschichtlichkeit nichts anhaben könne (2, 71; Gegensatz religio-tempus; vgl. o. Sp. 164f zu Tertullian). Laktanz läßt den Verfall der vorchristl. Gesellschaft,

den Bruch mit der ursprünglichen ‚fraterna necessitudo‘ (o. Sp. 168), mit der Einführung des Polytheismus beginnen (epit. 54, 6), wie den Verfall der Scientia bei der Abkehr von Gott (inst. 3, 8, 24). Die Justiz vermag das Schlimmste nur einzudämmen (epit. 54, 8; durch Cicero vermittelter, bereits vorplatonischer Gedanke); erst die Offenbarung eröffnet den Weg zum Besseren (epit. 55, 1). Die Konsequenz, im Namen Christi nunmehr Wissenschaft zu fördern, sucht man freilich vergebens (zu schweigen vom Mangel an echten historischen oder philosophischen Beweisen); da Laktanz die Menschheit lediglich ethisch gebessert sehen will, zieht er keine Folgerungen für den allgemeinen F. Der Anspruch auf politisch-sozialen F. wird durch Misericordia gedeckt, deren Restitution sich im Christentum vollzieht (vgl. o. Sp. 169).

II. Kirche u. politischer F. a. Offenbarung u. Politik. Schon Justin hatte Offenbarung u. Imperium Romanum dem gleichen Kairos unterstellt u. von einer Translatio imperii aus Israel nach Rom gesprochen (apol. 1, 32, 4). Das war jedoch so wenig wie bei Melito (Euseb. h. e. 4, 26, 7/8) streng politische Theologie (Peterson 71); denn die Theologie des 2. Jh. hatte der politischen Publizistik das teleologische Geschichtsbild, nicht jedoch die säkularen Ziele entlehnt u. gegen die Gnosis zur Heilsgeschichte umgestaltet (o. Sp. 162). Die Apologetik möchte dann klarmachen, daß Offenbarung u. politischer F. unter Augustus ihren Höhepunkt hatten; kein Grund also, das eine gegen das andere auszuspielen (Melito aO.; Athenag. suppl. 37). So lobt Melito aO. einfach den Machtzuwachs, der sich unter Mark Aurel fortsetzte, weil er die ‚Philosophie‘ des Augustus befolge (zur Sache vgl. D. Kienast: Gnomon 38 [1966] 601 f). Auch Tertullian geht noch lediglich von der bloßen zeitlichen Koinzidenz zwischen Offenbarung u. sozialethischem F. aus (apol. 40, 13). Die Schlagwörter der politischen Publizistik sind ihm natürlich vertraut (an. 30, 3; vgl. Waszink zSt.), jedoch wertet er sie nicht theologisch aus (pall. 1, 1: pax, annonae, otia, prosperi temporum habitus; vgl. 2, 7). Noch Arnobius schreibt ähnlich (1, 14f: prolati imperii fines, maximi annorum proventus, commercia, fertilitas rerum): seit Christus geht es der Welt besser (1, 6). Einsicht in die wirklichen Nöte der Zeit war von solchen Klischees nicht zu erwarten.

b. Imperium christianum als F. Schon Ori-genes hatte seine Apologetik um den Gedanken bereichert, in der Anerkennung Christi selbst liege die Gewähr für politischen F. (c. Cels. 8, 68/70; so später Aug. ep. 138, 10), nachdem er zuvor die providentielle Rolle der augusteischen Reichseinheit für die Ausbreitung des Christentums betont hatte (2, 30, mit Deutung von Ps. 72, 7 auf die Pax Romana); beide Gedankengänge sind gleichwohl bei ihm noch nicht zu einer geschlossenen politischen Theologie verschmolzen. Immerhin: wenn alle römischen Bürger Christen wären, würden alle Feinde besiegt u. alle Barbaren, vom *Logos zivilisiert, gehorsame Untertanen werden (c. Cels. 8, 69. 70). Erst die Christen als Salz der Erde schaffen dem Reich die unerläßliche Concordia (vgl. 2, 72). Sie bilden ein Kriegsheer der Frömmigkeit (vgl. Iust. apol. 1, 17, 3; Tert. idol. 19; cor. 11) u. tragen, wenn vom Waffendienst befreit, gerade durch ihre Gebete zum Siege bei (2, 73). Die Kirche erreicht also per se die Ziele, die dem F. des Reiches von der politischen Publizistik gesteckt worden sind. – Ähnlich Arnobius: nach allem, was die Predigt Jesu für die Befriedung der Welt bereits ausgerichtet habe, wären, nähmen alle Menschen ihre Möglichkeiten ernst u. gehorchten ihm, pax, otium, concordia unausbleiblich (1, 6). Das Christentum selbst habe binnen kurzer Zeit ungeahnte Erfolge zu verzeichnen gehabt (2, 5; vgl. Tert. nat. 7, 4; apol. 37, 4; Orig. Mt. 18, 39; darauf hat sich Bossuet berufen; vgl. P. Krafft, Beiträge zur Wirkungsgesch. des älteren Arnobius [1966] 38/40). – Das ist noch zu einer Zeit geschrieben, da die institutionelle Verflechtung zwischen Kirche u. Reich eben erst begonnen hatte. Eher beiläufig sieht die ältere Apologetik Ziele des politischen F.denkens im Christentum verwirklicht. Wenn sie das Evangelium in Formeln politischer Hoffnung umschreibt, so gehört das durchweg zu Stil u. Adresse der Gattung, u. die religionspolitische Empfehlung, die darin lag, war nur eine der vielen Antworten auf (wirkliche oder mögliche) Einwände der Gegner, für deren F.begriff Politik u. Religion gleichfalls zusammengehörten. – Erst in Konstantinischer Zeit wird daraus eine politische Theologie des Christentums (zu ihr vgl. Peterson, Mommsen, Ladner, mit Belegen u. Lit.). Sie ist eine u. a. exegetisch verbrämte Rechtfertigung der Ziele des o. Sp. 148f gekennzeichneten politischen F.denkens, eschatologische Auffüllung der imperialen

Publizistik durch christliche Theologen wie Eusebius u. a., vornehmlich im östlichen Christentum, dem sich die ursprüngliche Öffentlichkeit des Evangeliums mehr und mehr verflüchtigt hatte. Überall dort, wo Theologie u. Kirche gleichgültig gegen geschichtliche Wandlungen u. gesellschaftliche Reformen geworden waren, trat eine um so deutlicher vorchristliche F.ideologie an die Stelle einer biblisch begründeten Relation zwischen Kirche u. Welt (zu Prudentius s. o. Sp. 172; zu Ambrosius außerdem u. a. Ladner 148. 151; heranzuziehen wäre auch Paul. Nol. c. 19, 61/74. 118/40. 245f; 10, 279; 13, 28f; 14, 65. 85).

III. Augustinus u. Orosius. a. Augustinus. Augustins Hauptwerk De civitate Dei darf heute als großangelegter Versuch gelten, Kirche u. Theologie aus dem Bann des Imperium christianum zu befreien (Peterson, Kamlah, Straub, Mommsen; Lit.: Ladner 267₁₁₄) u. die Kirche nicht als Träger eines politisch bedingten Deismus, sondern als Gottes Geschöpf zu sehen, sie statt vom F. von der Prädestination her zu verstehen. Ebenso anerkannt ist, daß Orosius hinter diesen Entwurf seines Auftraggebers wieder zurückgefallen ist, indem er sein Geschichtswerk wieder einer auf die Situation nach 410 umgestellten Reichstheologie alter Prägung unterwarf (Peterson 156₁₆₆; Straub 73₂₂; Isichei 90). Selbstverständlich ist auch Augustinus mit panegyrischer Topik vertraut (zB. imperium-virtus: civ. D. 5, 15) u. anerkennt Roms Größe (civ. D. 19, 7 nach Varro), jedoch relativierend (H. Fuchs 88/92), u. wo er von der providentiellen Rolle der Pax Romana spricht (civ. D. 18, 22. 46), bleibt das Andeutung (zum Ganzen s. auch H. v. Campenhausen, Augustin u. der Fall v. Rom: Tradition u. Leben [1960] 253/71 mit wichtigen Belegen). Hatte er in De vera religione noch an die geschichtliche Verwirklichung vernünftiger Wahrheit geglaubt (Kamlah 215), so ist jetzt das Band zwischen F. u. Christentum zerrissen (en. in Ps. 45, 13; vgl. dagegen Ambros. expl. in Ps. 45, 21). Aller F. ist ambivalent (civ. D. 4, 33), nicht zuletzt wegen der Mutabilität der Zeit (u. a. civ. D. 5, 21f; vgl. ep. 138, 2). Das Unwandelbare aber bleibt Gegenstand des Denkens (civ. D. 12, 4 u. ö.; vgl. ep. 102, 8 [gegen Porphyrius; vgl. retr. 2, 31]; der ganze Brief ist wichtig für das Thema ‚Christentum u. Zeit', ebenso ep. 138). Trotz der Zurückdrängung des zyklischen Zeitver-

ständnisses (civ. D. 11, 6; conf. 11, 23, 29f), die weder die Hauptsache noch spezifisch christlich ist, wirkt der astronomische Zeitbegriff nach (s. Kamlah 248 zu civ. D. 12,16). Aufgrund des neuplatonischen Vernunfts- u. Willensbegriffs kommt Augustinus zu einer Teleologie, in der geschichtliche Ereignisse (ep. 143, 12) u. mit ihnen auch der historische Jesus ihr Eigengewicht verlieren (daß dem zyklischen Denken die Einmaligkeit der Inkarnation entgegengestellt werde, stimmt für Augustinus so wenig wie für das 2. Jh.; vgl. o. Sp. 163). Alle künftige Geschichte enthüllt nur, was Gott längst weiß, u. diese Enthüllung ist identisch mit dem Ende der historischen Zeit. Da der Glaube qualitative Veränderungen geschichtlicher Art nicht zu gewärtigen hat, versinkt aller christliche F.-glaube (gegen die Annahme einer regelrechten ‚Philosophie' der Geschichte bei Augustinus s. jetzt G. L. Keyes, Christian faith and the interpretation of history [Lincoln 1966]).

b. Orosius. Orosius hingegen reproduziert den Weltreichsvergleich (adv. pag. 2, 2, 10) u. die Kongruenztheorie (vgl. Aug. ep. 102, 15. 21; Verflechtung von Christi Geburt u. Pax Romana: 3, 8, 8; 6, 1, 8; 6, 22, 8; vgl. Leo M. s. 82, 2). Er entwirft, für das römische Christentum erstmals, eine historisch verkleidete christliche F.ideologie (prol. 14), der des Eusebius verwandt, fern dem Denken des späten Augustinus. Nicht dieser, sondern Orosius hat auf das MA nachhaltig gewirkt.

c. Zusammenfassung. In dem F.entwurf des Orosius bzw. in der heilsgeschichtlichen Teleologie von Justin bis Eusebius liegen von vornherein Möglichkeiten der Säkularisation, eben weil sie in ihrer Substanz vorchristlich sind. Augustins Schrift De vera religione ist das einzige Mal, wo uns der Glaube an den geistigen F. der Menschheit, an die Einheit von Vernunft u. Geschichte begegnet, die für den klassischen F.begriff entscheidend war u. dem Augustinus vom Gegner des Arnobius vermittelt wurde (o. Sp. 145; die Geschichtlichkeit des Geistes radikal zu denken, war freilich Porphyrius so wenig wie Augustinus bereit). So vermittelt uns die patristische Literatur lediglich Christianisierungen von Modellen, deren ‚weltliche' Form wir bei Polybius oder Porphyrius zu suchen haben. Indem die Alte Kirche ihre spirituelle Totalansicht (Schöpfung-Endzeit, Kirche) hinzufügt, verliert sich der ursprüngliche Ansatz des klassischen F.denkens noch mehr als das schon im Hellenismus der Fall gewesen ist. Die Vorgeschichte des nachmittelalterlichen F.gedankens führt über Orosius, Eusebius u. Justin in die vorchristl. politische Teleologie zurück; die Neuzeit hat nur insofern ‚säkularisiert', als sie den antiken Ausgangspunkt wiederherstellte, einschließlich des klassischen Ansatzes bei prinzipiell unabgrenzbarer ζήτησις (o. Sp. 146). Spezifisch modern ist das apokalyptische Moment, dem unsere ‚Gesellschaft' ihre Entstehung verdankt (Eschatologie minus Kirche). Wo es sich mit dem F.denken verband (Tuveson), wurde der wirkliche F. erneut überhöht durch ein jetzt betont nachchristl. Geschichtsbild, das durch die Kirche des MA gewiß provoziert wurde, aber nicht aus einer originär christl. Grundform hervorgegangen ist (anders u. a. Löwith).

IV. Innerkirchlicher F. Die Gleichung von alt u. wahr, obwohl im sog. Altersbeweis des 2. Jh. anerkannt (o. Bd. 5, 1247/51), mußte den Gegnern bestritten werden, sobald Bibel u. F. harmonieren sollten. Innerkirchlich kam sie dann gleichwohl wieder in Geltung, insbesondere im Kampf gegen Häresien. Das im römischen Denken vorherrschende Mißtrauen gegen alles Neue, gegen Res novae usw. (Claud. c. 22, 314 f: plus est servasse repertum quam quaesisse novum; vgl. Symm. ep. 10, 4, 3, dagegen jedoch auch die Maxime o. Sp. 151), war einem allgemeinen F. nicht eben förderlich (vgl. zB. die Zensorenäußerung vJ. 92 vC. bei Gell. 15, 11, 2 oder Cic. imp. Pomp. 60f). Tertullian wollte es zunächst institutionalisieren (praescr. haer.), ohne doch schließlich das Verhältnis von Wahrheit u. Geschichte recht klären zu können (o. Sp. 165). Wie sich Cyprian verbindlich gegen Veränderungen in der Kirche ausspricht (hab. virg. 15; vgl. Ladner 139), so formuliert Papst Stephanus im Ketzertaufstreit sein berühmtes ‚nihil innovetur nisi quod traditum est' (Cypr. ep. 74, 1). Da das den Interessen der römischen Oberschicht entsprach, konnte ein Apologet auf das Verständnis seiner Leser zählen, wenn er die Neuplatoniker als ‚novi quidam viri' verhöhnte (Arnob. 2, 15; die auf diesen Ausdruck bauende umfangreiche Literatur zum 2. Buch des Arnobius, die M. Mazza, Studi Arnobiani 1: Helikon 3 [1953] 111/69, ohne Rücksicht auf Theiler verarbeitet, ist möglicherweise gegenstandslos). – Im 5. Jh. hat sich Vinzenz v. Lerin ausführlich zu geistlichem u. dogmatischem F. geäußert. Er anerkennt F. in der Kirche, versucht jedoch,

profectus u. mutatio abzugrenzen (comm. 23). Intelligentia, scientia, sapientia nehmen zu, aber lediglich als Fähigkeit, das unantastbare Glaubensgut zu erfassen u. zu entfalten (gegenüber dem frühen Augustinus ist hier also [philosophische] Wahrheit [ratio] zu [kirchlicher] Lehre geworden; vgl. bes. Aug. ep. 138, 2). Der Lebensaltervergleich dient dazu, die möglichen graduell-methodischen F. zu erklären: die Geschichtlichkeit von Kirche u. Dogma wird damit geleugnet oder doch organologisch verdeckt (vgl. noch u. a. Paul. Nol. ep. 23, 2 sowie Greg. M. in Ez. 2, 4: per incrementa temporum crevit divinae cognitionis augmentum u. dazu o. Sp. 144). Was bei Tertullian noch Problem war (veritas-consuetudo), wird hier der Reflexion überhaupt entzogen. Wo Geschichtlichkeit gleichwohl durchschlägt, wandelt sie sich entweder in zeitlose Wahrheit oder zu ephemerer Unerheblichkeit.

C. Probleme des realen F. I. F.denken u. F. Das oben skizzierte antike F.denken ist, soweit es sich auf Wissenschaft u. Technik bezieht, ohne wirklichen F. kaum verständlich. Am augenfälligsten wird die Kongruenz wohl in den Technai-Listen, die zT. durchaus zuverlässige Nachrichten überliefern (Realität spiegelt sich außerdem o. Sp. 152. 154f). Für die Einzelheiten (F. je Disziplin), die hier nicht zu Wort kommen konnten, sei auf die einschlägigen Spezialartikel verwiesen (es empfahl sich, zwischen F. u. F.en auch methodisch zu unterscheiden). Andererseits ist festzuhalten, daß die nachweislich technischen F. der Antike vom beschriebenen F.denken nicht abhingen, insbesondere seitdem sich dieses aus seinen gesellschaftlichen Bedingungen gelöst, ja schließlich gegen einen sozialen F. überhaupt gekehrt hatte. Das gilt namentlich vom politischen F.denken, das in die Ideologie des spätantiken Staates mündete u. daher zur Änderung des Bestehenden nichts mehr beizutragen vermochte. Wenn es gleichwohl oben miteinbezogen worden ist, so allein deswegen, weil das spätantik-christl. Denken es verlangt (ohne die Perspektive des RAC wäre es eine unzulässige Erweiterung des Begriffs, Xenophanes u. Polybios unter die gleiche Kategorie zu bringen; vgl. aber Isokrates).

II. F. u. Stagnation. An der antiken Technik, so hoch ihr Stand auch war, ist dem modernen Betrachter von jeher der Mangel an Kontinuität u. Kommunikation aufgefallen: einmal blieben im Altertum hochwichtige Erfindungen ungenutzt, zum andern wurden viele Neuerungen gar nicht bewerkstelligt, obwohl sie zum Greifen nahelagen oder unmittelbar anstanden. Schließlich fehlte neben der Ungleichmäßigkeit der Nutzung ein rationalisierender Austausch. Den Tatbestand hat die neuere Forschung zu Recht soziologisch erklärt, seine Ursache jedoch durchweg nur in dem Überangebot an Arbeitskräften gesehen (*Sklaverei). Dieser Deutung steht entgegen, daß man etwa in der römischen Kaiserzeit auf bestimmten Gebieten sehr wohl zu bemerkenswerten Neuerungen vorstieß, während anderwärts technische F. ausblieben oder nicht ausgewertet wurden, obwohl damals bereits Arbeitskräfte knapp zu werden begannen, ein Zwang zur Rationalisierung also durchaus bestand. Umgekehrt gab es Erfindungen gerade dort, wo dieser Zwang viel weniger wirkte: in Branchen, die den Bedürfnissen der Oberschicht dienten (*Glas, Heizung, *Keramik; dazu u. zum Folgenden vgl. Kiechle). Stagnation hingegen ist seit dem 1. Jh. in Bereichen zu beobachten, die den Unter- u. Mittelschichten hätten zugutekommen können. Sofern technische Impulse überhaupt zu ihnen drangen, waren Landwirtschaft u. Handwerk nicht willens, sie zu realisieren, teils, weil die dauernde Unterproduktion Investitionen verhinderte, teils, weil die nach dem Rückgang der Sklavenzahl erstarkenden Klein- u. Mittelbetriebe althergebrachte Wirtschaftsformen vorzogen (anders die Manufaktur). Schließlich lähmte der spätantike Verwaltungsstaat die Initiative, da er keine Produktions- u. Investitionsanreize zu schaffen vermochte. So hat die oft beachtete Interesselosigkeit an technischen Neuerungen, so wenig sie dem Altertum a limine zugesprochen werden darf, ihren Grund in der jeweiligen Sozial- u. Wirtschaftsstruktur, nicht aber ausschließlich oder primär am Anteil der Sklaven an Produktion u. Fertigung (allg. s. auch M. S. Finley, Technical innovation and economic progress in the ancient world: EcHistRev 18 [1965] 29/45. – Da nun das spätantike Christentum trotz aller Angriffe auf Reichtum u. Ausbeutung die sozialen Unterschiede keineswegs einebnete, sondern den Klassencharakter der zeitgenössischen *Gesellschaft eher noch verstärkte (*Ethik; v. Pöhlmann 2, 472/80), verwundert es nicht, daß es von technischem F. wenig wissen wollte u. seine Kenntnis von Erfindungen verschwindend gering war (vgl. u. a. o. Bd. 5, 1188/90).

Hier hätte einzig sozialer F. abhelfen können. Um so erklärlicher wird aber auch die empfindliche Kluft zwischen dieser die Umweltverhältnisse spiegelnden Haltung zum technischen F. u. der frühchristl., aus der politischen Propaganda entlehnten F.ideologie, die den klassischen F.gedanken heilsgeschichtlich auflöst u. zugleich den christianisierten Zwangsstaat rechtfertigt, so daß fortan, zumindest offiziell, von der Kirche ein Plädoyer für gesellschaftlichen F. erst recht nicht mehr zu erwarten war.

C. Andresen, Logos u. Nomos (1955). – S. Blankert, Seneca (ep. 90) over natuur en cultuur (Amsterdam 1941). – G. Boas, Essays on primitivism and related ideas in the middleages (Baltimore 1948). – K. E. Bock, Theories of progress and evolution: Sociology and history, ed. W. J. Cahnman, A. Boskoff u. a. (London 1964) 21/41. – H. Bogner, Vom geschichtlichen Denken der Griechen (1948). – K. D. Bracher, Verfall u. F. im Denken der röm. Kaiserzeit, Diss. Tübingen (1949). – R. Bultmann, Geschichte u. Eschatologie (1958). – E. Burck (Hrsg.), Die Idee des F. (1963). – Ch. N. Cochrane, Christianity and classical culture (Oxford 1957). – Ch. Dawson, Progress and religion (London 1929). – E. Dupréel, Deux essais sur le progrès (Bruxelles 1928). – L. Edelstein, The idea of progress in classical antiquity (Baltimore 1967). – C. A. Emge, Das Problem des F. (1958). – B. Farrington, Science and politics in the ancient world (New York 1940). – G. Friedman, La crise du progrès (Paris 1936). – J. Friese, Die Denkform von Kreislauf u. F. u. die Weltgeschichte: StudGen 11 (1958) 219/37. – E. Fuchs, Zur Frage nach dem historischen Jesus (1960). – H. Fuchs, Der geistige Widerstand gegen Rom in der antiken Welt [2](1964). – K. Gaiser, Platon u. die Geschichte (1962). – W. Gernentz, Laudes Romae, Diss. Rostock (1918). – M. Ginsberg, The idea of progress (London 1953). – J. Guitton, Les temps et l'éternité chez Plotin et chez Augustin (Paris 1933). – W. K. C. Guthrie, In the beginnings (London 1957). – R. Häussler, Tacitus u. das historische Bewußtsein (1965). – F. Heinimann, Nomos u. Physis (Basel 1945). – H. Herter, Die kulturhistor. Theorie der hippokrat. Schrift ,Von der alten Medizin': Maia 15 (1963) 464/83. – J. O. Hertzler, Social progress (New York 1928). – G. H. Hildebrand, The idea of progress, an historical analysis: The idea of progress, ed. F. J. Taggart [2](Berkeley-Los Angeles 1949). – H. R. Hollerbach, Zur Bedeutung des Wortes χρεία, Diss. Köln (1964). – W. R. Inge, The idea of progress (Oxford 1920). – E. A. Isichei, Political thinking and social experience. Some christian interpretations of the roman empire from Tertullian to Salvian (Canterbury 1964). – P. Joos, Τύχη, φύσις, τέχνη. Studien zur Thematik frühgriech. Lebensbetrachtung, Diss. Zürich (1955). – H. M. Kallen, Patterns of progress (New York 1950). – W. Kamlah, Christentum u. Geschichtlichkeit (1951). – A. C. Keller, The artisans and the idea of progress in renaissance ³(New York 1960). – F. Kiechle, Das Problem der Stagnation des techn. F. in der röm. Kaiserzeit: GeschWissUnt 16 (1965) 89/99. – E. Kienzle, Der Lobpreis von Städten u. Ländern in der älteren griech. Dichtung, Diss. Basel (1936). – F. Kudlien, Wissenschaftlicher u. instrumenteller F. in der antiken Chirurgie: SudhArch 45 (1961) 329/33. – G. B. Ladner, The idea of reform (Cambridge/Mass. 1959). – S. Lauffer, Der antike F.gedanke: Actes du XI^c congrès internat. de philos. 1953, 12 (1953) 37/44. – K. Löwith, Weltgeschichte u. Heilsgeschehen (1953). – A. D. Lovejoy - G. Boas, Primitivism and related ideas in antiquity (Baltimore 1935). – W. Meyer, Laudes inopiae, Diss. Göttingen (1915). – R. L. P. Milburn, Early christian interpretations of history (London 1954). – Th. E. Mommsen, St. Augustine and the christian idea of progress: JHistId 12 (1951) 346/74. – W. Nestle, Griech. Weltanschauung in ihrer Bedeutung für die Gegenwart (1946) 334/72. – H. Ott, Neue Publikationen zum Problem von Geschichte u. Geschichtlichkeit: ThR 21 (1958) 63/96. – J. Palm, Rom, Römertum u. Imperium in der griech. Lit. der Kaiserzeit (Lund 1959). – E. Peterson, Der Monotheismus als politisches Problem (1935). – R. v. Pöhlmann, Geschichte der sozialen Frage u. des Sozialismus in der alten Welt 1/2 ³(1925). – K. R. Popper, Die offene Gesellschaft u. ihre Feinde 1 (Bern 1957). – Progrès technique et progrès morale = Rencontres intern. Genève (Paris 1947). – K. J. Reckford, Some appearences of the golden age: ClJ 54 (1958/9) 82. – L. Robin, La pensée grecque et les origines de l'esprit scientifique ²(Paris 1963). – W. Schmid, Die Darstellung der Menschheitsstufen bei Prudentius u. das Problem der doppelten Redaktion: VigChr 7 (1953) 171/86. – B. Snell, Die Entstehung des geschichtlichen Bewußtseins bei den Griechen: Entdeckung des Geistes ³(1955) 303/17. – W. Spoerri, Späthellenistische Berichte über Welt, Kultur u. Götter (Basel 1959). – J. Straub, Christl. Geschichtsapologetik in der Krisis des röm. Reiches: Hist 1 (1950) 52/81. – M. Taylor, Progress and primitivism in Lucretius: AmJPhilol 68 (1947) 180/94. – W. Theiler, Zur Geschichte der teleolog. Naturbetrachtung bis auf Aristoteles ²(1965); Porphyrios u. Augustin (1934).–J. Thyssen, Geschichte der Geschichtsphilosophie (1936). – E. Topitsch, Sozialphilosophie zwischen Ideologie u. Wissenschaft ²(1966). – E. L. Tuveson, Millennium and Utopia ²(New York 1964). – W.

Zorn, Zur Geschichte des Wortes u. Begriffs F.: Saec 4 (1953) 341.

K. Thraede.

Fortuna.

A. Nichtchristlich. I. Religion 182. a. Kult 182. b. Bildliche Darstellungen 183. – II. Literatur 184. a. ‚Glück' u. ‚Zufall' 184. b. Persönliche F. 185. c. Fortuna-Tyche 186. 1. Charakteristika 187. 2. Literarische Verwendung 188.

B. Christlich. I. F. als heidnisches Erbe 192. – II. Christliche Stellungnahme zu F. 193. a. Laktanz 193. b. Augustin 194. c. Andere Kirchenschriftsteller 195.

A. Nichtchristlich. I. Religion. F., etymologisch verwandt mit fors, vielleicht mit *fortus, vgl. Portu-nus von portus (Walde, Wb. s. v. fors), war zugleich eine röm. Gottheit u. ein literarischer Begriff mit großem Bedeutungsspielraum.

a. Kult. Die Göttin der Volksfrömmigkeit unterschied sich in vielfacher Hinsicht von der F. der Literatur. Aus Latium wurde sie nach Rom eingeführt (Latte, Röm. Rel. 176; Wissowa, Rel.² 258). Die ältesten F.tempel wurden in Praeneste u. in Antium gefunden. In Praeneste hieß die Göttin Diovo fileia primogenia (CIL 1, 2², 60) oder Iovis puer primigenia (CIL 14, 2862. 2868). Das praenestinische Heiligtum ist im Bauzustand des letzten vorchristl. Jh. freigelegt worden (vgl. F. Fasolo-G. Gullini, Il santuario della F. Primigenia a Palestrina [Roma 1953]), u. die dort gefundenen Inschriften zeigen, daß die F. von Praeneste eine Göttin des Glücks, der Fruchtbarkeit u. des guten Gelingens war (CIL 1, 2², 60. 1445/54. 2531; vgl. Latte, Röm. Rel. 177). In Rom gab es eine ganze Anzahl von Tempeln wie Heiligtümern der F., von denen viele ein hohes Alter besaßen (vgl. S. B. Platner - T. Ashby, A topographical dictionary of ancient Rome [Oxford 1929] 212/9). Die Überlieferung schrieb viele dieser Tempel dem Servius Tullius zu, besonders den Tempel der F. am Forum Boarium u. das Heiligtum der Fors F. am Tiberufer außerhalb der Stadt (Platner-Ashby aO. 212. 214). Der älteste Tempel, für den ein bestimmtes Datum angegeben werden kann, ist der der Fors F., erbaut von Sp. Carvilius Maximus iJ. 293 vC. (Platner-Ashby aO. 212; F. Münzer: PW 3 [1899] 1630). Auch in Rom war F. in erster Linie eine Göttin des Glücks (Latte, Röm. Rel. 179f). Die röm. F. war jedoch selten eine universale Glücksgöttin. Entsprechend der röm. Neigung, die Aufgaben von Gottheiten zu spezialisieren (K. Latte, Über eine Eigentümlichkeit der italischen Gottesvorstellung: ARW 24 [1926] 247), wurde die Göttin in einzelne F. aufgeteilt, die besondere Seiten ihrer Natur verkörperten oder ihre Macht zu Einzelpersonen, Gruppen, Orten oder sogar besonderen Ereignissen in Beziehung setzten. Ruggiero (DizEp s. v. F.) zählt nicht weniger als 81 verschiedene Titel der F. auf: Adiutrix, Aeterna, Balnearis, Brevis, Conservatrix, Dubia, Equestris, Huius Diei usw. Von besonderer Bedeutung waren F. publica populi Romani u. F. publica, die Schutzgeister des Staates, deren Tempel auf dem Quirinal standen (Platner-Ashby aO. 216f). Während der Kaiserzeit wurde F. redux, die F. erfolgreicher Rückkehr, Gegenstand eines besonderen Kultes; an ihrem Altar, den der Senat iJ. 19 vC. zu Ehren der Rückkehr des Augustus aus dem Osten geweiht hatte, feierten Pontifices u. Vestalinnen die Augustalia (Platner-Ashby aO. 218). Der Kult der F. redux war also in Wirklichkeit ein Ausdruck der Loyalität gegenüber dem regierenden Kaiser (Latte, Röm. Rel. 183). Die F. des Kaisers wurde ebenso verehrt als F. Augusta (Rugg., DizEp 3, 189; Peter 1524f; Beispiele: Dessau 3, 1, 527; oft auf Münzen). Zur persönlichen Verehrung der Kaiser für ihre F. vgl. Suet. Galba 4, 3; Hist. Aug. Ant. P. 12, 5; Marc. Ant. 7, 3. Für Zeugnisse des F.kultes in anderen Teilen des röm. Reiches vgl. Rugg., DizEp 3, 194/7.

b. Bildliche Darstellungen. Der häufigste Bildtypus der F. führt sie als stehende Frau mit einem Füllhorn in ihrer linken, einem Steuerruder in der rechten Hand vor. Das Ruder war häufig an eine Kugel gelehnt. Diese Darstellungen fanden sich erstmals auf Münzen, die durch die Münzmeister P. Sepullius Macer 44 vC. u. Ti. Sempronius Gracchus 43 vC. ausgegeben wurden. In der Kaiserzeit gab es in großer Anzahl figürliche F.darstellungen in Marmor, Kupfer, solche auf Münzen, Wandgemälden usw. (Material bei Peter 1504f). Das Füllhorn symbolisiert F. als Bringerin materiellen Wohlstands, das Ruder als Weltbeherrscherin, während die Kugel entweder ihre wankelmütige Eigenart oder (wahrscheinlicher) ihre Macht über die Welt versinnbildlicht. Es gab noch andere weniger typische Attribute für F. Manchmal war sie sitzend dargestellt, ein Symbol einer beständigen F., oder mit einem modius auf dem Haupte u. mit Ähren in ihrer rechten Hand; der Symbolgehalt letztgenannter Attribute war derselbe wie der des Füllhorns. Die

meisten bildlichen Darstellungen der F. betonen mithin ihre Eigenart als Glücksgöttin, wogegen die Attribute, die man in der Literatur findet, sie weithin als Göttin des blinden Zufalls charakterisieren (s. u. Sp. 186f).

II. Literatur. In der literarischen Verwendung sind verschiedene Bedeutungen des Wortes F. zu unterscheiden. Sehr oft bezeichnet F. in passivem Sinne eine Wirkung, nicht eine Ursache oder übermenschliche Wirkkraft. Diese Bedeutung ist besonders dann offensichtlich, wenn das Wort im Plural gebraucht wurde, zB. Plaut. asin. 515: verum ego meas queror fortunas; vgl. 629; capt. 958; Cas. 160; Ter. Andr. 97. 609 u. ö.; doch kommt sie sehr häufig auch dem Singular zu, zB. Plaut. frg. 16f: quis est mortalis tanta fortuna (= Unglück) adfectus umquam. In der späteren Literatur wurde die passive Bedeutung des Singulars noch gebräuchlicher; vgl. Kajanto, Livy 64; ders., Ovid 25. Es ist natürlich oft schwer zu entscheiden, ob F. in passivem oder aktivem Sinne gebraucht ist. Auch wenn das Wort F. eine Ursache oder ein Agens bezeichnet, kann es verschiedene Begriffsinhalte haben. Die ursprüngliche, röm. Bedeutung ist am besten in jenen Fällen bewahrt, in denen das Wort F. für ‚Glück‘ (= felicitas) u. ‚Zufall‘ (= fors) steht oder in denen eine persönliche F. in Erscheinung tritt. Bezeichnet F. jedoch eine unbeständige, böswillige u. menschlichem Einfluß unzugängliche Macht, so liegt offensichtlich das röm. Äquivalent zur hellenist. Tyche vor.

a. ‚Glück‘ u. ‚Zufall‘. In den frühesten literarischen Zeugnissen ist die Bedeutung ‚Glück‘ für das Wort F. sehr verbreitet, zB. Plaut. Poen. 973: aliqua fortuna fuerit adiutrix tibi; vgl. asin. 716. 718; capt. 834. 864 usw.; Ter. eun. 1046; Phorm. 841 (Fors F.). Einmal heißt es sogar ausdrücklich Bona F. (Plaut. aul. 100). Das Überwiegen dieser Bedeutung im frühen Latein dürfte sich durch das Wesen der röm. Göttin F. erklären. In der späteren Literatur ist die Bedeutung ‚Glück‘ am deutlichsten bei einigen stehenden Redensarten, besonders solchen, in denen virtus durch ‚Glück‘ ergänzt oder unterstützt wird, zB. in dem beliebten Sprichwort fortes fortuna adiuvat u. seinen Variationen: Enn. ann. 257 Vahlen; Ter. Phorm. 203 usw.; vgl. Hey 1181, 72/1182, 3. F. bezeichnet außerdem in jenen Fällen ‚Glück‘, in denen von der virtus u. F. eines Feldherrn berichtet wird. Es war ein typisch röm. Gedanke, daß ein Heerführer neben anderen Erfordernissen auch gutes Glück besitzen müsse. Cicero erklärt Manil. 28, einem Feldherrn müßten scientia rei militaris, virtus, auctoritas u. felicitas zu eigen sein; ebd. 47 werden bei Erörterung des letzten Erfordernisses felicitas u. F. als Synonyme gebraucht: Fabius Maximus, Marcellus, Scipio, Marius u. andere bedeutende Heerführer waren mit der Befehlsgewalt non solum propter virtutem, sed etiam propter fortunam betraut worden. Vgl. Cic. Arch. 24: noster hic Magnus (sc. Pompeius) qui cum virtute fortunam adaequavit; id. Balb. 9; id. Mil. 79; Liv. 1, 42, 3: in eo bello et virtus et fortuna enituit Tulli; weitere ähnliche Stellen bei Kajanto, Livy 73 u. Hey 1195, 55/64. Die Bedeutung ‚Zufall' begegnet in der frühen latein. Literatur hauptsächlich in dem Ausdruck forte fortuna, so Plaut. Bacch. 916; mil. 287; Ter. eun. 134. Später war diese Bedeutung des Wortes F. sehr häufig. In etwas weiterem Sinne stand F. für das unberechenbare Element, das menschlicher Planung, besonders in der Kriegsführung, trotzt. Die häufigen Ausdrücke fortunam experiri/temptare u. fortunae se/aliquid committere (Hey 1184, 38; 1185, 11. 21) sind Zeugen für die Verbreitung dieses Begriffsinhaltes. Ähnliche Bedeutung hatten die Ausdrücke fortuna belli/pugnae (ThesLL 2, 1843, 49/59), wenn sie nicht lediglich den Ausgang einer Schlacht bezeichneten; vgl. Kajanto, Livy 78. In philosophischen Schriften wurde F. als unerwartetes Ereignis bestimmt, dessen Ursachen unserer Sicht verborgen sind, so Cic. Ac. 1, 29: efficiat multa improvisa et necopinata nobis propter obscuritatem ignorationemque causarum; vgl. div. 2, 15. Solche Stellen erinnern an Aristoteles' Definition der Tyche als Koinzidenz, Zusammentreffen zweier unzusammenhängender Kausalreihen (phys. 195 b 31 ff) u. an den stoischen Begriff von Tyche als ἄδηλος αἰτία ἀνθρωπίνῳ λογισμῷ, eine für menschliche Vernunft undurchsichtige Ursache (SVF 4, 147); F. hat nach manchen Philosophen nur Macht im sublunaren Bereich der Materie, nicht in den Gestirnsphären (Pfligersdorffer 9 f).

b. Persönliche F. In nicht wenigen Textstellen röm. Literatur war mit F. eine Art Schutzgeist einer Person oder Personengruppe gemeint, etwa dem Genius entsprechend. Jedoch ist es häufig sehr schwierig, zwischen F., d. i. felicitas, u. F., d. i. genius, zu unterscheiden. In der Stelle Amm. Marc. 27, 11, 2: hunc

(= Probum) quasi genuina quaedam (ut fingunt poetae) fortuna vehens praepetibus pinnis scheint allerdings eine persönliche F. aufzutreten. Ähnlicher Bezug zu einer persönlichen F. findet sich an weiteren Stellen bei Amm. Marc. 14, 10, 16; 21, 14, 1 (Constantius); 30, 5, 18 (Valentinianus I). Unter den früheren Autoren hatte eine persönliche F. gewisse Bedeutung bei Curtius, wo Alexanders Erfolge größtenteils seiner persönlichen F. zugeschrieben wurden; vgl. besonders 10, 5, 35 f; weitere Belege 4, 9, 22; 7, 9, 1; 10, 6, 20 usw. Doch da Amm. Marc. u. Curt. stark unter griech. Einfluß standen, könnten sie durch die griech. Vorstellung von einer jedem Menschen bei seiner Geburt gegebenen Tyche beeinflußt worden sein; vgl. Nilsson, Rel. 2², 209 f. Bei der F. des röm. Volkes oder des röm. Staates tritt deutlicher in Erscheinung, daß sie das Äquivalent eines Genius war; Hinweise auf dieses Wesen sind in der ganzen röm. Literatur zahlreich, besonders in der Geschichtsschreibung. Bei Cicero widerstand die fortuna populi Romani Catilinas verbrecherischen Plänen (Catil. 1, 15); indem sie Pompeius zur rechten Zeit erscheinen ließ, rettete sie Asien für die Römer (Manil. 45); Ciceros Leben schützte vor den Anschlägen des Clodius ‚vel mea vel rei publicae fortuna' (Mil. 20). Ähnlich zB. Sall. Catil. 41, 3; Liv. 1, 46, 5; 2, 40, 13; 3, 7, 1; 6, 30, 6; Tac. hist. 3, 46; 4, 57 (fortuna imperii); Amm. Marc. 25, 9, 7 (fortuna orbis Romani).

c. Fortuna-Tyche. Seit früher Zeit wurde F. der hellenist. Tyche angeglichen, einer unbeständigen, übermenschlichen Macht, die man für die Ursache des unberechenbaren Auf u. Ab im menschlichen Leben hielt (Nilsson, Rel. 2², 200/10; G. Herzog-Hauser, Tyche u. F.: WienStud 63 [1948] 156/63; Kajanto, Livy 14 f). Die frühesten Belege für F.-Tyche finden sich bei Plaut. capt. 304: fortuna humana fingit artatque ut lubet; vgl. pseud. 678/80; Enn. ann. 312 f Vahlen; Pacuv. 366/75; Ter. Hec. 406; sie behielt ihre Bedeutung in der ganzen röm. Literatur. F.-Tyche war in erster Linie eine Personifikation des blinden Zufalls; vgl. Isid. orig. 8, 11, 94: Fortunam a fortuitis nomen habere dicunt, quasi deam quandam res humanas variis casibus et fortuitis inludentem; vgl. Cic. leg. 2, 28 (Fors F.); Plin. n. h. 2, 22; Non. Marc. 425 M. (687 L.); Donat. zu Ter. Phorm. 841 (2, 475 Wessner). Die wahre Natur der F.-Tyche verrät Iuv. 10, 365 f: nullum numen habes si sit prudentia, nos te / nos facimus, F., deam caeloque locamus.

1. Charakteristika. Die Haupteigenschaft der F.-Tyche war ihre Unbeständigkeit u. Unzuverlässigkeit: F. kann den Menschen Glück oder Unglück bringen ohne Rücksicht auf deren Verdienst, u. niemand kann sicher sein, daß ihre Gunst anhalten werde; vgl. Sall. Catil. 8, 1: sed profecto fortuna in omni re dominatur; ea res cunctas ex lubidine magis quam ex vero celebrat obscuratque; Hor. c. 1, 35, 2/4: praesens vel imo tollere de gradu / mortale corpus vel superbos / vertere funeribus triumphos; vgl. c. 3, 29, 49/52; Curt. 4, 5, 2; Plin. n. h. 2, 22; Sen. ben. 2, 28, 2; Tac. hist. 4, 47; Firm. Mat. math. 1, 7, 42; Amm. Marc. 14, 11, 29/34. Diese grundlegende Eigenschaft der F.-Tyche kam in einer Reihe von Symbolen u. Attributen zum Ausdruck. Da F.-Tyche sich in gewisser Weise von der Glücksgöttin F. der Volksreligion unterschied, stimmten die literarischen Symbole der F. nicht ganz mit den kultischen überein. Während die charakteristischsten Symbole im Kult, Füllhorn, Ruder u. Kugel, F. als Spenderin materieller Güter u. Herrin des Geschicks der Menschen versinnbildlichten (vgl. o. Sp. 183), hoben ihre Symbole in der Literatur Unbeständigkeit u. Unzuverlässigkeit hervor. So war das Rad als Symbol ihres stets wechselnden Wesens ein sehr häufiges Attribut der F. in der Literatur, zB. Cic. Pis. 22: fortunae rotam pertimescebat; Tac. dial. 23: nolo inridere ‚rotam fortunae‘; Amm. Marc. 26, 8, 13 usw., während sich im Kult das Rad nur selten fand (Peter 1506, 51). Die Unbeständigkeit der F. versinnbildlichten weiterhin die Vorstellungen, daß sie auf einem Stein oder einer Kugel stehe (Pacuv. 367f; Ov. trist. 5, 8, 7f; Pont. 4, 3, 31f), mit Flügeln versehen sei (Hor. c. 3, 29, 53f; Curt. 7, 8, 25; Amm. Marc. 27, 11, 2), in der Welt passibus ambiguis umherstreife (Ov. trist. 5, 8, 15f; vgl. Curt. 4, 5, 2) u. ihre Gunst oder Mißgunst gegen die Menschen in der Miene ihres Gesichts zum Ausdruck bringe (Hor. epist. 1, 11, 20; Ov. trist. 1, 5, 27/9). Im Kult waren alle diese Sinnbilder selten oder unbekannt (Peter 1507, 32). Doch das häufigste literarische Sinnbild für die Unbeständigkeit u. Unzuverlässigkeit der F. war ihre Blindheit. Deren Bedeutung wird von Pacuv. 370 herausgestellt: caecam ob eam rem esse iterant, quia nil cernat, quo sese adplicet; vgl. Cic. Phil. 13, 10: Fortuna ipsa quae dicitur caeca; Ov. Pont. 3, 1, 125f;

Plin. n. h. 2, 22; Apul. met. 7, 2: caeca et prorsus exoculata; Amm. Marc. 31, 8, 8; Isid. orig. 8, 11, 94. Auch so häufige Epitheta wie dubia, incerta, instabilis, levis, varia u. volubilis (Hey 1185, 77/1188, 9) heben die Unbeständigkeit u. Unzuverlässigkeit der F. hervor. Außerdem stellte man sich oft die Menschen als bloßes Spielzeug der F. vor, so Ov. Pont. 4, 3, 49: ludit in humanis divina potentia (= Fortuna) rebus; vgl. Hor. c. 2, 1, 3; sat. 2, 8, 61/3; Sen. ep. 74, 7; Stat. Theb. 12, 35. Weil F. unbeständig war, menschliches Verdienst außer acht ließ u. mit den Menschen spielte, schien sie eine böswillige Macht zu sein. In der Tat ist ihre Bosheit fast so häufig erwähnt wie ihre Unbeständigkeit. Saevit u. saeva fanden sich in einer großen Zahl von Stellen: Sall. Cat. 10, 1: saevire fortuna ac miscere omnia coepit; Hor. c. 3, 29, 49: saevo laeta negotio; Apul. met. 2, 13: scaevam an saevam verius dixerim usw. Noch viele andere Beiwörter betonten die Bosheit der F.: atrox, crudelis, gravis, iniqua, mala u. misera (vgl. Hey 1185, 77/ 1188, 9). Schließlich gibt es, obwohl in der röm. Literatur der menschliche Geist gewöhnlich als der F. überlegen angesehen wurde (s. u. Sp. 189), vereinzelte Stellen, in denen sich die hellenist. Vorstellung einer F.-Tyche findet, die alle menschliche Vorsorge umstößt: Plaut. pseud. 678f: centum doctum hominum consilia sola haec devincit dea, / Fortuna; vgl. Liv. 44, 40, 3; Curt. 3, 8, 29. Zu dieser Vorstellung in hellenist. Literatur vgl. Men. frg. 417.

2. Literarische Verwendung. Die Haltung der F. gegenüber ist von einem Schriftsteller zum anderen sehr unterschiedlich. Sie ist abhängig von Temperament, Weltanschauung, vom literarischen Genre u. a. Wenn Denken u. Sprache eines Autors präzise sind, meint F. oft ‚Glück‘ oder ‚Zufall‘; in Werken jedoch, die durch literarische Ausgefeiltheit u. rhetorische Ausschmückung charakterisiert sind, hat F. oft das Gepräge der hellenist. Tyche. Es läßt sich jedoch kaum eine chronologische Entwicklung des Begriffes feststellen; vielmehr waren die Vorstellungen, denen man in republikanischer Zeit begegnet, auch für die Kaiserzeit charakteristisch.

α. Republikanische Zeit. Ciceros Konzeption der F. weist, je nach literarischer Gattung, gewisse Unterschiede auf. In seinen philosophischen Schriften definiert er F. als Zufall (s. o. Sp. 185), in ihrem ethischen Teil jedoch bleibt er oft bei der alten Antithese virtus - F., wobei

jene als dieser überlegen gedacht wird (Tusc.
3, 36; fin. 4, 17 usw.). Consilium/ratio tritt
manchmal an die Stelle von virtus (Tusc. 2, 11
usw.). Virtus u. consilium/ratio zusammen repräsentieren das Geistige als den Gegenpart
der F., die als domina rerum . . . et exter-
narum et ad corpus pertinentium gilt (Tusc. 5,
25). Der Gedanke, daß der Geist der F. überlegen ist, geht letztlich auf die hellenist.
Philosophie zurück, besonders auf die Stoiker
(vgl. SVF 1, 99, 22; 3, 13, 31), obgleich die
urrömische Auffassung der virtus auf die
Popularität des Begriffes in Rom eingewirkt
haben mag. Die starke Verbreitung stoischer
Ideen bei den Römern machte den Gedanken
der Überlegenheit des Geistigen über F. zu
einem Gemeinplatz in der röm. Literatur. Dafür zeugt die Tatsache, daß er sich oft auch bei
Schriftstellern findet, die nicht Stoiker waren
(zB. Sall. Iug. 2, 3). Die Gegenüberstellung
virtus-F. findet sich manchmal auch in
Ciceros Reden u. Briefen, so fam. 10, 3, 2:
omnia summa consecutus es virtute duce,
comite fortuna; 5, 18, 1; Scaur. frg. f Clark
u. ö. In den nichtphilosophischen Werken jedoch gesteht Cicero F. größere Bedeutung zu.
Die bemerkenswerteste Stelle ist Q. fr. 1, 1,
4f: Cicero tröstet den Bruder Quintus, der in
Asia bleiben muß, durch das Argument, daß
er keinen Krieg zu führen habe: neque enim
eius modi partem rei publicae geris in qua
fortuna dominetur, sed in qua plurimum
ratio possit et diligentia. Sogar hervorragende
Generäle sind oft nicht imstande, mit den
plötzlichen Fehlschlägen u. Kehrtwendungen
des Krieges fertigzuwerden; hier meint F. die
unwägbaren Seiten des Krieges (vgl. o. Sp.
185). An wenigen Stellen bei Cicero hat F. auch
hellenist. Gepräge, so Sull. 91: o volucrem
fortunam; Mil. 69: vaga volubilisque fortuna;
Marcell. 7; Phil. 13, 10; Pis. 22 u. ö. Bei Caesar bezeichnet F. meist die Unwägbarkeiten,
die die Pläne eines Generals umstürzen können, zB. b. Gall. 6, 30, 2: multum cum in
omnibus rebus tum in re militari potest fortuna; vgl. 6, 35, 2; b. civ. 3, 10, 6; 3, 68, 1.
Oft nimmt Caesar seine Zuflucht zur F.,
zT. um ihr die Schuld an etwaigem Mißgeschick zuzuschieben. In b. Gall. 6, 30, 2/4
wird die Flucht des Ambiorix, in b. civ. 3,
68, 1/73, 5 die Niederlage bei Dyrrhachium
der F. zur Last gelegt. Andrerseits vertraut
Caesar darauf, daß die virtus seiner Soldaten
sich als der F. überlegen erweisen werde (b.
Gall. 5, 34, 2; b. civ. 3, 73, 4; vgl. Fowler,

Conception; Tappan, Caes. and F.; Erkell,
Caesar; Friedrich, Caesar; Brutscher; Schweicher). Sallust nimmt zwar manchmal Bezug
auf die unberechenbare, übelwollende F.-
Tyche (Cat. 8, 1; 10, 1; 53, 3), aber eine genaue
Nachprüfung fördert zutage, daß er nicht
wirklich F. für den Ablauf der Ereignisse
verantwortlich macht. Sie ist so für Sallust
schwerlich mehr als eine rhetorische Figur
(Erkell, Augustus 151f; Kajanto, Livy 17;
Schweicher 147).

β. Augusteische Zeit. In Vergils Aeneis kommt
F. häufig vor, aber hellenist. Ausprägungen
sind selten (11, 108. 425/7, innerhalb von
Reden). In vielen Fällen scheint Vergil F.
als Synonym für fatum verwendet zu haben, zB. 8, 334f: Fortuna omnipotens et
ineluctabile fatum / his posuere locis; vgl.
1, 239f; 12, 147. Vgl. jedoch Serv. zu Verg.
Aen. 8, 334: secundum Stoicos locutus est,
qui nasci et mori fatis dant, media omnia
fortunae. Auf jeden Fall wird es, nachdem
Tyche bei Homer nicht in Erscheinung getreten war, zur epischen Tradition gehört
haben, der F. nur spärliche Aufmerksamkeit
zu widmen (vgl. Kajanto, Ovid 29f). Bei
Horaz findet sich F. häufig; er schrieb sogar
eine Hymne auf sie, c. 1, 35. Für ihn ist F.
offenkundig dasselbe wie die hellenist. Tyche
(vgl. o. Sp. 186f), aber die Menschen haben
stets die Möglichkeit, dem Mißgeschick, welches von ihr verursacht wird, zu trotzen, indem sie zur virtus ihre Zuflucht nehmen (sat.
2, 2, 126f; c. 3, 29, 54/6; epist. 1, 1, 68f). Bei
Livius meint F. meist ‚Zufall' oder das Unvor-
hersehbare im Kriege, manchmal auch ‚Glück'
(Kajanto, Livy 76/9). Es gibt jedoch einige
Stellen, wo F. sich der Bedeutung der Tyche
nähert, zB. 2, 5; 5, 42, 4; 10, 13, 6; 30, 30, 5;
doch gesteht er ihr nur geringen Einfluß auf
die Gestaltung der Ereignisse zu. Allenfalls
schreibt er röm. Niederlagen einer mißgünsti-
gen F. zu, ein Überleben der röm. virtus (vgl.
3, 38, 4; 23, 22, 1; 23, 24, 6; 25, 38, 10; Kajanto, Livy 79ff). Ovid nimmt häufig Bezug
auf die hellenist. Tyche. In den Metamorphosen u. Fasten findet sich F. selten, an Tyche
läßt sich nur met. 6, 193/6 u. fast. 6, 575f
denken. In den Tristia u. den Epistulae ex
Ponto hingegen ist die Unzuverlässigkeit u.
Bosheit der F. beispielhaft aufgezeigt an Ovids
eigener Katastrophe, dem zentralen Thema
(trist. 1, 5, 27/46; Pont. 2, 7, 15/34; 3, 1, 49f u.
ö.; Kajanto, Ovid 27/33). Manchmal jedoch
besteht er, typisch römisch, darauf, F. habe

keine Macht über sein ingenium, sein dichterisches Talent (trist. 5, 14, 3f; Kajanto, Ovid 33/5).

γ. Frühe Kaiserzeit. Bei Seneca d. J., der sich zur Stoa bekannte, war die Überlegenheit des Geistigen über die F. ein bedeutendes u. immer wiederkehrendes Thema, so ep. 36, 6: in mores fortuna ius non habet; 98, 2: valentior enim omni fortuna animus est; vgl. zB. dial. 1, 2, 8; 1, 4, 2; 2, 5, 4; 2, 8, 3 u. ö. (vgl. Pfligersdorffer 9/13). Tacitus erkennt den Einfluß eines unabwägbaren Elementes auf den Gang der Ereignisse an; vgl. hist. 1, 4: ut non modo casus eventusque rerum, qui plerumque fortuiti sunt, sed ratio etiam causaeque noscantur. Oft gebraucht er F. in dieser Bedeutung, so hist. 3, 60: initia bellorum civilium fortunae permittenda: victoriam consiliis et ratione perfici; vgl. 3, 17; 3, 59; ann. 1, 11. Sehr oft jedoch hat F. bei Tacitus das herkömmliche hellenist. Gepräge: sie ist launenhaft u. bösartig (vgl. hist. 4, 47: magna documenta instabilis fortunae summaque et ima miscentis; ann. 2, 54; 2, 72; 4, 1; 16, 1); doch sind solche Stellen schwerlich mehr als Konzessionen an den populären Sprachgebrauch (vgl. R. v. Pöhlmann, Die Weltanschauung des Tacitus: SbM 1910, 1, 12; weitere Literatur s. Bibliographie). Bei Curtius sind die Bezüge auf F. sehr zahlreich. Für den Gedanken einer persönlichen F. Alexanders s. o. Sp. 186. Ebenfalls gebräuchlich bei Curtius ist jene launische u. übelwollende F., so 4, 14, 19: breves et mutabiles vices rerum sunt, et fortuna numquam simpliciter indulget; vgl. 3, 8, 20; 4, 4, 19; 4, 5, 2; 4, 7, 29; 5, 8, 15; 8, 4, 24. Der Einfluß hellenistischen Gedankenguts auf Curtius zeigt sich klar 3, 8, 29: omni ratione potentior fortuna; dies steht im Gegensatz zur röm. Überzeugung von der Überlegenheit des Geistigen über F. Florus gibt die griech. Diskussion wieder, ob der Aufstieg Roms der ἀρετή oder der τύχη zuzuschreiben sei (vgl. Plut. fort. Rom. passim; H. Fuchs, Der geistige Widerstand gegen Rom in der antiken Welt ²[1964] 2; Kajanto, Livy 15; K. Ziegler, Art. Plutarch: PW 21 [1951] 719/21), wenn er 1, 1, 2 behauptet, daß virtus u. F. beim Bau des Imperiums im Wettstreit gelegen hätten (s. Nordh; Amm. Marc. 14, 6, 3 wiederholt diesen Abschnitt aus Florus). Bei Lucan, der von stoischem Standpunkt aus schreibt, begegnet F. sehr häufig (ca. 130 Beispiele), doch ist die hellenist. Ausprägung selten. In den meisten

Fällen besteht kein großer Unterschied zwischen fatum u. F. (vgl. zB. 1, 264; 2, 699/705; 3, 392/4; Friedrich, Cato). In den Metamorphosen des Apuleius ist F. offenkundig identisch mit Tyche; ihr wird die Schuld an der Verwandlung des Lucius in einen Esel gegeben (7, 2f) sowie für seine nachfolgenden Mühsale (zB. 8, 24); Lucius' Einführung in die Mysterien der Isis bezeichnet jedoch das Ende der Macht der blinden, grausamen F. über ihn (11, 15).

δ. Späte Kaiserzeit. Der einzige Schriftsteller, der hier in Frage kommt, ist Ammianus Marcellinus. Für die persönliche F. bei ihm vgl. o. Sp. 185f, für seine Aufnahme der Florus-Stelle o. Sp. 191. Viel eindeutiger als für Sallust, Livius u. Tacitus war F. für Ammian gleich Tyche, war sie sogar eine Gottheit; vgl. 14, 11, 30: mutabilis et inconstans; 15, 5, 1: moderatrix humanorum casuum; 23, 5, 19: versabilis; 26, 9, 9: luctuosa et gravis; 31, 8, 8: inclemens et caeca. Sogar die Attribute der F. erwähnt Ammian häufig; vgl. 22, 9, 1: velut mundanam cornucopiam Fortuna gestans propitia; 31, 1, 1: Fortunae volucris rota. Ebenso macht Ammian öfter als andere röm. Historiker F. für den Lauf der Dinge verantwortlich; vgl. 22, 2, 1: dum haec in diversa parte terrarum fortunae struunt volubiles casus (vgl. Tac. hist. 2, 1, 1); 19, 6, 1; 20, 4, 13; 25, 4, 14 (vgl. W. Ensslin, Zur Geschichtsschreibung u. Weltanschauung des Amm. Marc.: Klio Beih. 16 [1923] 69/77). Sein hochrhetorischer Stil u. sein griech. Ursprung mögen teilweise eine Erklärung bilden für die Wichtigkeit, die er dem Begriff der F. beilegt.

B. Christlich. I. F. als heidnisches Erbe. Es ist natürlich, daß sich in Werken, die nicht christl.-religiös waren u. beträchtliche rhetorische u. literarische Einflüsse aufweisen, Hinweise auf F. finden. So erscheint F. bisweilen in der Dichtkunst christl. Zeit: vgl. zB. Ausonius par. 4, 24; 22, 13; Mos. 412; Drac. satisf. 215 (MG AA 14, 127); Sidon. c. 2, 96. 213. Solche Stellen erweisen, daß klassische Tradition noch einen beträchtlichen Einfluß ausübte. Selbst in Grabschriften konnten vorzeitige oder sonstige ungewöhnliche Todesfälle der F. zugeschrieben werden, zB. ILCV 4211: o maligna Fortuna, ut quod filius [patri fa]cere debuit pater filio fecit (vgl. Lattimore 154/6. 316). Vor allem aber erscheinen bei Boethius in der Consolatio die alten Vorstellungen von einer unbeständigen, unzuverlässigen u. böswilligen F. noch einmal wieder: F. dreht ihr Rad (2, 2: rotam volubili orbe versamus, nfima summis, summa infimis mutare gaudemus); mutavit vultum (1, c. 1, 19); sie ist blind (2, 1); saevit (1, 4); sie ist superba, saeva, fallax, dura. Die Menschen sind ihr Spielzeug (2, c. 1). Das ganze zweite Kapitel ist einer Erörterung der Unbeständigkeit u. Unzuverlässigkeit der F. gewidmet. Doch andernorts weist Boethius den Gedanken zurück, das Weltall sei von temerarii fortuitique casus regiert, u. bekennt seinen Glauben an eine göttliche Weltordnung (1, 6; 4, 6). Er erklärt den Zufall (casus) in aristotelischem Sinne als Zusammentreffen zweier unzusammenhängender Kausalreihen, schreibt jedoch das Zusammentreffen der göttlichen Vorsehung zu (5, 1). Sein Standpunkt ähnelt also dem des Augustin (s. u. Sp. 194f). F. war für Boethius tatsächlich nichts anderes als ein poetischer Ausdruck für die Unsicherheit des menschlichen Lebens u. die Unzuverlässigkeit des Glücks, das in äußerlichen Dingen besteht (vgl. 2, 4; 2, 6). – Ähnliche Hinweise auf F. sind in den Schriften der Kirchenväter selten. Eine Stelle aus den Briefen des Augustin läßt sich anführen (ep. 3, 5 [CSEL 34, 9]), in der er die Erwerbung von Freunden der fortunae potestas zuzuschreiben scheint u. anführt, die Weisen ermahnten uns, fortunae bona weder zu fürchten noch zu begehren. Solche gelegentlichen Anspielungen auf heidn. Gedankengut sind jedoch unbedeutend.

II. Christliche Stellungnahme zu F. Von den Kirchenvätern behandeln Laktanz u. Augustin das Problem der F. ausführlicher, Tertullian, Hieronymus u. Paulinus v. Nola erörtern es ebenfalls. Übereinstimmend weisen die meisten christl. Autoren auf die in der Idee einer blinden Glücksgöttin selbst enthaltenen Widersprüche hin; sie zeigen, daß F. lediglich eine Personifikation des Zufalls sei, u. nehmen die alte philosophische Definition von F. als Zufall zum Ausgangspunkt der christl. Umgestaltung des Begriffs.

a. Laktanz. Er geht auf F. inst. 3, 28, 6/3, 29 (CSEL 19, 264/71) ein. Er behauptet, F. sei nichts anderes als ein unerwartetes Ereignis (accidentium rerum subitus atque inopinatus eventus, 3, 29, 1); diejenigen, die Glauben an die Macht der F. zum Ausdruck brächten, wie Sallust u. Vergil, folgten den Ansichten der unwissenden Menge, die F. für eine wirkliche Gottheit halte (3, 29, 3/8). Eine Analyse des heidn. F.kultes verrate verschiedene Wider-

sprüche. Wenn F. allmächtig ist, warum wird sie nicht bis zum Ausschluß anderer Gottheiten verehrt? Wenn sie eine wirkliche Göttin ist, warum verursacht sie den Menschen, die sie in Frömmigkeit verehren, Unglück (3, 29, 9/12; gleicher Gedanke 5, 10, 13)? Die Lösung des Problems bei Laktanz ist typisch christlich. Indem er den Gedanken vorbringt, der bei ihm am Beginn der Diskussion auftaucht (3, 28, 6; vgl. 5, 10, 12), daß Ereignisse, deren Ursachen den Heiden unverständlich waren, von ihnen der F. zugeschrieben wurden, zieht er den Schluß, daß das, was die Heiden F. nannten, in Wirklichkeit der unerbittliche Feind der Menschheit, der Teufel, sei: huius itaque perversae potestatis cum vim sentirent virtuti repugnantem, nomen ignorarent, fortunae sibi vocabulum inane finxerunt (3, 29, 13/7).

b. Augustin. Er behandelt F. an mehreren Stellen. In ähnlicher Weise wie Laktanz zeigt er civ. D. 4, 18 (CCL 47, 112f) die Sinnwidrigkeit der heidn. F.vorstellung auf. Von Felicitas u. F. werde behauptet, sie unterschieden sich darin, daß letztgenannte auch böse sein könne. Wenn jedoch alle Gottheiten angeblich gut sind, wie kann die Göttin F. bisweilen gut, bisweilen böse sein? Felicitas u. F. sollen sich auch darin unterscheiden, daß Felicitas guten Menschen wegen ihrer Verdienste (praecedentibus meritis) zukomme, während letztere sine ullo examine meritorum fortuito accidit hominibus et bonis et malis. Doch diese Behauptung führt zu mehreren Schwierigkeiten. Wie kann F. gut sein, wenn sie menschliche Verdienste gänzlich außer acht läßt? Weiterhin, warum wird sie überhaupt verehrt, wenn sie ihre Verehrer grundsätzlich ignoriert? Erhalten andererseits ihre Verehrer wirklich etwas von der Göttin, so kann sie keine Göttin blinden Zufalls sein. In leichterem Ton erklärt Augustin. civ. D. 7, 3 (ebd. 188f): wenn die di selecti der Heiden ganz willkürlich ausgewählt worden seien, so sollte F., die Göttin des blinden Zufalls, einen Ehrenplatz unter ihnen haben, da die Auswahl offensichtlich unter ihrem Antrieb stattgefunden habe. – Eine etwas andere Methode der Kritik zeigen jene Stellen, an denen Augustin die Gewohnheit mancher Leute tadelt, ihre Verfehlungen dem fatum, F. oder dem Teufel zur Last zu legen (contin. 14 [CSEL 41, 157]). Wenn sie sich auf F. berufen, behaupteten sie, wirklich alles sei von blindem Zufall regiert. Augustin widerlegt diese Behauptung mit dem Argument, zu dieser Überlegung kämen diejenigen, die alles dem Zufall zuschrieben, doch nicht durch Zufall, sondern durch den Gebrauch der Vernunft (vgl. lib. arb. 3, 17/9 [CSEL 74, 93f] für eine ähnliche Erörterung). Doch Augustin kann die Vorstellung der F. nicht ganz entbehren. In seiner Definition des Begriffs vertritt er großenteils den alten philosophischen Standpunkt. Er erklärt retract. 1, 2 (CSEL 36, 12), er bereue, sich in seiner Schrift c. acad., die vor der Bekehrung geschrieben wurde, so oft auf F. in diesem Sinne bezogen zu haben, weil die Menschen sich F. als wirkliche Gottheit vorzustellen pflegten. Er habe jedoch mit F. nichts anderes gemeint als ein unerwartetes Ereignis, dessen Ursache nicht zu erkennen sei, so zB. c. acad. 1, 1 (CSEL 63, 3, 3): etenim fortasse quae vulgo fortuna nominatur, occulto quodam ordine regitur, nihilque aliud in rebus casum vocamus, nisi cuius ratio et causa secreta est. Augustin hat später seine Ansicht nicht geändert; denn retract. 1, 2 bestimmt er F. wiederum als fortuitus rerum eventus, vel in corporis nostri, vel in externis bonis aut malis. Doch vom christl. Gesichtspunkt aus kann er sich damit nicht zufrieden geben, u. so erklärt er, alle zufälligen Ereignisse seien letztlich göttlicher Vorsehung zuzuschreiben; retract. 1, 2: quod tamen totum ad divinam revocandum est providentiam (eine ähnliche Definition quaest. hept. 1, 91 [CSEL 28, 47]; vgl. C. N. Cochrane, Christianity and classical culture[3] [New York 1957] 478/80). Die christl. Umformung der Auffassung von F. wird in civ. D. 5, 9 noch deutlicher, wo Augustin darlegt, die sog. causae fortuitae oder F. seien in Wirklichkeit causae latentes u. dem Willen des wahren Gottes oder irgendwelcher Geister unterworfen. Schließlich vertritt er civ. D. 4, 19 eine Ansicht, die der des Laktanz ähnlich ist, der die heidn. F. dem geheimen Wirken des Teufels gleichgesetzt hatte: Bei Wiedergabe der alten Legende der F. muliebris, deren Kultbild gesprochen haben soll, weist Augustin darauf hin, F. sei ein Werkzeug der bösen Geister, durch die sie die Menschen vom fehlerlosen Leben abhalten, indem sie in ihnen den Glauben erwecken, daß F., die nicht danach frage, ob sie ihre Gunst verdienten oder nicht, ihnen gnädig sei.

c. Andere Kirchenschriftsteller. Bei Tertullian finden sich vereinzelte Hinweise auf den Begriff F.; so unterscheidet er anim. 20 (28

Waszink) zwischen den christl. u. heidn. Vorstellungen von den Mächten, die die Welt regieren: deus dominus u. diabolus aemulus nach Ansicht der Christen, providentia et fatum et necessitas et fortuna et arbitrii libertas nach Ansicht der Heiden. So wenig wie in resurr. 58 (CCL 2, 1006) wird hier zwischen F. u. den anderen Schicksalsmächten unterschieden, doch Tertullian meint natürlich, daß alle diese heidn. Ideen falsch seien. Hieronymus sagt mehrmals, die Vorstellung, die Welt werde von der Unbeständigkeit der F. regiert, sei ein schwerer Irrtum der Heiden gewesen, denn alles geschehe doch iudicio Dei (in Ecc. 9 [PL 23, 1139]; vgl. in Is. 18, 45 [PL 24, 664]). – Paulinus v. Nola erörtert das Problem in ep. 16, 4 (CSEL 29, 117f). Wenn Gott die Welt geschaffen hat u. regiert, wo ist dann Raum für casus, fatum u. F. ? Zur Widerlegung der heidn. Gedankengänge gebraucht Paulinus die gleichen Argumente wie Laktanz u. Augustin u. erklärt, fors u. ähnliche Begriffe seien leere Worte (cassa nomina), die irrtümlich als göttliche Wesen angesehen u. mit körperlicher Gestalt versehen worden sind.

A. Anwander, Schicksal-Wörter in Antike u. Christentum: ZRelGeistG 1 (1958) 315/27. – P. Beguin, Le positivisme de Tacite dans sa notion de ‚fors‘: AntClass 24 (1955) 352/71. – F. Bömer, Caesar u. sein Glück: Gymnas 73 (1966) 63/85. – C. Brutscher, Cäsar u. sein Glück: MusHelv 15 (1958) 75/83. – H. Erkell, Augustus, felicitas, fortuna, Diss. Göteborg (1952); Caesar u. sein Glück: Eranos 42 (1944) 57/69. – W. W. Fowler, Caesar's conception of F.: ClassRev 17 (1903) 153/6; Art. Fortune (Roman): ERE 6, 98/104. – W. H. Friedrich, Cäsar u. sein Glück: Thesaurismata, Festschr. I. Kapp (1954) 1/24. 165; Cato, Cäsar u. F. bei Lucan: Hermes 73 (1938) 391/423. – H. v. Heintze, Das Heiligtum der F. Primigenia in Präneste: Gymnas 63 (1956) 526/44. – G. Herzog-Hauser, Tyche u. F.: WienStud 63 (1948) 156/63. – O. Hey, Art. F.: ThesLL 6, 1 (1926) 1175, 48/1195, 65. – J. D. Jefferis, The concept of F. in Cornelius Nepos: ClassPhilol 38 (1943) 48/50. – I. Kajanto, God and fate in Livy, Diss. Turku (1957); Ovid's conception of fate (Turku 1961). – J. Kroymann, Fatum, Fors, F. u. Verwandtes im Geschichtsdenken des Tacitus: Satura, Festschr. O. Weinreich (1952) 71/102. – J. Lacroix, Fatum et F. dans l'œuvre de Tacite: RevÉtLat 30 (1952) 248/64. – K. Latte, Römische Religionsgeschichte (1960) 176/83. – R. Lattimore, Themes in greek and latin epitaphs (Urbana, Ill. 1942) 154/6. 316f. – A. Nordh, Virtus and

F. in Florus: Eranos 50 (1952) 111/28. – Otto,
Art. F.: PW 7, 1 (1910) 12/42. – A. Passerini,
Il concetto antico di F.: Philol 90 (1935) 90/7. –
R. Peter, Art. F.: Roscher, Lex. 1, 2 (1886/90)
1503/49. – G. Pfligersdorffer, Fatum u. F.
Ein Versuch zu einem Thema frühkaiserzeitlicher
Weltanschauung: Lit.wiss. Jb. NF 2 (1961) 1/30.
– G. Schweicher, Schicksal u. Glück in den
Werken Sallusts u. Cäsars, Diss. Köln (1963). –
E. Tappan, Julius Caesar and F.: TrProcAm-
PhilolAss 58 (1927) xxvii; Julius Caesar's luck:
ebd. 61 (1930) xxii. – G. Wissowa, Rel. ²(1912)
256/68. – H. Wurms, Das Schicksal Roms u. die
Götter bei Tacitus: HumGymnas 47 (1936) 10/7.

I. Kajanto (Übers. J. Engemann).

Forum s. Marktplatz.

Fossor s. Grab; Katakomben; Klerus.

Fractio panis s. Brotbrechen (o. Bd. 2, 620/6).

Frage- u. Antwortschriften s. Erotapokriseis
(o. Bd. 6, 342/70).

Frater s. Bruder (o. Bd. 2, 631/40).

Fraternitas s. Bruder.

Frau.

A. Nichtchristlich. I. Griechenland. a. Politik, Recht, Wirtschaft. 1. Allgemeines 197. 2. Politik 198. 3. Zivilrecht u.
Wirtschaft 199. b. Geselligkeit u. Bildung. 1. Fest u. Feier
199. 2. Bildung, Kunst, Wissenschaft 201. 3. Philosophie 202.
c. Berufe 204. d. Liebe u. Ehe 204. e. Religion u. Kultus 207.
f. Gleichheitsbestrebungen. 1. Sophistik, Platon, Aristoteles 208.
2. Andere Schulen 209. 3. Neuplatonismus u. seine Zeit 210.–
II. Rom. a. Politik u. Recht. 1. Republik 211. 2. Kaiserzeit 213.
b. Gesellschaft; ethisches Schema u. Wirklichkeit. 1. Allgemein
215. 2. Gesetzgebung 216. 3. Literatur 216. 4. Seneca 217.
c. Ehe, Liebe u. Familie. 1. Allgemeines 218. 2. Gesetzgebung
u. Aristokratie 218. 3. Konkubinat u. Mätressenwesen 219. d. Geselligkeit (Kaiserzeit). 1. Fest u. Unterhaltung 220. 2. Baden
u. Sport 220. 3. Vereine u. Kultus 221. e. Bildung u. Berufe
(Kaiserzeit). 1. Allgemeinbildung 221. 2. Berufe 223. f. Cultus
u. Ornatus 223. – III. Spätjudentum. a. Recht, Gesellschaft,
Ethik 224. b. Kultus u. Gesetz 226. c. Mission 226.

B. Christlich. I. Historischer Jesus. a. Umgang mit F. 227.
b. Ehe u. Familie 228. – II. Urkirche. a. Hellenistische Gemeinde. 1. Mission 229. 2. Gemeindetätigkeit 231. b. Paulus.
1. Gottesdienst 232. 2. Ehe 233. c. Synoptische Tradition
235. – III. Gemeinden des 2./3. Jh. a. Soziologischer Befund
236. b. Gleichberechtigung 238. c. Abwertung der F. 1. Unterordnung (Haus u. Gesellschaft) 239. 2. Zurückdrängung in der
Kirche 241. 3. Grundsätzliche Inferiorität des Weiblichen 242.–
IV. Reichskirche. a. Allgemeines 243. b. Sozialethischer Ansatz. 1. Theoretische Doppelhaltung 245. 2. Praktische Lösungen 247. c. Privatisierte Unterordnung. 1. Ideal der Haus-F.
248. 2. Bildung u. öffentliches Auftreten 250. 3. Ehe u. Familie 252. d. Ausdrückliche F.feindschaft. 1. Anthropologie
der Ungleichheit 254. 2. Polemik 256. 3. F. als Versuchung
u. Gefahr 258. e. F. u. kirchliche Ämter (Diakonisse, Jungfrau,
Witwe) 260. f. F. u. Häresie. 1. Befund 262. 2. Bekämpfung
263.

**A. Nichtchristlich. I. Griechenland. a. Politik,
Recht, Wirtschaft. 1. Allgemeines.** Die ehemals herrschende Ansicht von der geradezu
,orientalischen Abgeschlossenheit' der athe-

nischen F. u. ihrem geringen Ansehen (als
,miserrima res') in Theorie u. Praxis hat mittlerweile an Geltung eingebüßt (nach einem
ersten Vorstoß von F. Jacobs: Verm. Schriften 4 [1830] 163/307 namentlich durch die
Arbeiten von Matthias, Gomme, Kitto, Ehrenberg; J. Vogt vertritt wieder den älteren
Standpunkt; vgl. P. Rau: Gnomon 40 [1968]
569f). So wenig wir infolgedessen von einem
Bruch zwischen athenischen u. späteren hellenistischen Verhältnissen sprechen können,
so sicher bleibt, daß zumindest die politischen
u. rechtlichen Möglichkeiten der griech. F.,
jedenfalls auf dem Festland, zunächst durchweg karg bemessen waren (Einzelheiten u. a.
bei Préaux). Bei der Entwicklung zu freieren
Verhältnissen, die sich gleichwohl in hellenistischer Zeit abspielt, tut man gut, zwischen
Kleinasien u. Athen bzw. Sparta, desgleichen
etwa zwischen Stadt u. Land zu unterscheiden (ein gemeingriech. Nenner läßt sich
schwer gewinnen; oft wird auch übersehen,
daß für ein jungverheiratetes Mädchen von
13/14 Jahren natürlich andere Maßstäbe u.
juristische Regelungen galten als für die rei-
fere F.: wie Xenoph. oec. für jenes, so gilt
zB. die materna potestas von Witwen für
diese [vgl. Préaux 144 mit Lit.]).

2. **Politik.** Je mehr freilich (u. überall dort,
wo) Politik Kommunalpolitik war, drang die
F. auch zu politischen Ämtern vor (s. zB.
Braunstein 9f; vgl. auch Plat. leg. 785 D).
Aber sogar außenpolitisch finden wir F. be-
teiligt, so bei der Gesandtschaft des ätolischen
Bundes zu Scipio (Polyb. 21,5,4). Die volle
Wahrnehmung des Bürgerrechts durch die
F. findet man am ausgeprägtesten im Kleinasien der Kaiserzeit (Übernahme von Liturgien u. Magistraten: Braunstein 64; anders
Ägypten: Préaux 130f; zu einem Ehrende-
kret für eine F. in Kyme s. A. Hönle: Arch-
Anz 82 [1967] 60f; u. Sp. 204). Einen besonderen Hinweis (mehr u. a. bei Macurdy u. C.
Schneider 81/94) verdienen die F. hellenistischer Königshäuser (s. dazu auch U. Kahrstedt, F. auf antiken Münzen: Klio 10 [1910]
261/314; vgl. W. Koch: ZsNum 32 [1924]
67/106). Wenn wir von F. hören, die mit dem
Heer ins Feld ziehen, so werden das im allgemeinen Hetären, Sklavinnen usw. gewesen
sein (Thuc. 3, 74; Plut. Pyrrh. 26/9; Phyl-
arch.: FGrHist 81 F 48; s. Jacoby zSt.; andere
Belege, auch römische, bei Herter 77[113/5];
Xenoph. inst. Cyr. 4, 3, 1; 5, 1, 1 verwirft das
Übel als ,barbarisch'), jedoch weiß man als

Zeichen ehelicher Treue u. Tapferkeit zu loben, wenn F. ihren Gemahl in die Schlacht begleiten (oder sich umbringen, wenn er fällt; Xenoph. aO. 7, 3, 13 f; 8, 4, 24 f), ein Ideal, das der Hellenismus steigert, wenn er die männlich-überlegene F. zu Ehren kommen läßt (Alexandr. frg. 10 Edm.; Diod. 3, 52, 4/55, 4; entsprechend blüht in der Kunst der Typus der Amazone). Bekanntestes hellenistisches Beispiel für weibliches Heldentum im Kampf war die F., durch deren Ziegel Pyrrhus ums Leben kam (Plut. Pyrrh. 34; Iust.-Trog. 25, 5, 1 hat die F. gestrichen).
3. Zivilrecht u. Wirtschaft. Entscheidend für die durchaus schon in klassischer Zeit beginnende Entwicklung ist die privatrechtliche Emanzipation der F.: die Gleichstellung in Erb- u. Vermögensrecht sowie die faktische Selbständigkeit bei Eheschließung u. -scheidung (hierzu s. zB. PElef 1 [311 vC.]; PGiss 1, 1, 2 Kornemann; im übrigen vgl. Préaux 147/69). So haben wir mit anerkanntem Wirken von F. in Produktion u. Handel zu rechnen (trotz des erst spät, wohl unter römischem Einfluß, verschwindenden Kyriats). In den hellenist. Ehekontrakten, welche die Gatten oft zu absoluter Treue verpflichten, erscheint die F. geschützt oder gar begünstigt. Die vermögensrechtliche Autonomie der F. (für Sparta vgl. zB. Aristot. pol. 1270 a) läßt sich etwa auch an der Zahl der Rennstallbesitzerinnen ablesen: bereits um 400 vC. nahm Kyniska, die Schwester des Agesilaos, mit einem Viergespann erfolgreich am Wettrennen in Olympia teil (Xenoph. Ages. 9, 6; Pausan. 3, 8, 1; 3, 15, 1; 6, 1, 6), wie später (iJ. 264 vC.) Belestiche, die Geliebte des Ptolemaios Philadelphos (Athen. 13, 576 F. 596 E; Pausan. 5, 8, 11). Aber auch Bürgerinnen sah man auf dergleichen Konkurrenzen, so die Töchter des Polykrates aus Argos (Ende des 3. Jh.; IG 2², 966 f) oder die Lakonierin Euryleonis (Pausan. 3, 17, 6). Kein Wunder also, daß auch der Staat vom persönlichen Vermögen der F. offiziell Kenntnis nahm, zB. bei der achäischen Kriegssteuer iJ. 146 vC. (Polyb. 39, 8, 6). „Die reiche F. gehört zum Gesamtbild des Hellenismus' (C. Schneider 80). Man ehrt solche Damen daher auch als Wohltäterinnen (TitAsMin 2, 3 nr. 767).
b. Geselligkeit u. Bildung. 1. Fest u. Feier. Äußerungen, daß die griech. F. dem Convivium fernbleibe, d. h. daß die Symposien als Herrenabende verlaufen (Cic. Verr. 2, 1, 66 neben 2, 5, 18. 30. 81 f. 137; Corn. Nep. pr.;

Plut. coniug. praec. 16, 140 B), beweisen natürlich gar nichts für eine durchgehende gesellschaftliche Quarantäne der F. (Stellen wie Thuc. 2, 45, 2 zu verallgemeinern, verbieten sowohl Komödie wie archäologische Zeugnisse), zumal sie, in diesem speziellen Fall, nicht einmal unbedingt zutreffen, da zB. F. als σύνδειπνοι auf der Bühne vorkommen (E. Hauler: WienStud 27 [1905] 97) u. später etwa Plutarch gleichwohl F. aus pädagogischen Gründen beim Symposion mithalten läßt (quaest. conv. 8, 3, 712 C; Symposien unter F. verspottet Menand. dysc. 855/9). Tatsächlich war nämlich die hellenist. Ehe-F. bei Symposien sehr wohl anzutreffen (S. Liebermann, Greek in Jewish Palestine [New York 1942] 47/50; J. Carcopino, Das Alltagsleben im alten Rom [1950] 411. 418; K. Latte: Gnomon 23 [1951] 255). Plutarch modifiziert also bereits einen Brauch, während Corn. Nep. pr. regelrecht falsch informiert (s. u. Sp. 218). – Sport von F. wird uns namentlich aus Sparta mitgeteilt (Eur. Andr. 595 f; Aristoph. Lys. 80; Nic. Dam.: FGrHist 90 F 103 Z; Suda s. v. Λυκοῦργος), wo die F. insgesamt freier lebte als in Athen (vgl. u. a. Aristot. pol. 1270 a; rhet. 1361 a 8/12; Plut. Lyc. 15, 1; gegen Plutarchs eugenische Deutung [Xenophon] s. jedoch Goessler 82; J. H. Thiel, De feminarum apud Dores condicione 1: Mnemos NS 57 [1929] 193/205), aber für Athen gelten entsprechende Verhältnisse gleichfalls (s. etwa die sog. ,vatikanische Wettläuferin' bei Ahrem Abb. 110 [Mitte des 5. Jh. vC.]). Natürlich kauft die F. auch selbst ein (u. a. Aristoph. Thesm. 279. 457. 821; von Paoli 9 f noch für hellenist. Zeit bestritten, aber Theophr. char. 9, 10. 22 dürfte durch Theocr. 15, 15/20 [Alexandria] kaum bestätigt, ja durch das Vasenbild ,F. beim Schuster' [Paoli 32] regelrecht widerlegt werden). Daß sich je nach Alter, Stand u. Vermögen der Ehe-F. das Auftreten in der Öffentlichkeit staffelte, versteht sich von selbst; für allgemeine ,Klausur', die lediglich bei großen öffentlichen Festen durchbrochen worden wäre (Paoli 12), sprechen jedenfalls weder die Sorgfalt in Putz u. Kosmetik noch der Besuch öffentlicher Bäder, wie uns das die Vasenbilder überliefern. Der Anlässe, aus dem Haus zu kommen, waren viele (Ehrenberg 201; vgl. u. a. Aristoph. eccl. 446/8. 528 f; Lys. 865/9; Soph. El. 970/2; Oed. rex 1489/91), auch abgesehen von besonderen F.klubs (zB. IG 2², 1346) oder, in hellenistischer Zeit, von weitläufigen Reisen

(Préaux 173). So kommt Aristoph. frg. 318 K. eine F. von einem Fest bei der Freundin u. hat versäumt, Essen für die Familie einzukaufen; verständlich, daß Männer von dergleichen Zusammenkünften, auf denen auch getanzt wurde, nicht immer erbaut waren (Lys. 793/6). Träfe die ‚strenge Abgeschlossenheit‘ zu, wären zB. Ehebruch u. Klatsch schwer möglich (Aristoph. Thesm. 338/40. 389/99. 471/89. 560/3; av. 793/5; Plut. 975/9). Die F.gestalten der Komödie, so des Aristophanes Lysistrate, sprechen ganz allgemein beredt genug für ein ziemlich freies Dasein schon der athenischen F. (vom Fehlen politischer Rechte immer abgesehen). – Die ältere Forschung war auch geflissentlich bemüht, eine Anwesenheit der griech. F. im Theater aus moralischen Gründen zu bestreiten (oder doch nur partiell zuzugeben, nämlich entweder für Hetären oder nur für den Besuch der Tragödie), aber solche Sperre läßt sich nicht beweisen (vgl. Plat. Gorg. 502 D; leg. 658 D; Ehrenberg 27₂). Wie auch immer im Einzelfall verfahren wurde: es wäre falsch, Teilbefunde, insbesondere der Literatur, prinzipiell zu deuten (dazu gehört auch die soziologische Auswertung normativer oder tendenzbedingter Sätze in Drama u. Beredsamkeit [dies letzte zB. auch bei Savage]; verbreitete Forderungen, die F. habe den Mund zu halten, im Haus zu bleiben usw. [Modellfall: Aeschyl. sept. 182], besagen keinesfalls, die Haus-F. sei tatsächlich zum Schweigen verurteilt oder an den Herd gefesselt gewesen; das Gegenteil ist eher der Fall; auch PsDemosth. or. 59, bes. 59, 122 [Hetäre-Kebsweib-Ehe-F.] ist, obwohl forensisch bedingt, früher als Quelle überbewertet worden).

2. Bildung, Kunst, Wissenschaft. Auch mit der Bildung der griech. F. stand es keineswegs so arg wie man früher annahm (soziale u. geographische Unterschiede immer eingerechnet). Zu schweigen von den Verhältnissen, welche die frühgriech. Lyrik voraussetzt; das Athen schon des 5. Jh. vC. kannte die F.bildung als Postulat (Bruns 179). Bei Euripides hören wir von einer Mutter, die ihre Kinder in Philosophie u. Kosmologie unterweist (Melan. frg. 482/4 N.²), sowie allgemein von F., die philosophisch denken u. musisch gebildet sind (Med. 108/10. 410/30; vgl. die σοφαί Hipp. 640; Andr. 213. 245); ein selbstbewußtes ἐγὼ γυνή kann bedeuten: ich habe Verstand u. Bildung (Aristoph. Lys. 1124/7). – Vernehmlicher spricht die helle-

nist. Zeit zu uns. Sie kennt eine ansehnliche Zahl von Dichterinnen (Ditt. Syll.³ 2, 738; SEG 2 [1925] 322f usw.); sie pflegen insbesondere, Hand in Hand mit der Sappho-Renaissance, Lyrik u. Epigramm; so Anyte v. Tegea (um 300 vC.; Anth. Pal. 4, 1, 5), die ‚rote Lilie‘ des Meleagros, die anscheinend gegen Entgelt die Asklepiosinschrift in Naupaktos verfaßt hat; Erinna aus dem rhodischen Telos schrieb eine Klage um ihre Freundin (Elekate, ed. P. Maas: Hermes 69 [1934] 206/9) u. Grabepigramme (Anth. Pal. 7, 710. 712), ja ihr Preis eines Mädchenporträts (ebd. 6, 352) ist für uns das älteste Beispiel dieses Typs epigrammatisch-epideiktischer Ekphrasis von Kunstwerken. Ihm widmete sich auch Nossis von Lokroi (ebd. 6, 354; 9, 332. 604f), die erste Dichterin hellenist. Erotik. Schließlich sei noch erwähnt die mit dem Philologen Andromachos verheiratete Moiro (Myro) von Byzanz (ebd. 6, 119. 189; zum Ganzen s. G. Luck, Die Dichterinnen der griech. Anthologie: MusHelv 11 [1954] 170). Wir erfahren von F., die mit Rezitationen Griechenland bereisen (so Aristodama v. Smyrna, die ihr Bruder als Manager begleitet, Ditt. Syll.³ 1, 532). – Nicht wenige widmeten sich beruflich der Musik, so Lampro von Chios, die aus einem Grabrelief zu uns spricht (M. Wegner, Das Musikleben der Griechen [1949] 159f). In Alexandria gab es Gesang- u. Instrumentalsolistinnen, zT. hochbezahlte Stars (Theocr. 15, 96/9. 145f; PCairo Zen. 59028. 59059. 59087). Aus Delphi ist die Proxenie für eine Harfenspielerin belegt (Ditt. Syll.³ 2, 689. 738 A). Schauspielerinnen sind hingegen selten u. zählen, wo zahlreicher, nicht eben zur ehrbaren Gesellschaft (von einer Schauspielerin, die zur königlichen Hetäre avanciert, berichtet Polyb. 14, 11, 4), sowenig wie Tänzerinnen u. Miminnen (vgl. u. a. Xenoph. conv. 9 [Ariadne-Ballett]). – Es gibt, je stärker sich die Mädchenbildung ausbreitet (E. Ziebarth, Aus dem griech. Schulwesen [1909] 32. 50. 78 u. ö.), studierende F. (Hopfner 380/2), mehr u. mehr dann auch weibliche Gelehrsamkeit. F. schreiben Bücher über Kochkunst u. Kosmetik, ja eine Philologin in Alexandria befaßte sich mit der Frage, ob das homerische Ilion dasselbe sei wie das zeitgenössische (s. Hestiaia).

3. Philosophie. Schülerinnen Platos sind zwei überliefert (Diog. L. 3, 46), aus welchem Stande, wissen wir nicht. Aus dem Peripatos ist Theophrasts Schülerin Pamphile bekannt,

die Hypomnemata verfaßte (O. Regenbogen: PW 18, 2 [1949] 309), während jene F., die gegen ihn geschrieben haben soll, für uns anonym bleibt (Plin. n. h. pr. 29). Anders die Kynikerin Hipparchia: schön, reich, aus vornehmem Hause, gibt sie Heimat u. Vermögen auf, um den Kyniker Krates zu heiraten; die Ehe galt als sehr glücklich (Diog. L. 6, 96/8). Besonders von den Epikureern wußte man, daß sie F. als Schüler u. sogar Lehrer favorisierten (N. W. de Witt, Epicure and his philosophy [Minneapolis 1954] 95f). Wir hören von Leontion (Sen. frg. 45; die übliche Skandalgeschichte bei Diog. L. 6, 23), die Epikurs Freund Metrodoros heiratete, ferner von Themista, die mit dem Meister korrespondierte (Cic. Pis. 63; fin. 2, 68). Andere hierhergehörige Namen lassen möglicherweise auf Hetären schließen (Diog. L. 10, 5/7; Plut. non posse suav. viv. 16, 1097 D/E; andere Belege bei Herter 76$_{109}$. 96$_{497}$). Mit weiblicher Anhängerschaft hat auch die Stoa gerechnet, wie es ihr Gleichheitsgrundsatz erheischte (s. u. a. SVF 3, 254; Muson. 34 Hense; Sen. Helv. 16, 6f). Jamblich zufolge (v. Pyth. 36) haben schon in der pythagoreischen Schule siebzehn F., die er mit Namen nennt, eine Rolle gespielt, aber das wird natürlich kaum schon für hellenistische Zeit gelten (s. auch u. Sp. 210; über Philosophinnen in Alexandria s. W. Schubart, Ägypten von Alexander dem Gr. bis Mohammed [1922] 160/3). – Das alles betraf freilich nur eine Minderheit; obwohl zB. hellenistische Dichtung u. Romanliteratur ein breiteres weibliches Publikum voraussetzen, blieb insgesamt die παιδεία der F., laut Platon Glück des Staates (leg. 805 C), einstweilen spärlich (J. Kaerst, Geschichte des Hellenismus 2³ [1968] 286 mit Lit.). Offenbar hat auch die hellen.-röm. Sepulkralkunst in äußerst geringem Maße gerade die Bildung einer F. darstellerisch hervorgehoben (vgl. etwa H. I. Marrou, Μουσικὸς ἀνήρ [1938] nr. 68 [= Wilpert, Sark. Taf. 5, 1] u. nr. 71 mit Abb. auf Taf. 3), da die einschlägigen (häufigeren) ‚Leseszenen' in Wirklichkeit weniger auf die Erudition als auf die Tugend der F. abzielen (Klauser 2, 125). Soweit wir sehen können, stand jedenfalls noch im 1. Jh. vC. das Ausmaß an weiblicher Bildung in krassem Mißverhältnis zur wirtschaftlichen Rolle der F. Daß jedoch einer aufstrebenden Minderheit die geistige Gleichberechtigung in Grenzen auch praktisch gelang, ist bedeutsam genug

(zu weiteren Schritten in der Kaiserzeit s. u. Sp. 222).

c. Berufe. Von der ökonomisch selbständigen F. war schon die Rede (o. Sp. 199), desgleichen von künstlerischen Berufen (o. Sp. 202). Als bescheidene Ergänzung sei hier daran erinnert, daß zB. in Sparta ein großer Teil der Verwaltung von Landgütern in Händen von F. lag; Vergleichbares gab es aber auch in Ägypten (POxy 2274 betrifft eine Grundbesitzerin mit eigener Transportflotte). Kleinasien ist, wie noch in der Kaiserzeit (u. Sp. 222f), für seine Ärztinnen bekannt (zB. TitAsMin 2, 595 aus Tolos in Lykien). Sportliche Betätigung von F. war alt, aber in späthellenist. Zeit hören wir gar von jungen Damen, die sich dem Berufssport widmen, so die drei Töchter des Hermesianax v. Tralles Tryphosa, Hedea u. Dionysia, die in den Jahren 47/41 vC. mit Laufen, Wagenrennen u. kitharödisch am Agon teilnehmen (Ditt. Syll.³ 2, 802; Anth. Pal. 13, 16). – Was den Mittelstand angeht, so kam es vor, daß die F. analog dem Beruf ihres Mannes arbeitete, also etwa Goldschmied war, wie der Mann Helmschmied (Ditt. Syll.³ 3, 1177). Wenn hingegen von F. die Rede ist, die Backwaren, Kränze u. Blumen oder Salben feilhielten (Belege bei Herter 75), so handelt es sich da wohl durchweg um Damen zweifelhaften Rufes. Weibliche Lohnarbeit schließlich, von der Terrakotten u. Reliefs erzählen, war wohl ausschließlich Sache von Sklavinnen, obwohl sich in Athen auch F. freier (jedoch ärmerer) Männer in der Landwirtschaft verdingten (A. M. Jones, Die wirtschaftlichen Grundlagen der athen. Demokratie: Welt als Geschichte 14 [1954] 10/28). Allgemein sei zu diesen Fragen verwiesen auf P. Herfest, Le travail de la femme dans la Grèce ancienne (Utrecht 1922) u. Ph. Koukoulès, Vie et civilisation byzantines 2, 1 (Athènes 1948) 232/5; 2, 2 (1948) 204/9.

d. Liebe u. Ehe. Wichtiges Ingrediens hellenistischer Geistesgeschichte ist das überaus vermehrte Interesse an der weiblichen Psyche, an speziell weiblichen Seelenlagen ebenso wie an fraulichem Verhalten in Ehe u. allgemeiner Sitte (s. auch u. Sp. 209). Im Drama wird die Entdeckung der F.seele dem Euripides verdankt (seinen tiefen Realismus als ‚Weiberfeindschaft' anzuschwärzen, blieb unverständiger Polemik vorbehalten). Für die nachfolgende Dichtung sei auf die ‚Lyde' des Antimachos v. Kolophon, auf die

‚Leontion' des Hermesianax u. auf die Medea-Gestalt des Apollonios Rhodios verwiesen (3, 250/98. 444/71. 616/738. 751/837. 948/1136; 4, 350/451. 1011/67; das Sujet bleibt, bis hin zu Ovid u. Seneca, geradezu obligates Thema der Poesie). Den gleichen Tatbestand wie die Dichtung (zB. Theocr. 15, 64. 145f; vgl. 2 mit der durchaus abflachenden Rezeption in Verg. buc. 8; genannt sei ferner Antipater v. Sidon) spiegelt die hellenist. Plastik: die schon mit Praxiteles einsetzende Darstellung der beseelten F. gewinnt Gestalt in Skulpturen wie der Aphrodite von Pergamon (2. Jh. vC.) oder der Muse von Venedig (anderes bei C. Schneider 109), just wie der Liebe Lust u. Leid als weibliche Erfahrung in die Poesie Eingang finden (bis hin zur verkitschten Klage des verlassenen Mädchens PGrenf 1 [2. Jh. vC.]; s. auch o. Sp. 199 sowie A. Buchholz, Zur Darstellung des Pathos der Liebe in der hellenist. Dichtung, Diss. Freiburg [1954]). Die Anteilnahme am Seelenleben der F. ersieht man auch daraus, daß in der Plastik seit dem 4. Jh. vC. die Beterin beliebter Vorwurf wird (Klauser 2, 125 zu Plin. n. h. 34, 73. 78. 86. 90). – Man beschäftigt sich mit Psychographien sowohl pathologischer Fälle (C. Schneider 104) als auch ‚normaler' F. (zB. Philetas v. Kos in seiner ‚Bittis' oder Kallimachos; hierzu s. K. Ziegler, Kallimachos u. die F.: Antike 13 [1937] 20/42). Es kommt zu einer Typologie der F. in Hinsicht auf ihr Seelenleben (für Menander Belege in Körtes Index s. v. γυνή). Längst hat man, gerade auch wegen der gewachsenen Emanzipation, bei aller Gleichheit (o. Sp. 203) auch auf den Unterschied Mann-F. zu achten gelernt (zB. frg. com. inc. nr. 1294 Edm.; vorher: Δισσοὶ λόγοι 2, 5f [VS 90]), wie denn gerade seelische Spannungen zwischen den Geschlechtern oft behandelt werden, etwa im mythischen Modell Kybele-Attis, des weiteren in der typisch hellenist. Schöpfung des Misogynen (vgl. Menand. frg. 276/85 Körte-Thierf. u. die Nea allgemein; Stellen bei C. Schneider 117₁). Ihm korrespondiert die Figur der herrschsüchtigen F., der uxor mala (Philemo frg. 132 Edm.; Menand. frg. 59. 251. 592f K.), aber daneben steht die Erkenntnis, erst der Mann sei Anlaß für die Schlechtigkeit der F. (vgl. Menanders Abrotonon in den Epitrepontes). – Nächst der εὐσέβεια tritt aber auch zB. die Mutterliebe ins Blickfeld der Reflexion (Menand. frg. 685 K.; Philemo frg.

156; Alexis frg. 267 hat in Ditt. Syll.³ 3, 1072 u. BGU 3, 846 eine willkommene Entsprechung). Jene vorgenannten Einsichten nämlich (eine Auswahl mußte genügen) schlagen sich in der Auffassung von Ehe u. Familie nieder. Dabei wird weniger von Belang sein, daß die Haus-F., Platon zufolge dem Manne untertan (Meno 71 E), ihre Position durchaus hält (vgl. Theokrits ‚Spindelgedicht' u. die üblichen Darstellungen der F. mit Spindel oder Wollkorb in den Monumenten; zB. Beazley, ARV² nr. 1225, 1; die Grabstele der Mynno: Berlin, Staatl. Mus., Antikenabt. K 23 [attisch, 430/400 vC.], s. die spinnende F. ebd. K 61), entscheidend ist vielmehr, daß im Zuge intensiver Würdigung weiblicher Individualität in Theorie u. Praxis der Sinn für glückliche Ehen sich entwickelt. In fortgeschrittener Zivilisation ist Gleichberechtigung zwischen Mann u. F. Bedingung für eheliche Harmonie (so formulieren es auch stoische Philosophen; s. u. Sp. 210). Daß Wert u. Eigenart der F. sich in der Ehe erfüllen u. daher die Monogamie erfordern, hat der Hellenismus entdeckt (wie die Δισσοὶ λόγοι aO. soll schon Pythagoras die Einehe verlangt haben: Iambl. v. Pyth. 132). Dagegen kannte der Orient einen Verleih von Ehe-F. aufgrund rechtsgültiger Verträge (C. Bartholomae, Zum sassanidischen Recht 1: SbHeid 1918, nr. 29/38), ein Verfahren, das in Griechenland unmöglich gewesen wäre u. den Unterschied der Kulturstufen grell beleuchtet (wenn der jüngere Cato es nachahmte, als er seine Marcia dem Hortensius abtrat, zeigt das, wie roh selbst ein angeblicher Stoiker der röm. Oberschicht noch über die F. dachte, obwohl solcher Mißbrauch der patria potestas immerhin auffiel; vgl. u. Sp. 240). Die seelische Bedeutung der Ehe, schon im frühen Griechenland entdeckt (vgl. Gestalten wie Alkestis, Andromache, Penelope), wird immer mehr gewürdigt (u. Sp. 210 u. Plut. Brut. 23), was selbst Äußerungen bezeugen, welche die Ehe als notwendiges Übel erklären (Susario frg. 1 Edm.; Anaxandr. frg. 52; Alexis frg. 262; Philemo frg. 196/8; Menand. frg. 574. 578 K.). Ratschläge der Komödie für Eheglück lauten entsprechend (zB. Menand. frg. 335 K.; anderes bei C. Schneider 102₁/₃). Vorbildliche Ehen, auch in Kreisen der Prominenz, sind uns hinreichend belegt (Plut. Phoc. 19, 4; Cleom. 22; S. H. Bell, A happy familiy: Aus Antike u. Orient, Festschrift W. Schubart

[1950] 38/47), nicht zuletzt in den Liebe u.
Gefühl bezeugenden Grabschriften (vgl. Anth.
Pal. 7, 331. 333. 340. 667; Callim. epigr. 15;
Preisigke-Bilabel 3, 1 nr. 6697 u. ö.).

e. Religion u. Kultus. Hierzu vgl. allgemein
u. a. F. Poland, Geschichte des griech. Ver-
einswesens (1909) 289f. 345f. So sicher der
F. bestimmte Kulte versagt blieben (so der
Herakleskult: SEG 2 [1925] 505; Liv. 1, 7, 3;
Plut. quaest. Rom. 90, 285 E/F; Macrob. Sat.
1, 12, 28; Delphi: Plut. de E ap. Delph. 2, 385
C), so sehr stach ihre Rolle hervor im Dienste
zB. der Artemis, des Dionysos (Liv. 39, 13, 8;
vgl. 15, 9, 5; 10, 5; 12, 6; s. u. a. F. Cumont,
The bacchic inscription in the Metropolitan
Museum: AmJArch 37 [1933] 260), der Athene
Polias (Ditt. Syll.³ 3, 1008; Berlin, Staatl. Mus.,
Antikenabt. K 104), der Demeter, zu deren
Allerheiligstem ausschließlich F. Zugang hat-
ten (Cic. Verr. 2, 4, 19; Pausan. 7, 27, 9; P.
Canivet zu Theodrt. cur. aff. 1, 22 [SC 57, 109]).
Das gilt seit dem Ende des 3. Jh. vC. natürlich
auch für Rom, wie nicht zuletzt der sog. Bac-
chanalienskandal des Jahres 186 vC. zeigt.
Entsprechend zahlreich waren daher in diesen
Kulten Priesterinnen (s. zB. das Grabrelief
aus Smyrna [2. Jh. vC.]: Berlin, Staatl.
Mus., Antikenabt. Sk 767). So hat sich
etwa Faustina d. Ä. als Isispriesterin darstellen lassen (Th. Kraus, Das röm. Welt-
reich [1967] Taf. 303). Eine Ceres-Priesterin,
hier vor einem Kybele-Altar, sehen wir noch
auf dem berühmten Elfenbein-Diptychon der
Nicomachi u. Symmachi vom Ende des 4.
Jh. nC. (W. F. Volbach-M. Hirmer, Frühchristl. Kunst [1958] nr. 90); das Pendant
zeigt eine Bacchus-Priesterin vor dem Altar
Juppiters (ebd. nr. 91). – Daß die F. bei den
großen staatlichen Festen gemeinhin zu-
rückstand, mag ihre Neigung zu östlichen
Kulten, zu den Mysterien oder gar zu magischen Praktiken gefördert haben (A. D.
Nock, Eunuchs in ancient religion: ARW
23 [1925] 27; H. Bolkestein, Theophrastos'
Charakter der Deisidaimonia [1929] 68/70;
Plut. coniug. praec. 19, 140 D; Sen. matr.
frg. 88 Haase; Strabo 7, 3, 4; Philostr. v.
Apoll. 8, 7, 9; vgl. Iuven. 6, 610/2; andere
allgemeine Belege bei Reitzenstein, Poim.
228f). In den Mysterien scheint die F. durchweg stärker gleichberechtigt gewesen zu sein;
sie wird, vor dem Mann als Zeugen, in alle
Mysterien eingeweiht (Zeugnis aus dem 4.
Jh. nC.: Dessau 1258/60), ja vollzieht selbst
die Initiation, auch an Männern (Deubner,

Feste Taf. 6, 3). Wie sich den Denkmälern
entnehmen läßt, wurde auch Mädchen der
Aufnahmeritus zuteil (vgl. Ahrem 226/34;
A. Maiuri, La villa dei misteri [Roma 1931]
Taf. 10/2; Kraus aO. 205f [mit Lit.] u. Farbtaf. 5: Einweihung eines Mädchens in die
dionysischen Mysterien auf pompejanischen
Fresken [mit Auspeitschung]). Im Festzug der
eleusinischen Mysterien sehen wir Männer u.
F. in bunter Reihe (Deubner aO. Taf. 5, 1. 2;
6, 1; anders bei den Mysterien von Andania,
Ditt. Syll.³ 2, 736, 4). Diese Gleichberechtigung, die zu rügen noch kirchliche Polemik
Anlaß hatte (u. a. Cyrill. Alex. in Is. 2, 2
[PG 70, 441 B/C]), ergab sich vielleicht aus
der Herkunft der Mysterien aus Familien-
kulten: die Einführungsformen blieben erhalten, so auch die Stellung der F. (über ihre
führende Rolle im häuslichen Kult [s. auch
o. Sp. 205 zum Typus der ‚Beterin'] vgl. H.
J. Rose, The religion of a greek household:
Euphrosyne 1 [1957] 95/116). Aus solchen
Funktionen konnte sich (von der Pythia bis
zur Sibylle) der bedeutende Komplex ‚F.
als Offenbarungsträger', den wir im späteren
Synkretismus antreffen, leicht entwickeln.

f. Gleichheitsbestrebungen. 1. Sophistik, Platon, Aristoteles. Eine von Aspasia (Gomme
15₁) geführte F.bewegung im perikleischen
Athen, wie Bruns sie postulierte, mag unwahrscheinlich sein, aber Bestrebungen, die,
teils mehr philosophisch, teils mehr politisch
orientiert, der F. gleiche Anlagen u. Rechte
zuzubilligen versuchten, hat es mit Sicherheit gegeben (man denke nur an Komödien-
titel vom Typ Gynaikokratia, die solche Tendenzen ad absurdum führen wollen). Kritik
an der Unterordnung der F. haben zT. die
Sophistik u. Sokratik geübt (W. Nestle, Vom
Mythos zum Logos² [1942] 473/96); die Begründungen lauteten naturrechtlich (zB. Antipho
frg. 415 K.) oder mehr ethisch-politisch
(Antisth. bei Diog. L. 6, 12; von da aus auch
moralische Gleichbewertung der Geschlechter in der Ehe, so Isocr. or. 3, 40; das führt
später besonders die Stoa weiter; s. u. Sp. 210);
daß sie mit dem Kampf für demokratische
Verhältnisse eng zusammenhängen, wurde
früh gesehen (Aristoph. ran. 948/52) u. von
Platon u. Aristoteles entsprechend gewürdigt (u. a. Plat. resp. 563 B; Aristot. pol.
1313 b 32; 1319 b 30f). Jener übernimmt,
trotz allgemeiner Minderbewertung der F.
(resp. 454 D/456 A; leg. 781 D 2; Tim. 41 B/
C. 90 E. 91 D; Phaedr. 248 D; vgl. O. Apelt

im Komm. zu Tim. 42B [164]), Gleichheits-
axiome wenigstens für die Oberschicht seines
Idealstaates (leg. 770D. 824C u. ö.; Gleichbehandlung in Strafrecht u. bürgerlichen
Pflichten, zB. 785D. 882B). Er argumentiert
naturalistisch für absolute Gleichheit (resp.
466C/D; vgl. 455A/E), unleugbare Unterschiede ziemlich mechanisch nivellierend, so
daß eine Verwirklichung dann doch wieder
vereitelt ist (Becker 20f); gleich dem Manne
gebildete F. sind, so Platon, das Glück des
Staates (leg. 805C), aber trotzdem will er
die Lebensweise der F. gesetzlich zügeln, um
τρυφή u. allzuviel Freiheit zu bändigen
(ebd.). Ähnlich zwiespältig äußert sich Aristoteles. Ungeachtet allen Redens von gleicher ἀρετή bzw. ἀνδρεία (pol. 1260a; 1277b;
vgl. met. 1058a 29) u. der Zuordnung der F.
zu den ‚Freien‘ (pol. 1252b 5; 1260b 20 wiederholt die aus der Luft gegriffene These,
alle Barbaren achteten die F. den Sklaven
gleich; vgl. Plat. leg. 805D/E; Plut. Lucull.
18, 3), sucht er eben doch eine vorgestrige
Sozialstruktur zu rechtfertigen (pol. 1259f;
Préaux 129): übermäßige Freiheit der F. ist
politisch von Übel (pol. 1269b 12/1271b 19 mit
Blick auf Sparta), besser ordnet die F. sich
unter u. wird im Sinne der Verfassung erzogen
(pol. 1254b 17/9; 1259b 1/17; 1260b 16/8). Es
gibt, ethische Gleichwertigkeit oder nicht, eben
doch auch ausgesprochen dienende ἀρεταί
(pol. 1260a 23; 1260a 30 steht der Topos vom
‚Schweigen, das der F. gebührt‘), u. so bleibt
es denn beim qualitativen Unterschied der
Geschlechter (pol. 1254b 13; 1259b 34; 1277b
20; vgl. poet. 1454a 16). Klar gesehen hat
Aristoteles, daß die Freiheit der F. ein ge-
zielt demokratisches Anliegen ist, die Gynai-
konomoi dagegen autoritäre Verfassung
spiegeln (pol. 1299a 24; 1300a 4f; 1319b
30f; 1323a 4f).

2. Andere Schulen. Andere philosophische
Schulen, jetzt ohne politische Nebengedan-
ken, verwenden sich zT. betont für die
Gleichberechtigung der F., so Kynismus u.
Stoa (zu den Epikureern s. o. Sp. 203),
wenngleich hier manches entlegene Theorie
blieb (Chrysipp. frg. 245/54 [SVF 3, 58f];
Epict. 3, 7, 20; gegen 3, 1, 27; Preisker 26[103])
u. die Gleichheit von Mann u. F. am Ende
nur auf harmonisches Zusammenleben oder
Einklang der Interessen hinauslief. Allgemein eröffnet das im Hellenismus zunehmende Interesse für die F. (o. Sp. 204) die
Tradition der Kataloge von mulierum vir-

tutes (s. F. Wehrli zu Dicaearch. frg. 60. 64.
65) u. bewirkt, daß F. u. Ehe (die F.frage
war inzwischen privatisiert) als ethisches
Thema Gemeingut werden (vgl. Diog. L. 7,
33; Urteile über den Charakter der F. findet
man u. a. bei Hopfner 367/80; s. o. Sp. 206;
zu den Neupythagoreern im Verhältnis zu anderen hellenistischen Schulen: A. Dihle, Die
Goldene Regel [1962] 123[1]). Daß der F. Bildung not tut, wird mehr u. mehr herausge-
strichen (Plut. coniug. praec. 48, 145E; mul.
virt. 243A/E; Muson. 17, 5f Hense), aber
Haushalt u. Familie behaupten nach wie vor
den ersten Platz. In der Ehe bleibt, aller geforderten geistigen Partnerschaft ungeachtet,
der Mann doch führender Teil (Xenophon,
Plutarch; Goessler 63. 82; Buddenhagen 11
[mit Belegen]; bei niedrigem Heiratsalter der
F. ist das kaum anders denkbar). Bis hin zur
frühen Kaiserzeit hat die stoische Ethik über
die Würde der F. viel Feines zu sagen gewußt: gefordert wird strenge Monogamie (o.
Sp. 206), die Ehe gilt als geistige Gemeinschaft zwischen (prinzipiell) Gleichen (das
ist zB. bei Plutarch neu gegenüber Xenophon; vgl. Goessler 61f sowie Preisker 23f;
daher Abraten von der Mischehe; s. Goessler
52; zu Musonius s. u. Sp. 217). Das heißt freilich auch, daß ‚Geist‘ u. Sexualität, diese
lediglich als τεκνοποιία gutgeheißen, nicht
zur Versöhnung finden, obwohl Mann u. F.
ethisch durchaus gleichstehen (Sen. matr.
frg. 86 Haase; ep. 94, 26; zu Seneca s. im
übrigen u. Sp. 217f).

3. Neuplatonismus u. seine Zeit. Der Neuplatonismus schließlich kennt eine Gleichheit der F. nur im Bereich der reinen Lehre,
als Begegnung jenseits aller Geschlechtlichkeit; man schätzt F. als Schüler (Porph. v.
Plot. 9, 1. 12; v. Pyth. 19; vgl. Gestalten wie
des Porphyrios F. Marcella, Hypatia, Sosi-
patra, Asklepigeneia, Haedesia). Aber infolge der Abneigung gegen alles Körperliche
einschließlich der Ehe (die zwecks Kinder-
segen immerhin konzediert wird; s. Marin. v.
Procl. 20 u. V. Cousin zSt.) steht das Streben nach Geschlechtslosigkeit obenan, u.
für den Philosophen wird Apathie oder gar
Abscheu gegen alles Weibliche erstrebens-
werter Zustand (u. a. Plot. enn. 3, 5, 1;
Porph. abst. 2, 34. 45; 4, 20; Damasc. v.
Isid. frg. 222 Zintzen; diese doppelte Moral
unterscheidet den Neuplatonismus beträchtlich von der Stoa). Im Roman schlägt
sich diese Haltung u. a. bei Heliodor nieder

(2, 33; 3, 33; 4, 18; 5, 4; vgl. 6, 10). Diesen
Asketismus, der letztlich religiösen Ursprungs
ist u. zB. auch den Gedanken der ‚geistlichen Ehe' kennt (interessantes Dokument ist
hier MAMA 8 [1962] 132, 5f vom Ende des
3. Jh. nC.; s. W. M. Calder-J. R. Cormack
zSt.), teilt ja auch das gleichzeitige Christentum. Die scheinbare Diskrepanz: dort F.
als geistiger Partner, hier Ausschluß des
Weiblichen, verschwindet auf der ‚höheren
Ebene' des Ungeschlechtlichen. Von realen
Gleichheitsbestrebungen sind wir hier inzwischen weit entfernt; daß sie nebenher
weiter bestanden, zeigt die Isislitanei POxy
1380, 214/6 (2. Jh. nC.), in der Isis wie auch
andernorts als Vorkämpferin für die Gleichberechtigung der F. gepriesen wird (vgl.
Preisker 46; Préaux 172; Diod. 1, 27). –
Interessant, daß noch in der Spätantike F.-
emanzipation von ihren Gegnern häufig sexualethisch verzeichnet u. als F.gemeinschaft im Sinne ‚freier Liebe' verleumdet
wurde (oft auch nur aus Effekthascherei);
das widerfuhr Sparta (u. a. Plut. Lyc. 31),
den Etruskern (Theopomp. bei Athen. 12,
514 = FHG 1, 315), dem Kynismus (Diog.
L. 6, 72) u. den Idealstaaten Zenons u. Chrysipps (Diog. L. 7, 131; Plut. aO.). Umgekehrt
behauptet Epiktet (u. Sp. 219), die emanzipierten Damen Roms beriefen sich für ihr
Liebesleben auf Platon (zur Übernahme der
Methode ins Christentum s. u. Sp. 264).

II. Rom. a. Politik u. Recht. 1. Republik.
α. Rechtsentwicklung seit altröm. Zeit.
Die privatrechtliche Lage der F. (Ehe- u.
Erbrecht) ist durch den Rückgang der Manusehe seit dem Ende des 3. Jh. vC. entscheidend verbessert worden (*Ehe). Obwohl für
die verheiratete F., zumindest bis zum 25.
Lebensjahr, äußerlich die alte (gentilizische)
väterliche Gewalt fortlebt (die Witwe hingegen ist sui iuris), verfügt sie faktisch doch
über ihr Vermögen; besonders die reichen
Erbtöchter (die ‚dotatae', Schreckbild in
Komödie u. Satire; s. u. a. Marquardt 1, 61₄)
schaffen sich ihre unabhängige Lebensform
(vgl. die Debatte zur Lex Voconia vJ. 169;
Villers 185f), die von Moralisten natürlich
als luxuria u. Verfall der Keuschheit verdammt wird (zB. von L. Piso Frugi iJ. 133
vC. [Verfall der pudicitia ab 154]: Plin. n. h.
17, 245; allgemein: luxuria, als aus dem Osten
eingeschleppt, auf ca. 200 vC. datiert bei
Liv. 39, 6, 7; das gleiche Datum Val. Max.
9, 1, 3; ab 186 vC. rechnet hier Piso frg. 34 =

Liv. 39, 6, 7; vgl. weiter u. a. Prop. 3, 13, 1/4.
11f; Hor. c. 3, 6, 25/35). Obwohl in der Oberschicht die von der gens verfügten politischen
Zweckehen (Balsdon 47) so wenig aussterben
wie Frühverheiratungen der Tochter durch
den Vater oder Vormund (u. a. Cic. Att. 1, 3, 3
u. die hübsche Begebenheit Liv. 42, 34, 3f),
kann doch im allgemeinen die F. eine Ehe
selbständig schließen u. lösen (Balsdon 2/6),
verbindlich letztwillige Verfügungen treffen
usw. (weniger bekannte bezeichnende Beispiele: Cic. Att. 1, 5, 6; 7, 8, 3; fam. 8, 7, 2;
Verr. 2, 1, 105/10; 2, 53; freie Wahl des Namens: Tac. ann. 13, 45; zur Frage der Beinamen vgl. Villers 180f). Das Wesen dieses offenkundigen Hellenisierungsprozesses einschließlich der traditionellen Einwände kommt vorteilhaft zur Sprache im livianischen Bericht
über die Aufhebung der Lex Oppia (Liv.
34, 2/8; erzählt zum Jahre 195 vC.); dort
läßt Livius (34, 7, 11) den Volkstribun
Valerius treffend bekunden, daß die heraufziehende F.emanzipation einer wirklichen
Ehe überhaupt erst Luft schaffe, ein sozialethischer Standpunkt, der jenem der Stoa verwandt ist (zum Recht ἐφ' ἁρμάτων ὀχεῖσθαι
vgl. Diod. 14, 116; Ov. fast. 1, 617f; Plut.
quaest. Rom. 56, 278 B mit Roses Anm. zSt.
sowie R. M. Ogilvie zu Liv. 5, 50, 7). Gewiß
urteilten Konservative weiterhin ähnlich wie
der livianische Cato, so etwa Cicero, der als
Zügellosigkeit verwirft, wenn ‚uxores eodem
iure sint quo viri' (resp. 1, 67; vgl. 4, 6). Die
ebenfalls eher autoritären Leitbilder römischer
Jurisprudenz pflegten in Teil IIa (de re
uxoria) des prätorischen Ediktes ihren Niederschlag zu finden (F. Schulz, Geschichte der
röm. Rechtswissenschaft [1961] 575 nach O.
Lenel, Das Edictum perpetuum ³[1927]).

β. Späte Republik. Gegen Ende der republikanischen Zeit ist das Ziel einigermaßen
erreicht. Daß fortan im Verein mit den
bestehenden Handhaben im Rechtswesen
(zur Zeugnisfähigkeit der F. allgemein vgl.
Cic. Font. 46; Cael. 4; Verr. 1, 37, 94;
Ascon. Mil. 35 Kießling; Suet. Caes. 74;
Tac. ann. 2, 34; 3, 49 usw.; Mommsen, StrR
401/3) Rechtshändel von F. Boden gewinnen,
ist begreiflich (zur F. als Klägerin vor Gericht
s. W. Drumann-P. Groebe, Geschichte Roms
in seinem Übergange von der republik. zur
monarch. Verfassung 1 ²[1899] 39f; Val. Max.
8, 3, 2; Ulp.: Dig. 3, 1, 1, 5; z. Zt. Ciceros war
notorisch die Prozeßsucht der Afrania [gest.
iJ. 48 vC.]; iJ. 60 versucht ein prätorisches

Edikt das Prozeßrecht der F. einzudämmen, Val. Max. 8, 3, 2). – Wegen gewisser Unterschiede zu Griechenland verdient die politische Rolle der F. im republikanischen Rom unser Augenmerk (vgl. Leipoldt 15 u. die Zusammenfassung bei F. Münzer, Röm. Adelsparteien u. Adelsfamilien [1920] 426f). Genannt seien Berühmtheiten wie Fabia (Liv. 6, 34), Sulpicia (Liv. 39, 11), Servilia (Cic. Att. 15, 11), ferner Maßnahmen wie die von einer Konsulsgattin des Jahres 123 vC. veranlaßte öffentliche Mißhandlung des M. Marius (Gell. 10, 3, 2 = C. Sempr. Gracch. frg. 48 [ORF³ 191f Malcov.]). Was brauchte es diese Damen der Nobilität zu kümmern, daß den F. auch in Rom das Stimmrecht vorenthalten blieb (Gell. 5, 19, 10: cum feminis nulla comitiorum communio)? Wenn viele F. ihrem in der Provinz wirkenden Mann geschäftlich u. politisch zur Hand gingen, wie umgekehrt einheimische Damen auf amtliche Vertreter Roms Einfluß nahmen, so fiel das nicht aus dem Rahmen (Cic. Verr. 2, 3, 77/9 [mulierculae publicanae]; 4, 136). Das Ansehen politisch bedeutender F. (gemeint ist allemal die Oberschicht) kam auch in den laudationes funebres auf F. zum Ausdruck, für die Rom den Primat beanspruchte (u. a. Liv. 5, 50, 7; vgl. Ogilvie zSt.; Cic. de or. 2, 44; Balsdon 206f; Sonderfall: Plut. Caes. 5, 1f; Suet. Iul. 6, 1), nicht zu vergessen, daß in spätrepublikanischer Zeit F. führender Geschlechter erstmals auf Münzbildern zu sehen sind (J. J. Bernoulli, Röm. Ikonographie 2, 1 [1886] 85f. 211f; H. Mattingly, Roman coins [Chicago 1962] 145 u. Taf. 35, 12f). Zu ihnen gehört Fulvia, in dritter Ehe mit M. Antonius verheiratet u. besonders nach Cäsars Tod politisch hervortretend, in Rom ‚die erste F. eines Herrschers, die sich als solche gefühlt u. benommen hat‘ (F. Münzer: PW 7, 1 [1910] 284; s. die Zusammenfassung von H. G. Gundel: KlPauly 2 [1967] 633f, sowie Ch. L. Babrock, The early career of Fulvia: AmJournPhilol 86 [1965] 1/32).

2. Kaiserzeit. α. Politik. Die politische Tätigkeit von F. senatorischen Standes (u. fast nur von diesen erzählen unsere Quellen) ist in der Kaiserzeit kräftig gewachsen, allen, auch höchstinstanzlichen Gegenmaßnahmen zum Trotz (Tiberius will Ehrungen für F. einschränken u. verweigert zB. Livia den Titel ‚parens patriae‘, weil der F. Staatsgeschäfte nicht zukämen: Tac. ann. 1, 14, 1; Suet. Tib. 50, 3; die hausbackene Ansicht, in altrömi-

schen mos maiorum projiziert, zB. auch Tac. dial. 28, 4; vgl. Val. Max. 3, 8, 6). Nicht nur, daß in den Munizipien die Notabeln-F. sich lebhaft für Kommunalpolitik interessieren u. Ämter in den Selbstverwaltungskörperschaften übernehmen (in Pompeji begegnen F.namen unter Wahlaufrufen), so etwa die Leitung des städtischen Sportwesens (dergleichen Stellen werden jetzt, nach dem Verschwinden der Volkswahl, ohne Rücksicht auf das Geschlecht vergeben, d. h. trotz fehlenden F.-stimmrechts; Kahrstedt 283/8; o. Sp. 213), wir hören von F., die in kaiserlichem Auftrag diplomatische Missionen zu Provinzstatthaltern unternehmen, sowie von solchen, die als F. von Statthaltern in den Provinzen Aktivität entfalten (um diesen Typus geht es u. a. Tac. ann. 3, 33; s. H. Furneaux zSt.; Iuven. 8, 128/30). Daß die Volksversammlung der F. versagt war, bedeutete ohnehin nichts mehr; die wirtschaftlich selbständige F. drängte zum Forum (Tac. ann. 3, 36, 3f), manche auch nur zum ‚Purpurstreifen‘ (Mart. 5, 17, 3). Auch die traditionelle, noch in der Historia Augusta dokumentierte Abneigung senatorischer Kreise gegen politische Einflußnahme von clarissimae (W. Hartke, Röm. Kinderkaiser [1951] 197₃) richtete wenig aus (zB. Claud. Eutrop. 1, 320f wird das Konsulat einer F. als möglich erwähnt, u. es gibt clarissimae, deren Männern die Senatsfähigkeit abgeht [Ulp.: Dig. 1, 9, 12; Hist. Aug. Elag. 4], ja sogar manche aus dem Sklavenstande [Dio Cass. 79, 15]). Aus der frühen Kaiserzeit wird oft von F. berichtet, die politisch konspirieren (u. a. Tac. ann. 15, 48, 7), ja von solchen, die, zT. selbst unter Waffen, mit in den Krieg ziehen (Plut. Otho 6, 6; Tac. ann. 2, 55, 6; vgl. 1, 69, 4; 12, 37; hist. 3, 32, 2; 69, 3; 77, 3); schließlich ist hinzuweisen auf die bis ins 4. Jh. noch zunehmende Macht kaiserlicher F. (einschließlich der Konkubinen; vgl. Friedländer, Sittengesch. 64/7) über Hofleben u. Erbfolge: all das nur bescheidene Beispiele aus einem unerschöpflichen Reservoir, das die politische Rolle der röm. F. zu belegen vermag (allgemein s. dazu Balsdon passim; vgl. u. a. Amm. Marc. 14, 1, 8 oder Iulian. or. 3 über Eusebia, F. des Constantius; Zosim. 4, 4 über den politischen Einfluß von F. auf Theodosius I).

β. Recht. Auch im Rechtswesen geht die Entwicklung weiter (lehrreich zB. für die Zeugentätigkeit der F. ist etwa Tac. ann. 2, 34); häufiger als früher hören wir von Pro-

zessen gegen F. (vgl. u. a. Tac. ann. 2, 50,
1. 3; 6, 47, 2); unter Tiberius wird eine Ide
gekreuzigt (Joseph. ant. Iud. 18, 3, 4, 69. 79),
unter Nero Pisos Geliebte Epicharis gefoltert
(Tac. ann. 15, 57, 1; vgl. 16, 33, 2 u. E. Koestermann zu 12, 53, 2). Sonderregelung, die
wegen der späteren christl. Märtyrerberichte
von Belang ist: angeblich weil die Hinrichtung von Jungfrauen vom Herkommen untersagt ist (Tac. ann. 5, 9, 2), wird die Tochter
Sejans vor der Exekution vom Henker ge-
schändet (Tac. aO.; Suet. Tib. 61, 5; wenn
später gelegentlich Christinnen ins lupanar
überwiesen werden, so gehört das keineswegs zur Exekution; Augar 77. 81f; Herter
79[161.163]).

b. Gesellschaft; ethisches Schema u. Wirklichkeit. 1. Allgemein. Die offizielle Moral verlangt von der F. sittenstrenge οἰκουρία, d. h.
vor allem castitas u. pudicitia (s. u. a. Hor. ep.
2, 39; Liv. 1, 47, 6; 1, 59, 3; 2, 40, 2; ferner 3,
44; 3, 48, 2/4; Plin. ep. 7, 19): was die virtus
für den Mann, ist die pudicitia für die F. (für
Livius vgl. hier P. G. Walsh, Die Vorrede des
Livius: WdF 132 [1967] 192/4). Man fordert
die Unterordnung unter den Mann (Kroll
149; Sen. const. 1, 1) u. lobt an Hausarbeit
herkömmlicherweise besonders das ‚lanificium‘ (Lucr. 4, 1192; 5, 1354/60; Vitr. 6, 7, 2;
Dessau 8393f. 8402f. 8441f. 8444; CLE 1988;
auf Lucretia projiziert bei Liv. 1, 57, 9; s.
Ogilvie zSt.; Wilson 14/30), u. zwar noch zu
einer Zeit (Auson. parent. 2, 3; 16, 4; Symm.
ep. 6, 67. 79 usw.; ferner die Denkmäler sowie
die altkirchliche Ethik; s. u. Sp. 239), da die
häusliche Textilverarbeitung längst an Bedeutung verloren hatte (Colum. 12 pr. 9; u.
Sp. 222f), wie denn der F. in der Oberschicht
ohnehin allenfalls die Aufsicht über die
Sklavinnen oblag. Diese konservative ‚Nest-
ideologie‘ mit dem betont erosfeindlichen
Schema der röm. Matrone deckt sich mit der
gesellschaftlichen Wirklichkeit so wenig wie
mit der politischen (o. Sp. 213) u. wird durch
die Quellen bereits republikanischer Zeit als
Wunschbild erwiesen. Das Liv. 10, 31, 9 zum
Jahre 295 vC. berichtete stuprum matronarum, die Klage aus der Zeit Catos d. Ä., die
vornehme Jugend bringe ihre Zeit mit Liebschaften hin, die wegen ihrer Wirkungslosig-
keit mehrfach erneuerten Luxusgesetze (um
nur weniges zu nennen), reden deutlich genug,
u. für spätrepublikanische Verhältnisse
braucht man nur an Hor. sat. 1, 2, 28/134; 2,
7, 51f; ep. 3, 19/22; Prop. 2, 23, 7f oder an die

von Cic. Att. 1, 16, 5; 1, 18, 3; 6, 1, 15; Suet.
Caes. 50 geschilderten Begebenheiten zu erinnern (auch etwa Ciceros Cluentiana u.
Caeliana gehören hierher; allg. vgl. Kroll
160/80), um Äußerungen wie Val. Max. 3, 8, 2 u.
Sen. contr. 2, 15, 3 (wie überhaupt die legen-
dären Exempla der ‚altrömischen Familie‘)
in ihrer ganzen Bedingtheit zu erkennen. Daß
der Römer tatsächlich zunächst für die weibliche Psyche wenig Verständnis aufbrachte,
kann zB. Sisenna frg. 13 Peter oder ein
Vergleich von Verg. buc. 8 mit Theocr. 2
zeigen; auch die röm. Elegie bleibt hier zunächst hinter dem hellenist. Vorbild zurück
(vgl. Lilja u. etwa C. Soria, Propercio 4, 11 y
la moral tradicional a la matrona Romana:
RevEstClas 9 [1965] 29/50).

2. Gesetzgebung. Auffallenderweise hat das
röm. Recht, im Einklang mit der soeben
skizzierten Ethik, auf dem Ideal der beflissen-
züchtigen Haus-F. unentwegt bestanden (Val.
Max. 9, 1, 3: feminas . . . imbecillitas mentis
et graviorum operum negata affectatio omne
studium ad curiosiorem sui cultum hortatur
conferre; andere Belege bei Kroll 149[4]; allgemein s. Ihering 2, 233f) u. war infolgedessen
mit einer empfindlichen Inkongruenz von
Rechtsnorm u. Wirklichkeit belastet (Gaudemet 193f). Daher zeichnen uns Gesetze u. Juristen, von der älteren Forschung oft unbe-
sehen soziologisch u. systematisch, d. h. ohne
Rücksicht auf die historischen ‚Schichten‘
(M. Kunkel, Röm. Rechtsgeschichte [4][1964]
80f) ausgeschöpft, ebensowenig wie die traditionelle Moral ein treffendes Bild von den
Lebensverhältnissen der römisch-kaiserzeit-
lichen F. (s. dazu auch den folgenden Abschnitt, ferner die immer wieder unterlaufen-
den Diskrepanzen zwischen Recht u. Gesell-
schaftsleben, zB. u. Sp. 217. 218; den Zwiespalt erbt das spätantike Christentum, u.
auch die konstantinische Gesetzgebung unterliegt ihm; u. Sp. 246. 248).

3. Literatur der Kaiserzeit. Auch dort, wo
nicht nur allgemein (infolge gesellschaftlicher u. geistiger Hellenisierung) die F. ins
Blickfeld des Interesses rückte (in der röm.
Historiographie wird dies schon bei den
Annalisten des 2. Jh. der Fall gewesen sein,
aber gerade Livius selbst erstreckt seine
psychologisierende Darstellung gern auf weibliches Verhalten), sondern wo man versuchte,
die geschehene Emanzipation gedanklich zu
bewältigen, bleiben die Maßstäbe merkwürdig
starr oder zwiespältig. So gelangen etwa des

Tacitus F.gestalten, den geschilderten Verhältnissen zum Trotz, ethisch-anthropolo-
gisch durchaus nicht zur echten Gleichberechtigung (s. dazu Königer sowie Koestermann zu Tac. ann. 13, 19, 1 u. A. Salvatore, L'
immoralité des femmes et la décadence de
l'empire selon Tacite: ÉtClass 22 [1954] 254/
69), u. dem Extrem der standhaften Matrone
(so sehr auch Liebe u. Treue zu ihren Tugenden zählen, etwa im Typ der ‚uxor bona‘, u. a.
Tac. ann. 15, 71, 3; hist. 1, 3, 1; anderes Material bei Friedländer, Sittengesch. 308/15;
allgemein s. auch M. L. Carlson, Pagan exam-
ples of fortitude in the latin christian apolo-
gists: ClassPhilol 43 [1948] 93/104 u. o. Sp.
199) steht lediglich das andere der virago zur
Seite (zur christl. Fortsetzung der Alternative
s. u. Sp. 245). Gestalten wie Sextia u. Paxaea,
die ihren Mann nicht überleben wollten (Tac.
ann. 6, 29), oder Senecas Paulina (ebd. 15, 62/
4) gehören mit jener Arria, der Plinius ein
Denkmal gesetzt hat (ep. 3, 16; vgl. 6, 24, 4f)
in eine Reihe von Zeugnissen weiblichen Verhaltens, auf die das Verfallschema wahrlich
ebensowenig paßte wie eine der überkommenen Typisierungen. Eine relativ fortgeschrittene Auffassung von F. u. Ehe, wie sie nächst
dem etwas weniger entschiedenen Plutarch
namentlich Musonius Rufus vertritt (A. C. v.
Geytenbeck, Musonius Rufus [Assen 1963] 51/
77), verfehlt allerdings ihre Wirkung nicht
ganz (Tac. ann. 3, 34, 2. 4; 16, 34, 2; vgl.
Tac. Agric. 6, 1; Plin. ep. 3, 16 u. allgemein
Balsdon 173/89).

4. Seneca. Insgesamt wird aber, wie besonders Seneca zeigt, die alte Ansicht (Gaudemet 191f) von der Inferiorität der F. festgehalten (u. a. Sen. const. 1, 1; ira 2, 30, 1;
3, 24, 3; Helv. 14, 2; nat. quaest. 3, 12, 2;
Tac. ann. 1, 4, 5; 3, 33, 4; 4, 57, 3; 5, 1, 3;
12, 57, 2; vgl. Koestermann zu diesen Stellen;
daß hier immer wieder auch volkstümliche
Schelte an die Oberfläche kommt, mag man
aus der kleinen Sammlung bei Otto, Sprichw.
nr. 1152/6 ersehen), wohl nicht zuletzt deswegen, weil die Affektenlehre eine Anerkennung
wirklicher Liebesehe wider besseres Wissen
vereitelte (Sen. tranqu. an. 9, 2; Helv. 13, 3;
laut matr. frg. 45 Haase ist die Ehe ein
ἀδιάφορον, in dem [so ebd. frg. 84] ‚sapiens
vir iudicio debet amare coniugem, non affectu';
vgl. o. Sp. 210 u. Preisker 18f zu Epiktet). Die
Schwäche der Position kommt zutage, wenn
etwa Seneca, sobald er sich an F. wendet (oder
wie ep. 104, 1 nahestehende F. erwähnt), sehr

viel achtungsvoller redet: hier gibt es Bildung,
Tapferkeit u. Ethos wie beim Mann (Helv.
16; 17, 4; 19, 5; Marc. 16; die Kluft wird
heute allerdings meist als ‚Entwicklung‘ gedeutet [Preisker 26] oder mühsam harmoni-
siert; vgl. Ch. Favez, Les opinions de Senèque
sur la femme: RevÉtLat 16 [1938] 335/45;
den Versuch, die wohlwollenden Äußerungen
Senecas über die F. aus spanischen Lebensformen herzuleiten, wie es E. Elorduy, Die
Sozialphilosophie der Stoa [1936] 199/201 tut,
darf man wohl als Kuriosität anführen).

c. Ehe, Liebe u. Familie. 1. Allgemeines. Daß
die Freiheit der F., in Verbindung mit ihrer
privatrechtlichen Emanzipation (o. Sp. 212),
die Eheschließung so wenig zu ‚heiligen‘ vermochte, wie es die ältere (zT. zynische) Po-
litisierung der Ehe getan hatte (hierzu s. auch
Kroll 152f u. Tert. apol. 39, 12), braucht nicht
zu verwundern (Belege hat Marquardt 1, 71/3
ehrlich entrüstet gebucht); die These vom ‚Sittenverfall‘, so abträglich er einer wahrhaften
res publica, die sich ans hergebrachte iustum
matrimonium klammerte, sein mochte, beruhte natürlich auf Individualisierung unter
hellenistischem Einfluß (vielzitierte Texte wie
Corn. Nep. pr., denen der Entwicklungsgedanke fremd ist, geben ein falsches Bild; der
Text, in der älteren Forschung fast kanonisch,
leugnet ja zB. auch für Rom die Knabenliebe
[s. dagegen Kroll 177f], die in Wirklichkeit
erst infolge der F.emanzipation zur Marotte
wird, u. seine Zeichnung der griech. F. ist
ebenfalls verzerrt; s. o. Sp. 200). Dagegen war
doch das Ideal der univira (*Digamus), sofern es gelenkte Eheschließung u. Frühheiraten voraussetzte, ziemlich inhuman, ver-
wehrte es doch der F. die Entfaltung in der
Liebesehe (gut erkennbar Sen. Helv. 13, 3;
vgl. o. Sp. 210). – Daß die großen Freiheiten in
Politik, Recht u. Lebensführung nur einer ver-
mögenden oberen Minderheit vergönnt waren,
während die F. in Unter- u. Mittelschichten
schon aus wirtschaftlichen Gründen stärker an
Haus u. konventionelle Moral gekettet blieb
(aber auch das ändert sich im Laufe der Kaiserzeit), wird man nicht in Abrede stellen.

2. Gesetzgebung u. Aristokratie. Die Gesetzgebung trachtet seit dem 1. Jh. nC., entgegen dem allgemeinen sozialen Gefälle (o.
Sp. 216), Standesheiraten zu sichern (es beginnt zB. die Zeit der hohen Freigelassenen);
bei Mesalliancen sollen clarissimae ihren
Titel verlieren, aber das bleibt am Ende Pa-
pier (Tac. ann. 6, 40, 3; 11, 4, 1; vgl. CIL 6,

9449; Ulp.: Dig. 1, 9, 12; Königer 54$_{109}$; Mazzarino 139; Friedländer, Sittengesch. 50 sowie allgemein ebd. 51/73; P. Noyen, De rechtspositie van de vrouw in de wetgeving van Marcus Aurelius: HZnMTL 6 [1952] 57/65; wenn Sept. Severus Ehen zwischen freien F. u. Sklaven verbietet [CIL 5, 1918; vgl. Dessau 2423], so gibt es auch dazu praktische Gegenbeispiele; s. etwa CIL 10, 529 = Dessau 1605; vorhergegangen war das endgültig erst Cod. Iust. 7, 24 abgeschaffte SC Claudianum; vgl. Koestermann zu Tac. ann. 12, 53, 1; Konstantin hat die Sanktion erneuert: Cod. Theod. 4, 12, 1 [vJ. 314]). Daß F. u. Töchter hoher Beamter sich als Prostituierte eintragen lassen (Tac. ann. 2, 85, 2; 15, 37, 3; vgl. Suet. Tib. 35, 2; Calig. 41, 1; Iuven. 6, 114/8; Paul.: Dig. 23, 2, 47; Dio Cass. 60, 31, 1; vgl. 59, 28, 9; 62, 15, 2/6; Hist. Aug. Comm. 2, 8; ein SC des Jahres 19 nC. untersagte den Rittern [u. damit auch den Senatoren] das Dirnengewerbe; ansonsten war πορνεία straflos u. nicht selten ein Weg, der Anklage auf μοιχεία zu entkommen), wird nicht gerade die Regel gewesen sein (u. manche Nachricht verzeichnet gewiß), läßt aber Rückschlüsse auf das Allgemeinverhalten zu (ob die Damen Roms ihre Freiheiten tatsächlich mit Platons Politeia[F.gemeinschaft]rechtfertigten, wie Epict. frg. 15 Sch., diese Legimitation ernsthaft bestreitend [vgl. Lucian. fugit. 18], ihnen unterstellt? Zum Usus s. o. Sp. 211).

3. Konkubinat u. Mätressenwesen. Umgekehrt öffnete das *Konkubinat (zur Verbreitung vgl. Balsdon 233f; Belege u. a. Marquardt 1, 77$_1$; Friedländer, Sittengesch. 64/7) unterprivilegierten F. den Aufstieg bis ins Kaiserhaus (für ältere Zeit vgl. hier zB. Polyb. 14, 11, 4); da dies offiziell nicht wahr sein durfte (s. o. Sp. 215), pries man zB. Helena als ,divi Constantii castissima coniunx' (Dessau 708), obwohl sie, Tochter eines dalmatinischen Gastwirts (Herter 73f), in Wirklichkeit Konkubine war (anderes bei Balsdon passim); um die Kaiserin Theodora stand es später nicht besser (Procop. anecd. 9, 8/29; A. Nagl: PW 5A, 2 [1934] 1776f. 1787f). Eine besonders fesselnde Figur ist Marcia, Lieblingsmätresse (aus dem Harem) des Commodus: sie war vorher Konkubine des 183 nC. hingerichteten Ummidius Quadratus (s. Koestermann zu Tac. ann. 12, 45, 4) u. hat, wohl selbst Christin, Verbindung zum Bischof Victor v. Rom (Hippol. ref. 9, 12, 10); ihr Pflegevater, der Eunuch Hyancinthus, ist Presbyter der röm.

Gemeinde (Friedländer, Sittengesch. 66f). Auch darin spiegelt sich die F.emanzipation (ob im Gesetz verankert oder nicht, ist wieder unerheblich), die in der frühen Kaiserzeit einen ersten Höchststand erreicht (Tac. ann. 3, 34, 2: multa duritiae veterum in melius et laetius mutata; ein nächster Schub ist unter den Severern zu beobachten) u. auch im normalen Leben u. in den Mittelschichten für die Ehe-F. (nicht für das Mädchen) eine bemerkenswerte Freizügigkeit gewährleistet hat (für das 4. Jh. nC. unterstrichen von Dudden 1, 140f).

d. Geselligkeit (Kaiserzeit). 1. Fest u. Unterhaltung. ,Ihr tägliches Leben, ihre Anwesenheit bei allen Veranstaltungen unterscheiden sich in nichts von dem der Männer: Besuche u. Empfänge, Theater u. Konzerte, tausend gesellschaftliche Verpflichtungen, Sommer- u. Badereisen, auch ohne die Begleitung des Ehemannes, wenn es sein muß, bis Ägypten, Konferenzen mit dem Inspektor des eigenen Gutes (s. u. Sp. 223), Besprechung mit dem Rechtsanwalt bei Prozessen – alles genau wie bei den Männern' (Kahrstedt 285f). Daß F. an Gelagen teilnehmen, war auch im früheren Rom (wie schon bei den Etruskern) nicht verpönt (Corn. Nep. pr.; Cic. Verr. 2, 5, 28. 30f. 81f. 92. 94; Sonderfall: das Bankett der Pontifices u. Vestalinnen [ca. 65 vC.] bei Macrob. Sat. 3, 13, 10f), aber in der Kaiserzeit gibt es grundsätzlich keine Geselligkeit ohne Damen mehr (Ov. ars 1, 229f; Plut. Otho 3, 6, 8; Dio Cass. 60, 7, 4; Suet. Calig. 36, 2; Tac. ann. 11, 2), so daß Symposien altgriechischer Art kaum noch stattfanden (denn Alkoholkonsum von F., ehedem Scheidungsgrund [Cato bei Gell. 10, 23, 1; Dion. Hal. ant. Rom. 2, 25, 6; Plut. quaest. Rom. 6, 265 B/E], galt weiterhin als unschicklich: Plin. n. h. 14, 90; Val. Max. 6, 3, 9; Plut. aO. 6, 265 B; Serv. zu Verg. Aen. 1, 737; vgl. aber Sen. ep. 95, 21; Iuven. 6, 425/56). Selbstverständlich sah man die röm. F. im Theater (Friedländer, Sittengesch. 287f) u. auf der Promenade (Friedländer zu Iuven. 6, 60). Auf Reisen kutschierten die Damen oft eigenhändig (wie schon Properzens Cynthia: 4, 8, 22).

2. Baden u. Sport. Sie besuchten sportliche Veranstaltungen (Ausnahmen: Suet. Aug. 44 u. R. D. Williams zu Verg. Aen. 5, 613f [Oxford 1960]) u. öffentliche Bäder (Balsdon 265/70; meist gesonderte Badezeiten oder F.bäder, aber auch mixta balnea; u. a. Suet. aO.; Ov. ars 3, 634; Iuven. 6, 422; Plin. n. h. 33, 153;

Mart. 3, 37. 72; 11, 75; Balsdon 269 hat das strittige Problem der mixta balnea mit dem Nachweis sozialer u. hygienischer Unterschiede gelöst; vgl. R. Meiggs, Roman Ostia [Oxford 1960] 406; schon Cic. Cael. 62, 3 ist natürlich polemisch, obwohl die erste Erwähnung von Eintrittsgeld für Bäder: die F. zahlten durchweg das doppelte wie die Männer, nämlich 1 As; s. Austin zSt. u. Balsdon aO.; nebenher sei an Baiae erinnert, den mondänen Luxusbadeort: Prop. 1, 11; Sen. ep. 51; anderes bei Friedländer, Sittengesch. 405/8); alles in allem ein emanzipiertes Gebaren, dessen Selbstverständlichkeit durchaus nicht dadurch gemindert wird, daß es uns vorab im Spiegel bissigen Spottes zu Gesicht kommt (Friedländer, Sittengesch. 281f; Lit., mit dem Finger auf der Topik literarischer F.feindschaft, u. a. bei Wiesen 114$_9$). – In der Kaiserzeit widmen sich die Damen, denen man sich seit dem 2. Jh. durch Handkuß empfehlen läßt, auch den modernen leichteren Sportarten wie Diskus u. Speerwerfen (weibliche Gladiatoren blieben jedoch befremdlich wie heutzutage Damenringkämpfe: Iuven. 6, 246/67; Mart. 7, 67; vgl. auch die sporttreibenden Damen in Piazza Armerina [ca. 300 nC.]).

3. Vereine u. Kultus. F.vereine, die vornehmeren unter dem Patronat der Kaiserin, erobern Terrain (belegt für Rom, Neapel, Lanuvium u. aus ägyptischen Mittelstädten); schon die Republik kannte Klubs vornehmer Ehe-F. (conventus matronarum; Friedländer, Sittengesch. 280f), die späte Kaiserzeit bringt es zu einem senatus matronarum, der, mit dem Quirinal als Tagungsstätte, die Interessen der clarissimae vertritt u. das öffentliche Auftreten der Damen regelt (Balsdon 160). Andere Wege zu eigener Organisation waren Religionsgemeinschaften (vgl. etwa schon den Bona Dea-Kult), Gesangvereine usw. (zur Stellung der röm. F. im Kult, eingeschlossen das Liebäugeln mit Superstition u. orientalischen Glaubensformen [Mazzarino 135], muß es bei einem Vermerk mit Literatur sein Bewenden haben: Friedländer, Sittengesch. 300/8; Balsdon 236/51; Dudden 1, 245; Förtsch 8/19 [für die Republik]; J. Gagé, Matronalia [Bruxelles 1963]; zum hellenist. Einfluß s. o. Sp. 211f; erste Apotheose einer F. ist die der Drusilla, Schwester Caligulas, iJ. 38 [CIL 5, 7345; vgl. Balsdon 96. 236/59]).

e. Bildung u. Berufe (Kaiserzeit). 1. Allgemeinbildung. Für das früh u. erstmals heiratende Mädchen (das durchschnittliche Heiratsalter der im Mittelmeerraum mit etwa 12 Jahren geschlechtsreifen F. lag in der Kaiserzeit für die Oberschicht bei 16, für die Mittelschicht zu 55% bei höchstens 15 Jahren u. nur zu etwa 15% in oder nach dem 20. Lebensjahr; daher oft puella = ‚junge F.‘; zB. Tac. ann. 16, 30, 2; Gell. 12, 1, 4; Lit. bei Villers 181$_{11}$; die dynastischen Heiraten [dazu vgl. u. a. Balsdon] müssen hier auf sich beruhen) trifft Plinius gewiß das Richtige, wenn er sagt, daß sie ihre Bildung dem Manne verdanke (ep. 1, 16, 6), u. was er seiner dritten F. Calpurnia an Fähigkeiten in Liebe, Literatur u. Musik zuschreibt (ep. 4, 19, 2/4), mag sie bei ihm gelernt haben (aber ihre Künste beim Vertonen seiner Gedichte?). Der Satz gilt zweifellos bei Frühheiraten der Mädchen, denen die Ehe die große Welt öffnet; seit Tiberius durfte offiziell keine ‚puella‘ mehr gegen ihren Willen verheiratet werden; natürlich wählten auch jetzt noch oft die Eltern den Schwiegersohn; Bekannte gaben Tips, wo nicht professionelle Heiratsvermittler zu Diensten waren (s. auch u. Sp. 249 sowie Joh. Chrys. cat. bapt. 1, 11f. 16f u. A. Wenger zSt. [SC 50, 114f. 116f]). Aber es gab Mädchenunterricht (Ov. tr. 2, 369; Mart. 8, 3, 13; 9, 68 usw.), Ausbildung in Musik, Tanz u. Literatur (Stellen bei Friedländer, Sittengesch. 268/70; Balsdon 276f: Tanzstunden, schon der frühen Republik nicht fremd, werden z. Zt. des Plinius allgemein üblich [Juvenal, Lukian]; vgl. Kahrstedt 261). Literarisches u. künstlerisches Interesse ist bei den F. genau so stark vertreten wie bei den Männern (Friedländer, Sittengesch. 294/6; Balsdon 272f), Verfasserinnen von Gedichten kennen wir in langer Reihe, Damen aus senatorischen Kreisen u. kaiserliche Prinzessinnen schreiben ihre Memoiren (Agrippina: Tac. ann. 4, 53, 2; vgl. Plin. n. h. 7, 46) oder edieren die Werke von Standesgenossen, die weibliche Gelehrsamkeit blüht (Friedländer, Sittengesch. 296/300; Blaustrümpfe werden verspottet: Iuven. 6, 445; Mart. 2, 19; 11, 90). Von solchen F. geprägte Salons fördern das geistige u. kulturelle Leben (zum Salon der Kaiserin Julia Domna, welcher der Sophist Philiscus seine Rhetorikprofessur in Athen verdankte [Philostr. v. soph. 2, 30], s. Balsdon 153, mit Bibliographie 155$_{112}$). Aus dem 4. Jh. nC. seien wenigstens erwähnt die in Medizin bewanderte Tante des Ausonius (parent. 6), Serena, Stilichos gebildete Gattin (Claud.

laus Serenae = c. min. 30, 146/59) u. die Damen aus des Hieronymus Briefen, so Paula (ep. 108, 27), Blesilla (ep. 39, 1), Hedibia (ep. 120), ferner die Dichterin Proba (s. u. Sp. 250f).

2. Berufe. Noch markanteres Zeichen fortgeschrittener Emanzipation ist die Eroberung der Berufswelt durch die F. der Kaiserzeit; so hören wir von Ärztinnen (Dessau 7802/6; vgl. Apul. met. 5, 10; die meisten aus Kleinasien, oft wohl nur bessere Hebammen; vgl. Friedländer, Sittengesch. 193), wir finden F. als Eigentümerinnen von Schiffswerften (Suet. Claud. 18, 2, 19) oder, nach Ausweis der Stempel, von Ziegeleien. Wenn das SC Vellaeanum (46 nC.?) Kreditgeschäfte von F. regelt, so wirft auch das ein Licht auf die wirtschaftliche Rolle der F.: die Verhältnisse im römischen Reich wachsen zur Einheit, nachdem der Osten hier vorangegangen ist. Wie die Papyri uns wissen lassen, gab es Hofbesitzerinnen, Ladeninhaberinnen (eine Wildbrethändlerin in Ostia [Via della Foce] warb auf einer Marmortafel [travestierend] mit Verg. Aen. 1, 607/9; O. Jahn: SbLeipzig 1861, 365; R. Calza-E. Nash, Ostia [Firenze 1959] Taf. 103), Schneiderinnen, Friseusen, Privatsekretärinnen: eine ansehnliche Liste von Möglichkeiten, in denen die F. es dem Manne gleichtat oder auch spezielle weibliche Berufsbilder entwickelte (F. als Mitglied einer Innung: CIL 14, 326 [Ostia]). In wieder anderen Kreisen treffen wir die angesehene Schauspielerin (vgl. zB. Plin. n. h. 7, 158 über Galeria) u. Vereinigungen der (weniger renommierten, zT. ausländischen) zahlreichen mimae (CIL 6, 10, 109; vgl. auch die Komm. zu Hor. sat. 1, 2, 1).

f. Cultus u. Ornatus. Ein Blick auf Schmuck, Kosmetik u. Mode sollte nicht fehlen. Entsprechend der gesellschaftlichen Gleichberechtigung entwickelt sich der weibliche Habitus. Hauptschmuck der Dame des 1. u. 2. Jh. sind zB. Perlenketten u. Perlenohrringe (Plin. n. h. 9, 115; allg. vgl. Balsdon 260/5), daneben sind Diamanten, Smaragde u. Rubine in Mode, während Achat, oft imitiert, im Mittelstand zu Hause ist, u. Korallen im 1. Jh. zum Festtagsschmuck von Handwerkersgattinnen u. Dienstmädchen absinken (s. auch Plin. n. h. 37, 44). Anspruchsvoll wird auch die Körperpflege, Parfums wechseln mit der Saison, die Schönheitsmittelindustrie blüht, Gesichtsmasken, Hautcreme, Zahnpasta werden selbstverständlich. – Langsamer entwickelt

sich der Kleiderluxus (Balsdon 252/4); die Trachten der alten Republik, auch von den Männern aufgegeben (die Toga bleibt feierlicher Staatsfrack; s. Kahrstedt 272), weichen dem Kleid (Tert. pall. 4, 9 wettert Caecina Severus gegen matronas sine stola in publico; vgl. den Kontext u. apol. 6, 3 sowie J. Geffcken, Kynika [1909] 74. 119f; Herter 89), die Damen beginnen, Strümpfe zu tragen, das traditionelle Weiß (u. a. Porph. zu Hor. sat. 1, 2, 35; vgl. jedoch schon Liv. 34, 1, 3; Plaut. aul. 168) wird von Modefarben abgelöst, die Stoffe wechseln: Leinwand, Baumwolle, vor allem Seide bürgern sich ein, diese im 2. Jh. das eigentliche Material für Damenkleidung. Es gibt hochhackige Schuhe so gut wie Schnürstiefel (die Gilde der Damenschuhmacher in Rom zählt über 300 Mitglieder). Dergleichen findet man auch schon in früherer Zeit erwähnt, aber in der Kaiserzeit wird es bürgerlich anerkannt u. bodenständig-allgemein (da die Denkmäler, sofern sepulkral, die Tracht in traditioneller Weise stilisieren, gilt für sie ähnliches wie für Grabinschriften oder die laudationes funebres, die puritanischen F.-spiegel usw.; s. o. Sp. 215f; allerhand unverächtliches u. noch keineswegs ausgeschöpftes Material findet man in der diesbezüglichen Polemik der Kirchenväter; einiges dazu u. Sp. 249. 251). – Von den Sittenrichtern wird die ganze Entwicklung natürlich als ἑταιρικόν τι verworfen, namentlich der Putz (Sen. nat. quaest. 7, 31, 2; Plut. coniug. praec. 29, 142 B/C; Lucian. Tox. 13; ver. hist. 2, 46; Auson. epigr. 104 [434 P.]; vgl. Aristaen. 1, 19; Herter 89).

III. Spätjudentum. a. Recht, Gesellschaft, Ethik. Nähme man die rabbinische Literatur beim Wort, so wäre die Stellung der jüd. F. höchst verachtet u. ihr Los äußerst beklagenswert gewesen (W. Rudolph, Das Hohe Lied im Kanon: ZAW 18 [1942/3] 189/99; Strack-B. 3, 558. 611). Aber man wird Bedenken tragen, die emanzipationsfeindlichen (u. relativ späten) priesterlichen Äußerungen als Zustandsbeschreibung aufzufassen, zumindest soweit sie das Leben der F. in der Gesellschaft betreffen. Gewiß werden in Spruchgut u. Lehre F., Heide u. Ungebildeter (bzw. F., Sklaven, Kinder: Ber. 3, 3; 7, 2, 3) immer wieder auf eine Stufe gestellt (Oepke 777₄), gewiß sind disqualifizierende Sätze über die F. ebenso zahlreich wie grob (Eßlust, Trägheit, Neugier, Schwatzhaftigkeit, Leichtsinn der F.; Belege auch bei Oepke 782; daß auch im jüdischen Aberglauben die F. als Symbol des Bösen herhalten mußte, zeigt zB. das palästin. Amulett bei W. F. Volbach: AmtlBer-BerlKunstsamml 39 [1918] 123/8 mit dem verbreiteten St.-Georgs-Motiv des zum Boden stechenden Lanzenreiters u. der Beischrift εἷς θεὸς ὁ νικῶν κακά); aber das Lob des ‚braven Weibes‘ fehlt doch nicht (Oepke 782, 25/32), u. oft genug berührt sich die Polemik mit gemeinantiken Schreck- u. Zerrbildern (vgl. zB. Philo leg. all. 3, 49. 76. 107. 113 mit Semonid. frg. 7, 50/6; Eurip. Andr. 217f; Aristoph. Lys. 107f u. ö.; eccl. 228), die über die wirklichen Verhältnisse wenig besagen (ausgenommen vielleicht Beschwerden über die Affinität der F. zum Aberglauben wie PAboth 2, 7; Hen. aeth. 7, 1 [mit Berufung auf Gen. 6]). Auch aus Stellen, die von der Konversation mit einer verheirateten F. abraten (Jes. Sir. 9, 9; PAboth 1, 5; bChag. 5b; bEurb. 53b), läßt sich objektiv wenig folgern. Andererseits scheint aber das offizielle Judentum von der Inferiorität der F. überzeugt gewesen zu sein. Bekannt ist auch die F.verachtung der Essener (Joseph. b. Iud. 2, 8, 2) oder die des Josephus (c. Apion. 2, 201; ant. Iud. 3, 1, 2), zu schweigen von Philo, dessen (von den Kirchenvätern übernommene) Genesisauslegung den exegetischen Überbau (Eva-F.-Sünde) beigesteuert hat (quaest. in Gen. 50, 15; opif. m. 165. 167; vgl. spec. leg. 2, 24 u. Sir. 25, 24), oftmals verschwistert mit einer, im nachapostolischen Christentum dann wiederkehrenden, Tabuierung des Sexus, die dem AT noch fremd war. Dieser Grundhaltung kam nun aber wohl zustatten, daß die im zeitgenössischen Hellenismus schon recht fortgeschrittene F.emanzipation auf dem Boden Palästinas kaum Wirkungen gezeitigt hat (so daß auch der Alexandriner sich stets auf Realität berufen konnte). Hier herrschten wahrscheinlich durchweg noch Haremsverhältnisse (Leipoldt 76f), obwohl manche Rabbinen Monogamie für geboten hielten u. das Eheleben sich allgemeiner Wertschätzung erfreute. – Über die Rechtsfähigkeit der jüd. F. ist leider wenig auszumachen, so daß wir auch nicht wissen, ob das Verbot, als Zeugin aufzutreten (bSchab. 145b), einen Usus bekämpft oder beglaubigt. Entwicklungen haben stattgefunden; so war die jüd. F. in biblischer Zeit nicht erbfähig, aber das wandelte sich unter hellenistischem Einfluß (E. Bikerman: AnnInstPhilHistOr 7 [1939/44] 16f). Gleichwohl zählte die Ehe-F. landläufig

wohl immer noch als ein Stück Eigentum des Mannes, wie aus der Bezeichnung als σκεῦος hervorgeht (Ch. Maurer: ThWb 7, 361f).
b. Kultus u. Gesetz. Die Rechte der F. im Gottesdienst waren wohl außerordentlich beschränkt. Für den synagogalen Kult strikt notwendig waren nur Männer (PAboth 3, 6; bBer. 6a); die F. liest nicht aus der Tora (bMeg. 23a. 24b; J. Leipoldt-S. Morenz, Heilige Schriften [1964] 104f. 121), am Passamahl nimmt sie nicht teil, das šemaʿ ist ihr verwehrt (Schürer 2³, 459f), Religionsunterricht für Mädchen war nicht selbstverständlich (Sota 3, 4). Auch das Sabbatgebot galt für F. nicht unbedingt (Oepke 781), eine Zurücksetzung (Tos. Berach. 7, 18), die sich auch in der synagogalen Sitzordnung spiegelte: wohl durchweg saßen die F. in der Synagoge wie im Tempel abgesondert (Philo spec. leg. 1, 71; Joseph. b. Iud. 5, 5, 2; Middoth 2, 5/7; Leipoldt 55; vgl. jedoch J. Elbogen, Der jüd. Gottesdienst in seiner geschichtl. Entwicklung ³[1931] 466f). Übernahme amtlicher Funktionen war der F. infolgedessen nicht möglich, u. man versteht, da die Rabbinen sich gegen gottesdienstliche Betätigung von F. aussprechen, wenn die im AT bezeugte Rolle pneumatischer F. möglichst abgewertet wird (zB. die historischen Prophetinnen bMeg. 14a. b; vgl. dagegen Ex. 15, 20; 2 Reg. 22, 14; Neh. 6, 4). Andererseits scheinen etwa die Therapeuten der F. größere gottesdienstliche Freiheit gewährt zu haben (Philo v. cont. 30/3. 68), u. nicht ganz unwichtig ist wohl auch die Erwähnung von F. als πρεσβύτεραι oder μητέρες τῶν συναγωγῶν (Schürer 2³, 439₃₅; 3³, 50₃₉.₄₁.₄₂): das ist zwar kein Amt, sondern Ehrentitel (Analogie zur mater collegii in gewerblichen oder religiösen Genossenschaften), deutet aber darauf hin, daß entsprechend situierte F. so unnütz im Gemeindeleben auch wieder nicht waren, wie die Attacken gegen weibliche Liebestätigkeit es vielleicht nahelegen (abermals sieht man, wie wenig Stringentes Quellen u. Forschung zu den Fragen dieses Abschnittes bieten; neuerdings hat es C. J. Vos unternommen, die herrschende Ansicht vom geringen Anteil der F. am Dienste Jahwes zu korrigieren; vgl. die Besprechung von E. Oßwald: ThLZ 94 [1969] 114f).
c. Mission. Überhaupt war die Stellung der jüd. F. in der Diaspora freier als in Palästina (U. Türck: ZAW 46 [1928] 166f), zweifellos eine Folge der Assimilation. Umgekehrt

scheint in der hellenist. Synagoge der Anteil weiblicher ‚Gottesfürchtiger‘, auch solcher aus den oberen Ständen, außerordentlich hoch gewesen zu sein, zweifellos eine Stütze fortschrittlicherer Ansichten. Josephus zählt die Kaiserin Poppaea zu den ‚Gottesfürchtigen‘ (ant. Iud. 20, 195), u. auch Pomponia Graecina gehört wohl hierher (Tac. ann. 13, 32), ferner Domitians Nichte Flavia Domitilla (Dio Cass. 67, 14, 1f), von späterer kirchlicher Propaganda als christl. Märtyrerin reklamiert (Eus. h. e. 3, 18, 4; Balsdon 248). Von sabbatfeiernden F. in Rom hören wir bei Martial (4, 4, 7), u. von Damaskus berichtet Josephus gar, daß sich dort fast alle F. dem Judentum zugewandt hätten (b. Iud. 2, 20, 2). Diese Winke, kombiniert mit den Angaben der Apostelgeschichte (u. Sp. 230), mögen hinreichen, um die Annahme zu empfehlen, daß die hellenist. Synagoge (im Zuge des allgemeinen Einflusses orientalischer Religionen: o. Sp. 221) beträchtlichen Zulauf ⎰von F. hatte.

B. Christlich. I. Historischer Jesus. a. Umgang mit F. Inwieweit Jesus mit seiner nachweislichen Unbefangenheit gegen F. (Gespräche, Heilungen, Annahme von Dienstleistungen) die zeitgenössische Norm durchbrach, läßt sich schwer fassen (rabbinische Stellen über Gespräche mit F.: Strack-B. 2, 438; H. Strathmann, Geschichte der frühchristl. Askese 1 [1914] 16f). Joh. 4, 27 wundern sich Jünger, daß er mit einer F. spricht, aber das Stück ist sekundär (vgl. R. Bultmann zSt.); die ursprüngliche Pointe des Berichts geht auf den Gegensatz Juden-Samaritaner (vgl. 4, 7/9) u. auf der Gestalt der F. ruht in Wahrheit gar kein selbständiges Interesse. Andere einschlägige Erzählungen, die Leipoldt fast sämtlich historisch nahm (als Quellen für ‚Jesu Urteil in der F.frage‘ [82]), deuten jedenfalls darauf hin, daß die Botschaft Jesu von vornherein viele F. anzog, darunter nicht wenige wohlhabende, wie Lukas gern betont (8, 1 u. ö.), aber auch zB. Mc. 14, 3 ursprünglich voraussetzt. Daß F. Jesus begleiteten (Mt. 14, 21; 15, 38) oder bewirteten (διακονεῖν: Joh. 12, 2 nach Lc. 10, 40 wie Mc. 1, 31 [gegen Leipoldt 97]; bQuid. 70a gehört kaum hierher: wer sollte wohl sonst aufwarten? Dem Petrus führt doch die Schwiegermutter wohl den Haushalt, wie dem Lazarus seine Schwestern), spricht für relativ freie Verhältnisse (wenn Joh. 11, 19, ‚viele Juden‘ Maria u. Martha einen Kondo-

lenzbesuch abstatteten, brauchten die Jünger u. Evangelisten im analogen Verhalten Jesu wahrlich keine Sensation zu sehen), ähnlich auch Mc. 14, 3 die F., die Jesus in fremdem Hause aufsucht, um ihn zu salben; hier liegt gleichfalls der Nachdruck auf der Tat, nicht auf dem Geschlecht (Mt. 26, 6/13 stimmt inhaltlich überein, während Lc. 7, 36/50 bis ins Unmögliche abweicht, weil Sünderin [πόρνη oder Hetäre?] u. Pharisäer gegenübergestellt werden sollen; s. den synoptischen Vergleich bei Haenchen 462/72; *Fußwaschung des Gastes durch Hetären beim Symposion ist Athen. 12, 553 A/E; 13, 583 F belegt). So wenig wie durchgängige Haremsverhältnisse werden sich Antworten auf die ‚F.frage‘ in den Evangelien ermitteln lassen (auch Lc. 23, 27/9 liegt mitnichten ein ‚seelsorgerliches Wort‘ an F. vor [so Leipoldt 88], sondern eine eschatologische Drohung auf dem Hintergrund einer nach Sach. 12, 10/4 komponierten Szene: überhaupt kein besonderes Verhalten zur F.). Wichtiger als die Form des Kontaktes ist also die Tatsache zahlreicher weiblicher Anhängerschaft (das spiegeln offenbar auch die alten Sonderfassungen von Lc. 23, 2 [Markion] u. 23, 5 [It.], die Jesus von den Juden verklagt werden lassen, weil er die F. zur Gesetzesübertretung verleite, d. h. bekehre; s. dafür u. Sp. 236 zu den Apokryphen). Die F. Palästinas übte hier offenbar ein Recht aus, das den hellenist. ‚Gottesfürchtigen‘ selbstverständlich war. Eine kerygmatische Sonderstellung oder Bevorzugung der F. scheint jedenfalls die älteste Überlieferung nicht zu kennen.

b. *Ehe u. *Familie. Außer Zweifel steht Jesu existentieller Bruch mit seiner Familie (Mc. 3, 20f. 31/3). Als Ältestem von mindestens acht Geschwistern (Mc. 6, 3; Mt. 13, 56 usw.; s. A. Meyer-W. Bauer: Hennecke-Schneem. 1³, 312/21) oblag ihm nach dem Tode des Vaters die Sorge für die Familie, er jedoch, obwohl gelernter Schreiner u. ohne rabbinische Ausbildung, zieht als Wanderprediger davon u. erregt den Widerspruch der Theologen u. Frommen. Die Seinen glauben nicht an ihn (so auch Joh. 7, 5), ja Mutter u. Geschwister halten ihn für wahnsinnig, wollen ihn heimholen, um die Familie vor Schande zu bewahren (Mc. 3, 21). Jesus läßt sie nicht ein, er sagt seinem ‚Hause‘ ab. Schon das Mc.-Evangelium hat den Affront entschärft: es verwischt, daß es sich um Jesu Familie handelt u. schiebt den Disput mit Schriftgelehrten ein (v. 34 ist erbaulicher Abschluß). Bei Matthäus u. Lukas liest man dann nur von einem harmlosen Verwandtenbesuch (Mt. 12, 46; Lc. 8, 19; Mc. 3, 20 wird nicht übernommen). Die Gleichung Jünger-Familie wird stärker betont, aber der Konflikt mit Maria u. den Geschwistern entfällt: das Verhalten Jesu war der Gemeinde anstößig, trotz der verwandten Auflage an die Jünger (Lc. 14, 26). Daß Jesu Botschaft bürgerliche Rücksichten verschmähte, mag seinem Verkehr mit F. zugute gekommen sein, aber Orientierungen zur F.frage waren von ihm desto weniger zu erwarten. – Für Jesus gehörte wie für Paulus die Ehe zum alten Äon (Mc. 12, 15; anders die Rabbinen; vgl. Strack-B. 1, 188 f); umso mehr verschärfte er das Gesetz in der Forderung unbedingter Treue (Mt. 5, 27) u. nach Unauflöslichkeit der Ehe (Mc. 10, 2/9); hier hat erst die Gemeinde, wo Jesus aus freien Stükken kühn den Gotteswillen formulierte, gegen rabbinische Berufung auf Dtn. 24, 1 die Einehe mit Gen. 1, 27 u. 2, 24 zu untermauern versucht u. Dtn. 24, 1 als Zugeständnis an die menschliche Herzenshärte gedeutet (Haenchen 335/43). So fest den meisten Gemeinden die Einehe von Anfang an stand, so zweifelhaft muß bleiben, ob Jesus diesen Punkt zum Kern seiner Botschaft gerechnet oder auch nur an eine Ehelehre gedacht hat (womöglich aus Sorge für die F.; vgl. Leipoldt 89. 91; wo hätte der historische Jesus von der Ehe als ‚geistiger Gemeinschaft' gesprochen?).

II. Urkirche. a. Hellenistische Gemeinde. 1. Mission. Wenn Lukas schon in seinem Evangelium (8, 1) wohlhabende u. vornehme F. mit Jesus ziehen läßt, ist das vielleicht Rückprojektion (daß sein Sondergut besonders oft erbauliche F. ins Spiel bringt, stehe dahin; das Interesse als solches ist hellenistisches Erbe). Zu ihnen gehört Johanna, Gattin des Ministerialen Chuza (sie lebt mithin eine Weile von ihm getrennt, um Jesus, der sie laut Lukas geheilt hatte, finanziell zu unterstützen). Lukas meldet gern Bekehrungen aus ersten Kreisen, wie die Apostelgeschichte zeigt, u. natürlich bleibt das Bild infolge dieser Vorliebe lückenhaft, jedoch ergibt sich folgendes als sicher: die älteste christl. Mission außerhalb Palästinas gewinnt außerordentlich viele ‚Gottesfürchtige' u. beerbt sozial die hellenist. Synagoge (das hat Hier. adv. Iovin. 1, 26 [PL 26, 245 C] richtig gesehen): wie dort ist auch in der Kirche der Anteil von F. sehr hoch, u. zwar stammen sie in bemerkens-

wertem Maße aus der Oberschicht. Der Gesamtbefund zeigt eine beachtliche Selbständigkeit der F. an (umgekehrt darf man die hier verhandelten Belege aus dem NT den Zeugnissen hellenistisch-kaiserzeitlicher F.emanzipation in Wirtschaft u. Religion zuzählen). Im pisidischen Antiochien sind es gerade vornehme weibliche ‚Gottesfürchtige', die den lukanischen Paulus verjagen (Act. 13, 50), während Lukas ihn in Saloniki sowohl σεβόμενοι wie ‚vornehme Damen' gewinnen (17, 4), ja in Philippi überhaupt nur vor F. predigen läßt (16, 13). Das Evangelium faßt hier zuerst unter den F. Fuß, indem Lydia, Geschäfts-F. aus Thyatira, bis dahin ‚Gottesfürchtige', samt ihrem Hause die Taufe empfängt u. den Prediger beköstigt (16, 14 f). Tabitha, begüterte Dame in Joppe, war schon Christin, als Petrus sie auferweckte (9, 36/41; Komposition nach 1 Reg. 17, 17/24; 2 Reg. 4, 31/6). Sie hatte nach ihrer Abkehr vom Judentum sehr für die Gemeinde gesorgt, namentlich für die *Witwen (9, 36. 39; diese erscheinen 9, 41 als [organisierte?] Sondergruppe; vgl. 6, 1). Zum Typus der wohlhabenden ‚Gottesfürchtigen' gehört insbesondere Priska (Priskilla). Christen sind sie u. ihr Mann, Jude vom Pontus, wohl in Rom geworden (Haenchen zu Act. 18, 2). Auf einer Geschäftsreise nehmen sie Paulus von Korinth nach Ephesus mit (18, 18). Apostel u. Gemeinde haben diesem ökumenisch wirkenden Unternehmerehepaar viel zu verdanken (Rom. 16, 3; 1 Cor. 16, 19; anerkennender Nachklang 2 Tim. 4, 19). Wie Lydia u. Priska waren wohl auch Phoebe (Rom. 16, 1 in Geschäften unterwegs [Rom?]) u. Chloe (1 Cor. 1, 11), Heidenchristinnen aus Korinth, vermögend. Dasselbe gilt für alle jene F., die sich gleich Priska u. Phoebe als Patronin (προστάτις) von Hausgemeinden hervortun (s. o. Sp. 226): so die Mutter des Johannes Markus in Jerusalem (Act. 12, 12. 15), Nymphe in Laodicea (Col. 4, 15), vielleicht auch Appia (Phm. 2) sowie Euodia u. Syntyche in Philippi (Phil. 4, 2 f). Daneben finden wir etliche Namen von Sklavinnen (u. a. Rom. 16, 12 [Persis]; Act. 12, 13 [Rhode]), aber es fällt doch auf, daß bereits das älteste Christentum beträchtlich in den oberen Schichten Fuß gefaßt hatte (auf ein Überwiegen des Proletariats in der frühen Gemeinde deutet das nicht, trotz Athenag. suppl. 11; Orig. c. Cels. 3, 44; wahrscheinlich hat hier Aug. mor. eccl. cath. 77 richtiger geurteilt, wenn er für apostolische

8*

Zeit u. mit Bezug auf 1 Cor. 7, 31 an die Christianisierung vieler ‚senatores utriusque sexus‘ erinnert, obwohl gerade für Korinth 1 Cor. 1, 26 dagegenzusprechen scheint, wo Paulus mit allzu vielen gebildeten u. vornehmen Männern nicht rechnet). Hier konnte es, auf den Spuren jüdischer Mission, am ehesten auch emanzipierte F. treffen, deren Bildung, Vermögen u. Selbständigkeit dann der Kirche zugute kam.

2. Gemeindetätigkeit. Paulus selbst würdigt des öfteren die Mitarbeit von F. in der Gemeinde (Rom. 16, 1. 3. 6. 12; Phil. 4, 2f; Phm. 2; wie das κοπιᾶν von Rom. 12, 6. 12 im Einzelfall aussah, wissen wir nicht; Phoebe gilt gemeinhin [so zuerst Orig. in Rom. 10, 17 (7, 429 Lomm.)] als erste christl. Diakonisse, aber vgl. o. Sp. 230 zu ihrem sozialen Status). Daß viele ihr Haus für Gottesdienste zur Verfügung stellten u. karitativ bemüht waren, kam bereits zur Sprache. – Über Befugnisse in Liturgie u. Lehre sind wir nur sehr bruchstückhaft unterrichtet (O. Michel im Komm. zu Rom. 16, 1 hält eine Tauftätigkeit der Phoebe für denkbar). Einen gewissen Anhalt mag des Lukas Bericht über Priska u. Aquila liefern: die beiden gehören in Ephesus der judenchristl. Gemeinde an, die aber noch in synagogaler Gemeinschaft lebt (erst Paulus trennt die Gruppe, Act. 19, 9). In der Synagoge predigt Apollos, aber erst Priska u. Aquila, des Paulus Mitarbeiter, verhelfen ihm zum vollkommenen Glauben (Act. 18, 26; der Widerspruch zu 1 Cor. 1, 12 u. 4, 6 liegt auf der Hand; Apollos war in Wirklichkeit christl. Missionar auf eigene Faust; Näheres bei Haenchen zSt.). Der Tendenz des Lukas ungeachtet lernen wir, daß er mit unterstützender Lehrtätigkeit geeigneter F. wie Priska kommentarlos rechnet (vermutlich war ihre Unabhängigkeit von Paulus größer als Lukas noch zuzugeben bereit ist; Harnack traute dem Ehepaar immerhin den Hebräerbrief zu). – Daß F. gleich den Männern im Gottesdienst beten u. ‚prophezeien‘, geht zumindest für Korinth aus 1 Cor. 11, 5 hervor. All das war eine ganz natürliche Folge der gesellschaftlichen Emanzipation der F.: die im Hellenismus (Oberschicht, Städte) erreichte Gleichberechtigung pflanzte sich in der Kirche fort, nicht zu vergessen, daß die F. vor ihrer Hinkehr zum Christentum in der Religion beträchtliche Ansprüche hatte stellen dürfen. Wie 1 Cor. 11, 2/6 aufdeckt, hatten die Damen Korinths die alt-

hergebrachte Vorschrift, in der Öffentlichkeit nur verschleiert aufzutreten (den Belegen bei H. Lietzmann zu 1 Cor. 11, 4f füge hinzu: Val. Max. 6, 3, 10; H. Freier, Caput velare, Diss. Tübingen [1964]), längst aufgegeben u. durften erwarten, daß die emanzipierte Mode auch im Gottesdienst anerkannt wurde. In Korinth war dies auch der Fall.

b. Paulus. 1. Gottesdienst. Um so erstaunlicher, daß genau an diesem Punkt Paulus prinzipiell aufbegehrt (1 Cor. 11, 3/16); in recht gezwungener Beweisführung (die er selbst nicht für besonders triftig gehalten zu haben scheint: 11, 16) verteidigt er das Herkommen in Fragen Kopfbedeckung, hartnäckig fechtend gegen die Gleichberechtigung u. für die Minderwertigkeit der F.: sie ist nicht unmittelbar zu Gott, nur der Mann ist primäres Geschöpf (11, 7/10, mit Gen. 1, 27 u. 2, 22f, ohne erkennbare Rücksicht auf die christologische Reihe Gott-Christus-Mann-F. 11, 3). Daß er eine bloße Sitte exegetisch so eingehend zu begründen sucht (dazu noch die Berufung auf den ‚natürlichen‘ Unterschied weiblicher u. männlicher Frisur, 11, 14f, der schließlich auch Konvention ist), berührt um so merkwürdiger, als v. 11f zufolge die Geschlechter durchaus gleichwertig sind u. miteinander die Menschheit repräsentieren (vgl. 1 Cor. 7, 4). Dieser ‚christliche‘ Standpunkt (ἐν κυρίῳ 11, 11) ließe eher das Gegenteil von dem erwarten, was Paulus vorher für die Gemeindepraxis verlangt hat, um so mehr, als Paulus das ‚Prophezeien‘ der korinthischen Christin nicht antastet (1 Cor. 11, 5); offenbar verlagert sich seine Aversion gegen die praktische Gleichberechtigung (die Theorie 11, 11f bleibt ihm für den Gottesdienst ohne Konsequenzen) auf die Nebenfrage der Kopfbedeckung (welches Gewicht die selbstbewußten Christinnen Korinths diesem Problem beimaßen, wissen wir leider nicht; Ephesus u. andere Gemeinden dachten konservativ wie Paulus [1 Cor. 11, 16]; rabbin. Parallele zB. bJoma 47a). – 1 Cor. 14, 34f ist interpoliert (s. H. Conzelmann zSt.), der Widerspruch zu 1 Cor. 11, 2/5 liegt ebenso auf der Hand wie die Verwandtschaft zu 1 Tim. 2, 11; der Einschub des ‚Schweigegebotes‘, das im späteren Christentum so stark gewirkt hat, ist also Jahrzehnte jünger als der paulinische Kontext u. versucht, diesen, im Gegensatz zur ursprünglichen Praxis, auf die mit dem 2. Jh. anhebende kirchliche Unterdrückung der F. festzulegen. Gegen solch eindeutiges, scheinbar apostolisches Verdikt vermochte sich fortan weder ein Axiom wie Gal. 3, 28 noch gar eine den ganzen Paulus (einschließlich seiner Widersprüche) berücksichtigende Exegese zu behaupten. 1 Cor. 14, 34f widerstreitet obendrein auch den anerkennenden paulinischen Äußerungen über die kirchliche ‚Mitarbeit‘ von F., es sei denn, man beziehe sie auf Diakonie u. Organisation (übrigens lautet die briefliche Anrede des Apostels stets ‚Brüder‘, obwohl er die Bezeichnung ἀδελφή im Einzelfall nicht meidet: Rom. 16, 1 [Phoebe]; Phm. 2 [Appia]; 1 Cor. 7, 15; 9, 5; auch etwa 1 Cor. 5 zählt nur das Verhalten des Mannes).

2. Ehe. Die Ehe ist für Paulus ein notwendiges Übel, allenfalls ein prinzipielles Adiaphoron (1 Cor. 7). Das asketische Ideal der Ehelosigkeit, das in Korinth die παρθένοι verkörpern, drückt die Ehe zur bloßen, im Unterschied zur μοιχεία immerhin anständigen (1 Thess. 4, 3/5), Betätigung des Geschlechtstriebes u. die F. zum bloßen Instrument männlichen Vergnügens herab (7, 3/6. 36; s. u. Sp. 234 zu σκεῦος; daß die echte Ehe mehr bedeutet, gibt Paulus nur mittelbar zu [7, 32f]; eben weil sie die Person der Partner beansprucht [Sorge], schränkt sie, wie er meint, das geistliche Leben ein). Einehe ist oberstes Gebot, Scheidung auch bei Mischehen untunlich (7, 10/4), falls nicht der heidnische Partner darauf drängt (7, 15). Daß der Apostel auch die Wiederverheiratung nicht dogmatisch behandelt (7, 8f. 39f; demnach urteilten hierin Pneumatiker in Korinth grundsätzlicher, u. zwar gegen Univirat u. Einehe; Paulus will freilich die zweite Ehe möglichst mit einem christl. Partner geschlossen sehen), folgt aus seiner Gleichgültigkeit gegen die Ehe überhaupt (von Familie ist ohnehin nirgends die Rede). Die F. ist bloßes Geschlechtswesen, mit dem der Mann am besten gar nichts zu tun hat (7, 1); die demgemäß an der Geschlechtlichkeit ausgerichtete Askese bleibt jedoch freier Wahl überlassen (wie Mt. 19, 12), so auch die ‚geistliche Ehe‘: den in Korinth lebenden Syneisakten bleibt die Tür zur Heirat offen (7, 36/8), u. innereheliche Enthaltsamkeit wird keineswegs befürwortet. Auf strenge Askese wird also nirgends gedrungen, wenn auch Paulus selbst nicht verhehlt, daß er einen Dualismus ‚geistlich-geschlechtlich‘ für sich selbst anerkennt (d. h. ohne daraus ein Gesetz oder wie die Gnosis eine Weltanschauung zu machen), weswegen er einer nennenswerten Gleichberechtigung der F. nicht eben wohlgesonnen sein konnte. Gewiß, ein gebrochener Asketismus, ohne prinzipielle Leibfeindlichkeit, überhaupt ohne alle spezifisch christl. ‚Lehre‘ über F. u. Ehe, statt dessen eine vermittelnde oder eschatologisch relativierende Antwort auf die Korinth bewegenden Streitpunkte. Gemahnt wird vor allem zu Ordnung, Friede, Zucht, im ganzen zur Heiligung des Bestehenden (vgl. 1 Cor. 7, 24: Sklaverei), ‚das Bestehende‘ freilich in vorgängiger Entscheidung für Bestimmtes, denn die Frage ist, ob nicht auch die sog. Pneumatiker in Korinth ihrerseits in dem, was Paulus undifferenziert-entrüstet u. angesichts seiner Auffassung von F. u. Ehe wenig überzeugend ‚Hurerei‘ nennt, lediglich überkommene Lebensformen beibehielten, indem sie weder strenge Monogamie noch Univirat forderten, ja dergleichen Postulate aus Grundsatz verwarfen (s. o. Sp. 233 zu 1 Cor. 7, 39f): eine ideologische Verflechtung des Evangeliums mit gesellschaftlicher Tradition, der Paulus 1 Cor. 7, anders als 1 Cor. 11, glücklich entgeht. Wo der Apostel die eigene, obschon nicht autoritative u. in Korinth wohl auch unwirksame Meinung kundgibt, zählen F. u. Ehe nicht; zur geistlichen Gleichberechtigung der verheirateten F. konnte er sich erst recht nicht verstehen. – Das ergibt sich doch wohl auch aus 1 Thess. 4, 4, wo die Ehe-F. (1 Cor. 7, 2 ist gleichen Inhalts) als σκεῦος bezeichnet wird, genau wie an der davon vielleicht beeinflußten Stelle 1 Petr. 3, 7 (ἀσθενεστέρῳ σκεύει τῷ γυναικείῳ); aber beide Texte haben ‚Quellengemeinschaft‘ in jüdischer Tradition (o. Sp. 226), der auch Mt. 18, 25 folgt, wo die F. verkaufbare Sache ist, u. zwar auch in der Eheauffassung. Daß die Heiden, so Paulus, ihre Ehe begierlich zu entheiligen pflegen, hat gleichfalls schon das Judentum behauptet (Ch. Maurer: ThWb 7, 767); Seneca redet in der Sache ja recht ähnlich (Helv. 13, 3): eine (selbst τεκνοποιΐας ἕνεκα doch wohl nicht ganz entbehrliche) libido ja, aber keine (sündige) cupiditas (nach der Cic. Marc. 23 hingeworfenen Devise: comprimendae libidinis, propaganda suboles). Diese sowohl jüdisch wie griechisch ableitbare Ehelehre (o. Sp. 210), mit der entsprechenden Trennung von Geschlechtsliebe u. Ehe (zB. im Postulat der μονανδρία: o. Sp. 218), verstärkt durch enkratitische Anschauungen (Geschlechtslust = μανία oder νόσος;

s. Peterson 208[91]), wurde denn auch später kirchenoffiziell (u. Sp. 245).

c. Synoptische Tradition. Gemäß dem Grundzug der literarischen Entwicklung, ursprünglich namenlose Personen einer Erzählung zu individualisieren (Bultmann 71f. 256f. 338), bekommen auch F. synoptischer Berichte im späteren Stadium Namen, allerdings mit unterschiedlicher Sicherheit u. mancherlei Schwankungen. So ist Joh. 11, 1 u. 12, 1/8 auf Maria u. Marta (= ‚Herrin‘) übertragen, was Mc. 14, 3 par. von einer anonymen galiläischen Dame erzählt (Lukas: Sünderin); das bethanische Schwesternpaar (Lc. 10, 38/42) wird beim Leser als bekannt vorausgesetzt (daß Maria 12, 3 die Salbe wieder abwischt, ist ungeschickte Übertragung; vgl. Lc. 7, 38; Joh. 12, 4 sagt dann Judas, was Mc. 14, 5 ‚einige‘, Mt. 26, 8 ‚die Jünger‘ äußern). – Belangvoller sind dergleichen Fixierungen im Zusammenhang der Passions- u. Erscheinungsberichte. So scheint es von den F., die Jesus sterben sehen (Lc. 23, 49. 55 nennt keine Namen, zitiert aber den Bezugstext Ps. 38, 12), verschiedene Listen gegeben zu haben, deren eine Mc. 15, 47, deren andere Mc. 16, 1 vorliegt, während in Mc. 15, 41 beide zusammengearbeitet sind (Mt. 27, 55 tritt für Salome die Mutter der Zebedaiden ein; Joh. 19, 25 übernimmt davon lediglich Maria Magdalena, fügt aber Jesu Mutter u. Tante sowie die Mutter des Klopas hinzu: hier stehen die F. mitnichten abseits, sind auch keine ‚galiläischen Anhängerinnen‘; das Interesse ruht allein auf Jesu Mutter). Die Maria von Magdala fehlt in keiner Liste, ihr Name gehörte zu den bedeutendsten (weiterentwickelt zB. in der Pistis Sophia; einige der anderen Marien bleiben uns dunkel). Sie ist dann bei Joh. als einzige F. zur ersten Auferstehungszeugin geworden (Mt. 28, 1 = 27, 61 erscheint sie neben ‚der anderen Maria‘, Lc. 24, 10f neben Johanna u. Maria, der Mutter des Jakobus), die der Auferstandene selbst beauftragt (anders Mt. 28, 10, Dublette zu 28, 7). Zuerst Matthäus berichtet, abweichend von 1 Cor. 15, über Jesu Erscheinung vor F. (vgl. dagegen Lc. 24, 11. 24), Joh. 20 verkürzt aufgrund einer ehedem selbständigen Maria-Erzählung (vgl. R. Bultmann im Komm. zu Joh. 20), beide Traditionen (von daher dann auch Mc. 16, 9/11) verdrängten Petrus als nachweislich ältesten Auferstehungszeugen (vgl. Lc. 24, 11f. 24; W. Bauer, Das Leben Jesu im Zeit-

alter der ntl. Apokryphen [1909 bzw. 1967] 261/4). Man darf dergleichen Eingriffe in die älteste Erzähltradition wohl auf das ‚hellenistische‘ Bestreben zurückführen, die geistliche Gleichberechtigung der F. u. ihren Anteil am Leben der frühesten Gemeinden (o. Sp. 229f) auch in der Jesusüberlieferung zu verankern (wie es zu den genannten Listen u. zum Vorrang bestimmter F.namen gekommen ist, bleibt uns verborgen).

III. Gemeinden des 2./3. Jh. a. Soziologischer Befund. Auch die Literatur der frühen Väterzeit scheint auf einen hohen Anteil von F. an der Gemeinde zu deuten. Nächst den Apologeten (Iust. apol. 2, 2; Tat. or. 32f) bezeugen das die apokryphen Apostelgeschichten, in denen die F. eine zentrale Stellung einnimmt (Peterson 214), freilich im Zusammenhang mit einem asketischen Verständnis des Christentums. Die Apostel, die das ‚Evangelium der Keuschheit‘ predigen, finden Gehör namentlich bei F. (zB. Act. Paul. et Thec. 7; Act. Petr. c. Sim. 3; ebd. 33 werden die vier Konkubinen des Präfekten Agrippa zur ἁγνεία bekehrt), darunter sehr häufig vornehme u. begüterte (Act. Paul. et Thec. 40f; Act. Petr. c. Sim. 17. 30; Act. Thom. 66. 117; Act. Philipp. 8. 57), welche die Gemeinde in Wort u. Tat unterstützen. Einige F., so die Thekla der Paulusakten, erhalten eine beherrschende Stellung als Missionarin (Act. Paul. et Thec. 41. 43 u. ö.) oder werden Lehrautorität (so Maria Magdalena in der Pistis Sophia, Salome im Ägypter-Ev. usw.). – Daß die apokryphen Akten trotz aller redaktionsgeschichtlichen Eingriffe u. ihrer dogmatischen Tendenzen gleichwohl Realität spiegeln, geht aus mancherlei Nachrichten schon des 2. Jh. hervor (s. zB. Ign. Smyrn. 13, 2 oder Polyc. 8, 7 [οἶκος Ταυΐς]). Nicht selten wird auch die Bildung christl. F. hervorgehoben (Tatian. aO.; Hippol. Dan. 1, 22), u. Gestalten wie Justins Schülerin Charito (Act. Iust. 4) brauchen kaum Einzelfälle gewesen zu sein, zumal gerade die schriftstellernde F. vom Typus der Flora, besonders wohl in montanistischen Kreisen, heftige kirchliche Polemik herausforderte (u. Sp. 261f; viele Quellen u. Nachrichten über nicht-häretische F.bildung mögen uns auch deswegen verlorengegangen sein). Auch die apokryphen Zeugnisse über christl. Gattinnen hoher Beamter (zB. Act. Philipp. 8 über die F. des Prokonsuls Bassus) werden uns in anderer Literatur durchaus bestätigt, so wenn Hip-

polyt von der F. des Statthalters von Syrien
berichtet, daß sie bei ihm wegen ihrer Glaubensgenossen interveniert habe (Dan. 4, 18),
oder Tertullian die F. des Claudius Lucius
Herminianus, Statthalter von Kappadokien,
erwähnt (Scap. 3; hier freilich schürt die
Religion der F. das Pogrom erst richtig, da
der Gatte ihr Christentum ,indigne fert';
*Mischehe). Auch die Bekehrung von Hetä-
ren, meist reichen, ist historisch genügend
belegt (neben die o. Sp. 236 genannten Stellen
aus den apokryphen Akten u. Act. Petr.
c. Sim. 30 halte man etwa die Nachrichten
über Marcia [o. Sp. 219] oder, aus späterer
Zeit, Pelag. ep. ad Demetr. 14 [PL 30, 29];
Joh. Chrys. in Eph. hom. 20, 8; in Mt. hom.
67 [68] 3). Von des Simon Magus Helena
meretrix (Iust. apol. 1, 26, 3; Iren. haer. 1,
23, 2 [1, 191/3 H.]; Hier. ep. 133, 4) unterschied sie, daß sie ihren bisherigen Lebenswandel samt Reichtum aufgaben. – Gnostische Bewegungen waren für ihren hohen
weiblichen Anteil bekannt (vgl. u. Sp. 238);
Irenäus weiß namentlich aus der Gegend von
Lyon über besonders viele reiche F. in gnostischen Kreisen zu berichten (1, 13, 2/4. 6f;
wir erfahren zB. von der Apellesschülerin
Philomene). Dasselbe Bild zeigt der Montanismus (u. Sp. 238), u. zwar auch in Hinsicht auf die Bildung seiner F. (o. Sp. 236).
Erwähnt werden muß, u. das gilt für alle
Gruppen, die Haltung vieler Christinnen als
Märtyrer (vom Strafvollzug an christl. F.
berichten u. a. Act. 8, 3 [in Widerstreit mit
Gal. 1, 22]; 1 Clem. 6, 2; Tert. apol. 50; pud.
1; monog. 15; Min. Fel. 37, 5; Hippol. Dan. 5,
51 [= Pallad. h. Laus. 65]; Cypr. mort. 15;
Euseb. h. e. 5, 1, 17f. 41f. 55f; 6, 5; 8, 3. 14;
mart. Pal. 5. 8; Lact. mort. persec. 8. 21;
Ambros. virg. 2, 4; Joh. Chrys. hom. mart.;
die Legende hat das stark erweitert; vgl. die
etlichen passiones von F. sowie allgemein dazu Augar u. F. Halkin: AnalBoll 79 [1961]
12₂. 15). – Noch in der Korrespondenz Cyprians (aber der soziologische Befund ändert
sich auch später kaum) sind F. sehr zahlreich, sei es als Märtyrer (Cypr. ep. 21, 2, 2;
22, 2, 2; 39, 3, 1), als gleichgeachtete ,Schwe-
ster' (zB. ep. 21, 4, 2; 22, 3, 1) oder ernstzunehmende kirchenpolitische Gegnerin (ep. 42).
Auch von begüterten oder prominenten F.
hören wir weiterhin (Hippol. aO.; Cypr. ep.
24, 1, 1; 50, 2; 52, 1, 2), außerdem von gebildeten (zB. Dionys. Cor. bei Euseb. h. e. 4,
23 [Brief an die πιστοτάτη ἀδελφή Chryso-

phora]; s. ferner ebd. 6, 2 über Origenes, der
seine Schrift περὶ εὐχῆς der κοσμιωτάτη καὶ
ἀνδρειοτάτη Tatiana widmete u. mit Marcella, der F. seines Gönners Ambrosius, geistigen Verkehr hatte; ferner vgl. noch Euseb.
h. e. 5, 21, 1). Nicht zuletzt aus den Diskussionen über die *Mischehe sowie aus der zunehmenden theologischen Kritik am ,cultus
feminarum' (nächst den Pastoralbriefen vgl.
etwa Act. Thom. 88 u. die Stellen bei Peterson 185₁₀, ferner Tertullians u. Cyprians einschlägige Schriften) ist zu schließen, daß die
F.emanzipation, sei es auch als innerkirch-
liche asketische Bewegung (zB. 1 Clem. 38,
2; Ign. Smyrn. 13, 1; Tat. or. 32, 2), von der
christl. Mission vorausgesetzt wurde (Material u. Lit. bei Friedländer, Sittengesch.
303/5).

b. Gleichberechtigung. Eine entsprechende
Beteiligung von F. an kirchlichen Ämtern
hat es jedoch lediglich in markionitischen,
gnostischen u. montanistischen Gemeinden
gegeben, während westliche bzw. großkirch-
liche Zeugnisse für weibliche Mitarbeit in
Gottesdienst u. Lehre ziemlich mager ausfallen (Tit. 2, 3f; Herm. vis. 2, 4, 3 [Grapte
als Leiterin einer Witwenorganisation]; Tert.
cult. fem. 2, 11, 8; Cypr. ep. 75, 10 [Firmilian]
u. ö.), wenn man vom Institut der *Witwe u.
*Diakonisse absieht (immerhin handeln die
Paulusakten von Prophetinnen wie Theonoe,
Stratonike, Eubulla, Phila, Artemilla, Nymphe usw.). So war in Markions Gemeinden
die F. zu Unterricht, Exorzismus u. Taufe
befugt (Tert. praescr. 41, 5; Marc. 5, 8; Epiph.
haer. 42, 4, 5); ähnlich in gnostischen Bewegungen (Hippol. ref. 6, 40; 7, 38) u. bei den
Montanisten (Hippol. ref. 8, 19; 10, 25; Tert.
Prax. 1; iei. 1; exh. cast. 10; Euseb. h. e. 4,
27; 5, 15; Epiph. haer. 48, 18, 4; 49, 2), bei
denen die ,weibliche Prophetie' notorisch
blühte (s. u. a. Epiph. aO.). Sie, die laut
Basil. ep. 1, 88 F. auf den Namen des Vaters,
des Sohnes u. Maximillas getauft haben sollen, beriefen sich für die weibliche Prophetie
wohl auf die Philippustöchter oder auf die
lukanische Hanna (Orig. cat. Cor. 2, 9 Cramer). Auch daß sie Diakonissen ,ordinierten',
wird ihnen später angekreidet (Ambrst. 1 Tim.
2, 11 [PL 17, 496 C/D]; vgl. u. Sp. 262).
Tatsächlich waren jedoch, vor allem im Osten,
noch zu Beginn des 3. Jh. die Grenzen durchaus fließend, denn die Prophetin Ammia in
Asien (um 200; vgl. Euseb. h. e. 5, 17) gehört so wenig einer ,Häresie' an wie jene

Pneumatikerin, von der Firmilian aus Kappadokien berichtet (Cypr. ep. 75, 10; der Hergang fällt ins Jahr 235 nC., aber Firmilian
distanziert sich in diesem Punkt gar nicht). –
Bei gewissen Quintillanern sollen F. sogar
Bischöfe u. Presbyter geworden sein (Epiph.
haer. 49, 2, 3. 5). Insgesamt scheint der Synkretismus des 2. Jh. dem statistischen u. ökonomischen Anteil der F. an der Gemeinde in
kirchlicher Gleichbehandlung Rechnung getragen zu haben, während orthodoxe Theologen genau diese Folge der Emanzipation einzudämmen versuchten. Gewiß werden auch
F. Charismata zugebilligt (Iust. dial. 88; vgl.
23, 5 sowie Iren. haer. 3, 11, 9 [2, 51 H.]);
Schriftsteller wie Clemens Alex. verteidigen in
Treue zur Stoa die Gleichheit der F. sowohl
anthropologisch wie ethisch (Clem. Alex. paed.
1, 4, 10f; strom. 4, 59, 1; 62, 4, später aufgenommen PsBasil. hom. struct. or. 1, 22 [PG
30, 33] u. Theodrt. cur. aff. 4 [SC 57, 203f];
vgl. Min. Fel. 31, 5) u. treten von daher zB.
für die Bildung der F. ein (strom. 3, 8, 63;
4, 8, 59/61; vgl. Tat. or. 32f); sonst jedoch
wird diese hellenist. Ansicht im Christentum
kaum geteilt. Selbst Clemens Alex. urteilt
nicht einheitlich; so erörtert er strom. 2, 23
im Zitat aus Menanders Misogynes (wie Stob. 4,
44, 37 [5, 967f W.-H.] u. ö.) das Plus u. Minus der Ehe-F., folgt in diesem Fall also einem
eher populären Klischee (s. u. Sp. 240 zu
seinem Eintreten für weibliche Unterordnung). Eine geschlossene Anschauung, deren
Durchsetzung intendiert gewesen wäre, hat
also auch Clemens Alex. nicht gehabt.

c. Abwertung der F. 1. Unterordnung (Haus
u. Gesellschaft). Vielmehr setzt sich, wie bereits in der kanonischen Briefliteratur (hier
zugleich unter spätjüd. Einfluß; s. u. Sp. 244),
die altertümliche Vorstellung durch, die F.
sei dem Manne untertan u. habe in erster Linie für Kindererziehung u. Textilherstellung
zu sorgen (Eph. 3, 23; 5, 22. 33; Col. 3, 18; 1
Petr. 3, 4/7 [mit Sara als Typus der christl.
Ehe-F.]; 1 Tim. 2, 9/15 [v. 15: Kindergebären
sühnt Evas Fall]; 1 Clem. 1, 2; 11, 8; 21,
6; Polyc. 4, 2; Athenag. or. 10; Tert. pall.
4, 9; vgl. Preisker 143₄₉; Did. syr. 14, 22
Ach.-Fl.; PsClem. hom. 2, 23; Cypr. hab.
virg. 4; lanificium: Tert. exh. cast. 12; cult.
fem. 2, 13, 6; Orig. c. Cels. 3, 55; Clem.
Alex. paed. 3, 18, 1; 3, 27, 2; strom. 3, 53, 3).
Hier ist wichtig, daß die Christen, angefangen bei den Haustafeln des NT, sich nicht
einfach an Verhältnisse ihrer Gesellschaft an-

lehnten (Tert. pall. 4, 9 läßt eben fälschlich
die röm. F. vor der Öffentlichkeit verborgen leben: es handelt sich um Sänften der Senato-
ren-F.; vgl. Plut. curios. 13, 521 E/522 B; Sen.
ben. 1, 9, 3; rem. fort. 16, 7), sondern entgegen
der zeitgenössischen Emanzipation auf Ideale
zurückgriffen, die theoretisch bereits ent-
thront u. praktisch längst überholt waren
(wie zB. die häusliche Wollverarbeitung; vgl.
o. Sp. 215; von der Ehe wird geredet, als ob
die manus-Ehe noch bestünde). Der Rückgriff namentlich auf Vorstellungen des röm.
Rechts erklärt diesen Trend wohl am besten
(u. Sp. 246). – Selbst Clemens Alex. zollt
dieser Ethik der Unterordnung ihren Tribut
(qu. div. salv. 34, 2; strom. 6, 100, 3). In den
(zumeist traditionellen) Sondertugenden der
F. findet sie ihren Niederschlag (Keuschheit:
1 Tim. 3, 2; Tit. 1, 8; 2, 5; Preisker 153₅₀;
αἰδώς: 1 Tim. 2, 9; vgl. Philo spec. leg. 3, 51;
Sanftmut: 1 Petr. 3, 4; 1 Clem. 2, 17; Schweig-
samkeit: 1 Tim. 2, 11; 1 Clem. 21, 7; Gottesfurcht: Did. syr. 10, 22; 12, 27 Ach.-Fl.).
Tertullian übernimmt das vorchristl. Ideal
der simplicitas u. sinceritas, fügt aber als
angeblich spezifisch christl. Tugenden humilitas u. castitas bzw. pudicitia hinzu, die dem
Heidentum noch abgegangen seien (cult.
fem. 1, 2, 4; 1, 4, 2; 2, 1, 2; vgl. 2, 4, 1f);
apol. 39, 11f sagt er ja auch, das Heidentum
habe der F.gemeinschaft gehuldigt (mit Hinweis auf Platon u. den jüngeren Cato, der
bekanntlich seine F. Marcia dem Hortensius
auslieh; diese ,Kuppelei' erwähnt noch Salv.
gub. 7, 103), wie denn Tertullian gleich anderen die Moral des vorchristl. Rom kräftig her-
abzusetzen bestrebt ist, um die eigene Sittenstrenge als spezifisch christlich erscheinen
zu lassen (hierher gehört zB. auch sein Hinweis auf den F.raub des Romulus [nat. 2, 19],
ein alter Topos antirömischer Polemik; vgl.
H. Fuchs, Der geistige Widerstand gegen Rom
in der antiken Welt [1938 bzw. 1964] 15/7;
näher bei der römischen Sittenpredigt liegt
dagegen das Verfallsschema Firm. Mat. err. 6,
9 [Bacchanalien]; vgl. A. Pastorino zSt.). –
Hier denkt das orthodoxe Christentum,
je mehr sich in ihm asketische Ideale durchsetzen (*Askese, *Digamus, *Ehe), ausgesprochen altmodisch, einschließlich der
durchweg stereotypen Kritik an Kosmetik, Hygiene u. Mode (dabei sind die Ansichten einzelner Autoren hier so wenig einheitlich wie in der Eheauffassung; vgl. die
stoisch beeinflußte Stelle Tert. ux. 2, 8 neben

exh. cast. 9, 4). In der ethischen Grundhaltung bleibt, entgegen einer heute verbreiteten Ansicht, das Christentum habe die Emanzipation der F. gefördert, die Großkirche hinter den wirklichen Verhältnissen der Kaiserzeit weit zurück (zT. auch hinter den philosophischen Lehren; es überwiegt das Erbe der vorchristl. emanzipationsfeindlichen Sittenpredigt).

2. Zurückdrängung in der Kirche. Namentlich wohl angesichts der Entwicklung im Synkretismus des 2. Jh. drängt die Großkirche den Einfluß der F. im Gemeindeleben mehr u. mehr zurück. Ein grundsätzliches Lehrverbot ist bereits 1 Tim. 2, 12 u. 1 Petr. 3, 1 ausgesprochen (H. W. Bartsch, Anfänge urchristl. Rechtsbildungen [1965] 60/81), u. diese Linie verstärkt sich bis ins 3. Jh. (u. a. 1 Clem. 1. 27; Polyc. Phil. 4; Cypr. or. 8; Orig. c. Cels. 7, 5f; or. 31; hom. in Is. 6 [13, 279 Lomm.]). Wie bald nach ihm die PsClementinen (hom. 2, 15, 2; 3, 24, 3f; 11; 19, 3), wendet sich Tertullian gegen weibliche Prophetie (an. 9; s. Waszink zSt.; Iren. haer. 3, 11, 12 [2, 51f H.] urteilt in dieser Sache noch gar nicht absprechend). Didaktischer F.dienst ist ihm Zeichen der Häresie (praescr. 41), die rechtgläubige Kirche muß F. von sacerdotalia officia ausschließen (virg. 9, 1; abweichend cult. fem. 2, 11, 1). Wenn die röm. Gemeinde um 250 weibliche Gemeindebeamte nicht mehr kennt (Euseb. h. e. 6, 43, 11; Zscharnack 251), so ist das die Endphase einer Auseinandersetzung, deren Anfänge wir noch in Traditionen des 2. Jh. greifen können. Nächst der judenchristl. Polemik gegen die kirchliche Rolle der F. hören wir auch aus der Gnosis von Spannungen zwischen dem männlichen u. weiblichen Element (Ev. Thom. log. 1/4; zur Pistis Sophia s. Zscharnack 161; anderes bei Harnack, Miss. 602₁). Interessante Rückschlüsse erlauben die ins 2. Jh. zurückreichenden D-Lesarten der Apostelgeschichte: der universalistisch-antijüdisch denkende, sehr gebildete Schreiber des Codex D setzt nämlich im lukanischen Text ziemlich souverän eigene Akzente, zu denen auch ein merklicher Antifeminismus gehört (vgl. dazu die Lit. bei E. J. Epp, The theological tendency of codex Bezae Cantabrigensis in acts [Cambridge 1966] 75₃). Dieser ist zwar oft Begleiterscheinung jener Tendenz, sofern nämlich die betroffenen F.gestalten des Lukas jüdischer Herkunft sind (oder D, wie Act. 17, 12, gegen B das griech. Ele-

ment in der Urgemeinde stärker hervorkehren will als das weibliche; vgl. Epp aO. 74/6; Act. 16, 15 D wird Lydia zur Heidenchristin). Jedoch sind Fälle wie Act. 18, 26 eindeutig, wo D Priscilla an die zweite Stelle rückt (Tert. fug. 12, 6 hat sie als Gönnerin der Gemeinde ganz unterdrückt) u. die bei Lukas durchaus selbständigen F. von 1, 14 durch den Zusatz καὶ τέκνοις zu Ehe-F. der Apostel stempelt oder 17, 34 Damaris ganz streicht (vgl. noch Col. 4, 15 αὐτοῦ ℜG pm statt αὐτῆς: die προστάτις Nymphe wird durch einen Mann Nymphas ersetzt). – Allein asketische Tendenzen (wie zB. bei der markionitischen Fassung von Gal. 5, 28 [Zufügung von ἁγνεία]) wird man für diesen Kampf gegen den Einfluß der F. im Gemeindeleben nicht verantwortlich machen wollen, vielmehr dürfte, abgesehen vom sich langsam bildenden Gegensatz gegen die Häresie, auch die Verfestigung autoritärer Strukturen sowie der Sakramentalismus im Kirchenbegriff zur Zurückdrängung der F. im Christentum beigetragen haben (inwieweit jüdischer Einfluß nachwirkt, ist strittig).

3. Grundsätzliche Inferiorität des Weiblichen. Im Kampf gegen den kirchlichen Einfluß der F. ist die Ansicht über ihre physische u. geistige Unterlegenheit, so wenig Anhalt dieses Urteil im gesellschaftlichen u. gemeindlichen Leben hatte, schon früh biblisch überhöht worden, indem man die conditio feminae vom Sündenfall Evas bestimmt sein ließ (zuerst 1 Tim. 2, 13f; später u. a. Tert. cult. fem. 1, 1, 1). Das war jüdisches Erbe (u. a. Philo opif. m. 165; vgl. o. Sp. 224f; Stellen aus der Haggada gibt Lietzmann zu 1 Cor. 11, 3), das zunächst besonders im Judenchristentum fortwirkte (PsClem. hom. 3, 22. 25; andere Belege bei Peterson 214f; für eine religiöse Verbrämung des misogynen Lasterkatalogs vgl. etwa auch Corp. Herm. 13, 7 [2, 203, 10 Nock-Fest.]). (Der gnostische Dualismus (auch er im Gegensatz zur wirklichen Rolle der F. in den Gemeinden) sah ‚diesen Äon‘ im Banne des Weiblichen, von dem Christus errettet: der F. kam gleiches Recht soteriologisch nur zu, sofern sie ihre Geschlechtlichkeit aufgab (wie im Neuplatonismus): sie muß ‚zum Manne werden‘, um erlöst werden zu können (dahin lauten Äußerungen des Ägypter-Evangeliums [2, 1a. d. e Preuschen], der Paulusakten, der PsClementinen u. anderer; Ev. Thom. log. 104; PsClem. hom. 3, 27; 29, 21 [daneben dann

hom. 3, 68, 1/3 die Primitivierung der Ehe als Schutz gegen μοιχεία samt zugehöriger Ehefreudigkeit]; 2 Clem. 12, 2/6; Clem. Alex. strom. 3, 13, 92; Nachklang u. Widerspruch: Aug. civ. D. 22, 17). Die ‚weibliche Prophetie‘ als verruchte Anmaßung u. als Gegenspielerin des wahren Propheten ist Ursache von Irrtum u. Tod (PsClem. hom. 3, 22. 24 f [= Eva]; zu Tradition u. gnostischem Hintergrund vgl. G. Strecker: Hennecke-Schneem. 2³, 66/8). – Sofern für diese Denkweise das Weib die ‚Welt‘ verkörperte (daher die Invektive gegen die F. in den Apostelakten; gut erklärt von Peterson 183 f), mußte sich eine wirkliche Bekehrung als asketische Befreiung aus weiblicher πλάνη darstellen (Ps-Clem. hom. 3, 27; ein Grund für den sog. Feminismus der apokryphen Romane) u. die Gemeinde der ‚Erlösten‘ einschließlich ihrer Ämter gerade auch für F. offen sein, wo nicht eine ausgesprochen enkratitische Haltung dagegenstand (der Apostel als Weiberfeind: Act. Philipp. 142; Act. Thom. 144; Act. Joh. 113; Pistis Sophia 72; vgl. Test. XII Jud. 17, 1 u. Peterson 185₁₂. 209/20). Entfiel die dualistische Forderung nach der Geschlechts- u. Ehelosigkeit aller Getauften, blieb lediglich die Inferiorität des Weiblichen, die zB. Origenes beharrlich in seinen Predigten verfocht (u. a. in Ex. hom. 2) u. der Ausschluß der F. von kirchlichen Ämtern (o. Sp. 241; Orig. c. Cels. 7, 5 f fragt: warum hat sich Apollo der Pythia, also bloß einer F., bedient? Ein Gott kann er eben deswegen nicht sein! Ferner: die Prophetin Hanna wird bewundert, aber einem Mann reicht sie dennoch das Wasser nicht: in Lc. hom. 17 [5, 1501 Lomm.]). Weder hier noch da ergab sich eine wirkliche Anerkennung oder gar Weiterführung der Emanzipation. Wie auch immer man den Ursprung frühchristl. Askese u. die Provenienz der o. Sp. 242 besprochenen Gedanken bestimmt (neben judenchristl.-gnostischen Einflüssen sollten Berührungen mit zeitgenössischer Philosophie, später insbesondere mit neuplatonischen Ideen, nicht übersehen werden): die anfänglich noch vorhandene Unbefangenheit im Umgang der Geschlechter (A. Jülicher: ARW 7 [1904] 377 zu Hermas u. a.) war dahin, u. ‚klassische‘ Gleichheitsbestrebungen (o. Sp. 239) blieben wirkungslos.

IV. Reichskirche. a. Allgemeines. Die allgemeine Entwicklung ist seit dem 3. Jh. vorgezeichnet, so daß die Folgezeit allenfalls eine Versteifung der Fronten ergibt. In der Gesellschaft ist Emanzipation längst erreicht (für das 4. Jh. s. Dudden 1, 133/59), u. die Gemeinde zehrt von ihr, je mehr Staat u. Kirche sich verflechten. Über den Anteil christlicher ‚divites et nobiles feminae‘, für die sich seit dem 4. Jh. im Osten die Anrede εὐγένεια einbürgert, geben uns Korrespondenz u. Publizistik der Kirchenväter hinreichend Auskunft (nächst Euseb. h. e. 8, 14; v. Const. 1, 34 vgl. etwa Hier. ep. 54, 4 f; 79, 1/9; 108, 6; 120, 1; Ambros. ep. 24, 7; 27, 2; Aug. ep. 126, 7 f; 130, 1. 6. 7 f. 30 [Proba] u. vieles andere). Die Invektiven des Hieronymus, so u. a. im berühmten 22. Brief, bestätigen das Faktum, besagen jedoch über die Lebensform wenig, da sie mit überkommenen Topoi arbeiten ([Wiesen]; verwertet man einmal unter unserem Gesichtspunkt die Literatur [eine ‚indirekte‘, aber ergiebige Methode], so wird viel neues Material zur Verfügung stehen; Beispiel: die Flavia Aprilla des konstantinischen Erlasses [Vat. frg. 34] vom 21. VII. 313; vgl. Cod. Theod. 5, 10, 1 [vJ. 329] u. A. A. T. Ehrhardt, Some aspects of Constantine's legislation: StudPatr 2 [1957] 114/6). Im Osten vermitteln die Schriften des Joh. Chrysostomus einen unschätzbaren Einblick in die Rolle des weiblichen Elements; man denke nur an den Riesenreichtum der vornehmen u. gebildeten Olympias, dem die Bischöfe der Gegend immer wieder etwas abzuzweigen versuchen (Baur 2, 86/91). – Nichtchristliche Kritiker wollten sogar von einem beherrschenden Einfluß der F. in der Kirche wissen (Porph. bei Hier. Is. 3, 12 [PL 24, 67 C = frg. 97 Harn.]; vgl. brev. psalt. 2 = frg. 4; Iulian. Gal. 199, 15 Neum.; misop. 333 A. 356 CD Hertl.; ep. 142 Bid.; Liban. or. 16, 47; vgl. dens. bei Joh. Chrys. vid. iun. 2 [PG 48, 601]), sicher kein verläßliches Indiz (da polemisch u. ohne Rücksicht auf verschiedene christl. Gruppierungen), obwohl zB. Hieronymus, der die Rolle der F. im Christentum gelegentlich immerhin verteidigt (ep. 127, 5, in den exegetischen Schriften u. a. in Sophon. prol.: PL 25, 1337 BC), Grund hat, den Einfluß von F. bei Klerikerwahlen zu bekämpfen (in Is. 3, 12 [PL 24, 67 C; vgl. 591 AB]; c. Pelag. 25). Soll doch das Christentum bei den Iberern sogar durch F. begründet worden sein (Socr. h. e. 1, 20; Sozom. h. e. 2, 20), wie denn insgesamt die reichlichen Verbote kirchlich-amtlicher Betätigung von F. seit dem 3. Jh., je öfter wiederholt, desto deutlicher gegenteilige Praktiken beglaubigen (u. Sp. 260f). So geht das politische u. dogmatische Wachstum der Orthodoxie Hand in Hand mit dem Kampf gegen F.emanzipation sowohl auf kirchlicher wie auf gesellschaftlicher Ebene.

b. Sozialethischer Ansatz. 1. Theoretische Doppelhaltung. In der offiziellen theologischen Ethik ist, entgegen den Verhältnissen im öffentlichen Leben, für Freiheit u. Gleichheit der F. schlechterdings kein Raum mehr, u. zwar nicht einfach deswegen, weil die Kategorien fehlten oder nicht ausreichten, sondern weil die Wirklichkeit der F. u. F.-frage überhaupt verdrängt wurde (über die möglichen Ursachen s. o. Sp. 242). Es gab in säuberlicher Ausschließlichkeit nur noch zwei Aspekte des Weiblichen: erstens die Ehe- u. Haus-F., im Anschluß an das Wunschbild der biederen Matrone (o. Sp. 215; u. Sp. 248f), zum anderen das Virginitätsideal, Erbe älterer asketischer Anschauungen: dort privatisierte, unerotische Inferiorität, hier spiritualisierte, nur um den Preis der Geschlechtslosigkeit erreichbare Gleichstellung mit dem Mann (so zB. PsCypr. bon. pud. 7; sing. cler. 40; Ambros. exp. Lc. 2, 28; Basil. virg. 51f; Aug. s. 280, 1; vgl. schon Tert. nat. 1, 20, 4 [Eunuchus = tertium genus]; für die einfache scharfe Unterscheidung von mulier u. virgo erübrigen sich Belege; daß daneben ein Abtausch stattfindet u. der Ehe-F. Keuschheit abgefordert [o. Sp. 240; u. Sp. 247], der Virgo ‚Ehe mit Gott‘ [*Brautschaft, heilige] zugesprochen wird, was beides dann im Ideal der *Witwe zusammenfließt, steht auf einem anderen Blatt [s. u. a. Aug. Joh. tr. 9, 2; vgl. Ambros. ep. 45, 6 (= 34, 6 F.)]; außerhalb dieser Spannung standen zB. die Mandäer; vgl. Preisker 51/5). Dies zweite leistete übrigens außerdem in der Märtyrerbelletristik der christianisierte Typ der virago, dessen Züge auch in das Bild der geweihten Jungfrau (zB. Ambros. virg. 1, 4) u. von da in die F.viten des MA übergingen (sofern es hier zur Gegenüberstellung matrona-virago kommt, ist an die entsprechende Alternative im Denken der frühen Kaiserzeit zu erinnern; vgl. o. Sp. 217). Eine andere Vorstufe liegt im Judenchristentum des 2. Jh.; vgl. PsClem. hom. 68, 1 die zugleich primitive u. optimistische Ansicht von der Ehe neben hom. 3, 27 u. ö. mit der Forderung nach geistlichem Zum-Mann-Werden (o. Sp.

242). Mit dieser Kombination aus weltlichem Heimchen-Ideal u. spirutueller Desexualisierung, statt Anerkennung der nach Geist u. Geschlecht sowohl privat wie öffentlich gleichbewerteten F. (das hatte freilich auch antikes Denken nur flüchtig erfaßt), ist die Emanzipation theoretisch erledigt (über die zugehörige absichernde Polemik s. u. Sp. 263f). – Daß infolge des Mißverhältnisses zur Realität die Stellungnahmen der Kirchenväter, wie oft beobachtet, kaum einhellig u. selten widerspruchsfrei lauten (vgl. o. Sp. 239f), ist begreiflich, zumal die genannte herrschende Alternative im Falle der kinderversorgenden Haus-F. (weltlich) mit Ungleichheit u. Gehorsam, im Falle der virgo (geistlich) mit moralischer Überlegenheit u. freier Entscheidung zu argumentieren zwang. Beispiel: Ambrosius bestreitet einerseits dem Mädchen die freie Gattenwahl (Abr. 1, 91: non est enim virginalis pudoris eligere maritum; vgl. ep. 83; Hier. adv. Jovin. 1, 47 [vgl. Seneca]; die entsprechende Praxis u. a. bei Joh. Chrys. cat. bapt. 1, 11f. 16f; s. auch Wenger zSt. [SC 50, 114f. 116f]); will er jedoch christl. Jungfrauen gewinnen, setzt er diese Freiheit voraus (virg. 1, 10, 58: si hominem vellent amare filiae vestrae, per leges possent eligere quem vellent [s. o. Sp. 222]; virginit. 5, 26: quibus licet sponsum eligere, non licet deum praeferre?). Schon zB. Cyprian hatte argumentiert: die virgo sei befreit von einem maritus als dominus (hab. virg. 22; vgl. PsCypr. bon. pud. 7). – Daraufhin läßt sich die Herkunft des Ansatzes noch präziser fassen; wie wir sahen, handelt es sich erstens um eine Art Polarisierung weltlich-geistlich (das Grundverhältnis kirchlicher Stellungnahme), zudem aber, auf der ‚weltlichen‘, sozialethischen Seite, um ein Mißverhältnis zwischen moralischer Norm u. gesellschaftlicher Wirklichkeit. Dieses ist nun nicht nur Erbe römischer Ethik allgemein, sondern wurzelt vor allem im römischen Recht, das jene konservative Moral zu bewahren trachtete u. folglich den Abstand zur Realität in sich trug (o. Sp. 216). Tatsächlich darf man die frühchristl. Gesellschaftslehre als ‚complete restitution‘ der F.-auffassung des röm. Rechts betrachten (Cochrane 198): für die ‚weltliche‘ Seite der F.frage entnehmen altkirchliche Theologen ihre ethischen Normen der überkommenen Gesetzgebung (u. mit ihr die beschriebene Kluft zur emanzipierten F.welt). Die ‚geistlichen‘ Antworten (Virginität usw.) gehen davon unabhängig auf den Synkretismus des 2. Jh. zurück (s. o. Sp. 242f).

2. Praktische Lösungen. α. Seelsorge u. Klöster. Dieser innere Zwiespalt, modifizierte Mitgift antiker Religion, Ethik u. Gesetzgebung, war für die offiziellen theologischen Äußerungen konstitutiv (in der Seelsorge freilich erzwang die Realität dann doch oft eine vermittelnde Haltung: als Vater Sisinnus dem Sohne zürnt, weil er auf eigene Faust gefreit hat, ein juristisch natürlich ganz unerheblicher Ärger, sucht Ambrosius begütigend die patria potestas, nicht ganz unsophistisch, wiederherzustellen: maturiore consilio puella filio a patre traditur, sed maiore obsequii proposito a filio ad patrem ducitur: ep. 35, 3 [CSEL 82, 239]). Bei gutwilliger Würdigung darf man zugute halten, daß der Zwiespalt apologetisch-missionarisch bedingt gewesen ist u. die kirchliche Tradition, vorgeformt in spätantikem u. judenchristl. Gedankengut, schon im 3. Jh., trotz zeitweiliger, aber spärlicher u. unsicherer Fürsprache, gegen die Emanzipation entschieden hatte. Zudem blieb die geschilderte Denkspaltung innerkirchlich ja keineswegs unproduktiv, da sie, wiewohl auf gleicher emanzipationsfremder Grundlage, während des 4. Jh. in F.-kongregationen u. F.klöstern den theoretischen Widerspruch in Organisation umsetzte: christliche Mädchenerziehung u. nachfolgendes weibliches Klosterleben verwirklichte gleichermaßen das konservative Haus-F.ideal (lanificium, Unterordnung, Ablehnung von Putz u. Mode [u. Sp. 249] usw.) wie die Askese (das ersieht man gut aus Stellen wie Aug. mor. eccl. cath. 68. 70 u. ist namentlich aus den einschlägigen προτρεπτικοί des Hieronymus [zB. ep. 107] oder Joh. Chrysostomus, aus den Nonnenspiegeln usw. mühelos zu ermitteln; zu den weiblich-asketischen Lebensformen hier nur der Hinweis auf Dudden 1, 146; J.-M. Fiey, Cénobitisme féminin ancien dans les églises syriennes orientale et occidentale: OrSyr 10 [1965] 281/306; S. Vailhé, Les monastères et les églises Saint-Étienne à Jérusalem: EchOr 8 [1905] 78/86; ders.: RevOrChr 4 [1899] 512/42; ders.: ebd. 5 [1900] 19/48. 272/92 [über Palästina]; über andere kirchlich organisierte Tätigkeit von F. informiert u. a. T. R. Glover, Life and letters in the fourth century [Cambridge 1901] 125/47).

β. Gesetzgebung. Ein zweites Gebiet, auf dem die christl. Sozialethik gegenläufig zur Auto-nomie der F. Boden gewann, wurde die Gesetzgebung des Reiches, die ihrerseits natürlich auch weiterhin an einem Abstand zur Realität leiden mußte: die Kontinuität Recht-Kirche-Recht festigt sich, wobei der jetzt errungene Einfluß des Christentums zunächst die überkommenen patriarchalischen Tendenzen der Gesetzgebung verstärkt hat (Cochrane 198f. 200f zu Konstantin). Gesetze zum Schutz des iustum matrimonium u. zur Abwehr von Mesalliancen (mit analogem Unehelichenrecht) bleiben noch ganz auf der seit dem 1. Jh. eingeschlagenen Linie (Cod. Theod. 4, 8, 4. 7; 12, 1 [vJ. 314]; 12, 1, 6), daneben gibt es Erleichterungen für die F. im Prozeßrecht (Cod. Theod. 1, 22, 1), gewiß so wenig emanzipationsfördernd wie die Lohngleichstellung weiblicher Sklaven mit männlichen (Cod. Theod. 2, 25, 1), oder das Verbot an jüdische Betriebe, christl. F. zu beschäftigen (Cod. Theod. 16, 8, 6 [vJ. 339]); dies schon unmittelbarer Ausfluß kirchlicher Lehre (andere Beispiele bei Leclercq 1344f). Daß Gesetze christl. Kaiser Nachdruck auf die Monogamie legen u. die *Ehescheidung zugunsten der F. erschweren (Cod. Theod. 1, 3, 16; Cod. Iust. 3, 16, 1 u. ö.), ja im Laufe der Zeit die Ansätze zur erbrechtlichen Gleichstellung der F. nicht unwesentlich weiterentwickeln (Cod. Iust. 6, 58, 14), verdient gleichwohl Beachtung. − Aufschlußreich, daß schon ziemlich früh der Zölibatär dem patriarchalisch verstandenen Verheirateten erbrechtlich angeglichen wird (Cod. Theod. 8, 16, 1 [vJ. 320], denn hier spiegelt sich sogar die o. Sp. 245f skizzierte ,Dialektik' des orthodoxen Christentums, während Verbote der zweiten Ehe wie Cod. Theod. 3, 8, 2; 8, 2, 4 hier zu erwähnen sind, weil sie noch einmal die Relativität dieser Gesetzgebung erkennen lassen; vgl. o. Sp. 216. u. Sp. 246).

c. Privatisierte Unterordnung. 1. Ideal der Haus-F. Weiterhin u. durchgehend herrscht die Vorstellung, die F. habe ein abgeschlossenes häusliches Leben zu führen, sich kümmernd um lanificium, Aufzucht der Kinder usw. (zB. Ambros. parad. 50; Noe 43; Abr. 1, 42; el. iei. 66; Hier. ep. 107, 10; c. Pelag. 25 [mit 1 Cor. 14, 34]; Greg. Naz. c. 2, 6, 45; PsBasil. Is. 153 [PG 30, 376 D]; für Augustin s. hierzu R. Laprat, Le rôle de la mater familias romaine d'après S. Augustin: RevMALat 1 [1945] 129/48). Joh. Chrysostomus will wissen, es sei ,von Anfang an' so gewesen, daß dem Manne die Politik, der F. die Hauswirt-

schaft zufalle (regul. fem. 5; vgl. ep. 170).
Dabei wird, wie anthropologisch die Unterlegenheit (o. Sp. 242), so ethisch die Gehor-
samspflicht der F. gegen den Gatten vorausgesetzt (Can. Hipp. 17 Coquin; PsAug. quaest.
vet. et nov. test. 24 [51 Souter]; Ambros. inst.
virg. 32; hex. 5, 18f; ep. 63, 107 [vgl. Cicero];
Hier. ep. 79, 8; Basil. Anc. virg. 3; Greg. Naz.
c. 2, 6, 40; Cyrill. Alex. ador. spir. 17; Joh.
Chrys. reg. fem. 6; in Mt. hom. 6, 8; in Ioh.
hom. 79 [78] 4f; in 1 Cor. hom. 19, 5; in Eph.
hom. 20; vid. 6; PsJoh. Chrys. pasch. 1, 17
[2, 71 Naut.]; Paul. Nol. c. 25, 141/8; sehr
kraß PsIgn. Antioch. 9). Joh. Chrysostomus, der diese Norm nicht oft genug ein-
schärfen kann (weiteres Material bei S. Ve-
rosta, Joh. Chrysostomus, Staatsphilosoph u.
Geschichtstheologe [Graz 1960] 397/410), redet
allerdings auch den Männern ins Gewissen:
sie möchten ihre F. nicht peitschen (hom. 26 in
1 Cor. [PG 61, 221]; ebd. 224 ein Philo-
sophenspruch über scheltende Ehe-F.). Dem
ererbten Ideal werden jetzt Hanna u. Maria
zu Vorbildern (Joh. Chrys. s. Ann. 1 [PG 54,
638f]; vgl. s. Ann. 3 [653f]; ältere Deutungen
bei Zscharnack 40f. 59; Ambros. virg. 2, 9:
Maria . . . prodire domo nescia nisi cum ad
ecclesiam conveniret; als jedoch Helvidius
Maria als normale Ehe-F. hinstellt, erntet er
bei Hieronymus helle Entrüstung: adv. Hel-
vid. 18; vgl. Tert. carn. Chr. 4, 1). Cyrill v.
Alexandrien ist nicht der einzige, der Gen. 2,
16 im Sinne häuslichen Gehorsams der F. ad
procreandos liberos deutet (c. Iul. 3 [PG 76,
617 D. 619 A: F. ist ‚Teil‘ des intellektuell
überlegenen Mannes]; vgl. in Ioh. hom. 12
[Schwäche u. Begriffsstutzigkeit der F.]). Abscheu vor politischer Betätigung von F. (Joh.
Chrys. regul. fem. 5; Greg. Naz. aO.) wird zB.
von Laktanz anläßlich der Kritik an Platons
‚Staat‘ ausgesprochen (epit. 33, 5: quanta est
infelicitas urbis illius, in qua virorum officia
mulieres occupabunt!; vgl. inst. 6, 23, 29
sowie u. a. Cyrill. Alex. c. Iul. 6 [PG 76,
820 B]). – Die christl. Kunst trägt der Gemeinansicht Rechnung (vgl. etwa den Pro-
iecta-Schrein: W. F. Volbach-M. Hirmer,
Frühchristl. Kunst [1958] Taf. nr. 116f, der
freilich außer dem Haushalt der F. auch die
Schönheitspflege zuschreibt; Maria dagegen,
das ist ein willkommenes Seitenstück zur
soeben erwähnten Kontroverse um sie, hat
auf der Kathedra des Maximian als Attribute Korb u. Spindel; vgl. C. Cecchelli, La
cattedra di Massimiano [Roma o. J.] Taf. 22).

Zu Hanna (so u. a. noch Aug. ep. 130, 39;
Greg. Naz. c. 69 [PG 38, 47]) u. Maria tritt
auch Susanna (Greg. Naz. aO. bis hin zum
Exorzismusgebet ‚super feminas‘ des Sacr.
Gelas.: PL 17, 1019).

2. Bildung u. öffentliches Auftreten. α. Soziologischer Befund. In die gleiche Richtung zielt
der grundsätzliche Vorbehalt gegen die *Bildung der F. (s. wieder Laktanz, hier mit Rüge
des stoischen Eintretens für die F.bildung:
inst. 3, 25, 5/13). Die Reserve gilt bestimmten
Unterrichtsformen wie der Koedukation (u. a.
Hier. ep. 128, 3a; vgl. dagegen Auson. protr.
33) oder einzelnen Bildungszweigen, so der
Musik (u. a. Hier. ep. 107, 8; PsBasil. aO.).
Dabei zählen aber, u. das gehört wieder zu
dem (o. Sp. 245) erörterten Widerspruch,
Schriftsteller wie Hieronymus u. Joh. Chrysostomus (von anderen zu schweigen) auf gebildete weibliche Leser. Hieronymus gibt vor,
er werde ‚a plerisque‘ gezaust, weil er dauernd
Schriften vornehmen F. widme (ep. 65, 1), u.
Damen wie seine Paula, die mit höchsten
Würdenträgern umzugehen pflegte u. zB.
Epiphanius als Gast bei sich sah (Hier. ep. 108,
6), oder Blesilla (ep. 39, 1) haben nicht anders
als etwa die Mutter des Augustinus (ord. 1,
32) eine vortreffliche Bildung in die Kirche
eingebracht. So wissen wir auch von Rufin,
daß er mit weiblichen Lesern rechnete; zu
ihnen zählte Avita, Gattin des Aspronianus,
die ihn ca. 400 um eine lat. Übersetzung der
Sextussprüche bittet (hom. Ps. Orig. praef.:
PG 12, 1319; vgl. F. X. Murphy, Sources
of the moral teaching of Rufinus of Aquileja:
StudPatr 6 = TU 81 [1962] 148f). Wenigstens gestreift sei noch die ältere Melania
(F. X. Murphy, Melania the Elder: Traditio
5 [1947] 59/77, bes. 68f). Um Joh. Chrysostomus gab es doch außer Olympias eine stattli-
che Reihe solcher F. (zB. Pentadia, die Gattin
des Timasius: ep. 94. 104. 185; Sozom. h. e.
8, 7); an insgesamt 19 von ihnen gehen 55
seiner Briefe (s. Baur 2, 319/21). Etliche am-
tierten wie Olympias als Diakonissinnen (Ado-
lia: ep. 23. 52. 57. 133. 179. 231; Amprukla:
ep. 96. 141; Olympias war als ‚Diakonisse‘
seit etwa 393 tätig [Sozom. h. e. 14, 47; Ni-
ceph. 13, 24], d. h. schon im Alter von etwa
25 Jahren). Zu guter Letzt seien noch genannt
Gorgonia, die Schwester Gregors v. Nazianz
(or. 8) u. Makrina, Schwester Gregors v. Nyssa. Im Westen gehört Therasia, F. des Paulinus v. Nola, zur gleichen Grundbesitzerschicht
u. Generation (Ambros. ep. 88, 3 [= 27, 3 F.];

vgl. ep. 82, 7 [= 24, 7 F.]) wie die Gönnerinnen Priszillians (u. Sp. 263). Daß sich solche Damen oft einen eigenen Hauskaplan leisteten, rief kirchliche Kritik auf den Plan (Hier. ep. 117, 1; adv. Vigil. 3; Greg. Naz. c. mor. 1; Joh. Chrys. c. eas, quae viros subintrod.; jene Mönche oder Kleriker geraten dabei zur Mischung aus Hausdiener u. spiritual lover). β. Kirchliche Polemik. Daß christliche Schriftsteller, welche die F. ins Haus sperren wollen, weidlich gegen Schmuck u. Mode zu Felde ziehen, wird man nicht anders erwarten (diese Polemik, die im übrigen abermals gegenteilige Sitten dokumentiert, enthält allerlei tralatizisches Gut aus gängiger Satire u. Invektive u. hat in den zahlreichen Schriften De cultu [ornatu, habitu] feminarum [virginum] feste literarische Form gewonnen); zB. lehnt Ambrosius halblange Kleider als Graecus mos ab (ep. 15, 4; vgl. den Kontext u. Hier. ep. 130, 18 sowie vorher Tert. cult. fem. 2, 11, 9; Seidenkleider bekämpft Joh. Chrys. cat. bapt. 1, 34 [Parallelen bei Wenger zSt.]); den in Gesellschaft längst verpönten Schleier bzw. den Zwang zur Kopfbedeckung realisiert man dann wenigstens bei den virgines (o. Sp. 245f; vgl. u. a. Tert. virg. vel.; Ambros. virg. 2, 24; Basil. Anc. virg. 34 [PG 30, 737f]; das unmodische Weiß [o. Sp. 224] kommt dabei gegenemanzipatorisch wieder zu Ehren, ebenso das lange Matronengewand, jetzt metaphysisch verewigt), u. man ergötzt sich an immer wieder neu formulierter u. biblisch-dogmatisch bald so, bald anders begründeter Fehde gegen weiblichen Putz (Hier. ep. 54, 7; 66, 5; 130, 7. 13. 19; Ambros. hex. 6, 8; virg. 1, 28/30; Joh. Chrys. in Mt. hom. 30, 5; cat. bapt. 1, 34 [gegen Perlen, mit 1 Tim. 2, 9]; s. Wenger zSt.; wichtig auch hier Ambros. ep. 38, 1 [10, 1 F.]; viele Vergleichsstellen bei Herter 89$_{357}$; all dieser Tand ist Aug. s. 161, 11 zufolge Kompensation geistlicher Armseligkeit, laut Prud. ham. 266f hybride Verschlimmbesserung der creatura; ebenso urteilt Paul. Nol. c. 25, 65f über Kosmetik; der Gedanke geht bis Tertullian zurück u. findet sich auch Joh. Chrys. cat. bapt. 1, 37). Ebenso wendet man sich gegen modisches Frisieren einschließlich Haarfärben (aufschlußreich, auch als kulturgeschichtliche Quelle, hier schon Tert. cult. fem. 2, 6f; später s. u. a. Paul. Nol. ep. 23, 24). Hinzu gesellt sich die Fehde gegen das Schminken allgemein (reichlich Material bei Herter 92$_{412/5}$) ebenso wie gegen Parfums (Herter 92$_{422}$). Außer in den

Einzelheiten u. der Gesamthaltung wirkt antike Polemik auch im Hinweis fort, solch unmatronales Gehabe erniedrige die F. äußerlich zur Hetäre (o. Sp. 224). Daß so leicht emanzipiertes Gebaren in der Kirche nicht auszurotten war, zeigt wieder die Schelte des Joh. Chrysostomus (in Mt. hom. 73, 3), führten sich doch selbst Glaubensgenossinnen in Reden, Lachen u. allgemeinem Auftreten ‚freier‘ auf ‚als Hetären‘ (reg. fem. 1. 3). Derlei Kulturkritik beruhte wohl weniger auf der Sorge, standes- u. vermögensbedingte Konflikte in der Kirche zu vermeiden, als auf dem Bestreben, das emanzipierte Auftreten der F. zugunsten der Rolle als züchtige Haus-F. zu beschneiden (Greg. Naz. c. 2, 6, 47f).
3. Ehe u. Familie. α. Eheauffassung. Ihr obliegt der Alltag der Ehe, deren Lasten andererseits immer wieder den virgines als Schreckbild ausgemalt werden (ein Topos, der, ursprünglich an Männer gerichtet, hier schematisch übertragen wird; vgl. Wiesen 130f mit Belegen). Die Ehe aber, als ‚quoddam seminarium civitatis‘ (Aug. civ. D. 15, 16) bevölkerungspolitisch unerläßlich (Ambros. virg. 1, 34), besteht, jetzt allerdings gottgewollt, wie seit alters τεχνοποιΐας ἕνεχα (u. a. Aug. Ioh. 8, 5; Joh. Chrys. virg. 19); was darüber hinausgeht, ist Sünde (Aug. c. ep. Pelag. 1, 9/11; vgl. civ. D. 14, 16; 15, 23; 16, 25; o. Sp. 210). Die Sündigkeit der libido wird von den Pelegianern bestritten, die dem Augustinus hier manichäisch beeinflußte Ehefeindlichkeit vorwerfen (der Fehler liegt bei Augustin in der Koppelung von Erbsünde u. Geschlechtstrieb; G. I. Bonner, Libido and concupiscentia in St. Augustine: StudPatr 6 = TU 81 [1962] 303/14 möchte das beschönigen). – Auch hier forderte allerdings zuweilen die Wirklichkeit ihr Recht (u. kam es infolgedessen ebenfalls zu jenem nun schon mehrfach beobachteten Widerstreit zwischen Idee u. Praxis), etwa wenn Hieronymus die Ehe von Fabiola u. Pammachius als echte Lebensgemeinschaft würdigt (Hier. ep. 77, 10; anerkennende Wendungen wie ep. 108, 4 ‚non officio coniugali, sed mariti desiderio‘ gehören gleichfalls hierher). Eine Unsicherheit in bezug auf die Trennung von matrimonium u. libido fehlt auch bei Augustin nicht (c. ep. Pelag. 1, 10f. 33; 4, 9), während die etwas anstößigen Berichte des AT nun wieder mit dem Nachkommenschaftsmotiv gemildert werden (so verteidigt Aug. civ. D. 16, 25 u. c. Faust. 32, 4 Abrahams Bigamie als ‚ad generandam prolem‘ geschehen [historisch übri-

gens korrekt]; ebenso Ambros. exp. Lc. 3, 18 über Thamar; vgl. Isid. Pel. ep. 2, 274 [lex ante gratiam]; ep. 31, 5 [=13, 5 F.] windet Ambrosius sich aus Davids Ehebruch allegorisch heraus). Der Konflikt wiederholt sich im Verhalten zur Digamie. Gewiß ist die Verwerfung der zweiten Ehe seit dem 3. Jh. ziemlich verbreitet, aber sie ist keineswegs gemeinchristlich geworden; Augustinus nennt das Verbot der Wiederheirat sogar häretisch (bon. vid. 6; vgl. 13 [CSEL 41, 318]), obwohl ihm die viduitas höher steht als die Ehe. Hieronymus spricht sich teils energisch (adv. Iov. passim; ep. 54, 15/8), teils nur empfehlend gegen die zweite Ehe aus (ep. 79, 7 mit Verg. Aen. 4, 28f), hält jedoch sogar vielfache Wiederverheiratung für zulässig (ep. 49, 18), eine von den Verhältnissen erzwungene Konzession (als Fabiola eine zweite Ehe eingeht, lobt er diesen Entschluß, sei doch die Ehe vorzuziehen einem ,sub gloria univirae' geübten ,meretricium', ep. 77, 3).

β. Pflichten der Ehe-F. Der herrschenden Gemeinansicht zufolge bedarf jedenfalls die Ehe-F., um deren Würde u. Selbstbewußtsein es nach dieser Lehre nicht gut bestellt ist, zumal angesichts der allgemeinen Höherbewertung der Virginität, besonderer Tugenden, um göttlicher Verzeihung für gottgewolltes Tun teilhaftig zu werden (Basil. coh. ren. vit. 2 [PG 31, 629 A]): am wichtigsten ist Charakter (Ambros. Abr. 1, 85; exp. Lc. 8, 70 u. ö.), oft genannt wird *Sanftmut (u. a. Joh. Chrys. cat. bapt. 1, 37; s. A. Wenger zSt.), aber propria virtus ist pudicitia (u. a. Hier. adv. Iov. 1, 49); die coniugalis castitas wird allenthalben gepriesen (s. o. Sp. 219 zu Helena; eheliche Keuschheit [s. die Augustinus-Stellen o. Sp. 252] überwindet die typisch weibliche infirmitas [u. Sp. 256]: Ambros. exp. Lc. 2, 28; s. o. Sp. 245 zum Abtausch matrona-virgo), ist allerdings als ,Pflicht' der ,freiwilligen' virginitas unterlegen (Aug. gest. Pel. 29 mit Hinweis auf 1 Cor. 7, 25; die Wertung als solche ist Gemeingut; drei Stufen der castitas gibt es für die F.: die Ehe, die Witwenschaft, die Virginität, wie es mit unzähligen anderen v. Polyc. 15f formuliert). Sie bekommt ihre Exempla, sowohl christliche (Maria: Ambros. virg. 2, 6f; Hier. ep. 22, 18; 107, 7 [s. o. Sp. 249]) wie jüdische (Susanna: Ambros. vid. 24; Aug. s. 343; vgl. auch Hier. ep. 65, 1) als auch heidnische (zB. Hier. Sophon. comm. 1, 15f; adv. Iov. 1, 43; Eph. comm. 3, 5 [vgl. ep. 128, 8] wird ein traditionelles exemplum

fortitudinis [die F. Hasdrubals] in ein exemplum castitatis umgeformt; vgl. Val. Max. 3, 2; Liv. per. 51 [63 Roßbach]; Flor. epit. 1, 31, 18f Roßb.; Tert. mart. 4; nat. 1, 18; Oros. 4, 23, 4; *Dido; auch Lucretia [Liv. 1, 58] bleibt Vorbild; vgl. Lord 29 u. Paul. Nol. c. 10, 192f neben Claud. c. 18, 440f). Daß hier vorchristl. Anschauungen weiterwirken, die bestenfalls bis Plutarch vorstoßen (o. Sp. 210; zur Abhängigkeit zB. von Hier. adv. Iov. 1, 49 von Plut. praec. coniug. 48, 145 AB s. Lord 31₃₃), erübrigt sich zu betonen, wie denn die christl. F.spiegel (ältester: das *Epithalamium Greg. Naz. c. 2, 6 [vJ. 385]; vgl. c. 1, 2, 29, 265f sowie u. a. Paul. Nol. c. 25) insgesamt nicht spezifisch Christliches bieten. Wenn Paulinus v. Nola aO. ein asketisches Eheideal zeichnet, so hat er selbst mit Theresia sich dem Ideal unterworfen, das Siricius iJ. 385 fordert (3, 635 Mansi), im Anschluß an die o. Sp. 243 beschriebene Tradition (anderes Material zu diesem u. dem vorigen Abschnitt liefert die Auslegungsgeschichte von 1 Cor. 7; vgl. J. M. Ford, St. Paul the philogamist, 1 Cor. 7 in early patristic exegesis: NewTestStud 11 [1965] 326/48). Die durchgängige Auffassung der Väter in diesen Fragen, soweit wir von einem Generalnenner reden dürfen, findet man bündig formuliert bei Aug. mor. eccl. cath. 63: tu feminas viris suis non ad explendam libidinem, sed ad propagandam prolem et ad rei familiaris societatem casta ac fideli oboedientia subicis, tu viros coniugibus non ad illudendum imbecilliorem sexum, sed sinceri amoris legibus praeficis.

d. Ausdrückliche F.feindschaft. 1. Anthropologie der Ungleichheit. Hin u. wieder räumen christl. Autoren wohl noch ein, die F. sei, ungeachtet physischer Unterlegenheit, in seelischer Hinsicht oder an Intelligenz dem Manne durchaus ebenbürtig (Aug. conf. 13, 32, 47; Theodrt. cur. aff. 5, 56f [SC 57, 244]); derlei Nachklänge antiker Philosophie (oder ein fernes Echo der Umweltverhältnisse) sind aber spärlich genug (Aug. civ. D. 15, 17 zufolge ist Eva Eigen-, Adam Gattungsname, mithin die F., auch als ,Ebenbild', dem Manne gleichgestellt; aber für die Gesamthaltung Augustins bleibt diese Exegese ohne Konsequenzen). Daß von vielen eine zumindest ethische Gleichbehandlung von Mann u. F. in bezug auf eheliche Treue verlangt wird, verdient Erwähnung, weil darin, nicht zuletzt als Schutz der ja doch ins Haus gebannten

F., ein gewisses Korrektiv der sonstigen Lehren über Weib u. Ehe beschlossen liegt; es ist
gleichfalls bestes antikes Erbe (Lact. inst.
6, 23, 24; Ambros. Abr. 1, 25; ep. 2 [hier die
Korrektur von ep. 10 mit 1 Petr. 3, 3f: der
NT-Text gelte auch für Männer]; Hier. ep.
77, 3; Innoc. I ep. 6 [PL 20, 499]; Aug. s. 153,
5; 224, 3; etwas abweichend Basil. ep. 188,
9, der richtig beobachtet, daß im NT ausdrücklich immer nur von eben weiblicher
ὑποταγή die Rede ist). Die Anschauung findet dann ihren Niederschlag im Recht: hatte
noch Konstantin im Scheidungsrecht einen
,double standard of morality' (Cochrane 199
zu Cod. Theod. 3, 16, 1), wird das iJ. 421
anders (Cod. Theod. 3, 16, 2; s. Cochrane
327). – Darüber hinaus gilt lediglich die spiri-
tuell-geschlechtslose Gleichstellung der virgo
mit dem Manne (o. Sp. 245). Allgemein wird,
auch abgesehen vom Topos ,schwaches Geschlecht' (Orig. hom. Lc. 8, 1; Lact. inst. 5, 13,
14; Ambros. ep. 15, 4; exp. Lc. 2, 28; fid. 5, 5;
Hier. ep. 54, 13; 66, 13; 128, 3; Aug. adult.
coni. 2, 20, 21 [PL 40, 486]; Joh. Chrys. in
Hebr. hom. 29, 5; Cyrill. Alex. in Joh. hom.
12; Paul. Nol. c. 28, 26; Salv. eccl. 2, 38;
Gelas. ep. 14, 21 usw.), mit der prinzipiellen Überlegenheit des Mannes gerechnet
(zB. Ambros. vid. 44, 51; inst. virg. 25; ep.
69, 4; in Ps. 1 expl. 14; Basil. Anc. virg. 3 [PG
30, 673 C]). Für Epiphanius ist das γένος
γυναικεῖον ganz einfach εὐόλισθον, σφαλερόν
u. ταπεινὸν τῷ φρονήματι (haer. 79, 2; dem entspricht etwa Joh. Chrys. in 2 Cor. hom. 23, 1;
Cyrill. Alex. in Ioh. hom. 2, 4; 12). – Die
Unterschiede zwischen den Geschlechtern
herauszuarbeiten, hat man sich oft bemüht
(von den zahllosen speziell auf die Natur der
F. gemünzten anthropologischen Urteilen, in
denen Pluspunkte ebenfalls nicht ganz fehlen,
müssen wir hier absehen); dabei gerät zuweilen die F. in ein helleres Licht: sie ist in-
teressierter (Hier. ep. 65, 1, 1), eifriger in der
Askese (Theodrt. cur. aff. 5, 56f [SC 57, 244f];
s. dazu Leipoldt 144), frömmer (Isid. Pel. ep.
1, 125) u. mildtätiger als der Mann (Sever.
Ant. hom. 122 [PO 29, 121]). Gemeinhin
aber läuft es auf die Unterlegenheit der F.
hinaus (zB. Ambros. ep. 15, 5/7; 45, 17 [=
34, 17 F.]: νοῦς gegen πάθη; vgl. Philo opif.
m. 165, im übrigen altes Schema, u. a. bei
Seneca; Cyr. Alex. c. Iul. 3 [PG 76, 617 D];
69, 2. 5; s. o. Sp. 249), die überdies auch noch
biblisch-dogmatisch begründet wurde, ein
Verfahren, das über Paulus (1 Cor. 11, 7/10;

s. o. Sp. 232) ins Judentum zurückreicht (o.
Sp. 225) u. in der alten Kirche schon des 3.
Jh. (Harnack, Miss. 610), stärker dann in der
des 4. Jh. Boden gewann (Beispiel: Ambrosia-
ster; s. dazu L. Voelkl: RQS 60 [1965] 126f;
PsAug. quaest. vet. et nov. test. 21 [71 Souter]):
die F. ist nicht imago Dei.
2. Polemik. α. Allgemeine Abwertung. Einzelne Äußerungen allgemeiner Geringschätzung (zB. Athan. c. gent. 21; Aphraat.
hom. 6, 3; Lact. inst. 3, 19, 17; Hier. adv.
Iov. 1, 48) oder die Geißelung spezieller
weiblicher Laster (Zügellosigkeit: Basil. hom.
ebrios. 1 [PG 31, 445 C]; Hinterhältigkeit:
Hier. Mich. 2, 7 [PL 25, 1220]; gegen sie zog
Narses in einer Rede zu Felde: 2, 353/68
Ming.; Geschwätzigkeit: Hier. adv. Iov. 1, 28;
ep. 54, 5, 2f; Aug. civ. D. 4, 19 [mit 1 Tim. 5, 14];
Isid. Pel. ep. 3, 152), meist traditionell, können hier nur eben gestreift werden (einiges
andere o. Sp. 255). Es sind Ausfälle, die teils
einer Grundstimmung entsprechen (ohne damit offizielle Anschauung zu sein), teils, u. gerade dort, wo sie in ausführliche Invektive
übergehen, stark von überkommenem rheto-
risch-satirischem Motivgut durchsetzt sind
(für Hieronymus u. Zeitgenossen dargelegt von
Wiesen 113/64). Eindeutiger u. ,echter' ist
dagegen die Verdammung des Weiblichen
als Inbegriff der Gottfeindschaft u. Bosheit
(zB. V. Pachom. 2, 10. 19 [175, 26; 185, 10
Halkin]), eine Anschauung, die im Asketismus schon des 2. Jh. wurzelt u. für das
Selbstverständnis des Mönchtums entscheidend wurde (u. Sp. 258). – Nur vereinzelt
findet man die F. als Tier beschimpft (Basil.
s. contub. 6 [PG 30, 820f]: multiformis
bestia). Freundlichkeiten wie ,Schlange' sind
selbstverständlich vertreten (zB. Amphil. s. ps.
asc. 69 Fischer), aber als später ein gallischer
Bischof behauptete, eine F. sei überhaupt
kein Mensch, erntet er denn doch energischen
Widerspruch (Greg. Tur. hist. Franc. 8, 20
[MG Scr. rer. Mer. 1, 1, 36]; G. Kurth, Le
concile de Mâcon et les femmes: RevQHist
51 [1892] 559; Leclercq 1349).
β. Theologischer Überbau. Belangvoller
ist wieder die dogmatische Überhöhung der
Polemik als christliche Verschärfung über-
kommener Anwürfe. Dazu gehört insbesondere die Inanspruchnahme von Gen. 3, 6
für einen ,Sündenfall Evas' (2 Cor. 11, 3; vgl.
1 Tim. 2, 13f; sicher aus dem Judentum entlehnt; o. Sp. 242) als des Inbegriffs weiblicher
Verführung (Tert. or. 22, 5; Firm. Mat. err.

25, 1; Hier. ep. 52, 5; Joh. Chrys. regul. fem. 9; s. u. Sp. 258f); Assoziation mit dem Etikett ‚Schlange' war jederzeit möglich (vgl.Tert.apol.48,1;Min.Fel.34,6;Clem.Alex. protr. 2, 12; paed. 3, 2 [s. Pastorino zu Firm. Mat. err. 26, 1]; Lact. inst. 7, 12; PsClem. virg. 2, 4; Ambros. ep. 38, 1 [10, 1 F.], mit Berufung auf 1 Cor. 7, 23 u. 1 Petr. 3, 3f u. Verwertung von Philo fug. et inv. 16/8 [113, 4/15 C.-W.]; ep. 45, 17 [34, 17 F.]; Paul Nol. ep. 23, 24). Damit wird aus dem alten u. eher volkstümlichen Topos ‚F. als Ursache allen Übels' (s. o. Sp. 217) die viel ärgere Injurie ‚F. als Steigbügel Satans' (Aphraat. hom. 6) oder, unter anderem Bild, als ‚ianua diaboli' (Tert. cult. fem. 1, 1, 2; zum religionsgeschichtlichen Zusammenhang vgl. u. a. G. Widengren: StudJungInst 13 [1961] 51f). F. als ‚Tor zur Hölle' wird dann im MA populär, ja noch schärfer: peccatum a mulieribus coepit (Ambros. exp. Lc. 2, 28; vgl. G. Quispel, Makarius, das Thomasevangelium u. das Lied von der Seele [Leiden 1967] 85; Gott straft die F. daher empfindlicher als den Mann; Joh. Chrys. aO.), eine These freilich, deren Ausgefallenheit zugleich typologisch aufgefangen wird, denn in der virginitas hebt ja nun auch das Gute bei den F. an (Ambros. aO.; ähnlich, aber stärker heilsgeschichtlich, Anon. s. pasch. 59 [1, 187 Naut.] u. a.; *Maria), was umgekehrt aber immer wieder bedeutet, daß Gen. 3, 6 sexualethischer Umdeutung anheimfällt (die Version: per mulierem stultitia, per virginem sapientia [Ambros. exp. Lc. 4, 7] ist milder, obschon nicht eben liebevoll, aber sie zeigt auch den Schematismus der Denk- u. Redeweise). Die virgo, u. zwar nächst Maria auch die christl. Jungfrau sühnt das Vergehen der Eva, lautet ein verbreiteter Gedanke; wie das männliche Geschlecht in Christus geehrt wird, so das weibliche in Maria (Aug. s. 25, 4), das in Eva entwürdigt, in Maria versöhnt ist (Aug. fid. symb. 4; vgl. agon. Chr. 22), wobei jedoch Evas Fall (die weibliche Schuld) nicht völlig zum Erlöschen kommt (Bailey 64). Solche Gedanken gehen wieder auf die moralisch-asketische Zuspitzung des Evangeliums sowohl wie der F.frage zurück, für die eine Gleichstellung oder Anerkennung der F. nur um den Preis der Geschlechtslosigkeit statthaft ist (zB. Ev. Barth. 4f [1³, 366 Hennecke-Schneem.] stellt Maria die Würde der F. wieder her, aber eben als virgo; der Text, dessen Urschrift ins 3. Jh. gehört, bringt

gnostisch-vulgäre Ansichten zum Ausdruck). Der andere Text des AT, der, auch das schon im Judentum, einen festen Platz in theologischer Polemik bekam, war Gen. 6, 2 (s. Lietzmann zu 1 Cor. 11, 10): selbst *Engel vermag die F. zu betören u. zu verführen (u. a. Tert. or. 22, 5, mit 1 Cor. 11, 10 kombiniert; Commod. instr. 1, 3, 4; Aug. civ. D. 15, 22 ist die Kontinuität beider Versionen hergestellt: confusio civitatis ... a sexu femineo causam rursus invenit etc.). So reichlich sich nun weitere Diskriminierungen dieser Art sammeln ließen, so wenig soll damit behauptet sein, die Patristik habe hier einhellig geurteilt; das vereitelten schon die hergebrachte Unsicherheit u. die durchgängige Wirklichkeitsferne des allgemeinen Standpunkts.

3. F. als Versuchung u. Gefahr. Sachlich mit der bisher (o. Sp. 242f. 256f) belegten Denkweise verwandt, jedoch eher in die Paränese gehörig, jedenfalls aber in kirchlicher Praxis zu Hause, sind Warnungen vor u. Sicherungen gegen moralisch verderbliche Einflüsse der F. Man kann sie untergliedern in Ratschläge für den Christen, den Kleriker u. den Asketen. – Namentlich die *Schönheit (Anmut, Reiz) einer F. ist es, vor der Männer gewarnt werden (schon die Heiden hätten das getan, heißt es Isid. Pel. 3, 66): am besten sieht man grundsätzlich nicht hin (Ephr. or. Ion. proph. 4; Isid. Pel. ep. 2, 278; 3, 11; o. Sp. 210f). Wie bedrohlich für des Mannes Tugend ist der Sexappeal einer F. (PsClem. virg. 2, 13, 1f; Athan. c. Arian. 2, 69; Clem. Alex. paed. 3, 11 hatte so das Schleiertragen begründet; vgl. weiter Isid. Pel. ep. 2, 236; Ambros. Abr. 1, 2, 6; erst die reizlose Greisin ist ungefährlich: Joh. Chrys. Gal. 53, 62)! Wie viele Männer sind nicht schon durch F. verdorben (PsClem. virg. 2, 7, 2f mit langer Exempla-Reihe in 2, 8/14)! Am günstigsten, weiblicher Schönheit wird durch Gebet u. Nachtwachen der Garaus gemacht (Greg. Naz. c. 1, 2, 6, 39). Verführung lauert allenthalben, sogar bei der Taufe (*Nacktheit). Von hier bekommt auch die Abmahnung von mixta balnea, über die konservativ-landläufige, uns noch schwer begreifliche, Gegnerschaft hinaus, eine kräftigere Farbe (Belege bei Marquardt 1, 282f), so wenig sie offenbar ausrichtete (Cod. Iust. 5, 18, 11, 2 spezifiziert immerhin zu libidinis causa). Ob aus dieser Haltung auch der Versuch abzuleiten ist, Männer u. F. im Gottesdienst zu trennen (so das licinianische Ge-

setz bei Euseb. v. Const. 1, 53; PsCypr. sing.
cler. 13f), läßt sich schwer sagen. Die Praxis
ist hier u. da belegt (Hippol. trad. apost.
saïd. 43, 1 [TU 58, 13 Till-Leipoldt]; Test.
Dom. 1, 19 [24f Rahm.]; Const. Ap. 2, 57,
10 [1, 163 Funk]: weibliche διάκονοι als
Türhüter für den Eingang der F.; vgl.
PsIgn. 12, 2). Als einfache Übernahme aus
dem Judentum (o. Sp. 226) wäre es allenfalls
Zeichen einer gewissen Hintansetzung der F.
Wenn dagegen Hier. ep. 130, 19 Glauben verdient, wäre die F. im nächtlichen Gottesdienst stärker gefährdet gewesen als bei einem Spaziergang auf finsterem Felde. – Für
den Kleriker kam es nicht zuletzt darauf an,
üble Nachrede zu vermeiden (PsClem. virg.
2, 5, 2f). Asketische Motive sprechen gewiß
mit (PsClem. virg. 2, 8, 2; Hier. ep. 52, 5;
Isid. Pel. ep. 2, 284; 3, 11); umgekehrt wurden leider auch noch virgines sacrae von
Männerblicken angefochten (Tert. bapt. 18;
Hier. ep. 22, 23/5), wie denn der Rückfall
geweihter junger F. in die Ehe immer wieder
zur Verhandlung stand (vgl. u. a. Basil. ep.
188, 9 = 199, 20f, mit vernünftiger Erörterung der Ursachen ep. 199, 18), aber insgesamt, so stark sich der o. Sp. 243 erwähnte
Verlust an Unbefangenheit im Verkehr mit
dem weiblichen Geschlecht bemerkbar macht,
haben die Ratschläge ganz praktische Gründe.
Daher heißt es: nicht privat mit einer F. zu-
sammensein (PsCypr. sing. cler. 14, mit eccl.
3, 8a), oder: eine Witwe oder Jungfrau nie
allein besuchen, immer mit Lektor oder Ako-
luth als Begleiter (außerdem nicht geputzt
u. in Ringellöckchen: Hier. ep. 52, 5). In
diesem Sinne verordnen dann immer wieder
die Konzilien (zB. Conc. Gall. 145. 199
Munier u. ö.). – Als Ausfluß der schon genannten Grundanschauung (o. Sp. 243)
wurde ‚Flucht vor dem Weibe‘ zu einem ausgesprochen mönchischen Motiv u. die F. zur
schlechthin typischen *Versuchung für den
Asketen (außer zB. V. Pachom. 1, 8. 19 [6. 12f
Halkin] vgl. etwa Athan. v. Anton. 5f;
Basil. ren. saec. 5 [PG 31, 636C]; erst recht
die entkleidete: Joh. Ruf. v. Petr. Iber. 48
R.). Die drohende Gefahr wird gern ausgemalt (u. a. Isid. Pel. ep. 3, 12) oder meldet
sich in sexuellen Phantasien u. Träumen;
um so notwendiger sind gerade hier Exorzismen (vgl. o. Bd. 7, 44/117). Nicht einmal im
Gottesdienst ist man sicher (vgl. o. zu Hieron.);
so fragen Mönche des 4. Jh.: soll man überhaupt zum Gebetshaus kommen, wenn dort

F. lungern (PsCypr. sing. cler. 13 antwortet:
ja; vgl. Basil. reg. coen. 2)? – Andere Erörterungen lauten wieder nüchterner: der
Asket solle keine F. einlassen, auch keine
virgines (PsClem. vir. 2, 1, 2f: solummodo
viri cum viris esse possunt; PsTit. ep. bei
Henn.-Schneem. 2³, 99f: es handelt sich hier
um F., die den Asketen das Haus führen).
Unterwegs übernachte er bei einer Greisin,
in einem Zimmer, in das kein weibliches
Wesen gelangen kann (PsClem. virg. 2, 4, 3
mit 1 Tim. 5, 10). Mit F. spreche er tunlichst
überhaupt nicht (Basil. const. asc. 3 [PG 31,
1343/6]). Muß ein F.kloster besucht werden,
bleibt das den dazu beauftragten seniores
(διάκονοι) vorbehalten (Pachom. reg. 49
[PG 40, 951D]). Den Umgang von Mönchen
mit Nonnen regeln auch Anweisungen wie
Basil. reg. brev. 108/11 (PG 31, 1155/7): der
praefectus bespricht mit der praefecta alles
organisatorisch Notwendige, er bekommt die
andern ἀδελφαί möglichst nicht zu Gesicht;
auch die Mädchen im Kloster bleiben ver-
führerische Evastöchter (zumindest die Phantasie des Asketen soll gereinigt oder behütet
werden, aber vielleicht wurde schon damals
tatsächlich mit bedenklicheren Handlungen
beider Seiten gerechnet; unterirdische Gänge
sind aus dem 4./5. Jh. nicht bezeugt).

e. F. u. kirchliche Ämter (*Diakonisse, *Jungfrau, *Witwe). In der Überlieferung des 3.
Jh. ist die Front gegen ältere Bräuche noch
zu greifen: der F. wird verboten zu taufen
(Did. syr. 74f Ach.-Fl.). Ausgiebig normieren
die sog. Apostolischen Konstitutionen: weibliches Priestertum ist heidnisch, ja widerna-
türlich (3, 9 [1, 199 Funk; vgl. ebd. 190. 192.
530]). Hier wirkt also wohl auch die Distan-
zierung vom paganen Kultus ein (Bailey
68). Daß F. die Eucharistie nicht spenden
dürfen, wird neutestamentlich begründet (26,
1/3). Ordination von Witwen oder virgines
sacrae ist zu verwerfen (8, 19. 24f [1, 524.
528 Funk]; vgl. conc. Laod. cn. 11 [1, 2,
1003 Hefele-Leclercq] gegen die Ordination
von πρεσβυτίδες). Allgemein heißt es: Mt. 28
sind F. nicht mit ausgesandt (3, 6; dasselbe
betont PsClem. virg. 2, 15, 1 mit Berufung
auf Mc. 6, 7; ebd. 2f wird Joh. 4, 27 gegen Joh.
20, 14 ausgespielt u. gefolgert, nicht einmal
Maria habe Jesu Füße berühren dürfen). Aus
dem Verbot der Synode v. Elvira geht hervor, daß F. im eigenen Namen Friedensbriefe ausgestellt haben (cn. 81 [2, 12 Bruns]:
auch empfangen darf sie keine). Wie schließ-

lich Epiphanius bekräftigt, ist ein Kirchen-
amt für F. schlechterdings nicht vorgesehen
(haer. 79, 2 f); tatsächlich kennt er nur mehr
Diakonissen (haer. 97, 3, 6: die *Nacktheit
des weiblichen Täuflings schließt Priester aus;
s. o. Sp. 258; zur Berufung auf Hanna [Lc. 2]
vgl. Const. Ap. 8, 2, 9 [1, 471 Funk]). Daß
ἀπ' αἰῶνος niemals eine F. zum Priesteramt
befugt gewesen sei (haer. 79, 2), stimmt ja
nun einfach nicht (wie er sich zB. zu Sängerin-
nen in der Kirche stellt, von denen aus Antiochia Eus. h. e. 7, 39 berichtet, bleibt
dunkel; s. dazu ferner G. Bardy, Paul de
Samosata [Bruxelles 1929] Reg. s. v. femme).
Wenn entsprechende Verbote später gelegentlich wiederkehren (zB. Conc. Araus. [441]
cn. 26; Epaon. [517] cn. 21; Aurelian. [533]
cn. 18 [2, 446. 1036. 1135 Hefele-Leclercq];
Gelas. ep. 14, 26; vgl. A. Thiel, Ep. Rom.
pont. [1868] zSt.), wird man schließen, daß
hier u. da auch in der Orthodoxie die ursprüngliche Praxis noch einmal aufflackerte.
Aber grundsätzlich war es gelungen, die ursprünglich wohl recht ansehnliche amtliche
Mitarbeit der F. innerhalb der Weltkirche
auf den Dienst der Gemeindeschwester zu
reduzieren (zB. Ambros. ep. 54, 2 [= 26, 2 F.]);
die unterschiedliche Praxis im Osten ist zu
einem guten Teil auf die primitiveren sozialen
Bedingungen zurückzuführen (Bailey 69): wo
die F. strenger abgeschlossen lebte, waren
weibliche Dienste notwendiger. Hingewiesen sei noch auf die häufige Wiederholung
des apostolischen Schweigegebotes für F. im
Gottesdienst (so Ambros. virg. 3, 9. 11/4; Hel.
et iei. 18, 66; ep. 69, 5 [= 15, 5 F.]; Paul. Nol.
ep. 23, 25; vgl. P. de Labriolle, ‚Mulieres
in ecclesia taceant': BullAncLittArchChr 1
[1911] 3/24. 103/22. 291/8); ausgenommen
sind liturgische Akklamationen (Greg. Naz.
or. 18, 9 [PG 35, 996 B]) u. Mädchenchöre
(Ambros. expl. Ps. 1, 9; ep. 27, 5). Damit
war, wo nicht bloß allgemein Geschwätzigkeit unterbunden werden soll, die theologische Diskussion für F. gesperrt, was Hier.
c. Pelag. 25 denn auch mit Berufung auf
1 Cor. 14, 34 fast zynisch den Gegnern zu
bedenken gibt. Er weiß: im Orient assistieren
noch Diakonissen bei der Taufe von F. (Did.
syr. 3 [12, 2/4 Ach. – Fl.]), betont jedoch, F.
zu unterrichten sei ihnen lediglich privat gestattet (in Rom. 16 [PL 30, 174]). Ähnlich will
Joh. Chrysostomus wissen, die berühmte Priscilla habe nicht lehren, sondern nur privat Seelsorge treiben dürfen (PG 51/2, 192). So hatte

schon Origenes den Gegnern, die sich für die
Lehrtätigkeit u. das Prophezeien von F. ganz
zu Recht auf die Philippustöchter, auf Hanna
u. auf das AT beriefen (o. Sp. 238), versichert,
jene F. der Bibel hätten zwar prophezeit,
aber doch nicht in der Kirche! Suspekt war
auch die schriftstellerische Tätigkeit von F.
auf theologischem Gebiet (o. Sp. 236). Hier
konnte man die ntl. Lehrverbote ins Feld
führen: zwar seien die Töchter des Philippus,
wie auch Debora, Maria usw. Prophetinnen
gewesen, aber Traktate zu verfassen hätten
sie sich nicht unterwunden (so zB. Didym.
Alex. trin. 3, 41). In einer montanistisch-
orthodoxen Diskussion heißt es gar, des Paulus Verbot weiblicher Barhäuptigkeit ‚bedeute', Christinnen sei das Bücherschreiben
untersagt (G. Ficker: ZKG 26 [1905] 446/
63). – Das gottesdienstliche Verhalten der
Christinnen allgemein wird von den Kirchenordnungen mehr u. mehr reglementiert, angefangen bei der Vorschrift, nur sitzend zu beten
bis hin zu jener, bei der Kommunion die
Hände zu bedecken (Conc. Autiss. [578] cn.
36 f; vgl. schon Laod. [350] cn. 44).

f. F. u. Häresie. 1. Befund. Nichtorthodoxe
Gemeinden noch des 4./5. Jh. dachten u.
handelten da offenbar anders; hier sind
einmal, wie es scheint, F. besonders stark
vertreten, denn Einlassungen zB. des Hieronymus (gesammelt bei Wiesen 162) dürften bei aller Verschuldung an vorchristl. Polemik (so ep. 75, 3; Iuven. 6, 511/9. 526/30)
dies immerhin hergeben, zumal derartige
Winke auch anderswo wahrzunehmen sind
(Sever. Ant. hom. 123 [PO 29, 189, 19]: F.
sind anfällig für die Irrlehren des Mani; zur
Sache vgl. E. de Stoop, Essai sur la diffusion
du manichéisme dans l'empire romain [Gent
1909] 18 f). Aber vieles ist Entstellung um
der Invektive willen; wenn Hier. ep. 133, 4
eine Liste von Häresien liefert, die mit Hilfe
von F. entstanden oder verbreitet seien, so
bedeutet ein ‚cherchez la femme' einfach:
diese Irrlehren sind von vornherein minder-
wertig. Ähnlich ist wohl zu urteilen, wenn
Papst Alexander die Anfänge des arianischen
Streites mit F. in Zusammenhang bringt
(Theodrt. h. e. 1, 4, 5), jedoch wird man ab
u. an auf wirkliche Aktivität von F. schließen
dürfen, so bei Lucilla, die am donatistischen
Streit beteiligt war (Optat. 1, 16; Aug. ep. 43,
17; un. eccl. 6). – Sicher ist, daß bei etlichen
Sondergruppen die Verdrängung aus kirchlichen Funktionen nicht stattgefunden oder

sich verzögert hat, so bei den Priszillianisten (d. h. wohl: in den älteren spanischen Gemeinden; vgl. Socr. h. e. 1, 20; Sozom. h. e. 2, 20, für mögliche vorchristl. Voraussetzungen in einer Art Gynäkokratie Strabo 3, 4, 18; Belege u. Lit.: Zscharnack 122; die Synode v. Saragossa i.J. 380 verwirft allerdings nur weibliche Teilnahme an Konventikeln) u. bei den Messalianern (PSyr 1, 3, *229; wohl auch bei den Manichäern, unter den o. Sp. 242f geschilderten Bedingungen; vgl. P. Alfaric, L'évolution intellectuelle de S. Augustin [Paris 1919] 119; ob die Manichäerin, die von Porphyrios v. Gaza umgebracht wurde, ein Amt bekleidete, wissen wir nicht; Marc. Diac. v. Porph. 85/90 Grégoire-Kugener). Amt oder nicht, die alte Unbefangenheit gegenüber der F., wie sie in der Gesellschaft waltete, scheint sich am Rande der Reichskirche dem Christentum länger erhalten zu haben. Die Pelagianer behaupteten immerhin, der F. sei eine scientia legis sehr wohl zuzutrauen (Hier. c. Pelag. 25), u. auch Rufin scheint das nicht auszuschließen (apol. 1, 7 [PL 22, 546 A]), was Hieronymus natürlich witzelnd verunglimpft (ep. 84, 6). Wahrscheinlich also haben seine Gegner viel von Bildung u. Intelligenz der F. gehalten u. die Verbannung ins Haus nicht mitgemacht. Sehen wir noch einmal Priszillian: sein Kreis zieht F. an (Sulp. Sev. chron. 2, 46. 48; vgl. Hier. ep. 133, 4), darunter Eucoscia, vermögende Gutsbesitzerin (s. o. Sp. 251) aus der Gegend um Bordeaux, aber im Unterschied zur Amtskirche sind seine Vorstellungen von der F. dem unbefangenen Verkehr offenbar adäquat (Dudden 1, 240 zu Priscill. 28 Schepss rechnet mit ‚fortgeschrittenen Ideen'). In den Umkreis Priszillians gehört auch Agape (laut Sulp. Sev. chron. 2, 46 seine Lehrerin; V. C. de Clercq, Ossius of Cordova and the origins of priscillianism: StudPatr 1 [1957] 601/6). Alles in allem dürfte also die F.emanzipation, wie von der Großkirche verdrängt, so in einige Sondergemeinden abgedrängt worden sein u. dort noch längere Zeit in Umgangsformen, Anthropologie u. kirchlichen Ämtern überlebt haben (weitere Erforschung steht noch aus).

2. Bekämpfung. Nicht ohne Reiz ermittelt man, wie sich dieser Befund in der orthodox-kirchlichen Polemik spiegelt. Wie sich nämlich herausstellt, kehren hier die gleichen Methoden wieder, mit denen schon vorchristl. Konservative (oder einfach der Klatsch) Gleichheitsbestrebungen diskreditiert haben (o. Sp. 211). Kurz: unverklemmte Partnerschaft zwischen Mann u. F. wird als Geilheit u. Hurerei verketzert (o. Bd. 3, 1201; das trifft auch die virgines häretischer Gemeinden; vgl. etwa Joh. Chrys. virg. 1 [PG 48, 533f]): kein Geringerer als Augustin verdächtigt in dieser Weise die Manichäer, obwohl er dem Gerücht, diese Gruppe pflege auf Verführung anständiger F. aus zu sein, als Ausgeburt übler Nachrede zu mißtrauen geneigt ist, zeiht er die Gegner doch der Schürzenjägerei (mor. Man. 65. 68. 72); er bringt den Donatismus mit mannstoll umherziehenden greges feminarum in Zusammenhang (ep. 35, 2). Priszillians Gemeinden rücken ebenfalls in dieses Zwielicht (PsGelas. not. libr. apocr.: PL 59, 163); so wird Procula, die mit Eucoscia bekehrt wurde, als Priszillians Mätresse denunziert (Sup. Sev. aO.). Auch auf des Hieronymus Palette fehlt diese Farbe nicht: er zieht Jovinians Integrität in Zweifel, indem er dessen consortium puellarum herausstreicht (ep. 50, 3). Aber auch ihm selbst blieb dergleichen nicht erspart, wurde er doch gleichfalls, wegen seines auch sonst bemängelten Umgangs mit Damen, der Verführung von F. geziehen (ep. 54, 2; vgl. 45, 2). Daß die jeweiligen Urteile über die gegnerische Eheauffassung (ob asketisch oder liberal) entsprechend ausfallen, läßt sich denken u. wäre leicht zu ermitteln. – Bei des Simon Magus Helena mochte die Assoziation Häresie-Hurerei begründet gewesen sein (Iustin. apol. 1, 26, 3; Iren. haer. 1, 23, 12; Tert. an. 34, 5; Euseb. h. e. 2, 13; Hier. ep. 133, 4 usw.), aber schon Irenäus unterstellt den ‚Prophetinnen' des Gnostikers Markos σώματος κοινωνία (haer. 1, 13, 5), u. Tertullian hängt Philomene ein ‚immane prostibulum' an (praescr. 30, 2). Daß die Methode sich im 3. Jh. einbürgert, zeigt auch Cyprian (ep. 59, 1, 2 gegen Felicissimus: pecuniae commissae fraudator, stuprator virginum, matrimoniorum multorum depopulator atque corruptor). Paulus v. Samosata verfiel solchen Verdächtigungen ebenso offiziell wie Paulinus v. Adana auf dem Konzil von Serdica (Hilar. coll. antiarian. Paris. [CSEL 65, 66]): fornicatio cum concubinis et meretricibus (vgl. Peterson 333f). Dieser ererbte Stil übler Nachrede, nunmehr im Lasterkatalog Stütze der Polemik gegen Andersdenkende, mußte Dogmatik wie Kirchenpolitik moralistisch vergiften, um so

mehr, als die sich bildende Orthodoxie einer angemessenen, von Evangelium u. Umwelt an sich nahegelegten Anerkennung der F. ausgewichen war. Daß Prostitution u. Mätressenwesen in der spätantiken Gesellschaft mächtig florierten u. bei dem F.überschuß im Christentum für Mission u. Kirchenzucht ein wirkliches Problem darstellten, sollte allerdings nicht vergessen werden, obwohl die ethisch-sakramental verengte Verkündigung der männlichen Minderheit eine Lösung gewiß kaum zu erreichen vermochte u. der biologische Begriff von Sünde, Kehrseite der Perhorreszierung des Geschlechtlichen, zu Argumenten verleitete, denen schon Jesus selbst wegen seines vergebenden Umgangs mit ‚Sünderinnen' ausgesetzt war. Der Synkretismus des 2. Jh. nC. hat das patristische Denken auf diesem Felde so stark determiniert, daß sich der atl. Schöpfungsbericht oder Äußerungen wie Gal. 3, 28 um so weniger in der Praxis (u. im kanonischen Recht) durchzusetzen vermochten, als schon Paulus selbst sich in Widersprüche verwickelt hatte u. sich egalitäre genau wie reaktionäre Anschauungen auf den ntl. Kanon berufen können. Ein Rekurs auf das NT (G. Metz) hätte nur Sinn, wenn zugleich die Hermeneutik überprüft u. der bestimmende Einfluß des 2. Jh. auf die spätantike Kirche anerkannt würde. – Es ist ein ebenso lebendiges wie unerfreuliches Bild, das uns solche Hetze bietet, obschon auch in ihr, wiewohl verzerrt, noch einmal die allgemeine Haltung des offiziellen spätantiken Christentums zur F.frage zum Ausdruck kommt. Vorbehaltlich weiterer Erforschung u. im Gegensatz zu allerlei beschönigender Darstellung so wie zu jenen, die der alten Kirche die F.befreiung vindizieren (zB. Mazzarino 41), muß im Endergebnis, auch unter Würdigung unumgänglicher Einflüsse u. vorgegebener Konflikte, dem frühen Christentum ein allgemeiner Rückzug vor dem Phänomen F. samt einem Rückfall in schon von vorchristl. Leben u. Denken fast überwundene Entwicklungsstufen attestiert werden. Die ‚Auseinandersetzung' hat in diesem Fall mit einem Sieg kirchlich approbierter Geschlechtsfeindlichkeit, bestenfalls in einem Waffenstillstand mit überständiger (antiker) Ethik auf Kosten der (antiken) F.emanzipation geendet, verbunden mit der Sanktionierung männlicher Überlegenheit in Haus u. Gemeinde. Diese Entscheidung hat über das MA (dazu u.a. Bailey

103/66) bis in die Neuzeit Europa bestimmt (sie zu revidieren ist noch heute nicht überall gelungen). Historisch läßt sie sich ziemlich klar ableiten, mit der christl. Botschaft konstitutiv verbunden ist sie nachweislich nicht.

M. AHREM, Das Weib in der antiken Kunst (1924). – F. AUGAR, Die F. im römischen Christenprozeß (1928). – D. S. BAILEY, The man – woman relation in christian thought (New York 1959). – J. P. V. D. BALSDON, Roman women, their history and habits (London 1962). – H. BALTENSWEILER, Die Ehe im NT (Zürich 1967). – C. BARINI, Ornatus muliebris (Torino 1958). – A. BAUDRILLART, Mœurs païennes, mœurs chrétiennes 1: La famille dans l'antiquité et aux premiers siècles du christianisme (Paris 1929). – CH. BAUR, Der hl. Joh. Chrysostomos u. seine Zeit 1/2 (1929/30). – W. G. BECKER, Platons Gesetze u. das griech. Familienrecht (1932). – G. BEER, Die soziale u. religiöse Stellung der F. im israelitischen Altertum (1919). – J. BELSER, Die F. in den ntl. Schriften: ThQS 91 (1909) 321/51. – E. F. M. BENECKE, Antimachos of Kolophon and the position of women in greek poetry (London 1896). – I. BIEZUNSKA, Études sur la condition juridique et sociale de la femme grecque en Égypte grécoromaine (Lwow 1939). – TH. BIRT, F. der Antike (1932). – G. G. BLUM, Das Amt der F. im NT: NovTest 7 (1964) 142/61. – G. BODEN, Die politische Rolle der F. im klassischen Altertum, Diss. Tübingen (1949). – W. DEN BOER, Eros en amor. Man en vrouw in Griekenland en Rome (Den Haag 1962). – W. BRAUN, Die F. in der alten Kirche (1919). – O. BRAUNSTEIN, Die politische Wirksamkeit der griech. F. (1911). – F. BRINDESI, La famiglia attica (Firenze 1961). – L. BRINGMANN, Die F. im ptolemäisch-kaiserlichen Ägypten, Diss. Bonn (1939). – L. BRUNO, Le donne nella poesia di Marziale (Salerno 1965). – I. BRUNS, F.emanzipation in Athen, Progr. Kiel (1900) = Vortr. u. Aufs. (1905) 154/93. – G. BUCKLER, Women in byzantine law: Byzant 11 (1936) 391/416. – F. BUDDENHAGEN, Περὶ γάμου, Diss. Basel (1919). – R. BULTMANN, Geschichte der synoptischen Tradition ³(1957). – E. BURCK, Die F. in der griech.-röm. Antike (1969). – C. CASTELLO, Il tema di matrimonio e concubinato nel mondo romano (Milano 1940). – CH. N. COCHRANE, Christianity and classical culture ²(New York 1957). – P. E. CORBETT, The roman law of marriage (Oxford 1930). – H. DACIER, Saint Jean Chrysostome et la femme au quatrième siècle de l'église grecque (Paris 1907). – G. DELLING, Paulus' Stellung zu F. u. Ehe (1931). – P. DIEPGEN, Geschichte der F.heilkunde (1937). – J. DONALDSON, Woman: her position and influence in ancient Greece and Rome and among the early christians 1/3 (London 1907). – F. H. Dudden, The life and times of St. Ambrose 1/2 (Oxford 1935). – L. Eckenstein, The women of early christianity (London 1935). – V. Ehrenberg, The people of Aristophanes ²(Oxford 1951). – W. Erdmann, Die Ehe im alten Griechenland (1934). – L. R. Farnell, Sociological hypotheses concerning the position of women in ancient religion: ARW 7 (1904) 70/94. – M. I. Finley, The silent women of Rome: Horizon 7 (1965) 57/64. – B. Förtsch, Die politische Rolle der F. in der röm. Republik (1935). – L. S. Forrer, Portraits of royal ladies on greek coins (London 1938). – W. Fowler, Social life at Rome ⁹(Oxford 1965) 135/67. – D. Franses, De vrouw in de eerste eeuwen der kerk (s'Hertogenbosch 1935). – P. Frassinetti, Gli scritti matrimoniali di Seneca e Tertulliano: RIL 88 (1955) 151/88. – L. Friedländer, Darstellungen aus der Sittengeschichte Roms 1 ⁹(1919). – M. G. Garrido, Ius uxorium (Roma-Madrid 1958). – J. Gaudemet, Le statut de la femme dans l'empire romain: RecSocBodin 11,1 (Bruxelles 1959) 191/222. – L. Goessler, Plutarchs Gedanken über die Ehe, Diss. Basel (1962). – E. von der Goltz, Der Dienst der F. in der christl. Kirche ²(1914). – A. W. Gomme, The position of women in Athens in the 5th and 4th centuries B. C.: ClassPhilol 20 (1925) 1/25 = Essays in greek history and literature (Oxford 1937 bzw. New York 1967) 89/115. – E. Gottlieb, Die F. im frühen Christentum (1938). – H. Greeven, Das Hauptproblem der Sozialethik in der neueren Stoa u. im Urchristentum (1934). – P. Grimal, La femme à Rome et dans la civilisation romaine: Histoire mondiale de la femme 1 (Paris 1965) 375/494. – E. Haenchen, Der Weg Jesu. Eine Auslegung des Mc.-Ev. (1966). – C. Hermann, Le rôle judiciaire et politique des femmes sous la république romaine (Bruxelles 1964). – H. Herter, Die Soziologie der antiken Prostitution im Lichte des heidnischen u. christl. Schrifttums: JbAC 3 (1960) 70/111. – R. A. Higgins, Greek and roman jewellery (London 1961). – Th. Hopfner, Sexualleben der Griechen u. Römer (Prag 1938). – M. K. Hopkins, The age of roman girls at marriage: Population Studies 18,3 (London 1965) 309/27. – K. C. Hurd-Mead, A history of women in medicine from the earliest times to the beginning of the 19th century (Haddam 1938). – R. von Ihering, Der Geist des röm. Rechts auf den verschiedenen Stufen seiner Entwicklung 1/3 (1921/4). – J. Ilberg, Zur gynäkologischen Ethik der Griechen: ARW 13 (1910) 1/19. – J. Ithurriaque, Les idées de Platon sur la condition de la femme au regard des traditions antiques (Paris 1931). – K. Jax, Der F.typus der röm. Dichtung (1938). – R. Kabus-Jahn, Studien zu F.figuren des 4. Jh. vC., Diss. Freiburg (1965). – E. Kähler, Die F. in den paulinischen Briefen (Zürich 1960). –

U. Kahrstedt, Kulturgeschichte der röm. Kaiserzeit (1944). – A. Kalsbach, Die altkirchliche Einrichtung der Diakonissen bis zu ihrem Erlöschen (1926). – H. D. F. Kitto, Die Griechen (1957). – Th. Klauser, Studien zur Entstehungsgeschichte der christl. Kunst 2: JbAC 2 (1959) 115/31; 3: ebd. 3 (1960) 112/33. – H. Königer, Gestalt u. Welt der F. bei Tacitus, Diss. Erlangen (1966). – A. Kosthorst, Die F. - u. Jünglingsgestalten in Vergils Äneis, Diss. Münster (1934). – G. Kretschmar, Ein Beitrag zur Frage nach dem Ursprung der frühchristl. Askese: ZThK 61 (1964) 27/67. – W. Kroll, Die Kultur der ciceronischen Zeit (1933 bzw. 1963). – K. Kuiper, De atheensche vrouw (Haarlem 1920). – W. K. Lacey, The family in classical Greece (London 1968). – L. Lange, Römische Altertümer 1/3 ³(1876/9). – H. Leclercq, Art. Femme: DACL 5,1,1300/53. – J. Leipoldt, Die F. in der antiken Welt u. im Urchristentum (1962). – D. F. van Lennys, Einige opmerkingen over de vrouw in de greekse wereld: Hermeneus 30 (1959) 179/89. – E. Levy, Der Hergang der röm. Ehescheidung (1925). – H. Levy, De civili condicione mulierum Graecarum, Diss. Breslau (1885). – S. Lilja, The roman elegists' attitude to women (Helsinki 1965). – M. L. Lord, Dido as an example of chastity: HarvLibrBull 17 (1969) 22/44. – G. H. Macurdy, Hellenistic queens. A study of women-power in Macedonia, seleucid Syria and ptolemaic Egypt (Baltimore 1932). – J. Marquardt, Das Privatleben der Römer 1/2 ²(1886). – Th. Matthias, Urteile griech. Prosaiker der klass. Zeit über die Stellung der griech. F., Progr. Zittau (1893) = JbbKlPhilol 147 (1893) 261/76. – J. Mausbach, Altchristl. u. moderne Gedanken über den F.beruf (1906). – S. Mazzarino, Das Ende der antiken Welt (1961). – P. M. Meyer, Der röm. Konkubinat nach den Rechtsquellen u. den Inschriften (1895). – G. Notor, La femme dans l'antiquité grecque (Paris 1901). – M. R. Nugent, Portrait of the consecrated women in greek christian literature of the first four centuries (Washington 1941). – W. L. Odom, The position of greek women in the 1st century A. D., Diss. Virginia (1961). – A. Oepke, Art. γυνή: ThWb 1 (1933) 776/90. – U. E. Paoli, Die F. im alten Hellas (Bern 1955). – E. Peterson, Frühkirche, Judentum u. Gnosis (1959). – M. L. Portmann, Die Darstellung der F. in der Geschichtsschreibung des frühen MA (Basel 1958). – C. Préaux, Le statut de la femme à l'époque hellénistique, principalement en Égypte: RecSocBodin 11,1 (Bruxelles 1959) 127/75. – H. Preisker, Christentum u. Ehe in den ersten drei Jahrhunderten (1927). – A. Puech, Saint Jean Chrysostome et les mœurs de son temps (Paris 1891). – L. Radermacher, Die Stellung der F. innerhalb der griech. Kultur: Mitt. des Vereins der Frd. des human. Gymn. Wien 27

(1929) 6 ff. – K. H. Rengstorf, Mann u. F. im Urchristentum (1954). – F. Sandels, Die Stellung der kaiserlichen F. aus dem julisch-claudischen Hause, Diss. Gießen (1912). – H. A. Sanders, A latin marriage contract: TrProcAmPhilolAss 69 (1938) 104/16. – Ch. A. Savage, The athenian family, Diss. Baltimore (1907). – C. Schneider, Kulturgeschichte des Hellenismus 1 (1967) 78/116. – K. Schneider, Art. Meretrix: PW 15,1 (1931) 1018/27. – W. Schubart, Die F. im griech.-röm. Ägypten: InternMonSchrWissKunstTechn 10 (1916) 1503/38. – Ch. Seltman, Women in antiquity (London 1956; dt. Ausg. 1958). – A. N. Sherwin-White, Roman society and roman law in the NT (Oxford 1963). – R. Steininger, Die weiblichen Haartrachten (1909). – L. Stöcker, Die F. in der alten Kirche (1906). – W. W. Tarn, Hellenistic civilisation (New York 1961). – J. Teufer, F.emanzipation in Rom (1913). – R. Villers, Le statut de la femme à Rome jusqu' à la fin de la république: RecSocBodin 11,1 (Bruxelles 1959) 177/89. – J. Vogt, Von der Gleichwertigkeit der Geschlechter in der bürgerlichen Gesellschaft der Griechen = AbhMainz 1960, 2. – C. J. Vos, Woman in old testament worship, Diss. Amsterdam (o. J.). – M. Weber, Ehe-F. u. Mutter in der Rechtsentwicklung (1917). – S. Wiesen, St. Jerome as a satirist (Ithaca-N. Y. 1964). – L. M. Wilson, The clothing of the ancient women (Baltimore 1938). – H. J. Wolff, Zur Stellung der F. im klassischen Dotalrecht, Diss. Berlin (1932). – F. A. Wright, Feminism in greek literature (London 1923). – L. Zscharnack, Der Dienst der F. in den ersten Jh. der christl. Kirche (1902).   *K. Thraede.*

Freigebigkeit s. Liberalitas.

Freiheit.

A. Allgemeines. I. Begriffliches. Im Griechischen tritt zuerst das Adjektiv frei, dann der Freie u. danach die F. sprachlich in Erscheinung. Der Freie ist in der Antike zunächst der Vollbürger einer Gemeinde im Unterschied zu Fremden u. Nichtbürgern jeder Art, darunter auch den Sklaven. Das Gegenwort zu Sklave ist natürlich zunächst ‚Herr' (gegen Pohlenz 7); Freier u. Sklave dagegen sind nicht eigentlich ein Gegensatzpaar, sondern schließen als Endpunkte die lange Reihe der überall bestehenden, vielfach abgestuften Rechtsstellungen ein. Was den Freien zum Freien macht, ist also die Teilhabe an einem Sein, wobei an Heimat, Vaterstadt, *Bürgerrecht, demokratische Verfassung, weiter an menschliche Gemeinschaften wie die platonische Akademie, die Mysteriengemeinden, die Gemeinden *Epikurs u. an die Kosmopolis der Stoiker (*Epiktet) zu denken ist sowie an die Transzendierungen dieser Größen. Gegenworte zu F. sind demnach τυραννίς, dominatio usw., wenn nach innen geblickt wird, δουλεία u. anderes, wenn es um ‚außenpolitische' Verhältnisse geht.

II. Abgrenzung. Für F. in diesem Sinne stehen im wesentlichen die Wortgruppen ἐλευθερία u. libertas. Sie dienen im Folgenden als heuristisches Kriterium. F. steht also immer für ἐλευθερία/libertas. Die Frage der *Willensfreiheit zB. knüpft sich im Griechischen an Wörter wie προαίρεσις, αὐτεξούσιον usw. Berührungen zwischen F. u. der Willensproblematik liegen vor, jedoch blieb F. in der gesamten Antike im wesentlichen auf den politisch-rechtlich-sozialen Bereich bezogen u. wurde nicht eigentlich zum philosophisch-theologischen Begriff.

III. Ἐλευθερία. Ihre Darstellung wäre weithin gleichbedeutend mit der Geschichte der griech. Polis u. ihres religiösen Sinnes, ihrer Verfassungsgeschichte, der athenischen Demokratie insbesondere, ihres Privatrechts, einschließlich ihrer Geschichte im römischen Imperium; der Auseinandersetzung des griech. Rechtsdenkens mit Polis u. Nomos; des Heraufkommens eines individualistischen F.-verständnisses (‚frei ist, wer lebt, wie er will' [Epict. diss. 41, 1; vgl. Demokrit: VS 68 B 245]) u. der Versuche der ethisch-religiösen Überwindung desselben; es gehörte dazu die Geschichte der existentiellen Problematik des zunehmend in seiner politischen Existenz beeinträchtigten Adels u. die auch hieraus sich ergebende Spiritualisierung von F.

IV. Libertas. An ihre Darstellung wären ähnliche Forderungen zu stellen. Dabei wäre die Eigenart der röm. F. gegenüber der griechischen zu betonen, denn ‚an die Gewährung gleicher staatsbürgerlicher Rechte, an einen Wechsel in der Macht, so daß jeder Aussicht hat, einmal an die Macht zu kommen, wie es die F. der griech. Demokratie fordert, hat man in Rom niemals gedacht‘ (Schulz 97). F. wurde in der Kaiserzeit zum Stichwort des geistigen Widerstandes gegen den Prinzipat. Eigens zu untersuchen wäre, wie das Verhältnis der röm. libertas zur F. der Völker u. Städte des Imperiums gedacht u. praktiziert worden ist, sowohl von seiten Roms wie von seiten der unterworfenen Völker. Dabei sind neben Tacitus insbesondere auch Philo u. Josephus zu beachten.

V. Auseinandersetzung des Christentums mit der antiken F. Hierbei geht es vor allem um zwei Problembereiche: die Auslegungsgeschichte der ntl. Stellen über F. u. die Geschichte des Verhältnisses von Staat u. Kirche; die libertas ecclesiae wird der Kirche des MA als Gabe u. Aufgabe von der Kirche auf dem Boden des röm. Imperiums weitergegeben werden.

B. Nichtchristlich. I. Ἐλευθερία. Von ihrem ersten Auftreten bei Homer an sind u. bleiben die Wörter ‚frei‘, ‚F.‘ u. ‚befreien‘ auf die Polis bezogen. Wenn im Blick auf Troja nach Aufhebung der Belagerung von einem freien Mischkrug, der dann den Göttern zu weihen sei (Il. 6, 528), oder angesichts der drohenden Niederlage vom freien Tag, der dann den (als Beutestücke verschleppten) Frauen weggenommen werden wird (Il. 16, 831), gesprochen wird, so ist deutlich: ‚das Bestehen des Stadtwesens ist die conditio sine qua non für das ἐλεύθερον von κρητήρ u. ἦμαρ‘ (Beringer 289). Von einem irgendwie gearteten Bewußtsein, ein Gemeinwesen oder eine Polis sei per definitionem ein Zusammenschluß freier Individuen, ist noch nichts zu spüren. Zeugnisse für das Entstehen dieses Bewußtseins begleiten das Werden des attischen Staates. – Von Alkaios (frg. 72, 12 [147 Lobel-P.]) an ist das Adjektiv ἐλεύθερος als Adelswort faßbar u. begegnet seitdem immer wieder als Synonym zB. für εὐγενής, so etwa Clem. Alex. strom. 3, 30, 1. Die Zugehörigkeit zu der durch Besitz u. Herkommen privilegierten, zu militärischer u. politischer Tätigkeit befähigten Adelswelt macht den Freien aus. – Demgegenüber will Solon das

Adjektiv frei strikt auf die Polisgemeinde im Ganzen bezogen wissen. Die von ihm durchgeführte Entschuldungsaktion, in deren Verlauf zahlreiche Bauern aus der persönlichen Schuldsklaverei gelöst u. von den entschuldeten Grundstücken die Schuldsteine entfernt wurden, kann er im Rückblick mit dem Wort zusammenfassen, daß die Mutter Erde nun eine Freie sei (frg. 24, 7 [44 Diehl]): frei ist im Grunde hier Prädikat des Göttlichen; ‚Gaia als Freie‘ besagt, daß die allen, Adel wie Volk, geltende mütterlich bergende, göttliche Kraft der Erde in Erscheinung tritt in dem in Eunomia verfaßten, Götter, Adel u. Volk friedlich einenden Athen (Nestle 19/30). – In dem Maße, in dem sich mit regional unterschiedlichem Tempo die Form der Polis entwickelt u. stellenweise demokratische Züge annimmt, erweitert sich so der Kreis derer, die in hervortretender Weise als Freie Anteil an der F. des Ganzen haben, wozu freilich Frauen u. Metöken auch in den radikalen Demokratien nie gehört haben, von den Sklaven ganz zu schweigen. – Demgemäß heißt der Kampf um die Erhaltung der Heimat als Heimat ἐλευθεροῦν (Aeschyl. Pers. 403). Überhaupt verliehen die Perserkriege dem Worte F. mächtigen Glanz. Er spiegelt sich bei Pindar, der für uns der erste Zeuge für ἐλευθερία (frg. 77 [83 Snell]; Pyth. 1, 61) u. den Ζεὺς ἐλευθέριος (Ol. 12, 1) ist, dessen Kult nicht zufällig im Anschluß an den Sieg von Plataiai gestiftet wurde (Nilsson, Rel. 1², 418), während vorher die politischen Schutzgottheiten einfach als Stadtgottheiten (Πολιάς o. ä.) apostrophiert zu werden pflegten. Dieser Kult fand bis weit in die röm. Kaiserzeit hinein große Verbreitung (vgl. Fehrle: Roscher, Lex. 6, 619/23; Cook, Zeus 2 Reg. s. v.). – Mit den Perserkriegen u. dem anschließenden Aufkommen imperialer Herrschaftsformen im griechischen Bereich (att. Seebund) stellte sich die Frage, wie sich die F. der einzelnen Polis zur F. nunmehr ganz Griechenlands verhalte. Diesem erweiterten Horizont entspricht Herodot, wenn er eben in der F. den Grund der Überlegenheit der Griechen über die Perser sieht (vgl. M. Pohlenz, Herodot [1937 bzw. 1961]). Eine schöne Deutung dieser F. gibt er in dem Dialog zwischen Xerxes u. dem exilierten Spartanerkönig Demarat (7, 101/5), der wahrscheinlich gleichzeitige sophistische Staatstheorie reproduziert. Darin wird die F., welche die Griechen trotz ihrer numerischen

Unterlegenheit den Persern überlegen macht, in zwei Hinsichten näher qualifiziert: Der Gehorsam, den der einzelne leisten muß, richtet sich auf den Nomos, die eigene, göttliche, gleichbleibende Rechts- u. Lebensordnung, nicht auf die wechselnden Launen eines Herrschers, u. die freiheitliche Kooperation der Bürger erbringt eine größere Leistung als die bloße Addition ihrer individuellen Leistungen. Ist der Bürger unmittelbar auf den Nomos bezogen, so liegt darin so etwas wie die herrliche Erfahrung der Gottunmittelbarkeit beschlossen, die als ἰσονομία, ἰσηγορία, ἰσότης das Wesen der Demokratie ausmacht. Herodot kennt aber bereits eine antinomistische ‚völlige F.‘ (7, 104, 5). Mit dieser in innerem Zusammenhang steht das entgegengesetzte, allerdings singuläre: ‚niemand ist frei außer Zeus‘ (PsAeschyl. Prom. 50). Die hier ausgesprochene Erfahrung, daß der Mensch hilflos dem Wirken der Götter oder der Tyche ausgeliefert ist, kommt in der auf Hesiod zurückgehenden Konzeption von der souveränen Weltherrschaft des Zeus theologisch zur Geltung. – Den Ausgleich zwischen dem mächtig gewordenen F.bewußtsein des einzelnen u. der Erfahrung der Macht von τύχη u. βία auf der einen u. der Polis als bleibender Bedingung individueller F. auf der anderen Seite sucht Euripides u. findet ihn im freien Sterben des Politen für das Rechte; vgl. J. Schmitt, Freiwilliger Opfertod bei Euripides (1921); zum ‚Freitod‘ bei den Römern s. u. Sp. 279. – Bei Thukydides (vgl. J. de Romilly, Thucydide et l' impérialisme athénien[2] [Paris 1951]) ist das Verhältnis von F. u. Macht zu Ende gedacht: F. ist Macht (nach Niederwimmer 4), Herrschaft über andere (3, 45, 6); Athen mußte Tyrann werden (2, 60/4; vgl. 1, 124, 3). ‚Der Drang zur Ausdehnung nach außen‘ hat die Macht der Athener zu einer so gefährlichen Größe ‚emporgetrieben, daß es für sie in bestimmten Konstellationen kein Zurück mehr gibt‘ (Diller 203). Meint Thukydides, daß das πιστὸν ἐλευθερίας, das ‚Vertrauen, das die F. in uns erzeugt‘ (ebd. 201), sich endlich selbst vernichten muß? Jedenfalls läßt er im Angesicht der sicheren Niederlage in einem streng genommen nicht möglichen Superlativ Athen als die ‚allerfreieste Stadt‘ erscheinen (7, 69, 2). – Der neue F.begriff, den die Philosophie seit Sokrates entwickelte, betraf in seiner vollen Entfaltung nur noch die Seele des Individuums, deren sittliche Entschei-

dung von sozialem u. naturgesetzlichem Zwang freigehalten werden sollte. Die Philosophie mußte sich darum fortlaufend mit der Frage nach F. u. Herrschaft unter den Menschen u. mit der nach der natürlichen Kausalität auseinandersetzen. Die Antwort auf die erste Frage ist exemplarisch in Platons Bericht von Sokrates' Prozeß u. Exekution gegeben (apol., Crit.): Sokrates erklärt, sich dem, objektiv ungerechten, Todesurteil nicht durch die ihm leicht gemachte Flucht entziehen zu dürfen, weil er nicht gegen die Gesetze handeln könne, denen er sein bisheriges Leben als Bürger verdanke. Er vollzieht diesen Entschluß jedoch in dem Bewußtsein, daß ihm Ankläger u. Richter, also diejenigen, die diese Gesetze handhaben, nicht ‚schaden‘ können, weil sie seinen Seelenzustand u. damit die Unabhängigkeit seiner Entscheidung nicht zu beeinflussen vermögen. Die Loyalitätserklärung an die vorgegebene Staatsordnung kommt also aus einem Bereich der Persönlichkeit, auf den diese Staatsordnung nicht einwirken kann. – Ähnlich ist die ethische Lösung des Willensproblems angesichts der natürlichen Kausalität, wie sie schön im Hundegleichnis Chrysipps (SVF 975), also des Vertreters extremer stoischer Determinationslehre, ausgedrückt ist: Der kluge Hund trottet vergnügt u. munter hinter dem Wagen her, an den er angebunden ist, der törichte läßt sich jaulend mitschleifen. Das ἐφ' ἡμῖν besteht darin, daß man dem zustimmt, was man intellektuell als gut u. notwendig verstanden hat. Wo man (anders als bei Stoikern u. Epikureern) die Welt nicht ‚materialistisch‘, sondern aus Geist u. Stoff erklärte, war die Lösung noch leichter, denn man konnte dem Determinationszwang der materiellen Welt die uneingeschränkte F. des geistig-seelischen Bereichs entgegenstellen, in dem die sittlichen Entscheidungen fallen (s. auch *Willensfreiheit). – Die Bestimmung, welche die sozialpolitische F. in der philosophischen Doktrin erfährt, sah je nach dem Lehrzusammenhang u. den politisch-historischen Erfahrungen einzelner Philosophen verschieden aus: Platons Bemühen ist darauf gerichtet, den anscheinend unvermeidlichen Umschlag von konsequenter Demokratie in Tyrannis wenigstens denkend zu vermeiden. F. ist für ihn im Blick auf den Nomos τῷ θεῷ δουλεία (ep. 8, 354 E), im Blick auf die Gemeinschaft der Politen Freundschaft (φιλία) zwischen den

Parteien (vgl. I. v. Löwenclau, Der platonische Menexenos [1961]). Hatte sich in der platonischen Akademie so etwas wie eine Polis in der Polis herausgebildet, so hatte Platon doch versucht, in den sizilischen Angelegenheiten auch unmittelbar politisch zu wirken (ep. 8). – Weiter gelockert erscheint das Verhältnis des freien einzelnen zur Polis bei Aristoteles. Wenn er erörtert, ob u. wie sich das ‚politische Leben‘ mit dem ‚betrachtenden Leben‘ vereinen lasse (pol. 1325 a 18/21), so ist die Gemeinschaft der Freien nicht mehr notwendig mit der Polis identisch; diese wird vielmehr zum Inbegriff der äußeren Voraussetzungen für das Leben als Philosoph. Dieser ist, wie die Einleitung zur Metaphysik (982 b 19/983 a 11) zeigt, im Grunde allein frei in dem durchaus adeligen Sinne, daß er der ist, welcher der Ordnung des Seins am tiefsten verbunden ist (vgl. metaph. 1075 a 11/25). Der Freie ist konstituiert durch die προαίρεσις, das φύσει ἐλεύθερον (pol. 1253 a/1255 b). – Damit ist der Weg gewiesen für das in den folgenden Jahrhunderten unermüdlich traktierte (weil existentiell wichtige) stoische Paradoxon ‚allein der Weise ist frei‘ (Cic. parad.; Hor. sat. 7; Pers. 5; Philo quod omn. prob. lib.; Greg. Naz. c. 1, 26 [PG 37, 853 A] u. u. Sp. 297; Ambros. ep. 37), bei dem man freilich den Ton des Leidens an der (politischen) Wirklichkeit u. die Trauer der Resignation nicht überhören darf, die sich im Spott über die Abhängigkeit der Mächtigen nur gequält Genugtuung verschafft. Zum anderen ist mit Aristoteles endgültig der Weg frei dafür, daß neue menschliche Gemeinschaften jene heimatliche F., jene ἐλευθέρα βιοτή (vgl. C. Diano, Lettere di Epicuro e dei suoi [Firenze 1946]) gewähren, wie sie zB. in den Gemeinden *Epikurs begegnen, der von den Seinen als Befreier gefeiert wird (Lucian. Alex. 61; ähnlich gelegentlich der Gott der Christen: Sacram. Serap. 3 [2, 161 Funk]). Man muß beim Urteil über philosophische Lehren dieser Art stets in Rechnung stellen, daß die griech. Poleis im späten 4. Jh. vC. zwar mit wenigen Ausnahmen ihre außenpolitische Handlungs-F. verloren hatten, daß aber die Polis durch die ganze hellenist.-röm. Zeit hindurch weiterhin, u. zwar unabhängig von irgendwelchen Rechtsfiktionen, als Gemeinwesen von Freien betrachtet, ein F.begriff also stets ‚politisch‘ artikuliert werden konnte. Unbeschadet ihrer Zugehörigkeit zu griechischen,

parthischen, römischen Territorialstaaten erfreuten sich die Poleis einer weitgehenden Autonomie, u. ihre Bürger konnten in Administration, Finanz-, Gerichts- u. Bauwesen weitgehend die Geschicke ihrer Gemeinde selbst bestimmen. Auch war die Teilhabe an den zivilisatorischen Errungenschaften eines ‚freien‘ Lebens durchweg an die Voraussetzung gebunden, daß man Bürger einer Polis war. Persönlich-sittliche u. bürgerlich-rechtliche F. standen also auch dann in steter Wechselwirkung, als kein Bürger einer griech. Stadt mehr über Krieg u. Frieden zu befinden hatte (Nörr).

II. **Libertas. a. Kultisches.** Bis in die Zeit Augustins gegenwärtig ist der Kult des altitalischen Gottes der Fruchtbarkeit Liber pater (Aug. civ. D. 6, 9; 7, 2; vgl. auch Petron. 41), illyrischer Herkunft (G. Radke, Die Götter Altitaliens [1965] 182), mit Libera als Gefährtin u. den Liberalia am 17. III. als Fest. Davon zu unterscheiden sind: die durch sekundäre Identifikation mit Dionysos ermöglichte Trias Ceres, Liber, Libera; dann Juppiter Liber, bzw. Liberator u. die Übersetzung des Ζεὺς ἐλευθέριος in Juppiter Libertas (vgl. Kock, Art. Libertas: PW 13, 1 [1926] 101/3) mit dem templum Libertatis in Aventino (= atrium Libertatis?) des Ti. Sempronius Gracchus vJ. 241 vC. (?). Weihungen für Juppiter Libertas sind in der Kaiserzeit häufig; er erscheint auf Münzen der Republik, der Caesarmörder u. zahlreichen der Kaiserzeit (vgl. W. Eisenhut, Art. Liber, Libera, Liberalia u. Art. Libertas: Der Kleine Pauly 3 [1968] 620 f. 623 f mit Lit.). – ‚Bei der Gründung der Siedlung hat die Abgrenzung des genau bezeichneten Landes den Zweck, die Wohnstätten der Menschen von allen störenden Gewalten zu befreien (effari et liberare)‘ (Latte, Röm. Rel. 42 mit Lit.).

b. **Sprachliches.** Während liberare eine viel breitere Verwendung fand] als ἐλευθεροῦν (so für griech. ῥύεσθαι, λύειν, ἀπαλλάττειν u. a. m.), u. auch liberator für griech. ἐλευθερωτής u. λυτρωτής (so zB. AConcOec 1, 5, 1, 118, 32: Christus als salvator et liberator) eintrat, behält vor allem libertas einen klar profilierten Sinn, der zunächst auf die innere Verfassung Roms bezogen ist.

c. **Der F.begriff der Republik.** Libertas ist der Inbegriff des mit der recht verstandenen u. recht gelebten römischen res publica gegebenen Heils, die Größe, welche Rom vor der übrigen Welt auszeichnet: in hac civitate, quae longe iure libertatis ceteris civitatibus antecellit (Cic. leg. agr. 2, 29; Weiteres bei Schulz 96; Kloesel). Die Leuchtkraft des Wortes war derart, daß sich ihm auch die offizielle Sprache der Kaiserzeit bis zuletzt (Wickert, Prinzipat 96/109 bringt Beispiele bis Justinian u. Theoderich) nicht entziehen konnte (s. u. Sp. 278): o nomen dulce libertatis, o ius eximium nostrae civitatis (Cic. Verr. 2, 5, 163; vgl. pulchra libertas: Verg. Aen. 6, 821). Deutlich faßbar als innenpolitischer Begriff ist uns libertas erst mit dem 1. Jh. vC. u. begegnet hier schon im Widerstreit von Optimaten u. Popularen (Ch. Meier, Art. Populares: PW Suppl. 10 [1965] 549/615). ,Dies bedeutet aber, daß schon der politische F.begriff der Republik, zum mindesten der späten Republik, eine gewisse Zwiespältigkeit aufweist, die darauf zurückzuführen ist, daß er von den Anschauungen u. Ansprüchen der regierenden Senatsoligarchie geprägt ist. F. der res publica meint im letzten Grunde die eigene F. dieser Oligarchie, nämlich das freie Spiel der politischen Kräfte im Sinne der traditionellen republikanischen Ordnung. Ihr Gegensatz ist die dominatio eines einzelnen, einer factio oder auch der Masse, welche dieses freie Spiel aufhebt, indem sie die verfassungsmäßigen Träger der Staatsgewalt, Senat u. Magistratur entmachtet u. damit die kollektive Herrschaft der optimi beseitigt. Die Vorstellung aber, daß diese libertas rei publicae mit der F. jedes einzelnen Bürgers identisch sei, steht auf ziemlich schwachen Füßen, weil die regierende Oligarchie nicht bereit ist, jedem Bürger ein wirkliches politisches Mitbestimmungsrecht einzuräumen. Was für den Bürger bleibt, ist praktisch nicht viel mehr als ein Anspruch auf gerechte Ausübung der Staatsgewalt, garantiert durch die Schutzfunktion gewisser 'populärer' Verfassungsinstitutionen' (Kunkel 85f), nämlich vor allem das Volkstribunat (s. zuletzt J. Bleicken, Das Volkstribunat der klassischen Republik[2] [1969]), das Recht der provocatio ad populum u. das röm. *Bürgerrecht (vgl. Kaser, Privatrecht 1; D. Medicus, Art. Civitas: Der Kleine Pauly 1 [1964] 1198f mit Lit.; G. Kehnscherper, Der Apostel Paulus als römischer Bürger: StudEv 2 = TU 87 [1964] 411/40). In der Sicht der Oligarchen sind also ,senatus auctoritas u. populi Romani libertas (sind) die beiden einander gegenseitig voraussetzenden u. ergänzenden Faktoren zur salus rei publicae' (Kloesel 36). Je nachdem wohin geblickt wird, bezieht sich libertas also mehr auf den populus (zB. Cic. rep. 2, 53/8) oder mehr auf die Tatsache der Senatsherrschaft (Kloesel 39), zB. Cicero am 20. III. 43 an Lepidus (fam. 10, 27): Pacis inter civis conciliandae te cupidum esse laetor. Eam si a servitute seiungis, consules et rei p. et dignitati tuae; sin ista pax perditum hominem (sc. Antonius) in possessionem impotentissimi dominatus restitutura est, hoc animo scito omnes sanos, ut mortem servituti anteponant. Die libertas hat ihr Wesen in der Dreiheit von ius, leges, res publica: M. P. Cato: ORF nr. 8, 252 (96 Malcov.[3]). – Dieses F.verständnis wurde auch auf das Verhältnis Roms zu den civitates des Imperiums übertragen. Zahlreiche Städte wurden zur civitas libera erklärt. ,Diese Gemeinden sind von dem statthalterlichen Regiment eximiert, haben eigene Territorien u. Autonomie einschließlich der Finanzautonomie; Meinungsverschiedenheiten zwischen civitas u. Rom wurden durch Verhandlung im Senat erledigt. Das ist für die Römer 'F.' trotz des Fehlens der völkerrechtlichen Souveränität, trotz der Leistungen von Truppen, Geld u. Gut, zu denen sie verpflichtet sind' (Schulz 98). Das Verhältnis von Imperium u. Polis vollzog sich also zumeist in den Formen der ,Außenpolitik' (Nörr). Die F. der Polis ist so auch in der späten Republik u. Kaiserzeit nicht einfach ein leeres Wort.

d. Privatrecht. Dazu vgl. Kaser, Privatrecht 1/2.

e. Prinzipat. Augustus wollte sich offiziell als vindex libertatis verstanden wissen, wie die res gest. 1, 1f ausweisen: . . . exercitum . . . comparavi, per quem rem publicam a dominatione factionis in libertatem vindicavi. Seitdem läßt sich bis hin zu Theoderich u. der Inschrift auf der Phokassäule (dem letzten Bauwerk, das auf dem Forum errichtet wurde) fast jeder Kaiser auf Inschriften, in Münzprägungen u. in der Panegyrik als restitutor libertatis usw. feiern (Material bei Wickert, Princeps; ders., Prinzipat 96/109). F. bleibt also ein fast allgegenwärtiges offizielles Heilswort (so in der formelhaften Wendung ,libertas et salus'). Nähert es sich in seinem Sinne auch bedeutend securitas u. pax (Wickert, Prinzipat), so ist die Berufung des Prinzipats auf die libertas doch nicht ohne inneres Recht, da er sich ,bis in die große Krise des dritten Jahrhunderts hinein trotz aller Übergriffe der einzelnen Principes im großen u. ganzen von den Prinzipien der Bürgerlichkeit (civilitas), des Maßhaltens (moderatio) u. des Gerechtigkeitsstrebens (iustitia) leiten ließ. Nicht der Einfluß des stoischen Königsideals hat dazu den entscheidenden Beitrag geleistet, sondern die sehr viel nüchternere u. konkretere Tradition der röm. libertas rei publicae, die Augustus in die Monarchie hinübergerettet hat' (Kunkel 93; dagegen erscheint Augustus als Ende der libertas bei Aug. civ. D. 3, 21. 30).

f. Der geistige Widerstand gegen den Prinzipat. Dieser Widerstand schart sich seinerseits um die Fahne der libertas. Exemplarisch hierfür ist Lucan: ,Solange noch gekämpft wird, geht es um die republikanische F., wenn es auch nur mehr ihre Todeszuckungen sind. Aber im Tode (sc. des F.kämpfers) verwandelt sie sich, u. bevor sie noch ganz gestorben ist, ist sie in Catos Tod unsterblich geworden u. als bleibender Besitz errungen, eben die in Hinkunft einzig mögliche u. außer aller Gefährdung stehende, die letzte innere F. . . . Sie herrscht in jenem kleinen, aber unantastbaren Raum des tiefen Seelengrundes, der dem Römer im Ansturm der Gewalt geblieben ist als der Lebensraum der deprensa virtus (4, 469)' (Pfligersdorffer 350), so ,daß libertas für Lucan nur noch möglich ist im Vollzug des Sterbens' (U. Rutz: Lustrum 9 [1964] 282; vgl. noch den ,Freitod' Catos d. J. [Plut. Cat. 67/73], Senecas [Tac. ann. 15, 60/4] u. dagegen den unpolitischen, rein philosophischen liber moriturus bei Plin. ep. 1, 12; dazu Benz 111/24). Die tiefste Einsicht in das Wesen römischer libertas u. die Unmöglichkeit ihrer Verwirklichung unter den historischen Bedingungen des Kaiserreiches findet sich bei Tacitus. Der uneingeschränkte Kampf um die Macht, ohne den es libertas nicht geben kann, trägt im Erscheinungsbild die Züge der licentia (dial. 40) u. paßt nicht in einen Weltstaat, der eine Rechtsordnung verwirklichen soll (hist. 1, 16). Als Ersatz für die volle libertas muß sich der zivilisierte Römer, auch wenn er der entschwundenen Grandezza der Republik ehrlichen Herzens nachtrauert (ann. 4, 32), mit der Meinungs- u. Redefreiheit (hist. 1, 1), der Auswahl des sittlich Besten zum Regenten anstelle dynastischer Erbfolge (hist. 1, 16) u. den Möglichkeiten der Entfaltung sittlicher Tüchtigkeit im Dienst dieses Staates (Agric. 1) begnügen, denn für alle Bewohner

des Reiches gilt: nec totam servitutem pati possunt nec totam libertatem. So wird ,das Problem der F. u. der Möglichkeit fruchtbarer historischer Größe in der Gegenwart' zum ,Hauptproblem der taciteischen Geschichtsschreibung' (Büchner 31). Zur Entwicklung des F.denkens bei Tacitus vgl. Jens. In der Consolatio des Boethius wird dann noch einmal der Weg vom Verlust der äußeren F. (1 pr. 4, 26: nam de compositis falso litteris, quibus libertatem arguor sperasse Romanam, quid attinet dicere) zur Gewinnung der unverlierbaren inneren F. gegangen. Ebd. 5 pr. 6, 44: ,Da das so ist, bleibt den Sterblichen die F. des Willens unangetastet, u. nicht ungerecht setzen Gesetze Belohnungen u. Strafen aus, da der Wille von jeder Notwendigkeit frei ist' (vgl. K. Büchner, Röm. Literaturgesch.[3] [1962] 552f; E. Gegenschatz, Die F. der Entscheidung in der ,consolatio philosophiae' des Boethius: MusHelv 15 [1958] 110/29; H. Patch, Necessity in Boethius and the neoplatonists: Speculum 10 [1935] 393/404). Ebd. 1 pr. 4, 6 begegnet auch der Ausdruck conscientiae libertas.

C. Christlich. I. Neues Testament. a. Jakobus. Mit ,Gesetz der F.' (1, 25; 2, 12) nimmt Jakobus das Grundverständnis der griech.-röm. Antike von F. auf (auch wenn der Ausdruck wörtlich bis jetzt sonst nicht belegt ist; vgl. aber immerhin Wendungen wie ius libertatis; s. o. Sp. 277). F. ist Teilhabe an dem Lebensbereich, der durch die Mächtigkeit der Gesetze gewährt wird. Dies Gesetz ist seinem göttlichen Wesen nach Gesetz der F., d. h. es schafft u. erhält Lebensraum, Seinsmöglichkeit. Diesen Anspruch kann nach Jakobus in Wahrheit nur das Gesetz erheben, in dem die christl. Gemeinde lebt. Im Unterschied zum jüdischen wie zum heidnischen Gesetz heißt es darum ,vollkommen' (1, 25; vgl. außer den Komm. vor allem noch A. Meyer, Das Rätsel des Jakobusbriefs [1930], Reg. s. v. ,Gesetz der F.').

b. Paulus. Von größter Bedeutung ist es, daß Paulus, anders als LXX, wo F. nur am Rande erscheint, F. seinerseits als Heilswort (Gal. 5, 1. 13) in die Sprache der christl. Verkündigung aufgenommen hat, was bei den anderen ntl. Schriften nicht der Fall ist. Beim paulinischen Sprachgebrauch ist zu unterscheiden zwischen dem bildlich gebrauchten Gegensatzpaar ,versklavt - befreit' (Rom. 6) samt sonstigen Anleihen bei der Rechtssprache (Rom. 7, 2; 8, 2. 21), dann dem ,Titel' ἐλεύϑερος (1 Cor. 9, 1) u. ἐλευθερία als Heilswort (Gal. 5, 1. 13; 1 Cor. 10, 29; 2 Cor. 3, 17). Einschränkend ist zu sagen, daß Paulus, soweit wir sehen, F. nirgends zu einem Zentralbegriff seiner Theologie gemacht hat; für solche Zentralbegriffe siehe zB. Rom. 14, 17. Deswegen gibt es auch keine paulinische Lehre von der F., u. es ist zumindest mißverständlich, wenn ganze Kapitel paulinischer Theologie unter diesem Thema abgehandelt werden wie etwa bei Bultmann, Theologie 332/53; E. Jüngel, Jesus u. Paulus ³(1967) 62/6; Conzelmann 302/14. Die einschlägigen Stellen sind vielmehr je für sich auszulegen.

1. Galaterbrief. In Gal. 2, 4 ist noch das politisch-militärische Bild von der durch Spione in ihrer Existenz, d. h. ihrer F. gefährdeten Stadt zu erkennen (E. Fuchs: ThWb 7, 418). F. bezeichnet so das Sein der Glaubenden in Christus. Damit kommt der alte Polissinn des Wortes neu zur Geltung. Der heidnischen Polis u. dem jüdischen Jerusalem setzt Paulus die Gemeinde entgegen, die dem ‚oberen Jerusalem‘ zugehört, das frei ist (ebd. 4, 26), deren πολίτευμα in den Himmeln ist (Phil. 3, 20). Es geht also nicht um eine spezielle F. von . . ., sondern um das Sein oder Nichtsein der Glaubenden, Getauften als solcher. Den räumlichen Sinn von F. (u. damit auch des ‚in Christus‘; anders F. Neugebauer, In Christus [1961]) beweist Gal. 5, 13, wo vor dem Mißbrauch der F. als Operationsbasis (vgl. Bauer, Wb. s. v. ἀφορμή) für das Fleisch gewarnt wird. Καλεῖν in 5, 13 sichert den Zusammenhang der F. mit der Taufe. – An die F. war schon immer die Forderung zu stellen, daß die F. der Freien in ihr nicht beeinträchtigt ist durch die Unfreiheit der Unfreien (Nestle 14); F. als Sein ist unteilbar. Diese Bedingung erfüllt die Gemeinde als Gemeinde der Berufenen: in ihr ist nicht Sklave noch Freier (3, 28).

2. Erster Korintherbrief. 1 Cor. 7, 21 soll der Sklave auf seine irdische Freilassung verzichten u. so seine eschatologische F. bezeugen u. deutlich machen, daß die berufende Gnade weder vorher noch nachher an weltliche Bedingungen gebunden ist. Die Mahnung des Paulus ist sinnvoll wohl nur zu beziehen auf getaufte Sklaven christlicher Herrn. Die Wortwahl im Folgenden (der Sklave als libertus, der Freie als servus des Herrn Christus) ist nicht zuletzt von seelsorgerlichem Takt bestimmt; im übrigen vgl. H. Lietzmann zSt.: HdbNT 9⁴. – In 1 Cor. 8,

1/9. 23 bzw. 27; 10, 23/11, 1 (zur Abgrenzung vgl. E. Dinkler: RGG 4³, 18) ist am Verhältnis von ἐξουσία u. ἐλευθερία das Entscheidende für das F.verständnis bei Paulus zu fassen: Paulus will von seiner ἐξουσία keinen Gebrauch machen u. auf den ihm zustehenden Unterhalt durch die Gemeinden verzichten. Wo aber Paulus positiv von seiner F. spricht, gebraucht er ἐλευθερία u. ἐλεύθερος (9, 1. 23; 10, 29). Dies darum, weil er von ἐλεύθερος dialektisch reden kann (9, 19) u. damit die F. des Glaubenden sachlich als die F. des Liebenden verständlich machen kann. Der politisch-juristische Charakter des Wortes F. hindert ihn daran, F. unmittelbar mit ‚Liebe‘ zu verbinden. Seine F. wurzelt im befreiten Gewissen, während, modern gesprochen, die Gnostiker in Korinth Gewissens-F. propagieren u. praktizieren. ‚Meine ἐλευθερία‘ (10, 29) ist der Bereich, in dem Paulus den Schöpfer u. Gott des 1. Gebotes zum Herrn hat (10, 26). Ihn hat er in seinem Essen oder Nichtessen in Dankbarkeit u. Gottesfurcht (vgl. Rom. 14, 6) so zu bezeugen, daß deutlich wird, daß sich Glaube u. Unglaube nicht an der Essensfrage scheiden, sondern an der Gottesfurcht u. also das Gewissen des andern ebenfalls orientiert werde oder bleibe am Gott des 1. Gebotes (E. Fuchs unveröffentl. gegen Bultmann, Theologie 220). Deshalb darf er um der Ehre Gottes willen auf seine ἐλευθερία nicht verzichten (anders H. Conzelmann in Meyers Komm. zSt.). Auch hier geht es bei F. um Sein oder Nichtsein des Glaubenden als solchen.

3. Römerbrief. Rom. 6, 1/23 führt Paulus in Beantwortung eines Einwurfes des Unglaubens (6, 15) u. ausdrücklich als sprachlichen Notbehelf markiert (6, 19) zur Interpretation des Taufgeschehens das Bild vom Herrenwechsel des Sklaven ein: ‚ihr seid von der Herrschaft der Sünde befreit worden, indem ihr der Herrschaft der Gerechtigkeit unterstellt wurdet‘ (6, 18). Hier wird deutlich, daß Paulus selbst nichts daran liegt, das Prädikat ἐλεύθερος für den Glaubenden in Anspruch zu nehmen (6, 19f). Er verwendet das Wort ‚frei‘ hier vielmehr neutral, nur im Blick auf den juristischen Sachverhalt, den er als Vergleich benutzt. Dieser wird bis 6, 23 festgehalten. Die Rechtssprache dient Paulus hier dazu, hervorzuheben, daß sich die Situation des Menschen ohne dessen Zutun durch das Christusereignis objektiv u. radikal geändert hat. Der positive oder negative Sinn

von F. u. Knechtschaft ist allein bestimmt durch das Wesen des jeweiligen Herrn. – Rom. 7, 1/6 folgt ein neuer Vergleich aus dem Rechtsleben: durch den Tod des Mannes wird die nunmehrige Witwe von den gesetzlichen Bindungen der Ehe frei. Dies dient Paulus als Exempel dafür, daß ein Gesetz unter bestimmten Umständen (hier: Tod) seine Anwendbarkeit verliert. – Wieder ein anderes Bild scheint Rom. 8, 2 vorzuliegen. Auch hier hält sich Paulus an juristische Sachverhalte: ein Gesetz kann nur von einem Gesetz abgelöst werden. Die Struktur des Satzes ist dieselbe wie Rom. 6, 18: Die Situation des Menschen ändert sich ohne sein Zutun objektiv dadurch, daß ein Gesetz durch ein anderes abgelöst wird, sofern der Mensch im (lokalen u. temporalen) Geltungsbereich dieser Gesetze sich befindet. – Rom. 8, 18/25 sind nicht genügend erhellt. Die ‚Schöpfung‘ v. 19 (nach 2 Cor. 5, 17 doch wohl die Menschenwelt) ist durch Unterwerfung unter die Nichtigkeit u. Vergänglichkeit ihrem Wesen als Schöpfung entfremdet. Die Wiederherstellung ihres Wesens als Schöpfung nennt Paulus ein Befreitwerden zur F. Diese ist expressis verbis als eschatologische bezeichnet (v. 21 τῆς δόξης). F. ist also wiederum Seinswort. Ein zweiter Genetiv präzisiert diese F. in Herrlichkeit als die der ‚Kinder Gottes‘ (8, 21). Hier stehen also privatrechtliche Vorstellungen der *Adoption (vgl. H. Hommel, Schöpfer u. Erhalter [1956] 13 f; vgl. Th. Mayer-Maly, Art. Adoption: Der Kleine Pauly 1 [1964] 71 f) hinter der Wortwahl: der öffentlich-rechtliche Vorgang der Adoption durch Gott (v. 23) läßt die ‚Kinder Gottes‘ in strahlender Herrlichkeit, in ihrem wahren Sein erscheinen (vgl. 2 Cor. 5, 17). Der juristische Sprachgebrauch wehrt einem naturhaften Verständnis von Gotteskindschaft u. bringt möglicherweise auch hier den Zeitunterschied zwischen dem (unmündigen) Kind u. dem (mündigen) Sohn (vgl. Gal. 4, 1/7) zur Geltung. Diese öffentliche Einsetzung der Glaubenden in die Sohnschaft bedeutet für die Schöpfung F. (v. 21). Paulus behauptet also das Einssein zweier Vorgänge: daß nämlich die Schöpfung der illegitimen Herrschaft der Vergänglichkeit entrissen u. ihrem wahren Herrn öffentlich unterstellt wird u. die öffentliche eschatologische Anerkennung der Kinder Gottes durch den göttlichen Adoptionsakt.

4. Zusammenfassung. F. ist also bei Paulus

zwar Heilswort, aber nicht letztes Wort. Der Begriff erscheint jeweils in der kritischen Situation, wo es um Gewinn oder Verlust des Seins geht. Er tritt zurück, wo es um das Wesen dieses Seins geht: so wird Rom. 8 der Begriff der F. durch den der Sohnschaft abgelöst.

5. Zweiter Korintherbrief. 2 Cor. 3, 17 nimmt eine Sonderstellung ein. Es schließt sich den anderen F.stellen bei Paulus durch den streng lokalen Sinn von F. an: ‚Wo aber das Pneuma des Herrn ist, da ist F.‘. Der Satz verrät jedoch ein bei Paulus sonst nicht zu beobachtendes selbständiges Interesse an der F. u. eine definitorische Intention. Er gehört damit vielleicht zu den Indizien dafür, daß im Umkreis der Gemeinde in Korinth F. zum Schlagwort der Verkündigung gemacht worden ist, u. zwar im Anschluß an die paulinische Predigt. Dafür spricht auch die apologetische Aufnahme des Titels ἐλεύθερος (1 Cor. 9, 1). In 1 Petr. 2, 16, also ebenfalls im Wirkungsbereich der paulinischen Verkündigung, muß ἐλεύθεροι ‚ein Schlagwort der christl. Lehre u. Selbstbezeichnung der Christen sein‘ (H. Windisch: HdbNT 15³ zSt.). Eben dies Schlagwort kennzeichnet in der Sicht von 2 Petr. 2, 19 die Häretiker. Die Frage, ob u. inwieweit die F.verkündigung bei den (gnostischen) Häretikern genuin paulinisches Erbe ist, muß noch offen gehalten werden. Vgl. weiter u. Sp. 295/9.

c. Johannesevangelium. Das Modell des Freien ist Joh. 8, 30/6 der Sohn des Hauses im Unterschied zum Sklaven des Hauses (zur Auslegung vgl. J. Heise, Bleiben [1967] 71/9). Der erste hat unverlierbares Heimatrecht dort, der andere nicht. Nur wer frei ist, kann frei machen. Die F., zu der der Sohn befreit, kann im jetzigen Zusammenhang nur die F. des Sohnes sein, so daß auch die Befreiten ‚für immer im Hause bleiben werden‘ als Söhne. Es steht wohl der Rechtsfall der Adoption des Haussklaven samt seiner Gleichstellung mit den Haussöhnen (vgl. schon Gen. 21, 10) vor Augen. Da der ‚historische Jesus‘ spricht, ist wohl so zu paraphrasieren: ‚Wenn ihr angesichts meines Sterbens bleiben werdet am Wort meiner Liebe, werdet ihr die Wahrheit erkennen, nämlich mich als den Sohn Gottes u. euch als Geliebte.‘ Diese Wahrheit bietet Befreiung, d. h. jene heimatliche Bleibe, welche die Welt nicht gewähren kann, sondern die der Ort ist, den Jesus den Seinen bereitet hat (14, 3), die

Bleibe des Vaters u. des Sohnes bei den Glaubenden (14, 23), im Wort der Liebe (1 Joh. 4, 16). Zu beachten ist ferner, wie die Juden durch Jesu Wort dazu provoziert werden, sich (ungeachtet der politischen Verhältnisse) die F. kraft der Abrahamskindschaft zuzusprechen (8, 33), während in Wahrheit jeder, der die Sünde tut, eben damit beweist, daß er Sklave der Sünde ist (8, 34). Die ‚Juden‘ sind wohl ‚Same‘ Abrahams, aber nicht (freie) Söhne (Abrahams). Die Wahrheit ist also eine die Sünde entmächtigende Wahrheit.

d. Matthäus. Als einziger Beleg in den Synoptikern erscheint Mt. 17, 24/7 ‚frei‘ im Gleichnis Jesu. Die Stelle beweist zunächst, daß u. wie im Umkreis des NT beim Stichwort F. sofort die politischen Implikationen gegenwärtig waren. Als hervorstechendes Merkmal der Unfreiheit begegnet die Tribut-, bzw. Steuerpflicht. Die ‚Söhne‘ des Textes sind die Vollbürger. Auf die Frage nach der Tempelsteuer läßt sich das Gleichnis wohl nur ironisch beziehen (wobei für die christl. Gemeinde des Mt. das Problem nicht heißt: ‚muß man Tempelsteuer bezahlen‘, sondern: ‚wird die Synagoge unsere Steuer annehmen?‘; vgl. Conzelmann 165f): Diese Steuer kann (qua Steuer) gerade kein Zeichen für die Zugehörigkeit zum wahren Reiche, für die Herrlichkeit der Gotteskindschaft sein. Verweigert die Synagoge der (judenchristlichen) Gemeinde die Annahme der Steuer, so exkommuniziert sie diese damit; das bedeutet für die christl. Gemeinde den Verlust des Schutzes der religio licita. Kraft des Gleichniswortes Jesu aber wird dann eben dies für die Christen zum Zeichen der F. werden, der Zugehörigkeit zum Reich Gottes. Akzeptiert dagegen die Synagoge die Steuerzahlung der Christen, so zahlen diese, nach dem Wortlaut des Gleichnisses, als Fremde. So würde das Gleichnis zum Argument der Christen, um die Synagoge zur Annahme der Steuer zu bewegen (wiederum nicht ohne Ironie: ‚ihr betrachtet uns als nicht wahrhaft zum Volke Gottes gehörig – nun gut, so macht es wie die Könige der Erde u. nehmt die Steuer von uns als den ‘Fremden’’). Entscheidend im Zusammenhang dieses Art. ist, daß die Gleichung Christen = Freie gerade nicht vollzogen wird; daß die politische Realität nur im Gleichnis erscheint. Damit ist von vornherein jeder Versuch verwehrt, die Steuerfrage zur entscheidenden Frage des Reiches Gottes zu machen. Es handelt sich, was der altkirchlichen Auslegung selbstverständlich

war, um eine echte Sachparallele zu Mc. 12, 13/7 (Censusfrage; vgl. dazu L. Goppelt, The freedom to pay the imperial tax [Mark 12, 17]: StudEv 2 = TU 87 [1964] 183/94). – Die Johannesapokalypse wird im Anschluß an Josephus besprochen (s. u. Sp. 289f).

e. Zusammenfassung. Beim Sprachgebrauch von F. usw. im NT steht überall der konkrete Rechtssinn u. die meist schmerzliche Erfahrung der politisch-sozialen Gegebenheiten vor Augen. Doch das mit F. gemeinte Heil ist jenseits der Möglichkeiten von Polis, Imperium u. Recht gefunden. Die politische Welt erscheint daher bezeichnenderweise im Gleichnis (Mt. 17, 24/7; Mc. 10, 41/5 usw.). Vermutlich führte Paulus das Wort in die Sprache der christl. Verkündigung ein, ein Vorgang von weltgeschichtlicher Bedeutung, auch wenn er selbst das Wort nicht zu einem Zentralbegriff seiner Verkündigung gemacht hat. Daß dies in ‚gnostisch‘ bestimmten Kreisen geschehen ist, wird durch Paulus, 1. 2 Petr. u. das Johannesevangelium bezeugt (s. u. Sp. 292f). Die entscheidende Rolle, die das Wort im jüdischen Krieg gespielt hat (s. u. Sp. 287f), scheint sich im NT doppelt zu spiegeln: einmal in der deutlichen Zurückhaltung gegenüber dem F.begriff (die Mehrzahl der ntl. Schriften gebraucht ihn nicht), zum anderen in der Überbietung der F.parole in der Apokalypse des Johannes, wo die Glaubenden des Königs der Könige nicht allein in F. gesetzt, sondern mit der Weltherrschaft betraut werden (20, 1/6); s. u. Sp. 289f; Lit. bis 1960 bei Cambier 316$_1$; dazu Bultmann, Theologie 331/53; E. Jüngel, Jesus u. Paulus³ (1967) 62/6; E. Fuchs; Conzelmann 302/14; ders., Der erste Brief an die Korinther (1969).

II. Spätjudentum u. Johannesapokalypse. a. Septuaginta. Entscheidend ist eine negative Feststellung: Kannte schon das atl. Hebräisch kein Wort für F., so führt auch die LXX weder ἐλευθεροῦν noch ἐλευθερία zur Bezeichnung des grundlegenden Heilsgeschehens der Herausführung des Volkes aus der ägyptischen ‚Knechtschaft‘ ein. Lev. 19, 20; Sir. 7, 21; 30, 34; 33, 25 erscheint F. im Blick auf Sklaven; auch ‚frei‘ ist in den meisten Fällen im privatrechtlichen Sinne gebraucht; übertragener Gebrauch Ps. 87, 5 ‚unter den Toten als Freier‘. Dementsprechend gibt es auch in der rabbinischen Literatur das Thema F. nicht. Erst in den Makkabäerbüchern geht es dann (eindeutig unter hellenistischem Einfluß [2 Macc. 9, 14f gelobt der todkranke

Antiochus, Jerusalem für frei zu erklären u. seine Bürger denen Athens gleich zu machen]) um die F. Jerusalems, seines Tempels u. Gottesdienstes u. seiner Bewohner (1 Macc. 2, 11; 10, 33; 14, 27; 15, 7; 2 Macc. 1, 27; 2, 22; 9, 14; 3 Macc. 3, 28; 7, 20). Das stoische Paradoxon spiegelt sich 4 Macc. 14, 2: ,O Vernunftgedanken ($\lambda o \gamma \iota \sigma \mu o i$), königlicher als Könige u. freier als Freie!'

b. Jüdischer Krieg. 1. Die Auffassung des Josephus. Vor der Inanspruchnahme des Bellum Iud. als Quelle für die Motive der Zeloten usw. sind Tendenz u. Theologie des Josephus selbst samt der Quellenfrage zu erhellen. Trotz vieler offener Fragen läßt sich für das vorliegende Thema mit hinreichender Sicherheit sagen: Josephus faßt u. beschreibt den jüdischen Krieg als ,Krieg für die F.' (2, 374). Es ist ,deutlich, daß das F.motiv die Berichte des Josephus über die '4. Sekte' u. die spätere Aufstandsbewegung bis zum Ende des jüdischen Krieges wie ein roter Faden durchzieht' (Hengel 117). Über Hengel hinaus läßt sich zeigen, daß das Stichwort F. die Disposition des Werkes zumindest mitbestimmt. Es fehlt in der Darstellung der Vorgeschichte des Krieges (u. damit insbesondere in der Darstellung der Makkabäer) u. hebt diese damit positiv (W. R. Farmer, Maccabees, Zealots and Josephus [New York 1956]; Hengel) ab von der Zeit des Aufstandes. (Die Darstellung der Makkabäer in den Antiquitates umgeht das Wort F. dagegen nicht; vgl. zB. ant. Iud. 12, 281. 302. 433f; 13, 1.) F. tritt mit der Exposition des Dramas zum ersten Mal 2, 259 auf, beherrscht thematisch die drei größten Reden des Werkes (Agripparede: 2, 345/401; Josephusrede: 5, 362/419; Eleazarreden: 7, 323/36. 341/88) u. verschwindet nach der Schilderung der letzten Ausläufer der F.bewegung 7, 407/55; 2, 258f: Es bildete sich eine Gruppierung, nicht weniger gefährlich als die Sikarier, aber noch gottloser, ,denn sie führten die Leute unter Betrug in die Irre, indem sie unter Vorspiegelung göttlicher Eingebung Revolution u. Umsturz betrieben u. die Menge durch ihr Wort in glühende religiöse Begeisterung versetzten u. hinausführten in die Wüste, dort wolle Gott sie sehen lassen wunderbare Zeichen der (anbrechenden) F.'. Dieser Fata Morgana setzt Josephus im grandiosen Schlußbild des Werkes, dem Freitod der Besatzung von Massada, die Erscheinung der wahren F. entgegen: Der Tod ,gibt F. den Seelen, läßt sie abziehen an den

Ort, wo sie zuhause sind, der rein ist, auf daß sie los seien von jedem Unglück u. kein Leid sie mehr rühren kann'. ,Wie sollte es nicht wider die Vernunft sein, der (nur) in (diesem) Leben wichtigen F. nachzujagen, die ewige aber sich selbst vorzuenthalten?' (7, 344. 350). Zwischen diesen beiden Szenen erzählt Josephus die Tragödie des bellum. Die entscheidende Auseinandersetzung mit der zelotischen F.parole erfolgt in der Agripparede: Das röm. Imperium enthält zwar zahllosen Völkern ihre F. vor u. hält sie mit mehr oder weniger Gewalt in der Knechtschaft. Trotzdem verbietet sich ein F.krieg, denn er mißachtet die geschichtliche Stunde, da Tyche zur Zeit zu den Römern steht, u. vergeht sich damit an Gott. Jetzt kann allein der Kaiser von der wider das Wesen des Imperiums verstoßenden Tyrannis der Statthalter befreien (2, 293). Die Stunde des F.kampfes ist vorbei; sie wäre zur Zeit des Pompeius gewesen; wer sich jetzt erhebt, ist nur ,ein frecher Sklave, kein $\varphi \iota \lambda \epsilon \lambda \epsilon v \vartheta \epsilon \rho o \varsigma$' (2, 355f). Zudem führt sich der Glaubenskrieg für die Juden selbst ad absurdum, da er zur Vernachlässigung der gottesdienstlichen Pflichten führen muß (2, 391/4) u. so gerade das gefährdet, wofür gekämpft werden soll. F. ist im Grunde, darin ist sich Josephus mit den Zeloten einig, F. für den Gottesdienst, für das Leben im Gesetz. Dafür aber sagt Josephus dann Autonomie u. denkt dabei vor allem auch an das Diasporajudentum (vgl. 2, 398f), für das ein romfreies Palästina nichts, der Schutz des jüdischen Gesetzes durch das Imperium aber alles bedeutet. Den Römern fällt nach Josephus in ihrem eigenen Interesse die göttliche Pflicht zu, ,Schirmherren der (sc. jüdischen) Gesetze' zu sein (4, 176/84). Vgl. weiter die antizelotische F.rede des Ananos 4, 163/92 u. die Rede des Josephus: Die Römer verlangen nichts als den herkömmlichen Tribut, sie bieten uns dagegen ,freie Familien, friedlichen Genuß des Besitzes u. Schutz der heiligen Gesetze' (5, 406). Von der gefährlichsten Wurzel des Zelotismus spricht Josephus bezeichnenderweise erst am Ende des Buches, nämlich von der messianischen Hoffnung auf einen völligen politischen Machtwechsel im Osten, der logischen Voraussetzung einer herkömmlich verstandenen F. im Zeitalter der Diaspora (6, 312).

2. Die Auffassung der Zeloten. In der polemischen Darstellung des Josephus spiegelt sich der zelotische Sprachgebrauch deutlich wie-

der. Die Wucht der zelotischen Parole zeigt sich möglicherweise auch darin, daß Josephus es nicht wagte, die zelotische Bewegung u. ihre messianische Wurzel im Zusammenhang darzustellen. Unübersehbar ist die Anstrengung, die es ihn kostet, seinen Gegnern die F.-parole zu entwinden u. ihren religiösen Anspruch zu widerlegen. F. als Terminus der Zeloten ist ferner durch Münzen des 1. Aufstandes gesichert, u. zwar in seinem prägnanten religiösen Sinn als ‚F. Zions‘ oder ‚F. Jerusalems‘ (Hengel 120/3 mit Lit.). Daneben stehen Prägungen ‚Jerusalem die Heilige‘ u. ä. Dieser Ausdruck dürfte für die Zeloten eher noch wichtiger gewesen sein als F. Daß Josephus aber das zelotische Anliegen mit F. wiedergeben kann, zeigt, daß F. ihren religiösen Klang nicht verloren hat. – Auch aus dem Bar-Kochba-Aufstand sind F.prägungen erhalten, wobei F. jetzt meist auf Israel bezogen ist (Hengel 121). Stellvertretend für seine ganze Zeit zeigt Josephus, wie ungebrochen lebendig der prägnant politische Sinn des Wortes auch damals war. Die Städte, Völker u. Stämme des Imperiums wissen sich ihrer F. beraubt u. ringen kriegerisch oder diplomatisch um sie. Was dabei herauskommen kann, ist freilich nicht F. im vollen Sinn, sondern eine relative Autonomie. Die F., so zeigte auch Josephus, tritt gleichsam auseinander: es gibt die politische F. des einzelnen, die im günstigen Falle einer relativ gesicherten bürgerlichen Existenz nahe kommt, u. es gibt als genaues Korrelat zu der unerreichbar gewordenen irdischen F. im vollen Sinne des Wortes die transzendente F. als die wahre, ewige Heimat.

c. Johannesapokalypse. Aufschlußreich ist nun ein Vergleich zwischen Josephus u. der Apc. Wiewohl Josephus jüdische Standhaftigkeit bis zum Tode kennt u. würdigt (b. Iud. 2, 150/4; 7, 417/9), ist für ihn doch nicht die Stunde des Martyriums gekommen; dieses sucht er durch sein Wirken seinen Glaubensgenossen vielmehr zu ersparen. Die Toten des jüdischen Krieges sind ihm keine Märtyrer. Die umgekehrte Entscheidung traf der Verfasser der Apc. In der Beurteilung des Kaiserkultes ist er mit den Zeloten einig. Zwischen Gott u. dem Kaiser kann es nur ein bedingungsloses Entweder-Oder geben. Denn es geht in der Apc. um die ‚Weltherrschaft Christi‘ (E. Lohmeyer: HdbNT 16² zu 1, 5). Demgemäß verzichtet Gott in der Apc. nicht (wie bei Jos. b. Iud. 2, 539; 7, 359 u. ö.) auf sein

Jerusalem, sondern schafft es neu als Gegenbild Roms u. Stätte der wahren Weltherrschaft (21). Trotz dieser Parallelen erscheint F. nirgends in der Apc., weil sie nämlich überboten wird: es geht nicht mehr um einen irdisch ausgrenzbaren Raum für den wahren Gottesdienst, sondern, ähnlich wie den Römern bei Jos. aO. 3, 480, um Weltherrschaft, die keiner Bedrohung mehr ausgesetzt ist, bei der es darum auch keinen Sinn mehr hat, von F. zu sprechen. Die Glaubenden werden nicht ‚frei‘ sein, sie werden als Könige herrschen in Ewigkeit (22, 5; vgl. Mt. 5, 5), als Söhne Gottes (21, 7; vgl. Rom. 8, 19). Es könnte zwar auch in Apc. gesagt werden, daß die Glaubenden dann freie Bürger eines freien Jerusalem (vgl. Gal. 4, 26) sind; aber auch diese Aussage wird überboten durch die von der Teilnahme am seligen Fest der Liebe (19, 6/9). – Überboten u. korrigiert wird aber auch die Rede von der F. der Seele durch die Zusage des mütterlichen Gottes, der alle Tränen abwischen wird (21, 4; vgl. Jos. b. Iud. 7, 344). Denn die Seelen der Märtyrer haben ihre leibliche Geschichte nicht einfach hinter sich: es gibt für sie, die unter dem Altare Gottes um Rache schreien (6, 9/11), keine F., ehe Gott nicht gerichtet hat. So bekommt das Wort ‚Freier‘ in den drei Aufzählungen Apc. 6, 15f; 13, 16; 19, 18 sein Gewicht. Sind Reich u. Arm, Groß u. Klein, Freier u. Sklave gleichermaßen dem Gericht verfallen, so ist damit gesagt, daß es keine irdische Not- oder Zwangslage gibt, die als solche eine besondere Nähe zu Gott bedeutet oder zur Hoffnung auf jenseitigen Ausgleich berechtigen würde (vgl. dagegen zB. Lc. 16, 25). Allein dies entscheidet, ob einer das Zeichen des Tieres angenommen hat oder nicht (13, 16). Insofern liegt eine echte Entsprechung zu Gal. 3, 28 vor.

III. Gnosis. a. Material. Eine Untersuchung des gnostischen Sprachgebrauchs von F., von Schmithals 183₁ gefordert, liegt bis jetzt (trotz Niederwimmer 54/68) nicht vor. Theiler (115f) sprach im Blick auf Clem. Alex. exc. ex Theod. 78 (‚nach der Taufe sprechen die Astrologen nicht mehr wahr; es befreit aber nicht nur das Bad [ἔστιν δὲ οὐ τὸ λουτρὸν μόνον τὸ ἐλευθεροῦν], sondern auch die γνῶσις, wer wir waren, was wir geworden sind, wohin wir streben, wodurch wir erlöst werden, was Geburt ist, was Wiedergeburt‘) von ‚echt gnostischem F.gefühl‘. Die bislang genannten Belege sind nicht allzu zahlreich:

Act. Thom. 19. 39. 43. 167 (AAA 2, 2, 129. 156. 161. 282; vgl. 142 f [249]); ev. Phil. copt. log. 13. 73. 110. 114. 123 Leipoldt-Schenke (vgl. 2. 49. 87. 125); 1 Cor. 9, 1; 10, 29; 2 Cor. 3, 17; 2 Petr. 2, 19; Joh. 8, 32. 36; Od. Sal. 10, 3 (dagegen dürfte in Od. Sal. 17, 3. 8 b/11 als originaler Begriff ἀπαλλάττων o. ä. zu vermuten sein); 1. Buch Jeû 2 (GCS 45, 258 Schmidt-Till³); Apul. met. 11, 15, 5; dazu die antignostischen Väterstellen: Iren. haer. 1, 13, 6; 23, 3; 25, 4 (1, 123. 193 f. 209 Harvey) u. Hipp. ref. 6, 19, 7; 7, 32, 2. 7 f (GCS 26, 147. 218. 220 Wendl.). Für die Entscheidung der Frage, ob es einen spezifisch gnostischen F.-begriff gegeben hat, könnte eine Durchsicht der F.stellen bei Philo hilfreich sein (zur Gnosis bei Philo s. Jonas 2, 1, 70/121).

b. Philo. Zu denken wäre dabei an Stellen wie quis rer. div. her. 264/74 (zu Gen. 15, 12. 13 a: ‚gegen Sonnenuntergang fiel eine Ekstase auf Abraham. . . . Es ward gesagt zu Abraham'): Wenn das göttliche Licht im Menschen aufleuchtet, geht das menschliche (sc. νοῦς) unter. Denn Sterbliches kann nicht mit Unsterblichem zusammenwohnen (264 f). Während der Prophet in Wahrheit schweigt, kann so ein anderer (sc. Gott) von ihm als seinem Instrument Gebrauch machen zu vollkommen harmonischer Musik (266). Damit will dem Frommen (φιλάρετος) gesagt sein, daß Gott ihm den Leib nicht als Heimat, sondern als Herberge (κατοικεῖν, παροικεῖν) gegeben hat entsprechend Gen. 15, 3 (267) u. daß alles, was die Seele in Sklaverei u. Bedrükkung führt, ‚nicht ihr eigen' ist (Gen. 15, 13); denn die Affekte des Leibes sind Bastarde u. Fremdlinge zur διάνοια (268). Die 400 jährige Gefangenschaft meint die Sklaverei der Seele unter den vier Affekten (269 f), ‚bis der Richter Gott (der den Sieg zuspricht u. straft) scheidet das Übelleidende vom Übeltuenden u. das erste herausführt in die völlige F., dem andern aber die Strafe zuerkennt für das, was es gesündigt hat' (271). ‚Gottes Wille ist es, die angeborenen Übel unseres Geschlechtes zu erleichtern' (272). Wohl sind wir anfänglich Sklaven roher Herrn, ‚aber Gott wird das Seine tun, der Loslassung u. F. schon zuvor verkündigt hat den Seelen, die sich ihm als Schutzflehende nahen, u. ihnen nicht nur Lösung der Bande u. Ausgang aus dem ringsum bewachten Gefängnis verschafft, sondern auch Reisezehrung gab, die er ‘Gepäck' (Gen. 15, 4) nannte' (273). Das heißt: ‚Wenn der vom Himmel herabgestiegene Νοῦς in den Notwendigkeiten des Leibes gebunden ward, sich dann aber von keinem dazu ködern läßt . . ., sich auf die süßen Übel einzulassen, vielmehr seiner Natur treu u. ein Mann bleibend imstande ist, eher niederzuringen als sich niederringen zu lassen, da er in allem, was zu den artes liberales gehört, aufgezogen u. dadurch die Sehnsucht nach dem Schauen geweckt wurde u. er Selbstbeherrschung u. Standhaftigkeit erwarb, die starken Tugenden, so wandert er wieder hinaus, findet den Rückweg in die Vaterstadt u. führt alle die Bildung mit, die (sc. im Text) ‘Reisegepäck' genannt wird' (274). F. ist hier also in Transzendierung der F., welche die Polis nicht mehr zu gewähren vermag (vgl. Philo leg. ad Gai.), die ewige Heimat der Seele. ‚Das originalste Element philonischer Frömmigkeit . . . ist ein letztlich gnostisches: die Überzeugung von dem radikalen, fast feindlichen Gegensatz zwischen menschlich-irdisch-kosmischem (‘psychischem') u. göttlich transzendentem (‘pneumatischem') Sein, u. davon, daß jenes sich preisgeben muß, damit dieses anwesend sein kann' (Jonas, Gnosis 2, 1, 120).

c. Neues Testament. 1. Korinth. Ist mit Schmithals ‚mit einiger Sicherheit zu sagen, daß der Begriff ἐλευθερία dort eine Rolle spielte' (335)? Aus der Apologetik in 1 Cor. 9, 1 läßt sich das für den Titel ἐλεύθερος vermuten. Diesem Freien geht es zunächst offensichtlich um seine ἐξουσία (v. 3). Diese paßt als Begriff vortrefflich zu der von Schmithals im 5. Kapitel geschilderten Haltung der ‚Gnostiker' in Korinth. In 1 Cor. 9, 19 (23); 10, 29 (23/11, 1) scheint F. freilich eher das Wort des Paulus zu sein, mit dessen Hilfe er das korinthische ἐξουσία-Verständnis zu überwinden sucht. – 2 Cor. 3, 17. 18 b ist nach Schmithals (299/308) gnostische Glosse, während für D. Georgi, Die Gegner des Paulus im zweiten Korintherbrief (1964) 282 das Wort F. hier zur paulinischen Interpretation korinthischer Tradition gehört (vgl. noch E. Schweizer: ThWb 6 [1959] 415/7. 432). Der Satz für sich ist eine Abkürzung u. als solche zu vergleichen mit Apul. met. 11, 15, 5: cum coeperis deae servire, tunc magis senties fructum tuae libertatis: die δουλεία unter dem Gott als Herrn ist F. Für sich genommen erlaubt der Satz natürlich verschiedene Auslegungen.

2. Johannes. Nach H. Becker, Die Reden des Johannesevangeliums u. der Stil der gnostischen Offenbarungsrede (1956) 79 f läge

Joh. 8, 31 f. 34. 36 das Fragment einer nicht-christlichen gnostischen Quelle vor (zur Kritik an der Existenz dieser Quelle Conzelmann, Theologie 354 f). Dies müßte dann nach dem kopt. Philippusevangelium log. 110. 123 (Leipoldt-Schenke) verstanden werden: Die Erkenntnis des wahren Ursprungs des Menschen durch den Logos (= Sohn) beendigt seine Versklavung an die Schlechtigkeit u. versetzt ihn in den Stand des Freien, der seine göttliche Heimat kennt u. erlangt.

d. Christliche Gnosis. Die Belege für einen gnostischen F.begriff sind nicht allzu zahlreich, berechtigen aber doch dazu, die Frage nach einem spezifisch gnostischen F.verständnis zu stellen.

1. Simon Magus. Er verheißt solvi mundum et liberari eos, qui sunt eius, ab imperio eorum, qui mundum fecerunt; das besagt praktisch, daß die Simonianer ,ut liberos agere quae velint'; so war Simon selbst gekommen, ,uti eam (sc. Helenam) assumeret primam et liberaret eam a vinculis' (Iren. haer. 1, 23, 3 [1, 193 f H.]; vgl. Hipp. ref. 6, 19 f [GCS 26, 145 f]).

2. Karpokrates. Er lehrte, Jesu ,Seele sei stark u. rein geblieben in der Erinnerung an das, was sie während ihres Umgangs mit dem Ungezeugten geschaut habe, u. darum sei ihr von jenem eine Kraft hinabgesandt worden, so daß sie denen entfliehen konnte, die den Kosmos gemacht haben; so ging sie durch diese hindurch, wurde von allen befreit u. stieg zu ihm empor, u. ähnlich gehe es den Seelen, die seiner Seele ähnlich sind'. ,Sie (sc. die Karpokratianer) stünden Jesus in nichts nach. Denn ihre Seelen seien hergekommen aus derselben oberen ἐξουσία u. verachteten deshalb ebenso die, die die Welt gemacht haben, weil sie derselben δύναμις gewürdigt worden seien, u. kehrten an denselben Ort zurück'. Aus ihrer Seelenwanderungslehre folgern sie die Pflicht, die potestas über die Welt so auszuleben, daß nicht die Seelen ,quod deest libertati aliqua res, cogantur iterum mitti in corpus'. ,Sie sagen, die Seelen würden solange von einem Körper in den andern versetzt, bis sie alle Sünden erfüllt hätten; wenn dann nichts mehr fehle, dann sei sie (sc. die Seele) befreit u. reise ab zu jenem Gott, der über den die Welt machenden Engeln sei, u. so werde jede Seele gerettet. Einige aber, die (dem zuvorkommend) in einer einzigen Inkarnation (παρουσία) mit allen Sünden vermischt werden, werden nicht mehr in einen anderen Körper versetzt, sondern nachdem sie alle Schulden auf einmal bezahlt haben, werden sie befreit werden, so daß sie nie mehr in einen Körper geraten.' (Iren. haer. 1, 25, 1/5 [1, 204/10 H.]). Libertas heißt hier, die Zugehörigkeit zu dem Gott über der Welt durch eine schlechthinnige Weltüberlegenheit zu bewähren, bei der πίστις u. ἀγάπη alles, die humana opinio (ebd. 25, 4) dagegen nichts gelten. Solange diese F. nicht rein bewährt wird, bietet die Seele der Welt u. ihren Engeln Anhaltspunkte, um die Seele in ihr festzuhalten. Vgl. dazu Jonas, Gnosis 1³, 233/8.

3. Basilides. Den letzten, 365. Himmel erfüllen Engel, die alles, was in der Welt ist, gemacht haben. Ihr princeps ist der Gott der Juden. Der will seinem Volk die übrigen unterwerfen. Deswegen erheben sich gegen ihn alle anderen principes. ,Aber als der ungeborene, unnennbare Vater ihr Verderben sah, da habe er seinen einzigen Sohn, den Νοῦς, gesandt, der Christus genannt wird, zur Befreiung (libertas) derer, die an ihn glauben, von der potestas derer, die die Welt geschaffen haben.' Er erschien den Völkern, vollendete die virtutes u. kehrte, ohne gelitten zu haben, zu dem zurück, der ihn gesandt hatte. ,Und befreit sind jene, die dies wissen, a mundi fabricatoribus principibus.' Dagegen: Si quis . . . confitetur crucifixum, adhuc hic servus est, et sub potestate eorum qui corpora fecerunt: qui autem negaverit, liberatus est quidem ab iis, cognoscit autem dispositionem innati Patris (Iren. haer. 1, 24, 4 [1, 200 H.]).

4. Valentinian. Zu seiner Schule gehört nach Schenke das kopt. Philippusevangelium (s. o. Sp. 291). Die Archonten ,wollten nämlich den ἐλεύθερος nehmen u. ihn sich zum Sklaven bis in Ewigkeit machen' (log. 13). ,Das Brautgemach wird nicht den Tieren zuteil, noch wird es den Sklaven oder befleckten Frauen zuteil; sondern es wird zuteil freien Männern u. Jungfrauen durch den Heiligen Geist' (73). ,Die Unwissenheit ist Sklave; die γνῶσις ist ἐλευθερία' (123). F. u. Liebe gehören zusammen: ,Der aber, der freigeworden ist durch die γνῶσις, ist Knecht aus der ἀγάπη zu denen, die die ἐλευθερία der γνῶσις noch nicht empfangen konnten. Die γνῶσις aber macht sie tauglich dadurch, daß sie sie freiwerden läßt. Die ἀγάπη nimmt nichts. Denn wie soll sie etwas nehmen, wo ihr alles gehört. Sie sagt nicht: 'Jenes ist

10*

meins' oder 'dieses ist meins'; sondern sie sagt: 'dir gehört es" (110).

5. Thomasakten. In den Thomasakten heißt das Werk des Apostels ‚befreien' (19 [AAA 2, 2, 129]), Christus ἐλευθερωτής (142 [249]), der Tod des Apostels ist die Stunde der ἐλευθερία (167 [222]).

6. Zusammenfassung. Die genannten Stellen gruppieren sich um folgende Grundgedanken: um den orphisch-pythagoreischen Gedanken vom Leib als Gefängnis der Seele (Plat. Phaed. 62 A/E; Xenoph. inst. Cyr. 8, 7, 21 f; Cic. senect. 22, 79/81); um den platonischen Gedanken von der F. als Dienstbarkeit für Gott: τῷ θεῷ δουλεία (ep. 8, 354 E 5 f); um den Gedanken der Rückkehr der Seele aus der Fremde in die himmlische Heimat; um den Gedanken der Bewährung u. Bewahrung dieses wahren Ursprungs der Seele gegenüber den illegitimen Ansprüchen des Kosmos (hierher gehört der sogenannte gnostische Libertinismus); wird schließlich gesagt, daß die γνῶσις selbst F. ist, so nimmt der Gnostiker damit das Heilswort F. darum für sich in Anspruch, weil er in der Erkenntnis seinen unverlierbaren Stand, sein Bleiben, sein Sein, seine Heimat gefunden hat. Auch der gnostische Sprachgebrauch lebt im wesentlichen von den zwei Anschauungsbereichen, einmal der Polis als (verlorener) Heimat u. zum andern des Sklaven im Gegensatz zum Freien oder aber als dem, bei dem alles darauf ankommt, wer sein Herr ist, so daß der Sklave Gottes freier ist als alle ‚Freien'. Die gnostisch verstandene F. tritt in einen unversöhnlichen Gegensatz zu allem, was irdisch F. heißt u. verheißt, u. sie kann die Problematik irdischer F. in der Agape überholen.

IV. Zur Auslegungsgeschichte der paulinischen Stellen über F. in der Alten Kirche. a. F. von der Welt. Das μᾶλλον in 1 Cor. 7, 21 ist aufgrund des Zusammenhanges u. mit 1 Tim. 6, 2; Joh. Chrysost. in ep. 1 ad Cor. hom. 19, 4 (PG 61, 156 f); Pelag. zSt. (2, 165 Souter = PLS 1, 1201 f); Theodrt. zSt. (PG 82, 280; wohl gegen Ambrosiast. comm. in ep. 1 ad Cor. zSt.: PL 17, 232 B: hortatur, ut, bene serviens de dei timore carnali domino, dignum se faciat libertate) dahin zu verstehen, daß der Sklave auch angesichts der Möglichkeit, frei zu werden (vgl. Sir. 7, 21 LXX), eher Sklave bleiben solle, um so zu bezeugen, daß die Berufung durch die Gnade Gottes schlechthin frei ist von der ‚Welt'. Die Aus-

legungsgeschichte dieses Satzes läßt sich vereinfacht dahin zusammenfassen, daß seine paulinische eschatologische Begründung allein dasteht u. sich erst relativ spät eine gewisse Geltung verschafft. Da dieser Sachverhalt exemplarischen Charakter haben dürfte, sei er hier kurz skizziert: Bultmann, Theologie 577 urteilt über die ntl. Literatur: ‚In der Sklavenfrage wird der Standpunkt des Paulus ... festgehalten'. Dies gilt sicher nicht für die Begründung 1 Cor. 7, 21/4, die schon im NT Nuancierungen erfährt. Hatte Paulus den Aorist des Loskaufs durch Christus betont, so weist Col. 3, 23 auf das kommende Gericht hin; 1 Petr. 2, 18/25 erscheint der leidende Christus als Vorbild für den unschuldig leidenden Sklaven; Ign. Pol. 4, 3 werden die finanziellen Implikationen des Problems erkennbar: die Sklaven sollen nicht verlangen, aus der Gemeindekasse freigekauft zu werden, damit sie nicht als Sklaven der ἐπιθυμία erfunden werden; über Eph. 6, 5/8 führt der Weg zu Doctr. apost. 4, 11 u. ep. Barn. 19, 7, wo der irdische dominus des Sklaven als Typos Gottes erscheint, u. zu Tert. pat. 4 (CSEL 47, 5), wo es im Blick auf die Sklaven heißt: ‚sollten wir uns von dem, was Gott uns untergeben hat, übertreffen lassen in der Zucht des Gehorsams?' Daß bei Paulus der Gegensatz von Herr u. Sklave überholt ist (Phm.), gilt auch sonst in der Gemeinde, aber wiederum mit anderer, nämlich stoisch-naturrechtlicher, Begründung als bei Paulus; damit wird deutlich, daß es sich gar nicht um den Standpunkt des Paulus handelt, sondern um die verbreitete Aufhebung sozialer Differenzierungen in religiösen Gemeinschaften, etwa der Gemeinde *Epikurs oder der Mithrasgemeinde (Schneider 1, 739; vgl. zB. Clem. Alex. strom. 4, 58, 3: ‚es ist für den, der uns zufolge wandelt, möglich, auch ohne gelehrte Bildung zu philosophieren, möge er ein Barbar sein oder ein Grieche, ein Sklave, ein Kind oder ein Weib'; Aristid. apol. 15, 6: ‚servis vero et ancillis aut liberis, si quibus liberi sunt, amore quem eis praebent, persuadent ut christiani fiunt. et cum facti sunt, sine discrimine fratres eos appellant'). Denn: Sklaven u. Herren haben denselben Gott (vgl. Eph. 6, 9); die Sklaven ‚sind Menschen wie wir' (Clem. Alex. paed. 3, 92, 4) u. (mit Zitat vielleicht aus Menander; vgl. O. Stählin zSt. [GCS 12, 287]) ‚wenn du genau hinsiehst, so ist Gott derselbe für Freie u. Sklaven'. Basil.

spir. sanct. 20, 51 (PG 32, 160f): ‚Unter den Menschen ist keiner von Natur (φύσει) Sklave'. Greg. Naz. c. 1, 26 (PG 37, 853) schreibt einem Adligen: ‚Einerlei Staub sind alle, Geschlecht eines Bildners. Die Tyrannis aber hat in zwei (sc. Gruppen) geteilt die Sterblichen, nicht die Natur. Ein Sklave ist in meinen Augen jeder, der schlecht ist; ein Freier jeder Tüchtige' (also wörtlich das stoische Paradoxon wie Philo quod omn. prob. lib. 1 u. ö.). ‚Wenn du den Dünkel hegst (sc. frei u. adlig zu sein), was hat das mit wahrem Adel zu tun?' – Dagegen scheint Joh. Chrysost. in ep. 1 ad Cor. hom. 19, 4 (PG 61, 156), zwar in ebenfalls stoisch gefärbter Sprache, das Anliegen der paulinischen Paradoxie auf seine Weise zur Geltung zu bringen: ‚gerade auch wenn es in deiner Macht stünde, freigelassen zu werden, bleibe Sklave'. Denn in der christl. Gemeinde sind Freie u. Sklaven gleich als Sklaven Christi. Was heißt ‚Freigelassener Christi'? Antwort: Weil Christus ‚dich nicht allein von der Sünde, sondern auch von der äußeren Knechtschaft befreit hat, obschon du Sklave bleibst. Denn er läßt nicht zu, daß der Sklave Sklave ist, noch daß ein Mensch in der Knechtschaft bleibt; das ist das Wunderbare! Aber inwiefern ist nun der Sklave frei, wenn er doch Sklave bleibt? Wenn er frei ist von Leidenschaften, den Krankheiten der Seele, wenn er den Reichtum geringachtet, den Zorn u. die übrigen derartigen Leidenschaften'. Die größte F. ist die, welche in der Knechtschaft glänzt. ‚Das ist Christentum: es gewährt F. in der Knechtschaft'. ‚Deswegen befiehlt er, Sklave zu bleiben. Wenn es nämlich nicht möglich ist, als Sklave Christ zu sein im vollen Sinne des Wortes, dann prangern die Griechen die (sc. christl.) Religion an wegen ihrer großen Schwäche, so wie sie, wenn sie erfahren, daß die Knechtschaft der Religion keinen Abbruch tut, über das Kerygma staunen'. Die wahre F. ist die F. von der Sünde; wer von dieser frei ist, der juble u. jauchze. – Auch Pelagius zu 1 Cor. 7, 21 bringt das paulinische Anliegen zur Geltung: magis utere servitio. usque adeo non prodest libertas nec servitus nocet. Zu v. 22: ambo ergo unum sunt; non est enim personarum acceptio aput deum (2, 165 Souter = PLS 1, 1202). – Unsere Stelle im Ohr schreibt Aug. s. 94 (PL 38, 580f) zu Mt. 25, 24/30: disciplina apostolica praeposuit dominum servo, et servum subdidit domino (Eph. 6, 5; Tit. 2, 9): Christus tamen pro ambobus unum pretium dedit. minimos vestros nolite contemnere, domesticorum vestrorum salutem omni vigilantia procurate. haec si facitis, erogatis: pigri servi non eritis, damnationem tam detestandam non timebitis.

b. F. von der Sünde. Zu Rom. 6, 18 gibt es kaum Auslegungsbeispiele, weil Paulus hier 6, 2 aufnimmt u. die Väter an Hand dieser Stelle auslegten (vgl. Schelkle zSt.), aber wohl auch wegen der sachlichen Schwierigkeit der Stelle. Wo sie ausgelegt wird, wird sie i. a. verstanden von der F. von früheren Sünden u. der Eröffnung der Möglichkeit, gegen die Sünde erfolgreich anzukämpfen, welches beides die Gabe der Taufe ist. So etwa Joh. Chrysost. in ep. 1 ad Cor. hom. (PG 61, 147) zu 1 Cor. 6, 19: ‚Was bedeutet nun das 'ihr gehört euch nicht selbst' u. was will er (sc. Paulus) damit bezwecken? Er möchte sicherstellen, daß nicht mehr gesündigt, noch den verkehrten Leidenschaften Folge geleistet wird; denn wir wollen zwar vieles Verkehrte, aber man muß es unterdrücken; wir sind dazu nämlich fähig; wären wir dazu nicht fähig, so wäre die Paränese überflüssig.' Der paulinische Text wird umgedeutet. Die Ursache dafür wird bei Pelagius erkennbar (zu Rom. 6, 19 [2, 53 S. = PLS 1, 1141]: nos [sane] exhibuimus membra nostra servire peccato, non, sicut Manichaei dicunt naturam corporis insertum habere peccatum). Die objektive u. passivische Redeweise des Apostels war in bedenkliche Nähe zur Ausdrucksweise der Häretiker geraten. In der Abwehr eines ‚naturalistischen' Mißverständnisses des paulinischen ‚servum arbitrium' ließen sich die Väter bis zu einem gewissen Grade in die Antithese drängen. Dabei mußte das Verständnis des Apostels leiden.

c. F. vom Gesetz. Ähnliches gilt von der von Paulus vertretenen F. vom Gesetz. Nach Ausweis des Index von O. Stählin übergeht Clemens Alex. sämtliche Stellen, an denen Paulus davon spricht, daß die Zeit, da der Mensch ‚unter dem Gesetz' lebt, vorbei ist. Bezeichnend ist die Anspielung auf Gal. 5, 13 in strom. 3, 41, 3; Clemens vermeidet nicht den Anschein, als stamme nur die zweite Hälfte des Satzes von Paulus: ‚Mag man auch sagen, wir seien zur F. berufen, nur sollen wir nach dem Wort des Apostels die F. nicht dem Fleisch zum Anlaß werden lassen'. Auch Clemens befindet sich in Auseinandersetzung mit gnostischer Paulusinterpretation, die eben die F. vom Gesetz proklamiert: ‚Das lehren auch die Anhänger des Prodikos, indem sie sich zu Unrecht Gnostiker nennen, die von sich sagen, sie seien von Natur Söhne des ersten Gottes. Indem sie von ihrem Adel u. ihrer F. Gebrauch machen, leben sie, wie sie wollen. Sie wollen aber wollüstig leben, in der Meinung, von niemandem beherrscht zu sein als Herren des Sabbats (vgl. Mc. 2, 28) u. von Natur königliche Söhne, erhaben über das ganze Menschengeschlecht. Dem König aber, sagen sie, ist das Gesetz ungeschrieben‘ (strom. 3, 30, 1). F. ist für Clemens ἀπάθεια: strom. 2, 144, 2; 3, 43, 1; 6, 105, 1; sie gehört zusammen mit Frieden (ebd. 2, 120, 1f) u. σωφροσύνη (ebd. 2, 126, 1). Rom. 7, 4 muß Clemens dementsprechend korrigieren: ‚die Unzüchtige lebt der Sünde, ist aber den Geboten gestorben‘. Man muß wohl sagen, daß es sich hier weder um Umdeutung des paulinischen F.verständnisses (Buri 95) noch um seine Preisgabe (Schelkle 229) handelt, sondern um seine Bestreitung. Dabei bleibt zu fragen, ob Clemens an diesem Punkt die Paulusinterpretation seiner Gegner für (exegetisch) unwiderleglich hielt.

V. F. im Verhältnis von Staat u. Kirche. Schon im Blick auf den heidnischen, die Christen verfolgenden Staat gibt es Berufung auf F. (Laktanz); jedoch gewinnt das Wort seine eigentliche Bedeutung erst im Ringen der Kirche um ihre Unabhängigkeit vom christlich gewordenen Staat. Im Begriff der libertas ecclesiae wird man im vorliegenden Zusammenhang das eigentlich Neue des Christentums gegenüber der Antike namhaft machen wollen, wobei aber sofort die Frage mitgehört werden muß, ‚ob denn die frühchristliche Kirche in ihren zahlreichen Kämpfen mit den christlich gewordenen Kaisern um Selbständigkeit u. Unabhängigkeit nicht auch aus dem F.bewußtsein des röm. Bürgers einen Teil ihrer Energie bezogen hat‘ (Hürten 3).

a. Zeit vor Konstantin. Origenes schreibt im Anschluß an Mt. 17, 25. 27: (Christus) cum liber esset, solvit tamen tributum venit enim et in mortem ut esset et ‚inter mortuos liber‘ (comm. in ep. ad Rom. 9, 30 [PG 14, 1230 C]; nach Ps. 87, 6). Entsprechend kommt sklavisches Verhalten der Christen den irdischen Herrschern gegenüber nicht in Frage (c. Cels. 8, 65 [GCS Orig. 2, 280, 26]). – Laktanz

schreibt um 315 im Blick auf die Verfolger (inst. epit. 49 [CSEL 19, 727f]): sed quis audiet (nämlich auf den Aufweis des Laktanz, wie unsinnig es ist, Christen mit Gewalt zum Opfer zu zwingen), cum homines furiosi et inpotentes minui dominationem suam putent, si sit aliquid in rebus humanis liberum? atquin religio sola est in qua libertas domicilium conlocavit. res est enim praeter ceteras voluntaria nec inponi cuiquam necessitas potest, ut colat quod non vult. Opferte auch einer aus Zwang, so gilt doch: numquam ultro faciunt quod necessitate fecerunt, sed data rursus facultate ac reddita libertate referunt se ad deum. Vgl. ebd. 50 (729): Die heidnischen Kulte könnten ja Irrtum sein! Also (vom Heiden aus gesprochen): cur nobis auferimus libertatem et quasi addicti alienis servimus erroribus?

b. Konstantinische Wende. Das Mailänder Edikt vJ. 313 steht expressis verbis im Zeichen der F. der Religionsausübung. Es sagt die ἐλευθερίαν τῆς θρησκείας, die ἐλευθέραν αἵρεσιν, welcher Religion auch immer zu folgen, u. die ἐλευθέραν καὶ ἀπολελυμένην ἐξουσίαν für den christl. Kult zu (Euseb. h. e. 10, 5). Vielleicht darf man damit auch einige Akzentuierungen u. neue Wendungen in der Epigraphik zusammenbringen. Zunächst die stärkere Betonung von securitas neben libertas: CIL 10, 2, 7284 vJ. 314 für Licinius: restitutori libertatis et fundatori publicae securitatis; CIL 8, 7005 für Konstantin: perpetuae securitatis ac libertatis auctori domino nostro; CIL 14, 131: restitutori publicae libertatis defensori urbis Romae communis omnium salutis auctori; hier ist die erste Hälfte konventionell, die zweite, mit dem Gedanken an den einzelnen, neu; so auch auf dem Konstantinsbogen neben dem traditionellen liberatori urbis das fundatori quietis auf der andern Seite (CIL 6, 1, 1139; vgl. 1145). Besonders in Afrika werden solche neuen Töne vernehmbar: CIL 8, 2721: providentissimo et cum orbe suo reddita libertate triumfans, u. ebd. 7006: ... qui libertatem tenebris servitutis oppressam sua felici victoria nova luce illuminavit; vgl. ebd. 7007. Hier dürfte christl. Metaphorik anklingen. CIL 8 Suppl. 15, 451 begegnet ungewöhnlicher metaphorischer Gebrauch von triumfus: domino triumfi libertatis et nostro restitutori invictis laboribus suis privatorum et publicae salutis.

c. Zeit nach Konstantin. Im Stile der Hofsprache wenden sich die Konzilsväter von Sardika gegen Einmischung in kirchliche Fragen durch Constantius: iccirco laboratis ... excubatis etiam et vigilatis, ut omnes, quibus imperatis, dulcissima libertate potiantur. non alia ratione, quae turbata sunt, componi, quae divulsa sunt, coherceri possint, nisi unusquisque nulla servitutis necessitate astrictus integrum habeat vivendi arbitrium (ep. syn. Sard. 2 [CSEL 65, 182]). Die Bitte um die Rückführung der verbannten Bischöfe ebd. schließt: ut ubique grata libertas sit et iucunda laetitia (ebd. 4 [183]). – Hilarius beruft sich für seine Worte gegen Constantius auf die F. des Christen: nunc demum fideli in Christo libertate testante (c. Constant. imp. 3 [PL 10, 580 A]); ebd. 5 (581 B) ist Constantius der Antichrist, qui ... non trudit carcere ad libertatem, sed intra palatium honorat ad servitutem; u. ebd. 6 (582 A): si falsa dicimus, infamis sit sermo maledicus: si vero universa haec manifesta esse ostendimus, non sumus extra apostolicam libertatem et modestiam post longum haec silentium arguentes. Bei ihm begegnet wohl zuerst die Formel libertas ecclesiae: tract. in Ps. 52, 14 (CSEL 22, 128), u. zwar im Sinne von ‚Unerreichbarkeit für die weltliche Gewalt‘ (Hürten 4). F. auch nach dem Verlust der F. als Rechtsstatus: multi redigere libertatem fidei nostrae in captivitatem volunt, sed confessionis nostrae, quam in Christo habemus, nemo dominatur (tract. in Ps. 124, 7 [602]); dazu Hürten 4f. – Ambrosius verweist Valentinian II auf das Vorbild Konstantins, qui nullas leges ante praemisit, sed liberum dedit iudicium sacerdotibus (ep. 21, 15 [PL 16, 1048]). In den Mailänder Auseinandersetzungen von 385/6 tritt er dem Kaiser gegenüber als der liber sacerdos weil servulus Christi, ausgestattet mit libera mens u. libera potestas, vermöge christlicher Leidensbereitschaft, quod in servulis suis pati velit Christus (c. Auxent. 14 [PL 16, 1053f]; vgl. 5. 11 [1051 A/B. 1052f]). Theodosius I gegenüber bringt Ambrosius erneut die philosophische Maxime in Anschlag, daß die guten Kaiser F. gewähren, die schlechten Sklavenhaltung erzwingen (ep. 40, 1f [PL 16, 1148f]; Zerstörung der Synagoge in Kallinikon). Theodoret (h. e. 5, 18, 3f [GCS 19, 309]) läßt Ambrosius dem Kaiser sagen: Über Wesen gleicher Natur herrschst du, König, ja über Menschen, die Sklaven sind wie du; denn einer ist aller Herr u. König, der Schöpfer aller Dinge. –

Papst Leo I erinnert Theodosius II an die herkömmliche F. der Meinungsäußerung auf Synoden: ut, sicut moris est, omnium sententiis ex libertate prolatis, id tranquillo et aequo constitueretur examine (ep. 44, 1 [PL 54, 827 B]) u. bittet zum Schluß: date defendendae fidei libertatem (ebd. 44, 3 [831 A]). An Kaiser Leo: utor catholicae fidei libertate, et ad consortium te apostolorum ac prophetarum securus exhortor, ut ... (ep. 156, 3 [PL 54, 1129 C]); ebd. 156, 5 (1131 B) wird die Wiederherstellung der kirchlichen Ordnung in Alexandria im Sinne des Papstes mit den Worten erbeten: ab insanissimo tyranno Alexandrinam Ecclesiam liberare. Hier ist F. das Freisein der Kirche von Störungen im Vollzug der Heilsaufgabe (Hürten 5f). – Unter Berufung auf das Völkerrecht beschwört Papst Felix II die sacrosancta libertas auch einer päpstlichen Gesandtschaft an den Kaiserhof u. stellt dem Kaiser als nützlich hin: si Ecclesiam catholicam vestri tempore principatus sinatis uti legibus suis, nec libertati eius quemquam permittatis obsistere (ep. 8, 5 [250 Thiel]). – Papst Symmachus stellt dem Kaiser Anastasius die Frage, welcher Unterschied zwischen einem heidnischen Christenverfolger u. einem nominell christlichen Kaiser bestehe, der es soweit kommen läßt, ut quum in illis regionibus cunctae prorsus haereseos opiniones suas habeant publice licentiam profitendi, sola catholicae communionis libertas putetur ab iis qui se religiosos aestimant subruenda? (ep. 10, 12 [706 Thiel]). – Für Facundus von Herminae ist um 548 die Zeit eines Leo fast schon die klassische Zeit kirchlicher F.: considerandum vero est quae fuerint illo tempore Christianae libertatis in quam sumus vocati responsa, cum Leo religiosissimus imperator, non de temporali potestate quam acceperat, sacerdotes Dei terreret, sed potius contra timorem humanum timorem eis Dei omnipotens incuteret (PL 67, 842 B). – Es geht um die Zurückweisung des kaiserlichen Anspruchs auf priesterliche Würde: expressis verbis verneint Maximus Confessor die Frage: ‚ist nicht jeder christliche König zugleich Priester?‘ (rel. 4 [PG 90, 117 B]). Entsprechend formuliert Papst Gregor II: ‚nicht sind die Dogmen Sache der Könige, sondern der Bischöfe‘ (E. Caspar: ZKG 52 [1933] 86). Daß in alledem auch älteste römische Tradition wirksam ist, zeigt Papst Nikolaus I, der 865 dem Kaiser Michael seine heidnischen

Vorgänger als Vorbilder hinstellt, qui verum Deum nescientes, deos ligneos et lapideos colebant, et tamen eorum sacerdotibus honorem maximum tribuebant (ep. 86 [PL 119, 928 C]).

VI. F. im Verhältnis von ausgehendem Heidentum u. Staat. Auch die Vertreter der röm. Religion berufen sich in ihrem Ringen um deren Wiederherstellung oder Duldung auf die F. So stehen neben traditionellen Inschriften für Julian Apostata wie restitutori libertatis, liberatori orbis Romani (CIL 8, 1432; 11, 6669) auch solche: ... restitutori libertatis et Romanae religionis ac triumfatori orbis (CIL 8, 4326). – In der rel. 3 des Symmachus betreffs der Wiederherstellung des Victoria-Altares im Sitzungssaal des Senates i.J. 384 spricht Rom: optimi principum, patres patriae, reveremini annos meos, in quos me pius ritus adduxit! utar caerimoniis avitis, neque enim paenitet! vivam meo more, quia libera sum! (MG AA 6, 1, 282, 6/8).

VII. F. als Heilswort im Christentum. Allgemein ist zu beachten, daß die Vulgata starken Anteil hat an dem gegenüber dem Griechischen weit ausgedehnten Gebrauch von liberare (über 200 Stellen) u. liberator. Gott ist liberator (Ps. 17, 1. 47; 69, 6; 143, 2; Dan. 6, 27); sein rettendes Tun heißt liberare (Ps. 7, 1; 24, 22 u. ö.); er befreit die Seele (Prov. 14, 25 u. ö.); er befreit vom Übel (Prov. 16, 8; Mt. 6, 13); Almosen befreit vom Tode (Tob. 4, 11 usw.). Auch die Erlösung des Volkes aus Ägypten wird nun mit liberare bezeichnet (Ex. 3, 8; 14, 30; 18, 10 u. ö.). Dagegen bleibt libertas meist Bezeichnung für die Stellung des Nichtsklaven bzw. die F. des Handelns (so z.B. Tob. 1, 14). Ferner ist deutlich, daß dort, wo Jesus Christus als der dominus verkündigt u. geglaubt wird, F. nicht leicht zum zentralen Heilswort werden kann. Aber so ähnlich wie F. bei Paulus als Zwischenbestimmung auftaucht, geschieht es auch immer wieder in der Alten Kirche. Wir beschränken uns auf zwei Beispiele, die F. als solche Zwischenbestimmung des Heils erkennen lassen: Const. Apost. 39, 3 (1, 440f Funk): ‚Gott wandte sich nicht ab vom menschlichen Geschlechte, sondern er berief es aus Irrtum u. Nichtigkeit zur Erkenntnis der Wahrheit gemäß dem Unterschied der Zeiten, von der Sklaverei u. Gottlosigkeit (ἀσέβεια) zur F. u. Gottseligkeit (εὐσέβεια) es führend, von der Ungerechtigkeit zur Ge-

rechtigkeit, vom ewigen Tode zum ewigen Leben.‘ – Augustinus stellt abschließend die libertas der civitas dei als die F. dar, in welcher der freie Wille nicht mehr sündigen kann (civ. D. 22, 30): sed quia peccavit ista natura cum peccare potuit, largiore gratia liberatur, ut ad eam perducatur libertatem, in qua peccare non possit ... Erit ergo illius civitatis et una in omnibus et inseparabilis in singulis voluntas libera, ab omni malo liberata et impleta omni bono, eingedenk ihrer liberatio, dankbar ihrem liberator, sanguine (sc. Christi) liberati (ebd. 63/5. 74/7. 98). Aber er kann dabei nicht stehen bleiben, ohne den positiven Inhalt solcher F. zu nennen: ‚Da werden wir feiern u. schauen, schauen u. lieben, lieben u. preisen‘ (ebd. 145/7).

M. ADRIANI, Tolleranza e intolleranza religiosa nella Roma antica: StudRom 6 (1958) 507/19. – D. AMAND, Fatalisme et liberté dans l'antiquité grecque (Louvain 1945). – E. BENZ, Das Todesproblem in der stoischen Philosophie (1929). – W. BERINGER, Zu den Begriffen für ‚Sklaven' u. ‚Unfreie' bei Homer: Hist 10 (1961) 259/91. – H. BERVE, Die Tyrannis bei den Griechen 1/2 (1967) (Rez.: V. EHRENBERG: Gnomon 41 [1969] 48/53). – H. D. BETZ, Lukian von Samosata u. das NT = TU 76 (1961) bes. 196[4]. 210[3.4]. – W. BOUSSET, Kyrios Christos [5](1964) Reg. s. v. F. – K. BÜCHNER, Tacitus, die historischen Versuche [2](1963). – R. BULTMANN, Die Bedeutung des Gedankens der F. für die abendländische Kultur: Glauben u. Verstehen 2 (1952) 274/93; Der Gedanke der F. nach antikem u. christlichem Verständnis: ebd. 4 (1965) 42/51; Theologie des NT [5](1965) 331/53. – F. BURI, Clemens Alexandrinus u. der paulinische F.begriff (1939). – G. BUSOLT, Griechische Staatskunde [3](1926). – J. CAMBIER, La liberté chrétienne selon Saint Paul: StudEv 2 = TU 87 (1964) 315/53. – J. COLIN, Les villes libres de l'orient gréco-romain et l'envoi au supplice par acclamations populaires (Bruxelles 1965). – H. B. CONSTANT, Von der F. des Altertums, verglichen mit der F. der Gegenwart (Basel 1946) 27/60. – H. CONZELMANN, Grundriß der Theologie des NT [2](1968). – A. B. COOK, Zeus 1/3 (Cambridge 1914/40 bzw. New York 1964/5). – H. DILLER, F. bei Thukydides als Schlagwort u. als Wirklichkeit: Gymnas 69 (1962) 189/204 = WdF 98, 639/60. – V. EHRENBERG, Der Staat der Griechen [2](1965). – F. FABBRINI, La manumissio in ecclesia (Milano 1963). – G. FRANCISCI, Il processo di libertà in diritto romano (Napoli 1961). – E. FUCHS, Art. F. (im NT): RGG 2[3], 1101/4. – H. FUCHS, Der geistige Widerstand gegen Rom (1938). – J. GAITH, La conception de la liberté chez Grégoire de Nysse

(Paris 1953). – H. GRUNDMANN, F. als religiöses, politisches u. persönliches Postulat im MA: HistZ 183 (1957) 23/53. – F. GSCHNITZER, Zur griechischen Staatskunde = WdF 96 (1969). – H. GÜLZOW, Christentum u. Sklaverei in den ersten drei Jh. unter besonderer Berücksichtigung der röm. Gemeinde (1969). – M. HENGEL, Die Zeloten (1961). – H. HERTER, Thukydides = WdF 98 (1968). – H. HÜRTEN, Libertas in der Patristik – libertas episcopalis im Frühmittelalter: ArchKultGesch 45 (1963) 1/14. – W. JAEGER, Paideia 1/3³ (1959), bes. 2, 104/6; 3, 170/98. – W. JENS, Libertas bei Tacitus: Hermes 84 (1956) 331/52 = WdF 135, 391/420. – H. JONAS, Augustin u. das paulinische F.problem² (1965); Gnosis u. spätantiker Geist 1³ (1964); 2, 1 (1954). – M. KASER, Das röm. Privatrecht 1 (1955); 2 (1959). – G. KEHNSCHERPER, Die Stellung der Bibel u. der alten christlichen Kirche zur Sklaverei (1957). – R. KLEIN, Prinzipat u. F. = WdF 135 (1969). – H. KLOESEL, Libertas, Diss. Breslau (1935). – P. KOSCHACKER, Europa u. das röm. Recht ⁴(1966) bes. 286₂. 362. – W. KUNKEL, Zum F.begriff der späten Republik u. des Prinzipats: SavZRom 75 (1958) 322/47 = WdF 135, 68/93. – I. LANA, La libertà nel mondo antico: RivFil 33 (1955) 1/28. – G. LAVAGGI, Nuovi studi sui liberti: Studi P. de Francisci 2 (Milano 1956) 73/111. – H. LECLERCQ, Art. Liberté de conscience; Liberté d'écrire; Libertini; Libre arbitre; Libres: DACL 9, 1 (1930) 530/49; 549/51; 551/3; 557/65; 565/72; Art. Libéralités des fidèles: ebd. 489/97. – E. LEVY, Libertas u. Civitas: SavZRom 78 (1961) 142/72. – F. G. MAIER, Augustin u. das antike Rom (1956). – J. MAU-E. SCHMIDT (Hrsg.), Isonomia. Studien zur Gleichheitsvorstellung im griech. Denken (1964). – TH. MAYER-MALY, Zur Rechtsgeschichte der F.idee in Antike u. MA: Österr. Zs. f. Öffentl. Recht 6 (1955) 399/428. – E. MEYER, Römischer Staat u. Staatsgedanke³ (1963) Reg. s. v. F. – TH. MOMMSEN, Ges. Schriften 3 (1907) 1/20. – D. NESTLE, Eleutheria 1 (1967) (Rez.: R. BULTMANN: ThR 33 [1968] 15). – K. NIEDERWIMMER, Der Begriff der F. im NT (1966). – D. NÖRR, Imperium u. Polis (1966). – I. OPELT, Der Christenverfolger bei Prudentius: Philol 111 (1967) 242/57. – H. OPPERMANN, Römische Wertbegriffe = WdF 34 (1967). – G. PFLIGERSDORFFER, Lucan als Dichter des geistigen Widerstandes: Hermes 87 (1959) 344/77 = WdF 135, 321/68. – M. POHLENZ, Griechische F. (1955) (Rez.: E. BAYER: HistZ 182 [1956] 88/91). – H. RAHNER, Kirche u. Staat im frühen Christentum (1961). – H. RENGSTORF, Art. δοῦλος: ThWb 2 (1935) 264/83. – P. REYMOND, Un aspect de la liberté dans l'A. T.: Verbum caro 14 (1960) 39/48. – H. SCHAEFER, Politische Ordnung u. individuelle F. im Griechentum: HistZ 183 (1957) 5/22. – K. SCHELKLE, Paulus, Lehrer der Väter²

(1959). – H. SCHLIER, Art. ἐλεύθερος: ThWb 2 (1935) 484/500; Art. παρρησία: ebd. 5 (1954) 869/84. – W. SCHMITHALS, Die Gnosis in Korinth ²(1965). – C. SCHNEIDER, Geistesgeschichte des antiken Christentums 1/2 (1954). – F. SCHULZ, Prinzipien des röm. Rechts (1934) 95/111. – G. TELLENBACH, Libertas. Kirche u. Weltordnung im Zeitalter des Investiturstreites (1936). – W. THEILER, Forschungen zum Neuplatonismus (1966). – L. THOMPSON, Lucans apotheosis of Nero: ClassPhilol 59 (1964) 147/53. – W. VÖLKER, Quellen zur Geschichte der christl. Gnosis (1932). – A. WAAS, Die alte deutsche F. (1939 bzw. 1967). – G. WALSER, Der Kaiser als vindex libertatis: Hist 4 (1955) 353/67. – K. WEGENAST, Art. Zeloten: PW 9 A, 2 (1967) 2474/99. – L. WICKERT, Art. Princeps: PW 22, 2 (1954) 1998/2296, bes. 2080/137; Der Prinzipat u. die F.: Symbola Colon., Festschrift J. Kroll (1949) 111/41 = WdF 135, 94/135. – C. WIRSZUBSKI, Libertas als politische Idee im Rom der späten Republik u. des frühen Prinzipats (1967; engl. Cambridge 1950). – E. WOLF, Griechisches Rechtsdenken 1/4, 1 (1950/68).   *D. Nestle.*

Freilassung s. Sklaverei.

Freimut s. Fiducia (o. Bd. 7, 839/77); Parrhesia.

Freitag s. Wochentage.

Fremder.

A. Nichtchristlich. I. Israel u. Judentum 309. a. Arten 309. b. Stellung zum F. 310. c. Rechtslage des F. 312. d. Jüdische Kolonien in der Fremde 314. – II. Griechenland 314. a. Homerische Zeit 314. b. Polis 316. 1. Barbaren 316. 2. Griechen untereinander 316. c. Hellenistische Zeit. 1. Allgemein 317. 2. Ägypten 319. – III. Rom 321. a. Archaische Zeit 321. b. Expansionsperiode. 1. Begriff 323. 2. Rechtlicher Unterschied (Latini, peregrini) 324. 3. Unterworfene 326. 4. Assimilation 328.

B. Christlich. I. Neues Testament. a. Jesus u. die Urgemeinde 333. b. Paulus u. seine Gemeinden 335. c. Erster Petrusbrief usw. 337. d. Jesus u. die Seinen als F. 338. – II. Alte Kirche. a. Diognetbrief u. Hermas 339. b. Thomasakten u. Gnosis 340. c. Gnosis 342. d. Markion 342. e. Spätere Schriftsteller 343. f. Fremdsein als asketische Haltung 344. – III. F. u. christl. Caritas 345. – IV. Maßnahmen christlicher Kaiser 345.

In jeder Gesellschaft u. zu jeder Zeit gibt es den F. Der Begriff selbst ist komplex; er kann unter verschiedenen Aspekten gesehen werden: F. in einem Staat, in einer Religion, einer Sprache, einer in ihrem Umfang beschränkten sozialen Gruppe, einer Ideologie, einer Kunst usw. Die Stellung des F. hängt also ab von vielfältigen Erwägungen: von rechtlichen (welche Rechte werden dem F. zugestanden oder verweigert), von wirtschaftlichen (Autarkie oder Handelsbeziehungen mit dem F.), von religiösen (Mißtrauen, Indifferenz oder Proselytenwerbung), von sozialen (Aufnahme oder Zurückweisung). Ein F. ist derjenige, der aus einer anderen Gruppe stammt (Familie, Gesellschaft, Staat), der zu anderen keine Beziehungen hat oder der an etwas keinen Anteil hat. So ist der Begriff des F. wesenhaft soziologisch. Das Wesen des F. läßt sich nur aus der Gegenüberstellung definieren. So ist die Begriffsbestimmung wesenhaft negativ: ein F. ist derjenige, der nicht der Gruppe angehört (Gilissen 10f). Da es eine unendliche Vielfalt sozialer Gruppen gibt, ist auch die Zahl der Typen von F. unbegrenzt. Dasselbe Individuum, das notwendig mehreren sozialen Gruppen zugleich angehört (familiär, beruflich, religiös, sprachlich, politisch usw.), ist gleichermaßen in verschiedenen Formen ein F. in bezug zu allen Verbänden, denen es nicht angehört. So kann eine sprachliche Gemeinschaft Individuen umschließen, die politisch einander fremd sind. Selbst dann, wenn man sich allein auf die politische Gruppe als Maßstab der Klassifizierung bezöge, bliebe der Begriff des F. in den Konturen fließend: 1) weil es sowohl außerhalb wie innerhalb der Grenzen eines Staates F. geben kann (die Bewohner des eroberten Territoriums [‚peregrini' im röm. Reich, ‚Eingeborene' in den modernen Kolonialreichen usw.]); 2) weil ideologische, soziale oder religiöse Gegnerschaft einen einzelnen in seinem eigenen politischen Verband zum F. machen u. seiner bürgerlichen Rechte berauben kann (natura civis, voluntate hostis: Cic. Phil. 8, 13; Catil. 4, 10; vgl. die Bezeichnung des Tib. Gracchus als ‚hostis iudicatus': Val. Max. 4, 7, 1; 7, 2, 7); 3) schließlich kann eine Vielfalt politischer Ordnungen bestehen, denen ein Individuum zugehört. Indem es einer von ihnen im engeren Sinne angehört, kann es einer anderen fremd sein. Folglich gestattet selbst der Bezug auf den Begriff der politischen Gruppe nicht die Bildung einer einfachen Definition des F. Wenn das Problem in den modernen Nationalstaaten, wo man den F. juristisch als den nicht über die Staatszugehörigkeit Verfügenden bestimmen kann, meist vereinfacht ist, läßt es gewisse Schwierigkeiten, besonders in dem Kriterium der Zugehörigkeit (ius sanguinis oder ius soli) fortbestehen, auch wenn völkische oder religiöse Minderheiten im Inneren des Staates leben. Es gibt ebenso viele Formen von F., wie es soziale Gruppen gibt. Die Andersartigkeit des F. wird ihm um so mehr zum Vorwurf, je gefestigter die soziale Gruppe ist, der er sich entgegenstellt. Gleichgültigkeit (gegenüber dem F.) ist selten, da sie einen sozialen Verband ohne große Beständigkeit u. ohne Bewußtsein seiner Eigenart voraussetzt. Einfache Toleranz schließt fehlendes Interesse am F. ein u. häufig auch einen hohen Grad an Kultur. Die verbreitetsten Verhaltensweisen dem F. gegenüber sind Feindseligkeit oder Gunst. – Man hat für Rom darauf aufmerksam gemacht, daß dasselbe Wort, hostis, den Feind u. den F. bezeichnete. Diese Vorstellung ist heute allgemein zurückgewiesen (A. Heuss, Völkerrechtliche Grundlagen der röm. Außenpolitik: Klio Beih. 31 [1933]; E. Meyer, Röm. Staat u. Staatsgedanke [1948] 220; de Visscher 195/208; Bierzanek 89/101; de Martino 2, 11/5. 37f). Das Argument der doppelten Bedeutung des Wortes hostis ist nicht schlüssig. Hostis bezeichnete ursprünglich den Gastfreund (vgl. griech. ξένος; deutsch Gast; engl. guest; altkirchensl. gosti). Alle diese Wörter bezeichnen den Gast u. nicht den Feind (vgl. Ernout-Meillet, Dict. étym. s. v. hospes; hostis). Der Feind hieß perduellis (Varro 1. 1. 5, 3; Cic. off. 37; Paul.-Fest. 91 Lindsay). Hostis nahm erst die Bedeutung ‚Feind' an, als hospes zur Bezeichnung des Gastfreundes aufkam. Rom bedurfte in seinen Anfängen der F. u. nahm sie in weitem Maße auf (hinter der Legende vom Raub der Sabinerinnen oder den Berichten von Liv. 1, 8, 5f; 1, 9; 1, 11, 2; 1, 11, 4; 1, 13, 4; 1, 33, 1f usw. verbirgt sich Wirklichkeit). Ein gutes Beispiel freundlicher Aufnahme liegt in der Geschichte des Lucumo vor (1, 34, 1/6; vgl. J. Gaudemet, L'étranger dans le monde romain: StudClass 7 [1965] 39). So ist F.feindlichkeit bei ursprünglichen Gesellschaftsformen keineswegs die Regel. Auch die Begünstigung des F. gab es zu allen Zeiten. Veranlaßt durch sehr verschiedenartige Gründe nahm sie mannigfaltige konkrete Formen an. Wirtschaftliche Unruhen haben oft die F. begünstigt. Salomon ließ fremde Handwerker für sich arbeiten, die bei ihm Asyl fanden. Umgekehrt zieht oft auch ein bedeutendes Zentrum den F. an, der dort ein leichteres oder angenehmeres Leben zu finden hofft. Zu materiellen treten geistige Motive. Athen u. Alexandrien, selbst Rom, besaßen unbestreitbar eine intellektuelle u. künstlerische Anziehungskraft. Man kann verschiedene Formen des Status des F. unterscheiden: Die Versagung jeden Rechtes; die Gewährung eigener Rechte an den F., die bisweilen die Einrichtung einer besonderen Rechtsprechung u. Verwaltung erlauben oder die Einräumung gewisser Rechte für die Gruppe, zu der die F. sich zählen. Selten handelt es sich dabei um politische Rechte, eher um zivile (Heirat, Erwerb von Immobilien, Zutritt zu den Gerichten, Vollstreckung von Gerichtsurteilen usw.). Doch haben nicht alle F. in einem Staat u. zu einer gegebenen Zeit denselben Status. Denn das Aufnahmeland unterscheidet zwischen Durchreisenden u. ihren Wohnsitz im Lande Nehmenden (ξένος - μέτοικος), ferner dem F. des Auslandes, demjenigen, der in einem eroberten Land ansässig bleibt (dem Provinzialen im röm. Kaiserreich) oder dem Angehörigen derselben Rasse, der aber in einer anderen Stadt lebt (für Athen zB. die Thebaner).

A. Nichtchristlich. I. Israel u. Judentum. Der F. stellt die hebräische Gemeinde vor ein gewichtiges u. wesentliches Problem; denn in allen Zeiten der Geschichte Israels sind die Beziehungen mit F. unter verschiedenen Formen bedeutsam gewesen: die Hebräer sind oft selber F. inmitten anderer Völker (Wanderungen nomadisierender Hirten im Zeitalter der Patriarchen, Aufenthalt in Ägypten oder babylonische Gefangenschaft, jüdische Kolonien in der hellenist.-röm. Welt). Auf der anderen Seite standen sie in ständiger Berührung mit F.: sie hatten friedliche u. wirtschaftliche Kontakte mit den Nachbarvölkern (zB. den Kananäern [vgl. Gen. 23, 4; 33, 13/25] oder den Philistern [Gen. 26, 11]; zur Vermischung von F. u. Hebräern vgl. Ex. 12, 19; später kommt es zu Beziehungen mit Tyros u. Sidon), aber auch kriegerische. Die Haltung, die gegenüber dem F. einzunehmen war, stellte Israel vor eine besonders schwerwiegende Frage, u. zwar nicht nur aufgrund politischer, ökonomischer u. sozialer Überlegungen, sondern auch infolge seiner Religion. Der fremde Götzendiener konnte den Glauben Israels gefährden (zahlreiche Schrifttexte sprechen von der Gefahr der ‚Prostitution‘). Alle diese Gründe erklären die Fülle von Anspielungen auf die F.

a. Arten. Man kann von mehreren Typen des F. sprechen, je nach den politischen u. sozialen Strukturen, die man ins Auge faßt: zB. einem Familienverband fremd; einem Stamm fremd (vgl. zB. den Streit zwischen dem Stamme Benjamin u. Israel [Iudc. 19f], die besondere Lage des Stammes Levi, der kein Territorium hat [Iudc. 17, 7. 9; 19, 15; Dtn. 14, 27. 29]); fremd im Verhältnis zum Volke Israel (den 12 Stämmen, die von Jakob abstammten); fremd zu den Königreichen von Juda oder Israel. Innerhalb ein u. desselben Typs (fremd im Verhältnis zu Israel) werden Abstufungen der Fremdheit u. als Folge davon auch Unterschiede in der Rechtsstellung betont. Dem auf der Durchreise befindlichen F., Kaufmann oder Reisenden gebührt *Gastfreundschaft (Gen. 18, 1/8; 19f; 23, 4; 24, 15f; Iudc. 16f. 19); doch glaubt man, ihn ausbeuten zu dürfen (Dtn. 15, 3; 23, 21; es ist erlaubt, ihm Geld auf Zinsen zu leihen). Der F., der für immer Wohnung in der Gemeinde nimmt, wird besser behandelt (vgl. Vocabulaire de théologie biblique [Paris 1962] 323/5). Es handelt sich um den sog. „gêr‘; dieser Begriff bezeichnet in gleicher Weise die Ureinwohner von Kanaan, die sich nicht durch Heirat assimiliert haben u. die auch nicht in Sklaverei geführt wurden. Andere Texte stellen den F. schließlich als einen Feind dar, den man besiegen muß (vgl. das Versprechen Jahwes an Moses Ex. 23, 23; 33, 2; 34, 11; Dtn. 7, 16; 19, 1; 20, 16f). Juristisch kann der F. ein Freier oder ein Sklave sein. Im letzteren Fall wird er nicht automatisch im siebten Jahr frei (Ex. 21, 2; Lev. 25, 44/6). Auch wenn er frei ist, so ist er doch oft arm. Da er vom Grundbesitz ausgeschlossen ist, übernimmt er Lohndienste (Dtn. 24, 14f) oder übt einen Beruf aus (zB. die syrischen Bronzegießer Salomons; vgl. 1 Reg. 13). Er kann es durch seine Arbeit zu einem gewissen Wohlstand bringen (Lev. 25, 47; Dtn. 28, 43).

b. Stellung zum F. Während des Aufenthalts in Ägypten war die Lage der Juden zweifellos nicht immer dieselbe. Die Genesis schildert die bedeutende Rolle Josephs als Vizekönig von Ägypten (41, 38f; 42, 6; 45, 8). Das Buch Exodus betont die mit einem Thronwechsel eintretende Feindseligkeit (1, 8f. 16. 22; 5, 7. 8; 13, 17; 14, 5). Vielleicht folgte einem Jahrhundert der Freiheit ein solches der Verfolgung. Die nach Ägypten eindringenden Hebräer waren wohl Nomaden, die die Fruchtbarkeit des Landes anzog (vgl. bereits Jakob u. seine Familie, Gen. 46, 6). Diese Gruppe vermehrte sich rasch (Ex. 1, 7) u. mußte daher an einer Ausbreitung gehindert werden (Ex. 1, 10). Daher schloß sich eine Politik der Verfolgung (Ex. 1, 11/3) an eine Periode des Ausgleichs (Gen. 39, 4; Ex.

2, 5/10) an, während der die Juden ihrem
Glauben bisweilen untreu wurden (Jos. 24;
14; Ex. 20, 6/8). Einige wollten die auferlegte
Fron eher tragen als in der Wüste sterben
(Ex. 14, 12). Andere weigerten sich mit Moses,
nachzugeben. Aber die Erinnerung an diesen
langen Aufenthalt u. die bisweilen harte Behandlung, die sie dort erfuhren, wird häufig
die Haltung der Hebräer gegenüber den F.
bestimmt haben. Sie war abhängig von dem
Typus des F., den man in Betracht zog u. von
der Epoche, d. h. der Lage Israels gegenüber
den anderen Völkern. In der Patriarchen-
zeit blieben die Beziehungen zu F. individuell
oder höchstens auf Familien beschränkt
(Abraham in Ägypten; Isaak bei den Philistern). Erst im Verlauf des Aufenthalts in
Ägypten u. der langwierigen Wanderung in
das Land der Verheißung entwickelte Israel
das Bewußtsein seiner Eigenständigkeit u.
empfand sich als ein Volk unter anderen
Völkern. Die erste Haltung ist nicht Feindschaft. Es gibt keine unüberwindbaren
Schranken zu den anderen, auch keine
grundlegende Abneigung gegenüber F. Ein
Gefühl des Mitleids für den F. läßt diesen oft
in die Nähe des Armen, der Witwe u. der
Waisen rücken. Diese Annäherung ist von
Gott selbst gewollt (Dtn. 10, 18; vgl. 14, 29;
16, 11; 24, 19/21; 26, 12; 27, 19; Sach. 7, 10).
Die Milde gegenüber dem F. ist später oft
veranlaßt durch die Erinnerung an die Lei-
den in der ägypt. Fremde (Bundesbuch in
Ex. 23, 9; 28, 20; Lev. 19, 33f; Dtn. 10, 19;
23, 8; 24, 17f). Auch die Gesetzgebung
schützt den F. (Bundesbuch Ex. 22, 20; Dtn.
24, 17; 27, 19). Doch genießen nicht alle
Völker die gleiche Behandlung (größere
Strenge gegenüber Ammonitern u. Moabitern
[Dtn. 23, 4f] als gegenüber Edomitern oder
Ägyptern [ebd. 8f; Ps. 137, 77]). Aber die
Sorge um die Religion des wahren Gottes
hält das Mißtrauen gegenüber fremden Götzen-
anbetern wach (Dtn. 7, 1f; 20, 17f). Dieses
Mißtrauen, das bis zur Feindschaft gehen
kann, breitet sich nach der babylonischen
Gefangenschaft, unter der in religiösen Fragen liberalen Herrschaft der Achämeniden
mit der religiösen Reaktion der Propheten
aus (Esr. 9, 1f). Seinen Gipfel erreicht es
unter der Seleukidenherrschaft, als Antiochos
IV Epiphanes die Juden zu hellenistischen
Kultübungen zwingen will (Makkabäerauf-
stand 165 vC.). Die Isolierung des jüd. Ge-
meinwesens nimmt in der Folgezeit fort-

schreitend zu. Das Evangelium deutet Geg-
nerschaften im Inneren an (der Samaritaner
ist ein F.: Lc. 17/8; vgl. Act. 10, 28). Auch
die Römer wissen davon (Tac. hist. 5, 15;
Iuven. 14, 100f). Gegen diese Isolierung wendet sich Paulus (Rom. 1, 14; 10, 12; Gal. 3,
28).

c. Rechtslage des F. Der F. wird nicht nur
toleriert, sondern erhält auch einen Rechtsschutz; einige Rechte werden ihm ausdrücklich zuerkannt (Dtn. 24, 17; 27, 19); so hat
er Zutritt zu den Gerichtshöfen wie der
Israelit; denn die Gerechtigkeit kennt kein
Ansehen der Person (Dtn. 1, 14). Einige gesetzliche Bestimmungen verpflichten Israeliten u. F. gemeinsam (Verbot gewisser
sexueller Verbindungen [Lev. 18, 27]; Unterdrückung der Lästerung; Schadenersatz für
Körperschäden [Verletzung: Lev. 24, 16];
Steinigung desjenigen, der seine Kinder dem
Moloch ausliefert [Lev. 20, 2]). Die Zufluchts-
orte stehen dem F. offen (Num. 35, 15). Aber
der F. ist doch in seiner Handlungsfähigkeit
beeinträchtigt. In Erbsachen ist er benachteiligt. Bei einer Anleihe, die er aufnimmt,
können Zinsen erhoben werden (Dtn. 23, 21).
Eine Anordnung, deren praktische Verwirklichung zweifellos große Schwierigkeiten mit
sich brachte u. die einem nachexilischen Ge-
rechtigkeitsideal entsprach, war die am Beginn des Sabbatjahres (alle 50 Jahre) erfol-
gende automatische Freilassung von Israeliten, die eine Notlage gezwungen hatte, sich
selbst an einen F. zu verkaufen; vorher können sie losgekauft werden durch die Rück-
zahlung ihrer Schuld im Verhältnis zu den
noch verbleibenden Jahren bis zum Beginn
des Sabbatjahres (Lev. 25, 47/54). Die wichtigste Frage war ohne Zweifel die der Eheschließung zwischen Juden u. F. In der Patri-
archenzeit heiratete man oft innerhalb der
Sippe (Gen. 24, 3f; 28, 2; 29, 19); Eheschließungen mit F. waren ungern gesehen (Gen.
26, 35); sie sind jedoch nicht ohne Beispiel
(Gen. 26, 34; 34, 16). Das Gesetz verbot
Mischehen (Ex. 34, 16; Dtn. 7, 3f). Der Grund
dafür war die Furcht vor der Idololatrie, zu
welcher der fremde Ehepartner den jüdischen
allzu leicht verleiten konnte (vgl. 1 Reg. 11,
4f). So wie für die Söhne Israels galt das
Mischehenverbot auch für die Töchter, doch
wurde es nicht selten mißachtet. David (2
Sam. 3, 3) u. Salomon (1 Reg. 11, 1) schließen Vielehen mit F. Aber auch Einehen werden mit fremden Frauen eingegangen. Joseph

heiratet die Tochter eines Priesters von Heliopolis (Gen. 41, 55); Moses (Num. 12, 1; Ex. 2, 21), Samson (Iudc. 14, 3), die Söhne u. Töchter des Richters Ibzam (Iudc. 12, 8) u. Achab (1 Reg. 16, 31) heiraten F. (vgl. auch Ruth 1, 4; Iudc. 3, 5). Als Judäa eine Provinz des Perserreiches geworden war, waren Mischehen häufig. Nach der Verbannung verurteilte sie der Reformator Esra u. bestimmte, daß die Israeliten ihre fremden Frauen mit den aus diesen Verbindungen hervorgegangenen Kindern entließen (Esr. 9 f). Wenig später läßt Nehemias sie schwören, daß sie weder ihre Töchter den Völkern des Landes geben, noch ihre Söhne deren Töchter nehmen lassen würden (Neh. 10, 31). Aber dieses Versprechen wurde schlecht eingehalten. Bei seinem zweiten Aufenthalt in Jerusalem stellte Nehemias fest, daß zahlreiche Verbindungen mit Ammonitern u. Moabitern bereits geschlossen waren. Die Kinder aus diesen Ehen sprachen nicht mehr hebräisch. Der Reformator verfluchte sie (Neh. 13, 23, 7). Wenn sein Reformwerk auch keine unmittelbare Wirkung hatte, so wurde diese doch allmählich spürbar; waren Mischehen um die Zeit der Rückkehr aus der Gefangenschaft noch häufig, so wurden sie in der Folge selten. Beiseite zu lassen sind die Fälle fremder Konkubinen, die man besonders bei Unfruchtbarkeit der Frau nahm (Gen. 16, 1: Hagar). Diese Nebenfrauen haben eine untergeordnete rechtliche Stellung; sie können formlos verstoßen werden (Gen. 21, 10/4) u. ihre Kinder beerben den Vater nicht (Gen. 25, 6). Eine Kriegsgefangene kann nach Ablauf der Trauerzeit gesetzlich geheiratet werden (Dtn. 22, 11/3). So wie jede Ehefrau kann sie auch verstoßen werden. Doch ist es verboten, sie wie eine Gefangene zu verkaufen, da sie eine Ehefrau gewesen ist (Dtn. 22, 14). Der F., der sich für immer niederließ, der ,gêr', nimmt in gewissem Umfang am kultischen Leben Israels teil (vgl. Vocabulaire de théologie biblique [Paris 1962] 323/5). Moses hatte vorgeschrieben, ,alle zu unterweisen in der Furcht Jahwes u. der Befolgung des Gesetzes, selbst den F., der bei dir wohnt' (Dtn. 31, 12). Er bezog ihn ein in den Bund mit Jahwe (Dtn. 29, 10f). Der F. ist bei der Darbringung der Opfer an Jahwe an dasselbe Gesetz gebunden wie die Israeliten (Num. 15, 14f). Dtn. 16, 11. 14 bringt Opfer mit bestimmten Festen in Verbindung (doch findet sich keine Erwähnung davon im entsprechenden Text des Bundesbuches [Ex. 23, 16]; auch nicht Num. 28, 26 oder Lev. 23, 15/20. 34/6). Die Sühneriten verschaffen der Gemeinde der Kinder Israel, aber auch dem gêr Sündenvergebung (Num. 15, 26); die Unreinheit trifft ihn ebenso wie die Kinder Israels (Num. 19, 10; Lev. 17, 15; Dtn. 14, 21, wo streng zwischen dem gêr u. dem F. ,von draußen' geschieden wird). Der gêr ist gleichermaßen gehalten, kein Blut zu trinken (Lev. 17, 10/2), die Sabbatruhe zu wahren (Ex. 20, 11; 23, 12; Dtn. 5, 14) u. sich dem monatlichen Sühnefasten zu unterwerfen (Lev. 16, 29). Er darf ebenso am Pascha teilnehmen wie der beschnittene Sklave (Ex. 12, 44), wenn er sich beschneiden läßt (ebd. 48). All das wird dagegen dem nur vorübergehend verweilenden Gast u. dem Lohndiener (ebd. 45) verweigert.

d. Jüdische Kolonien in der Fremde. Parallel zu der Lage der F. in Israel muß man die der Juden im Ausland sehen. Nach der Eroberung Jerusalems durch Nabuchodonosor (598) u. einem letzten Aufbegehren des jüd. Unabhängigkeitsstrebens wurden Stadt u. Tempel zerstört (586) u. die Bevölkerung in die Gefangenschaft nach Babylon geführt (587/539). Das ist der Beginn der jüd. Diaspora. Jüdische Kolonien entstanden allerorts, vor allem in Ägypten (Jer. 44, 1). Diese Inseln des Judentums bestanden im Orient unter den Persern u. in der hellenist. Epoche fort; wir finden sie in der röm. Welt wieder. Manche dieser Diasporagruppen sind sehr bekannt, so zB. die Militär- u. Handelskolonie an der nubischen Grenze auf der Nilinsel Elephantine in Oberägypten.

II. Griechenland. Die Offenheit dieses Landes mit seinen zerklüfteten Küsten, die Abenteuerlust u. der Händlergeist seiner Bewohner schufen günstige Bedingungen für die Aufnahme von Beziehungen zu den F. u. ihrer wohlwollenden Behandlung. Umgekehrt bildete aber der enge Partikularismus der Stadtstaaten auch ein Hindernis für die freundliche Aufnahme von F. Trotz ihrer völkischen, religiösen u. sprachlichen Gemeinschaft bekämpften die einzelnen Griechenstädte einander, während sie andererseits ihre gemeinsame Überlegenheit über die ,Barbaren' zum Ausdruck brachten, aber gleichzeitig gegenüber F. aus dem Ausland oft freundlich auftraten.

a. Homerische Zeit. Die homerische Gesellschaft gewinnt durch Kriege, Seefahrt u.

Handel vielfältigen Kontakt mit der Fremde. Es zeichnet sich bereits eine griech. Koine ab, eine Gemeinschaft der Religion, der Sprache u. des Brauchtums; diese Einheit wird durch Ehebindungen gefestigt. Im Inneren dieser Koine finden sich kleine ‚Herrschaften' u. familiäre Gruppierungen. Die Vielfalt der sozialen Gruppen läßt den F. auf verschiedenen Ebenen auftreten, angefangen von demjenigen, der der griech. Welt fremd ist (Il. 2, 804. 867; Od. 1, 184; 3, 303; 15, 453), über denjenigen, der dem Land oder ‚Fürstentum' als F. gilt, bis zu dem einer Familie F. Die gleiche Verschiedenheit herrscht auch in Abkunft u. rechtlicher Stellung dieser F.: es gibt darunter angesehene Gastfreunde (zB. Od. 10, 110; 11, 363; 13, 205; 14, 285; 15, 118), Flüchtlinge (Il. 9, 478/81; 15, 430; 16, 571; 23, 85; 24, 481; Od. 16, 426; 20, 222; 24, 430), Bettler (Od. 17, 347), um Hilfe Bittende (Il. 2, 662/5; 9, 631; 13, 696; 15, 335; 21, 75; 23, 85/7; 24, 477/82; Od. 5, 447; 6, 193; 7, 165; 13, 214. 259. 272; 14, 380. 511; 15, 224. 272; 23, 118; 24, 433), Feinde (Il. 24, 187. 650). Ärzte u. Kunsthandwerker läßt man, wenn es nötig ist, von den Grenzen der Erde kommen. Grundsätzlich hat der F. kein Recht. Jedes gesetzlichen Schutzes beraubt (Il. 9, 648), kann er als Sklave verkauft werden (Od. 20, 384). Aber zum mindesten innerhalb der großen Familien sind Ehen mit F. nicht unmöglich (Il. 6, 160f; 13, 361/70). Doch verändern vor allem die Bindungen der Gastfreundschaft die Lage des F. von Grund auf. Der Gast erweckt Mitleid sowie religiöse Scheu; steht er doch unter dem Schutze des Zeus (Il. 13, 624; Od. 6, 207; 7, 182; 9, 270; 13, 214; 14, 283. 288; 17, 475). Ihn aufzunehmen ist verpflichtendes Gebot (Od. 6, 208; 9, 176; 11, 779; 14, 54. 158; 21, 28. 35). Die Aufnahme wird bisweilen von einem Opfer begleitet (Od. 7, 189). Den F. zu mißhandeln ist religiöser Frevel (Od. 9, 270/3. 479; 14, 57; 21, 27). Umgekehrt ist auch die Missetat, die der F. begeht, besonders schwer; sie ruft die Rache der Götter auf ihn herab (Il. 3, 352; Aesch. Ag. 60f. 367f. 699f). Die Odyssee bietet Elemente eines Codex der Gastfreundschaft: dazu gehört die Achtung, die man dem F. schuldet u. die ein gewisses Maß an Zurückhaltung nicht ausschließt; dazu gehören Unterhalt, Schutz, Ehre, gegenseitige Geschenke, oft solche von großem Wert; dazu gehören Gegenseitigkeit u. Erblichkeit der Bande der Gastfreundschaft. So bilden sich

Beziehungen heraus, die in einer Gesellschaft, in welcher der F. als Feind gilt, einen Austausch ermöglichen u. die Verbundenheit der Griechen festigen.

b. Polis. Die Griechenstädte, Metropolen u. Kolonien wachen über ihre Unabhängigkeit u. bleiben insofern einander fremd. Aber alle Griechen halten im Bewußtsein des sie Einenden die Nichtgriechen noch weit mehr für F. Zwei verschiedene Momente bestimmen diese beiden Typen von Fremdheit: das politische Kriterium, das die Griechen nach ihrer Zugehörigkeit zu verschiedenen Städten oder Königtümern scheidet, u. das kulturelle, das Griechen u. Barbaren einander gegenüberstellt. Naturgemäß kann die Stellung dieser beiden Typen des F. nicht dieselbe sein.

1. Barbaren. F., die nicht zur hellenischen Welt gehören, sind ‚Barbaren'; vgl. dazu Opelt-Speyer 251/66.

2. Griechen untereinander. Das griech. Gemeinschaftsbewußtsein mildert den lokalen Partikularismus; Gastfreundschaften, Eheschließungen, Geschäftsverbindungen, Klientelverhältnisse, die Politik der Tyrannen, die panhellenischen Feste begünstigen Annäherungen. Die Institution der Proxenie sicherte den Schutz des F. (P. Monceaux, Les proxénies grecques [Paris 1885]). Aber die Haltung gegenüber den F. u. infolgedessen deren juristische Stellung wechseln von Ort zu Ort (vgl. Spartas F.feindlichkeit [zB. Plat. Hipp. mai. 283 C]); sie wechselt auch nach den sozialen Gruppen (Platons Mißtrauen gegen die F.). Ruf u. Reichtum Athens zogen zahlreiche fremde Griechen an. Die Stadt ermaß schnell den Nutzen, den sie aus deren Tätigkeit ziehen konnte. Solon gewährte Verbannten auf Lebenszeit das Bürgerrecht, ferner auch solchen F., die sich in Athen mit ihrer Familie niederließen, um hier einem Beruf nachzugehen (Plut. Sol. 24, 4). Kleisthenes (Aristot. pol. 1275 b 36), Themistokles u. Perikles waren ihnen gegenüber fast immer aufgeschlossen. Die öffentliche Meinung begegnete dem F. selten feindlich (gewissen Orientalen geht ein schlechter Ruf voraus: vgl. Eur. Or. 1111. 1369f. 1483f). Die Einwanderung war keiner Kontrolle unterworfen. Um die Mitte des 5. Jh. ist die Zahl der Metöken (d. h. derjenigen, die ‚neben' den Athenern leben) unter den Handwerkern, Kaufleuten u. Bankiers groß (A. Diller, Racial mixture among the Greeks before Alexander: Illinois Stud. in Lang. and Lit. 20 [1937] 1/187). Manche von ihnen sind

vermögend. Sie zahlen eine besondere Kopfsteuer, das Metoikion. F., die nach Athen kommen, um dort Waren zu verkaufen, haben bestimmte Gebühren zu entrichten u. Liturgien zu übernehmen. Praktisch sind die Metöken vollkommen mit dem wirtschaftlichen, geistigen u. künstlerischen Leben Athens verbunden. Bisweilen werden sie auch zur Verteidigung herangezogen. Aber sie nehmen nicht am politischen Leben teil, da sie keine Vollbürger sind. Hier tritt wieder das Überlegenheitsgefühl der Athener u. ihr Mißtrauen gegen F. zutage (Aristoph. Acharn. 505). Damit erklärt sich auch der eingeschränkte rechtliche Status des F. Die Frage der Mischehe bleibt im Dunkeln (vgl. Ch. Hignett, A history of the athenian constitution to the end of the 5. cent. B. C. [Oxford 1952] 343/7). Eheschließungen dieser Art haben im 5. Jh. stattgefunden. Aber das perikleische Dekret vJ. 451 beschränkte das Bürgerrecht auf Kinder, deren Eltern beide Athener waren (Plut. Per. 37, 3; Aristot. rep. Ath. 26, 4). Das bedeutet noch nicht die Ungültigkeit der Mischehe; sie konnte als gültig anerkannt werden; die daraus hervorgegangenen Kinder waren also legitim. Aber der Status der Kinder war beschränkt: die Kinder erhielten nicht das Bürgerrecht u. damit auch nicht die daraus sich ergebenden Vorrechte. Auf jeden Fall aber waren diese Mischehen nicht gern gesehen (Eurip. suppl. 135. 219/21; Ion 293). Sie blieben daher ziemlich selten. Nicht häufig war auch die Verleihung des Bürgerrechtes an F. durch Beschluß der Volksversammlung. Die Regierung der Dreißig hat dagegen die F. verfolgt. Das Mißtrauen der Oligarchen gegen sie drückt sich in Platons ‚Gesetzen' aus (Vertreibung aus der Stadt nach 20 Jahren Aufenthalt). Xenophon schlug demgegenüber vor, ihnen das Recht auf Grundbesitz zu geben u. sie zur Reiterei zuzulassen. In der Tat wächst im 4. Jh. ihre Bedeutung (vgl. dazu P. Cloché, Le monde grec aux temps classiques [Paris 1958] 224/6).

c. Hellenistische Zeit. 1. Allgemein. Die Eroberungszüge Alexanders haben der Selbständigkeit der πόλεις ein Ende gesetzt. Alexander selbst hatte eine Verschmelzung der Rassen gewünscht; die Hochzeiten von Susa (324) oder die Eingliederung von Orientalen in die Armee sind die deutlichsten Anzeichen dafür. Philanthropie u. Kosmopolitismus bei Kynikern u. Stoikern tun allmählich ihre Wirkung (vgl. Krates v. Theben, Diogenes v. Sinope, Chrysippos, Panaitios; vgl. T. J. Haarhoff, The stranger at the gate ²[Oxford 1948]; H. v. Arnim, Leben u. Werke des Dion v. Prusa [1898]). Die politischen Strukturen, die sich gleich nach Alexanders Tod herausbilden, vertragen sich mit den alten partikularistischen Ideen nicht mehr. Fremde Länder wie Ägypten u. Asien werden nun von Griechen, also von F. regiert. Die Bindung an den geographischen Ort gewinnt eine neue Gestalt; neben den klassischen Begriff πατρίς, der eng mit der Herrschaft der πόλις verbunden war, tritt der neue u. wenig präzise Begriff ἰδία (vgl. Nörr 540/5). Neben der freundlichen Aufnahme des F. besteht auch jetzt noch ein gewisses Mißtrauen fort, das durch eigensüchtiges Interesse, religiöse Bedenken oder die Erfordernisse der Sicherheit genährt wird. Solche Besorgnisse geben Anlaß, die F. von sich fernzuhalten, ihre Zahl u. ihre Rechte zu beschränken. Mehr als der völkische Ursprung bestimmen in der neuen, von Rassenvorurteilen freien Welt die persönlichen Eigenschaften des F., seine Abkunft u. Lebensführung, die unterschiedliche Behandlung. Kaufleute oder Söldner sind willkommen, denn sie leisten gute Dienste; man respektiert sie u. ehrt sie bisweilen mit Titeln. Aber dem unsteten F., der von fern herkommt, dem Nomaden u. dem Kriegsgefangenen, begegnet man mit Mißtrauen. Die Politik der Städte gegenüber dem F. wechselt auch nach der Bedeutung u. dem Alter der F.kolonien, die bei ihnen schon bestehen (vgl. Préaux 145f). Die großen Städte üben eine starke Anziehung aus; ihre u. der Einwanderer Interessen treffen sich in der Gewährung materieller Erleichterungen u. Handelsprivilegien. Doch verweigern die Städte dem F. den Zugang zu den Staatsämtern u. selbst die Teilnahme an der Volksversammlung, um die Integrität der Bürgerschaft zu verteidigen. Die kleineren u. neuen Städte, die sich erst entwickeln müssen, sind dagegen liberal; sie nehmen den F. völlig in sich auf. Siedler (oft Veteranen) u. Sklaven, die die Waffen zum Schutz der Stadt ergriffen haben, erhalten das Bürgerrecht. Die Notwendigkeit, die verwüsteten Städte wieder zu bevölkern oder strategische Punkte besetzt zu halten, ruft förmlich Bevölkerungsverschiebungen hervor. Einige Inseln weisen bedeutende Fremdenkolonien auf. Die Grabinschriften auf Rhodos beweisen, daß hier viele Orientalen leben: Händler, Bankiers, Söldner, Künstler, Ärzte (1000 F. auf 6000 Bürger seit der Belagerung von 304/3). Besondere Beamte, die ἐπιμεληταὶ τῶν ξένων, betreuen sie.

2. Ägypten. Das Ägypten der Lagiden bot ein buntes Völkergemisch. Die alteingesessene Bevölkerung stellte die Masse dar, die Graeco-Mazedonier die herrschende Klasse. Aber einflußreiche wie auch untergeordnete Stellen waren besetzt mit Persern, Phönikiern, Syrern, Juden, Galatern, Thrakern u. später mit Römern. Die F. vermischen sich mit den Ägyptern auch in der Masse der Landbevölkerung, der kleinen Unternehmer, der Landarbeiter u. der Tagelöhner (λαός). Im allgemeinen zeigt sich Ägypten liberal. Man mußte diejenigen, die von der Hoffnung, ihr Glück zu machen, angezogen wurden u. zum Wohlstand des Landes beitragen konnten, festhalten. Individuelle Freiheit, Zugang zu Handelsunternehmungen, das Recht auf Versammlung u. religiöse Freiheit werden in weitem Maße gewährt. Politische Rechte zählen wenig in einem Land, in dem alle Untertanen des Königs sind. Wenn auch die offizielle Politik den F. begünstigte, widerstanden doch die Ägypter in ihrer Gesamtheit der Hellenisierung. Im sicheren Gefühl ihrer Überlegenheit kümmerten sich die Griechen nicht um die Landessprache, waren mehr um ihr eigenes Glück besorgt als um die örtlichen Sitten u. begünstigten von sich aus kaum die Assimilation. Die Gleichgültigkeit der Herrscher, die Erpressungen u. die Sorglosigkeit der örtlichen Beamten verlockten nicht zur Verständigung. Auf beiden Seiten wurde sie durch das Bestreben nach Isolierung verhindert (A. Aymard, L'Orient et la Grèce ²[Paris 1955] 455f). Das hellenische Element ist zahlenmäßig bedeutend; noch größer ist sein Einfluß durch die Stellungen, die es besetzt hat. Die ersten Ptolemäer hatten eine bedeutende Einwanderung veranlaßt, um die militärische Eroberung u. die Verwaltung des Landes zu sichern. Die Siedler erhielten Ländereien, die sie bebauten (Kleruchien), besonders in der trockengelegten Gegend des alten Moerissees, dem Fayum. Aber auch die Städte haben in gleicher Weise die Griechen angezogen. Man findet Griechen in allen sozialen Schichten. Sie kamen, um sich zu bereichern u. nahmen bisweilen einen steilen sozialen Aufstieg (vgl. zB. die Archive des Zenon, der Domänen-

verwalter des Dioiketen im Fayum im 3. Jh. war; vgl. A. Swiderek, La société indigène en Égypte: JournJuristPapyr 9 [1955] 365/400). Alte ägyptische Städte wie Memphis hatten ihr Griechenviertel. Drei autonome Städte, die griech. πόλις-Verfassungen hatten, bildeten griech. Inseln in Ägypten: Naukratis, *Alexandria u. Ptolemaïs. Gleichfalls eine Siedlung griechischen Typs gründete Ptolemaios Soter in Kyrene. Die Verfassung, die der König dieser Stadt gab (SEG 9 [1944] 1, 1), zeigt, mit welcher Großzügigkeit das Bürgerrecht verliehen wurde. Bürger sind nicht nur die Kinder, die von einem kyrenischen Vater u. von einer kyrenischen Mutter abstammen, sondern auch die einer libyschen Mutter, die Söhne kyrenischer Kolonisten aus anderen Städten u. diejenigen, denen Ptolemaios oder das πολίτευμα von Kyrene das Bürgerrecht verleihen. Tatsächlich trifft der Ausschluß vom Bürgerrecht nur die Barbaren oder die Nomaden. Wenn sich die Griechen auch wenig um die Ägypter kümmern, so haben sie dennoch kein rassisches Vorurteil. Auch Mischehen, die in den Griechenstädten Ägyptens verboten sind, sind auf dem Lande möglich. So beginnt eine begrenzte Verschmelzung selbst auf dem Lande. Im 2. Jh. beweist ein ägypt. oder griech. Name nicht mehr die Zugehörigkeit zu der einen oder anderen Volksgruppe. Die Begründung des Griechen u. Ägyptern gemeinsamen Serapiskultes unter den ersten Ptolemäern gab Gelegenheit zu beiderseitiger Annäherung. Unter den anderen F.gruppen Ägyptens sind die jüd. Gemeinschaften am besten bekannt. Sie stellten nach den Griechen die bedeutendste F.gruppe dar. Viele sind Soldaten. Doch trifft man auch Handwerker u. Händler. In Alexandrien sind zwei der fünf Stadtquartiere rein jüdisch. Es handelt sich dabei nicht um eine Art Ghetto, in das die Juden verbannt worden wären, sondern ganz im Gegenteil um eine Vergünstigung, die ihnen von den Lagiden auf ihre Bitten zugestanden wurde; sie wollten auf diese Weise ihren Zusammenhalt u. die Überlieferungen ihrer Gemeinschaft sichern. Die alexandrinischen Juden haben zwar nicht das Bürgerrecht von Alexandrien (vgl. Préaux 158/64); aber sie haben ihre eigene Organisation: einen Ethnarchen, der mit der Verwaltung u. der Rechtsprechung beauftragt ist; es gibt ein besonderes πολίτευμα τῶν Ἰουδαίων, doch erscheinen Juden vor griech. Gerichten;

vgl. CorpPapJud 19 (vJ. 226 vC.). Die Juden besaßen völlige Religions-, Versammlungs- u. Handlungsfreiheit u. durften Grundbesitz erwerben. Grundsätzlich blieben sie ihrem eigenen Recht unterworfen u. die Gemeinde konnte Maßnahmen gesetzgeberischen Charakters ergreifen. Die Beziehungen zum griech. Recht sind zahlreich. Also konnten die Juden dazu ihre Zuflucht nehmen (J. Modrzejewski, Les juifs et le droit hellénistique: Iura 12 [1961] 162/93; ders., Réflexions sur le droit ptolemaïque: ebd. 15 [1964] 32/56). Ihre Hellenisierung schreitet fort. Die Sonderrechte jeder Gruppe werden überlagert von der ptolemäischen Gesetzgebung. Dieses ,königliche Recht', das durch die griech. Überlieferung geprägt ist, wird grundsätzlich auf jeden Bevölkerungsteil angewendet, da alle der Autorität des Königs unterworfen sind; es hat den Vorrang vor allen Sondergesetzgebungen der Städte oder dem Herkommen verschiedener Völker. In Wirklichkeit haben natürlich die Richter das Recht angewandt, in dem sie sich auskannten. In der Praxis gibt es besondere Gerichtshöfe für die Ägypter (λαοκρίται), für die Griechen (Justizbehörden der Poleis u. δικαστήρια in der Chora) sowie königliche Gerichtsbarkeit für die ganze Bevölkerung (unmittelbar oder durch Vermittlung der den König vertretenden χρηματισταί u. anderer Organe). Was die Bestimmung des kompetenten Gerichtshofes angeht, so ergab sie sich zweifellos aus der Sprache des Prozeßdokuments. Denn dann war man auf einen Richter angewiesen, der fähig war, das Streitobjekt zu begreifen. In letzter Analyse war es also die Sprache, die sowohl die zu wählende Rechtsprechung als auch das anzuwendende Recht bestimmte.

III. Rom. Durch seine Eroberungen nahm Rom die verschiedensten fremden Völker in sich auf. Der F. ist also ein wichtiges Element in der röm. Geschichte. Es erheben sich zwei Fragen: Wie verhalten sich die F. zu Rom? Wie erobert Rom die F.?

a. Archaische Zeit. Es ist hier schwer zu unterscheiden, was Geschichte u. was Legende ist. Indessen ist gewiß, daß der F. eine bedeutsame Rolle im archaischen Rom spielte, u. daß die Legende Gefallen daran fand, diesen Tatbestand noch auszuweiten. Man erinnert sich an die einschlägigen Mitteilungen des Livius in den ersten Kapiteln seiner Geschichte. Hier erfährt man von Notlagen, in denen Rom F. herbeirief (Raub der Sabine-rinnen; vgl. Liv. 1, 9; vgl. auch 1, 8, 5/6 oder 1, 34). Man erfährt, daß die entstehende Stadt nach ihren ersten Eroberungen großmütig Bündnisse anbot (vgl. Liv. 1, 1, 2; 1, 11, 2; 1, 13, 4; 1, 28, 7; 1, 33, 1/3). Andererseits liest man mit Überraschung, daß alle Könige Roms als F. dargestellt werden, ja sogar als frühere Feinde (Liv. 1, 35, 3). Historisch gesichert ist, daß die röm. Königsinsignien etruskischen Ursprungs sind (Liv. 1, 8, 3 wird bestätigt durch die Grabungen in Etrurien), ebenso gewisse religiöse Praktiken. Das etruskische Element war bei der Stadtgründung vorherrschend (vielleicht ist sogar der Name Roms etruskischen Ursprungs; vgl. Ernout-Meillet, Dict. étym. s. v.). Schließlich hatte die Geschlossenheit der civitas, auf die Rom in der Folgezeit so stolz u. eifersüchtig war, ohne Zweifel in den Anfängen der Stadt nicht dieselbe Bedeutung. Enge Bindungen verbanden die Zweige gewisser in Rom heimischer Familien ,mit dem F.', mit denen, die sich in Rom aufhielten. Ehen wurden geschlossen zwischen den Römern u. ihren Nachbarn (Liv. 1, 49, 9; 4, 3, 4; vgl. F. de Visscher, Conubium et civitas: ArchHistDrOrient u. RevIntDroitAnt 1 [1952] 401/22 = ÉtDroitRom 3. sér. [Milano 1966] 147/67). Föderative Bindungen haben in Roms Anfängen eine bedeutende Rolle gespielt, obwohl es schwierig ist, ihre Formen genau zu rekonstruieren (P. Frezza, Le forme federative e la struttura dei rapporti internazionali nel antico diritto romano: StudDocHistIur 4 [1938] 263/418). Die Liga des Septimontium (Paul.-Fest. 458 Lindsay; Varro 1. 1. 5, 41; vgl. J. Poncet, Le Septimontium chez Festus et Varron: BullHistBelgeRome 32 [1960] 25/73), die in religiösen Festen bis in die historische Zeit fortlebte, ist ein Zeugnis dafür. Die legendäre Geschichte vom Bund mit den Sabinern (Liv. 1, 13) überliefert denselben Gedanken. Schließlich bildete der latinische Bund, in dem Rom anfangs keine dominierende Stellung besaß, u. der vielleicht der Nachfahre älterer Gruppierungen war (Liv. 1, 49, 8), in gleicher Weise eine Föderation (Liv. 1, 49, 8/52; vgl. de Martino 2, 64/71). Das archaische Rom lebt also nicht in der stolzen Isolierung einer überlegenen Rasse. Wirtschaft u. politische Allianzen waren, ebenso wie die Kriege, Gelegenheiten zu Berührungen mit den Nachbarvölkern. Der isolierte F. konnte in Rom offenbar nicht in den Genuß von Rechten kommen, die römischen Bürgern vorbehalten waren. Da nun diese iura civilia allein anerkannt wurden, war der F. jeden Schutzes beraubt. Wie in Griechenland stand aber der F. unter dem Schutz der Götter (des Juppiter hospitalis). Möglicherweise bestätigte ein Opfer die Bindung der Gastfreundschaft. So würden sich die Bronzebilder von Widderköpfen mit der Aufschrift ‚hospes' erklären, die beide Partner austauschten. Dieser Brauch bestand sehr lange Zeit, wie Funde vom Ende der Republik bezeugen (F. Girard, Textes de droit romain [6][Paris 1937] 894; M. Lejeune: RevÉtLat 30 [1952] 94). Neben dem hospitium privatum gab es das hospitium publicum, das ohne Zweifel nach dem Vorbild des ersteren geschaffen wurde. Es stellte einen wirklichen Gastfreundschaftsvertrag zwischen Völkern dar (die ersten Zeugnisse dafür sind freilich suspekt: Liv. 1, 45, 2; 5, 50, 3; zu einem späteren Beispiel für ein hospitium zweier civitates in Spanien s. AnnéeÉpigr 1952, nr. 49). Natürlich beruhten die Bindungen der Gastfreundschaft (der privaten wie auch der öffentlichen) auf Gegenseitigkeit. Sie garantierten dem Römer im fremden Land dieselben Vorteile, die der durchreisende F. in Rom genoß.

b. Expansionsperiode. 1. Begriff. Friedliche Beziehungen knüpfen sich in dieser Zeit zwischen Römern u. F. an. Staatsverträge, wie die mit Karthago (vgl. F. Cassola, I gruppi politici romani nel terzo secolo [Trieste 1962] 84/8), fixieren manchmal deren Bedingungen (zB. werden im Vertrag mit Karthago die Zonen festgelegt, in denen die beiden Seiten Handel treiben dürfen; vgl. Polyb. 3, 22, 4/13; 3, 24, 4/13). Häufiger jedoch kamen die Römer durch Kriege mit fast allen Völkern in Berührung. Auf der anderen Seite fallen die Beziehungen zu den F. in den politischen Rahmen der civitas. Diese Ordnung herrschte in Italien vor (nicht nur in Latium, sondern in Gegenden verschiedener Kultur, zB. Etrurien oder Magna Graecia) u. in den Ländern mit griech. Tradition. Rom zeigte deshalb die Neigung, auch die anderen Völker als civitates anzusehen (zB. Caes. b. Gall. 1, 2, 1; 1, 3, 3/5 u. ö.). Die Expansion einerseits, das Vorherrschen der civitas auf der anderen Seite, bilden die Grundbedingungen für den Begriff des F. in der Epoche, die uns hier angeht. Die civitas stellt ein Ganzes vor, das natürlich begrenzter ist als die Volkszugehörigkeit. Daher ergibt sich unter diesem Gesichtspunkt bereits ein doppelter Begriff

des F., je nachdem, ob man sich auf ein kulturelles u. ethnisches Kriterium bezieht (Griechen, Spanier, Mauren sind F.) oder auf ein politisch-rechtliches (der F. ist der Einwohner einer anderen civitas). Als Folge des Vorherrschens der civitas war diese letztere Bedeutung die wichtigere. Zweifellos können kulturelle, regionale u. sprachliche Verwandtschaft eine günstigere Stellung für den F. schaffen. So erklärt sich der Unterschied im rechtlichen Status zwischen Latinern, Italikern, Provinzialen u. der noch tiefere zu den Völkern außerhalb der Reichsgrenzen: (zB. Parther, Nubier, Mauren, Germanen usw.). Aber gerade damals taucht im klassischen Rom der doppelte Begriff des F. auf (u. zwar als Folge der Eroberungspolitik u. der Behandlung besiegter Völker durch Rom). Es gibt F. im Innern, die Provinzialen, besiegte Völker, die an ihren Gesetzen (Cic. Verr. 2, 2, 32), ihrer Sprache u. Religion festhalten dürfen u. bisweilen ein gewisses Maß an administrativer Unabhängigkeit bewahren. Hier sind vielfältige Schattierungen u. gelegentlich auch Vertragsklauseln zu beachten, die die rechtliche Stellung der F. verbessern (amicitia, socii; vgl. das SC de Asclepiade zugunsten dreier Griechen vJ. 78 vC.: Riccobono, Font. 1, 255; dazu L. Gallet, Le SC de Asclepiade sociisque: RevHistDroitFrancÉtrang 16 [1937] 242/93. 387/425) oder verschlechtern (deditio; vgl. Liv. 1, 38, 1; sie bedeutet Verlust aller Rechte; vgl. dazu auch de Martino 2, 47/54). Doch gibt es auch F. außerhalb der Reichsgrenzen (diejenigen, die Tacitus ‚die Barbaren' nennt; vgl. hist. 3, 47, 1. 6; 3, 48, 3; ann. 2, 21, 1; 12, 48, 2). Wirtschaftliche Beziehungen mit ihnen sind selten. Sie stellen Rom vor allem Massen an Sklaven.

2. Rechtlicher Unterschied (Latini, peregrini). Hier kann nicht dem rechtlichen Status der verschiedenen Arten von F. im einzelnen nachgegangen werden (vgl. dazu die Handbücher, zB. M. Kaser, Das röm. Privatrecht 1 [1955] 243f; P. F. Girard, Manuel élémentaire de droit romain [8][Paris 1929] 120/9; E. Volterra, Istituzioni di diritto privato romano [Roma 1963] 63/73; J. Iglesias, Derecho romano [Barcelona 1962] 126/31). Wohlwollend behandelt wurden die Latiner. Die Latini veteres erhielten allmählich das röm. Bürgerrecht (spätestens nach dem Bundesgenossenkrieg 90/89 durch die Lex Iulia u. die Lex Plautia Papiria, die das Bürgerrecht

auf alle Einwohner Italiens ausdehnten). Die Latiner hatten das Recht zur Eheschließung mit den Bürgern (conubium) u. konnten Rechtsgeschäfte nach dem ius civile abschließen (zB. commercium). Sie hatten keinen Zugang zu den römischen Staatsämtern (ius honorum), u. es bleibt ungewiß, ob sie in den Versammlungen abstimmen durften (ius suffragii). Sie konnten das röm. Bürgerrecht durch eine ausdrückliche Verleihung oder, in ziemlich später Zeit, auf verschiedene Weise automatisch erhalten, wenn sie bestimmte Bedingungen erfüllten: zuerst durch die Übertragung des Wohnsitzes nach Rom (ius migrandi), das aber eingeschränkt u. später ganz unterdrückt werden mußte, um die Entvölkerung Italiens u. den zu starken Zustrom von F. nach Rom zu unterbinden (Liv. 38, 3, 5; 41, 8f; vgl. C. Castello, Il cosidetto ius migrandi dei latini a Roma: BullIstDirRom 61 [1958] 209/69), durch die Bekleidung der örtlichen Beamtenstellen (minus Latium) oder allein durch den Zugang zum örtlichen Senat (maius Latium; vgl. E. Baudoin, Le majus et le minus Latium: NouvRevHistDroitFrancÉtrang 3 [1879] 1/30. 111/69), schließlich noch auf verschiedenen anderen Wegen (Gaius inst. 1, 28/35 [Riccobono, Font. 2, 13/5]; reg. Ulp. 3 [ebd. 266f]). Die peregrini, Provinzbewohner, die ihren Wohnsitz im Imperium haben, behalten ihr eigenes Recht u. ihre Gerichte. Sie haben keinen Zugang zum röm. Privatrecht (ius civile), abgesehen vom ius commercii, das ihnen zugestanden wird (M. Kaser, Vom Begriff des ,commercium': Studi V. Arangio-Ruiz 2 [Napoli 1954] 131/67; G. Sautel, La notion romaine du commercium: Public. Instit. de droit romain de l'Univ. de Paris 9 [1952] 1/96). Aber seit dem 3. Jh. entsteht in Rom ein Recht, das sowohl für peregrini wie für Bürger gedacht ist. Es ist im allgemeinen frei von allem Formalismus u. ermöglicht Geschäftsverbindungen zwischen Römern u. F. (ius gentium). Im Gerichtswesen hatten die peregrini keinen Zugang zu dem alten Verfahren der legis actiones. Aber ein besonderes Verfahren, das der repetundae-Klagen, gestattete ihnen bereits ziemlich früh, Schadenersatz für Besitz, der ihnen genommen wurde, oder Wiedergutmachung für einen erlittenen Nachteil zu erhalten (vgl. B. Schmidlin, Das Rekuperatorenverfahren [Fribourg 1963]). Ein besonderer Beamter, der praetor peregrinus, wurde 242 vC. gewählt,

um Streitsachen, an denen ein peregrinus beteiligt war, zu schlichten. Mit dem Rechtsverfahren der formulae schließlich, deren Gebrauch sich seit dem 2. Jh. vC. allgemein durchsetzt, können die peregrini die Rechtsgeschäfte abschließen, die bis dahin den Vollbürgern zustanden, wobei sie in der formula ihren bloß scheinbaren Besitz des Bürgerrechts zum Ausdruck bringen (ac si civis esset; vgl. Gaius inst. 4, 37 [Riccobono, Font. 2, 158]). In Strafprozessen bleiben die peregrini der coercitio der Magistrate unterworfen, ohne über die Möglichkeit einer provocatio ad populum zu verfügen (vgl. die Verbannung von F. aus Rom durch den Konsul, deren erste [vielleicht legendäre] auf das Jahr 486 zurückgeht [Dion. Hal. ant. Rom. 8, 72, 5]; auf jüngere Beispiele trifft man seit 177 [Liv. 41, 9, 9; vgl. Cic. Sest. 13, 30]; zu der coercitio in der Provinz vgl. die Hinrichtungen, die Verres in Sizilien vornahm [Cic. Verr. 5, 50, 133]). Umgekehrt konnte in Rom Strafverfolgung gegen einen F. angestrengt werden nach der Ermordung eines anderen F. (Sall. Iug. 35, 7: magis ex aequo et bono quam ex iure gentium). Wie die Latiner konnten auch die peregrini in die civitas aufgenommen werden. Der fremde Sklave wurde durch seine Freilassung römischer Bürger (E. Volterra, Manomissione e cittadinanza: Studi U. E. Paoli [Firenze 1956] 695/716). Der freie F. fand Aufnahme in die civitas durch gesonderte oder kollektive Verleihung des Bürgerrechts oder ,durch die Wohltat des Gesetzes', wenn er gewisse Bedingungen erfüllte (zB. vermittels der Lex Acilia de repetundis vom Ende des 2. Jh.; vgl. P. F. Girard, Textes de droit romain[2] [Paris 1937] 44).

3. Unterworfene. Seit der republikanischen Zeit ist die kulturelle, politische u. rechtliche Angleichung Italiens in vollem Gange (de Visscher 197/200). Vielleicht macht sich in Magna Graecia ein gewisser Widerstand bemerkbar. Neapel zB. hält noch lange an seiner Verfassung fest. Aber das röm. Privatrecht breitet sich über Campanien aus; das bezeugen die Täfelchen juristischen Inhalts, die in den Ruinen von Herculanum gefunden wurden. Seit dem 2. Jh. vC. hat Italien aufgehört, eine bloß geographische Einheit zu sein. Plautus u. Varro stellen die Italiker den exteri gegenüber (vgl. P. Catalano, Appunti sopra il più antico concetto giur. d' Italia: Atti Acc. Torino 96, Cl. sc. mor. stor. e filol.

[1961/2] 198/228). Zu derselben Zeit gewinnt
der Philhellenismus im Gefolge der Makedo-
nenkriege Einfluß auf einen Teil der röm.
Aristokratie (P. Grimal, Le cercle des Sci-
pions, Rome et l' hellénisme au temps des
guerres puniques [Paris 1953]; dazu jetzt F.
Strasburger, Der Scipionenkreis: Hermes 94
[1966] 60/72). Man gewinnt Interesse an
Griechenland u. dem Orient u. besucht diese
Länder. Griechische Rhetoren, Grammatiker
u. Philosophen sind in Rom willkommene
Gäste. Die Söhne von Vasallenfürsten wuchsen in Rom zusammen mit den Prinzen der
kaiserlichen Familie auf (Suet. Aug. 48). Ohne
Zweifel riefen solche Neuerungen in traditions-
bewußten Kreisen Unruhe wie Zorn hervor
(vgl. Cato): der F. bedrohe Sitte, Moral u. Religion der Vorfahren. Diese konservative Strö-
mung verzeichnet einige Erfolge: die epikureischen Philosophen werden 173 vertrieben,
die fremden Redner 161, Karneades u. Diogenes v. Babylon 155; Gesetze wie die Lex
Furia Caninia (1 vC.) u. die Lex Aelia Sentia
(4 nC.) schränken die Möglichkeit der Freilassung ein, um zu verhindern, daß zu viele
Barbaren Vollbürger werden; Claudius muß
Maßnahmen gegen F. ergreifen, die als Bürger gelten wollten (unter dem Henkersbeil
starben diejenigen, die sich das Bürgerrecht
angemaßt hatten; Suet. Claud. 25, 3). Doch
schließlich wird die röm. Gesellschaft in ihrem
Wesen durch den F. geprägt. Wenn nun Rom
die F. bereitwillig aufnimmt, welche Behandlung erfuhren sie dann in den eroberten Provinzen ? Darin besteht das Problem der Ko-
lonisierung oder des Kolonialismus Roms:
Ausbeutung oder Angleichung ? Vgl. dazu
besonders L. Homo, L'Italie primitive et les
débuts de l' impérialisme romain ²(Paris
1954); R. Syme, Colonial elites (London
1958); J. Hatt, Histoire de la Gaule romaine
(Paris 1959); G. Ch. Picard, La civilisation
de l' Afrique romaine (Paris 1959); I. A.
Richmond, Romans and natives in North
Britain (Edinburgh 1958); F. Altheim, Das
Ende des röm. Kolonialreiches (1960); H.
Volkmann, Die röm. Provinzialverwaltung
der Kaiserzeit: Gymnas. 68 (1961) 395/409.
Auf die Plünderung eroberter Länder, die in
der Republik so häufig war, folgte eine Zeit
vernünftiger Nutzung, die bisweilen den
wirtschaftlichen Wert des Landes erst er-
schloß u. für die örtliche Bevölkerung, besonders in den Städten, Vorteile mit sich
brachte. Die Kaiser beteuern ihre Sorge um

die Provinzialen (Präambel des Edikts nr. 5
von Cyrene: Riccobono, Font. 1, 409f). Die
Steuerbelastung, die den Provinzialen auferlegt war, war zwar drückend, aber nicht un-
tragbar. Wenn nicht aus Großzügigkeit, so
begrenzten die Kaiser sie aus politischen Motiven (Suet. Tiber. 32, 5; Tac. ann. 4, 6, 7;
4, 74, 1). Je nach Menschen, Zeit u. Ort sind
viele Schattierungen in den Beziehungen
Roms zu den Unterworfenen möglich (vgl.
zB. zur Ausbeutung der ägypt. Weber E.
Wipszycka, Das Textilhandwerk u. der Staat
im röm. Ägypten: ArchPapForsch 18 [1966]
1/22).

4. Assimilation. α. Rom. Der Zustrom von
F. nach Rom, der schon in republikanischer Zeit bedeutend war, hat sich während
der Kaiserzeit noch verstärkt (G. La Piana,
Foreign groups in Rome during the first century of the empire: HarvTheolRev 20 [1927]
183/403). Diese Invasion ist bezeugt bei Iuvenal. 1, 25. 102/6; 3, 81/3; 4, 1/33; Plinius paneg.
31 u. Tacitus hist. 5, 5. 8; ann. 15, 44. Griechen u. Orientalen, oft frühere Sklaven, wurden wegen ihrer raschen Zunahme, ihrer Anmaßung u. Sittenlosigkeit öfters getadelt. Die
orientalischen Religionen (M. F. Squarciapino, I culti orientali ad Ostia [Leiden 1962]),
ebenso das Christentum, aber auch abergläubische Vorstellungen (vgl. Iuven. 6, 511f.
553f; 8, 176; 15) wurden durch F. nach Rom
gebracht. Auch im Imperium breiten sich die
orientalischen Kulte aus; vgl. V. Wessetzky,
Die ägypt. Kulte zur Römerzeit in Ungarn
(Leiden 1961); Z. Kader, Die kleinasiatisch-
syrischen Kulte in Ungarn (Leiden 1962); J.
R. Harris, The oriental cults in roman
Britain (Leiden 1965).

β. Juden. Seit dem letzten Jahrhundert der
Republik war die jüd. Kolonie in Rom bedeutend (erste Erwähnung 139 vC.; vgl. dazu
Val. Max. 1, 3, 3). Im J. 61 waren durch
den Triumph des Pompeius viele jüd. Kriegsgefangene nach Rom gekommen. Seit 59
empfand Cicero die jüd. Gemeinde Roms als
zu groß (Flacc. 28 [66f]). Nach den Grabinschriften waren die meisten von ihnen arm;
die Juden standen daher auf Seiten der Popularen. Caesar sicherte ihnen Versammlungs-
u. Kultfreiheit zu; er erkannte ihre besondere
Rechtsprechung an, gestattete ihnen das
Recht, Kollekten zu veranstalten u. nahm
sie vom Militärdienst aus. So wurde sein Tod
von den Juden besonders betrauert (Suet.
Iul. 84, 8). Sie widmeten sich dem Handel

(CIJ 109/210; J. Juster, Les juifs dans l' empire romain 1 [Paris 1914] 179/209). Dreizehn jüdische Gemeinden sind in Rom bekannt. Wohlhabende Juden stehen in Verbindung mit der röm. Aristokratie. Die Kaiser nahmen gegenüber den Juden eine unterschiedliche, zumeist aber günstige Haltung ein, so Augustus u. Claudius (Suet. Claud. 25, 4). Unter Tiberius vertrieb Seianus die Juden aus Rom, vielleicht sogar aus Italien. Doch waren nur die fremden Juden u. vielleicht auch die freigelassenen davon betroffen. Nach Seianus' Sturz konnten die Juden zurückkehren.

γ. Provinziale in der Verwaltung. Bemerkenswert ist die Stellung, welche die Provinzialen in der Reichsverwaltung einnahmen. In Ägypten wurden die untergeordneten Ämter den Eingeborenen belassen; mittlere Beamtenstellen sind mit Griechen besetzt. Rom behielt sich die Leitung des Ganzen vor. In den Städten des Ostens (vgl. den Briefwechsel des jüngeren Plinius mit Traian), aber auch in Gallien, Spanien u. Afrika führte die örtliche Adelsschicht unter röm. Kontrolle die Geschäfte der Stadtverwaltung. Man findet in Ägypten auch gallische Beamte, darunter vier Ritter, die Präfekten von Ägypten waren (J. Schwartz, La Gaule romaine et l' Égypte: Hommages A. Grenier [Bruxelles 1962] 1397/406). In Pannonien u. in Germania superior sind unter 22 Beamten, deren Nationalität bekannt ist, zwölf Italiker, je drei Spanier u. Afrikaner, zwei Orientalen, ein Gallier u. ein Pannonier (W. Reidinger, Die Statthalter des ungeteilten Pannonien [1956]). Zu den Aufgaben der Provinzialversammlungen vgl. CIL 10, 8038; Tac. ann. 1, 57, 2. Einige dieser Provinzialen üben in Rom großen Einfluß aus. Der Senat empört sich gegen die Einmischung dieser externi (vgl. Tac. ann. 15, 20f). Doch öffnet er sich ihnen immer mehr. Zwischen 193 u. 217 nC. sind unter fünfhundert Senatoren, deren Herkunftsland bekannt ist, 43 % Italiker, 32 % Orientalen, 15 % Afrikaner u. 8,8 % Provinziale aus dem Westen (S. J. L. de Laet, La composition du sénat romain pendant la première période du principat [Gent 1941]; G. Barbieri, L' albo senatorio da Settimio Severo a Carino [Roma 1952]; J. Colin, Sénateurs gaulois à Rome et gouverneurs romains en Gaule au IIIe siècle: Latomus 13 [1954] 218/28; M. Hammond, Composition of the senate, A. D. 68/235: JRS 47 [1957] 74/81). Die lat. Literaturgeschichte ist reich an glänzenden Namen aus den Provinzen (zB. Seneca, Lucanus, Quintilianus, Martialis). Unter den Juristen sind zB. Africanus (W. Kunkel, Herkunft u. soziale Stellung der röm. Juristen [1952] 172), Ulpianus (Dig. 50, 15, 1), wahrscheinlich auch Modestinus (Kunkel aO. 261), vielleicht Papinianus (Kunkel meldet freilich Bedenken an [aO. 225f]) u. weniger sicher Gaius (gegen seine Herkunft aus der Provinz spricht sich Kunkel aO. 190/213 aus; etwas abweichend A. M. Honoré, Gaius [Oxford 1962]; dazu kritisch F. Wieacker: SavZRom 81 [1964] 401/12) keine Römer, ja nicht einmal Italiker. Die Armee hebt immer mehr Provinziale aus. Bereits unter den Flaviern zählte man nur noch einen Italiker auf 4/5 Provinziale (G. Forni, Il reclutamento delle legioni da Augusto a Diocleziano [Pavia 1953]). Selbst die Kaiserwürde geht von Römern auf Italiker, Spanier, Afrikaner u. Illyrer über.

δ. Ausdehnung des Bürgerrechts. Ebenso vermischten sich auch die F. im Inneren mehr u. mehr mit der röm. Gesellschaft, Verwaltung u. Zivilisation. Das Recht besiegelt diese Entwicklung durch Gewährung des römischen *Bürgerrechts an fast das gesamte Imperium durch das berühmte Edikt Caracallas (212 nC.). (Vgl. hierzu an neuerer Literatur Ch. Sasse, Die Constitutio Antoniniana [1958]; ders., Literaturübersicht zur Constitutio Antoniniana: JournJuristPapyr 14 [1962] 109/49; 15 [1965] 329/66; E. Kiessling: SavZRom 77 [1961] 421/9; F. de Visscher: RevIntDroitAnt 8 [1961] 229/42; P. Romanelli: Romanitas 5 [1962] 29/41; A. Diaz Ballet: ebd. 42/50; P. de Francisci: BullIstDir-Rom 65 [1962] 1/18; W. Osuchowski, Constitutio Antoniniana: Mélanges S. Plodzien [Lublin 1965]; E. Schönbauer: Iura 14 [1963] 71/108; D. Weissert: Hermes 91 [1963] 239/50; A. d'Ors, Nuevos estudios sobre la ‚Constitutio Antoniniana': Atti 11. Congr. intern. Papir. [Milano 1966] 408/32.) Die juristischen Folgen dieser allgemeinen Ausweitung des Bürgerrechts sind schwer zu bestimmen. Haben die Provinzialen durch die Verleihung des Bürgerrechts ihr örtliches Bürgerrecht verloren oder genießen sie jetzt ein doppeltes Bürgerrecht? Die Antworten der Forschung sind kontrovers. Gegen das Doppelbürgerrecht sind zB.: V. Arangio-Ruiz, Sul problema della doppia cittadinanza nella repubblica e nell' impero romano: Scritti Carnelutti 4 (Padova 1950) 53/77; G. Luzzatto, La cittadinanza dei provinciali: Riv. ital. sc. giur. (1952/3) 225f; E. Weiss, Ein Beitrag zur Frage nach dem Doppelbürgerrecht bei Griechen u. Römern vor der Constitutio Antoniniana: JournJuristPapyr 7/8 (1953/4) 71/82; für das Doppelbürgerrecht: E. Schönbauer: AnzÖstAkWiss, Phil.-hist. 17 (1949) 343/69; ders.: JournJuristPapyr 7/8 (1953/4) 107/48; ders.: Iura 14 (1963) 71/108; F. de Visscher: NouvÉtDroitRom (1949) 51/118; ferner ders.: Studi P. de Francisci 1 (Milano 1954) 39/62. Wurde früher ein röm. Bürger Bürger einer anderen civitas, so verlor er sein röm. Bürgerrecht (Cic. Balb. 12 [29]). Der umgekehrte Fall tritt dagegen nicht ein (Cic. ebd.; vgl. das berühmte Beispiel des Apostels Paulus). Aber bedeutender als der allzu theoretische u. unrömische Streit über das gleichzeitige Vorhandensein zweier verschiedener Bürgerrechte in ein u. derselben Person ist für die Provinzialen die Möglichkeit, selbst nach der Verleihung des röm. Bürgerrechts nach Belieben weiterhin ihr Sonderrecht anzuwenden. Viele Dokumente, vor allem Papyri u. die Kaiserreskripte, die nach 212 besonders zählebige Sonderbräuche der Provinzialen bekämpfen wollen (vgl. R. Yaron, Reichsrecht, Volksrecht u. Talmud: RevIntDroitAnt 11 [1964] 281/98), zeugen davon (vgl. auch Inschrift von Rhosos 2, 8: Riccobono, Font. 1, 312).

ε. Besonderheiten. Die Vermischung der Bevölkerung, die Durchdringung der röm. Gesellschaft mit F. u. ihre Zulassung zum röm. Bürgerrecht finden Entsprechungen im sozialen Bereich. Rom hat nicht versucht, seine Sprache, seine Religion, sein Brauchtum oder sein Recht besiegten fremden Völkern aufzuerlegen (vgl. Plin. ep. 8, 24, 2/4). Die örtlichen Kulte bleiben bestehen, bisweilen unter Teilnahme röm. Beamter (Plin. n. h. 5, 57). Jedoch schreitet die Romanisierung besonders in den Städten fort, Rom hat den fremden Völkern eine städtische Kultur gebracht. Die ländlichen Gegenden werden stark benachteiligt, außer wenn man ihre Produktivität steigern u. mit ihrer Hilfe die Ernährung der großen Städte, vor allem Roms, sichern kann. Diese friedliche kulturelle u. wirtschaftliche Durchdringung wird von juristischen Maßnahmen begleitet. Neugegründete Städte oder civitates, die bereits bestanden, erhielten den Status des municipium oder der röm. oder latinischen colonia. Es wird ein Bestreben nach Gleichförmigkeit

in der Organisation der örtlichen Verwaltung spürbar. Die Provinzialen dürfen unter der Kontrolle der Kaiser ihre Geschäfte selbst führen. Dieses Vorgehen führt schließlich zum Untergang der Autonomie der civitates. ζ. Der neue Begriff ‚Vaterland'. Die röm. Terminologie zur Bezeichnung der Zugehörigkeit zu einem Land oder Ort ist unbestimmt (vgl. besonders Nörr). Domicilium, ein Begriff, der bei den Rechtsgelehrten der ausgehenden Republik erscheint, bezeichnet den Wohnsitz. Domus wird synonym verwendet (vgl. Alfen. Varus: Dig. 50, 16, 203; Ulpian.: Dig. 25, 3, 1, 2; Diocletian.: Cod. Iust. 10, 40, 7, 1), doch wird es auch vom Geburtsort gebraucht (Sall. Cat. 17; Liv. 9, 19, 4; CIL 2, 1085. 2912. 4157; 3, 1496; 6, 793 u. ö.; vgl. dazu A. Visconti, Note preliminari sull' origo: St. Calisse 1 [Milano 1939] 87/102). Der Begriff erschien dann bei den Juristen der hadrianischen Zeit (zB. Alfen. Varus: Dig. 50, 16, 203; vgl. Reskript Hadrians: Dig. 50, 1, 37 pr. u. Cod. Iust. 10, 40, 7 pr.), wird aber besonders in severischer Zeit viel diskutiert (zB. Papinian.: Dig. 50, 1, 15, 3; 17, 4, 6, 9; Paulus: Dig. 50, 1, 22 pr. 4f; Ulpian.: Dig. 50, 1, 1. 6 u. ö.). Da er eng mit Steuerlasten u. Fiskalwesen zusammenhängt, gewinnt er im öffentlichen Recht der späten Kaiserzeit eine große Bedeutung. Aber origo bedeutet bisweilen provinziale Abkunft (Reskript von Septimius Severus u. Caracalla: Dig. 48, 22, 7, 10; vgl. Ulpians Kommentar ebd. 11/3). Natio wird seltener u., wie es scheint, erst spät verwendet. Der Begriff, der besonders zur Bezeichnung von Soldaten der Hilfstruppen verwendet wird, scheint sich auf die ethnische Herkunft zu beziehen. Patria schließlich erscheint seit der Republik. Infolge des großen Gewichts der civitas als Gesamtheit kann zwischen der patria der Geburt u. der rechtlichen patria unterschieden werden (Cic. leg. 2, 5; vgl. Nörr 553/5. 583/5). Aber der bürgerlichen Heimat setzen die Stoiker den κόσμος als patria entgegen (Cic. leg. 1, 61; Sen. tranq. an. 4, 3; M. Aur. 6, 44, 6). Dieser Universalismus wurde aus vielen Gründen auf die Grenzen des Imperiums eingeschränkt. Das Prestige Roms, seine politische Reife, die allgemeine Ausweitung des Bürgerrechtes, die Fortschritte des röm. Rechts u. die Verbundenheit der Provinzialen mit Rom machen Rom zur patria communis (Modest.: Dig. 27, 1, 6, 11; Callistr.: Dig. 48, 22, 18; Cod. Theod. 6, 2, 25 vJ. 426). Be-

reits Plinius sagt von Italien, es sei das Vaterland aller Völker geworden (n. h. 3, 39).
Diese ‚patria' ist nicht in der Hauptsache
ein rechtlicher Begriff, sondern vor allem die
gefühlsmäßige Bindung, die Afrikaner, Gallier oder Spanier mit Rom eint (vgl. zB. den
Glauben an die Ewigkeit Roms bei Augustinus [civ. D. 5, 17]; vgl. ferner Rut. Namat.
red. 1, 164; Prud. c. Symm. 2, 602f).

η. Neue F. Langsam vorbereitet durch die
geistige u. moralische Entwicklung u. befestigt durch das Edikt Caracallas (212) wurde
die Integration der Provinzialen in der späten Kaiserzeit in weitem Maße verwirklicht.
Es gab kaum noch F. im alten Sinne des Wortes innerhalb der Grenzen des Imperiums. In
den nachklassischen Rechtsquellen ist die Erwähnung der peregrini selten; meist handelt
es sich nur um das Fortleben eines gelehrten
Ausdrucks (Gaudemet 211/5). Doch erscheinen um diese Zeit F. anderer Art, vor allem
die Barbaren, die den Limes überschritten
haben u. die das geschwächte Rom aufzunehmen gezwungen ist (Gaudemet 218/29).
Sie nehmen Land in Besitz, durchdringen die
Armee u. beherrschen bisweilen die Politik
des princeps (Dagaleiphus, Merobaudes, Mal-
lovendus, Bauto, Arbogast, Alarich, Stilicho,
Athaulf, schließlich Odoaker, der dem oström. Kaiser die Kaiserinsignien des unfähigen Romulus Augustulus zurückschickt). Niemals jedoch beanspruchten sie den kaiserlichen Purpur für sich. Im höchsten Fall
hofften sie durch eine Fürstenhochzeit ihren
Söhnen Zugang zum Kaiserthron zu verschaffen. Doch wurde diese Hoffnung stets
enttäuscht. Zwar mußten die Barbaren geduldet werden, doch erregten sie bei den
früheren Eigentümern des Landes, das sie
zT. in Besitz nahmen, u. bei der alten Aristokratie Haß (Prud. c. Symm. 2, 816f). Honorius verurteilt die Einführung barbarischer
Sitten nach Rom (Cod. Theod. 14, 10, 2/4
vJ. 397/416). Diesen Barbaren wird der neue
Begriff Romania entgegengestellt, der nicht
ein Territorium, sondern eine Kultur u. bald
auch eine Religion bezeichnet (vgl. auch
Opelt-Speyer 284).

B. Christlich. I. Neues Testament. a. Jesus u.
die Urgemeinde. Die Stellung Jesu zu den
‚F.', d. h. den nicht zur Nachkommenschaft
der Erzväter Gehörigen, ist in der urchristl.
Tradition nicht eindeutig, ganz gleich ob man
gewissen Überlieferungen ihren Sitz im Leben
Jesu selbst oder erst in den Debatten der Ur-

gemeinde anweist; denn auf jeden Fall haben
die Redaktoren des Traditionsstoffes keine
Einlinigkeit hergestellt, sondern die Gegensätze, die sie vorfanden, belassen. Machen
Worte wie Mt. 10, 5b. 6 den Eindruck der
F.feindlichkeit, so läßt Mt. 15, 21/8 die Preisgabe dieses auch in 15, 24 ausdrücklich ausgesprochenen Grundsatzes erkennen, der Mc.
7, 24/30, wie Vers 27 mit seinem πρῶτον anzeigt, gemildert wurde. Mt. 8, 5/13 läßt nicht
nur Jesus durch den demütigen Glauben des
heidn. Hauptmanns (dessen Verdienste um
das Judentum in Lc. 7, 1/10 hervorgehoben
sind) überwunden werden, sondern es wird
noch der Ausspruch 8, 11f eingeschaltet, welcher doch wohl die Bevorzugung der ‚Vielen'
vor den ‚Söhnen' des Reiches in einer Richtung andeutet, die in Mt. 28, 19 gipfelt. –
Eine Zwischenstation zwischen Mt. 10, 5b. 6
u. 28, 19 bilden nicht nur Mt. 8, 5/13 u. 15,
21/8, sondern auch die Samaritergeschichten
in Lc. 9, 52/6; 10, 33/7 u. 17, 11/9. Dabei ist
die Bezeichnung als ἀλλογενής in 17, 18 bemerkenswert. Die universale Missionsweisung
in Mt. 28, 19 hat ihre Vorgeschichte in der
Stellung des irdischen Herrn zu Samaritern
u. Heiden, wie die synoptische Tradition neben der strengen Einschränkung auf Israel
u. seine zwölf Stämme (so Mt. 19, 28; Lc.
22, 30) erkennen läßt. Man kann dem Ausklang in Mt. 28, 19 insofern den ‚jüdischen'
Stammbaum Mt. 1, 1/17 gegenüberstellen, als
er Heidinnen (Rahab, Ruth, Bathseba) zur
männlichen Geschlechterreihe hinzufügt, um
zu zeigen, daß Gott in seinem heilsgeschichtlichen Handeln solche F. nicht verschmäht.
Matthäus scheint, soweit er judenchristliche
Tradition weitergibt, keineswegs von phari-
säischem Denken beeinflußt; sind doch diese
Vertreter strenger Reinerhaltung Israels nach
den Evangelien überhaupt die entscheidenden Gegner Jesu. Es dürfte kein Zufall sein,
daß Mt., der solchen Stammbaum Jesu auf-
zeigt, welcher heidnische Ahnfrauen enthält,
von der Beschneidung des Jesuskindes wie
von der Beschneidung überhaupt kein Wort
sagt. Das noch in Act. 15, 1. 7 berührte Problem scheint für ihn überhaupt nicht zu existieren u. eine Notiz wie Lc. 1, 59 u. 2, 21
wäre für ihn unerheblich, selbst wenn er den
hier angegebenen Sachverhalt für richtig halten müßte. Die Formel μαθητεύσατε πάντα
τὰ ἔθνη samt dem Taufbefehl läßt keinerlei
Auseinandersetzungen mehr vermuten, wie
sie Paulus zB. in Gal. 5, 2/6 noch nötig hat

(trotz seiner in 2, 1/10 geschilderten Anerkennung). – Daß Jesu Verhalten gegenüber Andersgläubigen u. F. nicht der orthodoxen Auffassung u. Haltung entsprach, läßt ja nicht nur das Gleichnis vom barmherzigen Samariter erkennen, sondern auch das Gespräch mit der Samariterin am Brunnen, das nach Joh. 4, 9f. 27 auf jeden Fall (selbst für seine Jünger) ungewöhnlich ist. Nicht anders wird man die Begegnung mit Pilatus Joh. 18, 33/8 (man übersehe v. 35 nicht) werten müssen, wie überhaupt die Tendenz der Evangelien evident ist, die Schuld an Jesu Tod den Juden aufzubürden (Mt. 27, 25), Pilatus aber zu entlasten (Joh. 19, 12). Es ist gewiß kein Zufall, daß die ersten Bekenner unter dem Kreuz Heiden sind (Mc. 15, 39; Mt. 27, 54; Lc. 23, 47), daß die Juden den korrekten Bericht der heidn. Soldaten von der Auferweckung Jesu böswillig u. bewußt umfälschen (Mt. 28, 11/5). Aus dieser den Evangelien eigenen Tendenz läßt sich der Schluß ziehen, daß bei den Juden der Christenhaß an die Stelle des Heidenhasses getreten ist bzw. neben ihn trat. Daß die Evangelisten nicht wie der Paulus von Rom. 9/11 ihre Verbundenheit mit dem jüd. Volke beteuern, sondern die wachsende Entfremdung von ihm konstatieren, welche wahrlich nicht in ihrer Absicht lag, ja nicht liegen konnte, wie Mt. 23, 37 u. Lc. 13, 34 zeigen sollen, entsprach ihrer damaligen Situation u. auch ihrer eigenen Herkunft. Die Situation der Evangelienschreiber ist offensichtlich eine nachpaulinische, insofern sie den Kampf um die Beschneidung als Voraussetzung der Aufnahme in die Christengemeinde nicht mehr kennen, wie er Act. 15, 1/29 geschildert wird. Jedenfalls hat nach Act. 10, 1/11. 18 Petrus den neuen Weg der Heidenmission als Weisung von Gott empfangen, wie Paulus Gal. 2, 2. 7 ihn für sich behauptet. Act. 9, 15; 22, 15; 26, 17 bezeugen diese nur auf Glauben als Voraussetzung der Bekehrung u. Aufnahme in die Gemeinde gegründete Mission. Für die christl. Mission gibt es keine Probleme, wie sie Esra u. Nehemia zu lösen hatten. Das ‚Entsetzen‘ der beschnittenen Christen in Act. 10, 15 war kurze Episode, überwunden durch Petrus u. seine Gemeinde, wie Act. 11, 17f klarlegen soll. Dieser unaufhaltsamen Entwicklung gegenüber bleibt auch Act. 16, 3 ein Sonderfall. Den Kommentar liefert die Petrusrede Act. 10, 34f.

b. Paulus u. seine Gemeinden. Das ’Ιουδαίῳ τε πρῶτον καὶ ῞Ελληνι aus Rom. 1, 16 hat seine Parallele Mc. 7, 27. Wie auch immer die Entwicklung gedacht werden mag (ist Mt. 10, 5b. 6 ursprünglich oder spätere ‚judenchristliche‘ Eintragung, die dem ‚Galiläer‘ Jesus fremd gewesen ist?), die Stellung der Gemeinde Jesu zu den F. muß ganz früh eine positive u. universale gewesen sein, wie nicht nur der wenige Jahre nach Jesu Kreuzigung bekehrte Paulus, sondern auch die unbekannten Missionare von Act. 11, 20 erkennen lassen (vgl. Gal. 2, 11f). Die urchristliche Tradition ist, von der alten Überlieferung der Passionserzählungen angefangen, eher heiden- als judenfreundlich, so sehr sie auch die atl. Überlieferung für sich in Anspruch nehmen mag. Das gilt selbst für den Paulus von Rom. 9, 1/5, wenn man 1 Thess. 2, 14/6 nicht übersieht; denn die Tatsache, daß überzeugte Christen von ihren jeweiligen Stammesgenossen zu leiden haben, gilt gleicherweise für Juden- u. Heidenchristen. Dieses Leiden unter dem Unverständnis oder Haß der eigenen Verwandten u. Volksgenossen hat seine Ursache in dem Wissen der Christusgläubigen, daß für sie ‚das Alte vergangen ist‘ u. sie in Christus neue Kreatur geworden sind, daß die ‚fleischliche‘ Herkunft für den Christen ganz unwichtig ist (2 Cor. 5, 16f; Gal. 6, 15), wie sie auch für Jesus schon zweitrangig war (Mc. 3, 33f). Wie Paulus im Zusammenhang mit dem Wissen um die neue Kreatur von einer Predigt der Versöhnung spricht, die dem Kosmos gilt (2 Cor. 5, 19), so gilt das Gericht des Christus allen Völkern in der Weise, daß aus ihnen ohne Unterschied ihrer Eigenarten u. ohne eine besondere Bevorzugung die je einzelnen nach ihren guten u. bösen Taten voneinander gesondert u. beurteilt werden (Mt. 25, 31f). In jedem der Hilfe Bedürftigen, welcher Christi geringster Bruder ist, begegnete den Menschen der Christus selbst. Ihr Verhalten ihm gegenüber bestimmt ihre Zukunft: ewige Seligkeit oder ewige Strafe. Hier geht es weder um ein ’Ιουδαίῳ τε πρῶτον καὶ ῞Ελληνι noch um einen Gegensatz von Nomos u. Pistis, hier geht es um elementares Handeln am leidenden Mitmenschen, das im Tun wie im Unterlassen den Herrn als Mitbruder selbst betrifft. Dieser Herr ist den Menschen auch als ξένος begegnet u. hat sich dabei über sie ein Urteil gebildet. Christus der Weltenrichter ist der ξένος schlechthin. Der Wanderer, welcher weniger gesichert war als die Füchse u. Vögel (Mt. 8,

20; Lc. 9, 58), ist auch als der erhöhte Herr
u. Richter Anwalt der geringsten Menschen,
die seine Brüder sind. Diese universale Vorstellung schließt jede Differenzierung in der
Dienstleistung an den Menschen aus. Diese
Einstellung hat nach synoptischer Tradition
schon der irdische Herr bewiesen, wenn er
mit Zöllnern u. Sündern zu Tische lag (Mc.
2, 13/7; Lc. 19, 7), die der fromme Jude mied,
wenn die Erfahrung mit dem heidn. Haupt-
mann ihn veranlaßte, auf die ‚Vielen‘ hinzuweisen, die statt der ‚Söhne des Reiches‘ mit
den Erzvätern zu Tische liegen werden (Mt.
8, 11). Vgl. auch *Gastfreundschaft.

c. Erster Petrusbrief usw. Der zunächst be-
fremdende Gedanke, ein F. sei der in den
kosmischen Dingen F., ist aber nicht so ab-
wegig, wie schon die Gemeindebezeichnung
als πάροικος bei 1 Clem. (Einleitung) zeigt.
Sie hat ihre Vorläufer im Fremdling Abraham, der in Hebr. 11, 9 f als Typus derer dargestellt wird (11, 13), welche die bleibende
Stadt Gottes suchen (dazu 13, 14). In Furcht
vor dem Vater, der ohne Ansehen der Person
richtet, soll der Christ (d. h. der um seine Erlösung durch das kostbare Blut Christi Wis-
sende) die Zeit seiner παροικία wandeln, da
doch Erlösung vom nichtigen, von den Vätern ererbten Wandel Ziel des Christen ist
(1 Petr. 1, 17 f). Gerade der Brief, welcher
wiederholt von der Glut befremdlicher Verfolgung zu reden weiß (1, 6; 4, 12 f; 5, 10),
sieht den Teufel als gefräßiges Ungeheuer
durch die Welt gehen (5, 8) u. fordert demütige Unterwerfung unter die gewaltige Hand
Gottes, der seine Gläubigen zur rechten Zeit
erhöhen wird (5, 6). Ist dieser Kampf auf der
Erde vorläufig u. um des Zieles willen zu bestehen, so wird deutlich, daß Christen ‚erwählte Fremdlinge u. Beisassen sind‘ (1 Petr.
1, 1; 2, 11). Gibt es auch nicht erwählte
Fremdlinge, die als Erdenbewohner immer
solche sind u. bleiben, weil Gott sie nicht
erwählte? Offenbar spricht Eph. 2, 19 diesen
Gedanken aus, wenn die Mitbürger der Heiligen u. Hausgenossen Gottes von den
‚Fremdlingen u. Beisassen‘ klar geschieden
werden. Die Hausgemeinde Gottes läßt alle
anderen als ‚Fremdlinge‘ erscheinen. Sie sind
geduldete Anwohner, haben aber keine
Rechte im Hause Gottes (2, 19/22). Daß die
Welt in dieser Hinsicht eine ‚Fremde‘ ist,
eine Welt der Verlorenheit, aus der man
heimkehren kann, lehrt ja das Gleichnis vom
‚verlorenen‘ Sohn (Lc. 15, 11/32), u. den in

Jesu Nachfolge zu besitzlosen, wandernden
F. gewordenen Jüngern wird erst für die Zeit
der ‚Wiedergeburt‘, d. h. der Herrschaft des
Menschensohnes, bleibender Lohn verheißen
(Mt. 19, 28). So wird in christlicher Schau der
im verheißenen Lande sich niederlassende
Abraham zum Zeltbewohner, der auf die von
Gott gegründete feste Stadt wartet (Hebr.
11, 9 f), dieselbe Stadt, die die Christen als
‚zukünftige‘ suchen (Hebr. 13, 14; vgl. C.
Spicq, Théologie morale du Nouveau Testa-
ment 1 [Paris 1965] 417/32).

d. Jesus u. die Seinen als F. Wenn der fleisch-
gewordene Logos in die Welt kam u. hier
‚zeltete‘ (Joh. 1, 14), mag man fragen: wohnte
er als Gast unter uns, der wieder Abschied
nahm? Diese Frage ist m. E. zu bejahen. Die
Welt ist des Logos wahre Heimat nicht, obwohl sie sein Eigentum ist (Joh. 1, 11). Er ist
gekommen, denen, die ‚nicht aus der Welt
sind‘, die Stätte zu bereiten. Das besagen die
Abschiedsreden Joh. 14/6, ebenso wie 17, 9 f.
24. Wenn das letzte Wort des Sterbenden
‚es ist vollbracht‘ lautet, kann er hier (d. h.
auf der Welt) sein ‚Zelt‘ wieder abbrechen,
nachdem er sein Werk getan hat (vgl. 14,
2 f; 16, 27 f). Rückkehr zum Vater bedeutet,
daß die ‚Welt‘ nicht seine Heimat ist, u. wenn
die ‚Seinen‘ dort sein sollen, wo er ist, kann
die Welt auch nicht ihre Heimat sein. Paulus
(Phil. 3, 20) spricht in der Sprache seiner
Theologie vom πολίτευμα, d. h. der Heimat
im Himmel, von wo wir die Wiederkehr des
erhöhten Christus erwarten, der unseren irdischen Leib in einen verklärten himmlischen
verwandeln wird (parallel dazu steht 1 Cor.
15, 49 f). Von dieser Erwartung ist schon in
seinem ältesten Brief 1 Thess. 1, 10 die Rede.
Sie bedeutet negativ die ‚Rettung aus dem
kommenden Zorn‘, aber positiv die Erlösung
unseres Leibes (Rom. 8, 23), die Teilhabe an
Herrschaft u. Herrlichkeit des Reiches Gottes (vgl. Gal. 1, 4; 1 Thess. 2, 12; Rom. 8,
19/21; Col. 1, 13). Wichtig ist 2 Cor. 5, 1/9.
Schon diese Erwartung einer völlig neuen
Existenz erfordert die Annahme, daß die gegenwärtige begrenzt u. vorläufig ist (1 Cor.
7, 29/31). Der Christ lebt in dieser vergänglichen Welt, also in einem ‚Haben, als hätte
man nicht‘, in bezug auf den Genuß aller Güter dieser Welt; oder, anders gesagt, sein ver-
wandeltes, auf den Willen Gottes gerichtetes
Denken verbietet die Anpassung an diese
Weltzeit (Rom. 12, 2). Der Christ ist also ‚ein
Gast auf Erden u. hat hier keinen Stand‘, er

ist immer Fremdling, der aus einem vorläufigen, ihm nicht gemäßen Dasein errettet zu werden hofft. Da diese Errettung aber auf ein neues Dasein (neue Kreatur) in einer anderen Welt abzielt, ist der Christ nicht gesonnen, die Welt zu verändern oder zu bessern, weil sein Glaube die Welt überwinden soll. Der Kosmos ist die Welt der Angst, welche Christus besiegt hat (Joh. 16, 33). Darum können dem Christen die Verhältnisse der Welt ziemlich unwichtig erscheinen gegenüber dem erstrebten Ziel ewigen Heils (1 Cor. 7, 20. 24). Die ‚Berufung' ist ja nicht ein Aufruf zur Umgestaltung dieser Welt, sondern ein Herausgerufenwerden aus ihr in die Welt Gottes u. seines Reiches, so daß der Christ in der Welt grundsätzlich vorübergehend hier weilender F., Beisasse oder Gast (ξένος) ist. II. Alte Kirche. a. Diognetbrief u. Hermas. Das hat sehr klar der Verfasser des Briefes an Diognet herausgearbeitet, der seinem Freund die θεοσέβεια (Religion) der Christen in ihrem Unterschied vom Götterglauben u. der Frömmigkeit der Juden klar machen möchte (ep. ad Diogn. 1); er führt zu unserem Problem im 5. Kap. aus, daß die Christen sich in Heimat, Sprache u. Sitte nicht von den Menschen unterscheiden, unter denen sie nach dem Willen des Schicksals wohnen, aber sie haben in ihrem Lebenswandel ein unbegreifliches, seltsames, wunderbares, jedenfalls nicht den üblichen Sitten entsprechendes Auftreten (παράδοξος κατάστασις τῆς πολιτείας); sie bewohnen ihr je eigenes Vaterland wie Beisassen u. ertragen alles wie F. (ξένος). Jede Fremde ist ihr Vaterland u. jedes Vaterland eine Fremde (5, 5: πᾶσα ξένη πατρίς ἐστιν αὐτῶν καὶ πᾶσα πατρίς ξένη). Die Auswirkung dieser Haltung ist es, daß sie von den Juden wie Fremdstämmige angefeindet, von den Griechen verfolgt werden; aber die, die sie hassen, vermögen einen Grund zu dieser Feindschaft nicht anzugeben (5, 17). So gleichen die in der Welt zerstreuten Christen der über die Glieder des Leibes verbreiteten Seele (6, 2). Wie die Seele im Leibe wohnt, ohne aus ihm zu stammen, so wohnen die Christen in der Welt, sind aber nicht aus der Welt (6, 3). Wie die Seele, die unsterblich ist, im sterblichen ‚Zelt' wohnt, wohnen die Christen als Beisassen im Vergänglichen, während sie die himmlische Unvergänglichkeit erwarten (6, 8). Die weiteren, logozentrisch orientierten Ausführungen verbieten jeden Verdacht, daß christliches Verständnis von

Fremdheit gnostisch orientiert sein könnte. Der Christ hat nicht das Recht, seine Stelle auf Erden zu verlassen, in die der allmächtige Schöpfer ihn gesetzt hat (6, 9f; vgl. 7, 7/9). – Wie dieses Leben sozusagen in zwei ‚Staaten' (πόλεις) zu praktizieren ist, schildert Hermas (sim. 1) ausführlich, nicht ohne Anknüpfung an Philon u. stoische Gedankengänge (dazu im einzelnen M. Dibelius: HdbNTErgB 4 [1923] 550/3). Wer sich seinem Herrn u. damit dem Gesetz seiner Polis verpflichtet weiß, muß dafür in der ‚fremden Stadt' unter Umständen Verfolgung erleiden. Hängt er am Besitz dieser ‚Fremde' u. wird er, weil er ihre Gesetze nicht befolgt, ausgewiesen, so kann er Gefahr laufen, bei seiner Rückkehr abgewiesen zu werden, weil er nicht nach den Gesetzen seines Herrn, die in seiner Polis gelten, gelebt hat. Er gerät also zwischen zwei Staaten: Was ist zu tun? Die Besinnung darauf, daß der Knecht Gottes in der Welt wie in der Fremde wohnt (ὡς ἐπὶ ξένης κατοικῶν [sim. 1, 6]; eure Stadt ist fern von dieser Stadt [sim. 1, 1]), muß ihn bereit machen, jederzeit aus dieser Welt herauszugehen. Das geht, wenn man in ihr nur das Notdürftige als Besitz hat, statt der Äcker lieber Seelen gewinnt, mit seinem Besitz Werke der Liebe tut im Sinne der Gebote, die in der Stadt seines Herrn gelten. Wird man dann aus der Welt ausgewiesen, ist die Rückkehr in die Heimat nicht verwehrt. Daß man bei dieser Haltung während des Aufenthaltes in der ‚Fremde' fremdes Eigentum begehrt (sim. 1, 11), ist als böse zu verwerfen. Hier ist in eigenartiger Weise stoische ‚Autarkie' u. christliche Zukunftserwartung miteinander verwoben. b. Thomasakten u. Gnosis. Es gibt aber auch eine Mischung christlicher u. gnostischer Gedanken, ohne daß die christl. Auffassung damit einer ‚radikalen Gnosis' verfallen könnte, deren Definition ohnehin heute noch recht schwierig ist. Aber ein paar Beispiele mögen dieses Problem erläutern, soweit sie um den Gedanken des ‚F.' kreisen. Die gnostisch beeinflußten Thomasakten variieren den Begriff des F. mannigfaltig. Da ist zunächst in einem Gebet des Thomas (61 [AAA 2, 2, 177f]) die Erweiterung zu Mt. 19, 27: Wir haben um deinetwillen (nicht alles, sondern) unsere Häuser u. unser väterliches Gut verlassen u. sind gern u. freiwillig F. (ξένοι) geworden. Typisches Beispiel dieses Fremdlingsdaseins ist Thomas selbst, welcher als einer aus fremdem Land betrachtet wird (4).

Er verkündet den ‚neuen Gott‘, dessen Ruf in der Stadt fremd ist (72); man nennt ihn den F. oder den hebräischen Magier (95. 99. 101. 106). Thomas betet zu Jesus Christus als unserem Erlöser u. Ernährer, ‚der du uns bewahrst u. auf fremden Körpern ruhen läßt‘ (39). In wechselseitiger Beschuldigung nennt Thomas einen Dämon ‚Verleumder, der um die F. kämpft‘, während dieser den ‚Apostel des Höchsten‘ u. ‚Knecht Jesu Christi‘ fragt: Weshalb begehrst du das Fremde (τὰ ἀλλότρια) wie einer, der mit dem Eigenen nicht zufrieden ist? (45). Wenn sich dieser Dämon aus Furcht vor dem Beschützer (der bisher von ihm gequälten Frau) unsichtbar macht u. man nur noch Feuer u. Rauch sieht, so interpretiert der Apostel diesen Vorgang: Nichts Fremdes noch Absonderliches (οὐδὲν ξένον οὐδὲ ἀλλότριον) hat der Dämon gezeigt, sondern seine Natur (47). Unter den gemarterten Seelen, welche die von einem verliebten, aber bekehrten Jüngling gemordete Frau in der Unterwelt sah (sie schildert, wo sie gewesen ist, nach ihrer Erweckung durch den Apostel), waren solche, die an den Händen hingen, d. h. solche, die das Fremde wegnahmen u. stahlen (τὰ ἀλλότρια ἀφελόμεναι καὶ κλέψασαι 56). Überhaupt sind die Taten der Einheimischen dem Gott, der von Thomas gepredigt wird, fremd u. zuwider (58). So muß eine versammelte Menge, die Thomas reden hörte, weinend bekennen: Wir wagen nicht zu sagen, daß wir Eigentum Gottes sind, den du verkündigst; denn die Werke, die wir vollbracht haben, sind ihm fremd u. gefallen ihm nicht (38: ἀλλότρια αὐτοῦ, μὴ ἀρέσκοντα αὐτῷ). Die Fremde als Raum (fernes Land) u. die Sachfremdheit (der Verkündigung des ‚neuen Gottes‘) verbinden sich hier in eigenartiger Weise. Der diesen neuen Gott verkündende F., an welchem vornehmlich bekehrte Frauen unter Preisgabe ihrer Ehe u. ihrer bisher gepflegten Landessitten hängen (Mygdonia, 124; Tertia, 136), bezeichnet sich (136) als F., Armen, Verachteten, Bettler, der nur einen Besitz hat, nämlich Jesus Christus, Erlöser der ganzen Menschheit. In einem Gebet des Judas (156) wird Jesus Sohn der Barmherzigkeit genannt, der aus Menschenliebe von dem oberen, dem vollkommenen Vaterlande uns gesandte Sohn (vgl. das Gebet 10). Er dringt in die Tiefe des Hades u. befreit die ‚in der Schatzkammer der Finsternis‘ Eingeschlossenen, um ihnen den Aufstieg zur Höhe zu zeigen (zur Variierung des Begriffes

F. vgl. Jonas 96f). Daß ein metaphysischer Dualismus dabei obwalte, wie ihn die radikale Gnosis vertritt, ist zu verneinen. Irgendwie bleibt der himmlische Erlöser in den Grenzen kirchlicher Vorstellung u. Verkündigung, wobei man in der Tat fragen kann, ob die uns überlieferten Texte nicht schon kirchlich abgeändert worden sind.

c. Gnosis. Die einzelnen gnostischen Motive (zB. im Perlenlied der Thomasakten) hier zu erörtern, ist nicht möglich (vgl. G. Bornkamm: Hennecke-Schneem. 2³, 303/5 mit dem besonderen Hinweis auf das zum F. gewordene Herrscherkind Mani). Wird der vom Himmel auf die Erde gesandte Erlöser dort zum F., so kann umgekehrt der erlöste u. von allem irdischen Wesen entbundene Erlöser allen, die ihn sehen, wie ein F. vorkommen (Od. Sal. 17, 1/6; vgl. Hennecke-Schneem. 2³, 597). Über das Motiv des Fremdseins u. des F. in der neugefundenen gnostischen Literatur von Nag Hammadi wird nach Herausgabe sicherer Texte u. ihrer Interpretation, ihrer religionsgeschichtl. u. chronologischen Einordnung noch manches zu sagen sein. Vorläufig sei verwiesen auf Texte der koptisch-gnostischen Apokalypsen des Jakobus (A. Böhlig-P. Labib, Koptisch-gnostische Apokalypsen aus Codex V von Nag Hammadi = Sonderbd. der Wiss. Zs. der Univ. Halle-Wittenberg [1963]), der Ersten Apok. des Jakobus: 25 (19), 2/5 (aO. S. 35); 34 (28), 1/14 (S. 44), der Zweiten Apok. des Jakobus: 51 (47), 7/11 (S. 73); 55 (49), 16/20 (S. 77) u. der Adam-Apok. 69, 17f (S. 101) u. Böhlig aO. 88/90. Für die ‚Parallelen‘ zu ntl. Texten aus der gnostischen Literatur sei auch auf die einschlägigen Kommentare verwiesen (zB. R. Bultmanns Johanneskomm.); es geht jedoch nicht an, die mandäische, manichäische Literatur u. die Zitate aus Kirchenvätern heranzuziehen, da es uns nicht um die möglichen Hintergründe der zu exegesierenden Texte geht, sondern um konkrete Hinweise zum Thema.

d. Markion. Eine Sonderstellung nimmt Markion mit seinem ‚fremden Gott‘ ein, wenn er zB. das Gleichnis vom verlorenen Sohn tilgt; denn der ‚neue‘ Gott ist ja der bisher ganz unbekannte, also kann man zu ihm nicht zurückkehren. Er empfängt die verschiedensten Attribute des Fremdseins (ὁ ἄλλος, ὁ ἕτερος, ἀλλότριος, ξένος). Irenaeus (haer. 3, 11, 7 [2, 41 Harvey]) formuliert Markions Ansicht (wohl etwas zugespitzt) so: neque mundus per eum factus est neque in sua venit, sed in aliena. Tertullian (Marc. 1, 23, 2 [CCL 1, 465]) sagt ähnlich: deus processit in salutem hominis alieni. Dem fremden Gott entspricht der fremde Mensch. Natürlich hat dieser Gott radikaler Barmherzigkeit die Feindschaft des Weltschöpfers (bei Paulus der Herrscher dieses Äons) zu überwinden, u. er erweist sich als der Mächtigere. Man wird (mit Stählin 35) sagen dürfen, daß die Kombination von radikalem Gutsein u. Fremdsein für Markions Gottesanschauung charakteristisch ist. Wie sehr dieses Fremdsein betont ist, ersieht man aus der Tatsache, daß in der markionitischen Kirche Jesus ‚der F.‘ oder ‚der gute F.‘ heißt. Clemens Alex. (strom. 3, 12, 3; 21, 2 [GCS 15, 201. 205]) ist freilich der Ansicht, daß Markions Lehren ‚fremde‘ (= befremdliche) Dogmen sind, ohne Dank u. Verstand von Platon entlehnt. Wenn die Markioniten sich ihrer ‚fremden‘ Erkenntnis rühmen, sollten sie nach seiner Ansicht dem Herrn der Welt Dank wissen dafür, daß sie hier (d. h. in seiner Welt) mit dieser frohen Botschaft betraut wurden (12, 3). Ihr Kampf gegen den Weltschöpfer (der sich in Ehelosigkeit äußert, weil sie nichts Eigenes auf Erden zurücklassen wollen [12, 2]), ist für Clemens Alex. Verachtung der Güte des Gottes, dessen Luft u. geschaffene Nahrungsmittel sie doch genießen, da sie seine Geschöpfe sind u. in seiner Welt wohnen. Ihr Verhalten ist letztlich ein unfrommer Kampf gegen Gott (ἀσεβὴς θεομαχία), weil sie von den naturgemäßen Gedanken (τῶν κατὰ φύσιν λογισμῶν) abgehen. So behält auch hier die christl. Theologie die Einheit von AT u. NT, von Schöpfung u. Erlösung bei, ist doch der Zwiespalt zwischen Gott u. Welt, Gott u. Mensch nicht primär, sondern sekundär, d. h. durch den Sündenfall verursacht. Da zu seiner Beseitigung Gott seinen Sohn sendet, ist der Glaube an einen ‚anderen‘, neuen, fremden Gott abzulehnen. Der Mensch auf Erden ist also insofern ‚Gast‘ u. ‚Fremdling‘, als diese Spannung zwischen Schöpfung u. Erlösung noch andauert, obwohl im Werk Christi der ‚kommende Äon‘ angebrochen ist, der einst mit Wiederkunft u. Gericht vollendet werden wird. Sind die Christen dann in vollem Sinne ‚Hausgenossen Gottes‘, hören sie auf, F. zu sein.

e. Spätere Schriftsteller. Die Vorstellungen vom F., vom Wanderer, von der Verbannung, vom himmlischen Vaterland, die von den Schrifttexten her so lebendig waren, lebten bei den Apologeten u. Kirchenvätern weiter. Irenaeus spricht vom geistlichen Menschen als einem F. in der Welt (haer. 5, 10, 1 [2, 345 Harvey]). Tertullian drückt den Gedanken allgemeiner aus (apol. 1, 2 [CCL 1, 85]). Von der christl. Gemeinde heißt es: scit se peregrinam in terris agere, inter extraneos facile inimicos invenire, ceterum genus, sedem, spem, gratiam, dignitatem in coelis habere (ähnlich monog. 16, 4; cor. 13, 4 [CCL 2, 1251. 1061]; vgl. auch Cypr. mort. 26 [CSEL 3, 313]). Clemens Alex. meint, der vollkommene Christ stehe außerhalb der Kategorien irdischer Ordnung (strom. 7, 65, 5 [3, 47 St.]). Die Seele des Weisen u. Gnostikers, gleichsam im Leibe zu Gaste, verhält sich ihm gegenüber würdig u. achtungsvoll, ohne sich ihm leidenschaftlich hinzugeben, weil sie, wenn die Zeit der Auswanderung gekommen ist, das Zelt verlassen muß (strom. 4, 165, 2/4 [2, 321 St.] mit Bezugnahme auf Gen. 23, 4 u. Ps. 38, 13). Der Auserwählte lebt wie ein F. (ὡς ξένος, strom. 7, 77, 3; 7, 78, 3 [3, 55 St.]), weil er weiß, daß alles erworben u. verloren wird (166). Wie der verlorene Sohn im Gleichnis kehrt der Christ u. Gnostiker aus der Fremde ins Vaterhaus zurück. Ähnliche Vorstellungen begegnen bei Ambrosius (Abrah. 2, 9 [CSEL 32, 1, 615]; fug. saec. 2, 5/9 [32, 2, 165]; 11f [171]; 55/7 [205]) u. besonders bei Augustinus. Er nimmt den Gedanken aus dem zweiten Korintherbrief auf (ep. 138, 3, 17 [CSEL 44, 143]); im Enchiridion erinnert er daran, daß die Kirche auf Erden Pilgerin ist (zB. 16, 61; ähnlich civ. D. 15, 1; 18, 51 [CCL 48, 453. 649]).

f. Fremdsein als asketische Haltung. Weil der Christ also F., peregrinus, ist, ist er während seiner Wanderung durch die Welt auf Pilgerschaft zu seiner wahren Heimat. Diese Deutung des Lebens als Pilgerschaft weist auf die asketische Pilgerschaft des Mönchtums hin (H. von Campenhausen, Die asketische Heimatlosigkeit im altkirchlichen u. frühmittelalterlichen Mönchtum [1930]; B. Kötting, Peregrinatio religiosa [1950] 302/6; J. Leclercq, Mönchtum u. Peregrinatio im MA: RQS 55 [1960] 212/25). Im Gefolge des Apostels Paulus neigen also die Väter zu der Ansicht, der Mensch sei nur ein F. auf dieser Erde. Doch faßten sie diese Vorstellung noch genauer. Die Übertragung sozialer Zustände im irdischen Leben in das Gefüge einer theologischen Lehre ging nicht ohne Schwierigkeiten vor sich u. konnte zu Mißverständnissen oder Unklarheiten führen. Die beiden civitates des Augustinus, die so oft Gegenstand eines solchen Mißverständnisses waren, liefern das beste Beispiel dafür. Schon Clemens Alex. (strom. 4, 26, 172, 1 f [2, 324 f St.]) hat den Vergleich der Kirche mit einer civitas auf Erden durchgeführt. Die Veränderungen der traditionellen Begriffe ‚Vaterland‘, ‚F.‘ u. ‚civitas‘ werden in den Lehren der Väter von der eschatologischen Vollendung spürbar. Im Mönchtum ist die Bedeutung der Herauslösung aus den Bindungen der patria beträchtlich. Nach einigen Regeln sollte man grundsätzlich nicht in seiner Heimat Mönch werden. Die Georgier blieben dieser Tradition besonders treu. Die ξενιτεία ist eine Tugend (vgl. Th. Nissen, Leben der hl. Xene-Eusebeia: AnalBoll 56 [1938] 106/17, bes. 109). Aber das geforderte Aufgeben der Heimat besteht nicht darin, in die Ferne zu wandern, sondern darin, sich selbst zu verlassen. Die peregrinatio ist ein Mittel, der Gesellschaft der Menschen zu entfliehen (J. Leclercq, L'univers religieux de St. Colomban: RevAscétMyst 42 [1966] 15/30).

III. **F. u. christl. Caritas.** Das Christentum sorgte sich um die F. mit neuer Begründung. Der Beistand, den man einem Reisenden oder F. in einer Stadt erweist, ist dasjenige Werk der Barmherzigkeit, auf das Christus den größten Nachdruck gelegt hatte. Die Aufnahme, die er als F. bei der Sünderin gefunden hatte (Lc. 7, 44/7), hält er dem gastgebenden Pharisäer als Beispiel vor. Der Schluß der eschatologischen Rede (Mt. 25, 35) zeigt, welche Bedeutung Christus der Hilfe beimißt, die dem F. erwiesen wird. Der F. ist das Abbild Gottes. Was man für ihn tut, das gibt man Christus. ‚Ich war ein F., u. ihr habt mich aufgenommen‘ (vgl. mit Hinblick auf die Apostel u. ihr Missionswerk Mt. 10, 40). Diese Identifizierung des fremden Gastes mit Christus verleiht auch der Gastfreundschaft, die schon das heidn. Altertum in weitem Maße übte, einen neuen Adel. Weiteres hierzu s. *Gastfreundschaft u. *Herberge.

IV. **Maßnahmen christlicher Kaiser.** Die religiösen Auseinandersetzungen lassen neue Gruppen von F. auftreten u. führen zum Ausschluß einiger Bürger aus dem röm. Gemeinwesen aufgrund ihrer religiösen Überzeugungen. Es wäre paradox u. wenig politisch gewesen, hätte eine solche Maßnahme die Heiden getroffen. Selbst christlich geworden, konnte das Imperium seine Ursprünge nicht vergessen. Es verbot sich daher, eine Gruppe, die der Zahl nach stark u. einflußreich war, allzu streng zu behandeln. Selbst als das Heidentum verboten, seine Kulte untersagt, die Tempel beschlagnahmt oder zerstört wurden, wurden die Heiden als solche vor den ersten Jahren des 5. Jh. nie in ihren Rechten geschmälert (Cod. Theod. 16, 5, 42; 16, 10, 21 [408 u. 416 nC.]; 16, 10, 23 [423]). Die Juden wurden während der hohen Kaiserzeit nicht belästigt (vgl. o. Sp. 329). Die Feindseligkeit, die aber schon einen Teil der öffentlichen Meinung Roms gegen sie erfaßt hatte u. die sich vielleicht mehr gegen ihre orientalische Herkunft als gegen ihre religiöse Überzeugung richtete, verschärfte sich im späten Kaiserreich. Man kann somit zwar von einem volkstümlichen Antisemitismus im 4. Jh. sprechen; auch die Kaiser gingen in ihren Edikten gegen die Proselytenwerbung vor (Cod. Theod. 16, 8, 1. 6. 17; 16, 9, 1. 2. 4; 16, 7, 3; 3, 7, 2; 9, 7, 5; Nov. Theod. 3); dennoch wurden die Juden nicht am härtesten behandelt (vgl. J. Gaudemet, L'église dans l'empire romain [Paris 1958] 623/51). Es bleibt ungewiß, wie die Gesetzgebung der arian. Kaiser beschaffen war. Aber die Haltung eines Constantius II gegenüber den ‚Katholiken‘ läßt ihre Härte erahnen (vgl. J. Moreau, Art. Constantius II: JbAC 2 [1959] 170). In der Gesetzgebung der ‚katholischen‘ Herrscher warf die Stellung, die man Häretikern u. Apostaten einräumte, einen Schatten auf die bürgerliche Gleichheit. Als nämlich Gratian u. Theodosius den nicänischen Glauben allen Einwohnern des Imperiums zur Pflicht gemacht hatten (Cod. Theod. 16, 1, 2; 16, 5, 4. 5), bedeutete das Fehlen des rechten Glaubens einen Bruch mit dem Rom der Kaiser u. Päpste. Er zieht politische u. bürgerliche Entrechtung nach sich, die den Häretiker aus der Gesellschaft ausschloß (vgl. Cod. Theod. 16, 1, 7 [381]; zu dieser Gesetzgebung vgl. Gaudemet 230/4). So traten neue ‚peregrini‘ auf. Es entstand damit eine Quelle der sozialen Diskriminierung, wie sie das Altertum kaum gekannt hatte.

A. Aymard, Les étrangers dans les cités grecques aux temps classiques: RecSocBodin 9 (Bruxelles 1958) 119/39. – A. Baron, La représentation des guerriers perses et la notion de barbares dans la première moitié du Ve siècle: BullCorrHell 87 (1963) 579/602. – E. Berneker,

Art. ξενίας γραφή: PW 9 A, 2 (1967) 1441/79. – A.
Bertholet, Die Stellung der Israeliten u. der
Juden zu den F. (1896). – R. Bierzanek, Quel-
ques remarques sur le statut juridique des
étrangers à Rome: Iura 12 (1962) 89/109. – M.
Clerc, Les métèques athéniens (Paris 1893). –
M. A. de Dominicis, Latini: Nuovissimo Dig.
Ital. 9 (1963) 463/7. – A. Dorsingfang-Smets,
Les étrangers dans la société primitive: RecSoc-
Bodin 9 (1958) 59/73. – V. Ehrenberg, L'
Atene di Aristofane (Firenze 1957) 209/33. –
J. Gaudemet, L'étranger au Bas Empire:
RecSocBodin 9 (1958) 209/35. – J. Gilissen,
Le statut des étrangers à la lumière de l'histoire
comparative: RecSocBodin 9 (1958) 5/57. –
Grecs et Barbares = Entretiens sur l'anti-
quité classique 8 (Genève 1962). – H. Hommel,
Metoikoi: PW 15, 2 (1933) 1413/58. – H. Jonas,
Gnosis u. spätantiker Geist 1³ (1964); 2, 1 (1954).
– B. Kübler, Art. Peregrinus: PW 19, 1 (1937)
639/55. – F. de Martino, Storia della costitu-
zione romana 1/5² (Napoli 1958/67). – C. Mossé,
La fin de la démocratie athénienne (Paris 1962)
167/79. – D. Nörr, Origo. Studien zur Orts-,
Stadt- u. Reichszugehörigkeit in der Antike: Tijd-
schrift voor Rechtsgeschiedenis 31 (1963) 525/
600; Art. Origo: PW Suppl. 10 (1965) 433/73. –
I. Opelt-W. Speyer, Art. Barbar: JbAC 10
(1967) 251/90. – W. Peremans, De nationale fac-
tor in de geschiedenis van Ptolemaeisch Egypte =
Mededel. Kon. Vlaamse Acad. van Belgie, Lett.
24, 4 (Bruxelles 1962). – J. Pirenne, Le statut
de l'étranger dans l'ancienne Égypte: RecSoc-
Bodin 9 (1958) 93/103. – C. Préaux, Les étrangers à l'époque hellénistique (Égypte, Délos,
Rhodes): ebd. 141/93; Sur la réception des
droits de l'Égypte gréco-romaine: Mélanges
F. de Visscher 4 (Bruxelles 1950) 349/59. – F.
Schachermeyer-H. Schaefer, Das Problem
der griech. Nationalität: Rapport Xe Congrès
Sc. Hist. 6 (Roma 1955) 651/730. – F. von
Schwind, Zur griechisch-ägyptischen Verschmelzung unter den Ptolemäern: Studi V.
Arangio-Ruiz 2 (Napoli 1954) 435/51. – G.
Stählin, Art. ξένος, ξενία . . .: ThWb 5
(1954) 1/36. – A. Swiderkówna, W ,państwie'
Apolloniosa spoleczeństwo wczesnoptolemejs-
kie Fajum w świetle Archivum Zenona = Die
griechisch-ägyptische Bevölkerung des Fajum
im 3. Jh. vC. nach den Zenonarchiven (Warszawa 1959). – F. de Visscher, La condition des
pérégrins à Rome jusqu'à la constitution anto-
nine de l'an 212: RecSocBodin 9 (1958) 195/208.
– E. Weiss, Art. F.recht: PW Suppl. 4 (1924)
511/6. – H. J. Wolff, Faktoren der Rechtsbildung
im hellenistisch-römischen Ägypten: SavZRom
70 (1953) 20/57; Plurality of laws in ptolemaic
Egypt: RevIntDroitAnt 13 (1960) 191/223.
A. B II d/f. B III/IV: *J. Gaudemet (Übers. H.-J.
Horn)*; B I. B II a/c:

                            E. Fascher.

Fremdenherberge s. Herberge.

Freude.

A. Nichtchristlich. I. Alter Orient. a. Ägypten 348. b. Babylon 349. c. Assur 349. – II. Griech.-röm. Welt 350. a. Erscheinungsformen des F. 350. b. F. in der Philosophie. 1. Sophisten
u. Vorsokratiker 351. 2. Plato 352. 3. Aristoteles 353. 4. Kyrenaiker 353. 5. Epikur 354. 6. Kyniker 354. 7. Alte Stoa 355.
8. Mittlere Stoa 357. 9. Seneca u. die spätere Stoa 359. c. Fest-F.
366. 1. Panhellenische Agone 366. 2. Dionysos-Kult 367. 3. Kybele-Attis-Kult 368. 4. Isis-Osiris-Kult 369. d. F. im Gruß χαῖρε
371. – III. AT u. späteres Judentum. a. Vorexilische Ladeerzählung 371. b. Eschatologie u. Liturgie 374. c. Nachexilische
Prophetie u. Klagelieder 375. d. Weisheitsliteratur. 1. Proverbia 378. 2. Kohelet 379. 3. Sirach 379. 4. Sapientia 380. e. Philo
381. f. Josephus 383. g. Jüdische Apokalyptik 385. 1. Qumrantexte 385. 2. Test. XII 386. 3. Äth. Henoch 387. h. Rabbinische
Tradition 388.

B. Christlich. I. NT u. nachapostol. Zeit 390. a. Täuferüberlieferung u. Vorgeschichte Jesu 391. b. F. als Heilserwartung
392. c. F. u. Festideologie 393. d. Paulinische Stoffe 394. e. Joh.-
Offenbarung 398. f. Joh.-Evangelium 398. – II. Gnosis 400. –
III. Frühchristl. u. patristische Literatur. a. Apostol. Väter 402.
1. Ignatius 402. 2. Clemens Romanus 403. 3. Hirt des Hermas
404. b. Apologeten den 2. Jh. 1. Justin 406. 2. Brief an Diognet
407. c. Irenäus v. Lyon 408. d. Tertullian 408. e. Clemens
Alexandrinus 409. f. Die späteren griech. Väter 411. g. Augustinus 412. – IV. F. u. Liturgie 414.

A. Nichtchristlich. I. Alter Orient. a. Ägypten. Wir finden in der Weissagung des Nefer-
Rehu ein Königsorakel auf Amenemhet I
(1995/65 vC.), das zunächst das Land in
Jammer u. Not beschreibt, dann aber seinen
neuen Herrscher ankündigt, der die beiden
Diademe Ägyptens vereinigen u. die beiden
,Herren' (Horus u. Seth) mit dem, was sie
lieben, erfreuen wird. Dann beginnt die Heilszeit mit dem Aufruf zur F.: ,Freuet euch, ihr
Menschen seiner Zeit! Der Sohn eines (angesehenen) Mannes wird sich einen Namen machen für alle Ewigkeit' (Pritchard, T.² 444f).
Ein Hymnus auf die Thronbesteigung Mer-
nephthas (um 1234/22 vC.) beginnt nach
einer bibliographischen Angabe mit der Aufforderung: ,Sei von Herzen froh, ganzes
Land! Die guten Zeiten sind gekommen!'
Nach ägyptischer Auffassung war der Pharao
ein Gott, der das Wunder der Schöpfung aus
dem Chaos jedes Mal erneuert. Ein Ostrakon,
vielleicht aus der Zeit Ramses IV (ungefähr
1164/57 vC.) beginnt ähnlich im Stil feierlicher Proklamation: ,Ein glücklicher Tag!
Himmel u. Erde sind erfreut, denn du bist
der große Herr Ägyptens. Diejenigen, die geflohen waren, kehren in ihre Städte zurück;
diejenigen, die sich versteckt gehalten hatten,
kommen wieder hervor. Diejenigen, die
hungrig waren, sind gesättigt u. froh; diejenigen, die durstig waren, sind trunken. Diejenigen, die nackend waren, sind mit feinem
Leinen angetan; diejenigen, die schmutzig

waren, sind in weiß gekleidet' (Pritchard, T.²
378: Mernephtha; 378f: Ramses IV). Ausführliche Beispiele beschreiben den Anbruch
der Heilszeit als Wechsel von Unglück zu
Glück: die F. ist ein festes Kennzeichen dieser
Heilszeit, sie ist Merkmal der wiederherge-
stellten göttlichen Urordnung.

b. Babylon. In den babylonischen Hymnen
an den Sonnengott heißt es, daß das Erscheinen seines Lichtes Götter u. Menschen
erfreut: ,Aufgerichtet sind ihre Häupter,
schauend das Licht der Sonne; sobald du er-
scheinst, frohlocken u. jauchzen sie ...
schauen sie dich, so freuen sich die zahlreichen
Menschen' (Gressmann, Texte 242f). In einer
neubabylonischen Einzugslitanei kehrt ständig der Gebetswunsch wieder: ,Herr, bei
deinem Einzug in das Haus möge dein Haus
sich deiner freuen! Ehrwürdiger Herr Marduk,
bei deinem Einzug in das Haus möge dein
Haus sich deiner freuen' (Gressmann, Texte
256). Es bildet sich ein fester Gebetsstil heraus. In einem Gebet an Marduk heißt es:
,Nimm mein Flehen an, nimm entgegen meine
Demütigung, meine inbrünstigen Gebete u.
seufzerreichen Bitten. Wer deinen Sinn erfreut, möge stets froh zu dir reden' (Gressmann, Texte 269).

c. Assur. An Assurbanipal (ab 669 vC.) ist ein
Lobpreis gerichtet, der dessen Königsherrschaft als ,Tage des Rechts, Jahre der Gerechtigkeit, reichliche Regengüsse, gewaltige
Hochwasser, guten Kaufpreis' herausstellt.
Die Götter sind freundlich, Gottesfurcht ist
weit verbreitet, die Tempel strotzen. Die
Greise hüpfen, die Kinder singen, die Frauen
u. Mädchen heiraten, geben Knaben u. Mädchen das Leben. Ausdrücklich fällt allerdings
das Stichwort F. in diesem Zusammenhang
nicht (Gressmann, Texte 328), obwohl man
es in diesem Zusammenhang erwartet. Ein
eigenartiges Problem stellt der assyrische
Hymnenkatalog dar, der mythologisches Denken mit erotischen Motiven verbindet. Das
Liebesspiel zwischen dem ,Sohn' (= Geliebten) u. der ,Schwester' enthält Motive der
Sehnsucht, der Erfüllung u. des Jubels. ,Er ist
der Wunsch, der mein Herz erfreut; am Tage,
als ich frohe Botschaften brachte, war Her-
zensfreude' (Gressmann, Texte 326f). – In
einem hittitischen täglichen Gebet des Königs
an den Gott Telepinus heißt es gegen Schluß:
,gewähre ihnen (dem König, der Königin, den
Prinzen) Leben, Gesundheit, lange Jahre,
Kraft! In ihre Seelen lege Licht u. F.!' Oder:

,Aber dem König u. der Königin, den Prinzen
u. dem hittitischen Land gewähre Leben, Gesundheit, Kraft, lange u. fortdauernde Jahre
u. F.' (Pritchard, T.² 397). – Von F. ist im altorientalischen Raum nicht selten in den verschiedensten Urkunden die Rede. In Ägypten
gehört sie vor allem zur Thronbesteigung
des Pharao u. ist daher ein Zeichen einer neu
geordneten Welt; im babylonischen Bereich
ist sie vor allem mit dem kultischen Leben
verbunden u. daher ebenfalls kosmisch-natur-
haft bestimmt. Sie ist also äußerlich feststellbar u. mit den Gütern des Lebens eng verbunden, dringt aber auch in seelische Bereiche ein. Hier steht der Mensch ganz im
Bereich des Mythischen u. Kosmischen, ohne
sich von ihm losgelöst zu haben.

II. Griechisch-römische Welt. Die wichtigste
Wortgruppe im Griech. für unser Verständnis
von F. ist χαρά - χαίρειν (Stamm indogerm.
gher wie gern haben, begehren); daneben ist
freilich von Anfang an ἡδονή (seltener τὸ
ἦδος) - ἥδεσθαι zu berücksichtigen, eine
Wortgruppe, die zwar auch in der Nähe von
χαρά begegnet (Eur. Ion 1448f; Plat. Phileb.
19 C: ἡδονὴ καὶ τέρψις καὶ χαρά), sich aber
immer wieder selbständig macht (Stamm
swad, lat. suavis, deutsch: süß). Hier ist die
wörtliche Übersetzung: das den Sinnen, namentlich dem Geschmack Angenehme (J.
Pokorny, Indogerm. etymolog. Wb. 1 [Bern
1959] 1039f). Plato hat versucht, etymologisch χαρά u. seine Äquivalente wie ἡδονή,
τέρψις, εὐφροσύνη, ἐπιθυμία aus entsprechenden Gemütsbewegungen abzuleiten (Cra-
tyl. 419 BC).

a. Erscheinungsformen der F. Der allgemeine
χαρά-Begriff sieht den Menschen geschichtlich
u. konkret als Ursache dieser leidenschaftlichen Erregtheit (älteste Quellen: Od. 4,
521; 13, 250f; 23, 32; Sappho 1, 6 [Suppl.
Lyr.³ Diehl = 5, 6 [8 Lobel-Page]). Die
Texte schildern eine starke Erregung, entsprechende Gesten u. Ausdrucksformen (zB.
Tränen, Kuß), vor allem im Augenblick einer
Kunde oder eines Wiedersehens. Jubelruf,
Siegeslied (Paean), Reigentanz gehören zur
Beschreibung dieser fast ekstatischen Erregtheit in einem erfüllten geschichtlichen
Augenblick. Für die Tragiker wird eine derartige Schilderung deshalb so wichtig, weil
sie in Kontrastwirkung zu dem oft folgenden
Umschlag in Leid u. Unglück des Herrscher-
geschlechtes steht. Gelegentlich kommt ein
ängstlicher Zweifel auf, ob nicht die von Gott

gegebene F. trägt (Eur. Alc. 1125: ἢ κέρτομός με θεοῦ τις ἐκπλήσσει χαρά;). Im Krieg, in der Erwartung des Sieges, beim Triumph über den Gegner spielt diese leidenschaftliche Erregtheit selbstverständlich eine große Rolle. Demosth. 18, 216 verteidigt das Bündnis seiner Heimatstadt mit den Thebanern gegen Philipp gegen politische Widerstände. Andere haben der Stadt u. ihren Bewohnern Lobsprüche (ἔπαινοι) gespendet, sie selbst Opfer u. Festzüge den Göttern veranstaltet. Damals war die Stadt voller leidenschaftlicher Erregung (ζῆλος), F. u. Lobsprüche (ἔπαινοι); konnte sich damals jemand vom Opfer u. von der F. etwa ausschließen? Die Mischung von Lachen u. Weinen ist Zeichen tiefster Erregung u. findet sich in den griechischen Texten keineswegs selten (Xen. hist. Graec. 7, 2, 9).

b. F. in der Philosophie. 1. Sophisten u. Vorsokratiker. Dem allgemeinen unreflektierten Prozeß tritt die philosophische Kritik u. Differenzierung der Begriffe gegenüber. Offenbar beginnt sie schon bei den Sophisten, die nach einem Kriterium suchen, das die verschiedenen Begriffe von einander unterscheidet u. qualifiziert. Es gibt nach den Sophisten keinen Begriff, der dem anderen gleich ist, daher müssen die Inhalte voneinander unterschieden werden. Bei Gorgias (VS 82 B 11) werden der wissenschaftliche Logos, die Rede des Rhetors u. der Dialog des Philosophen zum entscheidenden Faktor, der mit den kleinsten u. unscheinbarsten Organen Furcht verbreiten, Leid bannen, F. erregen, Mitleid erwecken kann. Aristoteles (top. 112 b 22) erwähnt von Prodikos, er habe zwischen F. (χαρά), Ergötzen (τέρψις) u. Frohsinn (εὐφροσύνη) unterschieden, behauptet selbst aber ausdrücklich, daß alle diese Begriffe synonym für Lust (ἡδοναί) seien. Alexander von Aphrodisias in seinem Kommentar zSt. bestätigt ausdrücklich, daß Prodikos jedem Begriff seine besondere Bedeutung zumessen wollte, wie es auch die Stoiker täten, die F. (χαρά) als vernunftgemäße ,Erhebung' (ἔπαρσις), Lust als vernunftlose beschreiben, Ergötzung als durch Ohren vermittelte Lust, Frohsinn als durch vernünftige Worte geschaffene Lust (VS 84 A 19). In der Folgezeit entsteht auch die Frage nach der ,wahren F.' (ἀληθινὴ χαρά), die das ,Ziel der Seele' sei (vgl. das Zitat Clem. Alex. strom. 2, 129, 9: der Peripatetiker Lykon; ähnlich Leukipp: VS 67 A 37). Von Demokrit ist eine Sentenz überliefert, die auch wohl ἡδονή von χαρά differenziert: ,Leute, denen das Unglück des Nächsten Wohlgefallen bereitet, verstehen nicht, daß des Schicksals Wechsel allen gemeinsam ist; sie entbehren auch der F. im eigenen Hause' (VS 68 B 293).

2. Plato. In der Auseinandersetzung mit den Sophisten bildet die philosophische Fragestellung bei Plato einen Einschnitt. Entscheidend wird jetzt die grundsätzliche Frage nach dem ,Guten' (τὸ ἀγαθόν bzw. τὸ ἄριστον): Es besteht in der Einsicht, Erkenntnis, Erinnerung, richtigen Meinung u. wahrheitsgemäßen Überlegung. Die These, daß für alle Geschöpfe die F., die Lust u. das Ergötzen gut seien, wird abgelehnt. Grundsätzlich wird von Plato nicht zwischen diesen Begriffen differenziert (Phileb. 11 B. 19 C). Im Zusammenhang mit einer metaphysisch bestimmten Psychologie spricht er in demselben Traktat vom Zustand der ,Leere' u. der Hoffnung auf das ,Gefülltwerden', von wahren u. falschen Lüsten sowie von der Mischung zwischen Lust u. Unlust: die Lust soll also gereinigt u. damit befähigt werden, mit der Einsicht sich zu verbinden (Phileb. 36 C. 59 C/64 A). Der ,Philebus' mit seiner gegenüber dem ,Gorgias' ganz andersartigen Lustlehre enthält vielleicht eine positive Auseinandersetzung mit der Lustlehre des Eudoxos, der zeitweilig im Kreis der Akademie lebte. In diesem Fall kommt der ,Lust' (ἡδονή) durchaus eine bestimmte, wenn auch begrenzte Bedeutung für das philosophische Leben zu. Von Kindheit an stehen die Menschen unter dem Prozeß der Erziehung zur rechten u. Abwehr der falschen Lust. Die Götter haben ihnen zur Hilfe u. zur Erholung von der Drangsal die abwechslungsreiche Folge der Kultfeiern geschenkt, auf denen die Götter selbst als Festgenossen erscheinen. Sie vermitteln das Gefühl für Rhythmik u. Harmonie, mit denen die Bewegungen der Menschen geformt u. in Zucht gehalten werden, so daß χορός letztlich von χαρά abzuleiten ist (leg. 653 A/C. 665 A). Damit werden uralte kultische Motive, philosophisch in ein abstraktes System eingeordnet, neu begründet. Plato stellt sich damit in das kultisch geordnete Leben seines Volkes, das von den Sophisten in Frage gestellt ist, sieht aber nun die Kult-F. in einem neuen göttlichen Glanz. Unter dem asketischen Gesichtspunkt, daß der Mensch sich möglichst des Verkehrs mit dem Körper enthalten soll, entsteht die Erwartung, sich von ihm rein

zu erhalten, bis der Gott den Menschen völlig erlösen wird (Phaed. 67 A). Deshalb gehen die wahren Philosophen mit wenig Schrecken in den Tod, weil sie von der Feindschaft mit ihrem Körper erlöst zu werden hoffen. Dieser Aufbruch in den Hades vollzieht sich also, wie Plato mehrmals betont, mit F. (Phaed. 68 B). So stimmen die Schwäne vor dem Tode einen besonders kräftigen Gesang an, aus F., zu Gott zu gelangen, dessen Diener sie sind (Phaed. 85 A). Dem steht PsPlat. Axioch. 368 C gegenüber, wo auf die Not, die Mühe u. den Widerstand der Menschen hingewiesen wird, die sich der menschlichen Arbeit, auch der Kunst des Staatsmannes, entgegensetzen, so daß ein wirkliches Glück u. eine vollkommene F. nicht erreicht werden.

3. Aristoteles. Ganz anders als die Abstraktion bei Plato ist der Einsatz des Lustbegriffes bei Aristoteles in der Nikomachischen Ethik. Auch für ihn ist die Lust (ἡδονή) nicht wesenhaft von der F. (χαρά) zu trennen, wie er öfter betont. Die Struktur des tätigen Seins ist auf die Lust, u. zwar in verschiedenen Stufen angelegt. Sie ist also ein höchster Wert, weil sie aktive Entfaltung u. Endziel zugleich ist; sie stellt sich dann aus dem Prozeß selbst ein, wenn der Mensch seine Kräfte gebraucht u. die Widerstände überwindet. Die Lust ‚vollendet‘ also eine Tätigkeit, wie eine These des Philosophen immer wieder versichert. Zu jedem Bereich des Seins, auch des menschlichen, gehört eine spezifische Form der Lust, in der die dazugehörige Tätigkeit zu ihrer Vollendung kommt (vor allem eth. Nic. 1153 a. 1153 b. 1176 a).

4. Kyrenaiker. Bei den Kyrenaikern wird das Problem der Lust in den Mittelpunkt des Seins u. der Ethik gestellt. Sie erscheint als ‚sanfte Bewegung‘ (λεία κίνησις) im Gegensatz zur Unlust als ‚heftiger Bewegung‘ (τραχεῖα κίνησις). Die körperliche Lust tritt als besonders starke Lust heraus, bedarf also besonderer Beachtung; sie trifft den Menschen empfindlicher als die geistige. Lust u. Lustgefühl sind an den Augenblick gebunden, während die Glückseligkeit (εὐδαιμονία), die den Augenblick als solchen überwinden will, schwierig zu bestimmen ist. Jede Abstraktion der Lust ist an sich unmöglich, aber das sokratische Element der kritischen Einsicht (φρόνησις) drängt doch über den Augenblick hinaus. Die φρόνησις führt durch ihre Kritik zur wahren Lust, sie vermag also zu differenzieren u. macht den Menschen zum Herrn

seiner Lust u. schützt ihn vor aller Sklaverei (Diog. L. 2, 65/104; Sext. Emp. math. 7, 11, 190 f).

5. Epikur. Eine grundsätzliche Weiterbildung u. Umformung des Sensualismus der Kyrenaiker liegt bei *Epikur vor. Auch für ihn ist das höchste Gut die Lust, doch unterscheidet er Seelenruhe (ἀταραξία) u. Schmerzlosigkeit (ἀπονία) als ruhige Lustempfindungen von der F. u. Fröhlichkeit (χαρά u. εὐφροσύνη) als bewegten (Diog. L. 10, 136 = frg. 7 Arr.). Beide Formen der Lust erkennt er an. Allerdings findet sich auch bei ihm die ältere These, daß die körperliche Lust ursprünglicher u. grundlegender ist, ja, daß sich alles Gute um den ‚Bauch‘ dreht (Athen. 12, 546 F = frg. 201 Arr.). Es stellt sich natürlich die Frage nach dem Verhältnis dieser beiden Aussagen zueinander. Die Tendenz Epikurs geht jedoch dahin, daß die bloß sinnlichen Reize durch die Tätigkeit der Einsicht (φρόνησις) zu einer wahren Ruhe u. Überwindung von Unlust, Schmerz u. Erschütterung geführt werden. Die starke Hervorhebung der Negationen (ἀταραξία, ἀπονία u. ὑπεξαίρεσις) ist dabei beachtlich u. von den Kyrenaikern verschieden. Dieser Idealzustand ist bei ihm selbst noch im Bereich der Lust gedacht, will aber alle untergeordneten sinnlichen Empfindungen überwinden (εὐδαιμονία). Zu den Beunruhigungen der Seele gehört nach ihm die Mythologie, die grundsätzlich überwunden werden muß, so daß eine Art Aufklärung auf diesem Gebiet der ‚Meinungen‘ notwendig ist (Diog. L. 10, 81 f. 132). Auch Epikur gelingt es nur schwer, den sensualistischen Grundzug (F. als Inbegriff von Lust u. Lustempfindung) mit dem rational-kritischen Grundprinzip der sokratischen Einsicht zu verbinden, so daß eine neue Norm u. eine überzeugende Synthese gefunden würde. Der fortschreitende Zerfall der alten kultischen u. allgemein menschlichen Ergriffenheit kann durch psychologische u. rational-kritische Überlegungen der Philosophie nicht mehr eingeholt werden.

6. Kyniker. Stärkere sokratische Einflüsse finden sich bei den Kynikern, deren philosophische Tendenz darin zu suchen ist, daß sie eine wahre Glückseligkeit (εὐδαιμονία) aus der Übung der Tugend (ἀρετή) herleiten. Die Lust erscheint dann als Übel oder Gefahr, also als Gegensatz zur philosophischen Art, richtig zu leben. Selbstverständlich ist dieser Weg zur Glückseligkeit nur durch die geistige Aneignung (φρόνησις) zu finden. Es entsteht

die Frage nach dem wahren Besitz, der in dem
besteht, was der Mensch erlernt u. erdacht
hat, u. der wahren F., die als Ruhe (ἡσυχία)
u. Heiterkeit (ἱλαρότης) geschildert wird.
Typisch ist das häufig wiederholte Kampf-
wort des Antisthenes, des Gründers der
Schule: ‚Lieber verrückt werden als der Lust
erliegen‘ (μανείην μᾶλλον ἢ ἡσθείην, nach
Diog. L. 6, 3). Die Prägnanz u. Kraft dieses
Kampfwortes fällt auf. Von ihm wird ausdrücklich gesagt, daß er die Lust als Übel angesehen habe (Sext. Emp. math. 11, 74). Wie
ein Zugeständnis klingt allerdings der Satz des
Antisthenes, daß die Lust gerechtfertigt sei,
die keine Reue nach sich zieht (Athen. 12,
513 A). Ähnliche, auch vorsichtigere Zuge-
ständnisse finden sich immer wieder u. zeigen
also, welche Schwierigkeiten die Schule an
diesem Punkt zu bestehen hat. Ebenso
typisch ist die Behauptung des Diogenes, die
wahre Glückseligkeit (εὐδαιμονία) bestehe
darin, daß man ständig in bezug auf Geist u.
Seele in Ruhe u. Heiterkeit lebe (Stob. 4, 39,
20f [5, 906 W.-H.]). Die Selbstgenügsamkeit
(αὐτάρκεια) u. die Überwindung der Leidenschaft (ἀπάθεια) werden zu Begriffen der kynischen Ethik, die die Selbstzucht der philosophischen Ethik kennzeichnen sollen (Teles
7 [55/62 Hense]). Damit verstärkt sich der so-
kratisch-kritische Grundzug der philosophischen Ethik u. gewinnt geradezu asketische
u. Kultur ablehnende Züge; die pädagogisch
erziehenden Züge bleiben bewahrt u. erfassen
breitere Volksschichten. Es besteht die Gefahr, daß die abstrakte Zielsetzung einer
‚Glückseligkeit‘ (εὐδαιμονία) jede konkrete
Durchführung der ‚F.‘ gefährdet.

7. Alte Stoa. Eine Gegenbewegung gegen die
Kyrenaiker u. vor allem gegen Epikur selbst
stellt die Stoa dar, die den Kampf gegen die
Betonung der ‚Lust‘ (ἡδονή) aufnimmt. Stifter
der stoischen Schule ist Zenon, dessen Fragmente, ähnlich wie die der Kyniker, lediglich
von der Verwerfung der Lust sprechen, nicht
von einer entsprechenden positiven Zielsetzung. Die Lust gehört nach Zenon zu den vier
Arten der Leidenschaften: Begierde (ἐπιθυμία),
Furcht (φόβος), Betrübnis (λύπη) u. Lust
(ἡδονή). Diese Einteilung findet sich ähnlich
mehrfach in der Überlieferung (Diog. L. 7,
110; Stob. 2, 7, 10 [2, 88 W.-H.]). Diese
Leidenschaften werden näher erklärt als unvernünftige, naturwidrige Regungen der Seele;
sie beeinflussen als die Folgen falscher Urteile
die Entscheidungen des Menschen, weil sie in

der Form von Gefühlen ihn bedrängen (Diog.
L. ebd.; Galen. Hippocr. et Plat. plac. 5, 1
[404f Müller]). Der Weise muß von derartigen krankhaften Störungen völlig frei
sein. Ganz entsprechend wird die Tugend als
allein genügend zur Glückseligkeit bezeichnet
(Diog. L. 7, 127). Ähnlich stellt sich die philosophische Kampfsituation bei Kleanthes heraus. Von ihm stammt die Lehrthese, daß die
Lust nicht der Natur gemäß (μὴ κατὰ φύσιν)
noch auch nur würdig sei, im menschlichen
Leben eine Rolle zu spielen, wie ja auch ein
Schmuckstück nicht der Natur gemäß sei
(Sext. Emp. math. 11, 73). Damit tritt der
Gegensatz: κατὰ φύσιν–μὴ κατὰ φύσιν als entscheidende Normierung in der ethischen
Bewertung auf. Der Mensch soll den festen
Maßstab des Natürlichen als des Vernunft-
gemäßen zur Richtschnur haben. Er wird
zum Kennzeichen des ethischen Verhaltens.
Eindrücklich ist auch die bildhafte Warnung,
daß, wenn die Lust (voluptas) auf dem Throne
sitze u. in königlichen Ornat gekleidet sei,
die Tugenden nur noch Magddienste zu leisten vermöchten (Cic. fin. 2, 69). Waren
Zenon u. Kleanthes stark durch ihre polemischen Lehrthesen bestimmt, die einheitlich
negativ gegen die Lust gerichtet waren, so ist
Chrysipp derjenige, der die systematische
Durchbildung der stoischen Position versucht
hat. Auch er hat die charakteristischen Negationen der älteren Schule. Ausdrücklich bestreitet er, daß die Lust ein Gut (ἀγαθόν) sei,
da es auch verwerfliche Lüste gebe. Wenn
aber etwas verwerflich sei, dann könne es nicht
gut sein (Diog. L. 7, 103). Er glaubt auch
nicht, daß die Lust zum Ziel der menschlichen
Natur gehöre (Diog. L. 7, 202). Alle Tugend
werde zerstört, wenn man die Lust, die gute
Gesundheit oder dergleichen ein Gut sein
lasse (Plut. Stoic. repugn. 15, 4, 1040 C).
Chrysipp rechtfertigt diese Entscheidung
durch den versuchten Nachweis der Natur-
widrigkeit der Lust. Der erste Trieb, der sich
in einem Lebewesen regt, ist nach ihm nicht
das Streben nach Lust, sondern nach Selbst-
erhaltung (τὸ τηρεῖν ἑαυτό), daher besitze der
Mensch von Natur aus keine Wesensver-
wandtschaft mit der Lust (Galen. Hippocr. et
Plat. plac. 5, 5 [437f M.]). Das eigentlich
Neue bei Chrysipp besteht darin, daß er von
der Verwerfung der Lust aus zu positiven,
aber abgrenzenden Lehrsätzen zu gelangen
versucht. Dies Bestreben verbindet sich mit
einer begrifflichen Aufspaltung der umstrit-

tenen Regungen der Seele. So unterscheidet er peinlich zwischen den beiden Verben χαίρειν u. ἥδεσθαι (Galen. aO. 4, 4 [354 M.]). Die sich der Vernunft fügenden Affekte werden von Chrysipp mit dem ehrenvollen Verbum χαίρειν, die ihr widerstrebenden mit dem anstößigen Verbum ἥδεσθαι charakterisiert. Die F. gilt bei ihm als guter Seelenzustand (εὐπάθεια). Diese Differenzierung der Verben u. der zu ihnen gehörigen Substantiva bei Chrysipp erinnert notwendig an den entsprechenden Versuch der Sophisten (Prodikos) u. wird auch dementsprechend von der philosophischen Kritik als ‚sophistisch' erkannt (Plut. virt. mor. 9, 449 A/D). Konsequent ist dann die sachliche Unterscheidung zwischen der Tugend selbst als einem der Natur entsprechenden Verhalten u. dieser positiv gewerteten F. als einem bestätigten Seelenzustand. Nicht jedes tugendhafte Verhalten führt notwendig zur F., wie auch nicht jede Pflichterfüllung zu Anerkennung u. Ruhm gelangt (Plut. Stoic. repugn. 26, 1, 1046 D). Die F. kann also zur Tugend hinzutreten, ist aber nicht notwendig in jedem Fall mit ihr verbunden. Wenn sie da ist, dann gehört sie zum Glück, dem höchsten Gut, hinzu, doch kann der Weise das Glück (εὐδαιμονία) besitzen, ohne F. zu empfinden. Sie ist demnach die Folge der Tugend, nicht aber die Tugend selbst. Allgemeine Grundsätze der Stoiker: Es gilt auch später als stoische Lehre, daß die F. der Lust entgegengesetzt werden muß. Die Lust wird als das unvernünftige Frohgefühl (ἄλογος ἔπαρσις) für eine scheinbar begehrenswerte Sache bestimmt, die F. dagegen als eine vor der Vernunft wohlgerechtfertigte Gemütserregung (Diog. L. 7, 114. 116). Man schätzt die F. auch als eine mit dem Telos verknüpfte Erscheinung (Diog. L. 7, 96). Nur der Gebildete u. Tugendhafte vermag sich wirklich zu freuen. Es gibt daher keine Schaden-F. in diesem philosophischen Sinn. Der Gebildete vermag nicht, sich über das Unglück anderer Menschen zu freuen, der Ungebildete kann nur Lust empfinden (Plut. Stoic. repugn. 25, 1, 1046 BC). F. u. Frohsinn sind Folgeerscheinungen (ἐπιγεννήματα) der Tugend (Diog. L. 7, 94). Die Tugend bleibt, die F. ist nicht beständig (ebd. 7, 98). Daher kann die F. als etwas bezeichnet werden, das nicht unbedingt zum Glück (εὐδαιμονία) notwendig ist (Stob. 2, 7, 6d [2, 77 W.-H.]).

8. Mittlere Stoa. In der Periode der mittleren Stoa stoßen wir auf eine Wandlung der Affektenlehre. Aufgrund der spärlich fließenden Quellen wissen wir, daß Panaitios die stoische Ächtung der Lust (ἡδονή) so nicht nachvollzog: Er unterscheidet zwischen einer natürlichen (κατὰ φύσιν) u. einer unnatürlichen (παρὰ φύσιν) Lust (Sext. Emp. math. 11, 73). In ähnlicher Weise scheint er in seiner Schrift περὶ εὐθυμίας (Diog. L. 9, 20) die frühstoische Zielsetzung der unbewegten ἀπάθεια durch die lebensfreudige εὐθυμία ersetzt zu haben. In dieser Heiterkeit vermag der Mensch ein harmonisches Leben in der F. an allen ihm gegebenen Gütern zu führen, wobei der Satz, daß die Tugend allein Quelle der Seligkeit sei, ausdrücklich aufgegeben wird (Diog. L. 7, 128). Ausdrücklich weisen Panaitios u. Poseidonios wie vor ihnen Akademiker u. Peripatetiker darauf hin, daß man Gesundheit, ausreichende Mittel u. Kraft benötigt. Damit wird ein realistischer Zug, der die Körperlichkeit des Menschen stärker berücksichtigt, in die grundsätzliche Betrachtung einbezogen: Es gibt eine Unbefangenheit im Genuß, die zwar niederer Art u. daher ein relatives Gut ist, aber doch ihr Recht beansprucht. M. Pohlenz stellt mit Recht fest: für Panaitios gehören außer der Tugend auch körperliche Integrität u. eine gewisse χορηγία zur Eudämonie (PW 18, 3 [1949] 434). Bei Poseidonios führt die Bereitschaft, auch von der nichtstoischen philosophischen Tradition zu lernen, an einem entscheidenden Punkt zu einer Umbildung der stoischen Affektenlehre: Er ersetzt die altstoische Vorstellung einer einheitlichen Seelensubstanz durch die platonisch-aristotelische Lehre von der Mehrschichtigkeit des seelischen Aufbaus. Er wendet sich gegen Chrysipps Herleitung des Affektes aus dem Fehlurteil (Galen. Hippocr. et Plat. plac. 4, 3 [348 M.]; 5, 1 [404f]) u. seine Definition als ‚über das Ziel hinausschießenden Trieb' (ὁρμὴ πλεονάζουσα, ebd. 4, 2f [338]). Die Affekte werden bei Poseidonios als die Bewegung der vernunftlosen Kräfte der Seele verstanden (κινήσεις τινὲς ἑτέρων δυνάμεων ἀλόγων: ebd. 5, 1 [405]; ὑπὸ τῆς θυμοειδοῦς τε καὶ ἐπιθυμητικῆς δυνάμεως γίγνεσθαι τὰ πάθη: ebd. 4, 3 [348]). Von der richtigen Erkenntnis dieser Kräfte der Seele hängt für Poseidonios die gesamte philosophische Ethik ab. Die Irrtümer der früheren Philosophen sind aus der Vernachlässigung dieser Grundlehre erwachsen. Der Gegensatz zwischen Lust u. Logos steht in einem Stufenprozeß in der Entwicklung

des Menschen. An sich ist die Lustempfindung dem zuzurechnen, wonach der animalische Teil der Seele Verlangen trägt. Im Kindesalter, wenn der kritische Maßstab des Logos noch nicht erwacht ist, erheben sich zahlreiche u. ungehemmte Leidenschaften. Darum ergeben sich alle Kinder gern den sinnlichen Lüsten. Erst im fortgeschrittenen Alter zeigt der Mensch eine natürliche Neigung zum Sittlichen, man schämt sich seiner Vergehen u. freut sich an den guten Taten (5, 5 [438]). Damit wird notwendig die F. (χαίρειν) dem Logos zugeordnet u. als eine Folge der sittlichen Entscheidung angesehen. Damit ist die F. selbst notwendig begrenzt. Es ist Tatsache der Erfahrung, daß die Weisen sich von dem Sittlichen, das sie doch für das höchste Gut halten, niemals leidenschaftlich bewegen lassen (ἐμπαθῶς κινοῦνται), weil sie weder affektvoll begehren, was sie erstreben, noch sich im Übermaß freuen, wenn sie es erlangen (4, 5 [362 f]).

9. Seneca u. die spätere Stoa. Seneca verdient in diesem Zusammenhang eine ausführliche Behandlung sowohl wegen der Ausführlichkeit der Besprechung des gaudium, als auch wegen seines Einflusses auf die christliche Tradition der altkirchlichen Zeit (vgl. Tert. an. 20). Bei ihm finden wir zunächst die alten ethischen Grundlehren vom Gegensatz zwischen F. u. Lust u. von der Gebundenheit der F. an die Tugend kräftig betont u. mit eigenen Gedanken ausgestaltet. Mit den übrigen Stoikern rechnet Seneca das Vergnügen (voluptas) zu den Lastern (vitia). Es bezeichnet nach strengem Sprachgebrauch etwas Schändliches (ep. 59, 1 f), etwas Niedriges, Sklavisches, Schwaches, Hinfälliges (vit. beat. 7, 3), Zerbrechliches von kurzer Dauer, dem Ekel Unterworfenes (ben. 7, 2, 2). Die Ursache für diese Unbeständigkeit u. Verwerflichkeit der Lust liegt darin, daß sie das Glück zum Bedürfnis macht. Die Seele hängt sich an die äußeren Gaben des Zufalls u. wird abhängig von den Umständen, die auf den Leib einwirken. Sie schwebt in Angst u. fühlt sich von allerlei Schrecken beunruhigt (vit. beat. 15, 4; brev. vit. 17, 1/3). Daher ist dem Vergnügen jeder Anteil am höchsten Gut abzusprechen. Man kann nicht so völlig Verschiedenes wie Tugend u. Vergnügen zusammenwerfen, was geschehen würde, wenn man dem Vergnügen Anteil am höchsten Gut zugestehen würde (vit. beat. 7, 1). Seneca lehnt jede Vergleichsmöglichkeit zwischen Tugend u. Vergnügen grundsätzlich ab. Die Tugend ist die Verächterin u. Feindin der Lust, sie springt vor ihrem Antlitz entsetzt zurück, sie ist eher mit Arbeit u. Pein, ja mit den Beschwerden des Mannes vertraut als mit jenem weibischen Gut (ben. 4, 2, 4). Der ganze Lobpreis des Vergnügens ist nichts anderes als ein Zugeständnis an die griechische Lebensweise (ep. 123, 6). Mit der gleichen Entschiedenheit wird die F. an die Tugend gebunden. Nur die Tugend gewährt eine dauernde u. ungestörte F. (sola virtus praestat gaudium perpetuum, securum [ep. 27, 3]). Nur dem Weisen kann sie zuteil werden (gaudium nisi sapienti non contingere [ep. 59, 2]). Dieser kategorische Lehr- u. Weisheitsstil verrät die Energie des Philosophen, der durch diese Prägnanz die Wichtigkeit dieser Thesen unterstreicht. Gegen das hedonistische Mißverständnis schützt sich Seneca mit dem bekannten Gedankengang, daß die F. zwar aus der Tugend entsteht u. darum als etwas Gutes anzusehen ist, daß sie aber dennoch kein Teil des absolut Guten sein kann, ebensowenig wie Fröhlichkeit u. Ruhe. Es sind zwar relative Güter, die eine Folge des höchsten Gutes sind, nicht aber in dem Sinn absolut, daß sie das höchste Gut zur Vollendung bringen (vit. beat. 15, 2: [bona] consequentia summum bonum, non consummantia). Aus der Einheit der Tugend, die der ältere Stoiker Ariston gefordert hatte, folgert Seneca eine ganz bestimmte Konsequenz für die Lehre von der F. Zwischen ihr u. der Geduld in den Schmerzen besteht insofern kein Unterschied, als beide auf die Tugenden bezogen sind. Ein großer Unterschied besteht darin, wie in beiden menschlichen Verhaltensweisen die Tugend ihren Ausdruck findet. Beide Verhaltensweisen des Menschen zeigen dieselbe Größe der Seele, entspannt u. fröhlich hier, kämpferisch u. angestrengt dort. Ein Unterschied besteht zwischen beiden nur in bezug auf die Mitteldinge (media), an denen als an der Materie ein u. dieselbe Tugend jeweils bewiesen wird (ep. 66, 13. 14). Neben diesen vorwiegend aus der Überlieferung aufgenommenen Gedankengängen ist nun bei Seneca auch ein neuer Ton zu finden, der bei den Stoikern bisher so nicht gehört worden war. Besonders in den seelsorgerlichen Paränesen der moralischen Briefe wird der F. als einem praktisch zu vollziehenden Lebensprozeß eine ungewöhnliche Bedeutung zuteil: Auf den Höhepunkt ist gelangt, wer weiß, worin er seine F.

suchen muß. Deshalb bemühe sich der Mensch zuallererst darum, sich zu freuen (ep. 23, 2. 3). Wahre F. ist paradoxerweise eine Sache sehr ernsthafter Bemühung (verum gaudium res severa est). Bei niemand anderem ist sie zu finden als bei dem, der mit gelöster, heiterer Miene den Tod verachtet, dem Armen sein Haus öffnet, die Vergnügungen fest am Zügel hält, dessen Sinnen dem geduldigen Ertragen von Schmerzen gilt. Die F. ist also keineswegs eine Sache schmeichelhafter Weichheit (ep. 23, 4). Der Tand, an dem der Pöbel seine Wonne hat, kann nur ein kümmerliches u. oberflächliches Vergnügen gewähren. Darum gilt es zunächst einmal, alles, was nach außen hin glänzt, beiseite zu werfen u. unter die Füße zu treten. Dann blicke man hin auf das wahre Gut u. freue sich an dem, was wirklich zum Eigentum des Weisen gehört. Freue dich an dir selbst u. dem besten Teil deiner selbst! (ep. 23, 6). Diese Überlegungen sind Seneca so wichtig, daß er sie ebenfalls in einer Definition zusammenfaßt: F. ist die Erhebung des Geistes, der sich voller Selbstvertrauen seiner wahren Güter u. Werte bewußt ist (ep. 59, 2: est enim animi elatio suis bonis verisque fidentis). Besonders charakteristisch ist in diesem Zusammenhang Senecas Anschauung von der Beständigkeit der wahren F. Lucilius wird ermahnt, er möge nicht befürchten, vieler Vergnügungen beraubt zu werden, wenn er seine Hoffnung auf die Gaben des Glückes preisgeben soll. Im Gegenteil, Seneca will dafür sorgen, daß ihn von nun an die Fröhlichkeit nie mehr verläßt (ep. 23, 3). Die älteren Stoiker hatten gelehrt, daß die F. zu den Gütern gehöre, die nicht zu allen Zeiten bleiben. Seneca jedoch formuliert, es sei das Merkmal der F., daß sie nicht wie das Vergnügen aufhören oder gar in das Gegenteil umschlagen kann (ep. 59, 2: gaudio autem iunctum est, non desinere nec in contrarium verti). Auch hier sucht Seneca, ähnlich wie bei der Lehre vom Vergnügen (voluptas), die Ursache für dies Merkmal. Wenn die Seele die Wahrheit vom höchsten Gut erkannt u. sich zur Furchtlosigkeit gegen das Schicksal durchgerungen hat, dann hat sie in sich einen festen Grund gefunden. Ganz von selbst muß ihr nun aus ihm auch jenes andere unschätzbare Gut erwachsen: die Ruhe u. Erhabenheit der Seele, die beständige Freundlichkeit u. Heiterkeit des Gemüts u. jene hohe, ja aus der Höhe stammende F., die sich an ihrem Eigentum freut u. nichts Größeres

wünscht, als was sie in sich trägt (vit. beat. 4, 4. 5). Auch wenn sich ein Hindernis in den Weg stellt, bleibt diese von der Tugend geschenkte F. wie das Sonnenlicht, das von den Wolken, die unter ihm dahinfluten, nicht überwältigt werden kann (ep. 27, 3). Im Gegenteil, die F. freut sich sogar der Gefahr, große Männer freuen sich über widriges Geschick wie tapfere Soldaten über einen Krieg (prov. 4, 4). In dem Gleichmaß seiner F. ist der Geist der Weisen dem superlunarischen Firmament zu vergleichen, in dem ewige Heiterkeit herrscht. Niemals verläßt diese F. den Weisen, denn es ist dieselbe, die ununterbrochen u. unaufhörlich die Götter wie ihre Nachahmer begleitet (ep. 59, 16, 18). Freilich bleibt jetzt die Frage offen, ob nicht die gleiche philosophische Haltung, die sich in diesem Lobpreis der F. ausspricht, auch zu gewissen Milderungen im Vergnügen geführt hat. Trotz aller bekannten grundsätzlichen Absagen braucht das Vergnügen doch nicht in jedem Fall aus dem Leben des Weisen zu verschwinden. Selbstverständlich darf es niemals Ziel des Strebens werden. Wie auf dem Saatfeld auch einige Blumen wachsen, so kann das Vergnügen, wenn auch nicht Lohn der Tugend, auch nicht ihr Beweggrund, so doch eine angenehme Zugabe sein (vit. beat. 9, 2). Hauptsache bleibt, daß die Tugend vorangeht u. die Fahne trägt; nichtsdestoweniger werden wir Vergnügen haben (vit. beat. 14, 1). Es ist die Natur, die das Vergnügen in die notwendigen Dinge hineingemischt hat, aber nicht dazu, daß wir das Vergnügen erstreben, sondern nur so, daß die zum Leben unerläßlichen Verrichtungen in unseren Augen als anziehend erscheinen (ep. 116, 3). Die Menschen wären zB. nicht so begierig nach Spiel u. Scherz, wenn diese nicht ein natürliches Vergnügen gewährten. In diesem Sinn haben auch die Gesetzgeber die Feiertage eingeführt, damit die Leute zur Fröhlichkeit gebracht werden (tranqu. an. 17, 7). Entsprechend ist über die Gaben des Glückes zu urteilen. Zwar ist nichts daran unser natürliches Eigentum, doch können auch sie erfreuen, wenn die Vernunft sie richtig gemildert u. zubereitet hat (ep. 72, 7). So trägt manches zu der beständigen Heiterkeit, die aus der Tugend entspringt, etwas bei, wenn es auch an u. für sich unbedeutend ist. Reichtum erfreut, wie bei der Schiffahrt ein günstiger Wind (vit. beat. 22, 3). Die Vergnügungsjäger berufen sich zu Unrecht auf Epikur. Sie fassen nicht den strengen, ernsten Begriff, den er mit dem Vergnügen verbindet (vit. beat. 12, 4). Seneca ist der Ansicht, daß genau betrachtet Epikur das Reine u. Rechte gelehrt habe (vit. beat. 13, 1). – Die praktisch-ethische Zuspitzung des philosophischen Problems verschärft sich noch bei Musonius. Ein kynischer Einschlag macht sich geltend, der kulturkritisch dem Sittenverfall zu wehren sucht, doch läßt gleichzeitig das wissenschaftlich-theoretische Interesse nach. Musonius' Blick geht immer wieder auf ein naturgebundenes u. von Kultur u. Zivilisation unberührtes Leben zurück, das dem Körper Kraft u. Abhärtung, dem Geist Muße u. Konzentration auf philosophische Probleme gestattet (frg. 9 [59 Hense]). Ein bukolischer, aber nicht idyllischer, sondern fast asketischer Grundzug seines Denkens macht sich hier geltend. Demgemäß wird die gemeinstoische Verurteilung der Lust (ἡδονή) zu einem bis ins einzelne konkret geführten Kampf gegen den städtischen Luxus u. die Verweichlichung verstärkt (frg. 18a [97]. 19 [108]. 20 [110. 112]). Der Mensch ist nicht zur Lust geschaffen, sondern wie jedes andere Lebewesen zur Ausübung der ihm eigentümlichen Tugend (frg. 17 [89]). Die F. erschließt sich gerade im Gehorsam gegen das von der Natur gegebene Gebot; sie ist daher durchaus spontan u. ebenso ungezwungen wie Reue u. Scham (frg. 54 [130f]). Nichts ist lustvoller (ἡδύτερον), wenn man mit Epikur sprechen will, als die Zucht, die durch die Vernunft geboten wird (σωφροσύνη), nichts notvoller als die Unmäßigkeit (ἀκρασία); vgl. frg. 24 (119f). Musonius ist also bereit, auch im Rahmen einer epikureisch klingenden Terminologie, den Vorzug der σωφροσύνη aufrecht zu erhalten. Das Entscheidende ist also für ihn nicht eine Affektenlehre an sich, sondern ihre praktische Einschärfung u. Verkündigung. – Bei Epiktet steht ebenfalls die ethische Praxis im Vordergrund. In seinen philosophischen Analysen gelingt ihm eine Aufhellung der menschlichen Situation u. der Motive einer echten Entscheidung. Ziel ist die Glückseligkeit (εὐδαιμονία), die in der Gleichgestimmtheit mit Gott besteht (ἡμᾶς συμψήφους χρὴ τῷ θεῷ γενέσθαι). Diese Glückseligkeit kann der Mensch jedoch nur erlangen, wenn sein inneres Streben u. Wollen im Einklang stehen mit den äußeren Gegebenheiten, in denen er sich befindet. Ist diese Einheit zustande gekommen, so entspringt aus ihr die F. (εὐθυμία), das innere Glück (εὔροια), der Frieden (εὐστά-

θεια), die Freiheit (ἐλευθερία). Diese Reaktionen sind ein Zeichen dafür, daß der in das Universum eingeordnete Mensch heil geworden ist. Vor allem lernt Epiktet zwischen dem, was in der Verfügung des Menschen steht (τὰ ἐφ' ἡμῖν) u. dem, was ihm entzogen ist u. im Bereich des Kosmos selbst steht (τὰ οὐκ ἐφ' ἡμῖν), zu unterscheiden; auf diese Abgrenzung beider Bereiche legt Epiktet ganz besonderes Gewicht (frg. 4 Schenkl; vgl. auch diss. 1, 1; ench. 1). Ein harter Kampf hat die Aufgabe, den inneren Bereich in Übereinstimmung mit dem äußeren zu bringen: Wie ein Sturm brechen die an den Dingen entzündeten Vorstellungen in das Innere des Menschen herein, um seine Vernunft zu überwältigen. Doch je größer der Kampf, desto tiefer der Frieden u. die Stille der Seele, die ihm als Lohn folgen (diss. 2, 18, 30). Die Ablehnung der Leidenschaften u. besonders der Lust erklärt sich dann daraus, daß diese den Menschen zu seinem höchsten u. edelsten Amt, der Herrschaft über sein Inneres, unfähig machen. Die Lust zieht die Seele zu den Gütern des Körpers herab (frg. 14 Schenkl). Das Ziel des sittlichen Kampfes besteht darin, die Lust in ihrer untergeordneten Stellung als Dienerin u. Magd festzuhalten (diss. 3, 7, 28). Dies erfordert freilich eine Einübung, die wie bei jedem Handwerk u. besonders bei den musischen Künsten uns sehr unerfreulich erscheint, deren Ausübung aber sogar den ungeschulten Laien das größte Vergnügen bereitet (diss. 2, 14, 6). Die Härte des philosophischen Kampfes kann Epiktet sogar mit dem Kriegsdienst eines Soldaten vergleichen. Das entspricht zwar nicht der Auffassung der Epikureer u. ähnlichen Gesindels, die die Lust zum Ziel erklären (diss. 3, 24, 31/7); doch wer sich auf diese Zucht versteht, kann die Erhebung wahrer F. erfahren. Nach dem Vorbild des Sokrates verhält sich ein solcher Kämpfer den äußeren Umständen wie Gefängnis, Exil, Giftbecher, Schicksal von Weib u. Kind gegenüber mit der gleichen Sorgfalt u. Kaltblütigkeit, mit der ein geübter Ballspieler auffängt u. zuspielt. Wenn ihm dies gelingt, dann entsteht in ihm die wahrhaft begründete F. (εὐλόγως χαίρειν), die ihn zugleich mit allen verbindet, die ihm teilnehmend zugeschaut hatten u. ihm nun voller F. zu seinem Siege Glück wünschen (diss. 2, 5, 18/23). Das Gut, an dem sich die Seele in dieser philosophisch begründeten F. erhebt, entspricht allein ihrer sittlichen Natur (diss.

3, 7, 7). Die F. über die sittlichen Fortschritte ist geeignet, jeden Tag zu einem Festtag zu erhöhen (diss. 4, 4, 45). Wie Sokrates will der Philosoph angesichts seines Todes den F.päan zu Ehren Gottes dichten (diss. 2, 6, 26; 4, 4, 22). Damit zeigt auch Epiktet ein starkes Verständnis für eine stoisch begründete Hochstimmung, die sowohl die innere Freiheit wie auch die ungefährdete F. in allen Widrigkeiten des Daseins bewahren kann. Er ist grundsätzlich kämpferischer als Seneca, systematischer als Musonius, u. zeigt besonders deutlich den religiösen Grundzug, der für die spätere Entwicklung der Stoa typisch ist. Vor aller Philosophie gab es das Empfinden dafür, daß F. grundsätzlich in die Geschichtlichkeit des Daseins u. in die Begegnung von Mensch zu Mensch gehört. Je mehr diese Verwurzelung im Laufe der Geschichte u. Kulturentwicklung gefährdet wird, desto stärker stellt sich der philosophische Versuch heraus, durch eine weltanschauliche u. systematische Einordnung u. Bestimmung ihr eine neue Begründung zu verschaffen. Teilweise wird sie sogar durch eine Metaphysik in das Seinsgefüge des Kosmos eingebaut, wobei ihr sogar transzendentale Züge zugesprochen werden. Sucht man die philosophische Einordnung u. Begründung zu erreichen, so stellt sich notwendig eine Spannung, oft sogar ein Zwiespalt zwischen geistiger Norm u. körperlicher Notwendigkeit heraus, an denen die philosophische Bemühung geradezu zu scheitern droht. Die Zweipoligkeit von F. u. Lust, die an sich etwas Richtiges meint, hängt mit dem grundsätzlichen Verhältnis von Geist u. Natur zusammen, bleibt aber letztlich ungeklärt. Wo F. u. Lust aus ihrer Geschichtlichkeit u. aus ihrer Gebundenheit an die Begegnung von Mensch zu Mensch gelöst werden, da verlieren sie ihre richtige Zusammengehörigkeit u. ihre notwendige Begrenzung. Wenn man die Notwendigkeit von F. u. Lust immer wieder postuliert, an u. für sich mit Recht, dann liegt nicht ohne weiteres in dieser philosophischen Feststellung auch eine Möglichkeit, F. u. Lust zu schaffen. Echte Erkenntnis ist lediglich ein Beitrag zur Ermöglichung von F. u. Lust, nicht aber ihre Herstellung. Gewisse Richtungen philosophischen Denkens sind bereit, auf F. u. Lust zugunsten des über sie hinausführenden Gutes des ‚Glückes‘ u. der ‚inneren Harmonie‘ zu verzichten. Damit wird dem Menschen eine Zielsetzung gegeben, die über die Geschichtlichkeit u. Gebundenheit an den Mitmenschen hinausführt oder hinausführen kann. Die Gefahr ist in diesem Fall eine geistige Isolierung u. eine Idealisierung des Menschseins. Die starken Imperative, die in der Spätzeit den Menschen vor dem Verfall in Materialismus u. Selbstsucht zu bewahren suchen, wenden sich meist an den einzelnen, der sich dann gegen seine Umwelt abschirmen soll; sie sind letztlich außerstande, eine neue Ordnung heraufzuführen, in der allein menschliche Bindungen, die F. u. Lust auslösen könnten, gesichert sind. Kein menschliches Phänomen ist ja so gefährdet wie F. u. Lust, wie gerade die Selbstbesinnung des griechischen Denkens zeigt.

c. Fest-F. Das Wesen der Fest-F. ist für das alte Griechentum darin beschlossen, daß sie den Göttern u. Menschen gemeinsam zuteil wird (Zeus selbst: Od. 1, 26: ἔνθ’ ὅ γε τέρπετο δαιτὶ παρήμενος; Apollo: Hom. hymn. Apoll. 146f). Hier werden uns auch die übrigen Fest-F. einzeln aufgezählt, die dem Gotte zum Genuß dargeboten werden: seiner gedenkend ergötzten sie ihn (τέρπουσιν) mit Faustkampf, Tanz u. Gesang. Hierbei ist es bezeichnend, wie diese F. des Gottes die Feiernden selbst den Unsterblichen ähnlich macht: eine besondere Kraft übt hier der Gesang aus. Das Herz erfüllt sich mit Wonne, wenn der Sänger die Töne der Himmlischen nachahmt; es gibt kein angenehmeres Leben, als wenn ein ganzes Volk ein Fest der F. begeht: ‚Siehe, das nennt mein Herz die höchste Wonne des Lebens‘ (Od. 9, 11).

1. Panhellenische Agone. Diese Annäherung u. Begegnung zwischen Göttern u. Menschen in der F. an Festmahl, Spiel u. Gesang kann sich freilich nur unter dem besonderen Schutz der Götter ereignen. Es ist darum eine rationale Verkürzung, wenn Thukydides den Perikles die Opferfeste u. Kampfspiele als die besten Vorkehrungen des Staates zur Erholung des Geistes von der Arbeit rühmen läßt (2, 38, 1). Am reinsten hat sich diese urtümliche Erfahrung von Fest-F. in den großen panhellenischen Agonen erhalten, die bis in die späte Kaiserzeit ein Sinnbild für fröhliches Treiben geblieben sind (Epict. diss. 4, 4, 24; vgl. auch die Metapher πανήγυρις ὀφθαλμῶν bei Ael. var. hist. 3, 1). In den Epinikien Pindars hat die sie beherrschende hohe Stimmung einen entsprechenden Ausdruck gefunden. Die F. ist die Folge der hervorragenden Tat des Siegers, an der sie sich ent-

zündet, doch erst die Feier, in der der Chor mit dem Liede des Dichters den Sieg verherrlicht, bringt dem Kämpfer den Glanz, der sich immer erneuert (Ol. 1, 97/100). Sie blickt auch auf die Tüchtigkeit der Ahnen, die sich heute aufs Neue erwiesen hat; doch weiß man auch, daß bleibendes Glück u. ständiger Erfolg Neid u. Schmerz mit sich führen (Pyth. 7, 17/9). Ein doppeltes Geschenk der Götter ist demnach die F.: der kontingente Sieg aus der Fügung des Zeus u. die Begnadung des Dichters durch Apollo u. die Musen, die zur Erhebung des Menschen in die Bereiche des ewigen Glückes beiträgt (Zeus: Isthm. 3, 4/10; Musen: Ol. 7, 7/11). Die poetischen Ausdrücke sind letztlich trotz allen Überschwangs realistisch gemeint: die F. hat einerseits metaphysische Begründung, anderseits ihren Sitz im Leben. Zu ihrer Erzeugung werden eigentlich keine Medien verwandt, sondern sie muß in den Geschehnissen selbst erfahren werden. Mit der religiösen u. sozialen Zersetzung der Feste verliert die Ausdrucksform der F. ihre eigentliche Verwurzelung.

2. Dionysos-Kult. Eine andere Erfahrung von F. finden wir im Bereich der griechischen u. thrakischen Dionysosverehrung. Dieser Gott ist schlechthin der F.bringer (χάρμα βροτοῖσιν: Il. 14, 325; Orph. hymn. 50, 7 [36 Quandt]; πολυγηθής: Hes. theog. 941). Der Grieche erfährt diese F. im Wein (Hes. op. 614), von dessen Genuß die ekstatische F. u. Beglückung der Mänaden aber ganz unabhängig ist. Eine besonders lebendige Anschauung bieten zur F. am Wein die beiden ersten Tage des Anthesterienfestes mit ihrem übermütigen Treiben (Aristoph. ran. 218; Athen. 11, 465 A). Der urtümliche Sinn dieser F. klingt noch in der kultischen Spendeformel nach, die bei Plut. quaest. conv. 3, 7, 1, 655 E erhalten ist: εὔχοντο, τοῦ οἴνου πρὶν ἢ πιεῖν ἀποσπένδοντες, ἀβλαβῆ καὶ σωτήριον αὐτοῖς τοῦ φαρμάκου τὴν χρῆσιν γενέσθαι. Der Begriff φάρμακον bedeutet in diesem Zusammenhang, daß der Wein als Träger einer göttlichen Potenz geschätzt wird, von der man Segen u. Heil erwartet; doch deutet die Spendeformel auch an, daß diese göttliche Kraft sich auch gegenteilig auswirken kann (Deubner 94). Noch viel dichter ist die Sprache der Poesie, wenn Teiresias feierlich bekennt: ,Im Wein ist Dionysos selbst, der Gott, in jeder Spende, die den Göttern fließt; so kommt durch ihn uns jede Gottesgabe' (Eur. Bacch. 278 ff). Der Kontext setzt voraus, daß Brot u. Wein, die

Gabe der Demeter u. des Dionysos, eng zusammengehören. Daß kultische Formeln nachklingen, ist offensichtlich (zB. auch 283: φάρμακον πόνων). Anschließend enthüllt der Seher den Mythos, der erzählt, daß das Gotteskind einst von Zeus geborgen u. gerettet wurde, dann aber die höchste Begnadung als Auswirkung der Göttergabe erfährt: das Sehertum. ,Auch Seher ist der Gott, denn er versetzt uns in einen Rausch der Selbstvergessenheit. Das macht hellseherisch, u. wenn die Seele den Gott ganz in sich aufgenommen hat, kann sie aus der Verzückung prophezeien' (aO. 296/302). Die dionysische F. empfängt einen barbarischen Zug, wenn die Mänaden oder Bakchen in ihr ekstatisches Jauchzen (εὐάζειν, Ruf: εὐοῖ, εὐάν) ausbrechen u. mit Musik u. Tanz das Bewußtsein betäuben u. den Rausch anlocken (Aesch. frg. 57 N².; Eur. Bacch. 135/69). Hier verliert der Mensch seine soziale u. rationale Begrenzung. Die F. wird enthusiastisch. Vielleicht müssen auch orphische Traditionen berücksichtigt werden, die ihre Sühnungen u. Reinigungen mit dem Element der ,Lust' (ἡδοναί), der ,Ergötzung u. des Spieles' (παιδιὰ ἡδονῶν) u. ,der Feste' (ἑορταί) nach Plat. resp. 364 B/C vollziehen lassen. Vielleicht finden wir bei Clem. Alex. protr. 17, 2 u. 18, 1 eine damit verwandte Kultlegende, die das Schicksal des Dionysoskindes u. das ,Kinderspielzeug' darstellt, das für die kirchliche Tradition zum nutzlosen Symbol geworden ist. Das ist schon die Problematik der Mysterien (τελετή, τελεταί). Die Gegensätzlichkeit zwischen erfahrener Lust u. der Teilhabe am tragischen Schicksal des Gottes wird dargestellt; die titanischen Erdelemente werden dabei überwunden u. ausgeschieden.

3. Kybele-Attis-Kult. In der ursprünglich kleinasiatischen Kybele-Attisverehrung liegt ein eindrückliches Beispiel vor, wie ein orgiastischer Vegetationskult zu einer Mysterienreligion ausgestaltet wurde. Das große Frühlingsfest, das schon in Phrygien üblich war, beging man in Rom in der zweiten Märzhälfte. Im Mittelpunkt stand der Umschwung vom 24. III., dem Tag des Blutes, zum 25. III., der im Kalender des Philokalos den Namen Hilaria trägt (CIL 12, 312). Unter Totenklage u. Tänzen, die sich bis zur Selbstverstümmelung steigern konnten, war Attis am Tage des Blutes als Sterbender, am folgenden Tage als Wiederbelebter im Sinn der Vegetation gefeiert worden. Über diesen Umschwung berichten Val. Flacc. 8, 239/42; Iul. or. 5, 168

C/D; Macrob. Sat. 1, 21, 10; Firm. Mat. err. 3, 2. Mit den öffentlichen Hilarien bleiben auch die geheimen Mysterien des Attiskultes eng verbunden. Doch verwandelt sich hier die F.: sie gilt jetzt dem Wiedergeborenen, der nach seiner Rettung aus der Unterwelt mit Jubel, Kränzen u. dem sakramentalen Milchtrank als Gott begrüßt wird (Sall. diis et mun. 4; Damasc. v. Is. bei Phot. bibl. cod. 249 = frg. 131 Zintzen). Die F. drückt nun die Gewißheit der persönlichen Errettung vom Tode aus (vgl. auch die Taurobolieninschriften CIL 2, 5260; 6, 510).

4. Isis-Osiris-Kult. Wie beim Frühlingsfest des Attis, so ist auch beim Novemberfest der Isis der Gegensatz zwischen anfänglichem Leid u. folgender F. die treibende Spannung der Handlung. Schon in den ältesten uns bezeugten Aufführungen des heiligen Dramas aus der Zeit Sesostris III (12. Dynastie) gehören Trauerfeier um den toten Osiris u. F., Jubel aller Bewohner bei der Rückführung des Gottes zu den Hauptmotiven (Gedenkstein des Ichernofret Z. 17/24; vgl. J. H. Breasted, Ancient records of Egypt 1 [New York 1906 bzw. 1962] § 669). In hellenistischer Zeit konzentriert sich die Leidenschaft der Gefühle auf den Augenblick, in dem die Glieder des zerstückelten Leichnams gefunden u. wiedervereinigt werden. Dann verwandelt sich die Wehklage in ausgelassenen Jubel (Variante: F. über das wiedergefundene Horuskind). Vgl. dazu Tert. adv. Marc. 1, 13; Firm. Mat. err. 2, 1/3; Rutil. Namat. 1, 375f; Paul. Nol. c. 19, 110/6; zum wiedergefundenen Kind: Min. Fel. Oct. 22, 1; Lact. inst. 1, 21, 20. Der Jubelruf lautet: ,Wir haben gefunden, wir freuen uns mit' (εὑρήκαμεν, συγχαίρομεν). Vgl. Sen. apocol. 13; Athenag. leg. 22; Firm. Mat. err. 2, 9; Plut. Is. 39, 366 C/F. Diese F.stimmung hat dem dritten Tag nach der Auffindung den Namen Hilaria gegeben (Philokalos: CIL 1², 334; vgl. auch die Etymologien bei Plut. Is. 29, 362 B/E). Die öffentliche F. am Fest u. die besondere F. des Mysten sind zu unterscheiden. Während das Volk in der Schilderung des Apuleius vom Schiffahrtsfest freudetrunken der Göttin die Füße küßt u. dann nach Hause zieht, bleibt der Myste im Tempelbezirk wohnen (met. 11, 17, 4; 19, 1). Ihm wird eine andersartige, doppelte F. zuteil: Die Göttin hat ihn am Festtag aus seinem unglücklichen Schicksal heraus errettet; außerdem hat sie ihn nun in der geheimen Weihe unter ihren persönlichen Schutz u.

Dienst gestellt (11, 15, 3). So kann er den Tag der Weihe als Geburtstag u. Anfang eines neuen Lebenslaufes mit Schmaus u. heiterem Gelage feiern (11, 24, 5). Der Myste hat nun die Möglichkeit, das Gottesbild ständig zu schauen u. eine unvorstellbare F. zu empfinden (11, 24, 6). Damit nimmt der Myste die Seligkeit vorweg, die er eigentlich erst nach dem Tode in der Unterwelt erfährt, wenn er die Göttin unmittelbar schaut (11, 6, 5). Der Tod, den der Myste freiwillig auf sich nimmt, ist die Voraussetzung dafür, daß er schon jetzt die jenseitige F. empfangen darf. Damit liegt die eigentliche Scheidelinie zwischen Diesseits u. Jenseits in der Erfahrung der Weihe (vgl. dazu Nilsson, Rel. 2², 664). Die Osirismysterien boten die Möglichkeit, die aus dem Sterben entstehende F. an Hand der alten Festbräuche zu konkretisieren. Hierher gehört eine bei Firmicus Maternus geschilderte Szene: in einer bestimmten Nacht wird der Gott auf seiner Bahre beklagt. Plötzlich fällt Licht in den Raum, ein Priester erscheint, salbt den Weinenden die Kehle u. murmelt ihnen das Trostwort zu: ,Seid getrost, ihr Mysten, denn erlöst ist der Gott, u. uns wird nun Erlösung aus den Leiden' (err. 22, 1). Die enge Beziehung der Mysterien zu den alten Vegetationsfesten ist nicht unwichtig. Zwar stehen sie kulturell dem bäuerlichen Leben fern, das die Gottheit in den Naturvorgängen wirksam sah, dennoch bleibt der naturhafte Ansatz erhalten, der nunmehr sakramental-metaphysisch verstanden wird. In der Hermetik tritt uns eine Form synkretistischer Frömmigkeit entgegen, die spekulativ-philosophisch beeinflußt ist. Der rechte Gottesdienst besteht vor allem im Lobgesang des Frommen, der das empfangene Heil preist (Corp. Herm. 1, 31 [1, 18 N.-F.]; 13, 18. 21 [2, 208. 209]; Ascl. 41 [2, 352/5 N.-F.]). Hier hat die F. ihren eigentlichen Ort, ist sie doch ein Ausdruck der ekstatischen Schau, in die der Myste versetzt wird (Corp. Herm. 1, 30 [1, 17]: καὶ πληρωθεὶς ὧν ἤθελον ἐξηυφράνθην). Sie kann zu den zehn Kräften gezählt werden, die den Prozeß der Wiedergeburt im Menschen vollziehen (Corp. Herm. 13, 8/10 [2, 203/5]). Diese F. in der Hermetik ist also ebenfalls metaphysischer Art. Diejenigen, die ihrer gewürdigt werden, haben damit schon die Weihe für das ewige Leben empfangen (vgl. den Schlußpsalm Ascl. 41 mit dem eindrücklichen ,gaudemus' sowie Pap. mag. Mimaut (Louvre 2391): ,χαίρομεν'.

d. F. im Gruß ‚χαῖρε'. F. ist die älteste u. allgemeinste Grußformel der Griechen (Lucian. pro lapsu 2; Eustath. 746 zu Il. 9, 197). Sie wurde zu jeder Tageszeit gebraucht, dem Freunde wie dem Fremden gegenüber, auch zur Einleitung von Tischgesprächen (Lucian. aO.). Die F., die hier gewünscht wird, kommt aus dem Segen der Götter, der ein erfülltes Leben in Glück, Wohlstand u. ungestörter Gemeinschaft schenkt (Od. 8, 408. 413; Soph. Oed. rex 596). Als die Gesetze der πόλις ihre Kraft verloren, büßte der Gruß seine frühere Stellung ein. Zur Zeit des Aristophanes galt er bereits als altmodisch, man grüßte sich damals lieber mit ἀσπάζομαι (Aristoph. Plut. 322; nub. 1145). Die philosophische Besinnung begründete ihre Ablehnung des alten Grußes damit, daß das fröhliche Glück des χαῖρε nicht das hohe Gut bedeute, das man sich gegenseitig wünschen sollte. An seine Stelle kann die Selbsterkenntnis oder die Besonnenheit treten (Plat. Charm. 164 E). Die platonischen Briefe bevorzugen die Wendung εὖ πράττειν (ep. 3, 315 B/C). Aus ähnlichen Gründen war bei den Pythagoreern das ὑγίαινε zur besonderen Grußformel geworden (Lucian. pro lapsu 5). Wenn man zur Zeit Lukians die verschiedenen Grußformeln den verschiedenen Tageszeiten u. Gelegenheiten zuwies, dann beweisen diese Unterscheidungen, daß die alte Fülle des χαῖρε den Menschen nicht mehr gegenwärtig war (Lucian. pro lapsu 1; Dio Cass. 69, 18). In der späteren Zeit tritt εὐφραίνου als Aufforderung zur F. uns oft entgegen, auch beim Festmahl. Interessant ist die Inschrift ἐφ' ὃ πάρει· εὐφραίνου auf Gläsern im syrischen Raum (Deissmann, LO⁴ 103/5), die Aufforderung zur F. u. zum Genuß des Lebens in den Epigrammen (Anth. Pal. 11, 56: πῖνε καὶ εὐφραίνου; 11, 62: εὐφραινε ‖σεαυτόν) u. ähnliche Anreden auf einigen Grabinschriften (W. Peek, Griech. Versinschriften 1 [1955] nr. 1218 f).

III. Altes Testament u. späteres Judentum. a. Vorexilische Ladeerzählung. Eine anschauliche Schilderung der altisraelitischen F. ist schon mit der Ladeerzählung verbunden (1 Sam. 4/6; 2 Sam. 6). Als die Lade Jahwes im Lager der Israeliten erschien, erhoben sie ein solches Jubelgeschrei, daß die Erde erbebte (1 Sam. 4, 5). Unverkennbar liegt in diesem Jubel der Huldigungsakt vor der Epiphanie Gottes, dessen feierlicher Name ausdrücklich vorher genannt wird. Ganz entsprechend schildert Ps. 68, 2f diesen Augenblick, in dem Gott sich erhebt u. seine Feinde zerstreut, während die Gerechten fröhlich sind u. jubeln. Ebenso herrscht die Stimmung der F. vor, wenn die Lade nach dem Sieg zurückkehrt u. vom ganzen Volk in feierlicher Prozession unter Tanz, Gesang u. Musik eingeholt wird (2 Sam. 6, 5. 14). Das Heiligtum wird nun durch diesen Einzug zu einer Quelle des Segens. Besonders altertümlich mutet eine in der LXX erhaltene Notiz an, nach der Gott 70 Mann aus den Söhnen Jechonjas erschlug, weil sie sich nicht mitgefreut hatten, als die Leute von Beth–šemeš der Lade bei ihrer Rückkehr aus dem Philisterland voller F. entgegenliefen (1 Sam. 6, 19 LXX im Unterschied zu Mas.). An der Ladeerzählung wird die Verbundenheit von Volks-F. u. Epiphanie Gottes in der Geschichte so elementar deutlich, daß man gerade hier das Typische für die Entwicklung alles kultischen Erlebens erkennen kann. Grundsätzlich dürfte die deuteronomische Schilderung der Feste am Jahweheiligtum die kanaanäische F. an den Mächten der Fruchtbarkeit umgewandelt u. aufgenommen haben. Der israelitische Bauer freut sich an allem Guten, mit dem Jahwe ihn gesegnet hat (Dtn. 12, 7. 18; 16, 15; 26, 11). Das Gute ist vor allem der ruhige Besitz des Erblandes u. die Fruchtbarkeit aus der Schatzkammer des Himmels für Acker, Mensch, Vieh, Fruchtkorb u. Backtrog (Dtn. 12, 8/10; 28, 4f. 11f). Segen u. F. sind dann Anfang u. Ende einer Bewegung, die von Gott ausgelöst wird u. beim Menschen zum Ziel kommt. Im F.mahl an der Stätte der Erwählung, beim Genuß des Überflusses an Fleisch, starkem Getränk u. allem, was das Herz begehrt, erkennt man den Erntesegen des Landes, das Gott dem Volk gegeben hat (Dtn. 12, 7. 18; 14, 26; 16, 15; 26, 11). Der soziale Zug, die nichtgesicherten Glieder des Volkes (Leviten, Witwen, Waisen) einzubeziehen, entspricht dem konkreten u. kollektiven Grundzug dieses Heilsgeschehens (Dtn. 12, 12. 19; 14, 27. 29; 16, 11. 14; 26, 11. 12f). Die F. vollzieht sich im konkreten Genuß der natürlichen Heilsgaben in der Bindung an Geschichte, Stätte u. Volk. Jauchzende Huldigung vor Jahwe (teruᶜa) u. Festtrubel voll gesteigerten Lebens (simḥā) machen das Wesen der israelitischen F. aus. Mit jubelnder Akklamation u. hymnischem Lobpreis spricht die Gemeinde ihre F. zu Ehren des Schöpfers u. Königs Jahwe aus, der durch seine Kriegstat die Erde von den Mächten des Chaos gerettet u. neu gegründet hat (Ps. 33, 1/12; 47; 68, 4f. 26f). Diese F. konzentriert sich aber auf den Zion, der als Wohnstätte Gottes ,Wonne der ganzen Erde' im Hymnus genannt wird (Ps. 48, 3. 12; vgl. 84, 3; 87, 7). Lichtglanz strahlt von ihm aus, Ströme brechen an seinem Fuß hervor, die das Land tränken, die Weiden mit Herden bedecken u. die Menschen mit Frohsinn füllen (Ps. 46, 5; 50, 2; 65, 6/14). Wir haben hier poetisch-hymnische Formeln u. Aussagen vor uns, die das Königtum Gottes im Lichte eines eigenen kultischen Schöpfungsgeschehens auffassen. Man kann diese kultisch-hymnische F., die in ihren Wurzeln durchaus vorexilisch sein kann, aus einer jahwistischen u. einer kanaanäischen Komponente herleiten. Der Zusammenschluß beider Komponenten wird durch das Königtum Jahwes hergestellt u. garantiert. Einerseits liegt eine geschichtlich-rechtliche, anderseits eine mythisch-sakrale Auffassung des göttlichen Wirkens zugrunde, deren Verhältnis zueinander näher bestimmt werden muß. Der irdische König steht nun als Schützer des Rechts im Dienst des Königtums Jahwes, um die in den heidnischen Völkern wirkenden Kräfte des Chaos der Herrschaft Jahwes zu unterwerfen. Mit kriegerischer Gewalt breitet er das Heil u. die Gerechtigkeit über das ganze Land aus, die alles zu wunderbarem Gedeihen bringen (Ps. 45, 6/8; 72, 1/17). Mit überschwänglichem Jubel wird darum der König begrüßt, wenn er in seiner Erwählung durch den Sieg bestätigt aus dem Krieg heimkehrt oder nach Krönung u. Salbung in die Stadt einzieht, um den Thron zu besteigen (1 Sam. 10, 24; 18, 6f; 1 Reg. 1, 40. 45; 2 Reg. 11, 14. 20). Der König erscheint dem Volk mit göttlicher Vollmacht ausgestattet. Vor allen anderen Menschen empfängt er den Segen Gottes, der bei ihm u. seiner ganzen Umgebung höchste F. hervorruft. So besitzt die F. einen festen Platz im höfischen Stil (Ps. 21, 2/7; 45, 3f. 7f). Eine feststehende Akklamation des Volkes besonders bei der Krönung lautet: ,Es lebe der König'! (1 Sam. 10, 24; 2 Sam. 16, 16; 1 Reg. 1, 25. 34. 39; 2 Reg. 11, 12). Sie drückt die Verbundenheit zwischen F. u. gesegnetem Leben aus. Die besonders von Greenfield durchgeführte Begriffsuntersuchung der Wurzel śmḫ vermag den allgemein-orientalischen Anteil an der atl. F. noch schärfer zum Ausdruck zu bringen. Grundbedeutung von śmḫ ist nach dem Akkad.

šamāḫu: üppig sprossen, hochsein, nach dem Ugarit. glühen, sich freuen, so daß ,hochsein, glänzen' u. ,sich freuen' im Hebräischen zusammenliegen. In den semitischen Sprachen gehen diese verwandten Bedeutungen gern ineinander über (vgl. J. C. Greenfield, Lexicographical notes 2: HebrUnCollAnn 30 [1959] 141/51 u. L. Koehler-W. Baumgartner, Lexicon in Vet. Test. Libr. [Leiden 1958] 924). Die F. ist demnach eine Äußerung gesteigerten Lebens, die deshalb notwendig ist, weil das Leben ausstrahlt u. nach außen drängt.
b. Eschatologie u. Liturgie. In weiten Zweigen der atl. Überlieferung findet sich eine bemerkenswerte Zurückhaltung gegenüber den Wortgruppen der F. (śmḫ, śimḫā) u. des Jauchzens (gîl). Diese Zurückhaltung steigert sich sogar in der prophetischen Überlieferung bis zum ausdrücklichen Protest. Die F. u. der Jubel der kultischen Tradition sind jetzt von Gott verworfen: sie stehen auf der Stufe des kanaanäischen Heidentums (Hosea), sind Zeichen einer Sicherheit u. Verstockung des Volkes, das sich der Buße entzieht (Jesaja), stehen im Widerspruch zum zerbrochenen Bund (Jeremia). Hierher gehört das scharfe Verbot Hos. 9, 1: ,Freue dich nicht, Israel, jauchze nicht wie die Heidenvölker!' Damit werden die hymnischen u. kultischen Anweisungen ungültig gemacht, die ganz selbstverständlich bisher galten. Die jauchzende F. Israels an den Erträgen seiner Kelter u. Tenne sieht wie ein Abfall in die Orgien des kanaanäischen Stierkultes aus (Hos. 10, 5). F. u. Jubel des Volkes werden durch das drohende Strafgericht Gottes abgeschnitten werden: Israel wird die Erträge seiner Ernte nicht genießen u. in der Verbannung fern von allem kultischen Segen ein kümmerliches Leben auf ungeweihtem Boden fristen (Hos. 9, 2/6). Damit verliert das Leben seine eigentliche Kraft u. die göttliche Voraussetzung echten Seins. Schon jetzt hat das große Sterben begonnen: die gegenwärtige Dürre legt große Trauer auf das ganze Leben (Hos. 4, 3). Dieser Krankheitsprozeß wirkt wie Eiter in den Gebeinen (Hos. 5, 12). Vgl. zum Ganzen P. Humbert, Laetari et exultare dans le vocabulaire religieux de l'Ancien Testament: RevHistPhilRel 22 (1942/3) 185/214. Die Einsetzung von F. u. Jubel in die eschatologische Heilserwartung wird zu einem entscheidenden Thema bei Deuterojesaja. Damit beginnt auch die Rehabilitierung der durch den

Prophetismus angefochtenen Wortgruppen ,F.' u. ,Jubel' in einem neuen Sinn für die Gemeinde. Im Mittelpunkt steht die bevorstehende Heilstat Gottes, die seine Macht unter den Heiden bezeugt, die Erneuerung von Himmel u. Erde in der Niederringung widergöttlicher Mächte u. die Rückführung des verbannten Volkes nach Jerusalem. Bezeichnend ist der Hymnus vom Auszug Gottes als Kriegsmann (Jes. 42, 10/7): Der Jubel, mit dem Israel einst den Einzug Jahwes in großer Prozession gefeiert hat, wird durch die eschatologische Erwartung überboten u. in den kosmischen Bereich übertragen, so daß alle bisherigen Maßstäbe aufgehoben werden (Jes. 44, 23; 49, 13; 55, 12). Die eschatologische F. bei Deuterojesaja ist daher der Huldigungsakt der ganzen Welt vor Jahwe, der sich durch die Erlösung Israels als ihr Schöpfer u. König offenbart hat. In der nachexilischen Zeit wird die theozentrische Ausrichtung der eschatologischen F., von der Deuterojesaja spricht, allerdings eigenartig durchkreuzt, wenn bestimmte Zionsdarstellungen u. andere kanaanäische Überlieferungen hinzutreten oder sogar das Übergewicht bekommen. Die Wiederherstellung Jerusalems wird neben dem Kommen Jahwes zum F. bringenden Ereignis. Nun erst entsteht die große F., wenn der Tempel aufs herrlichste erbaut wird u. Jerusalem in höchsten Ehren steht (Jes. 60, 5; 61, 3; 66, 10). Die Schilderung des neuen, gesegneten Lebens erinnert an die alten Verheißungen deuteronomischer Prägung (Jes. 65, 17/23). Den Höhepunkt bildet in diesem Zusammenhang, vielleicht im Anschluß an das alte kanaanäische Motiv der Vermählung Gottes, die F. u. Wonne, die Gott selbst an der Stadt haben wird (Jes. 62, 5; vgl. 65, 18f; Zeph. 3, 17).

c. Nachexilische Prophetie u. Klagelieder. Der nachexilische Tempelbau vollzog sich durchaus noch im Zeichen der eschatologischen F. u. Heilserwartung (Sach. 2, 14; 4, 7. 10), doch bringt er gleichzeitig eine geschichtliche Wende, da jetzt die kultisch-liturgische Bindung sich stärker auf das gegenwärtige Wirken Gottes umstellt. So scheint das Jubelgeschrei (terûͨā) bei der Grundsteinlegung des Tempels nach Esr. 3, 10/3 nicht dem kommenden, sondern dem in der Gegenwart wirksamen Gott gegolten zu haben. Das Werk hätte ohne seine Hilfe nicht gelingen können, daher zeigte sich in dem äußeren Erfolg die Huld Gottes über Israel (vgl. 2 Chron. 29, 36). Ohne die Gewißheit des heilschaffenden u. helfenden Gottes gibt es also für die nachexilische Gemeinde keine F. Diese Gewißheit hat ihr Gegenspiel in der Erfahrung der Gottesferne: Unruhen erschrecken dann die Bewohner des Landes, die Sicherheit des alltäglichen Lebens verschwindet, die Ernten geraten nicht (2 Chron. 15, 1/7; Mal. 3, 6/12). Wenn aber Israel seinen Gott ernstlich sucht, dann läßt er sich finden. Mit F. wird das Volk erfüllt, wenn es sich unter Jubelgeschrei u. Posaunenschall durch Eidschwur verpflichtet, von nun an dem Gesetz Gottes u. der priesterlichen Belehrung treu zu gehorchen (2 Chron. 15, 14). Hier ist also die F. Ausdruck für den geschichtlichen Vollzug der Umkehr zu Gott u. die Bestätigung für die Geltung der Tora. Wenn auf diese Weise das Verhältnis zu Gottes Bund wiederhergestellt ist, dann übernehmen vor allem die Leviten die Aufgabe, durch Gesang u. Musik der F. im Gottesdienst breiten Raum zu verschaffen (1 Chron. 15, 16; 2 Chron. 23, 18). Das erneuerte Gottesvolk empfängt soviel Erbauung aus der auf Dank u. Lobpreis gestimmten Liturgie, daß die F. sie bereit macht, die notwendigen Opfer u. Abgaben zum Unterhalt des Tempels aufzubringen (1 Chron. 29, 6/9; 2 Chron. 24, 10; Neh. 12, 44). Diese gottesdienstliche F. trägt unverkennbaren Heilscharakter u. spricht sich im hymnischen Lobpreis der ,ewig währenden göttlichen Huld' aus (2 Chron. 5, 13; 7, 3. 6; Esr. 3, 11; Ps. 136). In diesem Lobpreis erinnert sich die Gemeinde an die Wundertaten der Vergangenheit bei der Rettung aus Ägypten u. der Führung nach Kanaan, ja, sie weiß sich auch in der Gegenwart von dem Gott getragen, der die Gebete erhört, die Gemeinde trotz kultischer Unreinheit schont u. aus der Übermacht der Feinde wunderbar befreit. In der glücklichen Vollendung des Tempels u. des Mauerbaus erfährt das Volk mit großer F., daß es Gottes Wohlgefallen besitzt (2 Chron. 20, 20/30; 30, 18/27; Esr. 6, 22; Neh. 12, 43). Die F. am Heil entzündet sich also an den geschichtlich erfahrbaren Hulderweisen Jahwes an seinem Volk. Sie wird das Zeichen, daß der Sinaibund trotz Schuld u. Gericht auch jetzt noch gültig ist u. Gott von seinem Zorn ablassen will (2 Chron. 15, 15; 31, 10. 21; Esr. 10, 14). In dem Bericht Neh. 8, 7f folgen abschnittweise Verlesung der Tora, Erklärung des Verlesenen, Proklamation des Festtages, Aufforderung zur Fest-F. dicht aufeinander. Der Umschlag der Trauer zur Fest-F., mag es sich nun um den Neujahrstag handeln oder nicht, zeigt, daß der Ernst der Buße gewahrt bleiben soll, daß aber darüber hinaus die Beruhigung des Volkes u. die erneute Bestätigung des Heiles (fast im deuteronomischen Sinn) Zielsetzung des priesterlichen Handelns wird. Nach den großen Gerichten Gottes über das Volk wird die Tora als Drohwort u. Überführung der Schuld verstanden, aber auch als Zusage einer immer wiederkehrenden Gnade u. der Erneuerung des Bundes. Das zusprechende Trostwort: ‚Die F. am Herrn ist eure Stärke' (Neh. 8, 10) soll aller Niedergeschlagenheit u. Schwäche wehren u. Zuversicht auf den Heilswillen Gottes stärken. Ähnlich ist, wenn auch in anderem Stil u. in verschiedener Tendenz, die Estherlegende aufgebaut: auch hier begegnet uns die Berufung auf eine erfahrene Geschichte, die Umwandlung von Trauer zur F. als Erlebnis des Volkes u. die Einsetzung eines bestimmten Festes (Purim) als typisches Material der späteren Zeit (Esth. 8, 17; 9, 22). In den Klageliedern des einzelnen erscheint die Zeit des körperlichen u. seelischen Verfalls in der Rückschau wie ein ‚Augenblick', während die Rettung u. der aus ihr erspringende Jubel wie ein bleibendes, ewiges Geschehen gilt (Ps. 30, 5; 143, 8). Die F. ist dabei weithin kultisch bezogen, spricht also von der am Heiligtum erfahrenen Gottesnähe (Ps. 43, 3f; 73, 17. 28; 118, 15). In der Konsequenz dieses Fragens u. Erfahrens sieht der Beter, daß alles Glück im äußeren Sinn auf die Seite der Gottlosen gehen kann u. tatsächlich geht (Job 21, 7/16; Ps. 37, 7; 73, 3/12). Er muß also in dieser Not sich ganz auf Gott selbst einstellen. Da erfährt er im Heiligtum, daß nicht der gegenwärtige Augenblick, sondern das von Gott festgesetzte Ende die Lösung dieses Konfliktes bedeutet. Damit bekommt nun die F. den Zug der letzten Geborgenheit bei Gott, des Friedens als Überwindung des Konfliktes u. eines neuen Vertrauens (Ps. 16, 8f; 63, 8f; 73, 23/8). Der auf Erden empfangene Wohlstand kann gegenüber dieser letzten personhaft erfahrenen Nähe zu Gott nichts Zuverlässiges u. Beständiges mehr sein. Damit ist auch auf israelitischem Boden die äußere u. volksmäßig gebundene F. in Frage gestellt. Bei dem Übergang zum Lehr- u. Weisheitsstil, wie ihn Ps. 19 u. 119 zeigen, findet sich

eine neue vergeistigte F.: das Herz nimmt das Wort der Tora auf, bestätigt seine Wahrheit u. stimmt aufs tiefste mit ihm überein. Damit wird die Forderung des Dtn. aufgenommen u. weitergeführt (Ps. 19, 8/11; 119, 20. 24. 74. 77). Hier ist ein Einsatz gegeben, der die späteren Perioden der Schriftgelehrsamkeit u. des Rabbinates weithin beeinflußt hat.

d. Weisheitsliteratur. 1. Proverbia. In der umfangreichen Weisheitsliteratur, deren Wurzel weit in vorexilische Zeit hineinreicht, stoßen wir auf Sprichwörter, Sentenzen, Lebensregeln, die das Verhalten des Menschen im Bereich der Erfahrung u. Ordnung zu beschreiben versuchen. Dabei wirken empirische Beobachtungen mit, die sich zunächst noch nicht zu einem spekulativ geschauten Ganzen zusammenfügen lassen. Die F. erscheint dann als ins Leben gehörendes Motiv, dessen Ursachen u. Wirkungen festgestellt werden können (Prov. 12, 25; 15, 13. 15. 30; 17, 22). Damit wird der Bereich des Profanen selbständig. Von Bedeutung für das Bildungsziel des ‚Weisen' war es, daß man die F. innerhalb von Zusammenhängen entstehen sah, die sachgemäßes Verhalten u. äußeres Geschick einander zuordneten. Die F. ist in diesem Fall das Erlebnis des ‚Gerechten', der sich mit seinem Geschick grundsätzlich im Einklang befindet: seine Wünsche erfüllen sich, er erlebt Glück, seine Gebete werden erhört (Prov. 10, 28; 15, 29; 29, 6). Diese F. am irdischen Glück darf jedoch nicht eudämonistisch mißverstanden werden: ihre Herkunft aus einem umfassenden Ordnungsgefüge bringt es mit sich, daß nicht nur der einzelne Fromme, sondern alle, die mit ihm verbunden sind, an der F. Anteil empfangen (Prov. 11, 10; 28, 12; 29, 2). Nicht nur der äußere Gewinn eines gerechten Lebens, sondern die Weisheit selbst kann Gegenstand der F. werden. In dieser Weisheitslehre steht man zwar dem Leben unmittelbar gegenüber, entfernt sich aber von den Heilstaten Gottes in der Geschichte. Aus dieser älteren Erfahrungsweisheit entsteht in der nachexilischen Zeit eine spekulativ begründete neue Form des Denkens, die den Abstand zwischen Gott u. Mensch stärker betont. Zielpunkt wird jetzt das Bestreben, den Offenbarungscharakter der Weisheit herauszustellen. Hier taucht plötzlich die F. der göttlichen Weisheit auf, die bei der Schöpfung ihr fröhliches Spiel auf der Erde treibt

u. ihr Entzücken an den Menschen hat (Prov. 8, 22/31). Sie ist einerseits dem göttlichen Wirken zugewandt, anderseits bewußt auf die Menschen ausgerichtet.

2. Kohelet. Die Sentenzen von Kohelet klingen wie eine anders ausgerichtete Form der Weisheit, die eine stark polemische Tendenz hat. Weder die Ansprüche der Erkenntnis noch der Frömmigkeit können nach Kohelet F. verbürgen, weil der Weise nicht auf den Grund der Dinge stößt u. das Walten Gottes den Gerechten unverständlich trifft (Koh. 1, 13. 18; 9, 2). Reichtum kann zwar F. schenken, aber ebenso auch Verdruß bringen, so daß der Arme schließlich noch mehr vom Leben haben kann (5, 9/16). Auch der Lebensgenuß vermag keinen bleibenden Gewinn zu verschaffen (2, 1/11). Das Trauerhaus kann auf den Ernst des Todes aufmerksam machen u. damit jede falsche F. abbauen (7, 2/4). Dem Menschen ist nur zu helfen, wenn er der Nichtigkeit alles Seins standhalten kann. Fügt er sich dem Willen Gottes, der Zeit u. Umstände des Lebens festlegt, seine Gaben unterschiedlich unter die Menschen verteilt, dementsprechend auch Weisheit, Erkenntnis u. F. gibt, dann hat er auch ein neues Verhältnis zu seiner Geschöpflichkeit: es gibt kein Glück für den Menschen, als daß er esse u. trinke u. sich gütlich tue bei seinem Mühen (2, 24/6). Kohelet kennt die Möglichkeit der F. mitten in der Geschöpflichkeit des Menschseins. Dabei wird der Ernst der Geschichtlichkeit scharf gesehen u. betont.

3. Sirach. Bei Sirach ist die F. wieder an die Tora gebunden, obwohl der profane u. irdisch-konkrete Bezug des chokmatistischen Denkens nicht verloren geht. Allerdings fehlt der pessimistische Unterton von Kohelet, auch wenn Tod u. Hades nicht vergessen werden (14, 14/22). F. ist notwendig zum Leben, während Traurigkeit nutzlos u. gefährlich ist (30, 21/4). Das entscheidende Gut ist aber die Weisheit, u. daher arbeitet Sirach chokmatistisch (preisend u. lehrend) den Weg des Weisen heraus, dem Frohsinn, Ruhmeskranz u. ewiger Name geschenkt werden. Die Unverständigen dagegen werden von ihrem Lobpreis ausgeschlossen (15, 1/10). Wir haben ein hypostasierendes Denken vor uns, das die Einsicht in den Mittelpunkt stellt u. auf den Lobpreis (tehillā, αἶνος) besonderes Gewicht legt. Die Denkkategorien sind dabei noch relationsmäßig bestimmt, dürfen daher nicht

substanz- oder seinsmäßig verstanden werden. Die F. wird demgemäß entweder als Lebensgenuß oder aber erkenntnismäßig aus der Relation zur Offenbarung verstanden. Daß die Weisheit ‚erfreut‘ (4, 18), weiß die chokmatistische Tradition auch schon vor Sirach, aber es kommt ihm alles darauf an, es selbst zu erfahren, weil er die Zucht der Weisheit kennt u. ihren Anforderungen gehorsam war (Sir. 4, 11/9; 6, 18/31).

4. Sapientia. Die Sapientia steht stärker in hellenistischer Tradition. Sie unterscheidet zwischen einem geschöpflichen Sein, an dem alle Menschen in der gleichen Weise Anteil haben, u. der Verleihung der Weisheit, die alles Kreatürliche übertrifft. Sie ist nicht nur Führerin, sondern auch Erzeugerin der Güter (7, 1/12). Sie belehrt nicht nur, sondern erschafft selbst ein neues Sein. Dies neue Sein heißt ‚Unsterblichkeit‘ (ἀϑανασία, 8, 13. 17). Es kann deshalb als Erquickung, F. u. Frohsinn beschrieben werden, weil im Umgang mit der Weisheit alles Bittere u. Betrübende überwunden ist. Während die F. am Kreatürlichen ein Grundzug der bisherigen Weisheitslehre war, erscheint sie jetzt als etwas Zweites u. Abgeleitetes. Nicht mehr die Tora, sondern der ‚Geist der Weisheit‘ tritt in den Mittelpunkt der Betrachtung (7, 7. 22/30). Dabei wollen die hellenistischen Kategorien sich doch nicht von der Torafrömmigkeit lösen, da die Auseinandersetzung zwischen Israel u. dem Heidentum, zwischen Gerechtigkeit u. Abfall vom Gesetz durchgeführt werden muß. Der Götzendienst ist ein Mißverständnis der Schönheit u. Größe der Schöpfung u. ihrer Gaben. Die F. an der Schöpfung u. an ihren Gaben wird nun nicht mehr von der Weisheit erwartet, sondern von den leblosen Bildern, die keine wirkliche Kraft haben (13, 17/9; 14, 20). Diese Verkehrungen führen zu Lustbarkeiten, die das Leben zerstören (14, 23/8; 15, 5). Verkehrung der Vernunft u. der schöpfungsmäßigen F. hängen also ineinander. Die Hellenisierung der Chokma in der Sapientia führt notwendig auch zu einer spiritualisierten Auffassung von F., obwohl die geschöpfliche Seinsdeutung keineswegs vergessen ist. Allerdings kennt die Sapientia auch ältere eschatologische Stoffe, die das Schicksal des Gerechten u. der Gottlosen in der Verschiedenheit ihrer Denk- u. Lebensformen gegenüberstellen. Hier ist die Antithese zwischen kurzer Leidenszeit u. der Hoffnung auf Unsterblich-

keit dem Genußleben ohne Segen u. bleibenden Bestand gegenübergestellt (2, 6/15; 3). Hier bekommt die Chokma eine andere Färbung: entscheidend ist die Gerechtigkeitslehre, die auf alle irdische F. zugunsten der göttlichen Bestimmung zur ‚Unsterblichkeit' verzichten kann. Hier fehlt auch die spiritualistisch gefärbte Geistlehre der späteren Kapitel. Wir haben zwischen palästinischer Tradition u. hellenistischer Interpretation zu unterscheiden.

e. Philo. Mit Philo setzt eine neue metaphysisch u. spekulativ ausgerichtete Denkweise ein, die trotz des atl.-exegetischen Ansatzes tief in den Hellenismus vorstößt. Grundsätzlich gilt für Philo, daß Gott allein sich freuen kann: Er ist glücklich, vom Bösen gelöst, reich an vollkommenen Gütern, er feiert ein unaufhörliches Fest. Im Gegensatz zu ihm ist das Menschengeschlecht voller Trübsinn u. Furcht, wegen der Begehrlichkeit der Seele, der Gebrechlichkeit des Körpers u. der Wechselfälle des Schicksals. Aus Güte u. Freundlichkeit gönnt jedoch Gott dem Menschen Anteil an der F., indem er ihn etwas von der Fülle seiner Güter genießen läßt (Abr. 202f; spec. leg. 2, 52f; Cherub. 86; somn. 2, 174). Nur die Schlechten bleiben von den immateriell begründeten F. ausgeschlossen (spec. leg. 2, 49; leg. all. 2, 247; ebr. 223; mut. nom. 169). Diese metaphysische Grundauffassung der irdischen Existenz ist also dualistisch-begrifflich, jedenfalls nicht mehr im eigentlichen Sinn geschichtlich konstruiert. Gott gibt nach Philo Anteil an seinem Wesen auf zwei verschiedenen Stufen. Auf der niedrigen Stufe geschieht dies noch gebunden an die materielle Welt. Die heilige Siebenzahl garantiert hier die Bezogenheit auf die Harmonie eines jenseitigen Reiches. Sie ist der Urgrund aller festlichen F. innerhalb der kosmischen Sphäre, insbesondere des jüdischen Festkultes (v. Moys. 2, 211; dec. 161; spec. leg. 2, 156. 214). Die Seele wird durch solche Fest-F. von sündigen Leidenschaften gereinigt u. über die leibliche Erquickung hinaus zur philosophischen Betrachtung der Welt geführt (spec. leg. 1, 191/3; 2, 214; vgl. 193f). Eine unaussprechliche Wonne empfindet sie, wenn das Auge die harmonischen Bewegungen der Gestirne anschaut, deren Umdrehungen wohlgeordneten Tänzen nach dem Rhythmus einer vollkommenen Musik gleichen (opif. m. 54; Abr. 164; spec. leg. 1, 322; 2, 52; 3, 189). Auf diese Weise entsteht noch im Bereich des Leiblichen ein Verlangen nach geistiger Schau. Alle, die von ihm erfaßt sind, werden in einen Zwischenzustand versetzt: es bleibt ungewiß, ob sie das Ziel erreichen werden, da dies die Erwählung Gottes bestimmt (leg. all. 3, 47; quod deus s. imm. 3, 90). Dennoch kosten sie in Hoffnung u. Vor-F. aus der Ferne von dem wahren Gut (post. Cain. 21). Auch die Erwählten müssen unter Umständen ein solches Übergangsstadium durchlaufen (leg. all. 3, 86; mut. nom. 164). Dies Übergangsstadium ist von einer bestimmten Dialektik zwischen überwundener sinnlicher Lust u. zu erfahrender geistiger F. gekennzeichnet: Abrahams Gesicht bleibt beim Empfang der Verheißung finster, obwohl in seiner Seele schon das innere Lachen Isaaks entsteht; denn an sich ist die Kreatur haltlos u. leidvoll, der einzige Grund der F. liegt in Gott (mut. nom. 154/6). Dies weist darauf hin, daß die Leidenschaften absterben müssen, wenn die Glückseligkeit empfangen werden soll (spec. leg. 2, 54; Cherub. 8). Aus diesem Grund schmeckt die Weisheit denen bitter, die noch an sinnlichen Genüssen F. finden (post. Cain. 155; congr. erud. gr. 161/9). Es liegt in der Natur der höheren Sphäre begründet, daß diese sich nicht ohne weiteres dem Menschen erschließen darf. Für Philo ist es eigentümlich, daß diese Unzugänglichkeit nicht nur mit der Jenseitigkeit Gottes u. dem menschlichen Unvermögen erklärt wird: die Offenbarung kann bei ihm in Anlehnung an die biblischen Texte den Ereignischarakter der atl. Gotteserscheinung widerspiegeln. Damit hängt es zusammen, daß die auf die Gottesoffenbarung gerichtete höhere F. vielfach ihre geschichtliche Eigenart in verwandelter Form festzuhalten vermag: sie war nicht von vornherein in der Welt gegeben, sondern kam erst zu einem bestimmten Zeitpunkt auf die Erde herab. Dies geschah mit der Geburt Isaaks (mut. nom. 157). Dreimal selig wird Abraham gepriesen, weil Gott es nicht verschmäht hat, zu ihm zu kommen u. Wohnung bei ihm zu nehmen; denn der Gipfel der Seligkeit ist Gottes Gegenwart, der die Seele mit seinem unkörperlichen Licht erfüllt (quaest. in Gen. 4, 4. 8. 18 zu Gen. 18, 3. 6f. 14). Auf dieselbe geschichtliche Weise entsteht seitdem die F. an Gott in den Erwählten: Plötzlich erscheint Gott in seinem Logos u. bringt der Seele eine unerwartete, alles übertreffende F. (somn. 1, 71; vgl. Abr. 80). Größe der Gabe u. ihre Bestimmung als Gnadengeschenk entsprechen einander. Philo offenbart die göttliche Abstammung der in Isaak verkörperten F. als ein nur Eingeweihten vorbehaltenes Mysterium. Isaak ist mehr als ein Mensch, nämlich ein Sohn Gottes, mit dem Gott etwas von sich selber schenkt (leg. all. 3, 219; quod det. pot. insid. 124; mut. nom. 131). Diese F. ist die eigentliche Berufung des Weisen (plant. 167f; quis rer. div. her. 315). Sie ist das beste Hochgefühl, die schönste u. vollkommene Tugend. Gott schenkt sie nur solchen Seelen, die völlig zur Ruhe gekommen sind (Abr. 201; praem. et poen. 31f; mut. nom. 131; quod deus s. imm. 154). In der F. feiern sie, befreit von allen Leiden des Menschengeschlechtes, täglich das Fest Gottes (spec. leg. 2, 48/51; sacr. Abel. et Cain. 111; vgl. spec. leg. 4, 141; quis rer. div. her. 6). Diese geistige F. ist geradezu ekstatisch geschildert, eine nüchterne Trunkenheit, die geistige Güter in sich aufnimmt. Trotz aller atl. Formung u. Begrenzung der Motive liegt es nahe, an eine hellenistische Geistfrömmigkeit zu denken, die in der Nähe u. im Abstand zu den Mysterien steht. Die Anschauung der F. als Geschenk Gottes entspricht nicht der stoischen Auffassung, obwohl Philo öfter den stoischen Begriff εὐπάθεια zur Definition der F. heranzieht (plant. 36; mut. nom. 1; 131; Abr. 201; praem. et poen. 31f). Dieser Begriff, der in der Stoa eine relativ untergeordnete Rolle spielt, erfährt so bei Philo eine deutliche Aufwertung. Die Verbindung zum jüdischen Chokmatismus darf nicht übersehen werden, doch schlägt Philos Denken weithin in eine metaphysische Ideologie um.

f. Josephus. Flavius Josephus geht grundsätzlich von dem hellenistisch verstandenen AT aus, legt aber philosophische Leitmotive in sein Verständnis von Gott, Welt u. Geschichte, die für die geistesgeschichtliche Krise, in der er steht, symptomatisch sind. Im Bellum werden wir drei verschiedene Komplexe voneinander zu unterscheiden haben. Der Erfolg im Kriegsgeschehen löst in beiden Heeren F. u. Jubel aus. Bei den Zeloten klingt aber seine Schilderung so, als liege in ihrem Jubel u. Gesang ein Zeichen der Verblendung u. des Übermutes (2, 554; 5, 120; 6, 17), während bei den Römern letztlich die militärische Zucht bewahrt bleibt u. sie sich der ‚Bundesgenossenschaft Gottes‘ rühmen können (6, 403; 7, 318f). Politisch, ja metapolitisch ist die F., die in entscheidenden geschichtlichen Stunden der Begegnung mit

den Flaviern verdankt wird. Bei der Proklamation des Vespasian zum Kaiser, bei seinem Einzug in die Hauptstadt, beim Erscheinen der drei Flavier anläßlich der Heimkehr des Titus, geht eine Welle der F. in das Volk über (4, 617/20; 7, 68/71. 120. 126). Der Ausdruck ‚göttliche F.‘ (δαιμόνιος χαρά) beim Einzug der drei Flavier zeigt eine Art Höhepunkt in diesem Geschehen an (7, 120). Metaphysisch bestimmt ist die F. in der Neufassung der Eschatologie des Bellum. Hier findet man zunächst die Vor-F. des Gerechten, der auf ein besseres Leben im Jenseits wartet (1, 653; 2, 153; 3, 231; 7, 417/9). Hier dürfte eine hellenistisch-jüdische Tradition zu Worte kommen. Dazu tritt aber, von Josephus stark hervorgehoben, die dualistisch bestimmte Seelentradition, die mit der Loslösung vom Leib u. dem Aufstieg der Seele in den Äther eine besondere Seligkeit erwartet (2, 155; 7, 349. 351/7. 358). Sie erhält durch Josephus ein besonderes Pathos u. klingt wie eine Enthüllung, die die besten Geister der verschiedenen Lager vereint u. die jüdische Apokalyptik überwindet. In den Antiquitates setzt Josephus die LXX-Tradition mit einer philosophischen εὐδαιμονία-Lehre in enge Verbindung, um den für ihn wichtigen Grundsatz, daß allein die Tugend Glückseligkeit verbürgt, am Stoff der Geschichte Israels nachzuweisen. Das wird schon in der Paradieserzählung deutlich, wo Adam sich des Umgangs mit Gott erfreut (ἡδόμενος τῇ πρὸς αὐτὸν ὁμιλίᾳ), dann aber diesen Vorzug verliert. Es war Gottes Absicht, dem Menschen ein glückseliges Leben, unberührt von allem Bösen, zu schenken (1, 45f). Umgang mit Gott u. Genuß der Güter sind also die Grundelemente dieser εὐδαιμονία. Die F. (ἡδονή) ist daher in den Oberbegriff der εὐδαιμονία einbezogen. In der Geschichte Israels erfüllt Gott seine Verheißungen, wenn Israel gehorsam ist. Es ist der letzte Sinn der mosaischen Gesetze, dem Volk den Weg zur Glückseligkeit zu bahnen (3, 88. 99; 4, 178. 180). Die Adamtradition zeigt also die grundlegende Bedeutung der Absicht Gottes, während die Mosestradition den besonderen Weg Israels unter Voraussetzung dieser göttlichen Absicht enthüllt. Nicht unwichtig ist der kleine Zug, daß sowohl beim Auftreten des Moses am Sinai in 3, 75/93 wie auch Johannes des Täufers in 18, 118 die F. zur Wirkung des göttlichen Wortes gehört (vgl. das gleiche Problem im Testim. 18, 63: τῶν ἡδονῇ τἀληθῆ δεχομένων). Es handelt sich also um die spezielle F. an der Offenbarung. Die Sinaioffenbarung bleibt aber grundlegend. Das Problem bleibt offen, ob der ἡδονή-Begriff bei Josephus hellenistisch-kultische oder philosophische Züge hat. Die jüd. Gesetze u. das auf ihnen aufgebaute Staatswesen haben öffentlichen Charakter u. sind gerade nicht esoterisch bestimmt wie die Mysterien der ‚anderen‘ (c. Ap. 2, 188f); für Josephus ist das hellenistisch-kultische Empfinden vielschichtig u. nicht mysterienhaft im engeren Sinn.

g. Jüdische Apokalyptik. Die jüd. Apokalyptik denkt bei der zukünftigen Zeitenwende an eine Umwandlung des Kosmos u. des Lebens des einzelnen, zunächst im Anschluß an die älteren Heilstraditionen (vor allem der orientalischen Königsideologie). Den Höhepunkt bildet allerdings dann der Einbruch dualistischen Denkens mit der Unterscheidung zwischen dem gegenwärtigen u. dem zukünftigen Äon, damit verbunden die Umwandlung des Menschen (vor allem bei der Auferstehung bzw. Verklärung in eine himmlische Existenz). Altertümlich wirken die Verheißungen der Psalmen Salomos über die Vereinigung der Stämme u. das Auftreten des Messias in der Heilszeit; charakteristisch der ‚Jubel über ihren Gott‘ im Bild der eschatologischen Sammlung Ps. 11, 3, die Seligpreisung auf die Menschen der Heilszeit in Ps. 17, 44; 18, 6 u. der Segen des Messias mit Weisheit u. F. in Ps. 17, 35. Auch in dieser pharisäischen Erwartung ist das ältere kultische Motiv der F. ganz in den eschatologischen Heilsbegriff hineingestellt. Jub. 23 schildert einen eschatologisch bestimmten Geschichtsabriß: einst wird die Umkehr des Volkes kommen u. mit ihr die Rückkehr zur Fülle des Lebens wie einst in der Zeit der Patriarchen. Die Tage der Menschen beginnen zuzunehmen, u. man lebt alle Tage ‚in Friede u. F.‘, ‚in Segen u. Heil‘. Das Schauen des eschatologischen Heiles schließt auch hier das Danken u. Jubeln in sich. Die kultische F., die hier mit dem Festzyklus u. den Zeitperioden verbunden ist, ist eine Vorstufe für die eschatologische Lebensfülle, in der Friede u. F. eine unlösliche Einheit werden.

1. Qumrantexte. In der Qumranliteratur begegnen zwei Formen eschatologischer F.: Die eine ist gegenwärtig u. auf den Heilsvollzug bezogen, den der Mensch erfährt, wenn er in die Gemeinde eintritt: ‚deinen Namen zu loben im gemeinsamen Jubel u. zu ver-

kündigen deine Wunder vor all deinen Werken‘ (1 QH 3, 23; 11, 14). Der Fromme stellt sich das Heilsgeschehen vor Augen u. kann sich des Wandels erfreuen, der ihn aus den früheren Nöten u. Sünden heraushebt: ‚In meinen Nöten hast du mich getröstet, an deinen Vergebungen freue ich mich u. bereue die frühere Sünde‘ (1 QH 9, 13. 24). Die Heilsverkündigung erinnert deutlich an Klänge der prophetischen Botschaft: ‚. . . denen, die zerschlagenen Geistes u. für die Trauernden zu ewiger F.‘ (1 QH 18, 15; vgl. Jes. 61, 1/3. 7). Daneben findet sich die Erwähnung der F., die die zukünftige Erlösung schenkt. Eine Kette fester Heilsbegriffe gliedert sie ein, wenn die Zeit der Heimsuchung beschrieben wird: ‚Erkenntnis u. Gerechtigkeit werden aufleuchten nach allen Enden der Welt, immer heller, bis zum Ende aller Zeiten der Finsternis. Zur Frist Gottes wird aufleuchten seine erhabene Größe für alle Zeiten der Ewigkeit, zu Frieden u. Segen, Ehre u. F. u. langem Leben für alle Söhne des Lichts‘ (1 QM 1, 8f). Zwei Stufen der Heilsvollendung werden hier voneinander unterschieden: das ‚Aufleuchten‘ von Erkenntnis u. Gerechtigkeit sowie Größe Gottes für alle Zeiten. Zur Epiphanie Gottes gehört, daß die Herrschaft des Frevels niedergezwungen u. die Herrschaft Michaels u. Israels aufgerichtet wird: ‚Da freut sich das Recht in den Himmelshöhen u. alle Söhne seiner Wahrheit jauchzen in ewiger Erkenntnis‘ (1 QM 17, 8). Das Heil ist also kosmisch u. universal gedacht, wenn es sich vollendet, u. ganz entsprechend wird auch die F. umfassend gedacht. Sie ist das Zeichen des Sieges u. der Vollendung. Alle Heilsbegriffe sind in Qumran durchaus realistisch u. charismatisch verstanden. Das gilt auch für die eschatologische F.; durch sie wird der eschatologische Sieg Gottes bestätigt. Nach dem Endsieg Michaels kommt der messianische F.bote, der Gutes verkündet, zu Zion, der Gemeinde u. proklamiert: ‚Dein Göttlicher (’ĕlōhǣhā) ist König‘ (11 QMelch Z. 16. 24). Die prophetische Botschaft Deuterojesajas wird hier in einen andersartigen apokalyptischen Rahmen gestellt, wobei Michael mit Melchisedek identifiziert wird (A. S. Van der Woude, Die messianischen Vorstellungen der Gemeinde von Qumrân [Assen 1957]).

2. Test. XII. In den Test. XII haben wir eine typische Weiterbildung des apokalyptischen Heilsgutes vor uns, dessen Verwirklichung in der Epiphanie messianischer Gestalten u. vor

allem der Auferstehung erwartet wird. Das Auftreten des neuen Priestertums führt einen kosmischen Umbruch herauf: Himmel u. Erde jubeln, auch die Engel freuen sich (Test. XII Levi 18, 5). Alle messianischen Weissagungen erfüllen sich, wenn diese neue Weltzeit alle Lebensverhältnisse umwandelt. Damit werden auch die Väter in das Heil einbeschlossen (Test. XII Levi 18, 14). Daß die Väter auferstehen, ja, daß sogar ein fester Stil der Selbstaussage entsteht: ‚Ich werde mit Frohlocken auferstehen‘ (Test. XII Sim. 6, 7; Test. XII Zab. 10, 2), gehört zur eschatologischen Gewißheit. Ein besonderes Gewicht hat die chokmatistisch bestimmte Paränese: der ‚Gerechte‘ lebt einfältig, in Frieden u. F., nicht in dem Bereich der Werke Beliars u. der bösen Geister, schon jetzt auf Erden getröstet, aber ausgerichtet auf die Auferstehung. Wichtig ist die Absage an das Vergnügen u. an falsche F. (Test. XII Juda 13, 6; 14, 1 f; Test. XII Benj. 6, 2f). Theologisch liegt zwar das Schwergewicht auf der Eschatologie, ethisch dagegen auf der präsentischen Verbundenheit mit Gott: ‚Es wohnt der Herr in ihm, der seine Seele ihm erleuchtet, u. er macht allen Menschen stetig F.!‘ (Test. XII Benj. 6, 4). Die F. ist ein Zeichen der Gerechtigkeit, der Absage an das Böse u. die Erregung, Ausdruck der Heilsgegenwart. Die ethische Paränese ist aber, trotz der starken präsentischen Aussagen, nicht von den eschatologischen Voraussetzungen zu lösen. Friede u. F. dürfen weder als bloße Haltung noch als Stimmung mißverstanden werden.

3. Äth. Henoch. Im äth. Henoch gilt, daß Friede, Licht u. F. zusammengehörige Heilsbegriffe sind (5, 7), die von der Deutung des eschatologischen Heiles selbst abhängig sind. Dabei kann dieses Heil irdisch konkret, aber zukünftig oder jenseitig andersartig, also verklärt dargestellt werden. Die irdisch konkrete Schilderung des Heiles im zukünftigen Sinn ist geistesgeschichtlich älter. Typisch ist die Weissagung vom Lebensbaum (Hen. aeth. 25, 1/7): es wird der Lebensbaum an den heiligen Ort, in den Tempel des Herrn, umgepflanzt u. den Gerechten übergeben werden. Sie freuen sich u. betreten mit Fröhlichkeit diese heilige Stätte u. werden ein längeres, gesegnetes u. von Trübsal befreites Leben führen. Hier haben F. u. Fröhlichkeit eschatologisch-kultische Züge. Anders ist die Schilderung des jenseitigen Heiles der Geister der Gerechten in Hen. aeth. 103, 1/4: Alles Gute,

F. u. Ehre stehen für sie bereit, u. ihr Los ist besser als das der Lebenden. Sie werden leben, sich freuen u. fröhlich sein. Entscheidend ist hier der Übergang aus dem Diesseits ins Jenseits, aus dem Tod in die Unvergänglichkeit. Der Akzent der eschatologischen Erwartung liegt ganz auf der transzendenten Verwandlung, auf der F., wie die Engel des Himmels sie haben (104, 4). Auch in diesem Fall steht das Heil innerhalb der Gerechtigkeitslehre: Der Sünder ist ausgeschlossen u. dem Gericht überliefert. Die Tendenz der Sapientia, das irdische Leben u. die jenseitige Verwandlung gegeneinanderzuhalten, tritt jetzt in der spekulativen Apokalyptik in der gleichen Weise hervor.

h. Rabbinische Tradition. Für die rabbinische Tradition ist Grundsatz, daß die F. an den Gaben Gottes entsteht u. daß sie als solche an die Gegenwart Gottes gebunden ist, die mit diesen Gaben verbunden ist. Letztlich entsteht die F. daher an Gott selbst. In diesem Sinn denkt man zunächst an die F. aus der Tora, aus den Heilstaten Gottes in der Geschichte u. in der Zukunft, u. aus der kultischen Feier der Feste. Im Anschluß an Cant. 1, 4 führt der Midrasch aus: ‚Wir finden unsere F. in dir, o Gott, in deiner Hilfe, in deinem Gesetz, in der Ehrfurcht vor dir‘ (R. Abin). Noch älter ist die rabbinische Feststellung, daß Israel die Herrschaft Gottes am Sinai mit F. annahm (Mech. zu Ex. 20, 2). Die Gabe der Tora u. die mit ihr gegebene Herrschaft Gottes wurden von Israel mit F. angenommen; diese F. ist geradezu das Kennzeichen Israels. Der Gedanke verändert sich, wenn im Lobpreis zum Glauben die F. als Lohn dafür empfangen wird, daß man die Gebote Gottes auf sich nimmt (Mech. zu Ex. 14, 31). Gemeint ist, daß die F. aus dem Gehorsam Israels entspringt, aber unmittelbares Geschenk Gottes bleibt. Man unterscheidet seit alters die F. am Studium u. an der Erfüllung der Gebote. Seit Jesus Sirach u. der späteren tannaitischen Zeit weiß man in der Fortsetzung der chokmatistischen Tradition, daß die Tora Spenderin von Glück u. Leben ist (Ab. 6, 7). Damit ist das Lernen als Voraussetzung des Lehrens u. des Ausübens gemeint. Diese F. an der Tora, also im Studium u. im Gehorsam, ist eine Überwindung der Trägheit u. der Trauer, des bösen Triebes u. der Leichtfertigkeit: sie ist eine Schule u. Erziehung des ganzen Lebens (Ab. 3, 13; 6, 5; Tos. Demai 2, 3; b. Ber. 31 a). Die Auseinandersetzung zwischen gebotener F. u. natürlichem Lebensgenuß entsteht vor allem exegetisch durch die Auseinandersetzung mit Kohelet, polemisch durch die Ablehnung des Heidentums bzw. des hellenistischen Lebensgenusses u. der asketischen Ausrichtung jüdisch-sektiererischer Gruppen. In tannaitischer Zeit kommt es zu einer Kontroverse zwischen der Schule Hillels u. der Schammais, ob das Buch Kohelet als kanonisch anzusehen ist oder nicht (Edujot 5, 3). Die Gefahr in der Anweisung zur F. Koh. 11, 9 könnte in der Zügellosigkeit liegen, gegen die schon die mosaische Tradition Stellung nahm. Man könnte an hellenistische Einflüsse des Epikureismus denken, die sich auf das Buch Kohelet beziehen konnten (vgl. J. Levy, Wörterbuch 3, 106: ‚minuth‘). Die Annahme von Kohelet durch die Rabbinen war nur durch bestimmte Interpretation u. Einschränkung seiner Anweisungen möglich: die bejahte F. wird als F. am Gebot verstanden, jede von ihr losgelöste Hingabe an illegitimen Lebensgenuß wird abgelehnt (b. Schabbath 30 b; Koh. r. zu 2, 24; 3, 12; 5, 17; 8, 15; vgl. auch das Hagiographentargum). Daneben gibt es auch Stimmen, die grundsätzlich zur Lebens-F. auffordern u. eine asketische Beschränkung als gefährlich, ja als Sünde bekämpfen. Aus amoräischer Zeit stammt b. Erubin 54 a: Das Gebot zum Studium u. zum Lebensgenuß treten hier nebeneinander auf, wobei der Hinweis auf das Verlassen dieser Welt die Wichtigkeit des Ausnutzens dieses Lebens verstärkt. Dazu paßt die Polemik in b. Taan. 11 a: ‚Wer im Fasten verweilt, heißt ein Sünder‘. Gemeint ist, daß man das Übermaß u. die Ausdehnung des Fastens ablehnt, denn es gab ja Männer u. Gruppen des Fastens. Form u. Stil dieser Aussage sind also bewußt so scharf wie möglich. Man kennt die Notwendigkeit, das Leben als besonderes Geschenk Gottes zu schützen u. zu nutzen: ‚Jeder muß einmal Rechenschaft über alles ablegen, was er mit dem Auge gesehen hat, ohne davon zu genießen‘ (j. Kidd. 4, 66d). Man darf wohl annehmen, daß diese antiasketischen Stoffe sehr alt sind u. ursprünglich in die Gruppenpolemik hineingehören. Auch in der Zeit nach 70, als man die Lebensfreude des Volkes wegen der Katastrophe einzugrenzen versuchte, fehlte es nicht an Stimmen, die das Übermaß der Trauer u. des Fastens ablehnten (bābā' bāterā' 60 b; Sota 3, 4). Es liegt für das jüd. Empfinden nahe, in der Hochzeits-F. nicht nur einen Spezialfall, sondern den Höhepunkt der menschlichen Lebens-F. schlechthin zu sehen. Das hebr. simḥā kann daher geradezu die Hochzeits-F. u. Hochzeitsfeier bezeichnen (Dtn. r. zu 31, 14 u. aram. ḥedwā b. Gittin 68 b). Gott ist es, der nach dem Hochzeitssegen Bräutigam u. Braut so erfreut, wie er einst seine Geschöpfe im Garten Eden erfreut hat (b. Keth. 7 b, 8 a). Die kultische Fest-F. u. die F. an der eschatologischen Erlösung sind an sich gesamtjüdisch u. älteren Ursprungs, doch werden auch sie in die lehrmäßige Überlieferung des Rabbinates hereingezogen. Man weiß sich durch die Art der F. vom Heidentum getrennt. ‚Aber mit Israel verhält es sich nicht so: Wenn du ihnen Festtage gibst, dann essen u. trinken sie u. freuen sich, gehen in die Synagogen u. Lehrhäuser u. vermehren die Gebete‘ (Jalkut Schimeoni 1 § 782 zu Num. 29, 35). Das Gebot dient also dazu, die Besonderheit der Fest-F. Israels herauszustellen u. die Abgrenzung gegenüber der Außenwelt zu vollziehen. Es schafft für den, der gehorcht, die auf Gott unmittelbar bezogene F., macht aber der schöpfungsmäßigen u. welthaften F. ihr Recht nicht streitig. Es gibt eine ausführliche Diskussion aus tannaitischer Zeit, die sowohl der auf Gott gerichteten Hingabe wie auch der welthaften Zielsetzung des Festes ihr Recht bestätigt (b. Pes. 68 b; b. Beza 15 b). Der Unterschied zwischen der Gegenwart u. der Zukunft wird in der rabbinischen Zeit deshalb scharf gezogen, weil man sich der menschlichen Bedrückung bewußt ist, die der Erfüllung der Verheißung im Wege steht. Nach einem älteren Midrasch entsprechen die geschichtlichen Danklieder den jeweiligen Drangsalen, denen Israel ausgeliefert ist, während die eigentliche Verheißung der Wonne, der F. des neuen Gesanges, der neuen Weltzeit vorbehalten sind (Ex. r. 23 zu 15, 1; Cant. r. zu 1,5).

B. Christlich. I. NT u. nachapostolische Zeit. Die ntl. Fragestellung schließt bestimmte Grundprobleme in sich: 1) Wie sind die aramäischen bzw. hebräischen Überlieferungen vor dem synoptischen Text einzusetzen (zB. in den lukanischen Geburtsgeschichten)? 2) Wo liegt der Ursprung der εὐαγγέλιον-Wortgruppe: in der atl.-apokalyptischen Heilserwartung oder in der hellenistisch-orientalischen Missionspredigt? Der auf jeden Fall anzunehmende Entwicklungsprozeß hat auch seine Auswirkungen auf das Verständnis von Heil u. F. Zwischen der ursprünglichen proklamatorisch knappen Aussage u. einer doxologischen Aussage der Christologie muß ebenfalls unterschieden werden. Die ‚F.', von der das Urchristentum spricht, gehört auf jeden Fall in die Substanz des Heiles, darf nicht als Stimmung oder psychologische Auswirkung anthropologisch verstanden werden. 3) Von Wichtigkeit ist das Verhältnis zwischen dem pneumatisch-enthusiastischen Ursprung der F. u. ihrer kultisch-gottesdienstlichen Entfaltung. Die soteriologische Einheit von Heil, Heilsbotschaft u. F. geht über in den kultischen Bereich von Lobpreis, Gebet u. Ausdruck des Jubels. 4) Dieser Heilsprozeß der F. steht in Spannung zur heillosen Anfechtung in der Passion, wird aber auch in der Passion nicht völlig zerstört, sondern durch Akklamation u. Eucharistie, vor allem aber durch den Charakter der Ostererzählung in eine neue Form verwandelt, so daß gerade in dieser grundsätzlichen Verbundenheit von Anfechtung u. Überwindung ein typisches u. charakteristisches Element des Urchristentums wiederzufinden ist.

a. Täuferüberlieferung u. Vorgeschichte Jesu. Schon in der Täuferüberlieferung haben, ganz ähnlich wie in anderen apokalyptischen Strömungen, die prophetische Unterweisung, das Zusammenkommen des Volkes u. die Heilszusage F. hervorgerufen (Jos. ant. 18, 118: ἥσθησαν; Joh. 5, 35: ἀγαλλιαθῆναι). Nach Josephus liegt hier ein messianischer Zug vor, der das Eingreifen des Landesfürsten zur Folge hat. Das Scheltwort Jesu dagegen besagt, daß der eschatologische Grundcharakter der ἀγαλλίασις vom Volk zeitlich begrenzt mißverstanden wird. Wir haben wohl kaum an einen profanen Charakter dieser ‚F.' zu denken, sondern an geformte Hymnen eschatologischer Art (anders Bultmann). Eine Heilsweissagung aus Täufertradition liegt vielleicht in Lc. 1, 14 vor, hymnisches Gut in 1, 46. 68f (Lobpreis, Danklied). Jedenfalls ist ein Heilsereignis unmittelbar mit der Formung dieser Stoffe verbunden, u. in der F. u. im Jubel nimmt die glaubende Gemeinde an diesem Geschehen Anteil. Proklamation im strengen Sinn ist die Ansage des Engels Lc. 2, 10f, wobei man an eine knappe hebräische Grundlage (Zweizeiler) denken könnte, die durch den christologischen Zusatz (erklärende Glosse) hellenistisch erweitert wurde (vgl. W. Förster: ThWb 7, 1015). Die F. ist hier ganz altertümlich in das Heilsgeschehen selbst hineingenommen, das angekündigte

Kind ist Retter Israels. Dieser von Lukas vorgefundene Stoff ist typisch für die entscheidende Verbundenheit von Ereignis, Proklamation u. F.: sie ruft eine Bewegung hervor, die in ihren verschiedenen Auswirkungen dargestellt wird. Dabei ist der Stoff betont judenchristlich, auf das Volk u. die ‚Stadt Davids' ausgerichtet. Auf jeden Fall ist die knappe Formulierung proklamatorischer Aussagen im Urchristentum von besonderem Gewicht: sie entspricht am besten dem ursprünglichen Verständnis des Evangeliums. Christologische Interpretamente lehrhafter Art treten gelegentlich hinzu, haben aber wohl ursprünglich einen anderen Ursprung. Ist eine hebräische Grundlage unseres Textes anzunehmen, dann darf die hellenistische Interpretation in der Diaspora nicht übersehen werden. Auch Mt. 2, 10 nimmt das Element der F. in die Entstehungsgeschichte auf: es bereitet dann die Huldigung vor dem angekündigten Messiaskind vor. Das messianische Zeichen bringt eine Bewegung hervor, die Herodes u. das ‚ganze Jerusalem' in Erschütterung bringt. F. im Heil u. Erschütterung im Gericht treten damit einander gegenüber.

b. F. als Heilserwartung. In der Belehrung Jesu Mc. 2, 19f (Bild vom Bräutigam u. von der Hochzeit) u. Mt. 11, 4/6 (Beschreibung der Heilszeichen nach Jes. 35, 5; 61, 1) spiegelt sich die eschatologische Stunde wider, die den Menschen die Gaben der Erlösung schenkt. An diesen entscheidenden Stellen zeigt sich, daß die eschatologische Stunde ausschließlich an der Person Jesu hängt u. diese prägt. Die Heilswirkungen sind zwar konkret u. anschaulich, bleiben aber Zeichen für das umfassende eschatologische Heil u. die Besonderheit einer einzigen geschichtlichen Stunde. In beiden Fällen liegt eine Abgrenzung gegen das Selbstverständnis der Täufertradition vor. Daß die Sendung Jesu bestimmten Menschen (den Armen, den Hungernden, den Weinenden) zugesprochen wird, zeigt, wie stark der Scheidungscharakter der Botschaft auch den Empfang der F. bestimmt (vgl. Lc. 6, 20f Seligpreisungen; 6, 24f Weherufe). Die F. steht auch hier innerhalb der prophetisch-messianischen Zusage Jesu, ist aber an die zeitliche Spannung von Gegenwart u. Zukunft gebunden. Wie stark die F. geradezu der Grundzug der Bewegung ist, die aus der Berufung u. Erwählung hervorgeht, zeigt das gewagte Bild Mt. 13, 44 (ἀπὸ τῆς χαρᾶς). Die Gleichnisse Jesu, seine Teilnahme an den

Mahlzeiten der Sünder u. seine dringliche Aufforderung, sich an der Berufung der Sünder
mitzufreuen, stehen unter dem gleichen beherrschenden Gesichtspunkt, daß dort, wo
die Gottesherrschaft anbricht, eine Bewegung
der F. entsteht, die das Verhältnis zu Gott
umgestaltet u. die Beziehung von Mensch zu
Mensch erneuert. Wir haben hier eine ähnliche Struktur vor uns wie in der Täuferbe-
wegung, doch ist es falsch, dieses eschatologische Heilsgeschehen als Stimmung oder als
Kultelement herauszustellen, wie es gelegentlich geschieht. Es offenbart sich als Erfüllung
u. Wiederherstellung. Entsprechend ist die
Beteiligung Gottes an diesem Heilsgeschehen:
er freut sich, wenn das Verlorene in die Gemeinschaft des Heils zurückkehrt (Mt. 18,
13 f; Lc. 15, 23 f. 32). Auch die Pharisäer sind
aufgerufen, den Bußruf an die Gesetzlosen
mit F. anzunehmen, weil auch hier Gott unmittelbar am Werke ist. Der Lobpreis Gottes
begegnet als Jubelruf in dem ursprünglich
aramäischen Logion Mt. 11, 25 f; Lc. 10, 21 f:
der Ratschluß Gottes, die Ungebildeten anzunehmen, die Weisen u. Verständigen dagegen auszuschließen, wird von Jesus anerkannt u. mit F. bestätigt. Für die Entwicklung der Lehrtradition besonders wichtig ist
der doppelte Klang in der Abendmahlsüber-
lieferung Mt. 14, 18 f; Lc. 22, 14/8: Das An-
teilgeben am Leiden u. Sterben steht hier
neben der Aussicht auf die eschatologische
Vollendung u. das zukünftige Mahl im Reiche
Gottes. Beide Motive stehen nicht im Gegensatz zueinander, vor allem auch im Hinblick
auf die jüd. Passahtradition u. die Abschieds-
mahle der Väter. Das Anteilhaben am Leiden
u. Sterben ist Heil u. Segen Gottes selbst. Verbindet man das letzte Mahl Jesu mit der
Passahtradition, dann hat die Hoffnung auf
die messianische Erlösung nicht gefehlt
(Mech. zu Ex. 12, 42: ‚In dieser Nacht wurden
sie erlöst u. werden sie erlöst‘; vgl. die Interpretation des Hallel). Auf jeden Fall wird die
F., die aus der Bußbewegung entsteht u. die
in besonderen Situationen sich der unmittelbaren Nähe Gottes versichert, typisch für die
Jesustradition u. ihren eschatologischen Charakter sein.

c. F. u. Festideologie. Tatsache ist, daß mit
der Bildung der palästinischen Urgemeinde
auch eine Neuformung des F.geschehens eingesetzt hat; ob sie aber unter ähnlichen Gesetzen steht wie in der älteren Jesusbewe-
gung, läßt sich schwer ausmachen. Man bricht

gemeinsam in den Häusern das Brot u. empfängt die Speise ‚unter Jubel u. in der Einfalt des Herzens‘ (Act. 2, 46). Um diesem Zusammenhang gerecht zu werden, wird man
zunächst von der israelitisch-jüdischen Festideologie zu Passah u. zu Pfingsten ausgehen
müssen. Die ursprünglichen Berichte von
Auferstehung Jesu u. Geistausgießung sind
zunächst nicht mit dem F.element verbunden;
u. doch erhalten die täglichen Mahlzeiten der
Urgemeinde diesen Charakter des ‚Jubels‘.
Die Passahtradition erwartet das messianische
Eingreifen u. die Erlösung. Die Erscheinungen des Auferstandenen können diesen Zug
aus der Passahtradition verstärkt haben.
Auch das jüd. Wochenfest kann als Feier der
Tora eschatologische Kraft u. Bedeutung annehmen (vgl. Dtn. 16, 10/2: F. am Wochenfest;
Bundeserneuerung in QJub. 6, 17; 14, 10.
14/20; vgl. vor allem die Schilderung Philos
dec. 32 f, die verwandte Züge zur lukanischen Pfingsterzählung hat). Allerdings ist
diese Ableitung der urchristlichen F. aus der
jüdischen Festideologie nicht ganz ohne exegetische Schwierigkeiten (vgl. dazu Reicke
201 f). Man müßte annehmen, daß dieser
Enthusiasmus zwar aus der Festideologie herzuleiten ist, daß er sich aber dann von ihr
loslöst bzw. selbständig macht. Die Mahlzeiten in den Häusern erhalten auch weiterhin ‚festlichen‘ Charakter u. tragen die
Erwartungen von Passah u. Wochenfest
weiter (vgl. dazu die essenischen Mahlzeiten
als Parallele). Man könnte auch annehmen,
daß die Erscheinung des Erhöhten bei den
Ostermahlen messianisch-eschatologische Züge auslöste (Cullmann 18 f). Bestand der
Jubel in Gebetsrufen, Akklamationen u.
prophetischer Offenbarung, dann lag in ihm
ein wichtiges Element für die Entwicklung
der urchristlichen Geistfrömmigkeit. Die
Übersetzung ‚ausgelassene F.‘ (Cullmann 18)
trifft nicht den Kern dieses Begriffes, obwohl vielleicht die Auswüchse in Korinth
(1 Cor. 11, 21) nicht außer acht gelassen
werden dürfen. Berücksichtigt man allerdings, daß für die lukanische Darstellung die
Geistausgießung Höhepunkt u. Abschluß
der Erscheinungzeit ist, dann wird die Besonderheit der Pfingsttradition bei der Erklärung von Act. 2, 42 nicht auszuschließen
sein. Die eschatologische Bundeserneuerung
steht vielleicht doch hinter der lukanischen
Erzählung.

d. Paulinische Stoffe. Um die paulinischen

Stoffe richtig einzuordnen, wird man zwischen älteren allgemeinen Traditionen u. seinen persönlichen Überzeugungen u. Konfessionen zu unterscheiden haben. Innerhalb der hellenistischen Gemeinde sind die Klänge der ‚F.‘ u. des ‚Geistes‘, des ‚Rühmens‘ u. ‚Dankens‘ keineswegs verstummt, sondern stark ausgebildet. Die erfolgte Umkehr bleibt eine Begegnung mit allen diesen Ausdrucksformen der Umformung des Lebens durch die frohe Botschaft. Es kommt alles darauf an, diese nur in der Umkehr geschenkte Umformung des Lebens festzuhalten u. zu bewähren. Damit ist eine neue Lösung des alten Menschheitsproblems nach dem Grund, dem Sinn u. dem Ziel der F. gegeben. Sie liegt nicht mehr in der natürlichen Beschaffenheit des Menschseins u. des Lebens, auch nicht mehr in der Wiederkehr der Feste, sondern in der Bereitschaft, sich in die eschatologische Berufung einzufügen. Liegt in der hellenistischen Missionspredigt des Paulus die Aufforderung zur Neugestaltung des Lebens, so wird die ‚F.‘, der ‚Geist‘, der ‚Ruhm‘, der ‚Dank‘ zum eigentlichen Grundmotiv u. Ziel dieser Neugestaltung. Exegetische, gottesdienstliche, ethische Aussagen stehen dabei dicht nebeneinander. Ekstatische Einflüsse fehlen ebenfalls nicht u. verraten sich in Akklamationen, Gebetsrufen u. Offenbarungsworten. Doch vollzieht sich Schritt für Schritt eine Loslösung von allem Enthusiastischen unter der kritischen Normierung der Kreuzespredigt. Steht das Christsein in der Spannung zwischen Gegenwart u. Zukunft, so ebenfalls auch der Prozeß der ‚F.‘, des ‚Geistes‘, des ‚Ruhmes‘ u. der ‚Danksagung‘. Vor allem das Kyriosbekenntnis löst bei dem hellenistischen Christentum die ‚F.‘ aus: Der Kyrios schenkt das Heil u. führt zur eschatologischen Gemeinschaft, er steht aber gleichzeitig vor der Tür u. zieht zur Verantwortung. Das Schwergewicht liegt auf der Zukunft, die auf dem Spiel steht (Phil. 4, 4f). Da das Wort mit dem Heilsgeschehen identisch ist, vollziehen sich alle Prozesse der Erlösung auch in den charismatischen Wirkungen, die vom Evangelium ausgelöst werden. Aber diese charismatischen Wirkungen sind nicht anthropologisch zu mißdeuten: sie bleiben im Umkreis des Evangeliums allein wirksam. In diesem Sinn kann der Apostel wie vorher auch die apokalyptische Tradition charismatische Gruppen entsprechender Begriffe nebeneinanderstellen, in denen die ‚F.‘ einen festen Platz hat (Gal. 5, 22; Rom. 14, 17). Das, was das Evangelium schenkt, ist gleichzeitig eine Aufforderung zu einem bestimmten menschlichen Verhalten. Bezeichnend ist für Paulus, daß er, wenn er von F. spricht, immer das Angefochtensein des Christen vor Augen hat. Auch seine apostolische Existenz, die beispielhaft das Christsein darstellt, kann die F. nur unter Leid, Not u. Anfechtung darstellen (1 Cor. 4, 9/13; 2 Cor. 6, 1/10). Die alte jüdisch-urchristliche Überzeugung, daß der Leidende im Hinblick auf die zukünftige Herrlichkeit schon jetzt jubeln kann, findet sich auch bei Paulus immer wieder (Rom. 5, 2; 8, 18). Sie hat aber nicht die Aufgabe, seine theologische Konzeption zu tragen, sondern kritisch abzusichern u. abzuschließen. Das Evangelium ist nicht deshalb F.botschaft, weil es auf die zukünftige Erlösung hinweist, sondern weil es die F. in sich schließt. An diesem Punkt steht der Apostel durchaus im Rahmen der gesamten urchristlichen Entwicklung. Gegenüber der Anfechtung, die die Möglichkeit hat, das menschliche Leben in Leid, Not u. Tod zu verwandeln, ist dieser alte judenchristliche Satz unentbehrlich, zumal eine naive u. unkritische Verwendung ursprünglich messianischer u. apokalyptischer Motive die theologische Kritik des Apostels ständig herausfordert. Auch für Paulus ist das apokalyptische Denken unentbehrlich: Die Hoffnung auf die Entlassung aus der Verantwortung für sein missionarisches Werk u. auf die Überwindung des Angefochtenseins treibt ihn ständig zurück in apokalyptisch bestimmte Aussagen. Allerdings ist der Nachweis nicht möglich, daß Paulus seine Parusieerwartung an die Passahtradition, seine Aussage über den Geist an die Ideologie des Wochenfestes gebunden hat. Diese historische Frage ist für die Auseinandersetzung mit dem palästinischen Urchristentum von Belang. Passahmotive formen seine Betrachtung des Leidens Christi, Elemente der Bundeserneuerung bestimmen sein Geistverständnis. Es bleibt aber die Frage offen, ob er die hellenistischen Gemeinden an die ‚Festideologie‘ gebunden hat. Näher liegt in der Exegese die andere Erklärung, daß die Freiheit vom Gesetz den Fest- u. Sabbatjubel aufgelöst hat u. auch hier der Abstand zu den palästinischen Gruppen erkennbar wird. Dann würde Paulus polemisch alle F. auf den Glauben an den Kyrios Jesus konzentriert haben, um einen kritischen Maßstab gegenüber den Ansprüchen des halachisch bestimmten Judenchristentums zu haben. Auch in der Auseinandersetzung mit den korinthischen Schwärmern, die Weisheit u. Erkenntnis in den Mittelpunkt ihres Verständnisses des Christentums gestellt haben, finden wir zwar eine Abwehr ihres unkritischen Selbstverständnisses, aber keine klare Ableitung ihres Enthusiasmus. Freiheit, Vollmacht, Selbstruhm in den hellenistischen Gemeinden, die alle Grenzen des Gesetzes bewußt sprengen, stehen noch in einem Zusammenhang zu dem älteren apokalyptisch-messianischen Enthusiasmus u. den daraus erwachsenden Äußerungen des Jubels u. der F. (Reicke 266/93). Die Gnosis in heidenchristlichen Gemeinden, die sich gegen das Judentum wendet, hat doch bestimmte Überzeugungen aus älteren palästinischen Bewegungen übernommen. Spricht Paulus vom Abendmahl, dann treten Erwartungen der älteren ,Festideologie' zurück (1 Cor. 11, 23), auch die Züge des messianischen Jubels u. der F., dafür tritt der Opfertod Jesu, sein Herrentum u. seine richterliche Vollmacht stärker hervor (1 Cor. 11, 26/34). Der Empfang des Geistes in der Taufe, die Begabung mit ekstatischen Erfahrungen, die Auseinandersetzung zwischen Geist u. Fleisch bilden bei Paulus einen wichtigen Komplex seines Verständnisses vom Evangelium, aber der Abstand vom jüdischen Wochenfest u. seiner ,Festideologie' ist doch bezeichnend.– Ein neuer Durchbruch des Jubels u. der F. vollzieht sich aber im Umkreis seiner missionarisch-apostolischen Erfahrung u. im Umgang mit seinen Gemeinden. Hier, in der Konkretion seines Werkes, das ihn unmittelbar mit dem Schaffen Gottes, mit der Gegenwart des erhöhten Herrn u. mit der Verantwortung für seine Gemeindeglieder verbindet, entsteht eine neue Aussage: die Gemeinden sind ,seine F., sein Kranz u. sein Ruhm' (1 Thess. 2, 19. 20; Phil. 4, 1). Man wird diese Stoffe aus dem Wissen der unlösbaren Verbundenheit, der Abgrenzung gegen andere Ansprüche, der Bereitschaft zur eschatologischen Verantwortung zu verstehen haben. Die missionarische Verkündigung hat hier ein einzigartiges Verhältnis geschaffen, das allerdings ständig bedroht ist u. verteidigt werden muß. Obwohl echte theologische Kritik diese Form des Rühmens immer wieder in Frage stellt, führt der Apostel dies Selbstzeugnis gegen alle falschen u. unkritischen

Maßstäbe durch. F. ist für Paulus eine eschatologische Gabe Gottes, die seine Heilsabsicht bezeugt u. darum auf ein dem Menschen gesetztes Ziel hinweist; sie ist im tiefsten Sinn unenthusiastisch u. nüchtern, steht auch innerhalb der Paränese u. sucht in alle Bezirke des Menschseins einzudringen. Sie hat auch die Kraft, alle Bedrängnisse deshalb zu überwinden, weil sie von Christus u. dem neuen Äon her bestimmt ist.

e. Joh.-Offenbarung. Die apokalyptischen Stoffe der Offenbarung zeigen, daß der endgültige Sieg Gottes vorbereitet wird durch vorlaufende Proklamationen u. göttliche Ankündigungen, die durch Lobpreis u. Danksagung formal erweitert werden können (11, 15. 18; 12, 10; 19, 2. 6). Diese Proklamationen u. Ankündigungen finden sich vor allem in den hymnisch bestimmten Zwischenstükken, die paränetische Bedeutung haben. Mit dem Jubel u. der F. wird in der Zeit der gegenwärtigen Bedrängnis der Blick auf die endgültige Erlösung gelenkt (12, 12; 18, 20; 19, 7). Dieser eschatologisch bestimmte Jubel umfaßt Himmel u. Erde, ist aber auf einen bestimmten Augenblick ausgerichtet. Es ist also keineswegs so, als wenn das ganze Christsein, das ja in einer einzigen Art des Bedrohtseins steht, von diesen Proklamationen u. Ankündigungen aus verstanden werden könnte. Die dringliche Aufforderung zum Wachsein u. Aushalten schließt Motive der eschatologisch bestimmten F. durchaus in sich, wird aber zunächst als Ausdruck einer Kampfsituation zu betrachten sein. Während das Evangelium ursprünglich in der Form einer Proklamation verkündet wurde, sind jetzt Proklamationen, die den apokalyptischen Endsieg Gottes ankündigen, in den größeren Rahmen der didaktischen Weissagung paränetisch eingeschoben.

f. Joh.-Evangelium. In den Traditionen des vierten Evangeliums liegen zwei Schichten des F.verständnisses vor: in der älteren steht die Vorstellung von der eschatologisch-präsentischen Erfüllung im Vordergrund. Der Zeuge nimmt Anteil an dem eschatologisch-präsentischen Heil u. bekennt sich zu ihm durch den Ausdruck der F. (3, 29: Joh. der Täufer; 8, 56: Abraham). Zeigt Gott Abraham die Zukunft des Messias, dann freut sich der Erzvater über die eschatologische Erfüllung (ähnlich Strack-B. 2, 526 im Anschluß an b. Sanh. 38 b). Die früheren u. späteren Boten werden durch die F. der eschatologischen Erfüllung zusammengeschlossen (4, 36). In allen diesen Aussagen liegt noch ein zeitgebundenes messianisches Element, das sich aber in ein neues Heilsverständnis einbaut. Besonderes Gewicht hat die Vorstellung der ‚vollkommenen F.‘, die auf die Fülle Gottes hinweist; aber auch hier schwingt das jüdisch-messianische Element noch mit: die ‚Fülle‘ ist das Zeichen der eschatologischen Vollendung (Bultmann, Joh. 387f). Schwieriger ist die Entfaltung der Stoffe aus den Abschiedsreden: Das Kreuz, die Auffahrt, die Sendung des Geistes u. die Wiederkehr Jesu sind auch für Johannes zeitlich unterschiedene Prozesse, u. doch sind sie durch ihre eschatologisch bedingte Denkform miteinander verbunden. Jedes Ereignis trägt das Element der eschatologischen ‚Vollendung‘ in sich u. schafft auch ‚Vollendung‘ u. ‚Fülle‘. Das Heil vollzieht sich in zwei Stufen: Zuerst ist es in der Geschichte Jesu eschatologisch-präsent gegenwärtig, wird aber dann von den Jüngern nach Ostern endgültig aufgenommen. Erst in der Parusie als einem zeitlichen Ereignis werden sie völlig, auch leiblich, in das eschatologische Heil hineingenommen (14, 2; 16, 20/4). Von dieser grundsätzlichen Konzeption wird nun auch das Verständnis der ‚F.‘ bestimmt (14, 28; 15, 11; 17, 13). ‚F.‘ ist nicht nur Ausdruck einer eschatologischen Bestimmtheit (vgl. Bultmann, Joh. 449: ‚Ein Woran der F. wird nicht angegeben; denn die eschatologische F. hat kein angebbares Woran‘). Auch für das vierte Evangelium ist die eschatologische F. objektbezogen auf ein eschatologisches Ereignis (14, 28; 20, 20). Das eschatologische Ereignis ist anschaubar, aber nicht anschaulich. Es bleibt Ereignis, wird aber kein Zustand. Grundsätzlich ist die Betonung des zeitlichen Elementes im Heilsgeschehen unterschieden von dem zeitlichen Bestimmtsein der Mysterien (Festruf am dritten Tag der röm. Isisfeier; der 25. III. im Attiskult). Die zeitliche Determinierung der Mysterien ist kultisch u. zyklisch bedingt, bei Johannes dagegen ist sie ein Ausdruck für die Geschichtlichkeit des Heiles. Man hat den johanneischen Begriff der ‚F.‘ aus dem Schicksalszusammenhang zwischen Meister u. Jünger, Vorgänger u. Nachfolger bestimmen wollen (Joh. 15, 1/16, 4). Die Nachfolge vollzieht sich dann vor allem im Leiden u. Sterben des Jüngers, der dann durch den Sieg über die Welt in die F. seines Meisters hineingezogen wird (vgl. Gulin 2, 59f u. Exkurs 67/71). Da-

mit wird zwar ein wichtiges Element christlicher Existenz getroffen, aber zu eng ausgelegt. Johannes denkt bei der ‚erfüllten F.‘ in 15, 11 u. 17, 13 nicht nur an die dem Märtyrer verheißene Erfüllung. Das Besondere des NT besteht in der Vergeschichtlichung der apokalyptischen F. des Judentums. Dabei wird diese Vergeschichtlichung zunächst als Vergegenwärtigung bei Jesus gemeint, während die spätere Überlieferung weithin von der paradoxen Situation des Christseins ausgeht, in der das gegenwärtig zugesagte Heil mit dem Angefochtensein u. der Geschichtlichkeit des Menschen in Spannung u. in Gegensatz steht. Die F. wird bei Jesus ausschließlich in die Durchführung seines Auftrages gelegt, während die spätere Entwicklung das eschatologische Phänomen der F. u. die paradoxe Situation des Christseins neu bestimmen muß. Das Problem der geschichtlich vollzogenen F. innerhalb der menschlichen Existenz (das in der griech. Philosophie so betont gestellt war) wird durch die urchristliche Lösung insofern tangiert, als ein neuer Weg des Menschseins gefunden wird, der aus einer bestimmten Grenzsituation der Geschichte stammt. Auch das Christentum würde nicht zugeben können, daß die F. ein Existentiale der menschlichen Struktur sei.

II. Gnosis. Voraussetzung für das Verständnis der Gnosis ist ein metaphysisch gedeutetes Heilsgeschehen, das grundsätzlich die Bindungen der irdischen Existenz sprengt. Zentral ist ein bestimmter, geradezu ekstatisch zu nennender Erkenntnisvorgang, der die vorgegebenen orientalischen Bildtraditionen in einem neuen Sinn verwandelt. Schon die spekulative Weisheit befand sich auf diesem Weg der Umbildung alter orientalischer Bildtraditionen; die Gnosis selbst liefert, an ihrem dualistischen Grundcharakter erkennbar, einen eigenen Beitrag in dieser religionsgeschichtlichen Entwicklung. Vor allem die präsentischen Aussagen des christlichen Heiles werden geradezu notwendig in diesen Strom hineingezogen; werden sie ‚gnostisch‘ verstanden, müssen sie ihre ursprüngliche zeitliche Bestimmtheit aufgeben. In den Oden Salomos haben wir Hymnen vor uns, die den Empfang der Erkenntnis durch einen Lobpreis beantworten. ‚Er ließ mein Herz aufsprudeln, u. es befand sich in meinem Munde u. ist aufgegangen auf meinen Lippen. Und groß wurde auf meinem Antlitz der Jubel über den Herrn u. sein Preis. Halleluja' (Od. Sal. 21, 8f). Der Beter spricht in immer neuen Wendungen von seiner Erkenntnis, die ihn völlig umgewandelt hat u. ihn nun zu diesem Lobpreis drängt, der Ausdruck seines Jubels u. seiner F. wird. Die vollzogene Umwandlung läuft auf diesen Lobpreis zu. Der Vorgang ist ekstatisch u. geradezu mythisch gedeutet, nicht eigentlich spekulativ. Das Sein ist nicht mehr geschichtlich, sondern naturhaft aus dem göttlichen Pneuma verstanden; Jubel u. F. tragen die Spuren dieses Wandels. ,Und von oben her schuf er mir unvergängliche Ruhe, u. ich wurde wie das Land, das sproßt u. über seine Früchte frohlockt' (Od. Sal. 11, 12). Hier ist von einem Aufstieg die Rede, bei dem die Torheit des Irdischen zurückgelassen wird. Es vollzieht sich eine Umwandlung, die den Beter in eine neue Seinsform verwandelt. Ruhe u. Fruchtbarkeit sind Bilder der Schöpfungstradition, die hier aber nicht apokalyptisch, sondern transzendent - soteriologisch verstanden werden. In diesen Heilsgütern ist der Beter zum Ziel gekommen u. bekundet dies durch seine F. ,Die F. gehört den Heiligen, u. wer soll sie anziehen außer ihnen allein ?' (Od. Sal. 23, 1). F., Gnade u. Liebe sind in diesem Eingang zur Ode charakteristische Merkmale eines einheitlichen Heilsgeschehens. Nur der Kreis der Erkennenden u. Erwählten darf diese himmlischen Gaben empfangen. Die F. ist zur ontologischen Bestimmung des neuen Menschen geworden u. behält transzendente Züge. Vergleicht man die Oden mit den Hodajoth, dann zeigt sich, daß die Hodajoth auf die überstandene Not u. das damit empfangene Heil zurückblicken, die Oden auf die Ablegung aller irdischen Fesseln u. den geschenkten Aufstieg. Das Motiv der F. findet sich in den Oden, wenn auch in umgewandelter Form, stärker. In dem ,Unbekannten altgnostischen Werk' (GCS 45, 335/67 Schmidt-Till) wird die F. zu einem spekulativen Urelement, das in der Mitte zwischen einem unanschaulichen Ursein u. der Entstehung des kosmischen Seins seinen Ort hat. Beachtenswert ist, daß diese F. nicht auf die Entstehung des kosmischen Seins ausgerichtet ist. Ein anderer wichtiger Mythos spricht von der Begabung des Vorvaters mit den Kräften u. der Neugeburt seiner Geschöpfe. Diese Soteriologie, die in die Sphäre eines himmlischen Seins erhebt u. aus der Welt der Materie befreit, wird nun zum Anlaß einer neuen

F. Diese gnostische F. ist eine himmlische Begabung u. Verwandlung des menschlichen Seins, die durchaus naturhaft gedacht ist. Sie erinnert an die Sprache u. Denkformen der hellenistisch-orientalischen Mysterienreligion.

III. Frühchristl. u. patristische Literatur. a. Apostol. Väter. Die hellenistische u. gnostische Frömmigkeit hat es durch ihren Rückgriff auf Ritus u. Mythus, auf mystische u. spekulative Zugänge zur F.erfahrung an sich leichter, ein entsprechendes Heil sicherzustellen als das Christentum, das in dem Wechsel von Zeit u. Geschichte ein eschatologisches Phänomen bewahren soll. Da das Heilsgeschehen durch Passion u. Anfechtung hindurchführt, ist das mit ihm verknüpfte Element der F. nicht auf die präsentische Erfahrung angewiesen, sondern tritt zugunsten der zukünftigen Verheißung zurück. Die Paradoxie zwischen Kreuz u. Ostern hält soweit wie möglich die präsentische F. lebendig, ist aber bereit, in die apokalyptische Erwartung zurückzukehren. Hier liegt das grundsätzliche Problem des eschatologischen Phänomens. Im Orient u. im Hellenismus schließen F. u. F.losigkeit letztlich deshalb einander aus, weil sie zuständlich gedacht sind, während das Christentum in seinem geschichtlichen Heilsverständnis beides, sowohl F. wie Geschiedenheit von der F. ineinander schließen kann.

1. Ignatius. In der syr. Kirche haben wir ein vom Geistverständnis getragenes Christentum vor uns, das von daher starke Impulse der F. empfängt. Hier ist nicht nur das lukanische Schrifttum, sondern auch das Denken des Ignatius ein wichtiges Zeugnis. Die Einheit der Gemeinde u. die Gesamtheit ihrer Glieder sind für den Bischof unaufgebbar; sie sind die Voraussetzung für den Vollzug der Gemeinschaft. In Eph. 9, 2 sieht er die Gemeinde als Weggenossen u. Träger göttlicher Geheimnisse auf einer Art Prozessionsstraße, die das Heil öffentlich darstellt. Er selbst jubelt über den Umgang mit einer solchen Gemeinde u. weiß sich mit ihr durch F. verbunden. Ganz entsprechend heißt es in Magn. 1, 1, daß er in den Fesseln die Gemeinden besingt u. ihnen Einheit des Fleisches u. Geistes Jesu Christi wünscht. ,Jubel' u. ,Lobgesang' sind nicht bloße Formeln, sondern Zeugnisse des konkreten Heilszustandes in den Gemeinden. Gemeint sind Danksagungen vor Gott. Magn. 7, 1 ist ebenfalls ein

einziger Lobpreis der Einheit als Vollzug der
Gemeinschaft. Sie hat ihr Urbild im Verhältnis von Vater u. Sohn u. spiegelt sich
wider in der Beziehung von Bischof u. Gemeinde. Um die Einheit der Gemeinde geht
es auch, wenn Ignatius liturgisch von ‚un-
tadeliger F.' (ἐν τῇ χαρᾷ τῇ ἀμώμῳ) spricht:
in der gottesdienstlichen Versammlung, die
die Einheit darstellt u. Jesus Christus präsent
macht (ὅ ἐστιν Ἰησοῦς Χριστός), hat die ‚untadelige F.' ihren eigentlichen Ort (Magn. 7,
1; vgl. auch die Titel der Briefe). Die ‚untadelige F.' vollzieht sich also konkret u. typisch:
sie hat ihre Substanz letztlich in dem Geschehen, das Himmel u. Erde umspannt.
Diese entscheidende Einheit ist Vollkommenheit u. Harmonie. In der ‚untadeligen F.'
liegt die abschließende Vollkommenheit; wieweit ein apologetisches Element mitschwingt,
läßt sich schwer sagen. Vergessen darf man
nicht, daß gerade das christliche F.geschehen
für das Heidentum anstößig u. rätselhaft
bleibt u. die gnostische Verfälschung hinter
sich lassen muß. Es fragt sich, wieweit die
untadelige F. metaphysisch gesichert ist.
Da sie geschichtlich ständig gefährdet ist, ist
sie doch nicht zur Spekulation geworden.

2. Clemens Romanus. In ganz anderer Vorstellungswelt lebt Clemens Romanus. Aber
auch er kämpft gegen den Zerfall der kirchlichen Ordnung u. sieht in der kosmischen
Harmonie einen Hinweis auf ein ethisches
Ziel. Darum soll das korinthische Christentum
sich im Gehorsam unter die Ordnung u. Tradition beugen u. vom Streit ablassen. Nur
dann kann F. u. Jubel in den Gemeinden aufkommen (63, 2). Noch wichtiger ist, daß
theologisch von der F. Gottes gesprochen
wird (ἀγαλλιᾶται), die mit dem Schöpfungs-
akt verknüpft ist (33, 2). Clemens paraphrasiert einen biblischen Text u. führt aus: Gute
Werke sind ein Schmuck, den auch Gott anlegt u. mit F. betrachtet (33, 7). Es geht
Clemens um das Erreichen eines Zieles, das
F. auslöst. Die Schöpfung Gottes ist zu einem
bestimmten Abschluß u. Ziel gekommen,
ziert also auch den Schöpfer. Damit ist auch
das Verhalten des Christen durch das Beispiel aufgerufen. Er soll mit Freimut (μετὰ
παρρησίας) am jüngsten Tag seinen Lohn
empfangen (34, 1). F. u. Freimut treten hier
als verwandt hervor. Der Gedankengang des
Clemens ist nüchtern u. entbehrt jeden Enthusiasmus'. Es geht ihm um die notwendige
Lösung von Aufgaben. Die F. wird durchaus

in den Heilsvorgang hineingestellt u. geschichtlich verstanden. Ohne sie würde weder
die Ordnung der Schöpfung noch die Ethik
wirklich durchzuführen sein. Hier ist von
Gott etwas vorgegeben, was sich letztlich nur
in ihm selbst erfüllt. Es besteht aber die Gefahr, daß die christliche Existenz auf die F.
ausgerichtet wird, aber nicht mehr von ihr
bestimmt wird. Allerdings wird auch die Um-
klammerung durch Metaphysik, die bei Ignatius auf Schritt u. Tritt erkennbar wird,
nicht ganz so wirksam.

3. Hirt des Hermas. Von besonderer Wichtigkeit ist das Heilsverständnis des Hirten
des Hermas. Grundlegend ist hier seine
Geistlehre, die er als Geisterlehre dualistisch
u. oft auch pluralistisch entfalten kann, so
daß Fröhlichkeit (ἱλαρότης) u. Traurigkeit
(λύπη) wie Tugend u. Laster einander gegenübertreten (mand. 10, 1. 3), u. die Entfaltung der Geister in festen Reihen, denen das
menschliche Verhalten entspricht. Dies Denken erinnert an ein älteres jüdisch-iranisches
Schema, das in Test. XII u. in Qumran seine
Ausprägung gefunden hat. Das Motiv des
‚Bekleidens' mit Fröhlichkeit u. des Anzie-
hens der Geister bezieht sich hier auf konkrete Tugenden, nicht auf kosmische Sphären
(mand. 10, 3; sim. 9, 13, 2). Verwandtschaft
mit der chokmatistischen Denkform liegt vor,
wenn das typische Verhalten des Menschen
beschrieben wird. Ausrotten u. Ankleiden
sind Reste einer alten mythischen Denkform,
die nunmehr im Dienst einer kategorischen
Forderung stehen: die Traurigkeit soll aus-
gerottet, die Fröhlichkeit angezogen werden.
Auffallend ist auch die Erweiterung des Bild-
denkens in Richtung auf ‚Schwelgerei' (ἐν-
τρυφᾶν) u. ‚Lust' (ἡδονή), die ebenfalls im
antithetischen Sinn Gutes u. Böses unterscheiden kann (mand. 10, 3; sim. 6, 5, 7).
Zunächst will die Paränese konkrete Zustände
in der Gemeinde aufdecken; wichtiger ist
aber die lehrhafte Möglichkeit zur ‚Schwelgerei' im Geist u. einer entsprechenden ‚Lust'.
Scheint es im Anfang so, als sei hier ein stoisches Abwehrgefühl gegen die Lust durchge-
brochen, so klingt die Fortführung ganz un-
stoisch. Eine positive Lust im Sinn der ἡδονή
kennt die Stoa so nicht. Doch erhebt sich
dabei die Frage, ob nicht ein Glückszustand
angedeutet werden soll, der in der Verleihung
der Geistesgaben besteht. Die Lust zur Tugend u. zum Geist fallen für den Hirten des
Hermas zusammen. Grundsätzlich wird die

Geisteslehre des Hirten des Hermas dämonologisch verstanden werden müssen; ob das körperhafte Element letztlich stoisch ist, kann man fragen (Dibelius). Der Mensch wirkt durch sein Verhalten auf den Geist ein, bewirkt den Zusammenstoß der Geister u. ist selbst Gefäß des Geistes. Er ruft sympathetisch das Einwirken des Geistes hervor. Wenn der Mensch geduldig ist, wird der Heilige Geist, der in ihm wohnt, rein sein, nie verdunkelt vom Schatten eines anderen bösen Geistes, sondern in weitem Raume wohnend, wird er jauchzen u. fröhlich sein mit dem Gefäß, in dem er wohnt, u. Gott dienen in großer Fröhlichkeit, da es ihm wohl ergeht (mand. 5, 1, 2). Es liegt nahe anzunehmen, daß der Geist sich eigentlich freut u. der Mensch nur in der strengen Bezogenheit auf diesen Geist an der F. Anteil hat. Der Geist bleibt ihm im tiefsten Sinn fremd; der Geist selbst freut sich im Dienst für Gott in einem letzten Glückszustand. Es ist nicht einfach, die religionsgeschichtliche Vielschichtigkeit des Hirten des Hermas in seiner Interpretation von F. zu bestimmen. Vielleicht ist das Wichtigste doch sein Verständnis des Bußrufes. War die Kirche alt, traurig, kraftlos, verfallen, weil sie sich in weltliche Begierde verstrickt hatte, so kann sie durch den Gehorsam gegen die Bußforderung Jugend, neue Lebenskraft u. F. gewinnen (vis. 3, 11, 1/13, 2). Auch hier unterscheidet der Hirt zwischen Antrieb u. Ziel: durch den Gehorsam wird die Möglichkeit gegeben, daß die Kirche erneuert wird, das Verhalten des Menschen wirkt auf den Geist ein. Die Entwicklung der nachapostolischen Zeit ist durch den Prozeß der Enteschatologisierung mitbestimmt. Die F. bedarf jetzt eines neuen Ausgangspunktes u. einer neuen Struktur. Kultische u. ethische Impulse stehen jetzt unmittelbar im Vordergrund, dazu treten Elemente der Harmonie u. der Ordnung in kosmischer u. rechtlicher Fassung. Die Verschiedenheit des Ausgangspunktes zeigt, daß das Geschehen der F. noch einen wesentlichen Platz in der Gemeinde beansprucht, aber nicht mehr selbstverständlich u. keineswegs durchgehend ist. Die Gefahr ist, daß die F. entweder metaphysisch oder ethisch in eine Seinsordnung gebettet wird, die letztlich ihre Geschichtlichkeit u. Kontingenz, d. h. die konkrete Begabung, aufhebt. Die Präsenz des Heiles, im Urchristentum zeitlich verstanden, ist jetzt vom philosophischen Ansatz immer wieder überlagert.

b. Apologeten des 2. Jh. 1. Justin. Bei den Apologeten ist eine durchgehende Konzeption erkennbar, die auch über die apostolischen Väter hinausführt. Das F.geschehen ist in der Heilslehre verankert u. wird hier in beiden Schichten der Überlieferung festgehalten: die Gemeindefrömmigkeit sieht in der Umkehr u. in der gottesdienstlichen Feier das Besondere gegenüber der Umwelt; die philosophisch interpretierende Theologie betont dagegen die Eudämonie in der Wahrheitsfindung u. im ethischen Verhalten. Aus den zerstreuten Elementen der früheren Entwicklung wird jetzt eine geschlossene Systematik nichtapokalyptischer Herkunft. Wir befinden uns hier in einer neuen Stufe der Hellenisierung. Die Apologeten können von der christlichen F. durchaus im Sinn der Tradition reden. Justin spricht von der eschatologischen F. bei der Auferstehung u. beim Anbruch des tausendjährigen Reiches (c. Tryph. 80, 1. 5; 81, 1 f). Im Leben u. im Sterben ist die Hoffnung auf ein unverderbliches, leidensunfähiges u. unsterbliches Sein gegeben, auf das jetzt schon die F. ausgerichtet ist (c. Tryph. 46, 7; apol. 1, 42, 4). Das Heil, das auf den Christen wartet, wirft damit schon jetzt seine Strahlen voraus; die F. hat ihren Ursprung in der bevorstehenden Verwandlung. Wenn aber die Erkenntnis Gottes nicht nur als Empfang des Heiles, sondern auch als Empfang der zuverlässigen u. nutzbringenden Philosophie beschrieben wird, dann übernimmt Justin hellenistische Denkformen anderer Art. Die empfangene Philosophie trägt Entscheidungscharakter: sie ist schrecklich, wenn sie abgelehnt wird u. schenkt angenehme Erholung (ἀνάπαυσις ἡδίστη) denen, die sich in sie vertiefen (c. Tryph. 8, 1 f). Justin wendet ein bestimmtes Formalschema auf das Christentum an, so daß die philosophischen Möglichkeiten, zum Heil zu gelangen, erfüllt werden. Dadurch entsteht die Verwirklichung der philosophischen Eudämonie durch das Christentum (apol. 2, 11, 4/6). Gemeint ist doch wohl, daß die eschatologisch verstandene F. älterer Tradition den philosophischen Charakter der Eudämonie annimmt. War sie im Sinne der Tradition an Bekehrung u. Vollendung gebunden, so wird sie als Eudämonie zur Antwort auf die philosophische Existenzfrage des Griechentums. Voraussetzung ist die Annahme, daß die heidnische Philosophie in der Erfüllung ihrer Aufgabe versagt hat u. daher keine Eudämonie schenkt (c. Tryph. 1, 4f; 2, 4). So tritt die F. des Christentums als ein Ausdruck des Heilsgeschehens in die Welt des Heidentums wie in eine Wüste (c. Tryph. 69, 5).

2. Brief an Diognet. Auch sonst wird diese innere Bewegung, die mit der Bekehrung u. der Missionierung verbunden ist, im Lobpreis u. in der Reflexion der Kirche zum Ausdruck gebracht. Der Übergang in die Welt der Bildung u. der Philosophie ist deutlich erkennbar. Man findet begeisterte Ausrufe angesichts der empfangenen Offenbarung: ‚O Fülle des Reichtums, Torheit, Macht u. Entzücken, daß man nichts über es (das Evangelium) sagen oder denken oder ihm vergleichen kann' (Marcion, Antithesen, Prolog: Harnack, Marcion *256); ‚Welch süßer Tausch, welch unerforschliches Walten, welch unverhoffte Wohltat; daß die Ungerechtigkeit vieler in einem Gerechten verborgen werde u. die Gerechtigkeit eines einzigen viele Sünder rechtfertige' (ep. ad Diogn. 9, 5). Trotz aller Rhetorik liegt hier wohl eine innere Bewegung des Sprechers vor, die den Abstand von aller rationalen Reflexion zeigt. Dazu paßt die Beschreibung der Geheimnisse Gottes: ‚Dann wird die Gesetzestreue gepriesen, die Prophetengabe erkannt, der Glaube der Evangelien gefestigt u. die Überlieferung der Apostel bewahrt; es frohlockt (σκιρτᾷ) die Gnade der Kirche' (ep. ad Diogn. 11, 6); σκιρτᾶν drückt wieder eine innere, fast ekstatische Bewegung aus. Beachtenswert ist die bildhafte, an die Gnosis erinnernde Terminologie (ep. ad Diogn. aO.: ‚Die Gnade hüpft'; Act. Joh. 95, 11 [AAA 2, 1, 198]: ‚Die Gnade tanzt'). In gnostischen Kreisen spielt ja auch der kultische Tanz eine Rolle (‚flöten will ich, tanzet alle': Act. Joh. 95, 12 [ebd. 2, 1, 198]). Das uralte Motiv des kultisch bestimmten Tanzes geht durch die Jahrhunderte seinen eigenen Weg (vgl. den Chassidismus). Zum Offenbarungsstil gehört auch die Herausstellung des Zeitpunktes des Heilsgeschehens: ‚Das Heil erscheint, die Apostel erhalten Einsicht, das Passah des Herrn tritt hervor, die Zeiten erfüllen sich u. werden mit dem Kosmos in Übereinstimmung gebracht, der Logos freut sich, indem er die Heiligen belehrt; durch ihn wird der Vater verherrlicht. Ihm gebührt die Ehre von Ewigkeit zu Ewigkeit. Amen' (ep. ad Diogn. 12, 9). Wir haben es mit dem Stil der Epiphanie zu tun: auf das Schlußglied, die F. des Logos, der belehrt, fällt besonderes Gewicht. Dies F.ge-

schehen beschreibt die völlige Harmonie zwischen Himmlischem u. Irdischem im konkreten Vollzug der Offenbarung. Vielleicht darf man die philosophische Ausgestaltung des Kerygma katechetisch u. missionarisch verstehen, die Schilderung der Geheimnisse Gottes gehört dagegen in den Raum des Kultus u. der theologischen Gnosis. Die philosophische Interpretation der F. hat also propädeutische Bedeutung, während das Schwergewicht doch auf dem Heilsgeschehen selbst liegt. Damit ist eine Fragestellung des Christentums systematisch gelöst u. abgesichert; es bleibt aber die grundsätzliche Existenzproblematik, die an die Geschichtlichkeit des Menschen gebunden ist, bestehen.

c. Irenäus von Lyon. Auch für Irenäus ist die Frage nach der F. identisch mit dem Heil; er denkt realistisch, nicht philosophisch. Die F. ist an die eschatologische Schau Gottes gebunden. Im Anschluß an 1 Petr. 1, 8 heißt es in haer. 5, 7, 2 (2, 338 Harvey): ‚Denn unser Angesicht wird schauen das Angesicht Gottes, des lebendigen, u. wird sich freuen in unaussprechlicher F., wenn es nämlich seine F. sieht'. Diese eschatologische Gottesschau ist das entscheidende Motiv, auf das alles ankommt. Wenn wir schon jetzt das Unterpfand des Geistes haben u. Abba rufen können, was wird dann erst geschehen, wenn wir ihn von Angesicht zu Angesicht schauen werden, wenn alle Glieder in überströmender F. den Jubelhymnus anstimmen u. den preisen werden, der sie von den Toten auferweckt u. mit dem ewigen Leben beschenkt hat (haer. 5, 8, 1 [2, 339 H.]). Das Los im eschatologischen Heil fällt verschieden aus: die, welche des himmlischen Verkehrs würdig sind, werden in den Himmel eingehen, andere werden die F. des Paradieses genießen, noch andere die prachtvolle Stadt besitzen. Überall aber werden sie Gott schauen, nach dem Maße, wie es ein jeder verdient (haer. 5, 36, 1 [2, 427 f]). Die eschatologische Vollendung wird in den Denkformen der irdischen Konkretion bildhaft, aber realistisch geschildert. Hier ist das Motiv der F. unentbehrlich. Ging es der Gnosis um die Rettung des Pneuma im Aufstieg, so dem Irenäus um das Beteiligtsein des Leibes bei der Auferstehung.

d. Tertullian. Es geht Tertullian letztlich um die Loslösung des Glaubens von der heidnischen Kultur, ihren Schauspielen u. den damit gegebenen religiösen Bindungen. Ihm ist es wichtig, daß man auf die heidnischen Vergnügungen (deliciae, voluptates) verzichten lernt: die Versöhnung mit Gott ist die angenehmere F. (spect. 29, 1f). Auch ist die eschatologische Wende ein Anlaß, die augenblicklichen Vergnügungen gegenüber den zukünftigen aufzugeben (spect. 28, 2f; cor. 13, 3f). Die Leidenschaft des Heidentums steht im betonten Gegensatz zur sanften u. zarten Art des Heiligen Geistes, der durch Geduld, Ruhe, Frieden, F. den Menschen bestimmt (pat. 15, 4/7; spect. 15, 2/4). Damit klingt der alte Gegensatz der Geisterlehre im Hirten des Hermas wieder an. Vor allem aber wird das jüngste Gericht selbst zum Schauspiel werden, das alle irdischen Schauspiele der Gegenwart in den Schatten stellt (spect. 30). Alles Irdische hat sein Gegenspiel im Zukünftigen. So entsteht zuletzt eine apokalyptisch motivierte F. analog der entsprechenden heidnischen Stimmung. Er weiß um den Ausruf eines sterbenden Verfolgers: ‚Freut euch, ihr Christen!' (Scap. 3, 4). Tertullian stellt also seine Reflexion über F. in den Zusammenhang einer scharfen Bestimmung der christlichen Existenz u. kommt damit auch zu guten Beobachtungen. Interessant ist seine Sentenz: ‚Vergnügen findet man nur beim Gegenstand seiner Sehnsucht' (spect. 28, 5). Gleichzeitig weiß er um verschiedene Möglichkeiten (gegenwärtiges Gestimmtsein, zukünftiges Beteiligtsein am eschatologischen Prozeß). Allerdings sind in der Interpretation der Gegenwart ein philosophisches u. ein rhetorisches Element erkennbar.

e. Clemens Alexandrinus. Die mit den Apologeten begonnene Entwicklung, die das philosophische Denken theologisch in Beschlag nimmt, erreicht mit Clemens Alex. ihren Höhepunkt (F. Overbeck). Er lehnt die sinnliche Lust u. die als gut geltenden leidenschaftlichen Regungen der F. u. des Frohsinns ab: für den vollkommenen Gnostiker dürfen sie keine Rolle mehr spielen. Durch die Unterweisung Jesu Christi lernen die Apostel diese beiden Arten der seelischen Bewegung zu beherrschen, so daß sie dabei zu einem unerschütterlichen Gemütszustand gelangen (strom. 6, 71, 1/5; dazu auch 74, 1f). Auch in bezug auf Gott kann man von F. im Sinn unserer eigenen Gemütsbewegung nicht sprechen, weil er leidenschaftslos u. keiner Veränderung unterworfen ist (strom. 2, 72, 2; dazu 73, 1f). Clemens will im Namen des Christentums sogar die Stoa überbieten: die

stoische Lehre von den εὐπάθειαι wird von ihm ｜als Relativierung der absoluten ἀπάθεια behandelt. Nach Clemens sind auch die guten Regungen der Seele nicht völlig von den irdischen Dingen gelöst; sie sind ein Hinweis darauf, daß der Mensch noch nicht zur Vollendung gelangt ist (strom. 6, 75, 1). Die εὐπάθειαι werden ｜als Metriopathie abgewertet u. zur bloßen Vorstufe der gnostischen Liebe erniedrigt (strom. 6, 74, 1). Der Gnostiker kann sie entbehren, weil er schon im Besitz der Seligkeit ist, die allem leidenschaftlichen Begehren ein Ende setzt. Allerdings kann Clemens die F. betont der Kirche u. dem Gnostiker zuordnen: wie die Lust den Heiden, die Streitsucht den Irrlehrer kennzeichnet, so kommt die F. der Kirche u. der Frohsinn dem wahren Gnostiker zu (strom. 7, 101, 3). Die unaufhörliche F. des Gläubigen soll in Christus bestehen. Clemens ermahnt die neu Getauften, die Spannung der Seele nicht durch Schmausereien u. Gelage zu lösen, sondern ihre F. in den göttlichen Worten u. im Gesang zu suchen. Das ganze Sinnen u. Trachten des Gläubigen muß auf den Himmel gerichtet sein (frg. 5 [3, 222 Stählin]). Das Frohlocken der Christen begleitet die Reinigung von den schlechten Eigenschaften des alten Menschen u. das Anlegen der Unvergänglichkeit Christi beim Aufstieg des Geistes zum Licht des Vaters (paed. 1, 32, 1/4). Kultisches Frohlocken u. Paränese werden im Taufgeschehen unmittelbar verbunden. Im Anschluß an Philos allegorische Auslegung des AT sieht Clemens die F. des Gläubigen im Lachen Isaaks angedeutet (Gen. 26, 8). Hiernach braucht das Lachen die Geduld (Rebekka) als seine Gehilfin, um sich zum Frohlocken des Geistes im göttlichen ‚Spiel' zu erheben, dem der ‚König Christus' teilnehmend zuschaut (paed. 1, 21, 3f; 22, 1/3). Auf diese Geduld legt Clemens ganz besonderes Gewicht, denn sie trägt die Auseinandersetzung mit allen schädlichen Regungen u. die Ausrichtung auf das Ziel der Vollkommenheit in sich. Die Vollkommenheit, die der Gnostiker erreicht, wird zur Zuständlichkeit u. hat als Frucht die dauernde, unbewegte F. in sich (strom. 6, 99, 3: πρώτη γὰρ ὠφέλεια ἡ ἕξις ἡ γνωστική, ἡδονὰς ἀβλαβεῖς παρεχομένη καὶ ἀγαλλίασιν καὶ νῦν καὶ εἰς ὕστερον). F. wäre dann die Seligkeit des Gnostikers, der in den Frieden eingeht u. damit sein eigentliches Sein ermöglicht. So verbringt er sein ganzes Leben wie ein einziges Fest in der Nähe Gottes. Das eschatologisch-gegenwärtige Ziel ist die Schau Gottes: die Seelen steigen immer höher hinauf, in immer höhere Räume, bis sie die F. haben, Gott nicht mehr im Spiegel zu schauen, sondern den Anblick genießen, der, soweit es möglich ist, ganz der Wirklichkeit entspricht (strom. 7, 13, 1). Damit spielt sich ein bezeichnender Prozeß im kirchlichen Rahmen ab: die platonische Frage nach dem eigentlichen Sein des Menschen, das dauerhaft ist, u. sich den Wechselfällen des Geschichtlichen zu entziehen vermag, wird dadurch beantwortet, daß Clemens die kirchliche Heilslehre, aber auch die sakramentale Feier als gnostisch-philosophisch relevant erklärt u. einen eschatologisch-präsentischen Erkenntnisweg erschließt, der das Sein ermöglicht. Die These, daß echtes Sein Glück u. F. bedeutet, wird nun ebenfalls von der kirchlichen Heilslehre so aufgenommen, daß beides im Christentum gegeben ist, aber erkenntnismäßig zugänglich gemacht werden muß. Das, was biblische Gottesschau ist, wird philosophisch u. philonisch uminterpretiert. Die von Clemens behauptete F. hat den normierenden Charakter des Kreuzes Jesu u. die apokalyptische Struktur des urchristlichen Heiles so nicht erhalten können. Er weiß aber doch um den F.charakter der kirchlichen Botschaft, wenn er sie auch vergeistigt u. auf das eigene Sein konzentriert.

f. Die späteren griech. Väter. Bei den späteren griech. Vätern findet sich durchgehend die Unterscheidung zwischen einer geistlichen u. einer weltlichen F. (Orig. comm. in ep. Rom. 9, 15 [PG 14, 652]; Bas. Caes.: PG 31, 224 AB; Greg. Nyss. beat. 3 [PG 44, 1232 A]; Joh. Chrys. hom. 58, 5 [PG 58, 573]). Dies beruht auf der Vorstellung, daß es ‚zwei Welten u. auch ein zweifaches Leben' gibt (Greg. Nyss. aO. 1232 A). Es besteht die Tendenz, die Wortgruppe ἥδεσθαι nicht für die geistliche F. zu verwenden (Greg. Nyss., Joh. Chrys.). F. wird von Prozessen außerhalb des Menschen bewirkt, sie ist also eine Begleiterscheinung zu diesen Prozessen (Bas. Caes. aO. 220 B). Ihre Bewertung richtet sich je danach, aus welchem Bereich die sie bewirkenden Prozesse herkommen (Joh. Chrys. aO. 573). Den weltlichen F. steht man im allg. skeptisch gegenüber, doch läßt man sie gelten (Bas. Caes.: PG 31, 244 B). Man soll dabei immer an Gott als den Geber der Gaben denken. Schärfer ablehnend ist aber Gregor v. Nyssa:

irdische F. haben keinen Bestand (aO. 1224 C; auch Orig. aO. 652). Sie verhindern ein Streben nach dem ewigen Heil (Greg. Nyss. aO. 1229 A. 1232 A; Joh. Chrys. aO. 573), darum muß man ihnen entgegentreten (Greg. Nyss. hom. 2 in Eccl.: PG 44, 647 B). Die F., der das eigentliche Interesse der Väter gilt, ist die geistliche F.: sie ist die wahre u. einzige; die weltliche F. ist nur eine Folie, von der diese sich abhebt. Sie ist nicht an das Sichtbare gebunden (Orig. aO. 652), sie ist unendlich (Pallad. hist. Laus.: PG 34, 1149 D). Gregor v. Nyssa spricht von einer unendlichen, unbegrenzten u. immerwährenden F. (aO. 1232 A). Sie stammt aus der Verbindung mit dem höchsten Gut (Bas. Caes. aO. 222 A). Sie macht den Menschen unempfindlich gegen Schmerz u. Trauer des irdischen Lebens (Bas. Caes. aO. 222 A), hilft, Leiden geduldig zu ertragen (Greg. Nyss. aO. 1232 A) u. läßt den Märtyrer heiter in den Tod gehen (Bas. Caes. aO. 240 C). Die F. des Märtyrers, das Leiden im Hinblick auf Gott, der das Leiden auferlegt u. überwinden läßt, spielt auch in den Märtyrerakten eine große Rolle. Hier entzündet sich in aktueller Weise die geistliche F., die auf die ewige Seligkeit blickt (Lugd. Mart. 34f [Eus. h. e. 5, 1, 34]: ἡ χαρὰ τῆς μαρτυρίας καὶ ἡ ἐλπὶς τῶν ἐπηγγελμένων καὶ ἡ πρὸς τὸν Χριστὸν ἀγάπη καὶ τὸ πνεῦμα τὸ πατρικόν, τούτους δὲ τὸ συνειδὸς μεγάλως ἐτιμωρεῖτο). Aus einer ähnlichen Situation entsteht die über alles Maß hinausgehende F. der Mönche, von der Rufin. hist. mon. 7 (PL 21, 154) berichtet: supra modum autem laetitia et gaudium inerat eis et tanta exultatio, quanta haberi ab ullo hominum non possit in terris. Hier bricht eine enthusiastische Frömmigkeit auf, die sich als auf Erden unvergleichlich bewußt ist.

g. Augustinus. F. ist für Augustin Voraussetzung, Ermöglichung u. Ausdruck der vita beata (lib. arb. 1, 13 [29]), dem Ziel des menschlichen Handelns, u. so ist F. ein Gut, das alle Menschen wünschen (civ. D. 19, 12, 1). Sie entsteht allgemein aus dem Besitz oder Genuß geistiger oder materieller Werte, die es zu erstreben gilt. Insofern bestimmt die F. Ziel u. Richtung des menschlichen Handelns (expos. ep. ad Gal. 49). Darum hat sie große Bedeutung in der ethischen Reflexion, u. in diesem Zusammenhang stehen auch die meisten Äußerungen Augustins zur F. F. zeigt ein existentielles Beteiligtsein an gegenüber einem nur intellektuellen Prozeß, denn neben der Voraussetzung, daß der Wert, um den es geht, bewußt ist u. bejaht wird, schließt sie auch die Liebe zu dem betreffenden Wert ein (tract. in Joh. 87, 1). Dem entspricht es negativ, daß die F. am Unrechten das eigentlich Unrechte ist (civ. D. 18, 12). – Da die Werte, die F. hervorrufen, in einer bestimmten Wertordnung stehen, wird auch die F. durch diese Wertordnung qualifiziert. Da diese Wertordnung bei Aug. aus seinem christlich-platonischen Denken stammt, unterscheidet er auch zwischen weltlichen u. wahren F. (gaudium in hoc mundo - verum gaudium: s. 224, 3 Append. [PL 39, 2160]). Die wahre F. ist für ihn die geistliche, die der weltlichen oft als weit größer, ja unvergleichlich gegenübergestellt wird u. darum unbedingt vorzuziehen ist (ep. 264, 2). Es gibt eine F. des Schöpfers, die von der der Geschöpfe qualitativ unterschieden ist (s. 4, 4). Erstaunlicherweise gibt es für ihn sogar eine F. des Teufels (en. in Ps. 7). Stärker als bei den griech. Vätern ist die Antithese zwischen weltlicher u. geistlicher F. ausgeprägt: sie streiten gegeneinander (conf. 10, 28 [39]), die eine schließt die andere aus (s. 171, 1). – Die Dinge, die falsche F. hervorrufen, sind nicht von vorneherein abzulehnen. Aug. kennt auch den positiven Charakter der deliciae corporis (s. 115, 2 Append.) bzw. delectatio carnalis (bon. coni. 16 [18]). Dieser delectatio carnalis steht er aber skeptisch gegenüber, denn sie verleitet dazu, diese F. um ihrer selbst willen zu suchen. Diese Gefahr besteht, weil der Wille des Menschen nur frei ist zu Bösem u. nur daran F. hat u. sich am Guten nicht freuen kann (ad Bonif. 1, 3). Wird die F. um ihrer selbst willen gesucht, verkennt man den Sinn der betreffenden Gabe, den Hinweis auf den Geber u. die Aufgabe. In solcher F. spricht sich darum die Verkehrung der Schöpfungsordnung aus, die Verwechslung zwischen uti u. frui, dem Kennzeichen der gefallenen Schöpfung. Von da her kommt Aug. zu negativen Aussagen über die F., daß zB. die F. über sich selbst das primum peccatum sei (ep. 118, 15). Er kann sogar sagen, daß F. als ein wichtiges Element zur Sünde gehört neben suggestio u. consensio (s. Domini in monte 1, 12 [34]; ähnlich s. 98, 6; vgl. auch c. Faust. 22, 28). Gott hat übrigens, um dieser Gefahr vorzubeugen, unter die F. der Welt Bitterkeit gemischt, damit in ihnen immer ein Stachel bleibe, der über sie hinausweist (en. in Ps. 137, 7). – Wesentlich zahlreicher sind die Aussagen über die wahre F. Sie entsteht über das summum bonum et auctor qualiumcumque omnium bonorum (pecc. merit. 2, 17) u. die von ihm ausgehenden Dinge. Deutlicher theologisch nennt Aug. oft Gott als eigentlichen Gegenstand der wahren F.: als Schöpfer (conf. 4, 11 [17]), als gerechten u. gnädigen Richter (s. 91, 4), als den Wahrhaftigen, dessen Versprechen wahrhaftig u. ein Grund zur F. sind (en. in Ps. 148, 1). Wahre F. bewirken die Erlösung (en. in Ps. 125, 6), die iustitia (c. ep. Parmen. 3, 2 [5]) u. die Gnade: Sie führen eine Zeit der F., der Ruhe u. des Glückes mit sich, die nicht durch eigenes Verdienst, sondern durch die gratia salvatoris kommt (s. 254, 1). Diese F. hilft, die Sünde zu überwinden (pecc. merit. 2, 10) u. ist daher ein proprium der Guten u. Frommen (civ. D. 14, 8, 1). Diese F. über Gott, die mit der vita beata gleichgesetzt wird (conf. 10, 22 [32]), ist ein Kennzeichen der civitas Dei (en. in Ps. 105, 34). – Bei Aug. liegt das Hauptgewicht auf der Begründung der F. durch den soteriologischen Prozeß u. die dadurch bedingte Loslösung von den vorgegebenen weltanschaulichen u. philosophischen Voraussetzungen. Die F., die auf das künftige Leben gerichtet ist, wird durchaus bestätigt, ist aber nur ein Aspekt neben anderen (vgl. die F. aus der Hoffnung s. 255, 5). Er steht innerhalb der kirchlichen Tradition, wenn er von der F. im Leid, angesichts des Todes (tract. in Joh. 49, 10), spricht. Grundlegend ist die Mahnung zur ständigen F. (en. in Ps. 93, 23).

IV. F. u. Liturgie. Der christl. Gottesdienst stand, wie Orac. Sibyll. 8, 483/500 beweisen, insonderheit im Zeichen einer sakramental begründeten F.: ‚Deswegen auch von Christi heiligem, himmlischem Geschlechte abstammend, werden wir Brüder genannt, beim Gottesdienst der F. (εὐφροσύνη) gedenkend, der Frömmigkeit u. Wahrheit Pfade wandelnd. Nicht dürfen wir dem Inneren der Tempel uns nahen, nicht den Götzenbildern spenden . . . , sondern mit heiligen Sinnen uns freuend (γεγηθότες), mit frohem Gemüte, mit reicher Liebesgabe u. mildspendenden Händen, mit lieblichen Psalmen u. unseres Gottes würdigen Liedern werden wir angehalten, dich den Ewigen, Untrüglichen zu besingen, den Vater des Alls, den weise Sinnenden'. Wir haben hier einen poetischen Lehrstil vor uns, der allerdings dort, wo er sich auf die gottesdienstliche Feier bezieht, liturgische Begriffe aufnehmen kann (ψαλμοί, ἀγάπη, εὐφροσύνη). Katechese, Heilsaussagen, Antithese zum Heidentum, Beschreibung der Eigenart des christlichen Gottesdienstes treten nebeneinander auf. Der sinnliche Glanz u. die Pracht des heidnischen Gottesdienstes sind der abgewiesene Hintergrund vor der Reinheit u. sittlichen Verpflichtung der christlichen Feier. Die starke Betonung der F. fällt auf: sie bezieht sich nicht nur auf das Heil, sondern wird zum Gestimmtsein der Gemeinschaft. Vor allem sind es die Sonn- u. Festtage, die zur Quelle der F. werden. Ep. Barn. 15, 9 schließt sich an die ältere Überlieferung an: ‚Darum begehen wir auch den ersten Wochentag in F. (εἰς εὐφροσύνην), an dem ja auch Jesus von den Toten auferstanden u., nachdem er sich kundgetan hatte, zum Himmel aufgestiegen ist'. Der Ostertag füllt damit den Sonntag aus. Der Begriff εὐφροσύνη ist vielschichtig u. umfaßt sowohl die geistige wie auch die sinnfällige Dimension (vgl. LXX). Tert. apol. 16, 11 zeigt denselben Tatbestand auf, zieht aber bewußt die Abgrenzung gegen das Heidentum u. das Judentum. ‚Auch wenn wir den Sonntag der Fröhlichkeit (laetitia) überlassen (in ganz anderer Weise als bei einem Sonnenkult), kommen wir erst an zweiter Stelle nach denen, die den Sonnabend dem Müßiggang u. dem Wohlleben bestimmen, wobei sie übrigens ebenfalls von dem jüdischen Brauch abweichen, den sie nicht kennen'. Es ist also in bezug auf otium u. victus ein Berührungspunkt mit der heidnischen Umwelt gegeben. Dieselbe Tradition kehrt wieder in den Apost. Const., die ausdrücklich die Fest-F. in Gegensatz zu Fasten u. Trauer stellen: ‚An jedem Sabbat, außer jenem allein (dem Osterabend), u. an jedem Sonntag, wenn ihr die Gottesdienste begeht, sollt ihr euch freuen. Der Sünde verfallen ist nämlich, wer am Sonntag fastet, weil er nämlich der Tag der Auferstehung ist, oder wer am Pfingsttag oder überhaupt an einem Festtag niedergeschlagen ist. Also muß man sich an ihnen freuen, nicht trauern' (5, 20, 19). Der Ton klingt geradezu atl. (Dtn., Chronica). Ein Bischof, Presbyter oder Diakon, der an Festtagen nicht an Fleisch- u. Weingenuß teilnimmt, soll sogar abgesetzt werden, da er vielen eine Ursache zur Verführung geworden ist (8, 47, 53). Ein Dankgebet des Bischofs über die Erstlingsfrüchte wendet sich an Gott, der alles zur Vollendung u. Reife geführt hat durch sein Wort, u. der Erde befohlen hat, allerlei Arten von Früchten zu unserer F. u. Ernährung hervorzubringen (8, 40, 3). Eine

besondere Festzeit ist der Zeitraum von 50 Tagen zwischen Ostern u. Pfingsten, der unter großem Jubel begangen wird (ieiun. 14, 2). Diese Festzeiten sind eine Neuschöpfung Gottes u. nicht zu verwechseln mit den jüdischen Festzeiten, vor denen der Apostel warnt. Durch die Trennung der Agapen von der eucharistischen Feier, die sich von der Zeit Justins ab vollzieht, wird die umfassende, Geist u. Sinne in Anspruch nehmende F. als εὐφροσύνη in Frage gestellt. In einer Osternacht-Liturgie (Sacr. Gel. 1, 45f) heißt es: ‚Es frohlockte Maria in der hochheiligen Geburt ihres Kindes (exultavit); es jauchzt die Kirche beim Anblick der Wiedergeburt ihrer Kinder (ob ihrer Begnadung in Christus)'. Biblisches Grundmotiv u. sakramentales Geheimnis haben sich damit liturgisch verbunden.

M. Ammermann, Die religiöse F. in den Schriften des Alten Bundes (1942). – R. Asting, Kauchesis (Oslo 1925). – A. Bonhöffer, Epiktet u. die Stoa (1890) 293/8; Die Ethik des Stoikers Epiktet (1894) Reg. – W. Bousset-H. Gressmann, Die Religion des Judentums im späthellenist. Zeitalter ³(1926) 240/2. – R. Bultmann, Theol. des NT ⁴(1961) 42/4. 340f. 435f; Das Evangelium des Johannes ¹⁷(1962) Reg. – O. Casel, Art u. Sinn der ältesten christl. Osterfeier: JbLiturgWiss 14 (1938) 1/78. – V. Cathrein, Lust u. F. Mit besonderer Berücksichtigung der Lehre des Aristoteles = Philos. u. Grenzwissensch. 3, 6 (1931). – O. Cullmann, Urchristentum u. Gottesdienst ²(Zürich 1950) 19f. – F. Cumont, Les religions orientales dans le paganisme romain ⁴(Paris 1963). – E. Curtius, Der Gruß in Altertum u. Gegenwart 1 ⁵(1903). – L. Deubner, Attische Feste (1932 bzw. 1959). – M. Dibelius, Exkurs: Die Pneuma-Vorstellung der Mandata: HdbNTErgB. 4 (1923) 517/9. – O. Dittrich, Geschichte der Ethik 1/2 (1926). – A. B. Du Toit, Der Aspekt der F. im urchristl. Abendmahl (Winterthur 1965). – A. J. Festugière, La doctrine du plaisir des premiers sages à Épicure: RevSc-PhilThéol 25 (1936) 233/68. – J. Fichtner, Die altorientalische Weisheit in ihrer israelitisch-jüdischen Ausprägung (1933). – A. Fox, Plato for pleasure (London 1946). – E. R. Goodenough, By light, light (New Haven 1935). – E. G. Gulin, Die F. im NT 1: AnnAcScFenn Ser. B 26, 2 (1932); 2: ebd. 37, 3 (1936). – V. Hamp, Die Wurzel Samach im AT: Wiss. Zeitschr. d. Univ. Halle-Wittenb., Gesellsch. u. sprachw. Reihe 10, 2 (1961) 1333f. – A. v. Harnack, Die Apostelgeschichte = Beitr. zur Einl. in das NT 3 (1908) 207/10. – J. F. Haussleiter, Der Glücksgedanke bei Plato, Aristoteles u. Spinoza, Diss. Greifswald (1923). – H. HEPDING, Attis, seine Mythen u. sein Kult = RVV 1 (1903) 166/9. 197. – E. HOFFMANN, Epikurs Lebens-F.: Beitr. z. Kultur- u. Rechtsphil. (1948) 7/20; Lebens-F. u. Lebensfeier in der griech. Philosophie: Platonismus u. christl. Philosophie (Zürich 1960) 169/86. – F. F. HVIDBERG, Weeping and laughter in the Old Testament (Leiden 1962). – J. JEREMIAS, Die Gleichnisse Jesu ⁶(1962) 128/35. 197/200. – R. KITTEL, Die hellenist. Mysterienreligion u. das AT = BeitrWissATuNT NF 7 (1924) 84/96. – L. KÖHLER, Theologie des AT ⁴(1966). – L. KOPF, Arab. Etymologien u. Parallelen zum Bibelwb.: VetTest 9 (1959) 247/87, bes. 276. – G. KRETSCHMAR, Himmelfahrt u. Pfingsten: ZKG 66 (1954/5) 209/53. – M. LAZARUS, Die Ethik des Judentums (1899) 279/87. – J. LÉONARD, Le bonheur chez Aristote (Bruxelles 1948). – H. LEWY, Sobria ebrietas (1929) 34/41. – G. LIEBERG, Die Lehre von der Lust in den Ethiken des Aristoteles = Zetemata 19 (1958); Geist u. Lust. Untersuchungen zu Demokrit, Plato, Xenokrates u. Herakleides Pontikos (1959). – H. M. J. LOEWE, The contact of pharisaism with other cultures = Judaism and Christianity 2 (London 1937) 138f. – A. B. MACDONALD, Christian worship in the primitive church (Edinburgh 1934) 30/9. 127f. – J. MAUSBACH, Die Ethik des hl. Augustinus 2 ²(1929). – S. MOWINCKEL, Das Thronbesteigungsfest Jahwes u. der Ursprung der Eschatologie = Psalmenstudien 2 (Kristiania 1922) 135f. – G. MÜLLER, Probleme der aristotelischen Eudaimonielehre: MusHelv 17 (1960) 121/43. – D. MURPHY, The aristotelian concept of happiness, Diss. Fribourg (1920) – W. NAUCK, F. im Leiden: ZNW 46 (1955) 68/80. – M. P. NILSSON, Geschichte der griech. Religion 1 ²(1955); 2 ²(1961). – F. NÖTSCHER, Zur theol. Terminologie der Qumrantexte = BonnBiblBeitr 10 (1956) 94. 151. – E. NORDEN, Die Geburt des Kindes (1924) 57f. 147f. – W. F. OTTO, Dionysos (1933). – J. PEDERSEN, Israel its life and culture 3/4 (London 1940) 436/40. – M. POHLENZ, Die Stoa 1² (1959); 2³ (1964) Reg. – G. v. RAD, Theologie des AT 2 ³(1962) Reg.; Gerechtigkeit u. Leben in den Psalmen: Ges. Stud. z. AT 8 ²(1961) 238/47. – B. REICKE, Diakonie, Fest-F. u. Zelos (1951). – K. REINHARDT, Poseidonios (1921); Kosmos u. Sympathie (1926) 298/307. – A. ROSENZWEIG, Geselligkeit u. Geselligkeits-F. in Bibel u. Talmud (1895). – S. SCHECHTER, Some aspects of rabbinic theology (New York 1909 bzw. 1961) 146/69. – H. SCHLIER, Der Brief an die Galater ¹²(1962) 257. – H. SCHMIDT, Epikurs Philosophie der Lebens-F. (1927). – C. SCHNEIDER, Geistesgeschichte des antiken Christentums 1/2 (1954) Reg. – J. SCHNIEWIND, Die F. der Buße (1956). – E. SCHWARTZ, Ethik der Griechen (1951) 179/86. – G. STÄHLIN, Art. ἡδονή: ThWb 2 (1935) 911/28. – H. STECKEL, Epikurs Prinzip der Einheit von

Schmerzlosigkeit u. Lust, Diss. Göttingen (1960). – W. VÖLKER, Der wahre Gnostiker nach Clemens Alexandrinus = TU 57 (1952) 514/20. 527/9. – H. D. VOIGTLÄNDER, Die Lust u. das Gute bei Plato, Diss. Frankfurt (1959). – P. VOLZ, Die Eschatologie der jüdischen Gemeinde im ntl. Zeitalter ²(1934) 386/90. – N. E. WAGNER, Rinnah in the psalter: VetTest 10 (1960) 435/41. – H. WINDISCH, Die Frömmigkeit Philos u. ihre Bedeutung für das Christentum (1909). – A. WÜNSCHE, Die F. in den Schriften des Alten Bundes (1896). – W. ZIMMERLI, Zur Struktur der atl. Weisheit: ZAW 51 (1933) 177/204, bes. 198/200; Die Weisheit des Prediger Salomo (1936). *O. Michel.*

Freudenhaus s. Dirne (o. Bd. 3, 1149/213).

Freund Gottes s. Freundschaft.

Freundschaft.

A. Nichtchristlich. I. Griechisch 418. II. Römisch 422. III. Motive u. Probleme der griech.-röm. F. 423. IV. Altes Testament u. Spätjudentum 424.
B. Christlich. I. Neues Testament 425. II. Frühchristentum 426. III. Drittes Jh. 427. IV. Viertes Jh. u. Folgezeit 429. V. Zusammenfassung 431.

F. ist eine menschliche Beziehung, die sich in vielfältigen Formen äußern kann. Fast alle gibt es schon bei den sog. Naturvölkern, selbst auf niedrigen Entwicklungsstufen. F. ist zunächst nichts anderes als Gruppensolidarität, identisch mit Verwandtschaft (so auch im älteren u. regionalen dt. Sprachgebrauch) u. wird innerhalb der Sippe, des Clans, besonders zwischen Gleichaltrigen u. Gleichrangigen geknüpft, umfaßt aber auch Bindungen zwischen Tiefer- u. Höhergestellten (Häuptlingen), wobei sich Treue- u. Schutzpflicht entsprechen. F. gibt es zwischen zwei oder mehreren Personen, aber auch zwischen Gruppen u. ganzen Stämmen, besonders als *Gast-F. Sie wird durch einen meist formellen Akt begründet, oft mit Austausch von Geschenken, ist zeitlich unbegrenzt u. kann sich vererben. Als objektives Verhältnis beruht sie auf beiderseitigem Vorteil. Dabei ist persönliche Gefühlsbindung nicht gefordert, aber möglich u. zT. hoch entwickelt, auch bei ‚primitiven‘ Völkern (Belege bei Thurnwald). All das gilt im Prinzip auch von den Kulturvölkern des Altertums.
A. Nichtchristlich. I. Griechisch. Die Griechen galten als das klassische Volk der F. Sie spiegelt sich in der Überlieferung (neben der literarischen ist die epigraphische von Bedeutung; s. Ditt. Or. u. Syll., Reg.) in großer Vielfalt u. Intensität. Dabei stimmen Alltags-

moral, die sich in Maximen u. Sprichwörtern ausdrückt, u. Lehre der Philosophen (oder, mit Bolkestein, die gelebte u. die gepredigte Moral) weitgehend überein. Ideale Freundespaare der Literatur, ideale F.begriffe der Theoretiker sind nicht typisch, wirken aber ihrerseits auf die Praxis. Deren Spannweite zwischen Selbstlosigkeit u. Eigennutz entzieht sich summarischer Darstellung. Φίλος bedeutet zuerst ‚eigen‘, erst sekundär ‚lieb‘; φιλία (älter φιλότης) gilt vor u. neben den Freunden den Angehörigen, ist also weiter als F.; in φιλεῖν ist F. u. Liebe noch weniger zu trennen, ebenso wie amare zu amor u. zu amicitia gehört. Verwandt mit φίλος sind οἰκεῖος, ἑταῖρος, ἐπιτήδειος (Eernstmann). – Die geschichtliche Entwicklung beginnt für uns mit Homer. Bei ihm bedeutet φιλεῖν noch ‚bewirten, gut behandeln‘ u. nicht ‚lieben‘. Die archaische Kriegerkameradschaft (ἑταῖρος) erscheint in den sprichwörtlichen Freundespaaren der Ilias wie Nisos u. Euryalos, vor allem aber Achill u. Patroklos. Die Odyssee zeigt eine entwickeltere Welt der Seefahrt u. des Handels, in der die Gast-F. (ξένος) an Bedeutung gewinnt (Odysseus-Phäaken). Hesiods nüchterne Bauernmoral wägt den Nutzen der F. ab u. sieht ihre Grenzen. Theognis verficht leidenschaftlich die exklusive Standesethik des Adels: Freunde können nur die ‚Guten‘ sein, d. h. die Aristokraten, die sich nur in enger Verbundenheit gegen den Demos behaupten können. F. als politische Hetärie ist typisch für die Aristokratie (Harmodios-Aristogeiton), aber auch die Demokratie kennt die politische F. als Kennzeichen der lebendigen Polis. Die Tragödie zeichnet, an Homer anknüpfend, das heroische Freundespaar Orestes-Pylades u. vertieft zugleich das Menschliche, das besonders Euripides fein differenziert. Die bürgerlich gewordene Gesellschaft, die bei ihm durchscheint, bestimmt die attische Neue Komödie, in der eine ethisierte u. individualisierte F. breiten Raum gewinnt (Zucker). Menanders Namen tragen die ‚Monostichoi‘, präzis formulierte Volksweisheit, wie sie schon vorher den Sieben Weisen (einzeln oder gemeinsam; s. Stob. 3, 1, 172f [3, 111 W.-H.]) zugeschrieben wurde. In den delphischen Sprüchen findet die Oberschicht praktische Mahnung. Inschriften in den Gymnasien halten sie der Jugend vor, so in Miletopolis (3. Jh., Ditt. Syll. 3³, 1268). F. nimmt hier den ersten Platz ein in direkten (1, 1. 9. 15. 21; 2, 10) u. indirekten (1, 14. 19;

2, 5. 14. 16. 22. 28) Weisungen, während etwa Frau u. Kinder nur je einmal genannt sind (2, 3. 25). In der gnomischen Literatur zeigt sich eine starke Kontinuität, entsprechend den sich wenig wandelnden vulgärethischen Anschauungen. Für die Philosophie (vgl. A. Dihle, Art. Ethik: o. Bd. 6, 658) ist F. ein zentrales Thema. Empedokles nennt die kosmischen Grundkräfte φιλία u. νεῖκος. Pythagoras, geschichtliche u. legendäre Gestalt zugleich, begründet den ersten philosophischen Freundesbund. Einprägsame Sätze wie κοινὰ τὰ τῶν φίλων (ursprünglich wohl als Ausdruck archaischer Gruppensolidarität zu verstehen), φιλότης - ἰσότης werden unter seinem Namen Gemeingut. Die Freunde in Schillers ‚Bürgschaft‘ sind Pythagoreer. Sokrates begegnet uns mit handfest-sachlichen Ratschlägen bei dem praktischen Xenophon (mem. 2, 4/10), dessen Linie von PsIsocr. 1 volkstümlich fortgesetzt wird, mit tiefgreifender Besinnung auf das Wesen des φίλον bei Plato (Lysis). In Plato findet der παιδικὸς ἔρως, der griech. Frühzeit als Element der F. geläufig (Sparta, Theben, Thera), noch einmal seinen Verkünder, als er in der Praxis seine formende Kraft schon verloren hat. Wissenschaftlich handelt Aristoteles die F. ab (eth. Nic. 1155a 1/1172a 15). In seinem sozialethischen System verknüpft sie den privaten u. öffentlichen Bereich. Seine Klassifizierung der F. bleibt maßgebend: F. um des Nutzens, des Vergnügens, des Guten willen. Der Realist läßt die praktischen Formen gelten, erkennt aber als wahre F. nur die dauerhafte Verbindung der ‚Guten‘ an, die jetzt ganz ethisch verstanden sind. Er begründet das dem Griechen wichtige Prinzip der Gleichheit als wesentlich für die F.: F. mit Gott ist daher nicht möglich. – Die zahlreichen Schriften ‚Über F.‘, die uns von Platonikern u. Peripatetikern, voran Theophrast (Heylbut), bezeugt sind, zeigen, daß die F. aktuelles Thema bleibt. Stoa u. Kepos stehen theoretisch in scharfem Gegensatz. Das asketische Ideal des stoischen Weisen schließt F. eigentlich aus. Wenn sie dennoch geschätzt wird, ist das ein Zugeständnis an die Macht der Praxis, eines von denen, die die jüngere Stoa den Römern nahegebracht haben. *Epikur gründet seine Schule geradezu auf einen F.-kult. Er, der in der Praxis selbstloseste F. übt, muß sie theoretisch aus dem Eigennutz ableiten. War die F. vorher dem öffentlichen Leben vielfältig verbunden, so wird sie jetzt zum Trost der einzelnen, die sich aus der unüberblickbar gewordenen Welt der hellenist. Reiche auf das Private zurückziehen. Zugleich weitet sich über die Grenzen hinaus der F.begriff ins Kosmopolitische. Alle Gleichgesinnten sind Freunde, alle Menschen sollen es sein. Auch in den stabilisierten Verhältnissen der Kaiserzeit steht die individuelle F. im Vordergrund; daneben erwacht ein überwiegend kommunaler Patriotismus, in dem die Polis selbst ‚privatisiert‘ wird (vgl. Ditt. Syll. 2³, 866 [vJ. 153]: Trostbeschluß für Familie u. Freunde eines frühverstorbenen Bürgers). Der liebenswürdigste Vertreter dieser Haltung, Plutarch, bringt etwas Neues. Hatte im alten Griechenland die F. auch deswegen so geblüht, weil sie die in konventioneller *Ehe unbefriedigten idealeren Regungen der Männer ansprach, so ist (nach frühhellenistischen Ansätzen) bei Plutarch auch die Frau der F. fähig, während er für die Päderastie kein Verständnis mehr hat. – Die reichlich fließende Überlieferung der Kaiserzeit illustriert u. variiert das alte Thema, von Epiktet über Dion v. Prusa, Maximus v. Tyrus zu Julian, Libanius u. Themistius. Wenn Julian, überschwänglich wie immer, sich in F.beteuerungen ergeht, so rühmt er damit einen der Werte der Tradition, die er von den ‚Galiläern‘ bedroht glaubt. – Die Papyrusbriefe verwenden die traditionelle F.topik in konventioneller oder individueller Form (Koskenniemi; PLeid 17 [1968] nr. 14); ἡ σὴ φιλία wird Anrede (PLond 2185). Grabsteine rühmen den Verstorbenen u. a. als φιλόφιλος (SEG 20 [1964] 522. 546. 600). – Die Verknüpfung von privatem u. öffentlichem Bereich ist besonders deutlich in der Einrichtung der GastF., die von der Tugend der Gastfreiheit zu unterscheiden ist (s. Bolkestein). Das Kleinstaatensystem, verbunden mit entwickelten politischen, kulturellen u. Handelsbeziehungen, erforderte Absprachen über die gegenseitige Interessenvertretung. Solche Verhältnisse verbanden einzelne u. Gemeinwesen u. wurden oft traditionell. Proxenie-Urkunden sind in großer Zahl erhalten. ‚International‘ sind auch die politischen Parteiverbindungen, durch die Adel wie Demos Rückhalt für sich suchten, Verbannte aufnahmen, Umsturzversuche unterstützten. Bündnisverträge der Staaten betreffen φιλία u. συμμαχία. Zu ihrer Begründung werden oft emotionale Gründe angeführt (zB. Ditt. Syll. 2³, 591: Lampsakos, durch Troja mit Rom ‚verwandt‘, durch Mas

silia ‚befreundet‘). Für modernes Empfinden gehören derartige Beziehungen kaum unter den eigentlichen Begriff der F.; für den konkret denkenden Griechen sind aber Persönliches u. Sachliches weniger geschieden.

II. Römisch. Für die Verhältnisse in Rom vor dem griech. Einfluß mangelt es an direkten Zeugnissen. Die ersten Literaten sind NichtRömer u. folgen griech. Vorlagen. Von Ennius zitiert Cicero (Lael. 64) das Diktum ‚amicus certus in re incerta cernitur‘. Plautus u. Terenz setzen die Neue Komödie ins Römische um: so bleibt auch hier F. ein wichtiges Motiv, in sprichwörtlichen Formulierungen wie in den Sentenzen des Publ. Syrus (vgl. Otto, Sprichw., jeweils mit den griech. Parallelen; dazu die Nachträge von R. Häussler [1968] s. v.). Cicero schreibt als Denkmal seiner F. mit Atticus seinen ‚Laelius über die F.‘, das Vorbild für alle Späteren. Er markiert damit den Punkt, wo griechische F. römisches Leben durchdringt: im philhellenischen, stoisch geprägten Kreis der Scipionen. In seinen zT. vertraulichen Briefen steht uns Cicero als Mensch u. als Freund offen vor Augen, so offen wie keiner vor Augustin. Gerade an Cicero zeigt sich aber, daß F. in Rom zur Zeit der Republik wesentlich politische F. ist. Der röm. Aristokrat, erst recht der homo novus, braucht Freunde, um sich politisch durchzusetzen; denn die Wahlkampagnen arbeiten mit F. ebenso wie mit Geld u. anderen Mitteln der Beeinflussung (Gelzer). Freunde gewinnt u. erhält man durch officia (Bernert): Hilfeleistung u. Gefälligkeiten. Cicero wird nicht müde, das zu betonen. Oft ist amici Umschreibung für den inneren Kreis der Klienten, die der röm. Große um sich hat, die auf ihn angewiesen sind, die er aber seinerseits braucht. Dazu gehören auch die Literaten, die einen Gönner brauchen (LukrezMemmius, Horaz-Maecenas; s. Allen; Meister). Die cohors amicorum begleitet den Statthalter in seine Provinz u. darf erwarten, am Gewinn teilzuhaben. Von dieser noch informellen Gruppe führt der Schritt zu den amici Caesaris, φίλοι τοῦ Καίσαρος (Bammel). Dieser Titel steht in einer Traditionskette, die im AR Ägyptens beginnt u. über die Ptolemäer u. Seleukiden nach Rom (Ditt. Or., Reg. s. v. φιλοκαῖσαρ) u. weiter nach Byzanz (O. Treitinger, Die oström. Kaiser- u. Reichsidee [1938] 102; *Brüderlichkeit der Fürsten) reicht. Wie schon im AR die Titelinflation zu Prägungen wie ‚einziger‘, ‚wahrer', ‚einziger wahrer', ‚großer' Freund geführt hat (Donner), so haben die hellenist. Reiche ihre πρῶτοι, τιμώμενοι, πρῶτοι καὶ προτιμώμενοι φίλοι (Momigliano) u. das Kaiserreich die amici primae et secundae admissionis. Damit wird der Herrscher der persönlichen F. entrückt. – Noch deutlicher als in Griechenland ist F. außenpolitischer Begriff. Amicitia ist eine Art de-facto-Anerkennung, die sich durch Austausch von Gesandtschaften (mit Geschenken) von selbst herstellt. Sie ist selbst nicht Inhalt von Verträgen, sondern liegt den einzelnen Vertragsinhalten (zB. Bundesgenossenschaft) zugrunde (Heuss). Städte u. Provinzen gewinnen römische Senatoren zu Patronen, doch fehlt hier im Unterschied zur griechischen Gast-F. die Gleichstellung. – Unter den Kaisern wendet sich, wie im hellenistischen Griechenland, die F. mehr ins Private, ohne beim herrschenden Staatsvolk die Verbindung zum Gemeinwesen ganz zu verlieren (Seneca).

III. Motive u. Probleme der griech.-röm. F. Gegenüber dem Christentum kann die antike F. als Einheit betrachtet werden. Der Unterschied zwischen griech. u. röm. F. (Klein; Steinberger) liegt mehr in unterschiedlicher Betonung von Nuancen, zT. bedingt durch die unterschiedlichen Entwicklungsstufen (die reife griechische Zivilisation trifft auf eine erst beginnende römische) u. unterschiedliche Quellen (bei den Griechen Literaten u. Moralisten, bei den Römern Angehörige der herrschenden Schicht). Gemeinsam ist die hohe Schätzung der F. überhaupt, die Forderung nach Gleichheit, Offenheit, Gegenseitigkeit (besonders im εὐεργετεῖν = benefacere, das mit Wohltätigkeit im spätantiken Sinn nichts zu tun hat), Vorsicht bei der Wahl, Treue, Hinwegsehen über kleine Fehler, Mahnung bei ernsthaften. Betont ist die Warnung vor Schmeichlern u. Allerwelts-F., doch sind viele Freunde erwünscht. Die Theorie neigt dazu, den Begriff der wahren F. so zu idealisieren, daß sie gegenüber der Möglichkeit, sie zu verwirklichen, skeptisch wird. Die F. ist hohes, aber nicht höchstes Gut. Pflichten gegen Götter, Vaterland, Eltern, ‚das Gute', wie immer die Philosophen es bestimmen, haben Vorrang. Cicero erklärt den Konflikt zwischen Freundes- u. Bürgerpflicht für unmöglich, er weicht der Frage also aus. In der Praxis hat er mit Freunden, die sich ihm politisch entfremdet hatten (Matius), gebrochen, wenn das ‚idem velle atque

idem nolle' entfiel. Mit dem Erstarken der Kultgenossenschaften seit späthellenist. Zeit ergibt sich die Möglichkeit von Konflikten zwischen staatsbürgerlicher u. genossenschaftlicher Loyalität u. ‚Freundes'pflicht. F. ist nicht selbst Maßstab, sondern wird an absoluten Maßstäben gemessen, seien sie religiös, ethisch oder politisch. Von hier ergibt sich der Schritt zur christlichen Wertung. Wenn Augustin seine Freude darüber ausdrückt, daß ein Jugendfreund zum Christentum gefunden hat, so zitiert er mit voller Zustimmung Ciceros Definition (Lael. 20): Amicitia est rerum humanarum et divinarum cum benevolentia et caritate consensio (ep. 258, 1).

IV. Altes Testament u. Spätjudentum. Das Hebräische hat kein eigenes Wort für F. Die LXX übersetzen mit φίλος verschiedene Worte, die vor allem ‚Nächster', ‚Nachbar', ‚Landsmann' bedeuten (Paeslack). Der wirkungsträchtigen Stelle Ex. 33, 11: ‚Gott redete mit Moses wie ein Mann mit seinem Freund redet' liegt das farblose ‚einer mit dem anderen' zugrunde. Dtn. 13, 7 befiehlt, jeden zu töten, der zum Götzendienst verleitet, sei es auch ein Verwandter oder ὁ φίλος ὁ ἴσος τῆς ψυχῆς σου. Das ideale Freundespaar des AT sind David u. Jonathan (von den Kirchenvätern immer wieder den Heiden entgegengehalten); wenn aber David sein Gefühl für den Freund bezeichnet, vergleicht er es mit der Frauenliebe (2 Reg. 1, 26). Der ägyptische Titel ‚Freund des Königs' (s. o. Sp. 422) taucht unter David u. Salomon auf (1 Chron. 27, 33). Später bezieht sich dieser Titel auf persische (1 Esr. 8, 11. 13; Esther passim) u. seleukidische (Macc. oft) Verhältnisse. In Macc. sind die Juden amici populi Romani: das Gewicht dieser Auszeichnung wird deutlich. Propheten u. Psalmen klagen über treulose Freunde (u. Nachbarn usw.: Jer. 9, 3f; Mich. 7, 5; Ps. 37, 12; 87, 19) eher beiläufig. Dagegen bringt die jüngere Weisheitsliteratur ausgedehnte Lehren über die F., rühmt den treuen Freund, warnt aber auch nachdrücklich vor dem treulosen u. dem Schmeichler (Prov. passim; Sir. passim, bes. 6, 22. 27. 37). Daß jetzt die F. überhaupt einen so breiten Raum erhält, zeigt hellenistischen Geist. – Bei Philo ist dieser Geist ganz deutlich, wenn er die Traditionen seines Volkes der griech. denkenden Welt interpretiert. Aus der großen Zahl der Belege (s. Reg. von Leisegang) seien einige hervorgehoben. F. ist ‚höchstes Gut' (virt. 109), wird nach Vorzügen u. Gefahren ausführlich erörtert (plant. 104/6), wahre u. falsche F. werden unterschieden (quis rer. div. her. 40/4), Entartungen, besonders Schmeicheleien, oft getadelt. F. ist wandelbar (virt. 152). Rechte F. beruht auf Gleichberechtigung (quod omn. prob. lib. 79), wächst allmählich (spec. leg. 4, 161), erfordert Freimut (migr. Abr. 116) u. Offenheit (quod det. pot. ins. 37). Den Freund ehren wie sich selbst (ebd. 33), ist wie die eigene Seele lieben nach Dtn. 13, 6 (quis rer. div. her. 83), u. tröstet im Leid (somn. 1, 110). Als Sprichwort zitiert wird κοινὰ τὰ τῶν φίλων (Abr. 235; v. Moys. 1, 156). Wahre F. gibt es nur unter Guten (spec. leg. 3, 155). – Das Beispiel Moses-Josua (virt. 55) beruht auf Religion u. nicht auf Blutsbanden (spec. leg. 1, 317; virt. 35. 179). Frömmigkeit geht über F. (v. Moys. 2, 171. 273; spec. leg. 1, 52. 68). Tugend verschafft F. Gottes (v. cont. 90: Therapeuten); Gott will den Menschen Freund sein (plant. 90); Freunden Gutes tun ist ihm wohlgefällig (mut. nom. 40). Insbesondere ist der Weise Freund Gottes, ein Grundgedanke Philos (quis rer. div. her. 21: Moses [Ex. 33, 11]; ebr. 94; sac. Abel. et Caini 131; sobr. 55f: Abraham [Gen. 18, 17: ʼΑ. τοῦ φίλου μου, gegen LXX; vgl. Abr. 273]). Die Verbindung atl. Grundhaltung mit griech. Denkformen bereitet auf die späteren Kirchenväter vor.

B. Christlich. I. Neues Testament. Im NT spiegelt sich zunächst das Volksleben der Zeit. Freunde gehören neben Verwandten u. Nachbarn zum täglichen Umgang, besonders in den Gleichnissen bei Lukas (Mt. u. Mc. meiden φίλος). Man lädt sie zu Gast (Lc. 15, 29), teilt Freud u. Leid (15, 6. 9), erbittet u. erhält Hilfe (11, 5/8); ,Freund des Bräutigams' heißt der Brautwerber (Joh. 3, 29). Außerhalb des jüdischen Bereichs haben der Centurio (Lc. 7, 6) u. Cornelius (Act. 10, 24) ihre Freunde. Auf den amicus-Caesaris-Titel spielt Joh. 19, 12 an (Bammel), politische F. entsteht zwischen Pilatus u. Herodes (Lc. 23, 12). – Jesu Weisung führt über das Natürliche hinaus: Zum Mahl lade man nicht Freunde, die vergelten können, sondern Arme (Lc. 14, 12/4). Das den Griechen selbstverständliche Prinzip der Gegenseitigkeit wird scharf abgelehnt (6, 32). Den Jüngern wird vorausgesagt, daß Verwandte u. Freunde sie verraten werden (21, 6). Sie erhalten die dunkle Mahnung, sich mit dem ungerechten Mammon Freunde zu machen (16, 9). Christlich ist nicht φιλία (das Wort nur Jac. 4, 4, scharf

negativ: φιλία τοῦ κόσμου = ἔχθρα τοῦ θεοῦ), sondern ἀγάπη = Bruder-, Nächsten-, ja Feindesliebe, die als Wirkung der göttlichen Agape spontan, ohne Gegenseitigkeit, ohne Schauen auf Würdigkeit handelt. Untereinander sind die Christen nicht Freunde (vgl. H. Karpp, Art. Christennamen: o. Bd. 2, 1121f), sondern Brüder (s. K. H. Schelkle, Art. Bruder: o. Bd. 2, 631/40, bes. 636f), Christus ist ihr Herr u. Lehrer. Aber es gibt Nuancen. Jesus hat Freunde (Lazarus: Joh. 11, 11), hat den ,Lieblingsjünger' (20, 2) u. nennt seine Jünger Freunde (Lc. 12, 4; Joh. 15, 13/5). Besonders die Joh.-Stelle hat stark gewirkt. Daneben wird die Beschreibung der Urgemeinde (Act. 4, 32) gern im Sinne des κοινὰ τὰ τῶν φίλων angeführt, während die wenigen anderen Stellen, an denen Christen φίλοι genannt werden (Act. 27, 3; 3 Joh. 15; vgl. Harnack, Miss. 435f), zurücktreten. Abraham ist wie bei Philo Gottesfreund (Jac. 2, 23, zitiert Gen. 15, 6 mit Zusatz καὶ φίλος θεοῦ ἐκλήθη). – Insgesamt ist F. im NT eine Randerscheinung.

II. Frühchristentum. Die apostolischen Väter, die Apologeten u. Apokryphen folgen der ntl. Haltung: 1 Clem. 10, 1 u. 17, 2 ist Abraham Gottesfreund wie Jac. 2, 23; 6, 5: wir können nicht zugleich φίλοι dieses u. des kommenden Äon sein. Hermas verwirft F. mit Heiden (mand. 10, 1, 4; vgl. sim. 8, 9). Der Freund ist eines von den ,törichten Dingen', die Ehezwist verursachen können (mand. 5, 2, 2). Im Gleichnis stehen die Freunde u. Ratgeber des Reichen (sim. 5, 2, 6) für die Engel Gottes (5, 5, 3). Ignatius (Pol. 2, 1) hat φιλεῖν nur in negativem Kontext, sonst wird ἀγάπη u. ä. gebraucht. – Athenagoras betont, daß die Christen nicht nur ihre Freunde lieben (12, 3) u. sich Brüder nennen (32, 3). Die anderen Belege bei ihm beziehen sich auf Heidnisches (so 22, 1; 24, 2 die φιλία des Empedokles; auch Hermias 4). Ebenso steht es mit Tatian (or. 2, 1f; 16, 2; 17, 1). Justin dagegen geht einen großen Schritt weiter. Die Gesprächspartner im Dial. c. Tryph. reden sich ständig mit ,Freund, Freunde' an. Neu klingt 8, 1: ἔρως ἔχει με τῶν προφητῶν καὶ τῶν ἀνδρῶν ἐκείνων, οἵ εἰσι Χριστοῦ φίλοι. Jeder Gläubige ist φίλος τῷ θεῷ (28, 4); φιλία (93, 4 ohne Unterschied neben ἀγάπη) ist eine der Wirkungen Christi (139, 4). Mit einer F.beteuerung Tryphons schließt der Dialog (142, 1). PsIustin. coh. 26 zitiert Plat. Tim. 53 D, um zu zeigen, daß Platon hier als ,Gottesfreunde' Moses u. die Propheten meine. Die PsClementinen werten φιλία gegenüber φιλανθρωπία als bloß menschlich ab (hom. 12, 25) u. stellen den φίλος-Begriff ganz überindividuell in den Dienst der Gemeinde (ep. Clem. 18, 1/4). – Irenäus gebraucht ungescheut φιλία in religiösem Sinn. Christus stellt die F. zwischen Gott u. den Menschen wieder her (3, 18, 7), die amicitia Gottes zu den Menschen (4, 16, 3f; vgl. 4, 6, 6; 5, 14, 2; 5, 17, 1; 5, 27, 2; hier für φιλία im lat. Text dilectio, dem Sinn entsprechend). Die Bezeichnung der Jünger als Freunde wird mit Abrahams Gottes-F. in Parallele gesetzt. – Insgesamt wird das Wort F. in religiösem Gebrauch im 2. Jh. häufiger; im menschlichen bleibt F. jedoch peripher.

III. Drittes Jh. Clemens v. Alex. hat die philosophische Tradition voll aufgenommen. Als erster bringt er ausführliche direkte Zitate. F. wird erstmalig Gegenstand der Überlegung, jedenfalls in dem für uns faßbaren kirchlichen Christentum (strom. 6, 6, 52 zitiert er polemisch eine Homilie des Gnostikers Valentin ‚Über Freunde'). An der Hauptstelle strom. 2, 19, 101 f bespricht er die drei Arten der F.: κατ᾽ ἀρετήν, gegründet auf ἐκ λόγου ἀγάπη; κατ᾽ ἀμοιβήν, auf Nutzen; καθ᾽ ἡδονήν bzw. ἐκ συνηθείας. Im Anschluß an ein Zitat aus dem Pythagoreer Hippodamos bestimmt er sie in dieser Rangfolge als philosophische, menschliche u. animalische F. Die aristotelische Dreiteilung ist darin deutlich. F. als menschliches Gut ist nützlich (paed. 2, 12, 120, 6): sie entsteht durch Gutestun u. wächst allmählich (quis div. salv. 32, 6). Die Karikatur des Freundes ist der Schmeichler (strom. 2, 4, 16, 1). Der Nachdruck liegt aber auf der göttlichen F. Der Mensch überhaupt ist φίλος θεῷ (paed. 1, 3, 7, 1), vor allem aber, gegenüber dem schlichten Gläubigen, der ‚Gnostiker' (strom. 6, 9, 76, 3; 7, 2, 5, 6; 7, 3, 21, 2; 7, 10, 57, 4), ebenso wie Abraham (paed. 3, 2, 12, 4; 3, 7, 42, 3) u. Moses (strom. 4, 3, 9, 1: zitiert Pythagoras u. Ex. 33, 11). Auf die göttliche F. werden auch die Wendungen vom ‚zweiten Ich' (strom. 2, 8, 41, 2), ὁμοιότης (7, 11, 68, 2) u. κοινὰ τὰ τῶν φίλων (protr. 12, 122, 3) bezogen. Quis div. salv. 33, 1 zitiert Clemens ‚δώσω γὰρ οὐ μόνον τοῖς φίλοις, ἀλλὰ καὶ τοῖς φίλοις τῶν φίλων', vielleicht ein apokryphes Herrenwort (Harnack, Miss. 434₁). – Origenes warnt vor heuchlerischer F. der Welt (de orat. 29, 8), die, wenn sie dem Glauben gefährlich wird, un-

bedingt zu lösen ist (hom. in Jer. 20, 7; comm. in Mt. 13, 25, zu Mt. 18, 8f: zitiert Dtn. 13, 6). Jesus, der unser Freund sein will (comm. in Mt. 11, 8), zeigt den Weg zur Gottes-F. (c. Cels. 3, 38), u. zu allen Zeiten gab es ‚Gottesfreunde u. Propheten' (4, 3. 7), die, neben den Engeln, unter den amici sponsi des Hohenliedes zu verstehen sind (comm. in Cant. passim). Freunde Gottes sind die Christen allgemein (hom. in Gen. 3, 4; in Ez. 5, 2) u. speziell die Empfänger höherer Weisheit (princ. 1, 6, 4), zu denen sich Origenes selbst nicht zählt (comm. in Mt. 14, 5). Zum Sprachgebrauch des NT merkt er an, daß ἑταῖρε (lat. amice) nie in gutem Sinn gemeint sei (zu Mt. 26, 50 mit Hinweis auf 22, 12; 20, 13; vgl. Eltester). Daß Origenes auch menschliche F. inspirieren konnte, zeigt die Dankrede des Gregor Thaumaturgus (vgl. 45. 81), der sein Verhältnis zu dem verehrten Lehrer mit des Jonathan zu David vergleicht (85. 90. 92). – Hippolyt nennt die Propheten ‚Gottesfreunde' (ref. 10, 33, 11), zitiert die Philia des Empedokles (10, 7, 5) u. gibt bei der Aufzählung der Eigenschaften der unter den einzelnen Tierkreiszeichen Geborenen auch jeweils die Eignung zur F. an (4, 15/26: πρὸς φιλίαν ὠφέλιμοι, εὔχρηστοι, ἀνωφελεῖς), ein Zeichen dafür, daß die Frage wichtig war. – Bei den Lateinern ist Minucius Felix schon ganz klassisch gebildet. Wenn er seines verstorbenen Freundes Octavius in glühenden Worten gedenkt, so sollen Wendungen wie ‚ein Geist in zweien' u. ‚eadem velle vel nolle' (1, 3) an Cicero u. Sallust erinnern. Noch hindert der Glaubensunterschied, so schmerzlich er empfunden wird, keineswegs die amicitia (4, 6); höher aber steht der Brudername der Christen, der, den Heiden verdächtig intim (9, 2), mit Nachdruck verteidigt wird (31, 8). – Cyprian schreibt an seine fratres carissimi oder dilectissimi (passim); die Märtyrer u. Bekenner werden als fortissimi, fidelissimi, beatissimi (ep. 10. 13. 15. 28. 37. 76 u. ö.) von ihnen unterschieden. Ihnen allein gilt der Ehrentitel ‚amici des Herrn' (ep. 15, 3; 21, 3). Ep. 55, 13 rügt als Erschwerung des Abfalls, wenn jemand auch seine Freunde mit sich zieht, die hier als abhängig gedacht sind. Ep. 58, 5 ruft zur Nachahmung des Gottesfreundes Abraham auf. – Arnobius rühmt als Ziel der Märtyrer amicitiae Christi (2, 5). – Insgesamt ist F. als religiöser Begriff im 3. Jh. schon weit verbreitet, während der menschlichen Seite gegenüber, trotz Clemens u. Mi-

nucius Felix, noch Zurückhaltung überwiegt.

IV. Viertes Jh. u. Folgezeit. Vom 4. Jh. an
fließen die Quellen reichlich. Durch Briefe
(*Brief) u. autobiographische Darstellungen
werden die Autoren zunehmend auch als
Menschen u. Freunde faßbar. Mit der allgemeinen Übernahme klassischer Bildungstra-
ditionen wird die Anknüpfung an die antike
F. deutlicher, anderseits differenziert sich das
Bild stärker, zB. durch asketische Haltungen.
– Eusebius unterstreicht programmatisch
(praep. ev. 1, 1) die von Christus den Menschen gebrachte φιλία Gottes u. zu Gott; der
Begriff nimmt offenbar keine Rücksicht auf
kirchenferne Leser. Konstantin ist ihm ὁ τῷ
θεῷ φίλος (h. e. 10, 9, 1). – Athanasius streitet
wider die Arianer, die sich auf die F. des Kaisers stützen (PG 25, 696 BC. 697 C) u. vergleicht
deren Bündnis mit den Melitianern mit der F.
zwischen Herodes u. Pilatus (589 A). Freund
ist nur der Glaubensgenosse (548 B). An Antonius rühmt er, daß er F. mit Häretikern
meidet (PG 26, 940 B). Daß vor diesen jetzt
gewarnt wird wie früher vor den Heiden,
kennzeichnet die neue Epoche. – Didymus
d. Blinde unterscheidet die herkömmlichen
drei Arten der F. (in Ps. 37, 12). – Basilius u.
Gregor v. Naz. bieten das Bild einer exemplarischen Jugend- u. Studien-F., aber während Gregor auch später dem individuellen
F.ideal verbunden bleibt, stellt Basilius die
F. in den Dienst seines Bischofsamtes, womit
er Gregor schwer enttäuscht (or. 9. 10. 43;
c. 2, 11; Vischer). Für Basilius ist das allgemeine Liebesgebot zugleich Basis der F.
(grundlegend hom. in Ps. 44, 2: nur die Heiligen können wahrhaft φίλοι θεοῦ καὶ ἀλλήλοις
sein). Seine strengere Art bevorzugt den Begriff ἀγάπη, wo Gregor unbefangen von φιλία
spricht (Treu). Heterodoxie ist ihm ein Grund,
auch die älteste F. abzubrechen (ep. 128). Gregor wandelt den Gedanken κοινὰ τὰ τῶν φίλων
vielfältig ab (ep. 1. 15. 31. 34. 35. 40. 74. 88.
168 [mit Berufung auf Joh. 16, 15]. 205; c.
2, 11, 229) u. hat wie Basilius (ep. 83) den
Topos des ‚alter ego‘ (ep. 15). Seine Rede auf
Gregor v. Nyssa (or. 11) beginnt mit einer
Kette atl. Zitate über den treuen Freund, an
dem dann christliche u. weltliche Bildung
gerühmt wird. Die Gedichte warnen vor falschen u. preisen treue Freunde (1, 22f. 32f)
im Stil atl. Weisheit. – Gregor v. Nyssa
rühmt Moses als Gottesfreund u. fordert auf,
ihm nachzustreben (v. Mos. 2, 319f). – Joh.

Chrysostomus warnt öfters vor ungläubigen
Freunden (PG 48, 708. 959; 55, 59f; 59,
314), stellt geistliche über menschliche F.
(58, 581. 587f; 59, 101f; 62, 640f: David u.
Jonathan), anerkennt aber auch diese (62,
302/4) u. preist sie sogar (60, 285/8; 62, 403/
6). Die Verbannungsbriefe zeigen seine Sehnsucht nach den Freunden. Doch mehr noch
als bei Basilius tritt φιλία hinter ἀγάπη zurück, zumal in den überlegt formulierten
Briefen an Frauen. – Auch in den Briefen
Theodorets überwiegt das Sachliche vor dem
Persönlichen. Wenn er ep. 43 übermäßiges
Lob abweist, so beruft er sich ebenso auf die
klassischen Maximen wie auf den Apostel,
den φιλίας νομοθέτης (1 Petr. 4, 8). Die Sta-
bilisierung der Fronten zeigt sich darin, daß
Clemens den Hippodamos zustimmend zitiert, während Theodoret dasselbe Zitat wiederholt, um es, gegen Joh. 15, 13 gestellt, als
heidnisch abzuweisen (Graec. aff. cur. 12, 77
[SC 57, 441]). – Einen Schlußpunkt bilden
die Loci communes des Maximus Confessor,
cap. 6: Περὶ φίλων καὶ φιλαδελφίας (PG 91, 753/
64), ein Resümee dessen, was als Zitaten-
schatz in byzantinische Zeit weiterwirkt.
Nach 1 Cor. 13, 1/3 u. mehreren Stellen aus
Prov. u. Sir. folgen die Kappadokier, Joh.
Chrysostomus, Euagrius, Philo u. eine große
Anzahl heidnischer Zitate, von Demokrit bis
Libanius. Ein Widerspruch wird nicht empfunden. – Im Westen gibt Ambrosius am
Schluß seiner christl. Bearbeitung der Pflich-
tenlehre Ciceros auch Anweisungen über die
F. (off. 3, 21), mit Hochschätzung, doch
nüchterner Einsicht in die Grenzen u. mit
biblischer Begründung für die klassischen
Lehren. Das ‚alter ego‘ ist ihm wert genug, als
Vergleich für die Einheit der göttlichen Trinität zu dienen (spir. sanct. 2, 154). – Augustins Entwicklung steht uns in seinen Briefen u. Schriften, besonders den Confessiones,
so plastisch vor Augen wie die keiner anderen
Persönlichkeit des Altertums, von den glühenden Jugend-F. über den christl. Freundeskreis von Cassiciacum bis zu den abgeklärten
Beziehungen des Bischofs zu Amtsbrüdern
u. Schülern. So wenig er ohne F. sein kann,
so sehr leidet er unter der Unmöglichkeit
letzter Übereinstimmung, auf die er erst im
Jenseits hofft. Er übernimmt Ciceros Definition der F. (acad. 3, 6, 13; ep. 258, hier mit
dem christl. Liebesgebot begründet), überhöht aber amicitia durch caritas, ohne diese
in jener völlig aufgehen zu lassen (McNa-

mara). – Etwa in der Mitte zwischen dem
nüchternen Ambrosius u. dem hochkompli-
zierten Augustin steht Paulinus v. Nola.
Stark gefühlsbestimmt, sein Ich dabei hinter
dem der Freunde zurückstellend, verkörpert
er den Konflikt zwischen Gottsuche u.
menschlichen Bindungen, der ihn zwingt,
nach immer neuen Rechtfertigungen der F.
zu suchen (Fabre). – Hieronymus leidet an
dem Widerstreit zwischen seinem Bedürfnis
nach F. u. seinem schroffen Charakter, der
ihn mißtrauisch macht. Den Bruch seiner
‚fast in der ganzen Kirche bekannten‘ F.
mit Rufin versucht Augustin vergeblich zu
heilen (Hier. ep. 110. 116). Deutlicher als sonst
zeigt sich an ihm, wie theologische Differenzen menschliche Entfremdung nach sich ziehen. Wie wichtig er die F. nimmt, beweist
seine Auslegung von Mich. 7, 5/7 (PL 25,
1217/9), wo er trotz eines scharf ablehnenden
Textwortes mit gehäuften biblischen, besonders aber klassischen Belegen die F. verteidigt, wobei er die fast wörtliche Übereinstimmung beider Seiten am Laelius exemplifiziert. – Am Ausgang der lat. Patristik
faßt Isidor v. Sevilla die Traditionen der
‚antiqui‘ u. die christl. Lehre zusammen
(sent. 3, 28/32 [PL 83, 702/5]), didaktisch-
schlicht, mehr warnend als rühmend. – Das
Mönchtum als radikale Existenzform radi-
kalisiert auch die christl. Bedenken gegen die
F. Die Regel des Pachomius spricht nicht von
ihr, warnt aber vor Vertraulichkeiten (94.
166). Basilius fordert, daß der Asket sich von
Freunden löse (ren. saec. 2 [PG 31, 632 A];
vgl. ep. 291). In der Klostergemeinschaft soll
gleiche Liebe unter allen herrschen, Partiku-
lar-F. (μερικὴ φιλία) wird verurteilt (serm. asc.
2 [PG 31, 884f]; vgl. const. monast. 29 [PG
31, 1417]), ein später häufig wiederholter Gedanke. – Milder ist Cassian, der seine collatio
16 der F. widmet. Perfecta amicitia ist nur
zwischen perfecti möglich (5); der Asket ist
an die Stelle des stoischen Weisen u. des vir
bonus getreten. Voraussetzung ist vollkommene Entsagung. Nachdrücklich warnt er
vor ira u. tristitia, auch vor etwaigen geistlichen Anlässen dazu (9) sowie vor zu großer
Strenge (15).

V. Zusammenfassung. Für den christl. Alltag
läßt sich aus den Äußerungen der Moralisten
u. Theologen (neben denen die direkten Zeugnisse zurücktreten, wie Papyrusbriefe aus
Ägypten u. vereinzelte von Freunden statt
von Angehörigen gesetzte Grabsteine, zB.

Zill. Syll. 174. 192. 277) auf die Fortdauer
bürgerlicher F.formen schließen. Die Intensivierung des religiösen Lebens bewirkt, daß
F.konflikte, wie früher durch politische, so
jetzt durch religiöse Differenzen entstehen,
zunächst zwischen Heiden u. Christen, dann
zwischen Christen verschiedener Richtungen.
Anderseits bewirkt Übereinstimmung im Religiösen eine vorher nicht gekannte Vertie-
fung auch der F. Eine abgerundete u. allgemein anerkannte Theorie der F. gibt es
nicht. Da das AT nur periphere, das NT überhaupt keine festen Lehren über die F. bietet,
bleibt die Haltung zu ihr mehr oder weniger
freigestellt. So können sich persönliche Neigung, Temperament u. Lebensschicksal frei
auswirken. Ein gewisses Gesamtbild ergibt
sich erst aus der Summierung der verschiedenen Haltungen. Eine freizügigere Auffassung geht oft mit größerer klassischer Bildung zusammen, kann sich aber durch Betonung gewisser biblischer Ansatzpunkte auch
christlich rechtfertigen. Allgemeine Grundsätze u. Ratschläge folgen klassischen Mustern, sobald einmal die F. zum selbständigen Thema geworden ist. Dem Vorbild
Ciceros bei den Lateinern steht dabei im
Griechischen eine vielfältigere, nicht so auf
einen Brennpunkt konzentrierte Tradition
gegenüber. Die Betonung der Gefahren u.
Grenzen hat ebenfalls ihre klassischen Parallelen, doch ist hier, nach atl. Vorbild, das
Christliche besonders ausgeprägt. Die Gottes-
F., von Aristoteles abgelehnt, von Philo
(nach stoischen Vorgängern) auf die großen
atl. Gestalten angewandt, gilt da, wo sie
betont wird, den Propheten, Märtyrern,
Asketen, seltener allen Gläubigen. Die soziale
Rolle der F. erscheint gegenüber der Antike
eingeschränkt. An die Stelle der Institution
der Gast-F. tritt die religiös-ethisch motivierte Gastfreiheit, an die Stelle politischer
F. treten, bedingt vergleichbar, die persönlichen Bindungen innerhalb orthodoxer wie
heterodoxer Gruppen. – Erscheinungen wie
der uneingeschränkte Preis der F. bei Aelred
v. Rievaulx, die mystischen ‚Gottesfreunde‘
des 13./14. Jh., die ‚friends‘ des 17. Jh. liegen
auch sachlich außerhalb unserer Epoche.

W. ALLEN, On the friendship of Lucretius
with Memmius: ClassPhilol 33 (1938) 167/81. –
E. BAMMEL, Φίλος τοῦ Καίσαρος: ThLZ 77 (1952)
205/10. – E. BERNERT, De vi atque usu vocabuli
officii, Diss. Breslau (1930). – G. BOHNENBLUST,
Beiträge zum Topos περὶ φιλίας, Diss. Bern

(1905). – H. Bolkestein, Wohltätigkeit u. Armenpflege im vorchristl. Altertum (Utrecht 1939). – W. Brinkmann, Der Begriff der F. in Senecas Briefen, Diss. Köln (1963). – P. A. Brunt, Amicitia in the late roman republic: ProcCambrPhilolAss 1965, 1/20. – H. Dahlmann, Cicero u. Matius. Über F. u. Staat: NJbb 113 (1938) 225/39. – A. Dihle, Die goldene Regel (1962). – F. Dirlmeier, Φίλος u. Φιλία im vorhellenistischen Griechentum, Diss. München (1931); Θεοφιλία-φιλοθεία: Philol 90 (1935) 57/77. 176/93. – H. Donner, Der ‚Freund des Königs‘: ZAW 73 (1961) 269/77. – L. Dugas, L'amitié antique d'après les mœurs populaires et les théories des philosophes (Paris 1894). – J. P. A. Eernstmann, Οἰκεῖος, Ἑταῖρος, Ἐπιτήδειος, Φίλος, Diss. Utrecht (1932). – W. Eltester, ‚Freund, wozu du gekommen bist‘ (Mt. 26, 50): Neotestamentica et Patristica, Freundesgabe … O. Cullmann (Leiden 1962) 70/91. – P. Fabre, Saint Paulin de Nole et l'amitié chrétienne (Paris 1949). – G. Fuchs, Die Aussagen über die F. im NT, verglichen mit denen des Aristoteles (Nic. Eth. 8/9), Diss. Leipzig (1914). – M. Gelzer, Die Nobilität der röm. Republik (1912). – A. v. Harnack, Der ‚Eros‘ in der altchristl. Literatur: SbB 1918, 5, 81/94; Miss. 433/6: Exkurs 1: Die Freunde; Die Terminologie der Wiedergeburt u. verwandter Erlebnisse in der ältesten Kirche = TU 42, 3 (1918) 97/143. – F. Hauck, Die F. bei den Griechen u. im NT: Festgabe Th. Zahn (1928) 211/28. – A. Heuss, Die völkerrechtl. Grundlagen der röm. Außenpolitik in republ. Zeit = Klio Beih. 31 (1933). – Hey, Art. amicitia, amicus: ThesLL 1, 1891/8. 1902/14. – G. Heylbut, De Theophrasti libris περὶ φιλίας, Diss. Bonn (1876). – H. J. Kakridis, La notion de l'amitié et de l'hospitalité chez Homère (Thessaloniki 1963). – E. Klein, Studien zum Problem der ‚röm.‘ u. ‚griech.‘ F., Diss. Freiburg (1957). – H. Koskenniemi, Studien zur Idee u. Phraseologie des griech. Briefes bis 400 nC. (Helsinki 1956). – O. Kretschmer, φίλος: IndogForsch 45 (1927) 267/71. – F. Lossmann, Cicero u. Caesar iJ. 54. Studien zur Theorie u. Praxis der röm. F. = Hermes-Einzelschr. 17 (1962). – M. A. McNamara, Friendship in Saint Augustine = Stud. Friburg. NS 20 (1958). – K. Meister, Die F. zwischen Horaz u. Maecenas: Gymnas 57 (1950) 3/38. – A. Momigliano, Honorati amici: Athenaeum NS 11 (1933) 136/41. – H. Neumark, Die Verwendung griech. u. jüd. Motive in den Gedanken Philons über die Stellung Gottes zu seinen Freunden, Diss. Würzburg (1937). – V. F. Nolte, Augustins F.ideal in seinen Briefen = Cassiciacum 6 (1939). – F. Normann, Die von der Wurzel φιλ- gebildeten Wörter u. die Vorstellung der Liebe im Griechischen, Diss. Münster (1952). – M. Paeslack, Zur Bedeutungsgeschichte der Wörter φιλεῖν ‚lieben‘, φιλία

‚Liebe‘, ‚F.‘, φίλος ‚Freund‘ in der LXX u. im NT: Theologia Viatorum 5 (1953/5) 51/142. – E. Peterson, Der Gottesfreund: ZKG 42 (1923) 161/202. – H. Rönsch, Abraham, der Freund Gottes: ZwTh 16 (1873) 583/90. – J. Steinberger, Begriff u. Wesen der F. bei Aristoteles u. Cicero, Diss. Erlangen (1955). – F.-A. Steinmetz, Die F.lehre des Panaitios = Palingenesia 3 (1967). – S. G. Stock, Art. Friendship (greek and roman): ERE 6, 134/8. – R. Thurnwald, Art. F.: ReallexVorgesch 4, 1 (1926) 116/26. – K. Treu, Φιλία u. ἀγάπη. Zur Terminologie der F. bei Basilius u. Gregor v. Nazianz: StudClass 3 (1961) 421/7. – E. Vansteenberghe, Art. amitié: DictSpir 1 (1937) 500/29. – M. Vidal, La ‚Theophilia‘ dans la pensée religieuse des grecs: RechScRel 47 (1959) 161/84. – L. Vischer, Das Problem der F. bei den Kirchenvätern Basilius d. Gr., Gregor v. Nazianz u. Chrysostomus: TheolZs (Basel) 9 (1953) 173/200. – W. Ziebis, Der Begriff der φιλία bei Plato, Diss. Breslau (1927). – F. Zucker, F.bewährung in der neuen attischen Komödie = SbL 89 (1950).   *K. Treu.*

Friede.

A. Etymologisches. I. Εἰρήνη 435. II. Pax 436. III. Šālōm 436.

B. Nichtchristlich. I. Griechisch-römisch. a. Religiös-politisch. 1. Griech. Literatur 437. 2. Anfänge eines F.kultes 438. 3. Eingeführter Kult 439. 4. Rom 440. 5. Pax Romana u. Augusta 440. 6. Pax rechtsgeschichtlich 442. 7. F.ideologie bei Caesar 442. 8. F. in der Kaiserzeit 443. b. Philosophisch. 1. Im griech. Sprachraum 444. 2. Im latein. Sprachraum 445. 3. Pax-Hoffnungen 446. c. Anhang: Pax Romana u. Januskult 447. – II. Alttestamentl.-jüdisch. a. Begriffliche Weite im AT. 1. Überblick 448. 2. Sonderproblem 448. 3. F.wünsche 449. 4. F. als geschenktes Heil 449. 5. Umstrittenes ‚Heil‘, bzw. das Problem der ‚Zeit des Heils‘ 450. 6. Verheißenes ‚Heil‘ 450. 7. Immanente Wirklichkeit des F. 451. 8. F. u. Ruhe 453. b. Qumran-Schriften 453. c. Rabbinische Quellen 454. d. Septuaginta 454. e. Philo 455. f. Josephus 457. g. Sepulkrale F.formeln 457.

C. Christlich. I. Neues Testament. a. Überblick 460. b. Jesus u. die Synoptiker 461. c. Johannes 462. d. Paulus u. Deuteropaulinen 463. e. Hebräerbrief 465. f. Zusammenfassung 465. g. Ruhe im NT 466. – II. Apostol. Väter u. ntl. Apokryphen. a. Barnabasbrief 466. b. Hebräerevangelium 466. c. Clemens Romanus 467. d. Ignatiusbriefe u. Hermas 467. – III. Apologeten u. Kirchenväter. a. Soteriologisch-ethisch. 1. Iustinus Martyr 468. 2. Melito von Sardis 468. 3. Tertullian 469. 4. Cyprian 471. 5. Clemens von Alexandrien 472. 6. Origenes 473. 7. Gregor von Nazianz 474. b. Geschichtstheologisch. 1. Anfänge 474. 2. Wende im 4. Jh. 475. 3. Orosius 476. 4. Augustinus 477. 5. Dionysius Areopagita 480. 6. Leo der Große 481. c. Paxbellum 482. – IV. Sepulkrale Formeln. a. Allgemeines 484. b. Innerweltlicher F. 485. c. ‚In F.‘ sterben 485. d. F. u. Ruhe 485. V. Personennamen u. Patrozinien 487. VI. Liturgie. a. Wurzeln 488. b. Anfänge im NT 488. c. F.gruß im 2. Jh. 489. d. F.kuß 490. e. Johannes Chrysostomus 490. f. Pax-Tafel 492. g. Abschließende Bemerkung 492. – VII. Zusammenfassung 492.

D. Ikonographisch. I. Nichtchristlich. a. Griechisch 493. b. Römisch-kaiserzeitlich. 1. Allgemein 494. 2. Pax-Darstellungen außerhalb der Münzkunst 494. 3. Pax-Typik in der Münzkunst 495. 4. Beziehungen zu sinnverwandten Personifikationen 496. 5. Sonstiges 497. c. Jüdisch 498. – II. Christlich. a. Personifikationen 498. b. Symbole 501. c. Zustandsbilder: Jonasruhe 501. d. Christus pacem dat ? 502. – III. Zusammenfassung 502.

A. Etymologisches. Da der Artikel unter dem deutschen Stichwort F. läuft, müßte ein weiteres Wort- u. Begriffsfeld behandelt werden, als es durch die hebr., griech. u. lat. Äquivalente šālōm, εἰρήνη u. pax jeweils konzentriert, aber auch verengt gegeben scheint. Freilich müßte zur Eingrenzung des Begriffsfelds dann zuvor der Radius der im deutschen Wort F. umfaßten Sinngehalte angegeben werden, um alle durch den Kontext des Satzes anklingenden Nuancen zu fassen. Da dies nicht möglich ist, müssen, auch im Hinblick auf die Art. *Anapausis u. *Homonoia, Hinweise auf die Zusammenhänge genügen.

I. Εἰρήνη. Die Etymologie u. die orthographischen Differenzierungen in den Dialekten sind interessant, aber umstritten (vgl. J. Wackernagel, Kl. Schriften 2 [1953] 1023; Hofmann, Etym. Wb. s. v.; Schwyzer, Grammatik 1, 490, 6; Frisk, Griech. etym. Wb. 1 s. v.). Wesentlich ist das archaische Bedeutungsfeld des Wortes εἰρήνη, das nur zeitliches Aussetzen des Krieges u. des ἀδικεῖν u. ἀνταδικεῖν meint. Der Zweck eines Zusammenschlusses von Gruppen wie Stamm, Familie, Gemeinde erfordert die Herstellung friedlicher Zustände. Während der älteste erhaltene Vertrag zwischen zwei griech. Gemeinden, der den F.zustand ausdrücklich festlegt, unbefristet scheint, setzt die Formulierung doch eine Befristung als Norm voraus u. bezeugt, daß der F. eine vertragsmäßige Unterbrechung des an sich normalen Kriegszustands ist (E. Schwyzer, Dialectorum Graec. exempla [1923] nr. 413; dazu Keil 8). Der sog. Peloponnesische Bund unter Spartas Führung schloß kriegerische Auseinandersetzungen zwischen den Mitgliedern nicht aus, sofern nicht ein ganz aktuelles politisches Bundesinteresse proklamiert wurde. Daraus erhellt, daß εἰρήνη zunächst nur ein Verzicht auf die durchaus nach den Usancen bejahte Gewalt ist, welcher terminiert u. sakral gestützt sein muß. Insofern ist ἡσυχία Interpretament von F.: εἰρήνη ἡσυχία ἐπ' ἔχθρας πολεμικάς (Ps-Plat. def. 413 A; vgl. Keil 5₁; Foerster 399). Dieser primär negativ bestimmbare F.begriff konnte natürlich nicht das Modell für eine politisch-soziale oder auch anthropologische Idealität hergeben. Vielmehr benötigte man hierfür Begriffe der Medizin (ὑγίεια, ἀνοσία) oder aus dem Leben innerhalb der Gemeinde (ὁμόνοια, στάσις, ἡσυχία, ἀκολουθία, ὁμολογία, ἰσότης, ἀταραξία). Auch andere wertbestimmende Termini politisch-ethischer Natur sind alle aus dem Leben innerhalb der Gemeinde genommen u. werden gelegentlich auf Indi-

viduum oder Kosmos übertragen (δίκη, δικαιοσύνη, φιλία, φιλανθρωπία u. a.). Der Wortvergleich u. die Wortfeldbeachtung zeigen somit, daß εἰρήνη im konzeptionellen Denken der Griechen wenig ideologisch belastet oder gar pointiert war u. Wörter wie ὁμόνοια, ἀταραξία, ἡσυχία einen wesentlichen Teil unseres modernen u. vielschichtigen F.begriffs beinhalten. Daraus ergibt sich, daß die begriffsgeschichtliche Analyse von F. in der nichtchristl. u. christl. Gräzität bei einer weitgehenden Beschränkung auf das Wort εἰρήνη nur durch Querverweise auf andere Wörter einer Verkürzung entgehen kann.

II. Pax. Pax gehört zum Verbum pacisco, sekundär paciscor: ‚ein Übereinkommen machen, einen Vertrag schließen‘. Pax bezeichnet die Herstellung eines friedlichen Zustandes zwischen Kriegführenden (Walde-Hofmann, Lat. etym. Wb. 2³, 231). Pax ist ein Wurzelnomen wie nex. Es steht mit paciscor im Ablaut. Die alten Formen pacit, pacunt leiten sich von pacere ab (vgl. lex XII tab. 8, 2 [1, 53 Riccob.]; Ernout-Meillet, Dict. étym. s. v.). Grundwort des klassischen Incohativum paciscor ist paco mit der Wurzel pax ‚flechten‘ u. ‚binden‘, wechselnd mit pag ‚ein Fachwerk machen‘. Wegen des alten a hält F. Müller, Altital. Wb. (1926) s. v. das Wort für uritalisch u. nimmt ein Abstraktum an. Täubler 418 möchte für pax etwas Konkretes an den Anfang gestellt wissen, etwas Eingegrenztes: pangere, pacisci ‚eine Einfriedung machen‘. Er verweist auf Analogie beim deutschen ‚F.‘ u. auf Grimms Deutsches Wörterbuch: ‚man darf die frage aufwerfen, ob nicht die vorstellung friede aus der sinnlichen des baums u. geheges abgezogen wurde?‘

III. Šālōm. Akkadisch: 1) salāmu: ‚wohlgeneigt sein, gnädig sein, sich versöhnen, in gutes Einvernehmen kommen‘; davon Subst. salīmu: ‚Zuneigung, Gunst, Gnade, Versöhnung‘; 2) šalāmu: ‚unversehrt sein, vollkommen sein; zur Vollendung kommen, heil sein‘. Es lassen sich 1) u. 2) etymologisch nicht eindeutig verbinden, obgleich eine Bedeutungsnähe von ‚in gutes Einvernehmen kommen‘ u. ‚sich in Übereinstimmung befinden‘, ‚einig sein‘ unübersehbar ist. Bei den Derivaten von salāmu steht das Gnädigsein im Vordergrund, bei denen von šalāmu die Unversehrtheit. Man nimmt in der Regel eine gemeinsame Grundbedeutung von šālōm (= šlm) u. šalāmu an. Noth 148f hat unter Hinweis auf den Mari-Text 2, 37 eine Einwirkung von salīmu auf hebräische šālōm-Stellen für möglich erachtet, was allerdings einen Wechsel von š>s voraussetzen würde. Eine Bedeutungsbreite im hebr. Begriff würde sich von hier aus erklären, da bei der vorherrschenden Grundbedeutung ‚Heil' zahlreiche Bedeutungsvarianten mitgegeben sind. – Ebenso ist bei Ableitung des Substantivs vom hebr. Verb šlm: ‚etwas vollständig, ganz oder heil machen' (L. Koehler-W. Baumgartner, Lexicon in Vet. Test. lib. ²[Leiden 1958] 979f), die auf das Individuum oder die Gemeinschaft bezogene Aussage zunächst allgemein u. untheologisch.

B. Nichtchristlich. I. Griechisch-römisch. a. Religiös-politisch. 1. Griech. Literatur. Die F.vorstellungen u. -hoffnungen sind in der griech.-röm. Antike unzertrennbar in ihren religiös-kultischen u. politischen Ausprägungen. Da in hellenischer Zeit der Krieg als ein positives Mittel der Politik beurteilt wurde, so war dem F. nicht jene Idealität eigen, die er später zunehmend erhielt. Ungeklärt bleibt die Frage, ob F. zuerst ein Abstraktum oder eine Personifikation war. Wenn Il. 22, 156 von ἐπ᾽ εἰρήνης spricht, also vom F.zustand oder der F.zeit, so kann entweder gemeint sein: die Zeit, da Eirene als Gottheit herrschte, oder aber: die Zeit der Waffenruhe u. Unbedrohtheit. Den ersten klaren Hinweis auf eine Personifikation erhalten wir bei Hes. theog. 901/3 (vgl. op. 228): Eirene erscheint als eine der drei Horen neben Dike u. Eunomia, Töchtern der Themis u. des Zeus. Die Zugehörigkeit der Eirene zu den Horen ist jedoch nicht allgemein belegt: in Attika scheint die Göttin Eirene unabhängig von den Horen gewesen zu sein (Usener, Götternamen 134; Fuchs, Augustin 171₁). Bei Pindar scheint das F.ideal gegenüber Hesiod in verstärkter Form vorzuliegen, wenn er die Töchter der wohlgeratenen Themis als Grundlage des Glücks u. des Reichtums der Städte preist u. sie als Geschenk Apollons begrüßt (Ol. 13, 6/8; Pyth. 5, 65/7). Es ist die Weisheit des Dichters, die die realistische Kritik am Kriege wagt, wie sie in Pindars frg. 110 (2, 98 Snell) vorliegt: γλυκὺ δὲ πόλεμος ἀπείροισιν, ἐμπείρων δέ τις / ταρβεῖ προσιόντα νιν καρδίᾳ περισσῶς: ‚süß ist der Krieg nur dem Un-Erfahrenen, der Erfahrene aber fürchtet sehr im Herzen sein Nahen'. Ἀπόλεμος konnte der F. genannt werden (ebd.). In ernster Weise wird von Bacchyl. frg. 4, 61f (85 Snell) auf das Gut des F. verwiesen; ebenso Eurip. frg. 453 N.²

im Eirene-Lied des Kresphontes: Theben u. Athen werden gewarnt, die δοριμανὴς Ἑλλάς werde sich noch selbst zerstören: man solle sich der Eirene u. ihren Segnungen öffnen. Aristophanes gibt in seiner vermutlich 421 geschriebenen Komödie ‚Eirene' auf dem Hintergrund des Peloponnesischen Krieges den F.hoffnungen der Zeit Ausdruck, auch wenn er noch nicht den F. als panhellenisches Ideal anvisiert: der attische Winzer Trygaios, auf dem Olymp von Hermes empfangen, hört, daß Polemos die F.göttin eingesperrt habe als Folge des Grimmes der Götter über die griech. Kriegspolitik (Motive des Pandoramythos, den Sophokles vor 421 für die Bühne bearbeitet hatte, sind hier aufgenommen: C. Robert: Hermes 49 [1914] 20f; vgl. auch Hamdorf 53; V. Ehrenberg, Aristophanes u. das Volk von Athen [1968] 299/321). Pax 974/ 7 bringt Aristophanes ein Gebet an Eirene um innerweltlichen F.: ‚O hochheilige Königin, Göttin, Herrin Eirene, Herrin der Chorreigen, Herrin der Hochzeiten, nimm unser Opfer an'. Das 4. Jh. ersehnt einen panhellenischen Völker-F. im Sinne einer auf Hellas erweiterten friedlichen Polis, pragmatisch u. taktisch freilich darin, daß er eine Konzentration der Kräfte gegen Perser u. Barbaren sein soll (zum Ganzen vgl. vor allem Ryder; Hamdorf 53; Berve 11f). Die auf 355/4 datierbare Rede des Isokrates περὶ εἰρήνης hat es in erster Linie auf die Verurteilung des 2. Seebundes abgesehen, wendet sich dann aber auch gegen die Machtpolitik überhaupt (K. Bringmann, Studien zu den polit. Ideen des Isokrates = Hypomnemata 14 [1965] 58/73). 2. Anfänge eines F.kultes. Zu einem Kult des F. kommt es erst relativ spät. Das älteste faßbare Zeugnis für einen Eirene-Altar u. damit für einen Kult überliefert ebenfalls Isokrates in seiner Antidosis (or. 15, 109f): nach dem F.schluß zwischen Sparta u. Athen erging die Anordnung für ein jährliches Opfer. Wir wissen durch Philochoros von Athen, daß der Altar erstellt wurde: ὅτε καὶ τὸν τῆς Εἰρήνης βωμὸν ἱδρύσαντο (FGrHist 328 F 151), was zusammen mit vorangegangenen Aussagen u. kombiniert mit Isokrates sich auf den F. von 375/4 beziehen muß (vgl. Jacoby zSt. im Komm.: Suppl. 1,522f; ebd. 2, 419 nr. 2/4). Die Mutmaßungen, daß der Kult bereits im 5. Jh. einsetze (F. Matz, Die Naturpersonifikationen in der griech. Kunst [1913] 21; F. Miltner: PW 19, 1 [1937] 763: 449/8; Fuchs, Augustin 170₃: 403 [?]; vgl. die Diskussion der Thesen bei Jacoby aO. Suppl. 2, 419/21), müssen als nicht ausreichend begründet preisgegeben werden (Hamdorf 53 f. 110). Sie lassen sich auch nicht durch die anonyme Notiz bei Plut. Cim. 13, 6 stützen, da diese nach Jacoby aO. Suppl. 1, 525 falsch zitiert wird. Es wird weiter durch Philochoros' Formulierung (mit Artikel) deutlich, daß es keinen weiteren Eirene-Altar zu seiner Zeit gab. Zusätzlich bezeugt Nepos Timoth. 2, 2: ut tum primum arae Paci publice sint factae. Endlich ist aus der Angabe des Isokrates ἀπ' ἐκείνης τῆς ἡμέρας θύειν αὐτῇ zu entnehmen, daß jetzt erstmals ein öffentlicher Kult eingeführt u. damit auch Eirene offiziell als Göttin proklamiert wurde. Dieser Zeit gehört auch die älteste bekannte Eirene-Statue an (vgl. u. Sp. 493f). Eine kultische Personifikation, wie sie in dem Beginn des Eirenekults vorliegt, spiegelt den offiziellen Schritt zur Deifikation wider; sie begegnet selten im privaten u. häuslichen Kult (Nilsson, Pers. 40).

3. **Eingeführter Kult.** Wir hören ferner für das 3. Jh. vC. von einer Eirene-Priesterschaft in der Verkaufsliste zu Erythrai (L. Deubner: Roscher, Lex. 3, 2, 2132; vgl. Ditt. Syll.³ 3, 1014, 140). Doch zählt gleichwohl Eirene nicht zu den großen Gottheiten; für Athen gehört sie trotz der literarischen Erwähnung bei Hesiod nicht zu den Horen (Jacoby aO. Suppl. 2, 421 nr. 28). Auch nach Einführung des Kultes im griech. Raum gewinnt Eirene keine eigentlich politische Bedeutung: Eirene ‚ist der F., sie bringt ihn nicht' (Fuchs, Augustin 171₁). Beachtenswert, daß inschriftlich nur einmal für eine Statue das Epitheton εἰρηνοφόρος belegt ist (CIG 4, 1, 6833), freilich auf Athena, nicht auf Eirene bezogen. Meist spricht man sonst von Ἀθηνᾶ Νίκη (CIG 1, 145. 146. 147. 150), nicht von Athena Eirene; doch ist natürlich, daß sie als siegbringend zugleich friedebringend gedacht wird. – Für das Jahr 196 vC. ist der Text eines Staatsgebetes an Zeus Sosipolis erhalten, eine Inschrift aus Magnesia am Mäander, heute in Berlin. Das Gebet ist vom ἱεροκῆρυξ zu sprechen, zusammen mit anderen am Feste des Zeus: ὑπέρ τε σωτηρίας τῆς τε πόλεως καὶ τῆς χώρας καὶ τῶν πολιτῶν καὶ γυναικῶν καὶ τέκνων καὶ τῶν ἄλλων τῶν κατοικούντων ἔν τε τῆι πόλει καὶ τῆι χώραι ὑπέρ τε εἰρήνης καὶ πλούτου καὶ σίτου φορᾶς καὶ τῶν ἄλλων καρπῶν πάντων καὶ τῶν κτηνῶν (Ditt. Syll.³ 2, 589, 27/31). Auf Analogien zum Gebetsstil überhaupt u. zu Hor. c. saec. hat bereits Norden, Agnost.

151₄ aufmerksam gemacht. Natürlich hat das Gebet um F. bereits eine längere Geschichte, u. auch der Hinweis auf Reichtum u. Fruchtbarkeit als Folge des F. ist alt. Od. 24, 485f, wo Zeus den Befehl zum F. auf Ithaka gibt: τοὶ δ' ἀλλήλους φιλεόντων / ὡς τὸ πάρος, πλοῦτος δὲ καὶ εἰρήνη ἅλις ἔστω, wird die Verbindung von F. mit Reichtum u. Überfluß deutlich. Jedoch ist auch wieder der F. nicht das höchste Gut, das im Gebet erfleht wird. Neben εἰρήνη u. πλοῦτος treten ebenso ὁμόνοια u. ὑγίεια (Nachweise bei Fuchs, Augustin 173/5) u. neben die Gebete treten die Hymnen, in denen Eirene, Hygieia, Eunomia, Themis u. die Moiren besungen werden (Inschr. v. Pergamon nr. 324, 13/20 [Fränkel]; Nilsson, Rel. 2², 378).

4. **Rom.** Sehen wir in die lat. Tradition, so fällt der späte Eintritt der pax-Personifikation auf, erstaunlich, insofern pax mit concordia u. zugleich auch als Folge der victoria längst eine eminent wichtige Stellung im Staatsdenken der Römer innehatte. Auch ohne Analyse wird man sagen dürfen, daß das religiöse Moment sehr früh der rechtlichen Größe pax inhärent war, um so mehr, als der röm. F., jedenfalls mit der Kaiserzeit (Verg. Aen. 6, 852: pacisque imponere morem), dem Wesen nach pax sempiterna ist im Unterschied zum griech. F.vertrag, der begrenzte Dauer hat (Täubler 422). Pax u. foedus können jetzt häufig Synonyma sein; sie bezeichnen das gefestigte Rechtsverhältnis u. sind am Gegenbegriff bellum orientiert. Die eigentliche Zeit der pax hebt an mit Caesar u. seiner neuen Religionspolitik (vgl. bes. Weinstock). Für die röm. Religion ist kennzeichnend, daß das Verhältnis zur Gottheit als Rechtsverhältnis u. -zustand konzipiert ist. Wie die Duenos-Inschrift zeigt, ist mit pacare deos die Restitution der pax deum angestrebt (Dessau 8743). Gnade u. F. der Götter sollen nicht gefährdet, also das Rechtsverhältnis abgesichert werden. Zu dieser religiös-politischen Intention im pax-Begriff vgl. Lutat. frg. 2, 3 (43 Morel); Catull. 66, 71; Liv. 10, 7, 12; Ov. am. 3, 2, 60; Oros. 5, 11, 6 (CSEL 5, 302f). Freilich gibt es in älterer Zeit auch ein dem pacem deum petere entsprechendes pacem dare der Götter (Plaut. merc. 678) oder bei Livius pacem invenire (6, 1, 12) oder impetrare (1, 31, 7 u. ö.; vgl. Fuchs, Augustin 186f; Wagenvoort).

5. **Pax Romana u. Augusta.** Begrifflich ist die pax Romana als Ausdruck des republikani-

schen F.gedankens zu scheiden von der pax
Augusta als Kulturidee der röm. Kaiserzeit
u. wiederum von der pax Augusti als der
persönlichen F.bereitschaft u. -setzung der
Kaiser (zur Unterscheidung vgl. Koch 2432/
4). Dieser letzte Begriff wird schließlich der
führende. Wendungen wie fundator pacis u.
pacator orbis (Selbstbezeichnungen des Augustus in den res gestae) kennzeichnen den
Kaiser als F.garanten (A. Alföldi: RM 50
[1935] 99 Taf. 2, 1). Sachlich sind natürlich
pax Romana u. pax Augusta identisch; sie
setzen voraus, daß der Sieg, welcher dem
Besiegten mit dem ordo die pax auferlegt,
rechtmäßigem Handeln entstammt, daß die
politische Expansion Roms dem F. diene.
Allerdings wird man hinsichtlich der politischen F.parole auf den verschiedenen Charakter von pax für den röm. Bürger u. für die
Fremdvölker zu achten haben (vgl. Weinstock 45 f): für den Römer ist pax eng verbunden mit concordia, ja abhängig von ihr.
Das Thema erscheint im Anschluß an den
Bruch zwischen Pompeius u. Caesar i.J. 49 vC.
wieder u. wieder, besonders Cic. leg. agr. 1, 8,
23: Etenim, ut circumspiciamus omnia, quae
populo grata atque iucunda sunt, nihil tam
populare quam pacem, quam concordiam,
quam otium reperiemus (vgl. auch ad fam.
15, 15, 1; ad Att. 11, 16, 1; 11, 19, 1). Doch
ist zu bemerken, daß Cicero zwischen Personifikationen menschlicher Tugenden u. erhoff-
ten Zuständen menschlichen Miteinanders
unterscheidet (leg. 2, 19. 28; nat. deor. 2, 61),
wobei pax u. concordia in der Regel zur letzten Kategorie zu zählen sind u. dabei als Gaben der Gottheiten charakterisiert werden
können (Wissowa, Rel. 328). Für den Nicht-
Römer bedeutet pax die Besiegelung der Unterwerfung unter Rom mittels eines Vertra-
ges, der zugleich den Schutz Roms gegenüber
Angriffen anderer Fremdvölker einschloß. So
vermag Cicero sogar die in den Provinzen erhobenen Steuern als Zahlung für die pax
sempiterna zu interpretieren: Id autem imperium cum retineri sine vectigalibus nullo
modo possit, aequo animo parte aliqua suorum
fructuum pacem sibi sempiternam redimat
atque otium (Quint. fr. 1, 1, 34; vgl. Tac. hist.
4, 74). Daß diese Argumentation nicht ohne
Kritik blieb, zeigt zur Genüge die bekannte
Stelle Tac. Agr. 30, 5 f, in der Tacitus dem An-
führer der Britannier seine eigenen Gedanken
über die Römer in den Mund legt: raptores
orbis, postquam cuncta vastantibus defuere

terrae, mare scrutantur: si locuples hostis est,
avari, si pauper, ambitiosi, quos non Oriens,
non Occidens satiaverit: soli omnium opes atque inopiam pari adfectu concupiscunt. auferre
trucidare rapere falsis nominibus imperium,
atque ubi solitudinem faciunt, pacem appellant. – Pax ist Folge von victoria, ist ein
Recht wie F. setzendes Handeln, nicht ein
Zustand.

6. Pax rechtsgeschichtlich. Eine rechtssprach-
liche Beobachtung muß hier eingefügt werden (vgl. Fuchs, Augustin 184/6. 189 f). Liv.
3, 2, 2 lesen wir: Fabio extra ordinem, quia
is victor pacem Aequis dederat, ea provincia
data; 3, 24, 10: Eodem anno Aequis pax est
petentibus data; 5, 27, 15: Pace data exercitus Romam reductus. Auch von leges pacis
dare oder accipere ist mehrfach die Rede (31,
11, 17; 31, 19, 6; 32; 36, 4 u. ö.). Der Sieger
setzt eben den F., verfügt u. stiftet ihn, indem
er conditiones u. leges pacis auferlegt. Die
besonders bei Caesar sehr häufige Verbform
pacare wird also in der Redeform pacem dare
interpretiert. Wir haben eine feststehende
politisch-rechtliche Wendung darin zu erblicken, die später in der Kirchensprache wieder begegnet (vgl. u. Sp. 472). Über Augustus
sagt Ovid: pace data terris (met. 15, 832). Es
ist nicht unerheblich, daß in der Sprache des
Gebets das Erhalten des F. mit pacem impetrare oder occupare beschrieben wird (Liv.
1, 31, 7; vgl. Fuchs, Augustin 188 f).

7. F.ideologie bei Caesar. Zur eigentlichen Deifikation von pax kam es anscheinend unter
Caesar in den Provinzen u. unter Augustus in
Rom. Als festes Datum ist überliefert, daß
am Tage der Rückkehr des Augustus aus
Spanien u. Gallien, am 4. VII. 13 vC., der Senat den Beschluß faßte, eine ara pacis Augustae zu errichten, deren dedicatio auf den 30.
I. 9 vC., den Geburtstag Livias, fällt. Der Altar, dessen Errichtung auf dem Campus Martius von Augustus selbst bestimmt wurde (res
gest. 2, 38/40), ist leider nicht in der Antike
beschrieben worden, so daß seine Identifizierung problematisch geworden ist, da kein eindeutiges pax-Symbol greifbar ist (vgl. u. Sp.
494). Doch ist die archäologische Frage unabhängig von der historischen Stiftung, die eindeutig die Fortführung der von Caesar inau-
gurierten pax-Ideologie bestätigt. Wenn bei
Caesars Begräbnis Antonius von ihm als
εἰρηνοποιός spricht (Dio Cass. 44, 49, 2), so
kann sich darin Caesars eigene Formulierung
pacificator oder pacificus erhalten haben (vgl.

Richard 329 f). Die Reihe der Pax-Münzprägungen seit dem J. 44 vC., ganz besonders in den Kolonien (Lusitania, Colonia Pacensis in der Gallia Narbonensis; vgl. Weinstock 46), machen deutlich, daß Caesar den Pax-Kult in seinem Imperium einzuführen beschlossen hatte. Der Senat errichtete 44 vC. den Tempel der Concordia Nova u. beschloß dazu ein jährliches Fest, wie Dio Cass. 44, 4, 5 sagt: ὡς καὶ δι' αὐτοῦ εἰρηνοῦντες. Was Caesar begonnen hatte, ist von Augustus zur vollen Entfaltung geführt worden: Begriffe wie pax Augusta, pax perpetua reflektieren, was in der Einführung eines Pax-Kultes programmatisch Ausdruck gefunden hatte. Das Echo in der lat. Literatur ist ebenso greifbar: ... claudentur Belli portae, heißt es Verg. Aen. 1, 294. Davor ist bereits georg. 2, 425 das F.thema literarisch vertreten: hoc pinguem et placitam Paci nutritor olivam. Hor. c. saec. 56 f ist von der Rückkehr der Pax in einem tieferen Sinn die Rede als etwa bei Tibull, dessen 1. Elegie in einem Lied auf den F. u. mit der Invokation endet: At nobis, Pax alma, veni spicamque teneto, perfluat et pomis candidus ante sinus (1, 10, 69 f; vgl. P. von der Mühll, Die Nebenparabase im F. des Aristophanes u. Tibulls erste Elegie u. Horaz: Antidoron J. Wackernagel [1923] 197/203). Es ist also in Rom zu Vergöttlichung u. Kult der Pax durch einen politisch motivierten Beschluß gekommen, eine von Caesar eingeleitete u. von Augustus ausgeführte Wende von staatspolitisch weittragender Bedeutung.

8. F. in der Kaiserzeit. Die Tendenz zur Deifikation abstrakter Begriffe nimmt in der Kaiserzeit allgemein zu. Ob damit die Spaltung einer Gottheit in zwei einhergeht oder ob durch sekundäre Personifikation eines Abstraktums die Verdoppelung entsteht, ist schwer zu entscheiden: neben Iuppiter Victor tritt jetzt Victoria, neben Iuppiter Liber tritt Libertas. Doch ist im chronologisch Sekundären kein Werturteil involviert. Die ,neue' Gottheit Pax wird ebenso wie Salus u. Concordia in der imperialen Liturgie verankert. Im Feriale Cumanum, dem Festkalender vJ. 4 nC., heißt es im Gebet für den 30. I., den Dedikationstag der Ara Pacis: supplicatio imperio Caesaris Augusti cust[odis civium Romanorum totiusque orbis terrar]um (CIL 1², 229; vgl. auch CIL 10, 8375). Es werden also die pax-Gebete faktisch dem Imperium Romanum dargebracht, in dessen funktionalen Dienst die Göttin Pax einbezogen

ist. – Mit Augustus setzt eine in der Kaiserzeit immer stärker sich ausweitende Pax-Thematik in den Münzprägungen ein. Einen Höhepunkt bildet die Errichtung des Templum Pacis Vespasians 75 nC. (die zur Vermutung Anlaß geben kann, daß die Ara Pacis Augustae nicht mehr existierte). Von der augusteischen Zeit bis hin zu Konstantin wurde die immer variierte pax-Symbolik auf den Münz-Emissionen zur Propaganda der Regierungsprogramme u. zur Entfaltung der Idee des Kaiser-F. benutzt. Daß auch hier die religiöse Thematik mitspricht, zeigt die besonders seit dem Prinzipat übliche Einbeziehung der Providentia. Das Thema ist, von Caesar bis Severus, ausführlich behandelt bei Schulz; vgl. ferner Manthey u. Weinstock 47/50.

b. Philosophisch. 1. Im griech. Sprachraum. Eine im strengen Sinne philosophische Behandlung des F. gibt es in der Antike nicht. Meist handelt es sich um staatstheoretische Besinnungen, besonders über das Problem der Gerechtigkeit, die auch den F. als Problem einbeziehen. Sowohl bei Plat. leg. 628 C/E. 803 D u. Aristot. polit. 1333 a 35/1334 a 10; eth. Nic. 1177 b 5/12 als auch bei Cic. off. 1, 11, 35. 23, 80 ist die Ansicht entfaltet, daß der Krieg u. damit der Sieg nur durch das Ziel des F. gerechtfertigt sei. Nach ersten Überlegungen in der Auseinandersetzung mit den Sophisten bei Aristoteles, wieweit das Halten von Sklaven u. ihr Erwerb durch Krieg δίκαιον sei oder βίαιον (polit. 1253 b 20 f), kommt es bei dem führenden Kopf der mittleren Stoa, Panaitios von Rhodos, zur Entfaltung der Thematik. Auch hier ist primäres Thema die Gerechtigkeit unter den Menschen, die in Freie u. Sklaven geschieden sind; die Freien verteidigen den Krieg als Mittel des F. u. stempeln die Besiegten als Schwächere ,gerechterweise' zu Unfreien. Das Thema F. ist also sekundär u. wird schon dadurch neutralisiert, daß Panaitios einerseits die Notwendigkeit einer Zweiteilung der Menschen als von der Natur verordnet (φύσει δοῦλοι) erkennt u. will, anderseits aber Humanität u. zwischenmenschliche Güte fordert (vgl. Capelle 96/111). Die Gedanken wirken weiter bei Poseidonios u. bes. Cicero, der wieder mit seinen Panaitios-Zitaten auf Laktanz u. Augustin eingewirkt hat. Pax u. concordia u. auch otium sind bei Cicero Ausdrücke, denen eine Adhäsion eignet, wie die o. Sp. 441 angeführte Stelle zeigt (leg. agr.

1, 8, 23). Daneben gibt es schon seit Platon die andere Kritik, daß nämlich F., bzw. der vorangehende Sieg, durch den mitgebrachten Wohlstand zum Müßiggang, zur Hybris verleite: ‚Gute Erziehung bringt demnach auch Sieg, der Sieg dagegen mitunter sittliche Verwilderung; denn durch Schlachtensiege sind viele übermütiger geworden, u. dieser Übermut ist die Quelle aller möglichen anderen Laster für sie geworden. Gute Erziehung hat sich noch niemals als kadmeischer Sieg erwiesen, Schlachtensiege dagegen haben sich den Menschen schon oft als solche erwiesen u. werden es auch fernerhin tun' (leg. 641 C). Dies Urteil ist möglicherweise nicht ohne Kenntnis der berühmten Worte Solons verfaßt: ‚Nämlich dem Mann, den Gewissen nicht zügelt, wenn Reichtümer locken, stachelt unbändiger Genuß rasch zum Frevel das Herz' (frg. 5, 9f Diehl). Freilich ist diese Warnung nicht als Votum für den Krieg zu verstehen. Wie diese Beurteilung des F. als Gefahr weiter wirkt bis hin zu den Nero gewidmeten Gedichten eines Anonymus, hat Fuchs, F., gezeigt (vgl. W. Schmid, Panegyrik u. Bukolik in der neronischen Epoche: BonnJbb 153 [1953] 63/96). Gleichwohl wird auch wieder aus Gründen der Humanität bei Herodt. 1, 87 wie bei Thuc. 2, 61, 1 für den F. optiert. Ebenso erklärt der Historiker Timaios im 3. Jh. vC. den Krieg als Krankheit u. den F. als Gesundheit (Polyb. 12, 26, 6). Auch Platon kann empfehlen, τὸν κατ᾽ εἰρήνην βίον zu erstreben, weil der Krieg mehr Schaden als Nutzen bringe (resp. 465 B; leg. 863 DE u. ö.). Verständlich, daß εἰρήνη, ὁμόνοια u. ἡσυχία zusammen auftreten (Pind. Pyth. 8, 1/5) u. das Ideal nationaler Gesichertheit prägen. Aber das ist deutlich: bei den philosophischen Beurteilungen wird meistens vom nationalen Gesichtspunkt aus gedacht, es fehlt das dialektische Vermögen, vom Anderen, vom Besiegten aus oder gar von der Idee ‚Menschheit' aus das Problem F. prinzipiell, politisch u. anthropologisch zu sehen u. zu entfalten.

2. Im lat. Sprachraum. Wie es scheint, ist Varros Logistoricus Pius de pace die erste thematische Abhandlung über den F. gewesen, eine leider verlorene, noch vor der augusteischen Wende verfaßte u. mit der altrömischen pax sich befassende Schrift. Sie ist nach Dahlmann 1262: ‚bestimmt nach 54/3, wahrscheinlich erst nach 40 verfaßt'. Ob bei Varro wirklich der griech. εἰρήνη-Begriff ins Römische transponiert wurde (so Fuchs, Augustin 150), läßt sich schwer überprüfen, da der Originaltext verloren ist. Daß aber die Thematik ihn beschäftigte, geht auch daraus hervor, daß Varro erneut in seinen Antiquitates rerum humanarum im Abschnitt de rebus über das Thema de bello et pace geschrieben hat. Doch auch hier wissen wir nicht mehr als die Überschrift. Dahlmann-Heisterhagen 169 u. Weinstock 46 vermuten, daß es sich inhaltlich hierbei um das ius fetiale handelt, also um die Frage der rechtlichen Form von F.schlüssen. Damit wird allerdings die These von Fuchs (Augustin 93/5), auf Varro gehe die berühmte F.tafel bei Augustin (civ. D. 19, 13) zurück, hinfällig (Dahlmann-Heisterhagen 167). – Man kann die politische Frage des F. als ethische Frage nach dem Recht der Versklavung Besiegter fassen u. die philosophische als Problem der Ordnung im Leben der einzelnen wie im Gemeinschafts- u. Völkerleben verstehen. In beiden Fällen kommt es kaum zur metaphysischen Frage, sondern der Kreis der Erörterung bleibt im Pragmatischen u. Innerweltlichen stecken. Wenn dieser These entgegen Dion v. Prusa seine F.ermahnung auf die kosmische u. göttliche Ordnung u. Eintracht des Weltalls stützt (or. 40, 35), so sind wohl Einflüsse des Poseidonios (nat. deor. 2, 11/568) aufgenommen u. weiterentfaltet. Es liegt eine Analogielogik vor, nicht eine theologische oder kosmologische Begründung. Die Tatsache jedoch solch allseitiger Philanthropie u. ihre Verbindung mit dem F.gedanken setzt die politische Erfahrung mit dem Kaiserreich, mit der pax Romana, konkret die Situation nach dem Sturz Domitians, voraus.

3. Pax-Hoffnungen. Darf man aber den immanenten F. der Kaiserzeit wirklich ausschließlich als pragmatisch u. areligiös beurteilen? Spricht nicht der Pax-Kult als solcher hiergegen, da er die Beeinflussung der Götter durch Opfer intendiert? Die gestellte Frage wäre dann zu bejahen, wenn mit der Bitte um die pax Augusta wirklich die Erhaltung der friedlichen Zeiten gemeint wäre u. nicht der Sieg als Grundlage des F. In der Regel aber war der Sieg als Voraussetzung des F. das eigentlich Erbetene. Ausdruck dessen sind die Münzen, auf denen Mars mit Ölzweig u. gesenkter Lanze u. Beischrift pacifer erscheint (von Septimius Severus bis Constantin; Bernhart, Hdb. 51) oder Pax mit Lanze u. Lorbeerkranz, die ihren Fuß auf den besiegten Feind stellt (F. Gnecchi: RivItalNum 18 [1905] 377f Taf. 15; vgl. auch u. Sp. 495). In

dieser Ausrichtung war der F. seit Augustus
das eigentliche außenpolitische Programm.
Mit der Sprache der Münzen stimmt die der
Dichter überein, wofür Vergils 4. Ekloge berühmtes Zeugnis gibt. Von dem Knaben, den
die Ekloge besingt, heißt es: ‚F. bringt er der
Welt, mit des Vaters Kraft sie regierend' (pa-
catumque reget patriis virtutibus orbem [4,
17]). Mit dem Bilde des Tier-F. wird dann 4,
22/5 die Topik der aetas aurea aufgenommen
(vgl. *Tier).

c. Anhang: Pax Romana u. Januskult. Die
Korrespondenz von Pax- u. Januskult ist
kurz zu erwähnen. Wenngleich nur fragmen-
tarische Kenntnis über Janus besteht, so ist
doch neben seiner Bedeutung als Gott des
Anfangs die als Beschützer der Tordurchgänge
an der Nordseite des Forum Romanum bekannt, als Ianus Geminus. Nach Varro 1. 1. 5,
165 erwähnt der Annalist Piso erstmals: ius
institutum a Pompilio, ut sit aperta semper,
nisi cum bellum sit umquam. Dazu Liv. 1, 19,
2: (Numa) Ianum ad infimum Argiletum indi-
cem pacis bellique fecit, apertus ut in armis
esse civitatem, clausus pacatos circa omnes
populos significaret. Neben Numa als Begründer der Ianus Geminus-Tradition steht
eine zweite Überlieferung, die auf Romulus
als ersten, der die Tore schloß, verweist. Die
Romulus-Tradition gewinnt die Führung (Richard). Überliefert ist eine Schließung des
Janustempels nach dem 1. Punischen Krieg i.J.
235, dann drei Schließungen unter Augustus
(res gest. 2, 42, 5; vgl. Th. Mommsen, Res
gestae Div. Aug.[2] [1883] 50f), der damit seinen
F.willen dokumentiert: die Rückkehr der pax
u. auch der concordia. Zur Aufstellung einer
Janusstatue unter Augustus zusammen mit
Pax u. Concordia vgl. u. Sp. 494. Daß anderseits diese Schließung des Tempels nicht einer
Beseitigung des Kultes gleichzusetzen ist, bezeugt die Tatsache, daß Augustus auf dem
Forum Holitorium am Theatrum Marcelli den
alten Janustempel wiederherzustellen befahl, was aber erst unter Tiberius vollendet
wurde (Tac. ann. 2, 49). Zum Thema vgl. außer Richard W. F. Otto, Art. Ianus: PW
Suppl. 3 (1918) 1175/91; R. Schilling, Janus:
MélArch 72 (1960) 89/131; Holland. – Bekannt
ist noch der von Domitian auf dem Forum
Transitorium gestiftete Tempel Ianus Quadrifrons (Mart. 10, 28) u. der noch teilweise
erhaltene Ianus Quadrifrons aus Marmor auf
dem Forum Boarium aus dem 3. Jh. nC. Die
Aug. civ. D. 7, 2. 3 u. 9 zitierten Varrostellen

über Janus lassen ihn als Gott, dem die potestas omnium initiorum eignet, erscheinen.
Für unser F.thema handelt es sich bei Ianus
Geminus um eine Form der theologia negati-
va zu pax.

II. Alttestamentl.-jüdisch. a. Begriffliche Weite im AT. 1. Überblick. ‚Schwerlich findet
sich im AT noch ein Begriff, der derart im
Alltag des Volkes als abgegriffene Münze um-
ging u. der sich doch nicht selten mit konzen-
triertem religiösen Gehalt gefüllt hoch über
die Ebene der vulgären Vorstellungen erheben
konnte', urteilt v. Rad 400. Zunächst ist eine
Verwendung von F. im Sinne von ‚friedlich',
‚ungestört' (Gen. 26, 29; Ex. 18, 23; Jes. 55,
12) im innerweltlich humanen Verständnis
möglich, wie auch ein Hinüberspielen ins
‚Behütetsein durch Gott', wodurch das Friedliche als dessen Gabe gekennzeichnet ist; so
im vermutlich ältesten šālōm-Beleg des AT
Gen. 28, 20. Der Schöpfungsglaube erblickt in
dem materiellen ‚Wohlsein' oder ‚Wohlbefinden' des einzelnen wie des Volkes das Geschenk Jahwes. Jes. 45, 7 spricht das in den
Worten aus, daß Gott Licht u. Finsternis gebildet, den F. u. das Böse geschaffen habe.
Man sieht, wie angesichts des Schillernden
von šālōm der Gegensatz den Begriff qualifiziert. Ps. 122, 7 werden šālōm u. šalwāh, F.
u. Glückseligkeit (LXX: 121, 7: εἰρήνη u.
εὐθηνία) synonym verwendet. Vom F. als
Geborgenheit oder Wohlbefinden des Volkes
ist 1 Reg 5, 26 die Rede (vgl. auch Iudc. 4,
17; 1 Reg. 5, 4; 1 Chron. 12, 18). Wie fern hier
der Gedanke etwa eines endzeitlichen F. liegt,
mag der Tatsache entnommen werden, daß
šālōm von Vergangenheit wie Gegenwart ausgesagt u. von der Zukunft erhofft werden
kann. Da gerade das durch einen Bund garantierte Verhältnis šālōm genannt wird, so
kommt darin einerseits der harmonische Zustand zwischen zwei Parteien zum Ausdruck
(Gen. 26, 30/5; 1 Reg. 5, 26; Job 5, 23), also
eine rechtlich geordnete Gemeinschaft, anderseits ist aber auch bei einem F. durch Bundes-
schluß der Hinweis auf Jahwe immer gegenwärtig. Endlich ist zu bedenken, daß der
Dekalog faktisch zum Ziel hat, den Bereich
des šālōm abzustecken, u. insbesondere durch
das Sabbatgebot die šālōm-Gabe sicherstellen
hilft (H. Gese: ZThK 64 [1967] 137).

2. Sonderproblem. Ein historisch-philologi-
sches Sonderproblem stellt Iudc. 6, 24 dar, wo
in einer vermutlich alten Überlieferung mitgeteilt wird, Gideon habe einen Altar gebaut

u. ihm den Namen JHWH šālōm gegeben. Die umstrittene Frage, wie man diese beiden Wörter zu lesen habe, wird man dahin zu beantworten haben, daß es sich um einen Nominalsatz handelt, also: Gott schenkt (ist) F. Zu vergleichen wäre als Parallele die Benennung des Altars Ex. 17, 15. Das numen wird genannt, Hoffnung u. Bekenntnis zugleich werden ausgesprochen.

3. F.wünsche. Die bis in die Gegenwart übliche Begrüßung im Orient mit dem F.wunsch ist in der Welt Israels zuhause: šālōm 'alēkaem; das Grüßen heißt einfach ,nach dem F. jemandes fragen' (1 Sam. 25, 5), womit naturgemäß ein tieferer oder flacherer Wunsch verbunden sein kann. – Für šālōm als ,Seelenheil' gibt es keine atl. Belege. Wohl aber ist die Grabesformel ,Ruhe in F.' letztlich atl.: ,Du aber sollst in F. (bešālōm) zu deinen Vätern eingehen u. in hohem Alter begraben werden' (Gen. 15, 15 [LXX: μετ' εἰρήνης] ist mit 1 Reg. 2, 6; 2 Reg. 22, 20; Jes. 34, 4f Beleg hierfür). Dabei ist der Wunsch nicht auf ein Leben nach dem Tode bezogen, sondern auf Geborgenheit in Jahwes F. während der Einsamkeit des Sterbens.

4. F. als geschenktes Heil. Auf dem Hintergrund der nichtrelig. Sprache muß als spezifisch atl. Linie die theologische gesehen werden: Jahwe ist F.bringer als 'osaeh šālōm = ὁ ποιῶν εἰρήνην (Jes. 45, 7; vgl. Job 25, 2); er setzt u. schenkt Frieden (Iudc. 18, 6; Ps. 4, 9), segnet mit ihm (Num. 6, 26), wobei die Gabe an das Halten des Bundes, an die Gerechtigkeit des Empfängers gebunden ist. So ist der F. zwischen Gott u. Mensch (Jes. 53, 5) konstitutiv u. können F. u. Gerechtigkeit sich so nahe kommen, daß sie auswechselbar sind: Jes. 32, 16f; Ps. 72, 3. 7. Heißt es Jes. 54, 19: ,Meine Gnade soll nicht von dir weichen u. der Bund meines F. soll nicht wanken', womit eine Präsenz von Jahwes šālōm vorausgesetzt ist, so stehen daneben zwei Ezechielworte (34, 25; 37, 26), in denen šālōm als letztes Ziel des Bundes erscheint. Selbst wenn der messianische Tenor an diesen Stellen noch nicht beherrschend ist (v. Rad), so ist die Verheißung für die Zukunft entscheidend u. wird hier vorausgesetzt, wie auch Hes. 13, 10. 16, daß Jahwe das Heil gibt, nicht der Mensch es sich schafft, u. daß auch nicht mit šālōm ein F. zwischen zwei Personen im Sinne der Eintracht gemeint ist. Wohl aber ist einmal, Jes. 27, 5, vom F. zwischen Gott u. Mensch die Rede u. damit ein Gedanke antizipiert, der im NT entfaltet wird (Rom. 5, 1).

5. Umstrittenes ,Heil', bzw. das Problem der ,Zeit des Heils'. Die Stellen Hes. 13, 10. 16 weisen bereits auf den bei Jeremia u. Ezechiel entbrannten Streit um die Gegenwart des šālōm hin. Die ,Unheilsprophetie' sagt: Jahwe hat ,den F. von seinem Volk genommen' (Jer. 16, 5) u. bezeugt damit zugleich Gott als Schenkenden des F. Hes. 13 erklingt Jahwes Weheruf gegen die falschen Propheten: ,Ich recke meine Hand aus wider die Propheten, die Trug schauen u. Lüge wahrsagen' (13, 9), ,indem sie 'Heil, Heil' riefen, wo doch kein Heil war' (13, 10). Es sind ,die Propheten Israels, die über Jerusalem weissagten u. für sie Gesichte des Heils schauten, wo doch kein Heil war' (13, 16). 'Ēn šālōm: εἰρήνη οὐκ ἔστιν wird geradezu heilspädagogische Formel: Jer. 6, 14; 8, 11; 12, 12; 30, 5 u. Hes. 13, 10. 16 (vgl. G. Quell, Wahre u. falsche Propheten [1952] 43/67; v. Rad 402f). – Der Zusammenhang dieser Unheilsprophetie mit der historischen Situation Israels ist offenkundig. Bald nach der Katastrophe von 597 u. 586 ist es der gleiche Prophet Jeremia, der dem Volk im Exil sagt, Jahwe habe ,Gedanken des Heils u. nicht des Unheils' (Jer. 29, 11; LXX: 36, 11). Der Wechsel zeigt an, daß sich die prophetische Verneinung einer šālōm-Gegenwart gegen eine falsche Sekurität vor Gott u. Blindheit der eigenen Sünde gegenüber richtete, die Verkündigung aber von Jahwes Heilsgedanken dem Glaubensgehorsam u. der Glaubenshoffnung diente.

6. Verheißenes ,Heil'. Erstmals ist im Brief des Jeremia an die Exilierten 597 vC. davon die Rede: ,Denn ich weiß, was für Gedanken ich über euch hege, spricht Jahwe, Gedanken des Heils (šālōm) u. nicht des Unheils, euch eine Zukunft u. Hoffnung zu geben' (Jer. 29, 11). Sodann bahnt sich im Deutero- wie im Tritojesaia eine Vergeistigung u. zugleich damit Entgeschichtlichung des šālōm-Begriffes an. Vom neuen Bund ist Jes. 54 die Rede u. zugleich vom F. u. der Gerechtigkeit der neuen Stadt. Šālōm wird Inbegriff der paradiesischen u. ewigen Welt. Wenn Jes. 54, 10 der ,Bund meines Friedens' erscheint, so ist dies zusammenzusehen mit Jahwes Ankündigung eines ,ewigen Bundes' (Jes. 55, 3), der mit den ,unverbrüchlichen Gnadenerweisungen an David' noch genauer bestimmt wird. Man wird dabei annehmen dürfen, daß Deuterojes. vom Standpunkt der nach Babylon

Exilierten u. bald Heimkehrenden aus spricht (Jes. 57, 19: Heil dem Fernen u. dem Nahen; vgl. S. Herrmann, Die prophetischen Heilserwartungen im AT [1965] 296). Daß nicht an automatisch Eintretendes gedacht ist, sondern eine Verbindung von Gerechtigkeit u. Heil vorausgesetzt wird, zeigt Jes. 48, 18: ‚Würdest du doch auf meine Gebote achten, so wäre dein šālōm wie ein Strom u. deine Gerechtigkeit wie Wogen des Meeres‘. Und wenn auch 48, 22 ein Zusatz der späteren Überlieferung ist, so interpretiert er doch das leitende Verständnis von F.: ‚keinen F. gibt es für die Gottlosen, spricht Jahwe‘ (šālōm wird an dieser Stelle in der LXX mit χαίρειν wiedergegeben). Folgerichtig wird auch Jes. 52, 7 der Inhalt des von dem Freudenboten (mᵉbassēr = εὐαγγελιζόμενος LXX) Verkündeten mit šālōm bezeichnet. In dieser Hinsicht ist auch die Verbindung von F. u. Wahrheit wichtig (Jer. 33, 6; 2 Reg. 20, 19 [vgl. Jer. 39, 8]; vgl. D. Michel, ’ĀMĀT: ArchBegrGesch 12 [1968] 52/5). Doch liegt das Neue nicht in der futurischen Konzeption des F. (derartiges findet sich bereits seit Hosea u. Amos), sondern in der Einbeziehung des šālōm in ein ganzes eschatologisches Begriffsfeld: neues Zion, neuer Bund, neuer Exodus, Davidsproß, paradiesischer F., auch F.fürst (Jes. 9, 6). Eine Vorstellungskette liegt hier bereit, die in christl. Zeit durch Stichwortassoziation wiederaufgenommen werden kann. Vielleicht ist es nicht ohne Belang, daß mit der Betonung des uneingeschränkten Gott- u. Königseins Jahwes eine Verkündigung von Jahwes kosmischer Herrschaft einhergeht u. damit der F. selbst in der Weise kosmisch wird, wie er Mensch- u. Tierwelt, Geschichte u. Natur umfaßt (vgl. Jes. 11, 6/9 die friedliche Bukolik u. ferner Lev. 26, 6: F. durch Ausrottung der wilden Tiere u. Vernichtung der Feinde; zum literarisch u. ikonographisch wichtigen Topos des Tier-F. s. *Tier). Was Jes. 48, 18 noch Zukunftswunsch ist, daß F. wie ein Strom fließe, das wird 66, 12, wohl doch proleptisch, als ‚eschatologische‘ Gegenwart bezeugt. Im Kontrast dazu folgt 66, 15 f die Ankündigung von Gottes Kommen zum Gericht über die Völker. Nicht ohne Bedeutung u. Wirkung ist, daß im aeth. Henoch 71, 14/7 der F., mit dem der Menschensohn wie mit Gerechtigkeit verbunden ist, eschatologische Gabe ist.
7. Immanente Wirklichkeit des F. Der wesentliche Beitrag des AT zur Geschichte des F.begriffs liegt nicht in der Differenzierung des zeitlichen oder überzeitlichen Charakters von F. (auch der ewige F. wird geschichtlich gedacht), sondern in der Betonung seines Gnadencharakters. So nimmt es nicht wunder, daß F. auch geschenktes Rechtsverhältnis zwischen zwei Personen oder zwei Völkern sein kann (1 Reg. 5, 26; Dtn. 20, 10), selbst Besiegung des Feindes u. F. durch Kriegsende, so daß der Sinn Völker-F. anklingt (Iudc. 8, 7/9; 2 Sam. 19, 25. 31; 1 Chron. 22, 28). Ja, 2 Sam. 11, 7 ist nicht weit vom griech. ὁμόνοια-Begriff entfernt, wenn neben der Frage nach der εἰρήνη τοῦ λαοῦ die nach der εἰρήνη τοῦ πολέμου gestellt wird. Auch die Verbindung von F. u. Gerechtigkeit, die man eigentlich als griechischem u. römischem Geist entsprechend empfindet, ist in theologischer Begrifflichkeit im AT greifbar (Jes. 48, 18; 54, 13; Ps. 85, 11) u. bezeugt damit bei gleichen Worten verschiedene Begriffsgehalte. – Was für den Römer die pax Augusta bedeutete, war für das Judentum der durch Salomo gestiftete F.: Salomo, der den Tempel baute u. F. bescherte, so daß ‚ein jeder unter seinem Weinstock u. unter seinem Feigenbaum sicher wohnte‘ (1 Reg. 5, 4; Mich. 4, 4). Die Objektivität wird durch realistische Ausmalung zur Sprache gebracht: Jes. 2, 4 f u. Mich. 4, 3 sprechen von šālōm, wo sie ‚ihre Schwerter zu Pflugscharen u. ihre Speere zu Rebscheren umschmieden u. kein Volk gegen ein anderes das Schwert erhebt u. sie werden den Krieg nicht mehr lernen‘. Was hier als universaler Völker-F. erscheint, bes. Jes. 2, 2/4, setzt freilich die Unterwerfung der Völker unter Jahwe voraus. Die scheinbar nationale Entschränkung des šālōm ist faktisch auf eine theonome Herausführung aller Völker gegründet, worin Israel eine Mission an die Welt hat (T. C. Vriezen, Prophecy and eschatology: VetTest Suppl. 1 [1953] 213 f). Man darf also nicht einfach den ‚immanenten‘ F. in seiner Nachbarschaft zur ‚Eintracht‘ als heidnisch-antik bezeichnen u. der jüdisch bestimmten Linie entgegenstellen. Die Problemlage ist differenzierter, weil Jahwes šālōm-Gabe immanente Phänomene zeitigt. Es gibt eine ganze Reihe atl. Aussagen, wo F. als Gegenbegriff den Krieg hat: 1 Sam. 7, 14; 1 Reg. 5, 4; Koh. 3, 8; ferner: Dtn. 2, 26; 20, 10/7; Jos. 9, 15; Iudc. 4, 17; 11, 13; 21, 13; 1 Reg. 2, 13; 5, 26; 20, 18; Job 15, 21; Jes. 33, 7. Es wäre jedoch falsch, statistisch zu verfahren u. den innerweltlichen, politischen oder auch anthropologischen Begriff

šālōm dem theologischen etwa vorordnen zu wollen.

8. F. u. Ruhe. Obgleich sich lexikographisch zwischen šālōm u. mᵉnūḥāh, εἰρήνη u. ἀνάπαυσις, keine Verbindung nachweisen läßt, ist doch eine durch die Vorstellung ‚F.‘ gegebene Sachbeziehung vorhanden. Was in dem christl. F.begriff umfaßt ist, hat wesentlich auch seine Wurzeln im atl. mᵉnūḥāh u. in der gnostischen ἀνάπαυσις, die gerade die soteriologische u. eschatologische Ruhe bezeichnen. Die Basis für die sachliche Verbindung liegt im Schöpfungsbericht Gen. 2, 2f: Gott hatte die Schöpfung vollendet u. ruhte am 7. Tage aus, diesen Tag segnend u. heiligend, ‚denn an ihm hat Gott geruht von all seinem Werke, das er geschaffen u. vollbracht hat‘. Das griech. Verb καταπαύειν wird für das hebräische šābat gesetzt, u. damit wird κατάπαυσις wie ἀνάπαυσις etwas durch Gott selbst Geheiligtes. Bleibt die ‚Ruhe‘ zunächst ganz Gottes eigenes Ruhen u. nicht übertragbar, so wird sie doch später seine den Menschen geschenkte Gabe u. Verheißung: Dtn. 3, 20; 12, 9f; 25, 9f; Jes. 14, 3; Ps. 55, 19 u.ö. (vgl. o. Bd. 1, 415f). Jos. 21, 43 kann sogar von der Ruhe für Israel als von etwas bereits Realisiertem gesprochen werden. Ähnlich im Blick auf David 1 Reg. 8, 56. Ja, bei der Sendung des Geistes ist vom ‚Ruhen des Geistes Gottes‘ die Rede (Jes. 11, 2: ἀναπαύσεται ἐπ’ αὐτὸν πνεῦμα τοῦ θεοῦ; vgl. Num. 11, 25). Selbst im Sinne des Todesschlafes kann von ἀναπαύειν gesprochen werden. Über diese Begrifflichkeit hinaus weisen vor allem zwei Stellen: Jer. 6, 16: ‚Forschet, welcher der Weg des Heils sei . . .; den geht, so werdet ihr Ruhe finden für eure Seele‘. Dieses Motiv des ‚Auf-dem-Wege-Seins‘ zur Ruhe wird in der Gnosis wichtig. Ferner heißt es 2 Chron. 6, 41, daß Gott in seinem Volke zur Ruhe komme, ein ‚hochmessianischer Gebetsruf‘ Salomos bei der Einweihung des Tempels (G. v. Rad, Ges. Studien zum AT³ [1965] 105). Doch sind für diese ganze Linie im AT nur die Anfänge greifbar; entfalteter liegt der Gedanke im hellenistischen Judentum u. dann in der christl. Tradition vor.

b. Qumran-Schriften. Wenn auch hier der beinahe profane F.begriff im Sinne von ‚Wohlergehen‘ (Dam. 6, 21; vgl. Jer. 29, 7; 38, 4) nicht unbekannt ist, so verschiebt sich doch das Schwergewicht auf die eschatologische Bedeutung. In der Sektenrolle (2, 4) wird zunächst der erweiterte Segenswunsch aus Num.

6, 26 zitiert: ‚Er erhebe sein gnädiges Antlitz auf dich, um dir ewigen šālōm zu schenken‘; 2, 9 ist ‚Kein Heil‘ gleichbedeutend mit einem Fluch über alle Menschen in Belials Machtbereich. Von einer ‚Fülle des Heils‘ ist hinsichtlich der ‚Söhne der Wahrheit‘ die Rede (4, 7; vgl. Ps. 37, 11 LXX: ἐπὶ πλήθει εἰρήνης). In der Kriegsrolle wird vom eschatologischen ‚F.bund‘ oder vom heilgewährenden Bund gesprochen (12, 3). In der Liste der Aufschriften auf den Trompeten heißt es, daß man im Lager schreiben solle šālōm’ēl (3, 5), nach der siegreichen Heimkehr aus der Schlacht aber solle man ‚frohlocken zu Gott über die Heimkehr voll šālōm‘ (3, 11). Ähnlich Hos. 9, 7 u. Jes. 60, 17 treten in den Lobliedern (Hodajoth 1, 17) miteinander auf šālōm u. pᵉquddāh: Heil u. Heimsuchung, dann wieder ‚Ehre‘ (im Sinne von kābōd = δόξα) u. F.: 11, 27. Insgesamt wird man konstatieren dürfen, daß in der Qumranliteratur die eschatologische Bedeutung im Gebrauch von šālōm vorherrschend ist.

c. Rabbinische Quellen. Sie sind in der Fragestellung dieses Lexikons weniger wichtig u. sollen nur gestreift werden. Im tannaïtischen Midrasch Sifre zu Num. 6, 26 wird ausführlich der Segenswunsch ‚u. schaffe dir F.‘ kommentiert. In zwanzig Aussprüchen in je 4 Gruppen zu 3, 7, 7 u. wieder 3 Aussagen, immer eingeleitet durch ‚Groß ist der F.‘, werden Stellen des AT auf den Segenswunsch u. speziell auf den F. hin ausgelegt. Die ganze Kette gipfelt in der an Iudc. 6, 24 anknüpfenden Aussage ‚Der Herr ist F.‘. Gemeint ist an nahezu allen Stellen das dem Gerechten von Jahwe geschenkte Heil (vgl. das reiche Material bei K. G. Kuhn, Rabbinische Texte 2, 3 [1959] 131/7). – Die letzte Bitte des babyl. Achtzehnbittengebetes hat den F. zum Inhalt.

d. Septuaginta. Der LXX-Sprachgebrauch ist in zweifacher Hinsicht zu befragen: 1) Welche griechischen Wörter sind als Äquivalent für šālōm benutzt worden? 2) Welche hebräischen Wörter können mit εἰρήνη wiedergegeben werden? Zur ersten Frage: Nahezu durchgehend wird εἰρήνη benutzt, insgesamt 185mal. Auszunehmen sind Ex. 18, 7 u. Iudc. 18, 15, wo ἀσπάζεσθαι für šā’al lᵉ šālōm steht; Job 21, 9 wird εὐθηνεῖν für šālōm gesetzt u. Gen. 43, 23 ἵλεως. Dtn. 29, 18 steht ὅσιά μοι γένοιτο u. Gen. 26, 31; 28, 21; 44, 17 sachlich richtig σωτηρία für šālōm, ferner 41, 16 ein zusätzliches σωτήριον. Der šālōm-Gruß erscheint Gen. 29, 6 zweimal als ὑγιαίνει, ferner noch 37, 14; 43, 27 f; Ex. 4, 18; 1 Sam. 25, 6 (zweimal); 2 Sam. 14, 8; 20, 9. Bei diesen zehn Stellen ist ‚gesundsein‘, ‚sich wohlbefinden‘ die Grundbedeutung. Daß auch χαίρειν (Jes. 48, 22; 57, 22) für F. begegnet, ist nicht überraschend, obgleich an der letztgenannten Stelle der hebr. Sinn damit entschärft wird. Zur zweiten Frage: Das griech. Substantiv kann ein hebr. šāqaṭ wiedergeben, also ‚Ruhe haben‘, ‚in F. sein‘: 1 Chron. 4, 40 (ebenso εἰρηνεύειν: 2 Chron. 14, 4. 5; 20, 30). Ferner: ein hebr. boeṭaḥ Job 11, 18; Prov. 3, 23; Jes. 14, 30; Hes. 34, 27; 38, 8. 14; 39, 6. 26. Endlich ist noch šalwāh belegt: Prov. 17, 1; Hos. 2, 18. In sämtlichen anderen Fällen liegt dem griechischen Begriff ein hebr. šālōm zugrunde. – Man wird dieser doppelten Konkordanz nicht ablesen dürfen, daß die LXX ‚fast alle šālōm-Stellen des hebr. Textes u. nur sie (Ausnahmen wurden lediglich unter der zweiten Fragestellung aufgeführt) mit εἰρήνη übersetzt hat‘ (so Foerster 405), daß somit ‚in das griech. Wort der hebr. Inhalt eingedrungen‘ sei (ebd.). Dies stimmt nur weitgehend, aber eben nicht durchgehend; darum muß differenziert werden. Die Erweiterung des Wortfeldes für einen Begriff deutet eine nur dem Kontext zu entnehmende Sinnvariation an. Wenn freilich šālōm dreimal mit σωτηρία wiedergegeben wird, so muß notwendig diese Sinnvariante beim εἰρήνη-Begriff der LXX fehlen, während sie im hebr. Begriff gerade dominierend ist. Eine gewisse Verflachung mag sich auch darin ausdrücken, daß in 10 Fällen der šālōm-Gruß mit ὑγιαίνειν wiedergegeben wird. Das Sakrale geht dabei verloren. Wenn gleichwohl 2 Reg. 10, 13 ‚wir zogen hinab, um zu begrüßen‘ sachlich richtig durch κατέβημεν εἰς εἰρήνην übersetzt wird, so zeigt dies an, wie uneinheitlich der Sprachgebrauch der LXX ist.

e. Philo. Philo versucht semitisches Glaubens- u. Gedankengut griechischen Lesern verständlich zu machen. Diese hermeneutische Aufgabenstellung führt bei ihm zu teilweise anthropologischen u. psychologischen Umdeutungen. Sie geschehen in der Regel durch Allegorisierung: zB. wird ebr. 97 f die ἡσυχία der unvernünftigen Triebe als εἰρήνη βαθεῖα gekennzeichnet, τὰ δὲ ἐναντία πόλεμος ἄσπονδος; hier wird Ex. 32 auf einen F. zwischen ψυχή u. den πάθη hin interpretiert. Man darf daraus nicht folgern, F. sei bei Philo ‚vorwiegend eine negative Größe‘ (Foerster 409),

da auch für den Alexandriner letztlich die Basis bleibt, ‚daß Gott allein der untrügliche u. wahre F. ist, alles Gewordene u. vergängliche Seiende aber fortgesetzter Krieg‘ (somn. 2, 253). Als Grund wird angegeben, Gott habe Freiheit; beim vergänglichen Seienden herrsche die Unfreiheit der ἀνάγκη. In Cherub. 86 ist der Gedanke variiert: ‚Gott allein feiert wahrhaft Feste . . ., er allein hat εἰρήνη ohne jeden πόλεμος‘. So ist Gott ‚König des F.‘ (dec. 178) u. es gibt im Bereich der Schöpfung ‚niemanden, der εἰρηνικὸς ἀνήρ ist, der nicht aufrichtig u. einfältig das Wesen verehrt, das allein am Kriege nicht teilnimmt, sondern τὴν αἰώνιον εἰρήνην hält‘ (ebr. 76). Überraschend, daß dieser ‚ewige F.‘ etwas Innerweltliches ist, dem Gebrauch u. Genuß der Gott dienenden Menschen freigegeben, ja, das vom Naturgesetz belehrte Menschengeschlecht kann ihn gewinnen (post. Cain. 185). Griechische Bedingtheit des Denkens zeigt sich darin, daß der εἰρήνη-Begriff am πόλεμος orientiert wird. Hinzu tritt noch ein erbaulicher oder pädagogischer Ton: ‚Wenn nämlich jemand im F. den unablässigen Krieg der Menschen beobachtet, der nicht nur bei den Völkern u. in Ländern u. Städten herrscht, mehr sogar noch in jedem einzelnen Menschen, u. den unbeschreiblichen schweren Sturm in den Seelen . . .‘, so ist er erstaunt, daß überhaupt noch jemand Ruhe bewahren kann (gig. 51). Die Psychologisierung hebt hier die eschatologische Dimension auf. Es geht Philo um das καταλῦσαι τὸν ἐν ψυχῇ τῶν ἐπιθυμιῶν ἐμφύλιον πόλεμον u. um die Sicherung des F. als eines innerseelischen Zur-Ruhe-Kommens (ebr. 75). Dies ist das Ziel der ‚Weisheit‘. Ex. 33, 7 wird dahin allegorisiert, daß der Weise vom Krieg zum F. auswandert. Insofern ist F. für den vor Gott Gerechten ein ethisch erreichbares Ziel, nicht allein theonome Gabe. In somn. 2, 250 finden wir: ἡ δὲ θεοῦ πόλις ὑπὸ Ἑβραίων Ἰερουσαλήμ καλεῖται, ἧς μεταληφθὲν τοὔνομα ὅρασίς ἐστιν εἰρήνης; daneben begegnet auch die von Gen. 14, 18 ausgehende u. für Hebr. 7 wichtige Etymologie: Μελχισέδεκ βασιλεὺς τε τῆς εἰρήνης. Man kann mit Recht fragen, ob nicht Philo allein dem hellenischen Denk- u. Sprachbereich zuzurechnen ist. Schwierigkeit bereitet der Abschnitt praem. et poen. 165 f, der von einer messianischen Erlösergestalt spricht, die gemeinsam mit drei Parakleten die in der Zerstreuung festgehaltenen Juden zurückbringt: die auf den Inseln u. auf dem Festlande Zerstreuten werden ‚mit einem

Male sich erheben u. von allen Seiten nach einem ihnen angewiesenen Ort eilen, geleitet von einer göttlichen, übermenschlichen Erscheinung, die für andere verborgen u. nur für die Wiedergeretteten offenbar ist, u. unterstützt von drei Parakleten, um die Versöhnung beim Vater zu erlangen . . .'. Es ist zwar nicht von F. die Rede, sondern von ‚Versöhnung', καταλλαγή πρὸς τὸν πατέρα. Aber gerade dies ist zu beachten: einmal, daß für die Vertikale des Gott-Mensch-Verhältnisses Philo von εἰρήνη zu καταλλαγή übergeht; sodann, daß er von einem Ereignis spricht, das nur den ἀνασωζόμενοι sichtbar ist, hier den heimgeleiteten Diasporajuden; u. endlich, daß eine Mittlergestalt u. drei παράκλητοι auftreten. Die Stelle bedürfte einer Sonderuntersuchung (vgl. R. Bultmann, Das Evangelium des Joh.[17] [1962] 438).

f. Josephus. Auch bei Josephus ist für den F.begriff das oppositum πόλεμος weithin bestimmend (zB. ant. Iud. 1, 179; 4, 297 u. ö.; b. Iud. 1, 148; 2, 220. 283. 304; 4, 99 u.ö.). Über die Essener schreibt er lobend, sie seien εἰρήνης ὑπουργοί (b. Iud. 2, 135). Von Salomon wird sein F.regiment gerühmt (ant. Iud. 8, 21). An anderer Stelle ist von εἰρήνη im Blick auf Freiheit von Dämonen u. Geistern die Rede (ant. Iud. 6, 210). Das Bild im ganzen läßt die theologischen Züge des AT im Sprachgebrauch vermissen (gegen Foerster 409).

g. Sepulkrale F.formeln. Die zahlreichen im CIJ von J. B. Frey herausgegebenen Inschriften mit dem häufigen Text: ἐν εἰρήνῃ ἡ κοίμησις αὐτοῦ (oder: σοῦ) sind angesichts der im Judentum keinesfalls herrschenden Hoffnung auf ein Leben nach dem Tode besonders bemerkenswert. Gewiß gibt es in der pharisäischen Richtung den Glauben an eine Auferstehung, während die Sadduzäer diesen Glauben abweisen; aber im Judentum der Diaspora war offenbar der Gedanke eines Weiterlebens der Seele mit dem Ort des Grabes verbunden. Überraschend ist, daß in der Regel das hebr. Wort šālōm nicht Bestandteil des Inschrifttextes ist: es steht gesondert unter dem griech. Text u. vielfach neben jüd. Symbolen: CIJ nr. 283 (neben Menorah, Schofar u. Palmzweig); nr. 497 (zwei Menoroth gerahmt von zweimal šālōm); nr. 499 (lat. Inschrift, Palmzweig, Menorah u. Schofar, überschrieben mit bešālōm); nr. 552 (Menorah mit šālōm); nr. 558 (neapolitan. Inschrift des 5. Jh. mit lat. Text: Hic requies-

cit in pace Barbarus filius Cumani . . ., darunter rechts Menorah, links šālōm ᶜalmᵉnūḫātkāh = F. über deiner Ruhe). Die gleiche Wendung begegnet in einer bilinguen, lat.-hebr. Inschrift aus Tarent (nr. 630), wo der hebr. Wendung ein: sit P[ax] sup dormitor [...]eoru[...]men entspricht: mᵉnūḫāh = ἀνάπαυσις = lieu de repos (Frey) wäre für spätere Zeit nicht auszuschließen (es wird 11./12. Jh. vermutet). Auch wenn mᵉnūḫāh term. techn. für ‚Grabplatz' sein sollte, so läßt sich die mitklingende eschatologische Ruhe in dem Begriff nicht völlig ausschalten. Die Potenzierung des Wunsches durch die Verbindung von F. u. Ruhe bleibt deshalb bemerkenswert; vgl. ferner nr. 570f. 573. 578. 584 u.ö. Wie die Begriffe zum Teil als nomina sacra auf den Epitaphien weiterleben, zeigen jüdische Inschriften Karthagos, wo mit griechischem ἐν εἰρήνῃ am Rande bešālōm verbunden wird (Ferron Taf. 3) u. eine lat. Inschrift in pace et ir[e]ne bringt (ebd. Taf. 7, 1). Teils ist mit šālōm ein persönlicher Abschiedsgruß an den Bestatteten mitgegeben, dann wieder ist durch die beistehenden Symbole beinahe ein Gebetswunsch für die Verstorbenen an Gott ausgesprochen. Endlich zeigt eine Loculusinschrift in Rom von der Via Portuensis (CIJ nr. 293) neben Menorah die hebr. Worte šālōm ᶜal-jisrāʾēl (ebenso nr. 397. 599. 650. 661. 670), was vielleicht Zitat der Schlußbitte aus dem Achtzehnbittengebet ist. Jüngst wurden zwei spanische Inschriften, ein Sarkophag in Tarragona u. eine trilingue Inschrift in Tortosa, mit gleicher Formel gefunden (H. Beinart: Eretz Israel 8 [1967] 78). Andere Vorkommen schließen sogar apotropäische Kraft, die vom nomen sacrum ausgeht, nicht aus (zu ‚nomina sacra' im Hebräischen: L. Traube, Nomina sacra [1907 bzw. 1967] 21/4). Mit einer Vielschichtigkeit des Sinnes bei der Setzung von šālōm ist zu rechnen u. jede uniforme Deutung abzulehnen. Es läßt sich natürlich nicht ablesen, wo eine Hellenisierung die atl. bestimmten Formeln durchsetzt hat u. wo nicht. Wichtig ist zunächst nur, daß durch šālōm wie auch mᵉnūḫāh eine eschatologische Konnotation in die christl. F.formeln gelangt u. daß die christl. Abkürzung RIP für ‚requiescat in pace' gedanklich u. begrifflich im Hebräischen eine Entsprechung hat (vgl. Goodenough 2, 52/9. 127/37; H. J. Leon, The Jews of ancient Rome [Philadelphia 1960] 67/74. 122/34), die keineswegs Wurzel sein muß. Da die šālōm-Formel über den sepulkralen Bereich hinausgeht, ist jede einengende Interpretation bedenklich. In einem spätantiken Fußbodenmosaik in Antiochia sind aus 1 Reg. 16, 4 LXX die Worte: εἰρήνη ἡ ἴσωδός σου, ὁ βλέπον aufgenommen. Im Fortgang ist von einem σταθμοῦχος die Rede, was den Hauseigentümer des bisher nicht identifizierten Gebäudes bezeichnen kann (‚Gasthaus‘ ist nach Liddell Scott s. v. σταθμός nicht belegt; zum Ganzen D. Levi, Antioch mosaic pavements 1 [Princeton 1947] 320; 2 Taf. 71 b). Bekannt ist die aramäische Gedächtnisinschrift vom Fußbodenmosaik der Synagoge von Jericho (QDAP 6 [1938] 76$_{1,2}$), die auf das ‚Buch des Lebens‘ für die Stifter hinweist u. für ganz Israel F. erbittet. Hier ist eschatologische Sinngebung zu vermuten. Daneben ist die zweimal belegte hebr. Synagogeninschrift zu halten: ‚Möge F. über diesem Ort sein u. über allen Orten (seines Volkes) Israel‘ (Alma u. Kefr Bir‘im: CIJ nr. 973f; griechisch auf Fußbodenmosaik der Synagoge in Gerasa: E. L. Sukenik, Ancient synagogues in Palestine and Greece [London 1934] Taf. 9). Sie hat in der Bezogenheit auf Israel eine lateinische Analogie (evtl. sepulkral) in Spanien: … Pauset anima eius in pace cum omne Israel. amen amen amen (A. Ferrua: Epigraphica 3 [1941] 45). Ein bekanntes vatikanisches Goldglas (CIJ nr. 515) hat die Beischrift οικος ιρην[ης] (vgl. u. Sp. 498). Die Zahl der Synagogeninschriften wächst ständig durch neue Funde u. bezeugt, daß F. als šālōm die Gabe Jahwes für sein Volk Israel ist u. deshalb besonders auf den Ort herabgewünscht wird, wo es sich zusammenfindet, oder auch auf die Stifter u. Bauleute der Synagogen (vgl. R. Hestrin: BullHebrUnivJerus 3 [1960] 65f; Goodenough 3, 656). Man wird für diese synagogalen u. sepulkralen Inschriften den gleichen F.begriff annehmen müssen, zumal der theologische atl. genügend innere Weite besitzt, um die erforderliche applicatio zu gestatten. Auf dem Fußbodenmosaik der Isfiya-Synagoge ist der hebr. erhaltene F.wunsch über Israel (um 500 nC.) von einem Kranz eingefaßt u. von zwei Menoroth flankiert. Dieses leicht zu vermehrende Material (vgl. Goodenough 2, 838. 851. 983/5 u. ö.) bestätigt in der Verbindung mit dem Menorah-Symbol, daß hier šālōm bzw. εἰρήνη im Sinne von ‚Heil‘ zu verstehen ist. Letztlich gilt auch für die jüd. F.inschriften, was A. D. Nock über die hellenist. in Auseinandersetzung mit F. Cumont geschrieben hat: ‚Rest in the grave is rest in peace from

the cares and toils of life, and it is also, all being well, rest in peace from tomb robbers. In life, too, men rest after labor, with relaxation and contentment (ἀναπαύεσθαι) both in sleep and at table: occasionally they rest in refreshment after a vision‘ (AmJArch 50 [1946] 145). Das soll heißen: auch bei jüdischen Grabinschriften läßt sich die religiöse Intensität oder Entleerung nicht am Wortlaut als solchem ablesen.

C. Christlich. I. Neues Testament. a. Überblick. Da im AT der Name Gottes ‚F.‘ genannt wird (Iudc. 6, 24) u. auch der Name des Messias als des F.fürsten begegnet (Jes. 9, 5; vgl. auch Jes. 52, 7), so ist es nicht überraschend, daß εἰρήνη im NT sowohl Gottes- als auch Christus-Prädikation sein kann. Vom ‚Gott des F.‘ ist vielfach die Rede (Rom. 15, 33; 16, 30; Phil. 4, 9; 1 Thess. 5, 23; 2 Thess. 3, 16; Hebr. 13, 20 u. ö.) u. ebenso wird Christus selbst sehr prägnant als ‚unser F.‘ (Eph. 2, 14) bezeichnet. Doch steht neben dieser beinahe christologischen Verwendung des Begriffs ein weites Feld weniger tiefgreifender Bedeutungen: im Zusammenhang der Rede vom Gottesdienst u. der Problematik des Zungenredens schreibt Paulus 1 Cor. 14, 33: ‚Denn Gott ist nicht (ein Gott) der Un-Ordnung, sondern des F.‘, womit hier F. als Ordnung erscheint. Sehr verbreitet ist der formelhafte aus dem Hebräischen genommene Gebrauch beim Gruß: εἰρήνη τῷ οἴκῳ τούτῳ (Lc. 10, 5; Mt. 10, 13), anders gefüllt der betonte dreimalige Gruß des Auferstandenen, der seine Gabe nennt: εἰρήνη ὑμῖν (Joh. 20, 19. 21. 26). Daneben finden wir in den paulinischen u. anderen Präskripten die Grußformel χάρις ὑμῖν καὶ εἰρήνη ἀπὸ θεοῦ πατρὸς ἡμῶν καὶ κυρίου Ἰησοῦ Χριστοῦ: Rom. 1, 7; 1 Cor. 1, 3; 2 Cor. 1, 2; Gal. 1, 3; Eph. 1, 2; Phil. 1, 2; Col. 1, 2; 1 Thess. 1, 1; 2 Thess. 1, 2; Tit. 1, 4; Phm. 3; vgl. Apc. 1, 4 u. 2 Petr. 1, 2. Genaue Parallelen zur paulinischen F.grußformel bestehen nicht, nahe kommt Apc. Bar. syr. 78, 2: misericordia et pax: ἔλεος καὶ εἰρήνη, die auch Gal. 6, 16 u. Iud. 2 begegnen. Die alltägliche jüd. Grußformel šālōm lāchaem (Iudc. 6, 22; 19, 20; Dan. 10, 19) ist vermutlich im frühen Christentum zur liturgischen Formel umgeprägt u. durch χάρις ebenso erweitert, wie auch durch die Angabe des Ursprungs verdeutlicht worden. Natürlich ist diese Anreicherung durch χάρις zugleich auch ein Interpretament für εἰρήνη. – Selbst in den Tugendkatalogen hat der F. seinen Ort, wenn

er auch Gal. 5, 22 als καρπὸς τοῦ πνεύματος
erscheint, aber gleich in der ersten Triade
neben ἀγάπη u. χαρά, also nicht als Imperativ,
sondern als Gabe.

b. Jesus u. die Synoptiker. Läßt sich nachweisen, daß ‚F.' in der Verkündigung Jesu
eine besondere Hervorhebung erhielt? Die
synoptische Tradition u. der synopt. Vergleich
zeigen: 1) daß bei Markus das Substantiv
εἰρήνη nur 5, 34 in Jesu Verkündigung begegnet, 2) daß die Q-Tradition öfter das Wort
in Jesu Mund überliefert, 3) daß Lukas eine
besondere Vorliebe für das Wort zeigt. Im
Zusammenhang mit dem Zentralbegriff für
die Frohbotschaft Jesu, nämlich mit βασιλεία
τοῦ θεοῦ, begegnet εἰρήνη nicht. Auch wird
nicht in der anthropologischen Begrifflichkeit,
etwa in der Linie der hellenist. Abstrahierung
als Ideal, εἰρήνη oder ὁμόνοια gebraucht.
Seelenheil u. innerer F. (in der Linie des falschen Verständnisses von Lc. 17, 21: ἐντὸς
ὑμῶν ἐστιν) ist nirgends belegbar. Antitheti-
sche Aussagen bezeugen das Unsystematische
der Begrifflichkeit: in der Bergpredigt heißt es
Mt. 5, 9: μακάριοι οἱ εἰρηνοποιοί u. Mt. 10, 34
wird das Wort überliefert: ‚Wähnet nicht,
daß ich gekommen bin, F. zu bringen auf die
Erde; nicht bin ich gekommen F. zu bringen,
sondern das Schwert'. Lc. 12, 51 hat für
Schwert ‚Zwiespalt' eingesetzt u. damit den
Gegenbegriff εἰρήνη fast im Sinne von ὁμόνοια interpretiert. Der Widerspruch zwischen
Mt. 5, 9 u. 10, 34 schwindet, wenn erkannt
wird, daß das letzte Logion nur das Scheidend-
Entscheidende der Botschaft Jesu angesichts
der Nähe der Gottesherrschaft aussagt, nicht
aber den F.begriff determiniert gebraucht.
Das Wort der Bergpredigt anderseits verheißt
den ‚F.machern' den Titel υἱοὶ θεοῦ für die
Zukunft. Da die Seligpreisungen als messianische Einlaßgebote zum Gottesreich verstanden werden, als lex nova vom Berge aus erlassen, typologisch dem Sinai zugeordnet, so
hat das εἰρηνοποιεῖν ebenso wie das Lieben
der Feinde (Mt. 5, 43/8) nachhaltig auf einen
‚humanistischen' F.begriff in der Geschichte
der Kirche gewirkt. Man wird jedoch vorsichtig sein müssen, hier von einem ‚christlichen F.ideal' zu sprechen oder eine Übernahme von Begriffen des Kaiserkultes anzunehmen (gegen H. Windisch: ZNW 24 [1925]
240/60; mit J. Schniewind: ThR NF 2 [1930]
175). Abgesehen von den beiden Stellen Mt. 5
u. 10, wo Jesus-Logia anzunehmen sind, begegnet ‚F.' nur in synoptischen Formulierun-

gen. Mc. 5, 34 wird in einer Heilungsgeschichte
der Gruß: ‚Gehe hin in F.' überliefert u. fast
in der Linie von Unversehrtheit (= integritas)
durch den Nachsatz erläutert: ‚bleibe ge-
nesen von deiner Plage'. Von Gewicht für die
Folgezeit ist der ‚englische Lobgesang' Lc.
2, 14: δόξα ἐν ὑψίστοις θεῷ καὶ ἐπὶ γῆς
εἰρήνη ἐν ἀνθρώποις εὐδοκίας (et in terra pax
hominibus bonae voluntatis). Die Engel verkünden die Epiphanie des F., im Sinne von
šālōm: des Heils auf Erden, nämlich im Got-
tessohn Jesus von Nazareth. Die zweiglied-
rige Formel ist in den Hss. besser überliefert
als die dreigliedrige; es ist kein Wunsch anzunehmen, sondern eine Akklamation (ἔστιν u.
nicht εἴη ist zu ergänzen). In ähnlichem Sinne
hat Lc. 19, 38b beim Einzug in Jerusalem
das Hosianna erweitert zu einem Lobpreis des
Kyrios durch die Jünger: ἐν οὐρανῷ εἰρήνη καὶ
δόξα ἐν ὑψίστοις. Kurz darauf erzählt Lukas
vom Weinen Jesu über Jerusalem u. berichtet
das Wort (19, 42): ‚Hättest du wenigstens an
diesem Tage erkannt, was zum F. (Heil)
führt: nun aber ist es vor deinen Augen verborgen'. Es wird die Möglichkeit diskutiert,
ob die von Philo u. a. vertretene Etymologie
Jerusalems ὅρασις εἰρήνης = visio pacis
zugrunde liege. Die Vorliebe des Lukas für das
Wort ‚F.' zeigt sich im Evangelium wie auch
in den Act., wo einmal der Gegensatz zum
Krieg gemeint sein kann (zB. Lc. 12, 20;
14, 32; Act. 24, 2), dann die Eintracht im
Gegensatz zum Streit (Lc. 11, 21; 12, 51;
Act. 7, 26; 9, 31), u. endlich F. als Grußwort
erscheint: vom nunc dimittis . . . in pace (Lc.
2, 29) bis zum πορεύου εἰς εἰρήνην (Lc. 8, 48)
u. dem dimissi sunt cum pace . . . (Act.
15, 33). Einflüsse frühchristl. Liturgie sind
hier wahrscheinlich. Doch neben diesem im
Formelhaften verbleibenden Sinn ist auch bei
Lukas F. als entscheidende eschatologische
Gnadengabe erhalten, also im Sinne von ‚Heil':
Lc. 1, 79, wo Jes. 59, 8 zitiert wird, oder Act.
10, 36, außer den bereits genannten Stellen
(2, 14; 19, 38. 42).

c. Johannes. Das Johannesevangelium hat
einen betont theologischen u. christologischen
F.begriff, der an die Person des Erhöhten gebunden ist. In dieser Linie sahen wir Joh. 20,
19. 21. 26 u. ist εἰρήνη in den Abschiedsreden
16, 33 zu verstehen, ferner das Wort 14, 27:
‚F. lasse ich euch zurück, meinen F. gebe ich
euch. Nicht wie die Welt gibt, gebe ich euch'.
Es ist die eschatologische F.gabe gemeint, das
entscheidende Heil, das Jesus Christus er-

öffnet hat. Immer wieder hat dieses Wort in der frühchristl. Literatur nachgewirkt u. den spezifisch christl. F.begriff lebendig erhalten. Semasiologisch liegt der johanneische F.begriff mehr in der Linie des AT als in der des Hellenismus.

d. Paulus u. Deuteropaulinen. Bei Paulus u. in den Deuteropaulinen begegnet neben den schon genannten F.formeln ein vom Heilsgeschehen in Christus her bestimmter εἰρήνη-Begriff. Wenn Rom. 3, 17 leicht verändert Jes. 59, 8 zitiert u. von der ὁδὸς εἰρήνης spricht, so ist darin bereits auf den 3, 21 einsetzenden Abschnitt vorausverwiesen, konkret also auf die Möglichkeit eines Lebens mit der Gabe der δικαιοσύνη θεοῦ. Exegetisch umstritten ist die Lesart Rom. 5, 1: δικαιωθέντες οὖν ἐκ πίστεως εἰρήνην ἔχομεν (oder: ἔχωμεν, wie die ältesten Hss. überliefern) πρὸς τὸν θεόν. In Parallele muß 5, 10 gesehen werden: ‚Denn wenn wir als Feinde mit Gott versöhnt wurden durch den Tod seines Sohnes, um wieviel mehr καταλλαγέντες σωθησόμεθα durch sein Leben.' Es liegen hier semitisch beeinflußte Kategorien vor, ferner ist etymologisch im Stamme šlm das Einsmachen durch Versöhnung mit zu vernehmen (Noth); also wird man in εἰρήνη den durch einen Versöhnungsakt hergestellten F. zwischen Gott u. Mensch zu erkennen haben. Daneben ist aber auch durch die Rede von den ἐχθροί die Gegensätzlichkeit in der griechischen Sprache von πόλεμος u. εἰρήνη unüberhörbar. Die Adhortativ-Lesart ἔχωμεν, die eine Aufforderung zum Festhalten des F. impliziert, ist sinnvoll verstanden, wenn man sie mit dem Imperativ καταλλάγητε τῷ θεῷ = lasset euch versöhnen mit Gott (2 Cor. 5, 20) zusammen sieht. Wenn εἰρήνη Rom. 5 durch δικαιοσύνη u. καταλλαγή gerahmt wird, so bedeutet das eine soteriologische Präzisierung, u. das objektive Feindsein des Sünders ist die Folie der Aussage. In der Exegese wird heute meistens ἔχομεν (ind. praes.) gelesen u. der Textbefund mittels Sachkritik verworfen (H. Lietzmann, An die Römer[4] = HdbNT 8 [1933] 58: ‚Der Sinn muß auch hier über den Buchstaben siegen: ἔχομεν gibt allein den echten paulinischen Sinn'). Es ist zu fragen, ob das berechtigt ist, zumal die Adhortativ-Lesart die für Paulus auch Gal. 5, 25 belegte Paradoxie von Indikativ u. Imperativ bezeugt u. einen guten Sinn gibt. Das Haben von F. in der Versöhnung schließt die Anrede ‚Lasset euch versöhnen' u. ‚wir wollen F. halten' nicht

aus. Wichtig ist, daß F. bei Paulus im Versöhnungshandeln Gottes konkret wird. Rom. 8, 6 ist bereits wieder eine Akzentverschiebung zu greifen: ‚Das Trachten (φρόνημα) des Fleisches ist Tod, das Trachten des Geistes aber ζωή u. εἰρήνη'. Hier wird also die Heilshoffnung mit ‚Leben' u. ‚F.', in Rom. 5 das dem Glaubenden bereits hier in dieser Welt geschenkte Heil mit ‚F.' bezeichnet. Auch Rom. 14, 17 besagt, daß das Reich Gottes ‚Gerechtigkeit, F. u. Freude im Hl. Geiste' sei, u. 15, 13 wiederholt die Zusammenstellung von χαρά u. εἰρήνη (vgl. auch Gal. 5, 22). Daß aber auch Paulus die theologische Aussagemöglichkeit im Wort F. nicht allerorts festhält, zeigt sein Sprachgebrauch in 1 Cor. 7, 15. Im Zusammenhang der Frage nach der Möglichkeit einer Ehescheidung sagt Paulus: ‚denn in F. hat euch Gott berufen': ἐν εἰρήνη. – Ein neuer Zug wird durch Eph. 2, 13f beigetragen, insofern hier Jes. 57, 18f aufgenommen u. auf Christus hin interpretiert wird. In einem Brief an Heidenchristen wird die Einheit der Kirche aus Juden u. Heiden als konstitutiv herausgestellt u. Christus als ‚unser F.' zur Mitte, oder wie es 2, 20 heißt, zum ἀκρογωνιαῖος (λίθος) eines Baues. Das Besondere des Gedankens ist hier, daß εἰρήνη sowohl das durch Christus erneuerte Verhältnis Gottes zum Menschen wie das der Menschen, also der nahen u. fernen, untereinander bestimmt, Christus also F. zwischen Gott u. Mensch wie zwischen Mensch u. Mitmensch stiftet. Col. 1, 20 spricht ähnlich von einer kosmischen Versöhnung durch Christus: ‚indem er F. stiftete (εἰρηνοποιήσας) durch das Blut seines Kreuzes'. Wie im Römerbrief ist im Epheser- u. Colosserbrief der Versöhnungsgedanke mit dem F.begriff verbunden u. wird εἰρήνη zu einem Sammelbegriff für das christlich bestimmte ‚Heil', das im Kreuzesgeschehen verankert wird. Eph. 6, 15 wird im Bilde der geistlichen Waffenrüstung gesprochen: ὑποδησάμενοι τοὺς πόδας ἐν ἑτοιμασίᾳ τοῦ εὐαγγελίου τῆς εἰρήνης: beschuht an den Füßen mit der Bereitschaft zum Evangelium des F. Dabei ist der LXX-Text von Jes. 52, 7 aufgenommen: ὡς πόδες εὐαγγελιζομένου ἀκοὴν εἰρήνης. Bei Aufnahme der Vokabel wird jedoch der Sinn von εἰρήνη an dieser Stelle durch den Kontext verändert: Was bei Jesaia ‚Heil' im eschatologischen Sinne war, ist jetzt soteriologisch konkretisiert: das in Jesus Christus angebotene Heil. Man wird von einer Re-Interpretation des Begriffs sprechen müssen

u. dazu noch dasselbe Zitat Rom. 10, 15 (Lesart der Koine-Hss.) u. Act. 10, 36 zu vergleichen haben. Es sind vor allem die Stellen Eph. 2, 13 f u. Col. 1, 20, die neben Rom. 5 u. 2 Cor. 5 auf den christologisch bestimmten F.begriff eingewirkt haben.

e. Hebräerbrief. Der Hohepriester Christus wird hier irdischen Priestern gegenübergestellt u. in Anknüpfung an Ps. 110, 4 als der Hohepriester ‚nach der Ordnung Melchisedeks' (5, 10; 6, 20) verstanden. 7, 2 wird der Name Melchisedek u. sein Titel ausgelegt: König von Salem = König des F., Melchisedek = König der Gerechtigkeit, beides ist bei Joseph. ant. Iud. 1, 180 u. bei Philo leg. all. 3, 79 bereits vorgeprägt u. wird vom Verfasser des Hebräerbriefs als christologische Prädikation verwertet. Hebr. 12, 14 steht die Mahnung εἰρήνην διώκετε μετὰ πάντων, die bereits Rom. 12, 18; 14, 19 sowie 2 Tim. 2, 22; 1 Petr. 3, 11 angeklungen war u. genauso im AT steht: Ps. 34, 15; Jes. 51, 1 (vgl. Pirqe Abot 1, 12). Vielleicht liegt hier (wie an anderen Stellen des NT) eine katechismusartige Formel im Anschluß an Mt. 5, 9 vor. Auch Jac. 3, 18 weist in diese Richtung: es ist von der Frucht der ‚Gerechtigkeit' die Rede (vgl. einerseits Epicur. frg. 519 Us.; andererseits Amos 6, 12; Prov. 11, 30; 13, 2; auch im NT: Phil. 1, 11; Hebr. 12, 11): sie ‚wird gesät ἐν εἰρήνῃ von den den F. Tuenden', oder als dativus commodi: ‚wird in F. gesät für friedliche Leute' (M. Dibelius-H. Greeven, Kommentar zum Jakobusbrief[8] [1956] 258).

f. Zusammenfassung. Eine Systematisierung des ntl. Sprachgebrauches von εἰρήνη erweist sich als schwierig, ja ausgeschlossen. Der Kontext setzt die Akzente u. bestimmt die Nuancen. Man wird sagen müssen, daß ein psychologischer Sprachgebrauch (‚ein harmonisches Gleichmaß der Seelenstimmung', J. Weiß, Der erste Korintherbrief[9] [1910] 5; zustimmend Foerster 410[64]) nicht begegnet u. daß selten eine Orientierung am Gegenbegriff ‚Krieg' vorliegt. Anderseits: es kommt zu einer ‚Verchristlichung' des der atl. Tradition entnommenen F.begriffs, indem die ‚Heils-Komponente' in šālōm nun mit dem Heilsgeschehen in Christi Kreuzestod verbunden u. deshalb mit dem Versöhnungs- u. Rechtfertigungsbegriff verknüpft wird. Damit kann εἰρήνη umfassender Begriff für die christl. Heilshoffnung werden u. im Glauben wie im Sakrament proleptisch gegenwärtig sein. Das politische Element der griech.-röm. Konzep-

tion von F. ist durch das beherrschend eschatologische Element abgelöst.

g. Ruhe im NT. Mt. 11, 29 ist als Zitat Jer. 6, 16 aufgenommen, in einer Stelle, die schon immer als ‚gnostisch' beeinflußt galt. Es wird ein Jesuswort, das den Mühseligen u. Beladenen ἀνάπαυσις verheißt, als Erfüllung einer Verheißung interpretiert. Die eigentlich entscheidende Stelle für das Ruhemotiv ist Hebr. 3, 7/4, 11, wo das Substantiv κατάπαυσις interessanterweise mit σαββατισμός (4, 9) verbunden wird u. der atl. Beleg für das eschatologische Heil u. den himmlischen F. Ps. 95 einerseits, anderseits Gen. 2, 2 (s. o. Sp. 453) aufgenommen wird. Es ist in der Tat ‚eine himmlische Ortsbezeichnung' (E. Käsemann, Wanderndes Gottesvolk[2] [1957] 41) mit κατάπαυσις gegeben, aber auch mehr als dies, nämlich das soteriologische Ziel des von Gott verheißenen F. Insofern weist die Hebr.-Perikope über das ‚Leben nach dem Tode', über das ‚refrigerium interim' (s. u. Sp. 486 f) hinaus in den weltlosen Raum der erfolgten Auferstehung. Man wird sagen müssen, daß mᵉnūḥāh, ἀνά(κατά-)παυσις, immer εἰρήνη einschließt u. eschatologische Verheißung oder auch antizipiertes Heil ist, aber εἰρήνη auch ohne ein ἀναπαύεσθαι innerhalb der Geschichte geschenkte Wirklichkeit sein kann.

II. Apostolische Väter u. ntl. Apokryphen. a. Barnabasbrief. Ep. Barn. 15, 1/7 (vgl. auch PsClem. hom. 17, 9, 3/10, 1 [GCS 42, 234]) ist die gleiche Verbindung von Ruhe u. Sabbat Grundlage der endzeitlichen Spekulationen. Daß der Sabbat jetzt zum 8. Tage wird, ‚weil an ihm Jesus auferstand von den Toten u. nach einer Erscheinung zum Himmel aufstieg' (ep. Barn. 15, 9), zeigt bereits die Zeit der Kirche an. Der eschatologische F. u. der christl.-soteriologische Sabbat rücken in die Zeit nach dem Endgericht u. sind Begriffe für die Enderlösung.

b. Hebräerevangelium. Clemens Alex. überliefert ein Wort des Hebräerevangeliums: οὐ παύσεται ὁ ζητῶν, ἕως ἂν εὕρῃ· εὑρὼν δὲ θαμβηθήσεται, θαμβηθεὶς δὲ βασιλεύσει, βασιλεύσας δὲ ἐπαναπαήσεται (strom. 5, 14, 96, 3; vgl. auch Ph. Vielhauer: Hennecke-Schneem. 1[3], 108), das mehrfach überliefert ist u. das der ‚Ruhe' deutlich die oberste Rangstufe gibt. ‚Ruhe' erwartet die ‚Auserwähltesten des Vaters' u. ist nahezu synonym mit ‚ewigem Leben' (Ep. apostol. 28: W. Schneemelcher: Hennecke-Schneem. 1[3], 142). Wenn der ‚Ort der Ruhe' angegeben wird, etwa im ‚Unbekannten altgnostischen Werk' (GCS 45, 360, 8/14 Schmidt-Till) als χώρα ἀναπαύσεως zur Rechten gegenüber der χώρα des Leidens zur Linken, so ist die Lokalangabe ebenso wie ‚Himmel' in der βασιλεία τοῦ θεοῦ bei Matthäus ein Hinweis auf die Gottnähe u. synonyme Metapher mit Leben u. Licht (Ph. Vielhauer, ᾽Ανάπαυσις, zum gnostischen Thomas-Ev.: Apophoreta = Festschrift E. Haenchen [1964] 284). Ob für den soteriologischen Kernbegriff das Wort ‚Ruhe' gewählt wurde, weil εἰρήνη zu stark von paganem Kult belastet war, u. Erinnerungen an Statuen u. Altäre auslöste?

c. Clemens Romanus. Es fällt auf, daß Clemens Rom. allein siebenmal εἰρήνη mit ὁμόνοια verbindet (20, 10. 11; 60, 4; 61, 1; 62, 2; 63, 2; 65, 1) u. in zwei koptischen Hss. des Briefes (C u. C¹) 21, 1 ὁμόνοια durch εἰρήνη ersetzt wird. Auch das Paar ὁμόνοια u. ἀγάπη begegnet mehrfach (49, 5; 50, 5 u. ö.). Es bricht hier eine Terminologie durch, die den F. humanisiert u. teilweise politisch idealisiert. Der Verfasser intendiert, mit seinem Brief in der Gemeinde zu Korinth den inneren F. wiederherzustellen. Er greift dabei zurück auf Beispiele der jüd. Geschichte u. auf Gottes Ordnung u. F. im Weltall. Die Aufforderung ergeht, dem σκοπὸς εἰρήνης zuzueilen, die δωρεαὶ τῆς εἰρήνης nicht fahren zu lassen. Der F. im Kosmos, in Gottes Schöpfung, ist dabei Basis der paränetischen Argumentation (vgl. bes. 19f). Wie hier griechische Gedanken ins Christliche übernommen sind, hat Fuchs, Augustin 99/101 aufgezeigt. Doch ist die Begriffsweite noch ausgedehnter: Wenn es 1, 22, 4f heißt: ‚Suche den F. u. jage ihm nach', so ist damit das eschatologische Heilsziel gemeint, dasselbe, was Paulus Phil. 3, 14 u. 1 Clem. 5, 5 als βραβεῖον bezeichnet. Richtig ist, daß hinter diesem Gebrauch das Bild vom ἀγών des Glaubens in der Welt steht (M. Dibelius, Rom u. die Christen im 1. Jh. = SbH 1941/2, 2; Knoch 204 f). Wenn in anderem Zusammenhang im feierlichen Gebet der Gemeinde (60, 3), das auf synagogale Formulare zurückzugreifen scheint, aus dem Aaronitischen Segen (Num. 6, 26) zitiert wird, so bestätigt das die frühe Aufnahme des jüd. Schlußsegens in der christlichen Liturgie u. damit das Lebendigbleiben eines durch die Gnadengabe bestimmten F.begriffs.

d. Ignatiusbriefe u. Hermas. Anders ist die Lage, wie so oft, in den Ignatiusbriefen: Eph. 13, 2 zielt auf einen eschatologischen F. ab, der sich in der Gemeindeversammlung schenkt u. an dem die feindlichen Mächte zerschellen. Philad. 7, 2 haben Vg. u. die koptische Hs. C εἰρήνη, andere indessen ἕνωσις. Smyrn. 2, 12 heißt es in liturgischer Wendung: χάρις ὑμῖν, ἔλεος, εἰρήνη, ὑπομονὴ διὰ παντός. Diese variierbare Grußformel, die bereits im Präskript von 1 Clem. begegnet, erscheint ähnlich bei Polykarp (Phil. praescr.). Auch das Verb εἰρηνεύειν ‚zum F. bringen', ‚F haben', kommt jetzt häufiger vor: Hermas vis. 3, 6; 17, 2. 10; 20, 3, wobei auch der ‚innere F.' dem äußeren gegenübergestellt werden kann. Herm. mand. 2, 3 u. 5, 1f steht im griech. Text εὐθηνία (glücklicher Zustand, Wohlsein), während die altlat. Version des Hirten (sog. Vulg.) pax setzt, nach Bauer, Wb.⁵ s. v. ‚wohl zu Recht'.

III. Apologeten u. Kirchenväter. a. Soteriologisch-ethisch. 1. Iustinus Martyr. Bei Justin ist überraschend, daß er von εἰρήνη im Dialog mit Trypho nur innerhalb der Zitate aus dem AT spricht, u. das meist innerhalb eines Verheißungstextes. Ebenso in der Apologie, wo nur an einer Stelle (1, 12, 1) εἰρήνη im Sinne innerweltlicher Ordnung gebraucht wird. Athenagoras spricht in seiner supplicatio 1, 3 über die allgemeine F.politik des Kaisers, um daran den Hinweis auf die Ungerechtigkeit gegenüber den Christen anzuknüpfen. Eindeutig eschatologisch ist durch den Kontext εἰρήνη bei Theophilus (1, 14) belegt: τοῖς μὲν καθ᾽ ὑπομονὴν δι᾽ ἔργων ἀγαθῶν ζητοῦσιν τὴν ἀφθαρσίαν δωρήσεται (θεὸς) ζωὴν αἰώνιον, χαράν, εἰρήνην, ἀνάπαυσιν, καὶ πλῆθα ἀγαθῶν, ὧν οὔτε ὀφθαλμὸς εἶδεν κτλ. Aber das ist eine Ausnahme.

2. Melito von Sardis. In der Sache, nicht in der Wortwahl, schreibt Melito 176 nC. in einer an Kaiser Marc Aurel gerichteten Apologie davon, daß die pax Augusti ja nicht zufällig mit der Geburt Christi einsetze u. daß die christl. Religion seit Augustus zusammen mit dem Imperium gewachsen sei (PG 5, 1209 A). An anderer Stelle macht Melito die erfolgreiche F.politik des Herrschers von seiner Gottesfurcht abhängig (ebd. 1228/32). Dieses Thema begegnet hinfort häufig in apologetischen Zusammenhängen. In der für die typologische Auslegung des Isaakopfers wichtigen Osterpredigt Melitos (PBodmer 13 [1960]) verschwindet der F.begriff zugunsten des sehr häufigen σωτηρία-Begriffs, also der anderen Komponente von šālōm. Jedoch erscheint bereits in der Hs. des 3. Jh. die in Variationen oft wiederholte Fußnote des Schreibers am

Textende: ιρηνη τω γραψαντι και τω αναγιγνωσ-κοντι: ‚u. denen, die den Herrn lieben in der Einfalt des Herzens' (aO. 153). Der atl. F.-wunsch ist hier bereits fester Bestand der christl. Liturgie geworden.

3. Tertullian. Er ist der erste, der die Umsetzung des judaeo-christl. F.begriffes ins Lateinische vornahm u. hierbei ebenso eine klare Aufnahme biblischer Inhalte erreichte, wie er eine Streuung in der begrifflichen Nomenklatur bezeugt. Zunächst ist entscheidend, daß Tertullian um den christologischen F.begriff von Eph. 2, 13f (vgl. Col. 1, 20) weiß: Tam enim iustitia quam et pax creatoris in Christo adnuntiabatur, ut saepe iam ostendimus. Itaque ipse est, inquit, pax nostra, qui fecit duo unum, Iudaicum scilicet et gentile, quod prope et quod longe (Marc. 5, 17, 14). Entsprechend: Cui denique reconciliat omnia in semetipsum, pacem faciens per crucis suae sanguinem, nisi quem offenderant universa (ebd. 5, 19). Es wird hier pacem facere u. reconciliare ebenso wie in Rom. 5 zusammengesehen u. beides im Kreuzesgeschehen verankert. Daß die christl. Botschaft dann evangelium pacis heißt u. die Apostel evangelizantes pacem genannt werden (Marc. 3, 14, 4. 22, 1), ist sinnvoll, ebenso die Bezeichnung des Christenmenschen einfach mit filius pacis (cor. 11), wenngleich dieser Titel zur Argumentation gegen den Kriegsdienst von Christen mehr rhetorisch gebraucht wird. Wenn es an anderer Stelle in Aufnahme von Jes. 45, 7 heißt: Ego sum, qui facio pacem et condo mala, id est bellum; hoc est enim contrarium paci (fug. 3, 1), so ist damit der profan-römische pax-Begriff eingeführt u. biblisch legitimiert. Aber zunächst ergibt noch die paulinische Konzeption pacem facere - reconciliare, daß der Akt der Sündenvergebung mit pax ausgedrückt werden kann, was Eph. 2 wie Rom. 5 u. auch 2 Cor. 5 mitgegeben ist: pud. 2. 12. 15. Die Frage ‚quale est enim ad pacem dei accedere sine pace' (or. 11) darf nicht mit Teeuwen 66 auf den Gottesdienst interpretiert werden, sondern pax dei betrifft den F. mit Gott im Sinne der Sündenvergebung (richtig G. Thörnell: Gnomon 3 [1927] 50). In der montanistischen Periode Tertullians kommt es zu polemisch benutzter Differenzierung von pax humana, pax ecclesiastica u. pax divina (vgl. Teeuwen 62/4). Damit wird die Praxis der Sündenvergebung getroffen u. ausgesagt, daß nur Gott durch die pax divina Sünden vergeben, also auch Kirchengemeinschaft im

eigentlichen Sinn wiederherstellen könne. Es wäre aber falsch zu konstatieren, daß bei Tertullian pax stets mit Kirchengemeinschaft wiedergegeben sei (K. Adam, Der Kirchenbegriff Tertullians [1904] 65₄). Für die Folgezeit u. besonders für die Liturgiegeschichte ist wichtig, daß auch bereits das osculum sanctum zum osculum pacis oder einfach zur pax werden kann: or. 18. 23. 26. Gewiß liegt eine verkürzte Schreibweise vor, die nur vom Kontext her zu sichern ist. Aber es zeigt sich das semitische Moment des Grußes in dieser Verwendung. Was die juristische Terminologie angeht, so finden wir bei Tertullian erstmalig die Wurzelworte von pax, pactum u. pacisci in soteriologischem Kontext: In Anknüpfung an Act. 15, 29 spricht Tertullian von der Unvergebbarkeit der drei Todsünden u. konkludiert juristisch: ‚Das ganze Gesetz ist dahin, wenn die conditio des Sündennachlasses aufgehoben ist'. Sed non leviter nobiscum pactus spiritus sanctus, etiam ultro pactus, quo magis honorandus . . . Hinc est, quod neque idololatriae neque sanguini pax ab ecclesiis redditur (pud. 12, 9. 11; zSt. vgl. auch A. Beck, Röm. Recht bei Tertullian u. Cyprian ²[1967] 79). Deutlich ist hier die innere Bedingtheit von pax u. pactum. Noch deutlicher als bei Paulus wird hier, daß die Taufe ein Rechtsakt ist, ein Vertrag mit Gott u. demgemäß Bedingung für das Wirken der Kirche. Deutlich zeigt dies an. 35, 3 Wasz.: tum si in diabolum transfertur adversarii mentio ex observatione comitante, cum illo quoque moneris eam inire concordiam quae deputetur ex fidei conventione; pactus es enim renuntiasse ipsi et pompae et angelis eius. Hier wird concordia mit pacisci verbunden u. auch mit pactum, wenn es weiter heißt: haec erit amicitia observatione sponsionis, ne quid . . . ne te ut fraudatorem, ut pacti transgressorem iudici deo obiciat (ebd.). Sodann begegnet jetzt eine später alltäglich werdende Formel: in F. entschlafen (dormire in pace [an. 51, 6]). Ebenfalls im sepulkralen Sinne ist pax bei Tertullian zu verstehen: exhort. 1, 1f (post uxorem in pace praemissam) u. monog. 10 (in pace praemisisti virum tuum?). Man wird auch diese in-pace-Formel nicht auf ‚F. mit der Kirche', sondern im Sinne von Rom. 5, 1 auf den F. mit Gott, auf das Versöhntsein mit Gott zu interpretieren haben (vgl. auch C. M. Kaufmann, Die Entwicklung u. Bedeutung der Paxformel: Der Katholik 2 [1896] 385/97 u. o. Sp. 463f).

4. Cyprian. Die pax-Theologie Tertullians wird von Cyprian weitergeführt. Von Mc. 11, 25 u. Jesu Forderung ausgehend, einander zu vergeben, damit auch der Vater im Himmel uns vergebe, wird gefolgert, daß Gott nur dann F. gebe, wenn Zwietracht u. Eifersucht mit dem Bruder zum F. gewandelt sei (un. eccl. 13). Die Folgerung bezieht Cyprian auf die, die im Schisma außerhalb der Kirche F. mit Christus suchen. Ähnlich aO. 24. Im Anschluß an Ps. 33, 13f heißt es: ‚Den F. muß suchen u. erstreben der filius pacis' (d. h. der Christ im Sinne der Bergpredigt Mt. 5, 9); vor dem Übel der Zwietracht muß seine Zunge bewahren, wer das Band der Liebe kennt u. schätzt. Seinen göttlichen Geboten u. heilsamen Lehren fügte der Herr noch kurz vor seinen Leiden die Worte bei: ‚Den F. lasse ich euch, meinen F. gebe ich euch' (Joh. 14, 27). Ihn gab er uns als Erbe, ‚dona omnia suae pollicitationis et praemia in pacis conservatione promisit. Si heredes Christi sumus, in Christi pace maneamus: si filii Dei sumus pacifici esse debemus . . .'. Es deckt sich hier der Bereich des F. mit dem Bereich der Kirche. Da extra ecclesiam salus non est, so kann durch uns Gottes F.gabe ergriffen werden. Es ist gleichwohl bemerkenswert, daß bei Cyprian eindeutig der F. als Gottes Geschenk im Sinne der Heilsgabe im Mittelpunkt steht. – In diesem Zusammenhang ist auf die sehr häufig begegnende u. fast formelhaft gewordene Rede vom pacem dare bei Cyprian einzugehen. Sie ist in der Regel aufgenommen, um damit die Annahme in der Verfolgungszeit Gefallener, der lapsi, in die Kirche u. Zulassung zur Eucharistie auszudrücken. Ep. 15 (CSEL 3, 2, 514f) begegnet die Formel anscheinend erstmalig. Cyprian rät den Bischöfen, mit der Aufnahme der lapsi zu warten, bis die Mutter (-Kirche) vom Herrn den F. erhalten habe, bis also die Verfolgung beendet sei, tunc secundum vestra desideria de filiorum pace tractetur (aO. 515). Der Bischof von Karthago will im übrigen nur eine Ausnahme gelten lassen: wenn der Gefallene einen Empfehlungsbrief eines Märtyrers vorweisen kann u. selbst schwer erkrankt ist, dann darf ein Presbyter oder Diakon sofort pacem dare (ep. 19 [525]); die anderen aber sollen warten, bis die Kirche die publica pax erhalten habe. Die Verklammerung von Verfolgungs-F. der Kirche u. Vergebungs-F. des Sünders ist theologisch nicht durchsichtig, da hier verschiedene pax-Begriffe verknüpft werden. Pacem dare u. pacem habere werden in dieser Verfolgungszeit wesentlich zu Begriffen der kirchlichen Disziplin u. Bußpraxis: ep. 22, 3 (CSEL 3, 2, 535); ep. 23 (536); ep. 26 (539); ep. 27 (542); ep. 64 (717) u. ö. Die Formel drückt aus, daß der Bußfertige in die kirchliche Gemeinschaft aufgenommen u. zur Eucharistie zugelassen ist. Er hat die F.-bedingungen angenommen u. die Bischöfe als Repräsentanten der Kirche haben darauf den F. als gegeben erklärt. Freilich steht hinter dieser rein rechtlichen Erklärung noch die tiefere Auffassung, daß Christus im Sinne von Eph. 2, 13f der F.stifter ist, mit pacem dare also die Verkündigung der erfolgten Versöhnung ausgedrückt wird. Mit der Übernahme der besonders bei Livius nachweisbaren politischen Formel (vgl. o. Sp. 442) in die Sprache der Kirche wurde also zugleich Christus als Sieger u. F.stifter bekannt. – Daneben ist auf die Konkretion in den libelli pacis der Verfolgungszeit hinzuweisen, von Märtyrern bzw. Konfessoren unterschriebene F.briefe, die den Sündern Interzession beim Jüngsten Gericht zusagten. Hier schwankt pax zwischen Vergebung u. Absolution (B. Poschmann, Paenitentia secunda = Theophaneia 1 [1940] 374/8).

5. Clemens v. Alexandrien. Er bleibt zunächst in einer fast moralistischen Betrachtung befangen. Strom. 1, 29, 4 nimmt er Philos (vgl. o. Sp. 456) allegorische Deutung Jerusalems als ‚Gesicht des F.' auf. Da nach Mt. 23, 37 ein Jesuswort lautet: ‚Jerusalem, wie oft wollte ich deine Kinder sammeln wie eine Henne ihre Jungen', so schließt er, daß die ‚friedlich Schauenden' auf mancherlei Art berufen werden können. Dann heißt es 1, 7, 2, daß die Seligpreisung der Friedfertigen diejenigen betreffe, die die mit Unwilligkeit Kämpfenden zum F. führen, der in ‚gottgemäßem Reden u. Leben' besteht (eine verwandte Auslegung von Mt. 5, 9 folgt strom. 4, 40, 4). Oder 2, 4, 4: ‚Wen Gott liebt, den züchtigt er', u. zwar um ihn zur Vernunft zu bringen, ἀποκαθιστὰς δὲ εἰς εἰρήνην καὶ ἀφθαρσίαν, wobei hier F. mit ‚eschatologischem Heil' wiederzugeben wäre. Im ‚Lob des christl. Gnostikers' werden seine Vorzüge mit πίστις, γνῶσις u. εἰρήνη angegeben u. als den Gnostikern verwandt bzw. eigen bezeichnet: ἠρεμία, ἀνάπαυσις u. εἰρήνη (strom. 2, 51f). Doch schwankt der εἰρήνη-Begriff zwischen ‚eschatologischem Heil' u. innerweltlichem F., der mit Gerechtigkeit identifiziert werden kann (4, 161). Ein chri-

stologischer Gebrauch liegt nicht vor. Selbst der Schlußhymnus des Paidagogos (3, 101, 3, 61/5 [GCS 12, 292]) erhebt sich nicht soweit: χορὸς εἰρήνης / οἱ χριστόγονοι. / λαὸς σώφρων, / ψάλλωμεν ὁμοῦ / θεὸν εἰρήνης.

6. Origenes. Auch Origenes geht nicht auf den in Christus geschenkten F. der Versöhnung (Eph. 2, 14f) ein, sondern verbleibt im Allegorischen u. Moralischen. Eine Ausnahme könnte der hom. 13 in Lc. 2, 14 (GCS 9, 78) gegebene Hinweis sein: postquam enim Dominus venit ad terram, pacem fecit per sanguinem crucis suae, sive eorum, quae in terra erant, sive eorum, quae in caelis (Col. 1, 20). Im Zusammenhang der Stelle (hom. 13 in Lc. 2, 14 [79]) werden noch Mt. 10, 34 u. Joh. 14, 27 zum Thema pax zitiert. Jedoch bleiben die Zitate homiletisch ungenutzt. Hom. 14 in Gen. 26, 28f (GCS 29, 125) handelt Origenes de pacto quod composuit (Isaac) cum Abimelech. Die ‚tres‘ (Abimelech, Ochazath, Phicol) bitten Isaak: fiat coniuratio inter nos et inter te et constituamus tecum pactum. Es heißt dann weiter: possunt quidem isti tres, qui pacem requirunt a Verbo Dei et praevenire cupiunt pacto societatem eius, figuram tenere magorum, qui ex Orientis partibus veniunt ... (zu beachten ist die hier erstmals erschlossene Dreizahl der Magier Mt. 2, 2). Sel. in Ps.: PG 12, 1546 C: Non potest iustitiae pax admisceri, nisi veritas misericordiae obviaverit; nam misericordia iustitiam, veritas vero pacem parit. Iustitia autem et pax in actione et contemplatione versantur. Die in der Alten Kirche weithin merkwürdig unwirksame paulinische Theologie einerseits u. Vorherrschaft der alexandrinischen LXX-Auslegung anderseits lassen es nicht zu einem Durchbruch der judaeo-christl. F.konzeption kommen. – Wenn Gregor v. Nyssa die Seligpreisungen der Bergpredigt auslegt u. fragt, was nun Mt. 5, 9 unter F. zu verstehen sei, so antwortet er selbst: ‚nichts anderes als eine liebevolle Übereinstimmung mit unseren Mitmenschen‘ (PG 44, 1284 B). Es kommt zu einer starken Psychologisierung u. Ethisierung des F. u. der Aussage: Wir seien friedfertig, wenn wir zu μιμηταὶ τῆς φιλανθρωπίας würden u. in uns Haß, Neid u. Rachsucht ausrotteten (ebd. 1289 B). Man kann das dahin auslegen, daß der Christ Gottes vorangehende F.offenbarung in seiner Liebe zu uns zu beantworten habe u. damit ‚Nachahmer‘ werden soll. Dann würde in der Tat eine tiefere F.-konzeption vorliegen. Es kann jedoch ebenso

eine im Moralischen bleibende imitatio-Rede vorliegen. Wenn die gebotene Friedfertigkeit darin gipfelt, im eigenen Innern den tobenden Streit zwischen Fleisch u. Geist zu friedlichem Ausgleich zu bringen, so wird damit die Psychologisierung u. auch Hellenisierung der christl. F.botschaft vollends deutlich.

7. Gregor v. Nazianz. Von Gregor v. Nazianz sind drei F.reden überliefert: or. 6. 22 u. 23 (PG 35, 721/51. 1132/52. 1152/68). Schon der Umstand, daß sie den F.schluß von Mönchsstreitigkeiten betreffen, mag ihren Charakter beleuchten. Aber es ist doch beachtlich, daß Eph. 2, 14 zitiert u. somit der F. zwischen den innerkirchlichen Gruppen auf Gottes Handeln zurückgeführt wird (or. 6, 8). Ja, Gott hat seine Gemeinde solange gezüchtigt, ‚bis wir in unserer Uneinigkeit die Wohltat des F. erkannten ... Du sorgtest, daß wir den Haß haßten, u. führtest uns so zum F.‘. Es laufen hier deutlich die griech. ὁμόνοια- u. christl. εἰρήνη-Vorstellung ineinander, wozu noch der Gedanke einer von Gott geführten Paideia tritt. Gottes Schöpfung, die ihn schweigend verkündet, hört auf, Kosmos zu sein, wenn sie aufhört, F. zu haben (6, 14). Der kosmische u. politische wie anthropologische F. bedingen einander. Dennoch kennt auch Gregor die paulinische Sicht u. den christologischen F. von Eph. 2, 14 oder den theozentrischen von Phil. 4, 7 u. 2 Cor. 13, 11 (or. 22). Wie der F. des Weltalls, das Vorbild friedlicher Eintracht bei Tieren, u. F. wie Eintracht der Menschen nach Gottes Wollen zusammengehören, hat vor Gregor bereits Clemens Rom. u. mutatis mutandis Dion v. Prusa entfaltet, dabei ein offenbar stoisches Thema variierend (Fuchs, Augustin 96/106).

b. Geschichtstheologisch. 1. Anfänge. Ein bereits bei Melito v. Sardis aufgetretener Topos begegnet in immer neuer Interpretation: In Anknüpfung an Paulus (Rom. 13) u. die Aussage, daß alle ἐξουσία ὑπὸ θεοῦ ist u. Christen Gehorsam schuldig sind, wird gefolgert, daß ja darum auch erfolgreiche Regierungen dem Christengott diesen Segen verdanken. – Bei Iren. haer. 4, 40, 3 (2, 236 Harvey) u. Tert. pall. 2 begegnet dieser Gedanke, dann bei Orig. c. Cels. 2, 30 (GCS 2, 158), der beinahe die Aufträge der Kirche wegen des Missionsbefehls Mt. 28, 19 sich mit denen des Imperiums decken läßt. Anknüpfend an Ps. 71, 7: ‚Aufgegangen ist in seinen Tagen Gerechtigkeit u. eine Fülle des F.‘ wird nun für Kirche

u. Imperium gefolgert (8, 68; vgl. H. Dörries, Konstantin der Gr. [1958] 84): beide benötigen πλῆθος εἰρήνης, u. die Kirche hat es leichter unter einem einzigen (römischen) βασιλεύς, während mehrerer Königreiche ein Hindernis für die Ausbreitung der Lehre Jesu wären. Die von Celsus hieraus gezogene Folgerung, daß darum die Christen dem Kaiser im Kampf gegen die Barbaren helfen müßten, ging freilich auch Origenes zu weit (8, 71/5). Im Gegenteil: er sieht in friedlichen Verhältnissen, wie sie seit Augustus herrschen, die Voraussetzungen für das gottgewollte Wachstum des Christentums (2, 30).

2. Wende im 4. Jh. Daß in konstantinischer Zeit eine Demonstratio evangelica (veritatis evangelii) die Begriffe pax Augusti - pax Christi u. pax Constantini noch deutlicher zu identifizieren vermag, ist bei Eusebius nicht überraschend. Obgleich mit Konstantin dem Gr. die Übertragung der imperialen Titel u. Insignia auf Christus einsetzt, bleibt der Kaiser zunächst εἰρηνοποιός (vgl. Const. Porph. caer. 1, 63. 77; 2, 43 [280f. 373. 650 Reiske]) u. wird auch die fast religiöse, jedenfalls devot panegyrische Anrede beibehalten: Εἰρήνη σοι καὶ ἔλεος ... εἰρηνοποιὲ καὶ ἀγαθὲ βασιλεῦ· ἀνατελεῖ ἐν ταῖς ἡμέραις σου δικαιοσύνη καὶ πλῆθος εἰρήνης, εἰρηνικώτατε καὶ φιλάνθρωπε βασιλεῦ (2, 47 [682f R.]; s. O. Treitinger, Oström. Kaiser- u. Reichsidee ²[1956] 230f). Bei aller Bevorzugung der Kirche gewährt Konstantin Toleranz u. wünscht Glaubenden u. Irrenden ἀπόλαυσις εἰρήνης καὶ ἡσυχίας (Eus. v. Const. 2, 56 [GCS 7, 64]). Dem. ev. 3, 2, 36/8 (GCS 23, 102) wird nicht nur die pax Augusta mit der göttlichen Monarchie verbunden, sondern anschließend (3, 7, 30/5 [145]) noch die heilsgeschichtliche Synchronisierung der politischen Welteinigung unter Augustus u. der inneren Einigung unter der διδασκαλία τοῦ Χριστοῦ gepriesen, damit das Thema des Origenes von c. Cels. weiterführend. Die Auflösung der vielen Herrschaften durch Augustus fiel mit der Epiphanie Christi zusammen. Das bedeutete: F. für die ganze Erde, Erfüllung der Weissagungen des Völkerfriedens Mich. 5, 4f u. Ps. 71, 7 (dem. ev. 7, 2, 22). – Auch Ambrosius, der möglicherweise mit dem Psalmenkommentar des Eusebius (PG 23, 412) bekannt war u. ihn benutzte, sieht die Weissagungen des AT auf Völker-F. im Römerreich seiner Zeit erfüllt (expl. Ps. 45, 9f [CSEL 64, 343]). – Laktanz setzt diese Linie hellenistischer Gott-König-Weltherr-schaftsideologie fort: inst. 1, 15 (vgl. F. Dvornik, Early christian and byzantine political philosophy 2 [Washington 1966] 604/35). – Im Osten geht Diodor v. Tarsus in seiner Auslegung von Rom. 13 noch einen Schritt weiter: Paulus habe die Aussage im Blick auf die pax Romana formuliert (K. Staab, Paulus-Kommentare der griech. Kirche [1933] 107). – Das Thema reißt in der Folgezeit nicht ab: Joh. Chrysostomus schreibt Jes. interpr. 2, 5 (PG 56, 33): Während Kriege Palästina u. Ägypten erfüllten, Rhetoren u. Philosophen, Demosthenes wie Sokrates die Waffen ergreifen mußten, breitet sich jetzt F. aus. Unter Berufung auf Mal. 4, 2 wird die Inkarnation Gottes in Christus als Beginn der Sonnenzeit verstanden: νυνὶ δὲ ὅσην ἥλιος ἐφορᾷ γῆν ἀπὸ τοῦ Τίγρητος ἐπὶ τὰς Βρεττανικὰς νήσους: ganz Afrika, Ägypten, Palästina u. was sonst dem römischen Imperium untertan ist, lebt in F. (ebd.). Ja, so groß ist der F., daß ἀκοῇ τοὺς πολέμους μανθάνουσαι μόνον. Man muß in allen diesen Äußerungen den Geschichtsoptimismus u. F.pragmatismus ebenso als theologisch fragwürdig wie als politisch wirkungsvolle ‚Ideologie' erkennen. Monotheismus, Monarchie u. Welt-F.gedanke werden zu einer sich gegenseitig bedingenden Einheit; das Imperium Romanum wird dabei als Basis erfolgreicher Mission verklärt. Was mit Augustus providentiell anhob, wurde mit Konstantin vollendet. Pax deorum u. pax ecclesiae müssen für Konstantin identisch sein (A. H. M. Jones, Later roman empire 1 [Oxford 1964] 94/7). Pax Romana u. pax Christiana gehen ineinander über, sowohl im Lob auf Konstantius' Politik trotz dessen Inklination zum Arianismus (Greg. Naz. or. 4, 37 [PG 35, 564]), wie auch prinzipiell (Theodrt. Dan. 2 [PG 81, 1308/9]; Ambros. expl. in Ps. 45 [CSEL 64, 343f]; Prud. Symm. 2, 583f [CSEL 61, 268] u. ö.).

3. Orosius. Es ist noch (mit Peterson 88f) auf den Spanier Orosius u. seine auf 417 zu datierenden Historiae adv. pagan. hinzuweisen, weil hier in einer auf das MA stark einwirkenden Geschichtsbetrachtung eine christl. ‚Augustustheologie' geboten wird: Dicturus igitur ab orbe condito usque ad urbem conditam, dehinc usque ad Caesaris principatum nativitatemque Christi ex quo sub potestate urbis orbis mansit imperium ... (1, 1, 14 [CSEL 5, 8]); es werden hier Livius u. Lukas, Eusebius u. Augustinus verarbeitet u. historiographisch kanonisiert. Der Tag der

Heimkehr vom dreijährigen Feldzug nach Gallien u. Spanien, also historisch der 4. VII. 13 vC., wird auf den 11. I. als Tag der Schließung des Janustempels gesetzt (CIL 1², p. 231, 10; s. o. Sp. 447) u. als Tag der Epiphanie Christi erklärt. Adventus Augusti u. Adventus Christi geschehen somit am gleichen Tage. Das Sonnenwunder, das den Einzug des Augustus in Rom begleitet haben soll, erweist ihn als unum ac potissimum in hoc mundo solumque clarissimum in orbe (monstraret), cuius tempore venturus esset, qui ipsum solem solus mundumque totum et fecisset et regeret (hist. 6, 20, 5 [CSEL 5, 419]). Endlich wird, wie vorher bei Hieronymus (PL 24, 46 B), das Gloria in excelsis Deo et in terra pax (Lc. 2, 14) mit der pax firmissima verissimaque des Kaisers verglichen, wobei hinzugefügt wird: ordinatione Dei Caesar pacem composuit (6, 22 [5, 428]). Peterson 93 urteilt richtig, ,daß Augustus auf diese Weise christianisiert u. Christus, der zum civis Romanus wird, romanisiert worden ist'. Ebenso wichtig aber ist, daß die Parallelisierung der Geschehnisse auch die pax christiana zu einem Zustand sine bello werden läßt, womit aber die ursprünglich atl. Dominante im christl. Begriff entleert u. formalisiert wird.

4. Augustinus. Zu einem Höhepunkt u. Prisma, in dem sich Antike u. Christentum zusammenfinden u. zuweilen auch gebrochen werden, kommt die geschichtliche Entwicklung des F.gedankens bei Augustinus. Er ist auch beim Thema ,F.' aufnehmend u. weiterführend zugleich. Zunächst kann man in der Argumentation über den F. politische, soziologische, psychologische u. religiöse Aspekte der vorangehenden Zeit wiederfinden. In der auf 393 anzusetzenden Auslegung der Bergpredigt geht es ihm um das Verständnis der Seligpreisung der pacifici (Mt. 5, 9). Es sind ihm diejenigen, die quoniam nihil resistit Deo ... pacifici autem in semet ipsis sunt, qui omnes animi sui motus componentes et subicientes rationi ... fiunt regnum Dei. Es klingt bereits der mit pax später so eng verbundene ordo-Gedanke an, wenn er fortfährt: in quo ita sunt ordinata omnia, ut id quod est in homine praecipuum et excellens, hoc imperet ceteris non reluctantibus, quae sunt nobis bestiisque communia, atque id ipsum quod excellit in homine, id est mens et ratio, subiciatur potiori, quod est ipsa veritas unigenitus filius Dei ... Et haec est pax, quae datur hominibus bonae voluntatis, haec vita

consummati et perfecti sapientis (PL 34, 1233). Es bleibt eine in der Linie von Clem. Alex. strom. 4, 6, 40, Greg. Nyss. beat. 7 u. ebenso von Is. Pelus. ep. 4, 169 laufende, im Kerne doch dem Ideal des stoischen Weisen nahekommende Interpretation, bei der der Verweis auf Lc. 2, 14 wenig zur Verchristlichung der Aussage aus der Frühzeit des Kirchenvaters beizutragen vermag. Faktisch ist ja hier die pax vom Weisen selbst zu bauen ... et ista quidem in hac vita compleri possunt, sicut completa esse in apostolis credimus (PL 34, 1235). Zur späteren Selbstkorrektur Augustins ist retract. 1, 19, 2 (CSEL 36, 97) zu vergleichen. – Anders ist das Bild in Augustins Spätwerk. Gewiß, die verschiedenen pax-Kapitel von De civ. Dei wiederholen die profane Tradition mit aller F.psychologie u. -ideologie, wobei apologetische Intentionen bestimmend sind, aber sie fügen, meist vom Text des NT angeregt, neue Bezüge, u. zwar auf die durch Christus geschaffene Situation, hinzu. Die induktiv-phänomenologische Methode des Beweisganges, daß der F.-trieb der Menschen u. Tiere wie auch der Natur alles durchwalte (auch der Räuber handele aus der Voraussetzung des nach der Untat bleibenden F. heraus u. mit dem Ziel des F.), ist theologisch gewiß nicht überzeugend, aber Bildungsstil. Fast könnte der F.wille geradezu als eine pax-libido verstanden werden: wie es niemanden gibt, der sich nicht freuen will, so gibt es keinen, qui pacem habere nolit. Denn auch wer den Krieg will, will ja siegen: num quid est aliud victoria nisi subiectio repugnantium? quod cum factum fuerit, pax erit. ... Unde pacem constat belli esse optabilem finem (civ. D. 19, 12, 1). Der Grund ist: omnis enim homo etiam belligerando pacem requirit, nemo autem bellum pacificando. Ja, das Argument wird auf die Spitze getrieben: Auch der den F. durch Krieg aktiv Brechende will den F., allerdings so wie er selbst ihn will. Augustin greift dann die von Vergil geschilderte Cacus-Gestalt auf (ebd.), um von hier auf die wilden Tiere zu weisen: sie bewahren ihre eigene Gattung durch Sicherung des F. im eigenen Revier. Quanto magis homo fertur quodam modo naturae suae legibus ad ineundam societatem pacemque cum hominibus quantum in ipso est, omnibus obtinendam ... So ist der menschliche Drang zum F. also eine lex naturae, wenn auch quodam modo. Augustin legt hier allen Nachdruck auf das subjektive Moment des Willens, u. zwar seiner letzten Zielsetzung. Wie hierbei antike Vorlagen benutzt u. aristotelische Gedanken fortgeführt werden, hat Fuchs gezeigt. – Daß Augustin hier von der pax der civitas terrena spricht, ist deutlich. Aber der Abschnitt hat 19, 11 einen nicht übersehbaren Vorbau. Dort schreibt Augustin über die civitas Dei als vita aeterna u. pax aeterna, ja als pax finalis. Jerusalem ist ja ‚mystisch‘ als ‚Gesicht des F.‘ (vgl. o. Sp. 456: ὅρασις εἰρήνης) zu verstehen. Doch Augustin möchte lieber von vita als von pax aeterna sprechen, weil es hier um das summum bonum gehe u. pax ein ambivalenter Begriff sei, der als solcher auch aufs Irdische bezogen werden könne. Der Vorbau läßt erkennen, daß das Ziel der Darlegungen jenseits des Irdischen ist, dieses nur Analogon der Transzendenz bleibt. Die gewichtigste Stelle folgt dann 19, 13 mit der bekannten pax-Tafel, wo von der pax corporis über die pax corporis et animae die Stufen über die pax caelestis civitatis zur pax omnium rerum u. tranquillitas ordinis führen. Beachtenswert bleibt, daß in der ganzen Erörterung von pax 19, 11/3 kein Bezug auf Jesus Christus begegnet. 19, 11 wird ein Textverweis auf Rom. 6, 22 gegeben u. damit auf das ‚Ziel des ewigen Lebens‘; 19, 13 ist inmitten der pax-Tafel die Aussage aufgenommen: pax hominis mortalis et Dei ordinata in fide sub aeterna lege oboedientia, was von Rom. 5, 1 her christologisch verstanden werden könnte, aber nicht so gemeint sein muß. Die ganze rhetorisch ausgewogene Argumentation ist theistisch, aber nicht christologisch, wobei freilich auch bedacht sein will, daß die Thematik nicht pax u. reconciliatio, sondern pax u. ordo ist. Es ist aber dennoch die philosophisch-soziologische Neutralisierung des pax-Begriffes zu notieren, zumal sie in den Partien vorherrscht, wo Augustin anscheinend im wesentlichen antike Vorlagen in Auswahl aufgreift. Wenn, wie Fuchs, Augustin 37f meint, die Aussage über den F. zwischen dem sterblichen Menschen u. Gott ‚mit ihrer durchaus christl. Bestimmung‘ zu den augustinischen Erweiterungen bzw. Überarbeitungen der antiken Vorlage gehört, so ist dennoch die Neutralisierung des Christusbezuges gewichtig. – Anders ist die Argumentation 22, 30, wo Augustin, am Ende des Werkes angelangt, über die sieben Weltzeiten u. das Ende der Geschichte schreibt: in fine sine fine wird das siebente Weltalter ‚unser Sabbat‘ sein, cuius finis non erit vespera, sed dominicus

dies velut octavus aeternus, qui Christi resurrectione sacratus est, aeternam non solum spiritus, verum etiam corporis requiem praefigurans. Die Verbindung von pax, requies, sabbat u. der Übergang von der Sieben- zur Acht-Tage-Spekulation trägt einige Merkmale der gnostischen Sabbattradition. Die Linie geht von Philo zum Hebräerbrief (3, 7/4, 11), hat Niederschläge im Barnabasbrief (15, 1/7) u. erfährt eine besondere Entfaltung PsClem. hom. 17, 9, 3/10, 1 (vgl. ferner exc. Theod. 63, 1; Clem. Alex. strom. 6, 14; vgl. Dölger, ACh 4 [1934] 169/82). Hier wie bei Augustin ist die requies aus ἀνάπαυσις zur pax aeterna der civitas caelestis geworden (vgl. Ep. apostol. 23 [copt.]; H. Duensing: Hennecke-Schneem. 1³, 132). Es ist gewiß kein Zufall, daß auch conf. 13, 35, 50f mit dem gleichen Topos gebetsförmig abschließen: Dominus Deus pacem da nobis . . . pacem quietis, pacem sabbati, sabbati sine vespera . . . sabbato vitae aeternae requiescamus in te. – Was nun doch reflektiert christl. Eschatologie bietet, ist die Darlegung des Verhältnisses von pax caelestis u. pax terrena, wo Augustin nicht auf antike Vorlagen zurückgreifen kann. So kommt Augustin schon civ. D. 15, 4 auf das pax-Thema zu sprechen, um es dann 19, 17 erneut aufzugreifen. Im Verhältnis beider wird die Beziehung von civitas caelestis u. civitas terrena manifest. Letztere erstrebt ausschließlich den irdischen u. zeitlichen F., erstere gebraucht die pax terrena, bejaht sie insofern, ist aber auf der Pilgerschaft zur pax caelestis, wo die pax zur eschatologischen Erfüllung kommt. Das Ziel wird von Augustin hierbei gerne mit 1 Cor. 15, 28 angegeben: ‚wo Gott ist alles in allem‘. Der Kirchenbegriff tritt bei der augustinischen pax-Thematik nirgends in Erscheinung.

5. *Dionysius Areopagita.* Da Augustin weitgehend griech. F.gedanken verarbeitet hat, nimmt es nicht wunder, daß manche seiner Gedanken auch bei Dionysius Areopagita begegnen, worauf schon Fuchs, Augustin 126/35 hinwies. Der anonyme Verfasser handelt divin. nom. 11 περὶ εἰρήνης, wobei eine Hypostasierung der θεία καὶ ἀρχισυνάγωγος εἰρήνη erfolgt. Dieser F. ist die eigentliche Quelle von αὐτοειρήνη, ἡ ὅλη εἰρήνη u. ἡ καθ’ ἕκαστον εἰρήνη (PG 3, 948f). Die Argumentation ist wesentlich neuplatonisch u. der Begriff der Einheit, ἕνωσις, wird beinahe mit εἰρήνη als begrifflich sich deckend vorausgesetzt, wobei die ὁμόνοια das Wesen der Einheit als Ein-

tracht kennzeichnet. Die von antiken Vorbildern übernommene u. in leichter Variante auch bei Augustin auftretende (Fuchs, Augustin 228) These geht dahin, daß der F. zum Wesen der Schöpfung gehöre u. somit in der Natur wie beim Menschen zu verwirklichen sei. Daraus ergibt sich ein allgemeines F.streben. Wenn dieser F.wille in manchen Menschen sich selbst in Leidenschaftlichkeit u. Unbeständigkeit, ja Hemmungslosigkeit in Frage zu stellen scheint, so ist nicht zu übersehen, daß auch sie von ,dunklen Bildern' friedlichen Strebens beherrscht werden: καὶ οὗτοι ἀμαυροῖς εἰδώλοις εἰρηνικῆς ἐφέσεως διακρατοῦνται (PG 3, 953). Daß der F.trieb schließlich zur Erfüllung kommt, geschieht περὶ τῆς κατὰ Χριστὸν εἰρηνοχύτου φιλανθρωπίας. Das πολεμεῖν mit uns selbst u. auch mit den Engeln hört auf: wir werden mit den Engeln Gottes Werke tun κατὰ πρόνοιαν Ἰησοῦ τοῦ τὰ πάντα ἐν πᾶσιν ἐνεργοῦντος, καὶ ποιοῦντος εἰρήνην ἄρρητον καὶ ἐξ αἰῶνος προωρισμένην, καὶ ἀποκαταλλάσσαντος ἡμᾶς ἑαυτῷ καὶ ἐν ἑαυτῷ τῷ Πατρί (ebd.). Es ist angesichts der beim Areopagiten sonst fehlenden Christologie darauf zu verweisen, daß er hier die Erfüllung des F.willens unter Rückgriff auf Eph. 2, 13f u. Col. 1, 20 als soteriologisches Wirken Jesu Christi herausstellt. Neuplatonisches Denken u. biblische Soteriologie verbinden sich. Sollte Dionysius in der Herausstellung des allgemeinen F.willens beim handelnden Subjekt wirklich auf Aristoteles (eth. Nic. 1177 a 12/1178 a 8; vgl. Fuchs, Augustin 135) zurückgreifen, so wäre die Verbindung dieser Tradition mit der paulinischen Soteriologie um so bemerkenswerter.

6. Leo der Große. Als Abschluß mag der Hinweis auf die sechste Weihnachtspredigt Papst Leos des Gr. dienen (s. 26, 5 [PL 54, 215f]), in der es ebenso biblisch wie dem Welt-F. gegenüber kritisch heißt: ,der Geburtstag des Herrn ist der Geburtstag des F. So nämlich sagt der Apostel: Er selbst ist unser F., der beides eins gemacht hat' (Eph. 2, 14). Er ist derjenige, der auch seinen F. in der besonderen Art kundtat, indem er Joh. 14, 17 sagte: ,Meinen F. gebe ich euch ... nicht gebe ich, wie die Welt gibt'. Endlich: Pax autem spiritalium et catholicorum, a supernis veniens, et ad superna perducens, cum amatoribus mundi nulla nos vult communione misceri, sed omnibus obstaculis resistere et ad vera gaudia a perniciosis delectationibus evolare ... quo nos unum volentes, unum sentientes, et in fide ac spe et in charitate concordes, spiritus

pacis agat atque perducat. Hier sollen sich die Christen von den Kindern der pax mundi lösen, weil die pax Dei eben durch Christus bestimmt ist. Es geht also nicht um den innerweltlichen F. schlechthin, nicht um einen christl. Pazifismus als Prinzip, sondern nur um einen qualifizierten F. unter Gleichgesinnten. Zur Begründung dient einerseits Mt. 10, 34, anderseits Rom. 12, 18. Zur Schwierigkeit der ,Schwert'-stelle vgl. Ps-Clem. recogn. 2, 20/23 (GCS 51, 63/6); Ambros. expos. Lc. 7, 133/48 (CSEL 32, 4, 340/8); Joh. Chrys. hom. in Joh. 57 (56) (PG 59, 314) u. ö. Bei Rom. 12, 18: ,haltet mit allen Menschen F., soviel an euch liegt' gibt die Einschränkung Anlaß zu Bemerkungen: Isidor v. Pelusium gibt die Erklärung, einen alten Topos aufnehmend (vgl. o. Sp. 472f zu Clem. Alex. u. Origenes), daß F. u. Gerechtigkeit zusammen Kennzeichen wahrer εἰρήνη seien u. deshalb mit einem Räuber, einem Ehebrecher usw. kein F. möglich sei: ἔστι μὲν γὰρ εἰρήνη καὶ λῃσταῖς πρὸς ἑαυτοὺς καὶ λύκοις (ep. 3, 246). Da solche Einschränkungen auch bei Greg. Naz. or. 6, 20 u. Joh. Chrys. (s. o.) begegnen, nimmt Fuchs, Augustin 113₂ an, daß auch Leo sich auf Bekanntes beziehe.

c. Pax-bellum. Die Alternative ist natürlich auch im christl. Raum nicht gänzlich verschwunden, auch wenn sie durch den eschatologischen F.begriff zeitweilig theologisch dispensiert erscheint. Wenn Augustin auf die Frage: pax – quid est? antwortet: ubi nullum bellum est (en. in Ps. 84 [CCL 39, 1169]), u. wenn er in einer Predigt pax als pactum definiert (s. 212 [PL 38, 1058]), so zeigt er das Weiterwirken der Profanlatinität an. Doch entscheidender ist die Sachfrage, ob die Seligpreisung der Friedfertigen (Mt. 5, 9) u. das in den Bergpredigtantithesen radikalisierte Verbot des Tötens durch den Dekalog (Mt. 5, 21f) zur Verneinung des Krieges führte. Es scheint, als wäre das Problem des christl. F. u. des politischen *Kriegsdienstes zur Sicherung des F. erst vom Ende des 2. Jh. ab überhaupt gesehen worden (H. v. Campenhausen, Tradition u. Leben [1960] 206). Für die Apologeten folgt noch aus der Bergpredigt, daß Christen F.stifter sind u. zum Martyrium für ihre Wahrheit bereit sein müssen: Iustin. apol. 1, 39; Iren. haer. 4, 34 (2, 263f Harvey); Min. Fel. 30; Tert. Iud. 3. Einen freiwilligen Soldatenberuf kann es in der vorkonstantinischen Zeit nicht geben: christianus ne fiat propria voluntate miles (Can. Hipp. 14; H. Riedel,

Die Kirchenrechtsquellen des Patriarchats Alexandrien [1900] 207). Wenn allerdings die Ermahnung des Täufers in der Standespredigt Lc. 3, 14 benutzt wird, um darin eine Tolerierung der Christen als Soldaten zu sehen, so ist das Mißbrauch. Anderseits ist nicht zu übersehen, daß die Kritik Tertullians gegen den Soldatendienst durch Christen (cor. 11) nicht primär für den ‚F.‘ oder wegen einer Verletzung des 5. Gebots geschieht, sondern um eine für den Soldaten gebotene Teilnahme am Kaiserkult auszuschließen (vgl. dazu W. Rordorf, Tertullians Beurteilung des Soldatenstandes: VigChr 23 [1969] 113/8). Zur Freilegung der Problematik: Sicherung des Weltfriedens durch ein Weltimperium u. christl. Absage an den Krieg kommt es in der Auseinandersetzung zwischen Petrus u. Simon Magus, wie sie PsClem. hom. 3, 40/3 (GCS 42, 71/3) gefaßt erscheint. Grundsätzlicher ist die Argumentation bei Origenes, der sich mit den Vorwürfen des Philosophen Celsus auseinandersetzt. Er bejaht einerseits die Notwendigkeit für den Kaiser, das imperium nach außen zu verteidigen, anerkennt damit faktisch als christl. Theologe das politische Kriegsrecht; anderseits stellt er fest, daß Christen niemals in den Krieg ziehen, auch nicht, wenn es der Kaiser verlangt (c. Cels. 8, 73). Jesu Befehl folgend hätten die Christen die Schwerter zerbrochen u. die Prophetie Jes. 2, 4 erfüllt, die Speere in Pflugscharen umgeschmiedet, das Kriegshandwerk nicht mehr erlernt: γενόμενοι διὰ τὸν ᾿Ιησοῦν υἱοὶ τῆς εἰρήνης (ebd. 5, 33). Wenn dann Origenes doch die militia Christi, das ἴδιον στρατόπεδον εὐσεβείας als faktische Dienstleistung für die Sache des Kaisers hinstellt, so mag das apologetisch geschickt sein, ist aber theologisch ein Ausweichen. Der ‚pazifistische‘ Unterton bleibt bei ihm bestehen. Zu einer Wandlung kam es dann in der nachkonstantinischen Zeit. Die neue Freiheit des Bekenntnisses zu Christus löste mancherlei Desertionen von Christen in der F.zeit aus, wogegen das Arleser Konzil vJ. 314 cn. 3 Ausschluß von der Teilnahme an der Kommunion festlegt (de his qui arma proiiciunt in pace, placuit abstineri a communione [1, 2, 107 Bruns]). Noch um 500 heißt es Can. Hipp. 13f (Riedel aO. 206), (christl.) Soldaten sollten überhaupt nicht töten, selbst wenn es ihnen befohlen werde. Dagegen lobt Ambros. off. 1, 129 die soldatische Tapferkeit als Schutz der Heimat gegen die Barbaren. In allen Äußerungen der nachkonstantinischen Zeit freilich ist es nicht das Problem des F. bzw. Krieges, sondern das ethische Problem des Tötenmüssens, das zur Diskussion steht (Bainton).

IV. Sepulkrale Formeln. a. Allgemeines. Die ältesten nachweisbaren pax-Formeln sind bei Tertullian bezeugt; sie weisen auf einen sepulkralen Sprachgebrauch zurück (zB. an. 51, 6, wo freilich neben dem in pace dormire der schwierige absolute Ablativ condita pace steht: vgl. Dölger, ACh 5 [1936] 120f; J. H. Waszink, Ausgabe von Tertullianus, De Anima [Amsterdam 1947] 532f). Der latein. ‚in-pace‘-Formel ist eine griech. ἐν-εἰρήνῃ-Formel vorausgegangen, wie aus der Sprachchronologie der alten Kirche einfach erschlossen werden darf. Das älteste Zeugnis würde dann gegen 160 nC. neben der Aedicula unter S. Pietro in Rom zu erkennen sein, wenn die Lesart des umstrittenen Graffito ΠΕΤ[ρος] ΕΝ Ε[ιρηνη] richtig ergänzt wäre, was jedoch ebenso hypothetisch bleiben muß wie andere Korrektur- oder Konjekturvorschläge (vgl. J. Carcopino, Les reliques de S. Pierre à Rome [Paris 1965] 33/43; E. Dinkler: ThR NF 27 [1961] 47/9; ders.: ebd. 31 [1966] 244f). Doch ist zu betonen, daß von Anbeginn an die sepulkrale F.formel auf das Hebräische u. auf den Brauch der griechisch sprechenden Juden in der Diaspora zurückgeht (über beˢālōm s. o. Sp. 457f). Daß es sich um die Verchristlichung einer ursprünglich jüdischen Sitte handelt, ist aus dem reichen Material zu entnehmen (vgl. Ch. Mohrmann, Études sur le latin des chrétiens 3 [Roma 1965] 68). Doch scheinen auch pagane F.formeln nicht ausgeschlossen, die auf einen innerweltlichen F.begriff hinauslaufen: zB. auf dem Sarkophagdeckel der Aurelia Susilia im Museo Capitolino (H. Stuart Jones, The sculptures of the Mus. Cap. [Oxford 1912] 331, 28) u. auf dem Nereiden-Sarkophag der Curtia Catiana im Museo Praetestato (M. Gütschow, Das Museum der Prätextatkatakombe: AttiPontAc Ser. 3 Mem. 4 [1934/8] 234f Abb. 41), um 300 anzusetzen: beide römische Deckel haben in-pace-Inschriften u. dürfen nicht einfach deshalb als spätere christl. Zuschriften erklärt werden. Damit wäre gegeben, daß das Vorkommen von pax oder εἰρήνη auf einer Grabinschrift an sich noch nicht Beweis für ein christl. Grab sein muß, obwohl in der überwiegenden Mehrzahl der Fälle christl. Provenienz anzunehmen ist u. eine Evidenz für nicht-jüd. u. nicht-christl. Inschriften sepulkraler Art erst auf breiterer Basis aufzuzeigen wäre (vgl. u. Sp. 496).

b. Innerweltlicher F. Die Wendung: qui vixit in pace annos . . . obiit . . . zeigt an, daß hier auf ein friedliches Leben zurückverwiesen wird. Belege: ILCV 2673/706 u. neue Inschriften aus Lyon (H. G. J. Beck: AnalGreg 70 [1954] 59/61). Die vorkommende Abkürzung q v in pace (ebd. 60 nr. 7) zeigt, daß es sich um eine sehr bekannte Formel handelt. Was mit der Wendung faktisch ausgedrückt werden soll, ist schwer zu sagen. Jedenfalls ist es nicht möglich, generalisierend zu sagen, diese pax sei die Kirchengemeinschaft, u. zwar die rechtmäßige (L. Hertling, Gesch. der kath. Kirche [1949] 38; ähnlich Beck 67).

c. ‚In F.‘ sterben. Einen stärkeren theologischen Gehalt haben Formeln wie: in pace abiit . . . (ILCV 2885), decessit in pace (ebd. 2816. 2817. 2822), obiit in pace (2750. 2903/6. 2950. 3550/4 u. ö.). Wie im AT (s. o. Sp. 449) etwa Gen. 15, 15, so ist hier auf den Moment des Sterbens abgehoben u. das gesegnete u. behütete Hinscheiden gemeint, im Sinne der Bitte, die in die commendatio animae Eingang gefunden hat.

d. F. u. Ruhe. Stärker bezeugt als jede andere Verbindung ist die von pax mit einem Verb des Ruhens: quiescere (ILCV 3099/102. 3109/ 11 A), requiescere (3142/5 A. 3154/77 C u. ö.; vgl. Reg. ebd. 3, 382f); pausare, dormire, manere (vgl. Reg. 3, 380/2). Gemeinsam ist diesen Inschriften, daß bereits durch das Verb der Tod als Ruhe oder Schlaf euphemistisch interpretiert wird. Wenn außerdem noch ‚in somno pacis‘ zu ‚hic dormit‘ zugefügt wird (ILCV 198. 3234 A. 3444; ferner 140. 177. 195. 248. 319. 376. 1022. 3180. 3182. 3192 A. 4183 u. ö.), so wird man nicht zuviel an Eschatologie dahinter wähnen dürfen. Hier liegt sepulkrales Formelgut vor. Man könnte den F.wunsch auf die Interimszeit zwischen Tod u. allgemeiner Totenauferstehung beim Jüngsten Gericht bezogen sehen, wie zB. Stuiber 117/20 vorschlägt. Diese Auffassung würde außerdem noch gestützt durch die pagane Vorstellung vom Ruhen der Toten (dazu vgl. Cumont, Rech. 351/456; zu quiescere auf heidnischen Grabinschriften: ders., After life in roman paganism [New Haven 1922] 191/9). Obgleich dieses Verständnis in der Linie ntl. Auferstehungsaussagen theologisch ganz korrekt ist (vgl. bes. 1 Cor. 15), weil eben die Parusie Christi noch aussteht, so steht doch eine zu große Anzahl von Inschriften einer derartigen Interpretation im Wege, die sich theologisch nicht einfach auf eine biblische Konzep-

tion zurückführen lassen. Heißt es etwa: Hic requiescet in Christo et in pace fidelis Mauricius . . ., wobei noch A⳨Ω im Kreis zwischen Tauben einbezogen ist (CIL 12, 2128; ILCV 1350), so scheint damit ein Entrücktsein in den Himmel ausgesprochen zu sein, wie etwa ähnlich in einer karthagischen Inschrift: Dalmatius in pace et paradissu fidelis in deo vixit annis . . . (ILCV 3451). Gleiches besagen wohl auch die Epitheta: in pace aeternam (ICUR 1, 1123) u. morari in pace eterna (ILCV 4723), depositus in eternam requiem (ebd. 3492 C), iternam sequritatem (811 b). Sehr genau heißt es an anderer Stelle: hic in pace quiescet Adiutor, qui post acceptam paenitentiam migravit ad dominum . . . (1552). Die Entrückung des Toten zu Gott oder zum Herrn ist hier ausgesagt, freilich durch eine Zusatzbestimmung, woraus hervorgehen könnte, daß die Formel quiescere in pace nicht genügt. Auch teilweise Differenzierungen zwischen anima u. corpus helfen nicht weiter: Bei Bischof Alexander in Tipasa heißt es (1103) relativ korrekt: huius anima refrigerat, corpus hic in pace quiescit, resurrectionem expectans futuram de mortuis primam . . . Vgl. auch 1124: in pace domini tumulo in isto requiescunt membra archipresbiteri . . . oder: (3458, 9f) . . . corpus pace quietum hic est sepultum. – Die Grenze menschlicher Aussage- u. Vorstellungsmöglichkeit angesichts des Todes spiegelt sich in diesen nicht zu systematisierenden pax-Wendungen der Überlieferung. Konstant bleibt nur der von liebender Hoffnung getragene Wunsch für Geborgenheit u. Schutz des Verstorbenen. Einen begrifflich eindeutigen Sinn für den pax-Gebrauch kann man nicht erheben. (Die immer wieder zitierten Darlegungen bei C. M. Kaufmann, Die sepulcralen Jenseitsdenkmäler der Antike [1900] 41/52 u. ders., Epigr. 134/43 sind überholt.) Wenn pax u. refrigerium nebeneinander vorkommen (ILCV 2722/22 b), so zeigt das an, daß sie benachbarte u. sich ergänzende Begriffe sind. Iren. haer. 3, 16, 3 (2, 85 Harvey): Iesum . . . ipsum confitens esse Christum, filium dei, lumen omnium et gloriam ipsius Israel et pacem et refrigerium eorum, qui in dormitionem ierunt besagt nach Stuiber 111₁₅, daß hier an die Wartezeit im Hades gedacht ist, da dort nach Irenäus die atl. Gerechten weilen. Doch überfragen wir die meisten Quellen, wenn wir scharf lokalisieren u. über ein allgemeines ‚Jenseits‘ hinausgehen wollen. Die Lage der refrigeria als Ort der Ruhe läßt sich wohl gelegentlich im Himmel (mit A. M. Schneider, Refrigerium, Diss. Freiburg [1928]) u. gelegentlich im Hades als Zwischenzustand (mit Stuiber) festlegen, bleibt aber meistens, weil euphemistisch u. anthropomorph vorgestellt, offen.

V. Personennamen u. Patrozinien. Eine Reihe von Namen weisen auf F. zurück: Salome, Eirene, Pacatus oder Pacata als Cognomina. Sie haben von Hause aus nichts Glaubensgebundenes u. begegnen deshalb zunächst auch u. früh im nichtchristl. Bereich: Athen. 13, 576 E; dazu R. Hirzel, Der Name: SbL 36, 2 (1921) 46; F. Bechtel, Histor. Personennamen des Griechischen (1917) 150 verzeichnet vor Beginn der Kaiserzeit folgende griech. Namensformen: Εἰρηναγόρας, Εἰρήνας, Εἰρήνιππος, Εἰρηνοκλῆς ἰσοτελής, Ἴρανις, Εἰρηνίας, Εἰρηνίδας, Ἰράνικος, Εἰρηνίων, Ἴρανος Ταναγραῖος. An jüd. Vorkommen sind zu notieren: Εἰρήνα (CIJ nr. 319. 651), Εἰρήνη (CIJ nr. 21. 320. 333), Hereni (< εἰρήνη: ebd. nr. 559), Irene (nr. 72. 240), Ireneus (nr. 69), [Εἰρ]ηναῖος (nr. 107. 360. 266 [?]). Auf lat. Inschriften ist das Vorkommen folgender Namen stark bezeugt: Εἰρήνη, Εἰρηνέος, Pacatus, Pacata, Placidus, Placida, Qu(i)etus, Qu(i)eta, auch der Beiname Pax (vgl. I. Kajanto, The latin cognomina [Helsinki 1965] 262f). Diese recht unvollständigen Angaben zeigen bereits an, daß hier ein Niederschlag der hellenist.-röm. F.hoffnung u. nicht notwendig eine Auswirkung der christl. εἰρήνη-Botschaft vorliegt. Anderseits zeigt der Index ILCV 3, 88, wie verbreitet vor allem der Frauenname Irene in der christl. Latinität war, den männlichen Irenäus weit übertreffend. Allein in den ICUR 1/3 kommt das Cognomen Irene 73mal vor. Doch läßt sich angesichts der Verbreitung im nichtchristl. u. jüd. Raum gar nichts über die Kriterien des ,Christlichen' in den Namen Εἰρήνη, Irenäus oder Pacatus usw. sagen. Man wird vorsichtig, diese Namen überhaupt zu den spezifisch christl. Cognomina zu zählen. Nun ist es freilich bemerkenswert, daß in der vorchristl. Zeit die theophoren Namen wie etwa Apollonius oder Iovinus beliebt waren, aber auch Ideale u. Tugenden für cognomina herangezogen wurden: Κάλλιστος, Εὔνους, Εὔοδος, Εὔτυχος, Felix, Faustus usw. Wenn in diesem Zusammenhang die hellenist. Zeit auch Εἰρήνη u. Εἰρηνεία, nach Hirzel aO. ab 2./1. Jh. vC., als Cognomina wählte, so hatten die Christen (wie auch die Juden) im römischen Imperium es leicht, in diese Namen ihre eigenen Sinngebungen zu legen. Die Identität des Namens besagt noch nichts über die Sinnkonstante oder -alternation (vgl. I. Kajanto, Onomastic studies in early christian inscriptions of Rome and Carthage = Acta Inst. Rom. Finl. 2, 1 [Helsinki 1963] 89). – F. erscheint auch als Kirchenpatrozinium. Erstes Vorkommen einer Eirene-Kirche ist für Konstantin den Gr. in Byzanz belegt (Socr. h. e. 2, 6; J. P. Richter, Quellen der byz. Kunstgeschichte [Wien 1897] 4f), neben Sophia (u. Dynamis?). Sie war ebenso wie die 327 von Konstantin in Antiochia der Homonoia geweihte Kirche nach einer Hypostase des inkarnierten Logos benannt (A. Grabar, Martyrium 1 [Paris 1946] 222/4; vgl. auch L. Voelkl, Die Kirchenstiftungen Kaiser Konstantins = AGForsch Nordrh.-Westf., Geisteswiss. 117 [1964] 32). In diesen auf Abstrakta gerichteten Patrozinien lebt pagan-antike Tradition fort. Jüngere Irenenkirchen sind in der Regel auf eine Märtyrerin dieses Namens bezogen.

VI. Liturgie. a. Wurzeln. Die Ambivalenz im F.begriff begegnet auch in der christl. Liturgie, gegeben durch die antiken u. jüd. Wurzeln. Einerseits findet sich im paganen Bereich die F.bitte zB. in der Isisliturgie (Apul. met. 11, 1, 15), anderseits im jüd. Gottesdienst im aaronitischen Segen, jedes Mal in verschiedener Begrifflichkeit. Der F.kuß ist ebenfalls besonders im hellenist. Judentum bezeugt: Philo quaest. in Ex. 2, 78/118 spricht von φίλημα ὁμονοίας oder εἰρήνης; in ,Joseph u. Aseneth' (P. Batiffol, Studia patristica [Paris 1889] 19₁₁) ist der Kuß Mittel der Gabe von πνεῦμα ζωῆς, σοφίας u. ἀληθείας (vgl. weiteres Material im Rabbinischen bei Strack-B. 1, 995).

b. Anfänge im NT. Das Christentum besaß bereits in der Urgemeinde liturgische Formeln (weit ausgeprägter u. zahlreicher als früher erkannt) mit F.bitte, F.gruß u. wohl auch F.-kuß. Es läßt sich dies den im NT zitierten Formeln entnehmen (vgl. E. Käsemann, Art. Formeln 2: RGG³ 2, 993/6; mit Lit.). Während Gal. 6, 16 der Rückgriff auf jüd. Erbe u. christl. Gottesdienstformel wahrscheinlich ist (εἰρήνη ἐπ' αὐτοὺς καὶ ἔλεος), bleibt die Frage offen für die Grußformel in den Präskripten der Briefe: χάρις καὶ εἰρήνη; wenngleich auch hier der Sitz im Leben in der Liturgie wahrscheinlich ist. Dafür spricht auch Phil. 4, 7, wo dieser F.wunsch im Blick auf den ganzen Menschen in christologischer Zuspitzung begegnet: καὶ ἡ εἰρήνη τοῦ θεοῦ ἡ ὑπερἔχουσα πάντα νοῦν φρουρήσει τὰς καρδίας ὑμῶν καὶ τὰ νοήματα ὑμῶν ἐν Χριστῷ 'Ιησοῦ. Es ist hier der ‚F. Gottes‘ geradezu eine aktive Kraft, die wacht u. bewahrt, in Hinsicht auf das ἐν Χριστῷ εἶναι des Getauften. Selbst der Wechsel der Genitive εἰρήνη θεοῦ oder Χριστοῦ (Col. 3, 15) oder τοῦ εὐαγγελίου (Eph. 6, 15) ist am besten vom urchristl. Gottesdienst u. dem christologischen F.begriff her verständlich. Die Aufforderung zu gegenseitiger Versöhnung, ‚bevor man Gaben zum Altar bringt‘, die in der Bergpredigt verankert ist (Mt. 5, 21/26), wurde früh mit der Mahnung des Apostels Paulus verbunden, ‚nicht unwürdig‘ zum Tisch des Herrn zu treten (1 Cor. 11, 27): hier ist ntl. zwar der F.begriff nicht explizit belegt, aber der Sache nach vorhanden. Kein Wunder, daß Exegeten in Rom. 16, 16 u. 1 Cor. 16, 20: ἀσπάσασθε ἀλλήλους ἐν φιλήματι ἁγίῳ die Einleitungsliturgie des Herrenmahls, u. zwar vor der Kommunion, vermuteten. Es muß offen bleiben, ob hier der F. im Sinne von ὁμόνοια bezeugt oder als Vergebung unter Brüdern konstituiert wird. Die Liebe Christi in der Linie von Joh. 14, 27 u. auch 2 Cor. 5, 14 wird präsent im Handeln der feiernden Gemeinde. Der F.kuß als allgemein antike Sitte erscheint insofern hier in neuer christologischer Interpretation.

c. F.gruß im 2./4. Jh. Der F.gruß ist aufgrund der ntl. Belege als inhärenter Teil des Gottesdienstablaufs seit dem 1. Jh. anzunehmen, u. zwar als Eingangsgruß wie als Schluß- u. Segensformel. Es ist dabei der F.begriff ebenfalls mehrschichtig: neben den bei der Eucharistie immer auch erwarteten eschatologischen F. tritt selbst die Bitte um F. als Waffenruhe: Protege, quaesumus domine, Romani nomine ubique rectores, ut his tua virtute vincentibus, pax populi tui secura proveniat (G. Tellenbach, Röm. u. christl. Reichsgedanke = SbH [1934] 64 nr. 26). Indem dieser Zug liturgisch verankert wird, der eschatologische F. gleichsam im innerweltlichen Präsens präfiguriert ist, wird aus der pax Augusta u. pax Romana die immer nur durch den Kontext annähernd bestimmbare pax Christiana. Die bis in die Zeit des Damasus (366/84) auch im Westen des Imperium Romanum noch griech. Liturgie brachte im εἰρήνη-Begriff immer erneut den Gegensatz zu πόλεμος mit in den Verstehenshorizont. In der lat. Liturgie wird entsprechend neben pax die Bitte um securitas häufig. So das Gebet im

Leonianum: Auxiliare, domine, temporibus nostris et tua nos ubique dextera protegente et religionis integritas et Romani nominis securitas reparata consistat (Tellenbach aO. 62 nr. 20). Die Vorstellung von Christus als βασιλεὺς τῆς εἰρήνης oder als princeps pacis ist von Jes. 9, 6 her in die Liturgie des Ostens (A. Baumstark: OrChrist 33 [1936] 166) wie in die des Westens eingegangen (Greg. M. lib. antiph.: PL 78, 646; Antiphonale missarum sextuplex, ed. R.-J. Hesbert [1936] 14f). In der byzantin. Liturgie lautet die Bitte um F. u. Ruhe: ‚... gib ihm Hilfe u. unvergänglichen F. ..., damit wir in seiner Ruhe ein friedfertiges u. sicheres Leben führen in aller Gottesfurcht u. Heiligkeit‘ (E. F. Brightman, Liturgies eastern and western [Oxford 1876] 333). Es ist wie ein Summarium antiker Heilsbegriffe, wenn in der röm. Osterliturgie das mit der Auferstehung Christi geschenkte Heil mit pax, libertas, iustitia, fides, renovatio umfaßt wird (J. Kollwitz, Die Heilsführung der Heidenwelt: ThGl 34 [1942] 182/93). Wieder ist charakteristisch, daß die Christen untereinander cum pace das Osterfest feiern, also die Differenzen untereinander bereinigt u. sich vergeben haben sollen (Gesta ap. Zenophil. 20 b. 21 b [CSEL 26, 191, 11; 192, 13]: pinguissima pax). Die Begründung ist eschatologisch: ut digni coheredes Christi inveniamur, qui dixit: pacem meam do vobis, pacem meam relinquo vobis (ebd.). Die F.bitte klingt im Embolismus nach dem Pater Noster an: da propitius pacem in diebus nostris, im Westen vermutlich seit dem 5. Jh. belegt, in der byzant. Liturgie fehlend (Jungmann, Miss. Soll. 2, 345 f). Die priesterliche Segensformel: pax vobiscum in der röm. Messe hat in den gallischen Liturgien die erweiterte Form: pax, fides et caritas et communio corporis et sanguinis Domini sit semper vobiscum (Jungmann, Miss. Soll. 2, 356 f). Die Antiphone der Liturgie zeigen in besonderer Weise, wie stark die Gottesdienstordnung vom Thema F. durchzogen ist u. dabei die Begrifflichkeit sich bei aller christologischen Bestimmtheit zwischen eschatologischem Heil u. ethischer Eintracht bewegt (vgl. R.-J. Hesbert, Corpus antiphon. officii 1 [Roma 1963]; 2 [1965]; 3 [1968] Indices).

d. F.kuß. Zum Thema vgl. K. Thraede, Ursprünge u. Formen des ‚Heiligen Kusses‘ im frühen Christentum: JbAC 11/2 (1968/9) 124/80 u. Art. *F.kuß.

e. Johannes Chrysostomus. Um den Reichtum der liturg. F.bezüge zu sehen, bietet Joh.

Chrys. hom. 3 in Col. (zu 1, 20: PG 62, 320/4) eine gute Basis: Der Prediger legt zunächst den Akzent darauf, daß Christus F. stiftet durch das Blut seines Kreuzes, woraus für ihn folgt, daß mit διὰ αἵματος die fünf Wunden Christi gemeint sein müssen u. somit die F.stiftung sich gliedert in: 1) die Versöhnung, 2) mit Gott, 3) durch ihn, den Sohn Gottes, 4) durch den Tod, 5) durch das Kreuz. Richtig interpretiert Joh. Chrysostomus den F. in doppelter Richtung: ‚einmal mit dem Himmel, u. dann gegenseitig untereinander' (aO. 322), d. h. daß hier der mitmenschliche F. u. die Eintracht im F. mit Gott verwurzelt werden. Ausdrücklich heißt es sofort: ‚Dies alles hat die Kraft Gottes zuwege gebracht'. Um nun aber trotz der geschehenen F.stiftung im Kreuzesgeschehen die weiterhin notwendig zu erflehende F.gabe zu erklären, heißt es unvermittelt: ‚Der böse Feind drängt sich fortwährend an uns heran' (ebd.) Deshalb erflehen wir überall die εἰρήνη: in den Gebeten, Bittgängen, Begrüßungen. Ja, mehrfach ‚gibt der Bischof oder Priester den F. (διδόναι εἰρήνην) mit den Worten: 'F. sei mit euch!' Warum? Weil er Mutter alles Guten, αὐτὴ τῆς χαρᾶς ὑπόθεσις ist'. Weiter wird auf Christus zurückverwiesen, seine Weisungen an die Apostel, mit dem ‚F.gruß' einzutreten (Lc. 10, 5 u. sein Wort Joh. 14, 27). Beinahe in der Linie einer hellenischen Konzeption von der κοινὴ εἰρήνη fährt Joh. Chrysostomus dann fort: καὶ οὐ λέγει ὁ τῆς Ἐκκλησίας προεστώς· Εἰρήνη ὑμῖν ἁπλῶς, ἀλλ' Εἰρήνη πᾶσιν. Τί γὰρ ὄφελος, ἂν μετὰ τοῦδε μὲν εἰρήνην ἔχωμεν, μεθ' ἑτέρου δὲ πόλεμον καὶ μάχην; τί τὸ κέρδος; Ein derart großes Gut ist der F., daß, die ihn tun, Gottes Kinder genannt werden (Mt. 5, 9). Daraus folgt zuletzt mit einem Blick auf die theologischen Gegner: εἰ δὲ οἱ εἰρηνοποιοὶ υἱοὶ τοῦ θεοῦ, οἱ νεωτεροποιοὶ υἱοὶ διαβόλου. Nach einer Warnung an die Christen, Krieg zu führen, sei es gegen Glieder Christi, sei es gegen Nichtchristen, folgt noch einmal eine zusammenfassende Mahnung: ‚Wenn der Gemeindevorsteher eintritt, so spricht er sofort: εἰρήνη πᾶσιν. Wenn er predigt: εἰρήνη πᾶσιν. Wenn er segnet: εἰρήνη πᾶσιν. Wenn er zum Gruße aufruft: εἰρήνη πᾶσιν. Wenn das Opfer beendet ist: εἰρήνη πᾶσιν. Dazwischen wiederum: χάρις ὑμῖν καὶ εἰρήνη. Wie sollte es nicht verfehlt sein, wenn wir, die zum F.halten aufgefordert sind, uns gegenseitig bekriegen u. ‚F. empfangend u. gebend, den F. Gebenden bekämpfen' (ebd. 322f)? Es sollte nicht un-

beachtet bleiben, daß Joh. Chrysostomus weder zu Eph. 2 (PG 62, 38/42) noch zu 2 Cor. 5 (PG 61, 76/80) ähnliche Ausführungen über F. macht, sondern allein zu der Stelle, wo der Text die Gabe der εἰρήνη mit Christi Blut u. Kreuz in ursächliche Verbindung bringt. Auch der griech. Begriff διδόναι εἰρήνην ist hier liturgisch bezeugt. Er besagt im Kontext nichts über den F.kuß, sondern die Botschaft von Gottes F.angebot u. Versöhnungstat ist gemeint.

f. Pax-Tafel (auch instrumentum pacis oder Pacificale). Sie hat seit dem 13. Jh. zeitweilig die Sitte der Weitergabe des F.kusses vom Altar aus in die Gemeinde erleichtert (J. Braun, Das christl. Altargerät [1932] 557/72; E. Lengeling, Art. Kuß 2: LThK² 6, 696f; Jungmann, Miss. Soll. 2, 395).

g. Abschließende Bemerkung. Die zentrale Stellung der Pax-Bitte u. der Segnung mit der Pax-Formel in der Liturgie hängt somit zusammen mit der Ineinssetzung von Christus u. Pax sowie mit der Realpräsenz Christi im Meßopfer. Insofern eignet der Liturgie deutlicher als anderem die Bewahrung des spezifisch Christlichen im F.begriff: das wesensmäßig Futurische, der eschatologisch-jenseitige Charakter wird sakramental präsentisch. Zugleich wird die feiernde Gemeinde zur Versöhnung untereinander vor dem Empfang der Kommunion durch den F.kuß verpflichtet, wird also das ethische Moment mit der sakramental-eschatologischen Handlung verbunden.

VII. Zusammenfassung. Antikes u. Christliches lassen sich im F.begriff des Christentums nicht deutlich voneinander in der Weise scheiden, daß man den innerweltlichen F. der Antike u. den eschatologischen F. dem judaeochristl. Erbe zuschreiben könnte. Diese beiden Begriffslinien haben sich bereits verbunden, bevor sich das Problem historisch stellt, im hebr. Begriff u. von hier aus ebenso im ntl. εἰρήνη-Begriff. Wenn im Begriff šālōm F. u. Heil zusammenfallen, so ist doch bereits in der LXX-Übersetzung von šālōm in εἰρήνη ein Weg zu einem rein innerweltlichen Verständnis geöffnet u. auch belegbar. Im NT ist ebenfalls bei aller Prädominanz des eschatologischen Heils im F.begriff die Möglichkeit des flacheren Wortgebrauches nicht ausgeschlossen, wie etwa die Act. bezeugen. Man wird zu erkennen haben, daß der Begriff des innerweltlichen F. sich nicht einfach als ‚antikprofan' etikettieren läßt, sondern als Gebet oder als Verheißung an die Welt auch ‚christliche' Möglichkeit ist. Im AT ist ebenfalls das Historisch-Empirische oft eschatologisch bedingt u. insofern theologisch legitimiert. – Wenn also in der Sprache der Kirchenväter sich der F. als Ordnung, Eintracht, Zustand ohne Krieg, Reichtum zeigt, so muß sich darin nicht die antike Linie der hellenist.-röm. Zeit, die Konsequenz der pax Augusta manifestieren. Vielmehr kann es sich unabhängig davon ebensogut um die weltimmanente Verwirklichung der Gnadengabe für den Glaubenden handeln, um das proleptisch bereits hier u. jetzt erfaßbare Charisma. Es sind somit zwei Herleitungen für den, sagen wir, profanen F.begriff möglich: aus der Antike wie aus der judaeo-christl. Tradition heraus. Indes läßt sich die spezifisch christl. Pointierung nur in der christologischen Fassung des atl. šālōm-Begriffes erkennen, also in dem Aufweis des zentralen Heils, das Geschenk u. nicht Erwerb ist, das keine psychologische, sondern soteriologische Kategorie ist. Nur hier zeigt sich die eschatologische Dimension des Heils. Gerade der ‚F.begriff' mag insofern ein Paradigma sein für die Differenziertheit u. Nuancierungsnotwendigkeit der Problematik von Antike u. Christentum. – Setzt man den christologisch pointierten εἰρήνη-Begriff in Beziehung zur griech. u. röm. F.begrifflichkeit, so erkennt man seine Rahmung durch ὁμόνοια einerseits u. durch ἀνάπαυσις anderseits. Man sieht vor allem die Überwindung des griech. Zustandsbegriffs u. der röm. Konzeption einer Vertragshandlung. Akzentuiert darf man sagen, daß dem griech. F. als habituellem Sein des Zustands u. dem röm. F. als aktuellem Handeln der F. als eschatologische Gabe dort gegenübertritt, wo die šālōm-εἰρήνη-Linie der ntl. Sprache den Kontext bestimmt. Als eschatologische, nicht notwendig apokalyptische, Gnadengabe liegt F. auf einer anderen Wirklichkeitsebene.

D. Ikonographisch. I. Nichtchristlich. a. Griechisch. In die Zeit des aufkommenden Eirene-Kultes (s. o. Sp. 438f) führt auch die älteste, literarisch überlieferte Darstellung: eine Statue, aufgestellt um 375 vC. bei dem F.altar auf der Agora zu Athen, Eirene mit dem Knaben Plutos auf dem Arm, ein Werk des Kephisodot (Paus. 1, 8, 2; 9, 16, 2). Ferner eine Eirene ἐλεφαντίνη κατάχρυσος im Inventar von der Akropolis (CIG 1, 150 § 47) u. ein ἄγαλμα zusammen mit dem der Hestia, im Prytaneion (Paus. 1, 18, 3). Vasenbilder zeigen Eirene im Kreis des Dionysos (Hamdorf 111). Eine Kopie der Eirene Kephisodots sah H. Brunn 1867 in der ‚Leukothea' der Münchner Antikensammlung (C. Robert, Archäol. Hermeneutik [1919] 61; EncArteAnt 4 [1961] 341 Abb. 404). Der Statuentypus ist in mehreren Kopien überliefert (Hamdorf 54f. 110f). Brunns Zuschreibung an Kephisodot u. Deutung als Eirene wird von A. Rumpf, Archäologie 2 (1956) 88/94 abgelehnt; ihm folgt Weinstock 44. Den ältesten Münztypus für Eirene zeigen Silbermünzen aus Lokroi um 350/30 vC., nach Weinstock 44 die einzige authentische Darstellung der griech. Eirene: EIPHNA auf einem mit Bukranion geschmückten Altar sitzend; in der Rechten hält sie den von zwei Schlangen umwundenen Stab, das Kerykeion (P. R. Franke-M. Hirmer, Die griech. Münze [1964] Taf. 101; vgl. auch Brendel 215[20]).

b. Römisch-kaiserzeitlich. 1. Allgemein. In der röm. Kunst begegnet die Pax-Darstellung erst seit Caesar, die Blütezeit liegt in der kaiserzeitl. Kunst. Pax gehört hier zu einem Kreis von inhaltlich verwandten Personifikationen abstrakter Begriffe, die mit der imperialen Ideologie verknüpft sind u. die Segnungen u. Ziele der kaiserlichen Herrschaft verkörpern (Wissowa, Rel. 334; A. Alföldi: MusHelv 7 [1950] 1/3; 8 [1951] 190/ 215; 9 [1952] 204/43; 11 [1954] 133/69; Schulz 51/87). Sie stehen sich auch ikonographisch nahe, dargestellt als weibliche Gewandfiguren, deren Unterscheidung durch spezielle Attribute sich zunehmend verwischt.

2. Pax-Darstellungen außerhalb der Münzkunst. Es sind nur wenige Denkmäler erhalten. Eine von Augustus 11 vC. aufgestellte Statue, zusammen mit Salus u. Concordia, ist nur literarisch überliefert (Dio Cass. 54, 35; Ov. fast. 3, 881 kommt Ianus hinzu). Die Ara Pacis Augustae in Rom (Helbig, Führer 2[4], nr. 1937; vgl. auch o. Sp. 442) läßt Bild oder Symbol der Pax vermissen (vgl. auch I. Scott Ryberg, Rites of the state religion in roman art [Rome 1955] 48[47]), so daß ihre Weihung an Pax in Frage gestellt wurde (Weinstock 52/8). Vom Höhepunkt der Pax-Verehrung unter Vespasian ist als bildlicher Reflex nur das häufige Pax-Motiv auf Münzen geblieben (RIC 2, Vespasian nr. 18. 39. 47. 56. 63 u. ö.; H. Riemann: PW 18, 2 [1942] 2109; C. Koch 2436; Weinstock 52). Erhalten ist eine Statue der mittleren Kaiserzeit aus Thysdrus, einer

Kolonie Caesars in Africa Proconsularis, heute im Rijksmuseum zu Leiden, die sich aufgrund des caduceus als Pax erweist (J. P. J. Brants, Description of the class. coll. of the mus. of Leiden [Den Haag 1927] 2 u. Taf. 2, 4; Weinstock 46_{27a} u. Taf. 9, 2). Ein Mosaik der späteren Kaiserzeit aus Xanthos mit EIPHNH-Büste ist durch Inschrift gesichert (P. Demargne: CRAcInscr [1954] 113; Weinstock aO.). Ferner eine Darstellung am Galeriusbogen zu Thessaloniki, beim Opfer der Kaiser: [E]IPHN[η], mit Ölzweig (Kinch: Ähren), zusammen mit Eudaimonia (?), [Οικ]OYMEN[η] u. Omonoia (?) (K.-F. Kinch, L' arc de triomphe de Salonique [Paris 1890] 36f u. Taf. 5; Toynbee 24. 25_1 u. Taf. 21, 3; Scott Ryberg aO. 139 u. Taf. 49 Abb. 76).

3. Pax-Typik in der Münzkunst. Für die Kenntnis der Pax-Ikonographie kommt in erster Linie die Münzkunst in Betracht. Hier erscheint erstmals 44 vC. ‚PAXS‘ als weiblicher Kopf auf einem Quinar des für Caesar arbeitenden L. Aemilius Buca; der Revers zeigt verschlungene Hände, das Symbol der Concordia (H. A. Grueber, Coins of the roman republ. in the British Museum 1 [London 1910] 547 nr. 4162; vgl. auch 546 nr. 4157/9; dazu 545_2; Weinstock Taf. 5, 5). Mit Octavian-Augustus wird die Pax-Thematik auf Münzen häufig. Die F.göttin wird stehend gegeben (Tetradrachme vJ. 28/7 vC.: Pax mit caduceus vor cista mystica mit Schlange; Weinstock Taf. 5, 13) oder sitzend (As mit Pax Iulia; ebd. Taf. 5, 7), gelegentlich laufend wie Victoria (Bernhart, Hdb. Taf. 66, 7; 67, 5). Auf Münzen Trajans setzt sie als Siegerin den Fuß auf einen besiegten Daker (RIC 2, 286 nr. 592; vgl. auch 187f. 256f; Schulz 67). – Spezifisches Attribut ist der caduceus, das Abzeichen der F.unterhändler (Weinstock 45_{11}; vgl. auch Deubner, Ara Pacis 38f; A. Alföldi: Hermes 65 [1930] 379_2; Toynbee 108; H.-P. L'Orange-A. v. Gerkan, Der spätantike Bildschmuck des Konstantinsbogens [1939] 146. 157). Daneben erscheinen Ölzweig (A. S. Pease, Art. Ölbaum: PW 17, 2 [1937] 2020f), Füllhorn, Szepter, auch Lanze; bisweilen Ähren u. Mohn. Zum Ganzen Wissowa, Pax 1722; C. Koch 2434. Ähren hält auch der Genius ‚Pacis Event(us)‘ (RIC 2, 51 nr. 308; Axtell 38). Das Motiv der Pax, die einen Haufen erbeuteter Waffen in Brand setzt, ein Opfer, das nach alter röm. Sitte die Kampfhandlung beendet, erscheint als Münzprägung seit Galba (Bernhart, Hdb. Taf. 66,

5. 6. 8; Brendel 213f; Weinstock 47_{33}. 51_{90}. 52_{96}).

4. Beziehungen zu sinnverwandten Personifikationen. Die inhaltliche Nähe zu sinnverwandten Abstrakta wird auch ikonographisch sichtbar (Deubner, Pers. 2125f; Wissowa, Rel. 337). So begegnet Pax mit dem Nemesis-Attribut der Schlange; das auf Münzen des Claudius wiederholt auftretende Motiv (Pax geflügelt) ist nach Weinstock 50 u. Taf. 6, 1 ein Reflex der vom Kaiser aus Alexandria nach Rom gebrachten Eirene-Statue. Dagegen wird von der Schlange am Altar aus Cartagena nicht auf Pax, sondern auf Fortuna-Nemesis geschlossen (Weinstock 52_{94} gegen Deubner, Ara Pacis 37/42). Aus der Auffassung des F. als Erfolg des Sieges (Fuchs, Augustin 201), die sich auch in gemeinsamen Weihungen an Mars, Victoria, Pax ausspricht (Wissowa, Pax 1722), erklärt sich auch die ikonographische Beziehung zu Victoria. Wie diese kann Pax geflügelt sein. Pax u. Victoria flankierten die Quadriga Neros auf dem im Münzbild überlieferten Triumphbogen auf dem Capitol (Weinstock 51 u. Taf. 6, 4; R. Brilliant, Gesture and rank in roman art [New Haven 1963] 71 u. Abb. 2. 52). Pax mit der Victoriola auf der Hand begegnet wiederholt auf Münzen (RIC 2, 246 nr. 17; 351 nr. 95; Hölscher 31_{192}); Victoria in Biga mit Legende ubique pax auf Münzen des Gallienus (A. Alföldi: ZNum 38 [1928] Taf. 5, 15; zum Ganzen Hölscher 94/6. Fälschlich als Pax wurde die geflügelte Victoria mit Füllhorn u. Palmzweig über Terra Mater auf einer Panzerstatue im Vatikan u. ihrer Replik im Brit. Museum gedeutet (H. v. Heintze: Helbig, Führer 1^4, nr. 150, gegen E. Strong: JRS 27 [1937] 118 u. Taf. 16). – Verwandt ist Pax auch mit Securitas (Fuchs, Augustin 40. 189/91; J. Kollwitz, Oström. Plastik [1941] 55), die zusammen mit Pax verehrt wird (Altar in Praeneste, 69 nC.; W. Hermann, Röm. Götteraltäre [1961] 93 u. Kat. nr. 25) u. die das Pax-Attribut des caduceus übernimmt (RIC 5, 219 nr. 101); ebenso seit Galba Felicitas (RIC 1, 205 nr. 55). – Die Nähe zu Salus kommt in der oben genannten Weihung des Augustus zum Ausdruck. Eng ist besonders die Verwandtschaft von Pax u. Concordia ('Ομόνοια), die den inneren F. der Bürger, dann auch die Eintracht im Kaiserhause bezeichnet (Stoll: Roscher, Lex. 1, 2, 2703; Wissowa, Rel. 328f; Fuchs, Augustin 192_2; Kollwitz aO.). Wie ihr Symbol der verschlun-

genen Hände mit Pax verbunden wird (Münze
vJ. 44 vC.; s. o. Sp. 495; Münze vJ. 69 nC.:
Vitellius u. Roma im Gestus der dextrarum
iunctio mit Legende Pax Augusti: RIC 1, 228
nr. 23), so erscheint auch das Pax-Attribut
des caduceus in Verbindung mit Concordia
(Weinstock 46. 49). Zusammen begegnen
Eirene u. Homonoia auf alexandrinischen
Münzen Trajans (R. S. Poole, Cat. of greek
coins in the Brit. Mus., Alexandria [London
1892] 52), am Galeriusbogen u. ö. Die Verbindung lebt in christl. Zeit fort (s. u. Sp.
500).

5. Sonstiges. Ein besonderes Problem stellt
eine Mailänder Prägung der Zeit nach 260:
die Kaiserin Salonina, Gattin des Gallienus,
sitzend mit Ölzweig u. Szepter. Die Legende
AUG[usta] IN PACE (RIC 5, 1, 28. 197 nr.
57/60) stellt ein Unicum dar u. hat dazu geführt, Christlichkeit der Kaiserin anzunehmen (Cesano). Historisch ist diese Deutung
nicht stichhaltig. Das kaiserliche Paar stand
Plotin, nicht dem Christentum nahe (Porphyr.
v. Plot. 12; A. Alföldi, Studien zur Gesch.
der Weltkrise des 3. Jh. nC. [1967] bes. 255/8.
393). Kaiserinnen auf Münzen unter dem
Bilde von Personifikationen wie Salus, Pax
u. a. zu verstehen, war üblich (zur Frage einer
Deutung der Pax auf tiberianischen Münzen
als Livia W. H. Groß, Iulia Augusta [1962] 42
u. Rez. von R. Göbl: AnzAltWiss 19 [1966]
59). Auf Münzen des Gallienus fällt die Darstellung zeitlich mit anderen Pax-Motiven zusammen (Alföldi aO. 43. 292). Die ungewöhnliche Legende stellt das ‚Gesetz‘ eindeutiger
Christlichkeit der in-pace-Formel in Frage.
Vergleichbar hinsichtlich des Synkretismus
ist eine Grabinschrift aus Nordafrika: manes
estote boni ut Martis (Eigenname) in pace
bona quiescat (CIL 8, 1, 2185), die E. Diehl
(ILCV 1 nr. 2285) als christlich, Steuding
(Roscher, Lex. 2, 2, 2320) als pagan einordnet
u. bei der S. Gsell, Inscr. lat. de l' Algérie
(Paris 1922) nr. 2957 auf die unstimmige
Verbindung von in-pace-Formel u. Manen-
Anrufung (hier nicht in der auch in christl.
Inschriften auftretenden Formel DMS) hin-
weist. – Nicht um ‚Christianisierung‘ der Pax,
sondern um ein Beizeichen handelt es sich bei
einer spätkonstantinischen Prägung vJ. 337/
41, die auf dem Avers die Büste der Kaiserin
Helena, auf dem Revers die stehende Pax
Publica mit Ölzweig u. Szepter zeigt, daneben
im Feld ein Kreuzzeichen (R. A. G. Carson-
Ph. V. Hill-J. P. C. Kent, Late roman bronze

coinage 1 [London 1960] 45. 568). G. Bruck:
NumZ 76 (1955) 26/32 nimmt für Beizeichen
in Kreuzform Wahl aus dem christl. Symbol-
schatz, aber ohne offiziellen Charakter, an;
vgl. auch P. Bruun: Atti del 6. Congr. Intern.
di Arch. Crist. 1962 (Città d. Vat. 1965) 534f;
W. Kellner, Libertas u. Christogramm (oJ.
[1968]) 81.

c. Jüdisch. Aus der jüd. Kunst sind Personifikationen des F. nicht bekannt. Stattdessen
begegnet, der zentralen Bedeutung des Begriffs entsprechend, häufig das Wort šālōm in
betonter Anbringung, die ihm den Charakter
eines bildhaften (zauberbergenden?) Zeichens
gibt. So wenn es im sepulkralen Bereich einer
anderssprachigen Inschrift zugefügt wird
(Goodenough 2, 125; 3 Abb. 787. 838. 851.
962. 984f; vgl. auch o. Sp. 457). Auch Darstellungen wie der von Kranz oder Clipeus
gerahmte F.gruß ‚šālōm über Israel‘ im Fußbodenmosaik der Synagogen (Isfya: Goodenough 1, 257; 3 Abb. 65; Jericho: ebd. 1, 261;
3 Abb. 666; BullHebrUnivJerus 1 [1954] Taf.
7) stehen dem Symbolbild nahe. Den F.zustand
zeigt symbolisch ein fragmentarisch erhalte-
nes Mosaik mit Daniel zwischen den Löwen u.
Beischrift ‚Daniel šālōm‘ in der Synagoge von
Naaran (Goodenough 1, 255f; 3 Abb. 642). –
Als ΟΙΚΟΣ IPH[νη]Σ ist eine Aedicula mit
Säulenhof auf einem Goldglas im Museo
Sacro der Vatikan. Bibl. bezeichnet (CIJ 1 nr.
515; PalExplQ 84 [1952] Taf. 24, 1). Zur umstrittenen Deutung des Gebäudes (Tempel zu
Jerusalem? Synagoge? Toraschrein?) vgl.
Goodenough 2, 113; W. G. Kümmel, Heils-
geschehen u. Geschichte (1965) 132. Sollte
εἰρήνη hier Deckwort für ϑεός sein, so könnte
das für Deutung als Tempel sprechen (vgl.
LXX: 1 Chron. 6, 33; 9, 11. 13. 26; 23, 28;
2 Chron. 4, 11; vgl. auch Iudc. 17, 5; 18, 31; 2
Sam. 12, 20; Jes. 2, 2).

II. Christlich. a. Personifikationen. Die Personifikation des F. ist in der altchristl. Kunst
eine Seltenheit. Auszuschalten sind vier in der
röm. Katakombe SS. Pietro e Marcellino be-
findliche, im Bildschema verwandte Toten-
mahlszenen, bei denen jeweils zwei Frauen,
IRENE u. AGAPE, bedienen (Wilpert, Mal.
Taf. 133, 2; 157, 1. 2; 184). Im Anschluß an
Wilperts Deutung (aO. 471/5) wurden christl.
Personifikationen angenommen (P. Wend-
land, Die hellenist.-röm. Kultur [1912] 434;
V. Schultze, Grundriß der christl. Archäologie
²[1934] 85; F. Gerke, Vorkonstantin. Sarkophage [1940] 138₁₁). Dagegen zeigte Dölger,

Ichth. 5, 492/500 u. ihm folgend Stuiber 134f, daß es sich um gebräuchliche Frauennamen handelt, die hier ‚schablonenhaft' aufgenommen sind. – Vereinzelt in der altchristl. Zeit ist die Personifikation der EIPHNH, in der Trias mit ΔIKAIOΣYNH u. EYXH, im Kuppelfresko einer Grabkapelle zu El Bagawat, in der oberägyptischen Oase El Kargeh aus dem 6. Jh. (A. Fakhry, The necropolis of El Bagawat [Kairo 1951] 73f Abb. 64 u. Taf. 1. 22; H. Stern: CahArch 11 [1960] 119). Die Ikonographie ist ungewöhnlich: Eirene hat entblößten Oberkörper, kurzen Lendenschurz, schulterlange Locken u. hält links ein ‚fackelartiges Szepter', rechts ein Anchkreuz, in Art ägyptischer Gottheiten (M. Cramer, Das altägypt. Lebenszeichen [1955] 40; zur Gesamtkomposition vgl. O. Wulff, Altchristl. u. byz. Kunst 1 [1913] 98f). – Abgesehen hiervon finden sich Personifikationen des F. erst wieder in der Buchmalerei des frühen MA. Pax, zusammen mit anderen christl. Tugendpersonifikationen, begegnet hier in zwei Themenkreisen: in der Psychomachie des Prudentius u. in der Psalterillustration zu Ps. 84. Spezielle Attribute fehlen. Die Prudentius-Hss. zeigen in der von R. Stettiner, Die illustrierten Prudentius-Hss.(1889) zusammengefaßten Gruppe I Pax zu v. 629 (vgl. zB. aO. 160 Abb. 1; Tafelbd. [1905] Taf. 9, 2). Die Darstellung bewahrt nach Stettiner aO. 363 ‚unzweifelhaft das Ursprüngliche' der antiken Vorlage, die den Prudentius-Hss. zugrunde liegt (o. Bd. 2, 747f). Die Hss. der Gruppe II geben Pax auch zu v. 636 als Urheberin der Waffenruhe wieder (Stettiner 365f). – Zu Ps. 84, 11 (misericordia et veritas obviaverunt sibi, iustitia et pax osculatae sunt) erscheinen Pax u. Iustitia, sich umarmend u. küssend: im karolingischen Utrecht-Psalter (E. T. De Wald, The illustrations of the Utrecht-Psalter [Princeton 1932] Taf. 78), im Canterbury-Psalter des 12. Jh. (The Canterbury Psalter, introd. by M. R. James [London 1935] 31, fol. 150ᵛ) u. in einem byzantinischen Psalter des 11./12. Jh. (E. T. De Wald, The illustrations in the mss. of the LXX, 3, 1 [Princeton 1941] 26 u. Taf. 36). Sonst ist in den griech. Hss., auch im byzantinisch beeinflußten karolingischen Psalter in Stuttgart (E. T. De Wald, The Stuttgart-Psalter [Princeton 1930] 76 u. fol. 100ᵛ), die Heimsuchungsgruppe üblich (J. J. Tikkanen, Die Psalterillustrationen im MA [Helsinki 1903] 50. 96. 242). Sie gehört dem gleichen Bildtypus an u. ist inhaltlich durch die Auslegung des Psalm-

verses 12 auf die Menschwerdung Christi begründet (vgl. Euseb. comm. in Ps. 84, 11f [PG 23, 1024]; Aug. en. in Ps. 84, 11f [PL 36, 1078f]). Zum Thema H. v. Einem, Das Stützengeschoß der Pisaner Domkanzel = AGForsch Nordrh.-Westf., Geisteswiss. 106 (1962) 14/6. – Im MA lebt die Pax-Personifikation im Kreise stereotyp gegebener Tugendpersonifikationen (nach Gal. 5, 22) fort. Zum Ganzen A. Katzenellenbogen, Allegories of the virtues and vices in mediaeval art from early christian times to the 13. century = Studies of the Warburg Inst. 10 (London 1939 bzw. 1968). In Kontinuität zur Antike bleibt die inhaltliche Nähe zu sinnverwandten Personifikationen, bes. Concordia, bestehen. Ein Hochzeitsring des 7. Jh. in Dumbarton Oaks rahmt das mit dem Motto OMONYA bezeichnete Bild einer Ehe-Einsegnung durch Christus u. Maria mit dem Text des F.gebetes Joh. 14, 27 (M. C. Ross, Cat. of the byz. and early med. ant. in the Dumb. Oaks coll. 2 [Washington 1965] 58 nr. 69 Taf. 44; ähnlich die Hochzeitsringe bei O. M. Dalton, Cat. of early christ. ant. in the ... Brit. Mus. [London 1901] nr. 130. 132). Die Verbindung Pax-Concordia entspricht Gedanken der fränkischen Brautmesse (qui foedera nuptiarum blando concordiae iugo et insolubili pacis vinculo nexuisti [PL 78, 261 C]; vgl. K. Ritzer, Formen, Riten u. relig. Brauchtum der Eheschließung ... = Liturgiewiss. Quellen u. Forsch. 38 [1962] 346). Auf Darstellungen ähnlicher Art nehmen Texte des Severianus v. Gabala u. Petrus Chrysologus (PL 52, 598 D) Bezug, die Concordia durch Pax Domini ersetzen (E. H. Kantorowicz: DumbOPap 14 [1960] 9). Deutlich wird die begriffliche Nähe auch in Prudentius' Psychomachie: den hymnus pacis (v. 769/83) trägt Concordia vor. Ebenso Caritas: v. 775/80 überträgt in zT. wörtlichem Anklang an 1 Cor. 13,3/8 Züge der Caritas auf Pax, ein Passus, der auch dadurch wichtig ist, daß er die Überhöhung der pax pagana durch die pax vere christiana herausarbeitet (vgl. Ch. Gnilka, Studien zur Psychomachie des Prudentius [1963] 41. 44f). – Obwohl aus späterer Zeit (um 1300), ist eine byzantinische Miniatur als eine der wenigen christl. F.personifikationen überhaupt u. einzigartige Verbildlichung ntl. Pax-Vorstellung zu nennen: K. Escher, Die Miniaturen in den Basler Bibl. (1917) 23 Taf. 3. Das Bild zeigt Gregor v. Nazianz vor den streitenden Bischöfen bei der F.predigt,

deren Anfangsworte beigeschrieben sind (or.
22 [PG 35, 1132 A]; o. Sp. 474). Er weist zur
oberen Bildhälfte, wo zwei Gebäude gegeben
sind, verschiedenartig, aber miteinander verbunden, in deren Mitte, überkrönt von einem
Kuppelbau, ein Clipeus erscheint. Er rahmt
das Brustbild der EIPHNH, mit Krone u.
Kreuznimbus. In dieser Angleichung an das
Christusbild u. der Ikonographie der zwei in
Eirene verbundenen Bauten verbildlicht die
Miniatur wörtlich die auch im Gregortext
zitierte Stelle Eph. 2, 14: ipse (sc. Christus)
est pax nostra, qui fecit utraque unum . . .
(vgl. auch Phil. 4, 7 u. 2 Cor. 13, 11, die gleichfalls zitiert werden).

b. Symbole. Häufiger als die Pax-Personifi-
kationen sind die Symbole. Münzbilder Justinians II zeigen den Kaiser mit Globus, dem
‚Pax‘ eingeschrieben ist, auf der Gegenseite
das Bild Christi (A. Grabar, L'iconoclasme
byzantin [Paris 1957] 40f u. Abb. 15). Die
Darstellung nimmt jüd. eschatologische Vorstellungen vom F.fürst (Jes. 9, 6) auf u. setzt
zugleich den Kaiser in Parallele zu Christus als
εἰρηνοποιὸς τῆς οἰκουμένης (vgl. o. Sp. 475).
– Ein Fußbodenmosaik in der Kirche von
Khaldé (Libanon) zeigt ein Segelschiff mit
Beischrift ΠΛΩΙ[ον] ΗΡΗΝΗΣ (M. H. Chehab,
Mosaïques du Liban = BullMusBeyrouth 14
[1957] 110 u. Taf. 67, 3; A. Grabar: CahArch
12 [1962] 137f u. Abb. 18). Die Beischrift
sichert Symbolbedeutung, etwa als Schiff-
fahrt ‚in den Hafen der Ruhe (ἀνάπαυσις),
dorthin, wo die F.stadt des großen Königs
ist‘ (PsClem. ep. ad Iacob. 13, 3 [GCS 42, 16,
3]; man beachte die begriffliche Nähe von
ἀνάπαυσις u. εἰρήνη). Zum Thema zuletzt
H. Rahner, Euploia: Perennitas, Festschrift
Th. Michels (1963) 1/7; ders., Symbole der
Kirche (1964) 239/564. – Einen festen Platz
in der christl. Kunst hat als F.symbol die
*Taube, mit u. ohne Ölzweig. Zum Ganzen
F. Sühling, Die Taube als religiöses Symbol
im Altertum (1930) 217/22; Stuiber 176; H.
Greeven: ThWb 6, 70f. – Der Verbildlichung
der messianischen F.weissagung Jes. 11, 6f
dient in Fußbodenmosaiken einiger christl.
Kirchen das Motiv friedlicher Gruppierung
von wilden u. zahmen *Tieren (Tierfriede).

c. Zustandsbilder: Jonasruhe. Wegen der inhaltlichen Nähe von pax u. requies (vgl. o. Sp.
485f) ist auch die Jonasruhe, als Bild der Ruhe
des Toten im Zwischenreich, zu nennen, wie
sie in der ältesten Fassung der Jonasdarstel-
lungen, ohne Meerwurf u. Ausspeiung, be-

gegnet (Stuiber 136/51; E. Stommel: JbAC 1
[1958] 112/5; E. J. Bickerman: HarvThR 58
[1965] 149: ‚Jonah expresses the same idea
. . . which is wished so often in funerary
inscriptions: šālōm ‚in pace‘). Vgl. *Bukolik;
*Jonas.

d. Christus pacem dat? Auf dem Mosaik der
südl. Nische in S. Constanza zu Rom aus spät-
konstantinischer Zeit ist der ursprüngliche
Wortlaut des Textes auf der von Christus an
Petrus gerichteten Rolle nicht gesichert (Ch.
Ihm, Die Programme der christl. Apsismale-
rei [1960] 127/9 Taf. 5, 1). Meist wurde DOMI-
NUS LEGEM DAT angenommen, so J.
Kollwitz (o. Bd. 3, 16) u. E. Stommel, Beiträge zur Ikonographie der konstantin. Sark.-
Plastik (1954) 90: Christus übergibt den νόμος
βασιλικός (Euseb. laud. Const. 3, 5 [GCS 7,
201f]). Dagegen treten, aufgrund neue-
rer Untersuchungen des Mosaikbodens, für
PACEM DAT als originale Lesart ein W. N.
Schumacher (RQS 54 [1959] 10₄₈) u. G. Matthiae, Mosaici medioevali delle chiese di Roma
(Roma 1967) 405 (vgl. auch P. Beskow, Rex
gloriae [Stockholm 1962] 23). Matthiae versteht die Szene als largitio pacis, Reflex der
F.stiftung an die Kirche durch Konstantin.

III. Zusammenfassung. Während im nichtchristl. Bereich der Antike u. Spätantike die
Personifikationen von Eirene u. Pax vielfältig u. häufig sind (Reflex der F.devise der
Kaiserzeit), tritt in der christl. Kunst die
Darstellung auffallend zurück. Die Vorstellung des F. begegnet dafür häufiger auf Inschriften, in Symbolen, in Zustandsbildern.
Bei den Inschriften stellt sich eine Frage:
zwar gibt es noch keine erweisbar nichtchristl.
pax-Formel im sepulkralen Bereich; wohl
aber macht die in-pace-Legende der Salonina-
Münze, ebenso wie die oben genannten Sar-
kophaginschriften (vgl. o. Sp. 484f), es fraglich, ob in jeder in-pace-Formel ein Kriterium
des Christlichen gesehen werden darf. – Das
Spezifische des christl. F.begriffs ist nicht
explizites Bildthema geworden, es bleibt in
der christl. Kunst implizit als Bildgehalt. Da
die Gleichsetzung Christus = Pax (Eph. 2,
14) in der kirchlichen Kunst vorausgesetzt
werden kann, ist weithin in der Christusdar-
stellung die pax-Verheißung oder auch pax-
Wirklichkeit mitgegeben. In den Zustandsbildern ist jeweils der eschatologische F. als
Heilsgabe verbildlicht. Man darf pointiert
sagen: F. in der judaeo-christl. Konzeption ist
ikonologisch vielfältig erhebbar, aber seltener

ikonographisch fixierbar. – Anderseits wird außerhalb der biblischen Thematik, in der allegorischen Dichtung (Psychomachie) die antike pax-Personifikation fortgeführt u. gewinnt im MA, im Rahmen der Tugendlehre, wieder größere Bedeutung.

H. L. Axtell, The deification of abstract ideas in roman literature and inscriptions (Chicago 1907). – R. H. Bainton, Christian attitudes toward war and peace (New York 1960). – H. G. J. Beck, The formula ‚qui vixit in pace‘: Studi sulla chiesa antica e sull' umanesimo (Roma 1954) 59/71. – L. Berlinger, Beiträge zur inoffiziellen Titulatur der röm. Kaiser, Diss. Breslau (1935). – H. Berve, F.ordnungen in der griech. Geschichte (1967). – H. Bietenhard - J. J. Stamm, Der Welt-F. im AT u. NT (Zürich 1959). – A. Brelich, Aspetti della morte nelle iscrizioni sepolcrali = Diss. Pannon. 1,7 (Budapest 1937). – O. Brendel, Die F.göttin, Numen u. Allegorie: Corolla L. Curtius (1937) 212/6. – K. Brugmann, EIPHNH = SbLeipz 68,3 (1916). – H. von Campenhausen, Der Kriegsdienst der Christen in der Kirche des Altertums: Tradition u. Leben (1960) 203/15. – W. Capelle, Griech. Ethik u. röm. Imperialismus: Klio 25 (1932) 86/113. – W. Caspari, Vorstellung u. Wort ‚F.‘ im AT: Beiträge zur Förd. christl. Theol. 14,4 (1910). – L. Cesano, Salonina in pace: RendicPontAc 25/6 (1949/50) 105/21. – H. Dahlmann, Art. M. Terentius Varro: PW Suppl. 6 (1935) 1172/277, bes. 1161/3. – H. Dahlmann-R. Heisterhagen, Varronische Studien 1: Zu den Logistorici = Abh. d. Akad. d. Wissensch. u. Lit. Mainz, Geistes- u. sozialwiss. Kl. 1957, 4, 123/74. – L. Deubner, Art. Personifikationen abstrakter Begriffe: Roscher, Lex. 3, 2, 2068/169, bes. 2077. 2132; Eine unbekannte Ara Pacis: RM 45 (1930) 37/42. – M. Dibelius, Jungfrauensohn u. Krippenkind: SbH 1932, 4. – H.-J. Diesner, Die Ambivalenz des F.gedankens u. der F.gedanke bei Augustin: WissZsUnivHalle-Wittenberg (1961) 877/80. – A. A. T. Ehrhardt, Polit. Metaphysik von Solon bis Augustin 1/3 (1959/69). – W. Eisenbeis, Die Wurzel šlm im AT (1969). – R. Engelhard, De personificationibus quae in poesi et arte Romanorum inveniuntur, Diss. Göttingen (1881). – R. J. Ferron, Inscriptions juives de Carthage: Cahiers de Byrsa 1 (1951) 175/206. – H. Finé, Die Terminologie der Jenseitsvorstellungen bei Tertullian = Theophaneia 12 (1958). – W. Foerster, Art. εἰρήνη: ThWb 2, 405/16. – H. Fuchs, Augustin u. der antike F.gedanke ²(1965); Der F. als Gefahr: HarvStudClassPhilol 63 (1958) 363/85. – E. R. Goodenough, Jewish symbols in the greco-roman period 1/12 (New York 1953/65). – H. Gross, Die Idee des ewigen u. allgemeinen Welt-F. im Alten Orient u. AT = TriererTheolStud 7 (1956). – F. W. Hamdorf,

Griech. Kultpersonifikationen der vorhellenist. Zeit (1964) 53/5. 110f (Rez.: U. Hausmann: Gnomon 38 [1966] 705/9). – T. Hölscher, Victoria Romana (1967). – L. A. Holland, Janus and the bridge = Papers and Monogr. of the American Acad. in Rome 21 (1961). – J. A. Jungmann, Missarum Sollemnia ³(1952); Liturgie der christl. Frühzeit (1967). – H. Kähler, Ara pacis u. die augusteische F.idee: JbInst 69 (1954) 67/100. – B. Keil, EIPHNH = SbLeipz 68,4 (1916). – O. Knoch, Eigenart u. Bedeutung der Eschatologie im theol. Aufriß des ersten Clemensbriefes = Theophaneia 17 (1964). – C. Koch, Art. Pax: PW 18,4 (1949) 2430/6. – H. Koch, Konstantin den Store. Pax romana - pax christiana (Kjøbenhavn 1952). – W. Koehler, Pax: EncArteAnt 5 (1963) 999f. – J. Lande, Formelhafte Wendungen der Umgangssprache im AT (Leiden 1949) 2/9. – K. Latte, Röm. Religionsgeschichte (1960). – H. Leclercq, Art. Paix: DACL 13, 1, 465/83; Art. Pax: ebd. 13, 2, 2775/82. – W. S. van Leeuwen, Eirene in het NT (Wageningen 1960). – G. Manthey, Il significato primitivo della leggenda ‚Pax perpetua‘ sulle monete degli imperatori Romani: RivAC 28 (1952) 45/75; Il concetto di ‚Pax‘ nelle monete romane da Augusto a Nerva: ebd. 29 (1953) 94. – Ch. Mohrmann, Pax Romana: Annalen van het Thymgenootschap 37 (1949) 336/8. – D. Mustilli, Eirene: EncArteAnt 3 (1960) 283. – W. Nestle, Der F.gedanke in der antiken Welt: PhilolSuppl 31, 1 (1938). – M. P. Nilsson, Geschichte der griech. Religion 1² (1955); Kultische Personifikationen: Eranos 50 (1952) 31/40. – M. Noth, Das atl. Bundschließen im Lichte eines Mari-Textes: Ges. Studien zum AT² (1960) 142/54. – E. Peterson, Der Monotheismus als polit. Problem (1935). – H. Pétré, Caritas. Étude sur le vocabulaire latin de la charité chrétienne = Spic. Sacr. Lov. 22 (Louvain 1948) 294/319. – G. von Rad, Art. εἰρήνη im AT: ThWb 2, 400/5. – J. C. Richard, Pax, Concordia et la religion officielle de Janus à la fin de la république romaine: MélArch 75 (1963) 303/86. – T. T. B. Ryder, Koine Eirene (Oxford 1965). – O. T. Schulz, Die Rechtstitel u. Regierungsprogramme auf röm. Kaisermünzen = Studien zur Gesch. u. Kultur des Alt. 13, 4 (1925). – E. Skard, Zwei religiös-polit. Begriffe: Euergetes-Concordia (Oslo 1932). – A. Stuiber, Refrigerium interim = Theophaneia 11 (1957). – E. Täubler, Imperium Romanum 1 (1913). – S. W. J. Teeuwen, Sprachlicher Bedeutungswandel bei Tertullian = Studien zur Gesch. u. Kultur des Alt. 14, 1 (1926). – C. Tibiletti, Il senso escatologico di pax e refrigerium e un passo di Tertulliano: Maia 10 (1958) 209/19. – J. M. Toynbee, The hadrianic school (Cambridge 1934). – H. Truempy, Kriegerische Fachausdrücke im griech. Epos, Diss. Basel (1950). – L. Voelkl, Apophoretum: Miscell. G. Belvederi

(Città d. Vat. 1954) 391/414. – H. WAGENVOORT, Pax Augusta (Groningen-Haag 1930). – O. WASER, Art. Eirene: PW 5, 2 (1905) 2128/34. – S. WEINSTOCK, Pax and the ‚Ara Pacis': JRS 50 (1960) 44/58. – H. WINDISCH, F.bringer - Gottessöhne: ZNW 24 (1925) 240/60. – G. WISSOWA, Art. Pax: Roscher, Lex. 3, 2, 1719/22; Religion u. Kultus der Römer ²(1912) 329. 334f. [Verf. dankt K. G. KUHN für Einblick in das Material zum Qumran-Wörterbuch, worauf o. Sp. 453f fußt].

A/C: E. Dinkler; D: E. Dinkler – v. Schubert.

Friedensbriefe s. Libelli pacis.

Friedensbringer s. Friede.

Friedenskuß.

I. Methodisches. a. Begriff. 1. Allgemein 505. 2. Vorchristlich 505. 3. Christlich 506. b. Problem 507. – II. Begrüßungskuß. a. Hellenistische Gemeinden 507. b. Christentum des 2./3. Jh. 509. – III. Bruderkuß 511. – IV. Liturgischer Kuß. a. Kuß am Gebetsschluß (vor-eucharistisch). 1. Justin 512. 2. Hippolyt 513. 3. Tertullian 513. 4. Clemens v. Alexandrien u. Origenes 514. b. Eucharistischer F. 1. Osten 515. 2. Westen 516. – V. Zusammenfassung. a. Ursprung u. Entwicklung 517. b. Abgrenzung vom Taufkuß 518.

I. Methodisches. a. Begriff. 1. Allgemein. Unser Ausdruck F. deckt sich in seinem Bedeutungsgehalt (Friede) mit den griech. u. lat. Äquivalenten nicht; auch liturgiegeschichtlich (Eucharistiefeier) erfaßt er nur einen Teil der Entwicklung des ‚heiligen Kusses' im frühen Christentum. Einmal ist der Begriff bereits vorchristlich, zum andern bezeichnet er, wo er im Christentum erstmals auftritt, den gebetsschließenden Kuß (s. u. Sp. 512), wie später noch Bened. reg. 53, 5 (CSEL 75, 123). Der Typus heißt aber auch einfach φίλημα (Iustin. apol. 1, 65) oder φίλημα ἅγιον (Origenes u. a.). Im Osten finden wir den Ausdruck F. erst seit dem 4. Jh. verwendet; da meint er bereits den eucharistischen Kuß, spiegelt also das letzte Stadium der Geschichte des ‚heiligen Kusses' (u. Sp. 515).

2. Vorchristlich. Woher der Zusatz (osculum) pacis bzw. (φίλημα) εἰρήνης wirklich stammt, ist schwer zu sagen. Die Junktur als solche scheint vorchristlich; Philo spricht einmal von der Aufgabe des Mundes, Eintracht zu bewirken u. zum φίλημα εἰρήνης zu führen (quaest. in Ex. 2, 118) oder kurz vom φίλημα ὁμονοίας (ebd. 78). Das ist kaum mehr denn eine allgemeine Erläuterung des Kusses als Zeichen von Eintracht u. Friede. Gemeint ist weder ‚Versöhnungskuß' (Hofmann 126) noch

überhaupt ein besonderer sozialer oder gar liturgischer Hergang; spezifisch Jüdisches enthält er so wenig wie Rosch haschana 2, 9d (92 Fiebig). Man hat die Stelle bei Philo mit dem christlichen F. in Verbindung gebracht (F. L. Conybeare: Expositor 9 [1894] 461; H. Windisch zu 2 Cor. 13, 12: Meyer, Komm.⁹ [1924] 427). Aber mehr als eine terminologische Gemeinsamkeit ergibt sich nicht, u. auch sie setzt im Christentum erst zur Zeit Tertullians ein. Umgekehrt begegnen auch in der alten Kirche noch oft ähnliche Umschreibungen des Kusses wie bei Philo; sie beziehen sich teils gar nicht auf die Liturgie (zB. ἀγάπη-caritas oder pietas als Bestimmung des Kusses: Ambros. hex. 6, 9, 68 [CSEL 32, 1, 256]; ep. 60, 7 [PL 16, 1236A]; Joh. Chrys. in 2 Cor. hom. 30, 1 [PG 61, 606]; Paul. Nol. ep. 23, 37 [CSEL 29, 194]), teils erfassen sie (wie osculum pacis) keinen besonderen liturgischen Typus. Noch Cyprian spricht vom Schnäbeln der Tauben als osculum (Otto, Sprichw. nr. 414; Plin. n. h. 10, 34, 104), das Friede u. Eintracht ausdrücke (unit. 9 [CSEL 3, 1, 217]); ein christl. Gehalt oder gar liturgische Beziehungen fehlen hier. Zunächst scheint also der Ausdruck F. weder spezifisch christlich zu sein noch eine bestimmte gesellschaftliche oder kultische Rolle des Kusses festzulegen. Daß er Liebe, Eintracht, Friede voraussetzte oder symbolisierte, war offenbar eine geläufige Wesensbestimmung, in der Sonderfunktionen wie Versöhnung, Begrüßung usw. noch nicht berücksichtigt sind.

3. Christlich. Sofern demnach in der antiken Definition des Kusses der Aspekt ‚Gemeinschaft' vorwaltete, ist dieser Begriffsinhalt dadurch christianisiert worden, daß er sich ekklesiologisch füllte: sobald die Gemeinschaft der Christen stärker als ‚pax' verstanden wurde (u. Sp. 511), bezeichnete ‚osculum pacis' den Bruderkuß während, aber auch außerhalb des Gottesdienstes. Das ist seit der Zeit Tertullians der Fall (S. W. J. Teeuwen, Sprachlicher Bedeutungswandel bei Tertullian = Stud. z. Gesch. u. Kult. d. Alt. 14, 1 [1926] 64/6). Wer den F. austauschte, vollzog die Gemeinschaft des Glaubens (pax). Dieser Aspekt trat im Laufe der Zeit so stark hervor, daß schließlich pax allein ‚Kuß' bedeuten konnte (E. Tidner, Sprachlicher Komm. zur lat. Didascalia Apostolorum [Stockholm 1938] 255). Im Osten heißt dementsprechend der F. seit dem 4. Jh. εἰρήνη. Dieser Begriff ließ freilich die verschiedensten Interpretationen zu.

Er bezog sich zwar inzwischen ausschließlich auf den eucharistischen Kuß, jedoch wurden an ihn, namentlich in Verbindung mit dem term. techn. εἰρήνη, die mannigfaltigsten Auslegungen geknüpft. Für die Frage nach dem Ursprung des F. sind sie kaum von Belang, weil sie erstens nur eine bestimmte Form des F. berücksichtigen, zweitens vom Ursprung des Phänomens viel zu weit abliegen, drittens auf dem terminologisch jetzt festen Begriff F. fußen, der die Sache nur ausschnitthaft u. jedenfalls sekundär erfaßt; übrigens wird selbst bei den griech. Vätern der mit F. bezeichnete liturgische Akt nicht ausschließlich auf εἰρήνη oder καταλλαγή hin gedeutet (Joh. Chrys. prod. Jud. hom. 1 [PG 49, 382]). Da die Texte, in denen solche Gedanken vorkommen, sich teilweise (Homilie) oder ganz (Katechese) an Katechumenen wenden, beschreiben sie den F. oft als Aufnahmehandlung. Es wäre jedoch aus den vorgenannten Gründen bedenklich, deswegen den F. mit der Taufe in historischen Zusammenhang zu bringen u. ihn von daher aus antiken Initiationsriten zu erklären.

b. Problem. Die Frage nach dem Ursprung des F. ist bisher nicht befriedigend beantwortet. Hofmanns Arbeit, die nur einen Teil der Zeugnisse erfaßt u. sie unter ein ‚Wesen' des Kusses subsumiert hat, hilft nicht weiter. Da weder die Begriffsgeschichte hinreichenden Aufschluß gibt noch der eucharistische Kuß am Anfang lag, müssen wir nicht nur die liturgischen Formen des F. prüfen u. nach bestimmten Typen differenzieren, sondern auch nach möglichen vor-liturgischen Ausprägungen suchen. Man tut daher gut, von vornherein den außerliturgischen vom liturgischen Kuß zu unterscheiden u. innerhalb des liturgischen Kusses die verschiedenen Formen auseinanderzuhalten. Zu ihnen gehört erstens der allgemeine F. am Schluß des gemeinsamen Gebets, zweitens der im engeren Sinn eucharistische Kuß, dessen kultischer Ort während der Eucharistiefeier in den Liturgietypen des Ostens u. Westens seit dem 4. Jh. Verschiebungen zeigt. Der gelegentlich erwähnte Taufkuß hat mit dieser Entwicklung nichts zu tun.

II. Begrüßungskuß. a. Hellenistische Gemeinden. Die Exegese der Sätze im paulinischen Postskript, die zum Gruß mit ‚heiligem Kuß' auffordern (Rom. 16, 16; 1 Cor. 16, 20; 2 Cor. 13, 12; 1 Thess. 5, 26), ist umstritten. Im allgemeinen hat sich die liturgische Deu-

tung durchgesetzt: solcher Kuß habe, wie später, unmittelbar vor der Eucharistiefeier stattgefunden u. die Verlesung des apostolischen Sendschreibens geschlossen. Diese Interpretation unterliegt jedoch nicht unbeträchtlichen Bedenken, zumal Did. 9f keine echten liturgischen Übereinstimmungen ergibt (in 10, 6 μαρὰν ἀθά Parallele einzig zu 1 Cor. 16, 22). Wenn, wie sich zeigen läßt, die liturgiegeschichtliche Entwicklung vom gebetsschließenden (voreucharistischen) zum eucharistischen F. verlief (2./4. Jh.), dann können wir nicht schon vom NT Auskunft über den eucharistischen Kuß erwarten. Die Frage lautet vielmehr, ob sich ein liturgischer F., nämlich als Schluß des Gebetes bzw. des (von der Mahlfeier getrennten) Wortgottesdienstes, schon im NT findet. – Geht man von den linguistischen u. formgeschichtlichen Gemeinsamkeiten der zusammengehörigen Kontexte aus, dann ergibt sich: die Aufforderung zum ‚heiligen Kuß' (ein Imperativ, den als Indikativ oder fest vorauszusetzendes Faktum auszugeben unzulässig ist) steht im Rahmen des paulinischen Postskripts, d. h. im Zusammenhang von Grüßen u. Grußlisten. Sie bedeutet, daß Paulus mit einer in der hellenist. Gemeinde aus profaner Umwelt auf den Verkehr zwischen Christen übertragenen öffentlichen Grußform rechnet u. sie christianisiert in den Brief verpflanzt. Ein Kuß intensiviert den Gruß als seine besonders herzliche Form (φιλήματι ἀσπάζεσθαι). In den echten Paulusbriefen fehlt der Typus immerhin in Gal. (Phm. scheidet hier naturgemäß aus); Phil. 4, 21 lautet die Christianisierung bloß (Gruß) ‚im Herrn' (vgl. 1 Cor. 16, 19), formgeschichtlich eine ernstzunehmende Parallele zum christl. Gruß-Kuß. Daß er ausschließlich in der Gemeindeversammlung stattgefunden habe, geht aus den Quellen nicht zwingend hervor (die herrschende Exegese arbeitet mit einem Zirkelschluß: das paulinische Philema hagion soll die Verlesung der Briefe im Gottesdienst glaubhaft machen u. gleichzeitig soll es, aus eben der gottesdienstlichen Verlesung, als liturgisch erwiesen werden). Auch wissen wir über die ältesten Gottesdienstordnungen zu wenig, als daß wir für sie einen bestimmten ‚liturgischen' Kuß ansetzen dürften. Das paulinische Postskript läßt solche Rückschlüsse jedenfalls nicht zu; es enthält fraglos liturgische Elemente, aber sie besagen nicht, daß der Brief des Apostels nun abermals einen festen Platz in der Liturgie gehabt habe, wenn anders wir sowohl mit normaler Verbreitung eines solchen Schreibens als auch mit regional unterschiedlichen Gottesdienstformen rechnen müssen. Wir stellen uns leicht den ältesten Gottesdienst geregelter vor als er in Wirklichkeit war (H. v. Campenhausen, Kirchl. Amt u. geistl. Vollmacht [1953] 71f; E. Lohmeyer zu Col. 4, 16: Meyer, Komm. 8[1930] 170). Wenn Paulus 1 Thess. 5, 27 einschärft, seinen Brief allen vorzulesen, war das kaum selbstverständlich. Aber auch wenn man das Gegenteil annähme, wäre immer noch fraglich, ob das Postskript wie ein liturgisches Formular behandelt werden darf (ob es, als entbehrlichster Teil eines Briefes, überhaupt mitverlesen wurde, wissen wir nicht; es ist auch bei Paulus recht variabel). – Auch 1 Petr. 5, 14 vermag eine ‚liturgische‘ Deutung kaum zu stützen: die Stelle ist sekundäre Nachahmung paulinischer Briefschlüsse, die Aufforderung zum Kuß (dafür hier φίλημα ἀγάπης statt φίλημα ἅγιον) soll, gleich dem beigegebenen namentlichen Gruß, den fingierten Briefcharakter der Schrift untermauern helfen; daß die Aufforderung als ‚apostolisch‘ galt, schließt freilich die Existenz eines christl. Gruß-Kusses zur Zeit des 1 Petr. nicht aus (der Zusatz ἀγάπης ist jedoch wohl traditionell; o. Sp. 506). Daß 1 Petr. aber seinerseits, obwohl als ‚Brief‘ unecht, im Gottesdienst verlesen worden wäre, u. zwar ebenfalls vor der Eucharistiefeier, liegt nicht eben nahe (vgl. dagegen Hofmann 26/34). Es empfiehlt sich, die publizistischen Gepflogenheiten der antiken Welt auch für kanonische Stücke gelten zu lassen. Mehr als die Möglichkeit eines Gruß-Kusses im Verkehr zwischen hellenistischen Christen läßt sich den paulinischen Briefschlüssen nicht entnehmen. Ihn kannte das Judentum seit alters (Stählin 125, 7/12), aber zur Zeit des Paulus war er nicht mehr spezifisch jüdisch, schon gar nicht in der Diaspora. – Wenn demnach die ältesten christl. Quellen einen kultisch geregelten F. mit hoher Wahrscheinlichkeit ausschließen, erübrigen sich Fragen nach möglichen älteren paganen oder gar jüdischen Formen des liturgischen Kusses. Im Christentum ist dieser erst die (bisher analogielose) zweite Stufe.

b. Christentum des 2./3. Jh. Daß ein solcher (öffentlicher) Gruß-Kuß, Griechen u. Römern ursprünglich unvertraut, aber in der frühen Kaiserzeit kräftig an Boden gewinnend (Kroll 513f; U. v. Wilamowitz, Griech. Lese-

buch 2, 1 [1923] 13 zu Dio Chrys. 7, 59 [1, 200f Arnim]), in die Gemeinde übernommen wurde, ist wichtig genug (in diesem zeitgenössischen Gruß-Kuß war, im Unterschied zum älteren familiären, ein [offizielles] Moment der Huldigung von vornherein enthalten: J. Horst, Proskynein [1932] 50f; vgl. Stählin 118f. 124₁₂₇). Ehe wir fragen, was in der späteren christl. Liturgie aus dem Gruß-Kuß wurde, lenken wir zunächst den Blick auf Texte, die den Begrüßungskuß zwischen Christen auch noch für spätere Zeit bezeugen. Er ist keineswegs ‚liturgisch‘, wie zB. Stellen wie Cypr. ep. 6, 1 (CSEL 3, 2, 480) u. laps. 2 (3, 1, 237) beweisen (die gleiche Situation wie ep. 49, 2 [611]; 61, 4 [3, 2, 697]; 76, 1 [827]). Die traditionelle Verbindung von complecti u. osculari (= φιλήματι ἀσπάζεσθαι zB. Plut. Pomp. 78, 6; id. Pericl. 24, 4; PsLucian. asin. 17; Iustin. apol. 1, 65; A. Gudeman: ThesLL 1, 1989, 51/63; so noch Aug. ep. 194, 2 [PL 33, 875]) liegt vor Cypr. aO. sowie ep. 6, 4 (484); 37, 3 (578): Begrüßung zwischen Gott u. den Gläubigen im Himmel; vgl. 58, 10 (665). Im christl. Glauben begründet ist die Form nicht. Auch der Kuß nach glücklicher Rückkehr des Märtyrers aus der Haft ist affektbedingt oder huldigend, wenn auch in besonderer christl. Situation verwurzelt. Daß solche Begrüßungsküsse oft ‚heilig‘ heißen, ordnet sie der Gemeindepraxis zu, besagt jedoch nichts über ihren Sinn; der Gedanke an kirchliche Gemeinschaft spielt, zumindest im Begriff, keine Rolle. Dieser (beiläufig) brüderliche Gruß-Kuß kommt auch später noch vor (Thraede 170/6); er scheint im 4. Jh. in Alexandrien eine episkopale Sonderform gefunden zu haben, wenn anders die Aufforderung zum ‚heiligen Kuß‘ (wie bei Paulus) im Postskript einschlägiger Synodalbriefe historische Folgerungen erlaubt u. nicht lediglich gattungsbedingt stilisiert ist (deutlich ein Begrüßungskuß geht später aus Hier. v. Paul. 9f [PL 23, 25 C] u. Paul. Nol. ep. 5, 16 [CSEL 29, 35] hervor). Kehren wir von hier über Cyprian zu Äußerungen wie Athenag. leg. 32 zurück, so verliert die liturgische Auslegung auch dieser Stelle an Boden; man mag sogar zweifeln, ob der Apologet nicht überhaupt nur vom Begrüßungskuß redet, also nicht einmal vom christl. Bruderkuß. Wenn er φίλημα durch προσκύνημα verdeutlicht (προσκυνεῖν beginnt zu jener Zeit sowohl ‚grüßen‘ wie ‚küssen‘ zu heißen; vgl. Stählin 117₃₇), spricht das für Begrüßungskuß (den der Verfasser als unter Gläubigen wesensgemäß unerotisch hinzustellen bestrebt ist); da er jedoch bereits als Besonderheit der Christen zu gelten scheint, wird man allerdings lieber den Bruderkuß erwähnt finden wollen. Aber da der Text keine sichere Entscheidung erlaubt, läßt sich auch ein liturgischer Kuß nicht zwingend ausschließen.

III. Bruderkuß. Bis zum 4. Jh. ist noch der Bruderkuß nachweisbar: Ausdruck des gemeinsamen Glaubens zwar, jedoch auch außerhalb des Gemeindegottesdienstes ausgetauscht (ähnlich wie zunächst auch der voreucharistische Gebetskuß; vgl. Tert. or. 18 [CCL 1, 267]). Diese Möglichkeit wurde offenbar erst von dem im engeren Sinn eucharistischen Kuß abgeschnitten. Ältestes sicheres Beispiel für den Bruderkuß ist Pass. Perp. 21, 3 (94, 1 f Gebh. = 43, 34 f Krüger-Ruhb.): die Märtyrer umarmen einander vor der Exekution mit Kuß (sollemnia pacis; pax = Gemeinschaft, als Erläuterung zu osculari; vgl. aber 12, 6: et stetimus et pacem fecimus). Das Moment des Grüßens (bei Begegnung oder Abschied) scheint noch deutlich durch. Ein (huldigender) Abschiedsgruß zwischen Brüdern ist es auch, wenn Gläubige den Blutzeugen auf dem Weg zur Hinrichtung mit einem Kuß bedenken, wie Eusebius aus seiner Zeit berichtet u. von Origenes erzählt (Eus. mart. Pal. 11, 20; h. e. 6, 3, 4). Bei Tertullian hingegen, an einer Stelle seiner Schriften, die einer liturgischen Deutung wohl ebenfalls widersteht, fehlt der Aspekt des Begrüßens; er wirft den Häretikern vor, daß sie mit aller Welt Gemeinschaft halten u. den Bruderkuß ohne Rücksicht auf den Glauben (bzw. disciplina) austauschen, der den F. doch allererst konstituiert (praescr. 41, 3 [CCL 1, 221]: pacem passim cum omnibus miscent; vgl. u. a. Cypr. ep. 15, 12 [CSEL 3, 2, 514 f]; 16, 3 [519]). Der zweite Beleg aus Tertullian ist uxor. 2, 4, 3 (CCL 1, 389): alicui fratrum ad osculum convenire; hier handelt es sich wieder um einen sowohl begrüßenden wie spezifisch christl. Kuß ohne Rücksicht auf das Geschlecht (vgl. Athenag. aO. u. dagegen die beim gottesdienstlichen Kuß seit Hippolyt vorauszusetzende Geschlechtertrennung). Eine liturgische Deutung (S. W. J. Teeuwen, Sprachlicher Bedeutungswandel bei Tertullian = Stud. z. Gesch. u. Kult. d. Alt. 14, 1 [1926] 65, der osculum synekdochisch als Gebet auffaßt) scheidet aus (Teeuwens Erörterung geht auch sonst oft fehl: Tertullians

Wortspiele mit ‚pax‘ beruhen auf der damaligen Vieldeutigkeit des Phänomens, ergeben aber noch keinen ‚Begriff‘; auch Teeuwen kennt nur einen eucharistischen Kuß u. versteht ‚Gemeinde‘ zu eng als ‚Kultusgemeinschaft‘; die Schrift praescr. hat er leider gar nicht verwertet). Wenn später Cyprian vom Kuß im Syneisaktentum spricht (ep. 4, 3 [CSEL 3, 2, 475]), mag man fragen, ob ein auf die ‚geistliche Ehe‘ übertragener Bruderkuß gemeint ist; es dürfte jedoch ein seiner Art nach familiärer Kuß (wie zwischen Eheleuten, obschon formell) vorliegen. – Solcher Bruderkuß grüßenden Charakters hat nach Art u. Herkunft doch sehr wenig gemein mit jenen Berichten im Roman der Kaiserzeit (Petron, Apuleius; vgl. Dölger 194/6), die möglicherweise auf einen Gruß- oder Aufnahmekuß im antiken Kollegien- oder Freilassungswesen schließen lassen (Dölger versuchte von hier aus den Taufkuß zu erklären, obwohl der andersartige christl. Bruderkuß den genannten Zeugnissen um einiges näher steht). In Wirklichkeit lassen sich die antiken Parallelen reichlich vermehren, jedoch führen sie stets auf den Gruß-Kuß, freilich nur, wenn man auch im Christentum mit einer vor- oder außerliturgischen Phase rechnet (der Weg vom nachweislich nichtsakralen Kollegien- oder Freilassungsbrauch, der zudem nur je einmal u. zwar literarisch umgesetzt belegbar ist, zum eng kultisch verstandenen christl. F. ist viel weniger plausibel). Daß zum grüßenden Bruderkuß aufgrund gleicher Voraussetzungen profane Analogien bestanden, braucht nicht bestritten zu werden, jedoch ist der christl. Brauch nicht von ihnen abhängig.

IV. Liturgischer Kuß. a. Kuß am Gebetsschluß (vor-eucharistisch). 1. Justin. Frühester Beleg für diesen Typus ist Justin (apol. 1, 65, 2); ihm zufolge umarmen (oder: grüßen) die Christen einander mit einem Kuß (φιλήματι ἀσπάζεσθαι) im Anschluß an das allgemeine Eingangsgebet des Mahlgottesdienstes. Es ist, so wenig wie der Kuß, weder auf die folgende Eucharistiefeier bezogen noch auf die bei Justin vorgeschaltete Taufe. Diese, ebenso wie (unabhängig von ihr) der gottesdienstliche Kuß, gehörte vordem an den Schluß des Gebetsteils des selbständigen Wortgottesdienstes. Vor-eucharistisch sind Gebet u. Kuß vermutlich erst infolge der Zusammenlegung des Wortgottesdienstes mit der Mahlfeier geworden (Jungmann 400). Auch die Verbindung zwischen Taufe u. Kuß

ist sekundär, eine postbaptismale Deutung
des Gebetes u. Gebetskusses (u. a. Dölger;
Hofmann) daher wohl irrig (u. a. J. Ysebaert,
Greek baptismal terminology [Nijmegen 1962]
346). Der F. kann mithin historisch nicht als
Aufnahmeakt erklärt werden. Ähnlich ist der
,Ordinationskuß' (Hippol. trad. 4 [46 Botte²])
Abart des gebetsschließenden Philema am
Ende des Wortgottesdienstes, also gleichfalls
weder Aufnahmehandlung noch ,euchari-
stisch' (vgl. Test. Dom. 1, 21 [31 Rahm.]; s.
App. zSt.); die Verdoppelung des F. in Const.
apost. 8, 5, 9f (1, 477, 17/20 Funk) u. 11, 9
(495, 5/7: dort Kuß bei Inthronisation, hier
nochmals der normale F., aber bereits der
,eucharistische') zeigt deutlich eine spätere
Entwicklungsstufe.

2. Hippolyt. Im Formular stimmt Hippolyt
im wesentlichen mit Justin überein (trad. 21
[90, 12f Botte²]): nach Vereinigung des Täuflings mit der Gemeinde u. gemeinsamem Gebet wird der Bruderkuß getauscht; erst dann
beginnt die Eucharistiefeier mit dem Opfergang. Justin u. Hippolyt verkörpern, wie die
Forschung allgemein annimmt, den ältesten,
für Ost u. West zunächst noch einheitlichen
Stand der Entwicklung. Wie locker der primär gebetsschließende Kuß an die Eucharistiefeier gebunden war, läßt sich wohl aus
Hippol. trad. 18 (76, 5) entnehmen, wo ein
Gebetskuß unter den Katechumenen wegen
seiner ,Unheiligkeit' ausgeschlossen u. der F.
ausdrücklich dem Gebet vor der gemeinsamen
Eucharistiefeier vorbehalten wird. Zum Vergleich dienen kann eine allerdings erst später
belegbare Praxis, den Kuß auch schon in der
Katechumenenmesse stattfinden zu lassen
(Test. Dom. 2, 4 [117 Rahm.]), ihn also nicht
auf die regelrechte Gemeinde zu beschränken.
Die korrigierende Anweisung Hippolyts, wenn
ursprünglich, spiegelt also noch ein Übergangsstadium, in dem der liturgische F. noch
nicht ausschließlich vor-eucharistisch (geschweige denn eucharistisch) war.

3. Tertullian. Diese Stufe der Entwicklung
läßt sich auch aus Tertullian belegen. Wie er
noch den allgemeinen christl. Bruderkuß
kennt (praescr. 41, 3 [CCL 1,221], falls nicht
liturgisch zu verstehen) u. ihn auf die rechtgläubige Gemeinde beschränkt wissen will, so
rechnet er auch eindeutig mit dem F. als
,signaculum orationis' (or. 18, 1 [267]). Wie
der Kontext zeigt, gab es eine ,consuetudo',
daß fasteneifrige Christen während ihrer Fastenzeit im Gemeindegottesdienst den F. ver-

weigerten. Tertullian bekämpft diesen Brauch
unter Hinweis auf Mt. 6, 16/8. Gelten lassen
möchte er den Fortfall des F., der an sich fest
zum gottesdienstlichen Gebet gehört (or. 18,
4 [267]), nur für den Schluß der Quadragesi-
malzeit. Beide Seiten sehen im F. also nicht
zuletzt auch einen Ausdruck der Freude. Entscheidend ist, daß besonders Fromme den
gebetsschließenden Kuß, von Tertullian aO.
sowohl osculum pacis wie pax wie osculum
sanctum geheißen, aus dem Gemeindegottesdienst ins häusliche Gebet übernahmen (dort
möge man, so Tertullian, den F. getrost fort-
lassen; vgl. or. 24 [273]).

4. Clemens v. Alexandrien u. Origenes. Die
beiden Alexandriner liefern insgesamt drei
Belege, von denen einer mit Sicherheit den
gebetsschließenden Kuß betrifft (anders zB.
Hofmann 103). So schreibt Origenes im Anschluß an Rom. 16, 16 (in Rom. comm. 10, 33
[7, 438 Lomm.]): ex hoc sermone aliisque non-
nullis sermonibus mos ecclesiis traditus est,
ut post orationes osculo se invicem suscipiant
fratres. Einmal bezeugt Origenes hier also den
liturgischen Kuß als ,signaculum orationis',
zum andern läßt er ihn aus dem paulinischen
Postskript entstanden sein (ob ,suscipere'
ähnlich wie ,salutare' im lat. Hippolyt, pax
in Pass. Perp. oder der Zusatz προσκύνημα
bei Athenagoras noch auf den ursprünglichen
Gruß-Charakter des F. zurückweisen, ist unsicher). Sodann interpretiert Origenes das
Attribut ,heilig' (Paulus) dahin, daß der in
den Gemeindeversammlungen getauschte Kuß
züchtig (castus) u. ungeheuchelt sein solle
(dies im Unterschied zum Judaskuß), Eigenschaften, die der Exeget noch genauer umschreibt: pacem in se simplicitatemque habeat
(osculum) in caritate non ficta (vgl. 2 Cor. 6,
6). Hier scheinen (pax, simplicitas) traditionelle Deutungen des profanen Kusses nachzu-
wirken (Eintracht, Lauterkeit; vgl. Cypr.
unit. 9; o. Sp. 506). Hauptgedanke: es kommt
auf die echte Gesinnung an. – Von daher
wird auch Orig. in Cant. 1 (14, 331 Lomm.)
dem Typus des gebetsschließenden voreucharistischen F. zuzuweisen sein; es heißt dort,
das ,osculum, quod in ecclesia sub tempore
mysteriorum nobis invicem damus', sei ein
Abbild des Kusses zwischen Gott (Christus)
u. seiner Kirche. Der genaue liturgische Ort
läßt sich aus den Origenesstellen nicht bestimmen. – Den bereits liturgischen, aber, auf
dem Hintergrund zeitgenössischer Belege,
wohl noch gebetsschließenden Kuß erörtert

vorher einmal Clemens (paed. 3, 11, 81, 2 [GCS 12, 281, 5/9]). Er befürchtet, der gottesdienstliche Kuß der Christen sinke herab zu bloßer Form, die das entscheidende Merkmal, Ausdruck brüderlicher Liebe zu sein, infolge hemmungslosen (u. daher draußen leicht verdächtigen) Gebrauchs einzubüßen drohe. Auch hier heißt es, die wahre Gesinnung gebe den Ausschlag (so nachher auch Orig. in Rom. comm. 10 [s. o. Sp. 514] u. später zB. Aug. s. 227 [PL 38, 1101]; PsAug. amic. 6 [PL 40, 835f]; umgekehrt suchte Athenag. aO. den Affektgehalt des christl. Kusses zu mindern). – Der Typus hat später noch hier u. da außerhalb der Liturgie weitergelebt, wie PsClem. Rom. virg. 2, 2, 5 (2, 32 Funk-Diek.), ja noch Bened. reg. 53, 5 (CSEL 75, 123; vgl. B. Linderbauer im Komm. zSt. 70) zeigt (zur möglichen Fortsetzung in westlichen Liturgien s. L. Duchesne, Origines du culte chrétien[5] [Paris 1925] 224f). Gebetsschließend war der F. auch da noch, wo er, inzwischen eucharistisch im engeren Sinn, der Oratio dominica vor der Kommunion folgte (zB. Aug. s. 227). Im Kuß als ‚signaculum orationis‘ liegt das grundsätzlich Gemeinsame der späteren Formen, was immer die Verschiebung in die Eucharistiefeier hinein veranlaßt haben mag. b. Eucharistischer F. 1. Osten. Erst jetzt wenden wir uns also einem exakt eucharistischen, d. h. liturgisch auf Offertorium u. Mahlfeier bezogenen F. zu (die bisher gebuchten Zeugnisse sagen über die genaue Placierung zu wenig, so daß man den in ihnen erwähnten F. zweckmäßig voreucharistisch heißen kann, jedoch ist die Rubrik hinreichend deutlich vom Gebets- u. allgemeinen Bruderkuß unterschieden). Das Bild in den morgenländischen Liturgien ist so gut wie einheitlich (s. Brightman, Reg. s. v. peace). Die nach Syrien führende Hippolyt-Folgetradition deckt sich fast ganz mit dem Vorbild; so liegt zB. auch Const. apost. 8, 11, 7/9 (1, 494, 3/9 Funk) der F. nach dem großen Fürbittengebet mit Friedensgruß. Zu ihm fordert der Diakon in den Worten des paulinischen Briefschlusses auf: ἀσπάσασθε ἀλλήλους ἐν φιλήματι ἁγίῳ. Dann folgt, nach technischen Anweisungen (jeder tauscht den Kuß mit seinem Nachbarn), das große Konsekrationsgebet (Const. apost. 2, 57, 17 [165, 26/8] weicht in diesem Punkt ab; vgl. aber Did. 8, 11, 9 u. Quasten 185₃. 210₆; weniger klar Hofmann 98; für den syrischen Ritus insgesamt s. die Synopse der Vergleichsstellen bei Brightman *30). – Jün-

ger ist die Entwicklung, daß nach Eingangsgebet u. Symbolum der F. durch ein besonderes Gebet eingeleitet wird (zB. Jakobusliturgie; vgl. Brightman 38/44). Die spätere ägyptische Liturgie hat den F. vor dem Symbolum, d. h. unmittelbar nach dem Offertoriumsgebet (Hofmann 103; vgl. Const. apost. 2, 57, 17; anders wohl noch Tim. Alex. resp. can. 9 [PG 33, 1301C]). Eine eigene oratio osculi pacis bietet u. a. auch die ägyptische Gregoriusanaphora (H. Engberding: StudPatr 5 [1962] 57), aber die Basiliusliturgie kennt gleichfalls solche εὐχαὶ ἀσπασμοῦ τοῦ ἁγίου (PG 31, 1632D. 1633C), desgleichen die sog. Markusliturgie (Brightman 123, 16). Dagegen spiegelt der ältere kleinasiatisch-byzantinische Ritus, vom syrischen beeinflußt, noch den früheren Stand (Conc. Laodic. [360] cn. 19; vgl. die Tabelle bei Hofmann 106). 2. Westen. Mit den orientalischen Riten des F. decken sich der gallikanische, ambrosianische u. mozarabische Liturgietypus: in der Stellung des F. vor oder unmittelbar nach dem Konsekrationsgebet ist die ursprüngliche Praxis bewahrt. Beiden Typen ist jedoch gegen die älteren östlichen die Oratio ad pacem als feste Rubrik gemeinsam (A. Gastué, Art. Ad pacem: DACL 1, 1, 474/8). Sie liegt hier hinter der Collectio post nomina, unmittelbar vor der Präfation. Je weiter der F. vom allgemeinen Eingang der Missa fidelium in das Konsekrationsgebet, den Canon missae, hineinrückte, desto mehr gewann er offenbar an selbständiger Ausgestaltung. In den Kirchen Roms u. Afrikas hat sich der F. demgegenüber relativ früh mit Macht vorgeschoben bis unmittelbar vor die Kommunion; Augustinus zufolge liegt er am Schluß der Oratio dominica (s. 227 [PL 38, 1101]; vgl. c. Petil. 2, 53 [CSEL 52, 89f]; en. in Ps. 124, 10 [CCL 40, 1843]; W. Roetzer, Augustins Schriften als liturgiegeschichtliche Quelle [1930] 130f), u. Innozenz I wendet sich ausdrücklich gegen die sonst übliche Praxis des F. ante confecta mysteria: er will ihn als Abschluß des Opferaktes, nach der Konsekration, verstanden wissen (ep. 25, 1 [PL 20, 553A]). Dabei scheint Augustinus den gebetsschließenden Charakter des F. (in der traditionellen Bestimmung als signum pacis) im Vordergrund zu sehen, weniger das Merkmal der Vollendung des Opfers (in beiden Fällen ist also immerhin der F. Schlußpunkt). Ältere Zeugnisse als diese haben wir nicht (anders Jungmann 401₅ₐ; aber Tert. or. 18 [CCL 1, 267];

ux. 2, 4 [389; vgl. Hofmann 110f] gehören
nicht hierher; o. Sp. 511). – Die Sonderentwick-
lung der römischen Messe, deren Motive bisher nicht befriedigend erklärt sind, wird man
etwa am Ende des 4. Jh. beginnen lassen. Sie
hat sich sowohl gegen die Ordnungen Mailands wie Afrikas durchgesetzt u. die anderen
konkurrierenden Formen des Westens zT.
mit Erfolg zu verdrängen versucht. Das setzt
voraus, daß die Kirchen in der Placierung
des F. zunächst noch ziemlich frei verfahren
konnten. Spätestens zur Zeit Gregors d. Gr.
wird der F. allgemein als Vorbereitung auf
die Kommunion verstanden (Jungmann 401;
Greg. dial. 3, 36 [217 Moricca]; s. hom. in Ev. 2,
37, 9 [PL 76, 1281 A]). Jetzt liegt das Pater
noster am Schluß des Kanons, aber zum F.
wird erst nach dem Embolismus aufgerufen:
konstitutiv wird die Aufeinanderfolge von F.
u. Kommunionspendung (Parallelen u. Lit.
bei Jungmann 400f; zum F. als Kommunions-
ersatz ebd. 404). Im Zuge dieser Zentralisierung auf Opfer u. Kommunion kam es auf die
Dauer zwangsläufig dahin, daß der F. nunmehr vom Zelebranten ausging. Hier ist der
weiteste Abstand vom Ursprung erreicht: war
der F. seiner Herkunft nach ‚Bruder‘-Kuß,
Ausdruck von Liebe u. Gemeinschaft, der im
Kreise der feiernden Gemeinde von Glied zu
Glied getauscht wurde, so beginnt jetzt die
Kette am Altar, d. h. der ehedem überkirch-
liche Ursprung des rundum gegenseitig erteilten F. wird jetzt als Beginn eines linearen Ver-
laufs im Sakrament lokalisiert (endgültig im
10. Jh.; vgl. Jungmann 405). An den Anfang
der Kette rückte folgerichtig der Altarkuß
(*Kuß).

V. Zusammenfassung. a. Ursprung u. Entwicklung. Soweit sich der genaue Hergang
noch aufklären läßt, hat am Anfang der Entwicklung zum eucharistischen F. die Teilnahme der hellenistischen Christen an der
zeitgenössischen Gepflogenheit des öffentlich-
formellen Gruß-Kusses gestanden. Er war
noch keineswegs ‚liturgisch‘, fand aber wohl
in der Regel zu Beginn der Gemeindeversammlung statt (ob auch am Eingang der [zunächst
selbständigen] Mahlfeier, wissen wir nicht).
Über den Schritt, der ihn an den Schluß des
Gebets, d. h. also wohl hinter den Gebetsteil
des Wortgottesdienstes rücken ließ (so zuerst
Justin [etwa 155 nC.]), läßt sich nur mut-
maßen. Daß nicht alle Gläubigen rechtzeitig
eintrafen, mag die Verlegung des Gruß-Kusses ins Innere des Gottesdienstes in erster

Linie veranlaßt haben. Dazu kam aber wohl,
im Verein mit der beginnenden Ausbildung
liturgischer Formen, das Bedürfnis, sich vom
profanen Gebrauch abzugrenzen u. den ‚heiligen Kuß‘ den Gläubigen vorzubehalten (vgl.
Jos. Asen. 8, 5/8 Philon.). So kam es zur
christl. Besonderheit eines liturgischen Kusses zwischen den Gemeindegliedern (Küsse
von Gegenständen gehören in anderen Zusammenhang; *Kuß). Faktisch wird also der
Kuß schon früh als Ausdruck besonderer Gemeinschaft aufgefaßt worden sein, wie es später in pax-εἰρήνη auch begrifflich zum Ausdruck kommt. Daß der allgemeine Begrüßungskuß ebenso wie der christl. Bruderkuß,
die beiden im liturgischen Kuß verschmol-
zenen Motive also, noch geraume Zeit getrennt voneinander u. außerhalb der Liturgie
weiterbestehen, hat die Musterung der Quellen sattsam erwiesen. Sie nötigen uns, der
Reduktion des Befundes auf den ‚eucharistischen‘ F. u. einer entsprechenden Deutung
der paulinischen Briefschlüsse entgegenzutreten. – Erst in einer dritten Phase, etwa
gegen Ende des 4. Jh., bildet sich ein streng
eucharistischer Kuß mit festem Platz im Meß-
formular. Die Gründe sind uns nicht mehr
greifbar, aber man darf annehmen, daß Rom
u. Afrika im Anschluß an die ältere Tendenz
zur Verschiebung u. zum Zwecke stärkerer
Fixierung des bis dahin ja recht variablen
liturgischen Brauchs den F. ans Meßopfer
banden. Erst jetzt war die Abgrenzung gegen
den Wortgottesdienst strikt vollzogen; der F.
ist seines ursprünglichen Gruß-Charakters
endgültig beraubt, der in ihm stets enthaltene
Gemeinschaftsgedanke sakramental verstanden.

b. Abgrenzung vom Taufkuß. In Anbetracht
einer Vermischung des eucharistischen F. mit
dem Taufkuß (Dölger, Hofmann u. a.; ferner
E. Dekkers, Tertullianus en de Geschiedenis
der Liturgie [Bruxelles-Amsterdam 1947] 204)
ist nachdrücklich zu betonen, daß der Taufkuß, obwohl Cypr. ep. 64, 4 (CSEL 3, 2, 719f)
die Taufe mit ‚pax‘ assoziiert wird (aber hier
pax = Friede), nach Herkunft u. Funktion
vom F. der Missa fidelium streng unterschieden werden muß. Belegt ist er außer bei
Cyprian aO. (zur Interpretation vgl. Thraede
159/70) einzig u. allein Hippol. trad. 21 (90
Botte[2]) sowie in den ihm folgenden Ordnungen (Can. Hippol. 13. 19 [99 Achelis]; Test.
Dom. 2, 9 [131 Rahm.]); nach der Mitte des
3. Jh. finden wir den Taufkuß also nur noch

in Sondertraditionen am Rande der Kirche (Syrien, Ägypten). Man hat Joh. Chrys. util. lect. script. 6 (PG 51, 98) für einen Taufkuß in Anspruch genommen (Cabrol 128; Dölger 192f), aber zu Unrecht: es handelt sich dort um ‚Küsse u. Umarmungen der Brüder', also gerade nicht um den Kuß des Priesters an den Neophyten (das gilt auch für die anderen von Dölger herangezogenen Vätertexte des 4./5. Jh.); auch Augustinus, der Cyprian aO. zitiert (c. duas ep. Pelag. 4, 8, 23f [PL 44, 625f]), scheint den Taufkuß seiner Vorlage nicht mehr zu kennen, da er, übrigens ohne alle liturgischen Hinsichten, vom Küssen des Kindes allgemein redet (anders zB. Schultze 275). Da der Taufkuß in die Consignatio gehört (Salbung, Kreuzzeichen) u. diese höchstwahrscheinlich auf synkretistische Initiationsriten zurückgeht (Art. Exorzismus: o. Bd. 7, 76/82), wird auch für den Kuß des Neophyten eine Herleitung aus gnostisierendem Milieu des 2. Jh. nC. wahrscheinlich. In ihm nun waltet allerdings das Moment der ‚Kraftübertragung' (Hofmann passim) vor, während die Geschichte des F. vom Gemeinschaftsgedanken geprägt wurde, u. auch der Aspekt ‚Aufnahmehandlung' (Dölger) kann hier, obwohl auf dem Umwege über gnostische Riten, zu seinem Recht kommen, so sehr er für den F. zu bestreiten ist.

F. E. Brightman, Liturgies eastern and western 1 (Oxford 1896). – F. Cabrol, Art. Baiser: DACL 2, 1, 117/30. – A. E. Crawley, Art. Kissing: ERE 6 (1914) 739/44. – F. J. Dölger, Der Kuß im Tauf- u. Firmungsritual nach Cyprian von Karthago u. Hippolyt von Rom: ACh 1 (1929) 186/96. – K. M. Hofmann, Philema hagion (1938). – A. Hug, Art. Salutatio: PW 1A, 2 (1920) 2063/72. – J. Jacobs, Art. Peace, kiss of: Jewish Encyclopaedia 9 (1905) 566. – J. A. Jungmann, Missarum Sollemnia 2⁵ (1962) – W. Kroll, Art. Kuß: PW Suppl. 5 (1931) 511/20. – V. Schultze, Art. F.: Herzog-H. 6 (1899) 274f. – J. Quasten, Monumenta eucharistica et liturgica vetustissima = FlorPatr 7, 1/7 (1935/7). – G. Stählin, Art. φιλέω κτλ.: ThWb 9 (1970) 116/26. – K. Thraede, Ursprünge u. Formen des ‚Heiligen Kusses' im frühen Christentum: JbAC 10/11 (1968/9) 124/80.   *K. Thraede.*

Frisur s. Haar.

Frömmigkeit s. Eusebeia (o. Bd. 6, 985/ 1052).

Fronto.

A. Leben u. Werk. M. Cornelius F. aus Cirta in Numidien ist der Hauptvertreter der archaisierenden Stilrichtung in der lat. Literatur des 2. Jh. nC. Für eine Analyse des frontonischen Stils vgl. F. Portalupi, Marco Cornelio Frontone = Univ. di Torino, Pubbl. Fac. di Magistero 18 (Torino 1961); dazu J. Heurgon: RevÉtLat 39 (1961) 317/9. F. Geburts- u. Todesjahr sind unbekannt; vermutlich ist er um 170 gestorben (s. Schanz, Gesch. 3³, 90). Als Sachwalter gewann er großen Ruf (Dio Cass. 69, 18, 3: Κορνήλιος Φρόντων ὁ τὰ πρῶτα τῶν τότε [iJ. 136] ʿΡωμαίων ἐν δίκαις φερόμενος). Daneben machte er sich einen Namen als Lehrer vornehmer junger Römer, die er auf ihre forensische Tätigkeit vorbereitete. So wurde er zum Lehrer des Marcus Aurelius u. des Lucius Verus ernannt. F. Stellungnahme zur Konversion seines kaiserlichen Schülers zur Philosophie findet sich in seinem Buch ‚ad M. Antonium imp. de eloquentia', ep. 2, 15 (139/42 van den Hout) u. 4, 4f (ebd. 144; vgl. dazu auch W. Theiler, Kaiser Marc Aurel, Wege zu sich selbst [Zürich 1951] 10f). Unter Hadrian wurde F. Senator u. trat auch im Senat als Redner auf. Im J. 143 wurde er für zwei Monate Konsul; das ihm zugewiesene Prokonsulat von Asia konnte er wegen Kränklichkeit nicht bekleiden. Von seinen Senats- u. Gerichtsreden (von den letzteren war die bekannteste die gegen Herodes Atticus) ist nichts erhalten (Einzelheiten bei Schanz, Gesch. 3³, 95f); auch ist unbekannt, ob diese jemals zu einem Corpus vereinigt worden sind. Bewahrt ist dagegen der, wie es scheint, größere Teil seiner Korrespondenz in einem aus Bobbio stammenden Palimpsest des 6. Jh. Die Hs. enthielt ursprünglich 340 Blätter, von denen 194 erhalten sind, u. zwar 141 in Mailand, 53 im Vatikan (Vat. lat. 5750). Die letzte Ausgabe von M. P. J. van den Hout, M. Cornelii Frontonis epistulae adnotatione critica instructae, Diss. Nijmegen (Leiden 1954) beruht leider nicht auf einem erneuten Studium der erhaltenen Blätter; auch der unveröffentlichte schriftliche Nachlaß E. Haulers ist für die Textgestaltung nicht benutzt (für weitere Einzelheiten s. die Rez. von R. Hanslik: Gnomon 28 [1956] 118/23). Wertvoll ist die auf die Textgestaltung bezügliche Bibliographie (*83/93). Seinen Ruhm verdankte F. vor allem seinem barocken Stil; dieser war

weitgehend nach den archaischen Autoren
gebildet, deren Studium kurz vorher M. Valerius Probus angeregt hatte.

B. F. u. die christl. Autoren. Die formale Gestaltung ist für F. unendlich wichtiger als der
Inhalt. Nimmt man dazu die Eigenart seines
Schrifttums (Senats- u. Gerichtsreden, Briefe,
einige literarische Spielereien, den Floridae
des Apuleius vergleichbar, wie die Laudes
fumi et pulveris u. die Laudes neglegentiae),
so ist es voll verständlich, daß er, ungleich
seinem Landsmann Apuleius, dessen Einfluß
sich zB. deutlich bei Augustin zeigt, für die
lat. christl. Schriftsteller keine größere Bedeutung erlangt hat. Tertullian, Cyprian, Arnobius, Laktanz (der doch zB. Gellius dreimal
erwähnt) u. Augustin nennen ihn nie. Hieronymus, der ihn in seinem Chronicon zJ. 2180 =
164 erwähnt (2, 170 Sch.: Fronto orator
insignis habetur), zählt ihn allerdings bei der
Erwähnung seiner Erlernung der hebräischen
Sprache (ebd. 125, 12) unter den wichtigsten
lat. Schristsellern auf: ut post Quintiliani
acumina, Ciceronis fluvios gravitatemque
Frontonis et lenitatem Plinii alphabetum (sc.
Hebraicum) discerem. Von Bedeutung ist nur
die Mitteilung des Caecilius bei Min. Fel. 9, 6:
et de convivio (es handelt sich um die Θυέστεια
δεῖπνα der Christen) notum est: passim omnes
locuntur. Id etiam Cirtensis nostri testatur
oratio. Daß es sich hier wirklich um F. u. um
eine richtige Rede (Frassinetti 238) handelt,
wird sichergestellt durch die Reaktion des
Octavius (31, 2): sic de isto et tuus Fronto
non ut adfirmator testimonium fecit, sed
convicium ut orator adspersit (der Gebrauch
von tuus in diesem Zusammenhang macht es
sehr wahrscheinlich, daß an der ersten Stelle
das damit korrespondierende noster ,heid-
nisch' bedeutet; vgl. auch de Labriolle 92;
jedenfalls darf man hieraus nicht, wie öfters
geschieht [s. zB. J. Quasten, Patrology 2
(Utrecht-Antwerpen 1953) 155], ableiten, daß
Caecilius aus Cirta stammte). Bei welcher
Gelegenheit F. sich über die christl. Liebes-
mähler in dieser Weise geäußert hat, läßt sich
nicht mehr entscheiden. Schanz, Gesch. 3³, 89
erachtet es für möglich, daß F. im Senat eine
formelle Rede gegen die Christen gehalten hat;
ebd. 96 wird noch hinzugefügt: ,Ob die Rede
allein die Anklage gegen die Christen zum
Gegenstand hatte oder diese in eine andere
Rede eingewoben war, läßt sich nicht mit
voller Sicherheit entscheiden. Die erste Alternative ist die bei weitem wahrscheinlichere'.

G. Boissier: Rev. des deux mondes 49, 3. pér.
31 (1872) 72 dachte an die Möglichkeit, daß
F. sich hierzu in einer Gerichtsrede geäußert
habe, u. zwar in einem Prozeß, in dem er einen
Christen zum Gegner hatte; Frassinetti 239f
bemerkt, daß eine Gerichtsrede fast sicher
den Namen des Angeklagten im Titel enthalten habe. De Labriolle 92 schwankt zwischen den Möglichkeiten einer Senatsrede u.
einer recitatio; letzteres ist unwahrscheinlich,
da sich bei Min. Fel. sowohl ,oratio' als
,orator' finden; dagegen hebt auch Frassinetti 239 hervor, F. selbst sage in den Laudes
fumi et pulveris (212 N.), daß in einer Vor-
lesung vor allem ,suavitas' anzustreben sei.
Beachtenswert bleibt auf jeden Fall, daß,
während Tertullian im Apolog. u. in Ad nationes eine derartige Äußerung des berühmten
Afrikaners nicht erwähnt, Min. Fel., der wohl
um 235 schrieb (vgl. dazu B. Axelson, Das
Prioritätsproblem Tertullian – Minucius Felix
[Lund 1941]), nach wenigstens siebzig Jahren
auf diese offenbar berühmte Rede reagiert
(zur Datierung der Rede, vermutlich zwischen
Mitte 162 u. Ende 164, s. Frassinetti 240/2).
Dabei ist zu bedenken, daß Min. Fel. von
Hieronymus als ein besonders fleißiger Leser
heidnischer Schriften charakterisiert wird (ep.
70, 5 [CSEL 54, 707]: quid gentilium scrip-
turarum dimisit intactum?). Es ist möglich,
daß F. auf die Haltung seines ehemaligen
Schülers *Marcus Aurelius gegenüber den
Christen einen gewissen Einfluß gehabt hat
(vgl. de Labriolle 94); es ist aber auch nicht
ausgeschlossen (so Frassinetti 245), daß der
Kaiser der instigator dieser Rede des F. war. –
Offen bleibt die Frage, wieviel u. was Min.
Fel. in der Rede des Caecilius der Rede des F.
entnommen hat. G. Boissier, La fin du paganisme 1 (Paris 1891) 209 nimmt an, daß Min.
Fel. dem F. nichts verdanke, u. P. Monceaux,
Histoire littéraire de l' Afrique chrétienne 1
(Paris 1901) 488 betont, daß ein solcher Einfluß jedenfalls nicht nachweisbar ist; gleich
vorsichtig L. Massebieau: RevHistRel 15
(1887) 319f. Dagegen vermutet E. Renan,
Marc Aurèle (Paris 1882) 290, daß Min. Fel.
reichliches Material aus F. entnommen habe;
in dieselbe Richtung gehen A. Amatucci,
Storia della letteratura latina cristiana (Bari
1929) 37; H. J. Baylis, Min. Fel. and his place
among the early fathers of the church (London 1928) 60 u. K. Hubik, Die Apologien des
hl. Justinus, des Philosophen u. Märtyrers
(Wien 1912); gegen den letzteren M. Pohlenz:

BerlPhilolWochenschr 36 (1916) 1140. S. Colombo: Didaskaleion 3 (1914) 84/92 nimmt, allerdings ohne Argumente anzuführen, an, daß Min. Fel. Oct. 9/13 vielleicht zT. die Rede des F. abgeschrieben habe. Frassinetti 247/9 weist hin auf Übereinstimmungen zwischen der Senatsrede des Consuls Postumius über die Bacchanalia (Liv. 39, 15f) u. die Äußerungen des Caecilius Oct. 6, 1; 8, 4; 9, 1. 6. Als Möglichkeit erwägt er, daß F. für seine Rede gegen die Christen Motive aus dieser Rede entnommen hat u. daß Min. Fel. einige Ausdrücke aus F. übernahm oder daß Min. Fel. direkt aus Livius schöpft; dazu stellt er als dritte u., wie es scheint, für ihn wahrscheinlichste Möglichkeit, daß F. entweder direkt oder durch Vermittlung eines Annalisten auf die berühmte, auf den gleichen Gegenstand bezügliche Rede Catos De coniuratione zurückgriff u. daß aus diesem Grunde F. u. der aus ihm schöpfende Min. Fel. mit dem Text des Livius übereinstimmte. Es muß aber betont werden, daß es sich hier nur um einige nicht viel besagende Übereinstimmungen in der Formulierung handelt: Liv. 39, 15, 10: coniuratio u. ebd. 16, 3: coniuratio impia; Oct. 8, 4: plebem profanae coniurationis; Liv. 39, 15, 2: nocturnus coetus u. 16, 4: nocturna contio; Oct. 8, 4: nocturnis congregationibus; Liv. 39, 15, 14: his ex obsceno sacrario eductis u. 16, 2: ex illo uno sacrario; Oct. 9, 1: sacraria taeterrima impiae coitionis; Liv. 39, 16, 5: serpit quotidie malum; Oct. 9, 1: serpentibus in dies perditis moribus. So wird denn auch aus der von Frassinetti 253f gegebenen endgültigen Liste von neun Stellen aus dem Octavius, bei denen ein Einfluß von F. anzunehmen wäre (darunter die zwei Stellen aus 8,4 u. 9, 1), als wirklich wahrscheinliche Imitation nur die Beschreibung des Θυέστειον δεῖπνον (9, 6) anzunehmen sein. Es sei noch hervorgehoben, daß die ebd. angeführte, auf die Auferstehung der Toten bezügliche Stelle 11, 4 (utrum ferae diripiant an maria consumant an humus contegat) einen geläufigen Topos in der Diskussion über die Möglichkeit der Auferstehung enthält (vgl. das Material bei J. H. Waszink, Carm. ad Flav. Fel. de res. mort. et de iud. dom.: FlP Suppl. 1 [1937] Komm. zu v. 113/20). Es ist somit wenig wahrscheinlich, daß außer der genannten Stelle viel von Min. Fel. aus der Rede des F. entnommen ist.

J. Beaujeu, Ausgabe des Minucius Felix (Paris 1964) *89/92. – P. Frassinetti, L' ora-zione di Frontone contro i Cristiani: GiornItalFilol 2 (1949) 238/54. – J. Heurgon, Fronton de Cirta: Receuil des notices et mémoires de la Soc. Archéol. de Constantine 70 (1957/9) 139/53. – P. de Labriolle, La réaction païenne (Paris 1934) 87/94.   *J. H. Waszink.*

Frosch.

A. Nichtchristlich 524. I. Ägypten 524. a. Mythos u. Kult 524. 1. Heket 525. 2. Achtheit 526. 3. Darstellungen u. Symbolik 526. b. Literarisch 529. – II. Vorderasien 529. – III. Israel 530. – IV. Griechisch-römisch. a. Natürliche Eigenschaften 531. b. Literarisch 532. c. Darstellungen 533.
B. Christlich. I. Erwähnungen u. Deutungen 535. II. F.lampe 537.

A. Nichtchristlich. Von den zur Ordnung der F.lurche (Anura) gehörenden F. waren im Bereich der Mittelmeerwelt besonders die echten F. (Ranidae) u. die Laub-F. (Hylidae) bekannt (Keller 2, 305). F. u. *Kröte gehören verschiedenen religiösen Vorstellungsbereichen an u. werden deutlich unterschieden. Scheinbare Verwechslungen in der Antike beruhen zT. darauf, daß βάτραχος bzw. rana die Sammelbezeichnung für alle F.lurche war (zB. Plin. n. h. 32, 50). – Zum Verständnis der religiösen Symbolik des F. bietet Ägypten den hauptsächlichen Zugang; in der außerägyptischen Antike u. im nichtkoptischen Christentum hat der F. als religiöses Symbol nur geringe Bedeutung gehabt.
I. Ägypten. Der Name des F. ist ḳrr/ḳrwrw, kopt. ⲔⲢⲞⲨⲢ. Dieses onomatopoetische Wort hat einige Entsprechungen in den semitisch-hamitischen Sprachen: babylonisch krūru; berb. agru; vgl. syr. yaqrūrā (W. Westendorf, Kopt. Handwörterbuch 1 [1965] 68).
a. Mythos u. Kult. Die religiösen Vorstellungen vom F. hängen mit seinem Leben im Schlamm u. in flachen Teichen zusammen. Nach der Trockenzeitschlafruhe im Schlamm der Wohngewässer taucht er nach dem Rückgang der Nilflut wieder in den zurückbleibenden Wasserlachen u. Schlammpfützen auf u. beginnt mit seinem Zeugungsleben. Nach der Naturbetrachtung des Ägypters entstand daraus die Annahme, der F. gehe durch Urzeugung aus Wasser u. Erde hervor. Diese Vorstellung bezeugen noch griech. u. röm. Autoren für Ägypten: Plin. n. h. 9, 159; Horap. 1, 25, wobei hinzugefügt wird, daß zT. auch nicht voll ausgebildete Tiere aufgefunden wurden; dazu wird man durch mit Schlamm beschmierte oder halb im Erdreich steckende

Tiere verleitet worden sein (Hopfner 149).
Ähnlich auch Plin. n. h. 9, 179 von kleinen
Mäusen.

1. Heket. Die froschgestaltige Göttin Heket
gilt als ‚Herrin von Antinoë‘, wo sie zusammen mit dem Schöpfergott Chnum verehrt
wird (Bonnet, RL 284f; Kees 62), dem sie
bei der Formung der Gestalt des Kindes im
Mutterschoß hilft; vgl. die Darstellung von
der Geburt des Königs im Tempel von Deir
el-Bahari: H. Brunner, Die Geburt des Gottkönigs = ÄgyptolAbh 10 (1964) 68/74, bes.
73f; E. Naville, The temple of Deir el-Bahari
3 (London 1896) Taf. 48. Sie rechnet daher
zu den Gottheiten, welche ‚die Menschen bilden‘ (Sethe, Urk. 4, 225; vgl. dazu Brunner
aO. 83/9). Dabei wird mit ihr auch die Schutzgöttin Nechbet gleichgesetzt, in der die
Griechen ihre göttliche Geburtshelferin Ei-
leithyia sahen. Dem neugeborenen Kinde verleiht Heket die Hemuset- u. Ka-Kräfte (de
Buck 3, 372a; 4, 122d; dazu Altenmüller 1,
169f). Seit dem Alten Reich besaß sie einen
eigenen Kult (vgl. W. Helck, Untersuchungen zu den Beamtentiteln des ägypt. Alten
Reiches = ÄgyptolForsch 18 [1954] 48. 121;
G. Lefebvre, Le tombeau de Petosiris 1 [Kairo
1924] 105. 142). Zusammen mit Chnum fand
Heket im Mittleren Reich Aufnahme in den
Osiriskreis in Abydos, wo beide die ‚einst auf
der Geburtsstätte von Abydos entstandenen
Vorfahren, die aus dem Munde des Rê (Atum)
selbst hervorgegangen sind‘ genannt werden
(Belege bei Kees 335₃), also mit deutlichem
Bezug auf ihre Stellung als Urgottheit. In
den Sargtexten ist sie die Mutter des Rê, den
sie täglich gebiert (de Buck 3, 371. 610; 4,
269q; 7, 319b; vgl. Altenmüller 1, 170). Im
Osiriskult hatte Heket die Aufgabe, die Glie-
der des toten Gottes wiederzubeleben; daher
war sie auch bei der postumen Zeugung des
Horus zugegen (Bonnet, RL 285; W. M. F.
Petrie, Athribis [London 1908] Taf. 39; A.
Mariette, Dendérah 4 [Paris 1873] 88; H.
Brugsch, Reise nach der großen Oase el
Khargeh in der libyschen Wüste [1878] Taf.
18; R. V. Lanzone, Dizionario di mitologia
egizia [Torino 1881/5] 285). Ihre Angleichung
an die Himmelsgöttin Nut läßt sie zu einer
Schutzgöttin werden (A. Bey Kamal: Ann-
ServAntÉg 7 [1907] 235). Beide Göttinnen
verbindet ihre Urmutterschaft, was der Heket
wahrscheinlich auch ihre Verehrung als Mutter des Haroeris in Apollinopolis parva eingetragen hat (H. Junker, Die Onurislegende

[Wien 1917] 34), der sonst zu den Kindern
des Geb u. der Nut zählt.

2. Achtheit. Nach der Weltschöpfungslehre
von Hermopolis wurde die Welt von der
‚Achtheit‘ geschaffen, einer vierpaarigen Einheit von Urgöttern. Jedes Paar ist die Personifikation eines Urzustandes der Welt vor
der Schöpfung u. besteht aus einem männlichen u. einem weiblichen Aspekt (Kees
307f; S. Morenz, Ägyptische Religion [1960]
184; Die Schöpfungsmythen 1 [1964] 72f). Dargestellt werden diese Wesenheiten des Chaos
als Männer mit F.köpfen u. als Frauen mit
Schlangenköpfen: R. Lepsius, Über die Götter
der vier Elemente bei den Ägyptern = AbhBerl
1856, 4 Taf. 1 (Relief Ptolemaios’ IV Philopa-
tor in Edfu); G. Roeder, Die Kosmogonie von
Hermopolis: EgyptRel 1 (1933) 8 Abb. 1; N.
de Garis Davies, The temple of Hibis in El
Khargeh Oasis 3 (New York 1953) Taf. 4,
Reg. 5.

3. Darstellungen u. Symbolik. Am Anfang
der Überlieferung über den F. stehen figürliche Darstellungen aus der vorgeschichtli-
chen Negade II-Periode. Dazu gehören Stein-
gefäße in F.gestalt, die, soweit ihre Provenienz bekannt ist, aus Gräbern stammen
(H. J. Kantor: JournNearEastStud 11 [1952]
242/5 u. Taf. 23f) u. sich bis in die 1. Dyn.
hin fortsetzen (A. Scharff, Die Altertümer
der Vor- u. Frühzeit Ägyptens 1 = Mitt.
Ägypt. Slg. 4 [1931] Taf. 21, 663). Der F.
aus Elfenbein im Berliner Museum (Inv.
nr. 17569) soll in Negade gefunden sein
(Scharff aO. 5 [1929] Taf. 17, 85 u. S. 55),
was ihn ebenfalls der spätvorgeschichtlichen
Zeit zuweisen würde. Aus dem ältesten Bezirk des Chontamenti-Tempels in Abydos (1.
Dyn.) stammen zahlreiche F.figürchen aus
grüner Fayence, Stein u. Elfenbein (W. M.
F. Petrie, Abydos 2 [London 1903] Taf. 6.
9/11; J. Capart, Primitive art in ancient
Egypt [London 1905] 192 u. Abb. 151; H.
W. Müller, Ägyptische Kunstwerke, Kleinfunde u. Glas in der Slg. E. u. M. Kofler-
Truniger, Luzern [1964] nr. A 4/11 mit Taf.;
ders., Die ägypt. Slg. des Bayerischen Staates
[1966] Kat. nr. 9 = Inv. nr. Ägypt. Slg.
4237f). In Abydos ist bezeichnenderweise
seit dem Mittleren Reich auch ein Lokalkult
der Heket belegt, die bei der ‚Begründung
von Abydos‘ mitgewirkt hat (s. o. Sp. 525 u.
Spiegelberg-Jacoby 216). Der F. ist in diesem
Zusammenhang als Weihegabe zu deuten;
ihr Zweck ist wahrscheinlich schon mit der

später deutlich ausgebildeten Vorstellung des aus sich selbst entstehenden u. sich immer wieder erneuernden Lebens verknüpft (vgl. Müller 17). Eindeutige inschriftliche Bezeugungen dafür sind erst aus dem Neuen Reich bekannt. Seit dieser Zeit kann das Beiwort der Toten whm ꜥnḫ = ,das Leben wiederholen', ,(nach dem Tode) aufs neue leben' mit dem Hieroglyphenzeichen des F. als Determinativ geschrieben werden (Spiegelberg-Jacoby 217 mit Anm. 2/4; Erman-Grapow, Wb. 2, 341. 344); oder der F. steht allein hinter dem Namen des Verstorbenen als Wortzeichen für whm ꜥnḫ (Belege bei Spiegelberg-Jacoby 217). In der Spätzeit konnte dem Verstorbenen daher die Bezeichnung ,der F.' beigelegt werden (W. Spiegelberg: ZÄgSpr 62 [1927] 32). Whm ꜥnḫ ,der das Leben wiederholt' wird in griech.-römischer Zeit für das Überschwemmungswasser gebraucht oder auch allgemein für Wasser (Spiegelberg-Jacoby 217f; Erman-Grapow, Wb. 2, 344): ist es doch der Nil, der durch seine jährliche Überschwemmung das Leben erneuert. Daher steht der F. auch in Beziehung zum Jahr, dessen Wortstamm rnpt sich von rnp ,sich verjüngen, sich erneuern' herleitet, so daß rnpt gleichfalls mit einem F. geschrieben werden kann (Spiegelberg-Jacoby 218; Wrede 91). Auf diesem Hintergrund müssen auch die zahlreichen figürlichen Darstellungen des F. gesehen werden, die seit der 1. Zwischenzeit als Grabbeigaben vorkommen (Einzelbelege bei Müller 18$_{21/2}$). Es handelt sich um Knopfsiegel u. Fingerringe mit F.figuren; F.amulette, auch auf Mumien, kommen bis in die Spätzeit oft vor (lose in Gräbern zB. W. M. F. Petrie-G. Brunton, Sedment [London 1924] Taf. 57, 6; 58, 4. 18; als Amulett an Mumien: W. M. F. Petrie, Amulets [London 1914] 12 u. Taf. 51, 11f; allgemein M. G. Reisner, Amulets 1 = Cat. gén. Mus. Caire [Kairo 1907] Taf. 23f; 2 [Kairo 1958] Taf. 11. 16. 20 u. ö.). Die Exemplare Kairo 12471. 12476. 12486 (vgl. Reisner aO. 1 Taf. 24) tragen auf der Unterseite Neujahrswünsche. Ein ,Lebenszeichen' hat ein F. aus der ehemaligen Slg. W. F. v. Bissing (H. W. Müller, Versteigerungskatalog der Skarabäensammlung W. F. v. Bissing [1954] nr. 762). Eine Weihegabe an den Gott Ptah ist ein von Müller 15/9 veröffentlichtes Obsidianfigürchen eines F. mit einer Inschrift Sesostris' III. Nach Müller 18 ist eine innere Verbindung zu Ptah gegeben, da dieser als Schöpfergott bis-

weilen mit Nun, dem froschköpfigen Mitglied der Achtheit, gleichgesetzt werden kann. – Als Grabbeigaben wurden zuweilen in der 18. Dyn. vier Scheingefäße mit figürlich ausgebildeten Deckeln mitgegeben, wovon jeweils einer die plastische Figur eines F. trägt (Th. M. Davis-G. Maspero-P. E. Newberry, The tomb of Iouiya and Touiyou [London 1907] Taf. 29; W. C. Hayes, The scepter of Egypt 2 [New York 1959] 277 Abb. 169; W. F. v. Bissing, Zeit u. Herkunft der in Cerveteri gefundenen Gefäße aus ägyptischer Fayence u. glasiertem Ton = SbMünch 2, 7 [1941] 42. 75 Taf. 8, 5). Reliefs u. Malereien des Neuen Reiches erbringen weitere Belege: P. Montet, Les reliques de l'art syrien dans l'Égypte du Nouvel Empire (Paris 1937) Abb. 55; vgl. Abb. 82. 114. 115. 197; H. Schäfer, Die altägyptischen Prunkgefäße mit aufgesetzten Randverzierungen = Unters. z. Gesch. u. Altertumsk. Ägypt. 4 (1903) 18 Abb. 39; 35 Abb. 89. Aus solchen Bildern kennen wir auch Gefäße mit auf dem Rande sitzendem F.: G. Steindorff, Die Kunst der Ägypter (1928) 251; K. Lange-M. Hirmer, Ägypten[4] (1967) Farbtaf. 57 (aus dem Grab der Königin Nefertari in Theben [19. Dyn.]). Ein Original, eine Libationsschale wohl aus der griech.-röm. Zeit, ist veröffentlicht von H. Wallis, Egyptian ceramic art: The MacGregor collection (London 1898) Taf. 16, 3; Abb. 84; vgl. auch v. Bissing aO. 42. Ein sitzender F. in einer Schale, die Thutmosis II an Amun weiht, ist im Annalensaal in Kernak dargestellt (Schäfer aO. 41 Abb. 112; vgl. auch die Skizze Abb. 114). Die innere Beziehung von F. u. Gefäß dürfte hier auf der lebenspendenden Kraft des Wassers beruhen. Einen Bronzeriegel (Berlin 23880), auf dem ein F. sitzt, hat A. Hermann: Miscellanea Gregoriana, Raccolta di scritti pubblicati nel primo centenario della fondazione del Pont. Mus. Egizio (Città del Vaticano 1941) 93/7 veröffentlicht. Er möchte den Grund für diese Verbindung darin sehen, daß die Türflügel der Götterschreine ,das den Himmel wiederholende Gewässer sind, wo die Götter hausen, u. aus welchem Osiris . . . zu neuem Leben ersteht' (aO. 97), also wiederum als ein Sinnbild der Lebenserneuerung. – Es überrascht nicht, den F. unter den Darstellungen auf den sog. Zaubermessern des Mittleren Reiches wiederzufinden, die man als magischen Schutz über den Mutterleib der Frau oder über das neugeborene Kind zu legen pflegte (Altenmüller 1, 169f).

b. Literarisch. Im kryptographischen Schrift-
system des aus römischer Zeit stammenden
Tempels von Esna hat die Hieroglyphe des F.
nach dem Prinzip der Akrophonie wohl über
pggt, das dieses Tier zu bezeichnen scheint,
den Lautwert p erhalten (S. Sauneron: Mélanges A. Mariette [Kairo 1961] 233f). Nicht
ganz auszuschließen, obgleich weniger wahrscheinlich, ist die Möglichkeit, daß der F.
über pȝwtj ‚Urzeitlicher‘ diesen Lautwert erhalten hat, in Anspielung auf seine Schöpfer-
rolle im System von Hermopolis (s. o. Sp.
526). Im Kairener Schachspielpapyrus aus
dem Neuen Reich wird ein Spielfeld ‚Haus
des neuen Lebens (whm ʿnḫ)‘ genannt, das
der Spieler nach Überwindung von Widrigkeiten erreicht (Schachspielpap. Kairo 2, 3;
M. Pieper: ZÄgSpr 66 [1931] 16/33, bes. 23f;
vgl. H. Grapow, Die bildlichen Ausdrücke des
Ägyptischen [1924] 97). Determiniert ist dieser Name mit dem Zeichen des F. Im Neuen
Reich u. in der Spätzeit kommt die Bezeichnung ‚F.‘ öfters als Frauen- u. Männername
vor (Grapow aO. 19; S. Schott, Altägyptische
Liebeslieder [1950] 103; H. Ranke, Die ägypt.
Personennamen 1 [1935] 336 nr. 8; 2 [1952]
185). Ranke aO. 2, 182 zieht einen scherzhaf-
ten Vergleich des winzigen Neugeborenen mit
dem F. in Erwägung. Ebenso ist aber auch
ein Zusammenhang mit dem neuen Leben
denkbar.

II. Vorderasien. Der akkadische Name des F.
ist muṣairânu u. bedeutet vielleicht ‚Quaker‘
(Ebeling; Landsberger 140). Aus der Beobachtung seines Verhaltens ergeben sich Omina
(Belege: Cuneiform texts from babylonian
tablets in the Brit. Mus. [London 1925] 38
Taf. 8, Z. 39; 39 Taf. 15, Z. 27; 41 Taf. 13,
Z. 25/30); bei bösen Vorzeichen gab es ein
besonderes Ritual (E. Ebeling, Literarische
Keilschrifttexte aus Assur [1953] nr. 118). Als
Ersatzopfer wird der F. in der akkad. Gebetsserie ‚Handerhebung‘ angeführt (E. Ebeling, Die akkad. Gebetsserie ‚Handerhebung‘
[1953] 148f). Der F. steht naturgemäß in Beziehung zu dem Gott der Wassertiefe Ea
(Landsberger 121 s. v. Krebs). F.figuren aus
Stein u. anderen Materialien sowie Zeichnungen von ihm dienten als Amulette, Schmuck-
stücke u. Töpfermarken (Landsberger 140;
E. Douglas van Buren, The fauna of ancient
Mesopotamia as represented in art: AnalOr
18 [1939] 101f). Eine F.figur mit assyrischer
Aufschrift wurde in einem um 300 nC. datier-
ten Grab in Köln gefunden; die Keilschrift-

Inschrift auf dem Rücken des Tieres lautet
māt-Aš-šur ‚Assyrien‘ (A. Schott, Eine assyrische Inschrift aus dem röm. Köln: OrLitZ
36 [1936] 276; danach K. Parlasca: Köln. Jb.
f. Vor- u. Frühgesch. 1 [1955] 21 mit Anm.
57a; Grimm 10₁). Trotz assyrischer Aufschrift
ist sie wohl im Rahmen der sog. Mithrassymbole entstanden u. benutzt worden (zum F.
im Zusammenhang mit den Mithrassymbolen
der spätröm. Rheinlande vgl. H. Lehner:
BonnJbb 129 [1924] 63 Abb. 5; W. Haberey:
ebd. 149 [1949] 94/104). In der Mithrasreli-
gion gilt der F. neben Skorpion, Schlange,
Eidechse u. anderen Kriechtieren als Geschöpf
Ahrimans, welches dieser über die Menschen
kommen läßt; daher ist der F. ein Repräsentant des Bösen (F. Cumont, Textes et monuments figurés relatifs aux mystères de Mithra
1 [Bruxelles 1896] 190, 3. 8; R. Egger, Röm.
Antike u. frühes Christentum 1 [Klagenfurt
1962] 150; Keller 2, 314; G. Widengren, Das
Prinzip des Bösen: Stud. d. C. G. Jung-Inst.
13 [1961] 50f). Durch die Beigabe ins Grab
wollte man sich Ahriman, den Herrn der dü-
steren Unterwelt, geneigt machen. Apotropäischen Charakter hat der F. auch auf den
Votivhänden für den Sabazius-Kult, wo er
neben anderen Tieren u. kultischen Gegenständen vorkommt (Egger aO. 1, 151; F.
Staehelin, Die Schweiz in röm. Zeit³ [1948]
555f).

III. Israel. Mit dem F. (hebr. ṣᵉpardēaʿ) ist
im AT die 2. ägypt. Plage verbunden (Ex. 7,
26/8, 11). Jahwe beauftragt Moses, die Forderung Israels nach Auszug vorzutragen;
falls Pharao nicht darauf eingehe, sollte er
mit der F.plage drohen (7, 26/9). Auf ein Zeichen des Moses tritt diese Plage tatsächlich
ein: 8, 1/8 kommen F. aus Strömen, Kanälen
u. Teichen u. bedecken das Land. Auf Bitten
Pharaos läßt Moses die F.plage aufhören. 8,
9f wird die Eindringlichkeit der Plage betont; die F. sammeln sich u. verwesen bei Beendigung der Plage (vgl. die Komm. zu Ex.
von G. Beer = HdbAT 1, 3 [1939] u. M. Noth
= HdbAT 5 [1959]; ferner: A. Mallon, Les
Hébreux en Égypte [Roma 1921] 144f; H. Ei-
sing, Die ägypt. Plagen: Lex tua veritas, Festschrift H. Junker [1961] 75f). Der Schaden
dieser Plage bestand wohl in der Befeuchtung
u. Beschmutzung von Nahrungsmitteln durch
die F. u. zudem in ihrem lauten Quaken (J.
Feliks, The animal world of the bible [Jeru-
salem 1954] 112; ders., Art. F.: B. Reicke-L.
Rost, Bibl.-histor. Hd.-Wb. 1 [1962] 502f).

Die F.plage wird auch Ps. 78, 45 in der Aufzählung von Jahwes Zeichen u. Wundern in Ägypten genannt; ebenso Ps. 105, 30: das Land wimmelt von F. bis in den Königspalast hinein. Weitere Erwähnung Sap. 19, 10: Die Erde ließ nur noch Mücken entstehen, der Nil nur F. – Jos. ant. Iud. 16, 1/4 richtet sich gegen die Naturverehrung der Ägypter u. sieht die Bedeutung der Plagen darin, daß Gott mit eben diesen Naturerscheinungen die Ägypter strafen wollte (J. Daniélou, Art. Exodus: o. Bd. 7, 27; vgl. auch C. Siegfried, Philo von Alexandrien als Ausleger des AT [1875] 253f). Philo verfolgt demgegenüber eine allegorische Auslegung. Danach sind die Plagen ein Bild der Folgen, die aus einem dem Leiblichen zugewandten Leben erwachsen (somn. 2, 259f). Das Blut im Nil entspricht der Lüge; es vernichtet die darin lebenden Fische, d. h. die νοήματα, u. bringt leblose F. hervor (vgl. Daniélou aO. 28).

IV. Griechisch-römisch. a. Natürliche Eigenschaften. Man faßte alle F.lurche unter der onomatopoetischen Bezeichnung βάτραχος, rana (Keller 2, 311) zusammen (vgl. Aristot. hist. an. 589a 29), unterschied aber deutlich die einzelnen Arten: Am häufigsten meinen die Quellen den grünen Wasser-F. (Rana esculenta); der braune Land-F. (R. fusca) u. der Laub-F. (Hyla arborea) werden seltener genannt (Wellmann 113). Die griech.-röm. Antike behielt die Auffassung bei, F. entstünden aus Schlamm: Ov. met. 15, 375; Plut. quaest. conv. 2, 3, 637B; Sext. Emp. Pyrrh. 1, 41; vgl. ferner o. Sp. 524f. Nach Plin. n. h. 9, 159 halten sie dort auch ihren Winterschlaf. In Illyrien soll man geglaubt haben, daß F. in den Wolken entstünden u. als Regen herabfielen. Dagegen hat sich aber bereits im Altertum Theophrast gewandt (frg. 174, 1 [459 Wimmer]). Ihre starke Vermehrung konnte sogar zur Landplage werden u. die Menschen zur Auswanderung zwingen (Agatharch. bei Phot. bibl. 453b; Varro bei Plin. n. h. 8, 104; Strab. 16, 772; Diod. Sic. 3, 30; Ael. nat. an. 17, 41; vgl. Wellmann 114). Die Farbe des F. wird als grün (χλωρός, viridis) angegeben (zB. Ov. met. 15, 375; Plin. n. h. 32, 122; vgl. Keller 2, 311). Sein Quaken (βοᾶν, θορυβεῖν, βρεκεκὲξ κοάξ κοάξ, coaxare, garrire) konnte Götter u. Menschen in der Ruhe stören. Nach Aristoph. ran. 226f wurde ihr Geschrei dem Dionysos bei seiner Fahrt über den Acheron lästig. Auch Horaz beschwert sich auf einer Reise über Störung der

Nachtruhe durch F. (Hor. s. 1, 5). Ael. nat. an. 3, 37; PsAristot. mir. ausc. 835b 3f; Plin. n. h. 8, 227 u. Antigon. Car. 4: Rer. nat. scr. 1, 2 Keller erwähnen, daß die F. auf der Insel Seriphos den Perseus störten u. von ihm mit Stummheit gestraft wurden. Ähnliche Sagen von stummen F. wurden auch von anderen Orten erzählt (Wellmann 114). Das Quaken gefiel aber den Nymphen u. dem Pan, weil es den Frühling ankündigt (Aristoph. ran. 226f; Anth. Pal. 9, 406). Überhaupt besitzt der F. die Fähigkeit, eine Änderung des Wetters anzuzeigen (Plut. quaest. nat. 2, 912E; PsTheophr. sign. tempest. 15 [391 Wimmer]; Arat. 946; Ael. nat. an. 9, 13; Aristot. probl. 862a 10; Plin. n. h. 18, 361; Verg. georg. 1, 378; Cic. div. 115 mit den Bemerkungen von A. St. Pease zSt.). Das trug ihm geradezu den Beinamen μάντις ein (Hesych. s. v. μάντις [2, 628 Latte]). Als solcher stand er dem Apollo nahe (Plut. Pyth. or. 12, 399F/400A; sept. sap. 21, 164A). Weniger gern wurde gesehen, daß der F. die zum Wasser fliegenden Bienen jagte (Aristot. hist. an. 626a 9; vgl. Ael. nat. an. 1, 58). Verpönt war das Essen von F.schenkeln (Varro bei Colum. 8, 16), außer als Heilmittel gegen Gift von Kriechtieren (Diosc. mat. med. 2, 28 [131 Wellmann]). Eine F.zunge als Zaubermittel wird PGM 2, 53 erwähnt. PGM 2, 174 soll mit Hilfe eines F. die Empfängnis verhütet werden.

b. Literarisch. In der volkstümlichen Literatur war der F. ein beliebtes Motiv. Aus hellenistischer Zeit stammt die Batrachomyomachie, eine Parodie auf die Ilias. Durch den von einem F. verschuldeten Tod einer Maus entbrennt ein Krieg zwischen den F. u. Mäusen, aus dem die F. schließlich nach dem Dazwischentreten des Zeus als Sieger hervorgehen (W. Aly, Art. Pigres: PW 20, 2 [1950] 1313/6; H. J. Mette, Art. Batrachomyomachie: KlPauly 1 [1964] 842). Diesem Epos sind bereits die altägyptischen Tierkriege zur Seite gestellt worden (S. Morenz, Ägyptische Tierkriege u. die Batrachomyomachie: Festschrift B. Schweitzer [1954] 87/94; E. Brunner-Traut, Altägypt. Tiergeschichte u. Fabel: Saeculum 10 [1959] 167). Chairemon von Alexandrien erwähnte in seiner Beschreibung von 19 ägyptischen Hieroglyphen auch die allegorische Bedeutung des F. als Zeichen der Wiedergeburt (FGrHist 618 F 2). Wegen ihres aufgeschwemmten Körpers gelten die F. als ‚aufgeblasen‘, prahlerisch, dumm u. feige (Aesop. fab. 43f. 70. 143. 146. 302. 307. 312 Hausrath; Phaedr. 1, 6. 24. 30; Hor. s. 2, 3, 314/20; Plin. n. h. 28, 38) sowie geschwätzig (Anth. Lat. 762, 64). Auch im Sprichwort kommt der F. vor; zB. bedeutet ,den F. Wasser geben' jemandem Überflüssiges zu bringen (Keller 2, 312; C. S. Köhler, Das Tierleben im Sprichwort der Griechen u. Römer [1881 bzw. 1967] 53f). Nach Theocr. 10, 52f sind die F. zu beneiden, weil sie immer genug zu trinken haben. – Auch in der hohen Literatur fehlen die F. nicht. Aristophanes benannte nach ihnen seine am Lenäenfest 405 vC. aufgeführte Komödie. Bei ihm (ran. 207) sowie bei Iuven. 2, 150 treten sie als Tiere der Unterwelt auf, woraus auf ihre apotropäische Bedeutung geschlossen wird (s. u. Sp. 533). Ov. met. 6, 317/81 verwandelt Leto lykische Bauern in F., weil sie der Göttin nicht erlaubten, ihren Durst zu stillen. Weitere Verwandlungssagen bei Ant. Lib. 35; Prob. zu Verg. georg. 1, 378. – Nach Suet. Aug. 94 gebietet Augustus als Kind in der Villa seines Großvaters den lärmenden F. zu schweigen (Topos der Macht über die Tiere; vgl. I. Opelt: JbAC 4 [1961] 56f). In Anlehnung an ägyptische Vorstellungen gebrauchen Ael. nat. an. 2, 56 u. Horap. 1, 25 den F. in sinnbildlicher Bedeutung für den noch nicht ausgebildeten Leib des Menschen (vgl. o. Sp. 524f).

c. Darstellungen. Aus der Zugehörigkeit der F. zur Unterwelt bei Aristoph. ran. 207 u. bei Iuven. 2, 150 wird meist auf eine magisch-apotropäische Bedeutung der zahlreichen F.-figuren aus Glas, Fayence, Bronze u. anderen Materialien geschlossen (zB. Richter 618). In diesem Sinne ist auch der Siegelring des Maecenas zu deuten, auf dem sich ein F. befand (Plin. n. h. 37, 10). Der F. als Siegelabdruck erregte zur Zeit des Augustus allerdings auch Schrecken, weil dies das Signum des Maecenas als Steuereintreiber war. Geschnittene Steine mit F.darstellungen führt A. Furtwängler vielfach an (Kgl. Mus. Berlin, Beschreibung der geschnittenen Steine im Antiquarium [1896] 103 nr. 2128; 217 nr. 5862f Taf. 40 u. ö.; ders., Die antiken Gemmen 1/2 [1900 bzw. 1964/5] 175 Taf. 36, 18; 220 Taf. 45, 52. 59 [F. im Kampf mit Krebs]; vgl. ferner F. Imhoof-Blumer-O. Keller, Tier- u. Pflanzenbilder auf Münzen u. Gemmen [1889] Taf. 6, 40f). Nach Anth. Pal. 6, 43 spendete man F.-figuren auch als Votiv an Wassergottheiten (vgl. Keller 2, 314). Ein F.relief auf der Insel Samos ist als Weihung an Apollo als Wahrsager zu verstehen (M. Schede: AthMitt 37

[1912] 203f; vgl. o. Sp. 532). Über den F. u. die Verbindung zu weiteren F.darstellungen aus dem Heraion von Samos vgl. W. Deonna, La grenouille et le lion: BullCorrHell 74 (1950) 1/9. Eine alexandrinische Terrakotta stellt einen F. dar, der auf einem Fisch sitzt u. Leier spielt (E. Breccia, Alexandrea ad Aegyptum [Bergamo 1914] 273 Abb. 140), wahrscheinlich eine Karikatur auf Amphion, der als Erfinder dieses Instruments galt. – Auf ägyptischen Einfluß weist eine der Aphrodite in Hermopolis geweihte Alabasterstatue des Hermaios vJ. 82 vC. Der Stifter ist gelagert dargestellt, neben ihm seine Frau sitzend, ein F. u. eine Lotusblüte. Diese beiden letzten Beigaben sind eine deutliche Anspielung auf die Weltentstehungsmythen dieser Stadt (G. Roeder, Ein Jahrzehnt deutscher Ausgrabungen in Hermopolis [1951] 29. 38 mit Taf. 8a; ders., Hermopolis 1929/39 [1959] 189. 285f; vgl. o. Sp. 526). Als Grund für diese Weihung ist die Gleichsetzung der Göttin Aphrodite mit der ägyptischen Nehemetawai-Heket anzusehen (K. Parlasca: JbZMusMainz 7 [1960] 205). Der kupferne Körper der Hydria von Egyed in Ungarn (aus der Kaiserzeit) trägt gleichfalls einen ägyptisierenden Bildschmuck. Unter den Darstellungen befindet sich eine Szene mit Thot, der die Göttin Isis begrüßt; dazwischen ist eine Pflanze, worauf ein F. sitzt, was wiederum als Anknüpfung an die chthonischen Urgötter von Hermopolis zu verstehen ist (vgl. V. Wessetzky, Die ägypt. Kulte zur Römerzeit in Ungarn [Leiden 1961] 42/5; E. Thomas: JournEgArch 45 [1959] 42f). – Seit dem 3. Jh. nC. kommen in Ägypten Tonlampen in Gebrauch, die mit dem vollständigen Relief eines F. verziert sind oder Teile des Tieres mit pflanzlichen Figuren darstellen (,F. u. Korn-Motiv'). Dabei liegt keine Entwicklung vom Figürlichen zum Ornamentalen vor, wie sie H. Schäfer, Von ägyptischer Kunst[4] (1963) 159 angenommen hat. Stilisierende F.lampen gehören bereits zu den frühen Formen; vgl. F. W. Robins, Graeco-roman lamps from Egypt: JournEgArch 25 (1939) 48/51 (aus der weitverzweigten Lit. über F.lampen vgl. bes. Keller 2, 316; Spiegelberg-Jacoby 226/8; L. A. Shier, The frog lamps of roman Egypt: AmJournArch 54 [1950] 255; Roeder, Hermopolis aO. Reg. s. v. F.; P. Perdrizet, Bronzes grecques d'Égypte de la collection Fouquet [Paris 1911] 80f; R. Lullies, ΒΑΤΡΑΧΟΙ: Festschrift W. H. Schuchhardt [1960] 139/49;

Grimm 127f; Wrede). F.lampen wurden
meist in Häusern, weniger häufig in Gräbern
gefunden (Belege bei Wrede 86 mit Anm. 24).
Bei ihrer Deutung ist wohl auch zwischen dem
Bereich der Lebenden u. dem der Toten zu
trennen. Wrede hat in seiner Arbeit eine Verbindung zwischen den in ihrer Grundform
gleichgestalteten F.-, Embryonen- u. Beslam-
pen hergestellt, die sich alle auf das Zentral-
motiv der Geburt zurückführen lassen (vgl. o.
Sp. 525. 528; über Bes vgl. Bonnet, RL 101/9).
Er setzt ihre Verwendung daher in Beziehung
zu den ägyptischen Apotropaia (o. Sp. 528),
auf denen neben dem F. auch Unheil abweh-
rende Götter mit Fackeln u. einmal mit
einer Lampe vorkommen (Altenmüller 2, nr.
10. 20f. 32 [Lampe]. 39 usw.). Wrede 89 folgert daraus, daß ein Teil der F.lampen entzündet wurde, ‚um die unheilbringenden Dämonen der Finsternis zu vertreiben u. die Ge-
burtshilfe von ... Heket zu beschwören'.
Während der Gebrauch des Lichtes bei der
Geburt in der Antike sonst nicht sicher zu belegen ist (in Frage kommendes Material bei
Wrede 89), ist das Licht als Ausdruck für die
Unsterblichkeit bekannt (vgl. Nilsson, Rel.
2², 538) u. läßt von hier aus auch eine Verbindung zwischen Lampe u. F. zu. Über diesen Bezug bei den christl. Lampen vgl. u. Sp.
537. Dieser Bedeutungsbereich dürfte daher
für die F.lampen gelten, die in Gräbern gefunden wurden: Wiedergeburt zur Unsterblichkeit. – F.lampen, die angeblich als Im-
portstücke in Deutschland gefunden wurden,
sind mit Vorsicht aufzunehmen, da die Fund-
umstände aus dem 19. Jh. nicht gesichert sind
u. durch neuere Funde nicht bestätigt werden können (Aufzählung dieser Funde bei
Grimm Reg. s. v. F.lampen; zu den Fund-
umständen bes. 45. 127f).

B. Christlich. I. Erwähnungen u. Deutungen.
Apc. 16, 13 werden die F. als unreine Geister
bezeichnet, die aus dem Munde Satans hervorgehen u. Zeichen tun. Es liegt hier eine Anlehnung an die altägyptische Schöpfungs-
lehre vor, nur auf Satan umgebogen (Spiegelberg-Jacoby 226; Steinmetzer 252f; vgl. auch
Andr. Caes. in Apc. 16, 13 comm. 51 [PG 106,
367 CD]; G. Moritz, Le commentaire homiléti-
que de S. Césaire sur l'apocalypse: RevBén 45
[1933] 43/61). Nach E. Lohmeyer, Die Offenbarung des Johannes = HdbNT 16 (1926) 133
weist die Stelle auf persische Vorstellungen hin
(s. o. Sp. 530) u. soll vielleicht an die F.plage
erinnern. Von hier aus ist die Deutung des F.

als Symbol des Sündhaften bei den Kirchenvätern zu verstehen. Das tertium compara-
tionis zwischen Sündern u. F. ist: beide leben
im Dreck (Greg. Nyss. v. Moys. 2, 53 Jaeger;
PsAug. in Apc. expos. hom. 13 [PL 35, 2446];
vgl. S. Bochart, Hierozoicon: hrsg. v. E.F.C.
Rosenmüller 3 [1796] 587f; R. Egger, Ein alt-
christliches Kampfsymbol: Röm. Antike u.
frühes Christentum 1 [Klagenfurt 1962] 156).
Filastrius spricht von einem Kult der F. bei
den alten Ägyptern, allerdings mit der Begründung, sie glaubten damit den Zorn Gottes,
der in der 2. ägypt. Plage seinen Ausdruck
fand, beschwichtigen zu können (haer. 11
[CSEL 38, 5f]). Nach Orig. in Ex. hom. 4, 6
(GCS 29, 178) sind die F. dieser Plage die
Dichter, qui inani quadam et inflata modula-
tione velut ranarum sonis et cantibus mundo
huic deceptionis fabulas intulerunt. Origenes
setzt die allegorische Deutung Philos fort (s.
o. Sp. 531), indem die Plagen in Ägypten, der
Exodus u. die Ankunft im verheißenen Land
als ein Bild des Weges der Seele zu Gott verstanden werden (J. Daniélou, Art. Exodus: o.
Bd. 7, 35). Gott rettet die Juden, d. h. die Tugendhaften, vor diesen Plagen durch Moses,
sein Gesetz. Der F. als Bild der Geschwätzigkeit auch bei Aug. en. in Ps. 17, 27 (CCL 39,
1087); s. 8, 5 (CCL 41, 83f); Hieron. ep. 38, 5
(CSEL 54, 1, 292f); Caes. Arel. s. 100, 3 (CCL
103, 408); s. 100a, 3 (ebd. 413). Als Metapher
wird er auch für die aufgeblasenen Heuchler gebraucht, die ihre Fehler nicht ablegen
wollen, sowie für den Teufel bei PsAug. in
Apc. expos. hom. 13 (PL 35, 2446); u. Clem.
Alex. paed. 3, 29, 3 (GCS 12, 253) u. für haere-
tici oder spiritus daemoniorum (Eucher. form.
4 [CSEL 31, 29]; Rab. Maur. univers. 8, 2 [PL
111, 228]; alleg.: PL 112, 1037 BC). Als Bild
für die Trägheit wird er Pallad. dial. 64, 3
Colem.-N. gebraucht. Den F. Schweigen zu
gebieten, ist ein beliebtes literarisches Motiv
(P. Saintyves, Les saints successeurs des dieux
[Paris 1907] 251). Nach Ambr. virg. 3, 3, 14
(69 Faller) störte das Gequake den Gottesdienst, aber auf das Machtwort des Priesters
hin erfolgte freiwilliges ehrerbietiges Verstum-
men, das den Menschen ein mahnendes Beispiel der Umwandlung selbst der niedrigsten
u. verächtlichsten Kreatur durch den christlichen Logos ist (vgl. Wellmann 114). In den
Heiligenlegenden wird dies zum Topos bei S.
Rieul, S. Antonius von Padua, S. Benno von
Meissen, S. Georg Bischof von Suelli, S. Ouen,
S. Hervé, S. Jakob de la Marche, S. Ségno-

rine, S. Ulphe u. a. (Belege bei H. Delehaye, Légendes hagiographiques⁴ [Bruxelles 1955] 33₅; vgl. ferner J. Bernhart, Heilige u. Tiere² [1959] 182). ASS Ian. 3 (1863) 706f wird berichtet, daß Theodora, die einen F. verschluckt hatte, durch die Märtyrer Cyrus u. Johannes geheilt wurde. – Ambros. exam. 5, 2, 6 (CSEL 32, 1, 144) kennzeichnet den F. einerseits als gefälliges Wassertier, andererseits als häßliches Sumpftier (rana horrens in paludis, decora in aquis), vielleicht um die heilsame Kraft des Taufwassers aufzuzeigen (so J. Fink, Der Ursprung der ältesten Kirchen am Domplatz von Aquileia [1954] 31f). Im Physiologus (nr. 29 [97f Sbordone]) werden die F. in zwei Arten aufgeteilt: Land-F. u. Wasser-F. Die erstere Art erträgt die Glut der Sonne, während die andere ihr ins Wasser ausweicht. So gilt jene als Sinnbild des standhaften, diese als Sinnbild des wankelmütigen Christen, der sich jeder Gefahr entzieht (B. E. Perry, Art. Physiologus: PW 20, 1 [1941] 1089; Fink aO. 31f; O. Seel, Der Physiologus [Zürich 1960] 26).

II. F.lampe. Die Lampen in F.form bleiben in christl. Zeit weiter in Gebrauch u. tragen bisweilen zusätzliche christl. Kennzeichen, wie zB. ein Kreuz oder einen Anker oder auch folgende Aufschriften: σταυρὸς τὸ ὄχημα (V. Schulze-G. B. de Rossi: BullArchCrist Ser. 3, 4 [1879] 32 Taf. 3, 2; Leclercq Abb. 5466; G. Lefebvre, Recueil des inscriptions grecques-chrétiennes d'Égypte [Le Caire 1907] 145 nr. 746) u. ἐγώ εἰμι ἀνάστασις (Joh. 11, 25; vgl. Lefebvre aO. 145 nr. 744f; E. Le Blant, Note sur quelques lampes égyptiennes en forme de grenouille: CRAcadInscr Ser. 4, 7 [1879] 27/9; Leclercq 1812/4 mit Abb. 5467; W. Fraenger, Die Hochzeit zu Kana [1950] 49). Die Worte ‚ich bin die Auferstehung' sprechen besonders deutlich für die Geltung des F. als Symbol der Auferstehung u. der Wiedergeburt des Menschen zum ewigen Leben (zu christl. F.lampen vgl. ferner O. Wulff, Altchristliche u. mtl. byzantinische u. italienische Bildwerke = Kgl. Mus. Berlin, Beschreibung der Bildwerke der christl. Epochen 3 [1909/11] 1305f; C. M. Kaufmann: OrChr NF 3 [1913] 299f; ders., Graeco-ägyptische Koroplastik² [1915] 87; G. Ristow, Das F.- u. Krötenmotiv auf koptischen Tonlampen: Staatl. Mus. Berlin, Forsch. u. Berichte 3/4 [1961] 60/9; Wrede).

H. ALTENMÜLLER, Die Apotropaia u. die Götter Mittelägyptens 1/2, Diss. München (1965). –

H. BÄCHTOLD-STÄUBLI, Art. F.: Bächtold-St. 3 (1930/31) 124/42. – A. DE BUCK, The egyptian coffin texts 1/7 = UnivChicagoOrientPubl 34 (1935); 49 (1938); 64 (1947); 67 (1951); 73 (1954); 81 (1956); 87 (1961). – E. EBELING, Art. F.: ReallexAssyr 3 (1959) 118. – F. EGGER, F. u. Kröte bei den alten Ägyptern: Mitt. d. geogr. ethnolog. Ges. Basel 4 (1931/4) 1/24. – H. FREHEN, Art. F.: H. Haag, Bibel-Lexikon (1968) 500. – G. GRIMM, Die Zeugnisse ägyptischer Religion u. Kunstelemente im römischen Deutschland = Ét. prél. aux religions orient. dans l'empire romain 12 (Leiden 1969). – TH. HOPFNER, Der Tierkult der alten Ägypter = DenkschrWien 57, 2 (1913) 149f. – A. JEREMIAS, ATAO⁴ 50. 218. – H. KEES, Der Götterglaube im alten Ägypten² (1956) 61/3. – O. KELLER, Antike Tierwelt 2 (1909 bzw. 1963) 305. 311/8. – F. X. KRAUS, Art. F.: Kraus, RE 1, 544f. – B. LANDSBERGER, Die Fauna des alten Mesopotamien = AbhLeipz 42, 6 (1934) 140f. – H. LECLERCQ, Art. Grenouille: DACL 6, 2, 1810/4. – H. LESITRE, Art. Grenouille: DictBibl 3, 1 (1912) 347f. – H. W. MÜLLER, Werke altägyptischer u. koptischer Kunst. Die Sammlung W. Esch, Duisburg (1961) 15/9. – V. PÖSCHL-H. GÄRTNER-W. HEYKE, Bibliographie zur antiken Bildersprache (1964) 479 s. v. – W. RICHTER, Art. F.: KlPauly 1 (1964) 618f. – K. SETHE, Urkunden der 18. Dynastie = Urkunden des ägypt. Altertums, hrsg. von G. Steindorff, 4. Abt. ²(1927/30). – W. SPIEGELBERG-A. JACOBY, Der F. als Symbol der Auferstehung bei den Ägyptern: Sphinx 7 (1903) 215/28. – F. X. STEINMETZER, Das F.symbol in der Offenbarung 16: ByzZs 10 (1912) 252/60. – T. SZENTLÉLEKY, Ancient lamps (Amsterdam 1969) 121/4. – M. WELLMANN, Art. F.: PW 7, 1 (1910) 113/20. – H. WREDE, Ägyptische Lichtbräuche bei Geburten. Zur Deutung der F.lampen: JbAC 11/2 (1968/9) 83/93.   *M. Weber.*

Frucht s. Ernte (o. Bd. 6, 275/306).

Frühgeburt s. Geburt.

Frühling s. Jahreszeiten.

Fruitio Dei.

A. Griechische Philosophen. I. Platon 538. II. Antiochos v. Askalon (Poseidonios u. Eudoros) 539. III. Plutarch 541. IV. Albinos 541. V. Plotin 542. VI. Porphyrios 542.

B. Judentum. I. Altes Testament 543. II. Philon 543.

C. Christentum. I. Neues Testament u. 1 Clem. 543. II. Valentinos 544. III. Griechische Schriftsteller. a. Irenaeus 544. b. Clemens Alex. 544. c. Origenes 545. d. Eusebios (Methodios) 546. e. Gregor v. Nyssa 547. f. PsMakarios (Mart. Phil.) 548. g. Diadochos v. Photike (PsDionys. Areop.) 549. – IV. Lateinische Kirchenväter. a. Marius Victorinus 550. b. Augustinus 551. 1. Dialektische F. 551. 2. Mystische F. 553.

A. Griechische Philosophen. I. Platon. F. als Gottverbundenheit mit dem Akzent höchster

geistiger Lust ist vorwiegend eine Eigentümlichkeit der Mystik u. mit dem Erlebnis ekstatischen Schauens verbunden. Neben dem
Gottgenießen durch Gottschauen läßt sich
als andere Hauptform das Gottgenießen
durch Teilhaben am Göttlichen oder Gotthaben unterscheiden. Unter den älteren antiken Philosophen ist wohl nur Platon zu
nennen als Vorläufer der ersteren Form der
F. Er sagt rep. 582 C: ‚Die Lust am Schauen
(θέα) des wahren Wesens der Dinge in ihrer
Eigenart kann nur der Philosoph gekostet
haben' (γεγεῦσθαι). Negativ heißt es von denen, denen es an Einsicht u. Tugend fehlt, sie
haben sich niemals mit dem Seienden wahrhaft erfüllt (τοῦ ὄντος ... ἐπληρώθησαν) u. nie
eine reine u. beständige Lust gekostet (ἡδονῆς
ἐγεύσατο: rep. 586 A). Ähnlich heißt es Phaedr. 247 D von jeder unsterblichen Seele, sie
freue sich, das Seiende zu erblicken u. nähre
sich von der Betrachtung (θεωροῦσα) des
Wahren u. lasse es sich wohl sein (εὐπαθεῖ).
Von dieser Lust am Schauen des wahren Wesens der Dinge zur Lust an der Erkenntnis
der Idee des Guten, der platonischen Gottheit, führt ein Weg, den freilich Platon selbst
noch nicht gegangen ist. – Auch Eudoxos v.
Knidos, ein Schüler Platons, ist hier zu erwähnen wegen seiner auf Gott bezogenen
Lustlehre. Näheres bei Haußleiter, Vorst. 49.
– Wenn Augustin civ. D. 8,8 das Gottgenießen
ausdrücklich auf Platon zurückführt (ipsum
autem verum ac summum bonum Plato dicit
deum, unde vult esse philosophum amatorem
dei, ut . . . fruens deo sit beatus, qui deum
amaverit), so läßt sich hierfür ein Beleg im
Corpus Platonicum nicht nachweisen.
II. Antiochos v. Askalon (Poseidonios u.
Eudoros). Lorenz, Herk. 42/8 hat nach dem
Vorgang J. Dräsekes (TheolStudKrit 89
[1916] 541/62, bes. 560/2) wahrscheinlich gemacht, daß Augustin civ. D. 8, 8, ebenso wie
19,1/4. 7, Varros Schrift De philosophia benutzt hat (vgl. dazu G. Langenberg, M. Terenti Varronis Liber de philosophia, Diss.
Köln [1959], wo leider auf die Aufsätze von
Dräseke u. Lorenz nicht eingegangen wird;
vgl. jetzt H. Hagendahl, Augustine and the
latin classics [Göteborg 1967] 620/27). Es ist
möglich, daß hier der Einfluß von Varros
Lehrer, dem Akademiker Antiochos v. Askalon, zu verspüren ist, der nach Theiler 53 aufgrund von Joh. Stob. 2, 7, 3 f (2, 49, 9 W.-H.)
die ὁμοίωσις θεῷ (nach Plat. Theaet. 176 B) als
Telos der Philosophie bezeichnet haben soll

(anders Dörrie 31 f, der das vivere ex hominis
natura undique perfecta [Cic. fin. 5, 26] als
die Telos-Definition des Antiochos betrachtet). Jedenfalls spielt die ὁμοίωσις θεῷ im mittleren Platonismus des 1. u. 2. Jh. nC. eine
große Rolle (s. u. Sp. 541 die Ausführungen
zu Plutarch u. Albinos). Mit Theilers Ansicht
stimmt es überein, wenn Antiochos in seiner
Polemik gegen den subjektiv gefaßten Begriff des höchsten Gutes Epikurs (Cic. fin. 2,
88: summo bono frui, id est voluptate) in
platonischem Geist die Lehre vom Genuß des
objektiv höchsten Gutes, d. i. Gottes, aufstellte. Einen Beleg hierfür haben wir zwar
nicht. Aber wenn es fin. 5, 57 (dieses Buch
geht sicher auf Antiochos zurück) von den
Menschen höheren Geistes heißt, optima parte
hominis, quae in nobis divina ducenda est,
ingenii et mentis acie fruuntur, so kann man
diese Auffassung als eine Vorstufe zu der
Wendung ins Metaphysische betrachten.
Näheres bei Haußleiter, Herk.; ders., Vorst. 50.
– Daneben wird man die Möglichkeit nicht
außer acht lassen dürfen, daß Aug. civ. D.
8,8 von dem in den Büchern 8/10 viel benützten Porphyrios abhängig ist. – Eine Vorstufe
der F. dürfen wir ferner an zwei Stellen bei
Cicero erkennen, die einige auf den Mittelstoiker Poseidonios zurückführen. Hier ist die
Erkenntnis der Götter u. die Angleichung an
sie mit der Glückseligkeit verbunden. Cic.
nat. deor. 2, 153: animus accedit ad cognitionem deorum . . . vita beata par et similis deorum; Tusc. 5, 70: ut ipsa se mens agnoscat
coniunctamque cum divina mente se sentiat,
ex quo insatiabili gaudio compleatur. Zu
dieser Verknüpfung des Homoiosis-Motivs
mit der Eudaimonie vgl. Merki 9. 15 f; Theiler 106. – Der Mittelplatoniker Eudoros v.
Alexandrien ist dadurch bemerkenswert, daß
aus der gleichen Stelle bei Joh. Stob. 2, 7, 3 f
(2, 49, 8 f W.-H.) auch für ihn die platonische
ὁμοίωσις θεῷ als Telosformel erschlossen wurde (vgl. Dörrie 31 f u. Ueberweg 1¹², 531, der
die Formel diesem Alexandriner, vielleicht
nach dem Beispiel eines Vorgängers, zuschreibt). Ob Antiochos als Vorgänger angesehen werden kann, wie Dörrie meint, bedarf
noch der Klärung. – Bemerkenswert ist eine
Äußerung der ps.-aristotel. Schrift De mundo,
daß die Dinge die Macht Gottes genießen
(τῆς δυνάμεως ἀπολαύει) in einer Stufenfolge,
die sich aus der ständig größer werdenden
Entfernung von Gott ergibt (397 b 28); vgl.
W. Capelle, Die Schrift von der Welt (1907)

38 f. Wir dürfen in dieser Anschauung des eklektischen Verfassers wohl ein platonisches Element erblicken.

III. Plutarch. Bei dem Platoniker Plutarch findet sich dann m. W. zum ersten Mal auch das Wort für Gottgenießen (ἀπολαύειν θεοῦ), das bezeichnenderweise wieder mit dem Verähnlichungsgedanken vereinigt ist. Ser. num. vind. 5, 550 DE heißt es: ,Nach Platon stellt der Gott sich als Muster alles Schönen in die Mitte u. verleiht die menschliche Tugend, die auf irgendeine Weise in der Verähnlichung (ἐξομοίωσιν) mit ihm besteht, denen, die Gott zu folgen vermögen ... Er (Platon) sagt auch, daß die Natur in uns das Augenlicht angezündet habe (wörtliche Übereinstimmung mit Tim. Locr. univ. nat. 11 [50 Marg = 219 Thesleff], zuerst zitiert von Nikomachos, also in der ersten Hälfte des 2. Jh. nC.; vgl. R. Harder: PW 6 A, 1 [1936] 1204; zum Einfluß von Plat. Tim. 47 A/C vgl. Harder ebd. 1213 f), damit sich die Seele durch den wunderbaren Anblick der Himmelskörper daran gewöhne, das Anständige u. Geordnete zu lieben. Denn durch nichts kann ein Mensch in höherem Grade Gott genießen, als daß er durch eifrige Nachahmung des in ihm (d. i. in Gott) liegenden Schönen u. Guten zur Tugend gelangt'. Hier folgt Plutarch jüngeren Platonikern, wie M. Pohlenz im Apparat zSt. gezeigt hat. Der Begriff der F. wird als bekannt vorausgesetzt u. als schauende ὁμοίωσις θεῷ verstanden (vgl. die genaue Interpretation bei Lorenz, Herk. 44 f).

IV. Albinos. Von dem Mittelplatoniker Albinos mögen noch zwei Stellen angeführt werden, an denen zwar nicht dem Worte, wohl aber dem Sinne nach von F. die Rede ist. Albin. didasc. 27 (179 Herm.) heißt es: ,Wenn jemand sorgfältig Platons Schriften vornimmt, so setzte er (Platon) unser Gut in das Wissen u. die Schau (θεωρία) des ersten Gutes, welches man Gott u. den ersten Nus nennen könnte'. Ebd. 2 (153 H.): ,Wenn die Seele das Göttliche u. die Gedanken des Göttlichen schaut (θεωροῦσα τὸ θεῖον), läßt sie es sich wohlsein (εὐπαθεῖν), wie man sagt, u. diese ihre Empfindung ist Vernunft (φρόνησις) genannt worden, von der man behaupten könnte, daß sie nichts anderes sei als die Verähnlichung mit dem Göttlichen (τῆς πρὸς τὸ θεῖον ὁμοιώσεως)'. Hier haben wir das Quellgebiet der F. Das bestätigt Aug. civ. D. 8, 8, wenn er das frui deo als Telosformel der ,Platoniker' bezeichnet.

V. Plotin. Die letzte Folgerung aus Platons Lehre im Sinne einer ekstatischen Schau des Einen zieht Plotin. enn. 1, 6, 7: ,Wer in der Schau des Einen verweilt u. es genießt (ἀπολαύων αὐτοῦ) u. ihm ähnlich wird, welcher Art von Schönem sollte der noch bedürfen?' Wie bei Plutarch ist hier F. mit Gottverähnlichung verbunden. ,Wer diese Schau erlangt hat, ist selig (μακάριος), da er einen seligen Anblick (ὄψιν μακαρίαν) erlebt hat' (vgl. die μακάριαι θέαι der Götter bei Plat. Phaedr. 247 A). Enn. 6, 7, 34 heißt es: ,Wird der Seele jenes (d. i. das Eine) glückhaft zuteil (ὅταν τούτου εὐτυχήσῃ), da würde sie jenes gegen kein Ding der Welt eintauschen, u. böte man ihr den ganzen Himmelsbau ... So groß ist das Wohlsein, zu dem sie gelangt' (εἰς τόσον ἥκει εὐπαθείας). Es handelt sich hier um Ausdrücke aus der Liebessphäre (vgl. die Anm. zSt.: Plotins Schriften, übers. von R. Harder, Neubearb. von R. Beutler u. W. Theiler 3 b [1964] 508). Auch von der dritten göttlichen Hypostase, der Psyche, wird gesagt, daß sie sich mit dem Nus erfüllt u. ihn genießt (ἀπολαῦον: enn. 5, 1, 7 a E.). ,Mit ἀπολαύειν wird also das Verhalten der Psyche zum Nus innerhalb der göttlichen Trias bezeichnet' (Lorenz, Herk. 49).

VI. Porphyrios. Verwandte Gedanken äußert Porphyr. sent. 30, 15 f Momm., indem er Plot. enn. 6, 4, 2 paraphrasiert. Er erweitert hier die göttliche Trias von Hen, Nus u. Psyche um ein weiteres Glied, den Weltkörper (κοσμικὸν σῶμα). Jede dieser Potenzen erstreckt sich auf die nächst höhere, letztlich also auf das ἕν. ,Deshalb könnte man sagen, daß diese Kräfte nicht nur nach Gott streben, sondern ihn auch nach Möglichkeit genießen' (τοῦ θεοῦ ... ἀπολαύειν κατὰ δύναμιν); vgl. die genauere Interpretation dieser Stelle bei Lorenz, Herk. 49. Ferner redet Porphyr. abst. 1, 31 (109, 11 f Nauck) vom Genießen der Schau des Nus (ἀπολαύοντες ... αὐτοῦ [sc. τοῦ νοῦ] τῆς θεωρίας). Im allgemeinen spielt jedoch ἀπολαύειν θεοῦ im System des Plotin u. Porphyrios eine geringe Rolle (vgl. jedoch Iambl. myst. 3, 5. 20), da, wie Lorenz, Herk. 50 mit Recht bemerkt, ἀπολαύειν ,immer Bewußtsein u. Unterschiedenheit des Genießenden von dem, was er genießt, voraussetzt', mithin zur Beschreibung des eigentlichen plotinischen Zieles, der Ekstase, d. h. einer jenseits des Denkens stattfindenden Verschmelzung von Gott u. Mensch, wenig geeignet war. – Bei dem christl. Neuplatoniker Synesios ist eher ein Rückschritt festzustellen. Hymn. 2, 145/

51 Terzaghi redet er die heilige Monade (μονὰς ἄρρητος) an: ‚Du bist in allen, durch dich genoß die höchste, mittelste u. letzte Natur gute Gaben Gottes, des Vaters, des Lebenerzeugers' (θεοῦ ἀπέλαυσε ... δώρων).

B. Judentum. I. Altes Testament. Trotz des unmystischen Charakters der Schriften des AT finden sich hier einige Stellen in den Psalmen, die im Sinne der F. verwertet werden konnten. Ps. 42 (41), 3: Dürsten der Seele nach Gott. Ps. 34 (33), 9: Schmeckt (γεύσασθε) u. seht, daß der Herr gütig ist. Ps. 37 (36), 4: Habe deine Wonne an dem Herrn (κατατρύφησον τοῦ κυρίου). Vgl. auch die Worte, die die Weisheit von sich spricht (Sach. 24, 28f): ‚Wer mich ißt, wird weiter Hunger haben nach mir, u. wer von mir trinkt, der wird weiter Durst haben'.

II. Philon. Bei Philon fließt zum ersten Male die platonische Vorstellungswelt mit der biblischen zusammen. Über Platons enthusiastisches Element hinaus kennt er die nachempfundene Ekstase. Für die Idee der F. jedoch bringt er keinen wesentlichen Fortschritt. Einmal nennt er die Schau Gottes die Speise der Seele. Quaest. in Ex. 2, 39: sancte constanterque invisentes Deum, acutis intellectus oculis. Talis autem apparentia cibus est animae. Wir haben es im allgemeinen bei ihm lediglich mit einem schwelgerischen Genuß von Erkenntnis u. sittlich-religiöser Tugend zu tun. Vgl. vor allem plant. 38: Die Seele hat sich als einzigen Genuß (ἀπόλαυσμα) den Dienst des allein Weisen zum Ziel gesetzt. Es folgt das Zitat von Ps. 37 (36), 4, das durch ἐνευφραινόμενος τῷ θεῷ erklärt wird. Somn. 1, 50f: Selig die, denen es vergönnt war, von dem Liebestrank der Weisheit zu kosten, sich an ihren Erkenntnissen u. Lehren zu laben, sich an ihr zu erfreuen u. immer weiter zu dürsten. Spec. leg. 1, 303: sich freuen u. schwelgen (ἐνευφρανθῆναι καὶ ἐντρυφῆσαι) in Gerechtigkeit u. Heiligkeit (vgl. die Stellen bei Lewy u. Lorenz, Herk. 59₁₀₉). Auch die sehr charakteristische Metapher von der μέθη νηφάλιος gehört in diesen Bereich. Aber über diesen Genuß der Weisheitsgaben u. der sittlichen Vollkommenheit hinaus ist Philon nirgends zu einem Genuß der Sophia selber, als göttlicher Kraft verstanden, geschweige denn zu einem solchen des Logos oder gar Gottes vorgedrungen (gegen Lewy 101. 110₃. 111₂, der von einem ‚Gottes- oder Weisheitsgenusse' redet).

C. Christentum. I. Neues Testament u. 1 Clem. Auch den Schriftstellern des NT ist die F. noch fremd. Weder hat Joh. 6, 51/7, wo er wiederholt Christus vom Essen seines Fleisches u. vom Trinken seines Blutes reden läßt, den Schritt von der manducatio spiritualis zu einer fruitio mystica getan, noch hat Paulus etwa bei seiner Aufforderung, sich im Herrn zu freuen (Phil. 4,4), Gedanken über die F. hieran angeschlossen; ebensowenig der Verfasser des Hebr., wenn er 6, 4 von einem Schmecken (γεύεσθαι) der himmlischen Gabe spricht. Auch der Ausdruck 1 Clem. 36, 2: ‚Durch Jesus sollen wir nach dem Willen des Herrn die unsterbliche Erkenntnis kosten (γεύσασθαι)' kann nur als Vorbereitung auf die eigentliche F. gewertet werden.

II. Valentinos. Dagegen tritt uns die F. zum ersten Mal in der christl. Welt bei dem von der platonischen Philosophie beeinflußten Gnostiker Valentinos, einem Zeitgenossen des Albinos, entgegen. Er lehrt als letztes religiöses Ziel des Menschen ‚den Besitz u. Genuß des höchsten Gottes'. Dem entspricht es, daß auch in der obersten Region des πλήρωμα der νοῦς oder μονογενής den Vater unmittelbar erkennen, schauen u. genießen kann (vgl. Müller 225. 241).

III. Griechische Schriftsteller. a. Irenaeus. Bei Irenaeus ist von einem eschatologischen Genießen die Rede, von einem Kosten der Wonne des Paradieses (τῆς τοῦ παραδείσου τρυφῆς ἀπολαύσουσιν: haer. 5, 36 [2, 428 Harvey]). Dieses ‚Genießen besteht in der Schau des Erlösers' (Lorenz, Herk. 57). Wenn Harnack, Dogmengesch. 1, 559f sagt, daß bei Irenaeus ‚die Vergottung der menschlichen Natur die volle Erkenntnis u. den Genuß Gottes (visio dei) einschließe', so gibt er damit die visio beatifica in freierer Weise durch ‚Genuß Gottes' wieder. Wenn Irenaeus haer. 4, 34 (2, 217) ‚Teilhabe (μετοχή) an Gott' erläutert durch ‚Gotterkennen u. seine Güte genießen (ἀπολαύειν τῆς χρηστότητος αὐτοῦ)', so erhebt er sich damit kaum über dieAuffassung von Ps. 34 (33), 9 (s. o. Sp. 543). Jedenfalls ist hier ‚kein mystischer Vorgang, sondern Gottes Inkarnation in Jesus Christus gemeint' (Lorenz, Herk. 58). Wir haben es also hier mit der zweiten Form der F., nämlich der Teilhabe am Göttlichen, zu tun.

b. Clemens Alex. Selbst Clemens verbindet die Verba ἀπολαύειν u. γεύεσθαι nur mit Eigenschaften Gottes, jedoch nicht unmittelbar mit Gott. Vgl. strom. 7, 11, 60: den Willen Gottes kosten (γεύεσθαι); paed. 2, 4, 44: Gottes Gnade u. Güte genießen (ἀπολαύειν). Auch in

bezug auf den Logos finden sich nur Ansätze zur F. Paed. 1, 6, 47: ‚Der Logos wird
auf vielerlei Weise sinnbildlich bezeichnet,
als Speise, Fleisch, Nahrung, Brot, Blut u.
Milch; dies alles ist der Herr zum Genuß
(εἰς ἀπόλαυσιν) für uns, die wir an ihn geglaubt haben.' Der Ausdruck ‚die ewige Seligkeit genießen' (protr. 3, 223) erinnert an
das Kosten der Paradieseswonne bei Irenaeus (s. o.).
c. Origenes. Erst bei Origenes haben wir den
vollen Klang des mystischen Erlebens. Freilich ist die F. bei ihm fast ganz auf die Logosmystik beschränkt. ‚Die Verbindung mit dem
Logos gilt . . . als das höchste Glück, das der
Seele zuteil werden kann; die Konzentration
auf das überweltliche Gut ist so stark u. ausschließlich, daß . . . die Welt, verglichen mit
der himmlischen dulcedo, als asper erscheint'
(Völker, Vollk. 108 nach Orig. comm. in
Cant. 1 [GCS Orig. 8, 104, 3/5]). Ebd. 104, 17/
9: qui dignus fuerit redire et esse cum Christo
. . . ille gustabit et capiet voluptatem Domini.
Ebd. 1, 105, 1f: ita omnibus sensibus suis
deliciabitur in Verbo dei (vgl. Ps. 36 [37], 4)
is, qui ad summam perfectionis ac beatitudinis venerit. Comm. in Mt. 25,6/13 (GCS Orig.
11, 150, 31): ‚Das Kosten, das den Herrn
Christus ißt, u. das Riechen, das Christi
Wohlgeruch (2 Cor. 2, 15) u. das ausgegossene
Myrrhenöl (Cant. 1, 3) genießt' (γεύσεως ἀπο-
λαυούσης). Diese Stelle, an der die Vorstellung der geistigen Sinne zum Ausdruck
kommt, ist offensichtlich von der kirchlichen
Überlieferung beeinflußt (Näheres bei Ziegler 58f). Comm. in Joh. 20, 43 (GCS Orig. 4,
386, 27/9): ‚So weit der Herr lebendes, vom
Himmel herabgestiegenes Brot ist (nach Joh.
6, 58), kann er gekostet werden (γευστός
ἐστιν), da er der Seele Nahrung gibt'. Ebd. 19,
6 (305, 27/9): ‚Man muß ihn als Herrscher gebrauchen (χρήσασθαι), soweit er Hirte ist, damit man ihn auch als König genießen (ἀπο-
λαῦσαι) u. von ihm als einem Lamme Nutzen
haben kann'. Von Christus-Genuß ist die
Rede in Lc. hom. 22 (GCS Orig. 9, 144, 17/9):
cum et ad me venerit (sc. Christus) et fruitus
illo fuero, sicut fruitus est Paulus, tunc et ego
Paulo similiter loquar: ‚vivo iam non ego,
vivit autem in me Christus' (nach Gal. 2, 20).
Die Steigerung u. Krönung der Logosmystik
ist die Gottesmystik. ‚Blieb das Ich bei der
Logosmystik in seiner Eigenart noch erhalten,
so versinkt es hier (d.h. im Endzustande) im
göttlichen Abgrund' (Völker, Vollk. 128).

Dies gilt auch für den parallelen Zustand der
irdischen Gottesmystik. So brauchen wir uns
nicht zu wundern, wenn hier das Wort (ἀπόλαυσις θεοῦ) fast nirgends begegnet. Einmal
heißt es comm. in Mt. 11,25 (frg. 240, 3/5
[GCS Orig. 12, 112]): ‚Wer demütig ist u.
glaubt, nichts zu haben, der wendet sich zu
Gott u. dabei wird er mit ihm vereinigt (ἑνοῦ-
ται αὐτῷ) u., nachdem er vereinigt ist, genießt
er (ihn)' (ἑνωθεὶς ἀπολαύει). Ähnlich wie bei
Plotin ist dieser Begriff im allgemeinen zu
schwach, um die ἕνωσις (= unio mystica) des
Gnostikers mit Gott, d.h. sein ‚Eingehen in
das göttliche Sein bei völligem Auslöschen
alles Persönlich-Individuellen' (Völker, Vollk.
134) auszudrücken. Auch bei der Schilderung
des eschatologischen Zustandes ist nur vom
Genießen der Wonne Gottes oder des Anblicks Gottes die Rede. Comm. in Joh. 32, 1, 4
(GCS Orig. 4, 425, 15/17): ‚Mögen wir uns
nicht außerhalb des Evangeliums stellen, damit wir . . . im Paradiese die Wonne Gottes
genießen' (τῆς τρυφῆς τοῦ θεοῦ ἀπολαύσωμεν).
In Lc. hom. 3 (GCS Orig. 9, 23, 17/9): habea-
mus fiduciam bonae vitae fruamurque con-
spectu omnipotentis dei. Beim Logos- (d. i.
Christus-)Genuß u. besonders bei der Lehre
des Origenes, daß die Seele bei der ἕνωσις mit
Gott ihr Eigensein verliert u. ekstatischer
Erlebnisse fähig ist, wird man auf Plotin oder
richtiger auf Ammonios Sakkas, ihren ge-
meinschaftlichen Lehrer, als Quelle hinweisen (vgl. W. Theiler, Ammonios der Lehrer
des Origenes = Forschungen zum Neuplatonismus [1966] 1/45), falls man nicht annehmen will, daß beide, sowohl Origenes als Plotin, auf den Mittelplatonismus zurückgreifen
(vgl. Völker, Vollk. 143; Lorenz, Herk. 57
sowie Barion 144).
d. Eusebios (Methodios). Auch der von Origenes stark beeinflußte Eusebios scheint in der
Frage der F. seinem Lehrer gefolgt zu sein,
wenn er schreibt (sol. pasch. 2 [PG 24, 696
B]): ‚Durch das geistige Fleisch dieses Ret-
tungsopfers (d. i. Christi) genährt, nämlich
durch Lehren u. ankündigende Worte vom
Himmelreich, schwelgen wir natürlich in der
Gott gemäßen Wonne' (τὴν κατὰ θεὸν . . . τρυ-
φῶμεν τρυφήν); vgl. auch comm. in Ps. 37 (36),
4 (PG 23, 325 BC). – Im 4. Jh. bildete sich die
Anschauung von der F. zu ihrer eigentlichen
Höhe, ja zu einer besonderen Lehre aus. Dies
trifft nicht auf Methodios von Olympos zu,
der auch nur vom Genießen der jenseitigen
Seligkeit (resurr. 1, 37, 4 [GCS 27, 278,15]),

nicht vom Genießen Gottes redet (vgl. Lorenz, Herk. 56f).

e. Gregor v. Nyssa. An erster Stelle ist hier Gregor zu nennen. Gehen wir von der zentralen Vorstellung der Verähnlichung mit dem Göttlichen aus. Sie ist für Gregor das Ziel des tugendhaften Lebens: beat. or. 1 (PG 44, 1200 C): τέλος τοῦ κατ' ἀρετὴν βίου ἡ πρὸς τὸ θεῖον ὁμοίωσις (dazu ausführlich Merki 92/138). Dies erinnert an die gleiche Telosformel bei dem Mittelplatoniker Albinos (o. Sp. 541). Die ὁμοίωσις πρὸς τὸν θεόν erweist sich geradezu als Sinn der ἀπόλαυσις θεοῦ (vgl. Lorenz, Herk. 54). Gregor scheint als erster den mystischen Vorgang als F. beschrieben zu haben (vgl. Scholz 201). Für ihn ist der Genuß Gottes schöpfungsmäßig als Ziel gegeben. Hom. opif. 2 (PG 44, 133 B) heißt es: Bei der Schöpfung des Menschen mischte Gott das Göttliche mit dem Irdischen, ‚damit der Mensch zu doppeltem Genuß geeignet sei: Gott genießend (τοῦ θεοῦ . . . ἀπολαύειν) durch seine göttlichere Natur, die irdischen Güter genießend durch die gleichartige Empfindung'. Besonders hom. 1 in Cant. preist Gregor mit Emphase den ‚Genuß des Göttlichen, das allein in Wahrheit angenehm, begehrt u. lieblich ist: dessen jeweils eintretender Genuß (ἀπόλαυσις) ein Ausgangspunkt größerer Begierde wird, indem er durch die Teilnahme an den Gütern zugleich die Sehnsucht vergrößert' (PG 44, 777 B = 6, 30f Jaeger-Langerb.). Ebd. heißt es weiter (777 D = 6, 31): ‚Die an Gott geknüpfte Seele ist unersättlich nach seinem Genuß (ἀπόλαυσις); je reichlicher sie sich mit dem Genuß erfüllt, um so heftiger werden ihre Sehnsüchte'. Vgl. die Interpretation beider Stellen bei Daniélou 292f sowie Völker, Gregor 216, der das Genießen Gottes inhaltlich als Gottesschau erklärt. Auch hier drängt sich die Parallele mit Albinos auf (s. o. Sp. 541). Ferner virg. 13 (8, 1, 304, 3/10 Jaeger): Den ersten Menschen wurde geboten, ‚das Gute rein, unvermischt u. ohne das Böse zu genießen (καρποῦσθαι). Dies ist jedenfalls nach meiner Lehre nichts anderes als nur bei Gott zu sein u. diese Schwelgerei (τρυφή) unaufhörlich u. andauernd zu haben u. mit dem Genuß des Sittlich-Guten (ἀπολαύσει τοῦ καλοῦ) das zum Gegenteil Abziehende nicht zu vermischen'. Ebd. 12 (302, 12): ‚Nur im Herrn schwelgend' (τοῦ θεοῦ κατατρυφῶν) nach Ps. 37 (36), 4 (s. o. Sp. 543). Vgl. beat. or. 4 (PG 44, 1248 A): hier ist Ps. 34 (33), 9 im Sinne der F. umgedeutet u. ‚der den Herrn Ge-

nießende' (γευσάμενος) erklärt als ‚derjenige, der in sich den Gott aufgenommen hat' (ὁ ἐν ἑαυτῷ δεξάμενος τὸν θεόν). So ist das Genießen Gottes mit dem Gedanken des ‚Gott in uns' in Zusammenhang gebracht. Beat. or. 1 (1197 AB): ‚Selig zu preisen ist in Wahrheit das Göttliche selbst (αὐτὸ τὸ θεῖον). An zweiter Stelle wird derjenige selig zu preisen sein, dem wir aufgrund seiner Teilnahme an der wesenhaften Glückseligkeit (κατὰ μετουσίαν τῆς ὄντως μακαριότητος) diesen Namen geben'; vgl. infant.: PG 46, 173 D: ‚Es besteht volle Notwendigkeit, daß auch bei der Teilnahme an Gott in der Natur des Genießenden (τοῦ ἀπολαύοντος) etwas Verwandtes zu dem Gegenstand der Teilnahme vorhanden ist.' Hier glaubt Gronau 171 Anklänge an Poseidonios zu erkennen. Aus den beiden letzten Belegstellen geht hervor, daß hier Genuß Gottes als Teilhabe an Gott verstanden wird; vgl. Daniélou 237f, wo die charakteristischen Ausdrücke für F. zusammengestellt sind: γεῦσις, γεύομαι, γλυκύς, καταγλυκαίνειν, τρυφή (hinzuzufügen ist κατατρυφᾶν), ἀπόλαυσις, εὐφροσύνη. Es sei hier auf den wichtigen Unterschied der F. Gregors von der des Origenes hingewiesen. Gregor unterscheidet nicht zwischen Christus- u. Gottesmystik; ‚er kennt keine Gottesmystik, die sich als höhere Stufe über der Christusmystik erhebt ... Gott wohnt zusammen mit Christus im Herzen' (Völker, Gregor 208. 212. 222). Fragen wir nach der philosophischen Herkunft der gregorianischen F., so dürfen wir sie auf die platonische Schultradition eines Albinos u. Plotin zurückführen. Vgl. auch die genaue Darlegung bei Lorenz, Herk. 51/4.

f. PsMakarios (Mart. Phil.). Ähnliche Töne vernehmen wir bei PsMakarios (= Symeon v. Mesopotamien [2. Hälfte 4. Jh.]). Hom. 15, 37 (PG 34, 601 B = 149 Dörries): ‚Der Genuß Gottes (ἡ ἀπόλαυσις τοῦ θεοῦ) ist unersättlich, u. so weit jemand ihn genießt u. ißt (αὐτοῦ γεύεταί τις καὶ ἐσθίει), wird er hungrig'; vgl. charit. 3 (PG 34, 909 B): ‚Der Genuß Gottes (ἡ τοῦ θεοῦ γεῦσις) ist über jede Sättigung erhaben, u. je mehr jemand diesen Reichtum besitzt, um so mehr bemerkt er seine Armut'. Diese Schrift stammt nicht direkt von PsMakarios, sondern ist eines der ‚septem opuscula ascetica', die auf Auszügen aus dessen Homilien beruhen (vgl. Bardenhewer 3, 89), jedoch nach Dörries 7 in sehr alte Zeit hinaufweisen. Hom. 4, 11 (PG 34, 480 D = 36 D.) heißt es von den heiligen

Seelen: ‚Sie sollen Gottes Süßigkeit (γλυκύτητος) empfinden u. die Lieblichkeit seiner
unaussprechlichen Lichtwonne in unmittelbarer Erfahrung kosten‘ (τῆς ἀρρήτου ἀπο-
λαύσεως ἀπολαύειν). Auf das Kosten des Hl.
Geistes (gen. obi.) beziehen sich folgende Stellen: hom. 17, 13 (PG 34, 632 C = 174 D.): ‚Im
Kosten des Geistes (ἡ γεῦσις τοῦ πνεύματος)
gibt es beinahe kein Aufhören‘; hom. 27, 12
(PG 34, 701 C = 224 D.): ‚Im inneren Menschen u. im Geiste den Schatz, die Gnade, den
Genuß u. die Wirksamkeit (τὴν γεῦσιν καὶ τὴν
ἐνέργειαν) des Heiligen Geistes besitzen‘; hom.
8, 2 (PG 34, 529 A = 78 D.) heißt es allgemein: ‚Die Lampe (des Herzens) wird, sobald
sie gereinigt ist, in Trunkenheit (ἐν μέθῃ)
noch mehr an die Liebe zu Gott geknüpft‘.
Eine genaue Würdigung der ‚Süßigkeit‘ des
mystischen Erlebens bei PsMakarios gibt
Ziegler 85/8. Lorenz, der die F. bei Symeon v.
Mesopotamien (Herk. 54f) ausführlich behandelt, kommt zu dem Ergebnis, daß ‚er
wahrscheinlich in der Verwendung des Terminus (ἀπόλαυσις θεοῦ) von Gregor abhängig
ist‘. Wie sich die Idee der F. wiederum der
Gestalt Christi bemächtigt, zeigt eine Stelle
im Mart. Phil. 141 (AAA 2, 2, 77 [4. oder 5.
Jh.]); hier sagt Philippus: ‚Er selbst ist es,
der die Süßigkeit hat (d.i. Christus); u. sie
spieen ihn an, nachdem sie ihn mit Galle getränkt hatten, damit er die, welche bitter
wurden, seine Süßigkeit kosten ließe‘ (τῆς
γλυκύτητος αὐτοῦ γεύσασθαι). In den zwei
Parallelstücken ist daran die Mahnung geknüpft: ‚Kostet ihn also‘ (γεύσασθε οὖν αὐτοῦ).
Hier ist der γεῦσις-Gedanke mit einem Zug
aus der Leidensgeschichte (Mt. 27, 34) in Verbindung gebracht. Zur enthusiastischen Stimmung der Märtyrer während der letzten Ent-
scheidungsstunde vgl. Lewy 162.

g. Diadochos v. Photike (PsDionys. Areop.).
Als letzter Vertreter des Gedankens der F. in
der christl. Antike kann Diadochos mit seiner
Schrift ‚Capita centum de perfectione spirituali‘
genannt werden. Zwar kommt bei ihm ἀπόλαυσις kaum vor, wohl aber γεῦσις. Dafür, daß
unser Geist ‚die Tröstung des Hl. Geistes reichlich kosten‘ kann (γεύεσθαι τῆς παρακλήσεως
... τοῦ ἁγίου πνεύματος), glaubt er eine Bestätigung in Ps. 34 (33), 9 zu finden (30 [34, 7/10
Weis-Liebersd.]). Nach ihm nimmt die Seele,
wenn sie rein ist, die göttliche Tröstung in
einer Art unaussprechlichen Genusses (ἐν
ἀρρήτῳ τινὶ γεύσει) wahr (34 [40, 21]). Auch
andere Ausdrücke, die zur γεῦσις-Idee gehö-

ren, wie γλυκύτης τοῦ θεοῦ (15 [18, 13]; vgl.
33 [36, 25]) u. τρυφὴ θεοῦ (5, 13), finden sich
bei ihm. Doch tritt der platonische Einfluß
hinter der kirchlichen Überlieferung zurück
(vgl. Dörr 40₂. 96. 130; Lorenz, Herk. 55f). –
Bei PsDionys. Areop. spielt der Begriff ἀπόλαυσις θεοῦ kaum eine Rolle, da er sich mit der
negativen Theologie dieses Mystikers schlecht
vereinbaren läßt. Eccles. hier. 1, 3 (PG 3, 376
A): ‚Die Bewirtung (ἑστίασις) des Anblicks
(nämlich des Einen), die in geistiger Weise nährt
(τρέφουσα νοητῶς), vergöttlicht jeden, der sich
zu ihr emporreckt‘. Zu den Bildern der Bewirtung u. des Nährens vgl. Plat. Phaedr.
247 DE (τρέφεται ... ἑστιαθεῖσα). Div. nom.
12, 2 (PG 3, 969 C) heißt es: ‚Gottheit ist die
alles schauende Vorsehung (πρόνοια), die alles,
was an der Vorsehung selbst Genuß hat (πάντα
τὰ τῆς προνοίας αὐτῆς ἀπολαύοντα), mit sich erfüllt u. überragt‘ (ὑπερέχουσα). Hier ist, wie in
vielem anderen, der Areopagite von dem Neuplatoniker Proklos abhängig, in dessen inst.
theol. 122 (108, 2/8 Dodds) es heißt: ‚Alles
Göttliche übt Vorsehung aus, wobei die Vorsehung (πρόνοια) seine (des Göttlichen) unver-
mischte u. einheitliche Überlegenheit (ὑπερ-
οχή) nicht vermindert ... Denn sie (die Götter), die in ihrer Einheit u. Substanz verharren, haben alles mit ihrer Macht erfüllt; u.
alles, was fähig ist, an ihnen teilzuhaben, genießt (ἀπολαύει) die Güter, die es empfangen
kann‘; vgl. ebd. 142 (126, 4/7): ‚Während die
Götter in gleicher Weise allem gegenwärtig
sind, ist alles nicht in gleicher Weise ihnen
gegenwärtig, sondern nur, wie jedes es vermag, ist es gegenwärtig, u. wie es gegenwärtig
ist, so genießt (ἀπολαύει) es jene. Denn seine
Teilhabe (μέθεξις) richtet sich nach dem Maße
seiner Gegenwart‘; vgl. dazu E. R. Dodds in
seiner Ausgabe der Inst. theol. (Oxford 1963)
273f. Hier beruht also das ἀπολαύειν wieder
auf der μέθεξις.

IV. Lateinische Kirchenväter. a. Marius Victorinus. Bei Tertullian, Cyprian, Arnobius,
Lactantius, Ambrosius u. Hieronymus findet
sich der Begriff der F. nicht. Was Ambrosius
betrifft, so kommt nach einer freundlichen
Auskunft von O. Faller, dem neuen Herausgeber dieses Kirchenvaters, bei diesem weder
frui Deo noch uti Deo vor. Die von Lorenz,
Herk. 359 angeführte Stelle (Ambros. Isaac
78 [CSEL 32 1, 698, 1f]) besagt nur, daß es
selig ist, den Ruhm der Göttlichkeit u. das
unzugängliche Licht (divinitatis gloria et lux
inaccessibilis) zu haben (uti), was höchstens

als eine Vorstufe der F. betrachtet werden kann. Von den genannten Kirchenschriftstellern läßt sich somit kein Einfluß in diesem Punkte auf Augustinus nachweisen. In umfassender Weise ausgestaltet u. in der abendländischen Mystik eingebürgert wurde die Lehre von der F. durch Augustinus. Bei dem christl. Neuplatoniker Marius Victorinus, der ihn in den Neuplatonismus einführte, läßt sich nur eine einzige Stelle nachweisen (adv. Arium 1, 56 [PL 8, 1083 A = SC 68, 362]), an der er das Erreichen Gottes durch die Seele mit frui Deo ausdrückt. Sie lautet: Et hoc est Joannis ‚vox exclamantis in deserto: Dirigite viam domini‘: anima enim in deserto, hoc est in mundo, exclamat, quoniam scit (Lorenz: sitit) dominum deum et vult mundari, ut domino fruatur deo. Hier wird man eine Nachwirkung Plotins erblicken dürfen. Die hier gegebene allegorische Deutung Johannes d. T. als menschlicher Seele findet sich auch bei Aug. conf. 7, 9, 13; civ. D. 10, 2. Es handelt sich um den Christus-Genuß wie bei Orig. in Lc. hom. 22 (GCS Orig. 9, 132f); s. o. Sp. 545; vgl. Lorenz, Herk. 50f. 359; Hadot 422f.

b. Augustinus. Bei Augustinus sind die Stellen über F. so zahlreich u. über eine Reihe von Schriften verstreut, daß hier nur die Grundlinien wiedergegeben werden können (vgl. die erschöpfende Studie von Lorenz, F.). Wir halten uns im folgenden an Scholz' Unterscheidung eines dialektischen u. eines mehr mystischen Typus des Begriffs (208/12).

1. Dialektische F. In ersterer Hinsicht wird die Frage der F. doctr. christ. 1 (CCL 32, 6/32) nach den verschiedensten Seiten erörtert. Augustinus ist es um eine scharfe Bestimmung des Begriffes frui im Unterschiede von uti zu tun. Eine besonders prägnante Definition lautet: frui = diligere propter se, uti = diligere propter aliud (doctr. christ. 1, 22, 20 [32, 17]). Diese Unterscheidung geht, wie Lorenz, Herk. 40 nachgewiesen hat, auf Varro zurück. Sie ist uns bereits bei Origenes begegnet (s. o. Sp. 545). Es liegt nahe, den Begriff frui, der sich auf ein bonum erstreckt, nicht nur auf den Körper oder Geist (frui corpore vel animo: civ. D. 8, 8) sowie auf die Welt (frui mundo: ebd. 15, 7) zu beziehen, sondern auch mit dem summum bonum, d.i. mit Gott, zu verbinden (aO. 8, 8). Vgl. civ. D. 19, 1/4 (Varro; s. o. Sp. 539); trin. 8, 4/5 (PL 42, 949/51): quomodo cognoscatur deum esse summum bonum. Retr. 1, 1, 9 (CSEL 36, 16)

heißt es: ipsa . . . mens fruitur, ut beata sit, tamquam summo bono suo (i. e. deo). Daraus ergibt sich die Mahnung: solo deo fruendum (doctr. christ. 1, 22 [CCL 32, 17]). Die F. gilt aber nicht nur für das irdische Leben, sondern ist auch ein eschatologisches Ziel (catech. rud. 22, 39 [CCL 46, 164]). Die verschiedenen Verwirklichungsformen der gotterfassenden fruitio hat Lorenz, F. 99/126 eingehend beschrieben. An erster Stelle (99/101) nennt er die visio dei, die eine visio intellectualis ist. Dies erinnert an die Schau des ersten Gutes bei Albinos (o. Sp. 541) u. mehr noch an die ὄψις μακαρία von Plotin. enn. 1, 6, 7 (o. Sp. 542), eine Stelle, aus der P. Henry, La vision d'Ostie (Paris 1938) 114 den Begriff der visio beatifica ableitet; s. *Visio beata. Daneben verwirklicht sich die F. in der Liebe zu Gott (amor Dei); vgl. Aug. civ. D. 8, 8 (o. Sp. 551): ‚Liebe u. Erkennen Gottes stehen in Wechselwirkung, u. das Zusammenwirken der beiden Faktoren ist fruitio‘ (Lorenz, F. 103). Diese in der F. lebendige Liebe ist wesensverwandt mit dem platonisch-neuplatonischen Eros (Lorenz, F. 102). Drittens bedeutet Gottgenießen ein Haben Gottes (habere deum). Beat. vit. 4, 34 (CSEL 63, 3, 114) wird animo deum habere u. deo frui gleichgesetzt. Ebenso ord. 2, 20 (CSEL 63, 3, 160): si quidem deum habere . . . placuit nihil aliud esse quam deo perfrui. Auch hier gibt es zahlreiche Übereinstimmungen mit den in der Antike ausgebildeten Bezeichnungen für ϑεὸν ἔχειν (vgl. Lorenz, F. 104/8; Hanse 143f). Besonders häufig verknüpft Augustinus das Haben Gottes mit der Einwohnung Gottes in der Seele (vgl. hierzu Lorenz, F. 105/7 sowie J. Haußleiter, Art. Deus internus: o. Bd. 3, 834f). Hierbei sei erwähnt, daß nicht nur bei Augustinus, sondern auch bei anderen mystisch gerichteten Theologen wie Origenes, Gregor v. Nyssa u. PsMakarios sowohl die F. als auch die Idee des ‚Gott in uns‘ sich finden; vgl. Haußleiter aO. 828/30. 832/4. 838f. Seinem trinitarischen Glauben gemäß redet Augustinus auch von einem Genuß der Trinität: Hoc est enim plenum gaudium nostrum, quo amplius non est, frui trinitate deo (trin. 1, 8 [PL 42, 832]); vgl. doctr. christ. 1, 5, 5 (CCL 32, 9): res igitur, quibus fruendum est, pater et filius et spiritus sanctus. Auch das ‚trinitate perfrui‘ gilt für das jenseitige Leben (cat. rud. 25, 47 [CCL 46, 170]). Bisweilen sind es Eigenschaften Gottes, auf die sich der menschliche Genuß erstreckt: frui autem sapientia dei nihil est aliud quam ei dilectione cohaerere (fid. et symb. 9, 19 [CSEL 41, 24]); sedes veritatis, cuius contemplatione perfruentes eique penitus adhaerentes procul dubio beati sumus (mor. eccl. 19 [PL 32, 1326]); perfruentes colloquio dei, cui puris mentibus inhaeserunt, et eius pulchritudinis contemplatione beatissimi (gesagt von den Anachoreten u. Koinobiten: mor. eccl. 1, 31, 66 [PL 32, 1338]); totum praemium nostrum ipse (sc. deus) erit, ut in illa vita bonitate eius et pulchritudine perfruamur (cat. rud. 27, 55 [CCL 46, 177]).

2. Mystische F. Bei der mehr mystischen Seite der F. treten uns häufig die Bilder der den Hunger stillenden Speise, besonders des Brotes, entgegen, unter denen Gott aufgefaßt wird. Conf. 4, 1, 1: quid enim sum ego mihi sine te? . . . quid sum . . . nisi . . . fruens te cibo, qui non corrumpitur? Ebd. 3, 1, 1: fames mihi erat intus ab interiore cibo te ipso, deus meus. Ebd. 1, 13, 21: deus . . . panis oris intus animae meae; ebd. 7, 10, 16: cibus sum grandium; cresce et manducabis me; vgl. ebd. 17, 23; 20, 26 sowie P. Courcelle, Recherches sur les confessions de S. Augustin (Paris 1950) 159f. Frui deo taucht an den beiden letzteren Stellen in einem Zusammenhang auf, der ein Echo von Plotins Abhandlung ,Über das Schöne' (enn. 1, 6, 7) darstellt (s. o. Sp. 542). Dieser Traktat ist zu den Quellen des augustinischen frui deo zu rechnen (vgl. Philo quaest. et solut. in Ex. 2, 39; o. Sp. 543). Daneben ist von einem Schwelgen in den Gefühlen des Gottesbesitzes die Rede, das sich durch die ,dulcedo dei' (ench. 112 [PL 40, 285]), die vom Menschen gekostet wird, u. verwandte Begriffe näher kennzeichnen läßt. Conf. 2, 1, 1: tu dulcescas mihi, dulcedo non fallax, dulcedo felix et secura. Ausführlich spricht Augustinus über das Kosten der Süßigkeit Gottes civ. D. 21, 24, 5 u. agon. christ. 1, 9, 10 (CSEL 41, 112): hortatio ad gustandam dulcedinem dei. In eschatologischem Sinne gilt: omnes deliciae deus erit (cat. rud. 25, 47 [CCL 46, 170]). Näheres bei Ziegler 88/98: ,Deus, die summa dulcedo bei Augustinus' u. bei Lorenz, F. 118. Hier mag hinzugefügt werden, daß der Begriff dulcedo an metaphysischer Tiefe durch den Gedanken gewinnt, daß es eine wechselseitige perfruitio zwischen Gott-Vater u. -Sohn gibt, nämlich den Hl. Geist. Dieser ,ist das, was man an Gott genießen' kann, seine suavitas, seine Süße u. Güte (Lorenz, F. aO.). Diese innertrinitarische fruitio bei Augustinus hat ihre Wurzel in dem analogen Verhalten der Psyche zum Nus innerhalb der göttlichen Trias bei Plotin (enn. 5, 1, 7). Weiteres bei Lorenz, F. 127; ders., Herk. 49. 359 sowie bei Hadot; vgl. o. Sp. 552. Zu dem Begriff der μέθη νηφάλιος = sobria ebrietas, der bei Origenes, Gregor v. Nyssa u. Augustinus bisweilen in dem Gedankenkreise der F. verwendet wird, vgl. Lewy 123f. 132. 159/63; Lorenz, F. 115/7. Fragen wir nach der Herkunft des augustin. frui deo, so ,hat es seinen Ursprung in der philosophischen Güterlehre u. Zielsetzung des Lebens u. leitet sich aus der mittelplatonischen ὁμοίωσις θεῷ her'. Dies ist die vorneuplatonische Schicht in Augustins Lehre des frui deo. Sie wurde ihm ,durch die philosophische Schriftstellerei des M. Terentius Varro vermittelt'. ,Die mystischen Ausdeutungen der aktiven, 'habenden' Seite von frui sind sowohl durch die kirchliche Überlieferung (delectari in domino, sobria ebrietas u.a.) wie auch durch den mystischen Enthusiasmus Plotins bestimmt'. Daneben ist ferner mit einem recht starken Einfluß des Porphyrios zu rechnen (vgl. bes. W. Theiler, Porphyrios u. Augustin [1933]), sowohl unmittelbar als durch Marius Victorinus. Neuplatonischer Einfluß liegt ebenso in der metaphysischen Spekulation über die innertrinitarische fruitio vor. Vgl. Lorenz, Herk. 59f. 359f sowie Hadot; ferner *Homoiosis, *Mystik.

J. Barion, Plotin u. Augustinus. Untersuchungen zum Gottesproblem (1935). – J. Burnaby, Amor Dei. A study of the religion of St. Augustine[2] (London 1947). – H. Crouzel, Origène et Plotin, élèves d'Ammonios Saccas: BullLittEccl 57 (1956) 193/214. – J. Daniélou, Platonisme et théologie mystique[2] (Paris 1954). – F. Dörr, Diadochus v. Photike u. die Messalianer (1937). – H. Dörrie, Der Platoniker Eudoros v. Alexandreia: Hermes 79 (1944) 25/39. – H. Dörries, Symeon von Mesopotamien. Die Überlieferung der messalianischen ,Makarios'-Schriften = TU 55,1 (1941). – K. Gronau, Poseidonios u. die jüd.-christl. Genesisexegese (1914). – P. Hadot, L'image de la trinité dans l'âme chez Victorinus et chez s. Augustin: StudPatrist 6 = TU 81 (1962) 409/42. – H. Hanse, ,Gott Haben' in der Antike u. im frühen Christentum = RGVV 27 (1939). – J. Haussleiter, Zur Herkunft der F: ZKG 70 (1959) 292; Vorstufen des Gottgenießens in der griech. Philosophie: FuF 36 (1962) 49/51. – R. Holte, Béatitude et sagesse (Paris 1962). – H. Lewy, Sobria ebrietas. Untersuchungen zur Geschichte der antiken Mystik = ZNW Beih. 9

(1929). – R. Lorenz, F. bei Augustin: ZKG 63 (1950/1) 75/132; Die Herkunft des augustinischen frui deo: ZKG 64 (1952/3) 34/60. 359/60 (Nachtr.). – A. Mandouze, Où en est la question de la mystique augustinienne?: Augustinus Magister 3 (Paris 1954) 103/68. – H. Merki, Ὁμοίωσις θεῷ. Von der platon. Angleichung an Gott zur Gottähnlichkeit bei Gregor v. Nyssa = Paradosis 7 (Freiburg, Schw. 1952). – K. Müller, Beiträge zum Verständnis der valentinian. Gnosis 4: NGGött 1920, 225. 241. – H. Scholz, Glaube u. Unglaube in der Weltgeschichte (1911) 197/212. 235. – W. Schüler, Die Vorstellungen von der Seele bei Plotin u. bei Origenes: ZThK 10 (1900) 167/88. – W. Theiler, Die Vorbereitung des Neuplatonismus (1934 bzw. 1964). – W. Völker, Das Vollkommenheitsideal des Origenes = Beitr. z. hist. Theol. 7 (1931); Gregor v. Nyssa als Mystiker (1955). – H. Weinand, Die Gottesidee, der Grundzug der Weltanschauung des hl. Augustinus = Forsch. z. christl. Lit. u. Dogmengesch. (1910) 27/32. – J. Ziegler, Dulcedo dei (1937).

J. Haußleiter †.

Frumentatio s. Nahrung.

Fülle der Zeit s. Zeit.

Füllhorn s. Horn.

Fünf, Fünfzehn, Fünfzig s. Zahl.

Fürbitte s. Gebet II.

Fürsorge s. Wohltätigkeit.

Fürsprache s. Intercessio.

Fürstenspiegel.

A. Terminologie. Die Bezeichnung F. erschien als Titel eines zur Beratung eines Fürsten oder Königs bestimmten Werkes nicht vor dem 12. Jh., beispielsweise bei Gottfried von Viterbo, Speculum regum (1180/83), im Konungs-Skuggsjá (Speculum regale [1260]), bei Watriquet de Couvin, Le mireoirs as princes (1327), Simon Islip, Speculum regis (1337/49), Alvarus Pelagius, Speculum regum (1341/44) u. Robert Gervais, Speculum morale regium (1384). Der Titel Speculum (Spiegel) bezeichnet im MA allgemein ein Werk, das die Aufgabe eines Handbuches hat. Wie Bradley gezeigt hat, ist es möglich, daß diese Bezeichnung letztlich von dem Titel ‚Speculum de sacra scriptura' herrührt, den möglicherweise Augustinus selbst einer von ihm zusammengestellten Sammlung von Schrifttexten gegeben hatte (PL 34, 887/1040). Der Ausdruck selbst stimmt mit der Lehre des Augustinus überein: omnia enim quae hic conscripta sunt, speculum nostrum sunt (en. in Ps. 30, 3, 1 [CCL 38, 213]). Zur genaueren Bezeichnung einer Sammlung von Ratschlägen, die für einen Herrscher bestimmt sind, erscheint das Bild jedoch schon bei Seneca: scribere de clementia, Nero Caesar, institui, ut quodam modo speculi vice fungerer (clem. 1, 1). Wie dem auch sei, der Titel F. erschien nicht vor dem MA, u. man darf sich fragen, ob es gerechtfertigt ist, einen Artikel über die F. des Altertums zu schreiben. Doch hat tatsächlich, wie sich im weiteren Verlauf zeigen wird, die literarische Gattung der Ratschläge für Fürsten vom frühesten Altertum an stets die gleichen Gesetze u. Überlieferungen beobachtet, wenn sie auch unter sehr verschiedenen Formen u. Bezeichnungen auftritt: Elogium oder Verwünschung, unverbundene Sentenzenfolge oder didaktische u. systematische Abhandlungen, Biographie oder Utopie. Der vorliegende Artikel wird eine Übersicht über die F. des ganzen Altertums bis zum 9. Jh. nC. geben, um in den zeitlichen Grenzen des RAC zu bleiben; für das MA ist die Arbeit von Berges grundlegend.

B. Alter Orient. In Ägypten u. Mesopotamien finden sich Schriften verschiedener Form, in

denen die Rechte u. Pflichten des Königtums
aufgeführt sind. Sie stellen die ersten F. dar.
Man mag sich fragen, wie diese F. mit dem
göttlichen Charakter zu vereinbaren sind, der
dem Königtum im alten Orient u. besonders
in Ägypten zugeschrieben wurde. Doch selbst
wenn die königlichen Protokolle, besonders
im AR, dem Pharao Titel geben, die eine vollständige Vergöttlichung des Herrschers ein-
zuschließen scheinen, darf man, wie Posener
gezeigt hat (Divinité 102), nicht vergessen,
daß die Ägypter einen Unterschied zu machen wußten zwischen dem Königsamt (göttlichen Charakters) u. dem menschlichen Inhaber dieses Amtes u. außerdem zwischen der
Monarchie, die Fortdauer besitzt, u. dem
Pharao, dem diese fehlt. Im allgemeinen läßt
sich für den ganzen Alten Orient nur sagen,
daß der Herrscher den Menschen die Gottheit
offenbart u. die Menschheit gegenüber den
Göttern repräsentiert. Er ist zugleich der
Sohn der Götter u. der Mensch par excellence.
Die ersten F. sind also Eigen-Panegyrici, in
denen die Pharaonen oder die mesopotamischen Könige ihre eigenen Großtaten erzählen u. sich göttliche Epitheta geben, die häufig in erster Linie moralische Bedeutung besitzen. Neben diesen Eigen-Panegyrici erschienen auch, besonders in Krisensituatio-
nen, Texte, die nicht zögern, den Herrschern
Ratschläge zu geben, u. manchmal bis zur
Kritik gehen, obwohl auch sie aus königlicher
Umgebung herrühren.

I. Ägypten. Die Pyramidentexte, Königselo-
gien, geschichtlichen Berichte u. Privat-
schriften bieten zahlreiche verstreute, aber
signifikante Einzelheiten, die das Idealpor-
trät des Herrschers nach ägyptischer Tradition zu umreißen erlauben dürften. Die erste
Pflicht des Königs ist der Gehorsam gegen die
Götter; Sesostris I (1975/34) erklärt bei der
Stiftung des Tempels von Heliopolis: ‚Harachti hat mich ja gebildet, um das zu machen, was ihm gemacht werden soll, u. um
das auszuführen, was er zu tun befohlen hat‘
(Erman, Lit. 80; Posener, Divinité 32). Der
Herrscher muß heldenmütiger Beschützer
des Landes sein, wie beispielsweise im Loblied auf Sesostris III (1882/45) gesagt wird:
‚Der das Land schützt u. seine Grenze erweitert‘ (Erman, Lit. 179). Er muß Ordnung u.
Gerechtigkeit sicherstellen; Sesostris I verkündet bei der Weihe des Tempels von
Heliopolis: ‚Harachti hat mich zum Hirten
dieses Landes gemacht, denn er wußte, daß

ich es ihm in Ordnung halten würde‘ (Erman,
Lit. 80); Ramses IV (1300/1234) schreibt auf
einer Stele in Abydos: ‚Seit ich als König auf
dem Thron des Horus regiere, lasse ich Gerechtigkeit in diesem Lande walten, in dem
sie vordem fehlte, denn ich weiß, daß du lei-
dest, wenn es im Land Ägypten an ihr mangelt‘ (Stele Ramses IV, Gebet an alle Götter:
Vorderseite Z. 13 f: Korostovtsev 162). Unter
diesen Selbstlobpreisungen sind auch die
‚negativen Bekenntnisse‘ von Interesse, deren
Vorbild Kapitel 125 des Totenbuches ist,
denn sie zeigen, was der Herrscher nicht tun
darf. Ramses IV versichert auf derselben
Stele in Abydos: ‚Ich habe dem Unglücklichen nicht entwendet, was ihm gehört; ich
habe den Schwachen nicht getötet‘ (Stele
Ramses IV, Gebet an alle Götter Z. 16: Korostovtsev 162). Man könnte durch Zusammenfassen aller in den Eigen-Panegyrici enthaltenen Einzelheiten einen ägyptischen F. zu-
sammenstellen. Doch wir besitzen Besseres.
Einen richtigen F. bildet in der Tat die
‚Lehre für König Meri-ka-re‘ (Erman, Lit.
109; J. A. Wilson bei Pritchard, T.² 414), die
wahrscheinlich der 10. Dynastie (gegen 2070)
zugehört. Sie reiht sich in die Tradition einer
literarischen Gattung ein, die bereits im AR
vorhanden war: ‚sbojet‘ (Lehre), das bedeutet eine Sammlung praktischer Weisheit, in
welcher der Vater seinen Sohn von der Erfahrung profitieren ließ, die er sich im Laufe
seines Lebens erworben hatte (zB. die ‚Lehre
für Ka-gemni‘: Erman, Lit. 99). Zwar erlaubte das übermenschliche Ansehen des
Pharao es im AR nicht, sich vorzustellen, daß
der König selbst seinen Nachkommen Ratschläge zu geben hätte. Dagegen gestatten
die Autoritätskrise, die das Ende des AR bezeichnet, u. die Entwicklung der Moralvor-
stellungen, die Verwendung der alten literarischen Gattung der ‚Weisheitslehren‘ durch
das Königtum selbst zu verstehen. Die ‚Lehre
für König Meri-ka-re‘ enthält bereits Themen, die sich in fast allen F. folgender Zeiten
wiederfinden werden. Zunächst finden sich
Ratschläge rein politischer Klugheit: Auf-
rührern zu mißtrauen, den Adel zu achten,
seine Grenzen gut zu befestigen. Diese Ratschläge gehen sogar auf Einzelheiten der politischen Verhältnisse des damaligen Ägypten
ein. Der Rat, die Menschen nach ihrem eigenen Wert zu beurteilen, entspricht möglicherweise der Erfahrung mit Revolutionen, die
das Land in Unruhe versetzten: ‚Erhebe den

Sohn eines angesehenen Mannes nicht mehr als einen Bürger, sondern hole dir den Mann wegen seiner Taten' (PPetersburg 1116A Z. 61f: Erman, Lit. 113). Rein moralische u. religiöse Ratschläge nehmen einen bedeutenden Platz ein. Der König soll seine Vorfahren nachahmen u. wohlwollend u. gerecht gegen sein Volk sein: ,Tue das Rechte, solange du auf Erden weilst. Beruhige den Weinenden, quäle keine Witwe, verdränge keinen Mann von der Habe seines Vaters' (46f: Erman, Lit. 111). Der religiöse Wert gerechten Tuns wird stark betont: ,Die Tugend des recht Gesinnten wird (von Gott) lieber entgegengenommen als der Ochse des Unrecht Tuenden. ... Gott kennt den, der für ihn etwas tut' (128f: Erman, Lit. 118). Die Fürsorge des göttlichen Guten Hirten ist das Vorbild des königlichen Guten Hirten: ,Wohl besorgt sind die Menschen, das Vieh Gottes. Er hat Himmel u. Erde nach ihrem Wunsche gemacht... Sie sind seine Abbilder, die aus seinen Gliedern hervorgegangen sind ... Er hat die Pflanzen für sie gemacht u. die Tiere, Vögel u. Fische, um sie zu ernähren ... Gott kennt jeden Namen' (130/8: Erman, Lit. 118f). Der König gibt unumwunden seine Fehler zu: ,Sieh, etwas Böses ist (freilich) zu meiner Zeit geschehen: die Ortschaften (?) von Thinis wurden zerhackt. Das geschah bei dem, was ich tat u. ich erfuhr es (erst), nachdem es getan war ... Hüte dich davor, ein Schlag wird mit einem anderen vergolten' (119/23: Erman, Lit. 118; Lanczkowski 277). Wie Lanczkowski bemerkt, stehen diese Urteile mit einer Umbildung des Begriffs der Wahrheit (Maat) in Verbindung. Während Maat im AR die der Welt immanente Wahrheit war, deren Träger der Pharao war, ,wird sie zum Ausdruck für eine in der Transzendenz begründete ethische Forderung von universeller Verbindlichkeit' (Lanczkowski 277). Die gleiche Sorge um Sittlichkeit findet sich in den ,Klagen des Bauern', die der gleichen Zeit angehören. Der Bauer wendet sich an den Vertrauten des Königs, als wäre dieser der Pharao selbst: ,Du bist Re, der Herr des Himmels zusammen mit deinen Hofleuten ... Wehre dem Räuber! schütze den Elenden! ... Wolle du so sein, wie man es sagt: ,Rechtes tun ist Atem für die Nase" (B [PBerl 3023] 139/48; R [PBerl 10499] 190/7: Erman, Lit. 166; Vogelsang 124). In der ,Lehre für König Meri-ka-re' sprach der König zu seinem Sohn: ,Sei ein Künstler im Reden, damit du

stark seiest, denn die Kraft eines (Menschen) ist die Zunge u. das Reden ist kräftiger als jedes Kämpfen' (32: Erman, Lit. 110). Das war nicht nur ein weiteres Zeugnis für die Liebe der Ägypter zur Rhetorik, sondern es bedeutete auch, daß die Herrscher gelernt hatten, sich schriftlicher Äußerungen zu bedienen, um die öffentliche Meinung zu beeinflussen. Die literarischen Gattungen, die sich in der ersten Zwischenzeit entwickelt hatten, wurden später, besonders in der 12. Dynastie, zu politischen Zwecken wieder aufgenommen (Posener, Littérature 15). Die ,Lehre des Königs Amenemhet' (Erman, Lit. 106) ist möglicherweise auf Verlangen Sesostris I geschrieben worden, um die Sache der neuen Dynastie zu verteidigen (Posener, Littérature 86). Dieser sehr kurze Text (36 Zeilen) ist von einem nüchternen Pessimismus in bezug auf die Nutzlosigkeit moralischen Tuns erfüllt. Der Pharao war Opfer eines Attentats geworden, obwohl er gut gewesen war: ,Ich habe dem Armen gegeben u. habe das Waisenkind erhalten' (PMillingen 1, 6: Erman, Lit. 106). Man muß daher Untergebenen u. Verwandten mißtrauen (Erman, Lit. 106). Im folgenden gibt Amenemhet einen Bericht über das Attentat, dessen Opfer er in der Nacht geworden ist u. dem er keinen Widerstand leisten konnte; dann erinnert er gemäß der Tradition autobiographischer Schriften an die Großtaten seiner Regierung. Solche pessimistischen Gefühle waren von alters her von gewöhnlichen Menschen zum Ausdruck gebracht worden. Durch ihre Einführung in eine königliche Belehrung wird der König auf das Niveau seiner Untertanen herabgesetzt. Wir haben hier zweifellos das menschlichste Bild eines Pharao in der gesamten ägyptischen Literatur vor uns (Posener, Littérature 65). Eine Schrift der gleichen Zeit, die ,Geschichte des Sinuhe' (Erman, Lit. 40), enthält Elemente des F. u. hat höchstwahrscheinlich auch eine politische Bedeutung. Sinuhe, der aus Ägypten geflohen ist, schreibt an einen ausländischen Fürsten eine Lobrede auf Sesostris I, die nicht nur die Macht u. die Heldentaten des Pharao hervorhebt, sondern auch sein Wohlwollen: ,Er ist der Angenehme, an Süßigkeit Reiche, u. durch Liebe hat er erobert. Seine Stadt liebt ihn mehr als sich selbst, u. sie jauchzt über ihn mehr als über ihren Gott ... Wie freut sich dieses Land, das er beherrscht' (Erman, Lit. 45). Nach Jahren des Exils empfindet Sinuhe das Verlangen, nach Ägypten zurückzukehren. Als Sesostris von diesem Wunsch Kenntnis erhält, sendet er Sinuhe eine lange Botschaft u. fordert ihn auf, seinen Platz am Hofe wieder einzunehmen. Die Großherzigkeit des Sesostris bei der Rückkehr Sinuhes illustriert u. bestätigt die an den Anfang des Panegyricus gesetzten Aussagen. Seit dieser Zeit (vgl. die ‚Lehre des Sehetep-ib-re': Erman, Lit. 120) u. während des ganzen NR vervielfältigen sich die Hymnen auf den Pharao (Erman, Lit. 318/49). Sie tragen zu unserem Thema viele Einzelheiten bei, die das Wohlergehen des Volkes als Ergebnis der Stärke u. Klugheit des Königs erkennen lassen: ‚Er ist zu uns gekommen u. hat Ägypten leben gemacht; er hat sein Leiden vertrieben' (Lieder auf König Sesostris III: Erman, Lit. 181). Die Hungernden, die Gefangenen, die ohne Kleider waren, u. die Vertriebenen sind durch den Pharao geschützt worden (Thronbesteigungslied Ramses IV: Erman, Lit. 347; vgl. auch das Thronbesteigungslied des Mer-en-ptah: Erman, Lit. 346). Die ägyptische Vorstellung vom Königtum hat nicht nur die israelitischen Auffassungen des Königtums beeinflußt, sie fügt sich in gleicher Weise auch in die literarische Überlieferung der hellenistischen F. ein, u. zwar durch Vermittlung des Diod. Sic. 1, 70/2, dessen Quelle wahrscheinlich Hekataios v. Abdera war. Diodor berichtet uns, daß für die ägyptischen Könige alles durch Gesetze vorgeschrieben sei, nicht nur die Verwaltung des Reiches, sondern auch das tägliche Leben u. die Ernährung. Es ist interessant zu beobachten, daß Diodor die Gebete für den König wie wirkliche F. interpretiert. Er sagt uns in der Tat (1, 70), daß sich der Hohepriester bei Opfern für die Götter neben den König stelle u. die Götter bitte, dem König Gesundheit u. alles Gute zu gewähren, wenn der König Gerechtigkeit gegen seine Untertanen beobachte. Der Hohepriester hatte die Tugenden des Herrschers einzeln aufzuführen, indem er die Frömmigkeit des Königs beschrieb, seine Milde gegen die Menschen, seine Mäßigkeit, Gerechtigkeit, Seelengröße, Wahrheitsliebe u. Freigebigkeit. Dieser Beschreibung des Hohenpriesters zufolge ist der König über jede Leidenschaft erhaben; in strenger Gerechtigkeit straft er weniger als nötig u. belohnt Wohltaten über Gebühr. Der König konnte keine Entscheidung treffen, wenn nicht in Übereinstimmung mit den geltenden Gesetzen. Anläßlich seines Todes

zeigte sich die Liebe des Volkes zum König; das ganze Leben des Landes war unterbrochen. Doch ging man nach Diodor zwischen dem Todestag des Königs u. dem Tag des Begräbnisses daran, alles zu beurteilen, was der König während seines Lebens getan hatte. Jeder beliebige konnte eine Anklage vorbringen. Die Bevölkerung konnte unterschiedslos ihre Zustimmung oder ihr Mißfallen am Panegyricus des verstorbenen Königs bekunden. Das Volk konnte sich sogar der feierlichen Beisetzung eines schlechten Herrschers widersetzen (vgl. Diod. 1, 54. 72). Diodors Zeugnis (u. damit das des Hekataios v. Abdera) ist offensichtlich entstellt u. idealisiert. Doch es bezeugt nichtsdestoweniger den geschichtlichen Einfluß, den die ägyptische Vorstellung vom Königtum ausgeübt hat.

II. Mesopotamien. Wie in Ägypten sind auch hier die zur Verherrlichung des Königs bestimmten Texte erste Versuche von F. In der Tempelbau-Hymne Gudeas von Lagasch (um 2100 vC.) spricht Gudea von sich selbst: ‚Das Recht Nansches u. Ningirsus hatte er beachtet: Dem Armen tat der Reiche nichts zu Leide, der Witwe tat der Mächtige nichts zu Leide' (Falkenstein-v. Soden 180). Es ist richtig, daß diese Formel sich auf das Verhalten Gudeas u. seines Volkes zur Zeit der Festlichkeiten der Tempelgründung zu beziehen scheint; doch sie bringt offenbar ein Ideal zum Ausdruck. Dieses Ideal findet sich in mehreren Königshymnen wieder. Beispielsweise erklärt Šulgi aus der Dynastie von Ur (2046/1998): ‚Ich bin der Hüter, der Hirte der 'Schwarzköpfigen' ... Das Recht liebe ich, das Böse verachte ich, feindseliges Wort hasse ich' (ebd. 115). Ebenso spricht ein Hymnus auf Iddindagan aus der Dynastie von Isin (19. Jh.) zu diesem: ‚Gute Führung für Sumer zu festigen, die Menschen einträchtig zu machen, Sumer u. Akkad unter deinem weiten Schirm zu beruhigen, die Menschen reichlich Speise essen, süßes Wasser trinken zu lassen, hat dir Enlil aufgetragen: Iddindagan, der Hirte nach seinem Herzen bist du, der, zu dem Enlil sein unabänderliches Wort gesprochen, bist du. Enki hat weiten Verstand, der alles trefflich erkennt, Weisheit, die aus reinem Munde kommt, dir, Iddindagan, verliehen' (ebd. 120f). Ähnlich versichert der Hymnus auf Lipit-Ištar von Isin (um 1870): ‚Der Mächtige verübt keinen Raub, der Starke tut dem Schwachen kein Unrecht an, Recht u. Gerechtigkeit hast du für Sumer u. Akkad gesetzt, hast es dem Lande wohlergehen lassen' (ebd. 125; vgl. auch 129). Das gleiche tut Lipit-Ištar im Prolog seines Gesetzes-Codex kund: ‚Als Anu u. Enlil Lipit-Ištar berufen haben, das Land zu regieren, um Gerechtigkeit im Lande zu stiften, Anlässe zur Klage zu entfernen, Feindschaften u. Empörung mit Waffengewalt abzuwehren u. den Sumerern u. Akkadern Wohlstand zu bringen, da habe ich, Lipit-Ištar, der niedrige Schafhirt von Nippur, . . . Gerechtigkeit in Sumer u. Akkad gegründet, in Übereinstimmung mit Enlils Wort' (vgl. die engl. Übers. von S. N. Kramer bei Pritchard, T.² 159). Der Prolog des Codex Hammurabi (1728/1686) entfaltet das gleiche Thema noch ausführlicher. Die Götter haben Hammurabi auserwählt, ‚um Gerechtigkeit im Lande sichtbar zu machen, den Ruchlosen u. Bösen zu vernichten, vom Starken den Schwachen nicht entrechten zu lassen' (1, 27/49; Übersetzung von Eilers). Am Ende des Prologs schreibt der König von Babylon seinem Landesgott Marduk die gleiche Berufung zu, die er eingangs von Anu u. Enlil empfangen zu haben erklärte: ‚Als Marduk zur Rechtsordnung der Menschen 'Leite dem Lande' mich bestellte, habe Recht u. Gerechtigkeit in das Land ich eingeführt den Menschen zum Wohlgefallen' (5, 13/25). Hammurabi stellt sich selbst als den vollkommenen König dar (3, 37), als einen König, der gottesfürchtig (1, 54f) u. verständig ist u. dem mächtigen Šamaš (Gott des Gesetzes) folgt (2, 22f). Er ist klug (4, 17), weise (4, 7), mächtig (5, 3) u. gerecht (24, 44f), ein König des Rechts (25, 7. 95f), Vater seines Volkes (25, 25/7); er spielt gegenüber seinen Untertanen die Rolle, die der Sonnengott im Universum spielt (1, 40/4; 5, 4/9). Er hat Krieg geführt, um Frieden u. Sicherheit herbeizuführen (24, 30/9), er hat seinem Volk das Heil gebracht. Er ist der Hirt seines Volkes (1, 51; 4, 45; 24, 13f. 42f. 50/8). Er hat sein Volk geschützt: ‚Mein schöner Schatten ruht über meine Stadt gebreitet. In meinen Schoß habe ich die Menschen des Landes Sumer u. Akkad genommen' (25, 46/52). Er hat für sein Volk gesorgt in der Hungersnot (4, 38f). Seine Gesetzgebungstätigkeit ist seine vornehmste Wirksamkeit. Er hat den Auftrag der Götter empfangen (1, 1/49) u. sich seiner in vollkommener Weise entledigt (5, 13/25). Außer diesen Texten (Königshymnen u. juridische Texte) gibt es eine kleinere divinatorische Schrift, der man die Bezeichnung F. gegeben hat (Böhl),

doch ist sie nur mittelbar ein F. In der Bibliothek Assurbanipals gefunden, ist sie vermutlich um 1000/700 vC. zu datieren (Lambert 110). Sie ist wahrscheinlich eine Weiterentwicklung der Tafel 53 der divinatorischen Reihe Šumma âlu ina mêlê šakin (Nötscher 79). Dieser Text ist nichts anderes als ein Werk versteckter Polemik mit dem Zweck, die Städte von Babylon, Nippur u. Sippar vor den königlichen Geldeintreibungen zu schützen; er droht dem König Strafen an, wenn er die Städte schlecht behandle. Seine literarische Form ist die der Omen-Literatur: jeder Satz hat die Form des Konditionals, der in der Vorzeichenwissenschaft Ursache u. Wirkung verbindet. Man kann höchstens sagen, daß die Beziehung von Vorzeichen u. Wirkung hier insofern einen gewissen moralischen Charakter besitzt, als die Polemik u. die Forderungen der Bürger der Städte Babylon, Nippur u. Sippar voraussetzen, daß der König verpflichtet ist, nach Billigkeit u. Gerechtigkeit zu handeln. Doch kann man nicht von einem F. im strengen Sinn sprechen.

III. Israel u. Judentum. Wie in Ägypten u. Mesopotamien bilden vornehmlich verstreute Einzelheiten den Ausgangspunkt zur Herstellung des Bildes des idealen Herrschers; aber dieses Bild ist von größter Bedeutung, weil es die gesamte christliche Tradition beeinflussen sollte u. weil es, auf die Zukunft projiziert, die Züge des Messias umreißt u. in seinem Inhalt der messianischen Hoffnung dient. Die jüdische Auffassung des Königtums ist zutiefst durch den theokratischen Monotheismus geprägt. Jahwe ist der einzig wahre König Israels (Jes. 33, 22; Ps. 93, 1/5; 97, 1/12; 145, 10/3; 2 Chron. 13, 8), der Hirt seines Volkes (Gen. 49, 24; Mich. 7, 14; Hos. 4, 16; Jes. 40, 11; Sach. 9, 16; Jer. 23, 3; 31, 10; Jes. 63, 11; Hes. 34, 11f; Ps. 23, 1/4; 28, 9; 74, 1; 79, 13; 80, 2; 95, 7; 100, 3). Er ist demnach der ideale König, das Vorbild allen Königtums: ‚Jahwe ist unser Richter, Jahwe unser Herrscher, Jahwe unser König; er ist unser Retter' (Jes. 33, 22). Der König muß von Gott erwählt sein (1 Sam. 9, 17; 13, 14; 1 Reg. 8, 16; 11, 29; 19, 16; 2 Reg. 9, 3; Ps. 80, 18; Jes. 45, 1). Der König ist der Gesalbte Jahwes u. diese Salbung (1 Sam. 9, 16; 24, 7; 2 Sam. 3, 39; 19, 22) erfüllt ihn mit dem Geist Jahwes (1 Sam. 10, 1/6; 16, 13), das bedeutet, sie verwandelt ihn innerlich, gibt ihm ein anderes Herz (1 Sam. 10, 6/9; Hes. 36, 26f) u. macht aus ihm den Stellvertreter Jahwes. Er soll von

Weisheit u. Einsicht erfüllt sein (2 Sam. 14, 17; 1 Reg. 3, 6/14). Die vornehmste Eigenschaft des Königs muß Gerechtigkeit sein. Jahwe ist es, der seine eigene Gerechtigkeit dem König gibt (Ps. 72, 1: ‚Herr, verleihe dem König deine Urteilskraft, deine Gerechtigkeit dem Königssohn, damit er dein Volk in Gerechtigkeit regiere, deine Armen nach Recht‘), das königliche Szepter ist ein Szepter der Gerechtigkeit (Ps. 45, 7). Der König ist das Werkzeug der Gerechtigkeit Jahwes (Jer. 22, 2f; 23, 6: ‚Jahwe ist unsere Gerechtigkeit‘; 21, 12): ‚Ein gerechter Herrscher über die Menschen, ein Herrscher mit Gottesfurcht, gleicht dem Morgenlicht, wenn die Sonne aufgeht am wolkenlosen Morgen, wenn durch den Sonnenstrahl nach dem Regen das Gras der Erde erglänzt‘ (2 Sam. 23, 3f). Andererseits soll der König Israel schützen u. sein ‚Heil‘ im Frieden wie im Krieg sicherstellen. Er führt die Kriege Jahwes (1 Sam. 18, 17; 25, 28; 2 Sam. 5, 24; Num. 21, 14). Er errettet sein Volk von seinen Feinden (1 Sam. 9, 16; 10, 1). Er ist der Odem, der atmen läßt, der Schatten, der schirmt (Lament. 4, 20). Einige längere Texte sind wirkliche Entwürfe zu F. Man kann 1 Reg. 3, 6 zitieren, das Gebet Salomos. Dieser beginnt, indem er die Erinnerung an seinen Vater u. sein Vorbild David wachruft (3, 6), der ‚vor Gott in Wahrheit, Gerechtigkeit u. Redlichkeit des Herzens wandelte‘. Dann bezeichnet sich Salomo als den ‚Diener Gottes‘, der von Gott in die Mitte des Volkes Gottes gestellt ist; er erbittet Weisheit u. Einsicht, um mit Gerechtigkeit richten zu können, u. Gott antwortet ihm, er werde ihm außer Weisheit u. Einsicht Reichtum, Ruhm u. lange Dauer seiner Herrschaft geben (3, 10/4). Die Weissagung Jer. 22, 1/19 ist wegen der Art u. Weise interessant, in der sie die Pflichten der Gerechtigkeit formuliert, die dem König obliegen: ‚Den Gast, die Waise, die Witwe, benachteiligt sie nicht, kränkt sie nicht‘ (22, 3). Sie erinnert Joachim an das Vorbild seines Vaters Josias (22, 15/7), der ‚Recht u. Gerechtigkeit‘ übte, u. droht dem schlechten König mit schlimmer Verurteilung (22, 4f. 13/9). Ps. 101 gibt eine ausgezeichnete Zusammenfassung des Königsideals. Der König beginnt damit, seine Absicht zu erklären, vollkommen leben zu wollen: ‚Ich will wandeln in Vollkommenheit des Herzens im Inneren meines Hauses‘ (101, 2); dann erklärt er seine Abneigung gegen die Bösen, die Verleumder u. Hochmütigen (4f. 7f) u. seine Absicht, sich

nur mit loyalen Menschen zu umgeben, die nach Vollkommenheit streben (6). Es handelt sich also einmal darum, die schlechten Ratgeber zu entfernen u. sich mit rechtschaffenen Menschen zu umgeben, dann aber auch um eine reine Lebensführung u. die allseitige Verfolgung der Gottlosigkeit. Auch das Deuteronomium beschreibt das Ideal des Königs (17, 14/20). Der König muß von Jahwe erwählt sein (17, 15) u. Mäßigkeit im Gebrauch von Reichtümern u. sinnlichen Freuden üben (17, 16f). Er soll eine Abschrift des Gesetzes besitzen, alle Tage darin lesen, es in die Tat umsetzen (17, 18f) u. sich vor allem Hochmut hüten (17, 20). Das Buch der Sprüche enthält einzelne Weisheitsregeln für das Verhalten der Könige. ‚Durch mich, spricht die Weisheit, regieren die Könige u. sprechen die Mächtigen Recht‘ (Prov. 8, 15). Der König soll sich mit guten Ratgebern umgeben; ohne dies geht das Volk zugrunde (Prov. 11, 14). Gerechtigkeit erhebt ein Volk, doch die Sünde ist eine Schande für die Völker (14, 34). Der Thron hat nur durch Gerechtigkeit Bestand (16, 10/5; 20, 8; 29, 4). Ohne das Urteil kluger Ratgeber soll kein Krieg geführt werden (20, 18). Gottesfurcht u. Treue beschützen den König, er stützt seinen Thron durch Gottesfurcht (20, 28). Das Verhalten des Königs liegt in Gottes Hand: ‚Das Herz des Königs gleicht Wassergräben in Jahwes Hand, er lenkt es, wohin immer er will‘ (21, 1). Gerechtigkeit zu üben, hat für Jahwe den Vorzug vor Opfern (21, 3). Im Kapitel 31 wird eine Reihe von Vorschriften Lemuel, der Mutter des Königs, in den Mund gelegt (sie dürften daher fremden Ursprungs sein). Diese echt königlichen Weisheitssprüche empfehlen, sich vor den Frauen zu hüten (31, 3), berauschende Getränke zu meiden (31, 4/7) u. die Unglücklichen zu verteidigen: ‚Öffne deinen Mund, richte mit Gerechtigkeit u. verteidige die Sache des Unglücklichen u. des Armen‘ (31, 8f). Die Messiashoffnung ist eine dem Judentum eigene Erscheinung, für die es keine Parallele im Alten Orient u. in Mesopotamien gibt. Unter dem Gesichtspunkt der F. kann man sagen, der Messias sei als die zukünftige Verwirklichung des Ideals des Königtums am Ende der Zeiten aufgefaßt worden (Mowinckel, He that cometh 156). Hier ist die Gestalt Davids grundlegend: als Vorbild der Könige u. Inhaber der göttlichen Verheißung über die Ewigkeit seines Königshauses (2 Sam. 7, 13) leiht David seinen Namen u. seine Züge dem zukünftigen König, der das wahrhafte Königreich Gottes verwirklichen wird (Jes. 11, 1; Hos. 3, 5; Jer. 30, 9; Hes. 34, 23; 37, 24). Das Bild des Messias ist das des idealen Königs. Dieser König wird den Geist Gottes empfangen, wie die Könige die Salbung empfingen (Jes. 11, 2), er wird von Gottesfurcht erfüllt (Jes. 11, 3) u. der Hirt des Volkes sein (Hes. 34, 23). Er wird die barmherzige Gerechtigkeit Gottes zur Herrschaft bringen: ‚Er wird nicht nach dem Ansehen richten u. nicht nach Hörensagen urteilen. Er wird die Schwachen nach Gerechtigkeit richten u. mit Billigkeit über die Armen des Landes urteilen‘ (Jes. 11, 4f; Jer. 23, 5; Jes. 32, 1). Er wird das Land verteidigen u. sein Volk beschützen (Mich. 5, 3f; Jer. 23, 6). Er wird Frieden stiften (Mich. 5, 4; Jes. 9, 4; Sach. 9, 10) u. dem Volk sittliche u. religiöse Erneuerung bringen (Jes. 32, 1/8; Hes. 37, 22/5; Jes. 11, 9: ‚Das Land wird von der Erkenntnis Jahwes erfüllt sein‘). Diese Einzelzüge des Bildes des Messiaskönigs sind in einigen Psalmen vereinigt, die möglicherweise ursprünglich Inthronisationspsalmen gewesen sind (so etwa Ps. 45), doch dann zu messianischen Psalmen wurden. Ps. 2 verkündet, daß der Messiaskönig die Weltherrschaft besitzen wird. Nach Ps. 72 wird der Messiaskönig von Gott selbst Gerechtigkeit empfangen; er wird Frieden u. Gerechtigkeit herbeiführen, den Unglücklichen Recht bringen, die Söhne der Armen retten u. die Bedrücker vernichten (72, 1/4). Seine Herrschaft wird ohne Ende u. sein Reich allumfassend sein (5/11), gerade weil er die Unglücklichen erlösen, die Schwachen u. Bedrückten beschützen (12/5) u. dem Lande Glück bringen wird (16f). Ps. 110 nimmt das Thema der universalen Herrschaft des Messias auf, fügt jedoch den Gedanken der Identität von Priestertum u. Königtum an: ‚Du bist Priester auf ewig nach Art des Melchisedek‘ (4). – Das Buch der Weisheit stammt aus jüdisch-alexandrinischen Kreisen des 1. Jh. vC.; die hellenistischen Einflüsse sind daher darin sehr bedeutend. Folglich ist es nicht verwunderlich, daß es einen langen F. vorlegt (6, 1/24; 7, 1/21 u. Kap. 8 u. 9 passim). Alle Gewalt kommt von Gott (6, 3), u. die Könige müssen den Willen Gottes erfüllen u. das Gesetz befolgen (6, 4). Gott selbst wird die Herrscher richten (5/8). Die Könige sollen daher unaufhörlich über die Weisheit nachdenken u. sie betrachten (6, 12/6). Das Trach-

ten nach der Weisheit sichert das Königtum, denn der Beginn der Weisheit ist das Verlangen nach Belehrung, das Verlangen nach Belehrung ist die Liebe, die Liebe ist Beachtung der Gebote, Beachtung der Gebote sichert die Unvergänglichkeit u. die Unvergänglichkeit bewirkt ein Sein in Gottesnähe (6, 17/20). Ein weiser König bedeutet Stabilität für sein Volk (6, 24). Im 7. Kapitel wird König Salomo als redende Person angenommen. Er erinnert daran, daß er, obwohl König, ein Mensch wie die anderen sei, u. daß das gleiche für alle Könige gelte (7, 1/6). Salomo hat die Weisheit allen irdischen Gütern vorgezogen (7, 8/14). Er hat in gleicher Weise auch die Kenntnis der Naturgegebenheiten erworben (die Physik, würden die Griechen sagen), die Kenntnis vom Bau der Welt u. der Verschiedenartigkeit der Pflanzen u. Tiere (7, 17/20). Es folgt ein Loblied auf die Weisheit, die als eine aus Gott emanierende Hypostase beschrieben ist (7, 21/8, 1). Sie ist die Quelle aller Tugenden (8, 2/9) u. ganz besonders für den König unentbehrlich: durch sie wird der König Ruhm erlangen (8, 10), Scharfsinn im Gericht (8, 11), Güte gegenüber den Völkern u. Mut im Krieg (8, 14f). Der König ist im Buch der Weisheit also vor allem ein Philosoph u. vergeistigter Herrscher. Wir sind hiermit von der Darstellung des Königtums im alten Israel weit entfernt.

C. Die griech.-röm. Tradition. I. Archaische Zeit. Das homerische Klein-Königtum weist eine politische Struktur aristokratischen Typs auf. Das Heldengedicht u. die Lyrik archaischer Zeit tragen daher vor allem eine Adelsethik vor. Doch diese sollte der gesamten griechischen Tradition ihr endgültiges Gepräge geben u. bis zu einem bestimmten Punkt der ganzen Überlieferung der F., insofern als der Heroismus einer der von dieser Überlieferung beständig anerkannten Hauptwerte bleiben sollte. Zentralbegriff dieser Adelsethik ist die Arete. Sie gründet sich vor allem auf die Vornehmheit der Geburt: noblesse oblige. Sie ist eine Vortrefflichkeit, die sich vor allem in der glänzenden Tat (kriegerischer oder sportlicher Art) offenbart u. die neben Anerkennung durch die Umgebung des Helden, durch die ihm Ebenbürtigen, ihm Ruhm vor seinen Zeitgenossen u. der Nachwelt verschafft. Der Heros scheut sich davor, etwas Schändliches zu tun, was den Adelskodex seiner Umgebung verletzen würde u. ihn seine Ehre verlieren ließe (αἰδώς), u. er reagiert heftig auf jede Verletzung dieser Normen (νέμεσις). Αἰδώς u. νέμεσις werden in der Folge (u. nach Fränkel 134 möglicherweise schon bei Hes. op. 200) dazu dienen, ,das Gefühl für moralische Werte u. für die Heiligkeit des Rechts' zu bezeichnen.

a. Homer. Bestimmte Ausdrücke Homers zur Beschreibung der Eigenschaft des Königs sollten in der ganzen Überlieferung wieder aufgenommen werden, um die Züge des ,guten Königs nach Homer' zu zeichnen. Auch der Gedanke einer Fürstenerziehung erschien bei Homer: Il. 9, 430 f findet sich die Persönlichkeit des Phoinix, des Erziehers des Achill, der diesen in einer Mahnrede, die im ganzen Altertum berühmt bleiben sollte (Cic. or. 3, 57), auffordert, seinen Zorn zu zügeln. Eine andere Überlieferung sollte Achill den Kentaur Chiron zum Erzieher geben u. diesem die Χίρωνος ὑποθῆκαι zuschreiben, wahrscheinlich eine Sammlung erzieherischer Sentenzen (Pindar spielt Pyth. 6, 19 auf die Ratschläge Chirons für Achill an). Die Erzählung der Odyssee von dem durch Mentor geleiteten Telemachos sollte nicht nur für den Télémaque Fénelons zum Vorbild dienen, sondern für alle Bildungsromane der Zukunft. In der Erziehung des jungen homerischen Prinzen ist das Beispiel, besonders die Nachahmung der Tugend der Vorfahren, von grundlegender Bedeutung. Für die ganze archaische Zeit ist die sagenhafte Vergangenheit eine Fundgrube von Beispielen. Der Heros hat seine mythischen Vorfahren als Vorbild; sie geben ihm die Normen u. moralischen Kriterien, die sein Handeln leiten sollen. Die Gegenwart erhellt sich im Lichte der mythischen Vergangenheit. Das sollte sich sehr deutlich in der Verwendung der Mythen bei Pindar zeigen (vgl. zB. Pyth. 8, 44 f). Unter diesem Gesichtspunkt besitzt der griechische Mythos bereits historischen Charakter, wie Heuß (Archaische Zeit 31) hervorgehoben hat, u. es ist nicht verwunderlich, daß später bei Isokrates die Geschichte selbst als Erbin dieses normativen Charakters des Mythos erscheint (ad Nicocl. 35). Isokrates bleibt auch sonst dem Thema der mythischen Vorfahren treu, wenn er beispielsweise in seinem Philippos (109/12) die Gestalt des Herakles, des Ahnen Philipps, in Erinnerung ruft (s. auch Euag. 12/8). Dies Thema sollte ein Topos der rhetorischen Tradition bleiben; es wird sich in den Panegyrici der Kaiserzeit wiederfinden, in denen es sich außerdem mit dem Thema der göttlichen Herkunft des Königs verbindet. In noch allgemeinerem Sinne sollte der Wert des Vorbildes eine der Konstanten der griechischen Moral bleiben. Der Weise selbst wird zur Richtschnur des sittlichen Handelns werden (Arist. protr. frg. 5 Ross: τίς ἡμῖν κανὼν ἢ τίς ὅρος ἀκριβέστερος τῶν ἀγαθῶν πλὴν ὁ φρόνιμος) u. der König zur Verkörperung des Gesetzes (νόμος ἔμψυχος).

b. Hesiod. Die Könige Hesiods sind wahrscheinlich nur hervorragende Bürger: Richter u. Schiedsmänner unter ihren Mitbürgern. Gleichwohl gibt Hesiod seiner Auffassung vom idealen Königtum einen grandiosen Hintergrund: seine ganze Theogonie. Die Theogonie Hesiods (u. zugleich bis zu einem bestimmten Grad alle alten griechischen Kosmogonien mit ihr) ist nichts anderes als eine Lobpreisung für einen Gottkönig. Dieser Lobpreis erzählt wie jener, der später den Königen gewidmet werden wird, die Herkunft des Gottkönigs, seine Kämpfe, seinen Triumph. Auf allen Gebieten ist die Ordnung das Ergebnis dieses Sieges des Gottherrschers, der über das ganze Universum herrscht. Bei Hesiod entspricht besonders der Triumph des Zeus dem Sieg der Gerechtigkeit u. der Aufrichtung der Ordnung, welche die ungeordneten Kräfte unterwirft u. dann beherrscht u. nutzbar macht. Diese theogonische Anschauung, dieser ,Mythos vom Königtum im Himmel' (Lesky 89) ist ein ferner Widerhall der Dichtungen des Mittleren Orients, in denen die Kämpfe der Götter erzählt wurden (vgl. Dornseiff 54 f). Diese theogonische Dimension sollte niemals vergessen werden, wenn man die spätere Überlieferung der F. verstehen will. Der erste ,Spiegel der Könige' ist der Himmel. Der griechische Gott hat über sich, wie später der ideale König, als übergeordnetes Gesetz die Gerechtigkeit. Zeus wird daher bei Hesiod wie der ideale König beschrieben, derjenige, der Gerechtigkeit walten läßt (op. 1/10), der wieder aufrichtet, was gebeugt ist. Er ist das Urbild der Könige, sie seine Nachkommen. Die Musen, ganz besonders Kalliope, überschütten sie mit ihren Gaben (theog. 80/ 103). Wenn die Musen ihre Blicke auf die zukünftigen Könige richten, werden diese die Gabe des Wortes u. vor allem der Überredung empfangen (diese Gabe des Wortes war ein wichtiges Element schon des homerischen Heldenideals, zB. Il. 9, 443): süßer Tau ergießt sich über ihre Lippen, ihr Mund spricht nur besänftigende Worte aus, Rechtssprüche

ohne Fehl, Worte der Weisheit, die den Streitenden wahren Frieden bringen. So empfinden
die Untertanen für den König mit Vertrauen
gemischte Achtung. Hier wird die Wahrheit
des Königswortes mit derjenigen der Sprache
der Dichter verglichen. Alle beide besitzen
vor allem die Kraft der Überredung. Das
Thema der Überredungskraft u. Sanftmut
(πραότης) wird häufig in späteren F. wiederkehren, u. mehrere Panegyriker der Kaiserzeit spielen auf diese Stelle der Theogonie an
(Dio Chrys. or. 2, 24; Ael. Arist. 2, 131 D.;
Themist. or. 9, 122 C/D; 31, 355 C). Andererseits belohnt Zeus die gerechten Könige, indem er ihren Ländern Gedeihen u. Frieden
gewährt (op. 225/73); doch für die Torheit
ihrer Herrscher müssen die Völker zahlen.
Ungerechten Königen hält Hesiod die Fabel
vom Habicht u. der Nachtigall vor, die ein
Beispiel für Maßlosigkeit u. Ungerechtigkeit
gibt (op. 202/12).

c. Theognis. Die Elegien des Theognis, ganz
besonders die Verse 1/254 u. die übrigen an
Kyrnos gerichteten Verse (eine Versgruppe,
die das ursprüngliche Gedicht auszumachen
scheint), sind eine Art für die aristokratische
Jugend bestimmtes Brevier. Sie wenden sich an
die ἀγαθοί, an die ἐσθλοί, die in der Zeit des
Theognis zugleich die Adligen u. die Besitzenden sind, deren Reichtümer jedoch in immer
stärkerem Maße durch das niedrige Volk bedroht sind. Die Sammlung bietet sich in der
Form nebeneinandergestellter Sentenzen dar,
eine literarische Gattung, die schon in der ägyptischen Überlieferung anzutreffen war u. in
zahlreichen späteren F. wiederkehren wird.
Diese Sentenzen betreffen zunächst die Beziehungen zum Nächsten (105/28): Mißtrauen gegenüber den Schlechten, die undankbar sind,
Unerforschlichkeit der Gesinnung anderer,
Vorsicht bei Entschlüssen, Schwierigkeit, treue
Freunde zu finden, Notwendigkeit, sich um den
Rat ehrenhafter Menschen zu bemühen. Die
folgenden Sentenzen (falls sie von Theognis
stammen) beziehen sich auf die Unbeständigkeit der Stellung des Menschen (129/234).
Eine einzige Tatsache existiert für den Menschen, die τύχη. Allein die Götter tun alles
nach ihrem Willen: man darf sich daher nicht
zum Hochmut u. zur Maßlosigkeit hinreißen
lassen u. muß Mitleid mit den Unglücklichen
haben, denn das Geschick kann wechseln. Im
Unglück heißt es mutig u. ehrenwert zu bleiben (355), in Armut u. Mangel soll man fortfahren, an die Gerechtigkeit zu denken. Das

Thema der Gerechtigkeit bleibt im ganzen
Werk grundlegend: ‚Die Gerechtigkeit schließt
jede Tugend ein u. alle Gerechten, Kyrnos,
sind gute Menschen' (147).

d. Pindar. Pindar, der aus einer thebanischen
Aristokratenfamilie stammte, war daher auch
der Erbe des aristokratischen, heroischen u.
agonistischen Ideals des archaischen Griechenlands. In einer Welt, in der sich gleichzeitig die Phänomene der Demokratie u. der
Tyrannis zu entwickeln beginnen, ist er selbst
ein Bewunderer dorischen Geistes geblieben,
ein Sänger der αἰδώς (Nem. 9, 33). Er steht in
Verbindung mit den Tyrannen oder Königen,
welche die Städte der griechischen Kolonien
regieren: Hieron von Syrakus, Theron von
Agrigent, Arkesilaos von Kyrene, oder mit solchen Städten wie Aegina, die dem dorischen
Ideal treu sind. Die Tyrannen Hieron u. Theron waren mehrfach Sieger bei den Olympischen oder Pythischen Spielen. Dadurch
wurde Pindar dazu geführt, ihre Ruhmestaten u. Tugenden in den olympischen oder
pythischen Oden zu besingen u. bei dieser
Gelegenheit zurückhaltende, aber interessante
Anspielungen auf die Eigenschaften des idealen Herrschers zu machen. Alle Tugenden
der Menschen stammen von den Göttern
(Pyth. 1, 41). Hieron hat seine Standhaftigkeit zu zeigen gewußt, als er trotz schwerer
Krankheit in Lemnos kämpfte (Pyth. 1, 47/
53). Er hat die Stadt Aitnae gegründet; er möge
mit Zeus' Hilfe das Volk ehrenvoll zu behandeln u. zu friedlicher Eintracht zu führen
wissen (Pyth. 1, 67/71). Er solle sein Volk mit
dem Steuerruder der Gerechtigkeit lenken u.
seine Sprache auf dem Amboß der Wahrheit
schmieden (Pyth. 1, 86/8), denn alle Bürger
seien Zeugen seines Tuns. Hieron möge seinen
edlen Charakter in Blüte bewahren, sich nicht
vom Vorteil betören lassen u. auf seinen Nachruhm bedacht sein, der der beste Lohn seiner
guten Handlungen sei. Glückliches Ergehen
sei das erste der zu erringenden Güter, der
gute Name komme an zweiter Stelle. Wenn
man das eine wie das andere gefunden u. ergriffen habe, habe man den höchsten Preis
errungen (Pyth. 1, 88/100). In der zweiten
pythischen Ode, die ebenso Hieron gewidmet
war, gibt Pindar diesem gleichfalls bestimmte
moralische Ratschläge: er solle so sein, wie er
gelernt habe zu sein (Pyth. 2, 72), er solle sich
nicht von Schmeichlern verführen lassen
(Pyth. 2, 74) u. den Ausstreuern von Verleumdungen mißtrauen (Pyth. 2, 75/7). In der

3. pythischen Ode erscheint Hieron als Herrscher voller Milde gegen die Bürger, ohne Eifersucht gegen die Guten, von den Fremden wie ein Vater bewundert (Pyth. 3, 70f). Wenn er ein glückliches Los habe, dürfe er sich dennoch nicht wundern, auch Leid ertragen zu müssen; doch müsse er es ertragen, wie es sich schickt (Pyth. 3, 80/92). Den Arkesilaos von Kyrene erinnert Pindar daran, daß er der Arzt sei, der die Wunden der Stadt zu heilen hat: es ist leicht, eine Stadt zu erschüttern, doch sie wieder in ihren alten Zustand zu versetzen, ist eine schwierige Aufgabe, wenn die Gottheit nicht wie ein guter Steuermann die Könige lenkt: ‚Habe den Mut, alle deine Sorge dem Wohlergehen von Kyrene zu weihen' (Pyth. 4, 270/6). Im allgemeinen scheint für Pindar die Pflicht der Könige darin zu bestehen, Reichtum u. Tugend, Wohlfahrt (ὄλβος) u. Gerechtigkeit, Weisheit u. Macht miteinander zu verbinden (Ol. 2, 53/6; Pyth. 2, 56f; 4, 139f; 5, 1/14; 6, 47). Die archaische Zeit stellte sich solche Fragen nicht, wie wir sie zum ersten Mal bei Theognis unter dem Einfluß sozialer u. politischer Krisen auftauchen sahen. Zusammenfassend: Pindar zeigt den König oder Edlen vom Prestige des Sieges, der Arete, des Mutes u. der physischen Kraft verklärt, in einer religiösen Welt, deren Herren die Götter sind.

II. Die Zeit der griech. Stadtstaaten. Während der Zeit des Aufblühens der Demokratie verschwand die Gestalt des guten Königs nicht völlig: in den ‚Sieben gegen Theben' des Aischylos verkörpert sie sich in der Person des Eteokles, des mutigen Verteidigers der Stadt, der seine Vaterstadt rettet, indem er sein Schicksal auf sich nimmt. Außerdem erscheint in der Diskussion über die jeweiligen Vorzüge der drei hauptsächlichen politischen Verfassungen, die Herodot im 3. Buch seiner Historien bringt (3, 80/2), die Idee eines Monarchen als Quelle des Heils u. der Freiheit für die Stadt. Doch erst im 4. Jh. beginnen infolge der Krise der Demokratie u. der aus ihr resultierenden tiefen Enttäuschung die alten Darstellungen des idealen Königs neue Aktualität zu gewinnen u. sich in der Form von Beschreibungen auszudrücken, welche die ersten wirklichen F. der griechisch-römischen Tradition sind. Die Intellektuellen Athens stehen in persönlichen Beziehungen zu zeitgenössischen Monarchen oder Tyrannen: Platon zu den Tyrannen von Syrakus, die Akademiker zu Hermias von Atarneus, Isokrates zu Euagoras von Zypern. Sie machen auf die politische Wirkungskraft aufmerksam, die aus der Regierung eines einzelnen resultiert. Die Beschreibungen des idealen Königs in der griechischen Literatur des 4. Jh. werden daher mit den monarchischen Tendenzen übereinstimmen, die im politischen Denken zutage treten. Die grundsätzliche Problematik, welche die ganze Epoche beherrschen sollte, wird der Gegensatz zwischen König u. Gesetz sein. In der Tat können zwei üble Extreme einander entgegengesetzt sein: auf der einen Seite das blinde Gesetz, das die Bürger durch seine Abstraktion u. seine Unpersönlichkeit bedrückt, auf der anderen die absolute Monarchie, welche die Bürger durch ihre willkürlichen Launen u. ihre Allmacht unterdrückt. Daher beherrscht die Gestalt des Tyrannen alle Gedankengänge dieser Zeit (Euripides, Platon, Isokrates, Xenophon, Aristoteles), u. gerade im Gegensatz zu ihr wird die Vorstellung vom ‚idealen König' ausgearbeitet. Der Traum von der Umwandlung des Tyrannen zum guten König durch die Philosophie liegt all diesen Entwürfen zugrunde. Die Vorstellung vom νόμος ἔμψυχος, die in der späteren Tradition der F. so große Bedeutung hat, bildet sich ebenfalls im Hinblick auf den Tyrannen. Das ‚lebendige Gesetz', das kann ebensogut die Laune des Tyrannen sein, der für sich allein das Gesetz ist (Eurip. suppl. 430), wie die Einsicht des idealen Königs, der wie ein Gott unter den Menschen ist (Platon, Aristoteles), wie das Bild der in einem weisen König verkörperten Tugend (Xenophon, Aristoteles), wie das durch einen guten König interpretierte Gesetz (Platon): all diese Gesichtspunkte werden sich in der späteren Überlieferung wiederfinden. Jeder auf seine Weise haben uns Platon, Isokrates u. Xenophon in verschiedenen literarischen Gattungen, aber um die gleiche Zeit (370/60), das Bild des idealen Monarchen vorgestellt.

a. Isokrates. Die zwischen 374 u. 365 geschriebenen drei ‚kyprischen' Reden des Isokrates, ‚an Nikokles', ‚Nikokles' u. ‚Euagoras' umreißen das Bild eines Philosophenkönigs. Doch für Isokrates stimmt die Philosophie völlig mit der Paideia, der allgemeinen Bildung u. der rhetorischen Ausbildung überein. Nikokles scheint übrigens wohl ein Schüler des Isokrates in Athen gewesen zu sein, u.

Isokrates trägt keine Bedenken, ihm aufgrund der Überlegenheit des Rhetors gegenüber seinen Schülern Ratschläge zu erteilen. Der Rhetor ist hier, indem er die Heldentaten der Tyrannen besingt oder der aristokratischen Jugend Rat erteilt, der Erbe des lyrischen Dichters, dem die Inspiration der Musen das Recht u. das Können gab, das Idealbild des Königs zu zeichnen. Isokrates bezeichnet sich außerdem ausdrücklich als Fortsetzer des Theognis (or. 2, 40f) u. seine drei Abhandlungen nehmen die Form einer Abfolge moralischer Sentenzen an, die durch ein sehr lockeres Band verbunden sind, eine den Elegien des Theognis (u. den Weisheitsschriften des Alten Orients) ähnliche literarische Gattung. Andererseits will er auch Neues schaffen, denn vor ihm habe man, wie er meint, nie wirklich für die Könige bestimmte Lebensregeln ausgearbeitet (or. 2, 7f). Die wesentliche Aufgabe der Könige bestehe darin, den Leiden ihrer Länder ein Ende zu setzen, ihren Wohlstand zu erhalten u. zu vergrößern (9f). Ohne Zögern müssen die Könige sich an ein moralisches Leben gewöhnen; sie müssen ihren eigenen Wünschen noch mehr zu gebieten wissen als ihren Untergebenen (29), ihren Stolz auf die Tugend setzen (30) u. ein Vorbild an Gerechtigkeit u. Mäßigkeit für ihr Volk sein (or. 2, 31; 3, 29/48). Der König soll für das Volk die Paideia verkörpern. Der Blick des Königs ermahnt zur Tugend, u. alles, was die Untertanen vor dem König verbergen wollen, ist böse (or. 3, 48/50). Der beste Gottesdienst, den die Könige den Göttern erweisen können, ist die Ausübung der Gerechtigkeit (20) : diese Aussage fand sich bereits im ägyptischen Text ‚Lehre für König Meri-ka-reʻ. Die Könige sollen ihre Ratgeber unter den wahren Freunden zu suchen wissen, nämlich jenen, die keine Bedenken haben, die Fehler des Königs zu verurteilen (27/9). Die wahren Tugenden des Königs sind die Menschenliebe (φιλάνθρωπος) u. die Liebe zum Staat (φιλόπολις). In ihren großen Umrissen ist die Lehre des Isokrates sehr empirisch: es nimmt nicht wunder, daß er dem König empfiehlt, sich durch die Erfahrung zu unterrichten, d. h. durch das Studium der Geschichte. Während die philosophische Bildung platonischen Typs der Mathematik bildende Kraft zuerkannte, schrieb die rhetorische u. isokrateische Erziehung diese bildende Kraft der Kenntnis der Geschichte zu, wie Jaeger 166 festgestellt

hat. Die Lobrede auf Euagoras (370 oder 365) entspricht in Prosaform den Oden Pindars. Isokrates beansprucht die Ehre, als erster das Lob einer geschichtlichen Persönlichkeit in Prosa geschrieben zu haben. Wie bei Pindar hat diese literarische Gattung vorbildhafte Bedeutung. Das isokrateische Königsideal kommt ebenso am Schluß des ‚Philipposʻ (154) zum Ausdruck, wo sich Anspielungen auf den Gegensatz zwischen König u. Tyrann finden, auf die Vorsorge des Königs für sein Volk u. auf die Dankbarkeit der Völker für das königliche Wohlwollen.

b. Xenophon. Nach Ansicht Xenophons ist der König gewiß Philosoph im Sinne des Sokrates, aber er ist vor allem Soldat, Landmann u. Jäger. Man spürt hierin eine Reaktion gegen die Sophistik u. Isokrates. Der König bildet sich nicht durch die Übung einer schönen Ausdrucksweise, sondern durch Ausdauer u. Strebsamkeit (inst. Cyr. 8, 1, 37). Der (wahrscheinlich nach 370 geschriebene) ‚Hieronʻ ist ein sokratischer Dialog zwischen dem König Hieron (Tyrann in Syrakus 478/ 467) u. dem Dichter Simonides von Keos; er läßt uns die Diskussionen ahnen, die das Problem des Königtums in sokratischen Kreisen auslöste (sie finden sich bei Platon wieder). Im ersten Teil des Dialogs (1/7) wird folgende Frage gestellt: ist das Leben eines Königs glücklicher als das eines guten Menschen? (Eine ähnliche Frage hatte Isokrates gestellt [or. 2, 5f].) Hieron zeigt Simonides, daß das Leben eines Tyrannen wegen seiner Unsicherheit u. der ihn umgebenden falschen Ehrenerweise unglücklich ist. Eine ähnliche Beschreibung des Unglücks des Tyrannen wird sich bei Platon wiederfinden (rep. 579 B/ 580 C). Im zweiten Teil (8/10) macht Simonides Hieron darauf aufmerksam, daß die Tatsache der Regierungsausübung nicht daran hindere, geliebt zu werden, u. daß der König glücklicher sein könne als der einfache Bürger. Der König hat zwei Aufgaben (9, 2): die erste besteht darin, die Völker zu lehren, was das Beste u. Schönste ist, u. jene zu belohnen u. zu ehren, die nach dieser Regel handeln; die zweite Aufgabe ist, zu strafen. Wenn die zweite Aufgabe unpopulär ist, soll sie der König anderen anvertrauen. Der größte Sieg des Königs muß darin bestehen, seiner Stadt das Glück zu bringen (11, 5). Das wird schöner sein, als beim Wagenrennen zu siegen. Wenn der König deswegen von seinem Volk geliebt wird, wird er nichts mehr zu fürchten haben; er wird freiwilligen Gehorsam von seinen Untergebenen erlangen u. das Glück kennenlernen. Der ‚Agesilaos‘ (nach 360) gehört zu einer anderen literarischen Gattung als der ‚Hieron‘. Er ist ein Enkomion, das möglicherweise den ‚Euagoras‘ des Isokrates nachahmt. Xenophon berichtet zunächst in einem ersten Teil (1/2) die Großtaten des Agesilaos, wobei er seine Menschlichkeit (φιλανθρωπία) gegen Gefangene u. Kinder schildert (1, 21f), seinen Mut in der Schlacht (2, 8) u. seine Frömmigkeit gegen die Götter (2, 13). Der zweite Teil zählt seine Tugenden in einer systematischen Ordnung auf, die sich in der Kyrupaideia wiederfindet; zunächst seine Frömmigkeit (3), seine Gerechtigkeit u. seinen Verzicht auf Reichtümer (4), seine Mäßigkeit u. Ausdauer (5), seinen Mut (6, 1/3) u. seine Weisheit (6, 4/8), d. h. seine Kriegslist. An diese Reihe schließen sich an: die Vaterlandsliebe (7; wir begegnen hier dem φιλόπολις des Isokrates wieder), seine Liebenswürdigkeit (8, 1f) u. seine Einfachheit, die von der Anmaßung des Perserkönigs so sehr verschieden ist (8, 6/9, 3). Am Schluß des Werkes betont Xenophon stark die Anziehungskraft, welche die Tugenden seines Helden auf die Menschen ausüben können, die die Tugend zu üben suchen (10, 22). Agesilaos wird auf diese Weise zu einer Art Sokrates. Das Werk Xenophons sollte ein Vorbild für Cornelius Nepos (Leben des Atticus), Tacitus (Leben des Agricola), Plinius (Panegyricus) u. Ammianus Marcellinus (Bericht über Valentinian) werden. Doch es ist vor allem die ‚Kyrupaideia‘, die einen starken Einfluß auf die spätere Literatur haben sollte. Xenophon scheint hier der Schöpfer einer neuen literarischen Form zu sein, die zu einem großen Erfolg berufen war: des historischen Romans, in dem er die Erziehung u. die Heldentaten eines Königs beschreibt, der für alle ein Vorbild an Mannhaftigkeit war. Der Titel ‚Erziehung des Kyros‘ gilt lediglich für das erste Buch des Werkes, aber diese Ungenauigkeit hat vielleicht keine besondere Bedeutung (das gleiche Phänomen zeigt sich bei der Anabasis). Im Bild des Kyros mischen sich die der persischen Welt eigentümlichen Züge merkwürdig mit griechischen Werten, die im übrigen überwiegen. Der antiken aristokratischen Auffassung der ‚Arete‘ entsprechend ist Kyros zum Herrschen geboren wie der ‚König‘ eines Bienenschwarms (5, 1, 7), weil er eine natürliche Veranlagung zur

Tugend hat. Wie der König Homers (u. die Monarchen des Alten Orient) ist er der Hirt der Völker (8, 2, 13). Wie die Tyrannen Pindars ist er mutig bei körperlichen Übungen (8, 1, 34). Doch den im 4. Jh. in Griechenland gestellten Problemen entsprechend u. im Wissen, daß die Menschen schon durch geschriebene Gesetze besser geworden sind, entscheidet sich Kyros dafür, ein mit Augen versehenes Gesetz zu sein (βλέποντα νόμον: 8, 1, 22), das in der Lage ist, den Übeltäter zu erkennen u. zu bestrafen. Wie bei Isokrates hat der Blick des Königs auch erzieherische Wirkung, u. der König selbst erhebt schon allein durch seine Persönlichkeit die Untergebenen zur Tugend. Er ist in gewisser Weise die Verkörperung der Tugend, das lebende Vorbild, das jene nachahmen sollen. Im achten Buch der Kyrupaideia zählt Xenophon in ähnlicher Anordnung wie im Agesilaos die verschiedenen Tugenden auf, für die Kyros Vorbild ist, u. zwar ein um so auffälligeres, als er sich aufgrund seiner königlichen Stellung von der Übung dieser Tugenden dispensieren könnte: die Frömmigkeit (8, 1, 23), die Gerechtigkeit (8, 1, 26; vgl. auch 1, 3, 16/8; 8, 2, 23), die Ehrfurcht (αἰδώς; 1, 4, 25; 8, 1, 27f) u. die Mäßigkeit (1, 3, 10f; 4, 2, 38/45; 7, 5, 75f; 8, 1, 30/2). In den übrigen Teilen des Werkes werden zahlreiche Beispiele anderer königlicher Tugenden aufgezählt: die Fähigkeit, sich Liebe zu erwerben (1, 4, 1/6; 8, 2, 1/9), sein Taktgefühl (3, 3, 13; 5, 3, 47. 4, 19; 6, 1, 46), seine Menschlichkeit (5, 4, 34/8; 7, 2, 26), seine Bereitschaft, anderen zu helfen (1, 3, 12. 4, 2), sein Mut (1, 4, 8. 18/24), seine Großherzigkeit (4, 2, 14. 38/45; 4, 5, 43/5) u. seine Freigebigkeit (1, 3, 6f. 4, 10. 14f; 4, 2, 43/5; 5, 1, 1; 8, 2, 2/15. 4, 6/8. 24). Kyros selbst ermahnt seine Gefährten oder Untergebenen zur Mäßigkeit (1, 3, 10f; 4, 2, 38/45; 5, 1, 8/17; 7, 5, 75f; 6, 1, 36/41), zur Gerechtigkeit (1, 3, 16/8; 5, 2, 8/13), zur Entsagung (4, 2, 38/45) u. zur Tapferkeit (5, 2, 31/7). Es ist möglich, daß der verlorene ‚Kyros‘ des Kynikers Antisthenes einen dem Werk des Xenophon ähnlichen Inhalt hatte.

c. Platon. Auch wenn die literarische Form des platonischen Dialogs sich sehr selten in der Tradition der F. findet, hat die von Platon vorgetragene Meinung über den idealen Herrscher nichtsdestoweniger wesentliche Bedeutung gehabt. In der Politeia wird die Gestalt des Philosophenherrschers in äußerst scharfsinniger Weise eingeführt. In der Tat hat Platon nur von der Einrichtung des Staates zu sprechen unternommen, um besser verständlich zu machen, welchen Platz die Gerechtigkeit in der inneren Organisation der Seele einzunehmen hat. Seine Beschreibung des Idealstaates hat daher lediglich die Bedeutung eines Entwurfs, in dem sich Ironie u. Ernst mischen. Diese Beschreibung ist vornehmlich dazu bestimmt, folgendes Paradoxon aufzustellen (473 D): Damit das Gute im Staat herrscht, müssen die Philosophen Könige werden oder die Könige Philosophen, denn nur der Philosoph ist fähig, seinen Blick auf die Idee des Guten zu richten, die ihm die Erkenntnis der Wirklichkeit geben wird, deren Kenntnis zum Regieren unentbehrlich ist u. die Ursache der Harmonie darstellt, die im Staat herrschen muß. Die Bücher 5, 6 u. 7 sind der Beschreibung der natürlichen Eigenschaften (503 f) u. der Erziehung des Philosophen, d. h. in Wirklichkeit des idealen Herrschers, gewidmet. Nur ein langer Weg wird den zukünftigen König zur Schau des Guten führen können. In dieser Ausbildung spielt die Mathematik eine große Rolle. Der vollendete König wird der Erzieher seines Volkes sein. Dank seinen Bemühungen wird das gesamte Volk durch das Gute, die Sonne der Seelen, erleuchtet sein. Die Politeia legt nachdrücklich den Gegensatz dar zwischen dem Philosophenkönig, der frei ist, da er Herr seiner selbst ist, u. dem Tyrannen, der unfrei ist (579 B/580 C). Der 7. Brief Platons (sei er nun echt oder nicht) scheint genaue Auskunft über Platons Bemühungen um den Versuch zu geben, in Syrakus die Regierung eines Stadtstaates durch einen Philosophen zu verwirklichen. Der Brief selbst beschreibt die platonische Vorstellung vom idealen Herrscher, indem er ausspricht, was Dion hätte tun können (335 C/336 B), indem er bekräftigt, daß der König sich selbst beherrschen können muß (337 A), u. indem er, wie in der Politeia, den Tyrannen dem Philosophen gegenüberstellt (351 A/D). Das Königsbild Platons präzisiert sich im Politikos; zugleich werden die Aporien des politischen Denkens Platons schärfer. Platon unterzieht hier die Vorstellungen vom Königtum von der Art jener, die Xenophon in der Kyrupaideia entwickelte, der Kritik. Läßt sich die homerische Definition des Königs als ,Hirt der Menschen' halten (267 D)? Nein, denn sie setzt einen Wesensunterschied zwischen dem Hirten u. seiner Herde voraus. Sie hätte nur in der Zeit Geltung gehabt, in der Kronos selbst die Menschen durch Vermittlung von Dämonen regierte (268 A/275 E); doch jetzt, da die Welt nicht mehr unmittelbar von Gott gelenkt wird, sondern eine Gegenrichtung eingeschlagen hat u. sich mit ihrer Eigenbewegung bewegt, kann der König nicht mehr als ein Hirt definiert werden. Jetzt ist der König ein Mensch, aber einer, der zu regieren versteht (292 A/294 A). Ein solcher die königliche Kunst verstehender Mensch sei besser als das Gesetz, denn das Gesetz sei nicht fähig zu erkennen, was für jedes Individuum besser u. gerechter sei. Auch wenn Platon es nicht ausdrücklich sagt, kann man den König, den er hier beschreibt, als ein lebendes Gesetz verstehen; denn das Gesetz wird aus seinem hervorragenden Wissen hervorgehen, wie auch Clemens von Alexandrien bemerkt (strom. 5, 4, 18, 4). Aber dieser ideale König wird nicht von selbst geboren, wie der König im Bienenstock (301 D/E; in der Politeia bildete der Bienenstaat selbst seine Könige aus [520 B]); u. die Menschen glauben nicht, daß ein Monarch absolut sein könne, ohne Tyrann zu werden (301 f). Der beste König wird jener sein, der sich am stärksten diesem Ideal nähert u. der in der Achtung des Gesetzes am besten den idealen König nachahmt. Dieser ist lediglich ein Mythos. Die königliche Kunst (308 C) wird darin bestehen, im Staat das Schlechte zu beseitigen u. mit den menschlichen Charakteren ein Gewebe anzufertigen, das die Strenge (vergleichbar der Kette des Gewebes) u. die Milde (den Einschlag des Gewebes) miteinander verbindet. Im Politikos nimmt Platon also den Gedanken von Gott als dem Vorbild der Könige auf u. entfaltet dies Thema Hesiods. In der augenblicklichen Phase des Weltlaufs, in der Gott nicht mehr unmittelbar handelt, muß der königliche Mensch Kronos in der Beachtung des Gesetzes nachahmen. Dies Thema wird in den Gesetzen (713 C) wieder aufgenommen, wo einerseits der ideale, mit vollkommener Erkenntnis begabte König als ein Mythos hingestellt wird (leg. 691 C/714 A), andererseits der beste König als Wächter der Gesetze erscheint (874 E/875 D), wobei die Gesetze selbst diesmal nicht mehr Ausdruck der Erkenntnis eines idealen Monarchen sind, sondern ein durch die konkreten Bedingungen des menschlichen Lebens geforderter Ausweg.

III. Hellenistisch-römische Zeit. Trotz des sehr langen Zeitraums, in dem diese beiden geschichtlichen Perioden ablaufen (336 vC./ 400 nC.), u. trotz der tiefgehenden Unterschiede der für sie charakteristischen politischen Ordnungen ist der Historiker gezwungen, sie zu vereinigen, soweit es die Untersuchung antiker F. betrifft. Die Darstellung des idealen Fürsten u. die literarischen Gattungen, in denen sie zum Ausdruck kommt (Abhandlungen über das Königtum, Panegyrici), sind in beiden Perioden bemerkenswert unveränderlich, dauerhaft u. zusammenhängend (vgl. Barner; Schubart; Festugière, Inscriptions 32 ff). Diese Beständigkeit ist so groß, daß die beiden wichtigsten Texte, welche die verschiedenen Züge der Lehre vom idealen Fürsten am besten vereinigen, äußerst schwierig zu datieren sind. Für den Brief des Aristeas wie für die pythagoreischen Traktate über das Königtum schwanken die vorgeschlagenen Datierungen in der Tat zwischen dem 3. Jh. vC. u. dem 2. Jh. nC. Andererseits ist der größte Teil der Schriften über das Königtum aus der hellenistischen Periode (zB. die Schriften des Antisthenes u. der Stoiker) verlorengegangen u. man kann sie nur auf der Basis von Vermutungen mit Hilfe von Werken der Kaiserzeit rekonstruieren (etwa aus Dion Chrysostomos u. Plutarch). Die hellenistische Lehre über das Königtum sollte entscheidenden Einfluß auf alle F. des MA haben (vgl. Kantorowicz). Ihre allgemeinen Charakteristika sind folgende: 1) Unter dem Einfluß der Kyniker u. des Stoizismus, nach deren Aussage allein der Weise König ist, werden die den Königen gegebenen Ratschläge vor allem solche der Individualethik sein: der König muß ein Weiser sein; der Philosophenkönig betrachtet nicht mehr die Ideen, als Grundlage einer wissenschaftlichen Gewißheit, sondern die göttlichen Tugenden, die er nachzuahmen hat. 2) Die Elemente, welche die hellenistischen Lehren aus der früheren Überlieferung übernehmen, sind gleichermaßen von Isokrates oder Xenophon entliehen wie von Platon. Ferner gehen viele Züge des idealen Fürsten jetzt aus der Homerexegese hervor. Der Gedanke des ‚guten Königs nach Homer' findet sich in zahlreichen Abhandlungen (Philodemos, Dion Chrysostomos, Plutarch u. Porphyrios). 3) Die hellenistische Lehre ist gleichwohl nicht rein empirisch. Im Gegenteil, sie versucht, zu einer sehr entwickelten Systematik zu gelangen, in der sich die politischen Anschauungen auf kosmische gründen. Die Idee universaler Harmonie u. Proportion ist hierbei grundlegend, ohne daß man sagen könnte, ob sie speziell stoisch oder pythagoreisch sei. Der König ist für den Staat, was Zeus für das Universum ist. Die Harmonie des Universums wird durch die Tugenden des Zeus gesichert, die des Staates durch die Tugenden des Königs. Aus dieser Analogie zwischen dem Kosmos u. dem Staat ergibt sich, daß Gott nach dem Typus hellenistischer Monarchen oder römischer Kaiser aufgefaßt wird u. daß das Königsideal eine ganze Theologie voraussetzt.

a. Die großen Gestalten der kynisch-stoischen Tradition. 1. Alexander. Alexander wurde als Philosophenkönig dargestellt, wahrscheinlich schon durch den kynischen Philosophen u. Begleiter Alexanders, Onesikritos, mit Sicherheit durch Plutarch in seiner ersten Rede De Alexandri fortuna. Wie man weiß, ist Alexander tatsächlich anfangs Schüler des Aristoteles gewesen. Hierzu sei an zwei verlorene Schriften des Aristoteles erinnert (‚Über das Königtum' u. ‚Alexander oder über die Kolonisation': frg. 646/8. 658 Rose). Die Schrift ‚Alexander oder über die Kolonisation' könnte gleichzeitig mit dem Beginn der Feldzüge Alexanders entstanden sein. Das einzige Fragment, das wir von ihr besitzen (Plut. fort. 6, 329 B; Strab. 1, 4, 9), rät Alexander, sich zu den Griechen so zu verhalten wie ein Vorgesetzter zu Freunden oder Gleichgestellten, u. gegenüber den Barbaren wie ein Gebieter zu Tieren; es spricht damit eine Lehre aus, die dem Ideal der Einheit der Menschheit diametral entgegengesetzt ist, das Alexander nach seinen späteren Biographen als Eroberer verwirklichen wollte. Von der anderen Schrift des Aristoteles können wir uns aufgrund einer Bemerkung Ciceros eine Vorstellung machen. Dieser sucht, in der Absicht, eine Mahnrede für Caesar zu schreiben, ein Vorbild in den von Aristoteles u. Theopomp Alexander gewidmeten Abhandlungen, doch er gesteht (Attic. 12, 40, 2; 13, 28, 2), daß er sich nicht in die gleiche Geisteshaltung versetzen könne wie diese Autoren, die das Ehrenhafte u. das Angenehme vereinen konnten. Jene konnten, sagt uns Cicero, diesem jungen Mann, der den wahren Ruhm suchte, antworten, der einzig wahre Ruhm bestehe in der moralischen Würde (decus). Die Vita Aristotelis Marciana (430, 15 Rose) berichtet uns, daß Aristoteles in seiner Abhandlung über das Königtum Alexander gelehrt habe,

wie man regieren müsse, u. spricht ihm den
Satz zu: ‚Heute habe ich nicht regiert, denn
ich habe nichts Gutes getan‘, einen Ausspruch,
der von Sueton (Titus 8) u. Themistios (or.
6, 80 A; 8, 107 A; 13, 174 E; 15, 193 A) dem
Titus in den Mund gelegt wird. Nachdem
Kallisthenes in Ungnade gefallen war, ent-
fremdete sich Alexander immer mehr dem
Einfluß des Peripatos, u. die Tradition dieser
Schule zeigte sich ihrerseits der Person
Alexanders stets feindlich, indem sie seine
Erfolge der Fortuna zuschrieb (Fisch 140 f).
Ob Alexander in der Folgezeit durch Ver-
mittlung seines Begleiters Onesikritos (Diog.
Laert. 6, 84) von der kynischen Lehre be-
einflußt worden ist, bleibt eine strittige Frage
(Tarn; Fisch; Höistad). Sowohl Tarn wie
Fisch haben unter sehr verschiedenen Ge-
sichtspunkten gezeigt, wie der Gedanke einer
Einigung des Menschengeschlechts durch den
idealen König mit der Gestalt Alexanders
verknüpft ist. Dieses in der Umgebung Alexanders entwickelte Ideal ist in die utopische
Vorstellung der von Iambulos beschriebenen
Sonnenstadt (Diod. Sic. 2, 55) eingegangen,
um durch den Usurpator Andronikos v.
Pergamon (135 vC.), wahrscheinlich auf
Rat des stoischen Philosophen Blossius,
mit der Gründung der Stadt Heliopolis
verwirklicht zu werden (Strab. 14, 38). Es
bleibt fraglich, ob die Idee selbst von Alexander oder aus einer kynisch-stoischen Überlieferung stammt. Onesikritos selbst hatte
unter dem Titel Πῶς ’Αλέξανδρος ἤχϑη (Wie
Alexander geführt – oder erzogen – wurde)
eine Schrift über das Leben Alexanders geschrieben, die wahrscheinlich jener glich, die
Xenophon dem Kyros gewidmet hatte (man
kann sich jedoch mit Pearson 88 fragen, ob
es sich hier um die Anabasis oder die Kyrupaideia handelt). In dem bei Strab. 15, 63/5
erhaltenen Fragment dieser Schrift, das ein
Gespräch zwischen Alexander u. den Gym-
nosophisten berichtet, beglückwünschte der
Gesprächspartner des Königs diesen, weil er
die Weisheit suche, u. stellt fest, er sei ein
‚Philosoph in Waffen‘ (15, 64). Die Gestalt
Alexanders als ‚Philosophenkönig‘ tritt bei
Plutarch wieder auf: De Alexandri fortuna
aut virtute (gegen Ende des 1. Jh. nC.). Das
Thema dieser Schrift: ‚Verdankte Alexander
seinen Erfolg dem Glück oder der Tugend‘
war traditionell (Liv. 10, 17/9; Ael. var. hist.
3, 23) u. stammte wahrscheinlich aus Streit-
gesprächen zwischen Peripatetikern u. Stoi-

kern über die Bedeutung des Schicksals für
Alexander. Nach Plutarch ist Alexander ein
Philosoph in seinen Handlungen gewesen
(328 C); er hat Tausenden von Menschen Kultur u. Gesetze (238 C/E) u. den von ihm Besiegten das Glück gebracht (328 E); er hat
das Ideal der ‚Republik‘ des Zenon verwirklicht, nach dem alle Menschen Mitbürger sein
sollen. Er hat den Unterschied zwischen Hel-
lenen u. Barbaren überwunden u. durch den
Unterschied zwischen Gutsein u. Schlecht-
sein ersetzt (329 D; vgl. Strab. 1, 4, 9). Er
hat sich bemüht, allen Menschen Eintracht
(ὁμόνοια) u. Frieden zu geben (330 C), u. er
hat deutlich zu erkennen gegeben, daß er die
Philosophie hätte lehren wollen, wenn er sie
nicht praktiziert hätte: ‚Wäre ich nicht Alexander, würde ich Diogenes sein‘ (331 f). In
dieser Schrift Plutarchs zeigt die Beschreibung Alexanders als idealen Fürsten viele
stoische, wenn nicht kynische Züge. Dagegen
ist in dem ebenfalls von Plutarch geschrie-
nen ‚Leben Alexanders‘ der Einfluß der peripatetischen Vorstellungen über Alexander
von Bedeutung. Die noch einmal von Arrian,
dem Schüler Epiktets, in objektiver Weise
vorgelegte Geschichte Alexanders (Anabasis
Alexanders, nach 138 nC.) nimmt in der Folgezeit immer mehr romanhafte Züge an. Der
‚Alexanderroman‘, der im lateinischen u.
arabischen MA eine wichtige Rolle spielen
sollte, erschien in verschiedenen griechischen
Versionen (die wahrscheinlich einen Roman
des 1. Jh. vC. in Briefform zur Grundlage
haben) neben der lateinischen Fassung des
Julius Valerius aus dem 3. Jh. nC.

2. Herakles, Kyros, Odysseus. Wie Höistad
gut gezeigt hat, erarbeitete die kynische
Schule, an erster Stelle Antisthenes selbst,
gleichzeitig einen Begriff des Weisen u. ein
Königsideal, wobei ihre Betrachtungsweise
vom Gesichtspunkt der Individualethik ausging u. die Gestalten des Herakles, Kyros u.
Odysseus zum Vorbild genommen wurden (zu
den Werken des Antisthenes über Herakles
vgl. Diog. Laert. 6, 16. 104 f; über Kyros
vgl. Diog. Laert. 6, 2. 15; über Odysseus vgl.
die fiktiven Reden ‚Ajax‘ u. ‚Odysseus‘,
herausgegeben von H. J. Lulofs [1900]). Höistad 195 f hat den diesen drei Gestalten unter
dem Gesichtspunkt des Königsideals gemeinsamen Zug hervorgehoben: Es sind Könige,
die für die Menschheit geduldet haben
(πολύτλας) u. sittliche Anstrengung (πόνος) als
ein Gut ansahen. Besonders die Gestalt des

Herakles wird in der späteren Überlieferung mit dieser Auffassung verbunden bleiben. Allerdings findet sich schon bei Euripides (Heracl. 1252) u. Isokrates (Phil. 127) Herakles als Vorbild der Könige. Besonders Isokrates erinnert Philipp von Makedonien daran, daß sein Vorfahre Herakles Weisheit, Gerechtigkeit u. Menschenliebe geübt habe u. er ihm nacheifern müsse (109/11). Verbunden mit der sittlichen Anstrengung findet man diese Eigenschaften in den Bildern des idealen Königs der hellenistischen u. römischen Zeit wieder (Philo leg. ad Gaium 11, 81; Sen. Herc. Oet. 989; benef. 1, 13; Epict. diss. 3, 26, 32; Dio Chrys. 1, 74/83; Plut. princ. inerud. 2f, 780 A/781 A; Plin. paneg. 14, 5; Paneg. Mamert. 8, 2; Iulian. or. 7, 264; vgl. Derichs). Die Gestalt des Herakles ist andererseits mit der des Alexander verbunden, denn Herakles ist der angebliche Vorfahre der makedonischen Dynastie.

3. Antigonos Gonatas. Der König Antigonos Gonatas von Makedonien ist für die hellenistische Überlieferung das Vorbild des Philosophenkönigs geblieben (Plut. sera num. vind. 21, 562 F). Er war mit dem Stoiker Zenon u. dem Kyniker Bion befreundet. Die Überlieferung schreibt ihm viele beispielhafte Aussprüche zu. Beim Tode Zenons soll er gesagt haben: ‚Welchen Zuschauer habe ich verloren‘ (Diog. Laert. 7, 15). Seinem Sohn Halkyoneus gegenüber soll er die Größe der königlichen Pflichten folgendermaßen zusammengefaßt haben: ‚Weißt du nicht, daß das Königtum, das wir ausüben, eine ruhmvolle Knechtschaft ist?‘ (ἔνδοξος δουλεία; bei Ael. var. hist. 2, 20). Auch die göttlichen Ehren soll er zurückgewiesen haben: ‚Der Sklave, der meinen Urin wegträgt, hat nicht das Gefühl, daß ich ein Gott sei‘ (Plut. Is. 24, 360 D).

b. Inschriften, Papyri u. literarische Texte hellenistischer Zeit. Während die systematischen Abhandlungen περὶ βασιλείας von Zenon, Kleanthes, Sphairos u. Persaios verloren gingen u. wir daher kein bedeutendes literarisches Zeugnis über die Ursprünge der hellenistischen Lehre vom Königtum besitzen, kann man im Anschluß an Schubart (Königsideal) feststellen, daß die Umrisse dieser Lehre sich verstreut, aber leicht erkennbar in den Inschriften u. Papyri der ganzen hellenistischen Zeit finden. Die am häufigsten in bezug auf den König verwendeten Begriffe sind: die Frömmigkeit gegenüber dem Göttlichen (εὐ-

σέβεια πρὸς τὸ θεῖον), die Selbstbeherrschung (τὸ κρατεῖν ἑαυτοῦ), die Seelengröße (μεγαλοψυχία), die Gerechtigkeit, die Gesetzestreue (εὐνομία), die Abneigung gegen das Böse (μισοπονηρία), die Nachsicht (ἐπιείκεια), die Großmut (φιλοτιμία), das Wohlwollen (εὔνοια), die Menschenliebe (φιλανθρωπία), die Barmherzigkeit (ἔλεος) u. das Wohlwollen (εὐμένεια). Die Spuren dieses Vokabulars, das eine ganze Lehre einschließt, finden sich in dieser Zeit bis hin zu den indischen Königreichen, die griechischen Einfluß erfahren hatten. In dieser Hinsicht sind die Inschriften des Ashoka (um 250 vC.) mit Recht berühmt. Der König stellt sich hier vor als Freund der Götter, Vater der Menschen, besorgt um das Allgemeinwohl u. erfüllt von Gottesfurcht. Außer der besonderen Hochschätzung des Gesetzes bieten diese Inschriften nichts spezifisch Hinduistisches (vgl. Festugière, Inscriptions d'Asoka). Die Bekehrung des Königs hatte die moralische Besserung seiner Untertanen zur Folge: die Menschen sind gottesfürchtiger u. Herren ihrer selbst geworden (vgl. Schlumberger-Robert u. a.). Dies Thema der durch Nachahmung der Tugenden des Königs errungenen Unabhängigkeit findet sich in den neupythagoreischen Schriften wieder, von denen unten die Rede sein wird. In der römischen Kaiserzeit bleiben die Inschriften, vornehmlich die griechischen, diesem Vokabular u. dieser Anschauung treu (vgl. Schubart, Gesetz u. Kaiser). Äußerst bezeichnend ist die Inschrift, die Augustus auf zwei Bronzepfeiler vor dem Mausoleum Augusti in Rom schreiben ließ u. von der ein zweisprachiger griechisch-lateinischer Text in Ankyra gefunden wurde (Monumentum Ancyranum, hrsg. von H. Volkmann ³[1969]). Man kann sagen, daß das Monumentum Ancyranum der letzte F. ist, der auf eine Stele geschrieben wurde. Er beendet eine Überlieferung, die auf Hammurabi zurückgeht u. über die Inschriften des Ashoka hin verläuft (für die literarische Gattung vgl. die Inschriften mit Erzählung der Großtaten von Isis u. Osiris bei Diod. Sic. 1, 27 u. die Inschriften mit den Großtaten des Zeus bei Euhemeros, zitiert von Lact. inst. 1, 11, 33). In Übereinstimmung mit dieser Überlieferung sind die Res gestae divi Augusti eine Darstellung der von Augustus vollbrachten exemplarischen Handlungen in der Ichform u. eine Aufzählung seiner Titel. Der Stoff ist geschickt in der Weise angeordnet, daß nacheinander die

verschiedenen Tugenden des Herrschers geschildert werden, so wie sie das hellenistische
Ideal des Königtums auffaßte: seine königliche Tugend (1), seine Gerechtigkeit (2),
seine Milde (3), seine Pietät (pflichtgemäßes
Verhalten gegenüber Göttern u. Menschen;
4), seine Treue gegenüber den Gesetzen (5/8)
u. den Traditionen, das Wohlwollen der Untertanen gegen ihn (9/12), seine Friedensliebe
(13), seine Freigebigkeit u. Uneigennützig-
keit (14/24), sein Mut u. seine zur Ausbreitung des Imperium angewandte Feldherrn-
kunst (25/33). Die Inschrift endet übrigens
(34f) mit einer Wiederholung der Haupttugenden (virtus, clementia, iustitia, pietas) u.
dem ruhmvollen Titel des pater patriae. Die
aus den Landtagsbeschlüssen der asiatischen
Städte hervorgegangenen Inschriften (zB.
CIG 3187; Inscr. Brit. Mus. 894) fügen dem
pater patriae den ‚Vater des Menschengeschlechtes‘ bei. Diese Inschriften legen in
Übereinstimmung mit der hellenistischen
Lehre besonderes Gewicht auf die göttliche
Sendung des Augustus: ‚Da die ewige u. unsterbliche Natur des Universums außer unermeßlichen Wohltaten den Menschen die
größte aller Gnaden erwies, indem sie Caesar
Augustus ins Leben rief . . .‘ (Inscr. Brit.
Mus. 894); ‚Da die Vorsehung, die unser
Leben bestimmt, . . . uns das kostbarste Geschenk bereitet hat, indem sie Augustus
sandte . . .‘ (Ditt. Or. 458, 32/5).

c. Der Brief des Aristeas. Eines der besten
Zeugnisse für die hellenistische Lehre vom
Königtum findet sich in einem langen Passus
des ‚Briefes des Aristeas‘, der aus jüdisch-
alexandrinischem Milieu stammt. Dieser Brief
ist schwer zu datieren. Man kann ihn innerhalb eines Zeitraums von der Mitte des 3. Jh.
vC. an (nach Ptolemaios Philadelphos) bis
zum Ende des 1. Jh. nC. ansetzen (da er von
Josephus zitiert ist, der zwischen 37 u. 110
nC. lebte). Man neigt heute dazu, ihn auf
den Anfang des 2. Jh. vC. zu datieren (S.
Jellicoe: JournTheolStud 12 [1961] 261/71;
A. Pelletier in der Ausgabe des Briefes =
SourcChrét 89 [1962] 57f; der neue Versuch
von Herrmann 58, den Brief in Zusammenhang mit der Regierung des Titus zu bringen,
scheint nicht ausreichend gerechtfertigt). Der
Brief des Aristeas, der übrigens den Beginn
der griech. Bibelübersetzung (LXX) durch
die Siebzig erzählt, spiegelt eine Unterredung
zwischen König Ptolemaios Philadelphos u.
weisen Männern vor, die auf seine Fragen be-

züglich des Königtums antworten. Der wesentliche Grundsatz, der die in diesen Antworten zum Ausdruck kommende Doktrin
beherrscht, ist die Nachahmung Gottes durch
den König. Die Tugenden der Könige sind die
göttlichen Tugenden, die Nachsicht (τὸ
ἐπιεικές: 188. 192. 207. 211), die Wohltätigkeit (τὸ εὐεργετικόν: 190. 192. 200. 211), die
Wahrheitsliebe (φιλαλήθης: 206), die Barmherzigkeit (ἐλεήμων: 208), die Gerechtigkeits-
liebe (φιλοδίκαιος: 209), die Bedürfnislosig-
keit (ἀπροσδεής: 211), das Fehlen von Zorn
(χωρὶς ὀργῆς ἁπάσης: 254), die wohlwollende
Aufnahme der Niedrigen (προσδέχεται τὸ τα-
πεινούμενον: 257/62), die Sorge für das Menschengeschlecht (πολυωρεῖν: 259). Obwohl er
Gott nachahmt, muß der Weise sich daran
erinnern, daß er nur ein Mensch ist (262).
Folgende moralische Ratschläge werden dem
König gegeben: der König muß zunächst
große Gottesfurcht besitzen (193. 213. 229.
260f); er muß anerkennen, daß Gott Herr
aller Dinge ist (195. 210. 227. 234. 269) u.
alles weiß (189), daß das Königtum ein Geschenk Gottes ist (224), u. daß Gott den
Menschen die gute seelische Veranlagung
gibt (εὐψυχία: 197), das Vermögen, das Gute
zu tun (231) u. die Mäßigkeit (237). Wie der
Verfasser der Lehre für Meri-ka-re u. wie
Isokrates versichert der Autor des Briefes
des Aristeas, daß die größte Ehre für den
König darin bestehe, Gott zu ehren, nicht
durch Opfer, sondern durch Seelenreinheit.
Der König solle die Gerechtigkeit wahren
(189. 209. 212. 232) u. den Gleichmut (191.
257. 262. 282), er solle die Geschehnisse mit
Mäßigung tragen (197), die Macht ausüben,
um das, was er sich vorgenommen hat, auch
unter Gefahr durchzuführen (199), die Wahrheit sagen (206), ein Freund der Menschheit
sein (208), sich selbst beherrschen (211. 222),
sich in Reichtum u. Ehren vor dem Hochmut
hüten (211a) u. daran denken, daß seine
Untertanen ihren Blick auf ihn richten; er
solle wohlwollend gegen die Menschen sein
(εὔνοια: 225. 230), großzügig gegen seine
Feinde (227), aufmerksam gegen jede Belehrung (239); er solle ohne Furcht sein (243), da
ihm sein Gewissen ja bezeuge, daß er nichts
Böses getan habe; er solle sein Vaterland
lieben (249), ohne Schuld sein (252. 255),
indem er alles mit Ernst u. Überlegung tue;
er solle ohne Zorn sein (252/4), sich vor Hochmut u. Anmaßung hüten (262. 269), den
Gesetzen gehorchen, um das Leben der Men-

schen zu bessern (279), ein Feind des Bösen u. Freund des Guten sein, mit dem Willen, die Seele der Menschen zu schützen u. zu retten (291). Einige Ratschläge beziehen sich spezieller auf praktische Regierungsprobleme: Wie erlangt man die Zustimmung derer, zu deren Ungunsten man einen Prozeß entscheidet (192)? Wie bewahrt man seine Besitztümer u. bleibt reich (204f)? Wie erlangt man seine Ehre nach einer Niederlage wieder (230f)? Wie erkennt man die Heuchler (246f)? Wie errichtet man Bauten (258f)? Welche Berater sind zu wählen (264)? Wie bewahrt man die Macht (271) u. welche Generäle soll man wählen (280f)? Die Antworten auf diese Fragen enthalten in der Tat die gleichen moralischen Belehrungen wie der eigentliche ethische Teil. Die ganze Lehre stimmt mit der gnomischen u. empirischen Überlieferung überein, mit jener des Theognis, Isokrates u. Xenophon. Der Verfasser bekräftigt mit Nachdruck, daß Gott allein dem Menschen die Mittel zur Übung der Tugend gibt. Vielleicht braucht man hierin keinen eigentümlich jüdischen Zug zu sehen, denn wir werden diese Lehre auch in den neupythagoreischen Abhandlungen über das Königtum wiederfinden.

d. Neupythagoreische Abhandlungen über das Königtum. Bei Joh. Stob. 6, 22 u. 7, 61/6 (244 f. 263/79 Hense) sind uns mehrere Fragmente von Traktaten περὶ βασιλείας erhalten geblieben, die Ekphantos, Diotogenes u. Sthenidas zugeschrieben werden (hrsg. von L. Delatte, Les traités de la royauté d'Ecphante, Diotogène et Sthénidas [Liège 1942]). Sie sind, wie der Brief des Aristeas, schwer zu datieren. Nach Goodenough würden sie ins 3. oder 2. Jh. vC. gehören; dagegen datiert Delatte sie in das 1. oder 2. Jh. nC. Ihr ethischer Gehalt entspricht dem des Briefes des Aristeas. Aber er ist von metaphysischen u. kosmologischen Prinzipien abgeleitet u. setzt eine systematische Auffassung vom Universum voraus. Nach Ekphantos ist das Weltall in drei Teile geteilt: den Himmel, die sublunare Region, die Erde. Der Aufbau jedes dieser Teile ist analog: Ihre Harmonie wird durch die Vorherrschaft eines oberen Prinzips gesichert, nämlich Gottes für den Himmel, der Dämonen für die sublunare Region, des Königs für die Erde (7, 64 [272, 2]). Der irdische König hat also eine dem himmlischen König analoge Stellung u. hat an der Gottheit Anteil (7, 64 [272, 10]). Der

König spielt die Rolle eines Mittlers: der Mensch ist gefallen u. unfähig geworden, die Gottheit zu betrachten (6, 22 [244, 14]); der König hat durch seinen Leib an der menschlichen Natur Anteil (6, 22 [245, 2]; 7, 64 [272, 10]), aber er hat ein höheres Prinzip in sich, das daher stammt, daß Gott ihn ganz speziell nach seinem Bild geschaffen hat. Daher ist er allein fähig, die Gottheit zu betrachten (7, 64 [272, 15]). Diese Betrachtung ist die Grundlage allen Regierens u. jeder Gesetzgebung. Sie ist sogar von Anfang an das Zeichen des Königtums (7, 64 [273, 1]): Nur der Adler kann in die Sonne blicken. Sodann ist die Betrachtung das Mittel, durch das der König sich Gott angleicht (7, 64 [274, 1]), u. damit zugleich der beste Weg, den der König gehen kann, um sich selbst zu bessern (7, 64 [274, 6]). Diese Betrachtung hat die universale Harmonie zum Gegenstand, die aus der ‚Schönheit der göttlichen Herrschaft' erwächst (7, 64 [274, 10]). So ist schließlich die göttliche Tugend Gegenstand dieser Betrachtung, u. derjenige, der sie übt, gleicht sich Gott an u. wird von ihm geliebt (7, 64 [275, 1]). Bei dieser Angleichung, die durch die Betrachtung erreicht wird, ist die Tätigkeit Gottes entscheidend: Die Tugenden sind das Werk Gottes (7, 64 [275, 3]), u. sie sind des Königs Werk nur durch Gottes Gnade. Wegen seiner Tugenden wird der König von Gott geliebt, u. weil er von Gott geliebt wird, lieben ihn die Menschen (7, 64 [274, 16]). Die Regierung des Königs wird daher die Herrschaft Gottes nachahmen: Im Universum hat alles durch Zuneigung u. Gemeinsamkeit Bestand, u. auch im Staat soll die zu gemeinsamem Ziel strebende Zuneigung die Eintracht des Universums nachahmen (7, 64 [276, 2/9]). Der König u. die Untertanen sollen in einer Atmosphäre gegenseitigen Wohlwollens leben. Das zweite Exzerpt aus Ekphantos (7, 65 [276, 11]) behandelt in sehr tiefgehender Weise die Frage nach der Einheit der königlichen Tugend. Wenn die Haupttugend des Königs in der Betrachtung Gottes besteht, wie kann er sich von dieser Betrachtung abwenden, um sich dem tätigen Leben u. der Sorge für die Untertanen zuzuwenden (7, 65 [276, 11])? Wie kann der König unabhängig (αὐτάρκης) bleiben, wenn er sich um andere sorgen soll? Die Antwort wird auch hier wieder durch Hinweis auf das Vorbild der göttlichen Tugend gegeben. Diese ist ungeteilt, denn die göttliche Tätigkeit ist

unteilbar (7, 65 [277, 5]). Gott handelt, indem
er sich darauf beschränkt, er selbst zu sein,
das heißt gut zu sein. Er bleibt daher
absolut unabhängig. Seine Handlungsweise
ist der Nachahmung wert; es genügt ihm,
ganz er selbst zu sein, damit alle ihn
nachahmen wollen. Die königliche Tugend
wird daher darin bestehen, Gott nachzuahmen, d. h. wie Gott nachahmenswert zu
sein. Indem er so Gott nachahmt, bleibt
der König unabhängig, u. auch seine Untertanen, die ihrerseits den König nachahmen, werden ihre Unabhängigkeit bewahren. Man sieht, daß hier der alte
griechische Grundsatz vom Wert des Vorbildes die Form einer metaphysischen Lehre
annimmt, die besagt, daß die Seienden von
sich aus danach streben, die Vollkommenheit des Seins nachzuahmen. Ekphantos
träumt von einem Staat, in dem die Autorität lediglich ein Aufruf zur Nachahmung
ist u. alle Bürger frei sind. Doch er weiß,
daß die menschliche Natur leider unfähig
ist, allein durch das Beispiel bewegt zu
werden (7, 65 [278, 2]); sie muß gezwungen
oder wenigstens überredet werden (7, 65 [277,
18] u. 6, 22 [245, 5]); sie ist unfähig, aus eigenem Antrieb das Gute zu tun. Im 3. Exzerpt
(7, 66 [278, 21]) beschreibt Ekphantos die
einzelnen Tugenden, die sich aus der einen
königlichen Tugend ableiten: den Gemeinsinn,
der die Gerechtigkeit hervorbringt, die Unabhängigkeit, die die Mäßigkeit erzeugt. Die
wichtigste Quelle dieser Tugenden ist die
Weisheit (φρόνησις: 7, 66 [278, 21]). In dem
Exzerpt aus Diotogenes, das erhalten blieb
(7, 61 [263]), werden gleichfalls die königlichen Tugenden vorgestellt. Zunächst wird
die Beziehung untersucht, die zwischen dem
König u. dem Gesetz besteht. Der König ist
das lebende Gesetz (νόμος ἔμψυχος), wie die
alte Formulierung lautet, oder der Staats-
beamte, der sich nach dem Gesetz richtet. Er
hat drei Funktionen: die des Heerführers,
des Richters u. des Priesters (7, 61 [263, 14/
265, 12]). Dann werden die dem König eigenen Tugenden aufgezählt: die Mäßigkeit (7,
62 [265, 14]), Freigebigkeit (ebd. [265, 20]) u.
die Weisheit (ebd. [266, 1]), die ihrerseits der
Genußsucht, der Habsucht u. dem Ehrgeiz
entgegengesetzt sind u. den drei Teilen der
Seele entsprechen. Die Gesamtheit dieser Tugenden bildet die Gerechtigkeit. Der König
muß den Staat einstimmen wie eine Leier,
nachdem er in sich selbst das Gesetz der Ge-

rechtigkeit errichtet hat. Es folgen dann drei
grundlegende königliche Eigenschaften: die
Größe, die Güte u. die Macht, die entsprechend bei den Untertanen Achtung, Liebe u.
Furcht erzeugen (ebd. [267, 1]). Zeus selbst,
das Vorbild der Könige, ist groß, gut u.
mächtig. Das Hauptthema: der König ist
Gott analog u. soll ihn nachahmen, findet
sich auch in dem kurzen Exzerpt aus Sthenidas (7, 63 [270f]); auch hier werden die Tugenden der Weisheit, Großherzigkeit u. des
Wohlwollens betont.

e. Philon. Von Philon v. Alexandrien besitzen
wir außer verstreuten Bemerkungen vier
grundlegende Texte, in denen er seine Vorstellungen vom idealen Herrscher darlegt: v.
Moys. 1, 148/62; 2, 2/9. 48; spec. leg. 4, 164.
184/8; leg. ad Gaium 43/51. 143/50; praem.
95/7. In v. Moysis beschreibt Philon den idealen
König: er ist Priester, Gesetzgeber u. Prophet
(2, 2/5). Er ist ein lebendes Gesetz (2, 4). Er
hat die Macht nicht mit Gewalt an sich gerissen, sondern sie wegen seiner Tugend u.
des Wohlwollens aller seiner Untertanen verdient (1, 148). Er benutzt die Herrschaft
nicht zur Vermehrung der Güter seiner Person oder seines Hauses (1, 150), sondern sein
einziges Ziel ist der Nutzen seiner Untertanen
(1, 151). Er sammelt weder Gold noch Silber,
denn materieller Reichtum ist nur geistige
Armut (1, 152f). Seine wahren Schätze sind
seine Tugenden (1, 154). Gott selbst hat nichts
nötig u. der Weise nichts außer Gott (1, 157).
Sein Königreich ist die ganze Welt, denn er
hat die ganze Welt als Erbe erhalten (1, 157).
Er erhält die Namen ‚König' u. ‚Gott' von
seinem Volk (1, 158). Er ist der einzige, der
‚in die Wolke eindringen', d. h. Gott betrachten kann (1, 158). Sein Leben ist ein Vorbild
für alle, wie ein vollkommenes Werk (1, 158).
Daher wünschen alle, ihm nachzueifern (1,
159). Er ist für alle wie ein lebendiges u.
vernunftbegabtes Gesetz (1, 162). Das Bild
des idealen Königs Moses ist daher zugleich
auch das Bild des Weisen, ein Vorbild an
Weisheit für die übrigen Menschen. Wie im
Brief des Aristeas u. den neupythagoreischen
Schriften ist die Nachahmung Gottes das
Grundprinzip der königlichen Tugenden, wie
aus spec. leg. 4, 164. 184/8 (= de iustitia)
deutlich wird. Der König muß den Demiurgen
Platons nachahmen, der nur das Beste will
u. alles von der Unordnung zur Ordnung, von
der Unähnlichkeit zur Analogie, von der Verschiedenheit zur Identität übergehen läßt (4,

187; vgl. Plat. Tim. 30 A). Philon stellt denselben Vergleich im Augustuselogium der leg. ad Gaium (147) wieder an. Das Thema wird bei Themistios wiederkehren (or. 2 [43, 15 Downey]). Die Ratschläge für den König in der leg. ad Gaium 43/51 sind jenen des Briefes an Aristeas ziemlich ähnlich: sich seinem hohen Rang entsprechend auszeichnen (43); sich nicht von übermäßigen Vergnügungen hinreißen lassen (43); sich stets daran erinnern, daß man aus allem Gewinn für den sittlichen Fortschritt ziehen muß (44); sich im Theater oder Circus nicht an die dargestellten Ereignisse halten, sondern ihren moralischen Wert erfassen (κατόρθωσις: 46). Die größte Kunst ist eine Regierung, die der Welt Frieden u. Wohlstand bringt (47). Von der Natur bestimmt, an das Steuer des Schiffes der Menschheit gesetzt zu werden, darf der König seine Freude in nichts anderem finden, als in der Wohltätigkeit gegen seine Untergebenen (50f). Der ideale Monarch der Legatio ad Gaium ist Augustus. Doch andernorts projiziert Philon in die Zukunft auch die Idealgestalt des jüdischen Messias: ‚Ein Mann wird kommen, der Heere führen u. große, volkreiche Nationen unterwerfen wird u. dem Gott den Schutz gewähren wird, der dem hl. Volk zugesagt ist' (praem. 95). Doch Philon verwandelt diesen eschatologischen Messianismus sogleich in einen moralischen u. metaphysischen, indem er die Züge des zukünftigen Königs mit Hilfe der hellenistischen Lehren über das Königtum umreißt. Lehre u. Wortschatz sind hier denen des Diotogenes sehr verwandt (Stob. 7, 62 [267, 1]): Die Gerechten werden die Macht im Interesse der Untertanen ergreifen, deren Wohl durch Wohlwollen(εὔνοια), Furcht(φόβος) oder Ehrfurcht (αἰδώς) erreicht werden kann. Denn bei Ausübung der Macht üben die Gerechten die drei Haupttugenden, die dazu beitragen, die Herrschaft vor Umsturz zu sichern: die Majestät (τὸ σεμνόν), die Ehrfurcht hervorruft, die gefürchtete Kraft (τὸ δεινόν), die Furcht erzeugt, u. die Wohltätigkeit (τὸ εὐεργετικόν), die bei den Untertanen Liebe wachruft (praem. 97). Es besteht also eine enge Verbindung zwischen dem Bild des Idealherrschers bei Philon u. in den neupythagoreischen Schriften. Das Grundprinzip (Nachahmung Gottes) u. Einzelzüge stimmen überein. Doch es ist bisher nicht möglich festzustellen, ob Philon den neupythagoreischen Traktaten vorausgeht oder nachfolgt.

Möglicherweise sind Philon u. diese Schriften von einer gemeinsamen Quelle abhängig. Philon selbst hat großen Einfluß auf die christlichen Vorstellungen vom Königtum ausgeübt (vgl. Beskow). Ein besonderes Problem bilden die in der ‚Melissa' des Antonios (PG 136, 995/1011) erhaltenen Fragmente des Philon, die sich anonym in dem F. wiederfinden, den Agapet Justinian gewidmet hat (vgl. Praechter, Barlaam; A. Bellomo: ByzZ 17 [1908] 152/62). Es ist fraglich, ob diese Fragmente tatsächlich von Philon stammen u. einer verlorenen Abhandlung ‚Über das Königtum' entnommen sind.

f. Seneca. Senecas an Nero gerichtete Schrift De clementia ist, wie wir sahen (s. o. Sp. 556), möglicherweise der Ursprung des Ausdrucks F. Sie stellt vor allem eine Beschreibung der dem Hellenismus wichtigen Tugend der clementia (ἐπιείκεια) dar. Der Traktat muß drei Teile umfaßt haben (vgl. 1, 3, 1), ist jedoch unvollständig erhalten: das Ende des zweiten Teils u. der dritte Teil sind verloren (die Umarbeitung des Werkes, die F. Préchac, Séněque de la clémence² [Paris 1961] zum Nachweis der Vollständigkeit vorgeschlagen hat, beruht auf einem Irrtum). Der erste Teil ist eine Einführung (manumissio: 1, 3, 1; wahrscheinlich in Entsprechung zur χειραγωγία). Sie vereinigt Beispiele königlicher clementia (besonders jene des Augustus gegenüber Cinna: 1, 9, 1) u. einen Lobpreis der clementia, der zeigen will, daß diese den Herrschern in höchstem Maße angemessen ist (1, 3, 1/2, 2, 3). Der zweite Teil bestimmt das Wesen der clementia (2, 3, 1/7, 5). Ein dritter Teil sollte darlegen, wie die Seele zur Übung dieser Tugend geführt werden kann (vgl. 1, 3, 1). Seneca will also, wie er selbst sagt, durch seine Schrift Nero einen Spiegel vorhalten, in dem dieser sich erblicken könne, wie er sein werde, nachdem er den höchsten Genuß erlangt habe. Das Bild in diesem Spiegel ist also Nero selbst, dargestellt als der ideale Herrscher: Die Vollkommenheit, die er durch Übung der clementia erreichen kann, ist lediglich eine Weiterentwicklung seiner natürlichen Vollkommenheit (1, 1, 6). Auf sehr geschickte Weise läßt Seneca Nero selbst am Anfang der Schrift zu Worte kommen. Wie ein Herrscher des Alten Orient u. wie Augustus in seinen Res gestae trägt Nero durch den Mund Senecas seinen eigenen Panegyricus in Ichform vor. Doch offensichtlich spricht hier in Wirklichkeit der Idealherrscher, ‚von den Göttern erwählt,

ihren Platz auf Erden einzunehmen' (1, 1, 2),
‚Herr über Leben u. Tod, über Glück u. Unglück der Völker' (ebd.). Mit derart großer
Macht ausgestattet hat Nero sich nicht vom
Zorn, sondern von der clementia leiten lassen
(1, 1, 3f); er mäßigt sich selbst, als ob er den
Gesetzen verpflichtet sei, die er selbst erlassen hat (1, 1, 4). Im ersten Teil des Werkes,
der zeigen soll, daß sich die clementia für die
Könige ziemt, findet man zahlreiche Anspielungen auf die Anschauungen vom vollkommenen u. idealen Königtum. Der König ist
das vinculum per quod res publica cohaeret,
der spiritus vitalis des Reiches (1, 4, 1). Der
König ist die Seele des Staates, dieser sein
Leib: clementia gegen die Untertanen zu
üben, bedeutet für den König, sie sich selbst
zu erweisen (1, 5, 1). Der König muß sich seinen Untergebenen gegenüber so zeigen, wie
er wünschte, daß die Götter gegen ihn seien
(1, 7, 1f). Dieser Grundsatz tritt auch bei
Agapet. (23) u. in den in der ‚Melissa' erhaltenen Fragmenten Philons (ser. 2, 57)
wieder auf (s. u. Sp. 616). Lautes Schreien
u. unbeherrschtes Reden sind der Majestät
des Königs unwürdig (1, 7, 4). Das Königtum ist eine ruhmvolle Knechtschaft (man
erkennt den Ausspruch des Antigonos Gonatas wieder). Die der größten Erhabenheit
innewohnende Knechtschaft besteht darin,
nicht unter das ihr eigene Niveau hinabsteigen zu dürfen; diese Knechtschaft ist
Göttern u. Königen gemeinsam (1, 8, 3).
Jede Handlung des Königs ist öffentlich u.
hat ihre Rückwirkungen im ganzen Reich
(1, 8, 4/7; vgl. Agapet. 26). Die unüberwindliche Mauer für den König ist die Liebe seiner
Untertanen zu ihm (1, 19, 6; vgl. Agapet. 58).
Zahlreiche Sentenzen in De clementia stimmen demnach mit der hellenistischen Überlieferung vom idealen Königtum überein
(zum Vergleich mit Themistios vgl. Pohlschmidt 80/8).

g. Musonius Rufus. Wir besitzen von Musonius eine kurze Diatribe, die an einen syrischen König gerichtet ist (nr. 8 Hense) u. den
Titel trägt: ‚Daß die Könige auch philosophieren sollen'. Das Thema ist platonisch,
doch ist hier wie in fast der ganzen hellenistischen Tradition Philosophie in erster Linie
als eine Sittenlehre u. Lebenskunst aufgefaßt. Pflicht des Königs ist es, die Menschen
zu retten u. für ihr Wohl zu sorgen. Dazu muß
er erkennen, was gut u. schlecht für die Menschen ist. Nun ist aber nur die Philosophie in

der Lage zu unterscheiden, was den Menschen Glück oder Unglück bringt. Das entspricht implizit der Tugend der Weisheit, der
φρόνησις. Es folgt die Tugend der Gerechtigkeit: der König muß gerecht sein, nur der
Philosoph aber kennt Wesen u. Ursprung der
Gerechtigkeit. Der König muß mäßig u. ein
Vorbild der Mäßigkeit für seine Untertanen
sein. Doch allein der Philosoph ist fähig, sich
selbst zu beherrschen u. sich in den menschlichen Beziehungen richtig zu verhalten. Der
König soll stark sein: nur der Philosoph weiß,
daß Tod u. Schmerzen keine Übel sind.
Schließlich muß der König seine Gegner bei
Erörterungen überzeugen können. Nur die
Philosophie wird ihn lehren können, Richtiges u. Falsches zu unterscheiden. Es gibt
keine andere Wissenschaft außer der Philosophie, die dem König die Vollkommenheit
geben könnte, durch die er ein lebendes Gesetz sein wird, ein Nachahmer des Zeus u. wie
dieser ein Vater seiner Untergebenen. Mit
einem Wort, entsprechend dem platonischen
Grundsatz müssen entweder die Könige Philosophen oder die Philosophen Könige sein.

h. Plutarch. Die declamatio ‚De Alexandri
fortuna', die Alexander als Philosophenkönig
vorstellt, wurde bereits erwähnt (s. o. Sp. 583f).
Wir besitzen von Plutarch außerdem eine unvollständige Abhandlung ‚Ad principem ineruditum', die wie die Abhandlungen Senecas
u. des Musonius oder der Brief des Aristeas
zur literarischen Gattung der ‚Ratschläge für
einen Fürsten' gehört. Plutarch sagt, es sei
schwierig, den Fürsten Ratschläge für die
Regierung zu geben, denn diese fürchten,
durch solche Ratschläge eine Verminderung
ihrer Macht zu erleiden (1, 779 D). Die Könige
stellen sich vor, die wichtigste Sache beim
Herrschen sei, selbst nicht beherrscht zu werden; in Wirklichkeit aber muß der König damit beginnen, sich selbst zu beherrschen (2,
780 B). Wer also wird über den König herrschen? Das Gesetz, König der Sterblichen
u. Unsterblichen, wie Pindar sagt (frg. 169),
d. h. der lebende Logos, der stets in der Seele
gegenwärtig ist u. die Seele nie seine Lenkung
entbehren läßt. Der weise König hat stets
diesen inneren Ratgeber in sich (2, 780 C). Der
König ist das Bild Gottes, der alles ordnet.
Durch die Tugend wird der König zu einem
Gott ähnlichen Abbild (3, 780 E). Gott selbst
ist von der Welt getrennt u. für die Menschen
unzugänglich. Doch wie die Sonne sich in
einem Spiegel ansehen läßt, so hat Gott in

den Staaten das Licht der Gerechtigkeit aufgestellt, das von den Königen ausstrahlt (4,
781 E/F). Man erkennt hier das Thema vom
König als Offenbarung Gottes wieder, das
sich in den neupythagoreischen Schriften gezeigt hat. Im folgenden nimmt Plutarch das
Thema des Philosophenkönigs wieder auf, wobei er ebenso wie in ‚De Alexandri fortuna'
den Ausspruch Alexanders zitiert: ‚Wäre ich
nicht Alexander, würde ich Diogenes sein'
(5, 782 A/B). Dann legt er die Gefahren der
Macht dar (5f, 782 B/D) u. erinnert daran,
daß bei den Inhabern der Macht Fehler nicht
verborgen bleiben können (6f, 782 E/F). Für
Plutarch ist der König also wie für Philon u.
in den Schriften der Neupythagoreer ein Diener Gottes, der die göttlichen Wohltaten an
die Menschen verteilt u. den Menschen die
Mittel gibt, Gott zu erkennen u. nachzuahmen, denn er selbst ist Spiegel u. Abbild Gottes, ihm ähnlich durch die Tugend.

i. Dion Chrysostomos. Die vier Reden des
Dion ‚Über das Königtum' sind in den Jahren 100/5 vor Trajan gehalten worden. Die
erste Rede ist gewissermaßen ein Bild des
‚guten Herrschers nach Homer' (12). Die Aufzählung königlicher Tugenden entspricht dem
hellenistischen Tugendkatalog: der König
muß gottesfürchtig sein (16) u. für die Menschen Sorge tragen (17/20); da das Königtum
Reichtum an Sorgen, nicht an Gütern u. Freuden bringt, muß der König mehr die Anstrengung lieben (φιλόπονος) als Reichtümer u. Freuden (21); er muß seinen Titel des Vaters
rechtfertigen; nicht für sich selbst, sondern
für die anderen Menschen ist er König (22).
Er soll Freude daran finden, Wohltaten
seinen Untertanen zu erweisen (εὐεργεσία,
23). Seine Feinde sollen ihn fürchten, seine
Untertanen aber von Ehrfurcht (αἰδώς) gegen
ihn erfüllt sein (25). Aufrichtigkeit (ἀπλότης)
u. Wahrheit (ἀλήθεια) sind einem König u.
klugen Manne eigen (26). Der König soll es
lieben, geehrt zu sein (φιλότιμος), wenn diese
Ehre ihm von seinen Untertanen freiwillig erwiesen wird (27). Von Natur aus liebt er seine
Begleiter, seine Mitbürger, seine Soldaten
(28). Das Kennzeichen des guten Königs ist,
daß ehrenhafte Menschen sich nicht schämen,
ihn zu rühmen (33). Nach dieser Beschreibung
des guten Königs erklärt Dion, er wolle nun
vom obersten König sprechen, den die sterblichen Könige nachahmen müssen, d. h. von
Zeus (37). Aus den Ausdrücken Homers διο-
τρεφής (Il. 2, 196), Διὶ μῆτιν ἀτάλαντον (ebd. 2,

169. 407) u. Διὸς μεγάλου ὀαριστής (Od. 19, 179
auf Minos angewendet) schließt Dion in einer
exegetischen Methode, die wohl schon traditionell war u. sich auch bei Themistios findet,
der gute König müsse ein Nachahmer des
Zeus sein (38). Nun hat Zeus die Beinamen
πατήρ, βασιλεύς, πολιεύς, φίλιος, ἑταιρεῖος, ὁμό-
γνιος, ἱκέσιος, φύξιος u. ξένιος. Alle diese Namen
bezeichnen königliche Tugenden (39/41).
Ebenso wie die Heerführer u. Provinzstatt-
halter die Tugenden des Königs nachahmen
müssen, sollen die Könige selbst, die ihre
Macht von Zeus erhalten, ihr Volk nach dessen
Gesetzen mit Gerechtigkeit regieren. Dions
erste Rede schließt mit einer mythischen Erzählung aus der Jugend des Herakles (48/84).
Hermes, der Lehrer des Herakles, zeigt ihm
die Göttin des Königtums in Begleitung ihrer
Hofdamen Δίκη, Εὐνομία, Εἰρήνη u. ihres Rat-
gebers Νόμος. Dieser ist, wie bei Plut. princ.
inerud. 2, 780 C als λόγος ὀρθός, σύμβουλος πάρεδρος bezeichnet, d. h. als die rechte Vernunft, die den König innerlich berät. Gegenüber der strahlenden Gestalt des Königtums
zeigt Hermes dem Herakles das widerwärtige
Bild der Tyrannis in Begleitung der ihr folgenden Unglücksfälle. Nachdem Herakles
seine Wahl zugunsten des Königtums getroffen hat, verleiht Zeus ihm die Herrschaft über
das ganze Menschengeschlecht (73/84). In der
zweiten Rede wird ein Gespräch zwischen
Philipp v. Makedonien u. seinem Sohn Alexander fingiert. Alexander erklärt seinem
Vater, daß die Dichtung Homers eine wertvolle Lehre für die Könige darstelle. Hier findet sich also das Thema des ‚guten Königs
nach Homer' wieder. Homer ist ein Herold
der Mannhaftigkeit (18), ein Lehrer der für
die Könige sehr nützlichen Kunst der Rhetorik (19/24), wie es sich in der Erzählung von
der Erziehung des Achill durch Phoenix (Il.
9, 443) u. in der Rolle zeigt, die Diomedes,
Odysseus u. Nestor spielen (Il. 1, 249). Hierin
stimmte Homer mit Hesiod überein (theog.
80/2), der erzählt, daß Kalliope die Könige,
die ‚Pflegekinder des Zeus', begleite (24). Die
Dichtung Homers sei in gleicher Weise auch
für die philosophische Bildung des Königs
notwendig, wobei die Philosophie darin bestehe, die königlichen Tugenden zu üben:
Gerechtigkeit, Mannhaftigkeit, Menschenliebe, Milde u. Wohltätigkeit, die den Menschen der Natur der Götter nahebringen (26).
Homer sei auch ein Lehrer der Kunst der Musik (Il. 9, 189), denn er lasse Achill die Groß-

taten der Heroen besingen (31). Nach Homer seien die wichtigsten Tugenden des Königs Mannhaftigkeit u. Gerechtigkeit (54, wo Il. 3, 179 zitiert wird), aber auch die majestätische Haltung, die Liebeslieder verbietet u. nur kriegerische Tänze erlaubt (55/60). Homer lehre auch das Gebet zu den Göttern (64, wo Il. 2, 412/8 zitiert wird). Die Lehre Homers über das Königtum ist in dem Vergleich zusammengefaßt, daß Zeus den König Agamemnon wie einen Stier an die Spitze der Herde gestellt habe (66, wo Il. 2, 480/3 zitiert wird). Das Bild des Stieres zeigt die Vorrangstellung des Königs, seinen Mut, seine Hingebung für die Herde u. seine Ergebenheit gegen die Götter (66/78). Wie die erste schließt auch die zweite Rede mit einer Erinnerung an Herakles, den Ahnherrn Alexanders, der wegen seiner Tugend als Sohn des Zeus betrachtet wurde (78). Die dritte Rede wendet sich eingangs an Trajan, um ihm zu versichern, daß Dion ohne Schmeichelei zu ihm spreche (1/ 28), u. bringt dann ein Gespräch, in dem Sokrates mit einem Gesprächspartner über die Frage diskutiert, ob der König der Perser glücklich sei (29/42). Man hat angenommen, daß dieser sokratische Dialog letzten Endes auf Antisthenes zurückgehe (Fischer; Höistad). Der Dialog stellt die Eigenschaften des guten Königs (σώφρων, ἀνδρεῖος, δίκαιος, μετὰ γνώμης πράττων, εὐγνώμων, φιλάνθρωπος, νόμιμος: 39) jenen des Tyrannen gegenüber. Dann gibt Dion eine Geschichte der Theorien über die beste Regierungsform (42/50), wobei natürlich die berühmte Homerstelle Il. 2, 204 zitiert wird: οὐκ ἀγαθὸν πολυκοιρανίη, εἷς κοίρανος ἔστω. Es folgt eine Beschreibung des guten Königs: vor allem ist er gottesfürchtig u. glaubt, daß seine Fürsorge so nützlich für die Menschen sei wie diejenige der Götter für ihn selbst u. daß die Götter an den Opfern böser Menschen keine Freude haben (51/4). Sodann betrachtet er die Fürsorge für die Menschen als seine höchste Pflicht (55/7). Er übt die vier Tugenden der Klugheit, Gerechtigkeit, Stärke u. Mäßigkeit (58/61). Gott hat überall den Höherstehenden eingesetzt, um für den Niedrigstehenden zu sorgen. Das ist eine schwere Verantwortung, doch der Höherstehende muß die Anstrengung lieben (φιλόπονος; 62/83). Dann spricht Dion in einer Weise, die an die Kyrupaideia des Xenophon erinnert, ausführlich über den Nutzen der Freundschaft für die Könige (86/132) u. über die Jagd als beste Zerstreuung für die Könige

(133/8). Die vierte Rede nimmt das Thema des ‚Königtums nach Homer' wieder auf. Diesmal spricht Alexander mit Diogenes. Dieser wird als der freie u. glückliche Weise eingeführt, Alexander als ein Mensch voll irriger Ansichten (4/10). Diogenes erklärt Alexander, wie er ein Sohn des Zeus sein werde, wenn er dessen Königskunst ausübe (21 f). Die wahren Zeussöhne seien nach dem Vorbild des Herakles, nicht nach Art der Sophisten erzogen (31/7). Homer habe die Grundsätze des Königtums zusammengefaßt, als er Minos einen ‚Gefährten des Zeus' (Od. 19, 178f) u. die Könige ‚Pflegekinder des Zeus' (Il. 2, 196) nannte. Wie könnte ein Freund des Zeus eine Ungerechtigkeit begehen oder etwas Schlechtes denken (40/3)? Das Gespräch zwischen Alexander u. Diogenes schließt mit einer Beschreibung der Hauptfehler, die das Leben der Unvernünftigen zerstören: Genußsucht, Habsucht u. Ehrsucht (82/139). Hier findet sich ein Thema aus dem Traktat des Diotogenes wieder. An diese vier Reden über das Königtum kann man Rede 62 über das Königtum u. die Tyrannis anschließen, die eine Exzerptensammlung aus Schriften über das Königtum zu sein scheint. Dions Reden ‚Über das Königtum' sind von großem Interesse, weil sie uns einige Spuren der kynischen Anschauungen vom Königtum bewahren.

k. Marc Aurel. Die Gestalt Marc Aurels ist gewissermaßen die Verwirklichung des Jahrhunderte zuvor im griech. Denken erarbeiteten Ideals des Philosophenkönigs. Seine Selbstbetrachtungen stellen einen wirklichen F. in der Weise dar, daß der Kaiser sie benutzt, um ständig das Bild des Weisen u. damit des idealen Herrschers, der er sein soll u. sein will, vor sein Bewußtsein zu rücken. Gewisse Gedanken beziehen sich auf das stoische Prinzip des Kosmopolitismus als Grundlage einer Lehre über das Königtum (5, 30; 6, 44 A). Andere zeigen uns Marc Aurel im Bemühen, das Königsideal zu verwirklichen. Er will nichts anderes tun, als was der Logos der königlichen u. gesetzgeberischen Kunst ihm für das Wohl der Menschen eingibt (4, 12); er will alle seine Handlungen dem Allgemeinwohl weihen (9, 23) u. seinen eigenen Nutzen darin sehen, für die Gemeinschaft tätig zu sein (11, 4). Marc Aurel zitiert die berühmte Formel aus dem ‚Kyros' des Antisthenes: ‚Es ist das Schicksal eines Königs, daß man schlecht über ihn spricht, wenn er auch das Gute tut' (6, 55; 7, 36; vgl. Epict. diss. 4, 6, 20; Plut.

Alex. 41; Diog. Laert. 6, 3). Vor allem versucht er, das Wesentliche seiner königlichen Pflichten nicht über den Ablenkungen des Hoflebens zu vergessen (6, 12 u. bes. 6, 30): ‚Hüte dich vor Caesarentum u. lasse den Purpur nicht auf dich abfärben ... Bleibe einfach, gut, rein, aufrichtig u. ungekünstelt, ein Freund der Gerechtigkeit, gottesfürchtig u. liebenswürdig ... Ehre die Götter, sei hilfreich gegen die Menschen. Das Leben ist kurz: die einzige Frucht des Erdendaseins sind eine fromme Gesinnung u. Handlungen im Dienst der Gemeinschaft.' Wir sehen den Kaiser mit den Problemen der Menschenführung ringen: man muß die Menschen zu überzeugen versuchen, aber manchmal ist es nötig, sie zu zwingen (6, 50). Der Kaiser wiederholt sich zehn Regeln (11, 18) gegen den Zorn: vor allem ist er geboren, um für seine Untertanen zu sorgen; er muß die Grundsätze zu verstehen suchen, die ihre Handlungen bestimmen; wenn die Menschen schlecht handeln, dann unfreiwillig u. unabsichtlich; auch er selbst begeht Fehler; andererseits ist es schwer zu erkennen, ob die anderen wirklich schlecht gehandelt haben; das menschliche Leben ist kurz, u. bald werden wir tot sein; die schlechten Handlungen anderer Menschen können uns nicht beunruhigen; der Zorn u. die Trauer, die wir anläßlich dieser schlechten Handlungen der anderen empfinden, sind schlimmer für uns als diese Handlungen selbst; Güte (τὸ εὐμενές) u. Liebenswürdigkeit sind unbesiegbar; es ist unsinnig, sich einzubilden, daß die Schlechten nichts Böses tun werden.

1. Griechische Panegyriker. Das Wort Panegyricus bezeichnete ursprünglich die bei Gelegenheit feierlicher Feste, wie den Olympischen Spielen, gehaltenen Reden. Später, zB. bei Quint. inst. 3, 4, 14, bezeichnet der Ausdruck jede zum γένος ἐπιδεικτικόν gehörende Lobrede. In der Kaiserzeit werden die Panegyrici vorwiegend Dank- u. Lobreden auf die Kaiser. Die Gelegenheiten für solche Reden vermehren sich: Neujahrsfest, Jahrestag der Gründung Roms oder des Regierungsantritts, Antritt des Konsulats. So hörte der Kaiser mehrmals im Jahr berühmte Redner sein eigenes Lob verkünden. Eine große Zahl dieser Panegyrici blieb uns erhalten. Sie sind richtige F., denn die Panegyriker strebten in der Lobrede auf ihren Kaiser sehr wohl danach, den idealen Herrscher zu beschreiben. Wenn die historischen Begebenheiten, zu de-

ren Anlaß diese Panegyrici verfaßt worden sind, auch beträchtliche Unterschiede aufweisen, so sind die Anlage u. die Hauptthemen dieser Ansprachen doch traditionell u. entsprechen der hellenistischen Lehre über das Königtum.

1. Der Traktat des Rhetors Menander. Die Regeln dieser literarischen Gattung wurden von Menander in seiner Abhandlung περὶ ἐπιδεικτικῶν festgelegt (Spengel, Rhet. Gr. 3, 368f). Nachdem er die Themen angegeben hat, die man im Prooemium entwickeln könne (368, 3/369, 18), zählt Menander die Abschnitte auf, die den Hauptteil der Rede bilden müssen: zunächst wird man das Vaterland des Königs rühmen oder die Nation, der er angehört (369, 18f). Sodann singt man das Lob seiner Familie (γένος; 370, 9). Bei dieser Gelegenheit wird man auf die göttliche Herkunft des Königs anspielen können; viele Könige scheinen eine menschliche Herkunft zu haben, sind jedoch in Wirklichkeit von den Göttern gesandt u. wahrhaftig eine Emanation der höheren Welt (ἀπόρροιαι ὄντως τοῦ κρείττονος) u. haben einen himmlischen Ursprung (οὐρανόθεν; 370, 21/6). Sodann geht man zur Geburt des Königs über (370, 30), wobei man auf die Wunderzeichen eingeht, die sich möglicherweise bei dieser Gelegenheit ereignet haben. Nächstes Thema wird die physische Konstitution des Königs sein (φύσις), ganz besonders seine Schönheit (371, 15). Dann wird man von seiner Erziehung (ἀνατροφή) u. seiner Bildung (παιδεία) sprechen u. seine geistigen u. moralischen Qualitäten, seinen Wissensdurst u. seine Geistesschärfe beschreiben (371, 17f). Das folgende Kapitel wird sich mit seinen Gewohnheiten u. seiner Lebensweise befassen (372, 2). Dann kommt man auf seine Handlungen im Frieden u. im Krieg zu sprechen (372, 12). Man wird die Taten u. Handlungen des Herrschers nach den vier Tugenden Stärke, Gerechtigkeit, Mäßigkeit u. Weisheit gliedern (373, 7). Besonderes Gewicht muß man auf die φιλανθρωπία legen (374, 27). Im folgenden spreche man von seinem Glück (τύχη: 376, 25) u. vergleiche seine Regierung mit den vorausgehenden, um zu zeigen, daß er alles umfaßt, was es vor ihm an Hervorragendem gegeben hat (376, 31). Schließlich kann man zum Epilog kommen. Menander legt im weiteren die Kompositionsgesetze anderer epideiktischer Reden dar, der Begrüßungsrede (προσφωνητικόν) u. der Gesandtschaftsrede (πρεσβευτικόν), in denen

eines der Hauptthemen die φιλανθρωπία des Fürsten sein muß.

2. Aelius Aristides. Die 9. Rede des Aelius Aristides ist ein Panegyricus auf Marc Aurel, der vor allem eine Aufzählung der Tugenden des Kaisers darstellt. Der wahre Herrscher muß dem Herrn aller Dinge gleichen, besonders in bezug auf seine Menschenliebe u. Vorsorge (107).

3. Themistios. Das gleiche Thema der Nachahmung der göttlichen Philanthropia findet sich in den 19 Reden des Themistios ausführlich dargelegt, die zwischen 350 u. 386 verfaßt u. nacheinander an Constantius, Jovian, Valens u. Theodosius gerichtet wurden. Der König soll Gott betrachten (18, 315, 17 Downey), um ihn nachzuahmen (1, 12, 8; 2, 43, 6f; 19, 329, 20f), besonders in den Tugenden der Menschenliebe u. Wohltätigkeit (6, 118, 4/9; 15, 277, 25; 19, 329, 20f). Der König soll den Demiurgen des platonischen Timaios (30 A) nachahmen, der will, daß alle Dinge gut seien, u. aus Unordnung Ordnung schafft (2, 45, 1/7. 43, 15); dies Thema begegnete uns bereits bei Philon. Der König ist eine göttliche Kraft, von Gott zum Wohle der Menschen auf die Erde gesandt (19, 331, 11); er ist die Verkörperung des göttlichen Gesetzes (15, 271, 21; 19, 331, 10). Themistios betont besonders den Zusammenhang von Philosophie u. Königtum. Einerseits ist der König der Philosoph par excellence (2, 43, 6. 50, 5), denn der Philosoph will Gott nachahmen. Andererseits huldigt der König der Philosophie, indem er auf Themistios hört, so daß Themistios u. der König ein Paar bilden, ähnlich wie Augustus u. Areios Didymos oder Tiberius u. Thrasyllos, Trajan u. Dion, Marc Aurel u. Sextus, Alexander u. Xenokrates, Titus u. Musonius (5, 92, 9; 8, 163, 21; 12, 220, 5; 13, 248, 16). Pohlschmidt hat die Parallelen zwischen Themistios, den lateinischen Panegyrikern, Senecas ‚De clementia' u. der Schrift περὶ βασιλείας des PsAristoteles aufgezeigt. Die von ihm aufgezählte Reihe von Parallelen zwischen Seneca u. Themistios ist noch um das eigentliche Bild des F. zu ergänzen: ‚Diese Rede soll dir wie ein Spiegel vorgehalten werden, in dem du dich täglich betrachten kannst, nicht um deine Frisur zu ordnen, sondern um das römische Reich in Ordnung zu bringen' (6, 120, 22 = Sen. clem. 1, 1, 1). Dieser Passus zeigt sehr gut die wirkliche Absicht der Panegyrici des Themistios, die den König durch den Lob-

preis selbst beeinflussen wollen. Mitten unter den Lobesformeln kann man Anspielungen auf politische Tagesfragen finden. Wir verdanken Themistios besonders ein bemerkenswertes Elogium (5) über die Gewissensfreiheit. Neben griechischem Gedankengut finden sich bei diesem aufgeklärten Heiden auch biblische Einflüsse. Er zitiert mehrmals folgenden Satz aus ‚assyrischen' Texten (es handelt sich um Prov. 21, 1): ‚Das Herz des Königs ist in der Hand Gottes' (12, 222, 26). Das soll heißen, daß der König ein Werkzeug der göttlichen Vorsehung ist, aber außerdem, daß er den Willen Gottes erfüllen u. gute, ‚menschenfreundliche' Werke vollbringen soll.

4. Kaiser Julian. Wie sein bevorzugtes Vorbild Marc Aurel hat Julian versucht, in seinem literarischen Werk das Herrscherideal zum Ausdruck zu bringen, das er in seinem Leben zu verwirklichen bemüht war. Allerdings muß man zugeben, daß seine ersten Versuche, die Panegyrici zu Ehren des Constantius, sehr unpersönlich u. stark von der griechischen rhetorischen Überlieferung abhängig sind (‚Elogium des Constantius' [357 verfaßt]; ‚Über die Taten des Constantius oder über die Königsherrschaft' [358/9]). Der zweite dieser Panegyrici ist von Gedanken erfüllt, die Dion Chrysostomos u. Themistios entwickelten, u. nimmt alle seit Xenophon, Isokrates u. den Kynikern traditionellen Gedankengänge auf (vgl. bes. § 28). Beachtenswert ist vor allem der religiöse Gesichtspunkt: Der König ist Priester u. Prophet (68 B), seine Haupttugend muß das Gottvertrauen sein (68 C/D); er muß wissen, daß er nur von Gott die Mittel empfangen kann, um die Glückseligkeit zu erlangen, u. daß er in allem Gott gehorchen muß (70 C/D). Der König der Götter ist das Vorbild des Königs u. dieser der Prophet u. Diener des höchsten Gottes (90 A). Der irdische König muß versuchen, dem Volk Anteil an seiner Tugend zu geben, wobei er sich der Freundschaftsbande bedient (90 C). Dieser zweite Panegyricus auf Constantius ist eine ausgezeichnete Zusammenfassung der traditionellen Gedankengänge über den Philosophenkönig, die auf dem Grundgedanken beruhen: nur der Weise kann König sein. In viel persönlicherer Weise nimmt Julian diesen Gedanken in seinem Brief an Themistios auf, der auf 361 datiert ist. Julian ist jetzt Kaiser u. ist erschreckt über die auf ihm lastenden Verantwortlichkeiten. Wohl hat er die überlieferten kynisch-

stoischen Vorbilder vor Augen: Alexander u. Marc Aurel, die wegen ihrer Tugenden ausgezeichneten Herrscher (253 A), Herakles u. Dionysos, die zugleich Philosophen u. Könige waren (253 C). Doch er fühlt Zweifel. Hat nicht Platon gesagt (leg. 713 C/714 A), es sei für einen Sterblichen unmöglich, andere Sterbliche zu regieren, u. hat nicht Aristoteles angemerkt (pol. 1286 b), die Ausübung des Königtums übersteige die Kräfte des Menschen (260 B/C)? Julian wird daher nur mit Hilfe Gottes regieren können. Sein Adressat Themistios hatte das aktive Leben u. die Philosophie ‚in freier Luft‘ gerühmt. Aber Julian bezweifelt die Wirkungskraft des tätigen Lebens: wer verdankt sein Heil den Siegen Alexanders? Dagegen verdanken alle, die jetzt durch die Philosophie gerettet werden, ihr Heil dem Sokrates (264 C). Themistios hatte in einem Schreiben an Julian (wie er auch in seinen Reden zu tun pflegte), Hofphilosophen wie Areios, Thrasyllos u. Musonius erwähnt, die durch Beratung der Kaiser eine politische Rolle gespielt haben. Julian antwortet ihm, daß tatsächlich alle diese Philosophen das tätige Leben abgelehnt haben oder auf diesem Weg gescheitert sind. Julian möchte daher vor allem Philosoph sein. Bei ihm findet sich die Bitterkeit des Herrschers, der das Wohl seiner Untertanen will u. unverstanden bleibt; ganz deutlich scheint sie im ‚Misopogon‘ (362 geschrieben) durch. Dieser Brief an die Bewohner von Antiochia hat die Form einer Selbstkritik, die tatsächlich eine Apologie u. Autobiographie darstellt. Julian macht sich aus freien Stücken über seine Liebe zur Philosophie lustig, über seinen Wunsch, dem Despotismus zu entsagen (343 D), in seiner Regierungsweise Milde u. Mäßigung zu vereinen (365 D) u. den Menschen Gutes zu tun (366 D). Julian umreißt hier also das Bild des Idealherrschers auf indirekte Weise. Diese Methode der indirekten Beschreibung findet sich auch in der Satire mit dem Titel ‚Die Caesaren‘ (362 verfaßt), die alle seine Vorgänger außer Marc Aurel (333 C/334 A) scharf verurteilt. Man kann anfügen, daß die Rede über König Helios, die aus dem gleichen Jahr stammt, einige Züge des Herrscherideals Julians in den Aufgaben erkennen läßt, die der Sonne, dem König des Universums, zugeteilt werden: Vermittlung, freundschaftliche Versöhnung, Befriedung (141 D), Einigung, Ausbreitung des Guten im Weltall.

5. Libanios. Aus dem gewaltigen Werk des antiochenischen Rhetors Libanios gehören besonders die auf die Regierung Julians bezüglichen Reden (12/8 Förster) in die Gattung des F., vor allem die ‚Monodia‘ (17) u. der ‚Epitaphios‘ (18), die nach dem Tod dieses Kaisers geschrieben sind, der in den Augen des Libanios das Herrscherideal verkörperte. Man beachte auch die ‚Rede über das Konsulat Julians‘ (13), in der der Kaiser als Philosoph (67, 12), Redner (67, 11) u. Seher (μάντις; 68, 9) vorgestellt wird, der der Welt eine neue Ära des Glücks bringt (80, 5).

6. Synesios. Die Rede ‚Über das Königtum‘ wurde iJ. 399 Kaiser Arkadius vorgetragen, als Synesios von der Provinz Kyrene abgesandt war, um dem Kaiser das *Aurum coronarium, d. h. die dem Stand der Curiales obliegende Steuer, zu überreichen. Obwohl diese Rede der Tradition dieser Gattung entspricht (vgl. Menander von Laodicea, Regeln der ‚Kranzrede‘: Spengel, Rhet. Gr. 3, 422f), ist sie nichtsdestoweniger wegen des Mutes u. der Aufrichtigkeit bemerkenswert, mit denen Synesios das Verhalten des Kaisers kritisiert. Synesios nimmt seine Aufgabe als Philosoph, der das Recht hat, den Herrschern Ratschläge zu geben, ernst. Bereits im Eingang (1 f Terzaghi) erklärt er, daß die Philosophie eine ‚männliche u. kraftvolle Sprache‘, eine ‚freimütige Rede‘ führen wird. Darüber zu wachen, daß ein einziger Mensch, der König, zur Übung der Tugend gelangt, ist der kürzeste Weg, um die sittliche Erneuerung des ganzen Volkes zu erreichen. Er will daher beschreiben, was der Herrscher zu tun u. zu unterlassen hat, u. wenn der König entdeckt, daß er schlecht gehandelt hat, wird er über sich selbst entrüstet sein können (3). In Wiederaufnahme schon von Isokrates u. später von Dion Chrysostomos ausführlich entwickelter Themen stellt Synesios den König u. den Tyrannen einander gegenüber: ‚Für den König ist das Gesetz Verhaltensregel (τρόπος); die Verhaltensregel (τρόπος) des Tyrannen aber schafft Gesetz‘ (6). Wie die Sphinx muß der König ἰσχύς u. φρόνησις miteinander verbinden (7). Vorsorge u. Fürsorge des Königs sollen dem Vorbild der von Gott über die Welt ausgeübten Vorsorge u. Fürsorge entsprechen (8f). Die Eigenschaften des Idealherrschers werden in den folgenden Kapiteln genauer umrissen: εὐσέβεια (10), Herrschaft über sich selbst u. innere Einheit (μοναρχία ἐν τῇ ψυχῇ: 10), wohlbedachte Auswahl der

Freunde (11), Ablehnung der Schmeichler (12). Die größte Furchtlosigkeit zeigt die Rede des Synesios in bezug auf die militärischen Eigenschaften des Königs (13/21). Er macht Arkadius den religiösen Prunk zum Vorwurf, der ihn umgibt, sein Molluskenleben (βίον ζῶντας θαλαττίου πνεύμονος) inmitten von Höflingen u. Hofnarren (14) in einem an Pfauengefieder erinnernden Gewand (15). Synesios stellt diese Weichlichkeit der tatkräftigen Einfachheit der alten römischen Kaiser gegenüber (16). Gegen die Drohung der Barbaren muß der Kaiser sich von neuem römischen Geist zu eigen machen (19/21). Doch der kriegerische König soll auch ein König des Friedens sein (22); er muß darüber wachen, daß die Soldaten die Bürger nicht schikanieren (24), u. darf die Städte nicht mit Steuern überlasten (25). Im Ganzen gesehen ist die Rede ein Meisterwerk politischer Klugheit; christlicher Einfluß fehlt in ihr jedoch völlig.

7. Prokop v. Gaza. Der Panegyricus des Prokop v. Gaza auf Kaiser Anastasius I (PG 87, 2793; hrsg. von C. Kempen, Procopii Gazaei in imperatorem Anastasium panegyricus, Diss. Bonn [1918]) weist keine spezifisch christlichen Züge auf, sondern reiht sich in die hellenistische Überlieferung ein, indem er den Kaiser namentlich mit Kyros, Agesilaos u. Alexander vergleicht.

m. Lateinische Historiker u. Biographen. Bei den lat. Historikern u. Biographen finden sich Kaiserporträts, die, auch wenn sie keine F. im eigentlichen Sinne sind, die Geschichte dieser literarischen Gattung beeinflußt haben. Außer dem Lob auf Tiberius bei Vell. Pat. 2, 122/9, in dem die moderatio, liberalitas u. prudentia des Tiberius in Erinnerung gerufen werden, versuchen auch einige der Caesarenviten Suetons (bes. die des Augustus u. des Tiberius, in denen ihre moderatio, ihre civilitas u. ihre clementia gerühmt werden; vgl. Steidle 66f) oder das Porträt Julians bei Ammianus Marcellinus, die Züge des idealen Herrschers zu umreißen. Die Historia Augusta (deren genaue Datierung [Ende 4. Jh.?] u. Absicht noch Fragen aufwerfen), die Sedulius Scottus, ein Autor von F. karolingischer Zeit, später las, enthält zahlreiche Elemente dieser Gattung; zB. zählt die Vita Hadriani die Tugenden Hadrians auf: seine Friedensliebe (5, 1), Milde (5, 5; 17, 1), Bescheidenheit (6, 4f) u. Menschlichkeit (7, 1/22), seine Liebe des Allgemeinwohls (18, 3),

die Einfachheit seiner Lebensweise (10, 2), seine militärischen Tugenden (10, 4; 17, 9), seine Frömmigkeit (13, 1), seine Liebe zur Literatur (14, 8), seine gesellschaftlichen Qualitäten (14, 11; 20, 1), seine Freigebigkeit (15, 1; 16, 8/11) u. Gerechtigkeit (18, 11).

n. Lateinische Panegyriker. Die lat. Panegyriker unterwerfen sich demselben rhetorischen Schema wie die griechischen. Die von Menander aufgestellten Regeln sind bei ihnen leicht aufzufinden, doch die Grundeinstellung ist unterschiedlich: Das metaphysische oder mythische Element tritt zugunsten der Moral zurück, die Empfehlung der moderatio u. simplicitas überwiegt. Die Reihe solcher Panegyrici ist lang: 1) Plinius, Panegyr. auf Trajan (Anfang 2. Jh.); 2) Mamertinus, Panegyr. auf Maximian (289); 3) Mamertinus, 2. Panegyr. auf Maximian (291); 4) Anonymer Panegyr. auf Constantius, in Trier vorgetragen (297); 5) Eumenius, Rede für den Wiederaufbau der Schulen von Autun (298); 6) Anonyme Rede an Konstantin anläßlich seiner Hochzeit mit Fausta (307); 7) Anonyme Rede an Konstantin nach dem Tode Maximians (310); 8) Anonyme Dankrede für die von Konstantin der Stadt Autun gewährten Steuererleichterungen (312); 9) Anonyme Glückwunschrede an Konstantin zum Sieg über Maxentius (313); 10) Nazarius, Rede zu Ehren Konstantins bei dessen 15. Regierungsanniversarium (321); 11) Publilius Optatianus Porphyrius, Panegyr. auf Konstantin (vor 325); 12) Mamertinus, Dankrede an Julian für die Verleihung des Konsulats (362); 13) Symmachus, Fragmente von an Valentinian I u. Gratian gerichteten Panegyr. (367f), die in einem Palimpsest in Bobbio erhalten blieben (hrsg. v. A. Mai); 14) Ausonius, Dankrede an Gratian für die Verleihung des Konsulats (379); 15) Latinus Pacatus Drepanius, Panegyr. auf Theodosius I (389); 16) Claudianus, Vers-Panegyr. anläßlich des Konsulats des Honorius (396. 398. 404); 17) Merobaudes, Panegyr. auf das 3. Konsulat des Aetius (446); 18) Sidonius Apollinaris, Vers-Panegyr. auf die Kaiser Avitus, Maiorianus u. Anthemius (456. 458. 468); 19) Ennodius, Panegyr. zu Ehren Theoderichs (504/8); 20) Cassiodorus, Panegyr. zu Ehren Theodahads (534/6); 21) Corippus, Panegyr. zu Ehren Justins (566f). Von all diesen Texten hat nur der Panegyricus des Plinius außergewöhnliche Bedeutung. Die übrigen haben vorwiegend historischen Wert. In den Panegyrici christlicher Zeit erscheinen spezifisch christliche Bestandteile tatsächlich nur bei Corippus, der daher im christl. Abschnitt behandelt wird (s. u. Sp. 618f).

o. Plinius der Jüngere. Der Panegyricus auf Trajan hat in der Geschichte der F. außerordentliche Bedeutung, zunächst wegen der hohen literarischen Qualität der Schriften des Plinius, sodann, weil der Kaiser, an den der Panegyricus gerichtet war, teilweise die Lobeserhebungen des Plinius rechtfertigte. An die Person Trajans knüpft sich eine Kaiserideologie, die bei Dion Chrysostomos greifbar ist u. die Zukunft beeinflussen sollte: Trajan wird der optimus princeps bleiben, u. Plinius sollte ihn in seinem Panegyricus nicht vergeblich zukünftigen Fürsten als Vorbild hinstellen (59, 2). Der Panegyricus stellt eingangs eine detaillierte Lehre über die Beziehungen zwischen dem Kaiser u. der Gottheit auf. Der Kaiser ist durch göttlichen Willen eingesetzt worden, aber er ist kein Gott (1, 4; 2, 3f), im Gegenteil: nec minus hominem se quam hominibus praeesse meminit (2, 4). Doch er nimmt die Stelle Gottes auf Erden ein (80, 4), u. Jupiter ist jetzt von der Sorge für irdische Dinge entbunden. Wenn Nerva die Apotheose zuteil wurde, so bedeutet das vor allem, daß ein Kaiser wegen seiner Tugenden göttlich ist (11, 3). Die Tugenden Trajans sind sein bestes Hilfsmittel zum Handeln; er regiert vor allem durch das Beispiel (45, 5): vita principis censura est eaque perpetua (45, 6). Die Furcht ist ein schlechter Lehrer. Der beste Lehrmeister ist das Beispiel, das zu gleicher Zeit zeigt, was die Tugend ist u. daß sie auch verwirklicht werden kann (45, 6; diese Erörterungen knüpfen an die gesamte griechische Überlieferung über den Wert des guten Beispiels an). Deshalb will Trajan die Freiheit seines Volkes (2, 5). Die Tugenden, für die Trajan vorbildlich ist, sind: humanitas (3, 4; 4, 7; 24, 1/3), liberalitas (3, 4; 25f), clementia (3, 4; 80, 1), benignitas (3, 4; 58, 5), continentia (3, 4; 20, 2) u. fortitudo (3, 4; 13, 1/5; 59, 2). Trajan vereinigt die gegensätzlichsten Eigenschaften in sich, severitas u. hilaritas, gravitas u. simplicitas, maiestas u. humanitas (4, 6). Seine Gerechtigkeit ist eine glückliche Mischung von severitas u. clementia (80, 1), seine militärische Bedeutung (13, 1/5) schließt die Friedensliebe nicht aus (16, 1). Doch die wichtigste Eigenschaft, auf die Plinius unaufhörlich zurückkommt, ist die moderatio oder modestia (3, 2; 5, 3; 9, 1; 11,

3; 16, 1; 21, 1; 23, 6; 54, 5; 56, 3: quam multa dixi de moderatione . . .). Sie äußert sich in der Ablehnung von Lobeserhebungen u. Ehren, in der leichten Zugänglichkeit (13, 1/5; 47f) u. in der humilitas (72, 5). Dies Bild des Idealherrschers steht demjenigen des Tyrannen Domitian gegenüber, das im Panegyricus häufig in Erinnerung gebracht wird. Kennzeichnend für den guten Kaiser ist, daß er die Gesetze als über ihm stehend ansieht: leges super principem (65, 1), u. daß die Völker unter seiner Regierung glücklich sind (74, 1/4); seine beste Leibwache sind seine eigene Schuldlosigkeit (49, 3) u. die Liebe seiner Untertanen. Im übrigen umgibt er sich mit auserwählten Freunden u. weist die Schmeichler u. vor allem die Denunzianten von sich (45, 3. 34f). Plinius selbst ist einer dieser Freunde, u. sein Panegyricus ist nicht etwa eine als Lobeserhebung verkleidete Kritik (3, 4). Der Panegyricus des Plinius läßt uns in der Tat erraten, daß zwischen dem Streben Trajans, ein idealer Kaiser zu sein, u. den traditionellen Theorien über den Philosophenkönig, die Plinius wieder aufnimmt u. mit neuer Bedeutung erfüllt, eine Wechselbeziehung besteht.

D. Christentum. Christliche Schriften, die zur Gattung der F. im eigentlichen Sinne gehören, erscheinen tatsächlich erst in Verbindung mit der Existenz christlicher Kaiser, also erst seit dem Anfang des 4. Jh. Im Wortschatz, Aufbau u. Lehrgehalt bleiben diese Schriften der hellenistischen Tradition verpflichtet. Jedoch treten auch einige neue Elemente darin in Erscheinung. Vor allen Dingen spielt in ihnen die Gestalt des Königs Christus als Vorbild des Kaisers, der sein Stellvertreter auf Erden ist, eine zentrale Rolle. Das ist offensichtlich eine Wiederaufnahme, aber auch eine tiefgehende Umbildung des Begriffs des messianischen Königs. Andererseits stellte das AT eine wahre Fundgrube von Ratschlägen für Könige zur Verfügung, die sich der Geschichte der Könige von Juda u. Israel wie auch den Weisheitsbüchern entnehmen ließen. Die F. karolingischer Zeit werden reichlichen Gebrauch davon machen. In ihnen ist die Gestalt des Messiaskönigs noch einmal die beherrschende Vorstellung.

I. Schriften des NT. Jesus verkündigt die βασιλεία τοῦ ϑεοῦ (Mc. 1, 15; 4, 11; Lc. 4, 43; 6, 20; Joh. 3, 3; Act. 1, 3; 8, 12; Rom. 14, 17; 1 Cor. 4, 20 usw.) oder τῶν οὐρανῶν (Mt. 3, 2; 4, 17 usw.), d. h. die Herrschaft Gottes über die Welt. Die durch diese Ausdrücke bezeichnete Wirklichkeit ist sehr vielseitig. Es handelt sich zugleich um ein Ereignis, das im Begriff ist einzutreten (Mt. 3, 2; 4, 17; Mc. 1, 15; Lc. 21, 31 usw.), um eine Offenbarung göttlicher Macht, um ein Geschenk Gottes (Lc. 12, 32; Mt. 16, 19; 1 Thess. 2, 12; Col. 1, 13), das eine Antwort des Menschen verlangt (Mt. 4, 17; 6, 33), schließlich um eine völlige Umwandlung des menschlichen Lebens. Diese Herrschaft Gottes steht gänzlich im Gegensatz zur Herrschaft irdischer Könige, die diabolischen Charakter trägt (Mt. 4, 8; Lc. 4, 5; Apc. 11, 15). Besonders das Königreich Gottes entspricht einer völligen Umkehrung der Werte: ,Die weltlichen Könige herrschen u. die Gewaltigen heißet man Wohltäter (εὐεργέται). Ihr aber nicht also; sondern der Größte unter euch soll sein wie der Jüngste, u. der Vornehmste wie ein Diener' (Lc. 22, 25). Das ist auch der Sinn des Anfangs der Bergpredigt (Mt. 5, 1/10). Andererseits wird diese Herrschaft Gottes über die Welt, diese Theokratie in Jesus verwirklicht: die Person Jesu identifiziert sich mit dem Reich Gottes (Act. 8, 12; 28, 31; Apc. 12, 10; vgl. Mt. 19, 29 mit Lc. 18, 29), u. daher sind Königtum Christi u. Königtum Gottes identisch (Apc. 11, 15; Lc. 22, 30; Eph. 5, 5; 2 Tim. 4, 18). Christus ist der messianische König, der König der Juden u. Israels (zB. Mt. 27, 11. 42), der das im AT beschriebene Ideal des messianischen Königs verwirklicht u. die Herrschaft Gottes über die Welt in die Tat umsetzt. Für die Zeitgenossen scheint dies Königtum Christi in Gegensatz zu dem des Kaisers in Rom zu stehen (Lc. 23, 2), doch in Wirklichkeit handelt es sich nicht um einen politischen Gegensatz, sondern um eine absolute Überlegenheit gegenüber jedem irdischen Königtum, wie sich im ganzen Buch der Apokalypse zeigt. Daraus folgt, daß die Haltung der ntl. Schriften gegenüber den Königen der Erde sehr vielfältig ist. Einerseits scheinen die Reiche der Erde dem Satan zu gehören, wie wir weiter oben gesehen haben. Andererseits läßt sich eine faktische Unterwerfung unter die bestehende Herrschaft feststellen, die von dem Gedanken begleitet ist, daß die Ankunft des Reiches Gottes diesem Zustand der Dinge bald ein Ende setzen werde. Das ist der Sinn des berühmten Wortes: ,Gebt dem Kaiser, was des Kaisers ist . . .' (Mt. 22, 21; Mc. 12, 17; Lc. 20, 25; vgl. auch PEgerton 2, 48). Die gleiche Bedeutung hat auch Rom. 13, 1 f. Paulus schreibt: ,Jedermann sei unter-

tan der Obrigkeit, die Gewalt über ihn hat. Denn es ist keine Gewalt außer von Gott. Die vorhandenen Gewalten (d. h. Obrigkeiten) aber sind durch Gottes Ordnung da' (Übers. nach Dibelius 6). Paulus betont im folgenden die Notwendigkeit, ,nicht nur in Rücksicht auf das Strafgericht, sondern aus Überzeugung' zu gehorchen. Wie Dibelius 7f gezeigt hat, ist Paulus hier ein Erbe der jüdischen Überlieferung (zB. Jos. bell. Iud. 2, 8, 7, 140) u. im allgemeineren Sinn ein Erbe der traditionellen Themen der Paränese. Die Christen müssen sich in diesem Punkt nach dem allgemeinen sittlichen Verhalten richten. Doch gewinnt diese traditionelle Lehre bei Paulus insofern eine neue Bedeutung, als Paulus im folgenden erkennen läßt (Rom. 13, 11/4), daß das ,Heil' nahe sei, daß das Ende der Zeiten bevorstehe. Ob das röm. Reich für Paulus die Macht ist, die die Ankunft des Antichrist verzögert, der dem Ende der Zeiten vorausgehen wird (2 Thess. 2, 2/4), ist weniger sicher. Auf jeden Fall findet sich in 1 Petr. 2, 13 die gleiche vulgärethische Überlieferung wie im Römerbrief: ,Seid untertan aller menschlichen Ordnung um des Herrn willen, es sei dem Könige, als dem Obersten . . .' (vgl. auch 2, 17). Schließlich empfehlen eine ganze Reihe von Texten das Gebet für den König (1 Clem. 61; 1 Tim. 2, 2; Polyc. Phil. 12, 3; Iustin. apol. 1, 17, 3). Diese verschiedenen Aspekte der ntl. Lehre über das Königtum sollten in der nachkonstantinischen christlichen Literatur in völlig anderer Sehweise wieder aufgenommen werden. Die eschatologische Dimension wird verschwinden. Das Axiom ,omnis potestas a deo' wird die Grundlage einer christlichen Staatslehre, Christus der himmlische König, dessen Abbild der irdische König ist. Das Reich Gottes wird ethische Bedeutung annehmen. Diese Entwicklung beginnt sich übrigens bereits im 2. u. 3. Jh. zu zeigen.

II. Das 2. u. 3. Jh. In der frühchristlichen Theologie spielt der Gedanke des Königtums Christi eine sehr geringe Rolle. Allenfalls kann man das Vorhandensein von Sammlungen atl. Schrifttexte, den ,Testimonia' feststellen, in denen vornehmlich jene Texte zusammengestellt sind, die sich auf den messianischen König beziehen u. deren Zusammenstellung eine gewisse Repräsentation des Königtums Christi impliziert, wie Beskow gezeigt hat. Unter dem Einfluß der Gedanken Philons wendet Clemens v. Alexandrien das kynisch-stoische Thema des weisen Königs auf Christus an (strom. 2, 4, 18, 1/19, 4): der königliche u. staatskundige Mann ist ein ‚lebendes Gesetz'. Ebenfalls in philonischer Überlieferung ist für Clemens Moses das Vorbild des Idealkönigs (strom. 1, 24, 158, 1 f), u. Christus ist der neue Moses (strom. 2, 5, 21, 1/5): Prophet, König u. Priester. Man beachte die merkwürdige Mischung von Messianismus u. Hellenismus, die in den pseudoclementinischen Homilien zum Ausdruck kommt (hom. 8, 21; 9, 2 f). Hier findet man eine Unterscheidung zwischen dem durch Noe repräsentierten u. durch die ὁμόνοια charakterisierten Königtum des goldenen Zeitalters, dem gegenwärtigen, durch Polyarchie u. Polytheismus gekennzeichneten u. von Satan beherrschten Zeitalter u. schließlich dem Königtum der zukünftigen Zeit, dem Königtum Christi, das Frieden u. Eintracht wiederherstellen wird. Nur wenige Züge deuten in den Schriften der Apologeten ein Königsideal insofern an, als diese zur Verteidigung des Christentums die Kaiser an die moralischen Erfordernisse des königlichen Amtes erinnern u. besonders an alles, was der Titel des Philosophen beinhaltet, den sich die Antoninen zulegen (Athenag. legat., Widmung; Iustin. 1 apol., Widmung). Justin ruft übrigens bei dieser Gelegenheit die Formel platonischen Ursprungs in Erinnerung: kein Staat ist glücklich, wenn nicht Herrscher u. Untertanen Philosophen sind (Iustin. 1 apol. 3, 3). Die Kaiser, die ‚mit all ihren Kräften nach Gottesfurcht u. Philosophie streben', können nichts Unvernünftiges tun (ebd. 12, 5); sie müssen die Wahrheit ehren u. lieben (ebd. 2, 1). Ebenso versichert Meliton v. Sardes (bei Eus. h. e. 4, 26, 6/11), daß ein gerechter Kaiser nichts Ungerechtes anordnen könne. Er versucht vor allem, die Geschichte des Christentums mit der des Reiches gleichzusetzen: ‚Unsere Philosophie . . . ist in deinen Völkern unter der großen Regierung deines Ahnherrn Augustus aufgeblüht, u. sie ist für dein Reich ein vorteilhafter Besitz geworden. Denn seit dieser Zeit ist die Macht der Römer gewaltig u. glänzend angestiegen: du bist deren erwünschter Erbe geworden u. wirst es mit deinem Sohn bleiben, indem du die Philosophie bewahrst, die mit dem Reich zugleich aufgewachsen ist u. mit Augustus begonnen hat. Und es ist ein guter Beweis für ihre Vortrefflichkeit, daß unsere Lehre zur gleichen Zeit mit dem glücklichen Beginn des

Reiches erblühte' (ebd. 4, 26, 7f). Diese Aussagen kündigen bereits die politische Philosophie des Eusebius an.

III. Eusebius v. Caesarea. a. Christus als König. In dem an Paulinos v. Tyros gerichteten Panegyricus über die Errichtung der Kirchen (h. e. 10, 3, 4) zeigt Eusebius Christus als παμβασιλέα τῶν ὅλων u. zählt die Großtaten seines Reiches auf: seine Tugend ist von allen Nationen erkannt worden (17), er hat durch seine Gesetze den Barbarenvölkern Gesittung gebracht (18), er hat alle seine Feinde überwunden (18) u. ein neues Volk gegründet (19). Dieser König ist kein anderer als der Logos (20). Weit ausgeführt findet sich der gleiche Gedanke in der Konstantin gewidmeten Tricennatsrede (330); dieser Teil der Rede ist andererseits in der Theophaneia selbst wieder aufgenommen worden (nur syrisch erhalten). Die ganze Heilsordnung wird in Form eines Berichts über Tun u. Handeln eines großen Königs dargelegt (Tricennatsrede 17 [254, 9/259, 2 Heikel]).

b. Die Tricennatsrede als christlicher F. Die Rede beginnt mit einer Erinnerung an das göttliche Königtum, aus dem das Königtum Konstantins entspringt: der höchste Gott, von himmlischen Heerscharen u. Chören himmlischer Geister umgeben, strahlend von Licht (196, 15/197, 6 Heikel), er, dessen Königtum von den Menschen, den vier Elementen u. den Sternen anerkannt wird (197, 10/198, 21). Dann folgt der eingeborene Logos, Hoherpriester seines Vaters, von ihm abgeleitetes Licht, der καθηγεμὼν τοῦ σύμπαντος κόσμου (198, 33). Durch ihn führt der Kaiser, der Freund Gottes, der das Bild himmlischer Herrschaft in sich trägt, das Steuer aller irdischen Dinge, indem er den nachahmt, der der Beste ist (199, 1/3; der Kaiser befindet sich in ähnlicher Lage wie der Demiurg nach Numenios [frg. 27 Leemans]). Eusebius vergleicht dann die jeweiligen Handlungen des Logos mit denen des Königs, um zu zeigen, daß der Kaiser auf Erden die Aufgabe nachahmt, die der Logos, der Sohn Gottes, im Universum ausübt (199, 4/31). Es besteht also folgende Proportion: der göttliche Logos verhält sich zum höchsten Gott wie der Kaiser zum Logos. Jedoch schließt Eusebius eine unmittelbare Beziehung zwischen dem Kaiser u. dem höchsten Gott nicht aus (201, 7). In diesen allgemeinen Rahmen christlicher Theologie fügt sich die überlieferte Lehre bezüglich des Idealherrschers ein. Der König soll ein Spiegel der göttlichen Tugenden sein (204, 19), er wird der einzige wahre Philosoph sein (204, 21), der sich selbst erkennt (204, 21), gottesfürchtig ist (204, 26), die irdischen Dinge um des Versuches willen, das himmlische Königreich zu erlangen, geringschätzt (204, 30), der sich nicht von Stolz über seine Armeen u. seinen Reichtum erfüllen oder von Unmäßigkeit hinreißen läßt (205, 10/206, 3). Nach einer langen Erörterung, in der Eusebius eine Reihe verschiedener Ansichten zum Begriff des Tricennats vorbringt (dreimal zehn; 206, 4/212, 9), kommt er auf das Königsthema zurück. In dem unsichtbaren u. sichtbaren Kampf, der den gegenwärtigen Zustand der Welt kennzeichnet, ist Konstantin οἷα μεγάλου βασιλέως ὕπαρχος (215, 31). Wie Straub 244₂₁₁ festgestellt hat, wendet Eusebius Formeln auf den Kaiser an, die sich auch auf Christus anwenden ließen: λόγων διδάσκαλος (219, 21), ὑποφήτης τοῦ θεοῦ λόγου (199, 22; 222, 26); andererseits schreibt er Konstantin eine theologische Geheimlehre zu (196, 2; 223, 25).

c. Die Schrift ‚Über das Leben Konstantins‘. Es handelt sich bei dieser Schrift weniger um eine Biographie, als um ein Elogium auf den Kaiser, in Entsprechung zu den durch den Rhetor Menander festgelegten Regeln für Herrscherelogien, wie Heikel im Vorwort zur Ausgabe des Werkes bemerkt hat (*45). Wie Baynes gut gezeigt hat, ist Eusebius hier im allgemeinen der hellenistischen Lehre vom Idealherrscher verpflichtet, wie sie in den Traktaten des Diotogenes u. Sthenidas zum Ausdruck kommt. Doch der ganze überlieferte Wortschatz ist dahingehend umgeformt, daß nunmehr Christus das konkrete Vorbild des Königs ist u. daß das christliche Kaisertum als Verwirklichung der Herrschaft Christi über die Erde erscheint. Diese Vorstellung des Eusebius vom Kaiser wird die ganze byzantinische Überlieferung beherrschen.

IV. Die byzantinische Überlieferung. a. Der Diakon Agapet. Die σχέδη βασιλική des Agapet wurde iJ. 527 an Kaiser Justinian aus Anlaß seiner Krönung gerichtet. Sie stellt eine Folge von 72 Sentenzen dar, deren einzige Verbindung darin besteht, daß die Anfangsbuchstaben der einzelnen Sentenzen ein Akrostichon bilden: ‚Unserem göttlichsten u. frömmsten Kaiser von dem demütigen Diakon Agapet‘. Diese Schrift hat in der Renaissance beträchtlichen Erfolg gehabt; es gibt von ihr 88 Manuskripte u. 42 Ausgaben. Die Hauptthemen dieser kurzen Sentenzen sind fol-

gende: Die Aufgabe des Königs besteht darin, die Menschen zur Wahrung der Gerechtigkeit anzuleiten (1); er ist der Welt eingefügt worden, wie das Auge dem Körper, um die Verwaltung der irdischen Angelegenheiten zu leiten (46). Die Würde des Königs ist der göttlichen ähnlich (1. 21). Daher muß die Grundlage königlicher Tugend die Nachahmung Gottes sein (3. 37. 45). Körperlich ist der König allen Menschen gleich, in seiner Königswürde aber Gott ähnlich; er muß daher ohne Zorn sein, wie Gott, u. ohne Hochmut, wie jeder Sterbliche (21). Königliche Tugenden sind vor allem φιλανθρωπία (6. 20. 40), Wohltätigkeit (7. 38. 44f. 51. 53. 58. 60. 63), leichte Zugänglichkeit (8), Unparteilichkeit (31. 41), Erbarmen (64), Frömmigkeit (15), mit Strenge gepaarte Milde (48. 52), Selbstbeherrschung (18. 68), Überlegung u. Klugheit im Handeln (25. 42. 54. 57) u. Verantwortungsbewußtsein (26). Der gute König soll die Schmeichler abweisen (12. 22. 32. 56) u. sich mit guten Beamten umgeben (30); seine größte Sicherheit u. sein bester Schutz werden die Liebe seiner Untertanen sein (35. 47. 58). Der König wird sich selbst den Gesetzen unterwerfen (27). Eins der häufigsten Themen ist die Erinnerung an die Unbeständigkeit menschlicher Verhältnisse, in deren Mitte der König seine Standhaftigkeit bewahren muß (7. 11. 13. 33f. 70f). Mehrmals kehrt in diesen Sentenzen ein sehr eigentümlicher Begriff wieder, der des εὐσεβὴς λογισμός, was wohl ‚durch das Gebet erleuchtete Überlegung‘ bedeuten soll (11. 54. 68). Wenn diese Sentenzen im ganzen auch häufig Themen aufnehmen, die seit Isokrates traditionell sind, so ist doch das christliche Element in ihnen von großer Bedeutung: der Kaiser ist Diener Gottes (68), er muß sich erinnern, daß er nur Staub ist (71), er muß Gott in seinen Geschöpfen erkennen u. diese behandeln, wie er Gott selbst behandeln würde (61); er soll vergeben, wie Gott ihm vergibt (64) u. seine wahren Reichtümer in den Himmel übertragen (67). Das durch diese Sentenzensammlung gestellte literarische Problem ist sehr verwickelt. Einerseits finden sich einige dieser Sentenzen in der ‚Melissa‘ des Antonius unter dem Namen Philons zitiert (PG 136, 871 D; man beachte in der ‚Melissa‘ die Sentenzensammlung [995/1011], die einen richtigen F. bildet). Andererseits entlehnt die Beschreibung des guten Königs, die sich im Barlaam u. Joasaph-Roman findet (der nach

F. Dölger vielleicht ein Werk des Johannes v. Damaskus ist), viele Züge aus den Sentenzen Agapets. Man kann entweder unmittelbare Entlehnung vermuten (F. Dölger) oder eine gemeinsame Quelle (Praechter, Barlaam).

b. Kaiser Basileios. Die von Kaiser Basileios I seinem Sohn Leon gewidmeten κεφάλαια παραινετικά (zwischen 867 u. 886) sind wahrscheinlich das Werk eines am Hof in Kpel weilenden Geistlichen (PG 107, 21/60; Ausg. von Emminger). Die Quellen dieser Sentenzenfolge bilden Isokrates, bes. die in ihrer Echtheit umstrittene Schrift ‚ad Demonicum‘, die Schrift Agapets u. Texte der Hl. Schrift, bes. Prov., Koh. u. Tob. Das Ganze fügt sich in die gnomologische Tradition ein.

V. Der lateinische Westen. a. Allgemeine Charakteristika. Die westliche Überlieferung der F. unterscheidet sich von der östlichen sehr wesentlich. Zwar lassen sich auch hier unter dem Einfluß der Panegyriker einige Spuren der hellenistischen Lehre vom Königtum finden, aber die Einstellung ist ganz verschieden. Zunächst einmal ist die Unterscheidung von geistlicher u. zeitlicher Gewalt viel schärfer als im Osten. Das Papsttum ist mächtig u. wird immer noch mächtiger; die Bischöfe, wie Ambrosius, zögern im allgemeinen nicht, sich in der geistlichen Ordnung als über dem Kaiser stehend zu betrachten: hier wird das Wiederaufleben des alten Gedankens von der Überlegenheit des Philosophen über den König sichtbar. Außerdem steht das Reich mitten in der Krise, u. es wird bald eine Menge Barbarenstaaten geben, deren Könige Freunde der Bildung sein wollen u. sich begierig nach moralischen Ratschlägen zeigen werden. Genau gesehen ist der Gesamtcharakter der F. im Westen viel stärker moralisch als metaphysisch. Es finden sich in ihnen kaum Spuren kaiserlicher Theophanie, dafür aber eindeutige Ratschläge u. eine ganze, der Hl. Schrift entnommene Staatskunst: das Mönchsideal verleiht selbst dem Königsideal Gestalt.

b. Ambrosius. Die nach dem Tod des Kaisers Theodosius gehaltene Trauerrede ‚De obitu Theodosii‘ ist der erste F., der im wahren Sinne christlich ist, d. h. seine Gedanken nur aus der Hl. Schrift schöpfen will. Vornehmlich der Eingang der Rede (33/7) verbindet sehr geschickt persönliche Empfindung (dilexi virum), biblische Gedanken u. die Aufzählung der Tugenden des christlichen Kaisers. Der erste Abschnitt faßt die allge-

meine Richtung gut zusammen: Dilexi virum misericordem, humilem in imperio, corde puro et pectore mansueto praeditum, qualem Dominus amare consuevit dicens: ‚Supra quem requiescam, nisi supra humilem et mansuetum‘ (Jes. 66, 2). Die folgenden Abschnitte zählen weitere christliche Vorzüge des Theodosius auf: er hat den, der ihm einen Verweis erteilte, den Schmeichlern vorgezogen (34), er hat öffentlich Buße getan (ebd.), er hat sich mehr um die Kirche Sorge gemacht als um sich selbst (35). Diesem Bild lassen sich verschiedene Einzelheiten anfügen, die in den an den Kaiser gerichteten Briefen verstreut sind (ep. 17; 21, 9 [leges enim imperator fert, quas primus ipse custodiat]; 40; 51 [über das Blutbad in Thessalonike]).

c. Augustinus. Das 5. Buch des Gottesstaates enthält eine Erörterung, die sehr großen Einfluß auf die F. des hohen MA haben sollte. In ihr untersucht Augustinus, ausgehend von dem seit Commodus u. Caracalla in die Kaisertitulatur eingeführten Titel felix, was das Glück der christlichen Kaiser ausmache (felicitas, Hauptthema der Bücher 4 u. 5; vgl. 4, 3. 18). Augustinus meint (civ. D. 5, 24), diese Glückseligkeit bestehe nicht in Glück oder Erfolg, sondern in der Übung der Tugenden der Gerechtigkeit, Demut (si ... se homines esse meminerint) u. Frömmigkeit, der Liebe zum Himmelreich, der Gnade, Mäßigkeit, Barmherzigkeit u. Enthaltsamkeit. Augustinus erläutert dieses Idealbild durch dem Leben der Kaiser Konstantin u. Theodosius entnommene Ereignisse. Das hellenistische Thema der Nachahmung des göttlichen Königs tritt hier gegenüber jenem des Dienstes an der Religion zurück (si suam potestatem ad dei cultum maxime dilatandum maiestati eius famulam faciunt).

d. Die Päpste des 5. Jh. Den zwischen 395 u. 518 von Päpsten an die Kaiser geschriebenen Briefen läßt sich, wie Cavallera gezeigt hat, eine ganze Lehre vom christlichen Fürsten entnehmen. Diese Lehre ist genau jene, die wir bei Augustinus gefunden haben: die kaiserliche Gewalt ist ein Dienst, die Haupttugend des Fürsten muß der Eifer für die Anliegen der Kirche sein (sacerdotalis animus).

e. Corippus. Auch wenn der Vers-Panegyricus des Corippus auf Justin (566/7 geschrieben, in 4 Büchern) den Gesetzen dieser Gattung folgt, ist er nichtsdestoweniger insofern sehr eigenständig, als das christl. Element in ihm große Bedeutung hat. Der Panegyricus berichtet von der Thronbesteigung des Justin nach dem Tod Justinians, von der Krönungsfeierlichkeit u. den ersten Regierungshandlungen. Das königliche Ideal kommt vor allem in der Ansprache des Justin an die Senatoren (2, 178/274) zum Ausdruck, in seiner Rede an das Volk (2, 333/56) u. in dem Elogium des Corippus auf die clementia des Justin (2, 425/8). Die Kaiserwürde ist ein Geschenk Gottes: Super omnia regnans regna deus regnum nobis concessit (2, 178). Der Kaiser ist das Haupt am Körper des Reiches, seine Aufgabe ist es, Tugend (2, 342), Eintracht u. Gerechtigkeit im Volk herrschen zu lassen. Durch Milde kann er Gott am stärksten gleichen: Qui facit hoc, deus est: deus est in corde regentum: principibus princeps quidquid deus imperat, hoc est. Terrarum dominis Christus dedit omnia posse. Ille est omnipotens, hic omnipotentis imago (2, 425/8). Das christl. Element zeigt sich in der Erscheinung der Jungfrau Maria vor dem zukünftigen Kaiser (1, 33/69), in den Gebeten des Justin u. der Sophia zu Gott u. der Jungfrau Maria (2, 11/42. 52/69) u. in dem Glaubensbekenntnis des Kaisers vor den Gesandten der Awaren: Quod super est, unumque meum speciale levamen, imperii deus est virtus et gloria nostri, a quo certa salus, sceptrum datur atque potestas (3, 359/61).

f. Martinus v. Bracara. Die zwischen 570 u. 579 geschriebene Formula vitae honestae des Martinus kann man insofern in die literarische Gattung der F. einreihen, als Martinus in seiner Widmung des Werkes an den Westgotenkönig Miro seine Schrift als eine Antwort (236 Barlow) auf das Verlangen des Königs nach Weisheit u. Philosophie bezeichnet. Doch ist die Schrift selbst nur ein Traktat über die vier sittlichen Tugenden Klugheit, Gerechtigkeit, Stärke u. Mäßigkeit, der nichts spezifisch Christliches enthält u. lediglich eine Epitome eines verlorenen Werkes Senecas darstellt.

g. Gregor d. Gr. Einige Bestandteile der Moralia in Job Gregors d. Gr. (21, 15; 22, 24; 25, 16) werden bei Isidor v. Sevilla u. in den karolingischen F. wiederkehren.

h. Isidor v. Sevilla. In seinen Sententiae (3, 47/51 [PL 83, 717/24]) legt Isidor eine Zusammenstellung von Ratschlägen für Könige vor. Gleich eingangs stellt eine erste etymologische Definition des Königs (reges a recte agendo vocati: 3, 48) das Königsamt von vornherein in die sittliche Ordnung hinein

(vgl. orig. 9, 3, 4). Isidor nimmt das kynisch-stoische Thema des Weisen als König auf u. bemerkt, daß die Hl. Schrift den Weisen den Namen des Königs gibt (3, 48). Die Tugend des Königs besteht darin, sich selbst zu beherrschen: Recte illi reges vocantur qui tam semetipsos quam subiectos bene regendo modificare noverunt. Doch die Aufgabe des Königs gliedert sich in den Heilsplan ein. Wegen der Erbsünde wurden die Könige dem Menschengeschlecht zu seiner Erziehung gegeben: sie sollen es durch Furcht vom Bösen abhalten u. durch die Gesetze zu gutem Handeln führen (3, 47). Der Gedanke stammt von Augustinus (die Herrschaft des Menschen über den Menschen ist die Folge der Sünde: civ. D. 19, 15f) u. von Gregor dem Gr. (mor. 21, 5). Isidor folgt der Überlieferung des Ambrosius, Augustinus u. der Päpste u. bekräftigt, daß der König der Kirche dienen muß, gehorsam der religionis disciplina. Die weltliche Gewalt muß sich einschalten, um das zu erreichen, was die Kirche mit geistlicher Gewalt allein nicht durchsetzen kann (3, 51). Die wichtigsten Herrschertugenden sind Gerechtigkeit u. Milde. Gerechtigkeit bedeutet die Unterordnung des Fürsten unter seine eigenen Gesetze u. die Sorge für das Allgemeinwohl: prodesse... non nocere, nec dominando premere, sed condescendo consulere (3, 49). Milde besteht vor allem darin, den Irregegangenen Zeit zur Besserung zu lassen. Nach dem in den Sententiae gegebenen Vorbild sind in der Historia Gothorum einige Porträts westgotischer Fürsten vorgestellt. Möglicherweise ist auch ein sehr kurzer Traktat mit dem Titel Institutionum disciplinae, der in Mss. in Paris u. Wien erhalten ist, ein Werk des Isidor v. Sevilla. Er bietet ein Erziehungsprogramm für einen zukünftigen König von der Kindheit bis ins Mannesalter. Von Kindheit an wird man den zukünftigen König in die Grammatik, den Gesang u. harmonische Körperbewegung einführen müssen. In seiner Jugend wird er Sport, Jagd u. Seefahrt treiben müssen. Danach im Mannesalter wird die Ausübung der sittlichen Tugenden Klugheit, Gerechtigkeit, Tapferkeit u. Mäßigkeit folgen u. die Übung der Wissenschaften, vornehmlich der zur Ausbildung des Redners nützlichen, wie Dialektik, Rhetorik u. Schriftlesung, dann aber auch Unterricht in der Rechtswissenschaft, Philosophie, Medizin, Musik u. Astrologie. Der zukünftige König wird den anderen ein Vorbild der Tugenden sein müssen, nämlich der Keuschheit, Nüchternheit, Klugheit, Demut, Geduld, Liebe zur Religion u. Gerechtigkeit; er soll in Freundschaften treu sein u. die Liebe zum Geld nicht kennen. Das Ende dieses sehr interessanten F. führt uns wieder völlig in die große antike Tradition zurück: Sic denique tot tantisque praeclaris artibus moribusque instructus iure quisquis ille ad honestatem imperiumque poterit pervenire, ut recte in eo adscribatur praecipua Platonis illa sententia tunc bene regi rem publicam quando imperant philosophi et philosophantur imperatores (427 Pascal).

i. Der Traktat ‚De duodecim abusivis saeculi‘. Dieser kleine, fälschlich Cyprian zugeschriebene u. im 7. Jh. wahrscheinlich in Irland geschriebene Traktat zählt zwölf Übel auf, die in die Welt eindringen können: sapiens sine operibus, senex sine religione, adolescens sine oboedientia, dives sine eleemosyna, femina sine pudicitia, dominus sine virtutibus, christianus contentiosus, pauper superbus, rex iniquus, episcopus neglegens, plebs sine disciplina, populus sine lege. Die Formulierungen, die den dominus sine virtutibus u. den rex iniquus erläutern, werden von den F. karolingischer Zeit häufig aufgegriffen werden. Im Abschnitt ‚dominus sine virtutibus‘ bestimmt der Verfasser die Tugend als Vereinigung von Liebe, Furcht u. Autorität (amor, terror, ordinatio). Der Regierende muß sich durch sein Wohlwollen geliebt u. durch Bestrafung jeder Übertretung des Gesetzes Gottes gefürchtet machen. Im Abschnitt ‚rex iniquus‘ findet sich eine Definition der Gerechtigkeit des Königs: niemanden bedrücken, ohne Ansehen der Person Recht sprechen, die Witwe, die Waise u. die Kirche beschützen, gerechte Beamte u. bejahrte, nüchterne u. kluge Berater berufen. Der König muß eine strenge persönliche Tagesordnung haben: zu bestimmten Stunden beten, nicht vor der festgesetzten Zeit essen (hier scheint ein Punkt der Mönchsregel eingeführt zu werden). Die Ungerechtigkeit des Königs bedroht das ganze Reich mit Unglück, dagegen bringt die Gerechtigkeit des Königs den Völkern Frieden.

k. Die karolingische Zeit. Der Überfluß an F. während der ganzen karolingischen Zeit läßt sich einerseits durch den zunehmenden Einfluß der Bischöfe erklären, andererseits durch die Begeisterung dieser Zeit für im eigentlichen Sinn sittliche Belehrung.

1. Paulinus v. Aquileja. Der zwischen 796 u. 799 verfaßte Liber exhortationis ad Henricum Forojuliensem (PL 99, 198/282) des Paulinus v. Aquileja ist in erster Linie eine allgemeine Abhandlung über christliche Moral, in die der Verfasser zahlreiche Kapitel einfügen konnte, die der Schrift De vita contemplativa des Julianus Pomerius entliehen sind.

2. Smaragdus v. St. Mihiel. Die zwischen 819 u. 830 geschriebene Via Regia des Smaragdus (PL 102, 934f) ist an Kaiser Ludwig den Frommen gerichtet. Sie stellt die erste aus der Hl. Schrift entnommene ‚Staatslehre‘ dar. Sie stellt nicht nur den Königen die großen biblischen Vorbilder wie Josua, David, Ezechias, Salomon u. Ozias vor Augen, sondern jede Erörterung stützt sich auf eine Menge Schrifttexte, die sich auf die verschiedenen Tugenden beziehen, zB. timor domini (1 = Ps. 2, 11), sapientia (4 = Sap. 6, 10/3), prudentia (5 = 1 Reg. 18, 5; Prov. 24, 3), simplicitas (6 = Mt. 10, 16), patientia (7 = Lc. 21, 19; Prov. 25, 15), iustitia (8 = Jer. 22, 1/5; Hes. 18, 5), iudicium (9 = Sir. 14, 10; Prov. 29, 14), misericordia (10/11 = Sir. 4, 1; 7, 33; Prov. 14, 31; 20, 28; Ps. 49, 23), humilitas (16 = Jac. 1, 9; Ps. 130, 1), zelum rectitudinis (18 = Ps. 68, 10; Num. 25, 11), clementia (19 = Prov. 16, 15; 20, 23), consilium (20 = Prov. 13, 16; Sir. 32, 24). Die Kapitel 21/30 zählen negative Vorschriften auf, vgl. bes.: Ut de impensis alienis domus non aedificetur (27 = Sir. 21, 8); Ut pro iustitia facienda nulla a iudicibus requirantur praemia (28 = Dtn. 16, 20); Ne statera dolosa inveniatur in regno tuo (29 = Dtn. 25, 13); Prohibendum, ne captivitas fiat (30 = Dtn. 14, 17; Amos 1, 6/9). Dies scheint das erste Mal in der Geschichte des Christentums zu sein, daß Schrifttexte in solcher Fülle benutzt werden, um Vorschriften für das politische Leben zu formulieren.

3. Jonas v. Orléans. Jonas v. Orléans widmete 834 Pippin, einem der Söhne Ludwigs des Frommen, seine Schrift De institutione regia (PL 106, 279/306). Ihr Inhalt ist Augustinus, Isidor v. Sevilla u. PsCyprian, De duodecim abusivis, entlehnt; aber Jonas illustriert das Entlehnte mit zahlreichen Texten der Hl. Schrift.

4. Sedulius Scottus. Sein Liber de rectoribus christianis (PL 103, 293/332) wurde zwischen 855 u. 859 Lothar II gesandt. Das in Prosa u. Versen abgefaßte Werk fällt durch überaus reiche Belege auf. Die traditionellen morali-

schen u. religiösen Ratschläge werden hier durch zahlreiche Beispiele illustriert, die vornehmlich der Historia Augusta entnommen sind.

5. Hinkmar v. Reims. Ratschläge an Könige sind in den Schriften Hinkmars im Überfluß vorhanden: De regis persona et regio ministerio ad Carolum Calvum; De cavendis vitiis ad Carolum Calvum; De disponendis regni utilitatibus; Ad Carolum III ut Ludovici Balbi sobrini sui filiis regibus educatores et consiliarios constituat; Ad Ludovicum Balbum; Ad proceres regni pro institutione Carolomanni Regis et de ordine Palatii; Ad episcopos regni admonitio altera pro Carolomanno rege. Man beachte folgende Stelle aus der Coronatio Caroli Calvi (PL 125, 804): Sciatis me honorem et cultum dei atque sanctarum ecclesiarum Domino adiuvante conservare, legem et iustitiam conservare . . . in hoc ut honor regius et potestas ac debita oboedientia exhibeatur.

6. Die Institutio Traiani. Johannes v. Salisbury zitiert in seinem Policraticus (12. Jh.) einige Stellen aus einer Institutio Traiani, die er Plutarch zuschreibt. In diesen Fragmenten finden sich moralische Ratschläge (modestia, compositio morum), ein Vergleich zwischen dem Staat u. dem menschlichen Körper (der Kaiser ist das Haupt, der Senat das Herz: der gleiche Vergleich fand sich schon bei Corippus) u. eine Aufzählung von den Fürsten eigentümlichen Tugenden (reverentia dei, cultus sui, disciplina officialium, affectus subditorum). Wie Desideri richtig bemerkt hat, setzt der Wortschatz dieser Fragmente die Ämterhierarchie in der Form voraus, wie sie in der Zeit nach Konstantin vorhanden war (quaestores u. bes. comites rerum privatarum). Es handelte sich daher wahrscheinlich um eine in den Kreisen der Symmachi im 4./5. Jh. angefertigte Fälschung. Doch werden die fraglos christlichen Stellen, besonders die Anspielungen auf das Verhältnis von Kirche u. Staat aus karolingischer Zeit stammen.

E. Zusammenfassung. Die literarische Gattung, die hier untersucht wurde, sollte sich im lateinischen u. byzantinischen MA weiter entfalten u. besondere Bedeutung erhalten. Der vorliegende Artikel konnte hierfür nur die Vorgeschichte zusammenfassen. Es zeigte sich, daß das Herrscherideal von den Pharaonen bis zu den Karolingern in im Grunde identischer Weise aufgefaßt wurde. Sowohl die metaphysischen Voraussetzungen (der König als Stellvertreter Gottes auf Erden) wie der ethische Gehalt der Vorstellung vom Idealherrscher bleiben beinahe unverändert. Diese Beständigkeit läßt sich zugleich durch Grundbedürfnisse der menschlichen Natur wie durch literarische Überlieferungen erklären, welche die amtliche Sprache der Inschriften u. Gesetze noch verstärkt haben. Die Verfasser von F. können überdies nichts anderes als eifrige Verfechter der königlichen Macht sein, aber sie können außerdem, wenn sie aufrichtig sind, eine Macht vertreten, die sich als höherstehend gegenüber dem Königtum bezeichnet: die Macht der Philosophie in der griechischen Überlieferung, die Macht der Kirche in der christlichen Tradition. Philosophen, Päpste oder Bischöfe haben den Mut, dem König zu sagen, was er tun müsse. In christlicher Sicht kann diese literarische Gattung Konsequenzen für die Lehre haben, die eine gewisse Gefahr darstellen: Christus als Kaiser aufzufassen u. dann den Kaiser als einen zweiten Christus.

G. W. AHLSTRÖM, Psalm 89. Eine Liturgie aus dem Ritual des leidenden Königs, Diss. Uppsala (1959). – K. ALAND, Kaiser u. Kirche von Konstantin bis Byzanz = BerlByzArb 5 (1957) 188/212. – M. ALTMAN, Ruler cult in Seneca: ClassPhilol 33 (1938) 198/204. – K. AMELUNG, Leben u. Schriften des Bischofs Jonas von Orléans, Diss. Leipzig (1888). – R. ANTHES, Lebensregeln u. Lebensweisheit der alten Ägypter = AltOr 32, 2 (1933). – H. H. ANTON, F. u. Herrscherethos in der Karolingerzeit (1968). – H. VON ARNIM, Leben u. Werke des Dion von Prusa (1925). – F.-X. ARQUILLIÈRE, L'augustinisme politique (Paris 1934). – J. ASMUS, Julian u. Dion Chrysostomos = Progr. Tauberbischofsheim (1895); Synesius u. Dio: ByzZ 9 (1900) 85/151. – J. B. AUFHAUSER, Die sakrale Kaiseridee in Byzanz: The sacral kingship = Numen Suppl. 4 (Leiden 1959) 531/42. – A. AUSFELD, Der griech. Alexanderroman (1907). – J. BAILLET, Le régime pharaonique dans ses rapports avec l'évolution de la morale en Égypte (Paris 1913). – H.-C. BALDRY, The idea of the unity of mankind: EntrFondHardt 8 (1962) 169/204. – J. BALOGH, Rex a recte agendo: Speculum 3 (1928) 580/2. – E. BARKER, From Alexander to Constantine. Passages and documents illustrating the history of social and political ideas 336 B. C. – A. D. 337 (Oxford 1956); Greek political thought. Plato and his predecessors (London 1925; ²Oxford 1957). – G. BARNER, Comparantur inter se Graeci de regentium hominum virtutibus auctores, Diss. Marburg (1889). – G. A. BARTON, The royal inscriptions of Sumer and Akkad (New Haven 1929). – N. H. BAYNES,

Eusebius and the Christian Empire: Mélanges J. Bidez 2 = Ann. Inst. de Philol. et d'Hist. Orient. 2 (Bruxelles 1934) 13/8. – F. Beckmann, Humanitas. Ursprung u. Idee (1952). – D. M. Bell, L'idéal éthique de la royauté en France au moyen-âge (Paris 1962). – H. I. Bell, Philanthropia in the papyri of the roman period: Hommages à J. Bidez et à F. Cumont (Bruxelles 1949) 31/7. – A. Bellomo, Agapeto diacono e la sua scheda regia (Bari 1906). – A. Bentzen, Messias, Moses redivivus, Menschensohn (Zürich 1948); De sakrale Kongedomne (Kopenhagen 1945). – W. Berges, Die F. des hohen u. späten MA (1938). – L. Bergson, Der griech. Alexanderroman (Leiden 1965). – L. Berlinger, Beiträge zur inoffiziellen Titulatur der röm. Kaiser, Diss. Breslau (1935). – K. H. Bernhardt, Das Problem der altorientalischen Königsideologie im AT (Leiden 1961). – P. Beskow, Rex Gloriae. The kingship of Christ in the early church, Diss. Uppsala (1962). – E. Bickel, Die Schrift des Martinus von Bracara 'formula vitae honestae': RhMus 60 (1905) 505/51. – J. Bidez, Fragments d'un philosophe ou d'un rhéteur grec inconnu: RevPhilol 30 (1906) 161/72. – L. Bieler, ΘΕΙΟΣ ANHP (Wien 1935/6 bzw. 1967). – H. Bietenhard, Das tausendjährige Reich (Bern 1944). – B. Biondi, 'Humanitas' nelle leggi degli imperatori romano-cristiani: Miscellanea G. Galbiati 2 (Milano 1951) 81/94. – F. M. T. Böhl, Der babylonische F. (1937). – H. Bolkestein, Wohltätigkeit u. Armenpflege im vorchristl. Altertum (Utrecht 1939). – E. Booz, Die F. des MA bis zur Scholastik, Diss. Freiburg (1913). – L. K. Born, The perfect prince: A study in thirteenth- and fourteenth-century ideals: Speculum 3 (1928) 470/504; Erasmus on political ethics: PolitScQuart 43 (1928) 520/43; The Specula principis of the carolingian renaissance: RevBelgPhilHist 12 (1933) 583/612; The perfect prince according to the latin panegyrists: AmJournPhilol 55 (1934) 20/35. – M. Boulenger, L'empereur Julien et la rhétorique grecque (Lille 1927). – R. Bradley, Backgrounds of the title 'Speculum' in mediaeval literature: Speculum 29 (1954) 100/15. – J. H. Breasted, The dawn of conscience (New York 1933). – L. Brehier, L'origine des titres impériaux à Byzance: ByzZ 15 (1906) 161/78. – K. Bringmann, Studien zu den politischen Ideen des Isokrates = Hypomnemata 14 (1965). – T. S. Brown, Onesicritus. A study in hellenistic historiography (Berkeley/ Los Angeles 1949). – A. Bruck, Princeps Plinianus sive Aphorismi politici ex C. Plini Secundi Panegyrico ad Traianum tetrastichis redditi (Straßburg 1616). – F. Buffière, Les mythes d'Homère et la pensée grecque (Paris 1956). – W. Bulst, Susceptacula regum: Corona Quernea = Festgabe K. Strecker (1941 bzw. 1952) 97/ 135. – F. Burdeau, L'empereur d'après les pan-

égyristes latins: Aspects de l'empire romain = Travaux de la faculté de droit, sciences historiques 1 (Paris 1964). – A. Burk, Die Pädagogik des Isokrates als Grundlegung des humanistischen Bildungsideals (1923). – C. Bursian, Der Rhetor Menandros u. seine Schriften (1882). – M. A. Canney, Ancient conceptions of kingship: Oriental Stud. in honour of C. E. Pavry (Oxford 1933) 63/75. – R. W. u. A. J. Carlyle, A history of the mediaeval politic theory in the west 1 (New York 1903). – F. Cavallera, La doctrine sur le prince chrétien dans les lettres pontificales du 5e siècle: BullLitEccl 38 (1937) 67/78. 119/35. 167/79. – L. Cerfaux-J. Tondriau, Un concurrent du christianisme. Le culte des souverains dans la civilisation gréco-romaine (Toulouse 1957). – M. P. Charlesworth, Providentia and Aeternitas: HarvTheolRev 29 (1936) 107/32; The virtues of a roman emperor. Propaganda and the creation of belief: ProcBritAc 23 (1937) 105/33. – A. Christensen, Les types du premier homme et du premier roi dans l'histoire légendaire des Iraniens = ArchÉtOrient 14 (Stockholm 1918). – J. Coppens, Les apports du psaume CX à l'idéologie royale israëlite: The sacral kingship = Numen Suppl. 4 (Leiden 1959) 333/48. – F. E. Cranz, Kingdom and polity in Eusebios of Caesarea: HarvTheolRev 45 (1952) 47/66. – P. Cruvelhier, Introduction au code d'Hammurabi (Paris 1937). – E. R. Curtius, Europäische Literatur u. lat. MA ²(Bern 1954). – E. Delaruelle, Jonas d'Orléans et le moralisme carolingien: BullLitEccl 55 (1954) 29/43. 221/28; En relisant le De institutione regia de Jonas d'Orléans. L'entrée en scène de l'épiscopat carolingien: Mélanges L. Halphen (Paris 1951) 185/ 92. – P. Delhaye, Art. Florilèges: DictSpir 5 (1960) 460/4. – W. Derichs, Herakles, Vorbild des Herrschers in der Antike, Diss. Köln (1950). – S. Desideri, La 'Institutio Traiani' (Genova 1958). – M. Dibelius, Rom u. die Christen im 1. Jh. (1942). – J. Dickinson, The mediaeval conception of kingship and some of its limitations as developed in the Policraticus of John of Salisbury: Speculum 1 (1926) 308/37; The statesman's book of John of Salisbury (New York 1927). – A. Dihle, Studien zur griech. Biographie (1956). – F. Dölger, Der griech. Barlaam-Roman, ein Werk des Hl. Johannes von Damaskos (1953); Die Kaiserurkunde der Byzantiner als Ausdruck ihrer politischen Anschauungen: HistZs 159 (1939) 229/50. – F. J. Dölger, Zur antiken u. frühchristl. Auffassung der Herrschergewalt von Gottes Gnaden: ACh 3 (1932) 117/31. – F. Dornseiff, Antike u. alter Orient ²(1959). – G. Downey, Philanthropia in religion and statecraft in the fourth century after Christ: Historia 4 (1955) 199/208. – L. Dürr, Ursprung u. Aufbau der israelitisch-jüdischen Heilandserwartung (1925). – H. Duesberg, Les scribes inspirés (Paris 1938/9). – W.

A. Dunning, History of political theories (New York 1902). – F. Dvornik, The emperor Julian's ,reactionary' ideas on kingship: Late Class. and Med. Stud. in honor of A. M. Friend (Princeton 1955) 71/81. – O. Eck, Urgemeinde u. Imperium (1941). – A. A. T. Ehrhardt, Politische Metaphysik von Solon bis Augustin 1/2 (1959); Myth and ritual from Alexander to Constantine: Studi in onore di P. de Francisci 4 (Milano 1956) 421/44; The political philosophy of neo-platonism: Mélanges V. Arangio-Ruiz 1 (Napoli 1953) 457/82. – L. Eicke, Veterum philosophorum qualia fuerint de Alexandro Magno iudicia, Diss. Rostock (1909). – W. Eilers, Die Gesetzesstele Chammurabis = AltOr 31, 3/4 (1932). – A. Elias, De notione vocis clementiae, Diss. Königsberg (1912). – K. Emminger, Studien zu den griech. F. 1, Progr. München (1906); 2/3, Diss. München (1913). – I. Engnell, Studies in divine kingship in the ancient Near East (Uppsala 1943). – P. Faider-C. Favez-P. van de Woestijne, Kommentar u. Index verborum zu Seneca de clementia = Rijksuniv. Gent, Facult. van de Wijsbeg. en Lett. 106 (Brügge 1950). – A. Falkenstein-W. von Soden, Sumerische u. akkadische Hymnen u. Gebete (Zürich 1953). – D. Faure, L'éducation selon Plutarque (Aix 1960). – A. J. Festugière, Le dieu cosmique (Paris 1949); Grecs et sages orientaux: RevHistRel 130 (1945) 29/41; Trois rencontres entre la Grèce et l'Inde: RevHistRel 125 (1942/3) 32/57; Les inscriptions d'Asoka et l'idéal du roi hellénistique: Mélanges J. Lebreton: RechScRel 39 (1951/2) 31/46. – M. H. Fisch, Alexander and the Stoics: AmJournPhilol 58 (1937) 59/82. 129/51. – P. Fischer, De Dionis Chrysostomi orationis tertiae compositione et fontibus, Diss. Bonn (1901). – H. Fränkel, Dichtung u. Philosophie des frühen Griechentums ²(1962). – J. De Fraine, L'aspect religieux de la royauté israélite. L'institution monarchique dans l'AT et les textes mésopotamiens (Roma 1954). – L. François, Julien et Dion Chrysostome. Les περὶ βασιλείας et le second panégyrique de Constance: RevÉtGr 28 (1915) 417/39. – H. Frankfort, Kingship and the gods (Chicago 1948). – K. Galling, Das Königsgesetz im Deuteronomium: ThLZ 76 (1951) 133/8. – J. Gasper, Social ideas in the wisdom literature (Washington 1947). – L. Gernet, Les nobles dans la Grèce archaïque: Annales d'hist. écon. et soc. 10 (Paris 1938) 36/43. – G. Gladis, De Themistii Libanii Iuliani in Constantium orationibus, Diss. Breslau (1907). – E. R. Goodenough, The political philosophy of hellenistic kingship: YaleClassStud 1 (1928) 53/102; The politics of Philo Iudaeus (New Haven 1938). – C. Haeberlin, Fragmente eines unbekannten Philosophen: RhMus 62 (1907) 154. – H. Hanssen, Kaiser Julians Herrscherideal in Theorie u. Wirklichkeit, Diss. Köln (1953). – C. Hauret,

L'interprétation des psaumes selon l'école ,Myth and Ritual': RevScRel 33 (1959) 321/42; ebd. 34 (1960) 1/34. – S. Hellmann, PsCyprianus, De XII abusivis saeculi = TU 34 (1909); Sedulius Scottus, Liber de rectoribus christianis = Quellen u. Unters. zur lat. Philol. des MA 1, 1 (1906). – L. Herrmann, La lettre d'Aristée à Philocrate et l'empereur Titus: Latomus 25 (1960) 58/77. – G. Herzog-Hauser, Soter. Die Vorstellung des Retters im altgriech. Epos (1936). – A. Heuss, Die archaische Zeit Griechenlands als geschichtliche Epoche: AntAbendl 2 (1946) 26/62; Alexander d. Gr. u. die politische Ideologie des Altertums: ebd. 4 (1948) 65/104. – A. M. Hocart, Kings and councillors (Kairo 1936); Kingship (London 1927). – R. Höistad, Cynic hero and cynic king (Uppsala 1949). – W. Hoffmann, Das literarische Porträt Alexanders d. Gr., Diss. Leipzig (1907). – S. H. Hooke, Myth, ritual and king. Essays on the theory and practice of kingship in the ancient Near East and in Israel (Oxford 1958). – H. Jacobson, Die dogmatische Stellung des Königs in der Theologie der alten Ägypter = ÄgyptolForsch 8 (1939). – W. Jaeger, Paideia 3 ³(1959). – W. Jentsch, Urchristl. Erziehungsdenken. Die Paideia Kyru im Rahmen der hellenistisch-jüdischen Umwelt (1951). – A. R. Johnson, Sacral kingship in ancient Israel (Cardiff 1955). – K. Jost, Das Beispiel u. Vorbild der Vorfahren bei den attischen Rednern u. Geschichtsschreibern bis Demosthenes, Diss. Basel (1935). – W. Jost, Ποιμήν. Das Bild vom Hirten in der biblischen Überlieferung u. seine christologische Bedeutung, Diss. Gießen (1939). – J. Kabiersch, Untersuchungen zum Begriff der Philanthropia bei dem Kaiser Julian = KlassPhilolStud 21 (1960). – F. Kampers, Alexander d. Gr. u. die Idee des Weltimperiums in Prophetie u. Sage (1901); Vom Werdegange der abendländischen Kaisermystik (1924). – E. H. Kantorowicz, The king's two bodies. A study in mediaeval political theory (Princeton 1957); Kaiser Friedrich II. u. das Königsbild des Hellenismus: Varia Variorum, Festschrift K. Reinhardt (1952) 169/93; Deus per naturam, Deus per gratiam: HarvTheolRev 45 (1952) 253/77. – O. Kehding, De panegyricis latinis capita quattuor, Diss. Marburg (1899). – T. L. Kempf, Christus der Hirt. Ursprung u. Deutung einer altchristl. Symbolgestalt (Roma 1942). – G. Kittel, Christus u. Imperator (1939). – W. Kleinecke, Englische F. vom Policraticus Johanns von Salisbury bis zum Basilikon Doron König Jakobs I (1937). – H. Kleinknecht, Art. βασιλεύς im Griechentum: ThWb 1 (1932/3) 562f. – E. Köstermann, Statio Principis: Philol 87 (1932) 358/430. – J. Kollwitz, Art. Christus II (Basileus): RAC 2 (1954) 1257/62. – M. Korostovtsev, Stèle de Ramsès IV: Bull. de l'Inst. franç. d'Archéol. Orient. 45 (Le Caire 1947) 155/73. – H. Kramer,

Quid valeat ὁμόνοια in litteris graecis, Diss. Göttingen (1915). – F. R. KRAUS, Ein Sittenkanon in Omenform: ZAssyr 44 (1936) 77/113. – H. J. KRAUS, Die Königsherrschaft Gottes im AT (1951). – R. LABAT, Le caractère religieux de la royauté assyro-babylonienne (Paris 1939). – C. LACOMBRADE, Le discours de Synésius de Cyrène sur la royauté (Paris 1951). – W. G. LAMBERT, Babylonian wisdom literature (Oxford 1960). – G. LANCZKOWSKI, Das Königtum im MR: The sacral kingship = Numen Suppl. 4 (Leiden 1959) 277/87. – A. LA PENNA, Orazio e l'ideologia del principato (Torino 1963). – R. LAQUEUR, Das Kaisertum u. die Gesellschaft des Reiches: Probleme der Spätantike (1930) 1/38. – L. LARSON, The king's mirror (London 1917). – J. LECLERCQ, L'idée de la royauté du Christ au moyen-âge (Paris 1959). – J. LEIPOLDT, Der soziale Gedanke in der altchristl. Kirche (1952). – F. LEO, Die griech.-röm. Biographie nach ihrer litterarischen Form (1901 bzw. 1965). – E. LEPORE, Il princeps ciceroniano (Roma 1954). – A. LESKY, Geschichte der griech. Literatur ²(Bern 1965). – H. LIEBESCHUETZ, John of Salisbury and Pseudo-Plutarch: JournWarbInst 6 (1943) 33/9. – J. LIPPERT, De epistula pseudo-aristotelica περὶ βασιλείας commentatio (1891). – H. P. L'ORANGE, Studies on the iconography of cosmic kingship in the ancient world = Inst. f. sammenl. Kulturforskn. A 23 (Oslo 1953). – S. LORENZ, De progressu notionis φιλανθρωπίας, Diss. Leipzig (1914). – O. LUSCHNAT, Diem perdidi: Philol 109 (1965) 297/9. – M. R. MADDEN, Political theory and law in the mediaeval Spain (New York 1930). – G. MATHIEU, Les idées politiques d'Isocrate (Paris 1925). – E. MEDERER, Die Alexander-Legenden (1936). – R. MERKELBACH, Die Quellen des griech. Alexanderromans = Zetemata 9 (1954). – J. MESK, Zur Technik der lateinischen Panegyriker: RhMus 67 (1912) 569/90. – G. MISCH, Geschichte der Autobiographie 1, 1/2³ (1949/50). – C. MOSSÉ, La fin de la démocratie athénienne (Paris 1962). – S. MOWINCKEL, Urmensch u. Königsideologie: StudTheol 2 (1948) 71/89; He that cometh (Oxford 1956). – G. MÜLLER, Studien zu den platonischen Nomoi = Zetemata 3 (1951). – H. MÜLLER, Die formale Entwicklung der Titulatur der ägyptischen Könige = ÄgyptolForsch 7 (1938). – W. MÜNCH, Gedanken über Fürstenerziehung aus alter u. neuer Zeit (1909). – R. MÜNSCHER, Xenophon in der griech.-röm. Literatur = Philol Suppl. 13 (1920). – O. MURRAY, Philodemus on the good king according to Homer: JournRomStud 55 (1965) 161/82. – W. NACHSTAEDT, De Plutarchi declamationibus, Diss. Berlin (1895). – W. NAUHARDT, Das Bild des Herrschers in der griech. Dichtung (1940). – M. P. NILSSON, Det hellenistika konungsidealet: Arkeol. Studier, Studier av. H. M. Gustav VI (Stockholm 1952) 9/16. –

A. D. NOCK, Soter and Euergetes: The joy of study. Papers on New Testament and related subjects presented to honor F. C. Grant (New York 1951) 127/48. – F. NÖTSCHER, Die Omen-Serie šumma âlu ina mêlê šakin (CT 38/40): Orientalia, Comm. de rebus Assyro-Babylonicis, Arabicis, Aegyptiacis etc. 51/4 (Roma 1930) 79 Taf. 53. – M. NOTH, Gott, König, Volk im AT: ZThK 47 (1950) 157/91. – A. PARROT, Le bon pasteur: Institut Français d'archéologie de Beyrouth. Bibliothèque archéol. et hist. 30 (Paris 1939) 171/82. – P. PASCAL, The Institutionum disciplinae of Isidore of Seville: Traditio 13 (1957) 425/31. – L. PEARSON, The lost histories of Alexander the Great (London 1960). – E. PETERSON, Der Monotheismus als politisches Problem (1935) = Theol. Traktate (1951) 45/147; Christus als Imperator: Catholica 5 (1936) 64/72 = Zeuge der Wahrheit (1937) 75/86. – F. PFISTER, Alexander d. Gr. in den Offenbarungen der Griechen, Juden, Mohammedaner u. Christen = Dt. Akad. d. Wiss. Berlin, Sektion Altertumswiss. 3 (1956); Alexander d. Gr., die Geschichte seines Ruhms im Lichte seiner Beinamen: Historia 13 (1964) 37/79. – O. PLÖGER, Theokratie u. Eschatologie = Wiss. Monogr. AT u. NT 2 (1959). – W. POHLSCHMIDT, Quaestiones Themistianae (1908). – G. POSENER, Littérature et politique dans l'Égypte de la 12ᵉ dynastie = Bibl. de l'Éc. des Hautes Ét., Sc. Hist. et Phil. 307 (Paris 1956); De la divinité du Pharaon = Cah. Soc. Asiatique 15 (Paris 1960). – K. PRAECHTER, Der Roman Barlaam u. Joasaph in seinem Verhältnis zu Agapets Königspiegel: ByzZ 2 (1893) 444/60; Dion Chrysostomos als Quelle Julians: ArchGeschPhilos 5 (1892) 42/51. – G. PUGLIESE CARATELLI, Asoka e i re ellenistici: ParPass 8 (1953) 449/54. – J. QUASTEN, Der Gute Hirte in hellenistischer u. frühchristl. Logostheologie: Heilige Überlieferung, Festschrift I. Herwegen = Beitr. z. Gesch. d. alten Mönchtums u. d. Benediktinerordens Suppl. 1 (1938) 51/8. – H. E. REESOR, The political theory of the Old and Middle Stoa (New York 1951). – G. F. REILLY, Imperium and sacerdotium according to St. Basil the Great (Washington 1945). – J. REVIRON, Les idées politico-religieuses d'un évêque du 9ᵉ siècle: Jonas d'Orléans et son De institutione regia (Paris 1930). – M. REYDELLET, La conception du souverain chez Isidore de Séville: Isidoriana, Estudios sobre san Isidoro de Sevilla (Leon 1961) 457/66. – G. RICHTER, Studien zur Geschichte der älteren arabischen F. (1932). – G. RITTER, Die Dämonie der Macht (1948). – J. RÖDER, Das Fürstenbild in den mtl. F. auf französischem Boden, Diss. Münster (1933). – D. SCHLUMBERGER-L. ROBERT-A. DUPONT-SOMMER-E. BENVENISTE, Une bilingue gréco-araméenne d'Asoka: JournAsiat 246 (1958) 1/48. – G. SCHMITZ-KAHLMANN, Das Beispiel der Geschichte im politischen Denken des Isokrates: Philol Suppl. 31, 4 (1939). – W. Schubart, Das Königsbild des Hellenismus: Die Antike 13 (1937) 272/88; Das Gesetz u. der Kaiser in griech. Urkunden: Klio 30 (1937) 54/69; Das hellenistische Königsideal nach Inschriften u. Papyri: ArchPapForsch 12 (1937) 1/26. – E. Schwartz, Ethik der Griechen (1951). – K. M. Setton, Christian attitude towards the emperor in the fourth century = Stud. in history, econ. and public law. Columbia University 482 (New York 1941). – A. Sipple, Der Staatsmann u. Dichter Seneca als politischer Erzieher (1938). – E. Skard, Zwei religiös-politische Begriffe: Euergetes-Concordia: Abhandl. Norske Videnskaps. Akad. Oslo 1931, 2 (1932). – W. von Soden, Herrscher im alten Orient (1954). – A. Solmi, Stato e chiesa secondo gli scritti politici, 800/1122 (Modena 1901). – F. Solmsen, The gift of speech in Homer and Hesiod: TrProcAmPhilolAss 85 (1954) 1/15. – E. Stauffer, Gott u. Kaiser im NT (1935). – K. Stegmann von Pritzwald, Zur Geschichte der Herrscherbeziehungen von Homer bis Plato (1930). – W. Steidle, Sueton u. die antike Biographie = Zetemata 1² (1963). – A. Steinwenter, Νόμος ἔμψυχος. Zur Geschichte einer politischen Theorie: AnzWien 83 (1946) 250/68. – J. Straub, Vom Herrscherideal in der Spätantike (1964). – F. Taeger, Charisma. Studien zur Geschichte des antiken Herrscherkultes 1/2 (1957/60). – W. W. Tarn, Alexander the Great and the unity of mankind: ProcBritAcad 19 (1933) 123/66; Alexander, Cynics and Stoics: AmJournPhilol 60 (1939) 41/70; Antigonos Gonatas (Oxford 1913). – H. Tiralla, Das augustinische Idealbild der Obrigkeit als Quelle der F. des Sedulius Scottus u. Hinkmar von Reims, Diss. Greifswald (1916). – O. Treitinger, Die oström. Kaiser- u. Reichsidee nach ihrer Gestaltung im höfischen Zeremoniell (1938 bzw. 1956). – T. Ulrich, Pietas (pius) als politischer Begriff … im röm. Staate bis zum Tode des Kaisers Commodus (1930). – V. Valdenberg, Le idee politiche di Procopio di Gaza e di Menandro Protettore: Studi bizantini e neoellenici 4 (1935) 67/85; La théorie monarchique de Dion Chrysostome: RevÉtGr 40 (1927) 142/62; Discours politiques de Thémistius dans leur rapport avec l'antiquité: Byzantion 1 (1924) 557/80. – F. Vogelsang, Kommentar zu den Klagen des Bauern = Unters. z. Gesch. u. Altertumsk. Ägyptens 6 (1913). – J. Vogt, Die Dämonie der Macht u. die Weisheit der Antike: Welt als Geschichte 10 (1950) 1/17; Staat u. Kirche von Konstantin d. Gr. bis zum Ende der Karolingerzeit (1936). – H. Volkmann, Ἔνδοξος δουλεία: Philol 100 (1956) 52/61. – A. Volten, Zwei altägyptische politische Schriften = AnalAegypt 4 (Kopenhagen 1945). – J. M. Wallace-Hadrill, Gregory of Tours and Bede, their views on the personal qualities of

kings: Frühmtl. Stud. 2 (1968) 31/44. – J. H. Waszink, Horaz u. Pindar: AntAbendl 12 (1966) 111/24. – W. Werminghoff, Die F. der Karolingerzeit: HistZs 89 (1902) 193/214. – F. Wilhelm, Der Regentenspiegel des Sopatros: RhMus 72 (1917/8) 374/402. – H. Windisch, Imperium u. Evangelium im NT (1931). – P. Zancan, Il monarcato ellenistico (Padova 1934). – I. Ziegler, Die Königsgleichnisse in Talmud u. Midrasch, beleuchtet durch die röm. Kaiserzeit (1903).   *P. Hadot (Übers. J. Engemann).*

Fulgentius.

A. Der Mythograph. I. Werke. a. De aetatibus mundi et hominis 633. b. Mitologiae 634. c. Expositio Virgilianae continentiae 636. d. Expositio sermonum antiquorum 637. e. Super Thebaiden 637. f. Verlorene Werke 638. – II. Identität des Autors der profanen Werke. a. Zeugnis der Hss. 638. b. Innere Zusammenhänge der Schriften. 1. Expositio Virgilianae continentiae 638. 2. Expositio sermonum antiquorum 639. 3. De aetatibus mundi et hominis 639. 4. Super Thebaiden 639. – III. Lebenszeit u. Heimat des Mythographen 639.

B. Der Theologe. I. Leben. a. Angaben der Vita 640. b. Schlüsse aus der Vita 641. – II. Werke. a. Theologische u. moralische Abhandlungen. 1. Ausgaben 642. 2. Datierung 643. b. Predigten 650. c. Dichtungen 651. d. Die Theologie des F. 651. – III. Zusammenfassung 652.

C. Problem der Existenz zweier F. I. Irrtümer der Hss. 653. – II. Schweigen der antiken Biographen 653. – III. Zeugnisse des MA 654. – IV. Tituli der Hss. 655. – V. Angebliche Unvereinbarkeit der Schriften des Mythographen u. des Theologen 656. – VI. Stilunterschiede 658. – VII. Griech. Sprachkenntnisse 659.

F., Bischof von Ruspe, ist als Verfasser theologischer Schriften bekannt; J. B. Bossuet nennt ihn ‚le plus grand théologien et le plus saint évêque de son temps' (La défense de la tradition et des saints pères 1, 14 [Paris 1743]). Über Leben u. Werk lassen sich äußere Daten aus der unmittelbar nach seinem Tod entstandenen Vita gewinnen. Ihr Verfasser, Ferrandus, Mönch in Ruspe, Schüler u. vielleicht Sekretär des F., soll 546 als karthagischer Diakon gestorben sein. Die handschriftliche Tradition weist eine Gruppe von Werken, die vom theologischen Schrifttum des F. sehr verschieden sind, einem Verfasser nahezu gleichen Namens zu (s. u. Sp. 655f), nämlich eine kurz gefaßte Mythologie, Kommentare zu Vergils Aeneis u. zur Thebais des Statius, einen Abriß der Weltgeschichte u. eine Art Glossar seltener Wörter (ed. R. Helm [1898]). Da die Vita von diesen Werken schweigt u. andere antike Zeugnisse fehlen, ist eine Gleichsetzung beider F. schwierig. Dem Leser wird hier als Grundlage für die Gewinnung eines eigenen Urteils sowohl der Aufsatz des Verfassers aus JbAC 7 (1964) 94/105 wie auch ein neuer Artikel über den Theologen F. vorgelegt.

A. Der Mythograph. I. Werke. a. De aetatibus mundi et hominis. Diese Schrift ist eine Darstellung der Weltgeschichte oder richtiger der Abriß einer solchen. Der Autor kündigt an, daß er sein Buch in ebenso viele Kapitel gliedern wolle, wie es Buchstaben im Alphabet gebe, nämlich 23 nach dem röm. Alphabet. Diese Methode erinnert an die alexandrinische Einteilung von Ilias u. Odyssee; man denke auch daran, daß zB. Epiphanios eine Beziehung zwischen der Zahl der Bücher der Bibel u. den Buchstaben des hebr. Alphabets hergestellt hat (PG 43, 244 A). Unser Autor scheint auf seinen Einfall sehr stolz zu sein (131, 14/7 Helm). Noch mehr: in jedem Kapitel vermeidet er bei seiner Wortwahl den Gebrauch eines bestimmten Buchstabens; das 1. Kapitel ist ohne A, das 2. ohne B, das 3. ohne C usw. Es handelt sich also hier um eine lipogrammatische Sprachspielerei, die unser Autor auf einen Dichter mit Namen Xenophon zurückführt, von dem man sonst nichts weiß; daher hat man den Verdacht geäußert, F. könne ihn erfunden haben (so Lersch u. Reifferscheid; Jungmann versucht dagegen, die Existenz dieses Xenophon nachzuweisen). Aber diese Sprachspielereien sind bekannt. E. R. Curtius, Europäische Lit. u. lat. MA² (1954) 286 legt Beispiele dafür vor. Doch zitiert er zu Unrecht den Dichter Lasos v. Hermione (6. Jh. vC.), der in einem Gedicht den Buchstaben Sigma vermied. In Wirklichkeit hatte Lasos nach Athenaios (10, 455 C) einen guten Grund, so zu verfahren: er hatte beobachtet, daß sich das Sigma beim Singen schlecht ausmacht. Aber Curtius hat vielleicht recht, wenn er Nestor v. Laranda anführt, der nach der Suda im 3. Jh. nC. in Lykien eine Ilias schuf, die in jedem Buch einen bestimmten Buchstaben vermied; recht hat Curtius wohl auch, wenn er auf den Ägypter Tryphiodor hinweist, der im 5. Jh. nC. eine Odyssee in derselben Art abfaßte. Freilich sagt Eustathios (in Od. comm. 1379, 55) von Tryphiodors Dichtung nur, daß sie kein Sigma aufwies. Wenn man aber das Beispiel Tryphiodors gelten läßt, kommt man in eine Zeit u., wie sich noch zeigen wird, in eine Geschmacksrichtung, die der Manier des F. vieles von ihrer Ungewöhnlichkeit nehmen. Wenn jedoch die Schrift mit dem 14. Kapitel endet, so braucht man deshalb noch nicht anzunehmen, F. habe selbst seine Arbeit abgebrochen, weil sie ihm zuwider war (so Helm,

F.). – Der Inhalt bringt nicht das, was man erwarten müßte: nur drei von 14 Kapiteln befassen sich wirklich mit der Weltgeschichte; Kap. 10 behandelt Alexander d. Gr., Kap. 11 die Geschichte Roms bis auf Cäsar, Kap. 14 die römischen Kaiser bis zu Valentinian. Das Werk gibt also eher Episoden aus der Weltgeschichte als eine Weltgeschichte selbst. Ähnlich steht es mit der Behandlung der Bibel; dieser gilt der Hauptanteil des Werkes, nämlich 11 Kapitel. Aber auch hier ist keineswegs das Ganze der Bibel zusammengefaßt. Am Abriß der röm. Geschichte fällt auf, daß die Römer hier sehr feindselig behandelt werden. Daraus darf man indessen nicht folgern, daß der Verfasser kein Römer war; er hat sich nur die Betrachtungsweise zu eigen gemacht, mit der die Christen die Entwicklung der röm. Weltmacht zu sehen pflegten. Der Standpunkt des F. ist der gleiche wie der, den Orosius bei der Schilderung der germanischen Invasionen einnimmt. Orosius ist übrigens von F. benutzt worden. – Die ‚lipogrammatische‘ Spielerei ist später in einem verwandten Werk noch einmal aufgetreten bei Petrus Riga (um 1200 nC.). A. van den Brinken, Studien zur lat. Weltchronistik bis in das Zeitalter Ottos v. Freising (1957) mißt der Schrift des F. keine besondere Bedeutung bei; sie ist in seinen Augen kaum mehr als eine literarische Kuriosität.

b. Mitologiae. Die drei Bücher dieses Werks enthalten 50 Sagen aus der klassischen Mythologie; sie werden knapp wiedergegeben u. dann gedeutet, u. zwar ‚secundum philosophiam moraliter‘ (2 Helm). Genauer betrachtet verbindet F. hier zwei Arten der Auslegung: die natursymbolische (die Götter werden dabei zu kosmischen Symbolgestalten) u. die moralische (hier werden die Götter zu Allegorien). In dieser Sicht ist Jupiter Feuer, Juno Luft, Neptun Wasser, Pluto Erde (1, 3/5); aber die drei Göttinnen, zwischen denen Paris zu wählen hatte, werden zu Symbolfiguren des aktiven, kontemplativen u. amurösen Lebens (2, 1). Man müßte das Buch für eine Zusammenfassung der stoisch-neuplatonischen Mythendeutung halten, wenn nicht deutlich zu erkennen wäre, daß der Verfasser Christ ist. In der Fortführung der eben erwähnten Auslegung bemerkt er nämlich zB., die kontemplative Lebensform sei jetzt die der Priester u. Mönche, wie sie einstmals die der Philosophen war. – Das Werk ist einem sonst unbekannten karthagischen Priester namens Catus gewidmet. Es steht im Altertum allein. Zwar weist es enge Verbindungen zu den drei Mythographi Vaticani auf (ed. G. H. Bode [Cellis 1834]); doch handelt es sich bei diesen wohl um Arbeiten des MA. Als solche waren die beiden letzten stets betrachtet worden, hinsichtlich des ersten aber ergaben sich Zweifel im Anschluß an die Schlußfolgerungen von R. Schulz, De Mythographi Vaticani primi fontibus, Diss. Halle (1905); dieser schloß aus den Ähnlichkeiten, die zwischen dem ersten Mythographen u. Autoren wie F. u. Isidor bestehen, zwar nicht auf unmittelbare Entlehnungen des Mythographen bei diesen Autoren, sondern auf die Benutzung gemeinsamer, verlorener Quellen (vgl. Schanz-Hosius-Krüger 244 f). In der Tat schreibt der erste Mythograph Wort für Wort aus Quellen ab, die von Servius über F. bis Isidor u. wahrscheinlich noch weiter reichen, oder kürzt sie, ohne Eigenes hinzuzufügen. W. Bühler: Philol 105 (1961) 123/35 hat zwei Anleihen aus den Scholien des Horaz nachgewiesen, die seiner Meinung nach nicht früher als ins 12. Jh. anzusetzen sind. – Die Schrift des F. hat noch ein weiteres Nachleben gehabt: im 14. Jh. hat ein Franziskaner, Johannes Ridewall, eine kleine Abhandlung über die Götter des Heidentums u. über die Allegorien, die man in ihnen zu entdecken glaubte, abgefaßt. Der Verfasser hat seine Abhandlungen dem F. zugeschrieben; daher nennt man ihn auch F. Metaforalis (hrsg. v. H. Liebeschütz [1926]). Ridewall hat nicht bloß die Anregung zu seiner Schrift aus F. geschöpft; er hat ihn auch vervollständigt u. sich um seine Rechtfertigung bemüht. Die Vervollständigung kommt darin zum Ausdruck, daß jetzt ein besseres Gleichgewicht zwischen Göttergestalten u. sittlichen Tugenden hergestellt ist. Man erkennt, daß Ridewall ausgedehnte Lektüre betrieben hat. An seinem Text sieht man auch, mit welchem Ernst man jahrhundertelang F. studiert hat; über die Gruppe um Ridewall vgl. B. Smalley, English friars and antiquity in the early fourteenth century (Oxford 1960). – Der Prolog zu den Mitologiae des F. verrät einen beachtlichen Bildungsgrad: er enthält Anspielungen auf die astrale Unsterblichkeit; er ist der letzte Zeuge für das Studium des Somnium Scipionis in Nordafrika (vgl. P. Courcelle, La postérité chrétienne du Songe de Scipion en Afrique: RevÉtLat 36 [1958] 213); er kennt noch das sokratische Thema von

der wahren Weisheit, die nur der besitzt, der seine Unwissenheit erkennt (vgl. 11, 18 f Helm mit Plat. apol. 20 CD).

c. Expositio Virgilianae continentiae. Vergils Schatten erscheint F. u. erklärt ihm, es sei seine Absicht gewesen, in der Aeneis einen Spiegel des menschlichen Lebens zu schaffen (87, 2; vgl. dazu die Charakterisierung der Odyssee durch den Sophisten Alkidamas im 4. Jh. vC. als καλὸν ἀνθρωπίνου βίου κάτοπτρον [bei Aristot. rhet. 1406 b 12 f]). Der erste Vers der Aeneis bietet ihm Gelegenheit, die ganze Tiefe seines Symbolismus zu zeigen. ‚Arma, id est virtus‘ bezieht sich auf die substantia corporalis; ‚vir, id est sapientia‘ entspricht der substantia sensualis; ‚primus, id est princeps‘ stellt die substantia censualis dar. ‚Arma, vir, primus‘ bezeichnen die drei Stufen des menschlichen Lebens: ‚habere‘, ‚regere quod habeas‘, ‚ornare quod regis‘ oder: Natur, Wissenschaft, Glück (89, 21 f). Das Unwetter des ersten Buches ist ein Bild der Stürme des Lebens. Der Schiffbruch des Aeneas versinnbildlicht die Geburt des Menschen, der seufzend in die Stürme des Lebens entlassen wird (91, 6/20). Das 2. u. 3. Buch der Aeneis entsprechen der Kindheit, die nach bunten Märchenerzählungen verlangt (93, 20). Dieser Periode setzt der Tod des Anchises ein Ende. Der Mensch, aus der Obhut des Vaters befreit, verliert sich zuerst in die Vergnügungen der Jagd u. der Liebe (Liebesabenteuer mit Dido in B. 4), fängt sich dann jedoch wieder u. erinnert sich der Weisungen des Vaters (94, 17/95, 2). Er widmet sich edleren Übungen (Leichenspiele für Anchises in B. 5). Der Sieg seiner Vernunft verbrennt die Werkzeuge des Irrtums (Brand der Flotte; vgl. 95, 11/3). Sie befreit sich von Wahnbildern (Palinurus) u. Eitelkeit (Misenus). Der Abstieg zur Unterwelt stellt die Reise des menschlichen Geistes auf der Suche nach der philosophischen Wahrheit dar. Alles ist Symbol im Reich der Schatten: Charon bedeutet die Zeit (98, 19). Cerberus ist Sinnbild der Händel, welche die Menschen entzweien (99, 2). – Phantastische Etymologie hat ebenfalls ihren Platz in dieser Auslegung: Lavinia, die Gattin des Aeneas, wird als ‚laborum via‘ interpretiert. Euander, von dem Aeneas Hilfe fordert (B. 8), wird als ‚guter Mann‘ gedeutet; Turnus als ‚furibundus sensus‘; sein Wagenlenker Metiscus als ‚Trunkenheit‘; die Schwester Iuturna (diuturna), die ihn berät, als ‚Starrsinn‘. Die Aeneiserklärung des F. steht in der

Tradition der stoischen Homerauslegung u. stellt unseres Wissens den ersten derartigen Versuch dar, falls nicht in dem verlorenen Teil der Saturnalien des Macrobius eine ähnliche Auslegung zu lesen war. Ferner ist zu beachten, daß die vorliegende Deutung von einem Christen stammt. – Als Zeuge für die Bewunderung des seltsamen Werkes im MA sei besonders Sigebert von Gembloux genannt (script. eccl. 28 [PL 160, 553f]). Ferner stehen in seiner Nachfolge der Polycraticus des Johannes von Salisbury (hrsg. von C. C. I. Webb 1/2 [London 1909]) u. Bernhard von Chartres (V. Cousin, Ouvrages inédits d'Abélard [Paris 1836] 639f). – Das Werk des F. ist der Dichtererklärung gewidmet. Es richtet sich daher an Grammatiker u. deren Schüler (86, 4/6). Der volle Titel des kleinen Werkes lautet: Expositio Virgilianae continentiae secundum philosophos moralis; auffällig ist die Ähnlichkeit mit dem Titel der Mitologiae.

d. Expositio sermonum antiquorum. Dieses Werk erklärt nach der Weise eines Glossars 62 seltene lat. Wörter mit zT. fehlerhaften, anscheinend frei erfundenen Belegen. Gewidmet ist die Schrift einem Grammatiker Calcidius, der jedoch nicht mit dem Übersetzer u. Kommentator des platonischen Timaios identisch sein kann. Es wäre von Interesse, das kleine Werk des F. in die Reihe der Glossographen seiner Zeit zu stellen. Der archaisierende Geschmack, der sich hier wohl bekundet, ist vielleicht dem des Claudianus Mamertus zu vergleichen, der dem Rhetor Sapaudus in einem berühmten Brief seine Vorstellungen zur Stilistik darlegt u. sich bewußt in die Zahl der Archaisten einreiht (CSEL 11, 203/6).

e. Super Thebaiden. Dieser Kommentar zur Thebais des Statius Sursulus stellt eine Art Fortsetzung der Virgiliana continentia dar. Das ergibt sich nicht nur aus der künstlichen Beziehung, die er zwischen Aeneis u. Thebais herstellt (181, 9), sondern auch aus gemeinsamen Zügen der Interpretationen, die er für beide Werke vorschlägt. Theben ist die menschliche Seele, in der Laius, d.h. ‚lux sancta', herrscht (Laius . . . dicitur quasi lux ayos; ayos vero Grece [d.h. ἅγιος] sanctus Latine interpretatur [182, 10f]). Er ist glücklich vermählt mit Iocaste, d.h. ‚iocunditas casta'. Doch haben beide dem verworfenen Oedipus das Leben geschenkt. Oedipus (Edippus) leitet sich her von ‚hedus' (id est animal lascivum) usw. Es liegt also der gleiche

Gebrauch der Etymologie vor wie in der Virgiliana continentia. – Aus der mittelalterlichen Form des Beinamens des Dichters Surculus (statt Sursulus) darf man noch nicht schließen, daß es sich bei Super Thebaiden um eine Fälschung des MA unter dem Namen des F. handelt (vgl. P. v. Winterfeld: Philol 57 [1898] 509). Die Korrektur Sursulus > Surculus kann Werk eines Abschreibers sein. Doch selbst wenn Super Thebaiden eine Fälschung des 13. Jh. wäre, so würde dadurch nur bestätigt, daß zu dieser Zeit die Identität der beiden F. als gesichert galt. Zur Frage des Griechischen s. u. Sp. 659. – Ein weitaus konventionellerer Kommentar zur Thebais des Statius wurde zZt. des F. von einem gewissen Lactantius Placidus verfaßt (hrsg. von R. Jahnke [1898]).

f. Verlorene Werke. Wenn die Angabe im Prooemium der Mitologiae wörtlich zu nehmen ist (3, 10 Helm), so müssen wir Jugendgedichte des F. als verloren ansehen. Nach Virg. cont. 91, 21 hat er außerdem einen Physiologus verfaßt. Hinzu kommt noch ein gleichfalls verschollener Kommentar zu den beiden ersten Büchern des Martianus Capella (P. Lehmann, Mittelalterliche Bibliothekskataloge Deutschlands u. der Schweiz 2 [1928] 16, 3).

II. Identität des Autors der profanen Werke. a. Zeugnis der Hss. Die Schrift Super Thebaiden ist nur in einer Hs. des 13. Jh. überliefert (Paris. 3012). De aetatibus mundi ist gleichfalls gesondert auf uns gekommen, doch in fünf Hss., deren älteste auf das 12. Jh. zurückgeht (Vat. Palat. 886, Vat. Reg. 173, Sorbon. 268, Turin. D IV 39, Vat. 7257). Die drei restlichen Schriften sind in einer größeren Anzahl von Hss. überliefert; bisweilen sind sie zu dritt in einer Hs. vereinigt (zB. Vat. Palat. 1578, 9. Jh.). Die Mitologiae u. die Expositio Virgilianae continentiae sind gemeinsam (ohne die Sermones) überliefert in den Hss. Vat. Reg. 1567, 12. Jh.; Gudianus 331, 11. Jh.; Leid. Voss. 96, 11. Jh. (vgl. Helm *9/*16). Diese Gruppierungen sind für eine positive oder negative Entscheidung der Frage nach der Identität des Autors dieser Schriften nicht ohne Bedeutung.

b. Innere Zusammenhänge der Schriften. 1. Expositio Virgilianae continentiae. Diese Schrift setzt die Mitologiae voraus: Im Prooemium ruft F. alle Musen an, da ihm Calliope allein nicht mehr genüge (85, 5f). Von Calliopes Erscheinung aber berichtet er im Prolog der Mitologiae. Ähnliche Zusammenhänge sind für eine Erwähnung Chrysipps (vgl. 85, 2 u. 15, 17) sowie für weitere Stellen nachzuweisen (vgl. 84, 17 f mit 9, 19 f). Beide Werke dürften sich also im Hinblick auf ihre Abfassungszeit sehr nahe stehen. Die Tradition hat demnach ohne Zweifel recht, wenn sie in den Hss. die eine Schrift auf die andere folgen läßt.

2. Expositio sermonum antiquorum. Die Expositio sermonum antiquorum weist nicht derartige eindeutige Bezugnahmen auf andere Schriften auf, doch ist sie mit den beiden genannten Werken in denselben Hss. vereinigt (s. o. Sp. 638).

3. De aetatibus mundi et hominis. Diese Schrift ist getrennt von der ersten Gruppe überliefert. Doch enthält sie einen deutlichen Anklang an die Virgiliana continentia (vgl. 129, 13 f mit 84, 19 f). Ferner sind die Prologe der drei Schriften Mitologiae, Virgiliana continentia u. De aetatibus mundi thematisch dadurch verbunden, daß sie den Frieden u. die Zeit der Muße beim Regierungsantritt eines guten Königs nach einer Zeit des Unglücks behandeln, in welcher ein Schriftsteller mehr darauf bedacht sein mußte, zu schweigen u. sein Brot zu verdienen, als seinen Ruhm zu mehren (vgl. 3, 3 f; 5, 13 f; 83, 1 f; 129, 1 f).

4. Super Thebaiden. Ebenso ist es möglich, Beziehungen zwischen dem Thebaiskommentar u. den Mitologiae festzustellen (vgl. zB. ‚misticus' 180, 10 f u. 11, 15 f). Auch die Auffassung vom Dichter als Mensch, der zugleich Ernst u. tändelndem Scherz hingegeben sei, ist beiden Werken gemeinsam (vgl. 180, 6/11 u. 7, 25/8, 1; s. dazu Stat. silv. praef. 1).

III. Lebenszeit u. Heimat des Mythographen. Helm hat einen terminus post quem gesichert, indem er die Benutzung des Prologs des Martianus Capella im Prolog der Mitologiae u. ein Zitat aus ebendemselben Martianus Capella mit dessen Namen in den Sermones antiqui nachwies (123, 4/6; zu F. als erstem Kommentator des Martianus Capella s. J. G. Préaux: RevPhilol 35 [1961] 225/31). Dies macht die Hypothese Pennisis, welcher vorschlägt, den Mythographen mit einem F. tribunus et notarius gleichzusetzen, von dem Symmachus (rel. 23 [MG AA 6, 1, 296]) spricht, sehr zweifelhaft; denn dadurch würde F. zum Zeitgenossen von Valentinian I. Wenn Pennisi ferner das Werk des F. zwischen 366 u. 373 ansetzt, würde dadurch nur erklärt, warum De aetatibus mundi bei den röm. Kaisern des 4. Jh. aufhört. Zudem ist Pennisi gezwungen, den traditionellen Zeitansatz für Martianus Capella umzuwerfen: dessen Werk datiert er zwischen 330 u. 337. Für De aetatibus mundi ist ein terminus post quem durch mehrfache Benutzung des Orosius gegeben (139 f Helm). – Nun ist Martianus ein Afrikaner u. Orosius, ein Bewunderer Augustins, war in Afrika wohl bekannt. Helm hat ferner Bezüge zwischen F. u. dem afrikanischen Dichter Dracontius festgestellt (Helm, Bischof F.). Auch wenn die Frage, welcher der beiden Autoren jeweils aus dem anderen schöpft, nicht schlüssig zu beantworten ist, so weisen doch alle Beziehungen in das vandalische Afrika. Die geschichtlichen Anspielungen des Prologs der Mitologiae nennen eine Hungersnot, einen Maureneinfall, den Regierungsantritt eines guten Herrschers. Diese Züge legen einen Vergleich mit dem Bild nahe, das Victor von Vita vom Ende der Herrschaft des Hunerich entwirft (hist. persec.: MG AA 3, 1). Konflikte mit den Mauren entstanden besonders nach Geiserichs Tod (Procop. b. Vand. 1, 8, 1 [1, 345 Haury]). Dracontius weist ebenfalls auf Gunthamunds Siege hin (satisf. 213 f [MG AA 14, 126]). Die Mitologiae kann man also an den Beginn der Herrschaft des Gunthamund im vandalischen Afrika setzen. Die übrigen Schriften dürften in der Folgezeit entstanden sein.

B. Der Theologe. I. Leben. a. Angaben der Vita. Die Vita läßt sich folgendermaßen zusammenfassen: Die Vorfahren des F. waren karthagische Senatoren. Sein Großvater Gordianus wurde beim Einfall Geiserichs (439) verbannt. Nach dessen Tod kehrten zwei seiner Söhne nach Afrika heim, erhielten einen Teil ihres Besitzes zurück u. ließen sich in Telepte in der Byzacena nieder, wo F. geboren wurde. Sein Vater starb früh, seine Mutter sorgte für seine Erziehung; man hört jedoch nur von einer Unterweisung durch den Grammatiker, von rhetorischer Schulung ist nicht die Rede. Der Jüngling verwaltete die Güter seiner Familie; er wird als procurator bezeichnet. Die Vita erwähnt häufige Klosterbesuche. Im Verborgenen übte er Askese, legte sein Amt schließlich nieder u. zog sich auf seine Güter zurück. Er wandte sich an den 484 von Hunerich verbannten Bischof u. Klostergründer Faustus. Eine Verfolgung zwang die Mönche, sich zu verbergen. Mit dem Abt Felix teilte F. sich in die Leitung eines Klosters. Bei einem Barbareneinfall flohen F. u. Felix gemeinsam u. ließen sich nach einer langen Reise im Gebiet von Sicca Veneria (Le Kef) nieder. Dort wurden sie von einem arianischen Priester Felix verfolgt, bis der arianische Ortsbischof einschritt. Nach der Rückkehr in seine Provinz u. der Gründung eines Klosters bei Mididi (Henchir Meded) wollte F., durch Lektüre des Joh. Cassian u. der Wüstenväter bewogen, Ägypten besuchen. Der sizilische Bischof Eulalius veranlaßte ihn durch den Hinweis, die ägyptischen Mönche seien (origenistische?) Häretiker, die bereits begonnene Reise abzubrechen. Er besuchte im Jahre von Theoderichs Einzug (500) Rom u. kehrte über Sardinien nach Afrika zurück. Nach einer weiteren Klostergründung lebte er eine Zeitlang zurückgezogen als einfacher Mönch in der Nähe von Junca (zur Identifikation des Klosters s. J. u. P. Cintas: Revue Tunisienne 43/4 [1940] 243/50; G. L. Feuille: ebd. 49/51 [1942] 250/5). Nach der Priesterweihe wurde er gegen den Widerstand des Hunerich vom Primas Victor zum Bischof von Ruspe (Rosfa) geweiht. Auch hier richtete er ein Kloster ein. Ein zweites Exil führte ihn nach Sardinien. Thrasamund unterbrach die Verbannung des F. nur kurz u. ließ ihn zu einem Gespräch über den katholischen Glauben zu sich kommen. Erst bei Childerichs Thronbesteigung 523 kehrte F. nach Ruspe zurück. Er starb dort im Alter von 65 Jahren.

b. Schlüsse aus der Vita. Es gilt, die geschilderten Ereignisse mit den Daten zu vergleichen. Wenn man den Darlegungen von H. Delehaye (AnalBoll 52 [1934] 103/5) zustimmt, so ist F. am 1. Jan. 533 gestorben. Er ist also 468 geboren u. war Bischof seit 508. Aber wann war die Verfolgung, die die Mönche des Faustus zwang, sich zu verbergen? Wenn man annimmt, es handele sich um die Verfolgung von 496 bei der Thronbesteigung Thrasamunds, so ist der Zeitraum für all die Ereignisse, die nach der Vita den F. zwischen diesem Datum u. seiner Romreise i.J. 500 beschäftigen, zu kurz. So wird man wohl zugeben müssen, daß es mindestens eine Verfolgung unter Gunthamund (484/96) gegeben hat. Es müßte sich dann um diejenige handeln, auf die Prokop (b. Vand. 1, 8, 7 [1, 346 Haury]) anspielt, wenn Prokop mit dieser Nachricht auch fast allein steht (vgl. Gelas. ep. ad Dard. 95, 63 v. 1. Febr. 496 [CSEL 35, 1, 391, 14] u. den Kommentar

von P. Courcelle: RevBelgePhilHist 31 [1953] 34 u. Anm. 5). Wenn es sich aber um die des Jahres 484 handelte, wäre F. im Alter von erst 16 Jahren ins Kloster eingetreten, nachdem er zuvor bereits das Amt des Prokurators versehen hätte, in einem Alter, in dem er kaum dazu in der Lage gewesen sein dürfte. Courtois 100 kann die Verfolgung des Jahres 484 ins Auge fassen, indem er als Geburtsjahr für F. 462 annimmt; jedoch scheint er den Artikel von Delehaye nicht zu kennen. – Die Vita des F., die weitgehend als geschichtlich zu werten ist, erlaubt drei Schlüsse: 1) Die Familie des F. u. F. selbst scheinen das besondere Wohlwollen des vandalischen Königshauses genossen zu haben. Sein Vater u. sein Onkel erhielten nach dem Exil einen Teil ihrer Güter zurück, der junge F. wurde Prokurator, der arianische Bischof bot ihm Genugtuung für die Übel an, die ihm der arianische Priester Felix zugefügt hatte. Thrasamund rief F. aus dem Exil zurück, um sich von ihm im katholischen Glauben unterweisen zu lassen. Dieses beständige Wohlwollen hat bisher keine Erklärung gefunden. 2) F. wird von seinem Biographen wiederholt als Gelehrter hingestellt. Ferrandus will augenscheinlich seine Vertrautheit mit Schrift u. Theologie hervorheben. Nichts verbietet indes, auch an profane Kenntnisse zu denken. 3) Wie Augustinus hört auch F. als Bischof nicht auf, ein mönchisches Leben zu führen. Nach Ferrandus entschied sich F. bei der Lektüre von en. in Ps. 36 des Augustinus zu einem Leben der Strenge. Doch soll er auch Joh. Cassianus gelesen haben (wohl die erste Erwähnung dieses Autors in Afrika, wo es zur Vandalenzeit ein Mönchtum cassianischer Herkunft gegeben haben soll; vgl. dazu Gavigan, Vita monastica).

II. Werke. a. Theologische u. moralische Abhandlungen. 1. Ausgaben. Es gibt nunmehr eine ausgezeichnete kritische Ausgabe des F. von J. Fraipont im CCL 91 (1968), die sämtliche vom Herausgeber für echt gehaltenen Werke bringt; sie hat die 1684 in Paris erschienene Ausgabe von L. Mangeant, die mit zahlreichen Druckfehlern in PL 65 abgedruckt ist, beträchtlich verbessert. Die in ihrer Echtheit umstrittenen Schriften hat Fraipont im CCL noch nicht veröffentlicht; ebensowenig einen in Sacris erudiri angekündigten Aufsatz über die handschriftliche Überlieferung. Vordringlich wäre eine Identifikation der für die Mangeant-Ausgabe verwendeten Hss. sowie die Herstellung eines Stemmas nach Prüfung der anderen heute bekannten Hss. (vgl. Lapeyre, Fulgence 257. 285/92). Aber man müßte auch untersuchen, ob die gegenwärtige Klassifizierung der Werke befriedigt, u. eine Datierung der gesammelten Werke vornehmen. Wir können hier nur Antworten auf diese Fragen skizzieren.

2. Datierung. α. Leicht datierbare Schriften. Nur wenige Werke lassen sich leicht datieren, so die Schriften Contra Arianos (CCL 91, 67/94) u. Ad Trasamundum (CCL 91, 97/185), die offenbar aus der Zeit nach der ersten Rückkehr des F. nach Afrika stammen u. auf Bitten des Königs Thrasamund entstanden sind. Freilich kennen wir nicht das genaue Jahr seiner Rückkehr. Im ersten Werk weist er die in 10 Artikeln formulierten arianischen Einwendungen des Thrasamund gegen die Göttlichkeit des Wortes zurück, indem er die katholische Lehre von der Göttlichkeit des Wortes, seiner Zeugung von Ewigkeit her, der zweiten Person der Dreifaltigkeit u. der Wesensgleichheit mit dem Vater darlegt. Die zweite Schrift bemüht sich besonders, die Würde des Sohnes unter folgenden drei Titeln zu verteidigen: De mysterio mediatoris Christi duas naturas in una persona retinentis, De immensitate divinitatis filii dei, De sacramento Dominicae passionis. Auch die Korrespondenz des F. u. der afrikanischen Bischöfe, die mit den skythischen Mönchen verbannt waren (ep. 16/7 [CCL 91, 551/615]), ist datierbar. Diese Mönche waren vielleicht Goten; einer von ihnen, Leontius, rühmte sich seiner Verwandtschaft mit dem magister militum Vitalianus (vgl. J. Zeiller, Les origines chrétiennes dans les provinces danubiennes de l'empire romain [Paris 1918 bzw. Roma 1967] 383). Unter ihren Landsleuten muß man von der vorhergehenden Generation vielleicht Joh. Cassianus erwähnen (,Cassianus natione Scytha': Gennad. vir. ill. 62 [82 Richardson]) u., aus ihrer eigenen Zeit, Dionysius Exiguus, von dem ein Brief an seine Brüder Johannes Maxentius u. Leontius erhalten ist. Dionys schickte ihnen die lat. Übersetzung zweier Briefe des Cyrill v. Alexandrien an den Bischof Successus v. Diocaesarea in Isauria u. versprach ihnen noch andere Übersetzungen. Diese Einzelheit scheint zu zeigen, daß die skythischen Mönche mit der lateinischen Sprache vertrauter waren als mit der griechischen (vgl. Schanz-Hosius-Krüger 590). Im J. 519, als der Friede zwischen dem Orient u.

dem Papsttum wiederhergestellt war, schickte der Papst von Rom aus Legaten mit der Formel, die der Patriarch von Kpel u. die orientalischen Bischöfe unterzeichnen sollten. Die skythischen Mönche forderten, daß die Formel ,Unus de Trinitate passus est in carne' gutgeheißen werde. Es ist hier nicht möglich, auf alle, zT. unklaren Einzelheiten des Hin u. Her der Verhandlungen einzugehen; festgehalten sei nur, daß die skythischen Mönche zur Verteidigung ihrer Sache Boten nach Rom sandten. Diese wandten sich auch an die im sardin. Exil lebenden afrikanischen Bischöfe in einem Brief des Diakons Petrus, der von den Mönchen Johannes u. Leontius u. dem Lector Johannes gegengezeichnet war (ep. 16). Deutlich werden in ihre Beratungen über die Christologie die Gnadenfrage u. die Lehren des Faustus von Riez mit hineingetragen, wohl unter dem Einfluß des Joh. Cassianus, der in seiner Schrift De incarnatione Domini contra Nestorium (CSEL 17, 235/391) den pelagianischen Ursprung der nestorianischen Häresie festgestellt hatte. Im Pelagianismus sah er eine christologische Irrlehre (vgl. bes. ep. 16, 5 [CCL 91, 552f]), worin er mit Prosper v. Aquitanien u. selbst mit Augustinus (vgl. J. Plagnieux: RevÉtAug 2 [1956] 391/402) übereinstimmte. Im Auftrag der Afrikaner bestätigte F. die Lehre der skythischen Mönche in einem Brief, der in Wahrheit einen Traktat über die Inkarnation u. die Gnade darstellt (ep. 17). – Schließlich kann man die 7 Bücher der (verlorenen) Schrift Contra Faustum (Faustus v. Riez) datieren. Die Vita bemerkt, daß F. kaum die Abfassung dieser Schrift beendet hatte, als Thrasamund starb (iJ. 523). Ferner wird ihre Abfassung in der Vita offenbar mit den Geschehnissen um die skythischen Mönche in Verbindung gebracht, da es dort über die Bücher des Faustus heißt: Constantinopoli offensis plurimis fratribus ... (PL 65, 145 A). Anhaltspunkte für eine Datierung bietet auch der Brief an den Comes Reginus (ep. 18 [CCL 91, 619/24]): dieser hatte den F. nicht nur nach der Lehre der kath. Kirche über die Unverweslichkeit des Leibes Christi befragt, sondern auch nach einer Lebensregel für einen militärischen Befehlshaber. Die Antwort des F. behandelt nur die erste Frage; doch wissen wir, daß die zweite Frage dem Reginus durch Ferrandus anstelle des inzwischen verstorbenen F. beantwortet wurde (PL 67, 928/50).

β. Werke aus dem ersten Exil. Die Vita teilt

das literarische Werk des F. in vier Gruppen,
die jede für sich einem Lebensabschnitt des
F. entsprechen: Erstes Exil, erste Rückkehr,
zweites Exil, zweite Rückkehr. Freilich sind
die Angaben hinsichtlich des ersten Exils unklar. F. wird als Sprecher der verbannten
Bischöfe in theologischen Fragen vorgestellt.
Die Vita fügt hinzu: episcoporum cunctorum
nomina dicebantur in titulo, sed solius beati
Fulgentii sermo tenebatur in stylo (PL 65,
138 B). Nun gehören die zwei Briefe, auf
welche diese Beschreibung zutrifft, offensichtlich nicht in das erste Exil (ep. 15 u. 17;
zu 17 vgl. o. Sp. 644). Daher schenkte niemand dieser Angabe der Vita Glauben u. die
Kritiker haben kein einziges Werk in die
Zeit der ersten Verbannung datiert. Die
Traktate, von denen die Vita in diesem Zusammenhang spricht, sind als verloren anzusehen: ‚An einen Bischof, der seine Herde
ermahnen wollte‘, ‚Gegen einen Kleriker, der
seinem Bischof Widerstand leistete‘.

γ. Werke aus der Zeit der ersten Rückkehr
nach Karthago. Die Vita stellt den Schriften
Contra Arianos u. Ad Thrasamundum, die
keine Schwierigkeiten machen (s. o. Sp. 643),
die Schriften Adversus Pintam u. De Spiritu
Sancto an die Seite. Man hat die Echtheit der
Schrift Adversus Pintam (PL 65, 707/20), die
von L. Mangeant, P. F. Chifflet (Dijon 1649) folgend, veröffentlicht wurde, in Zweifel gezogen.
Eine der beiden Hss. erwähnt den Namen des F.
nicht. Aber wie steht es mit der anderen, die
noch nicht identifiziert ist? Der Autor soll
schlecht Griechisch verstanden haben: sicher
ist das jedoch nicht. Schließlich handelte es
sich kaum um einen Traktat, sondern um eine
Zusammenstellung von Schrifttexten, die als
Waffe im Kampf gegen die Arianer bestimmt
war. Das Werk endet mit einem Credo, dessen
ganze erste Seite ein wörtliches Zitat aus
Basilius hom. 6 in der Übersetzung des
Rufinus ist. – Anders liegt das Problem in
der Schrift De Spiritu Sancto. Man sieht
zwei Sätze, die in einer Hs. aus dem 11. Jh.
zitiert werden, als authentisch an (vgl. A.
Mai, Script. vet. nova coll. 7, 1 [Roma 1833]
251). Im Gegensatz dazu wird der Text, den
A. Souter (JournTheolStud 14 [1913] 482f)
publiziert hat, heute als Teil eines Traktates
des Pelagius angesehen. Die Stellen, die in
der Ausgabe vJ. 1684 nach Ratramnus zitiert werden (663), verweisen in der Tat auf
die ep. 14 des F. Hingegen hat die Hypothese
von P. d'Alès (RechScRel [1932] 304/16), der

die Schrift Adv. Pintam der Schrift De Spiritu Sancto gleichsetzen wollte, kein Echo gefunden.

δ. Werke des zweiten Exils. Die Vita schreibt
dieser Periode einen Brief an die Karthager
zu, ferner zwei Bücher über die Sündenvergebung, die an einen Euthymius gerichtet
waren, eine Schrift De praedestinatione, Privatbriefe, zwei kleine Werke an Proba über
das Fasten u. über das Gebet u. sieben Bücher
gegen Faustus (über letztere s. o. Sp. 644).
Die Schrift Ad Euthymium wirft keine Probleme auf: sie ist erhalten. Bei der Erwähnung
der Privatbriefe kann man noch ep. 1/7 (CCL
91, 189/254) erwähnen. Der erste Brief, der
vielleicht an einen gewissen Optatus gerichtet
war, handelt De coniugali debito et voto
continentiae a coniugibus emisso; der zweite
an eine röm. Aristokratin namens Galla ist
ein Trostbrief für den Verlust ihres Mannes u.
ein Traktat über die Aufgaben der Witwen;
der dritte ist an die Jungfrau Proba aus der
großen Familie der Anicii gerichtet u. hat die
Überschrift De virginitate atque humilitate.
Ein zweiter Brief an die gleiche Adressatin
behandelt De oratione ad Deum et compunc-
tione cordis (ep. 4); der fünfte, an Eugippius,
den Autor der Vita Severini sowie der Ex-
zerpte des Augustinus, die zweifellos an eben-
dieselbe Proba gerichtet sind, ist als ein langer Hymnus auf die Caritas bezeichnet worden (Lapeyre, Fulgence 237); der sechste
Brief, an den Senator Theodorus, trägt den
Titel De conversione a saeculo; der siebte
schließlich, an eine junge Frau namens
Venantia, handelt von der Buße. – Nun ist
es allerdings zweifelhaft, ob jemals zwei
Werke über das Fasten u. das Gebet existiert
haben; man nimmt besser an, Ferrandus habe
aus der Ankündigung eines Traktats De oratione et ieiunio (ep. 2, 31 [CCL 91, 208]) geschlossen, daß F. diesen Traktat tatsächlich
geschrieben hat. Ferrandus war nicht in allem
gut über F. unterrichtet. Man hat zeigen
können, daß sich Ferrandus in der Erzählung
über die Bekehrung des F. (PL 65, 120f) sehr
eng an Aug. conf. 8, 5, 12, 1 u. 8, 6, 15, 1
anlehnt, um so die Wende eines der Welt
verhafteten Menschen zum asketischen Le-
bensideal darzustellen (vgl. Courcelle, Confessions 221/4). Einen weiteren Beleg liefert
der Bericht über die Aufnahme des F. ins
Kloster (vgl. zB. was Joh. Cassianus den Abt
Pinufius instit. 4, 43 [SC 109, 184] sagen
läßt). – Der Brief an die Karthager ist wahr-

scheinlich verloren, es sei denn, man identifiziert ihn mit dem Psalmus abecedarius, der in einer Leidener Hs. (1. H. 10. Jh.) unmittelbar auf den Psalmus abecedarius des Augustinus gegen die Donatisten folgt. Letzterer hat offenbar dem Psalm des F. gegen die Arianer als Vorbild gedient (vgl. Lambot 221/34). Courcelle, Histoire 198 hat eine genaue Datierung dieses Psalms vorgeschlagen, nämlich die Abreise des F. in sein zweites Exil. – Für dieses Exil ist außerdem noch ein Werk De praedestinatione zu erwähnen. Die Schrift ist entweder mit dem Werk Ad Monimum oder den drei Büchern Ad Joannem et Venerium identisch. Lapeyre, Fulgence 328 scheint mit seiner Entscheidung für Ad Monimum Recht zu haben, wenn diese Schrift auch nur in ihrem ersten Buch die Präzisierung der augustinischen Lehre von der Prädestination zum Thema hat, während die beiden anderen Bücher gegen die Arianer gerichtet sind. In der Tat ist die Schrift Ad Monimum sicher später als die erste Rückkehr des F. nach Karthago. Im Vorwort berichtet er nämlich, während dieses Aufenthalts habe ihn ein Häretiker als Photinianer behandeln u. in Widerspruch mit Hieronymus u. Augustinus verwickeln wollen (CCL 91, 2). Andererseits gibt die Vita an, daß die Schrift De praedestinatione aus dem zweiten Exil einen einzigen Adressaten hatte: testimonia quoque praedestinationis et gratiae differentias cupientem nosse ... (PL 65, 144 D). F. sagt schließlich, daß er eine Kopie der Schrift Ad Monimum an Eugippius geschickt habe (ep. 5, 12 [CCL 91, 239]). – Aus dem zweiten Exil datieren auch zwei (verlorene) Briefe Ad Stephaniam gegen die Pelagier u. Donatisten. Sie sind in der Schrift Contra sermonem Fastidiosi erwähnt (cap. 10 [CCL 91, 296]).

ε. Werke aus der Zeit der zweiten Rückkehr. Die letzte Erwähnung von Werken des F. in der Vita (PL 65, 148 B/C) gestattet, die zehn Bücher Contra Fabianum, von denen nur Fragmente erhalten sind, zu datieren. Es handelt sich um einen Traktat über die Trinität u. die Inkarnation. Das sog. Symbolum des F., das im Cod. Lat. 13208 der Bibl. Nat. in Paris enthalten ist, ist eine Zusammenfassung des 10. Buches dieser Schrift (vgl. F. Kattenbusch, Das apostolische Symbol 1 [1894] 211). – Die Vita spricht auch von einer Schrift De veritate praedestinationis et gratia in drei Büchern: es muß sich hier um die drei Bücher an Johannes u. Venerius handeln

(CCL 91, 458/548). Ein dritter Traktat, der den gleichen Titel trägt u. von Mangeant ediert wurde (vgl. PL 65, 843/54), ist sicher nicht von F.: die dort formulierte Lehre ist nicht die des F., sondern die eines Semipelagianers. Der Traktat an Johannes u. Venerius wird zusammen mit der Schrift Contra Faustum im 15. Brief der afrikanischen Bischöfe an jene beiden Adressaten zitiert (ep. 15, 19 [CCL 91, 456]). Nun ist dieser Brief, wenn die Erwähnung beatae memoriae des Papstes Hormisdas nicht von einem Abschreiber hinzugefügt worden ist, nach 523 verfaßt. Der Traktat u. der Brief (De gratia Dei et humano arbitrio) wären also in geringem Abstand voneinander nach der Rückkehr der verbannten Bischöfe entstanden; denn beide Werke sind mit der Schrift Contra Faustum zu verbinden, die wenig vor 523 zu datieren ist. Ob jedoch Traktat u. Brief zu den skythischen Mönchen in eine Beziehung zu bringen sind u. Johannes mit dem Mönch Johannes Maxentius gleichzusetzen ist, bleibt fraglich. Es gibt keine Spur eines Venerius unter den skythischen Mönchen, die freilich nicht alle namentlich erwähnt sind. Johannes, im Traktat als Presbyter bezeichnet, wird in dem Brief Presbyter u. Archimandrit genannt, trägt also einen orientalischen Titel. Die Schrift Contra Faustum wird, wie bereits gesagt, in der Vita als Antwort auf die Fragen der erregten Mönche von Kpel bezeichnet. Sind die Ratsuchenden nicht die skythischen Mönche, so muß es sich um eine von orientalischen Christen erbetene Stellungnahme handeln. – In seinem ersten Brief an Ferrandus handelt F. von den Themen Trinität, Göttlichkeit Jesu, Seele Jesu, Heiliger Geist, Kelch u. Letztes Abendmahl; im zweiten Brief antwortet F. auf die Frage: kann ein äthiopischer Katechumene, der die Taufe ohne Bewußtsein vor seinem Tode erhielt, gerettet werden? – Der Traktat Contra sermonem Fastidiosi ist eine Antwort an einen Freund des F. namens Victor auf die Einwände, die der Arianer Fastidiosus gegen die Katholiken erhob; es handelt sich hier also nochmals um einen Traktat über die Inkarnation u. die Trinität. – Die Schrift De fide ad Petrum setzt sich aus zwei Teilen zusammen: der erste (cap. 1/3 [CCL 91, 711/44]) legt die katholische Lehre über Trinität, Inkarnation, Erschaffung der Engel u. Menschen, Sündenfall, Erlösung, Sakramente, Taufe, Buße, Ehe u. Jungfräulichkeit dar.

Der zweite (cap. 4/43 [744/60]) besteht aus 40 Glaubensartikeln, die alle mit der Formel beginnen: Firmissime tene et nullatenus dubites. Ein 44. Kap. (760) dient als Abschluß. Kap. 45 der Editionen Chifflet u. Mangeant (PL 65, 706/8) findet sich in den Hss. nicht; es zeigt nur wenige Beziehungen zum übrigen Werk u. dürfte unecht sein. Die Verfasserschaft des F. für den gesamten Traktat ist umstritten. In der Hs. Augiensis 18 wird er freilich F. zugewiesen: Fulgentii sermo excerptus de epistula ad Faustinum (vgl. A. Holder, Die Reichenauer Handschriften 1 [1906] 64). Man hielt das ganze Werk lange Zeit für eine Arbeit des Augustinus (PL 40). Dieser Traktat ist aber tatsächlich von F.; er wird von Ferrandus bei F. ep. 13, 3 (CCL 91, 386) u. von Isidor. vir. ill. 26 (PL 83, 1097 B) genannt. Folgt man den Autoren des MA, die ihn zitieren, müßte es zwei Hss. geben, von denen die eine das Werk dem F., die andere dem Augustinus zuschreibt (s. u. Sp. 653). Ob der Adressat des Traktats, der Diakon Petrus, der Wortführer der skythischen Mönche ist, bleibt offen. F. nennt ihn zwar weder frater noch condiaconus, sondern filius; doch genügt dieses Argument nicht, die Frage der Identität zu entscheiden. F. sagt, daß Petrus im Begriff sei, nach Jerusalem abzureisen; diese Angabe könnte sich auf die Rückkehr der skythischen Mönche beziehen. – In die Zeit der Rückkehr nach Afrika muß endlich ein Brief Ad Joannem Tharsensem episcopum fallen, der von Ferrandus erwähnt wird (ep. 13, 3 [CCL 91, 386]). Man hat 'Tharsensem' in 'Thapsensem' verbessern wollen. Da der Brief verloren ist, dürfte es schwer sein, Genaueres über den Adressaten auszusagen. Tharsensem wäre jedenfalls nicht unmöglich.

ζ. Undatierbare Werke. Die Schrift De Trinitate ad Felicem notarium, die in der Vita nicht genannt wird, aber dennoch eine wichtige Abhandlung ist, wird von Isidor. vir. ill. 26 (PL 83, 1097 B) zitiert. Der Name Felix ist nichtssagend: wenn aber der König Thrasamund einen notarius hatte, könnte man an den (anonymen) Boten denken, der dem F. das zweite Buch des Thrasamund brachte (ad Thrasam. 1, 1 [CCL 91, 97]), was uns vielleicht in die zweite Periode wiese. – Eine Schrift De incarnatione filii Dei et vilium animalium auctore, eine Antwort auf den Brief des Scarilas (ep. 10 [CCL 91, 311 f]), ist genausowenig datierbar wie die Schrift

De fide orthodoxa et diversis erroribus haereticorum ad Donatum (ep. 8 [CCL 91, 257/73]).

b. Predigten. Die Situation ist paradox: einerseits feiern die Alten das Predigertalent des F., andererseits soll es nur eine geringe Anzahl erhaltener Predigten geben. Der Biograph des F., Ferrandus, schreibt dazu: Catholicae ecclesiae singularis magister et doctor, licet inter varias occupationes hic in Africa parum vacaret, plurimos tamen ecclesiasticos sermones, quos in populis diceret, scribendos dictavit (PL 65, 148 B). Isidor. vir. ill. 27 (PL 83, 1098 A), dessen Bemerkung nicht von der Vita abhängt, schreibt: inter haec (sc. opera) composuit multos tractatus, quibus sacerdotes in ecclesiis uterentur. Die Wörter sermones, tractatus sind ohne Zweifel Synonyme: es handelt sich um die Predigten des F., der zusammen mit Victor v. Cartenna einer der großen Prediger des vandalischen Afrika ist. Nach der Ausgabe von Mangeant werden zehn Predigten dem F. zugeschrieben (PL 65, 719/50), sowie zwei weitere, die von L. Holste entdeckt wurden (ebd. 833/42). Leclercq, Deux sermons erkennt davon nur acht an: die Predigten 1/6 von Mangeant, die erste Predigt bei Holste u. eine Predigt, die von A. Mai, Nova Patrum Bibliotheca 1 (Roma 1852) 497/9 publiziert wurde. Bei sechs anderen hält er Zuweisung an F. nur für wahrscheinlich (die Predigten 7/10 bei Mangeant, eine von A. Caillau [CCL 91, 945/59] u. die zweite Predigt von Holste). L. Kozelka, F. v. Ruspe, Ausgew. Schriften = BKV 2, 9 (1934) schreibt dem F. nur die Predigten 1/5 Mangeant u. die Predigt von Mai zu, während die anderen als dubia angesehen werden u. die Predigt 9 Mangeant sogar als von Augustinus stammend. Leclercq hat noch zwei neue Predigten des F. entdeckt (aO.), u. Dekkers stimmt ihm in dieser Identifizierung zu (vgl. Clavis PL nr. 828/42). Fraipont schließlich hält nur 8 Predigten des F. für echt (CCL 91, 889/942), die Predigten 1/5 u. 10 Mangeant, die von Mai veröffentlichte Predigt u. die erste der beiden Predigten, die Leclercq herausgegeben hat. Dies zeigt, daß die Kriterien für die Echtheit ziemlich schwankend sind. Im ganzen handelt es sich immer um ungefähr 10 Predigten. Wir sind weit entfernt von den 'plurimi sermones' des Ferrandus u. den 'multi tractatus' des Isidor. Andererseits gibt es eine Menge von Predigten, die sicher afrikanisch u. spät sind u.

noch der Identifizierung harren. Ihre Anzahl muß zwischen 400 u. 500 Stück liegen. Vielleicht finden sich unter ihnen einige echte Sermones des F. Vor allem in der Sammlung von 80 Predigten, die nach Th. Raynaud durch eine angeblich von F. stammende praefatio eingeleitet wird (Heptas praesulum [Lyon 1633]; Text in PL 65, 855/954), könnten Predigten des F. verborgen sein.

c. Dichtungen. Bis zur Entdeckung des Psalmus abecedarius besaß man kein poetisches Werk, das sicher dem F. gehörte. Eine Pariser Hs. aus dem 10. Jh. (nr. 7533) enthält ein astronomisches Gedicht, das zuweilen dem F. zugeschrieben wurde (Epigrammata et poemata vetera [Paris 1590] 402/4). Freilich ist es auch unter den Werken Isidors überliefert. Die Archive des Bistums Cagliari bewahren ca. 100 leoninische Verse über den hl. Saturninus auf, die von der Lokaltradition dem F. zugewiesen werden, freilich ohne ausdrückliches Zeugnis der Hs. In einigen Hss. folgt auf den Traktat Ad Thrasamundum ein Gedicht über die Trinität. Ob es sich dabei um eine Arbeit des F. handelt, ist gleichfalls umstritten (Lapeyre, Fulgence 258/9).

d. Die Theologie des F. Es ist üblich, in F. einen treuen Schüler des Augustinus zu sehen. Dennoch ist er kein einfacher Kompilator, sondern ein durchaus selbständiger Geist. Auch schöpft er nicht nur aus Augustinus, sondern ebenso aus Tertullian u. a. So besitzt man zB. ein wichtiges Zeugnis seiner Bekanntschaft mit Hilarius v. Poitiers: In der Hs. von De trinitate des Hilarius bemerkt ein Korrektor, daß jener sich im 14. Jahr der Regierung Thrasamunds in Cagliari auf Sardinien aufgehalten habe (509/10). Man hat vermutet, daß die Sammlung für F. zusammengestellt wurde, der zu dieser Zeit im Exil lebte, besonders für den Kampf gegen den Arianismus (vgl. A. Wilmart: Classical and mediaeval studies in honour of E. K. Rand [New York 1938] 293/305). – Zwei wesentliche Fragen wurden von F. behandelt: einerseits das Geheimnis der Trinität u. der Inkarnation, andererseits das Problem der Gnade u. der Prädestination. F. wird zunächst durch die arianischen Barbaren dazu gebracht, die Lehre der Kirche über die Trinität darzulegen. Er bemüht sich zu beweisen, daß der Sohn Gott ist wie der Vater, daß er gezeugt u. nicht geschaffen wurde, daß er dem Vater wesensgleich u. allmächtig, ewig, unendlich, ihm gleich in allem ist, daß der

Hl. Geist ebenso Gott ist wie der Vater u. der Sohn u. daß er mit diesen u. wie diese die Allmacht, die Ewigkeit u. die Unendlichkeit besitzt. Er lehrt auch mit seinem Lehrer Augustinus, daß der Hl. Geist weder aus dem Vater allein noch aus dem Sohn allein hervorgeht, sondern de utroque (Contra Fabianum 27 [CCL 91, 805f]). – In den orientalischen Streitigkeiten muß dann F. die Lehre der Kirche von Natur u. Person erklären. Drei Personen (personae) in einer einzigen Natur (natura, essentia oder substantia), das ist die Trinität; zwei Naturen (naturae) in einer einzigen Person (persona), das ist Jesus Christus. Man stellt bei F. fest, daß er das Wort natura bevorzugt, das bei Augustinus nicht mit so großer Regelmäßigkeit benutzt wird. – Nisters bemerkte hier eine Entwicklung. In den Schriften der ersten Art (Contra Arianos, Ad Thrasamundum) gibt es Züge, die sie deutlich von den späteren Werken unterscheiden: Bevorzugung antiochenisch gefärbter Ausdrücke, die später verschwinden werden (zB. assumptio oder acceptio hominis), das Fehlen von Anspielungen auf die christologischen Kontroversen, die aus dem Nestorianismus oder dem Monophysitismus hervorgingen. In der Frage über das Wissen Christi ist gleichfalls eine Entwicklung festzustellen: zu Beginn scheint F. mit den Antiochenern die Position eines gewissen Nichtwissens Christi einzunehmen, später verzichtet er gänzlich darauf. Man hat auch bemerkt, bis zu welchem Grad das Denken des F. schon dem scholastischen nahe war; vgl. die Arbeiten von Grillmeier. – In der Gnaden- u. Prädestinationsfrage ist F. sicher nicht Fatalist: In seiner Schrift Ad Monimum weist er den Gedanken einer Vorherbestimmung zum Bösen zurück, teilt aber den Pessimismus des Augustinus, was die völlige Verderbnis der gefallenen Natur, der absoluten Ohnmacht des Menschen ohne die Gnade betrifft. Er scheute sich nicht, einen Satz wie diesen zu schreiben: Firmissime tene et nullatenus dubites non solum homines iam ratione utentes, verum etiam parvulos, qui sive in uteris matrum vivere incipiunt et ibi moriuntur, sive iam de matribus nati sine sacramento sancti baptismatis … de hoc saeculo transeunt, ignis aeterni sempiterno supplicio puniendos (fid. ad Petr. 70 [CCL 91, 753]).

III. Zusammenfassung. Das Leben des F. weckt Bewunderung durch seine Askese, durch seine Kämpfe, durch seine Festigkeit. Sein Werk ist nicht weniger bewundernswert wegen der Klarheit, mit der er die ihm vorliegenden Probleme zu lösen wußte. Sein Biograph wird nicht müde, seine schriftstellerischen u. theologischen Fähigkeiten zu loben. Seine Tätigkeit geht über die Grenzen Afrikas hinaus nicht nur durch das monastische Leben, das er in Sardinien geführt, sondern auch durch den Rat, den er weithin erteilt hat. Sein Einfluß erlischt nicht mit dem Ende der Antike. Vielmehr werden seine schon an die Scholastik gemahnenden theologischen Formeln im MA wieder aufgenommen. Zweifellos erschiene sein literarisches Genie vielfältiger u. zugleich besser in seinem Lande verankert, wenn man ihm einige der Predigten, die jetzt als anonym gelten, zuschreiben könnte.

C. Problem der Existenz zweier F. I. Irrtümer der Hss. Gegen die Annahme der Identität der beiden zuvor besprochenen Personen könnte man geltend machen, daß die Werke eines unbekannten F., eines Dichters, Grammatikers u. Mythographen, der derselben Epoche u. dem gleichen Lande wie der Bischof angehört, in der Folgezeit leicht diesem zugewiesen werden konnten, da nur er bekannt geblieben ist. Dieser Einwand ist statthaft. Eine derartige Verwirrung ist nicht selten. Beispielsweise verwechselte Augustinus Cyprian von Antiochien mit Cyprian von Karthago (vgl. H. Delehaye: AnalBoll 39 [1921] 314/32). Aber der Einwand ist nicht entscheidend, weil das MA nicht bestrebt war, den literarischen Nachlaß des Bischofs F. zu vergrößern, sondern ihn zugunsten des Augustinus verringert hat. Das Werk De fide ad Petrum, das Ferrandus ep. 13, 3 (CCL 91, 386) unter den Schriften des Bischofs von Ruspe aufführt (vgl. Isidor. vir. ill. 26 [PL 83, 1097]), weist Ratramnus von Corbie (PL 121, 165f) noch ausdrücklich F. zu, während Remigius von Lyon zwischen F. u. Augustinus schwankt (PL 121, 1000 C): er muß demnach zwei Hss. vor sich gehabt haben, von denen die eine das Werk F., die andere Augustinus zuwies. Yvo von Chartres kennt nur noch Augustinus als Autor (PL 161, 67).

II. Schweigen der antiken Biographen. Weder Ferrandus in der Vita noch Isidor. vir. ill. erwähnen Werke weltlichen Inhaltes des F. Man darf nicht mit R. Klotz: NeueJbb 43 (1845) 74 darauf hinweisen, daß Isidor. vir.

ill. 27 von weltlichen Werken des Bischofs spricht, wenn er sagt: plura quoque feruntur eius ingenii monumenta, ohne das Wort fidei hinzuzusetzen. Vielmehr ist zu bedenken, daß das Schweigen der antiken Überlieferung dem Gesetz der Gattung entspricht. In der Vita werden auch nicht alle theologischen u. moralischen Werke des F. aufgeführt. Bei Ferrandus (PL 65, 148 C) liest man den zusammenfassenden Satz: aliaque multa digessit, quae, si quis scire voluerit, in eius monasterio veraciter scripta reperiet. Ferner bemerkt man in der Liste des Biographen, daß sein Briefwechsel mit F. unerwähnt bleibt, daß der Brief des F. an den Comes Reginus u. die Schriften Contra sermonem Fastidiosi u. De fide ad Petrum fehlen, also Werke, die zusammen mit der Vita des F. genau die kleine Schriftensammlung ergeben, die sich in den Hss. Paris. 1796 (8. Jh.) u. Vat. 641 (11. Jh.) findet. Wenn man beachtet, daß Ferrandus in seinem Brief an F. (F. ep. 13, 3 [CCL 91, 386]) die Schrift De fide ad Petrum besonders für F. beansprucht u. daß die Vita des F. einmütig Ferrandus zugewiesen wird, so kann man annehmen, daß dieses kleine Corpus auf Ferrandus selbst zurückgeht u. daß Ferrandus selbst in der Vita mit den Worten ‚aliaque multa‘ auf ebendieses Corpus hinweist: die Hss. bewahren ja öfter als man glaubt den ursprünglichen Zustand der Dinge.

III. Zeugnisse des MA. Diesem Schweigen des Altertums, das nicht ein Absprechen der Verfasserschaft bedeutet, stehen zwei Zeugnisse des MA gegenüber, die die Identität beider Schriftsteller bezeugen. Prudentius v. Troyes schreibt an Joh. Scotus (PL 115, 1310): ‚Wenn du nicht weißt oder leugnest, daß F. die attische Sprache gekannt hat, lies seine Bücher, die Mitologiae bzw. Virgiliana continentia betitelt sind, u. du wirst sehen, daß er in dieser Sprache sehr bewandert war‘. Ferner das Zeugnis des Sigebert von Gembloux (script. eccl. 28 [PL 160, 553f]): er nennt F. einen Mann, der in der griech. u. lat. Sprache berühmt sei. In beiden Wissenschaften, der theologischen u. der profanen, habe er zahlreiche Werke hinterlassen. Dann zählt er nebeneinander die Schriften des Bischofs u. des Mythographen auf. Für Sigebert sind demnach die beiden Schriftsteller identisch, nämlich der Bischof F. – Man kann natürlich diese Nachrichten insgesamt als Erfindungen von Autoren des MA verwerfen, denen eine solche Erfindung durchaus zuzutrauen wäre.

Es bleibt aber zu bemerken, daß die Erwähnung des Sigebert keineswegs von der des Isidor abhängt, anders als später Honorius v. Autun (PL 172, 223), der nur einen Auszug aus Isidor bietet. Merkwürdigerweise hält sich Lersch nur an den einen Satz des Sigebert: Quod is est ipse F., qui tres libros Mythologiarum scripsit . . ., dessen Anfang er grundlos wie folgt verbessern will: Quod si est . . . . Allerdings ist die Wendung nicht ganz klar; quod muß hier jedoch kausalen Sinn haben. In jedem Fall, selbst mit dieser Korrektur, könnte man höchstens sagen, Sigebert habe bezweifelt, daß die Mitologiae von F. stammen. Der Zweifel bezieht sich nicht auf die Virgiliana continentia. Wir hatten aber zuvor die Identität des Verfassers beider Werke zu beweisen versucht, die in den Hss. fast immer zusammen überliefert sind. Im MA wurde demnach die Identität des Mythographen mit dem Bischof angenommen, was unseres Erachtens seinen Grund nicht in einer neuen Stellungnahme zu dieser Frage hat, sondern in der Entwicklung, die die Vorstellungen von der weltlichen Kultur u. der Mythologie seit Anfang des MA genommen haben (s. u. Sp. 657). – Noch auf ein anderes bemerkenswertes Zeugnis für die Verschmelzung der beiden F. sei verwiesen: Paschasius Radbertus, expos. in Mt. 3 praef. (MG Ep. 6, 142f = PL 120, 181; weitere Zeugnisse bei Laistner). Ohne F. zu nennen, spielt er augenscheinlich in polemischem Sinne auf ihn an, wie verschiedene wörtliche Übereinstimmungen zwischen seinem Text u. den Mitologiae beweisen (vgl. bes. die Erwähnung des Scipio dormiens bei Paschasius ebd. u. F. mitol. 4, 4f). Zweimal weist Paschasius Radbertus auf F. mit dem Ausdruck quidam nostrorum hin: er betrachtet F. als Christen, mag er sich auch noch so sehr dem Unternehmen des F. entgegenstellen, die Aeneis zu kommentieren, u. er weiß wohl, daß solche Kommentierungen von Christen in bester Absicht versucht worden sind.

IV. Tituli der Hss. Der Thebais-Kommentar ist in der einzigen erhaltenen Hs. ausdrücklich dem Bischof F. zugeschrieben. De aetatibus mundi ist unter dem Namen Fabius (oder Flavius) Claudius Gordianus F. überliefert; die Mehrzahl der Hss. fügt diesem Namen ,vir clarissimus' bei. Nun hieß der Vater des Bischofs F. Claudius u. sein Großvater Gordianus. Die anderen drei Werke, der Aeneis-Kommentar, die Mitologiae u. das

Glossar, sind mit der Verfasserangabe Fabius Planciades F., vir clarissimus überliefert. Man beachte, daß die Namen Fabius u. F. wieder erscheinen, die auch im Text selbst bezeugt sind (10, 11; 12, 22; 14, 21 Helm). Diese Übereinstimmung der Namen u. ihre offensichtliche Beziehung zur Familie des Bischofs F. bilden, wenn sie auch angefochten wurden, eine sichere Grundlage. Wenn Jungmann auf die unterschiedliche Benennung des Autors als Claudius Gordianus oder als Planciades hinwies, so darf man nicht außer acht lassen, daß das Wort Planciades ohnehin rätselhaft ist. Es gibt keine Parallele dafür, u. das Derivativ von Plancus wäre Plancianus; letzteres ist belegt. Man muß zweifellos eine Verfälschung durch die Abschreiber annehmen.

V. Angebliche Unvereinbarkeit der Schriften des Mythographen u. des Theologen. Zweifel an der Identität der beiden F. wurden im 17. Jh. laut, als man glaubte, ein so ernster Schriftsteller wie der Bischof von Ruspe käme nicht als Verfasser so wertloser Schriften in Frage. Dies war auch noch eines der Hauptargumente Lapeyres. Doch wird hierbei die Geisteshaltung der Menschen des 5. Jh. u. ihre Freude an den erstaunlichsten Kunstfertigkeiten verkannt. Bekanntlich entfaltete in jener Zeit häufig derselbe Autor neben seiner religiösen auch eine profane, bisweilen sogar sehr freizügige literarische Aktivität. Neben Boethius kann man Ennodius, den Bischof von Pavia, anführen, der an Schulübungen, die den alten controversiae ganz ähnlich waren, Gefallen hatte u. den die Bewunderung der Klassiker so weit trieb, in einigen Epigrammen die Freizügigkeit Martials nachzuahmen. – Das Problem des Verhältnisses zwischen der christlichen Religion u. der klassischen Kultur ist nicht einfach u. erschöpft sich nicht in einer Ablehnung der letzteren durch erstere. Solange es keine christlichen Schulen gab u. auch die christlichen Lehrer nach den von den Heiden aufgestellten Regeln unterrichteten, verurteilte niemand die übliche Erziehung, u. diese schloß die Lektüre heidnischer Dichter beim Grammatiker u. die Kenntnis der heidnischen Mythologie ein. Auch Augustinus erhebt keine Einwände, sondern beschränkt sich darauf zu betonen, daß solche Studien lediglich propädeutischen Wert haben könnten. Er lehnt die allegorisierende Erklärung ab u. kritisiert vor allem die theologia tripartita Varros. Doch er stellt eine Religion der anderen gegenüber, wenn er bemerkt, daß Varro nicht zur Vereinigung mit dem wahren Gott gelange, daß er bei der Vergöttlichung der Weltseele eine Naturwissenschaft an die Stelle der Theologie setze usw. (civ. D. 7, 18). In den Schulmeinungen können die Standpunkte unterschiedlich sein. Übrigens versagt sich auch Augustin nicht, Mythen zu interpretieren; er ist Euhemerist wie Tertullian (ebd.) u. scheint sogar zuzugeben, es sei besser, die Mythen zu interpretieren als die Fabeln des Heidentums mit ihrer Unsittlichkeit anzunehmen (civ. D. 6, 8; 7, 33; conf. 3, 6, 11). Aus der gleichen Sicht wird Isidor behaupten, die Grammatiker seien besser als die Häretiker (sent. 3, 13, 11 [PL 83, 688 A]); bei ihm dürfen stillschweigend die am Anfang eines Kapitels geächteten Dichter später mittelbar unter dem Deckmantel ihrer Scholiasten wieder erscheinen (J. Fontaine, Isidore de Séville et la culture classique dans l'Espagne wisigothique 2 [Paris 1959] 788). Der erzieherische Wert Vergils wird nie geleugnet. F. fügt sich so in eine schon dem MA geläufige Betrachtungsweise ein, denn es scheint, daß die Mythologie umso weniger als einer dem Christentum feindlichen Religion zugehörig empfunden wurde, je weiter die Zeit fortschritt. Statt dessen empfing sie den Nimbus, der alles Alte umgab. In karolingischer Zeit schrieb Bischof Theodulf v. Orléans ein Gedicht über das ‚philosophische' Verständnis der dichterischen Mythen (PL 105, 331f). Selbst Ovid sollte im 12. Jh. wiederkehren (vgl. J. Seznec, La survivance des dieux antiques [London 1939]). – In mönchischer Umgebung, wie jener, in der F. von seiner Bekehrung bis zum Tode lebte, war die Sehweise aber offensichtlich anders. Abgesehen vom berühmten Traum des Hieronymus (ep. 22, 30 [CSEL 54, 189/91]) kennen wir die Klagen Cassians, der beim Gebet durch die Erinnerung an heidnische Dichtungen gestört wurde, die er früher auswendig gelernt hatte (conl. 14, 12 [CSEL 13, 2, 414]). Will man also an der Identität beider F. festhalten, so muß man zweifellos die Abfassung der profanen Schriften vor dem Eintritt ins Kloster ansetzen. Friebel hat selbst erheblich zur Schwächung seiner These von der Einheit beider Autoren beigetragen, indem er die Abfassung von De aetatibus mundi in die Zeit des Mönchtums verlegte. Trotzdem ist es richtig beobachtet, daß die Sprache dieser Schrift verständlicher ist als die der

Mitologiae. Die lange Reihe verwickelter u. komplizierter Perioden wird in ihr durch kleine, gleichmäßige Kurzsätze unterbrochen. Man könnte dieses Werk in die Bedenkzeit des F. vor dem Eintritt ins Kloster setzen u. als eine Art Übergang zwischen den Schriften des Grammatikers u. denen des Bischofs ansehen. Diese Beobachtung führt zu den Stilfragen.

VI. Stilunterschiede. Die F.kontroverse mußte tatsächlich im 19. Jh. wieder aufleben, als Lersch in seiner Ausgabe der Expositio sermonum die Stilunterschiede zwischen den Schriften des Mythographen u. des Bischofs ins Feld führte. Seiner Meinung nach unterscheiden sie sich formal so vollständig, daß auch an eine Entwicklung nicht gedacht werden könne. Friebel, der zuletzt grundsätzlich hierzu Stellung genommen hat, argumentiert mit den Ähnlichkeiten in Syntax, Stil u. Wortschatz, die er in beiden Gruppen von Schriften zu entdecken glaubt. Sein Versuch hat keine positive Aufnahme gefunden. Tatsächlich sind viele Ausdrücke u. Wendungen, die Friebel als den beiden F. eigentümlich ansah, auch von anderen Schriftstellern ihrer Zeit verwendet worden. Er hat also vornehmlich bewiesen, daß der Bischof u. der Mythograph wirklich der gleichen Zeit u. Gegend angehörten. Vergleicht man die Schriften des Mythographen u. die Werke des Bischofs, so muß man den Eindruck Lerschs teilen: der Mythograph gebraucht seltene Wörter u. komplizierte Wendungen, denen gegenüber die Sprache des Bischofs sehr einfach u. schmucklos erscheint. Dort der ganze gekünstelte Stil eines Martianus Capella, ein übersteigerter Apuleius, hier eine schlichte, auch weniger gebildeten Lesern oder Hörern verständliche Sprache. Doch verschiedene Faktoren konnten gemeinsam auch einen umfassenden Wechsel bewirken. Hierzu gehört nicht nur die unterschiedliche Zielsetzung der zahlreichen Werke eines im Grunde fruchtbaren Autors, sondern auch der in der Antike viel stärker in Erscheinung tretende Unterschied der literarischen Gattungen u. schließlich die Lehren, die sich F. im Kloster aneignen konnte, die völlige Bekehrung, die er erlebte u. die ihn auch auf die anspruchsvolle Schreibweise der Grammatikschüler u. der Grammatiker selbst verzichten ließ. Wenn der Bischof übrigens etwas schreiben muß, was Eindruck machen soll, weil der Anlaß, der Adressat oder die literarische Gattung es erfordern, so kommt er ganz selbstverständlich zumindest auf einen Teil seiner Jugendgewohnheiten zurück; vgl. die Einleitung zu Ad Thrasamundum (CCL 91, 97f). Krüger hat eingewendet, daß man unter diesen Umständen einem Autor von nicht viel mehr als 25 Jahren fünf recht umfangreiche Werke zuschreiben müsse (Krüger 230). Doch darf man die zahlreichen Fälle literarischer Frühreife nicht vergessen, die das klassische Altertum u. die Spätantike aufweisen (vgl. zB. Ovid. trist. 5, 10, 57/60 oder Luxor.: Anth. Lat. 287, 5).

VII. Griech. Sprachkenntnisse. Diese Frage ist lange Zeit hindurch falsch gestellt worden. Ferrandus versichert, F. habe ‚den ganzen Homer auswendig vorzutragen u. einen großen Teil des Menander zu lesen' verstanden. ‚Wenn es ihm (sc. F.) gefiel, griechisch zu sprechen, so hatte er, auch nachdem er schon lange aus der Übung war, griechisch zu sprechen u. zu lesen, eine so reine Aussprache, daß man gesagt hätte, er lebe fast täglich unter Griechen' (PL 65, 119 B/C). Solange diese Griechischkenntnisse als sehr befriedigend galten, waren sie ein Hindernis für die Annahme der Identität der beiden F., weil man gleichzeitig beim Mythographen Fehler in griechischen Wörtern fand. Doch Courcelle, Lettres 206/9, der sich für die Identität der beiden Verfasser aussprach (ebd. 206₆), hat dieser falschen Vorstellung ein Ende bereitet: die Griechischkenntnisse des Bischofs waren wie die des Mythographen sehr unzureichend. Es scheint also kein Hindernis gegen die Annahme der Identität beider F. zu geben. Eindeutige Beweise lassen sich für sie nicht beibringen, doch spricht die Wahrscheinlichkeit zu ihren Gunsten. Zieht man das o. Sp. 656f Gesagte in Betracht u. stimmt man, wozu wir neigen, der Gleichsetzung der beiden F. zu, wäre er dann nicht einer der bedeutendsten Vertreter der Begegnung von Antike u. Christentum ?

J. BEUMER, Zwischen Patristik u. Scholastik. Gedanken zum Wesen der Theologie an Hand des Liber de fide ad Petrum des hl. F. v. Ruspe: Gregorianum 23 (1942) 326/47. – P. COURCELLE, Les lettres grecques en Occident de Macrobe à Cassiodore² (Paris 1948); Histoire littéraire des grandes invasions germaniques³ (Paris 1964); Les Confessions de S. Augustin dans la tradition littéraire. Antécédents et postérité (Paris 1963). – CH. COURTOIS, Les Vandales et l'Afrique (Paris 1955). – H.-J. DIESNER, Jugend u. Mönchtum des F. v. Ruspe: Helikon 1 (1961) 677/85;

Der Untergang der römischen Herrschaft in Nordafrika (1964); F. v. Ruspe als Theologe u. Kirchenpolitiker (1966); F. v. Ruspe u. einige Probleme der vandalenzeitlichen Patristik in Nordafrika: Studia patristica 10 = TU 107 (1970) 285/90. – O. FRIEBEL, F., der Mythograph u. Bischof = Stud. z. Gesch. u. Kult. d. Alt. 5, 1/2 (1911). – A. GASQUY, De Fabio Planciade Fulgentio Virgilii interprete = BerlStudKlassPhilol 6 (1887). – J. GAVIGAN, De vita monastica in Africa septentrionali inde a temporibus S. Augustini usque ad invasiones Arabum = Bibl. Augustiniana medii aevi 2,1 (Torino 1962); F. of Ruspe on baptism: Traditio 5 (1947) 313/22. – H. E. GIESECKE, Die Ostgermanen u. der Arianismus (1939). – A. GRILLMEIER, F. v. Ruspe. De fide ad Petrum u. die Summa sententiarum. Eine Studie zum Werden der frühscholastischen Systematik: Scholastik 34 (1959) 526/65; Patristische Vorbilder frühscholastischer Systematik. Zugleich ein Beitrag zur Geschichte des Augustinismus: Studia patristica 6 = TU 81 (1962) 390/408. – R. HELM, Anecdoton Fulgentianum: RhMus 52 (1897) 177/86; F. De aetatibus mundi: Philol 56 (1897) 253/69; Der Bischof F. u. der Mythograph: RhMus 54 (1899) 111/34. – E. JUNGMANN, Quaestiones Fulgentianae = Act. Soc. Philol. Lips. 1 (1871). – G. KRÜGER, Ferrandus u. F.: Harnack-Ehrung (1921) 219/31. – M. L. W. LAISTNER, F. in the carolingian age: The intellectual heritage of the early middle ages. Selected essays (New York 1957) 202/15. – C. LAMBOT, Un psaume abécédaire inédit de S. Fulgence de Ruspe contre les Vandales ariens: RevBén 48 (1936) 221/34. – G. G. LAPEYRE, S. Fulgence de Ruspe. Un évêque catholique sous la domination vandale (Paris 1929); Vie de S. Fulgence de Ruspe, par Ferrand, diacre de Carthage (Paris 1929). – J. LECLERCQ, Deux sermons inédits de Fulgence de Ruspe: RevBén 56 (1945/6) 93/107; Prédication et rhétorique au temps de S. Augustin: ebd. 57 (1947) 117/31. – L. LERSCH, Fabius Planciades F. De abstrusis sermonibus (1844). – G. MORIN, Note sur un manuscrit des homélies du Fulgence: RevBén 26 (1909) 223/8. – J. NESTLER, Die Latinität des F., Progr. Böhmisch Leipa (1905). – B. NISTERS, Die Christologie des hl. F. v. Ruspe (1930). – G. PENNISI, Fulgenzio e la Expositio sermonum antiquorum (Firenze 1963).–U. PIZZANI, Expositio sermonum antiquorum. Introd., testo, trad. e note = Collana di scritti lat. ad uso accad. 9 (Roma 1969). – A. REIFFERSCHEID, Mitteilungen aus Handschriften: RhMus 23 (1868) 133/44. – M. SCHANZ-C. HOSIUS-G. KRÜGER, Geschichte der röm. Literatur 4, 2 (1920 bzw. 1959) 196/205. 575/81. – M. SCHMAUSS, Die Trinitätslehre des F. v. Ruspe: Charisteria A. Rzach (1930) 166/75. – F. DI SCIASCIO, Fulgenzio di Ruspe e i massimi pro-

blemi della grazia (Roma 1941). – J. Stiglmayr,
Das ‚Quicumque' u. F. v. Ruspe: ZsKathTheol
49 (1926) 341/57. – K. Thraede, Art. Abece-
darius: JbAC 3 (1960) 159. – F. Woerter, Zur
Dogmengeschichte des Semi-Pelagianismus. Die
Lehre des F. v. Ruspe = Kirchengeschichtl.
Studien 5, 2 (1900). – M. Zink, Der Mytholog
F. (1867).   *P. Langlois (Übers. H. Funke).*

Furcht (Gottes).

A. Allgemeines. F. in dem hier vorauszuset-
zenden Sinn ist notwendiges Komplement
zum Phänomen numinoser Kraft oder Macht.
Wo Menschen in ihrer natürlichen oder gesellschaftlichen Umwelt mit Vorgängen konfrontiert werden, die sich einer berechen-
baren Beeinflussung ebenso entziehen wie einer
aus der Alltagserfahrung abgeleiteten Kau-
salerklärung, ist F. oder Scheu die gleichsam
natürliche Reaktion. Es scheint übrigens für
solches Verhalten Vorstufen im Leben der
Tiere zu geben, denn es liegen Beobachtungen
vor, nach denen Tiere verschiedenster Art in
vertrauter Umgebung erhöhtes Zutrauen zum
Erfolg des eigenen Tuns besitzen, während
fremdes Milieu ihren Mut u. ihre Effektivität
mindert. – In allen Gesellschaften pflegt diese
F. institutionellen Ausdruck zu finden. Die
Mächte oder Kräfte, mit denen man es bei
Geburt u. Tod, Schlaf u. Krankheit, Jagd u.
Kampf, Ernährung u. Wanderung u. vielen
anderen, für Gruppe oder Individuum wichtigen Gelegenheiten zu tun bekommt u. über
die man nicht zu verfügen vermag, sollen nach
Möglichkeit identifiziert, benannt u. durch
Praktiken, die mit dieser Identifikation in
sinnvollem Zusammenhang stehen, ferngehalten, am Schädigen gehindert oder zur Mit-
hilfe am Vorhaben der Menschen veranlaßt
werden. So ist ein wichtiges, wenn auch wohl
nicht das einzige Motiv bei der Herausbildung

von Kulten, Riten u. vielen sozialen Verhaltensregeln eben die F. davor, sich zu Mächten
unwillentlich in Gegensatz zu stellen, gegen
die man im Rahmen natürlicher Verhaltensweisen wehrlos ist. Viele die Gruppe u. ihre
Zusammengehörigkeit recht eigentlich konstituierende Verhaltensnormen nehmen von
hier ihren Ausgang. Es sei nur an die verschiedenartigen, hinsichtlich ihrer Motivierung
aber gleichen Verhaltensweisen erinnert, mit
denen man in frühen Gesellschaften alle möglichen Befleckungen (ἄγος, μίασμα) zu beseitigen trachtet, durch die das Einvernehmen
zwischen der Gruppe u. den Mächten gefährdet wird. Sie bilden das Kernstück aller frühen Rechtsordnungen.

B. Nichtchristlich. I. Griechisch. a. Homer.
In dem Maße, in dem Menschen sich die numinosen Mächte als distinkte Personen vorstellen, gewinnt diese F. als F. vor den Göttern
spezifische Züge. Das läßt sich besonders gut
in der frühgriechischen Literatur zeigen. Die
Götter Homers, die dem modernen Betrachter gerade im Gegensatz zu anderen Göttern
der furchterregenden Fremdartigkeit u. Heiligkeit zu entbehren scheinen, sind doch aus
zwei Gründen Objekte sehr ausgeprägter F.
Einmal sind sie viel stärker als die Menschen
(φέρτεροι) u. haben darum einen höheren, leichter durchzusetzenden Anspruch auf τιμή. Zum
anderen müssen sie nicht wie die Menschen
mit Tatfolgen, also Leiden, für ihr Tun bezahlen (ῥεῖα ζώοντες). Aus beiden Qualitäten
ergibt sich die furchterregende Willkür u. Unberechenbarkeit ihres oft mit Trug, Gewalttat
oder Drohung begleiteten Eingreifens in das
menschliche Geschehen, auf das die Menschen
zwar ohne große Überraschung reagieren (Il.
1, 197ff; 22, 14ff), vor dem sie sich aber
fürchten müssen wie Helena vor den gewalt-
tätig durchgesetzten Ränken der Aphrodite
(Il. 3, 413). Insbesondere das leibhaftige Erscheinen der Götter löst F. aus (Il. 20, 131;
Hom. hymn. Cer. 281. 293). Die hier charak-
terisierte F. wird vorwiegend mit der Wortgruppe δέος, seltener mit φόβος, bezeichnet.
Θεουδής ‚gottesfürchtig' ist der, welcher die angemessene Vorsicht gegenüber den Göttern
besitzt u. ihren Ansprüchen in Kult u. Sitte
genügt (Od. 19, 364 u. ö.). Φόβος u. Δεῖμος
als Begleiter des Ares sind demgegenüber
Personifikationen des plötzlichen, unerklär-
lichen Schreckens, der sich im Kampfge-
tümmel einstellen kann. – F. im Sinn von
Ehrfurcht, Respekt heißt αἰδώς u. bezieht sich

primär auf zwischenmenschliche Verhältnisse. Es ist die Scheu, durch falsches, gegen die anerkannten Normen verstoßendes Verhalten den Unwillen (νέμεσις) der Mitmenschen auf sich zu ziehen. Αἰδώς gegenüber den Göttern gibt es insofern, als man nicht nur ihre Macht u. ihren Anspruch auf handgreifliche Ehrung (Kult, Opfer usw.) respektieren muß, sondern auch ihre Diener u. Günstlinge ehrerbietig behandeln soll: Apollon sendet eine Seuche, weil Agamemnon den Apollonpriester gekränkt hat (Il. 1, 33 ff). Als Wächter über zwischenmenschliches Wohlverhalten schlechthin u. damit als Objekte einer zur Erfüllung moralischer Normen antreibenden F. erscheinen Götter zunächst nur in solchen Fällen, wo die Einhaltung der Regeln nicht durch einen innergesellschaftlichen Vergeltungsmechanismus erzwungen werden kann, also etwa im Umgang mit Gästen u. Schutzflehenden (Od. 14, 57 f u. ö.) oder bei Vergehen innerhalb der Familie.

b. Hesiod u. Spätere. Daß die Herrschaft des Zeus im Gegensatz zu derjenigen älterer Götterdynastien auf das Recht gegründet sei u. die Götter demzufolge alle Taten der Menschen nach moralisch-rechtlichen Kategorien lohnen u. strafen (u. nicht nur ihre Prärogativen wahren oder ihre Macht demonstrieren), ist zuerst bei Hesiod ausgesprochen (op. 248 ff. 320 ff) u. fortan eines der Hauptthemen religiös-moralischer Spekulationen. Αἰδώς u. Νέμεσις werden zu Abgesandten des Zeus, die seine Ordnung unter den Menschen aufrechterhalten u. deren Verschwinden den Zusammenbruch geordneten Zusammenlebens anzeigt (op. 197 ff). Nach Archilochos gilt diese Ordnung des Zeus auch für die Tiere (frg. 94 D.). Die Vorstellung von einer nach sittlichen Normen ausgeübten Macht der Götter gab der F. vor ihnen ein neues Motiv u. ließ das Gefühl, der Mensch sei den Göttern hilflos ausgeliefert (Archil. frg. 58 D.; Sem. frg. 1 D.), erträglicher werden. Andererseits führte sie angesichts der offensichtlich ungerechten Verteilung von Glück u. Unglück unter den Menschen in neue Schwierigkeiten. Von den in archaischer Zeit vielbedachten Lösungsversuchen genügte der eine, nämlich Lohn u. Strafe bei den Nachkommen des Täters zu finden, schon früh dem geschärften Gefühl für persönliche Verantwortung nicht mehr (Sol. frg. 1, 29 ff D.), obwohl dieser verbreitete Glaube zur strikt gentilizischen Ordnung der Gesellschaft paßte (*Fluch). Der andere, in Griechenland seit dem 6. Jh. vC. nachweisbare Lösungsversuch, bestehend im Glauben an ein Totengericht, an Lohn u. Strafe im Jenseits oder in neuen Verkörperungen derselben Seele, war wohl immer nur einer begrenzten Zahl von Menschen (Pythagoreer, Orphiker u. a.) akzeptabel, denn hier wurde die sittlich motivierte F. vor den Göttern an Sanktionen geknüpft, die außerhalb der Erfahrungswelt erwartet werden mußten.

c. Herodot u. die Tragiker. In der hochklassischen Zeit bezeugen viele Texte, insbesondere die Werke Herodots u. der Tragiker, erneut die Einsicht in die Inkommensurabilität göttlicher Machtausübung mit den sittlich-rechtlichen Normen der Gesellschaft. Die Erhabenheit der Götter zeigt sich gerade an diesem Kontrast. Der ‚Aias‘ des Sophokles schildert, wie die Göttin Athena in willkürlicher, durch keine verständliche Norm zu rechtfertigender Weise eine weit zurückliegende, vergleichsweise geringfügige Kränkung auf das grausamste bestraft u. damit freilich für ihre Günstlinge aufs willkommenste die Situation rettet. Einer von diesen, Odysseus, dem der Sturz seines Widersachers besonders zugute kommt, reagiert aber auf den Vorgang mit tiefem Erschrecken über die Ohnmacht der Menschen u. die Willkür der Götter u. wird von Mitleid mit dem Opfer erfaßt. Die F. vor dem unberechenbaren Handeln der Götter begründet eine alle Feindschaften überbrückende Solidarität unter den Menschen (121 ff). – Daß die Götter denjenigen demütigen, der sich wegen seines Erfolges überhebt u. die Grenzen seines Menschseins vergißt, entspricht zwar durchaus einer an sittlichen Normen orientierten F. vor den Göttern (Soph. Oed. rex 873 ff; vgl. schon Sol. frg. 3, 5/10 D.). Herodot u. die Tragiker sprechen aber auch vom φθόνος der Götter, die Menschen allein wegen ihres ungewöhnlichen Glückes stürzen (Polykrates, Kroisos), ohne daß dabei Hochmut oder andere, mit dem Glück zusammenhängende moralische Defekte im Spiel wären (φιλέει γὰρ ὁ θεὸς τὰ ὑπερέχοντα πάντα κολούειν [Herodt. 7, 10 ε]; ähnlich Il. 18, 518 ff). Auch lassen sich diese Götter nicht dadurch besänftigen, daß der Mensch ein gelegentliches Straucheln einsieht, bereut u. wiedergutzumachen trachtet. Vielmehr halten sie ihn in solchen Fällen gewaltsam in der Verblendung (Herodt. 7, 8/16). Τὰ μεγάλα δῶρα τῆς τύχης ἔχει φόβον heißt es darum in einem anonymen Tragikerfragment (462 N.²). – Bei Aristoph.

nub. 1458/61 sprechen die Wolken als göttliche Wesen u. bringen die Vorstellung, daß
die Götter die Menschen noch tiefer in
die Verfehlung führen, besonders klar zum
Ausdruck. – Euripides' Reflexion auf dieses Problem führt noch weiter. Die Machtausübung der Götter ist ihrer Natur nach
‚unmoralisch‘, weshalb sich die Götter auch
schämen, wenn sie eine Diskussion mit
den Opfern ihres Tuns führen sollen (El.
1244ff; Io 1556ff). F. vor den Göttern, vor
allem davor, ihre Kreise zu stören oder sie
herauszufordern, ist darum richtig u. vernünftig, aber nicht mit moralischen Normen,
ja selbst nicht einmal mit Grundsätzen traditioneller Frömmigkeit zu motivieren, was vor
allem an der Handlung der ‚Bakchen‘ verdeutlicht wird. Der F. vor den Göttern entspricht darum auch nicht die Hoffnung, daß
von ihnen auch Segen zu erwarten wäre. Hilfe
kommt dem Menschen nur vom Mitmenschen,
der im gottgesandten Unglück des anderen die
eigene Bedrohung erkennt (Herc. 1214ff u. ö.).
– Die griech. Tragödie veranschaulicht die
höchste Stufe vorphilosophischer Reflexion
auf die einander korrespondierenden Phänomene göttlicher Macht u. menschlicher F.,
vorphilosophisch in dem Sinn, daß (wovon
vielleicht Aischylos in gewisser Hinsicht eine
Ausnahme macht) kein Weg rationaler Erklärung gefunden wird, der an der Inkommensurabilität zwischen dem Handeln der
Götter u. den Grundsätzen menschlicher Sittlichkeit vorbeiführt. Schauder, F., Schrecken,
Scheu, die der Mensch angesichts des offenbar
werdenden Handelns der Gottheit empfindet,
sind zwar angemessene Reaktionen, die auf
seine σωφροσύνη schließen lassen, sie konstitu-
ieren jedoch nicht eigentlich ein positives Element seiner Sittlichkeit. Folgerichtig hat
darum die sophistische ‚Aufklärung‘ die eine
lange Zeit nachwirkende Lehre entwickelt,
nach der die F. vor den Göttern von klugen
Gesetzgebern der Vorzeit erfunden wurde, um
die Menschen zur Befolgung der rechtlichen
u. sittlichen Normen anzuhalten (Kritias: VS
88 B 25, 24ff), während es hier in Wahrheit
gar nichts zu fürchten gebe.
d. Philosophie. 1. Allgemein. Die bei Platon
einsetzende philosophische Spekulation hat
die Lösung dieses Problems wesentlich in der
sittlichen Autarkie des Menschen, in der Ei-
genverantwortung für seine Eudaimonie, gefunden. Unter der in aller griechischen Philosophie gültigen Voraussetzung, die Welt sei

ein rational konzipierter u. darum prinzipiell
einsichtiger Kosmos, kann es kein unbere-
chenbares, furchterregendes Handeln der Götter geben. Übel oder Katastrophen, vor denen
sich der Mensch fürchtet, sind entweder im
Rahmen des Gesamtgeschehens der Natur
geradezu heilsam oder finden ihre Erklärung
als Strafe dafür, daß der Mensch die naturge-
gebenen, rational faßbaren Normen seines
rechten Handelns verkannt oder mißachtet
hat. Damit ist die Verantwortung des Menschen für sein sittliches Wohlergehen von keiner Seite her eingeschränkt. – Platon sucht
den Schlüssel zu diesem Verständnis menschlicher Existenz außerhalb der empirischen
Welt, indem er annimmt, daß jede Seele vor
dem Eingehen in einen Leib ihr Lebenslos frei
wählen kann. F. vor göttlichen Strafen, wie
sie Platon etwa in den Unterweltsmythen aus-
malt, steht als Motiv rechten Handelns also
nicht selbständig neben der Einsicht in den
Lauf der Dinge. Die hellenistischen Schulen
führen alle Fehlhandlungen u. ihre Folgen
auf ein im empirischen Leben vollzogenes Ver-
kennen der natürlichen, wegen ihrer perfek-
ten Rationalität göttlichen Ordnung zurück.
Ein aus Einsicht geführtes, naturgemäßes Leben garantiert völlige Eudaimonie. Die F. vor
göttlicher Macht hat darum in keiner der hellenistischen Philosophien Platz.
2. Stoa. Wird die Gottheit, wie in der orthodoxen Stoa, als unpersönliche, an einen bestimmten Stoff gebundene Ordnungsmacht
(Pneuma) verstanden, an welcher der Mensch
durch seinen Intellekt Anteil hat, dann verbietet die reine Rationalität, die gerade die
strenge Determination des Naturgeschehens
(Heimarmene) als gütige Vorsehung (Pronoia)
erscheinen läßt, jede F.reaktion des Menschen
(SVF 2, 912/33). Wird die Gottheit wie im
stoisch-platonischen Synkretismus des späten
Hellenismus u. der Kaiserzeit personal u.
spirituell verstanden u. damit zu einem Partner für Einzelmenschen gemacht, verhindert
die Vorstellung von ihrer absoluten, zum
Schädigen unfähigen Güte, die sich in der
Wohlgeordnetheit der Welt zu erkennen gibt
u. dem Menschen als Modell seines sittlichen
Handelns dienen soll, jede F. vor der Gottheit.
F. muß geradezu als Kriterium unvollkom-
mener Gotteserkenntnis, d. h. als Unfromm-
heit, gelten (Sen. ep. 95, 50; M. Aur. 10, 8;
Epict. diss. 2, 20, 23).
3. Epikur. Wieder anders ist die Lösung des
Problems in der epikureischen Philosophie,

die hierin aristotelische Ansätze fortentwik-
kelt. Die Vollkommenheit der höchsten Wesen läßt es undenkbar erscheinen, daß sie sich
um Welt u. Menschen kümmern, weil jede
Sorge ihre vollkommene Eudaimonie beein-
trächtigen könnte. F. vor den Göttern u. ihrem Eingreifen ist also wiederum unfromm,
weil sie den Göttern eingeschränkte Vollkommenheit zuschreibt. Die Befreiung von der F.
vor dem Tode (durch die atomistische Physik) u. vor den Göttern macht erklärtermaßen
die epikureische Philosophie zur Heilslehre
(zB. Lucr. 3, 1 ff). – F. oder Angst schlechthin
wird in allen philosophischen Lehren als Affekt
(πάθος) definiert, also entweder als Impuls
aufgrund eines verkehrten Verstandesurteils
oder als irrationale Seelenregung, die vom
Verstand beherrscht, gegebenenfalls sogar unterdrückt werden muß. F. ist darum ganz verschieden von der Ehrfurcht, die man der Gottheit aus rechter Erkenntnis ihres Wesens u.
Wirkens entgegenbringt u. die sich vor allem
in der Nachahmung göttlichen Wohltuns
äußert (dieses Motiv fehlt verständlicherweise
bei den Epikureern). – Trotz der beträchtlichen Breitenwirkung der Philosophie seit hellenistischer Zeit kann natürlich keine Rede
davon sein, daß sie die alte numinose F. verdrängt hätte. Indessen wird diese F. in den
Augen philosophisch Gebildeter zur Deisidai-
monie, zum Aberglauben, deklassiert (vgl.
etwa Theophr. char. 16; Sext. Emp. math.
9, 20 ff oder Plut. superst.).

e. Spätantike Religiosität. Heils- u. Sicher-
heitsstreben außerhalb einer aus rationaler
Naturerklärung abgeleiteten Moral gab es weiterhin beim überwiegenden Teil der Menschen.
Die veränderte Quellenlage u. vielleicht auch
der Wandel des religiösen Lebens bringen es
mit sich, daß in unseren Augen seit der nachklassischen Zeit viel weniger die großen Götter, die Empfänger der gemeindlichen Kulte,
als vielmehr Heroen, Revenants, Dämonen
u. schließlich die Gottheiten der Mysterienkulte als Objekte numinoser F. erscheinen,
denen sich der Mensch offenbar näher fühlt
u. mit deren Eingreifen er eher rechnet. Als
furchterregend wird ferner das Schicksal empfunden, dessen Unausweichlichkeit u. Unberechenbarkeit entweder als blinder Zufall oder
als unabänderlicher, aber immer nur partiell
enthüllter Kausalnexus verstanden werden
kann. Alle diese Bedrohungen zeichnen sich
dadurch aus, daß sie schwerlich zu den Normen sittlicher Lebensführung in sinnvolle Be-

ziehung treten können, weshalb denn auch
die angebotenen Abwehrmittel (Magie, Astrologie, Initiation in einen Geheimkult, offenbarte Heilslehre) ihrem Charakter nach ‚unmoralisch‘ sind u. die Fortdauer der alten
Trennung der Religion als Bewältigung der
numinosen F. von der Moral auch auf zivili-
sierten Spätstufen gesellschaftlicher Entwicklung bezeugen. Die Unvereinbarkeit dieser numinosen F. u. der sie vertreibenden
Heilsmittel mit den Normen einer philosophisch orientierten Moral zeigt sich gerade
da, wo, wie im Vorwort des Vettius Valens,
der Versuch einer Verbindung unternommen
wird. Die Stoiker hatten die Astrologie nicht
als Heilsmittel zur Befreiung von der F. vor
dem Schicksal gebilligt, sondern deshalb, weil
sie nach ihrer Meinung ein Indiz für die vollkommene Kommunikation der Menschenseele mit dem Kosmos bildete, dessen unver-
brüchliche, vernünftige Ordnung selbst das
Heil des Individuums verbürgte. Jetzt empfand man diesen in der Astrologie erkannten
Determinismus als furchterregend u. suchte
verständlicherweise das Objekt seiner F. mit
allen Mitteln kennenzulernen. Man konnte
nach der Vorstellung der späteren Antike als
Individuum dem furchterregenden Zwang der
natürlichen Ordnung auf mancherlei Weise
entrinnen (ὑπεράνω τῆς εἱμαρμένης γενέσθαι
o. ä.). Hermetiker u. Gnostiker versprachen
Befreiung von diesem Zwang auf dem Wege
einer übernatürlichen Offenbarung, durch
welche die Seele, der erkennende Teil des Menschen, dem natürlichen Kausalnexus des Geschehens entrissen werde. Die Gläubigen der,
oft mit astrologischen Motiven verknüpften
oder ausgedeuteten, Mysterienkulte erwarben
individuelle Seligkeit u. Unsterblichkeit im
Vollzug magisch-kultischer Handlungen. Die
Platoniker endlich hofften darauf, durch intellektuelle Anstrengung, die in mystischer
Schau des wahren Seins gipfeln sollte, den
noetischen, der empirisch-natürlichen Welt
fremden Teil der Menschenseele zu uneinge-
schränkter, seliger Entfaltung zu bringen
(Corp. Herm. 12,6 ff [1,176 ff Nock-Festugiè-
re]; Pist. Soph. c. 133 [GCS 45,226/28]).

II. Römisch. a. Allgemeines. Es ist besonders
zu betonen, daß die F. vor einem persönlich
gedachten Gott bzw. persönlichen Göttern
sich in Rom deshalb nicht leicht früh entwickeln u. auch niemals zu einem lebendigen
u. festen Bestandteil der vorgriechischen, urrömischen Religion werden konnte, weil in

jenem frühen Stadium u. noch recht lange Zeit danach göttliche Mächte nie vollständig anthropomorphisiert worden sind; aus dem gleichen Grund hat Rom auch nie eine richtige Tragödie im antiken Sinn des Wortes gehabt, da dieses Genre, wie es sich ja bei den Griechen entwickelt hatte, eine ständige Durchkreuzung menschlichen Wirkens u. menschlicher Planung durch völlig anthropomorphe Götter zur Voraussetzung hat (s. dazu J. H. Waszink, Die griechische Tragödie im Urteil der Römer u. der Christen: JbAC 7 [1964] 139/48). So ist denn auch bei dem seit Plautus (Amph. 841: deum metum, parentum amorem, was allerdings aus der griech. Vorlage stammen mag) vorkommenden Ausdruck ,metus de(or)um' (ThesLL 8, 910, 20/6: ,metus dei' gibt es i. a. zuerst bei den Christen; vgl. auch ebd. 8, 905, 4/9 [s. v. metuo]) an eine allgemeine F. vor höheren Mächten zu denken, die nicht selten mit dem Terminus religio verbunden, oder auch in die Definition dieses auch für die Römer schwer bestimmbaren Wortes aufgenommen wird (vgl. dazu Cic. inv. 2, 66: religionem eam, quae in metu et caerimonia deorum sit, appellant; vgl. daneben einerseits Cic. Font. 30: religione iuris iurandi ac metu deorum immortalium u. andererseits Verr. 2, 4, 18: ecqui pudor est, ecquae religio, Verres, ecqui metus?).

b. Vergil. Es ist in diesem Zusammenhang darauf hinzuweisen, daß Vergil metus einmal deutlich als gleichbedeutend mit religio gebraucht (Aen. 7, 59 f: laurus ... multos ... metu servata per annos; dazu Servius: religione, quae nascitur per timorem), was deutlich in Parallele steht zu Aen. 2, 714 f: cupressus / ,religione patrum' multos servata per annos. Dazu gibt Servius eine gute Anmerkung: religione patrum timore: et est reciprocum. Nach einem Zitat aus Terenz, wo religio die Bedeutung von metus hat (haut. 2, 1, 16), folgt dann: item Vergilius contra (es schließt sich an Aen. 7, 60): conexa enim sunt timor et religio, ut Statius (Theb. 3, 661) ,Primus in orbe deos fecit timor'. Das ist ein deutlich vom Epikureismus eingegebener Vers, den Statius von Petron (frg. 28 Bücheler) übernommen hat. Sehr interessant ist die aus Varro stammende Mitteilung des Servius Dan. zu Verg. Aen. 1, 505: nihilominus in templo factas esse testudines, quod Varro ait, ut separatum esset, ubi metus esset, ubi religio administraretur. Zu dieser ganzen Gruppe gehört auch ein Satz der aus dem Jahr 26 vC.

stammenden Fortuna-Ode des Horaz (c. 1, 35), in der er sicher schon die religiösen Reformversuche des Augustus unterstützt: unde manum iuventus / metu deorum continuit? (aO. 36 f). Diese F., die eng mit der religio verbunden ist, wird auch als persönliche menschliche Eigenschaft gewertet, wenn Livius (21, 4, 9) bei Hannibal die Abwesenheit der F. feststellt: nullus deorum metus. Es ist der metus deum, dessen Einführung (unzweifelhaft unter dem Einfluß der jüngeren Annalistik) von Livius 1, 19, 4 u. Ovid. fast. 3, 277 f (deutlich auf Rat der Egeria) dem Numa Pompilius zugeschrieben wird. – Einen wirklich urrömischen Eindruck macht eine Stelle, die nicht den metus deorum behandelt, sondern die religiöse F. vor heiligen Stätten: Verg. Aen. 8, 349 f: iam tum religio pavidos terrebat agrestis / dira loci (oft nachgeahmt in der Literatur, zB. Val. Flacc. 3, 428: metum numenque loco ... addidit). Es ist bemerkenswert, daß Vergil in der unmittelbaren Fortsetzung dieser die primitiven Schauder zum Ausdruck bringenden Verse zwei weitere Stadien der Religion beschreibt, u. zwar nach: iam tum silvam saxumque tremebant, was ,beim Alten bleibt', erst ,hoc nemus, hunc ... frondoso vertice collem / (quis deus, incertum est) habitat deus', u. sodann mit offener Anthropomorphisierung: Arcades ipsum / credunt se vidisse Iovem.

c. Horaz. Um einen einzigen Gott, um den ,metus dei alicuius', handelt es sich ganz sicher bei Hor. c. 2, 19: Bacchum in remotis carmina rupibus / vidi docentem, in dem sich die Gefühle des Dichters in den folgenden Worten ausdrücken: euhoe recenti mens trepidat metu / plenoque Bacchi pectore turbidum / laetatur. Aber hier sind wir selbstverständlich bei echt griechischen Vorstellungen. – Es gibt also in Rom einen metus deorum. Daß man nie ein passendes Äquivalent für das griech. δεισιδαίμων u. seine Ableitungen geschaffen hat, besagt insofern nichts, als im Lateinischen das zusammengesetzte Adjektiv allgemein gemieden wird (außer von einigen ,experimentierenden' römischen Dichtern wie Laevius u. besonders von Tragikern wie Ennius u. Pacuvius): δεισιδαίμων wird mit metuens oder timens deorum adäquat wiedergegeben. Dagegen müssen pius u. pietas hier fern bleiben (vgl. dazu H. Wagenvoort, Pietas = Antrittsrede Univ. Groningen [Groningen 1930]; J. Liegle, Pietas: ZNum 42 [1932] 59/100 = WdF 34 [1967] 229/73).

d. Lukrez. Es ist sehr auffällig, daß es den
Ausdruck metuens deorum (oder auch zB.
‚metu deorum insignis‘) in den Grabinschriften nicht gibt. Das konfrontiert uns mit der
Frage, ob der Entschluß des Lukrez, die
Hauptlehren Epikurs in einem Lehrgedicht
zu behandeln, u. zwar nach seinem eigenen
Ausspruch, um die Menschheit von der F. vor
dem Tode, daneben aber auch von der F. vor
den Göttern zu befreien, vornehmlich auf Beobachtung seiner Mitrömer beruht. Es ist bekanntlich mit schwerwiegenden Argumenten
die Meinung vertreten worden, daß sein Gedicht De rerum natura, wie manche didaktische Gedichte derselben Zeit, zB. die ‚Empe-
doclea‘ eines nicht weiter bekannten Sallustius, jedenfalls in erster Anlage einem rein
poetischen Zweck, nämlich der Gestaltung
eines besonders schwierigen Stoffs, gedient
hat; diese Meinung wurde besonders vertreten von P. Boyancé, Lucrèce et la poésie:
RevÉtAnc 49 (1947) 88/102, wo ausgeführt
wird, daß Lukrez zunächst aus rein dichterischen Rücksichten seine Schrift De rerum natura (ein Gedicht mit gleichem Titel gab es
von Varro) angefangen hat, dann aber während der Arbeit von dem gewaltigen Stoff ergriffen wurde u. sich dadurch zu einem rechten Epikureer entwickelte (so auch F. Büchner, Die Proömien des Lukrez: ClassMed 13
[1952] 159/235; dagegen J. H. Waszink, Lucretius and poetry: Mededel. Kon. Ned. Akad.
v. Wetensch., NR 17, 8 [Amsterdam 1954],
der die Auffassung zu begründen versucht,
daß Lukrez von Anfang an Epikureer war).
Aber auch wenn das die richtige Deutung der
Tatsachen ist, so besagt es nur, daß Lukrez
ausgegangen ist von einer Bewunderung für
die epikureische Philosophie im allgemeinen,
aber noch keineswegs, daß er unter dem Eindruck einer starken F. vor den Göttern bei
seinen Mitrömern stand. Jedenfalls ist zu betonen, daß seine Beschreibung der Entstehung der religio, u. damit der F. vor den Göttern, in der Schilderung der Entwicklung der
Zivilisation (5, 1161/240) als typisch römische Einzelheit eigentlich nur die äußere Form
der Verehrung göttlicher Mächte erwähnt
(ebd. 1198/203). Sein Musterbeispiel für das
Unheil, das die religio anrichten kann, ist die
Opferung der Iphigenie (1, 80/101), also ein
nichtrömischer Gegenstand; schließlich ist
noch hervorzuheben, daß die F. vor dem
Tode bei ihm eine beträchtlich größere Rolle
spielt als die F. vor den Göttern. Wir müssen

also anerkennen, daß wir von der Ausbreitung sowie der Intensität des metus deorum
in Rom keine genügenden Kenntnisse besitzen. Man hat den Eindruck, daß in der
ersten Zeit die F. vor dem Übermenschlichen
stark gewesen ist; diese Tatsache hat Vergil
richtig nachgefühlt. Später haben besonders
die aus dem Orient eingeführten Götter wie
*Bellona/Mâ, Isis, Mithras u. a. (schon Lukrez
spricht ausführlich über die Magna Mater:
2, 600/43) wirkliche F. hervorgerufen, während die in der republikanischen Periode allmählich eingeführten griech. Götter, besonders *Apollo, wenig Eindruck gemacht haben. – Erwähnt seien noch die offiziell anerkannten Göttergestalten Pavor u. Pallor, denen Tullus Hostilius im Kampf mit Veii u.
Fidenae Heiligtümer gelobt haben soll (Liv.
1, 27, 7). Es gibt keinen weiteren Bericht über
sie, der nicht aus Livius geschöpft ist (Wissowa, Rel.² 149₁); Dionysius von Halicarnassus,
der neben Livius an erster Stelle heranzuziehen ist, erwähnt sie nicht in seiner Beschreibung des gleichen Kampfes (ant. Rom. 3, 32,
4). Darum hat die Vermutung Wissowas (aO.
149) viel für sich, daß die Erzählung des Livius wahrscheinlich auf Ennius zurückgeht u.
als Übertragung der homerischen Figuren
von Deimos u. Phobos in die römische Poesie anzusehen ist (zustimmend Latte, Röm.
Rel. 57). Dagegen verweisen Weißenborn-Mül-
ler zu Livius aO. auf die zwei Devotionsformeln
der Decii (Liv. 8, 9, 7; 10, 28, 16), wo es sich
um die Verbreitung von ‚terror formido
morsque‘ bzw. ‚formido ac fuga caedesque ac
cruor‘ unter den Feinden handelt. Nach ihnen
sind die beiden Göttergestalten wahrscheinlich Picus u. Faunus (vgl. 2, 7, 2), die deshalb
Hostilii Lares (s. Paul.-Fest. s. v. [90 Lindsay])
heißen u. wohl mit Quirinus u. Mars in Verbindung gesetzt wurden. Diese Deutung läßt
sich nicht halten; man kann nur sagen, daß
die Erwähnung von terror u. formido in altrömischen Formeln Ennius bei seiner Latini-
sierung homerischer Göttergestalten den Weg
bereitet haben mag.

III. Altes Testament u. Judentum. a. F. u.
Vergeltung. 1. Altes Testament. Im Unterschied von der griech. u. röm. Antike behält
die F. im AT stets ihre beherrschende Stellung, ja sie gewinnt durch die Konzentration
auf den einen Gott an Kraft u. Intensität.
Für die atl. Gläubigkeit gibt es keinen Gegensatz, sondern nur ein Miteinander von F. u.
Erkenntnis Gottes (bzw. Weisheit). Die Zu-

sammenordnung von beidem findet sich
schon in dem prophetischen Schrifttum (Jes.
11, 2; 33, 6); eine Deklassierung der F. zur
Deisidämonie ist auf atl. u. jüdischem Boden
unmöglich. Die numinose Grundlage der F.
wird schon in der Vätergeschichte deutlich,
wenn Jahwe als der ‚Schrecken Israels‘ bezeichnet wird (Gen. 31, 42. 53). Jahwe ist ein
Gott, der F. u. Schrecken verbreitet (1 Sam.
11, 7; 14, 15); besonders eindrucksvoll wird
dieser von Jahwe ausgehende Schrecken Jes.
2, 10/22; Mich. 7, 16f geschildert. Furchterregend, ja todbringend ist der Anblick von
Jahwes Angesicht, wenn er nicht selbst Barmherzigkeit übt (Gen. 32, 30; Ex. 33, 20; Iudc.
13, 22). Darum verhüllt Mose in Gottes Gegenwart sein Antlitz (Ex. 3, 6). Jesaja schildert in seiner Berufungsvision, wie die Erscheinung Jahwes den Menschen, der sich seiner Sünde bewußt wird, mit Schrecken erfüllt (Jes. 6, 5). Als furchterregendes Ereignis
wird besonders die Sinaioffenbarung geschildert; der Sinn dieses Geschehens besteht darin, daß die F. vor dem Angesicht des Volkes
sei, damit es nicht sündige (Ex. 20, 18/20).
Deshalb findet sich bei den Gotteserscheinungen die auch sonst im AT recht häufige (Plath
113/21) Wendung: ‚Fürchte(t) dich (euch)
nicht‘ (Gen. 15, 1; 26, 24; Ex. 20, 20; Iudc.
6, 22f); wie die Gotteserscheinung furchterregend ist, so ist auch furchtbar die Stätte
der göttlichen Offenbarung (Gen. 28, 17) u.
die Erscheinung der Gottesboten (Iudc. 13, 6;
Dan. 10, 4/12). Jahwe ist der ‚große, starke,
furchtbare Gott‘, der furchtbare Taten tut u.
dessen Name groß, furchtbar u. heilig ist (Ex.
34, 10; Dtn. 10, 17; Ps. 99 [98], 3; 111 [110],
9; Neh. 9, 32; Jes. 64, 2; Plath 109/13). Wenn
auch die Mehrzahl der Belege für die Gottes-
prädikation norā (furchtbar) aus späterer Zeit
stammt, so ist doch die zugrundeliegende
Gottesanschauung schon in den ältesten atl.
Texten erkennbar. Gott ist furchtbar über
alle Götter (1 Chron. 16, 25; Ps. 96 [95], 4);
ihn muß Israel fürchten u. nicht die Götter
der Heiden, die ‚Nichtse‘ sind; sonst wird Gottes Zorn über Israel entbrennen u. es vertil-
gen (Dtn. 11, 16f; Jer. 10, 5/7). Ebenso ist
Gott furchtbar über alle irdischen Herrscher
(Ps. 76 [75], 13); die Inseln u. die Enden der
Erde schaudern u. erschrecken, wenn sie Gottes mächtiges Walten im Völkergeschehen
erkennen (Jes. 41, 5). Darum sollen nicht
Menschen, sondern Gott selbst F. u. Schrek-
ken der Seinen sein (Jes. 8, 13). Die Gottes-F.

macht darum frei von Menschen-F., ja jeder
anderen F. überhaupt; sie gibt dem Frommen die Geborgenheit, die sich besonders in
den Psalmen eindrucksvoll ausspricht (27
[26], 1; 46 [45], 1f; 118 [117], 6 usw.; Plath
96/8). In den Gesetzesbestimmungen des AT
erscheint deshalb die F. als entscheidendes
Motiv des Gehorsams (Lev. 19, 14. 32; 25,
17. 36. 43; Dtn. 6, 2; 13, 5f usw.). In der Folge
wird dann die Gottes-F. Bezeichnung für die
Grundhaltung atl. Frömmigkeit überhaupt;
für diese ist ja der Gehorsam gegen den im
Gesetz offenbarten Gotteswillen das charakteristische Merkmal. Daher wird die Gottes-F.
in den Psalmen (19 [18], 10; 22 [21], 24. 26;
25 [24], 12. 14; 31 [30], 20 u. ö.) u. in den Sprüchen Salomos (10, 27; 14, 27; 15, 16; 23, 17 usw.,
Plath 54/102) als die normative religiöse Haltung beschrieben u. gepriesen. Auch die in
dieser Literatur häufige Verbindung von Gottes-F. u. Weisheit (Erkenntnis) hängt damit
zusammen (Job 28, 28; Ps. 111 [110], 10;
Prov. 1, 7; 2, 5; 15, 33); die Begriffe gehen
fast ineinander über. – Zum vollen Verständnis dieses Sachverhaltes muß man sich daran
erinnern, daß der Gerichts- u. Vergeltungsgedanke der Hintergrund der atl. Frömmigkeit
ist. Bei den ältesten Schriftpropheten (Amos,
Hosea, Jesaja, Jeremia) nimmt die Gerichts-
weissagung eine beherrschende Stellung ein;
besonders aber zeigen die Fluch- u. Segens-
verheißungen Dtn. 28/30, welches Gewicht der
Vergeltungsgedanke für das gläubige Bewußtsein der atl. Frommen gehabt hat (*Fluch).
Die nachexilische Prophetie des Sacharja hat
die nationale Katastrophe Israels, die mit der
Zerstörung Jerusalems u. der babylonischen
Gefangenschaft ihren Höhepunkt erreichte,
als die Auswirkung des göttlichen Zornge-
richtes verstanden (Sach. 7, 8/14); so erklärt
sich die Bußgesinnung der zurückkehrenden
Exulanten (Esr. 9; Neh. 9), die die Wurzel
für den Gesetzeseifer des späteren Judentums
ist. Der Vergeltungs- u. Gerichtsgedanke ist
denn auch in den Psalmen (34 [33], 16f. 22;
73 [72], 19. 27; 91 [90], 8; 96 [95], 10. 13; 98
[97], 9 usw.) u. den Sprüchen (11, 31; 19, 17;
25, 22) ausgesprochen. Selbst ein von der Ge-
nerallinie jüdischer Frömmigkeit abweichendes Buch wie der Prediger hält an Gottes-F.,
Gericht u. Wiedervergeltung fest (Koh. 12,
13f). Die Prophetie aber verkündigt u.
wartet auf den großen u. schrecklichen Tag
des Herrn (Zeph. 1, 14f; Joel 2, 11; 3, 4;
Mal. 3, 23), auf die Vergeltung des zürnenden

Gottes u. das Gericht (Jes. 66, 15f. 24; Dan. 12, 2).

2. Judentum. Die Frömmigkeit des Judentums ist wie das AT durch den Vergeltungs- u. Gerichtsgedanken bestimmt (Bousset, Rel. 275/301; Strack-B. 4, 1199/212); darum behält auch die Gottes-F. ihre fundamentale Bedeutung. Der atl. Lobpreis der Gottes-F. setzt sich im Judentum fort (Sir. 1, 11/5; 40, 26f; Ps. Sal. 5, 18; 16, 7/9); wie sich die Zusammenordnung von Gottes-F. u. Weisheit bei Jesus Sirach findet (Sir. 1, 14. 18. 20. 27; 19, 20), so gilt dasselbe vom Vergeltungsgedanken (Sir. 28, 1; 35, 15). In den Test. XII ist ebenso wie bei Philo von der F. bzw. vom Fürchten Gottes die Rede (Bauer, Wb.[5] 1707f). Kennzeichnend für die F.konzeption des Judentums ist die Tatsache, daß sich an die jüdische Gemeinde der Diaspora ein Kreis gottesfürchtiger Heiden angliederte, den man als φοβούμενοι bzw. σεβόμενοι τὸν θεόν zu bezeichnen pflegte (Act. 10, 2. 22; 16, 14 u. ö.; Jos. ant. Iud. 14, 110). Diese ‚Gottesfürchtigen‘ übernahmen den Glauben an den einen Gott Israels u. die Beobachtung der wichtigsten ethischen Forderungen des Gesetzes. So wurde der Zusammenhang zwischen Gottes-F. u. Lebensgestaltung sichtbar (Schürer[4] 3, 172/7; K. G. Kuhn, Art. προσήλυτος: ThWb 6 [1959] 743/5). Auffallend ist, wie selten bei Josephus u. in den Qumrantexten die F. erwähnt wird. Josephus redet nur ant. Iud. 1, 114 von dem φόβος τοῦ παρὰ θεοῦ; ebd. 6, 259 verwendet er das Wort εὐλαβεῖσθαι in ähnlichem Sinn; 3, 21 ist die F. vor dem göttlichen Zorn erwähnt. Ebenso ist in den Texten von Qumran von der F. nur 1 Q 28 b 5, 25 die Rede; hier ist die Ausdrucksweise aus Jes. 11, 2 übernommen. ‚Furchtbar‘ heißt Gott zweimal in der Kriegsrolle (1 QM 10, 1; 12, 7); zweimal werden gottesfürchtige Menschen in der Damaskusschrift, einmal in den Dankliedern erwähnt (Dam. 10, 2; 20, 19f; 1 QH 12, 3). Gleichwohl hat man nicht den Eindruck, daß in den Qumrantexten ein vom jüdischen abweichendes F.verständnis vorliegt; der Gerichtsgedanke spielt in den Qumrantexten eine große Rolle (1 QS 1, 26; 2, 15; 1 QH 2, 24; 4, 18. 20 usw.); mehrfach ist auch vom Erschrecken des Menschen vor den göttlichen Gerichten die Rede (1 QS 4, 2; 1 QH 1, 23; 19, 34).

b. F. Gottes u. Liebe. Man hat es in Israel nicht als einen Widerspruch empfunden, wenn neben dem F.motiv die Verpflichtung zum Gehorsam mit dem Hinweis auf die Liebe begründet wurde. Derselbe Gott, der seinen Zorn u. Grimm über das ungehorsame Volk ergehen läßt, ist zugleich der gnädige u. barmherzige Herr, der Israel durch einen Akt unbegreiflicher Liebe zu seinem Eigentum erwählt hat (Ex. 34, 6f; Dtn. 5, 8/10; 7, 7f). Darum erscheint auch die Liebe als das Motiv des Gehorsams (Ex. 20, 6; Dtn. 11, 1. 13. 22; 19, 9), auch können F. u. Liebe zusammen genannt werden (Dtn. 6, 2. 5; 13, 4. 5). Ebenso sind in den Psalmen die Frommen, die Gott fürchten, identisch mit denen, die ihn lieben (Ps. 5, 12; 69 [68], 37; 97 [96] 10); auch in Ps. 145 (144), 19f stehen die Gott Fürchtenden u. Gott Liebenden nebeneinander. Man hat hier ebensowenig eine Schwierigkeit gesehen, wie man es als unmöglich empfand, daß der Gott, der furchtbar ist in seinen Taten u. vor dem die Völker zittern, gepriesen werden soll (Ps. 66 [65], 1/3; 99 [98], 1/3; 145 [144], 3/6). Im späteren Judentum ist das nicht anders. Jesus Sirach stellt F. u. Liebe zusammen (2, 15f; 7, 31f); in den Psalmen Salomos u. den Test. XII, die Sander (14/63) untersucht hat, zeichnet sich der gleiche Sachverhalt ab. – Hingegen sehen wir bei der Schriftgelehrsamkeit der Rabbinen, daß man gelegentlich das Verhältnis von F. u. Liebe zum Gegenstand der Reflexion gemacht hat. Nach Siphre Dtn. 6, 5 § 32 macht die Schrift einen Unterschied zwischen F. u. Liebe: Wer aus Liebe handelt, dessen Lohn ist doppelt u. verdoppelt (Strack-B. 1, 906; 2, 112f; Sander 77/ 132). Für die Rabbinen war es eine Streitfrage, ob Hiob Gott aus F. oder Liebe gedient habe (Sota 5, 5). Der Dienst Gottes aus Liebe, der bedeutet, daß man ‚die Tora u. ihre Worte um ihrer selbst willen studieren u. tun‘, alles ‚um des Himmels willen tun‘ soll (Sander 121), verdient den Vorzug vor dem Handeln aus F. Die Bindung an den atl. Kanon hindert freilich die Rabbinen an der völligen Abwertung des F.motives. Auch Philo unterscheidet die F. von falscher Angst u. weiß von der Spannung zwischen F. u. Liebe; nur der Schlechte muß vor Gott u. seiner Majestät F. hegen; der ‚Fortschreitende‘ will nicht mehr den Herrscher scheuen, sondern den Wohltäter in Liebe verehren. Gott ist es selbst, der die F. vor dem Despoten aufhebt (somn. 1, 137; weitere Belege bei H. Windisch, Die Frömmigkeit Philos [1909] 53/5; Balz, F. 639).

C. Christlich. I. Neues Testament. a. Sprach-

liches. Das NT ist wie ein Großteil der altkirchlichen Väterüberlieferung griechisch geschrieben. Darum ist ein Hinweis auf die
sprachlichen Äquivalente, die zur Gottes-F.
Beziehung haben, angebracht. Beherrschend
ist die Wortgruppe φόβος/φοβεῖσθαι, die im
jüdisch-christl. Bereich alle Nuancen des F.be-
griffs vom Schrecken bis zur ehrfürchtigen
Scheu zum Ausdruck bringt; darum kann
φόβος θεοῦ auch die ,Frömmigkeit' bezeichnen. Verglichen mit der Häufigkeit dieser
Wortgruppe ist die Verwendung anderer F.-
bezeichnungen selten. Αἰδώς u. δέος finden sich
im NT nur als Textvarianten Hebr. 12, 28;
hier ist bei der Gottes-F. an die F. im eigentlichen Sinne gedacht. Δεισιδαιμονία bzw. δεισιδαίμων sind im NT nur Act. 17, 22; 25, 19 gebraucht; sie bezeichnen die jüdische bzw.
heidnische Gottes-F. ohne abwertende Deklassierung in dem ,neutralen' Sinn, den unser Sprachgebrauch oft mit dem Wort ,Reli-
gion' verbindet; die Vulgata hat freilich diese
δεισιδαιμονία als superstitio interpretiert. Soweit das F.motiv in σέβεσθαι, εὐσέβεια, θεοσέβεια anklingt, bringt es die ehrfurchtsvolle
Scheu zum Ausdruck; darum bezeichnen diese
Worte das fromme Verhalten, zumeist mit positiver Bewertung. Εὐλάβεια bedeutet ursprünglich die Vorsicht, Behutsamkeit; es hat dann
die Bedeutung ehrfürchtige Scheu, Frömmigkeit angenommen, die im Neugriechischen
zur Herrschaft gekommen ist; es kann aber
auch die F. im Sinne der Angst bezeichnen
(häufig in der LXX); dieses Verständnis ist
Hebr. 12, 28 vorauszusetzen; bei Iust. dial.
123, 7 bezeichnet es die F. vor dem göttlichen
Zorn. Das Nähere ist aus den einschlägigen
Artikeln der ntl. Wörterbücher zu ersehen.

b. Das F.motiv in den ntl. Erzählberichten.
Das ntl. Verständnis der Gottes-F. knüpft an
die atl. Überlieferung an. Die Berichte über
die Machttaten Jesu zeigen, daß im ntl. Zeitalter das Bewußtsein lebendig war, daß die
Begegnung mit Gott u. seinen Boten (einschl.
der Christus- u. Engelerscheinungen) F. erweckt. Darum kehrt die atl. Mahnung ,fürchte
dich nicht' (μὴ φοβοῦ bzw. φοβεῖσθε) im NT
wieder. Wir lesen sie bei der Erscheinung des
Engels bei Lukas (Lc. 1, 13. 30) u. in der Weih-
nachtsgeschichte (Lc. 2, 10), im Bericht über
den Fischzug des Petrus (Lc. 5, 10) u. über
die Erweckung der Tochter des Jairus (Mc.
5, 36), in den Geschichten vom Meerwandeln
Jesu u. seiner Verklärung (Mt. 14, 27; Mc. 6,
50; Joh. 6, 20; Mt. 17, 7), in der Osterge-

schichte (Mt. 28, 15), bei den Christus- u. Engelerscheinungen der Apostelgeschichte u.
Apokalypse (Act. 18, 9; 27, 24; Apc. 1, 18);
auch in dem LXX-Zitat Joh. 12, 15. In den
Berichten über die Wunder Jesu begegnen
neben φοβεῖσθαι sinnverwandte Wörter wie
θαμβεῖσθαι (Mc. 1, 27), θάμβος (Lc. 4, 36; 5, 9),
ἐξίστασθαι (Mc. 2, 12; 5, 42 usw.), ἐκπλήσσεσ-
θαι (Mc. 7, 37), θαυμάζειν (Mc. 5, 20; Mt. 9, 33;
Joh. 7, 21 usw.). Solches Erschrecken bzw.
Staunen ist die Wirkung des Wortes Jesu (Mc.
1, 22; 10, 26; Mt. 7, 28; 22, 33; Lc. 4, 22 u. ö.).
F. u. Staunen erwecken die Engelerscheinungen am leeren Grabe Jesu (Mc. 16, 5. 6) sowie
die Erscheinung des auferstandenen Herrn
(Mt. 28, 10; Lc. 24, 12). Verwunderung u. F.
sind auch die Wirkung des Pfingstgeschehens
(Act. 2, 7. 43) sowie der Taten, die von den
Aposteln berichtet werden (Act. 3, 10. 12;
5, 11 usw.). Die formgeschichtliche Auslegung
will dieses F.motiv aus dem Erzählungsstil
der Evangelien erklären (M. Dibelius, Form-
geschichte des Evangeliums[3] [1959 bzw. 1966]
77f. 93f; R. Bultmann, Geschichte der synoptischen Tradition[6] [1964] 241); die Frage, wieweit hier eine geläufige Erzählform dazu benutzt wird, um wirkliches Geschehen wiederzugeben, kann nur durch eine sorgfältige Ein-
zelauslegung der Berichte einer Klärung ent-
gegengeführt werden.

c. F. Gottes u. Vergeltung. Der Gerichts- u.
Vergeltungsgedanke der atl. Gläubigkeit ist
auch im NT nicht aufgegeben. Eindrücklich
ist Jesu Mahnung, daß man den Gott fürchten soll, der Leib u. Seele in der Hölle verderben kann; diese F. befreit den Jünger von der
F. vor den Menschen, die den Leib töten (Mt.
10, 28; vgl. J. Jeremias, Art. γέεννα: ThWb 1
[1933] 655f; Strack-B. 4, 1016/118). Der verurteilte Übeltäter, der mit Jesus gekreuzigt
wird, müßte angesichts des bevorstehenden
Gerichtes Gott fürchten (Lc. 23, 40). Derselbe
Gerichtsernst findet sich in den apostolischen
Mahnungen: Auch 2 Cor. 5, 10f ist die Erinnerung an die F. Gottes mit dem Gedanken an
den Richterstuhl Christi verbunden; ebenso
werden die Christen Phil. 2, 12 ermahnt, ihre
Rettung mit F. u. Zittern zu schaffen; 1 Petr.
1, 17; 2, 17 wird ihnen der Wandel in der F.
Gottes ans Herz gelegt. Im Einklang damit
steht, daß auch im NT die Gottes-F. bzw. der
φόβος Χριστοῦ als die normale christliche Haltung erscheint (Lc. 1, 50; 18, 2/4; Act. 9, 31;
10, 35; 1 Petr. 2, 17; Apc. 19, 5). Die Ehrfurcht (φόβος), die nach Eph. 6, 5; 1 Petr. 2,

18; 3, 2. 14 christliche Frauen bzw. Sklaven
ihren Männern u. Herren, alle Christen der
Obrigkeit, die von ihnen Rechenschaft fordert, schuldig sind, ist als Auswirkung dieser
Gottes-F. zu verstehen. – Im Hebräerbrief ist
der Gerichtsernst, der sich auch sonst im ntl.
Schrifttum ausspricht, durch die These verstärkt, daß den Christen, die zur Erkenntnis
der Wahrheit gelangt sind u. willentlich (ἑκου-
σίως) sündigen, kein Opfer, d. h. keine Vergebung mehr offensteht. Ihnen bleibt nur die
furchtbare Erwartung des Gerichtes u. der
‚Eifer des Feuers, der die Widersacher ver-
zehren wird‘ (Hebr. 10, 27): ‚Es ist schrecklich, in die Hände des lebendigen Gottes zu
fallen‘ (Hebr. 10, 31; vgl. 6, 4/8). Ebenso
klingt die Schilderung der furchterregenden
Sinaioffenbarung in einem eindringlichen Bußruf aus, bei dem der Hinweis auf Gott, den
Richter, nicht fehlt. Deshalb gilt es, dem Gott,
der ein verzehrendes Feuer ist, mit F. u.
Bangen zu dienen (12, 18/28). Die Gedanken
des Hebräerbriefes haben in der alten Christenheit besonders das F.verständnis Tertullians
(s. u. Sp. 692) maßgebend bestimmt.

d. F. Gottes u. Liebe. Neben diesen Aussagen
des NT stehen freilich andere, in denen von
einer Überwindung der F. die Rede ist. Schon
der Hebräerbrief kann trotz seines Gerichts-
ernstes sagen, daß Christus der Erlöser von
der Todes-F. ist, die eine dauernde Knechtschaft der Menschen zur Folge hat (2, 15).
2 Tim. 1, 7 wird dem Geist der Kraft, der
Liebe u. Nüchternheit (σωφρονισμός) der Geist
der Furchtsamkeit (δειλία) entgegengesetzt.
Diese Aussagen können von Joh. 16, 33 her
verstanden werden: Angesichts des Leides u.
Todes werden die Jünger bzw. die Christen
zum θαρσεῖν, zu getroster Zuversicht aufgerufen, d. h. zur Überwindung der F., die mit der
Existenz der Christen in der Welt gegeben ist.
Rom. 8, 15 u. 1 Joh. 4, 17f ist hingegen von
der Überwindung der F. die Rede, die im Gottesverhältnis begründet ist; diese Stellen haben darum für das F.verständnis der Kirchenväter entscheidende Bedeutung gewonnen. Rom. 8, 15 redet Paulus unter Hinweis
auf den Gebetsruf Abba (Vater) vom Geist
der Sohnschaft, den die Christen empfangen.
Dieser Geist ist dem ‚Geist der Knechtschaft
zur F.‘ (πνεῦμα δουλείας εἰς φόβον) entgegengesetzt. Der Apostel hat den Zustand des uner-
lösten Menschen im Auge, der unter der Herrschaft des Gesetzes als des Pädagogen (im
antiken Sinne) steht. Dieser Zustand wird

auch Gal. 4, 3 als Knechtschaft bezeichnet;
der Geist der Sohnschaft, der die Christen
Abba rufen läßt (Gal. 4, 6f; Rom. 8, 15),
bringt dem Christen die Befreiung von dieser
Knechtschaft u. der damit verbundenen F.
(Gal. 3, 24f; 4, 1/5). 1 Joh. 4, 17f redet der
Apostel von der Liebe, in der keine F. mehr
ist; für die letztere ist kennzeichnend, daß
sie die Strafe (κόλασις) mit sich führt. Die vollkommene Liebe aber treibt die F. aus u. gibt
dem Christen die Zuversicht (παρρησία) am
Tage des Gerichtes. Demgemäß erscheint dann
auch die Liebe, nicht die F., als das Motiv
für den Gehorsam der Christen (1 Joh. 5, 3).
Ebenso sind Joh. 15, 14f die Jünger, die tun,
was ihnen Jesus gebietet, Freunde u. nicht
Knechte. Es wird hier deutlich, daß der Gedanke der Gottes-F. nicht ausreicht, die Glau-
benshaltung des ntl. Christentums in seiner
Ganzheit zu umschreiben. Das Liebesgebot in
seiner vielseitigen Ausprägung ist ja in höherem Maße als die F. bestimmend für das Leben der Christen (Mt. 22, 34/40; Joh. 13, 34f;
14, 23f; Rom. 8, 28 usw.; vgl. Quell-Stauffer
44/54). Auch ist in viel weiterem Umfang als
die Gottes-F. im NT der Glaube die Bezeichnung für die normale christliche Haltung (vgl.
W. Mundle, Der Glaubensbegriff des Paulus
[1932] 73/94): Das Christentum ist der Glaube,
der sich in der Liebe auswirkt (Gal. 5, 6).
Gleichwohl berechtigt die zwischen Gottes-F.
u. Liebe sichtbar werdende Spannung nicht
dazu, die in der Gerichtserwartung fundierte
Gottes-F. als einen Fremdkörper anzusehen,
der aus dem Judentum in den ntl. Glauben
eingedrungen ist. Sofern hier auch im AT u.
Judentum wirksame Motive zum Ausdruck
kommen, sind sie doch mit dem christlichen
Glaubensgut verbunden u. haben in der urchristlichen Verkündigung ihre feste Stelle.
Insbesondere hat die Kanonisierung des AT
die christliche Kirche zu einer positiven Wertung der Gottes-F. genötigt.

II. Apostolische Väter. Das F.verständnis
der apostol. Väter ist weithin vom atl. Schrifttum bestimmt, besonders in den Schriften,
die reich an atl. Zitaten sind (Clemensbriefe,
Barnabasbrief, Hermas). Für sie ist der Glaube die selbstverständliche Grundlage des
christl. Lebens; aber zwischen Glauben u.
Gottes-F. besteht kein Gegensatz; gleich am
Anfang der mandata betont Hermas, daß
der gläubige Mensch in der F. Gottes stehen
soll (mand. 1, 1, 1f). Auch sonst stellen die
apostol. Väter den Zusammenhang zwischen

Glauben u. Gottes-F. heraus (1 Clem. 64, 1;
Barn. 2, 2; Herm. mand. 6, 1, 1; 12, 3, 1);
wie dem Verlassen der Gottes-F. ein Schwach-
sichtigwerden im Glauben parallel läuft (1
Clem. 3, 4), so kommen Gottes-F. u. Geduld
dem Glauben zu Hilfe (Barn. 2, 2). Andere
Aussagen unterstreichen die Bedeutung der
Gottes-F. für das christl. Leben: Ihr steht
alle in der F. Gottes, bezeugt 1 Clem. den
Korinthern (2, 8); in F. u. Wahrhaftigkeit
haben frühere Geschlechter die Worte Gottes
entgegengenommen (19, 1); 1 Clem. 22, 1
wird Ps. 34 (33), 10 zum Beweis dafür zitiert,
daß uns Christus durch den Hl. Geist die F.
Gottes lehren will. Auch das 57, 5 erwähnte
atl. Zitat Prov. 1, 29 handelt von der Gottes-
F.; so ist der Einfluß des AT überall sichtbar.
Ebenso ist für den Barnabas- wie für den
Polykarpbrief die Gleichsetzung der Frömmigkeit mit der F. Gottes selbstverständlich
(Barn. 4, 11; 10, 11; 20, 2; Polyc. 2, 1; 6, 3);
das Ziel des christl. Lebens ist ein reicheres
u. höheres Herantreten an die F. Gottes
(Barn. 1, 7; vgl. 11, 5). Für Hermas gehört
die Gottes-F. zu den christl. Tugenden (mand.
6, 1, 1; 8, 1, 9; 12, 3, 1); die Menschen, die
Gott fürchten u. die Gebote halten, haben
das Leben bei Gott (mand. 7, 1, 5; sim. 5, 1,
5). Die F. Gottes ist groß u. stark u. herrlich
u. eine Waffe im Kampf gegen die bösen Begierden (mand. 7, 1, 4; 12, 2, 4); sie führt zur
Einsicht, zur Erkenntnis u. Buße (mand. 10,
1, 6; sim. 8, 11, 2). Wer Gott fürchtet, wird
zwar die Werke des Teufels fürchten u. sich
von ihnen fern halten, aber nicht den Teufel
selbst (mand. 7, 1, 1/3; 12, 4, 6f; 12, 6, 2f),
vor dem nur der glaubenslose Mensch Angst
haben muß (mand. 12, 5, 2). – Es ist bei den
apostolischen Vätern das Wissen darum lebendig, daß die Gottes-F. in der F. vor Strafe
u. Gericht begründet ist (1 Clem. 28, 1; 2
Clem. 5, 4; 18, 2; Herm. sim. 6, 2/5). Nicht
die Menschen u. den irdischen Tod, sondern
den strafenden Gott u. den wahren Tod soll
man fürchten (2 Clem. 4, 4; 5, 4; 10, 3; Ep.
ad Diogn. 10, 7). Auch Ignatius, der sonst
von der Gottes-F. nicht redet, weiß von der
F., die wir angesichts des kommenden Zornes
empfinden müssen (Eph. 11, 1). Auf dieser
Anschauung von der Gottes-F. baut sich die
Paränese auf: Die Christen werden eindring-
lich gemahnt, die Jugend in der F. Gottes zu
erziehen (1 Clem. 21, 6; Barn. 19, 5; Polyc.
4, 2); die Sklaven sollen ihren Herren in
Scheu u. F. untertan sein, die Herren den

Sklaven nicht mit Bitterkeit gebieten, damit
sie die F. vor dem Herrn, der über beiden
steht, nicht verlieren (Barn. 19, 7; Did. 4,
10f). Auch das Nebeneinander von F. u.
Liebe fehlt in der Paränese nicht (1 Clem. 21,
8; 51, 2; Barn. 19, 2; Herm. mand. 8, 1, 9;
Polyc. 4, 2). Wir haben aber keine Anhaltspunkte dafür, daß man dieses Nebeneinander
als ein Problem empfunden hat. Im Ganzen
ist es eine nüchterne Frömmigkeit, die in
den apostolischen Vätern zu Worte kommt.
III. Die weitere Entwicklung bei den griech.
Vätern. a. Clemens Alexandrinus. Justin erinnert in seiner ersten Apologie (12, 1/4) daran, daß der Gedanke an die ewigen Strafen
die Menschen von dem Unrecht abhalten
würde, wenn sie darum wüßten; 2 apol. 9, 1
aber setzt er sich mit dem Einwand auseinander, daß die F. vor Strafe ein sittlich
minderwertiges Motiv sei, da ein tugendhaftes
Leben um seiner selbst willen erstrebt werden
müsse. Solche Einwände von seiten heidnischer Philosophie sind nicht ohne Wirkung
auf die christl. Lehrer geblieben; man kann
es an den Bemühungen des Clemens Alex.
sehen, die Gottes-F. gegen solche Bedenken
zu verteidigen. Die Affektenlehre der Stoa ist
Clemens bekannt (paed. 1, 101, 1 [GCS 12,
150]; strom. 2, 34, 1 [GCS 52, 130]); der
biblische Sprachgebrauch, der φόβος gegenüber εὐλάβεια bevorzugt, hindert ihn an einer
strengen Durchführung der stoischen Terminologie. Aber deutlich ist, daß er einen
Unterschied zwischen F. u. F. macht u. damit die stoische Fragestellung aufnimmt. Af-
fektgeladen u. verwerflich ist die F. vor den
Dämonen. Diese sind im Unterschied von
dem affektlosen Gott von Affekten beherrscht; das Gleiche gilt von der F., die mit
Haß verbunden ist, wie sie die Hebräer ihrem
Gott gegenüber empfinden, den sie nicht zu
ihrem Vater, sondern zu ihrem Herrscher
machten (paed. 1, 87, 1 [GCS 12, 141]; strom.
2, 40, 1 [GCS 52, 134]). Die göttliche Herkunft des Gesetzes verteidigt Clemens gegen
den gnostischen Einfluß; die Rede von den
Affekten Gottes, zB. dem Zorn bei den Hebräern, ist allegorisch zu deuten (strom. 2,
32/5; 5, 68 [GCS 52, 130f. 371]). Nur aus pädagogischen Gründen droht Gott mit Strafen;
wir haben den Geist der Sohnschaft (Rom.
8, 15) empfangen, damit wir in Gott den Vater erkennen, der uns zum Heil erzieht u.
die F. androht (strom. 3, 78, 5 [52, 231]).
Deshalb ist die F., die Gott durch das Ge-

setz wecken will, kein Affekt, sondern eine ‚vernünftige‘ F., die man auch εὐλάβεια nennen kann. Diese F., die nach Prov. 1, 7 der Anfang der Weisheit ist, ist gerecht u. gut; wer sie hat, fürchtet nicht Gott, sondern den Abfall von ihm. Die Gebote, die mit F. drohen, bewirken die Liebe u. nicht den Haß; wie zur Weisheit, so führt diese F. auch zur Reue u. Hoffnung, ja sie ist der Anfang der Liebe: Bei den Gläubigen sind F. u. Liebe gemischt (paed. 1, 67 [GCS 12, 129]; strom. 2, 32/5. 39. 41, 1. 53, 3/5; 4, 10, 3. 11, 1 [GCS 52, 130f. 133f. 142. 253]). Mit diesen Erwägungen sucht Clemens die Gottes-F. gegen den Vorwurf abzuschirmen, daß sie ein ethisch zu verwerfender Affekt sei. Gleichwohl kann sich der christl. Lehrer dem Einfluß des philosophischen Denkens nicht entziehen. Das Ideal ist u. bleibt für ihn die Befreiung von der F. Die Christen stehen nicht unter dem Gesetz, das mit F. verbunden ist (paed. 1, 31, 1 [12, 108]). Ihr höchstes Ziel ist die γνῶσις, die Erkenntnis, die die Vollendung des Glaubens ist (strom. 6, 165, 1 [52, 517]). Aus dieser Erkenntnis leuchtet die Liebe hervor, die durch sie erzeugt wird (strom. 7, 55, 6. 57, 4. 59, 4 [GCS 17, 41/3]). Beides, Erkenntnis u. Liebe, sollen die Christen um ihrer selbst willen erstreben (strom. 4, 135, 4. 136, 5; 6, 98, 3. 99, 1/3 [52, 308. 481]; 7, 67, 2 [17, 48]). Damit wächst der Christ über die Sphäre der F. hinaus: Das Gebot ‚du sollst nicht begehren‘ bedarf nicht der Nötigung von der F. her, noch der Verheißung des Lohnes: ‚Ohne F. will ich sein, wenn ich Dir nahen kann‘; die Liebe, die aus der Erkenntnis erwächst, läßt alle anderen Motive, F. u. Hoffnung hinter sich (strom. 4, 29, 4. 147, 3. 148, 2 [52, 261f. 313f]; 7, 67 [17, 48]). Der Hinweis auf 1 Joh. 4, 17, der sich strom. 4, 100, 5 (52, 292); 7, 46, 3 (17, 34) findet, kann nicht überraschen. Es ist aber keine Frage, daß bei Clemens neben diesem biblischen Motiv ein philosophischer Gottesbegriff wirksam ist, für den Gott bzw. das Göttliche ἀνενδεής u. ἀπαθής, frei von Affekten u. Bedürfnissen ist (strom. 2, 40, 1. 81, 1 [52, 134. 155]). Dieser Gottesauffassung entspricht es, wenn der Gnostiker durch seine Erkenntnis zur ἀπάθεια geführt wird; diese hat aber die Vernichtung der Begierden zur Folge, so daß er auch an der εὐλάβεια, die mit dem φόβος verbunden ist, keinen Anteil mehr hat. Für die gnostische Liebe, die für Clemens das höchste Ideal ist, ist die Freiheit von den

Affekten, auch von der F., ein wesentliches Merkmal (strom. 6, 74. 75 [52, 486f]; Pohlenz, Zorn Gottes 129/31; s. P. de Labriolle, Art. Apatheia: o. Bd. 1, 486).

b. Origenes. Auch Origenes kennt die Spaltung des F.begriffes; auch bei ihm ist die philosophische Tradition noch wirksam; doch steht er trotz seiner tiefen Kenntnis der Philosophie dem Griechentum ferner u. dem Kern des Christentums näher als Clemens. Das zeigt sich in der positiveren Wertung der F. Die F. steht am Anfang des Christenlebens, durch sie unterscheidet sich der Christ von den anderen Menschen, die ohne F., in Unkenntnis u. Schlechtigkeit, in einer gottfeindlichen Gesinnung leben (exp. in Prov. 19 [PG 17, 209]). Ehe wir von Gott etwas empfangen können, müssen wir ihm F. u. Liebe darbringen (in Num. hom. 24, 12 [GCS 30, 229]). Die Gerichtspredigt hat in der kirchlichen Verkündigung ihre feste Stelle (princ. 3, 1 [GCS 22, 195]); darum verteidigt Origenes die ‚einfachen‘ Christen gegen die Angriffe des Celsus (s. Ph. Merlan, Art. Celsus: o. Bd. 2, 954/64); diese kommen durch die F. vor Strafen dazu, daß sie sich dem christl. Glauben hingeben u. alle gegen sie ersonnenen Foltern u. Todesqualen verachten: Darum ist die F. nützlich für die, die noch nicht fähig sind, das Gute, das seinen Wert in sich trägt, um seiner selbst willen zu erwählen (c. Cels. 3, 78 [GCS 2, 269]). Auch die Christen, für die F. vor Strafe u. Gericht das bestimmende Motiv ihres Handelns ist, können Söhne Abrahams genannt werden; es sind die, die den ‚Geist der Knechtschaft zur F.‘ empfangen. Ein solcher Mensch ist zwar ein Christ, aber es gilt von ihm: inferior illo est, qui non in servili timore, sed in caritatis libertate perfectus est (in Gen. hom. 7, 4 [GCS 29, 74]; comm. in Rom. 7, 2 [PG 14, 1105]); die Stellen Rom. 8, 15 u. Joh. 4, 17f werden von Origenes immer wieder erwähnt u. sind das biblische Fundament seines F.verständnisses. F. u. Zorn haben für Origenes ebenso wie für Clemens nur pädagogische Bedeutung; für das gebrechliche Menschengeschlecht ist es heilsamer, unter der F. des Zornes als in der Hoffnung auf Gottes Güte u. Milde zu stehen (comm. in Rom. 7, 18 [PG 14, 1151]); als F. vor der Strafe ist die F. nicht frei von Affekt; aber es gibt nicht nur eine F., sondern auch einen Eifer für Gott, einen Glauben u. eine Liebe, die nicht mit Erkenntnis verbunden u. darum affectus erga deum sind; gleichwohl werden sie positiv gewertet (comm. in Rom. 8, 1 [PG 14, 1158/60]; frg. in Prov. 1, 7 [PG 17, 156]). Der positive Wert der F. besteht darin, daß sie die Unmündigen zu edleren Menschen macht u. sie auf den Dienst der Liebe u. auf den Empfang des spiritus adoptionis vorbereitet (orat. 16, 1 [GCS 2, 336]; comm. in Rom. 7, 2, 3 [PG 14, 1105f]). Gott will, daß wir ihm nicht aus F. vor Strafe, sondern aus Liebe zur Frömmigkeit die Gebote erfüllen (in Lev. hom. 11, 2 [GCS 29, 450]). In dieser Liebe, die man auch als ,Knechtschaft' bezeichnen kann, hat auch Christus, wie die Fußwaschung zeigt, den Menschen gedient (sel. in Ps. 2, 11 [PG 12, 1113]). Die ,Nur-Gläubigen', die im Anfangsstadium des Christenseins, in der F. verbleiben, gelangen freilich nicht zur vollen Erkenntnis u. Liebe (comm. in Joh. 8, 47f [GCS 10, 370/2]; in Gen. hom. 7, 4 [GCS 29, 74f]). Für sie bleibt Christus der Herr u. wird nicht ihr Freund, wie es bei denen der Fall ist, die die Erkenntnis der Geheimnisse Gottes zu Freunden gemacht hat (comm. in Joh. 1, 29 [GCS 10, 36f]; sel. in Ps. 22, 5 [PG 12, 1264]). – Die F. vor Strafe, die auch denen noch anhaftet, die den Herrn fürchten, der Leib u. Seele in der Hölle verderben kann (Mt. 10, 28), kann indessen nicht als die wahre Gottes-F. angesprochen werden. Diese F., die nicht frei von Affekt ist, treibt die vollkommene Liebe aus. Die wahre Gottes-F. aber ist die ,ehrfürchtige Scheu' (ἡ κατὰ σεβασμὸν εὐλάβεια), die mit der Strafe nichts zu tun hat; wer sie hat, dessen Wille lebt in einem echten Verlangen in den Geboten Gottes u. setzt sie in Taten um. Diese F. ist der Anfang der Weisheit u. findet sich bei dem, der in der Weisheit vollendet ist (frg. in Prov. 1, 7 [PG 17, 156]; sel. in Ps. 2, 11 [PG 12, 1113f]). Von dieser Gottes-F. wird Ps. 18 (LXX), 10 gesagt, daß sie rein sei (ἁγνός-castus); weil sie ewig ist, verschafft sie dem Menschen den Genuß der ewigen Güter: Auch hier ist neben dem φόβος die εὐλάβεια erwähnt (sel. in Ps. 18, 10 [PG 12, 1245]). Für die Menschen, die Gott so fürchten, kann es keinen Mangel geben; fehlt es dem Gläubigen an Speise u. Trank, so fehlt es ihm doch nicht an der Erkenntnis. Diese F. nimmt auch jede andere von ihm weg (sel. in Ps. 33, 10 [PG 12, 1308]; in Lev. hom. 16, 6 [GCS 29, 502]). Auch bei Origenes ist die terminologische Abhängigkeit vom stoi-

schen Sprachgebrauch deutlich; fremd ist ihm auch nicht der Gedanke des affektlosen Gottes (c. Cels. 4, 72; 6, 65 [GCS 2, 341f; 3, 136]) noch der des affektlosen Seins für den Christen (sel. in Ps. 17, 21 [PG 12, 1232f]; exp. in Prov. 1, 33 [PG 17, 165]; Pohlenz, Zorn Gottes 31/6; Teichtweier 122; P. de Labriolle, Art. Apatheia: o. Bd. 1, 486). Doch ist sein F.verständnis mehr als das des Clemens von dem Bedürfnis bestimmt, sich mit dem biblischen Gedankengut auseinanderzusetzen.

c. Johannes Chrysostomus. Die F.lehre der alexandrinischen Theologie ist bei den späteren griech. Vätern wesentlichen Modifikationen unterworfen, auch wo manches von ihrem Gedankengut aufgenommen ist. Wir können es bei Joh. Chrysostomus sehen, der die Gottes-F. als einen köstlichen, alles überragenden Besitz preist (in kal. 3 [PG 48, 956]). Chrysostomus kennt zwar den Gedanken der ἀπάθεια (exp. in Ps. 6, 1 [PG 55, 71]; Pohlenz, Zorn Gottes 113/5): Wenn die Schrift vom Zorn u. Grimm Gottes redet, so ist es die gnädige Herablassung Gottes (συγκατάβασις), die sich um der Menschen willen solcher Anthropomorphismen bedienen muß. In derselben Linie liegt es, wenn sie vom Hören u. Sehen redet. Für den Theologen, der der ,Unergründlichkeit der göttlichen Natur' eine eigene Schrift gewidmet hat, ist das kein Hindernis, ohne die Zurückhaltung der Alexandriner eindrücklich vom Zorn Gottes u. der F. zu reden. In der Psalmenauslegung führt er bei der Exegese zu Ps. 110, 9 (PG 55, 289); Ps. 111, 1 (PG 55, 290f) aus, daß die Gottes-F. Wurzel u. Grundlage der Weisheit ist; diese Weisheit darf nicht nur in einer Erkenntnis bestehen, wie sie auch die Dämonen haben; sie muß in einer dem Glauben gemäßen Lebensführung (πολιτεία) zum Ausdruck kommen. Sie soll ein eifriges u. freudiges Streben nach der Tugend (ἀρετή) sein; so wird das θελήσει σφόδρα aus Ps. 111, 1 erklärt. Man muß die Gebote lieben u. nicht nur aus F. vor Strafen u. der Hölle oder um der Verheißung des Reiches willen erfüllen, sondern aus Liebe zu dem Gesetzgeber, Gott (PG 55, 290f). Ähnlich erörtert er in der Auslegung von Rom. 8, 15 den Unterschied des alten u. neuen Bundes (in Rom. hom. 14, 2 [PG 60, 526]). In dem letzteren sollen die Gebote nicht aus F. vor Strafe, sondern aus Verlangen u. Sehnsucht von denen erfüllt werden, die den Geist der

Sohnschaft empfangen haben, den die Juden nicht hatten. Auch hier bezieht sich der geforderte Gehorsam auf den inneren Menschen. In diesem weiten Sinn verstanden erscheint die Gottes-F. als die normale Haltung der Gläubigen u. wird von dem großen Prediger oft überschwenglich gepriesen: In den so häufigen Wechselfällen des Lebens sitzt der, der die Gottes-F. hat, ‚in der Stille u. in einem Hafen u. genießt die wahre Seligkeit‘ (exp. in Ps. 127, 1 [PG 55, 365/7]). Chrysostomus ist von dem mönchischen Ideal der *Anapausis nicht unberührt. – Der Hintergrund dieses F.verständnisses ist bei Chrysostomus der Gerichtsernst. Zur Gottes-F. gehört, daß man den Tag des Gerichts ständig vor Augen hat; es kommt darauf an, daß man das allein fürchtet, was der F. wert ist: Die Sünde, die uns den ewigen Strafen überliefert (exp. in Ps. 48, 6 [PG 55, 227]). Das Erdbeben in Antiochia (vgl. A. Hermann, Art. Erdbeben: o. Bd. 5, 1107) ist für Chrysostomus ein Anlaß, an den furchtbaren Gerichtstag zu erinnern u. zu schildern, wie uns auch die nächsten Menschen im Gericht nicht helfen können. Die Ursache des Erdbebens ist Gottes Zorn, u. dieser ist allein zu fürchten (Laz. 6, 1 f [PG 48, 1027/30]). Darum sollen die Kinder von Jugend an lernen, daß es ein Gericht gibt. Wenn diese F. von Jugend an eingewurzelt ist, wirkt sie viel Gutes (in 2 Thess. hom. 2, 4 [PG 62, 478]). Wie das Gericht, so ist auch die Erinnerung an die Hölle ein Mittel, F. zu wecken. Diese F. ist eine heilsame Medizin, weil sie wirksamer ist als die Verheißung; darum reden wir nicht soviel vom Reich als von der Hölle, wie auch Christus tut (in 2 Thess. hom. 2, 3 [ebd. 477]). Man soll nicht die Frage aufwerfen, wo die Hölle ist, sondern danach trachten, daß man ihr entgeht; deshalb hat sie Gott geschaffen u. droht mit ihr, daß wir durch diese F. besser werden (in Rom. hom. 31, 5 [PG 60, 674f]). Nichts ist nützlicher, als die F. vor der Hölle, die uns die Krone des Reiches bringt (ad pop. Antioch. hom. 15, 1 [PG 49, 154]). Chrysostomus möchte selbst wünschen, daß es keine ewige Bestrafung gebe; trägt er doch nicht nur für sich selbst, sondern für die ganze προστασία die Verantwortung (in 1 Thess. hom. 8, 4 [PG 62, 446]). Auch die Schrift De sacerdotio hebt die große Verantwortung des Priesters hervor, die größer als die des Mönches ist. Darum muß auch der Priester von größerer F. erfüllt sein, weil er

für viele verantwortlich ist (sacerd. 6, 1/3 [PG 48, 677/80]). Dabei hat Chrysostomus über dem F.motiv den Liebesgedanken nicht übersehen. Er ist, wie schon die Auslegung von Ps. 111, 1 (PG 55, 290) gezeigt hat, im Grunde schon in den Gedanken der Gottes-F. hineingenommen; besonders aber schildert er bei der Auslegung von Rom. 8, 38 die Liebe des Apostels, die die F. überwindet, in starken Farben. Der Apostel fürchtet nur das eine, daß er aus der Liebe zu Christus fallen könne, was für ihn furchtbarer wäre als die Hölle selbst. Seine Liebe zu Christus ist aber nichts gegen die Liebe, mit der er von Gott geliebt wurde: so leuchtet der Liebesgedanke in seiner ganzen Hoheit auf (in Rom. hom. 15, 5 [PG 60, 546f]; in 2 Thess. hom. 2, 4 [PG 62, 477f]). – Neben der F., die der Ernst des Gerichtes u. die Hölle wecken, weiß Chrysostomus aber auch um den schauererregenden Charakter der Gottes-F. In der Schrift ‚Über die Unergründlichkeit Gottes‘ schildert er das Erschrecken des Psalmisten u. des Apostels, die in das unendliche u. abgrundtiefe Meer göttlicher Weisheit hinabschauen u. zurückschaudern; die Engel aber bringen anbetend u. lobend mit großer F. ihre mystischen Gesänge zu Gott empor: ‚Siehst Du nicht, welche F. oben, welche Verachtung hier unten ist?‘ (inc. dei nat. 1, 4/6 [PG 48, 705/7]). Die Christen aber preisen in ihren Gottesdiensten mit den Seraphim u. den körperlosen Himmelsmächten den gemeinsamen Herrn; das kann nur mit F. u. Zittern, mit einer wachen u. aufgeweckten Seele geschehen (aO. 4, 5 [PG 48, 734]). Heilige F. erweckt auch das Priestertum des neuen Bundes; war schon das atl. Priestertum, das der Gnade voraufging, furchterregend, so ist dieses erst recht ein schauervolles Mysterium (φρικωδεστάτη τελετή): Der Herr, der zur Rechten des Vaters sitzt, wird geopfert u. von allen Händen gehalten; er gibt sich denen hin, die ihn umfassen u. empfangen wollen; der Priester aber bringt nicht wie Elias das Feuer (1 Reg. 18), sondern den Hl. Geist herab u. betet unaufhörlich, daß die Gnade, die sich auf das Opfer herabsenkt, durch dieses die Herzen entzünden möge (sacerd. 3, 4 [PG 48, 642]). Dieses Beispiel zeigt die weitreichende Bedeutung, die das F.motiv für die Frömmigkeit der griech. Väter hatte.

d. Das älteste Mönchtum. Eine ähnliche Haltung zum Problem der Gottes-F. wie bei

Chrysostomus tritt uns in den *Apophthegmata patrum entgegen. Ein Unterschied besteht vielleicht darin, daß die Haltung des
alten Mönchtums unreflektierter, naiver ist;
aber die Grundanschauungen sind die gleichen. Mit Selbstverständlichkeit wird die F.
Gottes als religiöses Ideal ergriffen: Wenn
die F. Gottes in das Herz hineingeht, erleuchtet sie den Menschen u. lehrt ihn alle Tugenden sowie die Gebote Gottes (Jakobos 3: PG
65, 232 C); das Ideal des Mönchtums, die
Ruhe (ἀνάπαυσις, ἡσυχία), die der Ursprung
aller Tugenden ist u. den Mönch vor den
feurigen Pfeilen der Sünde bewahrt (Heussi
266/71; C. Schneider, Art. Anapausis: o. Bd.
1, 414/8), besteht darin, daß er mit F. u.
Erkenntnis Gottes in seiner Zelle sitzt u. sich
von der Erinnerung an das Böse u. den
Hochmut fernhält (Rufus 1: PG 65, 389 BC).
Durch Demut, Besitzlosigkeit, Nicht-Rich-
ten zieht die F. Gottes beim Menschen ein;
durch Demut, Enthaltung von Speise u.
Traurigkeit (Buße) soll sie bei ihm bleiben
(Euprepius 5. 6: PG 65, 172 CD). Drei Dinge
sind die Hauptsache: Gottes-F., Gebet, dem
Nächsten Gutes tun; mit Bäuchlein voll Käse
u. Gefäßen von Salzfleisch kann man die
Gottes-F. nicht erlangen (Poemen 160. 181:
PG 65, 361 A. 365 D). Zum Fortschreiten in
der Gottes-F. gehört, daß man auf Schmähungen u. Schläge nicht anders als ein Stein
reagiert (Ammonas 8: PG 65, 121 B). Von
der Nonne Sara wird berichtet, sie habe
durch Gottes-F. u. Askese den Geist der Unzucht besiegt (Sara 1. 2: PG 65, 420 BC). So
steht die Gottes-F. neben der Demut an der
Spitze der mönchischen Tugenden (Joh. Ko-
lobos 22: PG 65, 212 D). – Auch für das alte
Mönchtum ist der Gedanke an den Richterstuhl Gottes ein integrierender Bestandteil
dieser F. Arsenius denkt in der Stunde seines
Todes an den ‚furchtbaren Richterstuhl‘
Gottes u. bekennt, daß ihn die F. durch sein
ganzes Mönchsleben von Anfang bis zum
Ende begleitet habe (Arsenius 40: PG 65,
105 BC). Agathon erinnert daran, daß der
Mensch jede Stunde vor den Richterstuhl
Gottes treten muß; in der Todesstunde weiß
er, daß er vor dem Tribunal Gottes steht u.
nicht sicher ist, ob seine Werke Gott gefallen;
Gottes Urteil ist anders als das der Menschen
(Agathon 24. 29: PG 65, 116 B. 117 BC). Abt
Pambo bekennt in seiner Todesstunde, daß
er mit dem Dienst Gottes noch nicht begonnen habe (Pambo 8: PG 65, 369 CD). So gibt

es keine Gewißheit des Heils (Heussi 270;
Boularand 2479). Der Mensch kann zu Fall
kommen u. wieder aufstehen, sein Schicksal
hängt von dem Zustand ab, in dem er stirbt
(Sisoes 38: PG 65, 404 C). Rettung kann nur
erlangen, wer sich klagend u. anklagend den
Richterstuhl Christi vor Augen stellt. Nur
der, den die Frage nach seiner Rettung im
Gericht bewegt, kann sich von Sünde frei-
halten (Ammonas 1: PG 65, 120 A; Sisoes 19:
397 f). In seiner Zelle soll deshalb der Mönch
ständig Tod u. Ewigkeit, die Schrecknisse
der Verdammnis u. die Seligkeit sich vorstellen; von der F. erfüllt, daß er nicht zu
den verurteilten Sündern gehören möge, soll
er weinen u. klagen (Euagrius 1: PG 65,
173 A/C). Groß ist die Schande, wenn wir
nach langem Mönchsleben das hochzeitliche
Gewand nicht empfangen u. die Väter u.
Brüder sehen, wie wir von Strafengeln ge-
peinigt werden (Dioscorus 3: PG 65, 161 AB).
Wie nach den Worten des Chrysostomus uns
die F. vor der Hölle die Krone des Reiches
bringt, so ist es auch im alten Mönchtum:
Das asketische Leben, die furchterfüllte Bußgesinnung, die ständige Erinnerung an Tod
u. Gericht sind der Weg zum Heil: Gedenke
immer an deine Todesstunde u. vergiß nicht
das ewige Gericht, so wird keine Verfehlung
in dir sein (Euagrius 4: PG 65, 173 D). Deshalb mahnt auch Antonius die Mönche, ständig die F. Gottes vor Augen zu haben u. an
das Gelöbnis zu denken, das Gott am Tage
des Gerichts ihnen abfordern wird. Von demselben Antonius wird freilich auch das andere
Wort berichtet: Ich fürchte nicht Gott, sondern liebe ihn, denn die Liebe treibt die F.
aus (Antonius 32. 33: PG 65, 85 C). Trotz der
beherrschenden Stellung des F.motives ist
der Liebesgedanke nicht völlig vergessen.

IV. Das abendländische Christentum. a.
Sprachliches. Als sprachliche Äquivalente
für den Begriff der Gottes-F. kommen im
abendländisch-christlichen Raum im wesentlichen die Wortgruppen metus u. timor dei in
Frage. Die Vulgata gibt σέβεσθαι durchweg
mit colere, εὐσέβεια mit pietas wieder; nur in
der Übersetzung von εὐλάβεια mit reverentia
klingt das F.motiv an (vgl. u. Sp. 694).

b. Tertullian. Das F.verständnis Tertullians,
des ersten großen Kirchenschriftstellers des
Abendlandes, ist in seiner Gottesanschauung
begründet. Trotz gelegentlicher Konzessionen, die der Apologet Tertullian an den ‚Gott
der Philosophen‘ macht (c. Marc. 2, 27 [CSEL

47, 374]; Pohlenz, Zorn Gottes 26/9), ist Gott
für Tertullian nicht das affektlose Sein, sondern der lebendige Gott, der Schöpfer u.
Richter, den uns schon die anima naturaliter
Christiana, darüber hinaus aber das prophetische u. apostolische Wort bezeugt (apol. 17
[CSEL 69, 46/8]; Lortz 1, 184/92). Gottes
Wille entscheidet darüber, was gut ist (paen.
5, 7 [CSEL 76, 149]); die geläufige Bezeichnung des Christentums als disciplina erläutert das. Es gibt eine ‚natürliche‘ F. der Seele,
die in der F. vor dem Zorn Gottes begründet
ist; diese F. ist mit dem Dasein Gottes gegeben (test. an. 2, 5 [CSEL 20, 137]; haer. 43:
ubi deus, ibi metus in deum [CSEL 70, 55f]).
Der allmächtige Gott muß seinen Willen
durchsetzen; er muß zürnen, wenn er beleidigt ist, strafen, wenn er zürnt: Mit Leidenschaft wendet sich Tertullian gegen die
Häretiker, besonders Marcion, die mit dem
Gedanken des zürnenden Gottes auch die F.
verwerfen (haer. 43 [CSEL 70, 55f]; c. Marc.
1, 25/7 [CSEL 47, 325/9]; vgl. die Bezeichnung Epikurs als consiliarius Marcions ebd.
326). Auch Christus hat den Zorn Gottes gekannt u. besessen (an. 16 [CSEL 20, 322];
vgl. dazu J. H. Waszink, Tertullian De anima
[Amsterdam 1947] 229f). Gott ist auch der
Herr über die Mächtigen der Welt, die über
die Christen, die Gott u. nicht den Prokonsul
fürchten, zu Gericht sitzen (apol. 4, 5, 7
[CSEL 69, 105]). Aber die F. soll dem Menschen zum Guten u. nicht zum Bösen dienen.
Wo es keine F. gibt, gibt es auch keine Besserung (c. Marc. 2, 13 [CSEL 47, 352]; paen.
2, 2 [CSEL 76, 141]). Die grundlegende Bedeutung, die die F. für das Heilsverständnis
Tertullians hat, ergibt sich aus dem berühmten Satz: timor fundamentum salutis, praesumptio (Vermessenheit) impedimentum ti-
moris (cult. fem. 2, 2 [CSEL 70, 74]). Die
volle Bedeutung dieser Aussage wird uns
durch die Bußlehre Tertullians verständlich
(vgl. H. Emonds-B. Poschmann, Art. Buße:
o. Bd. 2, 805/11). Die Auffassung, daß das
Taufsakrament Vergebung der Sünden vermittelt, gehört zum Gemeinbesitz der alten
Christenheit u. wird von Tertullian nicht bestritten; aber diese Vergebung hat die wahre
Reue zur Voraussetzung. Wir werden nicht
abgewaschen, weil wir aufhören zu sündigen,
sondern weil wir bereits im Herzen gewaschen
sind, uns von der Sünde geschieden haben.
Das geschieht durch den Glauben, mit dem
Reue u. F. verbunden sind (paen. 6, 16f

[CSEL 76, 156]). Darum ist die Taufe eine
schwere Bürde, deren Übernahme man mehr
fürchten muß als den Aufschub; durch diese
F., die ein Zeichen der wahren Reue ist u.
im Gegensatz zur praesumptio steht, wird
Gott geehrt (bapt. 20 [CSEL 20, 216]; paen.
6, 21/4 [CSEL 76, 157]). Durch die Taufe aber
ist für die, die weiterhin sündigen, das Tor
der Vergebung verschlossen u. verriegelt
(paen. 7, 10 [CSEL 76, 159]); für diese Tauf-
lehre hat sich später Tertullian auf Hebr. 6,
4/8 ausdrücklich berufen (pud. 20 [CSEL 20,
266f]). Auch der Getaufte muß sich vor der
praesumptio hüten, daß er nicht sündigen
könne; durch ein Leben in der F., die die
Sünde meidet, soll er Gott ehren (cult. fem.
2, 2 [CSEL 70, 74]; paen. 7, 4/6 [CSEL 76,
158f]). Aber auch nach der Taufe bleibt dem
gefallenen Sünder noch einmal die Möglichkeit, bei Gott anzuklopfen u. seine Vergebung
zu erlangen: Er bezeugt seine paenitentia
durch die Exomologese, in der er vor der
Gemeinde seine Schuld bekennt u. mit den
Brüdern die Vergebung Gottes erfleht. Auch
in ihr wird durch die F. vor der ewigen Strafe
Gott geehrt (paen. 9, 5 [CSEL 76, 159]); je
weniger der Büßende sich selbst dabei schont,
desto mehr darf er hoffen, daß Gott ihn scho-
nen wird. Mit großer Eindringlichkeit weist
Tertullian auf die Notwendigkeit u. Heilsam-
keit dieser Buße hin (paen. 7, 10/2; 9/12, 5
[CSEL 76, 159. 162/8]); wer weiß, daß er von
dem ewigen Verderben bedroht ist, wird die
Scheu vor solcher Buße überwinden. Der
Gedanke an das ewige Gericht konzentriert
sich für Tertullian in der F. vor der Hölle
(12, 1/5 [CSEL 76, 167f]), deren Strafen für
ihn, anders als für Origenes (Teichtweier
152/4. 171/3), ewige Strafen sind. Dadurch
erfährt das F.motiv seine höchste Steigerung.
Auch in der Auseinandersetzung mit den
Heiden (apol. 13, 3; 45, 7; 48, 1/5 [CSEL 69,
46. 105. 116]) u. Häretikern (haer. 2 [CSEL
70, 2]; c. Marc. 1, 27f; 4, 29 [CSEL 47, 328f.
522f]) spielen die Höllenstrafen eine Rolle.
Durch ein Leben in F. u. Buße wird Gott
geehrt. Der ethische Rigorismus, der mit
diesem Ideal verbunden war, hat Tertullian
zuletzt zum Bruch mit der Kirche geführt. –
Der Vorwurf wäre unberechtigt, daß Tertullian bei seiner Betonung des F.motivs den
Gedanken der Gottesliebe ganz übersehen
hätte. Er weiß um die Güte u. Strenge Gottes; die erstere ist ingenita, die zweite acci-
dens; ebenso stellt er die Gebote der Gottes-

F. u. Liebe nebeneinander (c. Marc. 2, 11. 13 [CSEL 47, 350. 353]). Im Anschluß an Lc. 15 stellt er uns paen. 8 die erbarmende Liebe Gottes vor Augen, um so den sündigen Menschen auf den Weg der Buße zu locken (CSEL 76, 160/2). Aber vorherrschend ist bei ihm der Gedanke an F. u. Gericht. Charakteristisch für seine Haltung ist die Auslegung von 1 Joh. 4, 18: Die F., die die vollkommene Liebe austreibt, ist die F. vor dem Leiden, dem Martyrium: qui pati non timet, iste erit perfectus in dilectione (fug. 14, 3 [CSEL 76, 43]). Im Martyrium, in dem der Christ sein Leben in vollkommener Liebe dahingibt, wird die F. überwunden u. die vollkommene Vergebung erlangt (scorp. 6 [CSEL 20, 158]; apol. 50, 15 [CSEL 69, 121]).

c. Laktanz. In ähnlicher Weise wie Tertullian setzt sich Laktanz mit dem F.problem auseinander. Die Reflexionen der heidnischen Philosophen über die F. sind ihm bekannt; das 3. Buch der Institutiones divinae ist ganz der Auseinandersetzung mit ihnen gewidmet. Seine Haltung dieser Philosophie gegenüber ist aggressiv, nicht defensiv; die Polemik gegen die Häretiker tritt zurück. Die Philosophen, die den F.gedanken ablehnen, werden scharf abgewiesen: qui ergo philosophi volunt animos omni metu liberare, tollunt etiam religionem (inst. 3, 10, 9 [CSEL 19, 203]). Besonders gilt das von Epikur, der bestreitet, daß man die Strafen der Unterwelt fürchten müsse: religionem funditus delet (ira 8, 6 [CSEL 27, 81]; vgl. inst. 3, 17, 41f [CSEL 19, 236]). Auch an derAuffasssung der Stoiker u. Peripatetiker übt Laktanz Kritik: non evellendus, ut Stoici, neque temperandus timor, ut Peripatetici volunt, sed in veram viam dirigendus est (inst. 6, 17, 9 [CSEL 19, 542]). Das geschieht dadurch, daß die F. zur Gottes-F. wird; als solche ist sie eine Tugend wie die Tapferkeit u. hat zur Folge, daß der Mensch außer Gott nichts mehr fürchtet. Die Haltung der Christen, die ihre Gottes-F. befähigt, die größten Leiden u. Qualen auf sich zu nehmen, veranschaulicht das (inst. 6, 17, 1/8 [CSEL 19, 541f]). Den Heiden wird nicht zugestanden, daß sie ihren Göttern reverentia u. timor darbringen; das Lobopfer der Christen hingegen muß mit Demut, F. u. Hingabe verbunden sein, wenn Gott es annehmen soll (inst. 5, 19, 27; 6, 25, 12 [CSEL 19, 466. 579f]). Die Schrift De ira dei erörtert dann genauer den Zusammenhang zwischen dem Zorn Gottes u. der F.: Ohne den Zorn gibt es auch keine Liebe Gottes. Weil beides, Zorn u. Liebe, zum Wesen Gottes gehört, müssen wir Gott fürchten als den strengen Herrn u. lieben als den gütigen Vater (ira 5, 9f; 24, 1/5 [CSEL 27, 75f. 130]; inst. 4, 1, 2 [CSEL 19, 282]). Deshalb weckt Gottes Zorn im Menschen die F., wiewohl Gott selbst ohne F. ist (ira 6, 2; 15, 8/10 [CSEL 27, 77. 107]). Religion, Majestät u. Ehre bestehen nur durch die F. Gottes, die die Grundlage der menschlichen Gesellschaft ist u. hindert, daß der Mensch auf die Stufe des Tieres herabsinkt (ira 8, 7; 11, 16; 12, 3/5 [CSEL 27, 81f. 98f]). Wenn ein irdisches imperium ohne F. nicht bestehen kann, so können wir es erst recht nicht von der Majestät des himmlischen Reichs erwarten (ira 23, 10f [CSEL 27, 129]). Nicht nur Menschen, auch Engel u. Dämonen, ja Himmel u. Erde haben Anteil an dieser F. (ira 23, 13 [CSEL 27, 130]; inst. 7, 21, 1 [CSEL 19, 650]). Auch bei Laktanz ist der Hintergrund dieser Anschauung der Gedanke an Gericht u. Verdammnis; wie am Schluß des Buches über den Zorn Gottes dieser als ein ewig bleibender gekennzeichnet wird (ira 21, 8f [CSEL 27, 122]), so schildern die Schlußkapitel der Institutiones realistisch die Qual der verurteilten Seelen u. das jüngste Gericht (inst. 7, 21. 26, 6f [CSEL 19, 650/2. 666f]).

d. Augustinus. 1. Übernahme des doppelten F.begriffs. Aus den übrigen altlateinischen Kirchenvätern lassen sich ebenfalls positive Aussagen über die Gottes-F. in reichem Maße beibringen. Für Cyprian (test. 30, 20 [CSEL 3, 1, 134/8]) ist die F. Grundlage für Glaube u. Hoffnung; Ambrosius erinnert im Anfang seiner Schrift De officiis ministrorum (1, 1 [PL 16, 27]) die christl. Lehrer daran, daß die F. initium sapientiae et effector beatitudinis ist; ep. 74, 10 (PL 16, 1311) betont er aber: deus diligi maluit quam timeri (Weiteres bei Boularand 2484f). Hieronymus hat mit Hinweis auf Rom. 8, 15 u. 1 Joh. 4, 18 den doppelten F.begriff des Origenes übernommen; die F. der Vollkommenen, die die Philosophen εὐλάβεια nennen u. die man (licet non plane sonet) mit reverentia wiedergeben kann, ist von der F. derer, die den spiritus servitutis in timore haben, zu unterscheiden (comm. in Eph. 5, 33 [PL 26, 570f]). Dieser doppelte F.begriff ist auch die Voraussetzung für die Analysen Augustins, in denen sich eine vertiefte Beobachtung seelischer Vorgänge auswirkt u. die an kirchengeschichtlicher Bedeutsamkeit über alles hinausgehen, was die voraugustinische Theologie zu diesem Problem beigesteuert hat.

2. Timor castus u. timor servilis. Auch für Augustin sind die schon für Origenes wichtigen biblischen Aussagen (Ps. 18, 10; Mt. 10, 28; Rom. 8, 15; 1 Joh. 4, 18) die Grundlagen seines F.verständnisses. Der philosophische Gedanke, daß das Gute um seiner selbst erwählt werden müsse, wird von ihm durch die aus Ps. 72, 27f gewonnene Erkenntnis modifiziert, daß das adhaerere deo das Gute ist (ep. 140, 53 [CSEL 44, 199]). Wenn sich auch bei ihm Anklänge an die Lehre von der Affektlosigkeit Gottes finden (Pohlenz, Zorn Gottes 123/8), so ist doch das persönliche Gottesverhältnis für ihn bestimmend. Eindrucksvoll wird conf. 2, 6, 13 (CSEL 33, 39) die F. vor dem allein mächtigen Gott, dem die F. gebührt, der F. vor den Mächtigen der Welt entgegengesetzt. Von der F.lehre der Stoa kann er sich deshalb ebenso wie von der F.lehre Epikurs nur distanzieren (s. 398, 2 [PL 39, 1528f]). Aber der Unterschied zwischen dem timor castus u. dem timor servilis nimmt in seinem Denken eine beherrschende Stellung ein. Der timor castus (Ps. 18, 10) ist eben die F., durch die die Seele an Gott hängt u. die in Ewigkeit bleibt; man kann hier unschwer die εὐλάβεια des Origenes wiedererkennen. Durch diese F. hüten wir uns, den Gott zu beleidigen, den wir von ganzem Herzen, von ganzer Seele u. aus ganzem Gemüte lieben (exp. ad Gal. 5, 53 [PL 35, 2142]). Diese F. kommt aus der Liebe u. führt sie als ihre ständige Begleiterin in die Seele ein (en. in Ps. 127, 8 [CCL 40, 1872f]; s. 161, 9 [PL 38, 883]; in ev. Joh. tract. 43, 7 [CCL 36, 375]). Dieser timor castus unterscheidet sich charakteristisch von der Straf-F., dem timor servilis. Augustin erläutert den Unterschied mit dem oft wiederkehrenden Beispiel der beiden Ehefrauen, der coniunx casta u. coniunx adultera (zB. in ep. Joh. tract. 9, 5f [PL 35, 2049]; en. in Ps. 127, 8 [CCL 40, 1872f]). Beide fürchten ihren Gatten, jedoch in entgegengesetzter Weise: Die erste sehnt sich nach seiner Gegenwart u. fürchtet, daß er sie verlassen könnte, die andere fürchtet sein Kommen u. ihre Verurteilung. Ebenso fürchtet die mit Gott verbundene Seele, die Gerechtigkeit zu verlassen u. von Gott getrennt zu werden. Sie fürchtet, ihm zu mißfallen, weil sie ihn liebt; als Gabe des Hl. Geistes ist sie nur die Kehrseite der Gottesliebe, mit der sie untrennbar verbunden ist (en. in Ps. 18,

10 [CCL 38, 110]; s. 348, 3 [PL 39, 1529]; in ep. Joh. tract. 9, 8 [PL 35, 2050f]; ep. 140, 53 [CSEL 44, 199f]). – Aus dem spiritus servitutis (Rom. 8, 15) geht der timor servilis hervor, die Straf-F., die auch oft schlechtweg timor poenae heißt (in ev. Joh. tract. 85, 3 [CCL 36, 539f]; en. in Ps. 118, s. 11, 1 [CCL 40, 1696]). Diese F. bezieht sich einmal auf irdische Strafen, wie Vermögensverlust oder Gefangenschaft, auf die carnalia promissa Gottes an Israel, aber ebenso auf körperliche Übel, zu denen auch der Tod zählt (in ev. Joh. tract. 43, 7 [CCL 36, 375]; en. in Ps. 77, 12 [CCL 49, 1077f]; en. in Ps. 84, 11 [CCL 49, 1171f]). Daneben versteht Augustin unter dem timor servilis auch die F. vor der ewigen Verdammnis, den timor gehennae (s. 161, 8 [PL 38, 882]). Diese F. setzt den Glauben an Gott voraus; doch wird hier nicht die Gerechtigkeit geliebt, sondern die Verdammnis gefürchtet (spir. et lit. 32, 56 [CSEL 60, 213]; en. in Ps. 127, 7 [CCL 40, 1871f]). Wer aber nur aus F. vor Strafe nicht sündigt, ist ein Feind der Gerechtigkeit; er fürchtet nicht, in die Sünde zu fallen, sondern das Brennen der Hölle; diese F. wird von der vollkommenen Liebe ausgetrieben (ep. 145, 4 [CSEL 44, 269]). Würde er anfangen, die Gerechtigkeit zu lieben, so würde er einen Diebstahl unterlassen, selbst wenn es keine Hölle für Diebe gäbe; wo er nur aus F. vor Strafe das Gute tut, handelt er invitus, d. h. seinem Wollen zuwider (en. in Ps. 32, 6 [CCL 38, 252f]; en. in Ps. 118, s. 11, 1 [CCL 40, 1695f]). Neben dem Bild von der coniunx casta u. adultera gebraucht Augustin auch das Bild des Löwen oder des Wolfes, der aus F. seine Beute im Stich läßt, aber damit seine Natur u. Bosheit nicht ändert (s. 169, 6; s. 178, 9 [PL 38, 919. 965]). Diese Aussagen legen die Folgerung nahe, daß der timor servilis, auch der timor gehennae, keinen ethischen Wert hat, weil er die Gesinnung des Menschen nicht zu ändern vermag. – Und doch wäre mit diesem Urteil der Sachverhalt nicht richtig umschrieben. Augustins Aussagen sind nicht völlig einheitlich; im Gegensatz zu ep. 145, 4 (CSEL 44, 269) wird in der Schrift De sancta virginitate (38, 39 [CSEL 41, 280]) die F. vor dem göttlichen Gericht von der F., die die Liebe austreibt, ausgenommen. Besonders instruktiv ist s. 161, 8 (PL 38, 882): Hier unterscheidet Augustin den timor gehennae, der auch für ihn ein serviliter timere ist, von dem timor vanus, der sich auf den Verlust

zeitlicher Güter bezieht. Er wagt aber nicht, den timor gehennae für eine schlechte F. zu erklären, weil er sich nicht in den Gegensatz zu dem Wort Jesu (Mt. 10, 28), das diese F. gebietet, stellen kann. Er kommt zu dem Ergebnis: plane time, nihil melius times, nihil est, quod magis timere debeas. Auch in den Ausführungen, die sich an das Gleichnis von dem Wolf s. 178, 9 (PL 38, 965) anschließen, wagt Augustin nur zu folgern: etiamsi timore gehennae non facis malum, non es perfectus. Aber damit wird dieser F. nicht jeder Wert abgesprochen. Diese F. ist gut u. nützlich u. soll den Christen zur Liebe führen (en. in Ps. 127, 8 [CCL 40, 1872f]). Sie ist eine unentbehrliche Vorbereitung für die Liebe: Vincat in te primus timor et erit amor (s. 349, 7 [PL 39, 1533]). Die F. vor der Hölle führt zur Besserung u. bewirkt, daß der Mensch zuletzt nach dem verlangt, was er erst fürchtete: nach dem Kommen Christi u. seines Reiches (in ep. Joh. tract. 9, 2 [PL 35, 2046]). In diesem Sinn kann Augustin sogar sagen: Per timorem ignis aeterni Christus intrat (en. in Ps. 141, 4 [CCL 40, 2048]). Als durch das Gesetz bewirkte F. hat sie pädagogische Bedeutung (nat. et grat. 1 [CSEL 60, 233]); sie ist eine Gabe Gottes, ein Heilmittel, während die Liebe die Gesundheit ist (grat. et lib. arb. 18, 39 [PL 44, 904f]; in ep. Joh. tract. 9, 4 [PL 35, 2048]); sie wird darum immer mehr abnehmen, je mehr die Liebe wächst u. in das Herz einzieht (s. 156, 13 [PL 38, 857]; s. 348, 3 [PL 39, 1529]). Diese zahlreichen Äußerungen des Kirchenvaters darf man nicht übersehen, wenn man zum rechten Verständnis der augustinischen F.-lehre gelangen will.

3. Ausblick. Die F.lehre Augustins hat im Verlauf der Kirchengeschichte bis hin zur Gegenwart verschiedene Interpretationen erfahren. Darin spiegelt sich der Tatbestand wider, daß die positiv u. negativ wertenden Urteile über den timor servilis nicht ausgeglichen sind. Das Bild der F.lehre Augustins wird sich ändern, je nachdem man auf die eine oder andere Seite den Nachdruck legt. Betrachtet man die F.lehre Augustins im Zusammenhang des altkirchlichen Denkens, so kommt man zu dem Ergebnis, daß der Gegensatz zwischen den positiven u. negativen Aussagen nur ein relativer sein dürfte. Der Unterschied des augustinischen F.verständnisses von dem des Tertullian oder Laktanz ist ebenso deutlich, wie seine Nähe zu den alexandrinischen Theologen, deren doppelten F.begriff er teilt. Das Ringen um das Verständnis der Gottes-F., in dem sich die Auseinandersetzung des altchristlichen Denkens mit dem philosophischen Erbe der Antike widerspiegelt, ist in Augustin zu einem Höhepunkt u. zu einem gewissen Abschluß gekommen.

H. Balz, F. vor Gott: EvangTheol 29 (1969) 626/44; Art. φοβέω: ThWb 9 (1970) 186/216. – W. Bauer, Art. δεισιδαιμονία: Bauer, Wb.⁵ 344f; Art. εὐσέβεια: ebd. 644f; Art. θεοσέβεια: ebd. 708f; Art. εὐλάβεια: ebd. 636f; Art. σέβω: ebd. 1478f; Art. φοβέω, φόβος: ebd. 1705/8. – G. Bertram, Art. θάμβος, θαυμάζω: ThWb 3 (1938) 3/7. 27/42; Art. θεοσεβής: ebd. 3, 124/8. – J. Becker, Gottes-F. im AT: AnalBibl 25 (1965) 263f. – E. Boularand, Art. Crainte: DictSpir 2 (1953) 2463/90. – Th. Brandt, Tertullians Ethik (1928) 39. 137f. 145f. 186. 210. – R. Bultmann, Art. εὐλαβής usw.: ThWb 2 (1935) 749/51; Theologie des NT⁵ (1965). – H. Cremer-J. Kögel, Bibl.-theol.Wb.¹¹ (1923) s. v. δεισιδαίμων; εὐλαβής; εὐλάβεια; σέβω, εὐσέβεια; φόβος, φοβέω. – E. R. Dodds, The Greeks and the irrational (Berkeley 1951) 28f. – W. Foerster, Art. σέβομαι usw.: ThWb 7 (1964) 186/90. – J. van Herten, Θρησκεία, εὐλάβεια, ἱκέτης (Utrecht 1934). – K. Heussi, Der Ursprung des Mönchtums (1936) 192/5. 266/71. – A. W. Hunzinger, Das F.motiv in der kath. Bußlehre von Augustin bis Petrus Lombardus (1906) 1/42. – J. Klein, Tertullian. Christl. Bewußtsein u. sittliche Forderungen (1940) 96/9. 138. 187. 312. – L. Köhler, Die Offenbarungsformel: ‚Fürchte Dich nicht!' im AT: SchweizTheolZs 36 (1918) 33/9. – K. Latte, Schuld u. Sühne in der griech. Religion: ARW 20 (1920/1) 254/98 = Kl. Schriften (1968) 3/35; Heiliges Recht (1920) 48f; Röm. Rel. (1960) 40. 56. – J. Lortz, Tertullian als Apologet 1 (1927); 2 (1928). – M. P. Nilsson, Rel. 1² (1955); 2² (1961). – F. Nötscher, Zur theologischen Terminologie der Qumrantexte (1956) 63. 161. – R. H. Pfeiffer, The fear of god: IsraelExplJourn 5 (1955) 41/8. – S. Plath, F. Gottes, der Begriff jaré im AT (1963). – M. Pohlenz, Vom Zorne Gottes (1909); Clemens von Alex. u. sein hellenistisches Christentum: NachrGött 1943, 103/80. – G. Quell-E. Stauffer, Art. ἀγαπάω: ThWb 1 (1933) 20/55. – R. Rimml, Das F.problem in der Lehre des hl. Augustin: ZKTh 45 (1921) 43/65. 229/59. – J. de Romilly, La crainte et l'angoisse dans le théâtre d'Éschyle (Paris 1958). – R. Sander, F. u. Liebe im palästinensischen Judentum (1935). – A. Schlatter, Zur Theologie des Judentums nach dem Bericht des Josephus (1932) 155/7. – E. Schwartz, Ethik der Griechen (1951) 149f. – G. Teichtweier, Die Sündenlehre des Origenes (1958). – S. J. de Vries, Note concerning the fear of God in the

Qumran scrolls: RevQumran 5 (1965) 233/7. –
H. WINDISCH, Die Frömmigkeit Philos (1909)
49. 53/5.

A/B I: *A. Dihle*; *B II*: *J. H. Waszink*;
B III/C: *W. Mundle*.

Furie.

A. Nichtchristlich. I. Begriffsbestimmung, Namen u. Funktionen 699. – II. Nichtliterarisch. a. Kult 702. b. Zauber u. Fluch 704. c. Sonstiges 705. – III. Literarisch. a. Vergleich, Metapher u. Allegorie. 1. Gewissensqual u. Strafen 705. 2. Krieg 707. 3. Negativzeichnung 710. b. Parodie 712.

B. Christlich. I. F. als mythologische Gestalten 714. – II. Vergleich, Metapher u. Allegorie. a. Gewissensqual u. Strafen 716. b. Unheil, Krieg, Verwüstung 717. c. Schlechte Affekte 718. d. Unglaube u. Häresie 719.

A. Nichtchristlich. I. Begriffsbestimmung, Namen u. Funktionen. Das ursprüngliche Appellativum furia (= μανία) wird seit Ennius (Alex. frg. 7 Ribb. = scen. 71 Vahlen[2]) zum Namen Furia, um die griech. Gottheit Ἐρινύς wiedergeben zu können. Als ‚die Rasende' (Ernout-Meillet, Dict. étym.[3] 468) ist F. Sammelbezeichnung für dämonische Erd- u. Unterweltgottheiten. Neben der seit Euripides (Or. 408; Tro. 457) klassischen Dreizahl Al(l)ekto, Megaira, Tisiphone (vgl. Apollod. bibl. 1, 1, 4; Hyg. fab. praef. 3) erscheinen als F. Adrasteia (Amm. Marc. 14, 11, 25f), Bellona (Verg. Aen. 8, 700/3), Dirae (ebd. u. 12, 843/68), Hekate (Hor. sat. 1, 8, 33; Lucian. nec. 9), Nemesis (Amm. Marc. aO.), Tyche, Ananke u. Heimarmene (Eur. frg. 1022 N.[2]), die Harpyien (Verg. Aen. 3, 252) sowie Vögel u. Hunde (Aesch. choe. 924; Serv. Aen. 3, 209; vgl. auch die ‚Göttinnen mit dem Hundeblick': Eur. El. 1252). Die nachaugusteische Dichtung läßt die Zahl der F. durchweg unbestimmt u. spricht von cohors, turba u. agmina furiarum (zu ‚agmen' als vergilische Anspielung auf einen F.namen Agmentis vgl. J. H. Waszink: HarvTheolRev 56 [1963] 7/11). Die mit den F. identischen griech. Erinyen gehören nach Hesiod. theog. 185 zu den ältesten Gottheiten; Aesch. Eum. 150 u. ö. werden sie den ‚jüngeren Göttern' gegenübergestellt. Die Vielfalt u. Divergenz der Funktionen sowie der Etymologien von Erinys u. F. hat bereits die Antike vergeblich zu systematisieren versucht, doch läßt sich eine Reihe von Funktionen als besonders charakteristisch erkennen: als zürnende Totengeister erscheinen die F. in der Nähe der Nemesis (vgl. H. Herter: Lexis 3 [1953] 230/2), als Schicksalsgöttinnen in der Nähe der Moiren (Aesch. Prom. 515), als Wahnsinnserregerinnen in der Nähe der Bakchen (Eur. Bacch. 977; Verg. Aen.

4, 469; Aesch. Eum. 499 heißen sie Μαινάδες, Eur. Hec. 1077 Βάκχαι Ἄιδου). Als chthonische Gottheiten sind sie sowohl segenspendend als auch Unfruchtbarkeit u. Hunger (Serv. Aen. 6, 605; Claud. rapt. Pros. 3, 79), ja sogar Erdbeben erzeugend (A. Hermann: o. Bd. 5, 1079). Die Funktionen des Rächers für begangenen Frevel (Il. 19, 87; Verg. Aen. 6, 555), des Helfers der Dike (Heracl.: VS 22 B 94; vgl. Lobeck, Aglaophamus 1100) sowie des Hüters der Heiligkeit des Eides (Hesiod. op. 803), der Verträge (Dion. Hal. ant. Rom. 2, 75) u. des Gastrechts (Aesch. Eum. 270) lassen sie wieder in der Nähe der Eumeniden als Garanten einer Rechtsordnung erscheinen (vgl. Wüst 112/7). Die Frage, ob die F. bereits ursprünglich Rachegeister waren oder zu solchen aus den Seelen der Verstorbenen hervorgingen (vgl. dazu die Diskussion bei Dodds 6/8) u. wie ihre Funktion als segenbringende Gottheiten (Δημήτηρ-Ἐρινύς) damit zusammenhängt, dürfte sich aus dem Wesen chthonischer Dämonen beantworten, die sowohl Tod als auch Fruchtbarkeit verkörpern (vgl. Wilamowitz, Gl. 1, 391/400; B. C. Dietrich, Demeter, Erinys, Artemis: Hermes 90 [1962] 129/48). Schon das homerische Epos ist literarisches Abbild der Verschiedenartigkeit der Erscheinungsformen von F. Während Aischylos in seinen frühen Tragödien noch diese Mannigfaltigkeit der F.vorstellungen wiedergibt, grenzt er in der ‚Orestie' u. vornehmlich in den ‚Eumeniden' die Tätigkeit der F. auf die Verfolgung des Mordes an Blutsverwandten, besonders des Muttermordes, ein, eine Vorstellung, die bis in die Spätantike beherrschend bleibt (zB. Suet. Nero 34, 4; Hyg. fab. 73,3; PsPlut. fluv. 5, 1 [7, 290 Bern.]; Eustath. Il. 21, 412); der von den F. verfolgte Orestes ist seit Aischylos literarischer Topos (vgl. K. Heinemann, Die tragischen Gestalten der Griechen in der Weltliteratur 1 [1920] 63; E. Rohde, Kl. Schriften 2 [1901] 232). Gleichzeitig stellt Aischylos die Verwandlung der F. zu Hütern des Rechts, zu Schutz- u. Fruchtbarkeitsgottheiten dar, denen als Eumeniden eine feste Kultstätte zukommt, u. hat damit ‚den durch Homer entwürdigten Urgewalten ihre Heiligkeit zurückgegeben' (U. v. Wilamowitz, Griech. Tragödien übersetzt 2[8] [1919] 237; vgl. A. W. Verrall, The Eumenides of Aeschylus [London 1908] *31/7). Seitdem erscheinen die F. sowohl als fruchtbare wie furchtbare Erdgottheiten, wobei jedoch in Literatur (beginnend schon mit Sophokles)

u. bildender Kunst die Darstellung der F. als Unheilstifterinnen weitaus überwiegt (vgl. die Bedeutung der F. in Vergils Aeneis). Cicero (nat. deor. 3, 46) bezeugt die Identifizierung der griech. Erinys mit der röm. F.; hier kamen sich Wirkungsbereich der Erinys u. Etymologie der F. entgegen. Ursprünglich italische u. etruskische Elemente der F.vorstellung (Seelen der Verstorbenen, Gespenster, Larven u. Manien; vgl. L. Preller-H. Jordan, Röm. Mythologie 2³ [1883] 69/72; R. Herbig, Art. Vanth: PW 8 A 1 [1955] 349/52) werden durch die in der Literatur, besonders der dramatischen (Euripides – Ennius), durchgeführte interpretatio Romana der griech. Erinys fast ganz verdrängt. So sind die F. in Rom weniger im Kult verehrte Gottheiten (über die in politischer Propaganda gründende Identifikation mit Fur(r)ina vgl. S. Eitrem, C. Gracchus u. die F.: Philol 78 [1923] 183/7) als von der griech. Tragödie übernommene literarische Gestalten (vgl. A. Dieterich, Nekyia² [1913] 59₁). Der griech. u. röm. Vorstellung gemeinsam sind die Lokalisierung der F. als Straf- u. Rachegeister in der Unterwelt (Aesch. Eum. 72; Verg. Aen. 7, 324. 570), ihre Funktion als Verderbenbringer, Wahnsinns-, Haß- u. Kriegserzeuger (Verg. Aen. 7, 323/416) u. ihre charakteristischen Epitheta: geflügelt (Eur. Or. 317; Verg. Aen. 7, 408), schwarz (Aesch. Eum. 52; Ovid. her. 11, 103), mit Schlangen in den Haaren (Aesch. choe. 1049; Hor. c. 2, 13, 35), mit Gorgonen- u. Flammenblick (Eur. Or. 261; Verg. Aen. 7, 448), Feuer u. Gift schnaubend (Aesch. Eum. 782ff; Ovid. met. 4, 500; Stat. Theb. 1, 107f), bluttriefend (Verg. Aen. 6, 555), Fackeln u. Geißeln schwingend (Enn. Alc. frg. 3 Ribb. = scen. 27/30 Vahlen²; Verg. Aen. 7, 456f; Apul. met. 9, 36, 4; vgl. J. Gagé: o. Bd. 7, 160) u. mit der Peitsche in der Hand, was sowohl als Symbol von Blitz u. Donner (Sen. Herc. fur. 987) wie als Verkörperung der Strafe (Aesch. choe. 290) wie als Wahnsinnsbringerin (Nonn. Dion. 21, 108) gedeutet wird. Mit der F. als einer sich im Gewitter manifestierenden Naturkraft (Rapp 1311/4) ist noch eine F.vorstellung faßbar, die schon früh, bereits im homerischen Epos, von der Bedeutung der F. als einer ethischen Größe überlagert wurde. Besonders Dodds 6/8 weist (in Auseinandersetzung mit Rohde) nachdrücklich auf die Verbindung der physikalischen u. der ethischen Funktion der F. hin, zwischen denen

frühes Denken noch nicht scharf unterschied. Hier war die F. (Erinys) als eine (kosmische) Macht verstanden, die die einem jeden Seinsbereich zukommenden Ansprüche, d.i. seine μοῖρα, durchsetzte. Wurden diese Ansprüche zu Aufgaben, d.h. ihrer ethischen Indifferenz entkleidet, so sah man in den F. eine das Zusammenleben der Menschen überwachende u. garantierende Instanz; sie wird als Schwurzeuge, zur Sicherung einer Rechtsstellung (Od. 2, 135), zum Schutz Schwacher (Od. 17, 475), als Bestrafer von Unrecht (Soph. Ant. 1075) usw. angerufen.

II. Nichtliterarisch. a. Kult. Kultisch verehrt wurden in Griechenland natürlich nur die segenbringenden F., Εὐμενίδες oder Σεμναί genannt. Neben mehreren Heiligtümern, die Pausanias für erwähnenswert hält (so in Sikyon, Argos, Megalopolis, Keryneia, Phigalia u. Sparta), befand sich das bedeutendste am Fuße des Areopages in Athen. Der Charakter der F. als chthonischer Gottheiten bewirkte, daß man die Felsenhöhle, vor der ihre Altäre standen (χάσμα χθονός: Eur. El. 1271), für den Eingang zur Unterwelt hielt. Die Kultstätte, deren Alter man sehr hoch ansetzte (Plut. Thes. 27, 5; Paus. 7, 25, 2), hatte Asylrecht (Paus. 8, 25), das noch in historischer Zeit bestand (Thuc. 1, 126). Als Opfer werden den F. die νηφάλια dargebracht, Trankspenden ohne Wein, um sie zu besänftigen; eine freudlos drückende Stimmung kennzeichnete die Kulthandlungen, die nur nachts stattfanden, worin sich auch die Absonderung der F. von allen anderen Göttern ausdrückt (Aesch. Eum. 107/9 mit Schol.). Ein zweites F.heiligtum in Athen, am Kolonos Hippios gelegen, ist besonders in Verbindung mit der Oidipussage bekannt; die Soph. Oed. Col. 466/92 beschriebene Zeremonie bezieht sich auf den speziellen Fall der Entsühnung des Oidipus. – Wie im allgemeinen an Häusern angebrachte Götterbilder vor Unheil schützen sollen, sprach man dem Bild der Hekate diese Funktion besonders zu (Aristoph. ran. 366; vesp. 804); daß Hekate, die nicht eigentlich zu den F. zählt, hier eine von diesen übertragene Funktion hat, zeigt die Anrufung der F. Adrasteia u. Nemesis zu demselben Zweck (Schol. Theocr. 6, 39a; Plin. n.h. 28, 22; vgl. O. Jahn, Der Aberglaube des bösen Blicks bei den Alten: BerKglSächsGesWiss 1855, 82/8). – Über einen Kult der F. in Rom läßt sich wenig Sicheres ausmachen; die röm. Göttin Fur(r)ina war bereits für Varro (l. l. 6, 19) kaum mehr als ein Name. Für Cicero ist ihr auf dem Ianiculum gelegener Hain ein Heiligtum der F. (nat. deor. 3, 46), u. Plutarch nennt ihn ἱερὸν ἄλσος 'Ἐρινύων (C. Gracch. 17; vgl. S. Eitrem: Philol 78 [1923] 183/7; U. v. Wilamowitz, Griech. Tragödien übersetzt 2, 218; S. M. Savage: MemAmAcRome 17 [1940] 38f; G. Radke, Die Götter Altitaliens [1965] 137). Nach Plutarch (quaest. Rom. 51, 276 F/277 A) hat man in den in Hundefelle gekleideten Lares Praestites ‚eine Art von F.‘ (ἐρινυώδεις τινές εἰσι καὶ ποίνιμοι δαίμονες, ἐπίσκοποι βίων καὶ οἴκων) gesehen. Im Prodigienbuch des Iulius Obsequens ist die Rede von einem Hain der F.; Mithridates soll ihn angezündet haben, worauf ein mächtiges Gelächter erscholl, ohne daß man einen Urheber erkennen konnte; als er dann auf Geheiß der Haruspices den F. eine Jungfrau opferte, erscholl aus der Kehle des Mädchens wiederum Lachen (prodig. lib. 56 [172 Rossb.]). – Der Kult der *Bellona, die einen Tempel auf dem Marsfeld hatte, ist früh durch die Gottheit Mâ von Komana verdrängt worden (vgl. Cumont, Rel. 50/1; Latte, Röm. Rel. 235), doch läßt er sich noch im 4. Jh. nC. nachweisen. Nicomachus Flavianus opferte zeit seines Lebens der Bellona (Carm. adv. Flav. 68 [Anth. Lat. 4, 68]; vgl. Geffcken, Ausg. 300₁₄₄); Julian brachte ihr iJ. 361 in Rauracum ein Versöhnungsopfer dar (Amm. Marc. 21, 5, 1); vgl. auch J. H. Waszink: o. Bd. 2, 126/9. Auch der Kult der Hekate wird zu dieser Zeit noch gepflegt (Liban. or. 14, 5); er zeigt große Verwandtschaft mit den religiösen Riten der neuplatonischen Mysterien. Julian ließ sich von dem Philosophen Eusebios in den Hekate-Kult einweihen (Eunap. v. soph. 474f), u. Proklos betete zu den Lichterscheinungen der Hekate um Fruchtbarkeit für das Land (vgl. J. Bidez, Julian der Abtrünnige² [1940] 81/6). Eine Sabina, Tochter des Stadtpräfekten Ceionius Rufius Volusianus, war (um 370) Eingeweihte der Hekate-Mysterien (vgl. H. Bloch: A. Momigliano, The conflict between paganism and christianity in the fourth century [Oxford 1963] 204f). Nemesis wird etwa seit dem 3. Jh. verehrt, hauptsächlich von Soldaten u. Gladiatoren, die in ihr eine Art Garanten gegen Schadenzauber u. Schutz vor den mit ihrer Tätigkeit verbundenen Gefahren erblicken (vgl. Wissowa, Rel. 377f); als solche wird sie in ihrer Bedeutung fast mit Fortuna gleichgesetzt (zB. Hist. Aug. v. Max. et Balb. 8, 6). Wenn auch Altäre u. Kultbilder der Nemesis, oft in Verbin-

dung mit einem Amphitheater, bekannt sind, wird man doch im eigentlichen Sinne nicht von einem Kult dieser F. sprechen können. Die Mitteilung des Plinius (n. h. 11, 251), daß die Stelle hinter dem rechten Ohr der Nemesis geweiht sei, die man damit versöhne, daß man den Ringfinger erst in den Mund u. dann hinter das Ohr bringe, u. der Anruf κυρία Νέμεσι ἐλέησον auf einem Karneol (Amulett? vgl. F. J. Dölger, Sol Salutis² [1925] 79) sind Beispiele für den stark individualistischen Zug, der die Verehrung der F. als Schutzgottheiten kennzeichnet.

b. Zauber u. Fluch. Auch die griechisch-ägyptische Magie kennt, trotz des Vorherrschens der jüdisch-orientalischen Dämonologie, die Anrufung der F. So wird in dem sog. Großen Pariser Zauberpapyrus in einem herbeiführenden Liebeszauber um die ‚Entsendung der Erinys, die die Seelen der Gestorbenen mit Feuer weckt‘, u. der ‚schwarzen Hündin Hekate‘ gebeten, daß sie die Geliebte herbeiführe (PGM IV, 1418/35). Die in den Zauberpapyri überaus oft angerufene Selene ist bisweilen mit F. identifiziert; so wird sie in einem Zaubergebet als ‚Herrscherin des Tartaros, Schrecken der Erinyen‘ angerufen (ebd. 2338/40). In einem anderen Gebet wird sie ‚dreihäuptige Persephone und Megaira und Allekto‘ genannt, ‚Vielgestaltige du, die ihre Hände waffnet mit dunklen schrecklichen Fackeln, die eine Mähne von furchtbaren Schlangen schüttelt an der Stirn, die das Gebrüll von Stieren aus ihren Mündern hervorsendet, deren Leib mit Schlangenschuppen bedeckt ist, mit giftsendendem Schlangengeflecht auf der Schulter, eingeschnürt am Rücken unter dem Zwange grausigster (Zauber-)Fesseln ... Hekate, du Vielnamige‘ (ebd. 2798/815), ‚... Moira bist du und Erinys auch, Folter, Verderberin und Dike‘ (ebd. 2860f). Hier erscheinen unter dem Namen der Selene die charakteristischen Namen, Funktionen u. Attribute der F. – In einem Zaubergebet, durch das ein Dieb geoffenbart werden soll, werden neben Hermes, dem ‚Finder der Diebe‘, Themis u. Erinys u. Ammon u. a. angerufen (PGM V, 185/95). Entsprechende literarische Ausformungen sind zusammengestellt bei L. Fahz, De poetarum Romanorum doctrina magica = RGVV 2, 3 (1904) 120f. – Zu F. auf Fluchtafeln vgl. K. Preisendanz: o. Sp. 8. Besonders erwähnt sei eine griech. Grabstele des 2. Jh. nC. (Ditt. Syll.³ 3, 1240), auf der neben Fluchformeln, die sich an Dtn. 28, 22. 28 anlehnen, Charis, Hygieia u. die F. als ἐπίσκοποι angerufen werden (vgl. Deissmann, LO⁴ 18₂). – Auch in Zauber u. Fluch erscheint Hekate unter den F., bisweilen sogar als eine Art Schutzpatronin; vgl. Verg. Aen. 6, 247/58; Hor. sat. 1, 8, 33/5; Artem. onir. 2, 39 u. Hopfner, OZ 1 § 460 sowie eine attische Devotionstafel des 3. Jh. vC. (IG 3, 3, 108). – Von mehreren Völkern, mit denen die Römer in Kampfberührung kamen, wird der Brauch der Devotion überliefert: aus den feindlichen Reihen brachen Priester aus, die mit Schlangen u. Fackeln als F. verkleidet waren; man glaubte in ihnen diese Gottheit selbst wohnhaft, die man mit dem Gegner zu dessen Verderben in Berührung bringen wollte (vgl. F. Schwenn, Das Menschenopfer bei den Griechen u. Römern = RGVV 15, 3 [1915] 161). Bei den Römern selbst erscheint der Name der Bellona in der Devotionsformel des P. Decius Mus (Liv. 8, 9, 6). Appius vermochte, durch wiederholtes Anrufen der Bellona seine Soldaten anzufeuern (Liv. 10, 19, 17/21).

c. Sonstiges. Die Darstellung von F. im Pantomimus ist mehrfach bezeugt, so etwa in der Wiedergabe der Alkmeongeschichte (Lucian. salt. 50). Ebenso mußte der Pantomime, der zB. den Orestes darstellte (CIL 14, 4254; Lucian. ebd. 46), natürlich die übrigen Personen des Stückes, darunter die F., mit darstellen bzw. andeuten (vgl. Friedländer, Sittengesch. 2, 127 f). – Eine Assoziierung der Darstellung von F. auf der Bühne dürfte zugrundeliegen, wenn sie in sprichwörtlicher Verwendung als (Rache-)Geister von Hunden erscheinen: εἰσὶ καὶ κυνῶν Ἐριννύες: παρεγγυᾶ, μηδὲ τῶν μικρῶν καταφρονεῖν (Corp. Paroem. Graec. 1 App. 2, 20). – Nach Hippobotos (bei Diog. Laert. 6, 102) soll der Kyniker Menedemos sich als personifizierte strafende Gerechtigkeit verstanden u. in dem Wahn gelebt haben, sich als F. verkleiden u. im Hades Geschautes berichten zu müssen. – Timaios v. Tauromenion berichtet, daß sich die Griechen beim Anblick der Daunierinnen wegen deren Art sich zu kleiden, zu bemalen u. zu bewegen an Theater-F. (Ποιναὶ τραγικαί) erinnert fühlten (FGrHist 566 F 55; vgl. E. Wunderlich, Die Bedeutung der roten Farbe = RGVV 20, 1 [1925] 90). Ähnliches berichtet Poseidonios von den Einwohnern der Kassiteriden (FGrHist 87 F 115).

III. Literarisch. a. Vergleich, Metapher u. Allegorie. 1. Gewissensqual u. Strafen. Das Bild der F. in der Literatur ist durch den ‚Orestes‘ des Euripides entscheidend geprägt worden. Galt der von den F. gejagte Orestes seit den ‚Eumeniden‘ des Aischylos schon als der Typos des Wahnsinnigen, so ist er seit Euripides auch der Typos des von Gewissensqualen Gepeinigten (vgl. K. O. Müller, Aeschylos Eumeniden mit erläuternden Abhandlungen [1833] 132f). Euripides vollzieht den Übergang der F. von dramatis personae zur Antonomasie für ‚Krankheit, Delirium, Wahnsinn‘ (Or. 34/45. 227f: νόσος μανίας; 235: δόξα ὑγιείας; vgl. J. Köhm, Zur Auffassung u. Darstellung des Wahnsinns im klass. Altertum, Progr. Mainz [1927/8]; W. Nestle, Vom Mythos zum Logos² [1942] 499). Der Autor περὶ ὕψους Kap. 15 zieht zur Erklärung des φαντασία-Begriffs (‚visiones‘: Quint. inst. 6, 2, 29) Eur. Or. 255/7 als Beispiel heran u. sagt dazu: ‚Hier sah der Dichter selbst die F. u. er zwang seine Zuhörer, fast mit eigenen Augen zu sehen, was er darstellen wollte (nämlich den Affekt der μανία)‘. Andererseits gibt es auch kein Entrinnen vor Wahnsinn u. Gewissensqualen; nach Stesichoros (Poet. Mel. Graec. nr. 217) gab Apollon dem Orestes einen Bogen, mit dem er die ihn verfolgenden F. abwehren sollte; bei Euripides (Or. 268) ist das Verlangen nach dieser Waffe Indikation des Deliriums (vgl. J. Vürtheim, Stesichoros' Fragmente u. Biographie [Leiden 1919] 51). Es liegt auf derselben Linie, wenn Varro eine Schrift ‚Orestes de insania‘ betitelte. Euripides hatte aufgrund der im ‚Bellerophontes‘ (frg. 292, 7 N.²) ausgesprochenen Überzeugung, daß Götter, wenn sie Schlechtes tun, keine Götter sind, die F.vorstellung säkularisiert u. damit gleichzeitig die Möglichkeit eröffnet, das F.motiv als Vergleich, Metapher u. Allegorie zu verwenden u. zu variieren (vgl. M. Pohlenz, Die griech. Tragödie 1² [1954] 389/400). – Lucretius (3, 980/1023) deutet die Mythen von Sisyphus, Tantalus, Cerberus u. den F. als Allegorie der Sünden u. Strafen der Menschen (vgl. Heinze zSt.). In ähnlichem Sinne spricht Iuvenal. 13, 51 vom Rad (des Ixion), vom Stein (des Sisyphus) u. den F. Mit dirae u. furor nähert sich Horaz (epod. 5, 89/91) der griech. Vorstellung, nach der die Seele des Ermordeten die Gestalt einer F. annahm, die den Mörder mit Fackel u. Geißel verfolgte. Ammianus Marcellinus malt diese Metapher mit grellen Farben aus: Nach gesetzlosem Regime im Orient wurde der Caesar Gallus iJ.

354 von Constantius zur Rechenschaft gerufen; unterwegs erschienen ihm im Traume die von ihm Ermordeten u. ,schleuderten ihn in die Marterzangen der F.' (14, 11, 17). Ähnlich war es Peleus, dem mythischen Gründer von Pelusium, ergangen, der von den Schreckbildern der F. gepackt wurde, nachdem er seinen Bruder ermordet hatte (22, 16, 3). Auch Bellona, die Kriegs-F., beteiligt sich an der Verfolgung der Mörder; ihre Fackeln werden von den letzten Flüchen der Ermordeten entzündet (29, 2, 20). Quintilian (inst. 9, 3, 46f) erläutert am Beispiel des dafür besonders geeigneten F.motivs den durch Kumulation von direkter u. metaphorischer Ausdrucksweise gebildeten Pleonasmus; als Beispiel dieser virtus elocutionis dient ihm Cic. Pis. frg. 4 Nisb. (= frg. 3 Clark): ,die Verwirrung des Geistes, die ihn umhüllende Finsternis seiner Verbrechen u. die brennenden Fackeln der F. jagen ihn.'

2. Krieg. Noch sehr der Vorstellung der Theater-F. verbunden zeigt sich Aischines (or. 1, 190f; nachgeahmt von Cic. S. Rosc. 66f), wenn er sagt: Untaten kommen nicht von den Göttern, sondern durch den Mutwillen der Menschen selbst; es sind auch nicht, wie in der Tragödie zu sehen, F. mit brennenden Fackeln, die den Menschen jagen, sondern die vorwitzigen Lüste des Körpers u. die unersättliche Gier; das ist es, woraus sich die Räuberbanden rekrutieren, das ist die F. (Ποινή) eines jeden, die ihn treibt, seine Mitbürger zu ermorden, Tyrannen zu dienen u. seinen Beitrag zum Sturz der Demokratie zu leisten. – Die bekanntesten literarischen Ausprägungen der F. als Personifikation des Krieges sind die Allecto bei Vergil u. Bellona bei Ammianus Marcellinus. Als eine widrige Macht auf dem Hintergrund des Krieges, die einen Plan durchkreuzt, erscheint die Erinys bei Platon (ep. 8, 357A); doch dürfte Vergil zu seiner Ausgestaltung der F. Allecto eher durch die Lyssa des Euripides angeregt worden sein (vgl. R. Heinze, Virgils epische Technik[3] [1914] 183); seine Allecto, die sich Juno zur Durchführung ihrer Pläne dienstbar macht, ist kein rächender Dämon, sondern allein die Wahnsinn, Zwietracht u. Krieg erregende F., bis zur Übersteigerung mit allen scheußlichen (u. für die F. typischen) Attributen ausgestattet: aus dem Haus der Dirae u. aus dunkler Hölle stammend, Haß, Krieg, Hinterhalt u. Verbrechen liebend, dem Pluto u. den Schwestern des Tartarus (Me-

gaera u. Tisiphone) verhaßt, schwarz, voll von Schlangen u. gorgonischem Gift, mit Fackel u. Geißeln, einer Erinys gleichend, Jungfrau des Cocytus, tobend (bacchata; agit stimulis Bacchi): Aen. 7, 323/482; 10, 41; 12, 846 (ähnlich die F. des Ennius; vgl. W. H. Friedrich: Philol 97 [1948] 291/6; Nachahmung: Claud. c. Ruf. 1, 25/122 [MG AA 10, 19/22]). Wie hier die F. Allecto mit Juno den Kampf gegen das Fatum Jupiters auslöst, ist es am Ende der Aeneis wieder eine F., die die Entscheidung des letzten Waffenganges ankündigt, eine der beiden Dirae, der Schwestern der höllischen Megaera, Töchter der Nacht, die stets an Jupiters Thron bereit stehen, um Pest u. Krieg unter die Menschen zu tragen (12, 845/54). Schließlich fehlt auch nicht Bellona; in der Darstellung der Schlacht bei Actium auf dem Schild des Aeneas folgt sie in Begleitung der Dirae mit blutiger Geißel der Discordia (7, 700/3). Zur Verwandtschaft der vergilischen F.vorstellung mit derjenigen Ciceros vgl. V. Buchheit, Vergil über die Sendung Roms (1963) 102/8. Die F.schilderung Vergils ist von Ovid. met. 4, 432/511, in der Erzählung von Junos Ränken gegen Ino u. Athamas, die sie mit Hilfe der F. Tisiphone ins Werk setzt, nachgeahmt u. bereits ins Grausige u. Ekelerregende gesteigert; vgl. M. Haupt-R. Ehwald-M. v. Albrecht, Komm. zu Ovid. met. 1[10] (1966) 228. – Mit dem Wiederaufleben des Bellonakultes im 4. Jh. hängt zusammen, daß der Name dieser ,Göttin' (u. der F. überhaupt) ein in Soldatenkreisen beliebter Ausdruck für ,Krieg' war (vgl. W. Enßlin, Zur Geschichtsschreibung u. Weltanschauung des Ammianus Marcellinus [1923] 52). So formuliert Ammian, der den F.vergleich gern an Berichtanfänge, gleichsam als Überschrift setzt, den Ausbruch eines Krieges oder bürgerkriegsähnlicher Greuel: ,Fortuna, Göttin des Glücksrades, ruft wieder einmal Bellona samt den F. zu den Waffen' (31, 1, 1); ,Bellona stößt in die Schlachttrompete' (31, 13, 1); ,Bellona wirft ihre Todesfackel in die Schiffe' (24, 7, 4); ,Bellona setzt ganz Rom in Brand' (28, 1, 1). In ähnlicher Weise nennt er den Wahnsinn des Valens bei der Verfolgung von Orakelbefragern in exitium imperatoris einen coetus furiarum horrificus (29, 2, 21); jene Befrager prophezeiten dem Kaiser u. seinen Richtern ,F., Mord u. Brand auf seinen Fersen'; mit einem (griechischen) Orakelspruch beschworen sie Ares u. Tisiphone gegen ihre Henker (29, 1, 33). Selbst

Einbrüche von Barbarenvölkern ins römische Reich sieht Ammian im Bilde wütender F. (28, 2, 11; 30, 10, 1; vgl. Claudians Metapher servitium Furiaeque rebelles zur Bezeichnung der romfeindlichen Mächte: 1, 138 [MG AA 10, 8]). Nicht nur durch jene griechischen Verse u. die Verwendung der Bellona als Kriegsmetapher erweist sich Ammian auch in dem kleinen Ausschnitt des Themas F. ‚ut miles quondam et Graecus'; gleich im ersten Buch des Erhaltenen, in seinem Bericht über die Greueltaten des Gallus, spricht er über eine der F. in einer fast programmatisch anmutenden Manier. Die hier gegebene Schilderung der Ereignisse, die mit einem F.vergleich begonnen worden war, schließt mit einem solchen, der die Ermordung des Gallus als eine verdiente Rache illustrieren soll: ‚Diese u. ähnliche Taten bewirkt bisweilen Adrastia, die Rächerin schändlicher Taten ..., die wir Griechen auch mit ihrem anderen Namen Nemesis nennen.' Es folgt noch ein ausführliches Referat über die Ansichten der theologi veteres über das Wesen dieser F. (14, 11, 15f). Offensichtlich liegt Ammian daran, die Kontinuität einer griech. Vorstellung bis in die röm. Spätantike zu betonen. Auch die blutrünstige Constantia, die ihren Gatten Gallus zu den Bürgerkriegsgreueln des Jahres 353/4 in Antiochia angetrieben hatte, von Ammian eine ‚F. in Menschengestalt' genannt (14, 1, 2), hat ihr literarisches Vorbild: Sophonisbe, die Tochter Hasdrubals, heißt bei Livius (30, 13) die ‚F. u. Pestseele', die bereits mit der hochzeitlichen Fackel (!) die Burg ihres Gatten, des Numiderkönigs Syphax, in Brand gesetzt u. ihn später zum Krieg gegen die Römer angestiftet hat. Neben der Fackel als festem Attribut sowohl von Hochzeit wie von F. begegnet häufig auch die unmittelbare Identifikation von Kriegs-F. u. Brautjungfrau, um böse Wünsche auszudrücken, zB. Verg. Aen. 7, 319: et Bellona manet te pronuba; Ovid. her. 6, 45f: at mihi nec Iuno nec Hymen sed tristis Erinys / praetulit infaustas sanguinolenta faces; Apul. met. 8, 12, 5: ultrices habebis pronubas; Sen. Oed. 644: mecum Erinyn pronubam thalami traham; Lucan. 8, 90: me pronuba ducit Erinys. – Überhaupt steht F. für ‚Bürgerkrieg', so die civilis Erinys bei Lucan. 4, 187; Stat. silv. 5, 3, 195 u. Claud. 22, 84 (MG AA 10, 206); 26, 50 (ebd. 262). Bei Petron. sat. 124 flieht die Pax, u. der Erebus entsendet die Erinys, Bellona u. Megaera sowie die Discor-

dia mit allen Attributen der F. Statius führt die F. als Feinde der Pietas u. als Mordhelfer in den Bruderkampf des Eteokles u. Polyneikes ein; vgl. F. A. Voigt: Roscher, Lex. 1, 1, 1388. Bei Horaz (c. 1, 28, 17) erscheinen die F. als Zuarbeiterinnen des Mars; nach Beendigung des Kampfes nimmt Bellona ihm Roß u. Feldzeichen ab (Claud. 1, 121f [MG AA 10, 8]). – Aischylos hatte Helena, die zuerst ‚milden Sinnes, ein Kleinod ruhig schimmernden Reichtums, herzverwundender Liebespfeil' nach Troja gekommen war, eine νυμφόκλαυτος Ἐρινύς genannt, als sie Ursache eines Krieges geworden war (Ag. 737/49); ihm folgen Eur. Or. 1389; Enn. Alex. frg. 7 Ribb. (= scen. 69/71 Vahlen²); Verg. Aen. 2, 573 u. Orac. Sibyll. 3, 414; 11, 125 (GCS 8, 69. 179). In demselben Sinne sprechen Lucan. 10, 59 von Kleopatra u. Val. Flacc. 8, 396 von Medea.

3. Negativzeichnung. α. Schimpfname. Unter den Exemplifizierungen mit rhetorischen Mythologumena erscheinen die F. zur Kennzeichnung des Abscheulichen u. Widerwärtigen. So nennt Aristophanes (Lys. 811) den Misanthropen Timon Ἐρινύων ἀπορρώξ (sprichwörtlich Apostol. 3, 38 [Corp. Paroem. Graec. 2, 296]), Martial. 12, 32, 6 zwei häßliche Frauen Furiae nocte Ditis emersae; so dient die F.-bezeichnung dazu, jemandem seine Teilnahme an ausländischen Kulten als ehrenrührig vorzuwerfen (Cic. fam. 1, 9, 15) oder ihn als Ehebrecher zu brandmarken (Iuv. 6, 29, falls nicht der hier angeredete Postumus eine literarische Fiktion ist; vgl. L. Friedländer, Iuvenal Satiren [1895] 100); s. auch den Vergleich bei Amm. Marc. 14, 1, 2 (o. Sp. 709). Ovid (frg. 4: Frg. Poet. Lat. 113) droht einer Dame namens Furia, ihren Namen als Schimpfwort gegen sie zu verwenden. Erst recht bedient sich die direkte politische Auseinandersetzung, die mit Schimpfwörtern ohnehin nicht kargt, jener Metapher. In Ciceros Rede gegen Piso, einer ‚Musterinvektive' der röm. Literatur (M. Gelzer: PW 7 A 1 [1939] 950f), wird nicht nur der Gegner als F. apostrophiert (8), es erscheinen darüber hinaus zahlreiche Schimpfwörter, die in den Vorstellungsbereich von F. weisen: Poena et F. sociorum (91), belua (1), furcifer (14), putida caro, eiectum cadaver (19), canis (23), monstrum (31), tenebrae, lutum, sordes (62) usw. Insbesondere liebt Cicero, den Staatsverächter oder wen er dafür hält F. zu nennen; so bezeichnet er Clodius als F. ac pestis

patriae (Sest. 33. 39) oder als F. ac faces exi-
tiosa prodigia paene huius imperi pestes (har.
resp. 4. 6; dom. 102) u. dessen Anhänger . . .
et eiusmodi Furiae (Sest. 112; ähnlich Vat.
31 über die Partei des Vatinius; vgl. I.
Opelt, Lat. Schimpfwörter [1965] 138/54).
β. Sonstiges. Auch neben der expliziten Verwendung als Schimpfwort dienen die F. zur
Negativzeichnung von Eigenschaften u. Vorstellungen, die allgemein als indifferent, bisweilen sogar als positiv angesehen werden
(vgl. Serv. Dan. Aen. 4, 474). So gleicht für
Dion v. Prusa der Ruhm den Erinyen der
Tragödie: Sein leuchtender Glanz entspricht
der Fackel; mit der Peitsche könnte man das
Beifallklatschen u. Lärmen der Menge vergleichen, mit den Schlangen das gelegentli-
che Zischen . . . (or. 66, 29 [2, 169 Arnim]).
Derselbe Dion hat den F.vergleich zur Hand,
wenn es gilt, Neuerungen, die er für gefährlich hält, entgegenzutreten (or. 33, 60 [2,
314]); ähnlich Petron. sat. 1. Daneben wird
Parteipolitik als F.getriebe bezeichnet (Plut.
exil. 9, 602 D in allegorischer Ausdeutung
des Alkmeonmythos). Zur Verwendung des
Tantalusschicksals bei Horaz als Allegorie für
nicht genutzten Reichtum (sat. 1, 1, 68) bemerkt PsAcro: ille (sc. Tantalus) a Furiis,
iste (sc. avarus) sua voluntate prohibetur.
Iuv. 14, 256/302 vergleicht den Zustand eines
steinreichen, gegen sich selbst bis zum Geiz
sparsamen Kaufmannes mit dem Wahn des
Orest, der sich in den Armen seiner Schwester vom Blick u. den Fackeln der F. verfolgt
sieht (ähnlich Hor. sat. 2, 3, 122/41 über einen
Reichtümer hortenden Greis u. Serv. Aen. 3,
209: ‚avari finguntur Furias pati‘ über die
von ihm als F. verstandenen Harpyien).
Nach Iunc. senect. (bei Joh. Stob. 117 [3,
1062 W.-H.]) treiben die ἡδοναί ‚wie die F.
auf der Bühne‘ den Jüngling zu ἔρωτας οὐ
νενομισμένους οὐδὲ τοῖς θεοῖς φίλους, . . . μανίαν
καὶ θυμὸν ἀλόγιστον usw. u. stehen damit auf
gleicher Stufe wie die ἀδικίαι; vgl. auch Max.
Tyr. diss. 13,9 Hob.; Cic. parad. Stoic. 2, 18.
Um von einem hohen Beamten Verzeihung für
jugendliche Leidenschaft zu erreichen, vergleicht sich Claudian. c. min. 22, 14 (MG AA
10, 298) mit Orest, dem selbst die Versöhnung
der F. gelang. Lukian läßt jemanden wie von
F. gejagt fortlaufen, wenn es gilt, den höchsten Grad von Unglaubwürdigkeit einer Geschichte auszudrücken (philops. 5). Daß einem Menschen die leichte Zunge zur (rächen-
den) F. werden kann, zeigt Plutarch (garr. 14,

509E/510A) am Beispiel der Kraniche des
Ibykos. – Der dem Mönchtum besonders ablehnend gegenüberstehende Rutilius Namatianus bezeichnet einen vornehmen Jüngling
aus seiner näheren Bekanntschaft als ‚impul-
sus Furiis‘, weil dieser in ein Kloster eingetreten war, ‚Menschen u. Götter verlassend,
lebend ins Grab steigend‘ (1, 521).
b. Parodie. Mit anderen Vorstellungen religiöser Provenienz u. pathosgeladener literarischer Ausformung teilt das F.motiv die besondere Eignung zur Parodie. Für Aristophanes gehört die F. (als die er die Penia ansprechen läßt) zum Inventar der tragischen
Bühne (Plut. 423f; sprichwörtlich Corp. Paroem. Graec. 1 App. 3, 31). Teleklides schrieb
eine Komödie ‚Die Eumeniden‘ (1, 186 Ed-
monds), u. nach Schol. Soph. Oed. Col. 42
kamen F. auch bei Philemon vor. Für die
Häufigkeit der F. in der Komödie spricht
ferner die Bezeichnung der Εὐνεῖδαι des Kra-
tinos als Εὐμενίδες (Ioan. Alex. acc. 29, 25 =
Crat. frg. 66 Kock). Timokles schrieb eine
Komödie mit dem Titel Ὀρεσταυτοκλείδης (!),
in der der Elende (Orestes?) von F. (γρᾶες)
umlagert wird, die die Namen mehr oder weniger bekannter Hetären tragen (frg. 25
Kock). Karkinos soll Orestes auf die Bühne
gebracht haben, der von der Sonne gezwungen wurde, den Muttermord zuzugeben u. in
Rätseln antwortete (Suda s. v. Καρκίνου ποι-
ήματα [3, 35 Adler]). Nur den Titel haben wir
von einer Komödie ‚Orestes‘ des Alexis (Aristot. poet. 13, 1453 a 37; Athen. 6, 247 E);
Th. Kock, Comicorum Atticorum fragmenta
2 (1884) 358 vermutet, daß es außer diesem
Stück des Alexis noch eine Menge anderer
Orest-Komödien gegeben habe, von denen
freilich nichts erhalten ist. Horaz travestiert
in kynischer Manier den Orestmythos: um
ihn moralisierend ausdeuten zu können, muß
Orest schon vor der Untat von den F. verfolgt
worden sein (sat. 2, 3). Bei Varros Schrift
‚Orestes de insania‘ denkt F. Ritschl an die
Verwendung dieses Titels per traductionem
auf einen Zeitgenossen Varros namens Orestes
(vgl. H. Dahlmann: PW Suppl. 6 [1935]
1266). Eine Parodie des F.themas dürfte auch
Varros Menippea ‚Eumenides‘ (frg. 117/65
Büch.) gewesen sein (vgl. bes. frg. 146); aus
den Resten ist eine orgiastische Feier im
Tempel der Magna Mater noch kenntlich
(Norden 341/3 vermutet, daß in dieser Satire
u. a. als Strafe dreier [stoischer] Hauptlaster,
ambitio, avaritia, superstitio, die entsprechen-

den F. [frg. 117] Infamia [frg. 123], Fames u.
Metus als Strafgeister erschienen seien; vgl.
L. Riccomagno, Studio sulle satire Menippee
di Varrone [Alba 1931] 129f). Neben der häufigen Parodie der Oresttragödien finden auch
die pathetischen Allectoszenen der Aeneis
ihren Spott (Macrob. Sat. 5, 17, 3). – Das mit
der F.vorstellung verknüpfte Motiv der Verwandtschaft mit der Psyche u. der Heilighal-
tung der Blutsbande parodiert Apuleius (met.
5, 12). Eine deftige Travestie der Wahnvor-
stellungen des Orestes erlaubt er sich met. 1,
18: nächtliche F.gesichter begleiten die natürliche Folge allzugroßer Flüssigkeitsauf-
nahme. Hor. sat. 1, 18 verjagt Priap auf seine
Weise ‚F.gesindel‘ (v. 45), das zu nächtlicher
Stunde im Garten des Maecenas Hekate, Tisiphone, die Schlangen u. stygischen Hündin-
nen (= F., PsAcro zu v. 35) zu einem Schadenzauber beschwören will. Eine Anspielung
auf die strafende F. mag in der ‚lex Furia‘
(zu fur = Dieb) des Querolus (5, 3 [61, 14f
Ranstrand]) gehört worden sein (vgl. Martial.
6, 17). Die Devotion an die F. parodiert Anth.
Lat. 504. – Beliebter Gegenstand der Parodie
sind ferner die Darstellungen von F. in der
Unterwelt. Auch hier fehlt Aristophanes
nicht: Dionysos hat sich im Hades unvor-
sichtigerweise als Herakles vorgestellt u. bekommt dafür (weil dieser einst den Kerberos
entführt hatte) als Strafe angedroht, von der
Meute der F. zerfleischt zu werden (ran. 472
mit Schol.). In Lukians Satiren findet sich
öfter Spott über die gängigen Hadesvorstel-
lungen; so erzählt ein Geisterseher eine F.-
vision, in der er Hekate mit allen ihren Attributen (Schlangenhaare, Hunde, Drachenfüße,
Donner, Erdbeben usw.) gesehen haben will,
oder ein Fieberkranker sieht sich am Richterstuhl des Pluton stehen, der von Moiren u. F.
umgeben ist (philops. 14/25). In der Hades-
fahrt des Menippos läßt Lukian die F. sich als
Straf- u. Rachegeister vor allem um Ixion,
Sisyphos, Tantalos u. Tityos bemühen (nec.
9/11; vgl. dial. mort. 20, 1; J. Kroll, Gott u.
Hölle [1923] 477f). Bis acc. 4 parodiert er
die ‚Eumeniden‘ des Aischylos, indem er
die σεμναί zu Beisitzern einer Gerichtsbur-
leske macht (vgl. catapl. 22). In der Tragiko-
mödie ‚Tragodopodagra‘ (4) schiebt der Gicht-
fuß der F. Megaera sein Leiden in die Schuhe,
demgegenüber Tantalos, Ixion u. Sisyphos
angenehme Strafen gefunden hätten. Bei Hor.
c. 2, 13, 34/6 mischt sich der Preis seiner Vorbilder Sappho u. Alkaios mit einer Hadestra-

vestie: der Höllenhund legt beim Erklingen
des äolischen Liedes die Ohren an u. die
Schlangen im Haar der F. genießen die Musik.
Hohnlachende F. gehören zu einer seltsamen
Höllenszene auf einem Papyrus vom Ende
des 2. Jh. (B. P. Grenfell-A. S. Hunt-D. G.
Hogarth, Fayûm towns and their papyri
[London 1900] col. 3, 27).
B. Christlich. I. F. als mythologische Gestalten. In nichtmetaphorischer Verwendung erscheinen die F. bei christl. Schriftstellern
hauptsächlich innerhalb ihrer Polemik gegen
die heidnischen Götter; sie repräsentieren
dort vor allem böse Dämonen, Unterwelts-
gottheiten u. Helfer des Teufels. Arnobius
nennt unter den von ihm bekämpften heidn.
Göttern nebeneinander ‚Laverna, die Göttin
der Diebe, die Bellonae, Discordiae u. die F.‘,
die sich schreckenverbreitend an der Zerstörung des Menschengeschlechtes freuen (nat.
3, 26 [CSEL 4, 129]); in der mit Abscheu
wiedergegebenen Geschichte von Dionysos’
Besuch in der Unterwelt (vgl. Clem. Alex.
protr. 2, 34, 3/5 [GCS 12, 25f]) folgert er aus
der Affinität der F. zu Styx u. Cerberus, daß
kaum ein Mensch in solcher Sittenstrenge erzogen sein kann, daß er sich durch die Schandtaten der heidn. Götter nicht zu ähnlichen F.
hinreißen ließe (5, 28f). In der Höhle des
Styx sieht auch Prudentius die F. (c. Symm. 1,
354/78 [CSEL 61, 232f]), u. zwar als ‚Proserpina, die Herrin der Eumeniden, geraubt zur
Ehe mit dem König des Tartarus, für die Königin des Himmels u. der Hölle zugleich gehalten; bald soll sie ein Paar Ochsen lenken,
bald mit Schlangen die wilden Rasereien der
Schwestern (d. i. der F.; vgl. Verg. Aen. 7,
327f; Ovid. met. 4, 451f) aufpeitschen, bald …
dreifach ihre Gestalt verändern (nämlich als
Hekate-Proserpina, Luna, Diana) u. doch dieselbe bleibend … Als Plutos Gattin herrscht
sie von ihrem Thron über Megaera u. die F.‘
Neben der offensichtlichen Absicht des Prudentius, den röm. Götterhimmel lächerlich
zu machen, den solche ‚Schatten des Infernum‘ bewohnen, steht die Mahnung an den
Christen, hierin Teufel der Hölle zu erblicken,
die ihn ‚zu den Wolken emporreißen u. ihn veranlassen, das Himmelsgestirn als Gott zu verehren, die ihn … Phantomen nachjagen
lassen u. ihm den Glauben an eine Göttin der
Haine vorgaukeln, die die Herzen furchtsa-
mer Menschen durchdringt u. die Rasenden
tödlich verwundet, sie zu Boden drückt u.
mit Furcht überzieht, daß sie zu den Geistern

der Finsternis beten u. sich in die Gewalt der schwarzen Nacht ergeben'. Zu den ‚wilden F. mit Schlangenhaaren' neben ‚dem Hund, der am Eingang (der Styx) aus drei Hälsen brüllt, u. Charon, der mit seinem schauerlichen Aussehen die Schatten erschreckt', neben Tityus, Tantalus, Sisyphus bemerkt Paulinus v. Nola (c. 31, 478 [CSEL 30, 324]): ‚Das haben die Dichter gesungen, die Christus, das Haupt der Wahrheit, nicht kannten. Euch aber hat Gott die Wahrheit gelehrt.' Commodian (instr. 1, 16 [CCL 128, 13]) hält den Heiden ihre grausamen u. nichtsnutzigen Götter vor, darunter besonders Bellona, Nemesis u. die F. (in der var. lect. Furinam zeigt sich noch die bei Cicero [o. Sp. 702f] festgestellte Unsicherheit über die Identität dieser ‚Göttin'). Scelerati vates inanes nennt er die Dichter, die ein fragwürdiges Pantheon, darunter die F., feiern, während sie die Christen verspotten (instr. 1, 17, 1). Gegen den römischen Glauben polemisierend, der sich für jede Lebensäußerung eine Sondergottheit hält, erwähnt Augustinus (civ. D. 4, 21. 34. u.ö.) Mars u. Bellona. Prudentius, der der Verehrung des einen christlichen Gottes die Vielzahl heidnischer Feste gegenüberstellt, so die Dionysien, Saturnalien, Lupercalien, Megalesien usw., führt zu den letzten den ‚Megalesischen Eunuchen' an, der, von wilden F. gepeitscht, dunkle Orakelsprüche von sich geben soll (c. Symm. 2, 864). Ein ähnlicher Gedanke liegt dem Gedicht des Gregor v. Nazianz über die göttliche Vorsehung zugrunde (c. 5 [PG 37, 424/9]); Kosmas v. Jerusalem bemerkt in seinem Kommentar (PG 38, 462) zu dem Vers ἢ γὰρ δὴ Θεός ἐστιν, ἢ ἀστέρες ἡγεμονῆες: Gregor schreibt dem einen Gott, die Griechen aber schreiben den Gestirnen die Lenkung der Welt zu, woher sie Schicksale, Entstehen u. Vergehen ableiten; dabei würden in einer von vielen Versionen des Tierkreises 36 Götter genannt, unter ihnen die Erinys neben Persephone, Nemesis, Hekate u. den Moiren. Auch die Gestalt des von den F. gejagten Orest ist der christl. Literatur bekannt; Tertullian. an. 17, 9 nennt ihn neben Aiax, Athamas u. Agaue; PsNonnos (PG 36, 992) u. Kosmas (PG 38, 510) führen seine Geschichte als mythologisches Beispiel zur Illustration des von Gregor (c. 2, 2, 7, 275 [PG 37, 1572]; c. Iul. 1, 70 [PG 35, 529]) erwähnten ‚scheußlichen Menschenopfers' an. In demselben Zusammenhang spricht Minucius Felix (30, 5) von der blutschlürfenden F. Bellona; vgl. auch

Tert. apol. 9, 10. – Auch außerhalb antiheidnischer Polemik sprechen christliche Schriftsteller von F. Clemens Alex. berichtet von drei Marmorbildern der σεμναί, von deren einem er noch den Verfertiger zu nennen weiß (protr. 4, 47, 3 [GCS 12, 36]). Zu dem bösen Dämon Lilith (Jes. 34, 14), der neben anderen Ungeheuern u. Tieren das verwüstete Edom bewohnen wird, schreibt Hieronymus (in Is.: PL 24, 373), daß unter jener hebräischen Bezeichnung, die von Symmachus mit lamia übersetzt worden sei, gewissermaßen eine hebräische Erinys, d.h. F., verstanden werde. Wenn er an anderer Stelle die Bezeichnung der F. als Eumeniden neben der Erklärung der Parzen als Beispiel für die Etymologie κατ᾽ ἀντίφρασιν erwähnt (ep. 40, 2, 3 [CSEL 54, 311]), reiht er sich in eine von Tryphon (trop. 204 Sp.) über Varro (1. l. frg. 130 [240 Goetz-Schoell]), Marius Plotius Sacerdos (Gr-Lat 6, 462), Ammianus Marcellinus (22, 8, 33) bis Isidor v. Sevilla (orig. 1, 37, 24) reichende Tradition. Paulinus v. Nola (ep. 22, 3 [CSEL 29, 156]) entschuldigt sich für eine Aussage contra opinionem mit Hinweis auf Vergil, der in derselben Weise die F. dargestellt habe (vgl. Verg. Aen. 7, 323/416). Claudianus Mamertus führt in einem Brief an den Rhetor Sapaudus (CSEL 11, 204) Klagen über den Verfall der Beredsamkeit: den Römern seiner Zeit fehle es nicht an ingenia, sondern an studia; Grammatik u. Rhetorik würden verachtet; Musik, Geometrie u. Arithmetik ‚wie die drei F. ausgespuckt' u. die Philosophie zu den ominosa bestialia gezählt. – Boethius stellt in der ‚Consolatio Philosophiae' den Gedanken in den Vordergrund, daß der Mensch beim Übergang ins Jenseits alles ihm Teure lassen muß; ein Beispiel dafür ist Orpheus' Gang in die Unterwelt, bei dessen Lied sogar die F. weinten (cons. 3, 12, 38 [CCL 94, 63]). – Neben zahlreichen Anführungen einzelner F. oder der Gattungsbezeichnung F., meist antiquarischer Art, sei noch bemerkt, daß Hieronymus noch die Verwendung des christl. Frauennamens Furia erwähnt (ep. 123, 17, 3 [CSEL 56, 95]; vgl. ILCV 3181. 4542). – Auf das häufige Vorkommen der F. in den Werken christlicher Schriftsteller, die heidnische Stoffe behandeln (Dracont. Orest. u. Romul.; Claud. rapt. Pros.; Fulg. mitol. u.a.), braucht nur hingewiesen zu werden.

II. Vergleich, Metapher u. Allegorie. a. Gewissensqual u. Strafen. ‚Die Heiden sahen in

Vergeltung u. Strafe das Walten göttlicher
Wesen, u. daher haben die tragischen Dichter
die Erinyen, Eumeniden u. andere Rachegeister erfunden ... Welcher Vernünftige
möchte Rechenschaftsablage, Bestrafung,
Verurteilung u. Vergeltung für Götter halten?
So sind denn auch ihre Verkörperungen, Erinyen u. Moiren, keine Götter, ebensowenig
wie der Staat, der Ruhm u. der Reichtum.'
Trotz dieser Ablehnung durch Clemens v.
Alexandrien (protr. 2, 26, 3; 10, 102, 2 [GCS
12, 19. 73]), das Walten der göttlichen Gerechtigkeit in dieser durch die heidnische Literatur geprägten Vorstellung ausgedrückt
zu sehen, haben sich christliche Schriftsteller
doch dieser Metapher bedient. So heißt es bei
Eusebios-Rufinus (h. e. 8, 13, 11 [GCS 9,
775]) von dem unrühmlichen Ende des Chri-
stenverfolgers Maximianus: er starb, von den
F. seiner Verbrechen gejagt. Gregor v. Nazianz beklagt in einem Epigramm das Schicksal eines Verbrechers, den ‚jetzt gewiß die F.
jagen' (epigr. 71 [PG 38, 118]), u. für den
Historiker Sokrates sind es rächende F., die
dem Kaiser Julian den Tod brachten (h. e. 3,
21 [PG 67, 433]). Besonders der Reiche, der
nicht mit dem Armen teilt, wird von F. getrieben (Commod. instr. 1, 30, 10 [CCL 128,
25]). – Den strafenden Zorn Jahwes Dtn. 11,
17 (LXX: θυμωθεὶς ὀργῇ κύριος) gibt die Itala
wieder: et furia irascetur Dominus.

b. Unheil, Krieg, Verwüstung. Die vergilische
Metapher der Bellona pronuba (Aen. 7, 319
[o. Sp. 709]) steht Augustinus vor Augen,
wenn er am Beispiel des Raubes der Sabine-
rinnen die Rechtsgrundlagen des Imperium
Romanum überprüft: Solche Ehen hat dem
römischen Volk nicht Venus, sondern Bellona
beschert, oder vielleicht Allecto, jene höllische
F.... (civ. D. 3, 13); vgl. Ennodius dict. 26, 4
(MG AA 7, 289): his te Allecto pronubum
sectatur insignibus. – Corippus vergleicht die
zusammenströmende Menge der (feindlichen)
Mauretanier (Ioh. 4, 320/30 [MG AA 3,2, 45],
neu hrsg. v. J. Diggle u. F. R. D. Goodyear
[Cambrigde 1970] 79) in Anlehnung an Vergil
mit der Versammlung der Bewohner der Unterwelt, wobei die tristis Megaera, die fackel-
schwingende Tisiphone u. schlangenhaarige
Alecto genannt werden; mit ferunt (v. 323;
vgl. 1, 452) bezieht er sich ausdrücklich auf
eine Tradition der rhetorischen Verwendung
des F.motivs. Erinys steht ihm für Krieg u.
Verwüstung (3, 37; 4, 678 = 5,34 Diggle-Good-
year), Tisiphone mit Schlangen u. gesträubten

Haaren (3, 111) u. die flammenblickende
Megaera (3, 80) als Ankündigung drohenden
Unheils. Als sich der Aufruhr einer wilden
Menge gelegt hat, heißt es (8, 136): tristis
discedit Erinys. Commodian spricht sogar in
Verbindung mit Chaos u. Brand der Erde beim
Weltgericht von F. caelestis (duob. pop. 1040
[CCL 128, 112]). Prudentius läßt in dem
Kampf seiner Seele die Kriegs-F. Bellona ne-
ben Mars auf der Seite der Superbia gegen die
Virtus antreten (psych. 236); bisweilen trägt
sie das täuschende Gewand ihrer Gegnerin
(557); vgl. c. Symm. 2, 600: Gott ist es, der
dem durch Bellona verwüsteten Erdkreis Gesetz u. Frieden gebracht hat.

c. Schlechte Affekte. Bei Hippolytos ref. 6,
26 (GCS 26, 153), wo die F. die πάθη sind, die
die Seele an den Leib binden, die nur dann
unsterblich wird, wenn sie den F. entflieht,
u. wo diese F. unter Berufung auf Pythagoras Δίκης ἐπίκουροι genannt werden, ist noch
eine Reminiszenz an das ursprüngliche Zusammenfallen der physikalischen u. ethischen
Funktion der F. erkennbar, eine Vorstellung,
die über den Pythagoreismus (Iamblich.
protr. 21 [107. 114/5 Pistelli]) u. die (jüdische)
Henochapokalypse (130/2 Bouriant) bis zu
Heraklit (VS 22, B 94; o. Sp. 700) zurückreicht.
– In der Diskussion (u. Verurteilung) der
stoischen u. peripatetischen Pathoslehre vergleicht Lactantius die drei besonders gefährlichen Affekte mit F.: tres sunt igitur affectus,
qui homines in omnia facinora praecipites
agunt: ira, cupiditas, libido. propterea poetae tres Furias esse dixerunt, quae mentes
hominum exagitent: ira ultionem desiderat,
cupiditas opes, libido voluptates (inst. 6, 19,
4/6 ~ epit. 56). Verbreiternd u. etymologisie-
rend wiederholt Isidor orig. 8, 11, 95 diese Zuordnung von F. u. Affekten. Bei Prudentius
personifizieren die F. verschiedene Laster; so
erscheinen im Gefolge der Avaritia als ‚Eumenides variae monstri comitatus' Cura,
Fames, Metus, Anxietas, Periuria, Pallor,
Corruptela, Dolus, Commenta, Insomnia,
Sordes (psych. 464/6); auch die Avaritia
selbst kann ‚impia Erinys' heißen (566), die
Libido ‚Furia flagrans' (46) u. ‚Furiarum maxima' (96). Kollektiv steht F. für die Macht
der vitia, gegen die die Schlacht von der Seele
geführt wird (10: quaeve acies Furiis inter
praecordia mixtis / obsistat meliore manu;
158: Furias omnemque malorum / militiam et
rabidas tolerando extinguere vires). Wie bei
Prudentius mit Furiarum maxima, nur äußer-

lich an Vergil (Aen. 3, 252; 6, 605) anklingend, die (sexuelle) libido gemeint ist, so steht diese auch bei anderen christlichen Schriftstellern, gemäß ihrer moralisierenden Interpretation des Mythos, bei der Verwendung der F.metapher im Vordergrund. Als Beispiele seien nur genannt Commod. instr. 2, 18, 7 (CCL 128, 57); Arnob. nat. 3, 10; Auson. 325,83 (MG AA 5, 124). Tert. pud. 4, 5 (CCL 2, 1287) spricht aus, was unter libido verstanden wird: Ehebruch u. Hurerei sind gleicherweise verwerflich; noch schlimmer ist die widernatürliche Unzucht, die libidinum Furiae impiae. Ebenso gründet ein Teil der Polemik gegen die anthropomorphen heidnischen Götter u. Heroen in deren furiae libidinum, zB. Arnobius aO.; Tert. nat. 2, 14, 8; Epigr. Bob. 45, 7 (56 Speyer). Von F. besessen nennt Arnobius nat. 6, 22f Pygmalion u. andere, die sich nach der Überlieferung in Aphroditestandbilder verliebten. Auch Zorn u. Rachegefühl werden den Göttern als F. vorgeworfen (Arnob. nat. 4, 37; 5, 20/4). Während die Götter der Heiden Zwietracht, Pest, Liebschaften, F., Krieg u. Blutvergießen unter die Menschen gebracht haben, sind seit dem Erscheinen Christi auf Erden u. seiner Lehre, nicht Schlechtes mit Schlechtem zu vergelten, die Kriege ,durch Unterdrückung der F.‘ zurückgegangen (Arnob. nat. 7, 36 u. 1, 6). Neilos fordert, daß der Gläubige mit dem Vertrauen Davids (Ps. 117, 6) Versuchungen (σκιρτήματα τῆς σαρκὸς, καὶ τοὺς ἐρινυώδεις καὶ τερατώδεις ... λογισμούς) überwinde (ep. 3, 166 [PG 79, 461]). – Die schon festgestellte Nähe von Bakchen u. F. (o. Sp. 699f) dient Athanasius (hist. Ar. 59 [PG 25, 764]: μαινάδες καὶ ἐρινύες) u. Tertullian (apol. 37, 2: Bacchanalium furiae) zur Kennzeichnung von Raserei. Besonders für die Abwertung der Schauspiele bieten sich mit F. gebildete redensartliche Wendungen an, wobei, wie oft, Appellativum u. Name F. fast äquivalent sind, zB. Tert. spect. 16, 4 (CCL 1, 241): itur in furias et discordias; 23, 2, wo der Rennfahrer, das teuflische Gegenbild zu Elias, Furiarum magister heißt; Aug. conf. 6, 8, 13: hauriebat furias, über seinen Schüler u. Freund Alypius, den eine wahnsinnige Lust am Gladiatorenkampf befiel.

d. Unglaube u. Häresie. Nicht verwunderlich ist schließlich, daß der Gläubige zu affektgeladenen Metaphern greift, um das in seinen Augen Ungeheuerlichste anzuprangern; so zB. Facund. defens. 9, 3 (PL 67, 750C): ,... daß wir dieses sagen, denn das heißt die Göttlichkeit des eingeborenen Sohnes leugnen, halten wir für höchsten Wahnsinn (summae furiae esse arbitramur); was fehlt da noch, daß wir zu den Häretikern gerechnet werden?‘ Wenn Augustinus die Katechumenen mahnt: ,Ihr seid milites Christi, ihr kämpft gegen den Teufel, widersagt seinen Werken, fordert seine F. gegen euch heraus‘ (symb. 2, 1, 2 [PL 40, 638]), so mag ihm dabei eine im Bild der F. vorgetragene heidnische Polemik in Erinnerung gewesen sein: unter Porphyrios’ Namen überlieferte Sprüche aus dem Bereich neuplatonischer Popularphilosophie enthalten ein Wort der Höllen-F. Hekate, die die Verehrung Christi als Wahn erklärt (Porph. phil. or. haur. 181f Wolff; vgl. Aug. civ. D. 19, 23). Gregor v. Nazianz berichtet von sich selbst, daß er nach seinem Entschluß, sich taufen zu lassen, ,im Traume die Drohungen einer furchtbar blickenden F.‘ habe überwinden müssen (or. 18, 31 [PG 35, 1024]). – Das sacrilegium schismatis (der Donatisten) sieht Augustinus als wilde F. an (c. Cresc. 3, 58, 64 [CSEL 52, 470]). Nach Vincentius v. Lerinum ergriff die novitas Arianorum wie eine Bellona oder F. den Kaiser (Constantius) u. seinen Hof (comm. 4, 6 [FlorPatr 5, 15]); weitere Beispiele für F. als Bezeichnung des Wahns der Häretiker: Vincent. comm. 4, 5 (Donatisten); ebd. 18, 24 (Montanisten); Aug. c. ep. Parm. 2, 3, 7 (CSEL 51, 52: circumcelliones). – PsHegesippus nennt die Tat des größten Unglaubens, nämlich die Kreuzigung Christi, einen sacrilegus furor; daher hätten sich denn die Juden ihren Untergang selbst zuzuschreiben; denn wenn Herodes, der Mörder des Johannes, den Preis für seine Perfidie zahlte, um wieviel mehr war dann der von wilden F. gejagt, der Christus getötet hat (hist. 2, 5, 2 [CSEL 66, 139])? Im Weihnachtslied (cath. 12, 92 [CSEL 61, 67]) beklagt Prudentius, daß allein die Sippe der Hohenpriester den neugeborenen Gott leugnete, ,als ob sie die Adern voll Gift hätten oder von F. besessen wären‘. Die Standhaftigkeit im Glauben wird besonders vom Märtyrer gerühmt; Basileios v. Seleukeia sagt von Thekla (v. Thecl. 2, 11 [PG 85, 585A]): ,ohne Waffen u. Heer, durch Christus allein schlug sie ganze Schlachtreihen von F. in die Flucht.‘ Πονηρὸς δαιμόνων ἐρινύων στρατός nennt Gregor (or. 35: de martyribus et adversus Arianos [PG 36, 260 B]) die Helfer des Teufels im Kampf gegen die Kirche. Commodian stellt die F., von der der Christenverfolger Nero erfüllt ist, als eine Kraft im Dienste der heidnischen Götter dar (duob. pop. 855 [CCL 128, 104]). In der Märtyrergeschichte des Lucianus u. Marcianus werden mit F. Zauberkünste als Produkt des error gentilitatis bezeichnet (ASS Oct. 11, 817). Nicht immer ist in Berichten von Martyrien klar zu entscheiden, ob mit F. mehr das Eintreten für die di patrii oder die Wut angesichts der Standhaftigkeit des Christen gemeint ist; vgl. Prud. perist. 3, 96; 11, 60; Acta Saturnini 16 (421 Ruinart² [1859]). Die F. als Versuchung zum Unglauben findet sich auch in Probas Versifizierung des Sündenfallberichtes (Gen. 3, 1/6); die Schlange im Paradies wird mit Versen geschildert, die der vergilischen Allectoszene (Aen. 7, 323/416) entnommen sind (v. 172/99 [CSEL 16, 579/80]). – Eine breit ausgemalte F.szenerie findet sich schließlich als Allegorie des Unglaubens in der Collatio Alexandri et Dindimi, die von einem Christen wahrscheinlich am Ende des 4. Jh. verfaßt wurde (PL Suppl. 1, 679/90, bes. 686). Hier wird dem Makedonenkönig, dem offensichtlich die Sympathie des Verfassers gehört, unter Aufbietung der ganzen F.hölle sein falscher Glaube von dem Brahmanenkönig vor Augen gestellt. Wie in einer Summe erscheinen hier am Ausgang der Antike noch einmal die Haupt-F. samt ihren Attributen u. Lokalen (ausgewählte Vergleichsstellen mögen die Kontinuität dieser Vorstellung verdeutlichen). Dindimus wirft Alexander vor: Ihr habt nicht den wahren Glauben, sondern impiam profanamque superstitionem atque contemptum verae religionis; dessentwegen quälen euch (excruciant) illae Furiae, scelerum vindices, ... illa cruciamenta Tartarea poetarum vestrorum carminibus decantata (vgl. Lucr. 3, 978/1023) ... Eumenides sunt foedissimae cogitationes, Tisiphone prava conscientia (vgl. Verg. georg. 3, 552), Umbrae exsangues vestra corpora mentis sanitate carentia (vgl. Sen. Oed. 598); poenae Inferni sunt curarum pro delicti continuitate vigiliae; Tantalus est inexplebilis semperque sitiens cupiditatis aviditas (vgl. Lucr. aO.; Plut. superst. 11, 170 F), Cerberus mala ventris edacitas, cui quia non sufficit unum nostrum, terna ora collata sunt; Hydrae sunt vitiorum post satietatem renascentium foeditates; Viperina corona est actuum sordidorum squalor horribilis (vgl. Ovid. met. 4, 495/9; 6, 662); Pluto est animus humani corporis rector ignavus (vgl. Claud. rapt. Pros. 2, 214),

qui quoniam caelestibus bonis ultro caruit, merito sedibus damnatus est Inferni; Pallentes sunt dii (vgl. Prud. psych. 464/6), quos sine ratione colitis ...

E. R. Dodds, The Greeks and the irrational (Berkeley-Los Angeles 1951). – H. Gärtner-W. Heyke-V. Pöschl, Bibliographie zur antiken Bildersprache (1964). – J. A. Hild, Art. F.: DarS 2, 1410/9. – E. Norden, In Varronis saturas Menippeas observationes selectae. Eumenides: JbbKlassPhilol Suppl. 18 (1892) 329/43 = Kl. Schriften (1966) 65/80. – A. Rapp, Art. Erinys: Roscher, Lex. 1,1 (1884/90) 1310/36; Art. F.: ebd. 1559/64. – O. Waser, Art. F.: PW 7, 1 (1910) 308/14. – E. Wüst, Art. Erinys: PW Suppl. 8 (1956) 82/166.   *H. Funke.*

Fuß.

A. Allgemeines. Als unterstes Glied des menschlichen Körpers übt der F. seine wesentlichen Funktionen beim Stehen u. Gehen aus. Seine Eignung für diese Aufgaben rühmen Ärzte u. Philosophen zu allen Zeiten. Die bildliche Redeweise bedient sich oft des F., wenn sie die dem Stehen u. Gehen zugeordneten menschlichen Tätigkeiten charakterisieren will, so die Anwesenheit u. die Besitzergreifung oder die Schnelligkeit u. die Plötzlichkeit. Auch das ist allen Kulturen gemeinsam u. nicht speziell der antiken eigentümlich. Wie die anderen Glieder des Körpers, die besonders der Beschmutzung ausgesetzt sind (Hände, Gesicht), bedürfen die F. häufig der Reinigung. Solche Waschung kann vielfachen Symbolgehalt annehmen (*F.waschung). In der Antike begegnet man oftmals dem F.kuß; wegen seiner speziellen Bedeutung, nämlich der Demütigung des Küssenden u. Hilfesuchenden, die in dem Sichniederwerfen zum Ausdruck kommt, wird er hier nicht behandelt (*Proskynese). – Noch eine andere Funktion des F. ist für die ganze Antike (u. für alle Kulturen mit ähnlichen Denkstrukturen) charakteristisch. Da der Mensch am häufigsten mit dem F. die Erde berührt, partizipiert dieser an der gegensätzlichen Bewertung der Erde u. ihrer Kräfte. Ihre heilenden Wirkungen nimmt er als erstes Glied auf. Da die Erde aber auch Sinnbild u. Sitz der bedrohlichen, dem menschlichen Geist nicht verfügbaren Kräfte ist, können die F. auch als Organe u. Sinnbilder der sinnlichen Verlockung u. Begehrlichkeit verstanden u. in bildlicher Redeweise für sie gebraucht werden. Aus verschiedenen Gründen kann es deshalb sinnvoll oder geboten sein, alle F.bekleidung wegzulassen (vgl. Ph. Oppenheim, Art. Barfüßigkeit: o. Bd. 1, 1186/93; *Nacktheit). Wenn man von diesen beiden Möglichkeiten absieht, durch Entblößen u. durch Waschen dem F. eine besondere symbolische Bedeutung zu geben, sind die durch die religiösen Riten u. kulturellen Gebräuche bestimmten Differenzen zwischen christl. u. außerchristl. Haltung, auf deren Herausstellung es hier ankommt, gering.

B. Nichtchristlich. I. Griechisch-römisch. a. F. als Körperglied. Bei der Beschreibung des menschlichen Körpers hebt Galenus (us. part. corp. 2, 9 [3, 126/8 Kühn]; 3, 4/11 [ebd. 179/244]; vgl. Ruf. Eph. onom. 124/6 Daremb.-R.) die Zweckmäßigkeit der F. hervor; sie sind nicht schlechter gebaut als das Auge oder die Hand oder andere Glieder, denn ihre Aufgabe, für Standfestigkeit zu sorgen u. den aufrechten Gang zu ermöglichen, erfüllen sie hervorragend. An dieser Ansicht wird nicht gerüttelt; noch Laktanz trägt sie mit ähnlichen Worten vor (opif. D. 13, 6 [CSEL 27, 48]). Form u. Beschaffenheit der F. lassen, ähnlich wie bei anderen Körpergliedern, Rückschlüsse auf den menschlichen Charakter zu (PsAristot. physiogn. 73 [1, 90 Förster]; Polemo, physiogn. 1. 5. 50. 53 [1, 128. 202. 262. 270 F.]); gegen diese Methode wendet sich schon Eur. Med. 215/21. Gestalt u. Beschaffenheit der F. haben oftmals bei der Namengebung Pate gestanden, wie Oedipus, Melampus, Claudus u. Plancus zeigen. Κακοπόδινος heißt jemand, der durch sein Kommen Leid bringt (Marc. Diac. v. Porph. Gaz. 19 [95 Grég.-Kug.]); Καλοπόδινος, Ἀγαθόπους (= nordafrik. Namphamo) dagegen ist der Glücksbote (L. Robert: RevÉtAnc 62 [1960] 359f). Die zarteren, schöneren F. der Frau (PsAristot. physiogn. 40. 44 [1, 48. 52f F.]; Plin. n. h. 11, 253) spielen in der Liebeslyrik eine große Rolle. Da die Seele nach antiker Ansicht durch den Mund den Körper verläßt, künden die F. die Nähe des Todes an (Polemo, physiogn. 67 [1, 282 F.]); denn der Erkaltungs-

prozeß hebt bei ihnen an (Plat. Phaed. 117 E; Lucret. 3, 526/30; Ovid. met. 5, 429/34. 552f; fast. 3, 453f; Tac. ann. 15, 70; Apul. met. 11, 13; Lact. inst. 7, 12, 22 [CSEL 19, 622]). Wenn es Pers. sat. 3, 105 heißt: ‚in portam rigidas calces extendit‘, kann man auf Plin. n. h. 7, 46 hinweisen: ‚ritus naturae capite hominem gigni, mos est pedibus efferri‘. Beim Sterben wurden die F. ausgestreckt (Athanas. incarn. 37 [PG 25, 160 A]; v. Ant. 92 [PG 26, 972 B]; Geront. v. Mel. 68 [SC 90, 264/8]; vgl. C. Rush, Death and burial in christian antiquity [Washington 1941] 91f). Zur Therapie der Schlafkrankheit, als deren Ursache innere Abkühlung angesehen wurde, gehörte das Kitzeln der F. (Aretaeus 5, 2, 1 [CMG 2, 98]), das auch als sexuelles Reizmittel galt, wie Darstellungen von Silenen u. Faunen dartun (Aigremont 30). Als in später Zeit die einzelnen Glieder dem Schutz bestimmter Gottheiten anvertraut wurden, übernahm verständlicherweise Merkur die Sorge für die F. (Fulg. mitol. 3, 7, 120 [71 Helm]); in der Astrologie wurden sie den Fischen u. dem Mond zugeordnet (A. Bouché-Leclercq, L' astrologie grecque [Paris 1899] 319 f. 323). Charakteristisch, im Gegensatz zur übrigen anthropomorphen Gestalt, ist der Bocks-F. des Pan (Anth. Pal. 6, 35. 57. 167. 315) u. der Stier-F. des Dionysos (Plut. Is. et Os. 35, 364 F; quaest. Graec. 36, 299 B). Flügel an den F. trägt außer Hermes (Merkur) gewöhnlich Iris, selten Nike (M. Mayer: Roscher, Lex. 2, 1, 350). ‚Die Götter haben wollene (oder in Wolle eingepackte) F.‘, sagte ein röm. Sprichwort (Macrob. Sat. 1, 8, 5; Petron. sat. 44), dessen Bedeutung nicht ganz klar ist (L. Friedlaender übersetzt im Komm. zu Petronius[2] [1906] 121: ‚Darum haben die Götter für uns das Podagra‘; ebd. 262 meint er, ‚gefesselte F. können 'pedes lanati' nicht sein. Sind es die in Wolle gewikkelten der Podagristen ?‘; vgl. ferner J. Pley, De lanae in antiquorum ritibus usu = RGVV 11, 2 [1911] 33[3]).

b. Stellung des F. Kommt es bei der Körperhaltung auf die Bewegung an, so dürfen auch die F. nicht steif nebeneinander stehen. Die Lockerung der Haltung durch die Unterscheidung von Standbein u. Spielbein ist für die Entwicklung der Kunst von größter Bedeutung gewesen. Daedalus soll als erster auf diese Weise die Statuen ‚gehend‘ gemacht haben (Palaeph. incred. 21 [29 Festa]; zur Darstellung von Gottheiten mit aufgestütztem F. vgl. E. Will, Le relief cultuel gréco-romain

[Paris 1955] 133f). – Zur Schulung des Rhetors gehörte es, daß er beim Vortrag die angemessene Haltung einnahm (Quint. inst. 11, 3, 124/8: In pedibus observantur status et incessus. Prolato dextro stare et eandem manum ac pedem proferre deforme est. In dextrum incumbere interim datur, sed aequo pectore, qui tamen comicus magis quam oratorius gestus est. Male etiam in sinistrum pedem insistentium dexter aut tollitur aut summis digitis suspenditur . . .; vgl. B. A. Taladoire, Commentaires sur la mimique et l'expression corporelle du comédien romain [Montpellier 1951] 106). Gewiß gab es ähnliche Regeln auch bei der Rekrutenausbildung (vgl. Verg. Aen. 10, 587).

c. F. u. Heilkraft. Mit dem F. berührt der Mensch die Erde; ihre Heilkraft (*Inkubation) überträgt sich darum am ehesten auf den F., der deshalb auch neben der Hand zuweilen als heilendes Medium genannt wird. Pyrrhus heilte Milzkranke, indem er ihnen, während sie auf dem Rücken lagen, mit dem rechten F. leise auf den Leib trat (Plut. Pyrrh. 3, 4f). Von Vespasian wird berichtet, daß er auf Weisung eines Sarapisorakels in Alexandrien einen Kranken durch Berührung mit seinem F. heilte (Tac. hist. 4, 81; Suet. Vesp. 7, 2; Dio Cass. 56, 8). Es mag sein, daß diese Vorstellung von der besonderen Heilkraft des F. im Orient ihren Ursprung gehabt hat (Weinreich, Heilungswunder 70f). Häufig kann man jedoch nicht unterscheiden, ob nun gerade der F. oder ein anderer Umstand von Bedeutung ist. Wenn Plin. n. h. 28, 44 u. Marcell. med. 8, 31 erwähnen, daß man sich mit dem F.waschwasser dreimal die kranken Augen einreiben soll, so geht es dabei wohl nicht mehr um die Heilkraft des F. allein; auch das Wasser spielt eine Rolle (das Trinken des F.waschwassers zB. als Zeichen der Ehrerbietung wird noch im kopt. Brauchtum erwähnt; s. Art. F.waschung: u. Sp. 758). Bei der Anweisung, Blut aus der Hand oder dem F. einer schwangeren Frau zu nehmen (Pariser Zauberpapyrus 77), geht es nicht in erster Linie um den F., sondern das Schwangersein ist das Entscheidende. Wenn der F. des Ebers als Heilmittel gegen Schwindelgefühl, Epilepsie oder Melancholie verordnet wird (Aretaeus 7, 3, 14 [CMG 2, 152]; 4, 12 [155]; 5, 14 [158f]), mag auch der Eber wichtiger sein als der F. Manchmal kommt es auch auf die große Zehe an, nicht auf den F. insgesamt (Plin. n. h. 7, 20; Weinreich, Hei

lungswunder 72). Asklepios heilt mit der Hand, nicht mit dem F., auch nicht mit dem F. seines Pferdes (umstrittener Wunderbericht aus Epidauros: Wunder 38 bei R. Herzog, Die Wunderheilungen von Epidauros [1931] 24; ebd. 99f gegen Weinreich, Heilungswunder 72f). Eine besondere Kraft glaubt der Daimon akephalos (*Geister) in seinem F. zu haben (Greek papyri in the British Museum 1, 69f Kenyon: PLond. 46, 147f).

d. F. in Vorzeichenglauben u. Traumdeutung. Die Anschauung, daß es ein schlechtes Vorzeichen sei, wenn man mit dem F. an die Schwelle stoße oder auch an einen Stein, war im Altertum so weit verbreitet wie heute (bei den Pythagoreern galt: pedem ad limen offendenti redeundum [FPhG 1, 510 nr. 14 Mullach]; Prop. 2, 5, 29; Tib. 1, 3, 19; Ovid. am. 1, 12, 5f; die Belege lassen sich leicht vermehren); wahrscheinlich wurde deswegen die Braut beim Einzug in das Haus über die *Schwelle gehoben. Ebenso fest verwurzelt war u. ist die Meinung, daß es ungünstig oder gefährlich sei, mit dem linken F. etwas zu beginnen („mit dem linken F. aufzustehen, ist ein schlechter Beginn des Tages'). Der F. ist allerdings hierbei nicht das Entscheidende; daß es der linke F. ist, ist das Bedeutungsvollere; die linke Seite oder Richtung weist auf das Unglück hin (*Rechts-Links; vgl. F. J. Dölger, Die Sonne der Gerechtigkeit u. der Schwarze [1918] 37/48; O. Nußbaum, Die Bewertung von Rechts u. Links in der röm. Liturgie: JbAC 5 [1962] 158/71). – Von einem Liebeszauber erzählt Lucian. dial. meretr. 4, 5: Eine Hetäre, die ihren abspenstigen Liebhaber zurückgewinnen will, muß die F.spur der Konkurrentin auslöschen; sie soll ihren rechten F. auf die linke Spur der anderen Hetäre setzen u. umgekehrt u. dabei sprechen: ,Nun bin ich über dir u. du bist unter mir'. – In der Traumdeutung spielten die F. keine besonders wichtige Rolle. Die Interpretation erfolgte entweder einfach nach dem Schema, daß einem in der Wirklichkeit das Gleiche widerfährt, was man im Traum an einem fremden Objekt zuvor geschaut hat (Artemid. onir. 3, 51; 4, 68). Das konnte natürlich auch die eigenen F. betreffen. Oder aber die Erklärung des Traumes folgte dem Einteilungsschema für den menschlichen Körper, nach dem jedes Glied eine festliegende Bedeutung hatte. Danach bezeichneten die F. die Sklaven u. Diener (Artemid. 1, 74;

2, 27); ob auch die Kinder gemeint sein konnten, war strittig (1, 48). Wenn dieses Schema
auch unverrückbar feststand, so war eine
Variation in der Deutung doch möglich, je
nach dem Beruf u. der sozialen Stellung des
Träumenden. F. im Traum zu sehen, ist deshalb gut für den Kaufmann u. Schiffsherrn,
weil sie vieler Sklaven bedürfen. Für den
Steuermann bedeuten sie Windstille, denn
er braucht viele F. (Sklaven), um das Schiff
von der Stelle zu bringen. Ein solches Gesicht muß dem Armen willkommen sein, denn
er wird in Zukunft Diener haben; ein Reicher
wird sich weniger darüber freuen, denn ihm
kündet es Krankheit an: er kann seine eigenen F. nicht mehr gebrauchen, Diener müssen
ihn tragen. Ein solcher Traum kann auch auf
spätere Blindheit hinweisen, in der man sich
an der Hand führen lassen muß (Artemid.
1, 48). Schlimm ist es auch, wenn im Traum
die Augen an den F. erscheinen: das bedeutet
Blindheit oder auch anderes Unheil (1, 26).
Wem im Traume die F. verbrennen, der muß
mit dem Verlust seines Vermögens, vor allem
der Kinder u. Diener rechnen (1, 48). Nur für
den Läufer im Wettkampf könnte es ein gutes Vorzeichen sein, denn er wird laufen, als
wenn er die F. aus dem Feuer ziehen müßte
(1, 48). An dieser Einordnung der F. in die
Traumdeutung, die noch nicht mit der Bewertung der Wirkung des Unterbewußten
arbeiten konnte, hat sich lange nichts geändert, wie ein Blick in das Traumdeutungs-
buch des Achmetes, eines Kompilators aus
dem 8./9. Jh., lehrt (onir. 68, 10; 69, 1 Drexl;
vgl. Riess: PW 1 [1893] 248). Achmetes verarbeitet indisches, persisches, ägyptisches u.
vielleicht arabisches Material.

e. F.abdrücke u. Münzen. Überall auf der
Welt zeigt man F.spuren, die festem Material
eingeprägt sind (ebenso auch Abdrücke anderer Körperteile, zB. der Hände u. des Gesichts). Sie sollen die einstige körperliche Anwesenheit wichtiger Personen (Götter, Heroen,
Heilige, im MA auch Teufel) bezeugen (R.
Andree, Ethnographische Parallelen u. Vergleiche [1878] 94/7; Guarducci 308/12). Je
nach den Umständen kann die Spur auch vom
F. des Reittieres herrühren. Die antiken Erzählungen liefern einige Beispiele. So zeigte
man in Skythien die Spur des Herakles
(Herodt. 4, 82; auch zurückgelassene Schuhe
oder Sandalen können die Anwesenheit bezeugen; allerdings müssen sie dann durch
ihre Größe die Göttlichkeit erweisen; zB.

Herodt. 2, 91: Sandale des Perseus; *Schuhe),
am Lacus Regillus in Rom den Hufabdruck
des Pferdes des Kastor (Cic. nat. deor. 3, 5,
11). Lukian weiß von einer Insel jenseits der
Säulen des Herakles, wo es in einem Fels
zwei F.stapfen gebe, von denen der eine von
Dionysos, der andere von Herakles herrühren
solle (ver. hist. 1, 7 [2, 32 Jacobitz]). Natürlich
hinterlassen die Götter nur dann eine Spur,
wenn sie Menschengestalt angenommen haben,
wie Poseidon die des Kalchas (Il. 13, 71f). In
der Kommentierung dieser Iliasstelle wurde
dann die Frage erörtert, wie denn die Anwesenheit der Götter zu erkennen sei, ob sie
überhaupt F.spuren hinterließen u. welcher
Art diese seien (Heliod. Aeth. 3, 13; Eustath.
Il. 13, 71f [312f]); diese Frage taucht bei
den F.spuren Christi wieder auf. Solche Göt-
terspuren konnten im Prodigienglauben der
späten Zeit noch eine Rolle spielen. Von dem
Verfasser der Hist. Aug. werden sie zB. unter
den Unheil androhenden Vorzeichen zZt. des
Commodus genannt (Hist. Aug. v. Commod.
16, 21: vestigia deorum in foro visa sunt
exeuntia). Am Eingang zum Mithraeum in
Ostia befand sich ein F.abdruck des Mithras,
in den der Myste mit seinem F. trat, sei es,
um anzudeuten, daß er in seinem Verhalten
in die F.stapfen des Gottes treten wollte, sei
es, um dadurch in besonderer Weise die Hilfe
des Gottes zu erlangen (G. Becatti, Scavi di
Ostia 2. I Mitrei [Roma 1954] 80f Taf. 16, 1;
M. J. Vermaseren, CorpMithr 1, 132 nr. 272).
F.abdrücke wird es auch auf Gräbern gegeben
haben (Aesch. choe. 205/11; Eur. El. 532f). –
F. finden sich auch noch auf Münzprägungen.
So haben Antoninus Pius, Marcus Aurelius u.
Commodus in Alexandrien Münzen schlagen
lassen, die einen F. zeigen mit Sarapisbüste
in der Art der unten als Votive angesprochenen
Plastiken (G. Zoëga, Numi Aegyptii [Roma
1787] 167. 224. 238; J. Eckhel, Doctrina
numorum veterum 4 [Wien 1794] 66). Hier-
her gehört auch eine Münze aus Ptolemais
in Galilaea (Eckhel aO. 3 [1794] 424) u. aus
Aigai in Kilikien aus der Zeit des Alexander
Severus (Th. E. Mionnet, Description de mé-
dailles antiques grecques et romaines 3 [Pa-
ris 1806/13] 544 nr. 35). Auch bei vielen
anderen Beispielen lassen Zeit u. Ort ihrer
Entstehung darauf schließen, daß es sich um
Dedikationen an die Heilgötter Sarapis u.
Asklepios handelt, wie das auch bei einem
Altar der Fall ist, der Reliefdarstellungen
von Sarapis u. Isis zeigt u. auf der Vorder-

seite einen schlangenumwundenen F. (R.
Fabretti, Inscriptionum antiquarum quae in
aedibus paternis asservantur explicatio et ad-
ditamentum 6 [Roma 1699] 487; W. Drexler,
Art. Isis: Roscher, Lex. 2, 1, 526/8). Drei sich
umschlingende F. bieten Münzprägungen aus
dem gleichen geographischen Bereich (Aigremont 8: Kilikien, Pamphylien, Cypern).
f. Votive. In Heiligtümern lokaler Art wie an
Kultstätten, die von Pilgern besucht wurden,
finden sich einmal Nachbildungen von F.,
dann auch F.abdrücke in dauerhaftem Material, außerdem Ritzungen u. Zeichnungen
von F. (Zeichnungen von *Schuhen haben
sicher denselben Sinn wie die von F.sohlen,
werden hier aber nicht berücksichtigt, wie
etwa die Votivstele des Silon im Museum in
Athen, die nur eine Sandale zeigt [vgl. Amelung 158f; Weinreich, Θεοί 37$_1$; Guarducci
331/4]). Der Symbolgehalt dieser Gegenstände
läßt sich selten eindeutig festlegen; darum ist
eine Einteilung der erhaltenen Objekte nach
Motiven der Spender ziemlich auf freier Vermutung aufgebaut. 1) Unter den erhaltenen F. u. F.abdrücken sind solche, die als
Exvoto für Heilung von F.krankheiten gelten müssen. Hierzu sind F.nachbildungen zu
rechnen, die, ähnlich wie andere Gliedmaßen,
besonders in den Asklepieien hinterlassen
wurden (W. H. Rouse, Greek votive offerings
[Cambridge 1902] 187f. 397f.). Im Tempel des
Amynos in Athen fand sich eine Darstellung
eines Mannes, der ein großes Bein an der
Wade umfaßt; im Hintergrund sieht man zwei
F. (A. Koerte: AthMitt 18 [1893] 235f Taf. 11;
Guarducci 336 Abb. 16; es handelt sich eher
um ein Exvoto für Heilung als um einen Bitt-
gestus, bei dem das Bein des Gottes berührt
wird). Im Heiligtum der Artemis in Ephesus
fand man solche Votiv-F. (G. Hogarth, The
archaic Artemisia [London 1908] Taf. 42,
10f). Auch bei den Kelten (wie wohl bei allen
Völkern) waren Gliedmaßenvotive beliebt
(Prümm, Hdb. 719; vgl. Greg. Tur. v. patr.
6, 2 [MG Scr. rer. Mer. 1, 2², 246]). – Ein ganz
anderer Gedanke taucht auf, wenn F. des
Gottes (also nicht menschliche) als Votivgabe gebracht werden. Das geschah vor allem
im Kult des Sarapis u. des Zeus Hypsistos
(vgl. E. R. Goodenough, Jewish symbols in
the greco-roman period 4 [New York 1954]
16$_{65}$); die Zeugnisse stammen aus später Zeit
u. vornehmlich aus dem Osten, zB. aus Termessos u. Panamara (in beiden Fällen an
Hypsistos gerichtet; vgl. Weinreich, Θεοί 20

nr. 99; 36f; BullCorrHell 51 [1927] 106). Inschriften erweisen, daß es sich um den F. des
Gottes handelt. Ob damit die heilbringende
ἐπιφάνεια des Gottes erbeten werden soll? –
Mehrfach haben sich F. verschiedener Größe
erhalten, die eine Sarapisbüste oder ein
ganzes Bild tragen; das Material ist meist
Marmor (bekanntes Beispiel in den Uffizien
in Florenz: Bilderatl. 9/11 Abb. 15; Guarducci 324 Abb. 11; Weinreich, Θεοί 37$_3$ nennt
7 weitere Beispiele). Vielleicht haben diese
Votive mit dem Glauben an die o. Sp. 725f
erwähnte besondere Heilkraft des F. zu tun
(Weinreich, Heilungswunder 67f). Hierher gehört auch der F., der einen Adler trägt (L.
Jalabert, Inscriptions grecques et latines de
Syrie = Mél. de la Fac. Orient. de l'Univ. de
Beyrouth [Beyrouth 1907] 309/11; Weinreich, Θεοί 37: Weihung an Sarapis), u. ein
F. zwischen Isis u. Sarapis (CIL 6, 572: an
Sarapis; W. Drexler, Art. Isis: Roscher, Lex.
2, 1, 526/8) sowie ein anderer, der Isis mit
der Uräusschlange zeigt (P. Perdrizet, Les
terres cuites grecques d'Égypte de la Coll.
Fouquet [Nancy 1921] 125f). Um Dedikationen handelt es sich wahrscheinlich auch
bei den ,großen' F., die zT. enorme Aus-
maße annehmen; davon nur einige Beispiele: a) in Rom (bei S. Stefano del Cacco;
H. Jordan-Ch. Hülsen, Topographie der Stadt
Rom 1 [1907] 569; Weihung an Sarapis, so
Ch. Hülsen: RömMitt 18 [1903] 38, oder Isis, so
Guarducci 327); b) in Termessos (K. Lanck-
oronski-G. Niemann-E. Petersen, Städte Pam-
phyliens u. Pisidiens 2 [1892] 77. 220; nr. 178
Abb. 27; vgl. o. Sp. 729; ursprünglich waren
es zwei F.); c) im Vat. Mus. (aus dem Tempel
des Liber, dem die Inschrift den F. übereignet; er ist nicht übermäßig groß u. von einer
Schlange umwunden [vgl. das o. Sp. 728f genannte Relief vom Isisaltar]; CIL 6, 3; Amelung 159; Guarducci 317. 328 Abb. 12; weitere Beispiele ebd. 329; sie sind zT. mit Sandalen bekleidet u. von Schlangen umringelt;
alle gehören der Kaiserzeit an; zB. im Museum
in Mantua: G. Labus, Museo della Reale
Accademia di Mantova [Mantova 1837] 205f).
Aus einem Heiligtum der Salus in Pesaro
stammen einige Exemplare, die für die Mo-
tivmischung charakteristisch sind: a) ein
großer F., auf dem eine weibliche Figur liegt,
die Göttin selbst; es handelt sich demnach
um ein Dank- oder Bittvotiv allgemeiner
Art; b) ein rechter F. mit Sandale: eine
Schlange kommt zwischen der großen Zehe u.

der folgenden hervor u. trinkt aus einer
Schale, die auf dem kurzen Beinstumpf
steht; also wahrscheinlich Dankvotiv für
Heilung; c) ein linker F. mit Sandale, Relief
eines Steinbocks u. Inschrift auf dem Beinstumpf ‚faustos redire'; es spielt also die
Bitte um gute Heimkehr (s. u. Sp. 732) eine
Rolle (Guarducci 329f Abb. 13f). – Weitere
Beispiele: CIG 1, 454 u. B. Stark: ArchAnz 11
(1853) 366: sitzender Mann vor drei Nymphen,
daneben ein F. eingehauen; Brit. Mus.: Description of the coll. of ancient marbles in
the Brit. Mus. 10 (London 1845) 76f Taf.
33. – 2) Weitere erhaltene F.einprägungen sind
wahrscheinlich aus anderen Gründen hinterlassen worden: a) Es ist damit zu rechnen,
daß solche Abdrücke ähnlich wie zurückgelassene Schuhe oder Kritzeleien an den Wän-
den des Heiligtums den Bittsteller der Gottheit dauernd präsent halten sollen. In Ägypten haben mehrere Heiligtümer, die von Pilgern besucht wurden, F.eindrücke bewahrt;
im Memnontempel in Abydos gab es auf
den Steinen der Tempelterrasse viele F.ab-
drücke, einzelne u. Paare, mit Namensbei-
schrift (P. Perdrizet-G. Lefebvre, Les graffites
grecs du Memnonion d'Abydos [Nancy 1919]
63 nr. 325; 117f nr. 642/58). Aus dem Isistem-
pel auf der Insel Philae sind Platten mit F.-
spuren vJ. 453 nC. bekannt (CIG 3, 4946),
die von der Smetchem-Familie gestiftet wurden (G. Maspéro: RevArch 43 [1882] 37/9
[ähnlich CIG 4, 6845]); im Museum in Alexandrien gibt es eine Inschrift mit F. von einem Ehepaar u. ihrem Sohn an Hermanubis
(Guarducci 314 Abb. 5). Auf eine Platte der
Straße vor dem Theater in Ephesus hat ein
Pilger (?) einen linken F. neben ein Brustbild
der Artemis Ephesia geritzt. Später hat ein
Christ beides mit einem Kreuzzeichen versehen (A. Henze, Das große Konzilienbuch[2]
[1963] 51. 57 Abb. 26). Eine Tafel in Delos
(IG 11, 1263) mit gezeichneten F. enthält
eine Dedikation von vier Personen (darunter
ein ἀρεταλόγος) an Isis u. Anubis (Guarducci
313 Abb. 4), ähnlich eine andere, von einem
Milesier der Isis geweiht (P. Roussel, Les
cultes égyptiens à Délos: Annales de l'Est
29/30 [1915/6] 115 nr. 60 u. 149 nr. 122;
Roussel weist hin auf eine kleine Säule im
Museum in Alexandrien; sie enthält einen
F.abdruck mit der Inschrift: Ἴσιδος πόδας).
Aus dem Tempel des Hypsistos auf der Pnyx
in Athen stammte eine Tafel mit F.eindrücken;
sie wurde von einer Frau dediziert (Hesperia

1 [1932] 198 Abb. 60). Aus derselben Zeit
(1. Jh. nC.) gibt es eine ähnliche Weihung aus
dem Asklepieion (Marmorbasis mit Inschrift
u. F.abdrücken; Guarducci 336); vier Inschriften mit F.abdrücken befinden sich im
Museum in Saloniki (L. Robert: RevÉtGr 79
[1966] 390 nr. 241). Aus Kpel haben wir eine
Tafel für die Göttin Mâ mit zwei F. (2. Jh.
nC.: AthMitt 33 [1908] 145f nr. 1; eine Inschrift aus Phrygien, ohne F.darstellungen,
Artemis, Anahitis u. Men gewidmet: Ditt.
Syll.[3] 3, 1142). In Nordafrika gibt es ähnliche
Bilder, besonders in Mosaik, fast in jedem
Museum (vgl. CIL 8, 11795. 12400). – Besondere Erwähnung verdient eine Platte, die
sich im Vat. Mus. befindet; sie zeigt zwei F.
in Richtung nach oben, von Schlangenwin-
dungen eingerahmt (CIL 6, 463 [2. Jh. nC.]).
Die Widmung richtet sich an Liber Callini-
cianus; sie wurde in den Ruinen eines Tempels des Liber an der Via Ardeatina gefunden
(A. Bruhl, Liber Pater [Paris 1953] 203/5).
Außerdem entdeckte man hier einen Ziegel,
bei dem ein ‚vivas' (vgl. das christl. ‚in deo')
in den F.abdruck eingeschrieben ist (Guarducci 316f Abb. 6). Den Gedanken des Ver-
bleibens im Heiligtum sollen wohl auch fünf
Paar F. ausdrücken, die in Ostia gefunden
wurden (ebd. 318 Abb. 7). Einem Exemplar
aus Bronze in Paris (Nationalbibl.; E. Babe-
lon-A. Blanchet, Catalogue des bronzes antiques de la Bibl. Nat. [Paris 1895] 464/6
nr. 1091; ähnlich nr. 1083/5 u. S. Reinach,
Antiquités nationales [Paris 1894] 361 nr.
532f; ferner ein Exemplar in Speyer; vgl.
H. Menzel, Die röm. Bronzen aus Deutschland [1960] nr. 35 Taf. 34) reihen sich andere
aus Marmor in Italica (bei Sevilla) an (A.
Schulten: Klio 33 [1940] 73/102 Taf. 1, 1 u.
2). b) Solche F.abdrücke enthalten, besonders wenn die F. in entgegengesetzter Richtung eingeprägt sind, die Bitte um eine glückliche Heimkehr, sei es vom Heiligtum in die
Heimat (Amelung 158f), sei es von einem
beliebigen Unternehmen (Reise, Krieg), vor
dessen Beginn man im Heiligtum dem Gebet durch solche Votivgabe sinnfälligen Ausdruck verleihen wollte. Beispiele gibt es in
Nordafrika (CIL 8, 7958. 8446 [Widmung an
Saturn = Baal]. 9017 [an Victoria Victrix]),
Spanien u. Italien (CIL 6, 80). Dabei kommt es
vor, daß nur das eine Paar fest gezeichnet
ist, das andere, das sich auf die Rückkehr
bezieht, dagegen nur leicht angedeutet ist
(so ein Exemplar aus Italica [Schulten aO.]

u. von der Via Ardeatina [Guarducci 319
Abb. 8; weitere Beispiele ebd. 320]).
g. Geräte, Siegel, Grabbeigaben. In manchen
Fällen wurden F.gefäße oder auch Vasen mit
aufgemalten F. als Behälter für wohlriechende Essenzen benutzt (M. I. Maximowa, Les
vases plastiques dans l'antiquité [Paris 1927]
29f; Guarducci 338f). Als Material diente zuweilen Bronze (Ch. Blinkenberg, Lindos 1
[1931] Taf. 32 nr. 803); anderes Material ist
wohl zerfallen. Manche dieser F. (oder Sandalen) tragen apotropäische Zeichen. Zwei F.
in entgegenstehender Richtung, die eine
kleine Schale tragen (Forum Romanum), haben wohl nur praktischen Zweck als Unter-
satz (NotScav 1903, 154f Abb. 32). F. als
Amulett, Lampen in Form von F. (J. Toutain, Art. Lucerna: DarS 3, 2, 1325; Dölger,
Ichth. 5, 158; Lau 94 Abb. 20), Fibeln,
Ringe, Gemmen mit F. (u. Schuhen) finden
sich fast überall (vgl. Münz). Siegel in F.form
(Babelon-Blanchet aO. 1083) lehnen sich womöglich an die Bedeutung des F. als Symbol der Besitzergreifung an (quidquid pes
tuus calcaverit, tuum erit). F.einprägungen
trifft man auf Ziegeln u. gebrannten Gefäßen;
sie sind oft gekennzeichnet mit dem Namen
des Herstellers oder Eigentümers (F.sohle als
Töpferzeichen auf einer Lampe: Dölger,
Ichth. 4 Taf. 148, 4; 5, 117). Töpfer aus Arezzo
haben einen F.stempel auf ihre Gefäße gesetzt mit ihrem Namen; zu dieser Gruppe
gehören kleine Gefäße in Arezzo u. ihre Nach-
ahmungen; sie tragen eine F.sohle (oder
Sandale) mit Namen am Rande (H. Dragendorff: BonnJbb 96 [1895] 46/8; M. Ihm: ebd.
102 [1898] 108f; S. Loeschke: AthMitt 37
[1912] 375 Abb. 6; Dragendorff hält die F.
für apotropäische Zeichen). Im Gymnasium
in Kyzikos fand man Platten mit Zeichnungen von F. (bis zu 14); die Zeichner hatten
wohl nichts anderes im Sinn als sich nach
Art von Leuten, die ihren Namen anschrei-
ben, zu verewigen (F. W. Hasluck, Cyzicus
[Cambridge 1910] 293 nr. 29/36). – Kleine F.
aus verschiedenstem Material u. Anhängsel
in F.form wurden wie in Heiligtümern so auch
in Gräbern besonders im östl. Mittelmeergebiet (Ägypten, Kreta, Argolis, Nordafrika) als
Grabbeigaben gefunden. In Ägypten wurden
diese kleinen F. oft ans Schienbein gebunden
(wie kleine Hände an die Pulse). Man kann
dabei zunächst an Ersatzgliedmaßen denken
für die weite Wegstrecke, die der Tote zu-
rückzulegen hat. Man sollte meinen, daß

solche Grabbeigaben nur einen Sinn haben
bei Erdbestattung (F. Poulsen, Die Dipylon-
gräber u. die Dipylonvasen [1905] 31), aber
kleine Terrakotta-F. (u. -Schuhe) fanden sich
auch auf dem Feuerbestattungsgelände in
Eleusis (ArchEph 1912, 35 Abb. 16). Bei diesen Grabbeigaben ist zwischen F. u. Schuhen
nicht mehr zu scheiden, auch ist die Intention nicht mehr eindeutig (vgl. R. Forrer,
Reallex. [1907] 257f).
h. Metaphorik u. Symbolik. Im griech. Seewesen wurden die Haltetaue, mit denen das
Flattern des Segels verhindert wurde, als
πόδες bezeichnet (F. Fischer, Über technische
Metaphern im Griechischen [1900] 30/2). –
Die F. werden oft genannt für den ganzen
Menschen, wenn seine Anwesenheit betont
werden soll, so zB. bei den griech. Redewendungen: ἐκτὸς ἔχειν πόδα = unbeteiligt sein
(Pind. Pyth. 4, 289; Soph. Phil. 1260) u.
πόδα ἔχειν ἔν τινι (Pind. Ol. 6, 8; vgl. ThesLG
7, 1542); besonders häufig wird vom F. gesprochen, wenn an die Bewegung gedacht ist,
die durch ein Adjektiv charakterisiert wird
(Eur. Or. 1217; id. Hipp. 661; Tib. 2, 6, 14;
Plin. ep. 7, 5; Hor. c. 1, 4, 13: aequo . . .
pede; Ovid. am. 2, 19, 12: tardo . . . pede).
Tugenden u. Laster werden durch die Beweglichkeit ihrer F. umschrieben (Soph. Oed.
tyr. 878f: ὕβρις . . . οὐ ποδὶ χρησίμῳ χρῆται;
Eur. frg. 676 N.²: δίκη βραδεῖ ποδὶ στείχουσα;
zu dem alten Sprichwort: ‚Die Lüge hat
keine F.' vgl. S. Scheiber: ActAntAcSc-
Hung 9 [1961] 305f). In vielen ähnlichen
Bildern taucht der F. auf. (Weiteres in den
Lexika unter πούς u. pes.) In bildlicher Redeweise spielt der F. ferner eine Rolle, wie etwa
bei dem Satz: ‚jemandem etwas zu F. legen'.
Diesem Sprachgebrauch im einzelnen nachzugehen, ist ebenso überflüssig wie eine Aufzählung der Redensart: ‚in jemandes F.stap-
fen treten' für ‚jemandem nachfolgen'; auch
sie findet sich häufig (Philo, opif. mund. 144;
Cic. rep. 6, 24; Lucr. 3, 4 [dazu die Kommentare, etwa von C. Bailey u. A. Ernout] ebenso
wie 1 Petr. 2, 21 [zu Parallelen vgl. auch hier
die Kommentare, etwa Internat. crit. comm.
oder Hdb. z. NT³ (1951) 65]). – Wer den F.
auf den Kopf u. den Nacken oder überhaupt
auf den am Boden liegenden Feind setzen
kann, hat ihn vollständig besiegt u. kann
über ihn verfügen. Setzt jemand seinen F.
auf eine Sache, so kann das auch die friedliche Besitzergreifung bezeichnen. Die anschauliche Vorstellung vom F. des Siegers

auf dem Nacken des Gegners als Beschreibung eines konkreten Vorganges findet sich in der griech.-röm. Literatur kaum noch. Es findet sich zwar oft die Formel: ‚unter den F.‘ = ‚herrschen über‘ (zB. Liv. 34, 32; Verg. Aen. 7, 99f; Ovid. met. 14, 490; Prop. 1, 1, 4: et caput inpositis pressit amor pedibus [geht wohl auf Anth. Pal. 2, 12, 2 zurück; weitere Belege im Kommentar zu Properz von P. Burmann-L. Santen (Utrecht 1780) 6f]; Sen. Herc. Oet. 107 u. ö.; Sil. It. 17, 145); aber entsprechende Bilder fehlen fast ganz. Homer berichtet (Il. 13, 618; vgl. 16, 862f), wie Menelaos seinen F. auf die Brust des gefallenen Peisandros setzt; aber das ist kein symbolischer Gestus; die Schilderung beschreibt einfach, wie das Aufstemmen des F. das Herausziehen des Speeres erleichtern soll. Ähnlich sind einige Stellen bei Vergil u. anderen zu verstehen (Aen. 10, 495f. 736; 12, 356; Jos. b. Iud. 6, 174; Curt. 9, 7, 22). Die meisten Kampfdarstellungen in der griech.-röm. Kunst (Gigantenkampf; Amazonenschlacht) zeigen irgendwo, wie der F. eines Kämpfenden oder Siegers (auf den Postamentreliefs 17 u. 20 des Konstantinsbogens stellt Victoria selbst den F. auf das Bein eines gefesselten Barbaren; vgl. H.-P. L'Orange-A. v. Gerkan, Der spätantike Bildschmuck des Konstantinsbogens [1939] 125) auf ein Körperglied des Gegners gesetzt wird (E. Bielefeld, Amazonomachia [1951] 34/8 behandelt die sog. ‚Treter‘-Gruppe der Amazonenschlacht u. die Nachwirkungen dieses Motivs: Katalog ebd. 87/94); allerdings ist es nicht immer der Sieger, der den F. aufsetzt (Gotsmich hat viele dieser Bilder herangezogen; mit seiner Deutung, es handle sich beim Sieger wie beim Unterlegenen um ein magisches F.aufsetzen, um die Kraft des andern zu gewinnen, hat er wenig Beifall gefunden; G. Oikonomos hat sie als ‚zu magisch‘ bezeichnet: RevArch 29/32 [1949] 784). Deutlich ist ein Vers bei Soph. El. 455f: ‚Und daß Orestes wiederkehre, u. seinen F. auf ihren (der Feinde) Nacken setze . . .‘ (ähnlich Soph. Aiax 1349), bildlich klar eine Darstellung auf einer Vase, nach der Poseidon einem gefallenen Giganten auf Kopf u. Nacken tritt (B. Graef-E. Langlotz, Die antiken Vasen von der Akropolis zu Athen [1909/33] Taf. 94, 2134 d. 2211 b). Bildliche Darstellungen, die den besiegten Feind unter den F. des Siegers zeigten, hat es aber auch im römischen Bereich gegeben. In Istanbul im

Antikenmuseum befindet sich eine Statue Hadrians; der Kaiser setzt den linken F. auf den Nacken eines unterlegenen Barbaren (M. Schede, Meisterwerke der türk. Museen zu Kpel [1928] Taf. 33; M. Wegner, Hadrian [1956] 98). Solche Triumphdarstellungen (*Triumph; hierher ist auch das christl. Kaiserdiptychon zu setzen, das Terra unter den F. des reitenden Kaisers zeigt; W. F. Volbach, Elfenbeinarbeiten der Spätantike [1952] 48 Taf. 12) hat sicher auch Laktanz vor Augen gehabt, sonst hätte er nicht gut schreiben können (mort. 5 [CSEL 27, 178]), daß der Perserkönig Sapor dem gefangenen Kaiser Valerian, den er zwang, ihm den Rücken als Schemel zum Besteigen seines Rosses zu bieten, höhnisch entgegengehalten habe, dies sei die Wahrheit u. nicht die Bilder, welche die Römer auf Tafeln u. Wände gemalt hätten (vgl. J. Gagé, Comment Sapor a-t-il ‚triomphé‘ de Valérien?: Syria 42 [1965] 343/88. Inwieweit die Felsplastik bei Persepolis, die den knienden Valerian vor dem reitenden Sapor zeigt (F. Sarre, Die Kunst des alten Persien [1922] 39f Taf. 74/7; Gagé aO. 374 Abb. 3), Anlaß zu dieser Erzählung gewesen ist, ist hier unwichtig. Zu Cassiodors Zeiten hat man sich das jedenfalls so vorgestellt, daß unterworfene Feinde diesen Unterwerfungsakt im Circus über sich ergehen lassen mußten (var. 3, 51: spina [circi] infelicium captivorum sortem designat, ubi duces Romanorum supra dorsa hostium ambulantes laborum suorum gaudia perceperunt). Vielleicht ist diese Schilderung aus der Doppelbedeutung von spina (spina auch gleich dorsum) herausgesponnen (vgl. Gagé aO. 347₁).

i. F. als Längenmaß. Dazu vgl. Villefosse; W. Becher, Art. pes: PW 19, 1 (1937) 1085f.

II. Altes Testament u. Judentum. a. Unterwerfungssymbolik. Im Orient scheint die Vorstellung vom Aufsetzen des F. als Zeichen der Herrschaft in Sprache u. Bild heimisch zu sein. In der Kunst des Alten Orient gibt es derartige Darstellungen genug (u. a. für Ägypten: H. Carter-A. C. Mace, The tomb of Tut-ankh-Amon 1 [London 1923/33] 54; 3, 33; Gressmann, Bilder, Taf. 25; für Mesopotamien: A. Parrot, Der Louvre u. die Bibel [Zürich 1961] 18 Abb. 7; zu Mithras: F. Saxl, Mithras [1931] Taf. 1, 2, 6/14). – Bildliche Darstellungen finden sich natürlich im jüdischen Bereich nicht (die Rabbinen gestatteten nicht die Bezugnahme auf ‚Hand‘

oder ‚F.‘, weil sie Symbole heidnischer Götter seien; gleichwohl wurden F.darstellungen gefunden; E. R. Goodenough, Jewish symbols in the greco-roman period 4 [New York 1954] 16[65]); häufig ist dagegen hier die literarische Verwendung. Josua setzte zusammen mit den Hauptleuten den F. auf den Nacken der besiegten Könige (Jos. 10, 24); erst danach ließ er sie töten. In genauer theologischer Formulierung wird in den späteren Schriften betont, daß Jahwe die Feinde unter seine F. legt, bzw. seinen Auserwählten gestattet, ihren F. auf den Nacken der Feinde zu setzen (2 Sam. 22, 39; 1 Reg. 5, 17; Ps. 18, 39; 47, 4; Mal. 3, 21; ähnlich Qumran: 1 QM 12, 11). Die Vorstellung läßt bildersprachliche Variationen zu, etwa, daß die Unterworfenen dem F. als Schemel dienen (Ps. 110, 1), oder daß sie jemandem zu F. gelegt werden (Ps. 8, 7; Dhorme 158). In diesem Sinn kann der Fromme auch beten, daß Jahwe ihn davor behüte, daß ein hoffärtiger F. auf ihn tritt (Ps. 36, 12). Grausig wird die Redeweise, wenn der Fromme jubelt, wenn Jahwe Rache nimmt u. er seine F. im Blute der Frevler baden kann (Ps. 58, 11). In der Disputation mit Jahwe sieht der Dulder Job die vollständige Herrschaft Jahwes darin, daß er Jobs F. in den Block spannen u. in seine F.sohlen seine Zeichen einritzen kann (Job 13, 27). Das ist die Kehrseite des Bildes, daß man über seine F. nicht mehr verfügen kann. – Häufig ist im atl. Schrifttum auch davon die Rede, daß der Besiegte oder Bittende sich jemandem zu F. wirft, die F. küßt, den Staub der F. leckt usw. (vgl. dazu *Proskynese).

b. Metapher u. Euphemismus. Oft werden auch im AT die F. einfach an Stelle der ganzen Person genannt, um die Anwesenheit auszudrücken (Jes. 52, 7; Ps. 132, 7). Hierzu sind auch die Stellen zu rechnen, in denen von den F. Gottes die Rede ist. Das Kommen u. die Anwesenheit Jahwes in der Mitte seines Volkes in Bundeslade u. Tempel sollen dadurch ausgedrückt werden, daß seine F. dort stehen (Jes. 60, 13). Ob man dahinter eine alte anthropomorphe Vorstellung vermuten darf, daß Jahwe als großer Mensch gedacht ist, der im Himmel thront u. die Erde nur mit seinem geringsten Teil berührt (Hes. 43, 7; 1 Chron. 28, 2; Ps. 99, 5; Lament. 2, 1)? – Erwähnt werden die F. sonst, wenn etwa die Schnelligkeit des Kommens u. Gehens hervorgehoben werden soll (Jes. 59, 7) oder wenn von der Nachfolge die Rede ist (Job 23, 11;

vgl. dazu Dhorme 155/8). – Solche Metaphern finden sich freilich überall. Charakteristisch für die atl. Redeweise ist dagegen, wenn in euphemistischer Weise die F. an Stelle der Geschlechtsorgane u. ihrer Funktionen genannt werden (vgl. Dhorme 108. 160; Weiß 626). So bedeutet zB. ‚die F. bedecken‘ soviel wie ‚die Notdurft verrichten‘ (1 Sam. 24, 3; Iudc. 3, 24; Jos. ant. Iud. 6, 13, 4). Was das ‚Bedecken der F.‘ bei der Beschreibung der Seraphim (Jes. 6, 2) bedeutet, ist umstritten (vgl. Weiß 626[35]); wahrscheinlich sind die Schamteile gemeint. Schamhaare werden als Haare der F. bezeichnet (Jes. 7, 20); ebenso können die F. für das männliche Geschlechtsglied eintreten (Ex. 4, 25). Urin wird umschrieben mit ‚Wasser der F.‘ (Jes. 36, 12; vgl. zu den Stellen die Lexika, etwa W. Gesenius-F. Buhl s. v.; G. Dalman, Aramäisch-Neuhebr. HdWb.³ [1938] 398 a). Wenn David den Urias nach Hause schickt, um ‚sich die F. zu waschen‘, so intendiert der König, daß Urias mit seiner Frau verkehren solle. Beides, F.waschung u. ehelicher Verkehr, ist für einen heimkehrenden Krieger natürlich; aus dieser Stelle kann man nicht folgern, daß zur euphemistischen Umschreibung von *Geschlechtsverkehr *F.waschung gebraucht wurde.

C. Christlich. I. Votivgaben. Bei den Ausgrabungen am Schaftorteich in Jerusalem kam ein einzelner F. aus weißem Marmor zum Vorschein, der laut Inschrift von einer Frau namens Pompeia Lucilia dediziert wurde. Wahrscheinlich handelt es sich um ein Exvoto für die Heilung von einer F.krankheit (Leclercq 819 f Abb. 10197). Das Stück soll aus dem 2. Jh. nC. stammen (H. Waddington: MemAcInscr 27 [1877] 73); ob es sich um eine christl. Votivgabe handelt, ist nicht erwiesen (H. Vincent-F.-M. Abel, Jérusalem. Recherches de topographie, d'archéologie et d'histoire 2, 4 [Paris 1926] 694 f: Votiv-F. einer geheilten Frau; R. Dussaud, Monuments paléstiniens et judaïques [Paris 1912] 29 f: F. eines Gottes, wohl des Sarapis). Die Exvotos in Gestalt von Gliedmaßen waren an christl. Märtyrerkultstätten häufig. Theodrt. Graec. aff. cur. 8, 64 (SC 57, 333 f) bezeichnet sie als Dank für Heilungen u. nennt speziell auch F.: ‚Die einen bringen Bilder der Augen, andere der F., andere der Hände, die zuweilen aus Gold, zuweilen aus Holz gefertigt sind; es offenbaren diese Gaben die Heilung von Leiden.‘ Wahrscheinlich hat keine von diesen

christl. Votivgaben an Kult- u. Wallfahrts-
orten, die F. darstellen, bis heute überdauert.
Ein Unterschied zu nichtchristlichen wäre
nur durch ein eindeutiges Dedikationsem-
blem festzustellen.

II. F.spuren Christi, der Engel u. Heiligen.
Im einzelnen alle F.abdrücke aufzählen zu
wollen, die von Christus wie von Heiligen u.
anderen himmlischen u. irdischen Wesen nach
Berichten christlicher Autoren hinterlassen
sein sollen, ist wegen der großen Anzahl unmöglich. Unser Problem berührt es höchstens
insofern, als die erhaltenen Abdrücke sich
in festem Material zeigen, das Jahrhunderte
überdauerte. Solche Abdrücke, zT. aus vorchristl. Zeit, wurden beim Übergang zum
neuen Glauben mit anderen Personen in Verbindung gebracht. Hier sollen nur einige her-
ausragende Beispiele genannt werden. Zu den
bekanntesten gehören die Abdrücke, die
Christus bei seiner Himmelfahrt auf der
Spitze des Ölbergs hinterlassen haben soll
(früheste Andeutung bei Euseb. v. Const. 3, 42
[GCS 7, 95]; später bei Paul. Nol. ep. 31, 4
[CSEL 29, 271f]; danach ausführlich Sulp.
Sev. chron. 2, 33, 6/8 [CSEL 1, 87]; Aug.
tract. in Joh. 47, 4 [CCL 36, 406]). Psalmvers (132, 7: adoravimus, ubi steterunt pedes
eius) u. Weissagung (Sach. 14, 4: et stabunt
pedes eius in die illa supra montem olivarum)
legten es nahe, in diesen Abdrücken der F.
Christi, wie auch immer sie entstanden sein
mögen, einen apologetischen Beweis für seine
Göttlichkeit zu sehen, zumal an beiden atl.
Stellen die F. als pars pro toto, als Zeichen
der Anwesenheit des Messias überhaupt, genannt sind. Eine anschauliche Schilderung
dieser Stelle gibt noch im 7. Jh. der Pilgerbericht des Adamnanus (23 [CCL 175, 199]).
Andere F.spuren Christi zeigte man auch
sonst noch in Jerusalem, zB. dort, wo Christus beim Verhör gestanden hatte (Antonin.
Plac. 23 [CCL 175, 165f]; vgl. Günter, Psychologie 209f; Leclercq 818f). Manche Frommen konnten so die Mahnung des Apostels
(1 Petr. 2, 21), in die F.stapfen Christi zu
treten, materiell wörtlich nehmen u. in sie
‚eintreten‘. Die F. des Herrn haben nach der
Ansicht einiger überall ihre Spuren hinterlassen, selbst als er auf dem Wasser wandelte;
darum sollen auf dem Wasser des Lebens die
Gläubigen ihm folgen (Oden Salomons 39,
10/2; vielleicht liegt hier aber auch christl.
Interpolation vor, so daß es ‚Gottes‘ statt
‚Christi‘ heißen muß; vgl. A. v. Harnack, Ein

jüdisch-christl. Psalmbuch aus dem 1. Jh. =
TU 35, 4 [1910] 69f). An dem Vorhandensein
materieller F.spuren Christi entzündete sich
eine theologische Kontroverse; denn nach
gnostischer Anschauung, wie sie in den Johannesakten (93 [AAA 2, 197]) ihren Niederschlag fand, dürfte Jesus keine Spuren hinterlassen haben. Seine volle Menschlichkeit
sollte damit bestritten werden, da nach antiker Auffassung Götter keine F.spuren ein-
drücken (Heliod. Aeth. 3, 12; Dölger, Ichth.
2, 559₄). Dieser Meinung wurde jedoch von
anderer Seite widersprochen (Ep. Apostol. 11
[Hennecke-Schneem. 1, 131f]); so konnten
die F.spuren Christi in der volkstümlichen
Apologetik eine Rolle spielen (Commod. duob.
pop. 560/4 [CCL 128, 93]). Wenn die Schrift
von F.spuren Gottes rede, so meine sie die
reale Anwesenheit Gottes (Gennad. Constan-
tinop. in Gen. frg. 1 [PG 85, 1633 C]; Joh.
Damasc. fid. orth. 1, 11 [PG 94, 844]). Besonders bekannt sind die F.abdrücke Christi,
die in der kleinen Quo-vadis-Kirche an der
alten Via Appia aufbewahrt werden. Die Legende von der Begegnung des aus Rom fliehenden Petrus mit Christus hat dem Marmor-
stein Berühmtheit verliehen (in der Kapelle
wird nur eine Kopie gezeigt; das Original,
ohne Umschrift, befindet sich in S. Sebastiano;
in Rom werden F.spuren Christi auch noch in S.
Maria delle Piante verehrt). N. Turchi: Stud-
Mat 16 (1940) 98/102 hat die Vermutung ausgesprochen, daß das Original aus einem in
der Nähe gelegenen Heiligtum des Rediculus
stamme, in dem es als Bitt- oder Dankvotiv
für glückliche Heimkehr dargebracht wurde
(vgl. Guarducci 306 Abb. 1). Im Museum
Capitolinum befinden sich F.abdrücke mit
einer Dedikation an Isis Fructifera (CIL 6,
351); sie befanden sich früher in der Kirche
S. Maria in Aracoeli (RivAC 18 [1941] 53f
nr. 5) u. galten als die Spuren des Engels, der
Gregor dem Gr. erschienen war (Guarducci
315). Patricks Engel Victorius ließ F.spuren
im Felsen zurück (Günter, Legende 80), die
Märtyrerin Juliana auf Marmorplatten (Günter, Psychologie 210; stehenbleibende Spuren
von Heiligen in Wasser ebd. 201). Gregor v.
Tours erwähnt F.abdrücke der hl. Paschasia
(glor. mart. 50 [MG Scr. rer. Mer. 1, 2², 73]).
Da die gezeigten F.spuren willkürlich bestimmten Personen zugeordnet werden u.
dieses Phänomen sich auf der ganzen Welt
findet, lohnt es nicht, weiter darauf einzugehen (vgl. R. Andree, Ethnographische Par-

allelen u. Vergleiche [1878] 94/7; Stemplinger).

III. F. in metaphorischer Rede. Da der Allegorese keine Grenzen gesetzt werden können u. das Ausspinnen von Assoziationen dem subjektiven Ermessen überlassen ist, können hier nur einige Beispiele genannt werden. Die Apostel werden als F. Christi bezeichnet. Sie verkünden den Frieden Christi. Schon Paulus (Rom. 10, 15; vgl. Weiß 628) sprach von der ‚Lieblichkeit der F. der Friedensboten' (Jes. 52, 7); das legte ihre Benennung als ‚F. Christi' nahe. Wie die F. Christi mit kostbarer Salbe gesalbt wurden (Lc. 7, 38), so sind sie mit dem Chrisma des Geistes ausgestattet worden u. werden darum die F. Christi genannt (Clem. Alex. paed. 2, 61, 3 [GCS 12, 194]). – Die menschlichen F. kommen immer wieder mit dem Schmutz in Berührung, dem Abbild der Sünde. Darum ist das dauernde Bemühen um die Sauberkeit der F. u. der ständige Rückschritt in den Schmutz ein Bild für das menschliche Verhaftetsein an die Sünde (Orig. in Iudc. hom. 8, 5 [GCS 30, 514f]; in Jes. Nave hom. 6, 3 [GCS 30, 325]; comm. in Joh. 32, 2 [GCS 10, 426f]). Deshalb können auch die menschlichen Affekte, in denen so oft die Sünde ihren Ursprung hat, mit den F. verglichen werden (Aug. tract. in Joh. 56, 4, 4 [CCL 36, 468]: ipsi igitur humani affectus, sine quibus in hac mortalitate non vivitur, quasi pedes sunt, ubi ex humanis rebus afficimur). Die Reinigung u. Waschung der F. konnte darum schon aus diesem Grunde eine tiefe Bedeutung erhalten (*F.waschung). PsAugustinus erläutert an der Perikope von der F.waschung (Lc. 7, 36/50), daß die Sünder die F. Christi sind; darum soll man sie nicht verachten (s. 83, 3 [PL 39, 1907]: manus eius sunt apostoli venerabiles ... pedes domini quos alios nisi peccatores possumus aestimare ... noli hos spernere peccatores, quia pedes Christi sunt). Gregor d. Gr. dagegen braucht die F. als Bezeichnung für die guten Werke (hom. in ev. 22, 9 [PL 76, 1180 D]: quid sunt enim pedes nostri nisi opera?).

IV. Erkennungszeichen, Eigentumsmarke. Clemens v. Alex. rügt es (was somit häufiger vorgekommen zu sein scheint), daß Frauen unter die F.sohlen unzweideutige Einladungen schrieben (paed. 2, 116, 1 [GCS 12, 226]), die beim Gehen von Nachfolgenden gelesen werden konnten; zufällig ist ein Schuh mit der Sohleninschrift ‚ἀκόλουϑι' erhalten (DarS 3, 2, 1828 Abb. 4968). – F.abdrücke u. reliefartige F.darstellungen auf christl. Gräbern u. Grabsteinen haben wohl nur die Bedeutung, das Grab zu kennzeichnen oder den Beruf des Toten anzugeben (als Schusterzeichen: DACL 3, 2, 2958f Abb. 3308f; ein schönes Beispiel von der Via Salaria: Pontif. Comm. di Arch. Sacra nr. 6384; danach bei P. Testini, Le catacombe e gli antichi cimiteri cristiani in Roma [Bologna 1966] 137 Taf. 34; mit der Inschrift ‚in Deo' [als Zeichen der Hoffnung?]: DACL 3, 2, 3239; für die vorchristl. Antike vgl. Lau 107. 155. 175; Abb. 25. 35. 39). Der Brauch hat sich bis ins MA hinein erhalten (Münz 545f; Guarducci 343). Als Töpferzeichen finden sich F.abdrücke zB. auf Lampen, sicher bei Christen u. Heiden (vgl. etwa Dölger, Ichth. 4 Taf. 148, 4; 5, 117). – Das Aufsetzen des F. als Zeichen der Inbesitznahme, der Obsorge oder des Sieges findet sich reichlich in der Symbolik u. Kunst des MA, so zB.: der Firmpate setzt seinen F. auf den des Firmlings, der Bräutigam seinen F. auf den der Braut (J. Bolte: ZsVolksk 6 [1896] 204/8; Goldmann). Daß Christus, Michael wie auch Heilige den F. auf den Kopf des Drachen, Maria ihren F. auf den Kopf der Schlange setzt, ist ein immer wiederkehrendes Motiv späterer christl. Kunst.

AIGREMONT, F.- u. Schuhsymbolik u. -erotik (1909). – W. AMELUNG, Ex-voto an Asklepios: ARW 8 (1905) 157/60. – H. BÄCHTHOLD-STÄUBLI, Art. F.: Bächthold-St. 3, 224/36. – E. DHORME, L'emploi metaphorique des noms de parties du corps en Hébreu et en Akkadien² (Paris 1963). – C.-M. EDSMAN, F.spuren: RGG 2³ (1958) 1182f. – E. GOLDMANN, Art. F.treten: Bächthold-St. 3, 243/7. – A. GOTSMICH, Die grausame Aphrodite am Gigantenfries des Pergamoner Altares: ArchAnz 56 (1941) 844/79. – M. M. GUARDUCCI, Le impronte del ‚Quo vadis' e monumenti affini, figurati ed epigrafici: RendicPontAc 19 (1942/4) 305/44. – H. GÜNTER, Die christl. Legende des Abendlandes (1910); Psychologie der Legende (1949). – O. LAU, Schuster u. Schusterhandwerk in der griechisch-römischen Literatur u. Kunst, Diss. Bonn (1967). – H. LECLERCQ, Art. Pied: DACL 14, 1, 818/21. – MÜNZ, Art. F.sohle: Kraus, RE 1, 545f. – J. NACHT, Der F. Eine folkloristische Studie: JbJüdVolksk 1823, 123/77. – E. STEMPLINGER, Art. F.spur: Bächthold-St. 3, 240/3. – W. M. VERHOEVEN, Symboliek van de voet, Diss. Nijmegen (1956). – H. DE VILLEFOSSE, Art. Pes: DarS 4, 1, 419/21. – O. WEINREICH, Antike Heilungswunder = RGVV 8, 1 (1909) 67/73;

Θεοὶ ἐπήκοοι: AthMitt 37 (1912) 1/68 = Ausgew.
Schriften 1 (Amsterdam 1969) 131/95. – K. WEISS,
Art. πούς: ThWb 6 (1959) 624/32.   *B. Kötting.*

Fußbekleidung s. Schuhe.

Fußkuß s. Kuß.

Fußwaschung.

A. Nichtchristlich. I. Alter Orient 743. – II. Griechenland. a. F.
u. Bad 744. b. F. u. Begrüßung des Gastes 745. c. Rituelle F.
748. d. F. als Dienstleistung 749. – III. Rom. a. F. u. Hygiene
750. b. F. u. Gastmahl 751. c. Rituelle F. 752. d. F. als Sklavendienst 753. – IV. Israel u. Judentum. a. F. u. Körperpflege 753.
b. F. als Begrüßung des Gastes 754. c. Rituelle F. 754. d. F.
als Dienst 756. 1. Sklavendienst 756. 2. Gattin 756. 3. Kinder
757. 4. Schüler 757. e. Philo 758.
B. Christlich. I. Neues Testament. a. Lukas, Pastoralbriefe
759. b. Johannes 759. – II. Alte Kirche. a. Allgemeines 761.
b. Reste ritueller F. 763. c. F. zur Sündentilgung u. Vollendung.
1. Allgemein 763. 2. F. u. Taufe 765. d. F. u. Gastfreundschaft.
1. Privat 768. 2. Klöster 769. e. Gemeindedienst 770. f. Zeichen
der Demut u. Brüderlichkeit. 1. Allgemein 771. 2. Klöster 771.
g. Mandatum am Gründonnerstag 772. h. Darstellung in der
Kunst 773.

Die F. findet sich in allen antiken Kulturen
des Mittelmeerraumes, in dem wegen des
warmen Klimas das Tragen von festem Schuh-
werk nicht notwendig, wegen des starken
Staubes die häufige Reinigung der leicht ver-
schmutzenden Füße wünschenswert ist. Eine
Handlung, fast so häufig wie Essen u. Trinken, kann also leicht einen vielfältigen Symbolgehalt erhalten u. dann wiederum als
Träger solchen Gehaltes in vielfacher Weise
zur Verdeutlichung religiöser u. sozialer Ordnungen benutzt werden. Wegen der allgemeinen Verbreitung der F. ist an eine Ableitung
aus einer bestimmten Quelle nicht zu denken.
Das beigebrachte Material hat darum den
Sinn, das Vorhandensein der verschiedensten
Aussagegehalte der F. in den frühesten Aus-
breitungsgebieten des Christentums aufzuzeigen. Im Bereich der Körperpflege steht die
F. in engem Zusammenhang mit der Reinigung der ebenso dem Staub ausgesetzten
Körperteile, der Hände u. des Gesichts. In
den Texten u. Bildern ist darum oft, auch
wenn nur von einer dieser Handlungen die
Rede ist, das Waschen der beiden anderen
mitgemeint.

A. Nichtchristlich. I. Alter Orient. Für das
alte Ägypten wie für die mesopotamischen
Kulturen bezeugen Texte u. Bilder, daß die
F. als tägliche Reinigung, zur Begrüßung des
Gastes u. als Vorbereitungsritus bei Kult-
handlungen üblich war. Es ist jedoch kein
Einfluß auf die christl. Formen der F. fest-
zustellen. Da es sich nur um einfache Paral-

lelen handelt, werden sie im folgenden je-
weils erwähnt werden, wenn es wegen der
Berührung mit jüdischen oder griechisch-
römischen Gebräuchen gefordert ist (vgl.
zu Ägypten: Bonnet, RL 631/6. 647; ders.,
Die Symbolik der Reinigungen im ägypt.
Kult: Angelos 1 [1925] 103/21; A. Erman-
H. Ranke, Ägypten u. ägypt. Leben im Alter-
tum [1923] 430/2; H. Grapow, Kranker,
Krankheiten u. Arzt = Grundriß der Medi-
zin im alten Ägypten 3 [1956] 55f; Kees 87.
98. 167; zu Babylon u. Assur: B. Meissner,
Babylonien u. Assyrien 1 [1920] 378; W. v.
Soden: ZAssyr NF 11 [1939] 57).

II. Griechenland. a. F. u. Bad. Diomedes u.
Odysseus waschen sich nach dem Kampf zunächst im Meer den Schweiß von Nacken,
Waden u. Schenkeln, bevor sie das Vollbad
nehmen u. sich salben lassen (Il. 10, 572/9).
Eine rotfigurige Vase des Berliner Museums
schildert einen ähnlichen Vorgang im Bilde:
Frauen waschen sich Nacken u. Schenkel unter einer Dusche (E. Pfuhl, Malerei u. Zeichnung der Griechen 3 [1923] 79 Abb. 295;
Sudhoff 1, 62 Abb. 46). Die Würzburger
Phineusschale zeigt drei Frauen beim Bad:
die erste schickt sich an, nach der Haar-
wäsche im ποδανιπτήρ (zum Gerät u. allen bekannten Exemplaren vgl. Ginouvès 51/75)
die Füße zu reinigen (A. Furtwängler-K.
Reichhold, Griech. Vasenmalerei 1 [1904]
Taf. 41; Beazley 48 nr. 162). Frauen, die sich
im ποδανιπτήρ waschen, werden mehrfach
dargestellt: 1) Erzspiegel (Pfuhl aO. 252 Abb.
625; Milne B 56); 2) Pelike in Neapel (CVA,
Italia, Fasc. 24 = Napoli, Museo Naz., Fasc.
3 Taf. 66, 2; Sudhoff 1, 48 Abb. 37); 3) kyp-
rische Terrakotte, die eine Frau darstellt,
die sich den linken Fuß wäscht; daneben
steht das Becken (Sudhoff 1, 4 Abb. 1; Milne
B 80). Andere Darstellungen zeigen, wie nach
der Reinigung des Körpers am hochstehen-
den Waschbecken die Füße mit dem
Schwamm gewaschen werden, bevor man die
bereitstehenden Schuhe anzieht (Sudhoff 1,
40 Abb. 31; CVA, Great Britain, Fasc. 8 =
British Museum, Fasc. 6 Taf. 92, 1f; Sudhoff
1, 35 Abb. 28). Der Baderaum des Gymna-
sions von Priene hatte eigene Becken für die
F. nach der Körperreinigung (Th. Wiegand-
H. Schrader, Priene [1904] Taf. 20; Sudhoff
2, 22). Ähnliche Anlagen sind in Pergamon,
Eretria u. Apollonia (Albanien) ausgegraben worden (Ginouvès 133; ebd. 156 zu den
Fußreinigungsbecken in Knossos). Eine Vase

aus dem Louvre zeigt einen Mann mit dem F.becken. Er trägt den Schwamm noch in der Hand. Sandalen, Wanderstock u. die Beischrift ‚ἔρχεται‘ bekunden, daß er die letzte Reinigung vor dem Marsch vorgenommen hat (Sudhoff 1, 17 Abb. 11; Beazley 322 nr. 36; Milne B 16; Ginouvès Taf. 13, 39). Abends wusch man sich regelmäßig die Füße, man schüttete das Wasser auf die Straße (Aristoph. Ach. 614/7; Athen. 9, 409 F; man rügte diese Gewohnheit: Aristoph. frg. 306 Kock). ‚Geheiligtes‘ Wasser durfte für die tägliche F. nicht genommen werden (Nikarchos: Anth. Pal. 9, 330: Wasser aus dem Quell der Nymphen durfte nur für kultische Zwecke verwendet werden, nicht für die bloß hygienische F.; vgl. Thuc. 4, 97, 3). F. war eine so alltägliche Sache, daß die Pythagoreer mit der ‚Rechts-Links‘-Symbolik auch darauf Bezug nahmen; die Waschung des linken Fußes bedeutet Reinigung von dem Schlechten, den rechten soll man zuerst in die Sandale stecken (Iamblich. protr. 21 [107 Pistelli]; vgl. F. J. Dölger, Die Sonne der Gerechtigkeit u. der Schwarze [1918] 37/48; die Stelle fehlt dort). Schließlich wurde daraus ein Merkspruch: δεξιὸν εἰς ὑπόδημα, ἀριστερὸν εἰς ποδονίπτραν (Suda s. v. δεξιόν [2, 22 Adler]; ähnlich bei Phot. bibl. cod. 279 [PG 104, 316 D]). Als Benennungen für das F.becken (Ginouvès 74 f) kommen vor: λεκάνιον, λεκάνη, λέβης, ποδονιπτήρ, ποδάνιπτρον (Pollux 2, 196; 10, 76/8); in Kyrene hieß es δεῖνος (Athen. 11, 467 F); die Suda kennt noch den Ausdruck κόγχη (Suda s. v. κελέβη [3, 91 A.]). Becken gab es von der einfachen Ausführung in Ton bis zur feinen kostbaren Metallarbeit (Ton: Sudhoff 1, 4 Abb. 1; Bronze: Milne 27 Abb. 1; als Geschenk: Furtwängler-Reichhold aO. Taf. 84; Milne B 9; Beazley 380 nr. 171; Od. 15, 82/5; als Siegespreis: Il. 23, 259; Pind. Isthm. 1, 19f; bei den Römern ähnlich: Verg. Aen. 5, 266; Hor. c. 4, 8, 1/4; als Weihegaben: Paus. 5, 10, 4; daß die gleichen Becken auch zu anderen Zwecken, zB. nach reichlichem Weingenuß, verwendet wurden [Ginouvès 72], erläutern Bilder hinreichend [Beazley 382 nr. 191; Milne B 11; Beazley 373 nr. 46; Milne B 10; Beazley 427 nr. 2]).

b. F. u. Begrüßung des Gastes. Das klassische Zeugnis für die Ehrung des Gastes durch die F. steht bei Homer (Od. 19, 343/507). In den Bericht ist das Wiedererkennungsmotiv (Eurykleia erkennt Odysseus an der Narbe, die er am Fuß trägt) hineinverwoben (literari-

sche Persiflage bei Petron. 105 [128, 9 Buecheler]), was bei der bildlichen Darstellung zu einer Belebung der Szenerie führte. Die F. soll eine Auszeichnung für Odysseus sein, denn Eurykleia findet sich nur ‚Penelopes wegen‘ (Od. 19, 376) zu diesem Sklavendienst bereit; sie wäscht die Füße mit warmem Wasser u. salbt sie dann mit kostbarem Öl. Bei späteren Darstellungen darf man annehmen, daß einige Künstler sich wahrscheinlich durch die Nachdichtung der Szene in dem fast vollständig verlorenen Drama ‚Νίπτρα‘ des Sophokles anregen ließen (Nachdichtung auch durch Pacuvius, wie Cic. Tusc. 2, 49 bezeugt; vgl. R. Helm, Art. Pacuvius: PW 18, 2 [1942] 2168). Stark an Homer lehnen sich an: 1) ein Marmorrelief (J. N. Svoronos, Das Athener Nationalmuseum 2 [Athen 1908] Taf. 134; U. Hausmann, Griech. Weihreliefs [1960] 52 Abb. 26; Sudhoff 1, 7 Abb. 3; AthMitt 25 [1900] Taf. 14 links; Milne B 68: Odysseus sitzt u. hält der erstaunten Dienerin den Mund zu; Penelope steht abgewandt). Dieses Relief hat wohl ursprünglich als Weihegabe in einem Heiligtum gestanden (Robert 325). 2) Zwei Reliefs, die aus derselben Form hervorgegangen zu sein scheinen: a) P. Jacobsthal, Die melischen Reliefs (1931) Taf. 55 Abb. 96; AthMitt 25 (1900) Taf. 14 rechts; Milne B 8; b) Jacobsthal aO. Taf. 54 Abb. 95; Hausmann aO. 53 Abb. 27; Ginouvès Taf. 15, 46: Szene im Palast mit verwandeltem Odysseus, Eurykleia, Telemachos, Penelope; Odysseus hält den linken Fuß über das Becken. 3) Zwei Smaragdplasmen: a) Penelope steht mit erhobenen Händen hinter der knieenden Eurykleia, die dem sitzenden Odysseus die Füße wäscht (A. Furtwängler, Kgl. Mus. Berlin. Beschreibung der geschnittenen Steine im Antiquarium [1896] Taf. 23 nr. 2483; Milne B 70); b) Odysseus redet auf Eurykleia ein, die ihn gerade an der Narbe erkannt hat (Furtwängler aO. Taf. 32 nr. 4349). Mit der Möglichkeit einer nichthomerischen Vorlage für die Darstellung (F. Müller, Die antiken Odyssee-Illustrationen in ihrer kunsthistorischen Entwicklung [1913] 84; Robert 326) ist bei anderen Werken zu rechnen: 1) Skyphos aus Chiusi (Furtwängler-Reichhold aO. 142; Beazley 1300 nr. 2; Milne B 6; etwa um 435 vC. entstanden; vgl. F. G. Jongkees-W. J. Verdenius, Platenatlas bij Homerus [Haarlem 1955] 63): Odysseus steht, stützt sich auf einen Stock u. hält den linken Fuß hin, der von der Dienerin Antiphata (Beischrift) gewaschen wird; hinter ihr steht Eumaios. Es sind also verschiedene Ereignisse (nach der Odyssee) kombiniert. 2) Pelike (Clara Rhodos. Studi e materiali pubbl. a cura dell'Istit. storico-arch. di Rodi 6/7 [Rodi 1932/41] 458 Abb. 13; Milne B 79): Odysseus sitzt auf einem Diphros, während ihm die jugendliche Dienerin die Füße wäscht; Eumaios ist anwesend, hinter Odysseus stehen zwei Frauen. 3) Terrakottaplatte aus der Campagna (2./1. Jh. vC.; Rom, Thermenmuseum; H. v. Rohden-H. Winnefeld, Architektonische röm. Tonreliefs = Die antiken Terrakotten 4, 1 [1911] Taf. 28; Pottier 375 Abb. 5548; Milne B 72; Gieß Abb. 3): Odysseus hat das Becken weggestoßen, hält der Dienerin den Mund zu u. wendet sich nach Eumaios um. Die Wiedererkennung ist Hauptmotiv. 4) Sarkophag (1. Jh. nC.; Robert, Sark. 2 Taf. 51 Abb. 139 b; Milne B 85): die Szene ähnelt der vorigen Darstellung. 5) Gemme, nur noch aus Zeichnung bekannt (J. Overbeck, Die Bildwerke zum thebischen u. troischen Heldenkreis [1857] Taf. 33 Abb. 4; Milne B 71): Odysseus hat das Becken umgestoßen; Wiedererkennung ist Hauptmotiv; starke Erregung zeigt sich auf den Gesichtern von Odysseus u. der Dienerin. 6) Eckakroter eines Sarkophages (Robert, Sark. 2 Taf. 65 Abb. 203): Odysseus hält der Dienerin, die vor ihm hockend seinen linken Fuß wäscht, den Mund zu. – Daß der Gast die F. erwarten konnte, bezeugen Aesch. frg. 375 (140 Mette) u. Herodt. 2, 172, 1/5 (die Szene wird zwar aus Ägypten erzählt, ist aber so wohl nur in Griechenland möglich; vgl. A. Wiedemann, Herodots 2. Buch [1890] 594; die Erzählung hat eine lange literarische Nachwirkung gehabt, zB. Aristot. polit. 1259 b 8f; Plut. sap. conviv. 6, 151 E u. bei anderen, zB. den Apologeten [Iustin. apol. 1, 9; Athenag. leg. 26]). Beim Symposion, an dem auch Sokrates teilnimmt, wird Aristodemos in der Halle von einem Diener empfangen u. in den Saal geleitet; dort werden ihm, bevor er sich zu Tische legt, von einem Sklaven die Füße gewaschen (Plat. conviv. 174 E/175 A). In einem Fragment des Kallimachos fragt Theseus seine Gastgeberin Hekale, in welches Gefäß er das Wasser für die Füße schütten soll (frg. 245 Pf.; C. A. Trypanis, Callimachus [Cambridge, Mass. 1958] 176/9). Für die vorklassische Zeit läßt sich die F. vor dem Mahl nicht belegen (Ginouvès 155₆). Bei der F. der Gäste griff zuweilen der Luxus um sich. Phokion, Platons

Schüler, ist empört, daß bei einem Siegesfest zu Ehren seines Sohnes den Gästen mit einem Gemisch aus Wein u. Gewürzen die Füße gewaschen werden (Plut. Phoc. 20,2; vgl. Mau, Convivium 1207; von Athen. 4, 168 F wird die Erzählung übernommen; F. durch Dienerin ebd. 13, 583 F; vgl. H. Herter, Die Soziologie der antiken Prostitution: JbAC 3 [1960] 102₅₉₃). Bildliche Darstellungen der F. vor dem Mahl sind selten: 1) Vase in Paris (CVA, France, Fasc. 7 = Bibl. Nat., Fasc. 1 Taf. 17, 4; Kantorowicz Abb. 48; Milne B 40; Ginouvès 71): dem Gast, der auf der Kline sitzt, werden von einer Sklavin die Füße gewaschen. 2) Rotfiguriger Kantharos in Boston (H. Licht, Sittengesch. Griechenl., Erg.-Bd. [Zürich 1928] 199; Milne B 41; Beazley 132: keine direkte F., aber unter der Kline stehen Becken u. Schuhe, die auf die F. vor dem Mahl hindeuten). Dem gleichen Zweck diente vielleicht das Becken unter einem Prokrustesbett (Sudhoff 1, 23. 25 Abb. 17; Milne B 3); solche Gefäße wurden auch beim Kottabosspiel verwandt (Athen. 15, 667 F; DarS 3, 866; vgl. K. Schneider: PW 11, 2 [1922] 1537).

c. Rituelle F. Kultische Reinheit erforderte auch bei den Griechen, wenn auch in geringerem Maß als bei anderen Völkern (Nilsson, Rel. 1², 89/98), Reinigung, als deren Teil oder Restbestand die F. auftritt (vgl. Th. Wächter, Reinheitsvorschriften im griech. Kult = RGVV 9 [1910] 6/14). Mit ungewaschenen Füßen sich im Heiligtum aufzuhalten, wie es nach Homer die Selloi oder Helloi (vgl. Bölte: PW 8, 1 [1912] 194/6 u. Ziehen: PW Suppl. 5 [1931] 963/7), die Nachbarn oder auch Priester des Heiligtums von Dodona, taten, galt als unziemlich schon zZt. Homers (Il. 16, 234f); der Grund war schon in der Antike umstritten (sie werden noch von Kelsos ,Propheten' genannt: Orig. c. Cels. 7, 6 [GCS 2, 158]). Strabo sah darin Ausdruck des Barbarentums (7, 328), ebenso ein Scholiast (Schol. Hom. Il. 16, 235 [2, 104f Dindorf]), der aber auch an rituelle Vorschriften dachte (16, 235 [4, 122 D.]). Wahrscheinlich hing die alte Sitte mit einem ursprünglich chthonischen Kult zusammen. Euripides frg. 367 N.² sagt von den Selloi, daß sie auf bloßer Erde schliefen u. ihre Füße nicht in Quellen wuschen. Für den Zeuskult in Tralles bezeugt eine Inschrift, daß es auch dort ἀνιπτόποδες gab (Ziehen aO. 966). – Nach der Tötung der Freier wuschen sich Odysseus u. seine Gehilfen Hände u. Füße (Od. 22, 478/82). Hesiod (frg. 122 R. = 59 Merkelb.-West) weiß von einer Jungfrau in Didymoi, die sich im Böbesee die Füße wäscht; wegen der ‚heiligen‘ Umgebung ist rituelle F. anzunehmen. Wenn auch keine weiteren Texte von der F. beim Betreten des Heiligtums sprechen, so lassen doch die Inventarlisten der Tempel, in denen F.becken aufgeführt werden (vgl. Th. Homolle, Inventaires des temples Déliens: BullCorrHell 10 [1886] 466; M. Feyel, Inventaire sacré de Thespies: ebd. 62 [1938] 149; L. Moulinier, Le pur et l’impur dans la pensée des Grecs [Paris 1952] 101; Milne 29₉), an F. denken. Vor dem Tempel der Aphaia auf Ägina fand sich ein Becken, in dem die Eintretenden sich die Füße waschen konnten (Sudhoff 2, 17). Das ἀπονίπτειν, das sich bei Pollux 1, 25 im Zusammenhang mit anderen Ausdrücken für die Reinigung vor Betreten des Heiligtums findet, ist term. techn. für die Hand- u. F. (vgl. Hauck 945). Der Wasserbehälter mit mehreren Ausgüssen, der in Eleusis ausgegraben wurde (AthMitt 14 [1889] 124), mag der rituellen F. gedient haben.

d. F. als Dienstleistung. F. war Sache der Dienerinnen (Od. 19, 317. 344. 374. 376: Eurykleia findet sich nur ‚Penelopes wegen‘ dazu bereit) u. der Sklaven (Plat. conviv. 174 E/175 A). Vasen zeigen Waschbecken schleppende Dienerinnen (CVA, Danemark, Fasc. 3 = Copenh. Mus. Nat., Fasc. 3 Taf. 137, 2 b; Milne B 1; Sudhoff 1, 24 Abb. 16; Milne B 2). Als niedrigster Sklavendienst wird die F. vor allem in der Erzählung von der Begegnung des Theseus mit Skiron aufgefaßt. Skiron zwang an einer engen Stelle am Meer, an der er den Durchgang versperrte, die Passanten, ihm die Füße zu waschen; taten sie es, so stieß er sie mit einem Tritt ins Meer (Bacchyl. dith. 18, 26; Diodor. 4, 59, 4; Plut. Thes. 10, 1; Hygin. fab. 38, 4; Apollod. bibl. epit. 1, 2f). Theseus weigerte sich u. warf den Unhold die Klippen hinab. Die Szene ist oft dargestellt worden (Ginouvès 71), auch so, daß Skiron den Fuß über dem Becken hält (Ginouvès Taf. 15, 44; Beazley 260 nr. 7; Milne B 26; CVA, Deutschl. 6 = München 2 Taf. 91, 5; Beazley 889 nr. 169; Milne B 92; Sudhoff 1, 12 Abb. 6; Milne B 45; Ginouvès Taf. 12, 37f; Beazley 247 nr. 3; Milne B 27). Herodt. 6, 19 spricht von der Schmach der Frauen von Milet, die den siegreichen Persern die Füße waschen mußten. Auch bei Epict. diss. 1, 19, 4f (71 Schenkl) erscheint

die F. als niedrigster Sklavendienst, wenn er davon spricht, daß er seinem Esel Ehre antue, wenn er ihm die Füße wasche. Darum konnte die F. als Liebesdienst eines Freien Zeichen der Hochachtung, der Verehrung u. der Liebe sein. In den ‚Wespen‘ des Aristophanes (605/11) rühmt sich der Hausherr, daß seine Tochter ihm, wenn er abends müde nach Hause kommt, die Füße wäscht u. salbt. Ein Scholiast (Schol. Aristoph. vesp. 606 [149 A, 44/6 Dübner]) bemerkt dazu, daß es seit alters her zur Fürsorgepflicht der Frauen gehöre, Vätern u. Greisen die Füße zu waschen u. zu salben. Bei Meleager (68 = Anth. Pal. 12, 68) wird die Liebe des Vaters zum scheidenden Sohn durch den Wunsch des Vaters ausgedrückt, der Sohn möchte des Vaters Tränen zum Waschen der Füße mitnehmen. Plut. mul. virt. 12, 249 D erzählt, daß in Keos die Freier abends die Väter u. Brüder der Geliebten bedienten u. ihnen die Füße wuschen. Die Tochter des Weisen Kleobulos von Lindos soll den Gästen ihres Vaters die Füße gewaschen haben, rühmenswert nach Clem. Alex. strom. 4, 123, 1 u. vorbildlich für die christl. Jungfrauen.

III. Rom. a. F. u. Hygiene. Bei den Römern gehörte die F. ebenfalls zur normalen täglichen Körperpflege. Zur Benennung des Vollbades verwendet man das Passiv ‚lavari‘, für die Teilwaschung der Hände u. Füße das Aktiv (Varro l. l. 9, 107: consuetudo alterum utrum cum satis haberet, in toto corpore potius utitur lavamur, in partibus lavamus, quod dicimus lavo manus, sic pedes et cetera). Das F.becken heißt pelvis (Varro l. l. 5, 119; Schol. Iuvenal. 3, 277); pulvea (CorpGlossL 2, 589, 16), pelluviae (Festus s. v. [225, 12 L.]). Zum späteren Badeluxus vgl. J. Jüthner, Art. Bad: o. Bd. 1, 1137/9. Daß die F. zur täglichen Körperpflege gehörte, bezeugt Juvenal, wenn er meint, man könne dem Himmel danken, wenn einem beim abendlichen Gang durch die dunklen Straßen Roms nur das Fußwaschwasser auf den Kopf falle (3, 268/77). Wer sich nicht täglich die Füße wäscht, hat keine feine Lebensart (Apul. apol. 7f) u. muß als ungebildet gelten (Macrob. Sat. 1, 24, 12). Das danach gebildete Sprichwort (Otto, Sprichw. 274f) galt auch noch in christlicher Zeit (Pallad. v. Joh. Chrys. 13 [PG 47, 45]). Es gibt auch einige Darstellungen dieser gewöhnlichen F.: 1) Toilette eines Hermaphroditen (DarS 3, 1, 138 Abb. 3822; Milne B 73: ein Putto schüttet Wasser in das bereitstehende Becken). 2) Bild aus dem Haus des Kastor u. Pollux (F. F. Niccolini, Le case e monumenti di Pompei 1 [Napoli 1854] Taf. 8; Milne B 62): Narzissus sieht zu, wie Cupido Wasser in das Becken schüttet, das ebenso der F. wie der Selbstbetrachtung dienen kann. Bei zwei anderen Bildern ist die Reinigung der Wunde vielleicht wichtiger als die F. Auf einem Relief aus Ostia (G. Calza, La necropoli del Porto di Roma nell'Isola Sacra [Roma 1940] 251 Abb. 149; Milne B 81) behandelt der Arzt die Beinwunde eines Patienten, der seinen rechten Fuß in das Waschbecken gestellt hat. Auf einem Adonissarkophag (frühes 3. Jh. nC.; Robert, Sark. 3, 1 Taf. 5, 21; Ph. L. W. Lehmann, Roman wall paintings from Boscoreale in the Metropolitan museum of art [Cambridge, Mass. 1953] 43 Abb. 30; Milne B 82) wäscht Cupido das Bein des verwundeten Adonis; das andere Bein steht im Becken.

b. F. u. Gastmahl. Die F. als Ritus bei der Begrüßung des Gastes scheint sich in Rom erst mit den vom Osten herübergekommenen feineren Lebensformen eingebürgert zu haben. Bei Plaut. Pers. 791f lädt der Sklave, der in Abwesenheit seines Herrn ein großes Leben führt, den Kuppler ein, zu Tisch zu kommen u. sich von einem Sklaven die Füße waschen zu lassen. Das griech. Vorbild scheint noch durchzuschimmern (vgl. Mau, Convivium 1204. 1207; vgl. die Nachdichtung der 'Niptra' des Sophokles bei Pacuvius trag. 244/6 R. [266/8 Warm.]). Auch Horaz bezieht sich an einer Stelle (sat. 2, 3, 20/2) auf die Schilderung der F. des Sisyphos bei Aesch. frg. 375 (140, 5 Mette). Eine Szene bei Petronius spielt in Puteoli u. hat wohl ägypt. Verhältnisse als Hintergrund. Die Füße werden mit kaltem Wasser, dem wohlriechende Essenzen beigemischt sind, behandelt (31, 3f; 70, 8). Zwei etruskische Darstellungen ergänzen die literarischen Belege: 1) Ein Relief aus dem 6. Jh. (G. Q. Giglioli, L'arte etrusca [Milano 1935] Taf. 136; Milne B 25) zeigt eine Gesellschaft beim Mahl; dabei stehen Wassergefäß u. F.becken übereinander vor der linken Gruppe der Gäste (Milne denkt an die Verwendung des Beckens als Weinkühler; eine gewisse Ähnlichkeit besteht mit der schon erwähnten Darstellung aus der Pariser Nationalbibliothek [Kantorowicz Abb. 48; Milne B 40]). 2) Ein spätarchaischer Sarkophag (Monumenti inediti pubbl. dell'Istituto di Corrispondenza Archeologica 4 [Roma 1844]

Taf. 32; Milne B 22) aus Sperandio bei Perugia zeigt (vielleicht) eine Gastmahlsszene: vor dem Fußschemel steht ein Becken, in das ein bärtiger Mann seinen Fuß steckt.

c. Rituelle F. Daß man sich den Göttern nur in kultischer Reinheit nahen darf, ist auch Auffassung der Römer (Cic. leg. 2, 24; Macrob. Sat. 3, 1, 6f), aber die Zeugnisse für die rituelle F. sind spärlich. Nonius zitiert unter dem Lemma 'polybrum' (131, 873 L.) einen Satz aus dem Pontifikalwerk des Fabius Pictor: aquam manibus pedibusque dato, polybrum sinistra manu teneto, dextera vasum cum aqua. Leider wird nicht erwähnt, bei welcher Gelegenheit die Waschung stattfinden soll (Mau, Cena 1897 bezog darum die Waschung auf das Gastmahl). Die Stelle als Reinigungsvorschrift für den Kult zu verstehen liegt nahe wegen des Charakters der Schrift des Fabius Pictor, dann aber auch, weil Festus 'polubrum' (286 L.) als Kultgerät auffaßt (G. Rohde, Die Kultsatzungen der röm. Pontifices = RGVV 25 [1936] 53). Ein Scholion zu Hor. sat. 2, 3, 282 (444 Gessner) bestätigt die Übung für die Vergangenheit (solebant precaturi deos manus et pedes abluere). Aus dem Bereich der Magie kann man noch anfügen, daß nach Plin. n. h. 24, 103 die Wunderpflanze 'selago' u. a. nur mit gewaschenen Füßen geholt werden darf (vgl. S. Eitrem, Opferritus u. Voropfer der Griechen u. Römer [Kristiania 1915] 39). Ob bei der Einholung der Braut eine F. stattfand, ist für das 4. Jh. nC. zu bejahen, da Servius Aen. 4, 167 deutlich sagt, daß zu seiner Zeit bei der Einholung der Braut den Brautleuten durch einen 'puer patrimus et matrimus' die Füße gewaschen wurden: hodie ... per felicissimum puerum aliquem aut puellam ... de qua nubentibus solebant pedes lavari. So erläutert Servius die Bemerkung des Varro l. l. 5, 61, daß die Frauen 'aqua ignique' an der Schwelle des Hauses empfangen wurden (zur Interpretation vgl. A. Roßbach, Untersuchungen über die röm. Ehe [1853] 361/6; B. Andreae, Igni et aqua accipi: RömQS 57 [1962] 5. 13f; Latte, Röm. Rel. 97₁ glaubt nicht, daß bei der Einholung der Braut eine F. stattgefunden hat). Bei Varro steht nichts von einer F.; auch Plut. quaest. Rom. 1, 263 E/F u. Festus (aqua et igni [3, 1/5 L.]; facem in nuptiis [77, 21/3 L.]) lassen eher auf eine Besprengung mit Wasser schließen. Dabei war der Vorgang von besonderer Bedeutung für das Recht (Scaevola: Dig. 24, 166 [714 Mommsen-Krüger]); vielleicht hat sich die frühere Besprengung (Ovid. fast. 4, 787/92) in späterer Zeit unter dem Einfluß des griech. Brautbades (u. der christl. Praxis?) in eine F. umgewandelt.

d. F. als Sklavendienst. Es ist selten mitgeteilt, wer die F. vornahm. Wer über Sklaven verfügte, zog sie besonders bei Gastmählern dazu heran. Als der geschlagene Pompeius keine Diener mehr um sich hatte, leistete sein Freund Favonius ,ihm Dienste wie sonst die Sklaven ihrem Herrn bis zum Waschen der Füße' (Plut. Pomp. 73; Catull. 64, 161f). Caligula ließ, um dem Senat seine Verachtung zu bezeigen, bei Tisch Senatoren hinter seinem Sitz oder mit einem ,linteum' umgürtet zu seinen Füssen stehen, d. h. doch wohl zur F. (Suet. Calig. 26, 2; hier entspricht das ,linteum' genau dem λέντιον in Joh. 13, 4). In einer Glosse (CorpGlossL 3, 659 nr. 20) wird als selbstverständlich vorausgesetzt, daß abends ein Diener oder besser eine Dienerin für die F. da ist.

IV. Israel u. Judentum. a. F. u. Körperpflege. Zur täglichen Reinigung gehörte die F. am Abend. So kann David Urias auffordern, in sein Haus zu gehen u. sich die Füße zu waschen (2 Sam. 11, 8/13; vgl. dazu o. Sp. 738). Die Braut will ihrem Geliebten, der bei ihr anklopft, nicht öffnen, weil sie ihre Kleider schon abgelegt u. die Füße gewaschen nat (Cant. 5, 3). Mar Uqba (220 nC.) schätzte ein warmes Hand- u. Fußbad am Abend mehr als alle Salben der Welt (b Sabb. 108 b [1, 577 Goldschmidt]). Nach einer Erzählung Rabbi Ezra's brauchten die Männer in der ägypt. Sklaverei durch Fügung Gottes nicht auf die F. zu verzichten (b Sot. 11 b [5, 204 G.]). Ob die tägliche F. notwendig sei, darüber stritt später R. Mar Zutra (gest. 417 nC.) mit R. Aschi, der für sie eintrat mit Hinweis auf Prov. 16, 4 (b Sabb. 50 b [1, 432 G.]). An das Wasser wurde sogar die Forderung der ,Reinheit' gestellt; darum sollte kein unbedeckt stehendes Wasser dazu genommen werden (Tos. Ter. 7, 14 [38 Zuckermandel]); es gab spezielle F.becken mit einem Fassungsvermögen von zwei Log (1 l) bis zu 9 Kab (18 l) (Jad. 4, 1. 6, 11 [56/9 Lisowsky]). Solche Becken waren aus Holz oder Ton; Reiche benutzten goldene oder silberne (Test. Job 25, 26 [1117 Riessler]). Die F. brauchte nicht einmal an Fasttagen unterlassen zu werden (vgl. Hirsch 357). Man fand Auswege, sie zu ge-

statten (j Ber. 2, 5, 61 c [Lamm]; j Sabb. 3, 4, 6 a 59; j Jom. 8, 1, 44 d 29; j Ber. 2, 7, 5 b 50), auch am Sabbat (b Sabb. 95 a [1, 541 G.]). Bei Trauer unterblieb mit dem Bad auch die F.; doch waren einige Rabbinen nicht so streng (J. Preuß, Bibl.-talmud. Medizin 3 [1923] 641). Aus Kummer unterließ Meribaal (Miphiboseth), als er bei David verleumdet worden war, das Scheren des Bartes u. die F. (2 Sam. 19, 25; vgl. M. Rehm, Die Bücher Samuel [1949] 111; Knight 815).

b. F. als Begrüßung des Gastes. Es war selbstverständlich, für den eintretenden Gast Wasser für die F. bereitzuhalten. Beim Besuch der drei Männer ließ Abraham Wasser für die F. herbeitragen (Gen. 18, 3/5; bei Tertullian zum Erweis der Leiblichkeit der Engel her angezogen: carn. 3, 6 [CCL 2, 877]; resurr. 62, 1 [1010f]). Ebenso sorgte Lot dafür, daß die beiden Boten ihre müden Füße durch ein Fußbad erquicken konnten (Gen. 19, 1f; ähnlich Iudc. 19, 21); das gleiche geschah, als Isaak bei seiner Brautwerbung zu Laban kam (Gen. 24, 32) u. als Josefs Brüder ins Haus geführt wurden (Gen. 43, 24). Das entsprach auch ägypt. Brauch. Daß diese Übung der Gastfreundschaft zZt. Jesu noch bestand, bestätigen am Rande ntl. Berichte (Lc. 7, 44; Joh. 2, 6) u. eine Erzählung im babyl. Talmud (b Men. 85 b [8, 707 G.]), wie auch der Roman ,Josef u. Asenath' (7, 1 [503 Riessler]) u. das Testament des Abraham (3, 6/9. 13 [1093. 1096 Riessler]). Das Eintauchen der Hände u. Füße in Öl nach der Säuberung war bei Vornehmen gebräuchlich; die Salbung der Füsse galt als Hochachtung (Lc. 7, 38. 46; Joh. 12, 3; vgl. H. Schlier: ThWb 1 [1933] 230); die Parallelen zu Joh. 12, 3 (Mt. 26, 7; Mc. 14, 3) sprechen von der Salbung des Hauptes.

c. Rituelle F. Die Teilnahme an den Kultübungen (wie auch die private Hinwendung zu Jahwe im Gebet) setzte die Reinheit voraus. Da die Unreinheit zunächst als äußere Befleckung aufgefaßt wurde, war die Waschung der Glieder, die am ehesten mit dem Unreinen in Berührung kamen, vor jeder religiösen Betätigung vorgeschrieben. Mit der zunehmenden Ethisierung des Kultes wurde die Waschung der Hände u. Füße zum symbolischen Ausdruck für die Wandlung des Herzens vom Bösen zum Guten, ein Gedanke, den Jesus aufgriff u. als richtig bestätigte (Mt. 15, 20). Fast immer jedoch ist bei den Vorschriften für die Erlangung der kultischen

Reinheit von der Waschung der Hände u.
Füße die Rede. Man darf annehmen, daß
auch dem privaten Gebet eine F. vorausging;
noch heute wird ein modernes F.becken ‚Mutter des Gebetes' genannt wegen seiner Verwendung sowohl zur rituellen wie zur gewöhnlichen F.; diese Becken haben eine große
Ähnlichkeit mit ägypt. Becken u. solchen aus
dem 8./9. Jh. vC., die in Samaria ausgegraben
wurden (Tell-en-nasbeh. Excavated under the
direction of W. F. Badè 1 = Ch. Ch. McCown,
Archaeol. and hist. results [Berkeley 1947]
Taf. 92, 7; G. M. Crowfoot, Pots, ancient and
modern: PalestExplorFund 64 [1932] 180.
186 Taf. 1 Abb. 1/3; die rituelle F. u. auch
die Benutzung solcher Becken gibt es heute
noch bei den Moslems; vgl. R. Paret, Symbolik des Islam [1958] 21). Die Priester kamen beim Dienst Jahwe näher, umso häufiger
hatten sie sich zu waschen. Aaron u. seine
Söhne erhielten die strenge Vorschrift, vor
dem Eintritt in das Zelt Hände u. Füße zu
reinigen (Ex. 30, 17/20 u. ö.; Knight 814; C.
Roth, The priestly laver as a symbol on
ancient Jewish coins: PalestExplorFund 84
[1952] 91/3 möchte ein Gefäß auf Münzen
aus der Bar-Kochba-Periode u. auf einem
Goldglas aus den Katakomben als Priester-
reinigungsbecken für die Hände u. Füße auffassen; sie eignen sich jedoch höchstens zum
Übergießen). Die Priester mußten die Füße
waschen, wenn sie ein Brandopfer darbringen wollten (Joseph. ant. Iud. 8, 87; Brandt
24; Schürer 2⁴, 352); die Vorschrift wurde
wiederholt eingeschärft (A. Wünsche, Der
Midrasch Wajikra rabba = Bibl. rabbinica 3
[1884] 135 zu Lev. 14, 1). Um sicher zu gehen,
wurde die Waschung zweimal täglich vollzogen (Hirsch 357; Knight 814). Im Jubi-
läenbuch wird die F. sowohl vor wie nach dem
Opfer gefordert (Jub. 21 [594 Riessler]; vgl.
F. Nötscher, Bibl. Altertumskunde [1940]
340); auch im Test. XII patr. ist in der
Forderung der Reinigung vor Eintritt ins
Heiligtum die F. eingeschlossen (Levi 9. 11
[1165. 1336 Riessler]; weitere Vorschriften
für die F. der Priester nach Verrichtung der
Notdurft s. Jom. 3, 2 [40f Meinhold]; b Zeb.
20 b [8, 75 G.]). Während des Dienstes am
Versöhnungstag hatte der Hohepriester fünf
Tauchbäder zu nehmen u. zehnmal die Hände
u. Füße zu waschen (Jom. 3, 3. 4. 6. 8; 7, 3f
[40/5; 66/9 M.]); er nahm dazu ein goldenes
Becken (Jom. 4, 5 [50f M.]). Wegen der häufigen Reinigungen konnte der Priester gerade-

zu charakterisiert werden als einer, der Hände
u. Füße gewaschen hat (b Zeb. 17 b [8, 64 G.]).
Opfer sind ungültig, wenn der Opfernde nicht
vorher Hände u. Füße gewaschen hat (Men.
1, 2; b Zeb. 2, 1 [8, 424; 57 G.]). Schließlich
wurde vom ganzen Volk gefordert, daß es
sich reinige durch Waschung der Hände u.
Füße, bevor es den Tempelberg betrat, um
in den Vorhöfen zu beten (Ber. 9, 5 [94f
Holtzmann]; b Jeb. 6 b [4, 14 G.]; b Ber. 62 b
[1, 234 G.]). Vielleicht war diese Bestimmung
zZt. Jesu noch nicht allgemein anerkannt,
wie man aufgrund einer auf einem Oxyrhyn-
chosfragment überlieferten Perikope über ein
Streitgespräch Jesu mit dem pharisäischen
Priester Levi annehmen zu können meint;
die für die Priester geltende Vorschrift sei
damals von den Pharisäern auf alle Tempel-
besucher ausgedehnt worden (J. Jeremias,
Der Zusammenstoß Jesu mit dem pharisäischen Oberpriester auf dem Tempelplatz:
Coniect. neotest. [Lund 1947] 97/108; Text
in POxy 5, 840, 7/16; Hennecke-Schneem.
1, 58).

d. F. als Dienst. Falls die F. von einer Person
an einer anderen vorgenommen wurde, zeigte
sie, in welchem Verhältnis die beiden Personen zueinander standen.

1. Sklavendienst. Unter diesem Aspekt bedeutete die F. den niedrigsten Dienst, den
der Unfreie seinem Herrn zu leisten hatte
(Josef u. Asenath 13, 15 [514 Riessler]); darum konnte nur der nichtjüdische, nicht aber
ein jüdischer Sklave dazu verpflichtet werden, wie aus der Mekilta zu Ex. 21, 2 hervorgeht (Strack-B. 2, 557; 4, 717): ‚Deshalb
heißt es (Lev. 25, 39): 'Du sollst ihn nicht
dienen lassen Dienst des Sklaven'. Von hier
haben sie gesagt: Nicht soll er ihm die Füße
waschen ... Jedoch bei einem Sohne u. Schüler ist es erlaubt'. Eine Anspielung auf diesen
niedrigsten Dienst enthält auch Ps. 60, 10
(108, 10), wenn Jahwe Moab zum Waschbecken für seine Füße machen will.

2. Gattin. Es gehörte zwar zu den indispen-
sablen Pflichten der Frau, ihrem Mann die
Füße zu waschen (nach einem babylonischen
Text ist es Aufgabe der Nebenfrau: B. Meissner, Babylonien u. Assyrien 1 [1920] 378),
aber das war nicht darin begründet, daß sie
als seine Sklavin auch die niedrigsten Arbeiten zu verrichten hatte, sondern in der Liebe
zu ihrem Mann. Es heißt in der Mischna
(Ket. 5, 5 [4, 647 G.]): Die Frau soll mahlen,
backen, waschen, kochen, ihr Kind säugen,

ihrem Mann das Bett machen u. spinnen. Bringt sie genügend Sklavinnen mit ins Haus, so können diese ihr alle Arbeiten abnehmen (auch die Säugung des Kindes), aber ihr bleibt vorbehalten, ihrem Mann den Becher einzuschenken, das Bett zu machen u. seine Hände u. Füsse zu waschen (b Ket. 61a [4, 653 G.]; vgl. Josef u. Asenath 20, 2/5 [524f Riessler]); selbst wenn sie 100 Dienerinnen hätte, könnte sie diese intimen Dienstleistungen nicht an andere abgeben (j Ket. 5, 5, 30a 52; K. Kohler: JewEnc 1 [1903] 26). Im orthodoxen Judentum gilt diese Verpflichtung heute noch; vgl. Schulchan Aruch (= gedeckter Tisch = 4 jüd. Gesetzesbücher, ed. H. G. Löwe [Wien 1896] 3: Ewen Haëser 80, 4). Doppeldeutig im Sinne von Sklavendienst wie auch von Liebesdienst der Gattin war deshalb die Antwort Abigails an die Boten Davids, sie wolle die Füße seiner Knechte waschen (1 Sam. 25, 41). Die Frau durfte die F. auch während der strengen Trauer vornehmen, da dann keine Gefahr bestehe, daß sie den Mann zum Geschlechtsverkehr verleite, der während der Trauer verboten war (b Ket. 4b [4, 468. 467$_{52}$ G.]). Während der Menstruation war sie wegen der Übertragung der Unreinheit auf den Mann von diesen Diensten befreit (b Ket. 4 b [4, 467 G.]). Die Witwe brauchte diese Liebeserweise den Erben nicht zu erweisen, obschon sie sonst zu allen Dienstleistungen verpflichtet war, die eine Frau dem Manne leistete (b Ket. 96 a [4, 773 G.]).

3. Kinder. Aus der Kindesliebe u. der schuldigen Ehrfurcht erwächst die Pflicht der Kinder, ihrem Vater Gesicht, Hände u. Füße zu waschen (Tos. Qid. 1, 11 [336 Zuckermandel]; Strack-B. 1, 706; b Qid. 31 b [5, 803 G.]). Da hier die natürliche Ordnung u. nicht die durch Vertrag oder Gewalt begründete Rechtsordnung gilt, ist die Aussage der Mekilta zu Ex. 21, 2 (Strack-B. 2, 557; 4, 717) verständlich, daß man nicht den jüd. Sklaven, wohl aber den Sohn u. Schüler dazu heranziehen darf. Nicht alles, was in der jüd. Sozialordnung aussieht wie Sklavendienst, ist es. Das erläutert eine Antwort der Nichte Rabbi Eliezers (um 90 nC.): Als ihr Oheim sie bat, sie möge sich einen Jüngling zum Manne nehmen, nachdem sie bisher in engster Familienbindung mit ihm gelebt hatte, entgegnete sie, sie sei doch seine Magd u. dazu bestimmt, die Füße seiner Schüler zu waschen (Strack-B. 3, 653).

4. Schüler. Die für die F. als Ergebenheits-ausdruck des Schülers vorliegenden Zeugnisse sind aus nachchristlicher Zeit. Der Schüler soll für seinen Meister alle Arbeiten tun, die ein Sklave für seinen Herrn verrichtet. Die F. wird dabei nicht ausdrücklich genannt, ist aber sicher mitgemeint (vgl. K. H. Rengstorf, Art. διδάσκω: ThWb 2 [1935] 138/68, bes. 156; Strack-B. 2, 557). Er ist von diesen Diensten befreit an fremden Orten, wo man ihn nicht als Rabbischüler kennt (man könnte ihn sonst für einen Sklaven halten), es sei denn, er trage die Tephillim als Kennzeichen seines Verhältnisses zum Rabbi (b Ket. 96a [4, 773f G.]). Der Schüler handelt also gerade nicht als Sklave, sondern aus Ehrerbietung, die bei ihm so groß sein soll wie die Ehrfurcht gegenüber dem Himmel u. größer als die des Sohnes gegenüber dem Vater (Rengstorf aO. 157; E. Lohse: ThWb 6 [1959] 963). Als Rabbi Jischmael (um 135 nC.) bei der Rückkehr ins Haus sich selbst die Füße waschen will, möchte seine Mutter ihn dadurch ehren, daß sie ihm die Füße wäscht u. das Wasser trinkt (vom kopt. Mönch Bisoës [Psoi] wird im jakobit. Synaxar von Alexandrien wie im äthiop. erzählt, er habe das Wasser getrunken, mit dem er Christus, der ihm erschien, die Füße gewaschen hatte [PO 7, 270/6; 17, 630/4]). Als er abwehrt, weil darin eine Verletzung des 4. Gebotes liege, verklagt sie ihn bei den anderen Rabbinen wegen des gleichen Verstoßes, weil sie in der F. an ihrem Sohn eine Ehrung ihrer Person erblicken möchte (j Pea 1, 1, 15 c 58; Rengstorf aO. 157). Sie stellt also die Pflicht, den Rabbi durch F. zu ehren, höher als die Kindesehrfurcht den Eltern gegenüber. Entsprechend ist also das Versäumnis des Simon (Lc. 7, 44/6) zu bemessen, wenn er Christus einerseits als Rabbi anredet, andererseits ihm die Füße nicht waschen läßt.

e. Philo. Für Philo ist die vom Gesetz geforderte kultische Reinheit Mahnung zur sittlichen Lebensführung. ,Die in den Tempel eintretenden Priester waschen die Füße u. die Hände zum Zeichen eines tadellosen Lebens u. reinen Wandels' (v. Moys. 2, 138 [4, 232 Cohn]). Diese Deutung hält sich ganz im Rahmen der Entwicklung der Spiritualisierung der jüd. Frömmigkeit u. der Ethisierung der kultischen Riten, wie sie von den Propheten eingeleitet wurde; sie geht der außerjüd. philosophischen Ethik parallel, wenn auch speziell für die F. kein Zeugnis vorliegt. Christliche Paränese konnte daran anknüpfen. An anderer Stelle jedoch ist die F. für Philo Anlaß zu freier Allegorese: ‚Das Waschen der Füße aber bedeutet, daß wir nicht mehr auf der Erde gehen, sondern in Äthers Höhen schweben sollen‘ (spec. leg. 1, 207 [5, 49 f C.]). Besonders Origenes ist bei seinen Deutungen der F. diesen Fußstapfen gefolgt.

B. Christlich. I. Neues Testament. a. Lukas, Pastoralbriefe. Das NT setzt die F. als lebendige Übung voraus. Lc. 7, 44 (formal analoge Szenerie bei Apul. met. 6, 2; 11, 24) wird die von der Sünderin vollzogene F. von Christus aufgegriffen, um das Verhalten des Gastgebers zu tadeln. Die ausführliche Schilderung fügt sich der lukanischen Intention ein, Christus als den universalen Erlöser hinzustellen, der hier von einer öffentlichen Sünderin eine Handlung duldet, die der jüd. Mann (Sklavendienst scheidet hier aus) sonst nur von jemand vornehmen läßt, der mit ihm in innigster Lebensgemeinschaft steht (Frau, Kinder, Schüler). Die durch die F. bekundete u. von Christus angenommene Glaubenshingabe führt die Sündenvergebung herbei. – 1 Tim. 5, 10 führt im Dienstekatalog der Witwe die Pflicht zur F. auf. Wenn die Witwe als Dienerin in der Gemeindefamilie ihre neue Aufgabe hat, fällt diese Dienstleistung an den Gästen der Gemeinde nicht aus dem üblichen Rahmen.

b. Johannes. Hier wird 13, 4/12 über die F. berichtet, die Christus am Vorabend seines Leidens an seinen Aposteln vornahm. Er band sich ein Leinentuch um u. nahm ein Becken, wie üblich. Die in dem Vorgang gegebene Umkehrung der gewohnten Dienstordnung ließ, von Petrus angefangen bis heute, nach der eigentlichen Intention Christi suchen, ohne daß eine einmütige Antwort gefunden wurde (zB. Iren. haer. 4, 22, 1 = 3, 36, 1 [2, 228 Harvey] sieht in der F. Christi Jes. 4, 4 [Tilgung des Sündenschmutzes der Töchter Sions] erfüllt). Die Frage, ob Christus nur ein Beispiel geben wollte oder ob er bzw. der reflektierende Evangelist dem Tun einen mystagogischen Sinn gab, ist kaum zu beantworten (zu den verschiedenen Lösungsversuchen der Exegeten vgl. die Komm. zSt. sowie die Übersicht bei Boismard 5 f). Das Handeln Christi hat in der christl. Liturgie, Frömmigkeit u. Kunst eine nachhaltige Wirkung ausgeübt. Die ganze Perikope ist wohl aus zwei Überlieferungsstücken zusammengefügt (Lohmeyer 77 f; Boismard 6 f; Richter, Joh. 21 f). Die F. findet während des Mahles

statt (δείπνου γινομένου); sie ist also nicht zu verstehen als die übliche Zurüstung der Geladenen für das Mahl. Christus will seine Jünger die neue Ordnung der Liebe u. des Dienens lehren, da sie nach lukanischer Überlieferung (Lc. 22, 24/7) noch vor eben diesem Mahl im Rangstreit verfangen waren. Aus den jüdischen Lebensgewohnheiten heraus konnte der Dienst Christi sowohl von ihm intendiert wie von den Jüngern verstanden werden: 1) als Sklavendienst; damit hätte er einen vorbereitenden Sinnbezug auf die tiefe Erniedrigung am Kreuz gegeben; 2) als Ausdruck der innigsten Lebensgemeinschaft (Liebesdienst der Frau dem Mann gegenüber) u. Verbundenheit mit seinen Aposteln; 3) als Ehrfurchtserweis (Schüler dem Rabbi gegenüber), aber in Umkehrung der gewohnten Ordnung zur Demonstration der neuen (eschatologischen) Gesinnung. Das zweite Überlieferungsstück (v. 13/7) legt diese Interpretation nahe. – Petrus begreift nach dem Bericht diese neue Ordnung nicht sofort. Er ist befangen in der gewohnten Vorstellung. Auf die Einrede Christi, daß er keinen Teil an ihm haben werde, sucht Petrus den Vorgang in anderer Weise zu verstehen; er will ihn begreifen als Reinigungsritus zur Vorbereitung auf eine Kulthandlung, was bei der von Christus gewählten Form des Passamahles nahelag. Die jüd. Priester bereiteten sich auf ihre kultischen Dienste durch Waschung des Gesichtes, der Hände u. Füße vor; darum die Bitte Petri, Christus solle ihm auch die Hände u. das Gesicht waschen (v. 9). Es hätte der geringen Bedeutung, die Christus der äußeren, rituellen Reinheit beimaß, vollständig widersprochen, wenn er sich auf die Bitte des Petrus eingelassen hätte (zur Rede Jesu mit Petrus vgl. Lohmeyer 79/82; F. Braun, Le lavement des pieds et la réponse de Jésus à S. Pierre: RevBibl 44 [1935] 22/33). Die Antwort Christi, die die beiden verschiedenen Begriffe ‚λούεσθαι‘ (baden) u. ‚νίπτειν‘ (abwaschen) verwendet, läßt sich in verschiedenem Sinn verstehen (vgl. Lohmeyer 84 f zur Verwendung der kultischen Termini; vgl. auch Fridrichsen 94/6). Die F. als Vollendung u. Ergänzung des Bades kannte man im jüd. Kult (Hohepriester am Versöhnungsfest) wie in der hellenistischen Lebenspraxis, wenn man die F. nach dem Bad vornahm, mit dem man sich auf das Festmahl vorbereitete. Nun konnte ‚λούεσθαι‘ im 1. Jh. nC. bei einigen jüd. Gruppen u. Sekten nicht nur das reinigende

Vollbad, sondern auch das Bad mit sündentilgender Wirkung, die Taufe, bezeichnen. Ist auch hier λούεσθαι als Ausdruck für die Taufe, das Bad der sittlichen Neugeburt, zu verstehen (zwingend ist dieses Verständnis keineswegs; vgl. Richter, Joh. 16f) so könnte man in den johanneisch geprägten Worten Christi eine Betonung der Einmaligkeit der Taufe (etwa gegen die tägliche Wiederholung bei den Hemerobaptisten; vgl. Brandt 121; J. Thomas, Le mouvement baptiste en Palestine et Syrie [Gembloux 1935] 406) finden, zu der dann als Ergänzung mit täglicher Wiederholbarkeit zur Tilgung der täglichen Sünden die F. hinzutreten könnte (so oft gedeutet, zB. von Orig. u. Aug.). In der Diskussion über die absolute Notwendigkeit der Taufe spielte auch die Frage eine Rolle, wann u. auf welche Weise die Apostel sie empfangen haben (über die F. als spezielle Ausrüstung für die Evangelisation [besonders bei Origenes taucht diese Vorstellung auf] vgl. Lohmeyer 87/9). War die F. die Taufe der Apostel? Zu allen Zeiten ist darüber diskutiert worden (vgl. Kantorowicz). Natürlich mußte sie vor dem Mahl stattgefunden haben, da sie alle Sünden der Teilnehmer am neuen Passamahl tilgte (zum Verständnis der F. nicht als Taufe selbst, sondern als ‚erster Akt der Taufe, dem der Geist noch folgen wird‘, vgl. H. v. Campenhausen, Zur Auslegung von Joh. 13, 6/10: ZNW 33 [1934] 259/71; dagegen Lohmeyer 74). – Diese Vermischung von berichtenden Überlieferungsstücken mit theologischer Reflexion (Richter, Joh. 22f) hat eine Vielfalt von Bezugnahmen auf den Bericht verursacht.

II. Alte Kirche. a. Allgemeines. Galt die Pflicht zur Nachahmung des Beispiels, das Jesus durch die F. seinen Jüngern gegeben hatte, nur für die Apostel (häufig wird auf die Demut Christi u. die Pflicht, ihm darin zu folgen, hingewiesen)? Zunächst sollte man erwarten, daß man die F. als Zeichen der brüderlichen Liebe in der frühchristl. Gemeinde im Zusammenhang mit dem Brotbrechen geübt habe; es ist keine Spur eines solchen Brauches erhalten. Nur die Anweisung für die Witwen, den ankommenden ‚Heiligen‘ diesen Liebesdienst zu leisten (1 Tim. 5, 10), ohne Bezugnahme auf die eucharistische Versammlung, weist hin auf einen schwachen Nachhall des Tuns Christi in der innergemeindlichen Ordnung. Es läßt sich nicht mehr feststellen, ob der Bericht von der F. in der

nachapostolischen Zeit mehr als Aufforderung zur sinnfälligen Nachahmung des Tuns Christi verstanden wurde oder ob aus dem Wort Christi (Joh. 13, 10: ‚Wer gewaschen [getauft] ist, ist ganz rein‘ [kurzer Text; zur Frage des Textes vgl. M.-E. Boismard, Problèmes de critique textuelle concernant le 4ᵉ évangile: RevBibl 60 (1953) 354]) mehr eine Absage an alle (nicht rein hygienischen) Waschungen für den Getauften herausgehört wurde (vgl. Method. cib. 6, 3 [GCS 27, 433]). Für die folgende Zeit erhob sich die Frage, ob die F. als ‚Zeichen‘ von der Kirche aufgenommen werden sollte, so daß sie durch den rememorativen Bezug auf das Tun Christi eine ‚sakramentale‘ Wirkung habe, oder ob die Einmaligkeit des Tuns Christi, der in ihr alle Waschungen (außer der Taufe) ad nihilum reduziert hat (vgl. Iustin. apol. 1, 62; Tert. or. 13 [CCL 1, 264f], die in jeder rituellen Waschung eine Teufelsnachäffung der Taufe sehen), eine unbegrenzte allegorische Deutung erlaube. Zwischen diesen Polen, als deren Repräsentanten man Ambrosius u. Origenes sehen kann, bewegt sich die Stellungnahme der Väter zur F. Die allegorische Schrifterklärung der Alexandriner betonte, daß es auf die Nachahmung der Handlung gar nicht in erster Linie ankomme, denn die Tradition habe die F. nur den Witwen zur Pflicht gemacht. Wenn das buchstabenmäßige Verständnis des Tuns Christi gemeint sei, dann müßten auch die Bischöfe u. Presbyter die F. üben, u. das geschehe nirgendwo (Orig. in Joh. 32, 12 [GCS 10, 444f]). Origenes sucht darum nach einem anderen Verständnis des Tuns Christi, u. seine Erklärungsversuche lassen ihn mehrere Sinndeutungen finden, von denen spätere Exegeten manche übernommen haben. Dabei beziehen sich die Väter (besonders Orig.), wenn sie eine Deutung der F. geben, nicht nur auf Joh. 13, 4/15, sondern auch auf andere Stellen der Schrift wie Gen. 18, 4; 43, 24 u. vor allem Cant. 5, 3, Stellen, die ebenfalls auf ihren mystischen Sinn hin zu interpretieren waren. – Die vom Judentum überkommene Vorstellung von der reinigenden Kraft formte sich zur Lehre von der sündentilgenden Wirkung der F. Darüber bildeten sich vornehmlich zwei Auffassungen: 1) Die mit dem Vollzug der F. an einem anderen bekundete Gesinnung der Demut tilgt die eigenen Sünden in der Art der guten Werke wie Fasten, Beten, Almosen. 2) Die F. vermag die Sünde auch bei dem hinwegzunehmen, der diese Handlung an sich vollziehen läßt; auf dem Weg dieser Gedankenentfaltung rückte sie als mysterium (sacramentum) in die Nähe der Taufe. – Das Beispiel (exemplum) der Demut, das Christus durch die F. gegeben hatte, wurde immer wieder allen Christen zur Nachahmung empfohlen, bald in dem Sinne, daß die Handlung Christi in vielerlei Tun nachgeahmt werden könne, bald auch so, daß die F. als solche wie keine andere Tat diese demutsvolle Gesinnung auszudrücken vermöge. Es dauerte jedoch geraume Zeit, bis man in kirchlichen Lebensgemeinschaften, wie sie sich allmählich zwischen dem Bischof u. seinem Klerus u. in den Klöstern herausbildeten, das Beispiel Christi auch als ein normiertes mandatum verstand, dessen Ritus nach Zeit, Ort u. beteiligten Personen genau festgelegt wurde.

b. Reste ritueller F. Die in der außerchristl. Antike übliche F. vor einer Kultübung ging verloren; es erhielt sich nur die Händewaschung. Euseb. h. e. 10, 4, 39 f (GCS 9, 874) erwähnt zwar bei der Beschreibung der Basilika in Tyrus, daß im Vorhof Brunnen errichtet wurden, damit man nicht mit unreinen u. ungewaschenen Füßen in das Innere des Heiligtums eintrete, aber von einer Verpflichtung zur F. findet sich nichts. Daß der Cantharus der Händewaschung diente, sagt Paul. Nol. ep. 32, 15 (CSEL 29, 290, 3); s. A. M. Schneider, Art. Cantharus: o. Bd. 2, 845/7. Die v. Pelagiae 5 (H. Usener, Legenden der Pelagia [1879] 6) spricht ganz allgemein von einem Brunnen für die Reinigung im Vorhof der Kirche (Dölger, ACh 3 [1932] 5 erläutert: Die Gläubigen pflegten vor dem Betreten der Kirche Hände u. Füße zu waschen). – In der koptischen Basiliusliturgie (6./7. Jh.) waren die Priester gehalten, vor dem Gottesdienst Hände u. Füße zu waschen (E. Renaudot, Liturgiarum orient. collectio 1² [1847] 159).

c. F. zur Sündentilgung u. Vollendung. 1. Allgemein. Nach der Meinung mancher Väter tilgt die F. die täglichen Sünden, mit denen die Christen sich auch nach der Taufe noch beflecken (zB. Basil. hom. temp. fam. 4 [PG 31, 313 B]). Dabei geht aus den Texten nicht immer eindeutig hervor, ob die rememorative Bezugnahme des Sünders auf die F. Christi die Sünde hinwegnimmt (so scheinen einige Stellen bei Origenes verstanden werden zu müssen) oder ob die konkrete F. die Schuld löst (so etwa Ambr. spir. s. prol. 15 [CSEL 79, 21]: dum alienas sordes lavo, meas abluo).

Die F. befreit uns von den Fesseln der den Füßen unserer Seele anhaftenden Sünde (Orig. in Jes. Nave hom. 6, 3 [GCS 30, 325]; ganz metaphorisch bei Aug. tract. in Joh. 56, 4 f [CCL 36, 468]: Opus tamen habent [iusti] pedes lavare, quoniam sine peccato utique non sunt; ähnlich ebd. 57, 6 [472], wenn er in der Mahnung Christi, einander die Füße zu waschen, die Aufforderung zum häufigen gegenseitigen Sündenbekenntnis sieht: ebd. 58, 5 [475]). – Die F. vollendete weiterhin die Wirkungen der Taufe; sie gewährte Petrus ,Anteil' an Christus; diese Wirkung möchte Origenes auch erfahren (in Is. hom. 5, 2 [GCS 33, 264 f]; ähnlich in Jes. Nave hom. 2, 3 [GCS 30, 298]; in Iudc. hom. 8, 5 [GCS 30, 514 f]). An anderer Stelle sagt er: dominica sacramenta non nisi in lavandis pedibus consummanda (in Gen. hom. 4, 2 [GCS 29, 53]); diese Gedanken wiederholen sich bei ihm (zB. in Lev. hom. 1, 4 [GCS 29, 287]). Im Joh.-Kommentar trägt Origenes zum μυστήριον der F. folgendes vor: Die Jünger sollen vollen Anteil an Christus haben, denn bisher waren sie nur rein vor den Menschen, nicht aber vor Gott; nach der F. wohnte τὸ ἅγιον πνεῦμα in ihnen; nun wurden sie auch ausgerüstet zu Boten des Evangeliums gemäß dem Schriftwort: ,Wie schön sind die Füße derer, die den Frieden verkünden' (Rom. 10, 15; Jes. 52, 7). Allen Schmutz (der Sünde), der den Füßen der Jünger noch anhaftete, nahm Christus durch das Linnentuch auf seinen Leib; so wurden die Jünger vollendet (in Joh. 32, 4. 7/9 [GCS 10, 431 f. 436/8. 441]). Auch der Antiochener Theodor v. Mopsvestia (in Joh.: CSCO 116 = Scr. Syr. 63, 182/4) meint, die F. habe die Sünden der Apostel weggenommen, die sie nach der Taufe begangen hatten; getauft wurden sie nämlich von Johannes. Die beiden Hauptgedanken, daß die F. den Jüngern die pneumatische Vollendung brachte u. daß sie dadurch in besonderer Weise ausgerüstet wurden zu Verkündern des Evangeliums, tauchen auch bei anderen Vätern auf. Gregor v. Nyssa erklärt nach Cant. 5, 3 die F. als die letzte mystische Reinigung der Braut (Cant. 11, 5, 3 [6, 330 f Jäger]); die Zurüstung zu Verkündern des Evangeliums, schon von Clem. Alex. erwähnt (paed. 2, 63, 2 [GCS 12, 195]), wird der F. auch zugesprochen von Hieronymus (in Is. 14, 12, 7 f [CCL 73 a, 582]) u. Kyrillonas (Hymnus auf die F. 140/50 [BKV² 6, 29 f]). Bei Maximus v. Turin (s. 67, 2 [CCL 23, 281])

findet sich ein anderes Verständnis: die F.
soll nicht mehr die Boten des Evangeliums
ausrüsten, sondern sie soll an ihnen vollzogen
werden, weil sie (gemäß 1 Tim. 5, 10) besonders Anspruch darauf haben.

2. F. u. Taufe. Die F. gehörte schon vom 3.
Jh. an in manchen Gebieten als Komplemen-
tärritus zur Taufe. Augustinus, der selbst der
F. jede sakramentale Bedeutung absprach
(in Ps. 92, 3 [CCL 39, 1293]: non ad sacramentum tamquam mundationis pertinebat
. . .), der aber die Verbindung der F. mit der
Taufe von Mailand her kannte, berichtet (ep.
55, 30 [CSEL 34, 2, 207f]), daß einige (in
Nordafrika) die F. am Tauftag nicht einführen wollten, damit der Taufe kein Abtrag geschehe, andere, um der Gefahr der Mißdeu-
tung zu entgehen, den bestehenden Brauch
wieder abschaffen wollten, andere wiederum
die F. am 3. oder 8. Tag in der Osteroktav
vollzogen (Schäfer 13f; anders W. Roetzer,
Des hl. Augustinus Schriften als liturgiege-
schichtl. Quelle [1930] 35). Abgelehnt wurde
jegliche Verbindung zwischen Taufe u. F. in
der spanischen Kirche. Die Synode v. Elvira
(cn. 48 [2, 8 Bruns]) bestimmte, daß den
Täuflingen weder von dem Bischof oder den
Priestern noch von anderen Klerikern die
Füße gewaschen werden durften (Mansi 2, 14
u. ein Ms. v. Toledo haben eine andere Lesart;
danach wäre es für die Priester verboten, u.
nur die niederen Kleriker sollten es tun; so
dann auch Gretser 309). Das Verbot scheint
volle Wirkung gehabt zu haben, denn für die
spätere Zeit läßt sich der Brauch in Spanien
nicht mehr nachweisen. – In der mailändi-
schen Taufliturgie hatte die F. ihren festen
Platz. Sie gehörte zum Ritus u. folgte dem
eigentlichen Taufakt. Der Bischof begann zunächst mit der F., dann lösten Priester ihn ab
(Ambr. sacr. 3, 4 [CSEL 73, 39]). Ambrosius
hat die Berechtigung des Brauches entschieden verteidigt. Für ihn ist die F. ein ‚mysterium', dessen Bedeutung Petrus noch nicht
erkannte (non advertit mysterium et ideo
ministerium recusavit: myst. 6, 31 [CSEL 73,
102]). Der F. kommt nach Ambrosius sündentilgende Kraft zu: ‚ideo planta eius (sc.
Petri) abluitur, ut hereditaria peccata tollan-
tur; nostra enim propria per baptismum re-
laxantur' (ebd. 6, 32 [102]; ähnlich in dem
verlorenen Isaiaskommentar, überliefert von
Aug. c. duas ep. Pel. 4, 11, 29 [CSEL 60, 559f];
vgl. J. Huhn, Der dogmatische Sinn des Am-
brosiuswortes: Planta Petri abluitur . . .:

MünchTheolZs 2 [1951] 377/89). Gewiß hat
Ambrosius noch nicht die nachaugustinische
Vorstellung von der Erbsünde, aber die F.
ist für ihn in Verbindung mit der Taufe notwendig, denn diese tilgt die persönlichen Sünden; die F. befreit von den ererbten Sünden
(es heißt ‚peccata', nicht ‚peccatum'; davon,
daß konsequenterweise Ambrosius bei Kindern nur die F., nicht die Taufe hätte vornehmen dürfen, findet sich kein Anzeichen).
Der Teufel in Gestalt der Schlange hat sein
Gift gerade auf Adams Füße gespritzt (sacr. 3,
1, 7 [CSEL 73, 41]: quia Adam supplantatus
a diabolo est et venenum ei suffusum est
supra pedes, ideo . . . lavas ergo pedes, ut laves
venena serpentis; ähnlich expl. in Ps. 48, 8f
[CSEL 64, 365] u. expl. in Ps. 40, 24 [245];
die Übernahme von Gedanken aus Orig. sel.
in Ps. 48, 6 [PG 12, 1444] ist deutlich). Genährt wurde diese Anschauung des Ambrosius durch die antike Lehre, daß die Füße,
mit denen der Mensch die Erde berührt, die
menschlichen Affekte symbolisieren u. ihr
Sitz sind (vgl. Aug. tract. in Joh. 56, 4; 57, 1
[CCL 36, 468f]; Augustinus lehnt in diesem
Zusammenhang die F. als Ergänzung der
Taufe ab, weil diese den Menschen ganz rei-
nigt: ‚[Christus] quotidie pedes lavat nobis,
qui interpellat pro nobis': ebd. 56, 4 [468]).
Gerade die Affekte sind nach der christl.
Lehre durch das Gift der Schlange in Aufruhr geraten (vgl. A. Vögtle, Art. Affekt: o.
Bd. 1, 168). Von der Ferse aber gehen die
Blutadern zum Sitz der sexuellen Erregbar-
keit, sagt Fulgentius (mitol. 3, 7, 120/2 [71f
Helm]). Die Orphiker hatten darum die
Ferse als Hauptsitz der Libido bezeichnet;
das Schicksal des Achilles erweise die Richtigkeit dieser physiologischen Anschauung
(amore Polyxenae perit et pro libidine per
talum occiditur; ebd.). E. Peterson, Frühkirche, Judentum u. Gnosis (1959) 224₆. 234
ist der Ansicht, daß die F. in Verbindung
mit der Taufe, wie sie in Mailand statthatte,
auf judenchristl. Überlieferung zurückgehe,
wofür die engen Beziehungen zwischen Mailand u. Antiochia sprächen. An die Stelle des
jüdischen Tauchbades, das gegen den bösen
Trieb u. seine Auswirkung, die Konkupis-
zenz, empfohlen wurde u. das in der judenchristl. Praxis beibehalten wurde, sei die F.
getreten u. eben darum als spezielles Heilmittel (mysterium) gegen die durch den Schlan-
genbiß verursachte böse Begierlichkeit u.
ihre Folgen verstanden worden (andere Er-

klärungen für die Verbindung von F. u. Taufe in Mailand bei Gieß 11f; Schäfer 1). Ambrosius ist von der Notwendigkeit der F. als komplementärem Akt der Taufe so fest überzeugt, daß er die Mailänder Tradition gegen die römische, die diese Verbindung nicht kennt, verteidigt; er sucht nach Gründen, um seinen Zuhörern die Abweichung Roms zu erklären (sacr. 3, 5 [CSEL 73, 40]). Heftig wendet er sich auch gegen die Meinung (zB. formuliert bei PsFulg. s. 23 [PL 65, 890 D]; vgl. Kantorowicz 225), die F. liege auf der Ebene des Beispielhaften (sie habe ihren Platz bei der Gastfreundschaft), nicht des Sakramentalen (sunt tamen, qui dicant . . ., quia hoc non in mysterio faciendum est, . . . sed quasi hospiti pedes lavandi sint. Sed aliud est humilitatis, aliud sanctificationis: sacr. 3, 1, 5 [CSEL 73, 40]; vgl. Kantorowicz 232/4). Diese Verbindung der F. mit der Taufe hat sich im Mailänder Ritus bis zum 14. Jh. erhalten (Schäfer 17f). – Außerdem gibt es aus dem oberitalienischen Raum noch zwei Zeugnisse für diese Praxis, eine Inschrift auf dem Bogen einer Apsidalnische im Baptisterium Neonianum in Ravenna (s. u. Sp. 775) u. die Predigt eines unbekannten Bischofs aus der Mitte des 6. Jh.; hier wird von der F. in Verbindung mit der Taufe gehandelt, dabei aber die F. als ‚mandatum' scharf von dem eigentlichen ‚sacramentum' der Taufe geschieden, wie es ähnlich schon Augustinus tat (en. in Ps. 92, 3 [CCL 39, 1293]; die Predigt des Unbekannten ist überliefert als PsMaxim. Taur. tract. de bapt. 3 [PL 57, 777/83] = PsAug. s. de unctione capitis et de pedibus lavandis: PL 40, 1211/4; zur Datierung vgl. Dekkers, Clavis PL² 222). – Hohe Bedeutung wird der F. bei der Taufe von Caesarius v. Arles zugemessen, der in mehreren Predigten darauf zu sprechen kommt (Schäfer 8/10). Dabei erwähnt er nicht wie Ambrosius die sakramentale, sündentilgende Kraft der F., um so stärker aber die aus der F. bei der Taufe resultierende Verpflichtung zur Gastfreundschaft u. Nächstenliebe. Die Taufpaten haben die Pflicht, die Täuflinge später an die Erfüllung des Taufversprechens, das sie für sie abgelegt haben, zu erinnern (admoneant . . ., ut peregrinos excipiant, et secundum quod ipsis in baptismo factum est hospitibus pedes abluant: s. 204, 3 [CCL 104, 821]; ähnlich s. 64, 2 [CCL 103, 276]). Taufordines des 7./8. Jh. aus dem fränkisch-irischen Raum (enthalten im Missale Gothicum, Miss. Bob-

biense, Miss. Gallicum vetus u. Stowe-Miss.) erwähnen die Begleitformeln bei der Taufe (Schäfer 10/2), die im Mailänder Ritus wahrscheinlich fehlten. Die F. wurde teils vor der Anlegung des weißen Kleides sofort nach der Salbung vorgenommen (Ambr.; Miss. Goth.; Miss. Gall. vet.), teils hernach (Miss. Bobb.; Stowe-Miss.). – In Nordafrika war man sich über die Zusammengehörigkeit von Taufe u. F. nicht einig (Aug. ep. 55, 30 [CSEL 34, 2, 207f]). Vier Predigten aus dem 5./6. Jh. (PsFulg. s. 23/6 [PL 65, 890/4]) erwähnen die Nachholung der F. für die Täuflinge am Oktavtag u. sprechen von der inhaltlichen Bedeutung der F. in Formulierungen, die an Origenes u. Ambrosius erinnern (Schäfer 14f), allerdings unter scharfer Ablehnung einer sakramentalen Wirkung der F. – In der östlichen Kirche finden sich keine Spuren davon, daß im Zusammenhang mit der Taufspendung auch eine F. vorgenommen worden ist. Origenes schließt eine solche Verbindung für seinen Erfahrungsbereich aus (in Joh. 32, 12 [GCS 10, 444f]; in Is. 6, 3 [GCS 33, 272f]); die Pilgerin Egeria erwähnt nichts davon (38 [CCL 175, 82f]); desgleichen schweigen darüber die mystagogischen Katechesen des PsKyrillos v. Jerusalem u. des Theodor v. Mopsvestia (Schäfer 18f). – Die F. blieb in den Bezirken, in denen sie zum Taufritus gerechnet wurde, auch nach der allgemeinen Einführung der Kindertaufe erhalten (vgl. PsFulg. s. 26 [PL 65, 894]; Caesar. Arel. s. 204, 3 [CCL 104, 821]). Mit dem Vordringen der röm. Liturgie in der karolingischen Periode verschwindet die postbaptismale F. aus der fränkischen Taufpraxis, später (11./12. Jh.) verlieren sich ihre Spuren auch in der iro-schottischen Kirche.

d. F. u. Gastfreundschaft. 1. Privat. Von der gewöhnlichen Reinigungs-F. als einer selbstverständlichen Lebensgewohnheit ist in christlichen Texten kaum noch die Rede. Das Beispiel (ὑπόδειγμα: Joh. 13, 15), das Christus durch die F. gegeben hatte, wurde so inhaltsbestimmend für diesen Akt, daß er von Gläubigen an anderen Menschen nur noch in Bezugnahme auf das Tun des Herrn vollzogen werden konnte. Darum läßt sich die F. zur Begrüßung des Gastes nicht mehr scharf trennen von der Nachahmung der brüderlichen Gesinnung Christi, deren Vollzug nach Tertullian eine Belastung für eine mit einem Heiden vermählte Christin ist (ux. 2, 4, 3 [CCL 1, 389]; unklar bleibt, wer hier mit

‚sancti' gemeint ist; Dölger, ACh 2 [1930] 211₆₉ versteht darunter ‚Märtyrer'). Im Zusammenhang mit der Mahnung zur Gastfreundschaft wird besonders bei der Erläuterung des Besuches der drei Männer bei Abraham auch die F. erwähnt (Orig. in Gen. 4, 2 [GCS 29, 53]; Joh. Chrys. in Gen. hom. 41, 4f [PG 53, 380]; Caesar. Arel. s. 83, 4 [CCL 103, 342] u. ö.). Das zeigt, daß die F. bei der Gastaufnahme in Übung blieb, aber in der neuen Gesinnung nach Möglichkeit vom Gastgeber selbst vollzogen werden sollte. Als rühmenswertes Vorbild erscheint Bischof Spyridon v. Trimythus (Soz. h. e. 1, 11, 10 [GCS 50, 24]). Nach Aug. tract. in Joh. 58, 4 (CCL 36, 474) war bei Besuchen der ‚Brüder' (Mitglieder des Klerus) untereinander die F. teils üblich, teils wurde sie unterlassen; er selbst empfiehlt sie um des Beispiels Christi willen. Martin v. Tours wusch eigenhändig dem ihn besuchenden Sulpicius Severus abends die Füße (Sulp. Sev. v. Mart. 25, 3 [SC 133, 310]). Niemand hat in seinen Predigten so häufig auf die Pflicht hingewiesen, die Fremden u. Durchreisenden aufzunehmen u. ihnen die Füße zu waschen wie Caesarius v. Arles (s. 1, 12 [CCL 103, 9]; 10, 3 [53]; 14, 2 [70]; 16, 2 [77]; 19, 2 [88]; 25, 2 [113]; 60, 4 [266]; 67, 3 [287]; 86, 5 [356]; 146, 2 [CCL 104, 600]). Die Verpflichtung erwächst aus dem Taufversprechen (s. 64, 2 [103, 276]; 204, 3 [104, 821]), besonders in der Fastenzeit soll man es tun (s. 86, 5 [103, 356]); Unterlassung ist eine Sünde (s. 64, 2 [276]), am Gründonnerstag sogar eine schwere Sünde (s. 202, 1 [104, 814]).

2. Klöster. Die Pflicht, dem Gast die Füße zu waschen, galt besonders für die Mönche. Ein Väterspruch (v. patr. 6, 1, 17 [PL 73, 1000 A]) stellt die F. neben den gemeinsamen Tisch u. die Eucharistiefeier. Sie war Ehrenpflicht des Vorstehers (ebd. 5, 10, 113 [932 D]). Die Historia monachorum u. andere Erzählungen über das Mönchs- u. Klosterleben sowie die Regeln lassen erkennen, daß die Gastaufnahme sich nach einem festen Zeremoniell vollzog, zu dem auch die F. gehörte (hist. mon. 21 [PL 21, 444 A] = 23, 1 [83 Preuschen]; 7 [418 A] = 8, 48 [46 Pr.]; Joh. Mosch. prat. spir. 139 [PG 87, 3001 C]; weitere Beispiele bei Schäfer 22₁₂; s. *Gastfreundschaft). Auch im Abendland erhält in den Mönchsregeln bei der Anweisung über die Aufnahme der Gäste die F. ihren Platz (Bened. reg. 53, 13 [CSEL 75, 124]; Reg. Magistri 30, 1/7. 24/6 [SC 106,

163, 2/11. 45/50]). Im vor- u. außerbenediktinischen Mönchtum war die Praxis ähnlich (Schäfer 22₁₄). Im MA hat die Gastaufnahme in den Klöstern reiche Formen eines quasi-liturgischen Dienstes entwickelt (Schäfer 23/32). Sie wurde besonders auch im Armenpflegedienst als Bestandteil der Mönchsaskese geübt u. so auch von den Chorherrengemeinschaften übernommen (Schäfer 41f). Erst zu Beginn der Neuzeit verschwand sie aus der Praxis der Orden.

e. Gemeindedienst. 1 Tim. 5, 10 zählt die F. zu den karitativen Diensten, die der ‚Witwe' aufgetragen sind. Dabei ist zunächst an die Pflege durchreisender oder ankommender Mitchristen gedacht, später wird daraus auch Armenpflege (vgl. Athan. hist. Arian. 60, 3 [2, 217 Opitz]; die lat. Übers. spricht von F.; vgl. Gretser 307). An eine besondere Demutshandlung in Nachahmung Christi ist dabei nicht gedacht (K. Weiß: ThWb 6 [1959] 632); dann wäre sie gewiß auch im Tugendkatalog der Bischöfe, Presbyter u. Diakone genannt. Aus dem üblichen Sklavendienst ist in der christl. Gemeinde ein Bruderdienst geworden. Origenes will den Auftrag an die Witwe mehr geistig verstehen; er findet es lächerlich, daß sie nicht der kirchlichen Ehrung würdig erachtet werden soll, wenn sie sich nicht in der F. geübt hat (in Joh. 32, 12 [GCS 10, 444]); sie erfüllt den Auftrag im wahren Sinn, wenn sie das Wort der Lehre verkündet, nicht so sehr bei Männern, als vielmehr bei Frauen (in Is. hom. 6, 3 [GCS 33, 272f]). Diesem Liebesdienst der Frauen widerspricht PsClemens, wenn er den christl. Wanderasketen aus sexualethischen Gründen untersagt, sich von Frauen die Füße waschen zu lassen (ad virg. ep. 2, 1 [2, 29 Funk]; 2, 3, 2 [33]; 2, 15, 4 [48]; sie dürfen auch keine anderen Dienste der Körperpflege annehmen); von einem Mitbruder u. im Notfall von einer alten Frau dürfen sie es geschehen lassen (2, 2, 2 [31]; 2, 4, 4 [35]). Weniger ängstliche Schriftsteller wollten dagegen diesen Dienst gerade von christlichen Jungfrauen geleistet sehen (Athan. virg. 22: TU NF 14, 2a [1905] 57; Basil. Ancyr. virg. 52f [PG 30, 774f]; vgl. Schäfer 21). Joh. Chrys. hom. vid. elig.: PG 51, 325 weist die F. der Witwe zu, während Theodrt. Cyr. in 1 Tim. 5, 10 (PG 82, 820) diese Übung nicht erwähnt. Im Test. Domini (1, 40 [95 Rahmani]) u. in der Novelle Justinians vJ. 535 (6, 6 [3, 43/5 Schoell-Kroll]), die alle Aufgaben der ‚Witwen' (Diakonissen) aufzählen, ist von der F. nicht mehr die Rede. In der abendländischen Kirche findet sich kein Zeugnis.

f. Zeichen der Demut u. Brüderlichkeit. 1. Allgemein. Das Beispiel Christi wird von vielen kirchlichen Schriftstellern als Mahnung zu demütiger Gesinnung verstanden u. erläutert, so von Clem. Alex. paed. 2, 38, 1 (GCS 12, 179) u. Origenes; der letztere weist darauf hin, daß Abraham u. Joseph die F. bei ihren Gästen durch Diener vollziehen ließen, während Christus sie selbst vornahm (in Joh. 32, 4 [GCS 10, 431]; in Mt. 16, 8 [GCS 40, 497]). Als beispielhafte, selbstgewollte, tiefste Erniedrigung faßt Gregor v. Nazianz die F. auf (or. 14, 4 [PG 35, 863f]; or. 38, 14 [PG 36, 328]; or. 45, 26 [PG 36, 660]), desgleichen Kyrillonas (Hymnus auf die F. 60/88 [BKV² 6, 27f]). Johannes Chrys. trägt in seinen Predigten diesen Gedanken mehrfach vor; er findet die tiefste Selbstentäußerung darin, daß Christus seinem Verräter die Füße wusch (in Joh. hom. 70, 1/2 [PG 59, 381/3]; 71, 1 [585f]; in 1 Tim. 14, 2 [PG 62, 573]). Ähnliche Ausführungen finden sich bei Cyrill. Alex. in Joh. 9 (PG 74, 113/24) u. bei Augustinus (cons. ev. 4, 1019f [CSEL 43, 414. 418]; en. in Ps. 92, 3 [CCL 39, 1293f]; F. als Dienst des Sklaven u. das an seinem Verräter: tract. in Joh. 55, 6f [CCL 36, 466]) u. Cassiodor (expos. in Ps. 92, 1 [CCL 98, 844]; aus Augustinus übernommen). Augustinus mahnt, in brüderlicher Gesinnung aus Demut anderen die Füße zu waschen (tract. in Joh. 58, 4 [CCL 36, 474]); ähnlich Caesarius v. Arles. Die Übung der F. wird in Viten u. Legenden zum Heiligkeitstopos (zB. Geront. v. Melan. 29 [SC 90, 184]; spätere Beispiele bei Gretser 333/6).

2. Klöster. Die Perikope von der F. verkündete außer der Demut Christi den Geist brüderlicher Gesinnung, wie er besonders in den Klöstern gefordert war. Forderungen der Hygiene, zT. geleistet durch antiken Sklavendienst, wurden nun im Geist der Bruderschaft erfüllt. Die Ambivalenz der Motive konnte allerdings auch bewirken, daß bei den Eremiten die F. zum Zeichen der Absage an den Luxus der Lebensführung u. zum Ausdruck der Trauer u. Buße unterlassen wurde (Athan. v. Ant. 47 [PG 26, 912 C]; 93 [973 A]; Zellinger 51). Aber in den Klöstern war es anders. Im Orient wuschen die Brüder, die den Wochendienst geleistet hatten, am Sonntagabend den Mitbrüdern während des Psalmengebetes die Füße; am Schluß sprach der Abt

ein Segensgebet (Joh. Cassian. inst. 4, 19 [SC 109, 146f]). Die gleiche Übung findet sich auch im vorbenediktinischen abendländischen Mönchtum, nur mit dem Unterschied, daß die F. am Samstagabend vorgenommen wurde (Ferreol. reg. 38 [PL 66, 974 A]; Reg. mon. 9 [PL 87, 1104 D]). Reg. Magistri 30, 1/7 (SC 106, 163, 2/11) schreibt sie für jeden Abend mit Ausnahme der Fastenzeit vor (in der Fastenzeit unterbleibt sie zum Zeichen der Buße). Das irische Mönchtum kannte die F. als Zeichen der Brüderlichkeit nicht (Schäfer 61); nur ältere Brüder durften die Hilfe anderer in Anspruch nehmen. Benedikt übernahm die voraufgehende Übung u. ordnete die F. als Begrüßung des Gastes wie die wöchentliche F. für den Samstagabend an (reg. 35, 7/9; 53, 13 [CSEL 75, 93. 124]); der scheidende u. der beginnende Hebdomadar hatten sie zu vollziehen (die am Schluß gesprochene Oration bei Schäfer 62). Auf eine Anfrage des Bonifatius hin (ep. 87 [MG Ep. sel. 1, 198, 3/8]) hat Papst Zacharias diesen Brauch auch für Nonnenklöster konzediert. Die durch Benedikt v. Aniane festgesetzte Ordnung wurde durch die Beschlüsse des Aachener Kapitels vJ. 816/7 ein wenig modifiziert: ... in Quadragesima sicut et in alio tempore vicissim sibi pedes lavent et antiphones huic officio congruentes decantent. In Caena vero Domini pedes fratrum, si valet, abbas lavet ... (Capitula Aquisgranensia 17 [23f] = B. Albers, Consuetudines Monasticae 3 [Monte Cassino 1905/12] 86). Dieser Ritus wurde bestimmend für die deutschen, fränkischen u. englischen Klöster (Schäfer 63/6; über Abweichungen u. Praxis bei den Chorherren vgl. Schäfer 66/9). Die fromme Übung in den Klöstern wurde von anderen Gemeinschaften im Laufe des MA übernommen.

g. Mandatum am Gründonnerstag. Die Entwicklung der Karliturgie als Nachvollzug der Passio Domini führte zu einer besonders feierlichen Form der F. am Gründonnerstag, merkwürdigerweise nicht in Jerusalem, wo es am ehesten zu erwarten wäre (Egeria jedenfalls berichtet in der ‚Peregrinatio' nichts). In abendländischen Klöstern ist im Vollzug der Karliturgie die F. zunächst nicht von den Brüdern, die den Wochendienst versahen, sondern von den Vorstehern vollzogen worden (Reg. Magistri 53, 42/6 [SC 106, 250, 95/252, 106]). In den Benediktinerklöstern wird sie erst verhältnismäßig spät erwähnt (für M. Cassino von Abt Theodemar [778/97], ep. 3: RevBén

50 [1938] 258; eine etwas andere, ‚anianische'
Form wird bald darauf für die meisten Bene-
diktinerklöster maßgebend; vgl. Schäfer 76/
80). – Die ersten Spuren einer solchen Liturgie außerhalb der Klöster finden sich in
Spanien. Die 17. Synode v. Toledo vJ. 694
(cn. 3 [1, 386 Bruns]) verpflichtete die Bischöfe, am Donnerstag vor Ostern das Beispiel
Christi zu befolgen; sie sollen ihren Mitbrüdern die Füße waschen u. sie anschließend
zum Mahle einladen; wer nicht gehorcht,
wird für zwei Monate ausgeschlossen (Stiefenhofer 328). Es scheint sich um eine Neu-
einführung des Ritus gehandelt zu haben,
denn Isidor (eccl. off. 1, 29 [PL 83, 764 A/B])
kennt ihn noch nicht. Die spanischen Litur-
giebücher (seit dem 11. Jh.) belegen eine einheitliche Form (Malvy 25f). – Die klösterliche
Praxis ist von der Kathedralliturgie im MA
übernommen worden. Dabei kam es zu manchen Variationen, wobei die in den Benediktinerklöstern gebildete Form, auch mit den
Differenzen des ‚cassinesischen' u. ‚aniani-
schen' Schemas, noch erkennbar bleibt (Schäfer 80/7). In die röm. Liturgie hat das Mandatum am Gründonnerstag erst spät Eingang
gefunden. In Rom kannte man die F. in Verbindung mit der Taufe nicht; im Zusammenhang mit der Liturgie der Karwoche läßt sie
sich erst im 10. Jh. nachweisen mit der Übernahme der Bräuche, die sich in der fränkischen Liturgie entwickelt hatten; Zeuge dessen ist das Pontificale Romano-Germanicum
(M. Andrieu, Les ordines Romani du haute
moyen âge 1 [Louvain 1957] 494/506). Nach
mehrfacher Umgestaltung (bis zum 12. Jh.)
ist diese Form des Mandatum ins Missale Romanum übernommen worden (zu den Einzelheiten der Entwicklung vgl. Schäfer 89/98;
Stiefenhofer 329/39). – In der griech. Kirche
finden sich die ersten Zeugnisse einer feierlichen F. am Gründonnerstag, an der sich
auch der Kaiser beteiligte (Georg. Codin.
off. 12 [PG 157, 85f]; O. Treitinger, Die oström. Kaiser- u. Reichsidee [1956] 126; H.
Hunger, Reich der neuen Mitte [1965] 67. 95),
nicht vor dem 10. Jh. (Typikon des hl. Sabas
[Venedig 1771] 140f); heute gibt es den von
J. Goar aufgezeichneten Ritus (Euchologion²
[Venedig 1730 bzw. Graz 1960] 591/6) nur
noch an einigen Orten (S. Petrides, Le lavement des pieds le Jeudi-Saint dans l'église
grecque: Échos d'Orient 3 [1900] 321/6).
h. Darstellung in der Kunst. Die einmalige
Bedeutung des Handelns Christi hat in der

frühchristl. Kunst ausschließlich diesen Vorgang zur Darstellung kommen lassen, dagegen nicht die F. bei Abraham u. Josef. In der
Malerei der röm. Katakomben taucht das
Motiv nicht auf, vermutlich, weil die F. in
Rom nicht unter dem Gesichtspunkt des Sündennachlasses u. der Errettung gesehen
wurde, sondern unter dem Aspekt des ein-
maligen ethischen Vorbildes, das Christus gegeben hatte. Erst mit der Darstellung der
Leidensszenen Christi, die in die Kunst der
Katakomben nicht mehr eingedrungen sind,
taucht auch die F. auf. Sie findet sich auf
vier Passionssarkophagen. Es handelt sich bei
allen um den gleichen Typus (Campenhausen,
Anhang, Tabelle 1, Gruppe 2), um Säulensar-
kophage mit fünf Feldern. Im Mittelfeld findet sich zweimal die Figur Christi, zweimal
die Majestas (also Überwindung des Todes);
die Nebenfelder schildern (wie bei allen Passionssarkophagen) historisierend Leidensszе-
nen Christi u. Petri. Die F.szene nimmt in
allen vier Fällen das linke Eckfeld ein; sie
steht der Händewaschungsszene des Pilatus
im rechten Eckfeld gegenüber. Für die Wahl
der F. als Darstellungsgegenstand waren
hauptsächlich formalästhetische Gründe entscheidend, der Händewaschung des Pilatus
die F. des Petrus gegenüberzustellen; von der
Komposition der Gegensatzfelder aus gesehen hätte an Stelle der F. eine Leidensszene
Petri stehen sollen (Campenhausen 18). Die
beiden Waschungen sind parallel komponiert,
so daß auch der Stuhl, auf dem Petrus sitzt,
wie der Richterstuhl des Pilatus auf einem
Podium steht. Christus ist jugendlich dargestellt; er steht wie der Diener bei der Händewaschung des Pilatus. Es handelt sich um die
vier folgenden Sarkophage: 1) Rom, ehem.
Lateranmuseum nr. 151 (Wilpert, Sark. Taf.
121, 1; Repert. christl.-ant. Sark. 1 nr. 58;
Campenhausen 16 Abb. 5; M. Lawrence,
Columnar sarcophagi in the latin west: Art-
Bull 14 [1932] 168; F. Gerke, Die Zeitbe-
stimmung der Passionssarkophage [1940] Taf.
4, 13; Gieß 95 nr. 2); Entstehungszeit 2.
Hälfte des 4. Jh. (Lawrence aO.) oder um
400 (Gerke 94). 2) Nîmes, Kapelle des hl.
Baudilius (nicht im Augustinerkloster, wie
Campenhausen u. Gerke angeben), nach Cam-
penhausen Replik des vorigen (Wilpert, Sark.
Taf. 16, 2; Campenhausen 16 Abb. 5; Law-
rence 152; Gerke Taf. 4, 12; Gieß 95 nr. 1 Abb.
4), sonst früher angesetzt (Lawrence um 350;
Gerke um 380). 3) Rom, Grotten des Vatikan,

sog. Sarkophag Pius II (Wilpert, Sark. Taf.
12, 5; Repert. christl.-ant. Sark. 1 nr. 679;
Campenhausen 18 Abb. 7; Lawrence 152;
Gerke Taf. 4, 14; Gieß 95f nr. 3); Ent-
stehungszeit 2. Hälfte des 4. Jh. (Lawrence)
oder um 400 (Gerke). 4) Arles, Musée lapidaire
(Wilpert, Sark. Taf. 12, 4; Campenhausen 19
Abb. 8; Lawrence 152; Gerke Taf. 4, 15; Gieß
96 nr. 4); Entstehungszeit 2. Hälfte des 4. Jh.
(Lawrence) oder um 400 (Gerke). Zwei andere
Sarkophage sind bei Wilpert, Sark. Taf. 16, 1.
20, 5 nachgezeichnet ohne vorhandene Reste.
Im Baptisterium der Orthodoxen in Ravenna
(um 458) hat sich in einer Apsidiole wahrscheinlich ein Mosaik mit der Darstellung der
F. befunden, das heute nicht mehr vorhanden
ist. Aus der am Apsisbogen erhaltenen Inschrift (ILCV 2404d) schloß L. de Bruyne,
daß auch in Ravenna eine F. in Verbindung
mit der Taufe vollzogen wurde (La décora-
tion des baptistères paléochrétiens: Misc. C.
Mohlberg 1 [Roma 1948] 194$_{12}$; vgl. auch W.
F. Volbach-M. Hirmer, Frühchristl. Kunst
[1958] Abb. 140; S. K. Kostof, The orthodox
baptistery of Ravenna [New Haven 1965]
60f). Sehr wahrscheinlich hat es im 5. u. 6. Jh.
auch Elfenbeinarbeiten mit der Darstellung der
F. gegeben; erhalten ist davon nichts mehr,
denn das Diptychon von Mailand (W. F. Volbach, Elfenbeinarbeiten der Spätantike u. des
frühen Mittelalters² [1952] 99 nr. 232 Taf. 63;
Gieß 106f nr. 49 Abb. 23) hat wohl als karolingische Nachahmung zu gelten (K. Wessel,
Das Mailänder Passionsdiptychon, ein Werk
der karoling. Renaissance: JbKunstwiss 5
[1951] 125/38). – Die früheste Darstellung der
F. in der Buchmalerei bietet der Cod. purp.
Rossanensis, der noch dem 6. Jh. angehört u.
ältere, vielleicht syrische oder kleinasiatische
Vorbilder wiederholt (Volbach-Hirmer aO. 89).
Auf der oberen Hälfte von fol. 3r sind Abendmahl u. F. dargestellt (A. Muñoz, Il codice
purpureo di Rossano [Roma 1907] Taf. 5;
Gieß 96 nr. 6 Abb. 5; Volbach-Hirmer aO.
238). Christus steht nicht aufrecht wie auf
den Sarkophagen, sondern vollzieht tiefge-
beugt die F. an Petrus, dessen Füße im Was-
serbecken ruhen; die anderen elf Apostel
schauen zu; es ist also eine Illustration zu
Joh. 13, 8; der Vers steht auch als Schrift
über dem Bild. Wahrscheinlich gehört noch
ins 6. Jh. die Darstellung der F. in einem
wohl in Italien gefertigten Evangeliar, das
sich heute in Cambridge befindet (Corpus
Christi College, Ms. 286, fol. 125r; Gieß 96f

nr. 7 Abb. 7): Christus beugt sich tief über
die Füße des sitzenden Petrus; ein vierflam-
miger Leuchter teilt die Schar der Apostel in
zwei Gruppen zu je fünf. In der Folgezeit
wirkt auf die künstlerische Darstellung der
F. neben dem Bericht aus Johannes auch der
liturgische Ritus der F. ein, der inzwischen
im Leidensgedächtnis am Gründonnerstag
einen festen Platz erhalten hatte. Die F. findet sich auf Kapitellen (auch noch auf einem
späten Sarkophagfragment aus Wirksworth;
vgl. Gieß 96 nr. 5), auf Elfenbeinkästchen u.
-platten, in Mosaiken, Fresken u. besonders
in der Buchmalerei (vgl. für die Zeit bis zum
12. Jh. Gieß u. Kantorowicz, daneben u. für
die spätere Zeit L. Réau, Iconographie de
l'art chrétien 2 [Paris 1957] 406/9; G. Millet,
Recherches sur l'iconographie de l'évangile
aux 14ᵉ, 15ᵉ et 16ᵉ siècles [Paris 1960] 310/25;
Art. F.: Lex. christl. Ikonogr. 2 [1970] 69/72).

J. D. Beazley, Attic red-figure vase-painters
1/3 ²(Oxford 1963). – M.-E. Boismard, Le lave-
ment des pieds: RevBibl 71 (1964) 5/24. – W.
Brandt, Die jüd. Baptismen oder das religiöse
Waschen u. Baden im Judentum mit Einschluß
des Judenchristentums = ZAW Beih. 18 (1910).
– H. v. Campenhausen, Die Passionssarkophage: MarburgerJbKunstwiss 5 (1929) 1/47. –
P. Fiebig, Die F.: Angelos 3 (1930) 121/8. – A.
Fridrichsen, Bemerkungen zur F. Joh. 13: ZNW
38 (1939) 94/6. – K. Galling, Bad u. Baden: Bibl.
Reallex. = HdbAT 1, 1 (1937) 78/81. – H. Giess,
Die Darstellung der F. Christi in den Kunst-
werken des 4./12. Jh. (Roma 1962). – R. Ginou-
vès, Balaneutikè. Recherches sur le bain dans
l'antiquité grecque = Biblioth. des Éc. franç.
d'Athènes et de Rome 200 (Paris 1962). – J.
Gretser, Podoniptron seu pedilavium: Hortus
crucis (Ingolstadt 1610) 299/344. – F. Hauck,
Art. νίπτω: ThWb 4 (1942) 945/7. – E. G. Hirsch,
Art. Feet, washing of: JewEnc 5 (1903) 357f. –
E. H. Kantorowicz, The baptism of the apost-
les: DumbOPap 9/10 (1955/6) 205/51. – H.
Kees, Totenglaube u. Jenseitsvorstellungen der
alten Ägypter² (1956). – G. A. F. Knight, Art.
Feet-washing: ERE 5 (1912) 814/23. – H. Leclercq, Art. Lavement: DACL 8, 2, 2002/9. – E.
Lohmeyer, Die F.: ZNW 38 (1939) 74/94. – F.
v. Lorentz, Art. λέβης, λεκάνη: PW Suppl. 6
(1935) 218/22. – A. Malvy, Art. Lavement des
pieds: DictThéolCath: 9, 1 (1926) 16/36. – Mau,
Art. Cena: PW 3, 2 (1899) 1895/7; Art. Convivium: PW 4, 1 (1900) 1201/8. – M. J. Milne, A
greek footbath in the Metropolitan museum of
art: AmJournArch 48 (1944) 26/63. – A. Oepke,
Art. λούω: ThWb 4 (1942) 297/309. – E. Pottier, Art. Pelvis: DarS 4, 1, 375f. – G. Richter,
Die F. Joh. 13, 1/20: MünchTheolZs 16 (1965)

13/26; Die F. im Johannesevangelium (1967). –
C. ROBERT, Die F. des Odysseus auf zwei Reliefs des 5. Jh.: AthMitt 25 (1900) 325/38. – TH.
SCHÄFER, Die F. im monastischen Brauchtum
u. in der lat. Liturgie (1956). – D. STIEFEN-
HOFER, Die liturgische F. am Gründonnerstag
in der abendländischen Kirche: Festgabe A.
Knöpfler (1917) 325/39. – K. SUDHOFF, Aus
dem antiken Badewesen 1/2 (1910). – J. ZEL-
LINGER, Bad u. Bäder in der altchristl. Kirche
(1928).   *B. Kötting (D. Halama).*

Gabe s. Geschenk.

Gabendarbringung s. Aurum coronarium o.
Bd. 1,1010/20, s. Opfergang.

Gabriel s. Engel o. Bd. 5,53/322, bes. 239/43.

Galatia s. Lykaonia.

Galeere s. Schiff.

Galenos.

A. Allgemeines. I. Leben 777. II. Nachleben 777. III. Wissen-
schaftliche Bedeutung 778.
B. Stellungnahme zu Juden u. Christen 779. I. Kritik an der
Unwissenschaftlichkeit der Juden u. Christen. a. Moses, der
unphilosophische Gesetzgeber 780. b. Die mosaische Kosmogo-
nie 780. c. Unkritischer Dogmatismus der Juden u. Christen 782.
– II. Bewunderung der ethischen Haltung der Christen 782.
C. Aufnahme des G. bei den Christen 783.

A. Allgemeines. I. Leben. G. wurde iJ. 129
nC. in Pergamon (Kleinasien) geboren u.
starb in Rom um 199. 151/2 ging er von Pergamon nach Smyrna, um den Mittelplatoniker
Albinos zu hören (vgl. R. E. Witt, Albinos
and the history of Middle Platonism [Cam-
bridge 1937] 107/8). In seinem 33. Lebensjahr kam er nach Rom u. verbrachte dort,
abgesehen von einem kurzen Aufenthalt in
seiner Geburtsstadt (166/9), den Rest seines
Lebens. Er war ein angesehener Gelehrter der
antoninischen Zeit (vgl. Athen. 1, 2 E/F [1, 3,
13/7 Kaibel]), Arzt, Philosoph (vgl. Alex.
Aphrod. in top. 159 a 38 [Comm. in Aristot.
Graec. 2, 2, 549, 24]) u. Grammatiker zugleich; er war in vieler Hinsicht einflußreich,
obwohl er nirgendwo ungewöhnliche Begabung zeigte. Auch nachdem er sich in Rom
niedergelassen hatte, schrieb er weiterhin in
griechischer Sprache, wie alle Orientalen u.
Griechen, die im 2. u. 3. Jh. in Rom lebten.
II. Nachleben. Seine literarische Produktion
war ungeheuer groß, u. der größte Teil seiner
Werke überdauerte das byzantinische MA.
In der Spätantike nahm seine Beliebtheit
ständig zu. Einige Zeit lang waren seine

Werke, wie überhaupt die Denkmäler der
griech. Philosophie u. Wissenschaft, nur in
heidnischen Schulen u. unter heidnischen Leh-
rern gelesen worden, u. für den frommen Christen war es zunächst schwierig, die Bedeutung
der wissenschaftlichen Medizin zu ermessen
(vgl. Mirac. SS. Cosmae et Damiani: 47, 22
Deubner). Als aber der Unterricht in Philosophie Bestandteil des christl. Lehrplans
höherer Erziehung geworden war (vgl. R.
Walzer, Arabic transmission of Greek thought
to medieval Europe: BullJohnRylandsLibr
29 [1945] 160/83), war der Fortbestand der
Werke des G., der inzwischen ein Klassiker
zweiter Ordnung geworden war, endgültig gesichert. Im 6. Jh. hielt der griech. Lexiko-
graph Hesychios es für überflüssig, ein Verzeichnis der zahlreichen Schriften des G. zu
geben, ‚weil jedermann sie kennt' (Suda s. v.
Γαληνός [1, 506 Adler]). Die letzte vollständige
Ausgabe seiner medizinischen u. philosophischen Werke von C. E. Kühn (1821/31 bzw.
1965) enthält mehr als 120 G. zugeschriebene
Bücher. Eine größere Anzahl seiner Schriften
ist nur in syrischen, arabischen u. mittellatei-
nischen Übersetzungen erhalten. Ḥunain ibn
Isḥāq, der bedeutendste arabische Übersetzer des 9. Jh., kennt 179 syrische u. 123 arabische Versionen. Zweifellos waren die Schriften des G. für muslimische Mediziner u. Philosophen Gegenstand lebhaften Studiums, wie
sie auch im christl. Westen seit dem späten
Mittelalter bis in die erste Hälfte des 19. Jh.
immer wieder gelesen wurden.
III. Wissenschaftliche Bedeutung. Hier ist
nicht der Ort, die große Bedeutung zu diskutieren, die G. als einem hervorragenden medizinischen Denker u. Praktiker zukommt,
der sich immer bewußt ist, daß wissenschaftliche Medizin u. jede Art der Naturwissenschaft nutzlos sind, wenn sie von der Philosophie getrennt werden. Sein eigener Beitrag
zur Philosophie ist keineswegs unbeträcht-
lich. Es widerstrebt ihm sehr, sich in metaphysischen Dingen festzulegen, beispielsweise sich in Fragen wie der nach der Unsterblichkeit der Seele u. der Ewigkeit der Welt
zu entscheiden, auf die die meisten seiner
Zeitgenossen gebrauchsfertige Antworten haben (vgl. quod an. virt. 3 [4, 772, 18 Kühn]).
Er ist wesentlich mehr als ein bloßer Vermittler der Tradition: er ist nirgendwo einfach
dogmatisch, u. er verschließt sich niemals
völlig einem Argument. Wissen war zu seiner
Zeit noch nicht völlig zur Stubengelehrsam-

keit geworden. Oft berichtet er von neueren Entdeckungen u. eigenen Beobachtungen: er ist noch fähig, neue Tatsachen festzustellen, da er lieber dem Zeugnis seiner eigenen Augen vertraut als einem in Büchern überlieferten Wissen (de loc. aff. 3, 3 [8, 146, 2 Kühn]; vgl. libr. prop. 2 [19, 20, 5 K.]). Er verehrt Hippokrates als einen vorbildlichen Arzt u. Platon, Aristoteles u. Theophrast als die höchsten Autoritäten in der Philosophie. Er weiß diese Heroen der Vergangenheit zu würdigen u. ist zugleich ein moderner Arzt u. Philosoph, innerhalb der Grenzen, die seine eigene Persönlichkeit u. die besonderen Umstände seiner Zeit ihm setzen. Überall war er ein Spätling, aber er war auch einer der großen Kodifikatoren einer ruhmvollen Tradition in ihrem Niedergang, vergleichbar dem Astronomen Ptolemaios oder dem Peripatetiker Alexander v. Aphrodisias. – Es gab keine Wiederbelebung der medizinischen Forschung in den folgenden Jahrhunderten. Auf diesem Gebiet geschah nichts, das der von Plotin begonnenen neuen philosophischen Forschung vergleichbar wäre. Die medizinische Tradition verfestigte sich immer mehr u. konnte als eine Art geschlossenes System späteren Generationen u. anderen Nationen überliefert werden.

B. Stellungnahme zu Juden u. Christen. Den Forscher, der sich mit der Geschichte der frühen Christenheit beschäftigt, werden innerhalb des umfangreichen Werkes von G. im wesentlichen nur jene sechs Textstellen interessieren, die Äußerungen über Juden u. Christen enthalten, u. der vorliegende Artikel kann sich daher auf deren Behandlung beschränken. – Drei dieser Äußerungen finden sich in im griech. Original erhaltenen Texten, während die anderen drei Äußerungen Zitate aus verschiedenen verlorenen Werken sind u. nur in arabischer Fassung vorliegen. – Das Interesse des G. an Juden u. Christen, zwischen denen er keinen Unterschied zu machen scheint, ist für einen heidnischen Schriftsteller des 2. Jh. nC. sehr bemerkenswert. Es geht G. nicht wie seinem Zeitgenossen Kelsos um eine ausdrückliche Verurteilung jüdischer u. christlicher Lehren u. der jüd. u. christl. Lebensweise. Seine Bemerkungen über Juden u. Christen stehen zwar im Zusammenhang des jeweiligen Textes, aber sie gleichen eher den in die Kulissen gesprochenen Worten eines Schauspielers auf der Bühne. G. zeigt dabei weder entrüstete Geringschät-

zung dieser religiösen Gruppen wie sein Freund, der Kaiser Mark Aurel, noch entschiedene Feindschaft wie Porphyrios in seiner Schrift ‚adversus Christianos‘. Seine Haltung ihnen gegenüber ist gleichbleibend: die Werke, in denen seine gelegentlichen Äußerungen über Juden u. Christen enthalten sind, wurden zwischen 162 u. 192 publiziert.

I. Kritik an der Unwissenschaftlichkeit der Juden u. Christen. a. Moses, der unphilosophische Gesetzgeber. In einem arabisch überlieferten Zitat aus seinem im übrigen verlorenen umfangreichen Werk Περὶ τῆς Ἱπποκράτους ἀνατομῆς nennt G. Moses einen unphilosophischen Gesetzgeber u. stellt dessen Behauptung, er schreibe nach göttlicher Anweisung, er handle als Gottes unkritisches Sprachrohr, dem Verlangen der griech. Philosophen nach strenger Beweisführung u. wissenschaftlicher Überprüfbarkeit gegenüber: ‚Man vergleicht diejenigen, die ohne wissenschaftliche Ausbildung als Mediziner praktizieren, mit Moses, der für das jüdische Volk Gesetze entwarf, weil dieser in seinen Büchern es vorzog zu schreiben, ohne Beweise zu erbringen, indem er sagte: ‘Gott befahl, Gott sprach’.‘ (Ibn Abī Uṣaibi‘a: 1, 77 Mueller). Diese kritische Haltung, die für gebildete römische Kreise des 2. Jh. nicht ungewöhnlich zu sein scheint, kann auf Poseidonios zurückgeführt werden: sie unterscheidet sich offensichtlich sehr stark von dem Standpunkt, den Philo v. Alexandria oder der Mittelplatoniker Numenios einnahmen.

b. Die mosaische Kosmogonie. Die mosaische Kosmogonie (die man am Anfang des Buches Genesis zu finden glaubt) wird in einem längeren Abschnitt von ‚de usu partium‘ heftig angegriffen: ‚Hat unser Schöpfer diesen Haaren geboten, immer die gleiche Länge zu bewahren u. folgen sie diesem Gebot aus Respekt für die Anordnung des Herrn oder aus Scheu vor dem gebietenden Gott oder aus eigener Überzeugung, daß es besser sei, zu tun, was ihnen befohlen ist? Oder ist dies des Moses Art der naturwissenschaftlichen Erklärung, u. ist sie nicht besser als die des Epikur? – Am besten ist es freilich, keiner dieser beiden Weisen zu folgen, sondern bei allem Geschaffenen ähnlich wie Moses den Ursprung aus dem Schöpfer beizubehalten u. ihm den aus der Materie beizuordnen. Denn deshalb hat unser Schöpfer es so eingerichtet, daß sie (diese Haare) immer ihre Länge gleich halten müssen, weil das so besser war. Als er entschieden hatte, daß er sie so einrichten müsse, hat er den einen einen harten Körper wie eine Art Knorpel unterlegt u. den anderen eine harte Haut, die mit dem Knorpel durch die Augenbrauen verbunden ist. Denn nur zu wollen, daß sie so würden, war ja nicht hinreichend. Es wäre Gott nämlich nicht möglich gewesen, aus einem Stein in einem Augenblick einen Menschen zu machen, wenn er es sich einfach vorgenommen hätte. – Und das ist es, worin sich von der Auffassung des Moses die unsere u. die des Platon u. der übrigen Griechen, die sich in rechter Weise mit der Naturphilosophie befaßt haben, unterscheidet. Denn jenem genügt, daß Gott die Materie ordnen will, u. sogleich ist sie geordnet; er glaubt nämlich, für Gott sei alles möglich, auch wenn er ein Pferd oder Rind aus Asche machen wollte; wir aber denken nicht so, sondern sagen, daß es Dinge gibt, die von Natur unmöglich sind, u. daß Gott sich daran gar nicht versucht, sondern aus dem, was werden kann, das Beste auswählt. – Und folglich sagen wir auch nicht, daß er (der Herr) nur gewollt habe, daß die Haare auf den Augenlidern, weil es besser war, immer an Länge u. Zahl gleich seien, u. daß sie sogleich so gewachsen seien; denn es wäre niemals möglich gewesen, selbst wenn er es noch so oft gewollt hätte, daß sie je so geworden wären, wenn sie aus weicher Haut herausgewachsen wären; übrigens wäre es auch ganz unmöglich, daß sie aufrecht ständen, wenn sie nicht im Harten verwurzelt wären. Wir sagen also, daß Gott von beidem der Urheber sei, sowohl der besseren Auswahl unter den Dingen bei ihrer Erschaffung als auch der Auswahl der rechten Materie. Denn weil die Haare auf den Augenlidern gleichzeitig aufrechtstehen, gleichzeitig aber auch immer an Länge u. Zahl gleich gehalten werden mußten, verwurzelte er sie in einem knorpligen Stoff. Wenn er sie aber in einer weichen u. fleischartigen Substanz hätte wurzeln lassen, wäre er ungeschickter gewesen nicht nur als Moses, sondern auch als ein unfähiger Feldherr, der eine Mauer oder eine Verschanzung auf einem Sumpf errichtet hätte' (us. part. 11, 14 [3, 904f K. = 2, 158, 2/159, 19 Helmreich]). Gottes unbegrenzte Macht, die Wunder bewirken kann, kann als solche von philosophischen Köpfen nicht akzeptiert werden. Moses wird abgelehnt, weil ihm eine philosophische Ausbildung fehlt, ebenso wie stoische Philosophen von Platonikern oder Aristotelikern, etwa Plutarch oder Alexander v. Aphrodisias, als unzulänglich verworfen werden. G. sieht nicht ein, daß Moses u. Christus in ihrem wahren Wesen nicht verstanden werden, wenn man sie mit unzulänglichen Philosophen verwechselt. Er begnügt sich damit, sie so zu behandeln wie jene griech. Denker, die törichterweise glauben, sie könnten auf die aristotelische Erkenntnistheorie u. Naturphilosophie verzichten u. auf unbewiesenen u. unmethodischen Erkenntnissen aufbauen. Man sollte aber nicht außer acht lassen, daß hellenisierte Juden ihren Glauben als eine philosophische Religion erklären konnten, u. es so nicht schwer für G. war, die jüdische Religion als eine neue philosophische Lehre zu verstehen.

c. Unkritischer Dogmatismus der Juden u. Christen. Ein ähnlicher Standpunkt wird in den beiden kurzen Bemerkungen vertreten, die sich in ‚de pulsuum differentiis' befinden: ‚Leichter könnte man die Anhänger von Moses u. Christus Neuheiten lehren als Ärzte u. Philosophen, die sich an Schulmeinungen anklammern' (puls. diff. 3, 3 [8, 657, 1 K.]). ‚. . . damit man nicht gleich zu Anfang, als ob man in die Schule von Moses u. Christus gekommen wäre, von unbewiesenen Gesetzen hört, u. das bei Fragen, bei denen es am unpassendsten ist' (2, 4 [8, 579, 15 K.]). Hier greift G. Juden u. Christen gleichermaßen an, weil sie sich, wie griechische dogmatische Philosophen u. Naturwissenschaftler, unkritisch an die geistige Autorität ihrer jeweiligen Schulgründer klammern, indem sie sie für absolut halten u. daher nicht in der Lage sind, jemals ihre Ansichten zu revidieren u. neue Argumente zu berücksichtigen. – Nachdrücklich betont G. in einem nur arabisch erhaltenen Satz eines verlorenen Buches gegen Aristoteles' Unbewegten Beweger, daß Juden u. Christen den Anhängern ihrer Schulen auferlegen, alles auf guten Glauben hinzunehmen u. daß sie daher nie das Niveau echter Philosophen erreichen können: ‚Wenn ich an Leute dächte, die ihre Schüler auf dieselbe Art u. Weise lehren, wie die Anhänger von Moses u. Christus die ihrigen (denn sie befehlen ihnen, alles auf guten Glauben hinzunehmen), hätte ich euch keine Definition gegeben' (Ibn Abī Uṣaibiʻa: 1, 77 Mueller).

II. Bewunderung der ethischen Haltung der Christen. G. konnte aber auch die Schwächen der Christen in Logik u. theoretischer Philosophie außer acht lassen u. ihre moralische Stärke rückhaltlos bewundern u. loben. Wie Heiden, die das Gute nur durch ihre Vertrautheit mit religiösen Mythen verstanden u. das moralische Niveau von Philosophen erreicht hatten, obwohl sie innerhalb der Grenzen bloßen Glaubens blieben, so gelang es den Christen, sich zu verhalten u. zu handeln wie echte Philosophen; aber die mythische Welt, durch die sie sich bildeten, bestand in der besonderen Tradition von Mythen u. wunderbaren Ereignissen, die in ihren heiligen Büchern enthalten ist. Diese Bemerkung befand sich entweder in der verlorenen Zusammenfassung der platonischen Republik von G., vermutlich in Verbindung mit dem Mythus des Er im 10. Buch, oder in seinem Kommentar zu Platons Phaidon. Sie war auch enthalten in einer verlorenen griech. Vita des G., die etwa um 600 nC. geschrieben worden ist; sie wurde ins Arabische übersetzt u. des öfteren von arabischen Schriftstellern zitiert. In der späteren griech. u. lat. Tradition blieb sie unbekannt. Sie lautet: ,Die meisten Menschen sind nicht in der Lage, einer beweisführenden Argumentation schrittweise zu folgen; daher brauchen sie Gleichnisse u. ziehen aus ihnen Nutzen (u. er [G.] versteht unter Gleichnissen Geschichten von Belohnungen u. Strafen in einem zukünftigen Leben), genauso wie wir jetzt sehen, daß die sogenannten Christen ihren Glauben aus Gleichnissen [u. Wundern] ziehen u. doch bisweilen genauso handeln wie Philosophen. Denn ihre Verachtung des Todes [u. dessen, was auf ihn folgt] ist uns täglich vor Augen, u. ebenso ihre Enthaltsamkeit gegenüber der Ehe. Denn unter ihnen sind nicht nur Männer, sondern auch Frauen, die ihr ganzes Leben hindurch ehelos bleiben; auch sind nicht wenige unter ihnen, die in Selbstzucht u. Selbstbeherrschung im Essen u. Trinken u. in ihrem eifrigen Streben nach Gerechtigkeit eine Höhe erreicht haben, die der echter Philosophen nicht nachsteht.' (Zur Frage nach der Echtheit dieses arabischen Zitats vgl. Walzer 57/74.)

C. Aufnahme des G. bei den Christen. Die gleichzeitig freundliche u. kritische Haltung des G. gegenüber Christen wurde auch zeitgenössischen gebildeten Christen bekannt. Ein beträchtlicher Teil der griech. christl. Gemeinde in Rom, die von einem Landsmann des G., Theodotus dem Gerber, angeführt wurde, scheint auf seine Argumente gehört

u. um jeden Preis versucht zu haben, die christl. Lehre auf seine Vorwürfe hin zu verändern. Aber diese Christen fanden bei Victor, dem selbstherrlichen Bischof von Rom, keine Billigung u. wurden exkommuniziert (Euseb. h. e. 5, 28, 6). Interessant sind, abgesehen von ihrer häretischen Lehre über die Natur Christi, die man gewöhnlich als Adoptianismus oder Monarchianismus bezeichnet, die Gründe, aus denen sie verurteilt wurden. Nach Eusebius (h. e. 5, 28, 13/5) hat Hippolytos v. Rom ihnen folgende Vorwürfe gemacht: ,(1) Sie haben furchtlos in die heiligen Schriften hineingepfuscht; sie sind verräterisch mit der Regel des einfachen Glaubens umgegangen; von einem Christus haben sie nichts wissen wollen. (2) Sie suchen nicht, was die heiligen Schriften verkünden, sondern bemühen sich offensichtlich, eine Form des Syllogismus zu finden, mit der sie ihre Gottlosigkeit untermauern können. Und wenn jemand ihnen einen Text der heiligen Schrift vorlegt, versuchen sie zu sehen, ob er sich in einen hypothetischen oder disjunktiven Syllogismus umsetzen läßt. (3) Sie legen die heiligen Schriften Gottes beiseite u. verfolgen das Studium der Geometrie, da sie von dieser Welt sind u. ihre Rede von dieser Welt ist u. sie Ihn nicht kennen, der von oben kommt. (4) So nehmen einige von ihnen ein mühseliges Studium des Euklid auf sich u. bewundern Aristoteles u. Theophrast, u. einige von ihnen beten G. geradezu an (Γαληνὸς γὰρ ἴσως ὑπό τινων καὶ προσκυνεῖται). (5) Aber solche, die die Künste der Ungläubigen vollständig ausnützen, um die Meinung ihrer Sekte zu unterbauen u. den einfachen Glauben der Heiligen Schrift mit der List gottloser Menschen zu verderben – wie können wir sagen, daß solche dem Glauben nahestehen?' – Daß G. wegen seiner sachlichen Haltung gegenüber den Neulingen in der antiken Welt bei ihnen einen Ehrenplatz erhielt, ist einsichtig, aber es gibt keinen Grund, warum man nicht weitere Folgerungen aus diesem Text ziehen sollte. Die anderen antiken Autoren, die von den Adoptianisten studiert wurden, sind der Mathematiker Euklid u. die Philosophen Aristoteles u. Theophrast. Es ist keineswegs unmöglich, daß die Adoptianisten G. um Rat fragten, wie sie sich dem Standard der griech. Philosophie anpassen u. seiner Kritik Rechnung tragen könnten. Hippolyt verurteilt sie nur, weil sie Logik an die Stelle der schlichten Verkündi-

gung der Schrift setzten, u. weil sie Methoden
benutzten, die bei den Heiden beliebt waren.
Niemals nimmt er an, daß sie tatsächlich die
Lehren der griech. Philosophie annahmen. –
G., auf der anderen Seite, folgte keiner besonderen philosophischen Schule, sondern betonte nur die Notwendigkeit einer mathe-
matischen u. logischen Schulung für jeden.
Man kann sich daher leicht vorstellen, daß
er Euklid empfohlen hat, der zu dieser Zeit
schon zu den Klassikern gehörte (vgl. de pecc.
dign. 1, 4 [5, 59 K.]). Sein ursprünglich nach
platonischen Richtlinien entworfener Lehrplan empfahl jedoch nicht eine Unterweisung in der unmodernen platonischen Dialektik, sondern statt dessen in der nachpla-
tonischen u. hellenistischen Logik. Daß G.
sich ganz besonders für die logischen Schriften
des Aristoteles u. Theophrast interessierte, die
er sorgfältig studiert u. kommentiert hatte,
geht aus seinen eigenen Schriften hervor (de
libr. propr. 2 [19, 41, 9/42, 9 K.]; vgl. de
puls. diff. 4, 2 [8, 706 K.]; 4, 17 [765]; vgl. de
libr. propr. 14 [19, 47, 1]). Auf Theophrast
geht die Lehre vom hypothetischen Syllogismus zurück, auf die Hippolyt sich bezieht. –
Es besteht also eine Übereinstimmung zwischen der Praxis der Adoptianisten u. einem
Lehrplan der Logik, wie G. ihn empfohlen
haben könnte. Es ist daher sehr wahrscheinlich, daß diese christl. Sekte beeinflußt war
von dem logischen Unterricht des G., des
angesehensten lebenden Philosophen in Rom
während der Regierungszeit des Commodus,
als das Christentum zum ersten Mal in die
höhere röm. Gesellschaft eindrang u. nach
einer langen Zeit der Verachtung wechselseitige Beziehungen aufgenommen wurden.
Daß dieser erste Versuch, soweit es die
christl. Gemeinde betraf, fehlschlug, ist nicht
verwunderlich. Aber dieser Fehlschlag mindert nicht die große historische Bedeutung
der Tatsache, daß in Rom zwischen 180 u.
200 eine christl. Philosophie entstand, die
nicht von der Schule des Clemens Alexandrinus abhing u. die wenigstens teilweise von
dem heidnischen Philosophen u. Hofarzt G.
beeinflußt war.

A. v. HARNACK, Dogmengeschichte 1⁴ (1909
bzw. 1964), bes. 260. 708/17. – F. KUDLIEN,
Art. G.: KlPauly 2 (1967) 674f. – G. SARTON,
G. of Pergamon (Kansas 1954). – H. SCHÖNE,
Ein Einbruch der antiken Logik u. Textkritik
in die altchristl. Theologie. Eusebius' KG 5, 28,
13/19 in neuer Übertragung erläutert: Pisciculi, Festschrift F. J. Dölger = ACh Erg.-Bd. 1
(1939) 252/65. – K. SCHUBRING, Bemerkungen
zur G.ausgabe von K. G. KÜHN u. zu ihrem
Nachdruck: Claudii Galeni opera omnia ed.
KÜHN 20 (Nachdruck 1965) *9/*15; Biblio-
graphische Hinweise zu G.: ebd. *17/*62. – G.
VAYDA, Galen – Gamaliel: Mélanges Isidore Levy = AnnInstPhilolHistOr 13 (Bruxelles 1953)
641/52. – R. WALZER, G. on Jews and Christians
(London 1949); dazu Rezensionen von: A. D.
NOCK: Gnomon 23 (1951) 48/52 u. G. LEVI
DELLA VIDA: JournAmOrSoc 70 (1950) 182/7.
                        R. Walzer (Übers. R. Reis).

Galerius.

A. Lebensabriß. I. Caesar. G., mit vollem
Namen C. Galerius Valerius Maximianus, war
römischer Kaiser, u. zwar seit dem 21. V. 293
Caesar, vom 1. V. 305 bis zu seinem Tode
Anfang Mai 311 Augustus. – G. stammte aus
Dacia Ripensis, aus einem Orte nicht allzu
weit von Serdica entfernt (Enßlin 2517); die
Mutter Romula war wohl Provinzrömerin (A.
Alföldi, A conflict of ideas in the late Roman
Empire [Oxford 1952] 102). G. wurde um 250
geboren; er war unter Aurelian u. Probus
Soldat. Seine militärische Karriere fand ihren
Höhepunkt in der Ernennung zum Caesar
durch Diokletian in Nikomedien am 21. V.
293; seitdem führte G. den Namen C. Galerius
Valerius Maximianus (Enßlin 2518; vgl. 2516).
Er wurde von Diokletian als ‚Iovius' adoptiert
u. trug den Titel ‚nobilissimus Caesar' (Enßlin 2519). In Mailand war am 1. III. 293 Constantius vom Augustus des Westens, Maximianus, als ‚Herculius' adoptiert u. zum Caesar ernannt worden (Moreau, Lact. 233). Damit war die sog. Tetrarchie begründet. G.
mußte seine Gattin, die ihm die Tochter
Maximilla geboren hatte, verstoßen u. Diokletians Tochter Valeria heiraten (über ihr
angebliches Christentum vgl. Moreau, Lact.
284f). Maximilla wurde mit Maxentius, dem
Sohn Maximians, verheiratet (Moreau, Lact.
255). G. erhielt als Herrschaftsgebiet die Donauprovinzen von Noricum bis zur Donau-
mündung u. die südlich davon gelegenen
Länder der Balkanhalbinsel mit Sirmium als
bevorzugter Residenz zugewiesen. Bald nach
der Erhebung des G. zogen Diokletian u. G.
nach Sirmium. Dort trat G. am 1. I. 294 sein
erstes Konsulat an; Diokletian kehrte im
Spätsommer 294 nach Nikomedien zurück

(Enßlin 2519f). Den Caesares waren die
schwierigeren militärischen Aufgaben zuge-
fallen, so G. die Sicherung der Donaufront
(Vogt, Const. 103; vgl. Egger 44f). G.
kämpfte gegen Sarmaten, Karpen, Bastarnen, wohl
auch gegen Goten (Enßlin 2520f; Moreau,
Lact. 256). In den Jahren 297/8 mußte G.
einen persischen Feldzug führen, während
Diokletian in Ägypten weilte, dann aber G.
zu Hilfe kam. Nach einem Rückschlag in
der Osrhroëne trat G. von Satala aus einen
erfolgreichen Vormarsch an; noch vor September 298 war Nisibis erobert (vgl. B. R.
Rees: JRomStud 56 [1966] 258); der Harem
des Perserkönigs Narses wurde Beute des G.
(N. H. Baynes, Byzantine studies and other
essays [London 1960] 186; Moreau, Lact.
258f). Den Winter 298/9 wird G. zusammen
mit Diokletian in Antiochien verbracht haben (Enßlin 2522); in Antiochien entstand
wohl iJ. 299 eine Sol-Prägung des G. (M. R.
Alföldi, Die Sol-Comes-Münze vJ. 325: Mul-
lus, Festschrift Th. Klauser = JbAC Erg. Bd. 1
[1964] 13 Taf. 3,1). Dem Persersieger G.
wurde in Thessalonike ein Triumphbogen errichtet (H. v. Schoenebeck: ByzZ 37 [1937]
361/71). Seit dem Perserkrieg scheint sich G.
Diokletian gegenüber selbständiger aufgeführt zu haben, wie der anekdotischen Darstellung des Laktanz (mort. 9, 7/9 [CSEL 27,
183]; 21, 1/3 [196]) entnommen werden kann.
G. berief sich hinfort auf Mars als seinen Er-
zeuger (Moreau, Lact. 262), mochte wohl auch
als Alexander redivivus gelten (Epit. Caes. 40,
16f [165 Pichlmayr]). Wohl iJ. 299 führte G.
Kämpfe gegen Völker an der Sarmatengrenze
(Enßlin 2523), ebenso in den Jahren 302/4
(Moreau, Lact. 411f). Im Winter 302/3 hielt
sich G. an Diokletians Hof in Nikomedien
auf. Am 24. II. 303 wurde dort das Edikt Diokletians veröffentlicht, das die Verfolgung
der Christen einleitete. Im Herrschaftsgebiet
des G. u. in der Residenz Sirmium fanden
während der einsetzenden *Christenverfolgung auffallend viele Martyrien statt (Egger
44/51); in Thessalonike starben am 1. IV. 304
Chionia, Agape u. Irene (Egger 18; Lietzmann, Gesch. 3, 52). Der Höhepunkt der
Verfolgung war wohl iJ. 304.
II. Augustus. Am 1. V. 305 trat der Augustus
Diokletian in Anwesenheit des G. in Nikomedien zurück, desgleichen der Augustus des
Westens, Maximianus, in Mailand. Diokletian wird in seiner Absicht abzudanken von
G. bestärkt worden sein; G. mag den Termin

diktiert haben (Lact. mort. 18f [CSEL 27,
192/5]; Moreau, Not. 61). G. setzte das tetrarchische Herrschaftssystem fort. Constantius u. G. wurden Augusti, Flavius Valerius
Severus u. Maximinus Daia, Schwestersohn
des G., Caesares. Constantius nahm die Stellung des ersten Augustus ein, doch besaß
tatsächlich G. den Vorrang, wie ihn Diokletian innegehabt hatte (Moreau, Lact. 322;
zum dynastischen Element vgl. Baynes aO.
210). G. residierte nun meist in Thessalonike. An seinem Hofe lebte Constantius'
Sohn Konstantin, gleichsam als Geisel, um
das tetrarchische System aufrechtzuerhalten
(Enßlin 2525; Moreau, Lact. 336); doch rief
Constantius seinen Sohn iJ. 306 zu sich nach
Gallien (J. Moreau, Art. Constantius I: JbAC
2 [1959] 158). Dem Caesar Severus übergab
G. Pannonien, entschädigte sich jedoch durch
ganz Kleinasien bis zum Taurus (Enßlin
2525). Maximinus Daia residierte in Antiochien. Im Reich des Maximinus Daia war die
Zahl der Opfer der Christenverfolgung größer; aber dort war das Christentum auch weiter verbreitet als im Westen (Harnack, Miss.[4]
509f). – In Thessalonike ließ G. nördlich u.
südlich vom Triumphbogen einen Palast errichten (S. Pelekanides, Die Malerei der konstantinischen Zeit: Akten 7. intern. Kongr. f.
christl. Archäol. = Studi di antichità cristiana
27 [1969] 216/21; vgl. BullCorrHell 90 [1966]
876) sowie ein Mausoleum (später, vielleicht
unter Theodosius, zur Kirche umgewandelt;
vgl. F. W. Deichmann-A. Tschira: JbInst 72
[1957] 90 u. C. O. Nordström: ByzZ 59 [1966]
141). Nach Constantius' Tod rückte G. auch
formell in die Stelle des ersten Augustus ein.
Konstantin teilte jedoch gleichzeitig mit, daß
er am 25. VII. 306 in Eboracum (York) durch
seine Truppen zum Augustus erhoben worden sei. Daraufhin ernannte G. Severus zum
Mitaugustus u. Konstantin zum Caesar (Enßlin 2526). G. unterwarf die Landbevölkerung
der capitatio-iugatio, ebenso das abgabenfreie
Rom. Die am 28. X. 306 erfolgte Usurpation
des Maxentius in Rom wird nicht zuletzt
durch diese finanzpolitische Maßnahme hervorgerufen worden sein (Enßlin 2526; Moreau,
Lact. 334. 347; Castritius 10). Die beiden
Usurpatoren Konstantin u. Maxentius änderten die Konsulnomination des G. für das J.
307; G. blieb bei seiner Wahl des Severus u.
Maximinus Daia (Schwartz, Gesch. 520). Nach
dem Scheitern von Severus' italischem Feldzug zog G. selbst gegen seinen Schwiegersohn

Maxentius in den Krieg, um den Usurpator zu vernichten, auch um den gefangenen Severus zu befreien; vor Rom fand der Zug ein unrühmliches Ende (Enßlin 2526). G. eilte nach Thessalonike zurück, konnte sich jedoch auch jetzt nicht dazu verstehen, Konstantin oder Maxentius als Mitaugustus anzuerkennen. Er bat Diokletian um Hilfe: zum 1. I. 308 ließ er sich u. den früheren Augustus Diokletian zu Konsuln ausrufen (Schwartz, Gesch. 521). Im November 308 fand in Carnuntum eine Zusammenkunft von G. u. Diokletian statt. G. blieb erster Augustus u. Maximinus Daia sein Caesar im Osten. Konstantin wurde weiterhin nur als Caesar anerkannt. An die Stelle des inzwischen ermordeten Severus trat als Augustus des Westens ein Waffengefährte des G., Licinius. Licinius erhielt Pannonien zugewiesen sowie die von ihm noch zu erobernden Länder des Maxentius; Licinius residierte in Serdica (Moreau, Lact. 365/7). Maximinus Daia war nach längeren Verhandlungen bereit, der Ernennung des Licinius zuzustimmen u. sich mit dem Titel ‚Filius Augustorum‘, statt des erwarteten Augustustitels, zu begnügen (Lact. mort. 32, 2/5 [CSEL 27, 209f]; Moreau, Datierung 69f). Im Herbst 309 verschwand der Caesartitel ganz. G. erkannte auch Konstantin als ‚Filius Augustorum‘ an. Maximinus Daias Mißstimmung gegen G. wurde so stark, daß er die Christenverfolgung zeitweilig (zwischen Juli u. November 309) in seinem Herrschaftsgebiet aussetzen ließ (Moreau, Lact. 381; ders., Datierung 70). Konstantin seinerseits erkannte die Konsuln des G. für das J. 310 nicht an. Im gleichen Jahr ließ sich Maximinus Daia von seinen Truppen zum Augustus ausrufen; G. nahm es hin u. ernannte Konstantin nun gleichfalls zum Augustus (Schwartz, Gesch. 524; Moreau, Lact. 382). Die Tetrarchie bestand jetzt aus vier Augusti. – Wohl um näher an der Front zu sein, zog G. nach Serdica. Im Laufe des J. 310 erkrankte er schwer (Moreau, Lact. 383). Am 1. I. 311 übernahm er mit Maximinus Daia das Konsulat; G. hatte Maximinus Daia die erste Stelle nach ihm eingeräumt, vor Licinius (Schwartz, Gesch. 524). Im Frühjahr 311 erließ G. ein Duldungsedikt für die Christen, das in Nikomedien am 30. IV. 311 veröffentlicht wurde. Wenige Tage darauf starb er in Serdica; er fand sein Grab in seinem Heimatort, den er nach seiner Mutter Romulianum hatte nennen lassen (Epit. Caes. 40, 16 [165

P.]). Auf dem Sterbelager hatte G. seine Gattin Valeria u. den von einer Konkubine geborenen, aber von Valeria adoptierten Sohn Candidianus dem Licinius empfohlen (Lact. mort. 35, 3 [CSEL 27, 214]). Licinius ließ Candidianus in Nikomedien töten (ebd. 50, 2f [235]). Valeria u. ihre Mutter Prisca begaben sich zu Maximinus Daia (ebd. 39, 3 [219]), mußten aber schließlich in Thessalonike auf Licinius’ Geheiß ebenfalls sterben (ebd. 51 [236]), nachdem Maximinus Daia Ende August oder Anfang Sept. 313 in Tarsus gestorben war (Moreau, Lact. 468).

B. Religionspolitik. I. Christenverfolgung. Soweit die im Grunde dürftige Überlieferung ein Urteil erlaubt, darf man sagen, daß G. in den Gedankengängen lebte, die an Diokletians Hofe herrschten. G. teilte die Vorstellung, das Reich müsse durch eine politische u. religiöse Restauration erneuert werden, wie auch die Begründung der Christenverfolgung im Edikt des J. 311 erkennen läßt: ‚inter cetera quae pro rei publicae semper commodis atque utilitate disponimus, nos quidem volueramus antehac iuxta leges veteres et publicam disciplinam Romanorum cuncta corrigere‘ (Lact. mort. 34, 1 [CSEL 27, 212]), ‚illa veterum instituta‘ (ebd. 34, 2 [212]; vgl. 3 [213]); ‚utilitas publica‘ auf Münzen des G. (Moreau, Lact. 388). Die Autorität der Vorfahren u. des ‚Römischen‘ wurde betont (Moreau, Lact. 389). Die ‚archaistisch-konservativen Tendenzen‘ Diokletians (A. Alföldi, Die Vorherrschaft der Pannonier im Römerreiche: Stud. zur Gesch. der Weltkrise des 3. Jh. nC. [1967] 239) teilte auch G. (Enßlin 1528). Wie Diokletian selbst, gehörte G. zu den Balkanrömern, in denen patriotischer u. religiöser Eifer seltsam eng u. streng verbunden waren (vgl. Vogt, Relig. 26) u. ‚sehr robuste Vorstellungen vom Götterdienst u. dem daraus folgenden Anspruch auf Götterhilfe‘ herrschten (Vogt, Const. 126), wobei kennzeichnend ist, daß der etwas primitiven Frömmigkeit jener ‚Neurömer‘ (Vogt, Relig. 28) ‚jede synkretistische, orientalisierende Note‘ abging (Schwartz, Const. 47). – Ob Diokletian die Säuberung der Hoftruppen, vor allem des Offizierskorps, von Christen gerade im Winter 298/9 vornehmen ließ, als G. in Antiochien geweilt zu haben scheint (s. o. Sp. 787), bleibt unbekannt. Die Maßnahmen fanden jedenfalls statt, während Diokletian zwischen 298 u. 302 in Antiochien Hof hielt (Lact. mort. 10 [CSEL 27, 184]; inst. 4, 27 [CSEL 19,

386])); doch läßt sich das genaue Datum aus Hier. chron.: GCS 47, 227 nicht gewinnen (gegen Moreau, Lact. 266). In keinem Fall hat damals G. beim Vorgehen gegen die Christen eine führende Rolle gespielt. Der Augenzeuge Laktanz nennt ausdrücklich Diokletian als den Verantwortlichen (mort. 10, 6 [CSEL 27, 184]; Moreau, Lact. 267). – Anders steht es mit dem Ausbruch der allgemeinen Verfolgung, die mit der Kirchenzerstörung in Nikomedien am 23. II. 303 u. dem am anderen Tage angeschlagenen Edikt eingeleitet wurde. Die Verfolgung war zweifellos Diokletians Werk. Die Behandlung der Christenfrage konnte aus dem diokletianischen Reformprogramm nicht ausgeschlossen bleiben; vor dem Hintergrund der diokletianischen Staatsideologie wird die Verfolgung verständlich, u. vom Ehegesetz des J. 295 führt ein Weg über das in Alexandrien 296 erlassene Manichäeredikt zur Christenverfolgung des J. 303 (Schwartz, Const. 46f; Vogt, Const. 126f; H. Dörries, Konstantin d. Gr. [1958] 11). Wenn Laktanz als Urheber der Verfolgung G. nennt (mort. 31, 1 [CSEL 27, 208]), so muß freilich mehr als eine ‚rhetorische Kombination' (Gelzer 385) vorliegen: Laktanz gibt die Meinung der unterrichteten Augenzeugen u. Zeitgenossen wieder (Moreau, Not. 57). Man muß folgern, daß G. es war, der den zögernden Augustus zum letzten Schritt veranlaßte u. ein scharfes Eingreifen durchsetzte (Schwartz, Const. 46; Moreau, Lact. 265; Vogt, Const. 127). Aus Laktanz' Ausführungen über die Verhandlungen zwischen Diokletian u. G. im Winter 302/3 in Nikomedien (mort. 11 [CSEL 27, 185f]) wird entnommen werden dürfen, daß Diokletian u. G. über den Zeitpunkt der Verfolgung uneins waren (Moreau, Not. 58); was Laktanz dort über den Einfluß der religiös erregten Mutter auf G. erzählt, bleibt unkontrollierbar.

II. Toleranzedikt. Das am 30. IV. 311 in Nikomedien proponierte, in Serdica von dem sterbenden G. erlassene Edikt setzte der Verfolgung ein Ende. Das Edikt erging im Namen der vier Herrscher, wurde aber von G. als dem ranghöchsten Augustus ausgefertigt (Hülle 48; Moreau, Lact. 388). Den lateinischen Originaltext überliefert Laktanz (mort. 34 [CSEL 27, 212f]); Laktanz ließ aber die Präambel fort, weil Maximinus Daia inzwischen der damnatio memoriae verfallen war (Schwartz, Gesch. 524₁). In der von Euse-

bius h. e. 8, 17 mitgeteilten griechischen Übersetzung ist die Präambel enthalten, doch stand Eusebius nur eine durch Schlimmbesserungen noch entstellte schlechte Abschrift zur Verfügung (Schwartz aO.; vgl. 527₁); zum Text des Edikts vgl. Moreau, Lact. 388/95. Das Edikt rechtfertigte noch einmal mit den Argumenten der diokletianischen Staatsideologie die Verfolgung (s. o. Sp. 790); der Kaiser ‚hält die politischen Ansprüche an seine Untertanen voll aufrecht' (Gelzer 383). Zur Begründung des Edikts wird angegeben, viele Christen seien hartnäckig bei ihrer törichten Haltung geblieben, nämlich ‚ut non illa veterum instituta sequerentur' (Lact. mort. 34, 2 [CSEL 27, 212]), u. erwiesen nun weder den Göttern die schuldige Verehrung noch verehrten sie den Christengott. Man habe daher gnädig beschlossen, dergestalt Indulgenz zu gewähren, ‚ut denuo sint Christiani et conventicula sua componant, ita ut ne quid contra disciplinam agant' (ebd. 34, 4 [213]). Ein Reskript an die Provinzialstatthalter werde nähere Anweisung enthalten. Das Edikt schließt: ‚Unde iuxta hanc indulgentiam nostram debebunt deum suum orare pro salute nostra et rei publicae ac sua, ut undique versum res publica praestetur incolumis et securi vivere in sedibus suis possint' (ebd. 34, 5 [213]). Es wird also zugestanden, ‚daß der von den Reichsangehörigen geforderte Götterkult auch an den Christengott gerichtet werden kann. Aber die Fürbitte ist dann für die Christen Pflicht ... Das Christentum kann nur geduldet werden, sofern es der Wohlfahrt des Reiches dient' (Gelzer 383). – Das Edikt war ‚unfreundlich' formuliert (Harnack, Miss.⁴ 512). ‚Es war noch keine Anerkennung, sondern nur eine Indulgenz, die der Kirche gewährt wurde; sie konnte von den Statthaltern schikanös ausgeführt u. ohne Schwierigkeiten von der Regierung zurückgenommen werden' (Schwartz, Const. 58). Damit war der Zustand wiederhergestellt, der vor der diokletianischen Verfolgung die Regel gewesen war; er ging auf *Gallienus zurück, der ihn iJ. 261/2 durch ‚eine Art Toleranzedikt' hergestellt hatte (Lietzmann, Gesch. 2, 171; Euseb. h. e. 7, 13). Man hat in dem Edikt des G. das Eingeständnis finden wollen, die Verfolgung sei fehlgeschlagen: ‚Im Kampf der Götter hat sich erwiesen, daß der Gott der Christen existiert u. mächtig ist. Der fromme Heide scheut sich nicht, seine christlichen Untertanen aufzufordern, zu ihrem Gott für das Heil des Staates u. für ihr eigenes Wohl zu beten. Das ist die Religiosität der Verfolger im letzten Augenblick vor der Konversion' (Vogt, Relig. 28; vgl. Vogt, Const. 152; Instinsky 77; H. Dörries, Konstantinische Wende u. Glaubensfreiheit: Wort u. Stunde 1 [1966] 17). Eine andere Erklärung dürfte die historische Situation schärfer erfassen: das Edikt wird auf Konstantins Druck hin erlassen worden sein (Schwartz, Gesch. 527). G. konnte sich in den letzten Jahren seiner Herrschaft nur mühsam gegen die wachsende Selbstherrlichkeit der übrigen Augusti, vor allem Konstantins, behaupten (s. o. Sp. 788f). Im J. 310 erkannte Konstantin die Konsuln des G. nicht an, u. Maximinus Daia ließ sich zum Augustus ausrufen; daraufhin billigte G. auch Konstantin den Augustustitel zu. Der Ende Juli 310 in Trier an Konstantins Hof vorgetragene Panegyricus (Paneg. 7) ließ Konstantins neue politische Orientierung erkennen: Kaiser Claudius Gothicus u. der Sonnengott sollen Konstantins Legitimation begründen; Konstantin wandte sich von der jovisch-herkulischen Dynastie ab (Vogt, Const. 149f; Castritius 31f; vgl. J. Moreau, Art. Constantius I: JbAC 2 [1959] 158f). Andererseits nannte der Redner in Trier Konstantin nicht ‚Augustus'; damit kam man wohl G. u. Maximinus Daia entgegen (Moreau, Lact. 382f), während ein Hieb gegen Licinius deutlich ist (Paneg. 7, 3; Schwartz, Gesch. 523₁). Man kommt kaum um die Annahme herum, daß Konstantin u. Maximinus Daia schon während der Krankheit des G., etwa gegen Ende des J. 310, Verhandlungen führten, die gegen Licinius gerichtet waren, den beide stets als einen Eindringling angesehen hatten (s. o. Sp. 789; Schwartz, Gesch. 525; E. Schwartz, Constantin: Charakterköpfe aus der Antike [o. J. (1952)] 242). Konstantin wird Maximinus Daia versprochen haben, seine Augustuswürde anzuerkennen; Maximinus Daia hatte dafür die Christen zu tolerieren, u. das hieß, das Edikt zu übernehmen, das Konstantin dem sterbenden G. abnötigte (Schwartz, Const. 58f). Das Edikt ist demnach ein diplomatischer Kompromiß gewesen (Schwartz, Gesch. 528), u. die gewundene Motivierung, die den Erlaß begründen soll (Lact. mort. 34, 4 [CSEL 27, 213]), verliert das Befremdliche (vgl. Schwartz, Gesch. 527). Die dehnbare Klausel ‚ita ut ne quid contra disciplinam agant' (ebd.), welche die Versammlungsmög-

lichkeit u. die Errichtung kirchlicher Gebäude u. Räume ‚von dem Urteil lokaler Polizeibehörden abhängig macht' (Castritius 73), bot Schutz genug, indem eine Vorsicht beobachtet wurde, wie sie gegenüber fremden Kulten von jeher üblich gewesen war (Plin. ep. 10, 78, 3; Hülle 56₃; K. Bihlmeyer, Das Toleranzedikt des G. v. 311: ThQS 94 [1912] 574; Moreau, Lact. 394). Andererseits setzte die Gebetsforderung am Schluß das traditionelle christliche Fürbittgebet für den Staat an die Stelle der paganen vota pro rei publicae salute, pro salute imperatoris (Moreau, Lact. 395; Instinsky 20), u. ‚so zeichnet sich in diesem Toleranzedikt schon die schwerwiegende Konsequenz ab, die sich ergeben mußte, wenn der Gott der Christen nun gar selbst als siegverleihender Gott erfahren werden sollte' (Vogt, Relig. 29). Die Formulierung der Gebetsforderung sieht in der Tat christlich aus (Instinsky 63); man mag sie auf Konstantins christliche Umgebung zurückführen. – G. wird nicht mehr dazu gekommen sein, die in Aussicht gestellten Ausführungsbestimmungen zu erlassen (Moreau, Lact. 395). Maximinus Daia hielt in Erwartung des Todes des G. die Veröffentlichung des Edikts zurück; er wies jedoch nach seiner Besetzung Kleinasiens, die nach dem Tode des G. geschah, seine Statthalter an, die Christenverfolgung einzustellen (Euseb. h. e. 9, 1, 1; Castritius 71); wohl gegen Mitte Mai 311 teilte sein praef. praet. Sabinus den kaiserlichen Entschluß in einem Rundschreiben den Provinzgouverneuren mit; Euseb. h. e. 9, 1, 3/6 überliefert die griechische Übersetzung des lateinischen Originals (Castritius 70). Maximinus Daia hatte damit die im Edikt vorgesehenen Ausführungsbestimmungen erlassen (Lietzmann, Gesch. 3, 57). Mit den Ende Juli/Anfang August 311 einsetzenden Petitionen der Bürgerschaft von Nikomedien gegen die Christen begannen dann Bewegungen, die Anfang November 311 zu einem neuen Ausbruch der Verfolgung im Reichsteil des Maximinus Daia führten, bis Konstantin, unterstützt durch Licinius, im November/Dezember 312 die Einstellung der Verfolgung erzwang (Castritius 64/75). – Licinius übte nach dem Tod des G. für die erlittene Demütigung auf seine Weise Rache (s. o. Sp. 790), muß das Edikt aber befolgt haben. Maxentius beachtete das Edikt peinlich genau; wenn er dem neuen römischen Bischof Miltiades die konfiszierten Kirchengüter zurückerstattete, tat er mehr, als das Edikt vorschrieb (Schwartz, Gesch. 532; Vogt, Const. 156). – Den Christen erschien das Edikt als ein göttliches Wunder, das die Gefängnisse öffnete (Euseb. h. e. 8, 16, 1 f; 9, 1, 7; Lact. mort. 35, 1 [CSEL 27, 214]); der Staat hatte sich für besiegt erklärt. Man sah die Krankheit des G. als eine Gottesstrafe für die Verfolgung an (Euseb. h. e. 8, 16, 3/5; Lact. mort. 33 [210]) u. nahm das Edikt als Ausdruck der Reue des Verfolgers, dessen scheußliche Krankheit mit den Farben paganer u. christlich-jüdischer Topik ausgemalt wurde (Euseb. h. e. 8, 17, 1 f; Lact. mort. 33 [210/2] mit Moreaus Kommentar).

C. Zusammenfassung. G. verstand sich als Bewahrer des diokletianischen Staates u. als Hüter des tetrarchischen Systems; nach Diokletians Abdankung entglitten ihm mehr u. mehr die Zügel der Herrschaft unter den Tetrarchen. Er war in erster Linie Soldat; nach dem mißglückten italischen Feldzug vJ. 307 büßte er die erkämpften Lorbeeren ein. Er hielt an den religionspolitischen Vorstellungen Diokletians zäher als die übrigen Tetrarchen fest; dem Machtstreben Konstantins war er nicht gewachsen. Das Indulgenzedikt vJ. 311 bedeutete das Ende des diokletianischen Reformprogramms u. Staatsgedankens; beide fielen der politischen u. religionspolitischen Revolution Konstantins zum Opfer. – Für Eusebius v. Caesarea war das Edikt offenbar der Anlaß, seine seit längerer Zeit gesammelten Materialien als eine Art Apologie des Christentums zu veröffentlichen. Im J. 312/3 erschien die erste Ausgabe der ,Kirchengeschichte' in 8 Büchern; sie schloß mit der ,Palinodie' des G., die als ,Hilfe des Herrn' verstanden war (h. e. 1, 1, 2; 8, 16, 1; E. Schwartz, Eusebios: Griechische Geschichtsschreiber [1957] 543/5). G. war damals für Eusebius so völlig der Christenverfolger, daß er auch Diokletians erste Maßnahmen in Antiochien (s. o. Sp. 790 f) auf G. zurückführen konnte (h. e. 8, app. 1); die Behauptung erklärt sich aus der Ökonomie der Darstellung in der 1. Auflage u. ist in den späteren Ausgaben nicht wiederholt worden (Moreau, Not. 52/4. 58₄₇; ders., Lact. 265. 267). – Lact. mort. 14, 1 (CSEL 27, 187) unterschiebt G. eine Brandstiftung im Palast von Nikomedien (Moreau, Lact. 281 f); seit Lact. mort. 9, 2 (182) gilt G. in der Historiographie als wilder Barbar. Eutrop. brev. 9, 24 nimmt die Legende von der Demütigung

des G. durch Diokletian nach dem persischen Feldzug auf (Moreau, Not. 56; ders., Lact. 259 f). Rufin. h. e. 8, 13, 11 u. Orosius 7, 28, 12 fabeln vom Selbstmord des G. (Moreau, Lact. 397). Aber Eutrop kann auch sagen: ,vir et probe moratus et egregius in re militari' (brev. 10, 2), u. Epit. Caes. 40, 15 (165 Pichlmayr) heißt es: ,Galerius autem fuit (licet inculta agrestique iustitia) satis laudabilis . . . eximius et felix bellator'.

H. Castritius, Studien zu Maximinus Daia = Frankfurter althist. Studien 2 (1969). – R. Egger, Der hl. Hermagoras (Klagenfurt 1948). – W. Ensslin, Art. Maximianus 2 (Galerius): PW 14,2 (1930) 2516/28. – M. Gelzer, Der Urheber der Christenverfolgung von 303: Kl. Schriften 2 (1963) 378/86. – H. Hülle, Die Toleranzerlasse römischer Kaiser für das Christentum bis zum J. 313 (1895). – H. U. Instinsky, Die alte Kirche u. das Heil des Staates (1963). – J. Moreau, Lactance. De la mort des persécuteurs 1/2 = SC 34 (Paris 1954); Zur Datierung des Kaisertreffens von Carnuntum: Scripta minora (1964) 62/71; Notes d'histoire romaine: ebd. 50/61. – E. Schwartz, Zur Geschichte des Athanasius, IV: NGGött 1904, 518/47; Kaiser Constantin u. die christliche Kirche² (1936). – J. Vogt, Constantin d. Gr. u. sein Jahrhundert² (1960); Zur Religiosität der Christenverfolger im römischen Reich: SbHeid 1962, 1; Art. Christenverfolgung I (historisch): o. Bd. 2 (1954) 1192/4. 1197/9. 1204.   *H. D. Altendorf.*

Galilaea.

I. Name u. Grenzen. G. ist hebräisch gᵉlîl haggōjīm (Jes. 8, 23; Mt. 4, 15; 1 Macc. 5, 15: Γαλιλαία τῶν ἐθνῶν bzw. ἀλλοφύλων); kurz gālîl (Jes. 12, 23 u. ö.), aramäisch gālîlā = Γάλιλα in den Zenonpapyri. Das gräzisierte nomen gentilicium findet sich in profanen Texten u. in der LXX. Die vielleicht schon vorisraelitische Bezeichnung ,G. der Heiden' geht wohl ursprünglich auf den Kreis von Stadtstaaten, der das galiläische Bergland rings umgibt; sie wird für die Israeliten, die in das Bergland ,inmitten der Kanaanäer' (Iudc. 1, 32. 33; 3, 5) einwanderten, zusammenfassender Name der heidnischen Nachbargebiete. Erst in der nachexilischen Zeit wird ,G.' geographischer Begriff für das ganze nördliche Palästina, soweit es unter jüdischem

Galilaea in der Kaiserzeit

2000 qkm umfaßt. In diesem kleinen Bezirk vereinen sich vier landschaftlich u. klimatisch u. daher auch in der Besiedlung recht verschiedenartige Gebiete: die Ebene Jezreel erhebt sich nur bis etwa 100 m über NN; das untergaliläische Bergland mit den fruchtbaren Ebenen von El Battof u. Turan steigt bis über 400 m an u. erreicht im Tabor 562 m. Wesentlich höher liegt das obergaliläische Gebiet, das im Dschebel Dschermak mit 1200 m seinen höchsten Gipfel hat. Das Gebiet am See Genezareth, 200 m unter NN, hat subtropischen Charakter; die Ebene Gennesar war nach Josephus (b. Iud. 3, 516/21) von wunderbarem, natürlichem Reichtum. Weitere Einzelheiten bei Avi-Yonah, Holy L.

II. Geschichte. a. Von David bis Herodes d. Gr. Als ein Teil des Durchgangslandes Palästina war G. von jeher von mannigfachen Völkern besiedelt. Die Israeliten (Stamm Naphtali) trafen hier auf Kanaanäer. Sie vermochten sie weder zu verdrängen noch auch vollständig zu unterwerfen (Jirku 122/63). Nur unter David hat wohl auch der ganze Galil zum israelitischen Reich gehört. Salomo hat bereits 20 Städte an Hiram v. Tyros abgetreten (1 Reg. 9, 10f); damit ging der nördliche Teil des ursprünglichen G. verloren. Die Eroberung durch Tiglatpilesar III von Assur 733/32 (er schuf hier die Provinz Megiddo) brachte die Deportation der israelitischen Oberschicht u. fremde Einwanderung (2 Reg. 15, 29). Nach dem Exil ist G. zunächst nicht mehr jüdisch besiedelt gewesen, wohl aber mit wechselndem Erfolg jüdisch missioniert worden (2 Chron. 30, 10f; Guthe 340). Schon vor Alexander d. Gr. haben Griechen in den palästinischen Küstenstädten gesessen. Seit dem Ausgang des 4. Jh. vC. hat die hellenist.-röm. Kultur noch eine Weile im Lande vorgeherrscht. Im 3. Jh. stand G. unter der Herrschaft der Ptolemäer. Lange Zeit war es als Grenzland umkämpft (221/217 Einfall des Seleukiden Antiochos III u. Kämpfe um Philoteria, Atabyrion [Tabor], Skythopolis [Polyb. 6, 70, 3ff]). Im J. 196 kam es mit ganz Palästina in seleukidischen Besitz. Der Aufstand der Makkabäer brachte 164 die Überführung der Juden aus G. nach Judäa durch Simon (1 Macc. 5, 15. 20/3), so daß das Land bis zum Ende des 2. Jh. vC. ganz dem Hellenismus überlassen blieb. Erst 104 vC. unter König Aristobulos I ist G. wieder unter jüdische Herrschaft gekommen. Doch wie die Hasmonäer selbst, so war auch das Juden-

Einfluß oder Anspruch stand; dabei sollte mit dem abwertenden Zusatz ‚der Heiden‘ auf die in früherer Zeit starken nichtjüdischen Bestandteile der Bevölkerung hingewiesen werden. G. reichte im Norden zur Zeit Salomos bis in tyrisches Gebiet u. zum Nahr el-Kasīmīje, in ntl. Zeit bis in das Gebirge westlich des Hule-Sees. Im Süden schloß G. die Ebene Jezreel ein, während die Ebene um Beth Schean zur Dekapolis gehörte. Im Osten bildeten der Jordan u. der See Genezareth die Grenze (die Angabe Joh. 12, 21: Βηθσαϊδὰ τῆς Γαλιλαίας widerspricht Jos. b. Iud. 3, 37 u. a. u. genügt nicht als Beleg dafür, daß auch das Gebiet der Gaulanitis zu G. gerechnet wurde; vgl. Avi-Yonah, Holy L. 138). Im Westen reichte das Gebiet von G. bis an die Abhänge des galiläischen Berglandes entlang der Küstenebene. Die starken Judenschaften dieser Gebiete bildeten religionssoziologisch das ‚jüdische‘ G. Von daher mag der erweiterte Sprachgebrauch im ntl. Zeitalter bestimmt sein. Dazu kommen noch apokalyptische Vorstellungen im Zusammenhang mit dem Jüdischen Krieg u. der Flucht der Urgemeinde (auch einer galiläischen?) nach Pella im Ostjordanland. – Das politische G. des Zeitgenossen Jesu, des Herodes Antipas (4 vC./39 nC.), mißt von W nach O nur etwa 30–40 km u. von S nach N etwa 50 km, so daß es rund

tum, das hier Fuß faßte oder neu entstand, zunächst stark hellenistisch eingestellt. In römische Gewalt kam G. wie das übrige Palästina durch Pompeius iJ. 63 vC. Palästina gehörte fortan zur Provinz Syria. Der für Judäa bestellte Vertreter des Provinzialstatthalters (ein procurator mit Residenz in Caesarea) war für G. also nicht zuständig. Rom ließ die letzten Hasmonäer, die völlig hellenistisch auftretenden Priesterfürsten, in Jerusalem weiter amtieren, setzte aber nach dem Tode des letzten Hasmonäers Hyrkan II für Teilgebiete Palästinas abhängige Herrscher mit wechselndem Titel ein; da diese aus dem Lande stammten u. Juden oder wenigstens Halbjuden waren, wurde eine gewisse Unabhängigkeit des Gebietes vorgetäuscht. Rom bediente sich hierfür des idumäischen, aber hellenisierten Adelshauses des Antipatros. Der bedeutendste Vertreter dieses Hauses war Herodes. Dieser, ‚zwischen Judentum u. Hellenismus oszillierend‘ (Avi-Yonah, Holy L. 94), war schon iJ. 47 mit der Herstellung der Ordnung in G. betraut worden, wo die Hasmonäer noch starken Rückhalt besaßen (Schalit 41 f). Herodes räumte rücksichtslos mit den Rebellen (‚Räubern‘) auf, mußte aber nach seiner Erhebung zum König über ganz Palästina (37 vC.) erneut gegen sie u. ihr Hauptquartier in den Höhlen von Arbela vorgehen. Diese ‚Räuber‘ waren in Wirklichkeit wohl die Führer einer Volksbewegung mit religionspolitischen Zielen, die allmählich auch über G. hinausgriff u. lange weiterwirkte (vgl. Hengel, Zel. 319/24). Die nach dem Tode des Herodes (4 vC.) ausgebrochenen Wirren führten zum Einmarsch des Statthalters von Syrien, Varus. Sepphoris, wo die ‚Räuber‘ sich des dortigen königlichen Arsenals bemächtigt hatten, wurde zerstört u. die Bevölkerung vertrieben. Herodes Antipas, der mit Genehmigung des Kaisers als ‚Tetrarch‘ seinen Vater in G. u. Peräa beerbte, baute Sepphoris, natürlich nach hellenistischen Mustern, wieder auf u. versah es mit festen Mauern. In der Nähe der warmen Quellen von Hammath am Westufer des galiläischen Sees gründete Antipas seine neue Hauptstadt Tiberias. Auch sein Bruder Philippus, der als Tetrarch die benachbarte Gaulanitis beherrschte, war baufreudig; er errichtete bei den Jordanquellen am Südhang des Hermon die Stadt Caesarea (Philippi) u. machte aus dem Fischerdorf Bethsaida an der Nordspitze des Sees eine Stadt.

b. Vom Auftreten Jesu bis zur arabischen Eroberung. In die Regierungszeit des Herodes Antipas fällt das Auftreten Johannes des Täufers in Peräa u. Jesu in G. Dieser war in dem unbedeutenden Ort Nazareth (vgl. Joh. 1, 46) in G. aufgewachsen. Wenn man bei Mt. 13, 55 liest, daß Joseph, der Gatte Marias, Bauhandwerker (τέκτων) war, u. wenn man durch Hegesippos (bei Euseb. h.e. 3, 20, 1/7) erfährt, daß zwei von den Enkeln des Herrenbruders Judas ein von ihnen bearbeitetes Grundstück von 3,7 ha Größe besaßen, darf man wohl schließen, daß die Familie, zu der Jesus gehörte, handwerkliche u. kleinbäuerliche Tätigkeit miteinander verband (vgl. Avi-Yonah, Holy L. 21); Jesus selbst hat sich als Handwerker betätigt (Mc. 6, 3). Zwar trat Jesus einige Male in Synagogen auf (in Nazareth: Mc. 6, 2 par.; Kapernaum: ebd. 1, 21; auch anderswo in G.: Mc. 1, 39), aber im allgemeinen wirkte er als Wanderprediger unter freiem Himmel, ähnlich wie Johannes d. T. u. mit gleichem Erfolg. Bevorzugter Schauplatz der Tätigkeit Jesu war das Westufer des Sees. Dabei überschritt er auch die Landesgrenze, aber anscheinend nie sehr weit (Gebiet von Tyros u. Sidon, Ostseite des Sees u. Dekapolis). In G. suchte u. fand er auch seinen Jüngerkreis, zu dem vielleicht in der Person Simons ein Mitglied der zelotischen Bewegung gehörte (Lc. 6, 15; Act. 1, 13; Hengel, Zel. 72f). Jesus u. seine Jünger waren außerhalb von G. an ihrem Dialekt u. auch wohl an ihrer Kleidung leicht als Galiläer erkennbar (vgl. Mc. 14, 70; Mt. 26, 69; Act. 1, 11; 2, 7). Die Familie Jesu u. die Nachbarschaft in Nazareth stand zunächst seinem Wirken verständnislos oder ablehnend gegenüber (Mc. 3, 31/6; 6, 1/6); das sollte sich später ändern (s. u. Sp. 801). Beim Prozeß in Jerusalem ließ Pilatus Jesus dem Landesherrn Herodes Antipas vorführen; diesem, dem Mörder des Johannes, gab Jesus auf seine Fragen keine Antwort, worauf Antipas seine Geringschätzung durch Verhöhnung zum Ausdruck brachte (Lc. 23, 8/12). Nach Mc. 14, 28 u. 16, 7 hätte Jesus beim Abschied seinen Jüngern befohlen, ihm nach G. vorauszugehen; aber nach Act. 1, 4 ordnete er an, sie sollten in Jerusalem die ‚Verheißung des Vaters‘ abwarten. In der Tat ist die ‚Urgemeinde‘ nicht in G., sondern in Jerusalem entstanden (nach Lohmeyer hätte sie allerdings in G. ihren entscheidenden Stützpunkt gehabt). In Jerusalem ist die Urgemeinde bis zu ihrer Flucht nach Pella geblieben, also wohl bis etwa 66 (Euseb. h. e. 3, 5, 2 f). In der Urgemeinde genossen Angehörige der Familie Jesu besonderes Ansehen (vgl. Hegesipp bei Euseb. h. e. 3, 20, 6; 4, 22, 4). Nach den zurückhaltenden Bemerkungen des Iul. Africanus (Brief an Aristid. bei Euseb. h. e. 1, 7, 14) dürften einige Verwandte Jesu (δε-σπόσυνοι) aus Nazareth u. Kochaba sich später unter Berufung auf ihren Stammbaum für die Lehre Jesu eingesetzt haben (vgl. Schoeps, Theol. 10. 283). – Herodes Antipas wurde i.J. 39 verbannt, G. fiel an Herodes Agrippa I. Dieser suchte mit Römern wie Juden gleich gut auszukommen; daher vielleicht seine Maßnahmen gegen die christl. Urgemeinde (Act. 12, 1/19). Sein Nachfolger, König Agrippa II (50/100 nC.), war der Erziehung wie seiner politischen Richtung nach Hellenist mit römischer Gesinnung, aber als Herrscher nur noch Statist; übrigens unterstand ihm von G. nur noch ein Teil. – Aus der Geschichte des jüd. Aufstandes gegen die röm. Tyrannei (66 nC.) u. des anschließenden Krieges (67/70) sind hier nur die in G. spielenden Ereignisse des J. 67 zu erwähnen: Beim Anmarsch der Römer bittet die Stadt Sepphoris mit Erfolg um eine röm. Besatzung; die Verteidigung des übrigen G. leitet der spätere Historiker Flavius Josephus, der allerdings bald die jüd. Sache verloren gibt u. zu den Römern übergeht (für alles übrige s. Schürer 1, 600/42). Unter dem katastrophalen Ausgang des Krieges, der mit der Zerstörung des Tempels in Jerusalem u. der weitgehenden Enteignung der Stadt- u. Landbevölkerung Judäas endete, hatte G. verhältnismäßig wenig zu leiden, obschon es die Führer der zelotischen Bewegung wie Judas ‚den Galiläer‘, Menachem, Johannes v. Gischala u. andere gestellt hatte (vgl. Schürer 1, 486 f; Hengel, Zel. 57/61). Der breite Riegel, den Samaria u. die hellenistischen Städte der Dekapolis zwischen G. u. Judäa bildeten, hatte sich wiederum als Schutzwall erwiesen. Das Gesagte gilt auch für die Situation von G. beim zweiten Aufstand u. bei dem anschließenden neuen Krieg (132/135) mit den Römern, dessen unglücklicher Ausgang den Juden u. selbst den Judenchristen das Wohnrecht in Jerusalem u. Judäa nahm (Avi-Yonah, Holy L. 215 f) u. die Errichtung eines Legionslagers in der Ebene Jezreel veranlaßte; an dessen Stelle trat unter Diokletian die Stadt Maximianopolis (ebd. 141 f; Schürer 1, 670/704). – Die glückliche geographische Lage erklärt, warum G. sich bald zum neuen Schwerpunkt des jüd. Lebens entwickelte: in Uscha an der Westgrenze des Landes sammeln sich nach dem zweiten Krieg die Überlebenden aus der obersten jüd. Religions-, Verwaltungs- u. Gerichtsbehörde, dem aus Schriftgelehrten bestehenden Sanhedrin; sie berufen als höchste Autorität des Judentums, wie schon provisorisch zwischen den beiden Kriegen in Iamnia (Jabne), einen ‚Patriarchen‘. Sie legen diesem Amt freilich eine schwere u. gefährliche Hypothek in die Wiege: die Erblichkeit (zu Rolle, Macht u. Reichtum der Patriarchen vgl. Avi-Yonah, Gesch. 52/63. 227/9). Von Uscha wurden Patriarchat u. Sanhedrin im 2. u. 3. Jh. nach Sepphoris u. Tiberias verlegt; Nachrichten über Zeitpunkt u. Gründe dieses Residenzwechsels scheinen zu fehlen. In G. wurden auch die vornehmsten Grabstätten des Judentums eingerichtet, in Beth Schearim (Avi-Yonah ebd. 23 bezeichnet sie etwas übertreibend als jüdischen ‚Weltzentralfriedhof‘; er besteht aus einer großen Anzahl von Felsenkammern mit Sarkophagen). – Der sich langsam anbahnende Kompromiß zwischen dem röm. Imperium u. dem palästinensischen Judentum wurde i.J. 351 erneut ernstlich in Frage gestellt: die röm. Garnison in Sepphoris wurde von zelotischen Verschwörern überfallen. Den dadurch eingeleiteten Aufstand machte wohl nur ein Teil der übrigen Bevölkerung von G. mit; er scheint soziale u. wirtschaftliche Gründe gehabt zu haben. Römische Truppen unter dem nominellen Befehl des Caesars Gallus konnten den Aufruhr bald niederschlagen. Aber Sepphoris lag abermals zu einem großen Teil in Trümmern (Avi-Yonah, Gesch. 181/7). Kaiser Julianus, der Halbbruder des Gallus, weckte zehn Jahre später in den Juden neue Hoffnungen auf bessere Zeiten. Er hatte für sie u. ihre Religion Verständnis. Wenn er freilich plante, den Tempel in Jerusalem wieder aufzubauen, ging es ihm in erster Linie darum, eine Voraussage Jesu über die totale Zerstörung des Heiligtums (Lc. 21, 6) Lügen zu strafen (J. Bidez, La vie de l'empereur Julien [Paris 1930] 305 f). Für Jesus u. die von diesem gestiftete Gemeinschaft, der er selbst eine Weile angehört hatte, hegte er nur Haß. Dieser äußerte sich schon in den Bezeichnungen, die er Jesus u. seiner Kirche beilegte. Jesus heißt bei ihm ‚der Nazoräer‘ (c. Gal.: 176, 12; 225, 14 Neumann). Die Christen nennt er ‚die Galiläer‘ (c. Gal.: 163, 2; 164, 10 Neumann; ep. 430 d; or. 193 a; 224 b; 301 b; 305 e; misop.

357c; 363a). Nach Gregor. Naz. or. 4, 76 (PG 35, 601 B) hatte Julian diese Benennung der Christen sogar durch ein Gesetz vorgeschrieben. Sein letztes Wort war nach christlicher Legende: ‚Galiläer, du hast doch gesiegt!' (Theodrt. h. e. 3, 2, 5, 7 [GCS 44, 204 f]; vgl. L. Parmentier-F. Scheidweiler z. St. mit weiteren Belegen; zur Einordnung vgl. E. Stauffer, Art. Abschiedsreden: o. Bd. 1, 29/ 55; H. Karpp, Art. Christennamen: o. Bd. 2, 1127). Vermutlich haben die Ausdrücke ‚Nazoräer' oder ‚Galiläer' etwa soviel bedeuten sollen wie die deutschen Worte ‚Dörfler' u. ‚Hinterwäldler'; der von der hellenistischen Stadtkultur geprägte Kaiser spielt damit die ländliche Herkunft der christl. Religion u. ihres Stifters gegen sie aus (vgl. Iulian. ep. 90 [174 Bidez]: Diodorus [sc. episcopus Tarsensis] ... sophista religionis agrestis). — Solange kaum Christen in G. wohnten, konnte der Antagonismus zwischen Judentum u. Christentum nicht in explosiver Form zutage treten. Das hätte anders werden können, als nach der konstantinischen Wende das Selbstbewußtsein der Christen wuchs (sie bezeichneten sich herausfordernd als ‚das wahre Israel': Const. apost. 7, 36, 2 [434 Funk]; vgl. Aug. en. in Ps. 75, 2 [CCL 39, 1038]), als Missionstätigkeit, Wallfahrten, Klostergründungen u. Kirchenbauten auf der christl. Seite zunahmen u. seit Theodosius sogar die staatliche Gesetzgebung judenfeindliche Tendenzen an den Tag legte: neue Synagogenbauten wurden den Juden untersagt (Avi-Yonah, Gesch. 159/227). In der 2. Hälfte des 4. Jh. gewannen die Christen in Judäa die Mehrheit (ebd. 221/3). In G. aber, das seit Diokletian mit der Dekapolis die Provinz Palaestina secunda bildete, war eine Majorisierung durch die Christen zu keiner Zeit zu befürchten, obwohl das Judentum hier durch die staatlicherseits verfügte Abschaffung des Patriarchats eine Schwächung seiner Geschlossenheit erfuhr. — Da die Juden in Mesopotamien, also im persischen Staatsgebiet, ein blühendes Gemeindeleben entfalten konnten, hofften ihre Glaubensbrüder in Palästina, ein siegreicher Feldzug der Perser gegen die Byzantiner könne ihre Lage bessern. Als die Perser 614 wirklich in das Land einmarschierten u. Jerusalem u. sogar das Palladium der Christen, die Kreuzreliquie, in ihren Besitz brachten, schien die jüd. Erwartung zunächst in Erfüllung zu gehen. Aber dann mußten die Juden erleben, daß die Perser Jerusalem u.

seine christl. Kirchen wieder aufzubauen u. von Juden zu säubern begannen (Avi-Yonah, Gesch. 259/72). Erst nach längerer Vorbereitungszeit war Kaiser Heraklios in der Lage, das Perserreich unerwartet an seiner armenischen Flanke anzugreifen u. dadurch den persischen Rückzug aus Palästina u. Syrien herbeizuführen. Der plötzliche Tod des sassanidischen Herrschers Chosroes II u. die anschließenden Thronstreitigkeiten hatten zur Folge, daß die Perser alle Gefangenen u. vor allem die Kreuzreliquie herausgaben. Heraklios verkündete auf dem Wege nach Jerusalem in Tiberias den Juden Amnestie für ihre Konspiration mit dem Reichsfeind. Im März 629 konnte er die Kreuzreliquie an ihrer alten Aufbewahrungsstelle niederlegen, ließ sich aber dann bereden, jene Juden vor Gericht zu stellen, die mit persischer Hilfe in Judäa Christen umgebracht u. Gotteshäuser zerstört hatten. Heraklios u. die Christen Palästinas konnten sich indessen ihres Sieges nicht lange freuen: 634 wurde Gaza von den Arabern unter Kalif Omar erobert, 636 schlug dieser das byzantinische Heer am Jarmuk, noch im gleichen Jahr war Tiberias u. ganz G. in seiner Hand, u. 637 fiel Jerusalem. Der Kaiser gab das Land verloren. Daß die Araber entsprechend ihrer Überzeugung mit dem Christentum in Jerusalem u. im übrigen Palästina schonend umgingen u. der christl. Pilgerverkehr nicht lange unterbrochen wurde, zeigt der um 670 von Adamnanus niedergeschriebene Pilgerbericht des gallischen Bischofs Arkulf (CCL 125, 183/234; über G. handeln 2, 20. 24/7 [215f. 218/20]).

III. Bevölkerung. Die nationalistische Politik der Hasmonäer führte in Palästina vielfach zum Abzug hellenistischer Garnisonen u. zur Wiederansiedlung von Juden (Avi-Yonah, Holy L. 214). Damals wurde auch G. wieder ein fast ausschließlich von Juden bewohntes Land. Eine leicht rückläufige Entwicklung vollzog sich unter den Herrschern aus dem herodianischen Haus. Diese, alle mehr oder weniger hellenistisch erzogen u. gesinnt, nahmen in ihren Residenzen u. Gütern Griechen in ihren Dienst; dies gilt vor allem von Tiberias (ebd. 215). Seit den beiden jüd.-röm. Kriegen war G. anstelle von Judäa das Kerngebiet des palästinensischen Judentums geworden. Daher ließen sich übriggebliebene Priesterfamilien dort nieder (ebd. 216). Selbst Diasporajuden aus Mesopotamien u. Kappadozien wanderten dort ein, wie die Sarkophag-

Inschriften von Beth Schearim (o. Sp. 802) gezeigt haben (ebd. 217). Die Patriarchen verfügten in Tiberias über eine aus gefangenen Goten bestehende Leibwache, die ein Kaiser des severischen Hauses (Caracalla ?) ihnen zugestanden hatte (Avi-Yonah ebd.; ders., Gesch. 38/41). Jerusalem, Judäa, die Dekapolis u. Peräa waren im 4. u. 5. Jh. von Pilgern u. Mönchen, daher auch von christlichen Kirchen u. Klöstern, überschwemmt (der Atlas zur Kirchengeschichte von J. Martin, hrsg. v. H. Jedin [1970] enthält leider hierzu keine kartographische Darstellung; die Skizze bei D. J. Chitty, The desert a city [Oxford 1966] nach S. 88 [II] berücksichtigt nur die Klöster in Ostjudäa). Dagegen konnten die Juden immer noch in G. ihre überwältigende Mehrheit behaupten (Avi-Yonah, Holy L. 218). Im 4. Jh. war auch das längst wiederaufgebaute Sepphoris (Diocaesarea) immer noch eine fast rein jüd. Stadt. – Theodoret sieht eine besondere Schikane des von Valens mit der Ordnung der Verhältnisse in Alexandria betrauten comes Vindaonius Magnus darin, daß er elf arianische ägyptische Bischöfe iJ. 373 in die ‚von den jüd. Christusmördern bewohnte Stadt Diocaesarea' verbannte (h. e. 4, 22, 35 [GCS 44, 259, 24]; zu Magnus s. W. Kroll: PW 14, 1 [1928] 489). – Im 6. Jh. gilt das sogar noch von Nazareth, das in dieser Zeit von christlichen Pilgern gern aufgesucht wurde (Avi-Yonah ebd.; Kötting 103; vgl. u. Sp. 806). Bei einer solchen Zusammensetzung der Bevölkerung ist die Annahme, in G. habe jedermann außer Aramäisch auch Griechisch gesprochen u. daher sei auch Jesus zweisprachig aufgewachsen (C. Schneider, Geistesgeschichte des antiken Christentums 1 [1954] 51), von vornherein unwahrscheinlich. Griechisch redete man sicher am Hof des Tetrarchen u. später des Patriarchen in Tiberias; Griechisch sprachen die Leiter der königlichen, später kaiserlichen Domänen in der Ebene Jezreel u. im übrigen G.; Griechisch sprachen die Angehörigen der Garnison in Legio (Maximianopolis) u. in Sepphoris; Griechisch konnten sicher auch die verhältnismäßig wenigen Galiläer, die mit dem Handel u. Export oder später mit den Pilgern in Nazareth, Kana, auf dem Tabor u. am See Genezareth zu tun hatten. Der weit überwiegende Teil der Bauern u. Handwerker in den Dörfern von G. aber redete ausschließlich Aramäisch. Sie redeten es freilich mit offenbar starkem Akzent (s. o. Sp. 800; vgl. G. Dalman, Grammatik des jü-

disch-palästinischen Aramäisch[2] [1905 bzw. 1960]). – G. war in Verwaltungsbezirke eingeteilt, die sich dadurch ergaben, daß nach hellenistischer Art die Dörfer den Städten u., beim Fehlen von Städten, die Dörfer einem besonders großen unter ihnen unterstellt waren. So gab es in Unter-G. je einen Bezirk um Legio (Maximianopolis), Sepphoris u. Tiberias, in Ober-G. einen Bezirk um Gischala (eine Diskussion über die Bezirke u. Bezirksgrenzen von G. mit Karte bei Avi-Yonah, Holy L. 133/42; ‚Tetrakomia' ist nach seiner Meinung in der byzantinischen Zeit offizielle Gesamtbezeichnung für Ober-G. gewesen, s. ebd. 115). Es fällt auf, daß nach Quellen des 5. u. 6. Jh. der Tabor sowie die Orte Nazareth, Kana u. Naim irgendwann aus ihrem ursprünglichen Bezirk Sepphoris herausgenommen u. der bisher nicht lokalisierten Stadt Helenopolis unterstellt worden waren (ebd. 137f). Da der Name dieser Neugründung wohl Helena, die Mutter Konstantins, die sich besonders um Palästina bemühte, ehren soll, ist vielleicht anzunehmen, daß schon der erste christl. Kaiser den Zugang zu den wichtigen Stätten des Lebens Jesu von der Mitsprache jüdischer Autoritäten befreien wollte. Wenn diese Hypothese zutrifft, müßte wohl vermutet werden, daß sich seit Beginn der Palästina-Wallfahrten wenigstens zwischen Nazareth u. dem Tabor eine kleine christl. Enklave herausgebildet hat (s. aber u. Sp. 815). Zur Frage der Verwaltung der einzelnen Orte u. der Aufsicht des Patriarchen s. Avi-Yonah, Gesch. 47. 58/60.

IV. Wirtschaft u. Verkehr. In G. war nach Jos. b. Iud. 3, 43f wegen der Ergiebigkeit des Bodens jeder Streifen Land angebaut u. genutzt. Immerhin gab es im westlichen Teil der Ebene Jezreel eine weniger fruchtbare Gegend, wo man daher Baumkulturen angelegt hatte (Avi-Yonah, Holy L. 201); hier fand man besonders Sykomoren (vgl. V. Reichmann, Art. Feige II: o. Bd. 7, 685f) u. Johannisbrotbäume. Ein erheblicher Teil des Landes gehörte dem Herrscher oder Großgrundbesitzern. Das ergibt sich schon aus den Gleichnissen Jesu. Diese rechnen mit der Existenz großer Vermögen, langer Abwesenheit des Besitzers u. mit weitgehender Selbständigkeit u. Verantwortlichkeit des Verwalters (Mt. 24, 45/51; Lc. 14, 16/24; 16, 1/8 usw.). Oft nimmt der Gutsherr sogar königlichen Rang ein, übt obrigkeitliche Befugnisse aus u. vermag militärische Machtmittel einzusetzen (Mt. 18, 23/

34; 22, 2/14; Lc. 19, 12/27 u.ö.). Von kaiserlichen Gütern in Ober-G. spricht auch Jos.
vita 13, 71 (vgl. hierzu M. Rostovtzeff, Gesellschaft u. Wirtschaft im röm. Kaiserreich
2 [o. J. (um 1929)] 287; J. Herz, Großgrundbesitz in Palästina im Zeitalter Jesu:
PalJb 24 [1928] 98/113). – In welchem Zah-
lenverhältnis Großgrundbesitz u. bäuerlicher
Kleinbetrieb in G. zueinander standen, ist
vorerst noch unbekannt. Der typische Klein-
bauernhof in G. bestand in talmudischer Zeit
aus einem Feld für Getreideanbau, einem
Weingarten u. einem Olivenhain (Lev. r. 30,
1 zu 23, 40; Avi-Yonah, Gesch. 21). – G. führte
im talmudischen Zeitalter Weizen nach Tyros
aus; es wurden verschiedene Qualitäten genau
unterschieden u. je nach Klasse bezahlt (Avi-
Yonah, Holy L. 202). In der talmudischen
Literatur ist öfters von Wein- u. Feigenkultur
die Rede (ebd.). Hauptprodukt u. wichtigster
Ausfuhrartikel von G. aber war das Öl. Weil
sich in G. nur rechtgläubige Juden mit der
Ölgewinnung beschäftigten, konnte man sich
auf die rituelle Reinheit des galiläischen Öls
verlassen (ebd. 202f). An Gemüsen gab es in
G. Bohnen, Kürbis, Gurken, Senf, Zwiebeln u.
alle für die Herstellung des Oxygarum erforderlichen Kräuter (ebd. 203f). In G. wurde
auch Flachs erzeugt, den man für die hoch-
stehende Weberei benötigte (ebd. 204f). Ger-
bereien gab es in Tiberias; auch Glas wurde
hier hergestellt (ebd. 205). Töpfereien gab
es überall da, wo sich Tonlager fanden. Die
Fische aus dem See Genezareth wurden zum
Teil auch eingesalzen u. so konserviert (ebd.
206). Schafe hielt man im ganzen Lande,
daher gab es auch Wollweberei (ebd.). Über
die Wirtschaftskrise des 3. Jh. u. ihre Bekämpfung durch die Patriarchen (Aufgabe
des Sabbatjahrs usw.) vgl. Avi-Yonah, Gesch.
85/134. – Da G. nach dem zweiten Kriege als
rein jüdische u. einwohnerreiche Region in
den Augen der röm. Regierung eine mögliche
Gefahrenquelle darstellte, wurde das Militärlager in Legio noch in hadrianischer Zeit durch
eine Straße mit Sepphoris verbunden. Gleichzeitig entstand eine weitere Straße, die von
Ptolemais über Sepphoris nach Tiberias führte. Später wurde sie bis Damaskus verlängert
(Avi-Yonah, der die Entwicklung des Stra-
ßensystems ebd. 185/7 verfolgt u. auf einer
Karte darstellt, folgert aus dem raschen Ausbau in hadrianischer Zeit, daß die Römer die
Situation nach dem zweiten Krieg für sehr
viel bedenklicher hielten als vorher).

V. Synagogen. Es darf angenommen werden,
daß jeder Ort in G. für die kultischen Übungen der Bewohner eine Synagoge besaß u. in
deren unmittelbarer Nähe ein Schulhaus, weil
in der jüd. Welt jeder Unterricht von der
Thora ausging. Den Städten konnte eine
einzige Synagoge nicht genügen. Wir wissen,
daß Tiberias im 3. Jh. dreizehn Synagogen
besaß (S. Krauss, Synagogale Altertümer
[1922 bzw. 1966] 205). Auch Sepphoris kam
mit einer einzigen nicht aus; unter den weiteren heißt eine die ‚der Babylonier‘; die aus
Mesopotamien zurückgekehrten Juden wollten also, vor allem wohl aus sprachlichen
Gründen, ihr eigenes Gotteshaus haben. So
wird es auch anderswo gewesen sein. Es
scheint keine Regel dafür gegeben zu haben,
für wie viele Gläubige höchstens eine Synagoge zu berechnen war. Da G. mit Dörfern
übersät war, ist auch die Zahl der Synagogen
sicher sehr groß gewesen. Durch archäologische Funde sind bis heute etwa ein Dutzend
galiläischer Synagogen bekannt geworden
(Übersicht bei Goodenough 1, 181/216); das
ist gewiß nur ein sehr geringfügiger Teil des
einstigen Bestandes. Die wichtigsten unter
den in Resten erhaltenen sind zZt. wohl die
folgenden: Kapernaum (Goodenough 1, 181/
92 mit Abb. 451/79 in Bd. 3), Chorazin (ebd.
1, 193/9; Abb. 484/502), Kafr Birim (ebd.
201/3; Abb. 510/15), Beth Schearim (ebd.
208/11; Abb. 535), Hammath (ebd. 214/16;
Abb. 561/8). Diese Synagogen scheinen durchweg dem 3. Jh. anzugehören. In Grundriß u. Aufbau stimmen sie alle überein: ein
breites Mittelschiff wird von schmalen Seiten-
schiffen flankiert; ein Hof mit Umgang
schließt sich in der Regel seitlich an. Die
Seitenschiffe weisen an der Außenwand ein
oder zwei Sitzstufen auf. Von außen zugäng-
liche Emporen müssen für die Frauen bestimmt gewesen sein; die Fenster der Emporen sorgten für ausreichende Belichtung des
Mittelschiffs. Es handelt sich also um eine an
jüdische Kultbedürfnisse angepaßte Gestalt
der in der hellenistischen Welt der Kaiserzeit
überall verbreiteten basilikalen Halle (Watzinger 2, 108). Die Verwendung des basilikalen Hallentypus für das jüd. Kultgebäude
war anscheinend zuerst bei einer großen Synagoge in Alexandria mit Erfolg ausprobiert
worden. Über diese berichtet der rabbinische
Traktat Sukka; der wichtigste Passus lautet
(nach der Fassung der Tosefta) folgendermaßen: ‚R. Juda (b. Illai, zwischen 130 u.

160) sagte: 'Wer den Doppelsäulengang zu
Alexandrien nicht gesehen hat, hat sein Leb-
tag die Israel gewordene Herrlichkeit nicht
gesehen. Sie (die Halle) war wie eine große
Basilika, indem sie eine Stoa innerhalb der anderen hatte'' (zu Text u. Fundort vgl. Krauss
aO. 261/3). Die öfter geäußerte Vermutung,
die Synagoge sei eine Nachahmung der christl.
Basilika, ist unhaltbar; bisher kennen wir
keine christl. Basilika, die älter wäre als das
4. Jh. Aber auch die gegenteilige Vermutung,
die christl. Basilika folge ihrerseits dem Vorbild der Synagoge (so zB. Goodenough 2, 85),
läßt sich kaum vertreten: die basilikale Halle
gehörte schon in der frühen Kaiserzeit zu den
Bauformen, die sich überall durchgesetzt
hatten u. die man leicht verschiedensten
Zwecken, profanen wie religiösen, anpassen
konnte.

VI. Bildkunst. Mustert man die Sp. 808 zitierten Abbildungen der Ausstattung galiläischer Synagogen, so fällt auf, daß sie plasti-
schen Schmuck aufweisen, der sich mit dem
Bilderverbot der Thora (Ex. 20, 4; Dtn. 5, 8)
kaum noch verträgt. In der Synagoge von
Kapernaum findet man auf einem Türsturz
Palmen, Girlanden u. Blüten (Goodenough 3
Abb. 459), auf einem anderen Palmbäume,
einen Krater, ein oder zwei Löwen u. darüber
eine Weinranke (ebd. 460), auf einem dritten,
der von Bilderstürmern bezeichnenderweise
später mißhandelt worden ist, mit einiger
Sicherheit mehrere Palmbäume, mehrere
Löwen u. eine Akanthus- oder Weinranke
(ebd. 461), auf einem vierten Kränze, Rosetten
u. Akanthusblätter (ebd. 464). Ähnliche De-
korationselemente begegnen auf vier weiteren
Türstürzen (ebd. 467/70). Auf einem weiteren sieht man in der Mitte einen Thora-
Schrein, außerdem Kränze u. einen Palmzweig (ebd. 471). Ein Fries, ebenfalls in Kapernaum, zeigt die Bundeslade, die wie in
Dura auf Rädern steht (ebd. 472). Wieder
ein anderer Fries weist einen Capricornus u.
zwei Rücken an Rücken stehende Adler auf
(ebd. 475). Ein korinthisches Kapitell in
Kapernaum zeigt ganz oben einen sieben-
armigen Leuchter, der von Kultgeräten, einer
Weihrauchschaufel u. einem Schofarhorn,
flankiert wird (ebd. 478). Aus diesem Überblick ergibt sich, daß man im 3. Jh. in G.
keine Bedenken trug, Synagogen mit pflanzlichen, tierischen u. kultischen Motiven plastisch zu schmücken, eine Folgerung, die man
bei der Prüfung der übrigen galiläischen Syn-

agogen bestätigt findet. Einen Schritt weiter,
nämlich den Übergang zur Darstellung
menschlicher Figuren, vollziehen die Bild-
hauer, die in Chorazin u. in der galiläischen
Prominenten-Grabstätte Beth Schearim (arab.
Scheikh Ibreiq) tätig gewesen sind. In Chorazin findet man einen Fries, der innerhalb einer
reichen Ornamentik einen Medusenkopf zeigt
(Avi-Yonah, Oriental art Taf. 4, 1), u. einen
anderen Fries, auf dem innerhalb der Win-
dungen einer Weinranke Menschen in voller
Figur dargestellt sind, nämlich Winzer bei
ihrer Arbeit an der Kelter (ebd. Taf. 4, 2;
weniger deutlich abgebildet bei Goodenough
3 Abb. 488). In Beth Schearim begegnen
menschliche Masken, wie die schon erwähnte
(Avi-Yonah ebd. Taf. 5, 1 f). Dort stößt man
aber auch wieder auf vollständig abgebildete
menschliche Gestalten (ebd. Taf. 5/6; Goodenough 3, 74 f). Die in Beth Schearim vorkommenden menschlichen Figuren zeigen, wie
Avi-Yonah mit Recht feststellt, daß ihre
Schöpfer noch keine Routine in der Darstellung menschlicher Gestalten besaßen (Avi-
Yonah, Oriental art 41). Aber sie verraten vor
allem auch, daß man selbst in G. u. sozusagen
unter den Augen der obersten jüd. Glaubens-
behörden im 2. u. 3. Jh. sich schon weit von
einer genauen Befolgung des Bilderverbots
entfernen u. in der Übernahme der Frontali-
tät, der antithetisch-heraldischen Bilderge-
staltung usw. sich schon weitgehend der
Kunst der orientalischen Umwelt anpassen
konnte (ebd. 34 f. 39). Wie dieser revolutionäre
Wechsel von strengster Bildfeindlichkeit
(wegen eines Adlers an dem von Herodes I
erbauten Tempel gab es eine Revolte in
Jerusalem; vgl. Schalit 638. 734) zur Darstellung von Lebewesen u. vor allem von
menschlichen Figuren zu erklären ist, hat vor
allem ein Aufsatz von E. E. Urbach zu zeigen
versucht (The rabbinical law of idolatry in the
second and third century in the light of
archaeological and historical facts: Israel Expl-
Journ 9 [1959] 149/65. 229/45). Er hat darauf
hingewiesen, daß die Bevölkerung der wichtigsten Landschaft, Judäas, nach dem zweiten
Krieg von Haus u. Hof vertrieben war u. in
den hellenistischen Städten Wohnung u. Arbeit suchen mußte. Voraussetzung dafür war,
daß jeder Flüchtling, namentlich der hand-
werklich tätige, sich seiner neuen, äußerst bil-
derfreundlichen Umwelt einigermaßen an-
paßte; es wurde Toleranz in der Bilderfrage
verlangt. Die Rabbinen, die religiösen Bera-

ter der Bedrängten, zeigten Verständnis für
die neue Situation. Sie kehrten zu einer weit-
herzigeren, praktisch wörtlichen Auslegung
der Thoragesetze zurück, die im Laufe der
Jahrhunderte verlorengegangen war, u. wiesen damit den Weg, wie man aus der Gewis-
sensnot herauskommen konnte (die Geschichte der Auslegung des Bilderverbots bis zum
7. Jh. entwirft Klauser 31/59). Daß die Diasporajuden sich früher u. noch radikaler vom
Bilderverbot gelöst haben als die palästinensischen Juden, hat die Synagoge von Dura gezeigt (C. Kraeling, The synagogue = The excavations at Dura-Europos, Final Report 8, 1
[New Haven 1956] 343/6). In nächster Nähe
von G., nämlich in Beth Alpha, das wohl noch
zum Gebiet von Skythopolis gehörte, hat man
sich, freilich wohl erst im 6. Jh., noch weiter
vorgewagt, als es im 3. Jh. in G. geschah (E.
L. Sukenik, The ancient synagogue of Beth
Alpha [London 1932]).

VII. Christentum. a. Disputationen. Die
mildeste Form der Auseinandersetzung zwischen dem galiläischen Judentum u. dem
Christentum, der mündliche Meinungsaustausch, wird angedauert haben, solange in G.
noch Anhänger Jesu aus der Zeit seiner Tätigkeit als Wanderprediger lebten u. solange es
noch Familienangehörige Jesu gab, die in der
Heimat geblieben waren oder zeitweilig dahin
zurückkehrten, um nach ihrem Eigentum zu
schauen (s. o. Sp. 800). Dieser anhaltende
Meinungsaustausch u. die damit verbundene
Erinnerung an die Herkunft Jesu von Nazareth erklärt, warum sich auch bei den Juden
lange die Bezeichnung ‚Nazarener‘ behaupten konnte (Schürer 2, 543f; Avi-Yonah,
Gesch. 138). Dieser mündliche Meinungsaustausch zwischen Juden aus G. u. den Christen
der Urgemeinde wird den Auszug der letzteren
nach Pella kaum überdauert haben, wenn dieser Auszug nicht überhaupt beweist, daß der
Kern der Urgemeinde, nämlich die galiläischen Jünger Jesu, die Brücken zu ihrer Heimat damals schon abgebrochen hatten (anders Lohmeyer). – Die jüd. Gesprächspartner
werden bald die Erfahrung gemacht haben,
daß unvorsichtige Disputationen, unternommen von nicht genügend gerüsteten Juden,
dem Ansehen der jüd. Religion nur abträglich
waren. Darum darf man vermuten, daß die
oberste Glaubensbehörde in Tiberias mit
Weisungen u. Ratschlägen eingriff, vielleicht
auch bei besonderen Gelegenheiten geeignete
Kontroverstheologen entsandte. Doch sind

konkrete Nachrichten hierüber nicht auf uns
gekommen. – Von der mündlichen zur literarischen Auseinandersetzung ist nur ein kleiner Schritt; oft genug wird überhaupt der
mündliche Austausch dem literarischen vorausgegangen sein. Das früheste Dokument
eines jüd.-christl. Meinungsstreites in beiden
Formen ist der ‚Dialog mit dem Juden Tryphon‘, mündlich durchgefochten u. schriftlich niedergelegt durch den aus Sichem in
Samaria stammenden christl. Wanderphilo-
sophen Justinus, den späteren Märtyrer. Die
einleitende Disputation, die zwei Tage dauerte, fand in der Zeit des Bar Kochba-Krieges
(dial. 1, 3 u. 9, 3) statt. Euseb. h. e. 4, 18, 6
will wissen, daß Ephesus der Ort der Diskussion war. Der Gesprächspartner Tryphon soll
nach dem gleichen Gewährsmann einer der
angesehensten Juden seiner Zeit gewesen sein.
Sehr wahrscheinlich ist er mit dem Rabbi
Tarphon identisch, der, mit Rabbi Akiba befreundet, in Lydda lebte u. im Bar Kochba-
Krieg nach Griechenland floh (Schürer 2,
444f). Ist Justins Dialog demnach kein Beleg
für den mündlich-schriftlichen Meinungsaustausch der Christen mit einem Juden gerade
aus G., so gestattet er doch die Vermutung,
daß ähnliche mündlich-schriftliche Diskussionen auch mit den jüd. Theologen aus Tiberias oder den von ihnen instruierten Männern stattgefunden haben. Origenes hat, vielleicht iJ. 248 (K. J. Neumann, Der röm. Staat
u. die allgemeine Kirche 1 [1890] 265/73), in
seinem Buch gegen Kelsos mitgeteilt (1, 45
[GCS 2, 95]): ‚Ich erinnere mich, einmal in
einer Disputation (διάλεξις) mit Juden, die als
Gelehrte (σοφοί) bezeichnet wurden, in Gegenwart mehrerer Schiedsrichter (πλειόνων
κρινόντων) folgendes gesagt zu haben …‘.
Da Origenes in seinen jungen Jahren, nämlich 215 oder 216, eine Weile in Caesarea lebte
u. nach 230 ganz dort blieb, ist es durchaus
möglich, daß das erwähnte Streitgespräch
hier stattgefunden hat u. die dabei auftretenden jüdischen ‚Weisen‘ Theologen aus
G. oder gar aus dem Patriarchat in Tiberias
waren.

b. Polemik. Natürlich wird die jüd.-christl.
Auseinandersetzung nicht bei friedlichen u.
sachlichen Gesprächen stehengeblieben sein;
es wird auf beiden Seiten auch polemische
Ausfälle gegeben haben. Sie konnten auf
jüdischer Seite umso weniger ausbleiben, als
einige christl. Glaubensaussagen (zB. über die
Gottheit Jesu) für den rechtgläubigen Juden

Blasphemien waren, die nach den Bestimmungen der Thora streng zu bestrafen waren. Für die Synagoge waren deswegen die
Judenchristen Häretiker (mīnīm), von denen
man sich absondern mußte. Es ist daher verständlich, daß die Synagoge das ‚Achtzehnbittengebet' (schᵉmone esre), das spätestens
Ende des 1. Jh. entstand u. von jedem Juden
ohne Unterschied des Geschlechts dreimal
täglich rezitiert werden mußte, spätestens im
2. Jh. in der 14. Berakha um eine polemische
Wendung mit folgendem Passus erweiterte,
der von den christl. Zeitgenossen als Verfluchung des Christentums verstanden wurde:
‚Den Abtrünnigen sei keine Hoffnung, u. frev-
lerische Herrschaft rotte eiligst aus in unseren
Tagen! Und die Nozrim (Nazarener) u. Mi-
nim (Ketzer, Judenchristen) mögen schnell
zugrunde gehen; sie mögen getilgt werden
aus dem Buche des Lebens u. mit den Gerechten nicht eingeschrieben werden! Gelobt
seist du, Herr, der du beugest Übermütige!' (s.
Schürer 2, 538/44; zur traditionellen Metaphorik der Verwünschungsformel s. L. Koep, Das
himmlische Buch in Antike u. Christentum =
Theophaneia 8 [1952] bes. 34; vgl. Avi-Yonah,
Gesch. 136/42). Gegen diese amtliche Gebets-
formel des Judentums haben die Kirchenväter mündlich wie schriftlich scharf prote-
stiert; so Iustin. dial. 16, 4 u.ö.; Epiphan.
haer. 29, 9, 2 (GCS 25, 332); Hieron. in Jes.
5, 18f (CCL 73, 76); 52, 4 (587). Kein Wunder,
daß in die christl. Polemik gegen die Juden
nun auch das Private u. Persönliche im Patriarchat von Tiberias einbezogen wird. Dafür bot sich die Exegese von Jes. 3, 4 an:
‚. . . ich will ihnen Knaben als Fürsten bestellen, u. Mutwillige sollen über sie herrschen'.
Euseb. meint comm. in Jes. 3 (PG 24, 109 D),
dieser Vers sei im Hause des jüd. Patriarchen
in Tiberias in Erfüllung gegangen; die ver-
wöhnten Söhne der dortigen großen Herren
seien zwar noch sehr jung, aber moralisch
schon völlig verdorben. Ähnlich äußert sich
Hieron. in Jes. 3, 4 (CCL 73, 48f); bei ihm
heißen die Patriarchensöhne ‚effeminati' (zu
diesem Schimpfwort s. H. Herter: o. Bd. 4,
620/50; I. Opelt, Die lat. Schimpfwörter
[1965] 155f). Die Kunde vom Lotterleben im
Patriarchenhaus hat sich zum Schaden des
Judentums offenbar weit ausgebreitet (s. o.
Sp. 802; u. Sp. 816f). Eine etwas andere Stoß-
richtung hat die antijüdische Polemik bei
Joh. Chrys. c. Iud. et gentiles 16 (PG 48,
835): dem Patriarchen flössen von überallher

Steuergelder zu, so daß er immens reich sei;
trotzdem, u. obwohl es in Palästina u. Phöni-
zien überall viele Juden gebe, habe der Patriarch noch keinen Tempelbau zustandegebracht; gedacht ist an die Versuche unter
Julian. An anderer Stelle (adv. Iud. 6,5 [PG
48, 911]) ergänzt der Antiochener seine Ge-
hässigkeiten: die Juden haben nicht nur
keinen Tempel mehr, sondern auch keinen
Hohenpriester; denn die Patriarchen, diese
Schenkwirte (κάπηλους) u. Händler (ἐμπόρους),
spielen bloß den Hohepriester, ohne es zu sein.
Bei Joh. Chrys. spürt man nichts von jenem
Philosemitismus, den am gleichen Ort u. zur
gleichen Zeit Libanios bekundet (vgl. Avi-
Yonah, Gesch. 228; Libanios korrespondiert
in den Jahren 388 bis 393 mit dem Patriarchen Gamaliel V, dessen Sohn unter der Obhut des Libanios in Antiochia studiert; vgl.
vor allem Liban. ep. 1018). Kein Wunder,
daß die christl. Kaiser sich durch die Polemik
ihrer Glaubensgenossen in der Folge bestimmen ließen, die Position des Patriarchen immer mehr zu schmälern. Im J. 396 wurde die
christl. Welt noch durch die kaiserliche Regierung davor gewarnt, den ‚erlauchten (inlu-
stris) Patriarchen' zu beleidigen (Cod. Theod.
16, 8, 11; vgl. die zitierten Schmähungen des
Joh. Chrys.). Und wohl ungefähr zur gleichen
Zeit wird der vir consularis u. Statthalter von
Palästina, Hesychios, zum Tode verurteilt,
weil er sich durch Bestechung des Sekretärs
Einblick in die Akten des Patriarchen Gamaliel VI verschafft hatte (Hieron. ep. 57, 3, 2
[CSEL 54, 506, 8/11]). Aber im Oktober 415
wurde dem Patriarchen die Würde eines praefectus praetorio abgesprochen, was seine Zu-
rückstufung in die niedrigere Rangklasse der
spectabiles bedeutete (Cod. Theod. 16, 8, 15).
Im J. 416 erteilt Theodosius II dem Patriarchen eine Rüge, weil er entgegen den Gesetzen neue Synagogen habe bauen u. christliche
Sklaven habe beschneiden lassen; außerdem
habe er in Prozessen zwischen Juden u. Christen sich herausgenommen, ein richterliches
Urteil zu fällen (Cod. Theod. 16, 8, 22; vgl.
Avi-Yonah, Gesch. 47/9). Im gleichen Gesetz wird angeordnet, daß die christl. Sklaven
jüdischer Herren der Kirche übereignet werden müßten. Es kann danach nicht mehr
überraschen, daß die kaiserliche Regierung iJ.
429 nach dem Tod des Patriarchen Gamaliel
VI, der keinen Sohn hatte, erklärte, das Haus
Hillel sei erloschen u. damit auch das Patri-
archenamt (Cod. Theod. 16, 8, 29). Durch das

gleiche Gesetz erfährt man, daß das bisher vom Patriarchen ausgeübte Recht der Ernennung der ‚primates Iudaeorum' nunmehr den Synedrien der Provinzen zugesprochen war u. von den Einkünften des Patriarchen ein erheblicher Teil, insbesondere das aurum coronarium (vgl. o. Bd. 1, 1010/20), aus den westlichen Provinzen in die Staatskasse floß. Man wird Avi-Yonah recht geben, wenn er die Zerschlagung der zentralen Organisation des Judentums für kurzsichtig hält (Gesch. 231); denn sicher hat das Patriarchat das Verdienst, gewalttätige Aktionen des oft genug herausgeforderten jüd. Volkes verhindert zu haben. Zum Ganzen vgl. *Patriarch.

c. Mission. Das straff organisierte, so gut wie rein jüdische u. im Hinterland geradezu ghettohaft abgesonderte G. bot der christl. Mission nirgendwo einen bequemen Ansatzpunkt. An der Aufgabe, einen solchen doch noch zu finden, scheinen selbst die aktivsten Christen der Palaestina prima u. tertia, darunter seit dem 4. Jh. Scharen von Mönchen, immer wieder gescheitert zu sein. Die Bilanz aus fast 300 Jahren christlicher Werbung wurde beim Konzil von Nicaea iJ. 325 der gesamten christl. Welt des Ostens offenkundig: ein einziger Bischof aus G. trat bei dieser Kirchenversammlung auf, nämlich Paulos von Maximianopolis (s. zB. die Liste des Maruta v. Maipherkat bei O. Braun, De s. Nicaena synodo [1898] 29; Mansi 2, 698 B; M. Le Quien, Oriens christianus 3 [Paris 1740 bzw. Graz 1958] 703 f). Er leitete die Gemeinde, die sich in der Garnison von Legio gebildet hatte. Sie war also kein normaler, aus eingeborenen Galiläern bestehender Sprengel (in Maximianopolis war die 6. Legion, die Ferrata, stationiert; vgl. E. Weiss: PW 12, 2 [1925] 1591/4). An den von christlichen Pilgern gern besuchten Plätzen, die mit der Erinnerung an das Leben u. Wirken Jesu verbunden waren, war es also nirgendwo zur Gründung einer Gemeinde gekommen, nicht einmal in Helenopolis, dem Gebiet um Nazareth (anders o. Sp. 806). Es dauerte noch mehr als zweihundert Jahre, ehe ein zweiter Bischof in G. in Erscheinung trat, diesmal in Tiberias (Liste der Teilnehmer der Synode v. Ephes. vJ. 449 nr. 61: 9, 9 Flemming; vgl. Le Quien aO. 708/10). Im 6. Jh. tauchen auch Bischöfe von Sepphoris auf (ebd. 713 f). – In dieser Situation gewinnt ein Bericht über die ‚missionarische' Betätigung eines galiläischen Judenchristen aus dem 4. Jh. höchstes In-

teresse; der asketische u. kämpferische Bischof Epiphanios v. Salamis hat den Text aufbewahrt (haer. 30, 4/12 [GCS 25, 338/48]). Epiphanios selbst war ein Palästinenser; er stammte aus einem Dorf in der Nachbarschaft von Eleutheropolis im südwestlichen Judäa, wo er um 315 zur Welt gekommen war; seine Eltern dürften Heidenchristen gewesen sein (vgl. Epiph. frg. 20: K. Holl, Ges. Aufs. 2 [1928 bzw. 1964] 360; vgl. auch W. Schneemelcher: o. Bd. 5, 910). Nach einem Besuch Ägyptens gründete Epiphanios als etwa Zwanzigjähriger in seinem Heimatdorf ein Kloster. Im J. 367 wird er zum Bischof von Salamis auf Zypern gewählt. Er hat sich in seiner Amtszeit als Vorkämpfer der Orthodoxie u. des Mönchsgedankens einen großen Namen erworben. Sein Tod fällt in das Jahr 403. Zwischen 350 u. 360, also noch vor seiner Berufung nach Zypern, hat er eine Reise nach Skythopolis gemacht, vielleicht im Interesse seiner mönchischen Ideale. Hier wohnte er im Hause eines reichen Mannes, der, genau wie Epiphanios selbst, Antiarianer war u. auch einen verbannten abendländischen Antiarianer, Bischof Eusebius v. Vercellae, bei sich aufgenommen hatte. Der Hausherr, Joseph mit Namen, war damals schon etwa siebzig Jahre alt (haer. 30, 5, 1). Da er seinem Gast aus Judäa Vertrauen schenkte, erzählte er diesem die Geschichte seines Lebens. Joseph war ursprünglich Jude gewesen u. hatte am Hof des Patriarchen Hillel II gelebt (30, 4, 2f). Als dieser sterbenskrank war, mußte Joseph auf seine Bitten einen christl. Bischof, der wohl wegen seiner ärztlichen Kunst großen Ruf genoß, an das Krankenlager rufen (nach Le Quien aO. 705/7 soll es der erste Bischof von Tiberias gewesen sein, was im Widerspruch zu Josephs Bemühungen um eine christl. Kirche in Tiberias stünde). Durch die Ritzen der verschlossenen Tür will Joseph, so glaubte er später, erkannt haben, daß der Bischof nicht ärztliche Praktiken vornahm, sondern den Patriarchen heimlich auf dessen Wunsch taufte (30, 4, 5/7; 30, 6, 2f). Ehe dieser starb, vertraute er Joseph u. einem anderen Hofbeamten die Erziehung seines Sohnes, des künftigen Patriarchen, an. Diese Aufgabe erwies sich in der Folge als höchst delikat; denn der Jüngling gab sich zusammen mit Kameraden einem leichtsinnigen Lebenswandel hin (s. o. Sp. 813). So besuchte er einmal ein Gemeinschaftsbad in Gadara in der Dekapolis u. machte sich hier an ein hüb-

sches Mädchen heran. Aber da sich die Schöne, die Christin war, nicht willfährig zeigte,
nahm der Werber mit seinen Kameraden Zuflucht zur Magie: sie vollzogen in Grabkammern einen Liebeszauber, der das Mädchen
gefügig machen sollte. Joseph schaffte das
magische Instrumentarium gleich nachher
beiseite u. brachte den Zauber so um seine
Wirkung (30, 7, 1 / 8, 9). Joseph war schon
immer aufgefallen, daß die Tür zur Schatzkammer des Palastes versiegelt war. Sein
hohes Amt gestattete ihm wohl, das Siegel zu
sprengen. Was er im Innern fand, war unerwartet: das Evangelium des Johannes in hebräischer Übersetzung, die hebräische Fassung des Matthäus-Evangeliums u. die Apostelgeschichte. Die Lektüre dieser Bücher
machte auf Joseph einen starken Eindruck
(30, 6, 7/9). In der Folge erschien ihm mehrmals im Traum Jesus, der ihn aufforderte,
Christ zu werden; nachher war er jedesmal
krank. Um die Wahrheit des Christusglaubens zu erproben, nahm Joseph an einem Irren, der unbekleidet in Tiberias herumzulaufen pflegte, insgeheim einen Exorzismus im
Namen Jesu vor; der Irre war alsbald geheilt
(30, 10, 4/7). Aber Joseph zögerte trotzdem,
für sich selbst Folgerungen daraus zu ziehen.
Nachdem der Patriarch Juda (so hieß er nach
der Meinung des Epiphanios) volljährig geworden war, belohnte er seinen Erzieher durch
dessen Ernennung zum ‚Apostolos‘ (30, 11, 1;
vgl. Schürer 3, 119). In dieser neuen Eigenschaft mußte Joseph alsbald, mit Legitimationspapieren ausgestattet, Kilikien bereisen.
Seine Gewissenhaftigkeit machte ihn bei den
Synagogenvorstehern, Priestern, Ältesten u.
Azaniten (vgl. S. Krauss, Synagogale Altertümer [1922 bzw. 1966] 121/31) unbeliebt
(30, 11, 4). Sie spürten seinem Privatleben
nach, stellten fest, daß er mit einem Bischof
verkehrte, u. sahen bei einem überraschenden
Besuch, daß er im Evangelium las, das ihm
der Bischof auf seine Bitten geliehen hatte.
Mit Mühe entrann Joseph der Gewalttätigkeit seiner Gegner. Nun ließ er sich taufen
(30, 11, 7). Der Bischof meldete wohl diese
Vorgänge den Behörden, worauf der kaiserliche Hof den prominenten getauften Juden
aus Tiberias zum Bericht nach Byzanz bestellte. Kaiser Konstantin verlieh ihm den
Titel eines ‚comes (Augusti)‘ (30, 11, 9; vgl.
O. Seeck: PW 4, 1 [1901] 629/36) u. sicherte
hohe Remunerationen zu; beides sollte ihn
wohl entschädigen für das, was er in Tibe-

rias eingebüßt hatte. Nach einem besonderen Wunsch gefragt, antwortete Joseph,
der Kaiser möge ihm in einem Erlaß die
Vollmacht erteilen, in allen jüd. Städten u.
Dörfern, in denen bisher niemand eine Kirche
errichtet hatte, ‚weil dort weder ein Heide,
noch ein Samaritaner, noch ein Christ wohnte‘,
ein Gotteshaus zu Ehren Christi zu erbauen;
dabei denke er vor allem an Tiberias, Diocaesarea (Sepphoris), Nazareth u. Kapernaum
(30, 11, 9/10). Mit entsprechenden Schriftstücken ausgerüstet, reiste Joseph nach Tiberias, wo er gleich an sein Vorhaben ging.
Er erwarb ein öffentliches Bad, das in einem
unvollendeten Gebäude, das zu Ehren des
Kaisers Hadrian errichtet werden sollte, eingerichtet worden war, u. baute einen Teil davon zu einer kleinen Kirche aus. Das Feuer
in den dafür nötigen Kalköfen suchte die jüd.
Menge zu löschen, aber Joseph wußte ihren
Schikanen mit dem bewährten Mittel zu begegnen: er besprengte die Öfen, machte das
Kreuzzeichen über sie u. rief Jesus an. Darauf
soll die (jüdische) Menge gerufen haben: ‚Nur
einer ist Gott, er, der den Christen hilft!‘
(30, 12, 8); nach A. M. Schneider: OrChr 3,
12 (1937) 62 könnte man versucht sein, ein
von ihm unter der Brotvermehrungskirche in
Et-Tabgha festgestelltes älteres Gotteshaus
zu den von Joseph veranlaßten Kirchenbauten zu rechnen (s. u. Sp. 820). Joseph verließ
schließlich Tiberias u. ließ sich in Skythopolis
nieder (30, 12, 9). In der Folgezeit errichtete
er aber Kirchen auch in Diocaesarea u. in
anderen Städten. – An dieser langen, hier
nicht lückenlos wiedergegebenen Erzählung
ist natürlich mancherlei höchst unwahrscheinlich; einiges davon wird Joseph, anderes Epiphanios hinzugedichtet haben. Aber das in
unserem Zusammenhang Wichtigste kann
nicht bezweifelt werden, weil es auch durch
andere, oben mitgeteilte, Beobachtungen gestützt wird: Tiberias, Sepphoris, Nazareth u.
Kapernaum waren um 360 noch ohne feste
christl. Gemeinde u. darum auch ohne Kirche. Das aber ist für diesen Konvertiten unerträglich; er versucht es mit einer Umkehrung der normalen Ordnung: das Gotteshaus,
sonst erst von einer schon bestehenden Gemeinde errichtet, soll diesmal eine Gemeinde
anlocken. Außerdem scheint das Kirchengebäude für Joseph das Triumphsymbol des
Christentums darzustellen: wo eine Kirche
steht, hat das Christentum seinen Sieg dokumentiert; daß dies Triumphsymbol an Plät-

zen fehlt, die mit Erinnerungen an das Leben
u. Wirken Jesu verbunden sind u. die daher
von christlichen Pilgern häufig besucht werden, ist für Joseph ein unerträglicher Gedanke.
– Wenn sich die Heimatprovinz Jesu gegenüber der von Galiläern begründeten Urgemeinde u. deren Fortsetzung in Pella ziemlich von Anfang an u. konsequent abweisend
verhalten hat, dann müßte sich dieser Befund
auch von den dortigen Denkmälern ablesen
lassen; es dürften also nur wenige christliche
Gotteshäuser in G. zutage gekommen sein.
Diese Probe auf das Exempel erleichtert A.
Ovadiah durch sein Corpus of the byzantine
churches in the Holy Land = Theophaneia
22 (1970). Hier sind in Tabelle 8 (vor S. 185)
die Funde nach Landschaften geordnet; es
wird unterschieden zwischen Lower Galilee
(5), Shores of Sea (6), Western Galilee (8),
Jezreel Valley (14) u. Upper Galilee (15). Im
einzelnen beziehen sich die Notizen für Ober-
G. auf folgende Orte: Nr. 133 Kh. Yârûn,
dreischiffige Kirche mit drei Apsiden (Taf.
55); Fragmente einer griech. Inschrift u. eines
Mosaikbodens; 6. Jh. Nr. 170 Suhmata, dreischiffige Kirche mit Apsis, Narthex u. Atrium
(Taf. 68); griech. Inschrift, Mosaikboden;
6. Jh. Nr. 55 Esh-Shajara (in der Tabelle
irrig zu Unter-G. geschlagen), kleine Kirche;
Fragmente einer griech. Inschrift; byzantin.
Zeit. In Unter-G. sind folgende Funde gemacht worden: Nr. 29 Dabburiya, spärliche
Reste einer Kirche mit Mosaikboden; byzantin. Zeit. Nr. 60 Har Tabor, 3 Apsiden; Mosaikboden; Reste eines anschließenden Klosters; 4./5. Jh. Nr. 90/91 Kafr Kama (Kana),
Reste von zwei Kapellen, die südliche der hl.
Thekla geweiht; Reste von Mosaikboden;
drei griech. Inschriften; 6. Jh. Nr. 92 Kafr
Kanna, Basilika (Taf. 43) zum Gedächtnis des
Weinwunders Joh. 2, 1/11; 6. Jh. Nr. 147 Nazareth, Kapelle mit Apsis u. Kloster zur Erinnerung an die Verkündigung (Taf. 58); Mosaikboden; byzantinisch. Nr. 181 Zippori
(Sepphoris), zweistöckige Anlage, Unterkir-
che aus dem Felsen gehauen, Oberkirche dreischiffige Basilika mit Kloster (Taf. 72); Mosaikboden; byzantinisch. Auf die Nord-,
West- u. Südseite des Sees Genezareth beziehen sich folgende Notizen (zu den biblischen
Anhaltspunkten s. Kopp 215/87): Nr. 46a/b
Et-Tabgha (Heptapegon = Siebenquell), Basilika mit Apsis, Narthex u. Atrium über älterer Halle mit Apsis (Taf. 21/22); griech.
Inschriften u. Mosaikboden (Nillandschaft;

Brotvermehrung); 5. Jh. Nr. 47 Et-Tabgha,
Kapelle mit Apsis u. großem seitlichen Hof zur
Erinnerung an die Bergpredigt (Taf. 23); Mosaikboden; 6. Jh. Nr. 178 Tiberias, zwei dreischiffige Basiliken mit Atrium je in ausge-
dehntem Raumkomplex (Taf 70/71); Mosaikböden; 5. bzw. 6. Jh. Nr. 26 Beth Yerah, mehrfach erweiterte dreischiffige Kirche mit
Atrium u. Narthex sowie Baptisterium (Taf.
13/14); griech. Inschrift; Mosaikböden; 5./6.
Jh. Zur Ebene von Jezreel gehören folgende
Funde: Nr. 140 Mischmar Ha'emek, Reste
von Schiff u. Apsis einer Kirche; griech. Inschrift; Mosaikboden; 5. Jh. Nr. 180 Tell
Keimun, Basilika; korinth. Kapitell; byzantinisch. – Die hier kurz charakterisierten
Reste christlicher Kirchen aus G. stehen mit
insgesamt nur 15 Nummern bezeichnenderweise 82 Nummern aus Jerusalem u. Judäa
gegenüber. Die Fundorte entsprechen im
Kern dem, was man aufgrund des oben analy-
sierten Epiphanios-Berichts annehmen mußte. Es tauchen aber doch einige Denkmäler an
Orten auf, an denen man sie nach den früheren
Nachrichten u. Überlegungen nicht erwartet
hätte. Der wichtigste Fund dieser Kategorie
sind die Anlagen in Et-Tabgha, die an die
Bergpredigt u. das Brotvermehrungswunder
erinnern wollen, also auf Anregungen aus
Pilgerkreisen zurückgehen dürften. Ob man
die Ausführung dieser Bauten auf eine Anordnung des Kaisers zurückführen muß? Nach
dem Epiphaniosbericht liegt eine solche Vermutung wenigstens nahe. Bei den Funden in
Nord-G. u. in der Jezreelebene wird man
erst noch untersuchen müssen, ob die vier
Orte, die sämtlich an der Peripherie von G.
gelegen haben müssen, damals überhaupt
noch zu G. gehörten oder vielleicht eher zum
tyrischen Gebiet oder zur Dekapolis. Von diesem Vorbehalt abgesehen, scheinen die Ergebnisse der Archäologen unsere voraufgehende, aus den literarischen Quellen abgeleitete
Sicht zu bestätigen: G. hat seine ablehnende
Haltung gegenüber dem Christentum bis zur
arabischen Eroberung konsequent u. mit Erfolg fortgesetzt.

Y. Aharoni, The land of the Bible. Historical
geography (London 1967) 174/253. 281/335. – M.
Avi-Yonah, Oriental art in Roman Palestine =
Studi Semitici 5 (Roma 1961); Geschichte der
Juden im Zeitalter des Talmud = Stud. Iudaica
2 (1962); The Holy Land from the Persian to the
Arab conquests. A historical geography (Grand
Rapids, Mich. 1966). – W. Bauer, Jesus der

Galiläer: Festgabe A. Jülicher (1927) 16/34. – I.
BENZINGER, Art. G.: PW 7, 1 (1912) 603/5. –
G. BERTRAM, Das antike Judentum als Missions-
religion: G. ROSEN-F. ROSEN-G. BERTRAM, Juden
u. Phönizier (1929) 22/68. 130/52; Der Hellenis-
mus in der Urheimat des Evangeliums: ArchRel-
Wiss 31 (1935) 205/81. – A. VAN DEN BORN-W.
BAIER, Art. G.: Bibellex.[2] (1968) 509f. – G. DAL-
MAN, Orte u. Wege Jesu[4] = Beitr. z. Förderung
christl. Theol. 23 (1924 bzw. 1967) 103/202. – E. R.
GOODENOUGH, Jewish symbols in the greco-
roman period = Bollingen Series 37, 1/12 (New
York 1953/65). – V. GUÉRIN, Description histori-
que et archéologique de la Galilée (Paris 1880). –
H. GUTHE, Bibelatlas[2] (1925). – B. V. HEAD, Hi-
storia numorum[2] (Oxford 1911 bzw. 1967) 802. –
M. HENGEL, Die Zeloten = Arb. z. Gesch. d. Spät-
judentums u. Urchristentums 1 (Leiden 1961);
Judentum u. Hellenismus. Studien zu ihrer
Begegnung unter besonderer Berücksichtigung
Palästinas bis zur Mitte des 2. Jh. vC. = Wiss.
Untersuchungen z. NT 10 (1969). – G. HÖL-
SCHER, Art. Tiberias: PW 6 A 1 (1936) 779/81. –
HONIGMANN, Art. Sepphoris: PW 2 A 2 (1923)
1546/9. – A. JIRKU, Geschichte Palästina-Sy-
riens im oriental. Altertum (1963). – U. KAHR-
STEDT, Syrische Territorien in hellenistischer
Zeit (1926). – B. KANAEL, Die Kunst der antiken
Synagoge (1961). – TH. KLAUSER, Der Beitrag
der orientalischen Religionen . . . zur spätanti-
ken u. mittelalterl. Kunst: RendicAccLinc 105
(1968) 31/80. – R. KOEPPEL, Palästina. Die
Landschaft in Karten u. Bildern (1930). – B.
KÖTTING, Peregrinatio religiosa (1950). – H.
KOHL-C. WATZINGER, Die antiken Synagogen
Galiläas (1916). – C. KOPP, Die heiligen Stätten
der Evangelien[2] (1959). – K. KUNDSIN, Topolo-
gische Überlieferungsstoffe im Joh.-Ev. (1925). –
J. LEIPOLDT-W. GRUNDMANN, Umwelt des Ur-
christentums 1[2] (1967) Reg. – E. LOHMEYER, G.
u. Jerusalem = Forsch. z. Rel. u. Lit. des AT u.
NT 52 (1936). – R. MEYER, Der Prophet aus G.
(1940). – P. RÜGER, Das Problem der Sprache
Jesu: ZNW 59 (1968) 113/22. – A. SCHALIT,
König Herodes. Der Mann u. sein Werk = Stud.
Iudaica 4 (1969). – H. J. SCHOEPS, Theologie u.
Geschichte des Judenchristentums (1940); Ebio-
nitische Apokalyptik im NT: ZNW 51 (1960) 101/
10. – G. SCHRENK, G. zur Zeit Jesu (Basel 1941). –
H. L. STRACK-P. BILLERBECK, Die Stellung der
alten Synagoge zur nichtjüdischen Welt: STRACK-
B. 4, 1 (1928) 353/414. – E. L. SUKENIK, An-
cient synagogues in Palestine and Greece =
Schweich Lectures 1930 (London 1934). – V.
TSCHERIKOWER, Die hellenistischen Städtegrün-
dungen (1927). – C. WATZINGER, Denkmäler Palästinas. Einführung in die Archäologie des Hl.
Landes 1/2 (1933/35).   *G. Bertram-Th. Klauser.*

Galiläer s. Christennamen o. Bd. 2, 131; s.
Galilaea o. Sp. 802f.

Gallia I.

**A. Nichtchristlich. I. Land. a. Geographische
Voraussetzungen.** Als G. bezeichneten die
Römer das Land der Galli, einer Gruppe von
Völkerschaften, die sich den Kelten assimi-
liert hatten. Der Name G. besteht aus dieser
Bezeichnung u. dem atonen lat. Suffix -ia.
Cäsars Gallia transalpina (b. Gall. 1, 1) bedeckt zwischen Atlantik, Rhein, Alpen, Mittelmeer u. Pyrenäen eine Fläche von ca.
600 000 qkm. Das Land öffnet sich weit nach
Osten u. erstreckt sich bis in Gebiete, die jenseits des Rheins u. der oberen Donau liegen.
Im Nord-Westen bestand über die britischen
Inseln hinaus keine weitere Ausdehnungsmög-
lichkeit. Der kontinentale Charakter von G.
wurde betont durch die Kelteninvasionen der
La Tène-Periode, die zur Bildung eines gewaltigen, vom Schwarzen Meer bis zum Atlantik
reichenden ‚Celticum‘ führte. Staunend be-
trachteten die röm. Geographen seine Ausdehnung. Als seine Südgrenze sahen sie die
Cevennen an (Pompon. Mela 2, 5: ‚Cebenna
mons‘). Strabon verlängerte die Grenzlinie bis
Lyon (4, 1, 1 [177]), Plinius bis zum Jura

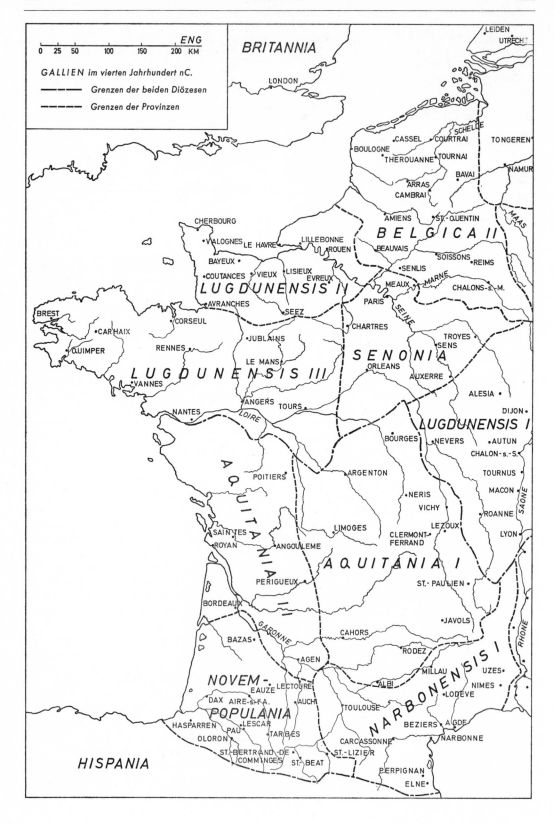

ENG

0 25 50   100   150   200 KM

GALLIEN im vierten Jahrhundert nC.

——— · ——— Grenzen der beiden Diözesen

——— - ——— Grenzen der Provinzen

BRITANNIA

LONDON

LEIDEN
UTRECHT

BOULOGNE
CASSEL COURTRAI
THEROUANNE TOURNAI
SCHELDE
TONGEREN
NAMUR
BAVAI
ARRAS
CAMBRAI
AMIENS ST.-QUENTIN
BELGICA II
BEAUVAIS
SOISSONS REIMS
SENLIS
CHALONS-s.-M.
MAAS

CHERBOURG
VALOGNES LE HAVRE
LILLEBONNE
ROUEN
BAYEUX
COUTANCES VIEUX
LISIEUX EVREUX
MEAUX
MARNE
LUGDUNENSIS II
AVRANCHES
SEEZ
PARIS
SEINE
CHARTRES
TROYES
SENS
SENONIA
ORLEANS
AUXERRE
ALESIA
DIJON
LUGDUNENSIS I
BREST
CARHAIX
QUIMPER
CORSEUL
RENNES
JUBLAINS
LE MANS
LUGDUNENSIS III
VANNES
NANTES
LOIRE
ANGERS TOURS
BOURGES NEVERS AUTUN
CHALON-s.-S.
TOURNUS
MACON
ROANNE
SAONE
AQUITANIA
POITIERS
ARGENTON
NERIS
VICHY
LEZOUX
LYON
LIMOGES
CLERMONT-FERRAND
SAINTES
ROYAN
ANGOULEME
AQUITANIA I
PERIGUEUX
ST.-PAULIEN
BORDEAUX
GARONNE
CAHORS
JAVOLS
RHONE
BAZAS
AGEN
RODEZ
MILLAU
UZES
NARBONENSIS I
NOVEM-
EAUZE LECTOURE
ALBI
NIMES
DAX AIRE-s-A.
AUCH
LODEVE
POPULANIA
TOULOUSE
BEZIERS AGDE
HASPARREN
LESCAR
PAU
TARBES
NARBONNE
OLORON
CARCASSONNE
ST.-BERTRAND-DE-
COMMINGES
ST.-BEAT
ST.-LIZIER
PERPIGNAN
HISPANIA
ELNE

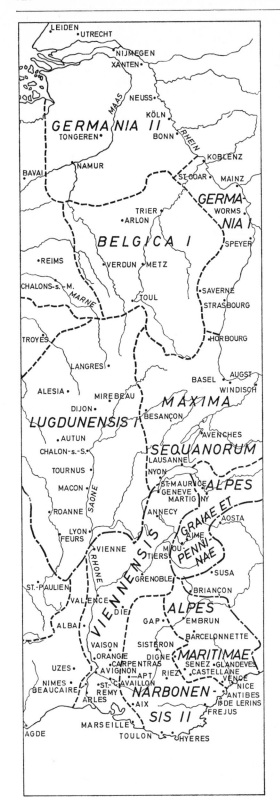

(n. h. 4, 31). Sie bildet eine Schranke, die eine Welt mittelmeerischer Flora von einer Landschaft nördlicheren Charakters scheidet. Ihr Gepräge bestimmen Wiesen, in die Wälder u. Getreidefelder eingebettet liegen. – Die Hydrographie der alten Geographen betonte den Gegensatz zwischen einem kontinentalen u. einem mediterranen G. Strabon unterscheidet zwei symmetrische Systeme von Wasserläufen nördlich u. südlich der Cevennen (4, 1, 2. 14 [178. 188 f]). Das ausgedehntere nördliche mündet in den Atlantik (Garonne, Loire, Seine, Schelde, Maas u. Rhein). Das kleinere südliche System zwischen Alpen u. Pyrenäen verbindet die Aude u. die kleinen Flüsse des Languedoc mit der Längsfurche der Rhône von ihrem Delta bis zum Genfer See (noch kurze Zeit vor Strabon soll die Rhône durch den Lac du Bourget u. das heutige Département Isère geflossen sein; vgl. dazu J. van Ooteghem, Le Rhône dans l'antiquité: Mélanges H. Grégoire 1 = Annuaire Inst. Philol. et Hist. Or. et Slave 9 [Bruxelles 1949] 583/92).

b. Hauptverkehrswege. Strabon sah in den günstigen Verbindungen zwischen diesen beiden Systemen von ausgeprägter Eigenart ein unmittelbares Wirken der Vorsehung, durch das G. zu einer Art Landenge zwischen Atlantik u. Mittelmeer wurde. Der Waldreichtum der Gebirgshänge, der größer war als der heutige Bewuchs, u. eine Binnenschiffahrt geringen Umfanges zu keltischer wie auch zu gallo-römischer Zeit förderten eine Gewässeru. Schiffahrtskunde, die der Nutzung der Wasserwege sehr zustatten kam (vgl. L. Bonnard, La navigation intérieure de la Gaule à l'époque gallo-romaine [Paris 1913]). Selbst auf einigen großen Routen der Binnenschiffahrt verbanden Überlandtransporte von Schiffen auf geradem Wege die Wasserstraße mit Teilen des Landstraßennetzes (vgl. für das Land der Cadurci P. Barrière: RevÉtAnc 45 [1943] 91/105; 54 [1952] 102/8). In diesem kontinentalen G., durch dessen Mitte der Rhein floß, verliefen nach Ephoros die Hauptverkehrswege i. a. von Osten nach Westen. Jonische, etruskische u. massilische Kaufleute verschoben die Achsen der Handelswege in Richtung auf das Mittelmeer, indem sie den Warenaustausch von Süden nach Norden verstärkten. Ein Teil des Verkehrs floß über die aquitanische Landenge u. besonders durch den Rhône-Saône-Graben, der zugleich über die Seine nach Britannien u. durch die Schweiz in das Gebiet zwischen Rhein u. Oberlauf der

Donau führte. Die italischen Kaufleute republikanischer Zeit sowie Cäsar u. Augustus banden G. an Italien durch die Straßen der Narbonensis, besonders durch die Alpenstraßen. Schließlich trennten Augustus, die julisch-claudischen Herrscher u. die Flavier das linksrheinische G. von dem rechtsrheinischen Germanien u. schoben so die Rhône-Saône-Achse bis zum Rhein vor. Elsaß, Mosel u. Maas reichten bis an diese Achse heran. Das östliche G., das von den Kastellen am Rhein bis zu den Seealpen reichte u. in dessen Mittelpunkt Lyon, seine röm. Hauptstadt, lag, erhielt eine Mittlerstellung zwischen den germanischen Gebieten des Nordens u. des Donauraumes im Osten u. einer Mittelmeerwelt, die nicht nur italischen, sondern auch imperialen Charakter trug. Dieser tiefgreifende, ursprünglich militärische Orientierungswechsel festigte sich, je größer seine handelspolitische Bedeutung wurde, begünstigte das Eindringen griechisch-lateinischer Einflüsse u. förderte die Verbreitung der orientalischen Religionen u. des Christentums.

c. Einteilung von G. u. seine Bevölkerung. Die Einteilung von G. in die Bereiche, die beiderseits der bis Albi u. Lyon verlängerten Cevennenlinie liegen, war so einschneidend, daß Cäsar nur das unabhängige G. beschrieb; die Eroberung dieses Landes wäre freilich unmöglich gewesen, hätte Cäsar sich nicht auf den Süden von G. stützen können, der bereits seit langem Provinz war. Nach Cäsar bilden die unabhängigen Gallier drei Gruppen (b. Gall. 1, 1).

1. Aquitanier. Die Aquitanier, südlich der Garonne, bestanden aus etwa dreißig kleineren Stämmen, die von Strabon als den Iberern verwandt angesehen wurden (4, 1, 1 [177]) u. bereits vor der Ankunft der Kelten der späten Hallstattzeit u. der La Tène-Periode in dieser Gegend wohnten (P. Bosch-Gimpera: ÉtCelt 6 [1952] 97/126; Étienne 56/64). Diese Völker sind nicht Teil einer iberischen Expansion, die bis an die Loire reichte (so Jullian 1, 264; Hubert 1, 366/70). Eher handelt es sich, wie auch am Oberlauf der Garonne u. in den Hochpyrenäen, um eine iberische Kernbevölkerung, deren Einfluß die zahlenmäßig nicht sehr starken keltischen Eindringlinge erlagen (Grenier, Gaulois 152/8).

2. Kelten. Die eigentlichen Kelten, ‚qui ipsorum lingua Celtae, nostra Galli appellantur' (Caes. b. Gall. 1, 1), hatten ihre Sitze (vgl. Ch. F. C. Hawkes, The Celts: VIIIᵉ Congr. Intern. Arch. Class. [Paris 1963] 3/23) vor allem zwischen der Garonne u. einer Linie, die vom Unterlauf der Seine u. der Marne gebildet wird. Doch behauptete sich nach dem Zeugnis der Gewässernamen die vorkeltische Bevölkerung (Ch. P. Corby: Ogam 15 [1963] 93/102). Ähnliches gilt von der Auvergne, wie die Konzentration keltischer Wohnplätze in den großen Tälern u. an den Verkehrsknotenpunkten zeigt (A. Dauzat, La toponymie française [Paris 1946] 177/223). Zu Beginn der La Tène I-Kultur wanderten zunächst die auf der rechten Rheinseite wohnenden Kelten der sogenannten Marne-Kultur ein, die bis Rouen, Angers u. Saintes verbreitet war. Gegen Ende der La Tène I-Kultur erreichte dann zwischen 300 u. 275 vC. eine zweite Welle von keltischen Einwanderern die neuen Sitze. Unter ihnen waren ohne Zweifel die Volcae Arecomici u. Volcae Tectosages, ferner die Helvii, die wahrscheinlich von der oberen Donau stammten u. sich im Sog der allgemeinen Wanderbewegung über die Verkehrswege des Rhônegrabens bis ins Languedoc fortreißen ließen (J. Jannoray, Ensérune. Contribution à l'étude de des civilis. préromaines de la Gaule mérid. [Paris 1955] 226/52. 403; H. Gallet de Santerre: Ph. Wolff, Histoire du Languedoc [Toulouse 1967] 60f). Sie trafen dort auf kleine ligurische u. iberische Stämme.

3. Belger. Die Belger wohnten nach Cäsar nördlich der Seine-Marne-Linie. Nördlich von Köln überschritten sie den Rhein u. fielen seit der Wende vom 3. zum 2. Jh. vC. durch die großen Ebenen in G. ein (Ch. Hawkes: Celticum 12 [1965] 1/7; D. Allen, The origins of coinage in Britain: Problems of iron age [London 1961] 97/308). Sie drängten die Kelten, die bereits heimisch geworden waren, teils nach Südosten zurück, so zB. die Sequani, die in die Franche-Comté auswanderten, teils nach Britannien (Catuvellauni, Parisii). Sie kamen in mehreren Schüben. Die ersten, die am weitesten nach Süden vorgestoßen waren, glichen sich den Kelten im engeren Sinne an (Caleti, Suessiones, Remi), während die Ambiani, die Atrebates u. die Bellovaci allem Anschein nach ein eigenes belgisches Volkstum begründeten (J. Breuer, La Belgique romaine [Bruxelles 1946] 16). Die letzten Zuwanderer, Treveri, Eburones, Nervii, Morini u. Menapii, galten als germanisiert. Cäsar sah in den Eburones u. den kleinen Völkern der Ardennen (Condrusi, Caeroesi, Paemani u. Aduatuci, versprengten Resten der Kimbern) Germanen. Dasselbe

glaubte Strabon von den Nerviern (4, 4, 4
[179]). Doch in ihrer Gesamtheit hielt Strabon
die Belger für Gallier. Hirtius stellte (b. Gall. 8,
46) Aquitanien ein G. gegenüber, das die Sitze
der Belger u. Kelten einschloß. Zum vorste-
henden Abschnitt vgl. R. de Maeyer, Art.
Belgien: o. Bd. 2, 119f.
4. Provinz. Über die Provinz G. schwieg Cäsar.
Ihre Eroberung u. Ausdehnung begann mit
der Besetzung der G. Graeca, die zunächst von
rhodischen u. jonischen Seefahrern begründet worden war u. sich später durch die handelspolitische Ausstrahlung der phokäischen
Kolonie Marseille (gegründet 600 vC.; vgl.
F. Villard, La céramique grecque de Marseille
[Paris 1960] 76/81) mit ihren Handelsniederlassungen u. verbündeten Städten einen weiten
Einflußbereich schuf (s. K. Bittel - A. Rieth, Die
Heuneburg an der oberen Donau [1951] 51; vgl.
W. Dehn: Neue Ausgrabungen in Deutschland [1958] 127/45; R. Joffroy, La tombe de Vix
= MonPiot 48, 1 [Paris 1954]; E. Will, Actes
coll. sur les infl. hellén. en Gaule = Public.
Univ. de Dijon 16 [Dijon 1958]; F. Benoit:
Hommages A. Grenier 1 [Bruxelles 1962] 174/
84; ders., Recherches sur l'hellénisation du
midi de la Gaule [Aix-en-Provence 1965] 79.
99/134. 163/79; J. Charmasson: Ogam 19
[1967] 145/68). In der Zeit nach Cäsar u. der
Gründung von Lyon überschritten die vor-
dringenden Römer in breiter Front die Grenzen der massiliotischen Einflußzone. Die
Rhône-Rhein-Straße übertraf die Landengen-
verbindungen zum Atlantik an Bedeutung,
die erst zur Zeit der Eroberung Britanniens
durch Claudius wieder stärker benutzt wurden. – Die keltischen Völker der provincia (die
Volcae Arecomici von Nîmes, die Volcae Tectosages von Toulouse, die Cavari, Vocontii,
die Helvii des Vivarais u. selbst die Allobroger, die Verbündete der Arverner waren) hatten übrigens keineswegs die Eroberung des
freien G. behindert. Augustus garantierte
schließlich die Sicherheit der Alpenstraßen u.
unterwarf die kleinen Völker des südöstlichen
G. der röm. Verwaltung (G. Barruol, Les
peuples préromains du Sud-Est de la Gaule
[Paris 1970]). Der 8 vC. errichtete Bogen von
Susa (Piemont) erinnert an die Unterwerfung
von vierzehn Völkerschaften der kottischen
Alpen, das Tropaeum von La Turbie an den
Sieg über 48 andere Stämme aus dem Gebiet
zwischen julischen Alpen u. Seealpen (Plin. n.
h. 3, 24; J. Formigé, Le Trophée des Alpes =
Gallia Suppl. 2 [1949]; ders.: Gallia 13, 1

[1955] 101/4). Seitdem war Rom weniger am
westkeltischen Raum u. seinen Wasserstra-
ßen, Loire u. Seine, gelegen als an der Rhein-
Rhône-Achse. Beide Ströme besaßen noch im
4. Jh. ihre Bedeutung. Ammianus Marcellinus
pries sie in seinem Lob auf G. (15, 4, 2/6. 11,
16/8).
II. Landwirtschaft. a. Rodungen. Zu Cäsars
Zeiten sollen zwei Drittel des gallischen Bodens von Wald bedeckt gewesen sein (Jullian 1, 90; 2, 261; J. Harmand, Les forêts de La
Tène: BullSocPréhFranç 46 [1949] 36/46; M.
Clavel: Actes Colloque de Besançon [Paris
1967] 31/41), u. zwar trotz bronzezeitlicher
Rodungen, die von den Kelten weiter ausgedehnt worden waren: Gallische Ortsnamen
auf -ialo (= Lichtung) sind außer in Aquitanien, Armorica, Lothringen, im Jura u. in den
Schweizer Alpen weit verbreitet, am häufigsten jedoch im Pariser Becken (Dauzat aO.
22 f. 197; zur gleichen Erscheinung in Beauce
s. ebd. 58/67).
b. Bevölkerung. Diese Rodungen lassen auf
eine ziemlich zahlreiche Bevölkerung schließen. Die Zahl beläuft sich auf ca. 12 bzw. 15
Millionen Einwohner, wenn die Narbonensis
hinzugenommen wird (E. Cavaignac: Rev-
Celt 51 [1934] 116/8); Grenier, Gaulois 225/30
billigt diese Zahlen. Er schlägt die für ein
Barbarenland recht hohe Bevölkerungsdichte
von 20 Einwohnern je qkm, vergleichbar
derjenigen Italiens, vor; J. Beloch, Die Bevölkerung der griech.-röm. Welt (1886) 460
gibt die wesentlich niedrigere Zahl von 7,6
Einwohnern je qkm an. Die Schätzungen von
C. Jullian (5, 36/8), die eine Zahl von 20 bis
30 Millionen angeben, treffen eher für das G.
der hohen Kaiserzeit zu; diejenigen von J.
Toutain: JournSav 1940, 7/16, der von 40 bis
50 Millionen Einwohnern spricht, sind zu
hoch gegriffen.
c. Keltische Landwirtschaft. Die Landwirtschaft der Kelten wurde von der gallo-röm.
Landwirtschaft unter Intensivierung der Anbaumethoden aufgenommen.
1. Gallische Anbaumethoden. Die Gallier
betrieben zusätzlich zu der Weidewirtschaft
Getreideanbau u. Anbau von Hanf u. Flachs
(Strab. 4, 4, 3 [197]). Apfel, Haselnuß u. vielleicht Kastanie waren ihnen nach dem Zeugnis der Ortsnamen bekannt (A. Dauzat, La
vie rurale en France [Paris 1946] 27). Nach
Strab. 4, 4, 3 (197) verzehrten sie große
Mengen an Fleisch u. Butter. Sie betrieben
daher intensive Rinderzucht. Berühmt waren

ihre halb in Freiheit lebenden Schweine-
herden, ferner ihre Schafzucht, die sie vor
allem zur Käsebereitung (Plin. n.h. 11, 97;
vgl. A. Albenque, Les Rutènes [Rodez 1948]
259) u. Wollerzeugung betrieben. Sie wandten
Koppelwirtschaft, Kalk- u. Mergeldüngung
an u. besaßen hervorragendes Ackergerät:
Sensen zum Mähen des Grases (J. Le Gall:
AnnEst, Mém. nr. 22 [1959] 55/72; P. Lebel:
RevArchEst 11 [1960] 72/5), ferner den
Räderpflug, carruca, eine Erfindung der Räter
(Plin. n.h. 18, 30. 72), u. den vallus, eine Art
mechanischer Mähmaschine, die in der Kaiserzeit auf den großen belgischen Gutshöfen
Verwendung fand (M. Renard, Technique et
agriculture en pays trévire et rémois [Bruxel-
les 1959]; vgl. ders.: Latom 26 [1967] 486f;
H. Cüppers: TriererZs 27 [1964] 151/8).
2. Anbaumethoden der gallo-röm. Zeit. In
gallo-römischer Zeit wurde die Landwirtschaft
um einige neue Anbaumethoden u. technische
Verbesserungen bereichert. Vielleicht baute
man eine weitere Getreidesorte, siligo, an
(Plin. n.h. 18, 10); das Mühlenwesen verbes-
serte sich dank der römischen mola mit rotie-
rendem Mahlwerk (I. A. Moritz, Grainmills
and flour in antiquity [Oxford 1958]) u. der
Wassermühle Vitruvs (zB. in Barbegal bei
Arles um 308/16; vgl. F. Benoit: RevArch
1940, 63f; ferner nach Auson. Mos. 362 an
einem Nebenfluß der Mosel). Vor allem in der
Narbonensis entwickelten die Italiker den
Weinbau, der bereits über Massilia eingeführt
worden war (Cic. rep. 3, 9, 16; A. Aymard:
Mélanges D. Faucher [Toulouse 1948] 27/47);
seit augusteischer Zeit breitete er sich über
Aquitanien aus (R. Dion, Histoire de la vigne
et du vin en France, des origines au 19ᵉ s.
[Paris 1959] 106f; Étienne 101) u. wurde
wenig später im Allobrogerland in der Umgebung von Vienne (Plin. n.h. 14, 4; Dion aO.
121) u. bei den Sequanern heimisch (Plin. n.h.
14, 3). Im J. 92 versuchte Domitian dieser
Ausdehnung des Weinbaus Einhalt zu gebieten (Suet. Dom. 7), jedoch vergeblich (Dion
aO. 131). Im 2. Jh. wurde der Weinbau in
Burgund eingeführt (E. Thévenot: AnnBourgogne 23 [1951] 253f; nur Dion vertritt eine
spätere Datierung: Ende 3. Jh.). Probus gestattete etwa 280 nC. den Weinbau in G., in
Britannien, Spanien u. Pannonien (Hist.Aug.
v. Probi 28, 18, 8). Wesentlich früheren Da-
tums sind die Weinkulturen des Moselgebiets
u. der Pfalz. Nach S. Loeschke: TriererZs 7
(1932) 58ff wurde in Trier seit den Flaviern

Wein angebaut. Herkunftsländer waren Burgund u. die Schweiz (Plin. n.h. 12, 2; Stähelin 429). Die Rebe war somit von der provincia aus dem großen Wasserweg des Rhône- u.
Saônetals gefolgt.
d. Ländliche Siedlungsformen. Die röm. Eroberung änderte wenig an den alten Ordnungen des Landwirtschaftswesens u. der Ausbeutung des Bodens.
1. Vorrömische Siedlungsformen in G. In der
gallischen Zeit bestanden große u. kleine Besitztümer, dörfliche Siedlungsgemeinschaften
(vici) u. Einzelgehöfte (aedificia) nebeneinander; das Gleiche gilt von den Ackerformen,
die sich je nach der Landschaft unterscheiden: vgl. zB. die ‚celtic fields‘ des Bocage
(Normandie) u. die Langäcker, sog. ‚open
fields‘ (R. Dion, Essai sur la formation du
paysage rural français [Paris 1934]).
2. Gallo-römische Siedlungsformen in G. In
gallo-römischer Zeit bestanden die kleinen
keltischen Anwesen weiter fort (A. Grenier,
Habitations gauloises et villas latines dans la
cité des Médiomatriques [Paris 1906]; ders.:
AnnHistÉconSoc 1 [1930] 26/47; E. Thévenot:
RevArchEst 4 [1953] 78/83) u. zogen in der
hohen Kaiserzeit Nutzen aus den Gemeinschaften der vicani oder cultores (P. Wuilleumier:
RevÉtAnc 36 [1934] 199/205; H. Doisy,
Antiquités africaines 1 [Paris 1967] 59/71). Bei
der Landverteilung in den Kolonien wurden
die kleinen Anwesen begünstigt, so zB. im
Gebiet von Orange (vgl. dazu A. Piganiol,
Documents cadastraux de la colonie romaine
d'Orange = Gallia Suppl. 16 [1963] 39/49) u.
aufgrund der Einteilung in centuriae auch in
der Umgebung von Béziers u. Narbonne (M.
Guy: Gallia 13 [1955] 103/8) u. sogar bei
Rennes (A. Meynier: CRAcInscr 1944, 413/
22). Die großen Besitztümer der alten Druiden u. der gallischen equites (Caes. b. Gall. 6,
13) bestanden oft in der Hand romanisierter
Gallier fort (Jullian 4, 375). An der Geschichte der Villa von Mayen bei Koblenz läßt sich
eine solche Entwicklung in acht Phasen gut
beobachten: An die Stelle einer Hütte der La
Tène I-Kultur trat in einer vierten Entwick-
lungsphase ein Einzelgehöft (aedificium) u.
in der fünften Phase vom 1. Jh. nC. an eine
villa rustica (P. Oelmann: BonnJbb 133
[1928] 51f; H. Mylius: ebd. 141f). Die großen Domänen verfügten im Durchschnitt
über 1000 ha Ackerland (Jullian 4, 378). Der
Grundbesitz vieler Höfe war freilich beschei-
dener u. belief sich auf ca. 200/500 ha (Grenier,

Manuel 2, 2, 930). Seit dem 3. Jh. entwickelte sich das große Besitztum fort. Die villa rustica nahm den Charakter eines Herrenhauses an u. wandelte sich zur villa urbana. Die Gründe für diesen Wandel sind ebensosehr in der wachsenden Unsicherheit wie in der Möglichkeit zu günstiger Kapitalanlage im Grundbesitz zu suchen, die sich dem städtischen Bürgertum bot. Die Villen der hohen Kaiserzeit entstanden, so zB. in Aquitanien (Chiragan: L. Joulin: MémAcInscr 11 [1901] 219 ff; Grenier, Manuel 2, 2, 832, u. Montmaurin: G. Fouet, La villa gallo-romaine de Montmaurin = Gallia Suppl. 20 [1968]), in Burgund (Abbé Chaume: Mém. Comm. Antiq. Départ. de la Côte-d'Or 19 [Dijon 1932] 255 ff; s. ferner P. Burgaud: RevArch 1940, 61 f zu La Vergnée), in Ostbelgien (Nennig und Fliessem: P. Steiner, Römische Landhäuser im Trierer Bezirk [1923]; H. Mylius: BonnJbb 129 [1924] 109 f; R. de Maeyer, De Romeinsche villas in België [Antwerpen 1937]) u. in der Schweiz (Stähelin 389 f). Es ist bezeichnend, daß diese Entwicklung besonders in Aquitanien u. in den Gebieten an der großen Rhein-Rhône-Achse zu beobachten ist.

III. Industrie. a. Bergbau u. Steinbrüche. Die weit verstreuten Bergwerke u. Steinbrüche wurden in der gallo-röm. Zeit weitaus intensiver betrieben als in der gallischen Epoche. Das gilt vor allem von den Eisenminen des Sambre- u. Maastals (F. Rousseau, La Meuse et le pays mosan [Namur 1930] 8 f) u. des Häduerlandes (B. Lacroix: Ogam 15 [1963] 65/83). Ziegelbauten waren noch selten. Die örtlichen Steinbrüche, die Kalkstein u. Sandstein als Baumaterialien lieferten, wurden in der späteren Kaiserzeit stark vermehrt, um den Bedürfnissen der Urbanisierung u. der großen öffentlichen Bauvorhaben nachzukommen. Einige Luxusmaterialien wie den pyrenäischen Marmor exportierte man sogar (Marmor zB. seit Trajan aus St-Béat).

b. Verarbeitende Industrie. Die verarbeitende Industrie, deren Wirken bereits in der La Tène-Zeit zu beobachten ist, entwickelte sich u. bot die Voraussetzung für einen Handel, der nicht nur lokale Bedeutung hatte, sondern den Warenaustausch zwischen den Provinzen betrieb. Vier Industriezweige galten als spezifisch gallo-römisch.

1. Textilindustrie. Das städtische Leben u. die Nähe der castra des Rheinlandes führte zur Herstellung von Soldatenmänteln u. Mänteln für das einfache Volk bei den Atrebaten u. Nerviern; Gewebe u. Tauwerk fertigten die Cadurci an, Leinentuniken u. feine Tuche die Ateliers von Lyon u. Umgebung, ferner Werkstätten in Ostbelgien (vgl. Grabstelen aus der Gegend von Trier, Troyes, Sens u. Lyon; s. dazu Espérandieu, Recueil 3. 4. 6; J. P. Wild, Textile manufacture in the northern roman provinces [Cambridge 1970]). In der späten Kaiserzeit traten staatliche Manufakturen an die Stelle dieser Betriebe (linyfia u. vestiaria; vgl. dazu u. Sp. 870).

2. Metallverarbeitung. Die gallo-röm. Bronzegießer u. Goldschmiede vervollkommneten überlieferte keltische Techniken. Plin. n.h. 34, 48 schreibt den Galliern die Erfindung der Verzinnung von Eisen oder Kupfer zu. Hubert (1, 151) führt die Emailletechnik der La Tène II-Periode, ferner Masken, Büsten u. Statuen (F. Braemer: RevArch 1968, 327 f; 1969, 81/102) auf Vorbilder der alexandrinischen u. italischen Toreutik zurück. Auch im Raum von Lyon u. in Belgien ist eine rege Tätigkeit der Werkstätten zu beobachten: vgl. die kleinen emaillierten Fibeln der Villa von Anthée u. Emaillegefäße aus der Gegend von Namur (K. Exner: BerRGKomm 29 [1939] 31 f; ders.: Marburger Studien [1938] 47), ferner Statuetten (F. Braemer: RevArch 1969, 101), Schalen, Siebe, Löffel usw. aus Lyon u. dem Gebiet der Häduer (zu Vertault vgl. zB. Mém. Comm. Antiq. Départ. de la Côte-d'Or 19 [1932] 44 ff). Zu Beginn des 2. Jh. traten rheinische Werkstätten mit der Herstellung von Waffen, Werkzeugen u. Goldschmuck hervor.

3. Keramik. Die gallo-röm. Keramik trat in Konkurrenz zu der italischen Sigillataware aus Arezzo, die sie vergröbernd nachahmte (H. Comfort, Gaulish terra sigillata: AmJournArch 58 [1954] 33/7; F. Oswald: JournRomStud 46 [1956] 106/14). Lyon, am Ende der großen Italienstraßen gelegen, scheint den Anfang mit dieser Imitation gemacht zu haben (A. Audin-M. Leglay: BullSocNatAntFr 1966, 95/109). Es folgten die Helvetier (zu Lausanne als Herstellungsort vgl. A. Laufer: Communicationes rei cretariae Romanae fautorum 8 [1967] 19/21). Von Lyon aus erreichte die Sigillata-Imitation wohl La Graufesenque bei Millau, wohin sie freilich auch aus den Werkstätten von Montans (Dép. Tarn) gelangen konnte, die nahe der aus Aquitanien kommenden Straße lagen (L. Hermet, La Graufesenque [Condatomago] [Paris 1934]; A. Albenque: RevÉtAnc 53 [1951] 71/81; A.

Aymard: ebd. 54 [1952] 93/101; L. Balsan: RevRouergue 17 [1963] 58/65). In der zweiten Hälfte des 1. Jh. nC. wurden von La Graufesenque aus auch in Banassac (Lozère) Töpfereiwerkstätten gegründet (Ch. Morel: RevGévaudan 2 = Bull. Soc. Arts et Lettr. de Lozère 134 [Mende 1954]; H. Gallet de Santerre: Gallia 22 [1964] 507f) u. wahrscheinlich seit der Regierungszeit des Claudius (vgl. C. Vatin: Gallia 25 [1967] 319/22) auch in Lezoux im Puy-de-Dôme, das als Ausfuhrzentrum La Graufesenque bald an Bedeutung einholte (J. A. Stanford-G. Simpson, Central Gaulish potters [Oxford 1958]). In der Nähe von Lezoux wurden weitere Töpfereien in Martres-de-Veyre eröffnet (J. P. Terrisse, Les céramiques sigillées gallo-romaines des Martres-de-Veyre [Puy-de-Dôme] = Gallia Suppl. 19 [1968]). In Belgien u. Germanien, in Britannien u. in den Donauprovinzen war der Erfolg der gallischen Sigillata so groß, daß die italische Sigillataware auf die Gegend von Lyon u. besonders nach Aquitanien u. in die Narbonensis zurückgedrängt wurde, wo man einige wenige Scherben gefunden hat (M. Labrousse: Gallia 12 [1954] 300/21). Am Ende des 2. Jh. rivalisierten in Ostbelgien die Werkstätten der Argonnen, des Mosellandes u. Triers, die rheinischen von Rheinzabern u. Heiligenberg mit den Töpfereien von Lezoux (G. Chenet-G. Gaudron, La céramique sigillée d'Argonne des IIe et IIIe s. = Gallia Suppl. [6 [1955]; M. Lutz: RevArchCentre 5 [1966] 130/57; ders., L'atelier de Saturninus et de Satto à Mittelbronn (Moselle) = Gallia Suppl. 22 [1970]). Doch näherten sie sich der gewöhnlichen einheimischen Töpferware (J. J. Hatt: RevÉtAnc 51 [1949] 101/28). Während der Barbareneinfälle des 3. Jh. gingen alle diese Werkstätten unter. Nur diejenigen der Argonnen, Lavoye u. Avocourt nahmen ihre Tätigkeit wieder auf, wandten aber hinfort eine vereinfachte Technik an. Der Dekor wurde fortan mit dem Rädchen aufgetragen (G. Chenet, La céramique gallo-romaine d'Argonne au IVe s. [Mâcon 1941]). Sie hatten bis zum Anfang des 5. Jh. Bestand u. belieferten das Imperium von der Bretagne bis nach Pannonien mit ihrer Ware (G. Chenet: RevArch 1940, 82f). Etwa im 4. Jh. kommt in Aquitanien u. in der Narbonensis eine graue u. rosafarbene Keramik auf, deren Dekor mit Rädchen oder Stempel ausgeführt wurde, u. zwar in Aquitanien eine einheimische Ware mit geometrischem Dekor (G.

Fouet: Ogam 13 [1961] 271/85), in der südlichen Narbonensis graue Sigillata, die vielfach mit frühchristlichen Motiven geschmückt war (J. Rigoir: ProvenceHist 10 [Aix 1960] 1/73; ders.: Gallia 26 [1968] 177/244).

4. Glasindustrie. Die Glasindustrie erlebte einen späteren u. örtlich enger begrenzten Aufschwung als die Töpferei. Noch deutlicher als die Verbreitung der italischen Sigillata folgte die Entwicklung der Glasindustrie den Straßen des Rhône- u. Rheintals u. wurde zunächst im Rheinland heimisch. Ende des 2. Jh. ließen sich orientalische Glasmacher in Lyon, Trier u. besonders in Köln nieder, wo sich ihre Werkstätten seit etwa 150 auf die Herstellung von Luxusgläsern spezialisierten (Morin-Jean, La verrerie en Gaule sous l'empire romain [Paris 1913] 15f; F. Fremersdorf, Römische Gläser aus Köln^2 [1939]; ders.: Kölner Jb. f. Vor- u. Frühgesch. 8 [1965/66] 24/43). Vom 3. Jh. an traten Gläser in weitem Umfang an die Stelle der Sigillata, die immer kostbarer u. seltener wurde. In Westbelgien entstanden schließlich Werkstätten, die einfache Gebrauchsware aus Glas herstellten, so die Glasbecher mit dem Firmenzeichen ‚Frontinia', ‚Frontiniana', die in der Normandie u. im Poitou, im Gebiet der Häduer u. im Rheinland verbreitet sind (M. Chassaing: RevArchEst 12 [1961] 7/33). Diese Werkstätten arbeiteten bis zum Ende des 4. Jh. (Morin-Jean aO. 175). Die Kölner Werkstätten, die bei den Germaneneinfällen des 3. Jh. zerstört wurden, nahmen seit Diokletian ihren Betrieb wieder auf. Zur Fertigung von Diatretgläsern trat die Goldglastechnik. Der Dekor wurde seit Konstantin um christliche Motive bereichert (zu den Goldgläsern s. F. Neuburg, Glass in Antiquity [London 1949]; zu den diatretarii vgl. O. Doppelfeld: Germania 38 [1960] 403/17; s. ferner auch S. Loeschcke, Frühchristliche Denkmäler aus Trier [1936] 91/145). – Diese in Belgien u. im Rheinland ansässig gewordenen bedeutenden Industrien der gallo-röm. Zeit erklären, warum man den wirtschaftlichen Höhepunkt des röm. Nord-G. wenig vor der Mitte des 3. Jh. ansetzen kann (H. van de Weerd, Het economisch bloeitijdperk van Noord Gallië in den Romeinschen tijd = MededeelBrüssel 1940, 4; ders., Inleiding tot de Galloromeinsche archeologie der Nederlanden [Antwerpen 1944]) u. nicht ins 2. Jh. wie im Gebiet von Lyon oder in der Narbonensis; denn diese beiden Provinzen gerieten mehr u. mehr in den Windschatten des Verkehrs, der die

große Achse von Rhein u. Rhône mit ihrer westlichen Verlängerung nach Britannien u. ihrer östlichen zu den Donauprovinzen benutzte.

IV. Handel. a. Straßen. Die Straßen oder besser Pisten des freien G. müssen ein recht dichtes Netz gebildet haben, wie die Schnelligkeit der Truppenbewegungen Cäsars bezeugt. In jedem Stammesgebiet bestanden örtliche Netze. Die großen Wege des Bernstein-, Zinn- u. Weinhandels, denen Griechen, Etrusker u. italische Kaufleute der republikanischen Zeit folgten, durchquerten ganz G. u. verbanden das Landesinnere mit der Mittelmeerküste. Auch die Römer benutzten diese großen Routen, die oft von Landstraßen auf Flußläufe ausweichen, so daß die Möglichkeit bestand, Transporte leicht u. billig durchzuführen. Eine Flußschiffahrt, ein Fuhrwesen, Märkte u. kleine örtliche Häfen, die seit langem rege benutzt wurden, waren vorhanden; die Hauptlinien waren zZt. des M. Fonteius (um 74 vC.) die Aquitanien-Straße von Narbonne nach Bordeaux, ferner in der frühen Kaiserzeit die Querverbindung Lyon-Bordeaux über Rodez, Cahors, Toulouse u. Agen, sowie Loire- u. Saôneübergänge, die zur Rhônefurche führten (vgl. zu Roanne P. Fustier: RevArchEst 6 [1955] 70/6). Die erste Militär- u. Verwaltungsstraße nach der Eroberung der provincia folgte dem Verlauf der griech. Straße des Herakles. Der älteste gallische Meilenstein (118 vC.; vgl. P.-M. Duval: CRAcInscr 1951, 161; ders.: Gallia 7 [1949] 207/31) trägt den Namen des Eroberers Domitius Ahenobarbus. Aber als die Via Domitia an das Straßennetz Italiens angeschlossen wurde, verlief die Rhônestraße nach Genua über Aix (gegründet 123 vC.) u. berührte das keltische Arles nicht (F. Benoit: RevÉtAnc 40 [1938] 132ff). – Das gallo-röm. Straßennetz war das Werk des Augustus u. des Agrippa (nach 27 vC.; vgl. Grenier, Manuel 2, 1, 1). Sie wurden dazu veranlaßt durch die Erfordernisse der Steuer- u. Flurordnung in den neuen gallischen Provinzen sowie durch die Notwendigkeit, schnelle Verbindungen von Rom zu den großen Städten u. den Reichsgrenzen zu schaffen. Die gallischen viae publicae waren vorwiegend Heerstraßen, für Truppen u. für deren Nachschub bestimmt, u. dienten ferner dem cursus publicus. Sie hatten als Zentrum Lyon, die neue Hauptstadt (Strab. 4, 6, 11 [208]), die als Verkehrsknotenpunkt an die Stelle der alten, Narbonne, trat. Die italischen Straßen endeten hier: die Rhônestraßen, die von Aix kamen, die Alpenstraßen, die Mont-Genèvre-Straße u. die Straße über den Kleinen St. Bernhard. Dort begann die Straße des Agrippa, die über Langres zum Rhein führte. Ein Zweig dieser Route verband Langres über Reims mit Boulogne. Die Agrippastraße war so bedeutend, daß man sie durch einen zweiten parallelen Zug durch das Elsaß über Besançon entlastete. In Besançon begann eine Abzweigung nach Lausanne. Seit Drusus verlief ferner ein Verkehrsweg am linken Rheinufer entlang von Xanten über Köln, Mainz u. Straßburg nach Basel u. Augst; seine Verlängerung führte durch die Schweizer Ebene, das Wallis, über den Großen St. Bernhard nach Italien. Von Lyon aus gingen zwei Querverbindungen nach Aquitanien: über das nördliche Zentralmassiv nach Clermont u. Saintes, im Süden nach Rodez u. Cahors. Kaiser Claudius schloß die unter Augustus begonnene Eroberung u. Romanisierung von Nord-G. ab (s. S. J. de Laet: Mélanges A. Piganiol 2 [Paris 1966] 951/61; vgl. die Weihinschrift von Senlis: CRAcInscr 1960, 453ff), gründete die Kolonie Trier (s. u. Sp. 850f. 862) u. öffnete im Westen neue Straßen zum Ärmelkanal u. nach Britannien: von Chartres nach Cherbourg, von Lyon nach Quimper über Nantes u. Vannes. Diese Straße traf mit einer Abzweigung hinter Roanne u. Bourges auf die Querverbindung Lyon-Saintes. Schließlich ging von der Via Agrippina Lyon-Langres eine neue Querverbindung nach Chalon-sur-Saône aus, die Autun u. Auxerre erreichte, von wo aus eine Abzweigung nach Reims u. Boulogne führte, während ein anderer Zweig über Sens, Paris, Rouen nach Le Havre verlief. Ebenso verband eine weiter nördlich verlaufende Querstraße Köln, das i.J. 50 nC. Kolonie geworden war, über Tongeren u. Bavai mit Boulogne (J. Breuer, La Belgique romaine [Bruxelles 1946] 48). Domitian u. Trajan stellten die alten keltischen Ost-West-Verbindungen wieder her u. schlossen so die Rheinstraßen an die pannonischen u. moesischen Verkehrswege an. Dadurch wurde Nordost-G. in der Kreuzung der Rhein-Rhône-Achse für vielerlei Austausch u. Einflüsse geöffnet. Die Agrippastraße nördlich von Lyon war stets in Benutzung, selbst am Ende des 3. Jh. (P. Lebel: AnnBourgogne 22 [1950] 287/90). Diokletian verband die große Italienstraße, die vom Großen St. Bernhard kam, über das Südufer des Genfer Sees unmittelbar

mit Genf (P. Collart: Vallesia 15 [1960] 231/
40). Die Via Domitia war fast nur als Spa-
nienstraße von Bedeutung. Als Verbindung
nach Italien wurde sie vom Seeweg überflü-
gelt, der billig u. verhältnismäßig kurz war.
Eine Seereise von Ostia nach Narbonne dauerte bestenfalls nur drei Tage.

b. Großhandel. Der Großhandel (dazu Rostovtzeff, Rom. Emp. Kap. 5/6) zwischen Provinzen
oder mit dem freien Germanien im Norden oder
Italien im Süden wurde über die Kreuzung der
Handelswege in Nordost-G. abgewickelt. Aber
diese Kreuzung der festländischen Handels-
straßen war auf die Häfen des südlichen G. angewiesen, Narbonne u. Arles, wo die navicularii
viel mächtiger waren als in Bordeaux (zu Narbonne vgl. A. Héron de Villefosse: MémSocNat-
AntFr 70 [1915] 153/80; ders.: BullArch 1918,
245/73; zu Arles vgl. A. Barot: RevArch 1905,
262; L. A. Constans, Arles antique [Paris
1921]; vgl. ferner zu Bordeaux Étienne 131.
136).

1. Handel der frühen Kaiserzeit. Im 1. Jh. war
der gallo-röm. Handel im wesentlichen zum
Mittelmeer hin orientiert. Nach einem Wort
des jüd. Schriftstellers Josephos ‚herrscht[e] in
G. Überfluß an Gütern jeder Art, u. die Gallier
überschwemm[t]en die ganze Welt mit ihren
Erzeugnissen' (Jos. b. Iud. 2, 371/3). Die Sigillata aus La Graufesenque wurde mindestens
zum Teil über Narbonne u. Arles exportiert.
Aber Lyon war wichtigstes Handelszentrum.
Seine negotiatores vinarii verkauften die italischen Weine (CIL 6, 29722; Grenier, Manuel
2, 2, 628: Weinamphoren mit gleichem Firmenzeichen in Rom u. in den Rhein- u.
Rhônestädten). Seine diffusores olearii standen in Geschäftsverbindung mit Spanien (E.
Thévenot: RevArchEst 1 [1950] 65f; A.
Bruhl: RevÉtAnc 64 [1962] 54/8). Seine negotiatores cisalpini u. transalpini hatten Agen-
turen in Mailand, Avenches, Köln u. Aquincum (CIL 5, 5911. 1047; 13, 2029, 634; A.
Alföldi: SP [Ur-Schweiz] 16 [1952] 3/9). Viele
Griechen u. Orientalen ließen sich hier nieder; doch war die Zahl spezialisierter Handwerker aus diesen Ländern (Glasarbeiter,
Parfümhersteller, Goldschmiede) größer als
die der Händler, die in Süd-G., vor allem in
den Hafenstädten, das Übergewicht hatten.
Hier waren sie nach dem Zeugnis der Inschriften vor allem unter den navicularii von
Arles u. Narbonne zu finden; doch ist es
schwieriger, sie zu entdecken als die Syrer
der späten Kaiserzeit, denn sie waren in das

Leben der Städte integriert. – Nach der Eroberung Britanniens konkurrierten die großen rheinischen Städte mit Lyon. Trierer
Kaufleute trieben Handel mit London u.
Bordeaux. Vgl. dazu die Brittaniciani auf
Inschriften der Insel Walcheren (CIL 13,
8793), aus Köln (ebd. 81642) u. aus Bordeaux
(ebd. 634; s. Espérandieu, Recueil 9, 6932).
Händler u. Gewerbetreibende verbreiteten in
den drei G. nicht nur Weine u. andere Erzeugnisse aus Italien oder dem Orient, sondern
auch Tuche, Keramik u. andere Produkte des
Rheinlandes. In Lyon erscheinen sie in den
Zünften der nautae, fabri tignarii, negotiatores cisalpini et transalpini (CIL 13, 1911.
1179; vielleicht auch 1954. 2033). Zwischen
80 u. 320 exportierten sie gallische Kerami-
ken u. Bronzen in die Donauprovinzen (F.
Fremersdorf: Dissertationes Pannonicae 2, 10
[1938] 168/82; H. Heitz: BullFacLettrStrasb
1951, 176/81). Einwohner von Trier u. Köln
ließen sich in Aquincum nieder (K. St. Póczy:
ActArchHung 13 [1961] 97/102). Augsburg in
Raetia wurde zu einem kleinen Trier (Rostovtzeff, Rom. Emp. Kap. 6 Anm. 51, nach
den Inschriften, deren Bedeutung F. Vollmer
erkannt hatte). Die Grabmäler der Trierer
Kaufleute zeigen, wie erfolgreich sie waren:
zB. das Grab der Tuchhändlerfamilie der
Secundini in Igel bei Trier, das vom Beginn
des 3. Jh. stammt (Espérandieu, Recueil 6,
437/60, 5268; F. Drexel: RömMitt 35 [1920]
83f; H. Dragendorff - E. Krüger, Das Grabmal von Igel [1924]), ferner das Grab einer
anderen Familie in Neumagen, die durch
Weinhandel u. im Bankgeschäft zu Reichtum
gekommen war (W. v. Massow - E. Krüger,
Die Grabmäler von Neumagen [1932]). Die
Großkaufleute in Lyon u. im Rheinland exportierten ferner in das freie Germanien.
Vielleicht benutzten sie zunächst den Seeweg
von Vechten aus durch die Nordsee, um das
Hindernis der Militärgrenze von Germania
inferior zu umgehen (H. Aubin: BonnJbb 130
[1925] 28; O. Brogan: JournRomStud 26
[1936] 208. 215; G. Eckholm: ActArch 6
[1935] 49/98). Als später der Limes zu einer
festen Grenze wurde, die sich auch auf dem
rechtsrheinischen Ufer in Germania superior
fortsetzte, wurden andere Handelswege benutzt, die von Xanten/Castra Vetera zum
Elbegebiet u. von Mainz in die Wetterau, in
das Hessen der Chatten oder nach Thüringen
führten (H. J. Eggers, Der röm. Import im
freien Germanien [1951] 32/7. 53. 60).

2. Handel der späten Kaiserzeit. Die Barbareneinfälle des 3. Jh. vernichteten den galloröm. Handel. Lyons handelspolitische Bedeutung sank nach Aurelians Sieg über Tetricus u. den sich daran anschließenden Repressalien rasch ab. Lyons negotiatores vinarii erlitten durch das Edikt des Probus, das in den Provinzen den Weinbau freigab (s. o. Sp. 831), großen Schaden. Die Stadt verlor ihren Rang als Hauptstadt der Lugdunensis, als diese Landschaft zunächst von Diokletian in zwei u. am Ende des 4. Jh. in vier Provinzen geteilt wurde (A. Kleinclausz, Histoire de Lyon des origines à 1598, 1 [Lyon 1939] 60). Sie erscheint nicht einmal mehr bei Ausonius im Verzeichnis der großen gallischen Städte hinter Trier, Arles, Bordeaux u. Toulouse. Im 5. Jh. sagte Sidonius Apollinaris von Lyon, diese Stadt leide an allem Mangel, selbst an Einwohnern (c. 5, 575/82), was freilich übertrieben sein dürfte (A. Coville, Recherches sur l'histoire de Lyon du 5ᵉ au 9ᵉ s. [Paris 1928]). Die Rheinlande wurden zwischen *Gallienus u. Konstantin unablässig von plündernden Alamannen- u. Frankenhorden heimgesucht. Unter Julian u. Valentinian wiederholten sich Einbrüche dieser Art. Von da ab gab es nur regionale Märkte. Abgesehen von der Ausfuhr einiger Luxusartikel versiegte der Export fast völlig. Trier, Hauptstadt des gallischen Reichsteils, war unter Maximianus Herculius, Konstantin, Valentinian u. Gratian kaiserliche Residenz. Es war vornehmlich Militär- u. Verwaltungshauptstadt, Sitz der Präfektur der gallischen Provinzen. Diesen Rang verlor es 395/6 zugunsten von Arles. Wie in den übrigen gallischen Städten dieser Zeit wich auch hier die alteingesessene bürgerliche Kaufherrenschicht dem Beamtentum u. den honorati (M. Rostovtzeff: Mélanges H. Pirenne [Bruxelles 1926] 419/32). Im 5. Jh. überlebte Trier zwar noch, befand sich aber, viermal von Barbaren erobert, in elendem Zustand (Salvian. gub. 6, 75). In Nord-G. kam zu der allgemeinen Unsicherheit noch der Druck der kaiserlichen Steuer- u. Wirtschaftspolitik, die unter dem Zwang der Verhältnisse dirigistische Züge annahm (Grenier, Gaule 633). So wurden die navicularii scharf überwacht. Im übrigen erwähnt der Codex Theodosianus keine gallischen navicularii. Militäreinheiten traten an die Stelle der alten nautae. Das Transportwesen war dem comes sacrarum largitionum unterstellt, dem ein praepositus bastagae zur Seite stand (Not. dign. occ. 11,

85 [152 Seeck]). Ähnliches galt für die staatlichen Manufakturen (gynaecia, linyfia, bafia, branbaricaria in Reims, Tournai, Trier, Autun, Vienne, Arles u. Toulon; vgl. ebd. 11, 54/77 [151f S.]). Dem magister officiorum oblag die Aufsicht über die Arsenale von Mâcon, Autun, Soissons, Reims, Amiens, Trier u. Argenton (ebd. 9, 31/9 [145f S.]). Der freie Handel, der auf den Import einiger exotischer Luxusgüter beschränkt war, ging in die Hand syrischer Händler über (P. Lambrechts: AntClass 6 [1937] 35/61), die aber nur zum Teil die alten Kaufleute ersetzten u. zum Unterschied von den Orientalen der hohen Kaiserzeit Fremde blieben. – Süd-G., das unter den Barbareneinbrüchen des 3. u. 4. Jh. weniger zu leiden hatte als der Norden, behielt einige Brennpunkte des Handels, so Arles u. besonders Narbonne, die beide ihre Verbindungen zu den mediterranen Handelsplätzen u. ebenso zu einer provinzialen Kundschaft offen hielten, die immer noch begütert war (vgl. die Sarkophage aus den Werkstätten in Arles, 4. u. 5. Jh.; dazu s. F. Benoit, Sarcophages paléochrétiens d'Arles et de Marseille = Gallia Suppl. 5 [1954] 6/14). Im J. 412 erschienen die Westgoten unter Athaulf in Süd-G. Es kam zur Gründung eines westgotischen Königreiches aufgrund des foedus von 418. Im J. 477 eroberte der König Eurich Arles.

V. Städte. a. Städte der keltischen Epoche. Das keltische G. besaß seit der Hallstattzeit mehrere bedeutende oppida an den Hauptverkehrswegen, so zB. Vix auf dem Mont-Lassois (R. Joffroy, La tombe de Vix = Mon-Piot 48, 1 [Paris 1954]). In der La Tène II-Zeit erhielten sie mehr u. mehr das Gepräge von Handelsplätzen. Auf Ortsnamen, die mit dem Suffix -briga (= Bergfestung) gebildet werden, folgten ab etwa 250 vC. andere, die auf -dunum (= befestigter Platz) oder -magus (= Markt) endeten (vgl. H. Rix: Festschrift P. Goessler [1954] 99ff; P. Lebel: Hommages A. Grenier 2 [Bruxelles 1962] 966/73). Die oppida des Languedoc folgten dem Verlauf der Straße des Herakles. Sie waren zwischen dem 5. u. dem 3./2. Jh. entstanden, so zB. Ensérune (J. Jannoray, Ensérune [Paris 1955]), Mailhac, La Roque (ders.: Gallia 12 [1954] 412/22) u. Nages (M. Aliger: Celticum 16 [1967] 1/63). Marseille hatte sie nach dem Stand der griech. Fortifikationstechnik befestigt, so Pech-Maho (Gallia 12 [1954] 414) u. besonders Saint-Blaise (H. Rolland,

Fouilles de Saint-Blaise [Bouche-du-Rhône]=
Gallia Suppl. 3 [1951] u. 7 [1956]; ders.: ProvenceHist 14 [1964] 7/15), eine vorgeschobe-
ne Festung, die der Verteidigung der Einflußzone von Marseille diente. Die griech.
Mauern u. Häfen von Marseille kennt man
seit den Ausgrabungen von 1967 (vgl. F.
Salviat - M. Euzennat: Archaeologia 21 [1967]
5/17; dies., Les découvertes archéol. de la
Bourse à Marseille [Marseille 1969]). Nach
dem Einfall der Kimbern u. Teutonen wurden
die Fliehburgen der Hallstattzeit erneut befestigt, zB. die sogenannten hill-forts in Belgien (M. Wheeler - K. Richardson, Hill forts
of northern France [London 1957]; P.-M. Duval: Gallia 17 [1959] 37/62; Y. Graff: Celticum 6 [1963] 113/69), Bollwerke, in der Technik des murus Gallicus (Caes. b. Gall. 7, 23)
zB. in Bibracte u. Avaricum, oder aus mör-
tellosem Mauerwerk ausgeführt, das von zwei
Schalen zusammengehalten wurde, so zB. in
Gergovia (M. Labrousse: Gallia 6 [1948] 31/
95; P. F. Fournier, Gergovie [Clermont 1962])
u. Alesia (J. Le Gall: Celticum 6 [1963] 181/
92).

b. Städte in der republikanischen Zeit u. in
der frühen Kaiserzeit. 1. Kolonien. G. erlebte in römischer Zeit einen überaus raschen
Wandel zu einer Stadtkultur. Aix, gegründet 123 vC., war ursprünglich ein Kastell
vor den Mauern der Salluvierstadt Entre-
mont (F. Benoit: Gallia 12 [1954] 294/300),
Narbonne an der Via Domitia lag zu Füßen des oppidum Montlaures. Es wurde iJ.
118 römische Zivilkolonie (Jullian 3, 37; P.
Goessler, Art. Narbo: PW Suppl. 7 [1940]
518f; H. B. Mattingly, The foundation of
Narbo Martius: Hommages A. Grenier 3
[Bruxelles 1962] 1159/71); dasselbe gilt von
St-Bertrand-de-Comminges, wo Pompeius um
das J. 72 Flüchtlinge aus dem Lager des Ser-
torius sammelte (R. Lizop, Histoire de deux
cités gallo-romaines. Les Convenae et les
Consoriani [Toulouse 1932]). Cäsar u. die
Triumvirn gründeten in der Narbonensis u.
vor ihren Toren römische Veteranenkolo-
nien. Im J. 48 führte Tiberius Claudius Nero
die Veteranen der 6. Legion nach Arles, vielleicht die der 7. Legion nach Béziers (M.
Clavel, Béziers et son territoire dans l'antiquité [Paris 1970] 161/7). Im J. 46 gründete
er Narbonne neu mit den Veteranen der 10.
Legion. Um 45/3 besetzten andere Veteranen
das oppidum der Segovellauni, das zur römischen Kolonie Valentia geworden war (A.

Blanc, Valence des origines aux Carolingiens
[Valence 1964]); um 44 wurden equites in
Nyons (Colonia Iulia Equestris) angesiedelt
(Stähelin 91), ohne Zweifel in der Absicht,
die Allobroger zu überwachen. Ebenso wurde
iJ. 44 Augst (Colonia Raurica) gegen die
Rauraci gegründet, die in der Baseler Gegend
ansässig waren (ebd. 96). Für Lyon (Colonia
Copia Lugudunensium) war wahrscheinlich-
stes Datum der 10. X. 43 (A. Audin: Cahiers
d'histoire publiés par les universités de Clermont, de Lyon et de Grenoble 3 [1958] 315/25;
ders., Lyon, miroir de Rome dans les Gaules
[Paris 1965]; J. Guey: BullSocNatAntFr
1959, 129/73). Vielleicht waren die neuen Siedler aus Vienne vertriebene Veteranen der 5.
Legion (M. Rambaud: CRAcInscr 1964, 252/
77). Um 35 wurden Veteranen der 2. Legion
südlich von Valence in Orange angesiedelt
(P.-M. Duval, L'arc d'Orange: Gallia Suppl.
15 [1962] 143/52). Schließlich verlieh Cäsar
den bedeutendsten oppida von Völkerschaften, die entweder am Bündnis mit Rom fest-
hielten oder in ein solches eintraten, das latinische Recht: Avignon u. Cavaillon als Vororte der Cavari, Carpentras als Hauptort ihrer
Nachbarn, der Memini, Apt im Gebiet der
Albici (untere Durance), Antibes an der Ufer-
straße nach Italien, ferner Toulouse (M.
Labrousse, Toulouse antique [Paris 1968]),
Carcassonne u. Castel-Roussillon, westlich
bzw. südlich von Narbonne. Nach Actium
gründete Augustus laut Plin. n.h. 3, 5 in der
Narbonensis nur eine römische Kolonie, Fréjus
(Colonia Octavanorum Pacensis Classica),
mit alten Seeleuten des Antonius u. Veteranen
der 8. Legion (P.-A. Février: Actes VIIe Congr.
Ass. Budé à Aix [Paris 1964] 417/9; ders.,
Forum Iulii = Itinér. Ligures 13 [1963]).
Doch gründete er latinische Kolonien, so zB.
Nîmes, vielleicht mit alten griechischen u.
ägyptischen Auxiliaren. Diese Kolonie besaß
seit 16 vC. eine vorzügliche Stadtbefestigung
(CIL 12, 3151); eine andere latinische Vetera-
nengründung dieser Art war Vienne. Zu der
gleichen Zeit wie Nemausus erhielt auch dieser Ort eine Ringmauer (G. Chapotat: Celticum 6 [1963] 307/20). Hierher gehört auch
Alba, oppidum der Helvier des Vivarais, das
zu Alba Augusta wurde, ferner Riez, Stadt
der Reii, eines in den Seealpen wohnenden
Volkes (colonia Iulia Augusta Apollinaris).
Aix, das bereits latinische Kolonie war, erhielt den Rang einer röm. Kolonie ohne Zu-
zug von Veteranen. Wie die übrigen latini-

schen Kolonien der provincia wurde es in die tribus Voltinia eingeschrieben.

2. Städte der drei G. In der comata gab es vor Claudius keine römische Kolonie, nicht einmal latinische Kolonien in der Art von Nîmes, Vienne oder Alba, den ehemaligen Hauptorten der Volcae Arecomici, Allobroger u. Helvier. Augustus u. Tiberius förderten die Entwicklung der alten keltischen Metropolen. Aus politischen u. wirtschaftlichen Gründen wurden die oppida der großen gallischen Völker in die Ebene verlegt. Gergovia, das unter Tiberius zu Ende ging (M. Labrousse: Gallia 6 [1949] 34), wurde Clermont/Augustonemetum (Strab. 4, 3, 3 [191]); an die Stelle von Bibracte trat Autun/Augustodunum (Pomp. Mela 3, 2). Auch andere Städte, die sich durch ihre italischen Kaufleute oder die Bindungen ihres Adels an Rom verändert hatten, wechselten Ort u. Namen, so Limoges/Augustoritum (Grenier, Manuel 3, 1, 250) u. Tours/Caesarodunum (J. Boussard: Carte arch. Gaule rom. 13 [1960]). Alte Handelszentren verfuhren ähnlich, zB. Paris/Lutetia. Die ursprüngliche Keltenstadt bedeckte eine Fläche von 9 ha auf der Seine-Insel. Die neue Stadt wurde auf dem linken Seine-Ufer erbaut u. erreichte im 2. Jh. eine Ausdehnung von 45 ha (P.-M. Duval, Paris antique. Des origines au 3e siècle [Paris 1961]). In Aquitanien erfuhren zu augusteischer Zeit Cahors/Divona Cadurcorum, Poitiers/Limonum, Périgueux/Vesuna, Agen/Aginum die gleiche Entwicklung (Lot 2, 188. 418. 551. 586). Doch viele Städte blühten auch ohne diese Namens- u. Ortsveränderungen auf, besonders die neuen Vororte einzelner civitates. Reims/Durocortorum zB. dehnte sich über ca. 65 ha aus. Amiens/Samarobriva wuchs von 40 ha im 1. Jh. bis auf 100 ha im 2. Jh. (F. Vasselle - E. Will: RevNord 40 [1960] 339/52). Saintes/Mediolanum Santonum soll 168 ha zu beiden Ufern der Charente bedeckt haben (M. Clouet: RevSaintonge-Aunis NS 2 [1953] 1/17. 33/42). Bourges/Avaricum, am Schnittpunkt von 9 Straßen gelegen, besaß noch in der späten Kaiserzeit einen engen Mauerring, der nur 26 ha einschloß (Lot 2, 71; Grenier, Manuel 1, 350. 415 rechnet mit 38 ha); Bordeaux/Burdigala soll im 2. Jh. 25000 Einwohner gezählt haben (Étienne 145). Größte Stadt der Kelten war in der frühen Kaiserzeit Autun (Grenier, Manuel 3, 1, 234). Seine Ausdehnung betrug ca. 200 ha. Eine gewaltige Mauer, die im 1. Jh. in einem Zuge erbaut wurde, umschloß diese Fläche (R.

Lantier: Gallia 12 [1954] 531f; 21 [1963] 155/89). Lyon, die römische Hauptstadt der drei G., wurde von Strabon der Größe nach hinter Narbonne eingestuft. Es soll nur 60/65 ha bedeckt haben, die Länge seiner Festungsmauer auf dem Hügel von Fourvière wird mit nur 3500 m angegeben (P. Wuilleumier, Fouilles de Fourvière à Lyon = Gallia Suppl. 4 [1951]). Avenches dagegen, das seit Vespasian war Kolonie war, besaß eine große Stadtmauer, deren Umfang 5650 m betrug (Stähelin 604; G. Th. Schwarz, Die Kaiserstadt Aventicum [Bern 1964]). Sie entstand um die Wende vom 1. zum 2. Jh. – Die rheinischen castra entwickelten sich zu großen Städten. So bedeckten Xanten, Bonn u. Neuss im Durchschnitt Flächen von 25 ha. Mainz besaß eine 4,2 km lange Stadtmauer, die im 2. Jh. ein Terrain von 120 ha einschloß (Grenier, Manuel 1, 420; D. Baatz, Moguntiacum [1962]). Kölns Ausdehnung betrug in augusteischer Zeit, also vor der Erhebung der Stadt in den Rang einer römischen Kolonie unter Claudius, 96 ha; der Mauergürtel um diese Fläche war 3912 m lang (O. Doppelfeld: Kölner Untersuchungen. Festgabe zur 1900-Jahrfeier der Stadtgründung [1950] 4; P. La Baume: Museen in Köln 9 [1970] 898f). Zu Beginn des 2. Jh. hatte Tongeren eine Stadtbefestigung von 4300 m Länge (K. Scherling, Art. Tungri: PW 7 A 2 [1948] 1305f; F. Ulrix: Kölner Jb. f. Vor- u. Frühgesch. 6 [1962/3] 58/70; A. Wankenne: ÉtClass 33 [1965] 156/77).

3. Städte der Narbonensis. In der Narbonensis überflügelten die alten Keltenstädte, die zu latinischen Kolonien erhoben waren, die römischen Kolonien. Narbonne soll ca. 80 ha bedeckt haben (A. Grenier: CRAcInscr 1955, 352f). Zu derselben Größenordnung rechnen Aix mit einer 4 km langen Ringmauer (F. Benoit: Gallia 12 [1954] 297/300), Orange (Lot 1, 130; J. Formigé: Gallia 5 [1947] 98; 6 [1948] 209; doch Grenier, Manuel 3, 1, 175 hält nur eine Ausdehnung von 70 ha u. eine Festungsmauer von 3,5 km Länge für möglich), oder Arles, dessen Mauerlänge nur 3 km betrug (F. Benoit: CRAcInscr 1941, 92/100). Dagegen erstreckte sich Nîmes über eine Fläche von 200 ha innerhalb eines Mauergürtels von 6200 m Umfang (Grenier, Manuel 3, 1, 143; vgl. M. Durand-Lefebvre: Gallia 12 [1954] 73); Vienne war von einer 6/7 km langen Mauer umgeben (Grenier, Manuel 1, 211; G. Chapotat: Celticum 6 [1963] 307/16), die derjenigen von Autun in der Lugdunensis vergleichbar

war. Kleiner war Toulouse, das zwar eine Fläche von 90 ha bedeckte, dessen Mauer aber nur 4150 m lang war (R. Lantier: Gallia 12 [1954] 530; M. Labrousse: Hommages A. Grenier 2 [Bruxelles 1962] 900/27), also ein wenig länger als die von Narbonne. Im Land der Vocontii besaß die unbedeutende civitas foederata Vaison keine Stadtmauer. Ihre Einwohner nannten sich Iulienses. Vaison war eine kleine, aber blühende u. stark romanisierte Stadt (J. Sautel, Vaison dans l'antiquité [Avignon 1926]).

c. Charakter der gallo-röm. Städte. Mit Ausnahme der castra waren alle diese gallo-röm. Städte sowohl in der alten provincia wie in den drei G. vielfach von einer Mauer umgeben, die ihnen ebenso politisches oder juridisches wie militärisches Gewicht verleihen sollte (L. Harmand: Atti VII congr. intern. arch. class. 3 [Roma 1963] 195/202). Sie schlossen Gärten (Lot 1, *11f) u. unbewohnte Stadtquartiere ein. Ihre Flächenausdehnung entsprach also nicht ihrer Einwohnerzahl. Die Schätzungen von C. Jullian (5, 36), die auf einer Bevölkerungsdichte von 500 Einwohnern je ha basieren, führen zu übertriebenen Zahlen; diejenigen von Lot, die nach der Belegung jedes ein- oder mehrstöckigen Hauses mit nur einer Familie berechnet sind, dürften allzu niedrig sein u. können selbst bei den kleiner gewordenen Städten der späten Kaiserzeit, deren alte Quartiere extra muros, außerhalb der Zufluchtsmauer, nicht verlassen worden waren, nicht zutreffen (M. Roblin: RevÉtAnc 53 [1951] 301/11). Auch Nekropolen, die während einer bestimmten Zeit ständig in Gebrauch waren, gestatten nur eine grobe Schätzung (Étienne 145.220 nimmt für Bordeaux deren 20 auf 25000 Einwohner an). Es gab verschiedene Stadttypen, zB. die colonia deducta mit mehr oder weniger ländlichen Centurien, die von Siedlern bewohnt wurde (vgl. den Kataster von Orange). Daneben fanden sich große Marktflecken bäuerlichen Charakters. Dort lebte der einheimische Stadtadel. An den Schnittpunkten von wichtigen Straßen lagen vielfach Handelszentren mit kleineren oder größeren Industrievierteln u. einer kosmopolitischen Bevölkerung. Letzteres galt auch oft von den Verwaltungshauptstädten. In Militärlagern (castra) verschmolzen häufig die Händlerkolonien (canabenses) mit der neuen Stadt. Die Entwicklung zur Stadtkultur führte überall zu einer Romanisierung. Alle diese Städte erhielten dadurch ein recht uniformes Gesicht. Im ganzen wurde die Stadtkultur der Römer dargestellt von Grenier, Manuel 3 u. 4; R. Lantier: JournSav 1959, 5/15. 105/11; Duval, Vie. Monographien zu einzelnen Städten u. die Beschreibungen einzelner Monumente sind für die Narbonensis weit zahlreicher (Arles, Fréjus, Orange, Nîmes, Vienne, Vaison, St. Rémy/Glanum, Narbonne, Toulouse, Béziers) als für die drei G. Nur sieben der bedeutenderen Städte dieses Gebietes wurden Gegenstand von Spezialuntersuchungen: 1. Lyon (P. Wuilleumier = Gallia Suppl. 4 [1951]; ders., Lyon; A. Audin, Lyon, miroir de Rome dans les Gaules [Paris 1965]); 2. Metz (M. Toussaint, Metz à l'époque galloromaine [Metz 1948]); 3. Straßburg (J. J. Hatt: CRAcInscr 1952, 97ff; 1953, 211ff; ders., Strasbourg au temps des Romains [Paris 1953]); 4. Paris (P.-M. Duval, Paris antique. Des origines au 3e siècle [Paris 1961]); 5. Bordeaux (vgl. Étienne); 6. Besançon (L. Lerat, Histoire de Besançon, Ière partie [Paris 1964]); 7. Avenches (G. Th. Schwarz, Die Kaiserstadt Aventicum [Bern 1964]). Daneben wurde auch die Geschichte einzelner Städte von geringerer Bedeutung erforscht: 1. Tournai (M. Amand - I. Eykens-Dierickx, Tournai romain (Bruges 1960]); 2. Bavai (E. Will, Bavai, cité galloromaine [Lille 1957]); 3. Arras (J. Lestocquoy: RevBPhilH 23 [1944] 163/70); 4. Boulogne (P. Héliot: RevArch 1958, 158/82; E. Will: RevNord 42 [1960] 363/79); 5. Amiens (F. Vasselle-E. Will: ebd. 40 [1958] 467/82; 42 [1960] 339/52); 6. Saintes (M. Clouet: RevSaintongeAunis 1 [1942] 29/43; ebd. NS 2 [1953] 1/17. 33/45); 7. Rodez (A. Albenque, Les Rutènes [Rodez 1948]); 8. Saint-Bertrand-de-Comminges (R. Lizop, Histoire de deux cités romaines. Les Convenae et les Consoriani [Toulouse 1931]; ders.: MémSocArchMidi 20 [1943] 205/46; 21 [1945] 17/87). Unsere Kenntnis der Geschichte von Autun (P.-M. Duval-P. Quoniam: Gallia 21 [1963] 155/89), Reims, Sens, Bourges, Poitiers ist demgegenüber gering, da ihre Erforschung sich recht schwierig gestaltet. Bei Trier ist besonders die späte Kaiserzeit gut behandelt (H. Koethe: TriererZs 11 [1936] 46/63; 12 [1937] 151/79; Th. K. Kempf-W. Reusch: Mémorial voyage d'études en Rhénanie de la Société Nationale Antiq. de France en 1951 [Paris 1953] 145/62; W. Reusch: BullSocNatAntFr 1954, 129/31; Th. K. Kempf: Actes Ve congr. intern. arch. chrét. d'Aix [Paris 1954] 61/72; W. v. Massow:

Studies D. M. Robinson 1 [St. Louis 1951] 490/8). – In den Städten der drei G. ist das Fortleben von Zügen keltischen Lebens deutlicher feststellbar als in denen der Narbonensis. So ist die Bauweise der Privathäuser dem Klima angepaßt. Die Dächer sind nach dem Zeugnis der Trierer Malereien stark abgeschrägt; in Bavai u. Alesia fand man gut gebaute Keller. Ferner wurden Theater u. Amphitheater der Städte in der Narbonensis vielerorts durch Mischformen ersetzt (Grenier, Manuel 3, 2 Abb. 280 f). In Paris, Senlis, Lillebonne, Augst u. a. oder an ländlichen Versammlungsstätten entstanden solche Theater-Amphitheater; diese Mischtypen sind Ergebnis verschiedener Bauepochen (2./3. Jh.) (vgl. P.-M. Duval: VIIIᵉ congr. intern. archéol. class., Rapports [Paris 1963] 45/9). Schließlich gab es Rundtempel nach keltischer Bauweise. Sie waren nach Osten orientiert u. mit einer Galerie um die Cella versehen (Grenier, Manuel 3, 1, 424 f). Beispiel dieses Typs sind viele ländliche fana, ferner die Tour de Vésone in Périgueux, die Mühle von Fâ bei Royan oder die beiden Rundtempel im Zentrum von Autun (ebd. 240). Doch die großen Heiligtümer waren vielfach Tempel römischer Bauart, zB. das Heiligtum von Izernore (Ain; vgl. ebd. 403) oder der Tempel des Lenus-Mars in Trier (ebd. 420; s. E. Gose, Der Tempelbezirk des Lenus Mars = Trierer Grabungen u. Forschungen 2 [1955]).

d. Städte der späten Kaiserzeit. Die galloröm. Städte der späten Kaiserzeit erfuhren fast alle das gleiche Schicksal. Sie wurden entweder direkt Opfer der alamannischen, fränkischen u. sächsischen Einfälle der 2. Hälfte des 3. Jh. oder gingen an deren Folgen zugrunde. Die Invasionen von 250/60 wüteten besonders im Osten u. Nordosten, jene von 275/ 93 suchten das Land vom Zentrum bis zum Westen heim (H. Koethe: BerRGKomm 32 [1942] 199/224), verschonten jedoch die Narbonensis.

1. Städte in der Lugdunensis u. in Aquitanien. Städte ohne Ringmauer, deren es viele in der Lugdunensis u. in Aquitanien gab, bauten eilends Befestigungsanlagen, wobei sie alte Baumaterialien wiederverwendeten. Die umschlossene Fläche wurde möglichst klein gewählt. Poitiers schützte eine Fläche von etwa 50 ha durch eine Mauer von 2,6 km Länge (Grenier, Manuel 1, 420; Lot 2, 577). Bordeaux zog sich auf 32 ha zurück (Étienne 204), Bourges auf 38 ha (Grenier, Manuel 1, 350.

415; Lot 2, 71 nimmt nur 26 ha an; vgl. R. Boudet: Celticum 6 [1963] 297/305); Saintes verwandelte sich in ein castrum von 16 ha (M. Clouet: RevSaintongeAunis 3 [1954] 83/ 102), Limoges u. Agen verkleinerten sich auf 11/12 ha (Lot 2, 243. 362). Die Flächen von Le Mans (R. M. Butler: JournRomStud 48 [1958] 33/9) u. Toul (J. Choux - A. Lieger: Gallia 7 [1949] 88) schrumpften auf 10/11 ha zusammen, die von Paris (Grenier, Manuel 1, 409) u. Dijon (E. Fyot: BullArch 1920, 299) auf 9/10 ha; Senlis war nicht mehr größer als 7 ha (vgl. R. Lantier: Gallia 12 [1954] 532). – Tours u. Périgueux bauten ihr Amphitheater in eine kleine Ringmauer ein, die 5/6 ha umschloß (zu Tours s. Carte arch. Gaule rom. 13, 76; zu Périgueux vgl. Blanchet 180; Lot 2, 587). Clermont beschränkte sich auf 5 ha (Lot 2, 103; P. Fournier: BullHistSocAuvergne 68 [1948] 60/83) u. Auch zog sich gar auf nur 3,6 ha zusammen (Lot 3). Lyon besserte Schäden an seiner Befestigung nach Maximian nicht mehr aus (Blanchet 306). Avenches überstand die Alamanneninvasionen wahrscheinlich nicht (D. van Berchem: RevSuisseHist 5 [1955] 157 f; vgl. auch ebd. App. 1 gegen Stähelin).

2. Städte in Belgica. Die Städte in Belgica, die noch schwereren Prüfungen ausgesetzt waren als diejenigen der Lugdunensis, schrumpften noch stärker zusammen. So verkleinerte sich Amiens auf 10 ha u. bezog sein Amphitheater in die Mauer ein (F. Vasselle: Celticum 6 [1963] 323/42), Reims zog sich hinter eine elliptische Stadtmauer von 2,2 km Länge zurück, die höchstens 30 ha einschloß (F. Vercauteren, Étude sur les civitates de Belgique II [Bruxelles 1934] 38). Deutlicher, weil besser meßbar, ist dieser Schrumpfungsprozeß bei den Städten, die zuvor bereits eine Stadtbefestigung besaßen. So gab Tongeren wahrscheinlich unter Probus seine große Mauer auf u. errichtete eine neue von 2,7 km Umfang (H. van de Weerd, Inleiding tot de Galloromeinsche archeologie der Nederlanden [Antwerpen 1944] 71; F. Ulrix: Kölner Jb. 6 [1962/3] 58/70). Tournai beschränkte sich auf 10 ha in seinen Mauern des 3. Jh. (M. Amand-I. Eykens-Dierickx aO.). Einige große zivile Zentren der hohen Kaiserzeit wurden Militärstädte, so Metz, das von Konstantin neu erbaut war (J. J. Hatt: CRAcInscr 1958, 100). Es bedeckte 70 ha, die von einer 3,5 km langen Mauer umgürtet waren (Grenier, Manuel 1, 420). Trier dehnte sich

über 285 ha im Innern einer großen Mauer aus, die zweifellos Konstantin vollendete (H. Koethe: TriererZs 11 [1936] 63 datiert ihren Bau zwischen 315 u. 350; s. Grenier, Manuel 1, 420. 488).

3. Städte der Narbonensis. Auch diese Städte verkleinerten sich. Konstantin scheint Arles nicht vergrößert zu haben, denn seine Mauer aus dem 4. Jh. umschloß nur 15/16 ha (nach J. Formigé aO. betrug ihr Umfang 1930 m, nach Grenier, Manuel 1,290 war sie nur 1640 m lang). Vienne umgab sich rund um den Mont Pipet mit einer Mauer von höchstens 2 km (G. Chapotat: Celticum 6 [1963] 318). Nîmes bedeckte nur 32 ha hinter einer 2300 m langen Wehrmauer (Grenier, Manuel 1, 314; Lot 1, 312); Narbonne hatte eine Ausdehnung von nur etwa 15 ha (A. Grenier: CRAcInscr 1955, 357). Toulouse hatte ebenfalls eine verkleinerte Stadtbefestigung, deren Verlauf aber wenig erforscht ist (M. Labrousse: Hommages A. Grenier 2 [Bruxelles 1962] 900/27; E. Delaruelle: AnnMidi 67 [1955] 205ff). Aix, dessen Fläche sich auf 8 ha verringert hatte, erhielt damit wieder sein altes Gepräge als castellum (F. Benoit: Gallia 12 [1954] 298/300). Es wurde ferner an seinen alten Platz von 123 vC. zurückverlegt. – Unter den 115 civitates der ‚Notitia Galliarum‘ vom Ende des 4. Jh. haben etwa 100 seit dem Ende des 3. Jh. ihre Mauer verkleinert (I. J. Manley, Effects of the Germanic invasions on Gaul 234/84 A. D. [Berkeley 1934] 78 zählt 47 ähnliche Fälle in beiden Germanien, etwa 20 in Belgien u. ebensoviele in der Lugdunensis). – Es folgten noch die Invasionen des 5. Jh., die vernichtend wirkten. Trier wurde 464 nicht völlig zerstört (E. Le Blant: BullSocNatAntFr 1863, 175 nahm dies an), doch erlitt es schwere Schäden u. behielt mit großer Mühe seine Kirchen (K. Böhner, Die fränkischen Altertümer des Trierer Landes 1 [1958] 285/94).

VI. Verwaltung. a. Verwaltung in republikanischer Zeit. 1. Provincia. Die provincia wurde nach den beiden Triumphen des Fabius Maximus u. des Domitius Ahenobarbus 120 vC. gebildet aus dem Gebiet der Allobroger mit ihren beiden Städten Vienne u. Genf, dem Land der Helvier des Vivarais, der Liga der cavarischen Stämme des Comtat, der Volcae Arecomici zwischen Rhône u. Hérault u. den Territorien verschiedener kleiner Völker des Languedoc, unter ihnen die Elisyces (Avien. ora mar. 590 [110 Berthelot]) von Narbonne

(diese erst nach den Feldzügen des Domitius Ahenobarbus von 120/117). Die Eroberungen wurden vollendet durch die Annexion des Landes der Volcae Tectosages südlich u. westlich von Narbonne. Domitius verlegte eine Garnison in ihr oppidum Toulouse u. gewann den König ihres Nachbarvolkes, der Nitiobroger des Agenais u. einen Fürsten von Lectoure zu Vasallen. Beide wurden amici populi Romani (Caes. b. Gall. 1, 10; s. Jullian 3, 28). Nach einem Sieg des Fabius Maximus iJ. 121 (Caes. b. Gall. 1, 45) oder unter dem Statthalter M. Fonteius (um 74 vC.; vgl. A. Albenque, Les Rutènes [Rodez 1948] 73/84) wurde auch der Südteil des Rutenerlandes zwischen Viaur u. Agout angegliedert. Allein die Cevennen bildeten eine feste Grenze zwischen der provincia u. dem freien G. (Caes. b. Gall. 7, 8, 2. 56, 2). Im J. 118 gründete Domitius die röm. Kolonie Narbo Martius mit römischen Bürgern unter der Führung seines Sohnes u. des Licinius Crassus, die durch den Senat zu duoviri gewählt wurden (Cic. pro Cluent. 51, 140; off. 2, 18, 63; Brut. 58, 160; Vell. Pat. 1, 15, 4 gibt nicht das gleiche Datum an wie Eutrop. brev. 4, 10; s. ferner den Meilenstein von Pont-de-Treilles; vgl. dazu P.-M. Duval: Gallia 7 [1949] 20/31; ders.: CRAcInscr 1951, 161). Die unterworfenen Völker, zum mindesten die Helvii u. Volcae, behielten ihre Fürsten, obwohl die Könige verschwunden zu sein scheinen. Der Statthalter im Range eines proconsul oder propraetor (nur für die Jahre zwischen 81 u. 51 sind Namen überliefert), dem ein quaestor u. ein militärischer Legat zur Seite standen, sprach Recht, setzte die Steuern u. die Höhe der Militäraufgebote fest u. berief wahrscheinlich bisweilen die Abgesandten der Völker zu einer Versammlung ein. Das Land der subacti wurde zum ager publicus erklärt. Für diese Gebiete wurde Grundzins erhoben. Es konnte auch vom Staat zugunsten der neu gegründeten Kolonien eingezogen werden (ex iure Quiritum). Das Land der populi foederati erhielt das ius peregrinum. Gegen 72 wurde Lugdunum Convenarum/St-Bertrand-de-Comminges, eine Gründung des Pompeius, in die provincia einbezogen, deren Westgrenze so den Oberlauf der Garonne, vielleicht die Neste, erreichte. Das Bürgerrecht verlieh man mit äußerster Sparsamkeit. Einige Fürsten der Helvier empfingen es 83 aufgrund des Bundesgenossenkrieges, der seit 89 den cisalpinen Galliern das latinische Bürgerrecht ver-

schafft hatte. In diesem Krieg hatten viele
Gallier der provincia gedient. Pompeius
schenkte ihnen später großmütig das Bürgerrecht (Caes. b. civ. 1, 29), so den Vocontii,
einigen Herrschern des Périgord u. nach dem
Zeugnis der gentilicia der Inschriften auch
den Volcae; Cäsar schließlich scheint seit dem
gallischen Krieg noch großzügiger verfahren
zu haben als zuvor; dies zeigte sich besonders,
als er in der provincia die legio V Alauda aus-
hob (Caes. b. Gall. 7, 65, 1; Suet. Iul. 24).
Die amtliche Bezeichnung der provincia war
in ciceronischer Zeit G. transalpina (pro
Mur. 41, 89). Wann der Senat ihr eine lex
provinciae oder jene formula verlieh, auf die
Plin. n.h. 3, 7 anspielt, ist unbekannt. Vielleicht hat erst Marius die Grundlagen der
Provinzverwaltung geschaffen (Jullian 3, 95).
Pompeius mußte einige Änderungen vornehmen, denn sein imperium erstreckte sich
über das diesseitige Spanien u. die provincia
(Cic. pro Font. 2, 4; Sall. hist. 2, 98, 5). Er
soll Marseille, dessen patronus er war, Länder
gegeben haben, die er den Volcae von Nîmes
zuvor genommen hatte (Caes. b. civ. 1, 35).
Nach Pompeius änderten sich der Status u.
die Grenzen der Narbonensis bis 49 nicht
mehr.

2. G. comata. Hauptverbindungsweg zwischen
dem freien G. u. der Provinz G. war die alte
massiliotisch-italische Handelsstraße durch
die Rhône-Saône-Furche. Seit 121 waren die
Häduer mit Rom durch einen Vertrag verbündet (Caes. b. Gall. 1, 33, 2; Liv. 61). Die
Sequaner folgten ihrem Beispiel (Caes. ebd. 1,
3, 4), vielleicht, als Marius 101 vC. die Teutonen geschlagen hatte. Ende 51 erhielt das
freie G. durch Cäsar den Status einer Provinz.
Mehr noch als Pompeius war Cäsar bemüht,
seine Eroberung für seine persönliche Politik
auszunutzen (E. Badian: Mélanges A. Piganiol 2 [1966] 901/18). Nach Hirt. b. Gall. 8,
49 ließ Cäsar der neuen Provinz eine gewisse
Autonomie u. erlegte ihr nur einen verhältnismäßig geringen Tribut in Höhe von 40 Mio.
Sesterzen auf (Suet. Iul. 25; Eutrop. brev.
6, 14). Die Summe mußte lediglich von einer
Gruppe tributpflichtiger Völker aufgebracht
werden, während viele andere Stämme ‚frei‘,
d.h. in mehr oder weniger feste Bündnisse mit
Rom eingetreten waren u. entsprechende
Privilegien genossen (Häduer, Remer, Sequaner, Lingonen u. selbst Arverner). Massilia behielt nach seiner Kapitulation im
Oktober 49 seine Autonomie ebenso wie die

Städte, die von ihm abhängig waren. Doch
sein weites Territorium wurde mit demjenigen
von Theline verbunden, dessen Werften sich
Cäsar bedient hatte. Die Stadt nahm ihren
alten keltischen Namen Arelate (Arles) wieder
an (Strab. 4, 1, 5 [180]; Flor. epit. 4, 2). Als
Cäsar im November 49 nach Rom zurückgekehrt war u. die Provinzen neu verteilte, vertraute er die gesamte G. transalpina, d.h. die
Narbonensis u. G. comata, dem Sieger über
die massilische Flotte, Decimus Brutus, an.
Sein Nachfolger war iJ. 46 Tiberius Claudius
Nero, der den Auftrag hatte, Veteranenkolo-
nien zu gründen (Suet. Tib. 4), die alle in der
Narbonensis eingerichtet wurden (s. o. Sp.
843f). Noch iJ. 44 war die Befriedung der G.
comata vielleicht nicht ganz abgeschlossen,
denn zu diesem Zeitpunkt standen von den 39
Legionen Cäsars noch 5 in G. Ebenfalls 45/4
hatte Cäsar die ehemalige G. transalpina geteilt. Er verband die Narbonensis mit Hispania citerior; beide hatten zu Pompeius' Zeiten schon einmal zusammengehört. Die neue
Provinz fiel an M. Aemilius Lepidus, die Celtica an C. Munatius Plancus, der hier 43 Lyon
gründete, u. die Belgica an A. Hirtius. Seit
dem Triumvirat vom November 43 übernahm
Antonius die ganze comata, also Celtica u.
Belgica u. darüber hinaus noch G. cisalpina.
Lepidus behielt demgegenüber die Narbonensis u. Hispania citerior (Dio Cass. 46, 55; 48, 1).
Nach der Schlacht von Philippi iJ. 42 übernahm Antonius die Narbonensis, die er Lepidus entrissen hatte, um damit den Verlust der
G. cisalpina auszugleichen. Diese war damals
schon fast ein Teil Italiens geworden. Oktavian hatte hier Veteranen angesiedelt (Dio
Cass. 48, 12; Suet. Aug. 13). Im J. 41 erhielt
Octavian dank Cäsars Veteranen die Narbonensis u. verband sie ebenfalls mit Italien
(Dio Cass. 48, 12, 4f). Im J. 40 schließlich
trat im Vertrag von Brindisi Oktavian den
gesamten Osten an Antonius ab, beanspruchte aber für sich die ganze comata, die er somit
an die Narbonensis anschloß (Dio Cass. 48,
28). Zwei Legaten führten dort in seinem
Namen die Provinzverwaltung. Der eine von
ihnen war Agrippa, der 39/7 gegen die Germanen des Rheinlandes kämpfte.

b. Verwaltung in der frühen Kaiserzeit. In
der hohen Kaiserzeit wurde die Narbonensis
erneut von der comata getrennt, die wie bereits vor der Eroberung in drei Teile zerfiel.

1. Verwaltungsstruktur unter Augustus. Schon
iJ. 27 berief Augustus einen conventus in

Narbonne ein (Liv. epit. 134; Dio Cass. 53, 22). Dort setzte er die steuerliche Belastung u. die territoriale Gliederung für die Völker aller gallischen Gebiete fest. Diese schwierigen u. langwierigen Maßnahmen wurden vermutlich erst 16 oder 13 vC. abgeschlossen. Die Ausdehnung der allzu mächtigen Celtica Cäsars wurde beschnitten. Im Süden reichte Aquitanien jetzt, freilich ohne das Territorium der Turoni, bis an die Loire. Es war vergrößert um die Gebiete der Convenae u. Consoriani, die von der Narbonensis abgetrennt waren. Im Norden wurde die Belgica bis zur Seine ausgedehnt ohne die Gebiete der Caleti u. Veliocassi, ferner bis zur Schweizer Ebene mit den Territorien der Sequaner, Rauracer u. Helvetier. Doch wurde die Belgica um die rheinischen Grenzgebiete verkleinert, in denen die beiden Heere der Germania superior u. Germania inferior stationiert waren (Dio Cass. 53, 12, 4/6). Im J. 22 vC. übertrug Augustus die Narbonensis dem Senat. Sie war bis zu diesem Zeitpunkt militärisch mit Aquitanien verbunden. Der erste Statthalter der Narbonensis im Range eines Konsulars war iJ. 18/6 vC. der proconsul Cn. Pullius Pollio (R. Hanslik: PW 23, 2 [1959] 1968; Étienne 317). Bis 22 gab es meist nur einen einzigen Legaten für alle G., bisweilen allerdings auch zwei (C. Carrinas u. M. Valerius Messala, um 30; vgl. Meyers 37). Nach 22 erhielten die drei G. einen gemeinsamen Oberstatthalter: iJ. 20 Agrippa, 17/6 M. Lollius, 16/5 Tiberius, 13/9 Drusus, dann erneut Tiberius 8/7, 4/6 nC. u. 10/2, schließlich 13/7 Germanicus; iJ. 17 nC. schaffte Tiberius dieses Sonderamt ab. Außerhalb der verschiedenen Teile von G. war der Alpenraum in kleine Provinzen gegliedert. Sie wurden von Präfekten verwaltet, denen nur auxiliarii zu Verfügung standen. Seit 14 vC. regierte in den Seealpen ein Präfekt (Dessau 94. 1349). Nach der Befriedung iJ. 7, die durch das Tropaeum von La Turbie gefeiert wurde (s. o. Sp. 829), hatte er seinen Amtssitz in Cimiez/Cemenelum. Dort war auch die 1. ligurische Kohorte stationiert (N. Lamboglia: RevÉtLig 13 [1947] 21/8; 28 [1962] 203/20). Die kottischen Alpen zu beiden Seiten des Mt. Genèvre bewohnten 14 kleine Stämme, die auf dem Bogen von Susa vJ. 9/8 vC. aufgezählt sind. Sie wurden von Rom dem König Cottius unterstellt, dem der Titel eines praefectus civitatum verliehen wurde (Prieur 84f). Im Norden gehörten die grajischen u. poeninischen Alpen um den Kleinen u. Großen St.

Bernhard zunächst zweifellos zum Amtsbereich des Legaten der legio XII Rapax (bei Augsburg stationiert). Als diese Legion iJ. 9 nC. verlegt wurde, trat ein praefectus Raetis, Vindelicis, Vallis Poeninae an seine Stelle (CIL 9, 3044; Stähelin 109f). Lyon wurde caput Galliarum, als vor seinen Toren das alte concilium Galliarum, das Augustus reorganisiert hatte, zusammentrat. Drusus berief es am 1. VIII. 12 vC. ‚ad Confluentes‘ (Lyon) im pagus Condatensis ein, der nicht zum Gebiet der röm. Kolonie von Lyon gehörte (Dio Cass. 54, 32; Liv. epit. 139; das von Sueton [Claud. 2] angegebene Datum 10 wird heute allgemein verworfen; vgl. O. Hirschfeld, Kleine Schr. [1913] 112ff u. Wuilleumier, Lyon 33; eine Ausnahme bildet L. R. Taylor, The divinity of the Roman Emperor [Middletown, Conn. 1931] 209). Dort versammelten sich Gesandte von 60 (Strab. 4, 3, 2 [192]) oder 64 (Tac. ann. 3, 44; Serv. Aen. 1, 285) gallischen Völkerschaften. Die Stärke der Delegationen entsprach wohl der Zahl der pagi einer jeden civitas. Augustus u. Drusus hatten kurz zuvor bei der Festsetzung des census in den gallischen Provinzen auch die pagi neu geordnet. Die etwa 200 Delegierten (Jullian 4, 440) besaßen wahrscheinlich ein mit imperium versehenes Mandat (H.-G. Pflaum, Le marbe de Thorigny [Paris 1948] 21). Sie wählten einen sacerdos Romae et Augusti für den Altar der Roma u. des Augustus von Confluentes. So vereinigten sie die drei G. im gemeinsamen Kaiserkult. Ferner bestimmten sie die Bundesschatzmeister für die gemeinsame Kasse, so den iudex arcae Galliarum. Es stand in ihrer Macht, die Vertreter der kaiserlichen Provinzialverwaltung zu tadeln oder ihnen zu danken (J. Deininger, Die Provinziallandtage der röm. Kaiserzeit v. Augustus bis zum Ende des 3. Jh. nC. [1965]). Diese Machtvollkommenheit übten sie mit Erfolg unter Augustus u. den julisch-claudischen Herrschern aus (A. J. Christopherson, The province assembly of the three Gauls in the Julio-Claud. period: Historia 17 [1968] 351/65), obwohl die Abhängigkeit der civitates vom Kaiser sehr eng war (D. Nörr, Imperium u. Polis in der hohen Prinzipatszeit [1966]). Die offizielle Bezeichnung des neuen Rates lautete ‚tres Galliae‘, ‚tres provinciae Galliae‘ oder einfach ‚Galliae‘; inschriftliche Erwähnung des ‚concilium Galliarum‘ ist selten; diejenige auf dem Marmor von Thorigny (CIL 13, 3162) stammt aus severischer Zeit. Der

Rat war ein bedeutender Faktor der Romanisierung. Er war unlösbar verbunden mit dem
Kaiserkult von Confluentes. Der große Altar,
von dem man durch Münzen (vgl. A. Cothe-
net: BullAssBudé 4, 2 [1962] 174/93; M.
Dayet: BullSocFrNum 20, 1 [1965] 426f) u.
durch verschiedene andere Spuren Kenntnis
hat (s. zB. zu den großen Bronzeviktorien u.
den Säulen A. Audin-P. Quoniam: Gallia 20
[1962] 103/16), schloß sich unmittelbar an das
Amphitheater des Bundes an. Auf dem Areal
dieses Gebäudes wurden Teile der alten Arena,
das Podium u. die Stufen der Ränge gefunden
(P. Wuilleumier: RevÉtLat 36 [1958] 47f;
J. Guey: BullSocNatAntFr 1962, 39). Ferner
kam die Weihinschrift eines vornehmen Bürgers von Saintes zum Vorschein, der 19
nC. das Podium gestiftet hatte (J. Guey-A.
Audin: CRAcInscr 1958, 106; W. Seston:
BullSocNatAntFr 1959, 207; ders.: Hommages A. Grenier 3 [Bruxelles 1962] 1407/17).
Der erste sacerdos war ein Häduer, C. Iulius
Vercondaridubnus.
2. Ausbau der Verwaltung seit Tiberius.
Vom J. 17 an besaß jede der drei G. ihren
legatus Augusti im Range eines Prätors. Da
er keine Legionen befehligte, stand er unter
den Legaten in konsularischem Rang, die zunächst die Befehlsgewalt über die Heere u.
später über die Militärprovinzen der beiden
Germanien besaßen. In Aquitanien war der
erste uns bekannte Legat Sulpicius Galba iJ.
31/2 (Étienne 318). Er hatte seinen Amtssitz
wohl in Saintes. Bordeaux wurde vielleicht
erst unter den Severern Provinzhauptstadt
(ebd. 116/8). In Belgica war M. Aelius Gracilis
55/6 der erste uns bekannte Legat (Meyers 46).
Hauptstadt war Reims. Seit Augustus war
die gallo-röm. Finanzverwaltung der drei G.
in Lyon zentralisiert, das zugleich Provinzhauptstadt der Lugdunensis u. Bundeshauptstadt der drei G. war (Wuilleumier, Administration). Nach der 15 vC. erfolgten Abberu-
fung des Licinius, eines Freigelassenen des
Augustus, über dessen Erpressungen die Gallier öffentlich Beschwerde geführt hatten,
blieb Lyon wohl Zentrum der Finanzverwaltung für die drei G. Aber Tiberius vereinigte
Aquitanien u. die Narbonensis u. stellte an die
Spitze des neuen Verwaltungsbezirkes einen
Prokurator (Vitrasius Pollio hat um 20 das
Amt versehen; vgl. CIL 10, 3871; Étienne
326). Die Lugdunensis, Belgica u. die beiden
exercitus Germaniae waren hingegen gemeinsam einem einzigen Prokurator unterstellt,

dessen Amtssitz Trier war. P. Graecinus Laco
hatte dieses Amt kurz vor 44 inne (vgl. Meyers
68). Claudius wird wohl erneut Aquitanien u.
die Lugdunensis verbunden haben (Plin. n.h.
7, 76). Dies bezeugt die Inschrift des C. Minucius Italus, der nach 88 nC. Prokurator war
(Étienne 326), ferner der neue Verwaltungs-
bezirk, der die Belgica u. die beiden Germanien umfaßte u. der den Prokuratoren Cornelius Tacitus (Vater des Historikers; bezeugt
um 57) u. Pompeius Propinquus (iJ. 68/9; vgl.
Meyers 69) unterstellt war. Diese Provinz-
prokuratoren hatten ähnlich wie die Legaten
in Saintes u. in Trier oder Lyon ein wichtiges
officium; denn dort wurden die Heeresabtei-
lungen inzwischen aus Kreisen der zivilen Bevölkerung, sowohl Freigelassener wie Sklaven, aufgefüllt. Jeden dieser Truppenteile befehligte ein centurio. Beide Prokuratoren
waren, wie ihr Kollege in der Narbonensis,
dem Range nach ducenarii (Pflaum, Procurateurs 52). Noch nach 17 wurde die steuerliche Veranlagung (census) der G. getrennt
nach Provinzen vorgenommen, an deren Spitze Legaten konsularischen Ranges standen.
Im J. 61 verfuhren nach Tac. ann. 14, 46
drei Prokonsuln nach diesem Modus: Q. Vo-
lusius Saturninus in Belgica (Meyers 46), M.
Trebellius Maximus u. T. Sextius Africanus in
den beiden anderen G. In Aquitanien war
ihnen ein procurator oder praefectus census
untergeordnet. C. Aemilius Fraternus hatte
dieses Amt iJ. 61 inne (Étienne 324). Später
wurden die Provinzen dann in Steuerbezirke
unterteilt, die procuratores ad census acci-
piendos verwalteten. Sie besaßen seit Hadrian
den Rang eines sexagenarius (Pflaum, Procurateurs 62). In Lyon wurden die besonderen
Abgaben steuerlich erfaßt, so eine 5%ige
Erbschaftssteuer (vicesima hereditatis) u. eine
2,5%ige Zollgebühr, die auf Warenimporte
aus Italien oder Exporte dorthin erhoben wurde (quadragesima Galliarum). Diese Steuer
war von Augustus oder Tiberius zunächst auf
den Alpengrenzraum, die Mittelmeerküste u.
die Pyrenäengebiete beschränkt worden, dann
aber nach Strabo 4, 5, 3 (200) bis zum Rhein,
dem portus Lirensis, der Nordsee u. dem Ärmelkanal ausgedehnt worden (vgl. S. J. de
Laet, Portorium [Gent 1949] 127f). Trajan
schaffte die Verpachtung der vicesima hereditatis in G. ab u. betraute zwei procuratores sexagenarii mit ihrer Erhebung (vgl.
Pflaum, Procurateurs 55). Ihre Amtsvoll-
macht sollte sich ständig auf die folgenden Be-

reiche erstrecken: Aquitanien-Narbonensis, ferner Lugdunensis-Belgica-Germaniae. Die quadragesima Galliarum wurde von Galba abgeschafft. Doch Vespasian führte sie erneut ein (Suet. Vesp. 16). Aber auch hier wurde die unmittelbare Besteuerung durch eine kontrollierte Steuerpacht ersetzt. Diese Änderung wurde wohl unter Mark Aurel vorgenommen, als diese quadragesima Galliarum zu einem ungeheuren portorium wurde, das die Alpenprovinzen u. Raetia mit einschloß. Sie wurde dann unter Commodus von einem procurator centenarius kontrolliert (Pflaum, Procurateurs 73. 77). Das staatliche Postwesen, der cursus publicus, wurde von Augustus stark zentralisiert. Es war dem praefectus praetorio in Rom unterstellt worden, dem in Lyon eine Mannschaft von Freigelassenen zur Verfügung stand. In Italien wurde es von einem praefectus vehiculorum verwaltet, der unter Hadrian ein centenarius, unter Commodus aber ein ducenarius war (Pflaum, Procurateurs 87. 95). Diese Änderungen hatten eine Dezentralisierung im Gefolge u. führten unter Septimius Severus zur Teilung von G. in zwei Bezirke, in Lugdunensis-Aquitanien-Narbonensis auf der einen u. Belgica-Germaniae auf der anderen Seite mit zwei praefecti sexagenarii, die dem zentralen praefectus ducenarius unterstanden (Wuilleumier, Administration 69; Pflaum, Procurateurs 87. 95). Den Druck, der auf den Provinzialen lastete, minderten diese Änderungen freilich nicht. In Lyon war in gleicher Weise auch die Verwaltung des kaiserlichen Besitzes (patrimonium Caesaris) durch Freigelassene zentralisiert. Hier wurde auch der Bergbau kontrolliert, der an private Pächter (publicani) verpachtet war. Unter Trajan übte ein procurator ferriarum centenarius diese Kontrollfunktion über die Gruben aus, der in G. die Staatspächter u. die Pächter der öffentlichen Versteigerungen überwachte. Das patrimonium Caesaris wurde bis auf Trajan von Freigelassenen verwaltet. Erst dieser Kaiser setzte einen procurator a patrimonio centenarius ein. Von den Prokuratoren, die ihm unterstellt waren, ist bis in die Zeit Caracallas nur ein Prokurator für Belgica u. die Germanien bekannt (Pflaum, Procurateurs 100; ders., Carrières nr. 317: Inschrift des C. Furius Sabinus Aquila Timesitheus). Die von Augustus in Lyon gegründete Münzstätte war zunächst der Fiskalverwaltung unterstellt, später war ihr ein zentraler Prokurator vorgesetzt. Die-

ses Amt hatte Hadrian geschaffen (Pflaum, Procurateurs 56. 80f). Ihre Einrichtung bildete den Anlaß für eine kleine Garnison. Die Cohors XIII Urbana bezog unter Augustus hier Quartier. Unter Claudius wurde sie durch die 17. Kohorte ersetzt. Unter Nero trat die 18. an ihre Stelle. Unter Vespasian schließlich löste sie die I Flavia Urbana ab; doch um 96 wurde die Cohors XIII Urbana wieder nach Lyon zurückverlegt (P. Fabia, La garnison romaine de Lyon [Lyon 1918]). Abgesehen von dieser Kohorte in der Bundeshauptstadt, die auch zur Aufrechterhaltung der Ordnung diente, stand in den drei G. ebensowenig wie in der Senatsprovinz Narbonensis Militär. Während der Erhebungen von 21 u. besonders von 68/9 waren wahrscheinlich einige Abteilungen der rheinischen Legionen in Aquitanien, in der Lugdunensis u. in Belgica stationiert. Grenier (Manuel 1, 229/58) weist auf die Verteilung der Ziegel der VIII Augusta u. auf die kleinen Militärlager hin, die in Néris, im Département Allier, in Mirebeau, im Département Côte-d'or, in Arlaines, in der Gegend von Soissons usw. gefunden wurden. In der Tat blieben die Provinzgrenzen, die wenig bedroht waren, stabil u. erfuhren in der hohen Kaiserzeit nur geringfügige Veränderungen. Die kleinen Alpenprovinzen wurden umgestaltet. Nach dem Tod von König Cottius II annektierte Nero das Königreich der kottischen Alpen (Suet. Nero 18; Eutr. brev. 7, 9; vgl. Prieur 122/30). Den Städten dieses Gebietes verlieh er das latinische Recht u. setzte zur gleichen Zeit wie in den Seealpen einen Prokurator ein (Pflaum, Procurateurs 42; zum ersten bekannten Prokurator der kottischen Alpen Marius Maturus iJ. 69 vgl. Pflaum, Carrières 96). Diese beiden Ritterprovinzen wurden um 202 ausnahmsweise zusammengelegt, wohl wegen der Unruhen (ebd. 647). Als Claudius die Grenzen Rätiens neu organisierte, trennte er das Wallis u. die poeninischen Alpen ab (CIL 12, 113; D. van Berchem, Conquête et organisation par Rome des districts alpins: RevÉtLat 39 [1961] 58f). Sie wurden wohl mit den grajischen Alpen zu einer einzigen prokuratorischen Provinz vereint (E. Stein, Die kaiserlichen Beamten u. Truppenkörper im röm. Deutschland [1932] 19. 95; Stähelin 254), die sich um die beiden Massive des Großen u. des Kleinen St. Bernhard gruppierte. Unter Domitian wurden sie wieder getrennt, denn der erste Prokurator ritterlichen Standes der grajischen Alpen erscheint zwischen 81 u. 96 (Pflaum, Procurateurs 50; ders., Carrières 72 zu einer Inschrift des T. Claudius Pollio). Nach Plinus (n. h. 3, 123) war die Hauptstadt der poeninischen Alpen Martigny/Octodurus im Wallis, diejenige der grajischen Alpen Aime/ Axima in der Tarentaise. Aber im 2. Jh. wechselten die grajischen Alpen ihren Namen. Sie hießen nun Alpes Atrectianae (Pflaum, Carrières 341. 348. 545; Prieur 89/91). Durch ein Zeugnis aus der Zeit des Mark Aurel ist belegt, daß an der Spitze ihrer Verwaltung ein procurator centenarius stand. Zu Beginn der Regierungszeit des Commodus wurden sie wegen der Unruhen mit den poeninischen Alpen zusammengelegt (Pflaum, Carrières 601 f), so wie um 202 kottische Alpen u. Seealpen vereint wurden. Ein bedeutsamerer administrativer Wechsel ereignete sich 89, als Domitian nach der Mainzer Erhebung des Legaten L. Antonius Saturninus die beiden Provinzen Germania superior u. Germania inferior schuf. Dessen Besieger, L. Appius Maximus Norbanus, war der erste Statthalter im Range eines Legaten für Germania superior (Dessau 1006). Die Treverer waren weiterhin nach Belgica orientiert. Doch traten sie der Germania inferior den Gebietsstreifen Bonn-Vinxtbach-St. Goar ab. Lingonen u. Sequaner, die seit 21 ebenso wie auch die Rauraci u. die Helvetii (Stähelin 237) zum exercitus von Germania superior gehörten, wanderten nach Germania superior aus; später, Ende 2. Jh./Anf. 3. Jh. (150 ? 226 ?), wurden die Lingonen erneut der Belgica eingegliedert. Diese vier Völker fuhren jedoch nach 89 fort, Gesandte zum Altar von Confluentes zu entsenden. – Zu einem nicht näher bezeichneten Zeitpunkt sagten sich die neun kleinen Stämme zwischen Garonne u. Pyrenäen von Aquitanien los u. bildeten die Provinz Novempopulania; die Inschrift von Hasparren, die die Existenz dieser neuen Provinz bezeugt, wird bald ins 2. Jh. (A. Aymard: RevÉtAnc 43 [1941] 232/8), bald an das Ende des 3. Jh. datiert (J. B. Bury: JournRomStud 13 [1923] 139 schlägt eine Datierung in die Regierungszeit des Probus vor; s. Grenier, Gaule 435; Lot 3, 128). Es ist jedoch zu beachten, daß diese Inschrift (CIL 13, 412) neun Völker nennt, während die Notitia Galliarum vom Ende des 4. Jh. 12 civitates in Novempopulania aufzählt, u. daß der Titel eines praeses von Novempopulania, der auf einer stark beschädigten Inschrift aus Rom gelesen wurde (P.-A. Février: RevÉt-

Anc 60 [1958] 142 f), in der frühen Kaiserzeit für die Prokuratoren aus dem ordo equestris ohne militärische Befehlsgewalt verwendet wurde (Pflaum, Procurateurs 110/2). – Der provinziale Kaiserkult verbreitete sich über die Grenzen der drei G. hinaus, so in der Narbonensis, wo die röm. u. latinischen Kolonien im städtischen Rahmen einen leidenschaftlichen u. bereits früh entwickelten Kaiserkult ausbildeten (É. Demougeot: ProvenceHist 18 [1968] 41/65). Der Kaiserkult mit flamen provinciae u. Provinzialversammlung wurde von Vespasian eingerichtet (A. Aymard: BullSoc-ArchMidi 1 [1942/5] 513/28). Nach der Inschrift von Hasparren besaß die Novempopulania auch eine eigene Versammlung, die ihre neun Völker durch den Kaiserkult zusammenschloß. – Eine Entwicklung zum municipium, zugleich Ursache u. Folge der Urbanisierung, war allgemein zu beobachten. Seit Augustus gab es folgende Arten von Städten: coloniae, civitates liberae, civitates foederatae, schließlich civitates stipendiariae. Als aber Tiberius im Hinblick auf den Fiskus mit finanziellen Schwierigkeiten zu kämpfen hatte (T. Frank, The financial crisis of 33 A. D.: AmJPhil 56 [1935] 336/41; A. Grenier, Tibère et la Gaule: RevÉtLat 14 [1936] 384/8), erhöhte er den Tribut der G. u. schaffte die Immunität der freien u. föderierten Städte ab. Daraufhin kam es zu der Revolte von 21 (vgl. P. A. Brunt: Historia 10 [1961] 212; A. J. Christopherson: ebd. 17 [1968] 354/60). Seither gab es in den drei G., wo Kolonien nach den Gründungen des Claudius (Köln u. vielleicht Trier, s. A. Grenier: CRAcInscr 1936, 166/70) selten blieben, kaum andere Typen als civitates stipendiariae, die sich in zwei Gruppen einteilen lassen: einheimische civitates peregrinae u. municipia nach latinischem Recht, die aus einheimischen Städten hervorgegangen waren; denn municipia römischer Bürger, die besonders in republikanischer Zeit entstanden, waren hier wahrscheinlich unbekannt (vgl. Ch. Saumagne, Le droit latin et les cités romaines sous l'empire [Paris 1965] 57/60). Da eine lex provinciae fehlte, welche die Verfassungen der Städte bei der Eroberung durch die Römer bewahrt hätte, begehrten u. erhielten bisweilen die alten oppida u. die neuen Hauptstädte der Völker, denen Augustus vielfach ein großes Hinterland zugedacht hatte (Vienne in der Narbonensis umfaßte mehr als 20 pagi, unter denen sich Genf u. Grenoble befanden; s. R. Rémy: CahHist 15 [Lyon

1970] 195/213; vgl. U. Laffi, Adtributio e contributio [Pisa 1966]), das latinische Recht, wodurch ihren Magistraten das röm. Bürgerrecht zuteil wurde. Nach 48 waren sie, mindestens in der Lugdunensis, ziemlich zahlreich. Ihre Bitte, in den röm. Senat Eingang zu finden (Tac. ann. 2, 23/5; CIL 13, 1668; P. Fabia, Les tables claudiennes de Lyon [Lyon 1929]; E. Liechtenhan: RevÉtLat 24 [1946] 198/209; F. Vittinghoff: Hermes 82 [1954] 348/71; R. Syme, Tacitus 1 [Oxford 1958] 459; U. Schillinger-Häfele: Historia 14 [1965] 443/54), wurde von Claudius unterstützt. Das Anliegen war wohl der Versammlung von Confluentes unterbreitet worden; denn das Stadtrecht, das die julisch-claudischen Herrscher aufgrund eigener Machtvollkommenheit großzügig zuerkannt hatten, oder das die vom Militärdienst befreiten auxiliarii erhielten, war noch Privileg einer Minderheit. Wie in den municipia Flavia Spaniens, dem Vespasian das ius Latii verliehen hatte, u. den Munizipien der übrigen Provinzen, die latinisches Recht genossen, standen an der Spitze der gallischen Munizipien duoviri; darin unterschieden sie sich von den latinischen Kolonien der Narbonensis, die u.a. von quattuorviri verwaltet wurden. Duoviri sind inschriftlich bezeugt zB. für Vieux (CIL 13, 3162), für Augustoritum/Limoges (Wuilleumier, Inscr. nr. 174), für Trier (CIL 13, 113 31), doch quattuorviri zB. für St-Bertrand-de-Comminges, das vor 22 vC. zur Narbonensis gehörte (Wuilleumier, Inscr. nr. 76). Die röm. Bürger der bedeutendsten Städte (zB. Bordeaux), i.a. italische negotiatores, hatten sich zu conventus civium Romanorum zusammengeschlossen, die ihre Vertreter zur Bundesversammlung in Confluentes entsandten (ebd. nr. 221). Seit Hadrian schritt die Romanisierung dieser Städte rascher fort. Damals wurde das röm. Bürgerrecht auf die decuriones des Munizipalrates ausgedehnt (Latium maius). Seit der 2. Hälfte des 2. Jh. verliehen die Kaiser auch den Titel ‚Ehrenkolonie'. Besançon empfing diese Auszeichnung von Mark Aurel (zu dem monumentalen Tor dieser Stadt s. Grenier, Manuel 1, 560). Schließlich besaßen die Munizipien wie die Kolonien curatores rei publicae oder civitatis, die seit Trajan im Auftrage des Kaisers ihre finanziellen Angelegenheiten regelten. – Wie die Kolonien der Narbonensis entwickelten auch die gallischen Munizipien schon sehr früh einen eigenen Kaiserkult mit einem flamen (Wuilleumier, Inscr. nr.

149 aus Saintes). Selbst Kollegien von seviri Augustales sind vielerorts inschriftlich bezeugt, so auch in 150 Inschriften der Narbonensis. Wahrscheinlich seit Trajan scheinen sie als ‚corpora' aufzutreten. Sie bildeten unter dem ordo decurionalis einen eigenen beamtenähnlichen Stand, in dem Einheimische mehr u. mehr neben die reichen Freigelassenen traten. Die röm. Kolonie von Lyon zählte mehr als 60, die von Nîmes ca. 75 Mitglieder dieses Priesterkollegiums. Aus Autun, Metz, Langres, Auch u. Bordeaux sind inschriftliche Zeugnisse der seviri Augustales erhalten.

c. Verwaltung in der späteren Kaiserzeit. Unsere Kenntnis von einer Reorganisation der Provinzen, der Einrichtung gallischer Diözesen sowie einer Präfektur der G. in der späteren Kaiserzeit beruht hauptsächlich auf vier Dokumenten verschiedener Entstehungszeit u. Natur. Das älteste ist der Laterculus Veronensis (hrsg. v. O. Seeck, Notitia dignitatum. Accedunt Notitia urbis Constantinopolitanae et Latercula provinciarum [1876 bzw. 1962] 247/53). In ihm werden die gallischen Provinzen auf zwei Diözesen verteilt. Mommsen datiert ihn zwischen 297 u. 342; Stein, Hist. 437 präzisiert das Datum: 304/6; Nesselhauf 8 folgt ihm hierin. E. Schwartz rückt die Entstehungszeit der auf die gallischen Provinzen bezogenen Teile sogar bis 358/69 vor (AbhMünch 1937, 79/82). A. H. M. Jones: JournRomStud 44 (1954) 21/9 rückt das Datum freilich wieder hinauf in die Zeit um 312/20, glaubt aber an späte Retuschen in den G. betreffenden Teilen. Erhärtet wird diese Datierung durch diejenige des auf Afrika u. seine Provinzen bezogenen Abschnittes (306 nach Seston, Dioclétien 327f; 303/14 nach H. G. Kolbe, Die Statthalter Numidiens von Gallien bis Konstantin [1962] 65/71). – Der Laterculus Polemii Silvii (Seeck aO. 254/60; MG AA 9, 524/42) gibt ein Verzeichnis der Provinzen, das iJ. 449 nach einer älteren Vorlage kopiert wurde (Datum der Urschrift: nach Th. Mommsen 385/6; 399 nach K. Ziegler, Art. Polemius Silvius: PW 21, 1 [1951] 1262f u. nach A. Chastagnol: Historia 4 [1955] 173f). – Die Notitia Galliarum (Seeck aO. 261/74) zählt zu Beginn des 5. Jh. die Städte von 17 gallischen Provinzen auf. H. Leclercq, Art. Notitia Galliarum: DACL 12, 2, 1718 gibt als Entstehungszeit die Jahre um 400 an; A. H. M. Jones, The later Roman Empire 2 (Oxford 1964) 225$_2$ rückt ihr Datum in die Nähe dessen der Notitia dignitatum. Er hält die Schrift für ein ziviles Do-

kument u. nicht für eine Liste der Bistümer. –
Das vierte Zeugnis ist schließlich die o. Sp. 864
erwähnte Notitia dignitatum utriusque imperii (Seeck aO. 1/225; dort auch ältere Listen).
Sie scheint zu Beginn des 5. Jh. verfaßt worden zu sein, wurde aber offensichtlich gegen
Ende der Regierungszeit des Honorius über-
arbeitet. Andere Datierungen: E. Polaschek,
Art. Notitia dignitatum: PW 17, 1 (1936)
1077 f gibt 395 als Entstehungsdatum u. die
nachfolgende Zeit bis 433/7 als Datum der
Revision an. J. B. Bury: JournRomStud 10
(1920) 133 f schlägt etwa 430 vor. Ihm schließt
sich E. Stein an (BerRGKomm 18 [1929] 92 f).
F. Lot: RevÉtAnc 38 (1936) 285/337 setzt sie
zwischen 379 u. 406/8 an. Jones aO. 347/58
schlägt mit guten Gründen 395 für den orientalischen Teil vor u. rechnet mit einer späteren
Überarbeitung; für den westlichen Abschnitt
glaubt er an eine Entstehung um 408, die
einem Ansatz um 400 vorzuziehen sei. Auch
dieser Teil hat Abänderungen erfahren, die
aber nicht nach 422 abgefaßt sind.

1. Verwaltungsreform unter den Tetrarchen.
Seit den Kriegen des Maximianus Herculius u.
des Constantius Chlorus wurden die alten
gallischen Provinzen in vier oder fünf Mili-
tärdistrikte gegliedert (W. Schleiermacher:
BerRGKomm 33 [1943/50] 169/75). Zwei von
ihnen, die den Verkehr mit Italien beherrschten, bildeten neue Provinzen, so die G. riparensis. Sie schloß die Westalpen u. das Rhône-
tal vom Genfer See bis Marseille ein (ebd. 171;
Nesselhauf 56; Seston, Dioclétien 326). Diese
Provinz verschwand zu Beginn des 4. Jh. wieder; denn sie fehlt im Laterculus Veronensis
u. wurde nur in der Not. dign. occ. 42, 13 erwähnt. Sie verfügte über 3 Flottillen u. eine
Kohorte, die dem dux G. riparensis unterstand. Valentinian I soll dieses Amt neu geschaffen haben (A. Piganiol, L'empire chrétien
[325/395]: G. Glotz, Hist. générale. Hist.
rom. 4, 2 [Paris 1947] 187). Sequania, die
zweite neu gebildete Provinz, bestand aus den
Städten der Sequaner, der Rauracer u. der
Helvetier um Besançon (Stähelin 269). Später erhielt sie die Bezeichnung Maxima
Sequanorum (Fest. brev. 6; Not. Gall. 9, 1;
Laterc. Polem. Silv. 2, 17; Not. dign. occ. 1,
109). – Durch seine Provinzreform ordnete
Diokletian die Provinzen neu: Sie wurden
unterteilt u. zu Diözesen umgeformt. Er bestätigte die Scheidung von Nord- u. Süd-G.
Im Norden bestand die Diözese der G. ursprünglich aus 8 Provinzen (Laterc. Veron. 8):

Belgica I mit Trier als Hauptstadt, Metz, Toul
u. Verdun (Not. Gall. 5). Ihre Bevölkerung
ist nicht mehr die belgische der Zeit Caesars.
Diese bildet vielmehr die Mehrheit der Ein-
wohnerschaft der Städte in Belgica II mit
der Metropole Reims u. den Städten Soissons,
Châlons, Vermand, Arras, Cambrai, Tournai,
Senlis, Beauvais, Amiens, Thérouanne u.
Boulogne (ebd. 6); Germania I u. II entspra-
chen i. a. den alten Provinzen Germania superior u. inferior. Verwaltungszentrum war
Mainz in Germania I. Andere Städte dieses Raumes waren Straßburg, Speyer u. Worms (ebd.
7), ferner in Germania II Köln u. Tongeren
(ebd. 8), das ehemals zur Belgica gehörte u.
an Germania II angegliedert wurde als Ausgleich für den Verlust der alten Bataverstadt
Nijmegen. – Zu der Maxima Sequanorum
gehörten neben der Metropole Besançon Nyon,
Avenches u. Basel; hinzu kommen noch 4
castra, darunter das castrum Rauracense
(Augst; vgl. ebd. 9). Diese civitates u. castra
waren zuvor Teile der alten Germania superior gewesen. – Lugdunensis I bestand aus
Lyon, das in der hohen Kaiserzeit das glän-
zende caput Galliarum war u. in der sinken-
den Kaiserzeit ein armseliges Fortleben führte (A. Audin: RevArchEst 4 [1953] 61/5), u.
aus einem Kranz von 10 Städten, die sich
darum gruppierten: Autun, Langres, Chalon
u. Mâcon (diese beiden sind castra); Sens,
Chartres, Auxerre, Troyes, Orléans, Paris u.
Meaux (Not. Gall. 1. 4). Lugdunensis II umfaßte die Metropole Rouen u. folgende 15
Städte: Bayeux, Evreux, Avranches, Sées,
Lisieux, Coutances, Tours, Le Mans, Angers,
Nantes, Rennes, Corseul (?), Vannes, Carhaix
(?) u. Jublains (ebd. 2. 3). Die grajischen u.
poeninischen Alpen schließlich behielten die
beiden alten Städte der Tarentaise u. des
Wallis bei (ebd. 10). Diese gewaltige Diözese
hatte wahrscheinlich keinen eigenen vicarius,
sondern wurde wohl unmittelbar von Trier
aus, der Residenz des Maximian, des Konstantin u. seiner Söhne, regiert (Jullian 8, 20).
Die diocesis von Vienne (Laterc. Veron. 9; Not.
Gall. 11,1) wurde aus 7 Provinzen gebildet,
aus einer großen Viennensis mit 14 Orten, die
sich um die Hauptstadt Vienne als Sitz des
vicarius gruppierten: den beiden alten Allo-
brogerstädten Genf u. Grenoble, der Helvier-
stadt Alba, den vokontischen u. kavatischen
Siedlungen Valence, Die, St-Paul-trois-Châ-
teaux, Vaison, Orange, Cavaillon, Carpentras,
Avignon u. schließlich Arles u. Marseille (Not.

Gall. 11; A. Pelletier: Latom 26 [1967] 491/
8). – Die Narbonensis I wurde auf folgende 5
Städte beschränkt: Narbonne als Hauptstadt,
Nîmes, Béziers, Lodève u. Toulouse (Not.
Gall. 15); Narbonensis II bestand aus 7
Städten: Aix als Metropole, Apt, Gap, Riez,
Sisteron, Fréjus u. Antibes (ebd. 16). –
Auch Aquitanien wurde in zwei Provinzen ge-
teilt. Die Hauptstadt von Aquitania I war
Bourges. Ferner gehörten zu ihr die 7 Städte
Limoges, Clermont, Saint-Paulien-en-Velay,
Javols, Rodez, Albi u. Cahors (ebd. 12). Aqui-
tania II bestand aus der Metropole Bordeaux
u. den 5 Städten Agen, Angoulême, Saintes,
Poitiers u. Périgueux (ebd. 13). – Die alte Novempopulania bildeten 12 südlich der Garonne gelegene Städte, nämlich außer der Hauptstadt Eauze Auch, Dax, Lectoure, St-Bertrand-de-Comminges, St-Lizier, Buch, Lescar,
Aire-sur-Adour, Bazas, Tarbes u. Oloron (ebd.
14). – Die Seealpenprovinz behielt schließlich
ihre 8 kleineren Städte bei: Embrun, das in
den Rang einer Metropole erhoben wurde,
Digne, Chorges, Castellane, Sénez, Glandèves,
Cimiez u. Vence (ebd. 17). Wie das von Diokletian zweigeteilte Rätien wurde auch die
alte Provinz der kottischen Alpen mit Brian-
çon u. Susa der diocesis Italia angeschlossen
(Laterc. Ver. 10). – Im Verlauf des 4. Jh. erfuhren die gallischen Diözesen u. Provinzen
einige Umgestaltungen. Die diocesis Viennensis (7 provinciae) bestand iJ. 363 nur noch
aus 5 Provinzen, behielt aber ihre alte Ausdehnung bei (vgl. CIL 6, 1729: Inschrift des
Flavius Sallustius, vicarius quinque provinciarum). – Vielleicht bereits seit Konstantin
(Nesselhauf 16f), sicher jedoch seit Constantius II, zu dessen Regierungszeit Ammianus
Marcellinus das G. von 355 beschrieb (15, 11,
7/15), gab es nur ein einziges Aquitanien, das
Ammianus übrigens Aquitanica nannte (vgl.
den Synodalbrief des hl. Hilarius v. Poitiers
vJ. 358: PL 10, 479; CIL 6, 1764: Inschrift des
Saturninus Secundus praeses provinciae Aqui-
tanicae; vgl. auch ThesLL 1, 380, 22f, wo die
beiden zuvor genannten Belege fehlen). Die
zuvor erwähnte Inschrift des Flavius Sallustius läßt ferner vermuten, daß zu derselben
Zeit auch nur mehr eine einzige Narbonensis
bestand. Doch unter Valentinian I, der in G.
die Verwaltungspolitik Diokletians wieder
aufnahm, wurden diese beiden Provinzen erneut geteilt, u. auch die diocesis septem provinciarum erschien wieder: nach Fest. brev.
6, 5 bestanden in den Jahren 369/70 zwei

Aquitanien (s. die kommentierte Ausgabe von
J. W. Eadie [London 1967] 50). Cn. 1 des Konzils von Turin vJ. 398 (CCL 148, 54) erwähnt
eine Narbonensis II (J. R. Palanque: Rev-
HistÉglFr 21 [1935] 481/501; Griffe 1, 253).
Die Bezeichnung quinque provinciae für die
diocesis Viennensis lebte noch lange fort.
Wenn auch die Akten des Konzils von Aquileia (381; vgl. Mansi 3, 615) von der Diözese
der 7 Provinzen sprechen, so erscheint die Bezeichnung quinque provinciae nicht nur in
den Akten des Konzils von Valence (374; vgl.
Mansi 3, 491), sondern in der littera synodalis
des Konzils von Turin (398) im Widerspruch
zu cn. 1, in einer kaiserlichen constitutio vom
29. I. 399 (Cod. Theod. 16, 10, 15) u. in der
Not. dign. occ. 11, 18; 12, 14. Der vicarius
dieser Diözese verwaltete gegen Ende des
4. Jh. alle 17 gallischen Provinzen; in der Not.
dign. occ. 1, 28 heißt es von ihm, er allein sei
unmittelbar dem praefectus praetorio Galliarum unterstellt (ebd. 3, 14; dort umfaßt die
diocesis VII provinciarum in der Tat alle 17
gallischen Provinzen; vgl. ebd. 15/31). Diesen
Sachverhalt gibt auch der Laterc. Pol. Silv.
2, 2/19 wieder, ferner die Not. Gall. 1, die
jedoch an anderer Stelle nichtsdestoweniger
von 7 Provinzen spricht (ebd. 11,1: item in
provinciis numero VII). Wahrscheinlich vollzog sich die Unterordnung der beiden gallischen Diözesen unter die Oberhoheit des vicarius der Diözese von Vienne um 395/6,
als der praefectus praetorio Galliarum seine
Hauptstadt von Trier vermutlich nach Arles
verlegte (A. Pellettier: Latom 26, 2 [1967]
491/8). – In Nord-G. wuchs die alte diokletia-
nische diocesis Galliarum im Verlauf des 4.
Jh. von 8 auf 10 Provinzen. Jede der beiden Lugdunenses wurde ihrerseits zweigeteilt
(Not. dign. occ. 3, 16. 29/31; 22, 23. 37/9;
Laterc. Pol. Silv. 2, 13/6; Not. Gall. 1/4). Die
Ereignisse müssen einige Zeit nach der Beschreibung von G. durch Ammianus Marcellinus u. nach der Abfassung des Breviarium des
Festus stattgefunden haben. Da die Lugdunensis Senonia oder Lugdunensis IV der Notitia dignitatum, des Laterculus Polemii Silvii
u. der Notitia Galliarum auf einer Inschrift
Maxima Senonia heißt (CIL 13, 921), wurde
diese Provinz wahrscheinlich durch den Usur-
pator Maximus geschaffen (Nesselhauf 22).
Sie bestand aus der Metropole Sens u. den
Städten Paris, Meaux, Chartres, Orléans,
Troyes, Auxerre u. Nevers (Not. Gall. 4). –
Lugdunensis III, wohl zur selben Zeit ent-

standen, hatte als patronus den rector Valerius Dalmatius (AnnEpigr 1902 nr. 245).
Ihr Verwaltungszentrum war Tours. Die westlich von Tours liegenden Städte Angers, Le Mans, Nantes, Vannes, Rennes, Corseul (?), Carhaix (?) u. Jublains waren ihre bedeutendsten Orte (Not. Gall. 3).

2. Weitere zentralistische Bestrebungen. Konstantin richtete um 317/8 oder nach 326 regionale u. zivile praefecturae praetorio ein u. betonte damit die Zentralisierung der Verwaltung (Stein, Hist. 1, 117; für die Zeit nach 326 spricht sich J. R. Palanque: Mélanges H. Grégoire 2 [Bruxelles 1950] 481/91 aus, der auch den 1. italischen Präfekten Iunius Bassus zwischen Ende 324 u. Anfang 332 datiert; vgl. J. R. Palanque: Mélanges A. Piganiol [Paris 1966] 839/42: den 1. gallischen Präfekten, Caelius Saturninus, setzt er nach etwa 333 an). Die gallischen Präfekten sind in den Rechtscodices, wenn auch selten, bis 423 bezeugt (J. R. Palanque, Essai sur la préfecture du basempire [Paris 1933] 128f). Der letzte gallische Präfekt, Petrus Marcellinus Felix Liberius, lebte zur Zeit des Theoderich (J. Sundwall, Abh. zur Gesch. des ausgehenden Römertums [Helsingfors 1919] 134). Zwischen 378 u. 380 wurde die gallische praefectura praetorio vorübergehend mit der italischen verbunden (Stein, Hist. 1, 184; Palanque aO. 51; Piganiol aO. 205). Zu Beginn des 5. Jh. bildet sich die große Präfektur des Westens, die an Rang unmittelbar hinter der italischen Präfektur steht. Sie schließt die Diözesen Spaniens, Britanniens u. der Viennensis ein, die ihrerseits alle gallischen Provinzen mitumfassen (Not. dign. occ. 3). Sechs Provinzen haben consulares u. elf Provinzen haben praesides als Statthalter (ebd. 1, 68/74. 106/17). Der Präfekt überwacht die Rechtsprechung. Kaiserliche constitutiones sind oft unmittelbar an ihn gerichtet. Ferner obliegt ihm die Aufsicht über die Verwaltung des vicarius u. der Statthalter, besonders über die Erhebung der Steuern; denn wenn er auch keine Truppen befehligte, so war es dennoch seines Amtes, den Soldaten den Sold zu zahlen. So verglich Zosimos die Befugnisse des Präfekten mit denen der alten Prokuratoren (2, 33). Höhe u. Aufteilung der Steuer wurden von der Zentralregierung festgelegt. Der comes sacrarum largitionum palatinus wurde in G. von 2 rationales summarum vertreten, einem für jede der beiden Diözesen (Not. dign. occ. 11, 18f). Außerdem waren mit seiner Vertretung 4 praepositi thesaurorum beauftragt, die ihre Amtssitze in Lyon, Arles, Reims u. Trier hatten (ebd. 31/5), ferner 3 procuratores monetae in Lyon, Arles u. Trier (42/4). Die steuerliche Belastung war weitaus größer als während der frühen Kaiserzeit. 312 wurden die capita, d. h. die Berechnungseinheiten für die Kopfsteuer, die Grundsteuer in G., noch durch einen novus census erhöht, wobei eine Revision von Grundbuch u. Censuslisten stattfand (paneg. Lat. 8, 5); diese Erhöhung war so drastisch, daß zB. die Stadt Autun unter der drückenden Last Konstantin um einen Steuernachlaß bitten mußte u. ihn auch erhielt. Der Kaiser gewährte ihr einen Nachlaß um 7000 capita. Autun zahlte also statt für 32000 nur noch für 25000 steuerpflichtige capita. Ferner wurden der Stadt alle Zahlungsrückstände gegenüber dem Fiskus für 5 Jahre erlassen (ebd. 11/3). Nach 312 wurde die Revision des census nicht mehr alle 5 Jahre durchgeführt wie noch 302, 307 u. 312, sondern nur noch alle 15 Jahre. Eine solche Periode hieß indictio. Indictiones sind bezeugt für die Jahre 312, 327, 342, 357, 373. Diejenige vJ. 342 wurde als so drückend empfunden, daß Julian iJ. 356 die gesamte Kopfsteuer in G. auf ein Drittel senkte, indem er den Wert eines caput von 25 auf 7 solidi herabsetzte (Amm. Marc. 16, 5, 14; 17, 3, 5). Nach dieser Steuer von 25 solidi schätzte A. Grenier das gallische Kopfsteueraufkommen auf 25 Mio. solidi oder 210 Mio. Hektoliter Getreide (Gaule 606). – Nach 395 wurde die Steuer wieder drückender (Paulin. Nol. ep. 5, 5 [CSEL 29, 28]; Paulin. Pell. euchar. 199/201 [CSEL 16, 299]). Zu den indictiones kamen die superindictiones, die requisitiones u. seit Konstantin die Klassensteuern: das *aurum coronarium u. der follis, den die clarissimi zu zahlen hatten, ferner der χρυσάργυρος, den die Kaufleute entrichteten. – Die portoria wurden seit Konstantin nicht mehr unmittelbar vom Staat eingezogen, sondern an Steuerpächter verpachtet. Zur Zeit der Notitia dignitatum verhielt es sich stets so. Die portoria der frühen Kaiserzeit sind dort nicht behandelt. In den hohen kaiserlichen Hofämtern liefen auch die Fäden der Verwaltung von 20 staatlichen Manufakturen in G. zusammen. Die gynaecia von Arles, Lyon, Reims, Tournai, Trier u. Autun, das linyfium von Vienne, die baphia in Narbonne u. Toulon u. die barbaricaria von Arles, Trier u. Reims waren dem comes sacrarum largitionum unter-

stellt (Not. dign. occ. 11, 54/9. 62. 72f. 75/7);
die Waffenwerkstätten von Argenton, Mâcon,
Autun, Soissons, Reims, Trier u. Amiens
unterstanden dem magister officiorum (ebd.
9, 31/9). Dasselbe galt für die Verwaltung des
kaiserlichen Privatbesitzes: der comes rerum
privatarum war in jeder der beiden gallischen
Diözesen durch einen rationalis rei privatae
vertreten (ebd. 12, 13f). Für das Transportwesen war ihm ein praepositus bastagae
privatae Galliarum verantwortlich (ebd. 29),
ferner auf lokaler Ebene ein praepositus rei
privatae in Sequania u. Germania I, außerdem 2 procuratores der gynaecia. Einer von
ihnen hatte seinen Sitz in Trier, der andere
zunächst in Viviers, später wahrscheinlich in
Metz. Sie unterstanden unmittelbar dem
comes rerum privatarum (ebd. 19, 26f). Konstantin hatte sich damit begnügt, die Verwaltung des cursus publicus den Dienststellen
des praefectus praetorio anzuvertrauen, der
damit beauftragt war, den Mißbrauch des
Postwesens durch Statthalter u. andere Beamte zu bestrafen (Cod. Theod. 8, 5, 3f vJ.
326); doch Constantius II ersetzte die alten
praefecti vehiculorum durch 2 agentes in
rebus oder curagendarii in jeder Provinz (Cod.
Theod. 6, 29, 2: Konstitution vJ. 357, die sie
auch als curiosi bezeichnet). Nun waren auch
die ducenarii wie die früheren praefecti vehiculorum (CIL 10, 7200) Untergebene des
magister officiorum (Not. dign. occ. 9, 9. 44f).
Diesem also oblag schließlich die Unterhaltung der Straßen u. mansiones, wobei er sich
i. a. der Fronarbeit u. der Beschlagnahmung
bediente. – Doch versuchten die Kaiser, Provinzialversammlungen, wie sie in der frühen
Kaiserzeit üblich waren, einzuberufen. Diokletian ersetzte den großen Bundesrat von
Confluentes, der am Ende des 3. Jh. verschwunden war, durch jährliche Provinzialkonzilien (Piganiol aO. 320), die der sacerdos
des Kaiserkultes in jeder Provinz leitete u.
die sich nicht mehr aus den legati, sondern
den Besitzenden (clarissimi) u. den decuriones
der Provinz zusammensetzten (J. A. Larsen:
ClassPhil 29 [1934] 209/20). Selten trifft man
bei diesen kleinen concilia auf Äußerungen
des Tadels (Amm. Marc. 18, 1, 4) oder Dankes
(CIL 13, 921) für die Statthalter. 382 verlieh
Gratian den Diözesanversammlungen eine re-
präsentative Funktion (Cod. Theod. 12, 12, 9:
an alle Provinzialen gerichtete Konstitution,
die 392 wiederholt wurde; vgl. ebd. Gesetz 13).
Er ermächtigte sie nämlich, Delegierte an den

Kaiser zu entsenden. Freilich konnten die
kleinen Provinzialconcilia kaum den großen
Aufwand solcher Reisen bestreiten, doch
waren sie immerhin ermächtigt, Delegierte
zu wählen. Honorius nahm in G. diese Politik
auf. Kurz vor 407 berief der praefectus praetorio Galliarum Petronius in Arles das concilium VII provinciarum ein. Doch verhinderte die Invasion der Vandalen, Alanen u.
Sueben die Verwirklichung dieses Planes.
Nach der Wiederherstellung der Autorität des
Honorius in Arles wiederholte ein Erlaß vom
17. IV. 418, der an den praefectus praetorio
Galliarum Agricola gerichtet war, die Einladung zu dem Konzil der 7 Provinzen in
Arles (E. Carette, Les assemblées provinciales
de la Gaule romaine [Paris 1895] 460/3).
Mitten in diesen Wirren wurde der Rat tätig
u. lud den Präfekten der G., Arvandus, vor.
Dieser Beamte hatte an Rom zugunsten des
Westgotenkönigs Eurich Verrat geübt (Stein,
Hist. 1, 391).

3. Militärorganisation. Die Militarisierung der
G., in denen während der frühen Kaiserzeit
kaum Truppen standen, ist eine Folge der
Barbareneinfälle. Sie stellt die große Veränderung dar, die die späte Kaiserzeit G.
brachte. Diokletian setzte hier, wie auch
anderenorts, duces ein, die dem Kaiser u.
seinem praefectus praetorio unterstellt waren.
Es handelte sich um die duces von Germania
I, Germania II, Maxima Sequanorum, G.
riparensis, Belgica I, Belgica II u. um den
dux tractus Armoricani et Nervicani limitis,
dessen gewaltiger Amtsbereich sich von Aquitanien bis zur Rheinmündung erstreckte.
Constantius Chlorus hat vielleicht diesen Bezirk verkleinert; er soll das litus Nervicanum
abgetrennt u. es dem Amtsbereich des dux
von Belgica II zugeschlagen haben (Nesselhauf
50/7; W. Schleiermacher: BerRGKomm 33
[1943/50] 169/71; D. van Berchem: AmJPhil
76 [1955] 144f). Die Rheingrenze, die sich
weit vom Territorium des G. der frühen
Kaiserzeit löste, wurde nun fest verteidigt
(Zos. 2, 34; vgl. D. van Berchem, L'armée
de Dioclétien et la réforme constantinienne
[Paris 1952] 52). – Im Inneren siedelten die
Tetrarchen Gruppen von Barbaren an. Es
handelte sich um Kriegsgefangene u. bar-
barische dediticii, die den Großgrundbesitzern
aus Städten zugeteilt wurden, die von den
Franken u. Alamannen während des 3. Jh.
zerstört worden waren. Sie sollten helfen, das
Land wieder zu kultivieren u. nach Möglich-

keit die bäuerlichen Rekruten ersetzen, die zum Militärdienst einberufen worden waren, an deren Stelle sie in die Armee eintreten sollten. Bei den Neusiedlern konnte es sich auch um laeti provinzialer Herkunft handeln. Sie scheinen alte Militärsiedler in verlassenen Grenzgebieten (agri decumates, Batavia) u. transrhenanische Germanen gewesen zu sein, die, mit Rom verbündet, bald evakuiert, bald von den Eindringlingen in Gefangenschaft verschleppt u. von den Kaisern des ausgehenden 3. u. beginnenden 4. Jh. wieder befreit worden sind (Paneg. Lat. 4, 21 vJ. 298 [1, 99f Galletier]). Die laeti sind nur in G. bezeugt. Sie besaßen ein Statut, das sich von demjenigen der dediticii unterschied. Sie waren coloni, die auf schuldenfreiem Ackerland mit der Verpflichtung zu erblichem Militärdienst saßen (Cod. Theod. 13, 11, 10 vJ. 399; Nov. Sev. 2 vJ. 465; vgl. E. Léotard, Essai sur la condition des barbares établis dans l'Empire romain au IVᵉ s. [Paris 1873] 114/37; Jullian 8, 82; Grenier, Manuel 1, 400; M. Schönfeld, Art. Laeti: PW 12, 1 [1924] 446/8; É. Demougeot: Festschrift F. Altheim 2 [1970] 101/13). Bei jeder Gelegenheit konnten sie dienstverpflichtet werden (Cod. Theod. 7, 20, 12 vJ. 400). Ihre Vorgesetzten oder praefecti ernannte der Kaiser (Cod. Theod. 7, 20, 10 vJ. 369). Nach der Notitia dignitatum befanden sich unter den praepositurae, die dem magister militum praesentalis unterstellt waren, 12 Gruppen von laeti u. 6 von Sarmatae gentiles (occ. 42, 33/44. 65/70; diese Listen sind unvollständig). Diese gallischen Sarmaten waren offenbar ähnlich wie die italischen Sarmaten (occ. 45/63) im Verlauf des 4. Jh. angesiedelt worden, u. zwar vermutlich nach den laeti, vor allem seit den Donaukriegen des Constantius II gemeinsam mit Barbarenstämmen, die nach einem Statut, analog demjenigen der alten laeti, in kaiserliche Dienste getreten waren. Diese praepositurae waren über ganz G. verstreut. Die laeti hatten i.a. in den Belgicae u. Lugdunenses Quartiere bezogen, außer einer Gruppe, die in Germania II bei Tongeren u. einer anderen, die in Aquitanien bei Clermont ansässig wurde (ebd. 43f). Aber die Sarmaten überwachten, ohne fest umrissene Quartiere, allem Anschein nach die Straßen im Gebiet von Langres, der Gegend von Paris zwischen Reims u. Amiens, im Poitou, dem Rouerge u. dem Velay. Über das ganze Land verstreut, trugen diese barbarischen Militärcoloni zur Barbarisierung

von G. ebenso bei wie die dediticii, die sich in die Armee der limitanei u. selbst der comitatenses hatten aufnehmen lassen. Viele Ortsnamen u. Nekropolen legen Zeugnis dafür ab, wo sie sich für immer festsetzten (A. Dauzat, Les noms des lieux [Paris 1963] 126/8; Einwände erhebt M. Roblin: Hommages M. Renard 2 [Bruxelles 1969] 664/74; J. Werner: Archaeol. Geogr. 1 [1950] 23/9; S. J. de Laet-J. Dhondt-J. Neuquin: Ét. d'hist. arch. namuroises déd. à F. Courtoy [Namur 1952] 149/72; J. Gricourt: RevÉtAnc 56 [1954] 366/76; A. France-Lanord: RevArch 1963, 15/35; H. Roosens: ArchBelgica 104 [1968] 89/109). Die comitatenses, eine Art Manöverarmee, hatte Konstantin aus seinem comitatus entwickelt (van Berchem aO. 108. 111. 115). Sie standen unter dem Befehl des magister peditum u. des magister equitum. Mehr u. mehr lösten sie sich organisatorisch von den Grenzarmeen, den limitanei. In G. wurden sie eingesetzt. An ihrer Spitze stand ein besonderer General, entweder der magister peditum oder der magister equitum. Zum ersten Mal wird dieser Oberbefehlshaber zur Zeit Julians erwähnt (Amm. Marc. 15, 5, 2; 16, 2, 8. 4, 3. 7, 1). Er war unmittelbar den magistri militum praesentales des kaiserlichen Hofes unterstellt (Not. dign. occ. 7, 112 wird sein princeps ex officiis noch abwechselnd ernannt durch den magister peditum praesentalis u. den magister equitum praesentalis). Seine Amtsgeschäfte führte er in Trier an der Seite u. auf Kosten des Präfekten der G., der keine militärische Macht besaß. Sein Amt übertraf an Bedeutung bald das der duces, von denen einige verschwanden, so zB. die von Belgica I u. G. riparensis, vielleicht von Germania II. Letzteren scheint Valentinian I wieder eingesetzt zu haben (Nesselhauf 60f. 64). Als Valentinian I u. Gratian in Trier residierten, verschwand dieser gallische General seinerseits. Als der Usurpator Maximus den magister equitum Galliarum Valentinians II zum Selbstmord gezwungen hatte, besetzte Theodosius das vakante Amt nicht wieder (W. Enßlin: Klio 24 [1931] 102/47). Als aber (wahrscheinlich zwischen 395 u. 398) die gallische Präfektur von Trier nach Arles verlegt wurde, wurde auch das Amt des magister equitum per Gallias neu geschaffen (Stein, Hist. 1, 241. 547; Nesselhauf 95; S. Mazzarino, Stilicone [Roma 1948] 130. 393). Die Notitia dignitatum weist ihm zu dieser Zeit ohne Zweifel 60 numeri zu (occ. 1, 7; 7, 63/100 in

der Liste der numeri comitatenses). Das Amt
hatte bis ins 5. Jh. Bestand. Es wurde bekleidet von Aëtius (V. Sirago, Galla Placidia
[Louvain 1961] 266) oder Litorius ‚magister
equitum per Gallias‘ (Stein, Hist. 1, 379),
ferner von Avitus vor seiner Kaiserwahl u.
von Aegidius, den Maiorianus durch den
Burgunderkönig Gundioc ersetzte; nach Gun-
diocs Tod übernahm sein Bruder Chilperich
das Amt, wurde aber von dem Ostgoten
Vidimer, den der Kaiser Olybrius ernannt
hatte, verjagt (Stein, Hist. 1, 381. 392. 394). –
Die konstantinische Militärreform u. die Anwesenheit der comitatenses in G. hatten eine
Verminderung der Wachsamkeit an der Rheingrenze zur Folge. Diokletian hatte diese
Grenze besonders befestigt. Als Julian 355/8
die Germaneninvasionen mühsam zum Stillstand gebracht hatte, baute Valentinian die
Rheingrenze erneut aus. Stilicho ordnete seit
407 eilends die Verwaltung des Grenzgebietes
neu, nachdem am 31. XII. 406 die Vandalen,
Alanen u. Sueben den Rhein überschritten
hatten. Der dux Germaniae I wurde durch
einen dux von Mainz ersetzt (Not. dign. occ.
1, 49; 5, 143; 41), der dem magister peditum
praesentalis unterstand (É. Demougeot: Rev-
Alsace 92 [1953] 23; D. van Berchem datiert
diese Umstellung der Verwaltung in das J.
395; vgl. ders.: AmJPhil 76 [1955] 138/47);
ein comes mit Sitz in Straßburg war ebenfalls
dem magister peditum praesentalis unterstellt. Seine Aufgabe bestand darin, den tractus Argentoratensis, wohl mit Hilfe der comitatenses, zu verteidigen (Demougeot aO. 37).
Wahrscheinlich gegen 395/8 nahm Stilicho
dem dux Belgicae II das litus Nervicanum u.
bildete den großen Militärbezirk des dux
tractus Armoricani et Nervicani limitis der
Tetrarchie neu (Not. dign. occ. 1, 45; 27;
vgl. É. Demougeot: Le Moyen Âge [1962]
26. 35; E. Stein: BerRGKomm 18 [1928] 96,
der diese Neuformation nach 417 ansetzt;
van Berchem aO. 146 datiert sie kurz vor
367; vgl. E. Will: RevNord 68 [1966] 517/
34).

VII. Heidnische Religionen. a. Gallische Religion. Die gallische Religion ist nur schwer zu
deuten. Auch sind ihre sozialen Bindungen
nur wenig bekannt. Seit Cäsar hatte zudem
die interpretatio romana die Ausbildung eines
allgemeinen Synkretismus zur Folge (Texte
bei Zwicker). Ch. Renel, Les religions de la
Gaule avant le christianisme (Paris 1907) u.
in geringerem Maße auch Toutain 193/454 be-

streiten, daß es sich um eine kohärente Na-
tionalreligion handeln könne (vgl. auch M. L.
Sjoerstedt, Dieux et héros des Celtes [Paris
1940]; Vendryes 239/320; Duval, Dieux 9/38).
Demgegenüber verbindet F. Benoit, L'art pri-
mitif méditerranéen de la vallée du Rhône[2]
(Aix-Gap 1955) u. ders., Mars et Mercure (Aix
1960), die gallische Religion mit einem gemeinsamen Bestand mediterraner Glaubensvorstellungen. Doch in der Folge kommen
Keltisten wie P. Lambrechts, Contribution à
l'étude des divinités celtiques (Bruges 1942);
ders.: Mélanges H. Grégoire 3 (Bruxelles 1951)
195/212 u. E. Thévenot, Sur les traces des
Mars celtiques entre Loire et Mont-Blanc =
Dissert. archaeol. Gandenses (Bruges 1955);
ders., Divinités et sanctuaires de la Gaule
(Paris 1968) ebenso wie Germanisten zu der
Auffassung, es habe eine wohlgefügte ein-
heimische Religion in G. gegeben (J. de Vries:
Ogam 12 [1960] 321/34; ders.: Indogermanica.
Festschrift W. Krause [1960] 204/13; ders.,
Kelt. Rel.). Diese Hypothese wurde von ande-
ren Gelehrten aufgenommen, die aufgrund
verschiedener Interpretationen vor allem mit
Hilfe der vergleichenden Religionsgeschichte
zu demselben Ergebnis kamen (J. J. Hatt,
Essai sur l'évolution de la religion gauloise:
RevÉtAnc 67 [1965] 80/125; F. Le Roux,
Introduction génerale à l'étude de la tradition
celtique: Ogam 19 [1967] 270/350). S. auch
*Religion, keltische.

1. Gottheiten. Die bedeutendsten gallischen
Gottheiten werden von Cäsar nach ihrer Wirk-
weise mit Merkur, Apollo, Mars, Jupiter u.
Minerva identifiziert (b. Gall. 6, 17). Er nennt
ihre heimischen Namen nicht u. setzt hinzu,
nach Meinung der Druiden stammten alle
Gallier von Dispater ab (ebd. 18). Minucius
Felix erwähnt nur Merkur (6, 1), ohne Zweifel,
weil er der bedeutendste Gott ist. Lukan (1,
444/6) verzeichnet ausdrücklich drei Gottheiten: Teutates, Esus u. Taranis, u. geht
näher auf die Form der Menschenopfer ein,
die jeder der drei Gottheiten dargebracht
werden. Die beiden Scholiasten der commenta Bernensia Lucani, die beide später als das
4. Jh. zu datieren sind, weichen bei der
Interpretation der drei Götter stark voneinander ab. Teutates wird von dem einen mit
Merkur, von dem anderen mit Mars gleichgesetzt, Taranis versteht der eine als Dispater,
der andere jedoch als Jupiter. Esus identifiziert einer von ihnen mit Mars, der andere mit
Merkur (hrsg. von H. Usener, Ann. Lucani

commenta Bernensia [1869] 32; vgl. Zwicker
1, 51f). – Für andere Gottheiten gibt es vereinzelte Zeugnisse: Lug wird PsPlut. fluv.
6, 4 in Zusammenhang mit der Gründung v.
Lyon (Lugdunum) genannt (vgl. A. Audin:
Hommages A. Grenier 1 [Bruxelles 1962]
152/64). Für Ogmios setzt Lucian. Herc. 1/6
Hercules (vgl. F. Benoit: CRAcInscr 1952,
103/13). Die Göttin Epona wird bezeichnet
als Tochter einer Stute oder als Herrin der
Rosse, Esel u. Maultiere (Iuv. 8, 155; Tert.
ad. nat. 1, 11, 6; Min. Fel. 28, 7; zu Agesilaos
vgl. Zwicker 1, 64). – Viele andere Götter sind
nur durch Inschriften u. gallo-römische Darstellungen der bildenden Kunst bekannt geworden: so ist der Gott mit dem Hammer,
Sucellus, der in Zusammenhang mit dem Tod
zu stehen scheint, auf ca. 200 Denkmälern
besonders in Nordost-G. bezeugt. Cernunnos,
der Gott mit dem Hirschgeweih, ist auf 6
Monumenten ebenfalls in Nordost-G. dargestellt (Toutain 262f). Den Smertrios erwähnen
4 Inschriften, darunter auch diejenige des
Altars der Pariser nautae. Weibliche Gottheiten bilden schließlich nach Vendryes 266
nur den 5. Teil der bekannten gallischen
Götter. Dargestellt u. angerufen werden sie
bald als Jagd- u. Waldgöttinnen, zB. Ardui-
na in den Ardennen, Artio bei den Helvetiern
oder Andarta bei den Vocontii, bald als
Quellgottheiten wie Equoranda u. die verschiedenen Nymphen, oder als Flußgöttinnen,
zB. Matrona (Marne) oder Sequana (Seine),
vor allem aber als Spenderinnen von guten
Ernten u. Reichtum. Oft erscheinen sie in
Verbindung mit einem Gott, der als Merkur
dargestellt ist (so zB. Rosmerta), oder in Gruppen von drei, bisweilen auch von zwei weiblichen Gottheiten, so die zahlreichen matres
oder matronae. Es bleibt ungewiß, ob sie als
Fruchtbarkeit spendende Muttergottheiten
oder als Herrinnen aufzufassen sind, die den
Besitz eines Territoriums oder die Souveränität einer tribus versinnbildlichen. In der Tat
sind die Götter, die zunächst eine dem Merkur, sodann dem Mars vergleichbare Funktion besitzen, nach dem Zeugnis der Inschriften u. der Denkmäler am weitesten verbreitet. Auch der Vergleich mit indoeuropäischen Göttervorstellungen im allgemeinen u.
germanischen im besonderen führte dazu,
dem Teutates eine zwischen Mars u. Merkur
vermittelnde Funktion zuzuweisen, Taranis
mit dem Kriegsgott Indra oder dem germanischen Donar gleichzusetzen u. schließlich Esus

mit dem germanischen Odin/Wodan in der
Funktion Merkurs zu identifizieren. – Auf
einer anderen Ebene erscheint die Dreizahl
wieder in den Dreiheiten der matres u. der
Darstellung eines Gottes mit drei Gesichtern
oder bestimmter Tiere wie des tricaranus-
Stiers. Doch andere Züge des keltischen Pantheon scheinen nicht zu der Bedeutung der
Trias zu passen, so die Häufigkeit von Götter-
paaren wie Merkur-Rosmerta, Sucellus-Nan-
tosuelta, Apollo Grannus-Sirona, ferner die
Darstellung von Göttern in kauernder Haltung mit gekreuzten Beinen. Ihr Verbrei-
tungsgebiet deckt sich fast genau mit demjenigen des dreiköpfigen Gottes (R. Lantier,
Le dieu celtique de Bouray: MonPiot 34 [1934]
41/58). Schließlich sind in diesem Zusammenhang noch die anonymen, oft nur örtlichen
Baum- u. Tiergottheiten zu nennen (deus VI
Arbores, deus Robur, Schlange mit Widderkopf, Stier, Bär, Eber, Pferd). – Man hat versucht, dieses Pantheon um einen oder mehrere der großen Götter u. um Mythen, die von
den Druiden entworfen, oder besser, bestimmter gefaßt wurden, anzuordnen. P. Lambrechts vermutet die Existenz eines großen
Gottes, der zwar als einzig aufgefaßt, aber in
dreifaltiger oder in tierischer bzw. halb tierischer Gestalt dargestellt wurde. Er sei besonders mit Jupiter/Dispater in Ost-G., mit
Mars oder Merkur im mittleren G. identifiziert
worden. Der griech.-röm. Polytheismus habe
diesen großen Gott in eine Vielzahl von Göttern
aufgespalten (P. Lambrechts, Contribution à
l'étude des divinités celtiques [Bruges 1942]
188f; ders., L'imagerie religieuse celtique:
Le fond et la forme: Mélanges H. Grégoire 3
[Bruxelles 1951] 195/212). Die Arbeiten von
G. Dumézil zu den gemeinsamen Zügen der
primitiven indoeuropäischen Gesellschaften
(L'idéologie tripartite des indo-européens =
Coll. Latomus 31 [Bruxelles 1958]; ders.,
Métiers et classes fonctionelles chez divers
peuples indo-européens: Annales 13 [1958]
716/24; ders., Les dieux des indo-européens
[Paris 1952]) führten zu einer hierarchischen
Anordnung der Götter gemäß den 3 indo-
europäischen Sozialklassen (vgl. J. de Vries,
Die interpretatio romana der gallischen Göt-
ter: Festschr. W. Krause [1960] 204/13; ders.,
Kelt. Rel.). Die oberste Klasse wird durch
das Paar Mitra-Varuna versinnbildlicht. Sie
hat einen doppelten Aspekt, nämlich denjenigen eines Priesterpropheten u. den eines
Richterkönigs; diesem Typ sollen der gallische

Jupiter u. Merkur entsprechen, d. h. Teutates, Lug, Esus. In der sozialen Rangfolge dominiert bei den Galliern der Priester, der Druide, über den König. Die zweite Klasse, die Indra, der Gott der Kriegerklasse, symbolisiert, wird in der gallischen Religion von Mars, d. h. von Taranis, Ogmios u. dem gallischen Herkules repräsentiert. Doch stehen in G. diese Gottheiten im Schatten derjenigen der ersten Klasse, die sowohl bei Galliern wie bei Germanen immer stärker selbst einen kriegerischen Charakter annahmen. Die dritte soziale Klasse, deren Wirken auf Fruchtbarkeit u. Reichtum gerichtet ist, wurde vor allem durch die verschiedenen Abwandlungen des gallischen Apollo als Retter, Heilgott u. Gott der Künste vertreten, doch ebenso auch durch die gallische Minerva, die Schutzherrin der handwerklichen Berufe. Die übrigen Götter, deren Funktionen in dieses Schema kaum einzuordnen sind, wie Sucellos, Cernunnos usw., sollen Überbleibsel einer vorkeltischen Religiosität (Hallstatt- u. La Tène-Zeit) sein. F. Le Roux: Ogam 19 [1967] 270/350 glaubt an eine Evolution der dreiklassigen keltischen Gesellschaft in Richtung auf eine zweistufige Sozialordnung; denn die Kriegerkaste, die unter derjenigen der Druiden gestanden habe, sei bestrebt gewesen, die Klasse der Handwerker zu beseitigen. Die Druiden sollen ein theologisches System entworfen haben, das einem Monotheismus nahekäme. Jede Gottheit spiegele einen Aspekt des großen allgewaltigen u. künstereichen Gottes. Dagegen schlägt J. J. Hatt die Annahme einer Theologie oder besser einer Kosmogonie vor, die von den Druiden zwischen dem 5. u. dem 2. Jh. vC. auf dem Grundriß eines alten indoeuropäischen Mythos zusammengestellt worden sei. Diese Lehre soll die Erdmutter mit der großen Trias Teutates-Esus-Taranis in Verbindung gebracht haben, wobei Apollo Belenus mit Taranis gleichgesetzt worden sei. Die Abenteuer der Erdmutter, der Lebensgöttin im Zyklus der Jahreszeiten, die nacheinander Gattin des Taranis u. des Esus war, seien dargestellt im Bilderschmuck des Kessels von Gundestrup, der bisweilen aber auch ganz anders gedeutet worden ist (J. J. Hatt: Rev-ÉtAnc 67 [1965] 95/105; ders.: BullSocNatAntFr 1965, 42/4). Hatt aO. 101 u. W. Kimmig: Festschrift G. Riek (1965) 135 sehen darin die Darstellung eines Menschenopfers, während J. Gricourt: Latom 13, 3 (1954) 376/83 u. F. Le Roux: Celticum 12 (1965)

383/97 hierin ein Auferstehungsritual entdecken wollen.

2. Druiden. Die Priesterklasse der Druiden steht im Zentrum einer gallischen Religiosität, die von einem gemeinsamen Substrat indoeuropäischer Glaubensvorstellungen entwikkelt u. abgeleitet ist. Cäsar zeigt die gesellschaftliche Bedeutung der Druiden auf (b. Gall. 6, 13/6). Sie sind zugleich Priester, Richter u. Jugenderzieher. Sie verfügen über die Gabe der Weissagung, sind Ärzte u. Magier (Plin. n. h. 16, 249; vgl. Strab. 4, 4, 5 [198]; Dio Chrysost. or. 49 [v. Arnim 8]). Sie werden als Lehrer der Weisheit oder Philosophen bezeichnet (Diod. 5, 31; Pomp. Mela 3, 18 f; Diog. Laert. prooem. 6). Sie lehren die Unsterblichkeit der Seele (Pomp. Mela 3, 19) u. die Unvergänglichkeit des Universums (Strab. 4, 4, 3 [197]). Die Antike sah hierin eine Entlehnung aus Pythagoras (Diod. 5, 28, 6; Val. Max. 2, 6, 10; Clem. Alex. strom. 1, 71, 4; vgl. Cumont 213; zum Ganzen vgl. auch M. Ihm, Art. Druidae: PW 5, 2 [1905] 1730/8). Ihr Ursprung bleibt dunkel (Hubert 2, 273/85; J. L. T. C. Spence, History and origins of druidism [London 1929]). – Während für J. Pokorny: CeltRev 5 (1908) 1/20 das Druidentum eine vorindoeuropäische Einrichtung ist, die die Kelten auf den britischen Inseln vorfanden, beweist J. J. Tierney, The Celtic ethnography of Posidonius = Proceed. Royal Ir. Acad. 60 (Dublin 1960), daß es sich hierbei um einen Irrtum des Poseidonios handle, der von Cäsar erneut aufgegriffen worden sei; denn allem Anschein nach seien die Druiden aus Böhmen oder dem Rheinlʳad nach G. gekommen, wo sie nicht einmal eine typisch gallische Einrichtung darstellten, wie T. D. Kendrick, The druids. A study in Celtic prehistory (London 1927) meine. Für de Vries, Kelt. Rel. 203/17 u. F. Le Roux, Les druides (Paris 1961) bilden sie bereits seit den Ursprüngen der Kelten einen Klerus. Die Bedeutung ihres Namens wird kontrovers beurteilt. Grenier, Gaulois 361; J. de Vries: Kairos 2 (1960) 67/82 u. F. Le Roux: Ogam 19 (1967) 303 deuten ihn als ,dru-wid' = ,sehr weise'. J. Vendryes 291 u. N. K. Chadwick, The druids (Cardiff 1966) 12/5 leiten ihn von ,drys-dai' oder ,-doi' = ,Eichenmenschen' ab; vgl. Plin. n. h. 16, 249. – Nach Strabon 4, 4, 4 (197) gliedern sie sich in 3 Kasten: die Barden oder Priester, die Vates oder Seher, die Druidai oder Philosophen. Diese Einteilung erscheint wieder bei Diodor 5, 31 u. Ammianus Marcellinus

(15, 9, 4) im Anschluß an Timagenes v. Alexandrien. Nach Caes. b. Gall. 8, 38, 3/5 u. drei gallorömischen Inschriften (CIL 13, 1577. 2585. 11226) trugen einige von ihnen den Titel gutuater, der vielleicht den beim Opfer präsidierenden Priester bezeichnete. Zu Cäsars Zeit war ihre Aktivität beträchtlich u. vielfältig. Sie bildeten die vornehme Jugend aus, indem sie ihnen Regeln an die Hand gaben u. sie ausschließlich auf mündlichem Wege in der Wissenschaft unterwiesen. Sie erteilten ihren Unterricht einigen ausgewählten Schülern u. überlieferten ihnen ein Wissen, das sie allein in Verwahr genommen hatten. Als Richter u. Schiedsmänner in Krieg u. Frieden hatten sie eine Mittlerrolle zwischen Menschen u. Göttern inne (vgl. M. Ihm aO. 1733). Sie verfügten über magische u. divinatorische Techniken u. richteten den Kalender ein (der Kalender von Coligny, 71/5 nC., stellt nach P.-M. Duval: Hommages A. Grenier 1 [Bruxelles 1962] 544/58 eine gelehrte Adaptation des julianischen Sonnenjahres dar, das mit dem keltischen Mondjahr in Verbindung gebracht wird). Bei den 4 großen Jahreszeitenfesten: Imbolc (1. II.), Beltene (1. V.), Lugnasad (1. VIII.) u. Samain (1. XI.) vollzogen sie kathartische Riten, zu denen auch Menschenopfer gehörten (Caes. b. Gall. 6, 16; Cic. Font. 13, 31; Lucan. 1, 444/6; Strab. 4, 4, 5 [198]; Diod. 5, 31; Tert. apol. 9, 3; Lact. inst. 1, 21, 3; Aug. civ. D. 7, 19). Ohne Zweifel bildeten sie eine einzige Priesterklasse, die in 3 Unterklassen eingeteilt war, die 3 von Strabon (4, 4, 4 [197]) erwähnten Kasten: Barden, Vates u. Druiden im engeren Sinne; die letzteren entwickelten eine Art moralischer Theologie (F. Le Roux: Ogam 19 [1967] 301/13). Diese gesamte Priesterkaste genoß bedeutende Vorrechte. An ihrer Spitze stand ein großer Druide, der mit ‚summa auctoritas' versehen war (Caes. b. Gall. 6, 13, 8). Er präsidierte der großen alljährlichen Versammlung der gallischen Stämme, die in Zentral-G. an den Grenzen des Landes der Carnuti stattfand. Von dort nahm im übrigen auch die große Revolte von 52 vC. ihren Ausgang. Die Druiden ermutigten den Widerstand gegen die röm. Eroberung nicht nur 54 u. 52 (H. Last: JournRomStud 39 [1949] 1/5), sondern auch bei der Intervention Cäsars im Häduerland, als Diviciacus, der Führer der romfreundlichen Partei (Caes. b. Gall. 1, 20), der nach Cic. divin. 1, 41, 90 Druide war (Cäsar erklärt sich dazu nicht deutlich), auf lebhaften Wider-

stand traf. In den drei G., die unter Augustus Provinzen wurden, verloren die Druiden ihre öffentliche Stellung, da die Rechtsprechung in die Hände der röm. Statthalter überging. Auch zogen die Schulen von Autun nach Tac. ann. 3, 43 die vornehme Jugend an. Durch die Ausweitung des Bürgerrechts wurde ihnen auch die Rekrutierung aus den Reihen der gallischen Aristokratie erschwert, denn Augustus hatte jedem römischen Bürger Menschenopfer streng untersagt (Suet. Claud. 25; in Rom waren sie seit dem SC vJ. 97 vC. verboten).

b. Gallo-römische Religion. Die gallo-röm. Religion hielt an der keltischen Götterwelt u. an keltischen Glaubensvorstellungen fest, vermischte bzw. verband sie jedoch mit der griech.-röm. Religion.

1. Fortbestand der Druiden. Die Druiden verschwanden nicht (vgl. H. Last: JournRomStud 27 [1937] 88f; E. Bachelier: Ogam 11 [1959] 173/84. 295/304; Chadwick aO. 70/8). Durch ihre Agitation kam es zum Aufstand des Iulius Sacrovir iJ. 31 (Tac. ann. 3, 40) u. zu den Revolten, die 69 nach dem Brand des Kapitols in Rom aus dem Bürgerkrieg zwischen Vitellius u. Vespasian Nutzen ziehen wollten (Tac. hist. 4, 54). Ihr Widerstand wurde belebt durch die Politik Roms, die ihrer Lehre u. den Menschenopfern mit immer größerer Feindseligkeit begegnete. Letztere wurden von Tiberius allgemein verboten (Plin. n. h. 30, 13). Claudius erneuerte dieses Verbot (Suet. Claud. 25) zweifellos sogleich nach der Eroberung Britanniens. Zu diesem Zeitpunkt hatten die Menschenopfer lediglich in G. transalpina aufgehört (Plin. n. h. 7, 9; zu den Menschenopfern in Britannien vgl. Plin. n. h. 30, 13; vgl. auch M. Ihm aO. 1730f). Im 2. Jh. mußten sich viele Druiden wieder in das Imperium eingliedern, leisteten einen Beitrag zur Ausbildung eines Synkretismus keltischer u. gallischer Gottheiten (J. J. Hatt: RevÉtAnc 67 [1965] 114) u. behielten ihre charakteristischen Tätigkeiten, Wunderheilung u. Voraussage der Zukunft, bei. Im 3. Jh. zogen sie im Hinblick auf ihre Stellung wohl Gewinn aus der Wiederbelebung der gallischen Kulte. Doch wandten sich die Kaiser Alexander Severus, Aurelian u. Numerian Rat suchend an Prophetinnen u. nicht an Druiden (Hist. Aug. v. Alex. Sev. 60; v. Aurel. 44, 4; v. Numer. 14, 2). Versuchten die Druiden, Konstantin für den Kult des gallischen Apollo zu gewinnen (Hatt aO. 85/7)? In

Montmaurin hat man die rituellen Grabbeigaben einer Priesterin gefunden, die aus der
Mitte des 4. Jh. stammen (Gallia 16 [1958]
115). Ausonius zitiert die Namen von Professoren aus Bordeaux, die druidischen Familien
angehörten (comm. prof. Burdig. 4, 7f; 10,
22f).

2. Gallo-römische Götter. α. Männliche Götter.
Die gallo-röm. Götter spiegelten wohl mit
Billigung der gallischen Priesterkaste die
Romanisierung der keltischen Religion wider.
Jupiter, von dem viel weniger Votivinschrif-
ten überliefert sind als von Merkur oder Mars,
wird über diese inschriftlichen Zeugnisse hinaus in mehr als fünfzig Fällen als Gott mit
dem Rade bildlich dargestellt. Das Rad ist
als Sonnenemblem Zeichen einer Himmels-
gottheit. Darstellungen dieser Art sind über
ganz G. von der Belgica bis zur Narbonensis
(s. A. Grenier: CRAcInscr 1944, 328) ebenso
verbreitet wie im 1. Jh. auf den Pfeilern, die
auf ihrer Spitze einen sitzenden Jupiter tragen. Pfeiler dieser Art ersetzen seit etwa 69/
70 zahlreiche Säulen (ca. 100), deren Sockel
als Stele mit einer Darstellung der 4 oder 8
Götter geschmückt ist u. deren Spitze eine
Statue des stehenden Jupiter trägt (J. J. Hatt,
Les monuments galloromains de Paris et les
origines de la sculpture votive en Gaule romaine: RevArch 1952, 68/83; 1953, 66/9).
Diese Säulen u. ihre Stelen zeugen nach J. J.
Hatt: RevÉtAnc 67 (1965) 114/6 von der
Verschmelzung der keltischen Trias mit der
kapitolinischen. Aber die Zahl der Götter
schwankt. Im Rheinland zeigt der Sockel-
schmuck der Jupitersäule vier klassische Göttergestalten (F. Sprater: Pfälzer Heimat 2
[1951]65/71; J.J.Hatt:Gallia 12[1954]488/93
zu der Straßburger Stele). Im allgemeinen
werden Herkules, Juno, Minerva u. Merkur
dargestellt. Im Moselraum sind dagegen Stelen
dieses Typs selten (A. Colombet: RevArch-
Est 3 [1952] 52f). Seit der 2. Hälfte des 2. Jh.
bekrönt man diese Säulen mit der Gruppe
eines Reitergottes, der einen schlangenfüßigen Giganten zu Boden streckt. Diese Gruppe
erinnert kaum noch an Jupiter. Die Mehrzahl
dieser rund 150 Säulen ist zwischen 170 u.
240 in Ostbelgien u. Germania superior errichtet worden, besonders auf dem Lande in
der Nähe verfallener Villae. Sollen sie den
Sieg des keltischen Reitergottes darstellen,
der das Quellwasser aus der Erde hervor-
strömen läßt (P. Lambrechts: Latom 8
[1949]145/58; P. F. Fournier:RevArchCentre

2 [1962] 105/7; E. Thévenot: NouvClio 2
[1950] 602f; ders.: AntClass 21 [1952] 98/
106)? Man beobachtete in Burgund die Gruppe
des Reitergottes mit dem schlangenfüßigen
Giganten in der Nähe einer Quelle (vgl. ferner
zB. J. Moreau [zur Saarquelle]: NouvClio 4
[1952] 219/45). Nach F. Hommel beziehen
sich die Säulen auf den gallischen Jupiter, den
indoeuropäischen Himmelsgott, der dem germanischen Ziu/Donar nahesteht u. als Be-
zwinger der Erde gilt (ArchRelWiss 37 [1941]
161f; vgl. auch F. Sprater: Festschrift E.
Wahle [1950] 206/11). Doch nach F. Benoit
handelt es sich eher um den Sieg des Lichtes
u. des Lebens über die Finsternis u. den Tod
(Les mythes de l'outretombe. Le cavalier à
l'anguipède et la cavalière Epona = Coll.
Latomus 3 [1950]), gleichviel ob die Szene zu
deuten ist als Kult eines Heroen, der eine
Umwandlung in Jupiter equester erfuhr, oder
als das Motiv der klassischen Gigantomachie
(Duval, Dieux 73). In der Tat erscheinen die
Säulen mit der Gruppe des Reitergottes u.
des Schlangenfüßigen auch im keltischen Bereich bei den Häduern, den Arvernern u. den
Bituriges Cubi, obwohl sie dort nicht sehr
zahlreich sind (ca. 12). Sehr oft trägt der
Reitergott eine Lanze, bisweilen ein Sonnen-
rad (so in den Départements Cher u. Creuse;
Abb.: Gallia 12 [1954] 503). – Von Merkur sind
mehr als 450 Inschriften u. 200 bildliche Darstellungen erhalten. Sein Kult scheint besonders im 1. Jh. verbreitet gewesen zu sein.
Verehrt wurde er in der Gestalt eines Stam-
mesgottes Teutates, der als Spender von
Fruchtbarkeit galt, sei es in der griech. Statue
des großen Tempels vom Puy de Dôme (Plin.
n. h. 34, 45), sei es als Merkur in gallischer
Gewandung in Lezoux. Im 3. Jh. ist sein Kult
vor allem in Ostbelgien u. im Rheinland heimisch, wo er oft von einer weiblichen Gottheit begleitet ist. – Mars sind 225 Inschriften
gewidmet, von denen 155 von Galliern herrühren (P. Lambrechts, Contribution à l'étude
des divinités celtiques [Bruges 1942] 126). In
Aquitanien u. in der Narbonensis genießt er
mehr Verehrung als in Belgien, außer bei den
Lingonen u. Treverern, wo in der 2. Hälfte
des 2. Jh. der große Tempel des Lenus/Mars
erbaut wurde (E. Gose, Der Tempelbezirk des
Lenus Mars in Trier [1956]). Doch zur Zeit
der Severer u. der Wiederbelebung der gallischen Kulte erscheint ein Kriegsgott Teutates/
Mars in der keltischen Trias des Heiligtums
von Donon (E. Linckenheld: CahArchInst-

Alsace 38 [1947] 67/110; J. J. Hatt: RevÉt-Anc 67 [1965] 117). Der gallische Kriegsgott nimmt auch die Gestalt des Herkules an, dem mehr als 100 Inschriften u. mehr als 340 Denkmäler mit bildlichen Darstellungen gewidmet sind (Lambrechts aO. 157). Hauptverbreitungsgebiet seiner Verehrung war Ostbelgien. – Apollo, den Caesar zu den geringeren unter den großen Göttern zählt, scheint besonders ein Sonnen- u. Heilgott gewesen zu sein (Apollo Belenus); ihm waren die Thermalquellen heilig (Apollo Grannus, Borvo oder Bormo; zu einem Tempel des Apollo Grannus in Grand vgl. E. Salin: CRAcInscr 1965, 75/86).

β. Weibliche Gottheiten. Die weiblichen Gottheiten sind i. a. eher wohltätige Göttinnen als Totengöttinnen. Eine Ausnahme bildet vermutlich Epona. Die Göttinnen fruchtbarkeitsspendender, reinigender oder heilkräftiger Gewässer besitzen bisweilen einen lokalen Kult (nymphae Glanicae in Glanum/St. Rémy, Vesuna in Périgueux), bisweilen auch einen weiter verbreiteten Kult wie den der Dea Sequana, deren großes Heiligtum an den Seinequellen wiedergefunden wurde (R. Martin: RevArchEst 5 [1954] 294f; 14 [1963] 7/35; ders.: Hommages M. Renard 3 [Bruxelles 1969] 407/17; vgl. die holzgeschnitzten Exvotos, die dort in großer Zahl ans Licht kamen). Ähnliche Exvotos u. ein ähnliches Heiligtum wurden in Chamalières, Puy de Dôme ausgegraben (C. L. Vatin: RevArch 1969, 103/14). Dort drängten sich Pilger u. Kranke. Die Muttergöttinnen galten gleichfalls als wohltätig. Ihnen oblag offenbar vor allem der Schutz eines Landes u. seiner Einwohner. Sie werden in Gruppen zu zweit oder am häufigsten zu dritt dargestellt, tragen Kinder (H. Vertet: Actes 87e congrès soc. sav. Poitiers [Paris 1962] 13/26), Fruchtkörbe oder Füllhörner (E. Thévenot: RevArchEst 2 [1951] 7f). Bisweilen thront eine Matronengöttin zwischen zwei anderen Gottheiten (Y. Béquignon: MonPiot 43 [1948] 83f). Sie sind überall unter dem Namen matrae oder matres seit dem 1. Jh. verbreitet, u. zwar in der Narbonensis u. Lugdunensis wesentlich stärker als in den Germaniae. Seit der 2. Hälfte des 2. Jh. jedoch breitet sich ihr Kult besonders in Germania inferior aus, wo sie als matronae verehrt werden. Der Höhepunkt ihres Kultes liegt in diesem Gebiet zwischen der Mitte des 2. u. des 3. Jh. (H. G. Kolbe: BonnJbb 150 [1960] 50/125; L. Hohl: ebd. 9/49). Nach

de Vries, Kelt. Rel. 120f soll dieser Matronenkult freilich nicht aus der Lugdunensis nach Germania inferior eingedrungen sein. Vielmehr zeuge seine Verbreitung von einer den Römern entlehnten Gewohnheit, durch Inschriften u. Altäre ihr leidenschaftliches Festhalten an der Verehrung der alten Stammesgötter auszudrücken. Epona, deren Kult besonders in der Gegend zwischen Loire/Oise u. Rhône/Mosel bezeugt ist (R. Magnen - E. Thévenot, Epona déesse gauloise des chevaux [Bordeaux 1953]), ist manchmal mit den matres verbunden (P. Lambrechts: AntClass 20 [1950] 103f). Unter ihrem Schutz stehen nicht nur die Reiter, sondern auch die Rosse, die in G. zur Landarbeit viel weniger entbehrlich sind als in Italien (vgl. V. F. Vimal de Saint-Pal, La cavalerie celtique [Lyon 1952]).

3. Romanisierung der Religion. Die Romanisierung der Religion der Gallier, die Provinziale geworden waren, zeigt sich deutlich in der Ausbreitung des privaten u. offiziellen Kaiserkultes, ferner in der Verbreitung der orientalischen Kulte u. in der freiwilligen Übernahme römischer Kultgewohnheiten, besonders im Bestattungswesen. Das kultische Leben entfaltete sich in den ländlichen fana, die oft in ihrem Charakter ganz einheimisch geblieben waren, oder in Tempeln, die von der röm. Architektur beeinflußt waren. Im allgemeinen waren sie über viereckigem Grundriß angelegt; doch bisweilen kamen auch Rundtempel oder polygonale Bauten vor (P.-M. Duval: RevÉtAnc 61 [1959] 393; 62 [1960] 429f; 63 [1961] 424; 64 [1962] 371; 65 [1963] 392; 66 [1964] 379; 68 [1966] 374; 69 [1967] 346; 70 [1968] 420 ergänzend zu Grenier, Manuel 3, 1, 386/470; H. Koethe: BerRGKomm 23 [1933] 10/108). Ihr Grundriß war stets auf einen Mittelpunkt hin ausgerichtet. Sie besaßen eine Galerie für die circumambulatio. Diejenigen Heiligtümer, die keltischen Kulturgewohnheiten am nächsten standen, waren in Verbindung mit einem Heroengrab angelegt (A. Grenier: CRAcInscr 1943, 360/71; 1944, 221/9), zB. der sogenannte Janustempel bei Autun (F. Oelmann: Germania 17 [1933] 169/81). Viele grenzten unmittelbar an ein Theater, das der szenischen Wiedergabe der keltischen u. griech.-röm. Mythen diente. Diese ließen vor allem Herkules zu einer volkstümlichen Gestalt werden (A. Grenier, Hercule et les théâtres en Gaule: Mélanges G. Radet = RevÉtAnc 42 [1940] 635f). Durch Theater u. Spiele breitete sich der Ge-

brauch der lateinischen Sprache aus, so daß
die Fluchtafel von Rom/vicus Raraunum
(Deux-Sèvres) von der Wende 2./3. Jh., die
von einer Truppe von 12 wandernden Schau-
spielern stammt, nur für fünf von ihnen gallische Namen angibt. Die Tafel, die drei keltische Schaden bringende Dämonen anruft, ist
lateinisch abgefaßt (R. Egger, Die Fluchtafel
von Rom [Deux Sèvres]: SbWien 240, 4 [1962]
3/25 = ders., Römische Antike u. frühes Christentum 2 [Klagenfurt 1963] 348/69; ders.:
Ogam 14 [1962] 431/56). – Die Grabdenkmäler
bezeugen ebenfalls das Eindringen griechisch-
römischer Einflüsse (J. J. Hatt, La tombe gallo-romaine. Recherches sur les inscriptions et
monuments funéraires gallo-romaines des
trois premiers siècles [Paris 1951]). In Süd-G.
zählt man 10 Mausoleen, welche die hellenistischen Heroa nachahmen (F. Chamoux, Les
antiques de Glanum: Phoibos 6/7 [Bruxelles
1951/4] 97/111), u. 31 pilae (G. Barruol: Cah-
LigurPréhistArch 12 [1963] 83/102), die vielleicht von Mausoleen der Römerzeit stammen.
Im Rheinland fand man Pfeilergräber, die mit
Reliefschmuck versehen waren, so in Neumagen u. Igel. Sind sie teilweise verwandt mit
den syrischen Grabtürmen (E. Will: Syria 21
[1954] 271/85; 17 [1950] 258 f; ders., Actes Coll.
infl. hellén. en Gaule [Dijon 1958] 123/31) ? In
der Lugdunensis ahmen einige Mausoleen/
Heroen vielleicht Denkmäler syrisch-phöniki-
schen Ursprungs nach, so das der Motte du
Ciar bei Sens (J. Harmand: RevArchEst 9
[1958] 43/73) u. das von Serbonnes im Dép.
Yonne (vgl. R. Martin: Gallia 20 [1962] 480 f);
schließlich sind hier noch die bescheidenen,
aber zahlreichen Grabstelen römischer Art
zu nennen, die von der Mitte des 2. Jh. an
immer häufiger vorkamen (Toutain 3, 454 f).
Sie spiegeln bei einfachen Handwerkern u.
Kaufleuten ein starkes Bemühen um Heroisierung wider, wenn Weber, Schmiede usw.
bei der Ausübung ihrer Berufsarbeit gezeigt
werden. Die Epitaphien mit der Widmung
Dis Manibus erscheinen seit dem Ende des
1. Jh. in den drei G.; im 2. Jh. wird die
Weihung oft abgekürzt: D. M. (Hatt 19 f).
Im 3. Jh. wird ‚memoria‘ hinzugesetzt. Diese
allgemeine Entwicklung konnte für die Epitaphien von Lyon noch genauer gefaßt werden (A. Audin - Y. Burnand: RevÉtAnc 61
[1959] 320/52). Sie lassen sich auf sechs Perioden bis 310 verteilen. Seit der Zeit Caracallas
erscheinen einige wahrscheinlich christliche
Formeln. In der Narbonensis u. anderenorts

wird die Form Dis Manibus am Anfang des
1. Jh. verwendet (2 Fälle für flamines Div.
Aug. Drus. et Germ.), u. die Abkürzung D. M.
tritt vor den Flaviern auf, obwohl die Epitaphien mit der Widmung Dis Manibus hier
weniger zahlreich sind (126) als die Epitaphien
D. M. (1487). Wie in Italien verbreitete sich
das Beerdigungsritual u. der Gebrauch von
Sarkophagen seit der Mitte des 2. Jh. vor allem
in den Städten.

4. Orientalische Religionen in G. Die oriental.
Religionen drangen zu derselben Zeit in G.
ein wie die griech.-röm. Einflüsse u. folgten
von Italien aus den großen Straßen, so der
Rhône-Rhein-Achse. Isis u. die alexandrinischen Götter sind besser für die Narbonensis
(Nîmes, Arles, Fréjus, Riez, Manduel [Dép.
Gard] u. Parizet [Dép. Isère]) bezeugt als für
Aquitanien (L. Vidman, Sylloge inscriptionum religionis Isiacae et Sarapiacae [1969]
nr. 725/42; Toutain 2, 17; M. Labrousse:
RevArch 1952, 93/5). In den drei G. trifft
man sie wieder in der Schweiz an (Stähelin
550 f), ferner in Besançon u. im Jura (P.
Lebel, Catalogue des collections archéologi-
ques de Lons-le Saunier 3 = Ann. Univ. Besançon 62 [1963]), in Lyon, wo Isis Augusta ist
(Vidman aO. 745), Alesia (J. Toutain: CRAc-
Inscr 1955, 187/92), Langres, Melun u. Sois-
sons. Viel seltener sind sie in den Germanien
zu finden, so lediglich in Köln u. Voorburg
(Vidman aO. nr. 714/24; vgl. H. Schoppa,
Römische Götterdenkmäler in Köln = Denk-
mäler des röm. Köln 22 [1960]; G. Grimm,
Die Zeugnisse ägyptischer Religion u. Kunst-
elemente im röm. Deutschland = Ét. prélim.
aux relig. orient. dans l'Empire romain 12
[Leiden 1969]). Zum Ganzen vgl. L. Vidman,
Isis u. Sarapis bei den Griechen u. Römern
= RGVV 29 (1970) 109. 118. 121. Der
Kult der Kybele, der Göttermutter, erschien
in G. seit Claudius nach dem Ausweis des
Mysterientheaters der Kybele in Vienne (C.
Picard: RevArch 1946, 156; ders.: CRAcInscr
1955, 229/48; A. Pelletier: RevArch 1966,
113/50; zu einem Relief, das mit dem Kybele-
kult zu verbinden ist u. eine Opferszene darstellt vgl. R. Turcan: RevÉtAnc 63 [1961] 45/
54). Von Vienne u. Lyon aus verbreitete er
sich rasch (Wuilleumier, Lyon 89 f). Er kam
nach G. im Gefolge orientalischer Auswande-
rer, von denen viele aus Kleinasien stammten.
Seit der Mitte des 2. Jh. sprach sich in ihm
oft Loyalität gegenüber den Kaisern aus (H.
Graillot, Le culte de Cybèle [Paris 1912]

445/68; M. Renard: Latom 11 [1952] 59/62). Er erreichte auch Aquitanien (Bordeaux, Poitiers), Nord-G. (Tournai, Bavai) u. besonders Ost-G. (Autun, wo iJ. 179 Kybele Berecynthia ist u. nicht, wie in Rom, Idaea; Dijon, wo eine Mitra, die zweifellos pontischen Ursprungs ist, ihren Kult bezeugt; vgl. dazu W. Volgraff: AntClass 18 [1949] 55/74: Trier u. Arlon), ferner die Schweiz (Avenches, Basel; vgl. Stähelin 556f) u. die rheinischen Städte (Straßburg, Speyer, Mainz, Bingen, Andernach, Koblenz, Bonn, Köln, Neuß, wo Kybele unter dem Namen Dea Terra Mater verehrt wurde, u. Nijmegen). Schließlich gelangte er noch zu den Limeskastellen (Saalburg, Castellum Mattiacorum, Heddernheim/ Nidda; vgl. dazu V. Fischer - W. Schleiermacher: Germania 40 [1962] 77). – Der spätere Mithraskult ist in denselben Gegenden nachgewiesen, in denen auch der Kybelekult Fuß gefaßt hatte (M. J. Vermaseren, Corp. Mithr. [Den Haag 1956]): in Bordeaux u. Eauze, in den Hochpyrenäen, in Saint-Andéol (Dép. Ardèche), in Lyon, ferner im Häduergebiet (vgl. E. Thevenot: AnnBourgogne 21 [1949] 245/60) u. in Trier (Altbachtal), in Vieu (Dép. Ain) u. in der Schweiz, zB. in Genf (CIL 12, 2587), in Augst u. Nyon (vgl. Stähelin 561f). Besonders verbreitet ist er in den Germanien. Große Mithräen wurden in der Umgebung von Straßburg entdeckt, so das von Königshoffen, das aus der Mitte des 2. Jh. stammt (R. Forrer, Das Mithraeum von Königshoffen [1915]; E. Will: RevArch 1950, 67/85), oder das von Mackwiller (J. J. Hatt: Gallia 14 [1956] 305/9; ders.: CRAcInscr 1956, 405/9; 1958, 94/6); weitere Mithräen fand man auf dem rechten Rheinufer in Osterburken, Neuenheim, Heddernheim/Nidda u. Dieburg (C. Clemen: BonnJbb 142 [1937] 13/26), ferner in Köln (F. Fremersdorf: ebd. 115; zu einem noch unveröffentlichten Neufund von der Südfassade des Doms vgl. G. Ristow: Museen in Köln, Bulletin 8 [1969] 807f; ders.: Rom am Dom. Ausgrabungen des Röm.-German. Museums Köln = Schriftenreihe Arch. Ges. Köln 16 [1970] 31f Taf. 12f) u. in den Niederlanden (M. J. Vermaseren: RevArchEst 5 [1954] 105f). Hinzu kommen noch zahlreiche kleine Bronzegegenstände, die G. Behrens für Mithrassymbole hält (Germania 23 [1939] 56/ 9).

5. Kaiserkult in G. Der Kaiserkult nahm sowohl die Form einer öffentlichen wie auch einer privaten Religion an. Außerhalb der Zentren des provinzialen Kaiserkultes am Altar von Confluentes für die drei G., im Tempel von Narbo für die Narbonensis u. an einer unbekannten Kultstätte für die Novempopulania, entstand nicht nur in römischen u. latinischen Kolonien, sondern auch in den municipia peregrina ein städtischer Kaiserkult. Die Texte erwähnen nur drei Kapitolien, nämlich in Autun, Toulouse u. Narbonne (A. Grenier: CRAcInscr 1956, 316/23); doch ist es wahrscheinlich, daß sich zahlreiche Kathedralen auf dem Areal eines Capitols mit dreifacher Cella erhoben, zB. in Köln (vgl. O. Doppelfeld, Das röm. Köln: Germania Romana 1. Römerstädte in Deutschland [1960] 18/20). Wenn durch die inschriftlichen Zeugnisse mehr als 60 städtische flamines sowie mehr als 40 flaminicae in der Narbonensis bezeugt sind, darf man wohl für die drei G. eine Zahl von 48 flamines u. 32 flaminicae voraussetzen. Der eigentliche Priesterstand dieses Kultes, die seviri Augustales, sind für uns die Zeugen eines ohne staatliche Einwirkung entstandenen Kultes der Kaiser u. der verschiedenen dei Augusti. In der Narbonensis wurden 195 Inschriften der seviri ans Licht gebracht, davon 113 in den civitates Arles, Nîmes, Beziers u. Narbonne (vgl. o. Sp. 864); in den drei G. fand man 108 Inschriften der seviri. Bezeichnend ist die Dichte der Funde in Lyon (65, also nur vier weniger als in der Lugdunensis, wo 69 ans Licht kamen). In Germanien wurden 23 Inschriften der seviri entdeckt, hingegen nur 9 in Belgica u. 7 in Aquitanien. Noch größere Spontaneität zeichnet den Kult der dei Augusti in den drei G. aus, wo er besonders von den humiles gepflegt wurde. 281 Inschriften dieses Raumes stehen nur 140 in der Narbonensis gegenüber. Der Anteil der wenig romanisierten Gallier unter den Stiftern der Inschriften ist hier viel größer als in der Narbonensis (36,6% gegenüber nur 10% in der Narbonensis). Die Weihinschriften stammen zu annähernd gleichen Teilen aus ländlichen Gebieten (142) u. aus den Städten (147). Neben diesen dei Augusti nennen sie oft auch die gallischen Gottheiten Merkur, Mars u. die Matres. Doch die dei Augusti, das klassische Pantheon sowie römische Züge in der Götterdarstellung verschwanden im 3. Jh. Die letzte datierbare Weihinschrift an einen deus Augustus stammt vJ. 249. Im Rheinland herrschte der griech.-röm. Göttertyp nur bis zum 1. Jh. vor (W. Schleiermacher, Studien über Göttertypen der

röm. Rheinprovinz: BerRGKomm 23 [1933]
109/43); denn im 2. Jh. traten wieder mehr u.
mehr einheimische Götter u. Götterattribute
in den Vordergrund, so die Gruppe des Reitergottes mit dem schlangenfüßigen Giganten
u. das Heiligtum von Donon. Die Ursachen
dieser Renaissance der keltischen Religion
waren wohl vielfältiger Natur. Der Formen-
schatz bildlicher Darstellungen, besonders
der Plastik der Griechen u. Römer, wie auch
der Stil der Weihinschriften, waren Allge-
meinbesitz geworden. Dadurch wurde es möglich, auch die alten einheimischen Gottheiten
auszudrücken u. zu benennen, die niemals
ganz in Vergessenheit gefallen waren, so die
Götter der vici u. pagi, die wenig romanisiert
waren, oder die volkstümlichen lokalen Se-
gens- u. Heilgottheiten (zB. die kelto-ger-
man. matres; vgl. J. de Vries, Altgermanische
Religionsgeschichte 2² [1957] 288/97; hierher
gehören auch Exvotos u. Altäre für örtliche
Götter, wie der des Jupiter von Mont Saccon
in den Pyrenäen; vgl. G. Fouet - A. Soutou:
Gallia 21 [1963] 275/94). – Ein zweiter Grund
besteht im schwindenden Vertrauen zu den
Schutzgöttern des Imperiums nach den Ala-
mannen- u. Frankeninvasionen der 2. Hälfte
des 3. Jh. – Schließlich kommt noch als dritter
Grund am Ende des 3. Jh. die Verwüstung
der Städte, der Zentren des öffentlichen Kaiserkultes u. der orientalischen Religionen,
hinzu. Wenn das Christentum, das sich zuerst
in den Städten der großen Rhône-Rhein-
Straße u. der Narbonensis ausbreitete, in das
Innere der alten keltischen Lande vordringt,
wird es weniger mit der gallo-röm. Religion
der frühen Kaiserzeit zusammenstoßen als
vielmehr mit den recht lebensfähigen Resten
der gallischen Religion (vgl. u. Sp. 914/7).
B. Christlich. I. Früheste Gemeinden. Die
ersten bekannten christl. Gemeinden liegen
am Auslauf der von Italien kommenden Straßen, aber in der provincia Lugdunensis, nicht
in der Narbonensis. Die Hypothese, schon der
Apostel Paulus habe in Vienne eine Gemeinde
begründet (J. Zeiller: RevHistÉglFr 12 [1926]
16/34), ist unhaltbar, obwohl Paulus sich
vielleicht in Ostia eingeschifft haben könnte,
um die Baetica zu besuchen (gegen Harnack,
Miss. 1⁴, 83; 2⁴, 624₉/₁₀; J. Rougé: CahHist
12 [1967] 237/47). Die älteste abendländische Kirche nach der römischen ist die von
Lyon gewesen. Euseb. h.e. 5, 1f bezeugt ihre
Existenz für das J. 177. Er gibt an der genannten Stelle den Brief wieder, in dem die Ge-

meinde von Lyon den Gemeinden in Asien u.
Phrygien über die Leiden von 48 Christen
berichtet, die zu mehr als einem Drittel griechische Namen trugen u. im Amphitheater
der ‚Drei G.' ‚ad confluentes Araris et Rhoda-
ni' den Martertod erlitten hatten (zu ihren
Namen vgl. H. Quentin: AnalBoll 39 [1921]
113/38). Die Hypothese von J. Colin, L'Empire des Antonins et les martyrs gaulois de
177 (Bonn 1964), nach der die Märtyrer von
Lyon vielmehr Galater gewesen sein sollen,
die im galatischen Pontus, nämlich in Se-
bastopolis-Herakleopolis hingerichtet wurden, scheint in keiner Weise vertretbar zu
sein (vgl. die Gegengründe von H. I. Marrou:
RevBPhilH 43 [1963] 1028/30; B. Hemmerdin-
ger: RevÉtGr 87 [1964] 291f; A. Audin: Latom 23 [1964] 81/5; G. Jouassard: RevÉt-
Aug 11 [1965] 1/8; É. Demougeot: RevÉtAnc
68 [1966] 323/31). Nach J. H. Oliver: Hesperia 23 (1954) 327ff wurden die Lyoner Märtyrer vJ. 177 nach gallischer Sitte als trin-
qui zu Vertretern der normalen Gladiatoren
bestellt, u. zwar bei einer Festlichkeit des Kaiserkultes u. des concilium Galliarum, die
auf den 1. VIII. fiel. Der Episkopos, der 90-
jährige Potheinos, könnte die Gemeinde von
Lyon u. vermutlich auch die von Vienne um 150
begründet haben (Duchesne 2, 161). Neben ihm
nennt Eusebius die Märtyrer Sanctus ‚Diakon von Vienne' u. Irenäus ‚Priester der
Christengemeinde in Lyon' (h.e. 5, 4, 1). Der
letztere stammte aus Kleinasien, wie überhaupt viele der Christen von Lyon; er war
noch Schüler des hl. Polykarp von Smyrna
gewesen; dieser war wahrscheinlich erst gegen 177 u. nicht schon 155 gemartert worden
(H. Grégoire, Les persécutions dans l'Empire
romain [Bruxelles 1951] 106f; ders.: Anal-
Boll 69 [1951] 1/38; zustimmend J. Moreau,
Die Christenverfolgung im röm. Reich [1961];
ferner P. Th. Camelot, Passio S. Polycarpi = SC
10 [1958] 228; H. I. Marrou: AnalBoll 71
[1953] 5/20 schlägt ein Datum zwischen 161
u. 169 vor).
II. Frühe Missionstätigkeit. Irenäus wurde
Nachfolger des Photinos in der Leitung der
Gemeinde von Lyon u. entfaltete eine ausgedehnte missionarische Tätigkeit; er erlernte
auch die keltische Sprache (haer. praef. 1, 3).
Er gründete, wie er selbst sagt (ebd. 1, 10, 2),
Gemeinden bis in die Provinz Germania hinein. Nach A. v. Harnack, Miss 2⁴, 881/3 sollen
diese Gemeinden wenigstens nach dem Tod
des Irenäus um 195 Bischofskirchen gewesen

sein (vgl. W. Neuss, Anfänge des Christentums im Rheinlande[2] [1933] 7 ff; Neuss-Oediger 32/6). Bis zu dem eben genannten Termin gab es jedenfalls in G. nur eine einzige Bischofskirche, eben Lyon (Duchesne 1, 39/43), denn Eusebius bezeichnet Irenäus als Bischof der παροικίαι in G. (h. e. 5, 23, 3). Zwar waren die Worte παροικία u. διοίκησις lange gleichbedeutend (vgl. o. Bd. 3, 1059/62), aber an anderer Stelle sagt Eusebius (h. e. 5, 24, 11), Irenäus habe ‚im Namen der Brüder, die er in G.' leitete, an den Bischof von Rom geschrieben. – Die von Lyon ausgehende missionarische Arbeit scheint schnell die benachbarten Städte erreicht zu haben. In Autun wurde Symphorianus vielleicht gegen 179/80 enthauptet; seine Passio entstand freilich erst am Ende des 5. Jh. (Duchesne 2, 153); sie läßt das Martyrium erst ‚unter Aurelianus' geschehen (125 Ruinart; vgl. J. van der Straeten: AnalBoll 79 [1961] 124/35). Dieser Heilige war auf jeden Fall im Gebiet von Lyon sehr populär; 28 Gemeinden trugen hier seinen Namen (so G. Souillet: AnnBretagne 66 [1959] 463/6). Auch scheint die Missionierung Burgunds mit ihm begonnen zu haben (E. Magnien: Société des Arts et Sciences de Tournus 64 [1964/5] 29 ff). Wie das Cognomen Symphorianus nahelegt, dürfte der Heilige der griech. Kolonie von Autun angehört haben. Daß zu dieser in der ersten Hälfte des 3. Jh. Christen gehörten, zeigt die Inschrift des Pektorios, die den mystischen Ichthys feiert (CIG 4, 980 = IG 14, 2525; Dölger, Ichth. 1[2] [1928] 11/5. 177/83; O. Perler: Miscell. G. Belvederi [Roma 1954] 199; J. Engemann, Art. Fisch: o. Bd. 7, 1031 f). Im Arvernerland sind seit der valerianischen Verfolgung vJ. 258 Martyrien bekannt; denn Gregor v. Tours erwähnt Heilige in Clermont, u. von den Gabalern wurde die Legende des hl. Privatus überliefert (vgl. É. Demougeot, Les martyrs imputés à Chrocus: AnnMidi 74 [1962] 5/28). Die Missionierung im Helvierland könnte schon in der Zeit des hl. Irenäus mit dem hl. Andeolus begonnen haben, der in einem vicus von Bergoiata (Bourg-St-Andéol) in der Nähe von Carpentras zu Beginn des 3. Jh. starb; so seine Passio (ASS Mai. 1[3], 36/40), die von ihm erzählt, er sei von Polykarp v. Smyrna geschickt worden, u. zwar in der gleichen Zeit wie Benignus, Andochius u. Thyrsus; diese Passio ist jedoch umstritten (J. Charay, Hist. polit. et administr. du Vivarais [Lyon 1959] 44[16]). Sicherer ist, daß Arles sich des Märtyrers

Genesius rühmen durfte (Prud. perist. 4, 35; Greg. Tur. glor. mart. 67 f). Dieser könnte bei der Verfolgung von 250, wahrscheinlicher aber bei der des J. 258 gestorben sein. Die Passio des Genesius ist von H. Delehaye als echt anerkannt worden (Les légendes hagiographiques[4] [Bruxelles 1955] 115). Wahrscheinlich sind schließlich auch die großen Städte im Rheinland von der Missionstätigkeit des Irenäus berührt worden, so Köln, wo auf einem südlich von St. Severin gelegenen Friedhof bescheidene Gräber in Ost-West-Lage vom Ende des 2. Jh. aufgefunden wurden (Neuss-Oediger 78/83; kritisch F. Mühlberg: Frühchristliches Köln = Schriftenreihe Arch. Ges. Köln 12 [1965] 38/49) u. wo man unter der Kirche St. Ursula (ebd. 68/78) eine große heidn. Nekropole gefunden hat, in der Zeichen einer fortschreitenden Christianisierung seit dem Ende des 2. Jh. beobachtet wurden (J. J. Hatt, Rome et le christianisme dans la région rhénane: Colloque de Strasbourg 1960 [Paris 1963] 55/68; vgl. Neuss-Oediger 78/83). Bei Marcellus von Chalon-sur-Saône u. Valerianus von Tournus, die Gregor von Tours erwähnt (glor. mart. 52 f [MG Scr. rer. Mer. 1, 2, 75]), u. bei den Märtyrern von Auxerre, Sens u. Troyes, die durch Akten von fragwürdiger Echtheit bekannt sind, ist eine präzise Datierung unmöglich (J. van der Straeten, Actes des martyrs d'Aurélien en Bourgogne: AnalBoll 79 [1961] 115/44. 447/68).

III. Ausbreitung des Christentums in G. Die Christianisierung scheint von der Mitte des 3. Jh. an rasche Fortschritte gemacht zu haben. Dafür spricht die Zahl der gallischen Märtyrer in den Verfolgungen des Valerian u. des Maximianus Herculius, aber auch der Umstand, daß die Länder westlich von der Rhône-Rhein-Straße jetzt der christl. Mission zugänglich waren. Im J. 254 muß es bereits mehrere Bistümer in G. gegeben haben; denn damals erhielt Papst Stephanus einen Brief von Cyprian (ep. 68), in dem dieser ihn bat, die Unbeugsamkeit der Novatianer u. des mit ihnen verbundenen Bischofs Martianus von Arles zu verurteilen; Cyprian beruft sich dabei auf einen Bericht des Faustinus, des 5. Bischofs von Lyon, u. ‚a ceteris episcopis nostris in eadem provincia constitutis' in G.; Stephanus möge, so ergänzt er seine Bitte, in ‚provinciam atque ad plebem Arelate consistentem' briefliche Anweisungen schicken (ebd. 68, 3). Mit der ‚provincia' kann hier

entweder die Lugdunensis oder die Gesamtheit der ‚Drei G.‘ gemeint sein, deren Bundeshauptstadt Lyon war (Duchesne 1, 44;
Griffe 1, 55); denn die ‚provincia‘ ist in
Cyprians Brief etwas anderes als die Narbonensis, in der Arles lag. Die ‚ceteri episcopi‘, welche die Novatianer in den Fußstapfen des Faustinus ablehnten, sind die Bischöfe der ehemaligen παροικίαι des Irenäus gewesen. Im J. 254 waren also die gallischen Christen schon so zahlreich, daß die Verfolgung
des Decius vJ. 250 unter ihnen Märtyrer u.
Apostaten (lapsi) hervorbringen konnte. Aber
die Märtyrer u. lapsi waren offensichtlich in
der Stadt Arles zahlreicher als anderswo, wenn
der Bischof u. das Volk von Arles unerbittlich
die Renegaten ausschlossen. Dagegen müssen
Faustinus u. die Bischöfe der Nachbarschaft
von Lyon, die als Verfechter einer milden
Praxis auftraten, bei sich weniger Märtyrer u.
lapsi erlebt haben. Viele gallische Passionen
beziehen sich auf solche Märtyrer, die der
fälschlich Aurelian zugeschriebenen u. offensichtlich unter Diokletian erfolgten Verfolgung zum Opfer fielen (Griffe 1, 89/116;
J. van der Straeten: AnalBoll 80 [1962] 116/
41). Außerdem gehören diese Märtyrer in
der Mehrzahl den Städten an der Rhône-
Rhein-Straße sowie der Narbonensis an.
Nach Griffe, der die Listen Gregors v. Tours
kritisch sichtete (98/102), handelt es sich
um Märtyrer folgender Städte: Lyon, Autun,
Chalon-sur-Saône, Tournus, Köln (mit dem hl.
Mallosus v. Birten), Arles, Marseille (mit dem
hl. Victor), Toulouse (mit dem hl. Saturninus),
Nîmes (mit dem hl. Baudilus, von dem man
außer dem Namen nichts weiß), Clermont (mit
seiner Heiligengruppe) u. Vienne (mit dem hl.
Ferreolus) u. das Wallis (mit dem hl. Mauritius
von Agaunum). Die Passio des Letztgenannten ist nicht sicher echt (D. van Berchem, Le
martyre de la légion thébaine. Essai sur la
formation d'une légende [Basel 1956]; nicht
widerlegt von L. Dupraz, Les passions de S.
Maurice d'Agaune. Essai sur l'historicité de la
tradition [Fribourg 1961]). Die vorstehende
Liste kann noch erweitert werden, so um die
Stadt Mende mit dem hl. Privatus. Im westlichen G., das nur 3 Provinzen aufweist, ist das
Martyrium des hl. Dionysius v. Paris Bestandteil der Legende von der Mission der sieben
aus Rom entsandten Bischöfe. Der Bericht
über das Martyrium der hl. Rogatianus u.
Donatianus in Nantes ist sehr dürftig. Gleiches gilt von den Martyrien der Heiligen von

Amiens u. Tournai (E. de Moreau, Histoire de
l'Église en Belgique des origines au début du
XIIᵉ s. 1² [Bruxelles 1940] 27/41, der bemerkt,
die Missionierung habe im Gebiet der Maas
begonnen; vgl. auch J. Lestocquoy: RevHist-
ÉglFr 32 [1946] 43/52; zu Tournai vgl. auch
R. de Maeyer, Art. Belgien: o. Bd. 2, 121). –
Nach Gregor v. Tours (glor. conf. 27. 29 [MG
Scr. rer. Mer. 1, 2, 315]; hist. Franc. 1, 30
[ebd. 1, 1, 22f]) sollen die ‚episcopi romani‘
sieben Missionare nach G. geschickt haben:
Saturninus nach Toulouse, Gratianus nach
Tours, Trophimus nach Arles, Paulus nach
Narbonne, Dionysius nach Paris, Austremo-
nius nach Clermont u. Martialis nach Limoges.
Gregor sagt aber auch, daß Saturninus (glor.
mart. 47 [ebd. 1, 2, 70f]) u. Ursinus von Bourges (glor. conf. 79 [ebd. 346f]) von den ‚disci-
puli apostolorum‘ entsandt worden seien,
obwohl Ursinus keineswegs zu den sieben
Männern der Mission von 250 gehört. Diese
Mission, die noch A. von Harnack akzeptiert
hat (Miss. 1⁴, 464; 2⁴, 875), wird heute allgemein als Legende bezeichnet (Duchesne 1, 47;
P. Godet, Art. Fabien: DictThéolCath 5 [1913]
2050f; L. Levillain: RevHistÉglFr 13 [1927]
145/80). Doch kann man immerhin die Ausbildung dieser Legende erklären (Griffe 1,
74f; ders.: BullLittEccl 56 [1955] 3/22).
Gregor dürfte das zweifellos richtige Datum
250 der Passio Saturnini entnommen haben.
Die vier Bischöfe von Toulouse, Arles, Paris
u. Narbonne können in der Tat für die Zeit um
250 angesetzt werden. Die Passio Saturnini,
die im 5. Jh. niedergeschrieben wurde, u.
zwar vor der des hl. Symphorianus von Autun
(Griffe 1, 102/6), scheint echt zu sein. Trophimus von Arles könnte ein Vorgänger des
Martianus gewesen sein, der für 254 bezeugt
ist (Duchesne 1, 249; L. Levillain: RevHist-
ÉglFr 13[1927] 160). Dionysius von Paris, dessen Passio einen den clementinischen Legenden des 6. Jh. vorausliegenden Kern besitzt
(L. Levillain: BiblÉcChartes 82 [1921], 6; E.
Griffe: BullLittEccl 56 [Toulouse 1955] 10/22),
könnte in der 2. Hälfte des 3. Jh. Bischof von
Paris gewesen sein (Duchesne 2, 469), denn
Paris war 346 schon bei seinem 6. Bischof
angelangt. In Narbonne schließlich geht der
altchristliche Friedhof bei der Kirche St-Paul
auf das Ende des 3. Jh. zurück (J. Jannoray:
Congrès Archéologique de France 112 [1954]
486/502). Nichts freilich erlaubt, in diesen vier
Bischöfen römische Missionare zu sehen. Diese
Siebener-Mission scheint erst im 5. oder 6. Jh.

aufgrund von echten Märtyrerakten aus der Zeit des Decius u. Valerianus erfunden worden zu sein, um die Politik des Papstes Innozenz I, der die röm. Autorität in G. festigte, zu rechtfertigen (vgl. seine ep. 25 vJ. 416). Mitgesprochen hat bei der Erfindung der Siebener-Mission natürlich auch die Vorstellung apostolischen Ursprungs, welche die großen gallo-röm. Bistümer sämtlich für sich in Anspruch nahmen (die einschlägige Legende von Arles gehört ins 5. Jh., die clementinische ins 6. Jh.). Übrigens begegnet das gallische Motiv der Entsendung von sieben röm. Missionaren zur Gründung der ersten Kirchen auch in Spanien (vgl. R. Thouvenot, Essai sur la province romaine de Bétique = BiblÉcFranç 149 [Paris 1940] 304ff). – Um 250/4 gab es in G. nach dem Gesagten mehrere Bischofskirchen: natürlich Lyon, ferner Vienne (Duchesne 1, 147; Griffe 1, 59), Arles, Toulouse, Narbonne, Autun (wenn auch der erste bekannte Bischof dieser Stadt der 313 genannte Reticius ist; vgl. G. Bardy: AnnBourgogne 2 [1930] 235ff; M. Richard: ebd. 20 [1948] 70; J. Berthollet, L'évêché d'Autun [Autun 1947]). Vielleicht gehören auch noch einige andere nicht mit Sicherheit festzustellende Bistümer in diese Reihe. A. v. Harnack (Miss. 2⁴, 876) meint, daß viele gallische Bistümer, deren Gründung nach Duchesne in das 3. Jh. falle, in Wirklichkeit schon in der ersten Hälfte dieses Jh. oder gar im ausgehenden 2. Jh. entstanden seien. Er weist darauf hin, daß schon 254 nach Cyprians ep. 68 zwei Bischofssynoden stattfanden, die eine für die Narbonensis, die andere für die Lugdunensis. Diese Mitteilung Cyprians steht freilich im Widerspruch zu Eusebius, der in seinem Bericht über die Osterstreitigkeiten iJ. 190 nur eine Synode für die gallischen Provinzen erwähnt (h. e. 5, 23; 14, 17). – Für das westliche G. gestatten die Bischofslisten einige Male, den ersten Bischof mindestens in die Mitte des 3. Jh. zu datieren. Trier könnte schon um 250 einen Bischof gehabt haben (Duchesne 3, 34), denn der vierte dortige Bischof nahm bereits an dem 314 gehaltenen Konzil von Arles teil (CCL 148, 4). Außerdem hat man im Friedhof von St-Maximin eine Kapelle vom Ende des 3. Jh. ausgegraben (J. J. Hatt: Colloque de Strasbourg 1960 [Paris 1963] 62). In Paris gehört, wie wir gesehen haben, die bischöfliche Amtszeit des hl. Dionysius zweifellos in die Mitte des 3. Jh. Gleiches gilt vom hl. Saturninus in Toulouse. In Reims, dessen vierter

Bischof ebenfalls 314 am Konzil von Arles beteiligt war, waren die ersten Bischöfe vielleicht Sextus u. Sinicius, deren missionarische Tätigkeit wahrscheinlich von Lyon ausging (Duchesne 3, 80). Gleiches gilt von Sens u. seinen Märtyrern Savinianus u. Potentianus, die am Anfang der dortigen Bischofsliste stehen u. als ‚erste Apostel' bezeichnet werden. Gleiches gilt auch von Auxerre u. seinem Wanderprediger St. Peregrinus (vgl. R. Louis, L'église d'Auxerre et ses évêques avant S. Germain: S. Germain d'Auxerre et son temps [Auxerre 1950] 39/45). Anderswo legen die Bischofslisten für die Gründung des Bistums das Ende des 3. Jh. nahe. Das gilt von Rouen (Duchesne 2, 206), dessen zweiter Bischof 314 am Konzil von Arles teilnahm. Es gilt weiter auch für Metz (ebd. 3, 54), dessen fünfter Bischof am Konzil von 346 (CCL 148, 27) beteiligt war u. wo die Spuren einer altchristlichen Kapelle im Amphitheater festgestellt worden sind (vgl. E. Morhain: Colloque de Strasbourg 1960 [Paris 1963] 78). Schließlich gilt die obige Feststellung auch für Bordeaux, dessen erster Bischof Orientius dem Konzil von Arles beiwohnte u. wo eine christliche Gemeinde schon vor 314 existiert haben muß, denn die christl. Inschrift der ‚civis Treverae' Domitia (CIL 13, 633) wird schon in die Mitte des 3. Jh. datiert (Étienne 266/8). – Verzichtet man auf die hagiographische Literatur, die frühesten bekannten Bischofskirchen u. einige archäologische Spuren, so ist die Christianisierung in G. nur mit Schwierigkeiten zu verfolgen. Wenn man bei Tertullian (adv. Iud. 7) liest, daß ‚die verschiedenen Völker G. Christus unterworfen seien', so möchte man die Existenz eines Kryptochristentums vermuten; aber dessen Zeichen sind schwer mit Sicherheit zu entziffern. Die sepulkrale ascia ist wahrscheinlich weder ein Symbol der Unsterblichkeit, noch ein verstecktes Kreuz (vgl. É. Demougeot: Colloque de Strasbourg 1960 [Paris 1963] 26; F. de Visscher: RevHistDroit 10 [1963] 213/20; ders.: JbAC 6 [1963] 187/92; R. Egger: Carinthia 1 [1966] 454/84). Außerdem findet sich die ascia nicht immer in Nekropolen, bei denen man annehmen könnte, daß die umwohnende Bevölkerung auf dem Wege zum Christentum war. In Lyon schmückt sie zB. ein Grab vom Anfang des 2. Jh. (A. Audin: BullMusMonumLyon 3 [1957/61] 63/7; wenn sie zwischen 140 u. 240 regelmäßig anzutreffen ist (A. Audin-Y. Burnand: RevÉtAnc 61 [1959] 325f), so hat man sie doch nur auf sieben sicher christlichen

Gräbern gefunden, die bestimmt dem 3. Jh. angehören (dies.: RivAC 35 [1959] 51/70). Unklug wäre es auch, wenn man gewisse allegorische Darstellungen auf Sarkophagen als christlich ansprechen wollte. Dies gilt zB. für den vor 240 entstandenen Sarkophag von La Gayole, heute in Brignoles, Dép. Var (Espérandieu, Recueil 1, 40; Wilpert, Sark. 1, 5; Th. Klauser: JbAC 3 [1960] 112/4. 118/27; J. Engemann, Art. Fisch: o. Bd. 7, 1071/4). Man wies früher dem 2. bis 3. Jh. die christl. Inschriften von Maguelonne im Dép. Hérault (Espérandieu, Inscr. 2 nr. 555; DACL 1, 1, 881 Abb. 197) u. von Marseille (CIL 12, 489; H. Leclercq: DACL 10, 2, 2247; ILCV 2020) zu, aber die erstere stammt vielleicht aus Italien u. die letztere ist vermutlich nicht christlich; vgl. J. Rougé: RevÉtAnc 71 (1969) 85/99.

IV. Viertes Jh. Im 4. Jh. war G. mit Bischofssitzen übersät. Das Christentum war jetzt offizielle Religion. Doch war es ungleichmäßig auf die Regionen verbreitet, am stärksten war es in der Narbonensis u. an der Achse Rhône-Rhein vertreten.

a. Führende Bischöfe. Die drei bedeutendsten Bischöfe waren iJ. 312 die von Arles, Autun u. Köln. Diese drei versammelten sich auf Einladung Konstantins in Rom zu einem Konzil, das sich mit dem Donatismus befassen sollte. Aber schon das Konzil von Arles, das der Kaiser am 1. VIII. 314 gleichfalls zur Regelung der donatistischen Frage berief, zählte 16 Vertreter gallischer Bistümer. Zwölf davon waren durch ihre Bischöfe repräsentiert (Arles, Vienne, Lyon, Vaison, Marseille, Bordeaux, Eauze, Autun, Reims, Rouen, Trier u. Köln), drei durch einen Diakon (Orange, Nizza, Javols) u. nur eines durch einen Presbyter (Apt). Diese 16 machten fast ein Drittel aller 46 Bischofskirchen in den konstantinischen Provinzen des Westens aus. Sie tagten unter dem Vorsitz des Bischofs Marinus von Arles (K. J. v. Hefele-H. Leclercq, Hist. des conc. 1 [Paris 1907] 275f). Neben den genannten gallischen Bischöfen waren in Arles aber auch noch zehn Bischöfe aus Italien, neun aus Afrika, sechs aus Spanien u. drei von den britischen Inseln. Aber diese Liste entsprach keineswegs der Zahl der im Westen iJ. 314 vorhandenen Bischöfe; denn von den damaligen gallischen Bischöfen fehlten in Arles die von Narbonne, Toulouse, Paris, Metz, Sens u. Auxerre, während drei neue Bischöfe anwesend waren: die von Orange, Vaison u. Nizza, die

zur Narbonensis gehörten (vgl. Griffe 1, 83). – Nach 314 tauchen im alten Keltengebiet mehrere neue Bischofssitze auf: Langres war bei dem in seiner Echtheit umstrittenen Konzil von Köln iJ. 346 (CCL 148, 26/9; vgl. Neuss-Oediger 44f) durch seinen dritten Bischof vertreten (Duchesne 2², 185), Chartres ebenfalls durch seinen dritten Bischof (ebd. 424), Troyes durch seinen zweiten (ebd. 453), Bourges war 453 beim 12. Bischof angelangt (ebd. 26), muß also 346 auch schon einen Bischof gehabt haben. Wahrscheinlich hat also die gallische Kirche in der konstantinischen Periode zwischen 25 u. 28 Bistümer besessen (nach Duchesne), nicht aber zwischen 34 u. 36 (wie bei Griffe, 1, 128). Diese Vermehrung der Bischofssitze wird man damit erklären können, daß die Kirche jetzt vollen Frieden genoß u. die canones von Nizäa die Einsetzung eines Bischofs in jeder civitas-Hauptstadt begünstigten. – In der Mitte des 4. Jh. zeigt die offenbare Verdoppelung der Zahl der Bistümer einen erneuten Fortschritt der Christianisierung an; sie tritt besonders in den Bezirken der Lugdunensis, den belgisch-germanischen Landesteilen u. in Aquitanien in Erscheinung. Im J. 346 sind in den Akten des Konzils von Köln 22 oder 24 gallische Bischöfe mit ihren Namen u. unter Beifügung ihrer Sitze verzeichnet. Dagegen sind 344 in den Akten des Konzils von Serdika 34 gallische Bischöfe aufgeführt, allerdings ohne Angabe ihrer Sitze (Athanas. c. Arian. 50 [PG 25, 337]). Der Vergleich dieser beiden Ziffern gestattet die Feststellung, daß inzwischen im nördlichen G. elf Bistümer gegründet worden waren, nämlich: Orléans, Verdun, Tongeren, Amiens, Mainz, Straßburg, Speyer, Worms, Basel, Besançon u. Chalon-sur-Saône (Duchesne 1, 361/5 u. ders.: RevHistEccl 3 [1902] 16/29; Harnack, Miss. 2⁴, 876). Nach den Bischofslisten dürften unter diesen Bistümern Orléans, Verdun u. Tongeren, die aus dem Territorium der Städte Chartres, Metz u. Köln herausgenommen sind, wahrscheinlich die ältesten sein. Die etwa zehn anderen Bischöfe, die Athanasius aufzählt u. deren Sitze wir durch ihn nicht erfahren, da er sie, im Gegensatz zu den Akten des Kölner Konzils, nicht mitteilt, gehörten zweifellos zum zentralen u. südlichen G. Dort müssen auf alle Fälle vor 344 neue Bischofskirchen entstanden sein: Tours, dessen erster Bischof nach Greg. Tur. hist. Franc. 10, 31 (MG Scr. rer. Mer. 1, 1, 526/37) iJ. 337 oder 338 geweiht

worden sein dürfte; Châlons-sur-Marne, das
461 schon seinen neunten Bischof besaß
(Duchesne 3, 95); Périgueux, das vor Paternus
iJ. 360 schon zwei Bischöfe gehabt hat (ebd. 2,
87); Alba (Alba Augusta), dessen vierter Bischof am Konzil von Nîmes teilnahm (ebd.
1, 237); Béziers, wo frühestens 356 (CCL 148,
31) ein Konzil abgehalten wurde; endlich Die,
dessen Bischof Nicasius 325 am Konzil von
Nizäa teilnahm. Diesen Bistümern muß man
noch zwei aus Aquitanien hinzufügen: Poitiers, wo der große Hilarius der erste Bischof
war (vgl. J. R. Palanque, Hilaire et son temps:
Actes du Colloque de Poitiers [Paris 1969] 11/
7) u. Agen, dessen frühester bekannter Bischof Phoebadius iJ. 357 eine Schrift ‚Contra
Arianos‘ publiziert hat. Im J. 358 sind die
Bischöfe der beiden Belgicae u. der beiden
Germanien, der beiden Lugdunenses, Aquitaniens u. der Novempopulania, also der
Provinzen, an die sich die Schrift ‚De Syno-
dis‘ des hl. Hilarius wendet, höchstens etwa
sechzig an Zahl gewesen, nicht um hundert.
Was die Zahl von 115 Metropolen der gallischen Provinzen anlangt, die Harnack (Miss.
1⁴, 232) vermutet, so nimmt er damit offenbar
die Verhältnisse des 5. Jh. vorweg. – Während
der 2. Hälfte des 4. Jh. nahm auf jeden Fall
die Zahl der Bischofssitze noch zu. Sie schos-
sen fast überall geradezu aus dem Boden:
Toul, dessen fünfter Bischof von Sidonius
Apollinaris um 472 erwähnt wird (Duchesne 3,
62), Angers, dessen erster Bischof, Defensor,
372 bei der Wahl Martins v. Tours zugegen
war (ebd. 2, 347); Angoulême, dessen zweiter
Bischof am Anfang des 5. Jh. lebte (ebd. 2,
68); Albi u. Cahors, deren zweite Bischöfe
gleichfalls zu Beginn des 5. Jh. lebten (ebd. 2,
42. 44); Embrun, das vor 370/1 ähnlich wie
etwas später Digne sicher einen Bischof hatte
(ebd. 1, 291); Cularo/Grenoble, jetzt civitas
Gratianopolis, das 381 seinen Bischof zum
Konzil von Aquileia entsandte; die Gründung
dieses Bistums ist wahrscheinlich in die Zeit
zu setzen, als Gratian Cularo zu einer Stadt
machte, deren Gebiet aus dem Territorium
von Vienne abgetrennt wurde; Octodurus/
Martigny (vgl. Stähelin 586) u. Genf (M.
Besson, Rech. sur les origines des évêchés de
Genève, Lausanne et Sion [Fribourg 1906]
89; St. Pierre in Genf soll nach L. Blondel:
Genava 19 [1941] 112 am Ende des 4. Jh. entstanden sein), beide zur gleichen Zeit wie Grenoble von Vienne abgetrennt; Fréjus, das einen Bischof besaß, als beim Konzil von Valen-

ce 374 (CCL 148, 37/40) die Angelegenheit des
Acceptus behandelt wurde. Die Bischofslisten
verraten, daß die Entstehung der Bischofssitze von Bayeux, Le Mans, Bazas, des Velay
u. von St-Bertrand-de-Comminges auf die 2.
Hälfte des 4. Jh. zurückgeht. Vielleicht etwas
später, aber noch vor 400, treten weitere auf:
Nîmes, das vor 396 einen Bischof hatte, als
nämlich dort ein Konzil gehalten wurde (CCL
148, 50f); Cavaillon, dessen Bischof an dem
Konzil von Nîmes teilnahm; Aix, das zweifellos vor dem Konzil von Turin vJ. 398 schon
einen Bischof hatte, wenn auch der erste uns
bekannte, Lazarus, erst iJ. 408 bezeugt ist
(J. R. Palanque, Les premiers évêques d'Aix:
AnalBoll 67 [1949] 317/82). – Im letzten Viertel des 4. Jh. waren die gallischen Bischöfe
für eine Gruppenbildung um den jeweiligen
Bischof der Provinzmetropole zahlreich genug. Dieser Schritt könnte um die Mitte des
Jahrhunderts erfolgt sein (Griffe 1, 249f; 2,
87), in der Zeit des Konzils von Valence vJ.
374 (CCL 148, 37/40), zur Zeit des gratia-
nischen Reskripts von 378 oder der römischen Dekretale ‚ad Gallos episcopos‘ (vgl.
u. Sp. 905), am ehesten aber doch zur Zeit
des Konzils von Turin (Duchesne 1, 91; J.
R. Palanque, Les dissensions des églises des
Gaules à la fin du IVᵉ s. et la date du concile
de Turin: RevHistÉglFr 21 [1935] 481/501;
vgl. Langgärtner 18/24). In der Tat entschied sich das Konzil von Turin für die
Metropolitanverfassung, indem es Aix das
kirchliche Metropolitanrecht zusprach. Aber
die Bistümer fielen nicht immer mit dem
Gebiet einer civitas zusammen: im stark ur-
banisierten Süden waren Nizza u. später Uzès
oder Toulon noch keineswegs Hauptstädte
einer civitas. Im Norden umschloß das ausgedehnte Bistum Tongeren sogar mehrere
Städte. Nach J. Gaudemet, L'église dans
l'Empire romain du IVᵉ et Vᵉ s. (Paris 1958)
327₆ hatten in G. vierzehn Orte, die nicht
Städte waren, einen Bischof. Außerdem ist G.
das einzige westliche Land, das einen Chorbischof besaß (vgl. indessen E. Kirsten, Art.
Chorbischof: o. Bd. 2, 113). Als aber um 400
die Notitia Galliarum redigiert wurde (s. o.
Sp. 864f), hatten anscheinend fast alle 115 civitates von G., zu denen noch sieben castra u.
ein portus hinzukamen, einen Bischof. – In G.
besaß, wie in anderen Ländern, der Bischof
weltliche Befugnisse, die ihm die kaiserliche
Verwaltung eingeräumt hatte. Freilich gilt
das stärker für das 4. als für das unruhige 5.

Jh. Der Bischof besaß die Jurisdiktion über die Kleriker, abgesehen von einigen Vorbehalten, die iJ. 384 publiziert wurden (vgl. Const. Sirm. 3; Cod. Theod. 16, 2, 41 vJ. 412; G. Lardé, Le tribunal du clerc dans l'Empire rom. et la Gaule franque [Moulins 1920] 61 ff). Diese Jurisdiktion erstreckte sich aufgrund einer Anordnung Konstantins in bestimmten Fällen sogar auf die Laien (Cod. Theod. 1, 27 vJ. 318; Const. Sirm. 1 vJ. 333). Einschränkungen wurden 399 verfügt nach Cod. Theod. 16, 11, 1, ebenso 408 nach Cod. Theod. 1, 27, 2, u. 452 nach Nov. Valent. 35 (vgl. A. Steinwenter, Art. Audientia episcopalis: o. Bd. 1, 915 f). Der Bischof war befreit von der annona u. von der Grundsteuer für den gesamten kirchlichen Besitz (Cod. Theod. 11, 1, 1 vJ. 315; 16, 2, 15 vJ. 360). Auch hier erfolgten Einschränkungen iJ. 412 nach Cod. Theod. 16, 2, 40. Endlich war der Bischof von den munera sordida (ebd. 11, 16, 15 vJ. 382) u. extraordinaria befreit (ebd. 11, 16, 21 f vJ. 397; vgl. zum Ganzen *Immunität). Das Asylrecht, das im Westen sonst unbekannt war, wird in G. seit 441 von den Bischöfen für ihre Kirchen beansprucht (Conc. Arausican. cn. 5 [CCL 148, 79]; vgl. L. Wenger, Art. Asylrecht: o. Bd. 1, 870/4; J. Gaudemet aO. 285). Der Bischof ist für die Verwaltung des Kirchenguts zuständig, das in G. rasch außerordentlichen Umfang angenommen haben muß (E. Lesne, Histoire de la propriété ecclésiastique en France aux époques romaines et mérovingiennes 1 [Paris 1910] 33; F. Heichelheim, Art. Domäne: o. Bd. 4, 67). Nach 350 bewirkten die Bürgerkriege u. die Invasionen eine Vermehrung der agri deserti (Lesne aO. 19). – Das Fehlen eines großen religiösen Zentrums von der Art Karthagos oder Mailands ist für die gallische Kirche des 4. Jh. kennzeichnend. Lyon, das eine ehrwürdige Vergangenheit aufzuweisen hatte, verfügte nicht mehr über die Mittel, seine alte Stellung zu behaupten. Trier blieb politisches Zentrum. Zu Beginn des 5. Jh. versuchte der Bischof von Arles, eine Art Primat aufzurichten. Dabei kam ihm zugute, daß er Bischof des Amtssitzes der Präfektur beider G. u. einer Gemeinde war, die als apostolische Gründung galt. Bischof Patroclus von Arles verstand es, sich von Papst Zosimus den Rang eines päpstlichen Vikars zu beschaffen (Duchesne 1, 86; Griffe 2, 114/9; Gaudemet aO. 398; eine Spezialuntersuchung der Geschichte des apostolischen Vikariats von Arles hat Langgärtner geliefert). Aber

Arles konnte sich gegenüber den benachbarten Metropolitankirchen, nämlich Marseille, Narbonne u. Vienne am Anfang, Aix in der Folgezeit, nicht durchsetzen. Papst Bonifaz hob 422 diesen Primat auf. Papst Leo, den die Unternehmungen des Bischofs Hilarius von Arles (430/49) beunruhigten, weigerte sich, den Vikariat des Bischofssitzes zu erneuern, obwohl 16 Bischöfe aus der Viennensis, der Narbonensis II u. den Seealpen Rom dringend darum baten. Dagegen erneuerte Leo durch seinen Brief ‚Lectis dilectionis' (Jaffé 450) die Metropolitanautorität Viennes gegenüber Valence, Genf u. Grenoble wie auch gegenüber der Tarantaise, u. bestätigte das Metropolitanrecht von Arles gegenüber den übrigen Städten der Viennensis, der Seealpen, der Narbonensis II u. gegenüber Uzès, das in der Narbonensis I lag, (vgl. zum Ganzen Langgärtner 61/91).

b. Lehre u. Disziplin. 1. Spannungen. Die großen Fragen der Lehre u. der Disziplin wurden in G. meist durch die Provinzialkonzilien bereinigt. Die ersten dieser Konzilien fanden statt in der Zeit des Kampfes gegen den Arianismus, den Bischof Paulinus v. Trier u. Hilarius v. Poitiers als Verteidiger des hl. Athanasius u. der nizänischen Orthodoxie mit Nachdruck führten: auf dem Konzil von Arles vJ. 353, das Paulinus in die Verbannung schickte, u. auf dem Konzil von Béziers 356, das Saturninus von Arles, das Oberhaupt der für Arius Eintretenden (Sulp. Sev. chron. 2, 40), leitete u. das zum Exil des hl. Hilarius führte. Die weiteren Konzilien machten sich mehr u. mehr von der Politik der Kaiser frei: die Mehrheit der gallischen Bischöfe lehnte den Arianismus des Kaisers Constantius II ab, trennte sich von Saturninus von Arles wie auch von Paternus von Périgueux (Sulp. Sev. chron. 45/8) u. fand sich zu mehreren Konzilien zusammen, von denen wir nur das Konzil von Paris kennen, das um 360 stattfand (Griffe 1, 191), aber von Sulpicius Severus nicht erwähnt wird. Im J. 374 fand das Konzil von Valence statt (CCL 148, 37/40; Griffe 1, 258); es vereinigte 21 Bischöfe aus allen gallischen Provinzen (Vienne, Arles, Lyon, Trier, Agen, Orléans u. vielleicht auch Nantes). Es befaßte sich aber nur mit Fragen der Disziplin u. ihrer Vereinheitlichung. Die priscillianische Affäre verrät, daß wenigstens ein Teil des gallischen Episkopats unabhängig urteilte; denn nach der Verurteilung des Priscillian durch das Konzil von Bordeaux iJ. 384 (CCL 148, 46) trennte ein Schisma die Felicianer, d. h. die Anhänger des Bischofs Felix von Trier, der die von Kaiser Maximus angeordnete Hinrichtung Priscillians gebilligt hatte, u. die Antifelicianer, die heftig gegen jede Einmischung der weltlichen Justiz in Kirchenangelegenheiten polemisierten. Vergeblich versuchten Martin v. Tours u. Ambrosius v. Mailand, beide Antifelicianer, mit Hilfe zahlreicher Konzilien, an denen sie sich unermüdlich beteiligten, den Frieden im Episkopat wiederherzustellen. Von diesen Konzilien kennt man nur eines, das 396 in Nîmes abgehaltene, das von 21 felicianischen Bischöfen besucht wurde u. sich damit begnügte, disziplinäre canones zu erneuern, die die bischöfliche Autorität stärkten (CCL 148, 50f; Griffe 1, 259). Deshalb wurde 398 auf Bitten der gallischen Bischöfe ein Konzil außerhalb von G., nämlich in Turin, veranstaltet (J. R. Palanque: RevHistÉglFr 21 [1935] 481/501). Das Konzil versöhnte die beiden Parteien miteinander (cn. 6 [CCL 148, 57f]), schlichtete außerdem die Rivalitäten zwischen Marseille u. Aix, der neuen Metropole der Narbonensis II, sowie zwischen Arles, der neuen Hauptstadt der Präfektur G., u. Vienne, der Metropole der Viennensis (E. Ch. Babut, Le concile de Turin [Paris 1904]).

2. Päpstliche Eingriffe. Die Spaltungen im gallischen Episkopat begünstigten die Intervention der päpstlichen Autorität. Der erste der gesetzgeberischen Akte des röm. Bischofs war das Schreiben ‚ad Gallos episcopos‘, das wohl eher dem Papst Siricius (384/99; vgl. Caspar, Gesch. 1, 217. 262; Gaudemet aO. 220) als dessen Vorgänger Damasus (366/384) zuzuschreiben ist (Griffe 1, 262; E. Ch. Babut, La plus ancienne décrétale [Paris 1904] 16f, dem L. Duchesne: RevHist 87 [1905] 278f beistimmt); dieses Schreiben antwortete auf verschiedene von den gallischen Bischöfen aufgeworfene Fragen u. teilte die canones eines röm. Konzils mit. Innozenz I führte während seines langen Pontifikats (402/17) iJ. 404 einen wichtigen Briefwechsel mit Bischof Victricius von Rouen (Jaffé 286; der Brief wird als ‚Liber regularum‘ bezeichnet; vgl. P. Batiffol, Cathedra Petri [Paris 1938] 96), sowie iJ. 405 mit Bischof Exuperius von Toulouse (Jaffé 293); der letztgenannte Brief verteidigt das vom Staat nach gerichtlicher Untersuchung ausgeübte Strafverfahren. In den J. 417/8 erneuert Papst Zosimus den päpstlichen Vika-

riat zugunsten des Bischofs Patroclus von Arles (vgl. Langgärtner 26/52). Aber Bischof Hilarius von Arles (430/49) trat weniger als päpstlicher Vikar auf denn als Primas der septem provinciae. Die interprovinziellen Konzilien wahrten jedoch seine Autorität, so das Konzil von Riez, auf dem 439 Bischöfe der Narbonensis II, der Seealpen u. der Viennensis versammelt waren; in seinem letzten Kanon empfahl es, zweimal jährlich ein interprovinzielles Konzil abzuhalten (Griffe 2, 121). Ebenso verfuhr das Konzil von Orange vJ. 441 (CCL 148, 78/86), bei dem selbst die Metropolitanbischöfe von Vienne u. Lyon zugegen waren, das Konzil von Vaison vJ. 442 (ebd. 96/101), wo fast alle Bischöfe des Südostens sich einfanden, mit Einschluß des Bischofs von Uzès, der zur Narbonensis I gehörte, u. schließlich auch ein Konzil von 443/4 (ebd. 105), das den Bischof von Besançon absetzte; doch legte dieser beim Papst Protest ein. Im J. 445 hob Papst Leo die dem Bischof von Arles früher erteilten Vorrechte wieder auf. Er erkannte allen Metropolitanbischöfen das Recht zu, die Bischöfe ihrer Provinz zu weihen u. zu einem Provinzialkonzil zusammenzurufen. – Vor allem aber entschied Leo, daß etwaige interprovinzielle Konzilien immer vom ältesten Metropolitanbischof zu leiten seien (Jaffé 407). Im J. 450 wies Leo sogar den Antrag der 16 südlichen Bischöfe zurück, die die Wiedererrichtung der primatialen Stellung des Bischofs von Arles verlangten (Jaffé 450; Langgärtner 61/106; vgl. o. Sp. 904). – Die Bischöfe des westgotischen u. des burgundischen Königreiches, die durch die arianischen Herrscher verfolgt wurden, konnten sich nicht ungestört zu Konzilien versammeln wie die Bischöfe von Zentral- u. Nordwest-G. Diese Bezirke wurden freilich durch Invasionen, durch innere Unruhen u. in der Armorica auch durch die Ankunft bretonischer Flüchtlinge stark beunruhigt. – Ein Bischof von Angers, zweifellos Thalassius (453/70; Duchesne 2, 245/50), wurde durch die Bischöfe von Bourges, Tours, Le Mans u. drei bretonische Bischöfe geweiht. In Tours fand am 10. XI. 461 anläßlich des Festes des hl. Martin ein interprovinzielles Konzil statt, an dem die Bischöfe von Bourges, Le Mans, Nantes, Rennes, Rouen u. Châlons teilnahmen. Aber gegen 465 war das Konzil von Vannes nichts mehr als ein Provinzialkonzil, das die Bischöfe der Lugdunen-

sis III wegen einer Bischofsweihe zusammen-
führte. Diese Konzilien regelten im übrigen
nichts als disziplinäre Fragen u. zwar unter
Berufung auf die ‚alten Regeln', die freilich
nur unvollkommen bekannt waren. Denn iJ.
463/4 mußte Papst Hilarius den Bischof
Leontius von Arles bitten, er möge ihn über
vorkommende Verstöße gegen die kirchlichen
Vorschriften unterrichten (Jaffé 554; vgl.
dazu Langgärtner 94f). Andere bischöfliche
Zusammenkünfte erfolgten, wenn außerordentliche Angelegenheiten zu regeln waren.
Man kennt näher bloß die eine vJ. 429, bei
der die Entsendung von Germanus v.
Auxerre u. Lupus v. Troyes in die Bretagne
beschlossen wurde; darum war durch die
antipelagianischen bretonischen Bischöfe gebeten worden (Constant. v. Lyon, v. S. Germani 12; vgl. Griffe 2, 113; R. Borius, Vie de
S. Germain d'Auxerre = SC 112 [Paris 1965]
80f). Im Norden, wo sich nach u. nach die
Franken niederließen, im Osten, wo die Alamannen u. Burgunder eindrangen, u. im
westgotischen Aquitanien waren die Konzilien, die von einer königlichen Genehmigung
abhingen (vgl. Greg. Tur. hist. Franc. 2,25
[MG Scr. rer. Mer. 1, 1, 70f] über König Eurich), zweifellos selten. Sie begnügten sich mit
der Regelung örtlicher Angelegenheiten u.
haben deswegen auch keine Spur hinterlassen.
Im südlichen G. hat es indessen selbst nach
der Aufhebung des Primats des Bischofs von
Arles iJ. 450 noch einige Konzilien gegeben:
Ravennius von Arles, der Nachfolger des Hilarius, versammelte zwölf Bischöfe, um den
Streit zwischen Theodor v. Fréjus u. Faustus,
dem Abt von Lérins, zu schlichten (Griffe 2,
114). Kurz nach 470 kamen ungefähr dreißig
Nachbarbischöfe, darunter Patiens von Lyon,
nach Arles, um die Lehre des Priesters Lucidus über die Prädestination zu prüfen. Aber
von 461 an regelte Papst Hilarius selbst den
Konflikt zwischen den Bischöfen von Aix u.
Embrun (ebd. 131). Als das römische Reich
des Westens nach 475 in G. nicht mehr vertreten war, wurde die Autorität des röm.
Bischofs die einzige Hilfe gegenüber den
häretischen oder heidnischen Barbarenköni-
gen. Diese Autorität trat vor allem durch
Austausch von Briefen oder Vertretern in Erscheinung. Die alten provinziellen oder interprovinziellen Konzilien, die einst die bedeutsamen Streitigkeiten auf dem Gebiet der Disziplin, des Glaubens u. der Mission zu schlichten hatten, traten erst mit den zur katholi-

schen Kirche übergetretenen fränkischen Königen wieder in Erscheinung.
V. Christliches Leben. Das Christentum breitete sich im 4. u. 5. Jh. ähnlich wie die kirchliche Organisation immer weiter aus.
a. Christenheit. Die Gläubigen stellten lange
Zeit in G. noch eine Minderheit dar. Das gilt
selbst von den Städten, in denen die Kaiser u.
ihre christl. Beamten residierten.
1. Christliche Inschriften. Die erste sicher
christliche Inschrift ist die heute verlorene
Notiz über die Depositio der Selentiosa iJ.
334; sie soll die älteste christl. Inschrift von
Lyon sein (CIL 13, 2351; ILCV 30, 39). A.
Audin - F. Burnand (RevÉtAnc 61 [1959]
332/5) haben in Lyon nur sechs christliche
Gräber aus dem 3. Jh. feststellen können.
Die Inschrift des Priesters Patroclus in Valcabrère, einem suburbium von St-Bertrand-
de-Comminges, ist vJ. 347 datiert (ILCV
272b; vgl. P. Lavedan-R. Sapène-R. Lizop,
Les fouilles de St-Bertrand-de-Comminges
1920/29 [Toulouse 1930] 277f). Diese Inschrift zeigt das konstantinische Christusmonogramm, das hier zum ersten Mal in G.
auftritt. In Reims soll die metrische Ehren-
inschrift des Jovinus vor dessen Konsulats-
jahr entstanden sein, also vor 367 (ILCV 61;
vgl. Mâle 124). In Sion (Wallis) findet sich
eine Bauinschrift des Präses der grajischen u.
poeninischen Alpen, Pontius Asclepiodotus,
vJ. 377 (ILCV 281); auch sie ist mit dem
konstantinischen Monogramm versehen (vgl.
E. Meyer: MusHelv 19 [1962] 141/55). In
Vienne, wo man abgesehen von Trier die
größte Zahl von christlichen Inschriften gefunden hat, sind aus der Zeit vor dem 8. Jh.
ungefähr 250 erhalten (P. Wuilleumier, Le
cloître de St-André-le-bas à Vienne [Vienne
1947] 3). Die fünf ältesten können noch ins
4. Jh. zurückgehen, nämlich nr. 75 (die
älteste), 72, 73, 108 u. 115; auch sie sind
mit einem Christusmonogramm geschmückt.
Vielleicht gehört in diese Zeit auch die griech.
Inschrift des Geldo (vgl. A. M. Verillac: Rev-
ÉtAnc 64 [1962] 59/61). Von den Trierer
christl. Inschriften hat E. Gose, Kat. der
frühchristl. Inschriften (1958) 842 Nummern
zusammengebracht, doch sind viele fragmentarisch erhaltene darunter (vgl. H. U.
Instinsky: Gnomon 31 [1959] 141/5; einige
Nachträge bringt der von W. Reusch redi-
gierte Ausstellungskatalog ‚Frühchristliche
Zeugnisse im Einzugsgebiet von Rhein u.
Mosel' [1965] 19/71. 210/33. 251/65; zT. han-

delt es sich um Graffiti). Die Eigennamen,
die hier vorkommen, sind überwiegend römischer Herkunft. Gose nr. 478 ist die umstrittene metrische Inschrift der Agnes. Mit ihr
hat sich H. I. Marrou: Germania 37 (1959)
343/9 befaßt; er bezieht die Inschrift auf
Maria oder die Kirche u. bringt sie mit dem
Aufenthalt des Athanasius in Trier zusammen; etwas anders M. Guarducci: Reusch
aO. 54/71; daß es sich aber doch um
eine Weihinschrift zu Ehren der röm. Märtyrerin Agnes handeln muß, hat auch
Th. Klauser betont (JbAC 8/9 [1965/6]
226). Die Inschrift des ‚servus' Ariomeres
in Ligugé ist vJ. 430/60 datiert (J. Coquet:
RevMabillon 203 [1961] 5/21). In Villesèque-
des-Corbières bei Narbonne begegnet zum
ersten Mal in G. auf einer Inschrift (die wohl
vJ. 445 stammt) ein schlichtes Kreuz (Le
Blant 353; ILCV 212. 1811), also kurz nachdem das Kreuz in Rom aufgetreten war (vgl.
ferner die Inschriftensammlung von W. Bop-
pert, Die frühchristl. Inschriften des Mittel-
rheingebietes [1971]). Die Inschriften dieser
Art spiegeln ein Christentum wider, das sich
in einem städtischen Zentrum entwickelt hat,
dessen Nekropolen natürlich nach der röm.
Vorschrift außerhalb der Mauern lagen. Der
gallische Dichter Severus *Endelechius sagt
in ‚De mortibus boum' von Christus: ‚magnis
qui colitur solus in urbibus' (Anth. Lat. 893,
106f).

2. Kultgebäude. Aus der Apostelgeschichte u.
den Apostelbriefen wissen wir, daß die christl.
Gemeinden ihre Gottesdienste zunächst in
den Häusern ihrer Mitglieder abgehalten haben. Aber in manchen Orten stieg die Zahl
der Gläubigen so rasch an, daß auch die
größten Räume in den Privathäusern nicht
mehr ausreichten. In solchen Fällen wird man
Säle gemietet oder sogar selbst gebaut haben.
In kleinen Gemeinden blieb aber der ursprüngliche Zustand erhalten, wie die Auffindung der ‚Hauskirche' von Dura aus dem
3. Jh. gezeigt hat. In Rom hat es bis in das
4. Jh. neben den Sälen die dort als ‚tituli' bezeichneten Hauskirchen gegeben. Unter Konstantin fängt man an, statt schlichter Säle
monumentalere nach Art der Markt- u. Ge-
richtsbasiliken zu bauen. Um 350 beginnt man
in Rom, über den Gräbern der Märtyrer oder
in deren Nähe Kapellen (martyria) oder
richtige Basiliken zur Abhaltung der Ge-
dächtnisgottesdienste zu errichten. Die älteste Coemeterialkirche dieser Art ist die ‚Apo-

stelbasilika' an der Via Appia; es folgte ihr
die Peterskirche. Erst seit dem 5. Jh. werden
aus den Coemeterialkapellen u. -kirchen die
Leiber der Heiligen in Kirchen im Stadt-
innern geborgen. Erst damals beginnt der
Unterschied zwischen Gemeindegottesdienst
u. Gedächtnisgottesdienst zu verblassen. Nach
Analogie des hier entworfenen Bildes der Entwicklung muß man sich auch die Geschichte
des gallischen Kultgebäudes vorstellen (an
Gottesdienste der Gemeinden in unterirdischen Coemeterien glaubte man in der Periode
der ‚Katakomben-Romantik'). Zum Ganzen
vgl. die Ausführungen von Krautheimer 1/15
u. Grabar. – Die ersten bekannten Gotteshäuser in G. befinden sich in den Nekropolen
außerhalb der Mauern (J. Hubert: CRAcInscr
1945, 314/7; E. Griffe: BullLitEccl 58 [1957]
129/50). Eines der ältesten martyria ist in
Marseille ausgegraben worden, wo südlich des
Lacydon zwei Märtyrer um 250 begraben
wurden (F. Benoit, Le martyrium rupestre
de l'abbaye St. Victor: CRAcInscr 1966,
110/26; ders.: ProvenceHist 16, 65 [Aix 1966]
259/93; vgl. Grabar 1, 461). In der 1. Hälfte des
4. Jh. wurde eine ‚Basilica ad sanctos' in der
altchristl. Nekropole von St-Paul errichtet (J.
Jannoray: Congrès Arch. de France, 112ᵉ
Session [Rousillon 1954] 486/502). Gleiches
geschah in Valcabrère (Mâle 129), ferner in
der Nekropole von Fourvière bei Lyon, wo
Irenäus an der Seite der hll. Epipodius u.
Alexander begraben lag (ebd. 131; vgl. Grabar 1, 461. 523), u. zweifellos auch in Rouen,
wo im Nordcoemeterium der hl. Mellon, der
Bischof vom Ende des 3. Jh., begraben war
(R. Herval, Origines chrét. de la IIᵉ Lyonnaise gallo-romaine [Paris 1969] 14f). Dasselbe gilt von Bordeaux mit seiner kleinen
Nekropole auf dem Plateau von St-Seurin
(Marquise de Maillé, Recherches sur les origines chrét. de Bordeaux [Paris 1960] 66.
125/68) u. trifft auch auf Reims zu, wo der
magister equitum peditumque Iovinus sein
Grab neben der Apsis der Basilica Ioviniana,
nach Flodoard jedoch bei der Basilica des hl.
Agricola, errichten ließ (ILCV 61; vgl. Mâle
124f). Trier hatte innerhalb der Stadtmauern
eine ecclesia civitatis oder Kathedrale, die
an der Stelle eines ehemaligen Palastes um
326 begonnen wurde (Th. Kempf: Germania
29 [1951] 47/58; ders., Die altchristl. Bischofs-
stadt Trier: Trier, ein Zentrum abendländi-
scher Kultur [1952]; W. Reusch: BullSoc-
NatAntFr 1954/55, 127/31). Sie wurde nur um

348 benutzt; denn Kaiser Gratianus baute sie um u. errichtete bereits eine ausgedehnte Basilika mit Kuppel über der Reliquien-Memoria. – In der 2. Hälfte des 4. Jh. schlossen sich weitere Basiliken innerhalb der Stadtmauern an. Sie wurden dem Kult der aus Italien u. dem Orient mitgebrachten Reliquien gewidmet. Ambrosius, der 386 die Überreste der Mailänder Märtyrer Gervasius u. Protasius auffand, schenkte seinen gallischen Freunden Stuckreste, die mit dem Blute der Märtyrer getränkt waren. Einiges davon schickte Ambrosius wahrscheinlich nach Vienne, wo Martin v. Tours u. Victricius v. Rouen einen Teil erhielten (vgl. P. Courcelle, Fragments historiques de Paulin de Nole conservés par Grégoire de Tours: Mélanges L. Halphen [Paris 1951] 145/53). In Vienne diente eine den hll. Gervasius u. Protasius geweihte Kirche, die spätere Kathedrale St. Pierre, als Bischofskirche (Mâle 158). In Rouen ließ Victricius bei der Translationsfeier ein martyrium zu Ehren der hll. Gervasius u. Protasius in einer Vorstadt errichten u. ließ dorthin auch den hl. Mellon überführen (Mâle 279; Herval aO. 49/62). Im J. 396 deponierte er dort auch andere Reliquien, die ihm Ambrosius überlassen hatte. Bei dieser Gelegenheit hat wohl Victricius die Homilie ‚De laude sanctorum' gehalten (PL 20, 443/50). Reliquien dieser Heiligen spielten auch bei der Entstehung anderer benachbarter Bischofskirchen eine Rolle (Herval aO. 62). Eine Gemme aus Le Mans (Le Blant 24/7; DACL 6, 1, 849 nr. 227) zeigt Gervasius u. Protasius, wie sie die Stadttore von Le Mans behüten. In Martigny (Octodurus) errichtete Bischof Theodor gegen 381 eine Reliquienkapelle, wahrscheinlich für die Reliquien des hl. Mauritius u. seiner Gefährten, die wahrscheinlich aus Italien stammen (D. van Berchem, Le martyre de la légion thébaine [Basel 1956]; vgl. zum Ganzen Grabar 1, 40). – In Tours hingegen ließ erst Bischof Eustochius Mitte des 5. Jh. eine Basilika für die Reliquien der hll. Gervasius u. Protasius errichten, die nach Greg. Tur. hist. Franc. 10, 31 (MG Scr. rer. Mer. 1, 1, 527) schon der hl. Martin mitgebracht u. in einer zweifellos bescheideneren Kirche beigesetzt hatte. Im 5. Jh. wurden innerhalb der Stadtmauern mehr u. mehr ecclesiae civitatis errichtet, oft am Platze eines Tempels oder einer profanen heidnischen Basilika (vgl. F. W. Deichmann, Art. Christianisierung der Monumente: o. Bd.

2, 1237/41); der Bischof weihte diese Kirchen gern den Heiligen, deren Reliquien er besaß. In Narbonne baute Rusticus iJ. 455 in der Stadt eine Kirche, die er unter das Patronat des hl. Felix, des Märtyrers von Gerona, stellte (Greg. Tur. glor. mart. 1, 92); dies geschah iJ. 455 nach den zwei Fragmenten der Inschrift auf einem Türsturz (E. Espérandieu: CRAcInscr 1928, 191/5; Inscr. 2 nr. 604; ILCV 1806; DACL 12, 1, 847f). Diese Kirche ging der Kathedrale des hl. Justus voraus. Im J. 450 baute Bischof Namatius im castrum von Clermont eine Basilika mit zwei Apsiden für zwei italische Heilige, Agricola u. Vitalis, deren Reliquien er besaß, während seine Frau in einer Vorstadt eine andere Kirche für den hl. Stephanus errichten ließ (Greg. Tur. hist. Franc. 2, 16. 17 [MG Scr. rer. Mer. 1, 1, 64f]); die Überreste dieses Heiligen waren angeblich 415 in Palästina aufgefunden worden. In Lyon war schon 390 der Leib des Bischofs Justus, der sich zu den ägyptischen Eremiten zurückgezogen hatte u. bei ihnen gestorben war, in einer Basilika beigesetzt worden (Duchesne 2, 162). Eine Kathedral-Basilika weihte um 470 der Bischof Patiens (Sid. Apoll. ep. 2, 10, 44; 9, 3); die halbrunde Apsis dieser Basilika ist unter der heutigen Kathedrale St-Jean wieder aufgefunden worden (Ch. Perrat-W. Seston: RevÉtAnc 49 [1947] 139/59; Mâle 132). Um die gleiche Zeit vollendete auch in Tours Bischof Perpetuus die große Basilika, in die der Leib des hl. Martin übergeführt wurde (Greg. Tur. hist. Franc. 2, 14 [MG Scr. rer. Mer. 1, 1, 63f]; 10, 31 [ebd. 527f]; Mâle 138/52); der neue Bestattungsplatz des Heiligen wurde rasch ein berühmtes Pilgerziel.

3. Bischofskirche u. flaches Land. Die ecclesia civitatis hatte die Führung innerhalb des alten Stadtterritoriums in seiner gesamten Ausdehnung. Cn. 10 des Konzils von Orange vJ. 441 (CCL 148, 81) überließ dem Bischof die gubernatio aller lokalen Kirchen, die im Gebiet der civitas errichtet worden waren. Schon für 314 muß man aus cn. 18 des Konzils von Arles, der diacones urbici erwähnt, schließen, daß es auch Landdiakone gab. Die Kirchen der castra u. der großen Dörfer oder vici rückten manchmal zu Bischofssitzen auf, so das castrum von Argentovaria/Horbourg, das ein alter vicus bei Colmar war (F. Himly, Origine et destinée d'un évêché inconnu du Bas-Empire, Horbourg: AnnSocHistColmar 1950, 19/33). Ebenso ging es am Anfang des

5. Jh. mit den castra von Uzès u. von Carcassonne. In der Armorica wurden alte Bistümer durch den Zustrom britannischer Emigranten neu belebt (F. Merlet, La formation des diocèses et des paroisses: MémSocHistArch-Bretagne 30 [1950]). – Erste Ansätze von Landpfarreien, die generell erst im 6. Jh. entstehen (P. Imbart de la Tour, Les paroisses rurales du IVe au XIe s. [Paris 1900] 10. 14. 28; W. Seston: RevHistPhilRel 15 [1935] 243/54; E. Griffe, Les paroisses rurales de la Gaule: Maison-Dieu 36 [1953] 33/62), scheint es in zweierlei Formen gegeben zu haben: Einerseits gab es Kirchen, die durch den Bischof, der sie gegründet hatte, mit einem Patrozinium ausgestattet wurden (E. Lesne, Histoire de la propriété ecclésiastique en France aux époques romaines et mérovingiennes 1 [Paris 1910] 61; [sog. 2. Konzil v. Arles cn. 36 [CCL 148, 121]). In diese Kategorie gehören auch Gründungen Martins v. Tours (G. Huard: Rev-HistÉglFr 23 [1938] 5 ff; E. Griffe: BullLitt-Eccl 50 [1949] 229 ff). Andererseits gab es Oratorien u. Kapellen, die von Großgrundbesitzern errichtet worden waren; diese hatten nun ihrerseits das Bedürfnis, ihre Bauern christianisieren zu lassen (vgl. Prud. c. Symm. 2, 1005/11), wozu sie natürlich durch die Bischöfe ermuntert wurden (Conc. Illiber. cn. 40 [1, 2, 7 Bruns]). Es gab aber unter ihnen auch solche, die ihr Domizil in ein monasterium verwandeln wollten, um dort ein streng religiöses Leben zu führen. In dieser Lage waren Paulinus v. Nola in Langon (ep. 20,3) u. nach 400 Sulpicius Severus in Primuliacum (Paul. Nol. ep. 31. 32; vgl. H. Leclercq: DACL 14, 2, 1783/98); in der gleichen Lage war auch der ehemalige Präfekt Dardanus in Theopolis (vgl. F. Chatillon, Locus cui nomen est Theopolis [Gap 1943] 116/27; H. I. Marrou: Augustinus magister. Congrès int. augustin. 1 [Paris 1954] 101/10). – Die Christianisierung des flachen Landes vollzog sich aber langsam u. ungleichmäßig. Zweifellos war der Drang zum Apostolat beim hl. Martin nach der rühmenden Schilderung des Sulpicius Severus sehr ausgeprägt (E. Ch. Babut, St-Martin de Tours [Paris 1912] 207/36; H. Delehaye: AnalBoll 38 [1920] 5/136; J. Fontaine: Saint Martin de Tours et son temps = Stud. Anselm. 46 [Roma 1961] 189/236; ders., Vie de S. Martin 2 = SC 134 [1967] 713/806). Aber selbst Martin mußte sich auf einige in der Lugdunensis III angesiedelte monasteria u. deren Nachbarschaft beschränken u. auf

einige ‚Pfarreien' im Stadtgebiet von Tours selbst (Amboise u. Candes nach Sulp. Sev. dial. 3, 8 u. ep. 3); von diesen soll er nach Greg. Tur. hist. Franc. 10, 31 (MG Scr. rer. Mer. 1, 1, 527) sechs begründet haben: Langeais, Sacenay, Amboise, Chisseaux, Tournon u. Candes. Zu diesen Gründungen Martins kamen in der Folge noch hinzu: fünf Stiftungen seines Nachfolgers Bricius (Cléon, Brèches, Pont-de-Ruan, Bléré u. Chinon) u. vier andere des Bischofs Eustochius (Brizay, Yzeures, Loches u. Dolus). Martins Freund Victricius von Rouen hatte vielleicht mehr Erfolg in der Belgica II, wo es mehrere monasteria gibt (E. de Moreau: RevBPhilH 5 [1926] 71/9), u. in seiner eigenen Provinz Lugdunensis II, wo sich die neuen Bistümer Bayeux, Avranches, Evreux u. Exmes bildeten (Herval aO. 74. 79. 85. 92). Victricius war ein sehr tatkräftiger Bischof (E. Vacandard, S. Victrice [Paris 1903] 108/12. 123/5), der auch in enger Verbindung mit den Bischöfen der Bretagne stand, aber doch weniger Ansehen genoß als der hl. Martin. Er sandte Missionare bis zu den Morinern u. Nerviern (Paul. Nol. ep. 18, 4/9: iJ. 399). Ihre Arbeit soll vor allem im Morinerland, wo vielleicht Victricius selbst zu Hause war, erfolgreich gewesen sein (D. A. Stracke: Ons geestelijk erf 29 [1955] 204/21).

b. Überreste des Heidentums. Auf dem Lande hat das Heidentum sich weithin zäh behauptet (E. Vacandard: RevQuestHist 45 [1899] 429 ff; A. Dufourcq, Le christianisme des foules, étude sur la fin du paganisme populaire³ [Paris 1907]; Geffcken, Ausgang 181 ff; A. Grenier: RevHist 206 [1950] 28 f; J. Hubert: CRAcInscr 1967, 567/73). Die Bauern hielten nach wie vor an ihren Gottheiten u. ihren fana fest (vgl. Prud. c. Symm. 2, 1105/11). Infolge der Gesetze der Kaiser Gratian u. Theodosius gegen den Kult der Idole wurden die großen Tempel an den Quellen der Seine u. des Lenus Mars in Trier geschleift; aber die ländlichen Gottheiten behaupteten sich außerhalb des Stadtbereichs (J. Moreau, Rome et le christianisme dans la région rhénane [1963] 119 f). Das Mithräum von Mackwiller, das am Ende des 3. Jh. zerstört worden war, wurde durch ein Quellenheiligtum ersetzt (J. J. Hatt: CRAcInscr 1956, 409). Sulpicius Severus versichert (v. Mart. 13, 9), daß vor Martin nur ganz wenige Leute, eigentlich niemand, in diesen Gegenden den Namen Jesu aufgegriffen hatten. Er erzählt auch (ebd. 12/5), wie Martin mit der Energie

des ehemaligen Soldaten, der sich jetzt dem
Kriegsdienst Christi zugewandt hatte u. zur
Überzeugung gelangt war, daß in den Götzenbildern Satan steckte (vgl. J. Fontaine, Vie
de S. Martin 1 = SC 133 [1967] 143. 162), nun
auch zu Mirakeln seine Zuflucht nahm, um
die Bauern zu bekehren. So läßt er eine
Fichte, die nahe bei einem auf seinen Befehl
zerstörten fanum stand, in eine unerwartete
Richtung fallen (v. Mart. 13, 1/5); er legt ein
fanum in Asche u. bewirkt, daß die entstehenden Funken den Brand eines zweiten fanum
verursachen (ebd. 14, 1/3); eine himmlische
Heerschar hilft ihm, die Menge zurückzu-
schlagen, welche die Zerstörung eines anderen Heiligtums verhindern wollte (ebd. 14,
3/7); im Häduerlande lähmt eine übernatürliche Kraft die heidnischen Angreifer, die Martin töten wollten (ebd. 15, 1/3). Zur gleichen
Zeit stürzt Bischof Simplicius von Autun (2.
Hälfte des 4. Jh.) eine Statue der Kybele um
(hier heißt sie Berecinthia), die man durch die
Felder trug (Greg. Tur. glor. conf. 76 [MG
Scr. rer. Mer. 1, 2, 343 f]). Diese Art religiöser
Umzüge war so verbreitet, daß Martin einmal
irrigerweise einen Zug von Bauern, die einer
Leiche bei der Beerdigung folgten, für eine
Prozession ,dämonischer Götzenbilder' hält
u. den Zug wunderbar zum Stillstand bringt
(Sulp. Sev. v. Mart. 12, 1/5). Oft blieb die Bekehrung der Landbevölkerung oberflächlich;
daher mußte das Konzil von Valence vJ. 374
sich in cn. 3 (CCL 148, 39) mit dem Problem
der wieder in den Götzendienst zurückgefalle-
nen Christen befassen. Cn. 23 des angeblichen
2. Konzils von Arles (ebd. 119), wahrscheinlich im 5. Jh. redigiert, bekämpft energisch
die Verehrung von Bäumen, Steinen u. Quellen. Um 460/70 richtet Bischof Mamertus von
Vienne für die Tage vor dem Himmelfahrts-
fest das triduum der Rogationes ein, um die
alten Riten zu verdrängen, die Regen u. schönes Wetter erwirken sollten (Sid. Apoll. ep.
7, 1, 2/6; vgl. W. Pax, Art. Bittprozession:
o. Bd. 2, 425/9; vgl. auch Avit. hom. 6 [MG
AA 6, 2, 108/12]). Einige Zeit nach dem Konzil von Arles vJ. 452 verurteilten die beiden
Konzilien von Tours vJ. 567 u. Nantes vJ.
658 die Opfer, die man den heiligen Steinen,
Bäumen u. Quellen darbrachte. Man kann 19
gallische Konzilien aufzählen, die zwischen
dem Konzil von Orléans vJ. 511 u. dem von
Paris vJ. 829 canones gegen die heidnischen
Praktiken aufstellten, die im längst christianisierten Lande grassierten. Hier heißt es oft:

,si quis christianus erat'. – Caesarius (502/42),
der Bischof von Arles, hat in zahlreichen
Predigten das Heidentum mit bezeichnender
Zähigkeit u. Heftigkeit bekämpft; er lieferte
damit auch den späteren Predigern eine willkommene Liste der wichtigsten abergläubischen Übungen (vgl. CCL 104,1061 s.v. superstitiones u. R. Boese, Superstitiones Are-
latenses e Caesario collectae, Diss. Marburg
[1909]). Es sind die gleichen abergläubischen
Riten, die man bei Martin von Braga (um
570/80) in seiner Schrift ,De correctione rusti-
corum' (hrsg. von C. W. Barlow [New Haven
1950] 159/203) findet (zur Abhängigkeit Martins v. Braga von Caesarius vgl. Barlow aO.
164/200; vgl. auch S. McKenna, Paganism
and pagan survivals in Spain up to the fall of
wisigothic kingdom [Washington, D. C. 1938]
84/107; M. Meslin: Hommages M. Renard
[Bruxelles 1969] 512/24). Auch die in der Germania tätigen Missionare liefern mancherlei
wichtige Zeugnisse (eine Textsammlung bietet
W. Boudriot, Die altgermanische Religion in
der amtlichen kirchlichen Literatur des
Abendlandes [1928]; vgl. auch die Zeugnisse,
die J. Zwicker aus den passiones u. vitae der
Heiligen geschöpft hat). – All das beweist,
wie hartnäckig sich wichtige Elemente der
angestammten Religion in der Bevölkerung
erhalten haben: die Götter der gallischen
Trias mit dem Kult des Jupiter (Zwicker 253 f.
300), des Merkur (ebd. 245. 251. 257; im Text
S. 177 ist Merkur mit Mars verbunden) u.
des Apollo (ebd. 113. 259. 262 f). Dagegen ist
der Kult der röm. Juno u. der Minerva nicht
mehr anzutreffen; allerdings begegnet die
letztere als Patronin der Weber u. Färber
noch im 7. Jh. (A. Bertrand, La religion des
Gaulois [Paris 1897] Annexe II). Dagegen
finden Neptun u. Venus immer weniger Gläubige. Die Akten des Märtyrers Vincentius von
Agen erzählen vom martyrium des Heiligen,
das zweifellos schon im 4. Jh. erbaut wurde
(B. de Gaiffier, La passion de S. Vincent
d'Agen: AnalBoll 70 [1952] 160/81; Duchesne
2, 141). Diese Kapelle soll über einem fanum
gelegen haben, das sich auf einem Hügel befand. Von oben sei das flammende Rad des
Taranis ins Tal gerollt u. wieder an seinen
ursprünglichen Platz zurückgekehrt (vgl.
Zwicker 362; zu Taranis vgl. E. Heichelheim: PW 4, 2 [1901] 2274/84). Gregor v.
Tours erwähnt den in Clermont stehenden
Tempel des Keltengottes Vasso Galate, den
man mit Merkur identifizieren darf (hist.

Franc. 1, 32 [MG Scr. rer. Mer. 1, 1, 24f];
Zwicker 306; P. F. Fournier: Gallia 23 [1965]
103/50). In der Vita des hl. Hilarius erwähnt
Gregor auch die Opfergaben, die die gallischen Bauern in den See von St-Andéol warfen
(glor. conf. 2 [MG Scr. rer. Mer. 1, 2, 299f]).
Der Gott in Hirschgestalt lebte in den Wett-
läufen u. Tänzen der als Hirsche verkleideten
Bauern weiter. Diese Maskerade, das facere
cervulum, fand an den Januarkalenden statt
(Caes. Arel. s. 192, 2; 193, 1. 2 [CCL 104];
vgl. Pirminius scaraps. 22 [221, 29 Zwicker];
vgl. auch McKenna aO. 47; H. Wagenvoort,
Keltische Oudejaarsmaskerades, Rektoratsre-
de Utrecht [Utrecht 1949] 9/14). Um das Ende
des 8. Jh. war der ‚Indiculus superstitionum
et paganarum‘ im Cod. Vat. Lat. 577 (L.
Machielsen, De Indiculus superstitionum:
Leuvense bijdrager 51 [1962] 129f; H. Ho-
mann, Der Indiculus superstitionum et paganarum u. verwandte Denkmäler, Diss.
Göttingen [1965] 21/142) für die Missionare
der westlichen Germania bestimmt; er zählt
dreißig heidnische Praktiken auf, die schon
von Caesarius u. den gallischen Konzilien angeführt u. verurteilt worden waren. Es handelt sich hier um Feste u. Opfer zu Ehren
eines Jupiter u. eines Mercurius, hinter denen
sich aber wohl Donar u. Odin verbergen.
Außerdem nennt er verschiedene Übungen
des bäuerlichen Kultes, Opfer u. fana für
die Genien des Waldes, die Steine u. Quellen,
Mahlzeiten, Tänze u. Rufe, welche die Riten
des Totenkultes begleiteten oder zu ehemaligen Festen gehörten (so erscheinen zB. die
Spurcalia des Februar) oder auch in christlichen Feiern sich wieder eingenistet hatten.
Schließlich werden im Indiculus auch genannt
die Magie mit ihren diabolicae incantationes,
sortilegia u. Wetterbeschwörungen, aber auch
alle Arten von divinatio (vgl. P. Courcelle,
Art. Divinatio: o.Bd. 3, 1235/51). – Dieses
bodenständige u. bäuerliche Heidentum war
viel lebenskräftiger als das Heidentum der
aristokratischen u. gebildeten Kreise (vgl.
Geffcken, Ausg. 186; K. F. Stroheker, Der
senatorische Adel im spätantiken G. [1948]
nr. 18. 160. 250. 318). Es behauptete sich vor
allem in Kreisen, die sich einem heidnischen
Mystizismus zugewandt hatten (J. Moreau,
Das Trierer Kornmarktmosaik [1960] 13/26;
dazu vgl. H. Brandenburg: JbAC 7 [1964]
149/55). Zu beachten ist, daß die meisten
gallischen Bischöfe des 4. u. 5. Jh. aus Sena-
torenfamilien stammten.

c. Mönchtum. Das Mönchtum tritt in G. wie
im ganzen Westen verhältnismäßig spät auf
(R. Lorenz, Die Anfänge des abendländischen
Mönchtums im 4. Jh.: ZKG 77 [1966] 1/61)
u. fast immer unter dem Einfluß des östlichen Christentums. Der Aufenthalt des hl.
Athanasius in Trier u. mehr wohl noch seine
Lebensbeschreibung des hl. Antonius, um 357
geschrieben, vermittelten die Kenntnis des
Lebens der ägypt. Mönche u. riefen Bewunderung dafür hervor. Etwas später wurden
die Beziehungen zwischen Ambrosius, Hieronymus, der sich nach Palästina zurückzog
u. dort die Biographien der Asketen Paulus
u. Hilarion abfaßte, u. ihren gallischen Freunden wichtig für die Verbreitung des Mönchs-
ideals. Dazu trugen auch Besuche in Ägypten
u. Palästina bei. Als oriental. Kleriker nach
G. kamen, war das der Anstoß, erste Versuche monastischen Lebens zu wagen. Die
servi Dei verließen die ‚Welt‘, um fortan
allein oder in kleinen Gruppen zu leben. Ein
Freund des hl. Augustinus, Pontinianus, erzählt (vgl. conf. 8, 6, 15), wie in der Nähe von
Trier gegen 380 zwei junge agentes in rebus
auf eine Einsiedelei stießen, wo man die Lebensbeschreibung des hl. Antonius las. Zwischen 394 u. 399 zog sich Sulpicius Severus,
nachdem er Witwer geworden war u. seinen
Besitz verkauft hatte, auf sein Landgut bei
Primuliacum zurück, begleitet von seiner
Schwiegermutter Bassula u. seinen Dienern.
Hier empfing er viele Freunde u. schrieb eine
Biographie seines Vorbilds, des hl. Martin.
Dies Buch hatte großen Erfolg, in G. u. auch
in anderen Ländern (J. Fontaine, Vie de
Saint Martin 1 = SC 133 [1967] 17/48; 2,
894). – Die früheste monastische Siedlung
hatte Martin um 359/60 in Ligugé begründet
(R. Thouvenot: Akten VII int. Kongr. Christl.
Archäol. Trier [1965] 739/44). Dabei war der
hl. Hilarius hilfreich, der damals aus dem
Osten zurückkam. Als Martin 371 Bischof
von Tours geworden war, gründete er in der
Nähe der Stadt ein weiteres Mönchskloster,
das später den Namen Marmoutier erhielt.
Es war ein Kloster wie Ligugé, aber zugleich
ein Seminar zur Vorbereitung zukünftiger
Seelsorger (für Ligugé s. Sulp. Sev. v. Mart.
7; Fortunat. v. Hilarii 1, 12; Greg. Tur. virt.
s. Martini 4, 30 [MG Scr. rer. Mer. 1, 2, 207];
vgl. Griffe 1, 205. 278; ders.: S. Martin de
Tours et son temps [Roma 1961] 3ff; Fontaine
aO. 1, 153/69). Nach Sulp. Sev. (ep. 3, 17)
hätten seiner Bestattung iJ. 397 schon 2000

Mönche beigewohnt. Andere Bischöfe ahmten Martins Beispiel nach, so Victricius von Rouen, der sich 396 beim Empfang eines Reliquientransports von einer caterva monachorum begleiten ließ (Victric. laud. sanct. 3 [PL 20, 445]). Bei Schilderung dieses festlichen Ereignisses erwähnt Victricius auch den Chor der Jungfrauen u. die multitudo continentium et viduarum. Daß es auch schon um den hl. Martin einen ordo von Jungfrauen u. Witwen gab, erwähnt Sulp. Sev. v. Mart. 19; dial. 2, 8, 11. 12. – Um 410 gründete Honoratus bei seiner Rückkehr aus dem Orient ein Kloster auf einer der Inseln von Lérins, bald danach gefolgt von Eucherius, der sich um 420 mit seiner Familie auf einer Nachbarinsel, Ste-Marguerite, niederließ. Die Regel, die später von der des Joh. Cassianus von St. Victor beeinflußt wurde, drängte vor allem auf die Askese (vgl. P. Keseling, Art. Askese: o. Bd. 1, 789/91; L. Alliez, Histoire du monastère de Lérins 1 [Paris 1862]; A. Cooper-Marsdin, History of islands of Lérins [Cambridge 1913]; Chadwick 146/69; Riché 141/5; P. Courcelle: RevÉtLat 46 [1969] 379/409). Johannes Cassianus, nach Gennad. vir. ill. 61 ,natione Scytha', also vielleicht aus Kleinskythien stammend, war von Johannes Chrysostomos zum Diakon geweiht worden, hatte sich länger in Ägypten aufgehalten u. war dann bald nach 415 zusammen mit Bischof Lazarus von Aix, der von Palästina zurückkam, in Marseille an Land gegangen. Lazarus machte ihn mit Bischof Proculus von Marseille, einem Freund des hl. Martin u. gleichfalls Antifelicianer, bekannt. Proculus erlaubte ihm, bei dem martyrium des Lacydon ein dem hl. Victor geweihtes Kloster zu gründen (vgl. F. Benoit: CRAcInscr 1966, 121/5). Von hier ist ein starker Einfluß ausgegangen (L. Cristiani, Cassien [St-Wandrille 1946]; O. Chadwick, John Cassian. A study in primitive monasticism [Cambridge 1950]; M. Olphé-Gaillard, Art. Cassien: DictSpir 2 [1953] 214/76; H. I. Marrou: OrChristPer 18 [1947] 588/96; ders.: Provence-Hist 16, 65 [1966] 297/308). Die Regel Cassians kennt man nur indirekt, nämlich durch die Andeutungen in seinen zwölf Büchern ,De institutis coenobiorum', die er um 420/424 Castor von Apt, dem Gründer eines Klosters in Menerbes, widmete (SC 109 [1965]), u. in seinen ,Collationes patrum' (SC 42. 54. 64 [1955. 1958. 1959]); von diesen Konferenzen widmete er die zehn ersten vor 426 dem Bischof von Fréjus, die folgenden sieben vor 428 Honoratus u. Eucherius von Lérins, die letzten sieben vor 430 den dortigen Mönchen. Die Mönchsregel Joh. Cassians verband Eremitentum u. Zönobitentum, indem sie die Mönche in Einzelzellen leben, aber am Gottesdienst gemeinsam teilnehmen ließ; diese Art des Klosterlebens war also gleichzeitig dem strengen Asketentum der Wüste wie dem milderen des Evagrius Ponticus verpflichtet (vgl. P. Courcelle, Les lettres grecques en Occident[2] [Paris 1948] 215; A. u. C. Guillaumont, Art. Evagrius: o. Bd. 6, 1088/107). – Lérins u. St. Victor waren trotz der theologischen Bedeutung, die den Schriften Cassians u. des nach 430 wirkenden Priesters Vincentius von Lérins (sein ,Commonitorium', hrsg. von M. Meslin [Namur 1959]) innewohnte, weniger Zentren der Kultur als Schulen der Frömmigkeit, die durch den sozialen Rang vieler gallischer Christen senatorischer Abstammung, die sich dorthin zurückgezogen hatten, u. durch die hervorragenden Bischöfe, die von hier aus dem Lande gestellt wurden, einen besonderen Glanz gewannen. St. Victor formte Venerius von Marseille, den Nachfolger des Proculus, Rusticus von Narbonne u. Eutropius von Orange. Lérins schenkte Arles einen Honoratus u. Hilarius, Riez einen Maximus u. Faustus, Lyon einen Eucherius, Troyes einen Lupus. Papst Coelestin konnte gegen das J. 428 sagen, Lérins sei ,eine neue Bildungsanstalt, aus der man die Bischöfe holt' (Jaffé 369). Männer wie sie gaben den Anstoß dazu, daß die klösterlichen Zentren bei den Bischofssitzen Niederlassungen schufen mit dem Ergebnis, daß nach 475 die Klöster sich so stark vermehrten, daß ihre Zahl sich am Beginn des 6. Jh. verzehnfacht hatte (Courtois 47/72). Bezeichnend ist, daß die gallischen Konzilien von Angers vJ. 453 (CCL 148, 137f), Vannes vJ. 465 (cn. 6 [CCL 148, 153]) u. Agde vJ. 506 (CCL 148, 192/212) die ersten im Westen sind, die sich mit den Mönchen befassen.

VI. Lage des gallischen Christentums um 475. Die Zustände während des Untergangs des westlichen Imperiums u. am Vorabend des fränkischen Königreichs verraten, welch eine Umwälzung die Einfälle der *Barbaren des 5. Jh. herbeigeführt haben (vgl. J. Fischer, Die Völkerwanderung im Urteil der zeitgenössischen kirchl. Schriftsteller G. [1948]; P. Courcelle, Histoire littéraire des grandes invasions germaniques[3] [Paris 1964]). Salvian, der nach

Marseille geflohen war u. um 440 seine Schrift
,de gubernatione Dei' abfaßte (CSEL 8; vorzügliche Einführung u. deutsche Übersetzung von A. Mayer = BKV² 11 [1935]),
zeigte den Gallo-Römern, daß Gott sie wegen
ihrer Sünden gezüchtigt habe (R. Thouvenot:
MélArch 38 [1920] 145/63; A. Schäfer, Römer
u. Germanen bei Salvian [1930]; M. Pellegrino,
Salviano di Marsiglia [Roma 1940]; F. Pa-
schoud, Roma aeterna. Études sur le patriotis-
me romain dans l'Occident latin = Bibl.
Helvet. Rom. 7 [Roma 1967] 293/310).

a. Verfall der Kirchen. Die bischöflichen u.
nichtbischöflichen Kirchen waren im ausgehenden 5. Jh. weniger zahlreich als zur Zeit
der Abfassung der Notitia Galliarum (vor
450). Im nördlichen G. waren die von Victricius von Rouen (gest. vor 409) gegründeten
paroeciae weggefegt. Nach Ausweis der Lük-
ken in den Bischofslisten (Duchesne 3, 10/5;
E. de Moreau, Histoire de l'église en Belgique
des origines au début du XIIᶜ s. 1² [Bruxelles
1940] 49/51) erloschen die Bischofssitze Tournai, Cambrai, Bavai u. Thérouanne bis zum
Anfang des 6. Jh. Der durch Bischof Remigius
von Reims nach Arras entsandte Bischof fand
diese Stadt unbewohnt (Duchesne 3, 13). Der
Bischofssitz von Tongeren, dessen Inhaber
450 durch die Hunnen umgebracht wurde,
wohl nicht aber schon 407 durch die Barbaren
(G. Kurth: AnalBoll 16 [1897] 167 ff), war
nach Maastricht ausgewichen. Beim Konzil
von Orléans vJ. 511 war die Belgica II nur
noch durch die vier Bischöfe des Vermandois
(St-Quentin), von Soissons, Amiens u. Senlis
vertreten (CCL 148 A, 13). Die Bischöfe von
Straßburg, Speyer u. Worms erscheinen erst
wieder beim Konzil von Paris vJ. 614
(Duchesne 3, 17 f; ebd. 282). Köln u. Mainz
hatten erst in der Zeit des Venantius Fortunatus (gest. 601) wieder einen Bischof. In Köln
wurden christl. Inschriften des Emeterius
u. des Valentinianus gefunden (Neuß-Oediger
94. 96; P. Clemen: Kunstdenkmäler der
Rheinprovinz 6 [1906] 224); beide müssen
gegen Ende des 4. Jh. entstanden sein. Wenig
vor 440 war Köln ,hostibus plena' (Salv. gub.
D. 5, 39) u. wohl nahe daran, Hauptstadt der
ripuarischen Franken zu werden. Aber in der
Reihe der christl. Gräber scheint bis zum 6.
Jh. keine Unterbrechung eingetreten zu sein
(F. Fremersdorf, Römische u. fränkische
Gräber bei der Severinskirche: BonnJbb 138
[1933] 79 ff). Trier wurde seit dem 4. Jh.
viermal belagert; sein Bischof Severus soll

um 450 den Barbaren der Germania I das
Evangelium verkündet haben (v. Lupi 11
[MG Scr. rer. Mer. 7, 302]). Nach der gleichen
Quelle (301) sollen die Plünderungen der Alamannen sich bis in die civitas von Troyes erstreckt haben. Der spätere Trierer Bischof
Jamblichus soll sowohl Zeitgenosse des röm.
comes Arbogast, des heidn. Franken, der sich
394 das Leben nahm, wie des Sidonius Apollinaris (gest. 479 in westgotischer Gefangenschaft) gewesen sein (vgl. Sid. Apoll. ep. 4,
17). Viele Kirchen in Trier, darunter auch
die Kathedrale, bestanden daher in der fränkischen Zeit weiter (E. Ewig, Trier im Mero-
wingerreich. Civitas, Stadt, Bistum [1954];
K. Böhner, Die fränkischen Altertümer des
Trierer Landes [1958] 285/90). Bei den Helvetiern ging der Bischof von Nyon mit seiner
Stadt zugrunde; diese wurde durch die Alamannen zerstört (Duchesne 2, 23). Der Bischofssitz der civitas equestrium wurde später nach Belley verlegt. – Im südlichen G. zog
sich der Bischof von Alba Augusta (Alba) nach
Viviers zurück, entweder nach der Invasion
des J. 407 (vgl. É. Demougeot: AnnMidi 74
[1962] 24/6) oder am Ende des 5. Jh. (Griffe
2, 104), als auch der Bischof von Carpentras
nach Venasque flüchtete. Die Unsicherheit
des Lebens u. natürlich besonders die von den
arianischen Barbarenherrschern, den westgotischen wie den burgundischen, eingeleitete
Verfolgung führte, trotz der späteren Toleranz
Alarichs II (484/502) u. Gundobalds, zu längerer Vakanz vieler Bistümer. Sidonius Apollinaris beschreibt iJ. 474 in einem Brief an
Basilius von Aix (ep. 7, 6) den traurigen Zustand des Gottesdienstes in den Kirchen auf
dem Lande wie in den Städten; er berichtet,
daß die Bischöfe von Bordeaux, Périgueux,
Rodez, Limoges, Mende, Eauze, Bazas u.
Auch keine Nachfolger erhielten u. daß
schließlich auch Simplicius von Bourges u.
Bischof Crocus, dessen Bistum unbekannt ist,
vertrieben worden sind. Auch Sidonius Apollinaris selbst mußte schließlich seinen Amtssitz Clermont verlassen; er wurde nach Livia
in den Pyrenäen verbannt. Die Burgunder
hatten schon 470 Lyon besetzt u. um 483
den Bischof von Langres vertrieben (Greg.
Tur. hist. Franc. 2, 23 [MG Scr. rer. Mer. 1, 1,
68 f]). Im J. 477 nahm der Westgotenkönig
Eurich Arles u. Marseille ein; gleichzeitig
schickte er eine Reihe von Bischöfen der
Narbonensis ins Exil, so Faustus von Riez,
obwohl dieser seinen Gläubigen empfohlen

hatte, keinen Widerstand zu leisten (Griffe
2, 68/70). Am Anfang des 6. Jh. unterhielt
Bischof Caesarius von Arles Beziehungen zu
Westgoten, Ostgoten u. Burgundern (vgl. G.
Bardy: RevHistÉglFr 33 [1947] 241/56). – Als
die gallischen Bischöfe Anfang des 6. Jh. von
neuem zusammenkamen, mußte dies in drei
fremden Königreichen geschehen, dem westgotischen, fränkischen u. burgundischen; es
waren die Konzilien von Agde vJ. 506 (CCL
148, 192/212), Orléans vJ. 511 (ebd. 148 A,
4/12) u. Epaone (St-Romain-d'Albon) vJ. 517
(ebd. 22/37).

b. Christliche Kultur. Daß die christl. Kultur
in G. verfiel, lag stärker am Niedergang der
klassischen Welt überhaupt als an der Niederlassung oder gar Tyrannei der barbarischen
Herrscher u. an der Zerschneidung der Kontakte mit den östlichen Zentren, wo die Arbeit der Kirchenväter des 4. Jh. weiter fortgesetzt wurde. Im südlichen G. konnten sich
römische Kultur u. Erziehung immerhin noch
bis ins 5. Jh. behaupten (Riché 71/5. 121/3;
Haarhoff). Die Klöster wie Lérins, die in
erster Linie Zentren des geistlichen Lebens
waren, hatten noch keine spezifisch christl.
Kultur entwickelt, welche in der neuen Situation die profane Kultur des westlichen Imperiums hätte ablösen können, zumal die
letztere zuletzt mehr u. mehr auf das bloß
Formale ausgerichtet u. dem Inhalt nach
stark abgesunken war (Riché 126/46). Weil
das gebildete Publikum abnahm u. neben
diesem bloß die barbarischen oder, grob gesprochen, häretischen Eindringlinge existier-
ten, konzentrierten sich die Bischöfe auf die
Bekämpfung des Heidentums des einfachen
Volkes. – Trotzdem waren die Überbleibsel
der klassischen Kultur auch am Anfang des
6. Jh. noch stark genug, um der Differenzierung zwischen einem röm. Süd-G. einerseits
u. einem barbarischen Nord-G. andererseits
weitere Geltung zu verschaffen (Riché 220/
91). Im 6. Jh. vermehrten sich die klösterlichen Zentren im Norden viel stärker als
im Süden. Unter den 200 Klöstern, die man
in einer allerdings nicht vollständigen Liste
aufgezählt hat (J. M. Besse, Les moines de
l'ancienne France. Période gallo-rom. et mé-
roving. [Paris 1906] 269/81; Courtois 52), liegt
der größte Teil in Austrien u. Neustrien (vgl.
die Karte bei J. Hubert, L'art préromaine
[Paris 1938] 174 Abb. 190). Sie alle vernach-
lässigten noch mehr als Lérins die theologische Wissenschaft; sie dienten vor allem als

Zufluchtsstätten für die Verächter u. Opfer
der Leiden dieser Zeit (G. Bardy, L'église et
les derniers Romains [Paris 1947] 217 ff; J. R.
Palanque: RevHistÉglFr 38 [1952] 62 f).

c. Bildung einer gallischen Liturgie. Im J. 754
führte der fränkische König Pippin in seinem
Reich die stadtröm. Liturgie ein. Damit war
über die alte gallische (,gallikanische') Liturgie das Todesurteil verhängt. Über diese besitzen wir glücklicherweise einige Nachrichten. Neben dem Missale Gothicum, dem Missale Gallicanum vetus u. dem Missale von
Bobbio sind vor allem wichtig zwei in Autun
handschriftlich erhaltene ‚Briefe', die lange
dem Bischof Germanus v. Paris zugeschrieben wurden, aber in Wirklichkeit wohl nur
Notizen eines Unbekannten für ein gallisches
Konzil sind (A. Wilmart, Art. Germain de
Paris: DACL 6, 1 [1924] 1049/102). Sie zeigen deutlich, daß die altgallische Liturgie stärker als die römische von der Gottesdienstordnung des Ostens beeinflußt war. L. Duchesne,
Origines du culte chrétien[5] (Paris 1925) 32/42.
200/40 war geneigt, diese oriental. Elemente
nicht auf den engen, direkten Kontakt zwischen Lyon u. dem Orient zurückzuführen,
sondern auf die intensiven Beziehungen der
Mailänder Kirche zum Ostreich; Mailand habe im ganzen Westen besonderes Ansehen
genossen. Das Problem ist vorläufig nicht zu
lösen. J. A. Jungmann, Missarum sollemnia 1[5]
(1962) C2 glaubt folgende Charakterzüge der
gallischen Liturgie feststellen zu können: Neigung zu Glanz u. Feierlichkeit, eine wortreiche, oft die Form sprengende sprachliche
Formulierung, Reflexe der durch den Arianismus hervorgerufenen christologischen Diskussion; vgl. auch E. Griffe, Aux origines de la liturgie gallicane: BullLittEccl 52 (1951) 17/43.
Wir wissen von einigen gallischen Klerikern,
daß sie sich um die Sammlung u. Kodifizierung
liturgischer Texte bemüht haben: Musaeus von
Marseille, Claudianus Mamertus von Vienne
u. Sidonius Apollinaris v. Clermont. Alle drei
gehören dem 5. Jh. an. Von ihren liturgischen
Büchern ist nichts erhalten (vgl. C. Vogel,
Introduction aux sources de l'histoire du
culte chrétien au moyen âge [Spoleto oJ.
(um 1965)] 25 f). Bemerkenswert ist, daß alle
drei dem südwestlichen G. angehören; dieses
scheint also auch noch im 5. Jh. im kirchlichen Leben tonangebend gewesen zu sein.
Einen nützlichen, wenn auch weitgehend als
hypothetisch anzusehenden Versuch, eine Liste der Reste der altgallischen Liturgie zusam-

menzustellen, machte K. Gamber, Codices liturgici latini antiquiores² (1968) 56/66. 153/86. 190/3. Hier ist auch die Literatur fast vollständig verzeichnet. Zusammenfassende Darstellung der Besonderheiten der altgallischen Liturgie bei K. Gamber, Liturgie übermorgen (1966) 131/7.

A. BLANCHET, Les enceintes romaines de la Gaule. Études sur l'origine d'un grand nombre de villes françaises (Paris 1907). – M. L. B. BLOCH, Les caractères originaux de l'histoire rurale française (Anvers 1931). – O. BROGAN, Roman Gaul (London 1953). – N. K. CHADWICK, Poetry and letters in early christian Gaul (London 1955). – C. COURTOIS, L'évolution du monachisme en Gaule de St. Martin à St. Colomban: Il monachesimo nell'alto medioevo e la formazione della civiltà occidentale = Settimane di studio del centro italiano di studi sull'alto medioevo 4 (1957) 47/72. – F. CUMONT, Recherches sur le symbolisme funéraire des Romains (Paris 1942). – J. DÉCHELETTE, Les vases céramiques ornés de la Gaule romaine 1/2 (Paris 1904). – E. DESJARDINS, Géographie historique et administrative de la Gaule romaine 1/4 (Paris 1876/93). – O. DOPPELFELD, Römer am Rhein. Kat. der Ausstellung des Röm.-German. Mus. Köln³ (1967). – L. DUCHESNE, Fastes épiscopaux de l'ancienne Gaule 1/3 (Paris 1899/1915). – P.-M. DUVAL, La vie quotidienne en Gaule pendant la paix romaine (Paris 1953); Chronique gallo-romaine: RevÉt-Anc 55ff (1953ff); Les dieux de la Gaule (Paris 1957). – É. ESPÉRANDIEU, Recueil général des bas-reliefs, statues et bustes de la Gaule romaine 1/11 (Paris 1907/34 bzw. 1965/66); Suppl. 1/4, hrsg. von R. LANTIER (Paris 1938/65); Inscriptions latines de Gaule: Narbonnaise 1/2 (Paris 1929). – E. ÉTIENNE, Bordeaux antique (Bordeaux 1962). – E. EWIG, Beobachtungen zu den Bischofslisten der merowingischen Konzilien u. Bischofsprivilegien: Festschrift F. Petri (1970) 171/93. – N. D. FUSTEL DE COULANGES, Histoire des institutions politiques de l'ancienne France⁵ (Paris 1922). – A. GRABAR, Martyrium. Recherches sur le culte des reliques et l'art chrétien antique 1/2 (Paris 1946) Reg. s. v. Gaule. – A. GRENIER, La Gaule romaine: T. FRANK, An economic survey of ancient Rome 3 (Baltimore 1937) 381/643; Les Gaulois (Paris 1945); Manuel d'archéologie gallo-romaine 1/4 (Paris 1931/34/58/60). – E. GRIFFE, La Gaule chrétienne à l'époque romaine 1/2² (Paris 1964/66), 3 (Paris 1965). – TH. HAARHOFF, School of Gaul. A study of pagan and christian education in the last century of the Western Empire² (Oxford 1958). – L. HARMAND, L'occident romain, Gaule, Espagne, Bretagne, Afrique du Nord 31 av. – 235 apr. J. C. (Paris 1960). – J. J. HATT, Histoire de la Gaule romaine, 120 av. – 451 apr.

J. C. Colonisation ou colonialisme ?² (Paris 1966). – H. HUBERT, Les Celtes 1/2 = L'évolution de l'humanité 21 (Paris 1950). – C. JULLIAN, Histoire de la Gaule 1/8 (Paris 1908/26). – R. KRAUTHEIMER, Early christian and byzantine architecture (Harmondworth 1965). – G. LANGGÄRTNER, Die Gallienpolitik der Päpste im 5. u. 6. Jh. = Theophaneia 16 (1964). – R. LANTIER, La religion celtique = Histoire générale des religions 1 (Paris 1948). – E. LE BLANT, Inscriptions chrétiennes de la Gaule antérieures au VIIIᶜ s. 1/2 (Paris 1856/65); ErgBd: Nouveau recueil (Paris 1892). – F. LOT, La Gaule. Recherches sur la population et la superficie des cités remontant à la période gallo-romaine 1/3 = Bibl. École Hautes Études 287 (Paris 1945); 296 (Paris 1950); 301 (Paris 1953). – E. MÂLE, La fin du paganisme en Gaule et les plus anciennes basiliques chrétiennes (Paris 1950). – W. MEYERS, L'administration de la province romaine de Belgique = Diss. Arch. Gandenses 8 (Bruges 1964). – J. MOREAU, Die Welt der Kelten (1958). – H. NESSELHAUF, Die spätröm. Verwaltung der gallisch-german. Länder (1938). – W. NEUSS - F. W. OEDIGER, Geschichte des Erzbistums Köln 1. Das Bistum Köln von den Anfängen bis zum Ende des 12. Jh. (1964). – O. NUSSBAUM, Der Standort des Liturgen am christl. Altar = Theophaneia 18 (1965) 1, 305/60; 2, 156/83. – H.-G. PFLAUM, Les procurateurs équestres sous le Haut-Empire (Paris 1950); Les carrières procuratoriennes équestres sous le Haut-Empire romain 1/3 (Paris 1960/61). – T. G. E. POWELL, The Celts = Ancient peoples and places 6 (London 1958). – J. PRIEUR, La province romaine des Alpes cottiennes (Lyon 1969). – P. RICHÉ, Éducation et culture dans l'occident barbare, VIᶜ/VIIIᶜ s. (Paris 1962). – M. ROSTOVTZEFF, The social and economic history of the Roman Empire (Oxford 1926) Reg. s. v. Gaul. – W. SESTON, Dioclétien 1 (Paris 1946). – F. STÄHELIN, Die Schweiz in römischer Zeit² (Basel 1948). – E. STEIN, Beiträge zur Verwaltungs- u. Heeresgeschichte von Gallien u. Germanien 1 (1932). – E. STEIN-J. R. PALANQUE, Histoire du Bas-Empire 1. De l'état romain à l'état byzantin (284–476) (Paris 1959). – J. TOUTAIN, Les cultes païens dans l'Empire romain 3 (Paris 1920). – J. VENDRYES, La religion des Celtes: Mana. Introduction à l'histoire des religions 2, 3 (Paris 1948) 239/320. – J. DE VRIES, Kelten u. Germanen = Bibl. Germ. 9 (1960); Keltische Religion = Die Religionen der Menschheit 18 (1961). – L. C. WEST, Roman Gaul. The objects of trade (Oxford 1935). – W. L. WESTERMANN, The slave systems of Greek and Roman antiquity = MemAmPhilosSoc 40 (Philadelphia 1955) 120. 139. 142 u. ö. – F. WIELAND, Altar u. Altargrab in den christl. Kirchen im 4. Jh. (1912). – P. WUILLEUMIER, L'administration de la Lyonnaise sous le Haut-Empire

(Paris 1949); Lyon, métropole des Gaules (Paris 1953); Inscriptions latines des Trois Gaules = Gallia Suppl. 17 (Paris 1963). – J. Zwicker, Fontes historiae religionis celticae (Berlin 1934/6).

É. Demougeot (Übers. H.-J. Horn/Th. Klauser).

Gallia II (literaturgeschichtlich).

A. Allgemeines 927. I. Sprachen in G. außer Griechisch u. Lateinisch 928. II. Literarisch bedeutsame Städte 930.
B. Nichtchristlich. I. Griechen. a. Literatur über G. 932. b. Massilia 933. c. Das übrige G. 935. – II. Römer. a. Literatur über G. 936. b. Gallische Schriftsteller. 1. Erstes Jahrhundert vC. bis drittes Jahrhundert nC. 938. 2. Viertes Jahrhundert nC. 940.
C. Christlich. I. Griechen u. griechische Sprachkenntnisse lateinischer Autoren 944. – II. Römer. a. Literarisch bedeutsame Städte u. Landschaften 945. b. Beziehungen von Galliern zu nichtgallischen Schriftstellern 948. c. Der Bestand der Literatur in G. 950. d. Die Schriftsteller 953. 1. Dichter des 4. Jh. 953. 2. Prosaschriftsteller des 4. Jh. 953. 3. Dichter des 5. Jh. 954. 4. Prosaschriftsteller des 5. Jh 955. 5. Dichter des 6. Jh. 958. 6. Prosaschriftsteller des 6. Jh. 958. 7. Schriftsteller des 7. Jh. 960. e. Fälschungen 961.

A. Allgemeines. Mit G. ist hier wie im voraufgehenden Artikel G. I die G. comata gemeint, einschließlich der G. Narbonensis, der G. Belgica u. der Gebiete westlich des Rheins (Germania superior u. inferior). Ausgeschlossen ist die G. cisalpina, auch G. togata genannt (zur transpadana [zu ergänzen ist regio oder Italia, nicht G.] s. H. Philipp: PW 6 A 2 [1937] 2176/8). – G. gehört zu den wenigen Ländern des westlichen röm. Imperiums, in denen die antike Kultur trotz großer Verluste u. Störungen (besonders während des 3. u. des 7. Jh.) verhältnismäßig gradlinig in die Kultur des Mittelalters (Karolingische Renaissance) eingemündet ist. ‚Die Brücke zwischen Rom u. der mittelalterlichen Welt ist G.' (Ch. Dawson, Die Gestaltung des Abendlandes, deutsche Ausgabe [1935 bzw. 1950] 102 bzw. 100; vgl. K. F. Stroheker, Um die Grenze zwischen Antike u. abendländischem Mittelalter: Saeculum 1 [1950] 458 f u. Norden, Kunstprosa 2, 631 f). – Von den Werken der in G. geborenen heidn. Schriftsteller u. jener Autoren, die dort längere Zeit lebten, sind, abgesehen von einigen Ausnahmen, nur Fragmente u. spärliche Nachrichten erhalten. Auch sind die meisten antiken Berichte über G. untergegangen. Besonders arm an Nachrichten ist das 3. Jh. So läßt sich vom literarischen Leben in G. bis zum Jahre 300 nC. nur ein unzureichendes Bild entwerfen. Seit dieser Zeit fließen die Quellen reichlicher, besonders für die christl. Literatur. Die heidn. gallischen Schriftsteller können einen Vergleich mit den zeitgenössischen spanischen nicht aushalten. Mit Recht be-

merkt Hirschfeld 124: ‚Kein bedeutender Schriftsteller ist in den ersten drei Jahrhunderten der Kaiserzeit aus diesem Lande ... hervorgegangen ...'. Die christl. Literatur überflügelte bereits im 4. Jh. die heidn. u. übertrifft an Zahl der Autorennamen u. der Werke alle übrigen lateinisch sprechenden Provinzen. Die Gebildeten des 4. bis 7. Jh. zählten weitgehend zum ordo senatorius. Die Bischöfe dieser Zeit, von denen die Mehrzahl auch literarisch tätig war, entstammten in der Regel senatorischen Familien u. gehörten damit der reichen Oberschicht an (vgl. die im folgenden aufgeführten Namen, bei denen auf die Prosopographie von Stroheker verwiesen ist). In dieser adeligen Gesellschaft lebten während des 4. u. 5. Jh. vielfach Heiden, Halbchristen u. Christen freundschaftlich miteinander, wie die literarischen Kreise des Ausonius, Paulinus v. Nola u. des Apollinaris Sidonius zeigen. – In diesem Artikel kann nicht eine Literaturgeschichte von G. vorgelegt werden. Im folgenden sollen nur die uns noch bekannten Schriftsteller aus G. genannt werden. Es wird sich zeigen, daß es in heidnischer wie in christlicher Zeit dieselben städtischen Zentren waren, in denen sich das literarische Leben vornehmlich abspielte. Während das lateinisch schreibende heidn. G. nur wenige Dichter hervorgebracht hat, änderte sich die Lage in christlicher Zeit. Die Verbindungen zu der vorrömischen gallischen Dichtung (s. u. Sp. 929) sind im einzelnen nicht mehr festzustellen.

I. Sprachen in G. außer Griechisch u. Lateinisch. Von der Literatur der Kelten ist außer Inschriften, die im Süden in griechischer, in Nord- u. Mittel-G. in lateinischer Schrift aufgezeichnet wurden, nichts mehr erhalten (Caes. b. Gall. 1, 29: in castris Helvetiorum tabulae repertae sunt litteris Graecis confectae ...; 6, 14: [Druides] cum in reliquis fere rebus, publicis privatisque rationibus, Graecis litteris utantur; vgl. Strabon 4, 1, 5 [181]; Amm. Marc. 15, 9, 6; Hirschfeld 51; Norden, Urgeschichte 202/7. – J. Rhys, The Celtic inscriptions of France and Italy: ProceedBritAcad 2 [1905/06] 273/373; 4 [1909/10] 207/318; 5 [1911/12] 261/360; Dottin 145/214 u. L. Weisgerber, Die Sprache der Festlandkelten: BerRGKomm 20 [1930] 147/226 besprechen die erhaltenen Reste der gallischen Sprache; vgl. P.-M. Duval: RevÉtAnc 55 [1953] 389 f; ferner Jullian 6, 104/15). Die Literatur der Kelten war vornehmlich das Werk der Druiden u. der Barden (vgl. N. K. Chadwick, The druids [Cardiff 1966]; M. Ihm, Art. Bardi: PW 3, 1 [1897] 9f u. Jullian 2⁴, 383/5). Die antiken Schriftsteller bezeugen kosmologisch-religiöse Lehrdichtungen, epische u. lyrische Gesänge zum Preise der Helden, satirische Dichtungen, Kriegslieder, Gesänge der Propheten u. magische Lieder (die Stellen bei Dottin 145$_1$; vgl. Jullian 2⁴, 379/82). Die Druiden überwachten die Bildung der Jugend; es gab schon in vorrömischer Zeit Schulen (vgl. Jullian 2⁴, 105/8). – Von den Einwohnern Massilias rühmt Varro, daß sie Griechisch, Lateinisch u. Gallisch sprachen (bei Hieron. comm. in ep. Pauli ad Gal. 2 praef. [PL 26, 379f], ausgeschrieben von Isid. orig. 15, 1, 63; vgl. Norden, Urgeschichte 161$_1$). Irenaeus mußte die Sprache der Gallier erlernen, um von Lyon aus den christl. Glauben wirkungsvoll verbreiten zu können (haer. 1 praef. [1, 6 Harvey]); vgl. Hirschfeld 168$_1$ u. G. Bardy, La question des langues dans l'église ancienne 1 (Paris 1948) 74/6. Auf dem Lande wurde Keltisch bis in das 5. Jh. hinein gesprochen (Sulp. Sev. dial. 1, 27, 4: tu vero [sc. Gallus], inquit Postumianus, vel Celtice aut, si mavis, Gallice loquere, dummodo [S.] Martinum loquaris; vgl. Weisgerber aO. 177 u. Bardy aO. Zu den iberisch sprechenden Aquitaniern s. Hirschfeld 231/4. Wie Lukian, Heracl. 4/6 mitteilt, wurde der keltische Gott Ogmios-Herakles als Herr der Rede in einer Wortillustration dargestellt; vgl. J. de Vries, Keltische Religion (1961) 65f. – Falls Cato, orig. frg. 34 (Hist. Rom. Rel. 1, 65) richtig überliefert ist, haben die Römer den Galliern das argute loqui nachgerühmt (vgl. aber Loyen 164$_{37}$). Die facundia der Gallier wird öfter erwähnt: Tac. hist. 1, 69; Iuvenal. 15, 111 (vgl. 7, 147f); Pomp. Mel. 3, 18; Rut. Nam. red. 1, 207f u. Arator, ep. ad Parthen. 13 (CSEL 72, 150). Hieronymus (c. Vig. 1 [PL 23, 355A]) preist G.: sola Gallia monstra non habuit, sed viris semper fortibus et eloquentissimis abundavit (vgl. Norden, Kunstprosa 2, 632f; ferner Diod. Sic. 5, 31, 1f). Claudian läßt im Festzug des Kaisers Honorius ‚G. mit ihren gelehrten Bürgern folgen' (carm. 8, 582f [MG AA 10, 171]). – In vorrömischer Zeit ist in Süd-G. der Einfluß der Phönizier (Karthager), die dort Handelsniederlassungen angelegt hatten, zu bemerken (zu Funden von Inschriften s. Hirschfeld 59$_2$). Seit dem 5. Jh. nC. tritt neben die keltische, iberische, griechische u. lateinische Sprache die germanische. Syagrius, ein Freund

des Apollinaris Sidonius, erlernte diese Sprache (Apoll. Sid. ep. 5, 5, 1 [MG AA 8, 80]); vgl. Stroheker nr. 369. Für Süd-G. ist außerdem die Sprache der Ligurer zu beachten (vgl. Jullian 1⁴, 110/92 u. G. Radke: KlPauly 3 [1969] 648f).

II. Literarisch bedeutsame Städte. Die literarischen u. wissenschaftlichen Studien hatten ihren Rückhalt in der städtischen Kultur von G., besonders der Narbonensis, der Lugdunensis u. Aquitaniens, während das übrige G. aus Mangel an Bürgerkolonien zunächst nur oberflächlich mit der röm. Kultur bekannt wurde. Neben der Griechenstadt Massilia (Marseille), die kulturell bis in die christl. Zeit über große Ausstrahlungskraft verfügte (s. u. Sp. 933f), sind folgende Städte als Mittelpunkte literarischen Lebens in römischer Zeit hervorzuheben: In Narbo (Narbonne), der alten Keltenstadt, die von den Römern iJ. 118 vC. zur Hauptstadt der provincia G. Narbonensis erhoben wurde, gab es eine Rhetorenschule. Hier lehrte im 1. Jh. nC. Votienus Montanus (s. u. Sp. 939; vgl. auch Mart. 8, 72, 4f u. Prosop. Imp. Rom.² A 333) u. im 4. Jh. Exuperius sowie ein Marcellus, der sich keines guten Namens erfreute (vgl. Auson. comm. prof. 18, 8f u. 19 [MG AA 5, 2, 67]). Außerdem ist der Ritter u. Pompeianer Fabius Maximus zu erwähnen, der Bücher über stoische Philosophie verfaßt hat, über die Horaz, sat. 1, 1, 13f spottet (vgl. sat. 1, 2, 134 u. Prosop. Imp. Rom.² F 45). – Arelate (Arles), die Stadt der Salluvii, war bereits von den Griechen als Handelsplatz ausgebaut worden. Der Höhepunkt ihrer Blüte lag zeitlich nach dem Niedergang Lugdunums, als sie Residenz Konstantins d. Gr. wurde (Hirschfeld 27f). Aus ihr kamen der in Rom lehrende Rhetor P. Clodius Quirinalis (Prosop. Imp. Rom.² C 1181) u. Favorinus (Prosop. Imp. Rom² F 123). – Nemausus (Nîmes), der Vorort der Volcae Arecomici, wurde von Augustus ausgebaut u. von Antoninus Pius, dessen Familie aus dieser Gegend stammte, weiter gefördert. In dieser Stadt wurde der berühmte röm. Redner Cn. Domitius Afer geboren (Prosop. Imp. Rom.² D 126). – Hauptsitz gallisch-römischer Beredsamkeit im 1. u. im 4. Jh. war Tolosa (Toulouse), das Martial 9, 99, 3 Palladia Tolosa nennt (wiederholt von Auson. parent. 5, 11; comm. prof. 18, 7 [MG AA 5, 2, 43. 67] u. Apoll. Sid. carm. 7, 436 Loyen). In der frühen Kaiserzeit lehrte dort der Rhetor Statius Ursulus (Hieron. chron. zJ. 56 [GCS 47, 182]) u. im 4. Jh. Aemilius Magnus Arborius, der oben erwähnte Exuperius u. Sedatus (Auson. comm. prof. 17f. 20 [MG AA 5, 2, 66f]). Im Jahre 94 schickte Martial seinem Freunde M. Antonius Primus, dem redegewandten General Vespasians aus Tolosa, ein Buch mit Epigrammen (9, 99); ferner sind an ihn die Gedichte 10, 23. 32 u. 73 gerichtet (vgl. Prosop. Imp. Rom.[2] A 866). – Auch Lugdunum (Lyon), von Augustus als Mittelpunkt von G. angelegt, mit dem Sitz des Statthalters u. dem religiös-politischen Zentrum der Ara Romae et Augusti, war eine Stadt der Studien. Der Kaiser Gaius hatte hier literarische Wettkämpfe in griechischer u. lateinischer Sprache angeordnet. Die Redner, die am wenigsten gefielen, mußten ihre Schrift mit dem Schwamm oder der Zunge löschen, falls sie nicht ausgepeitscht oder in den nahen Fluß geworfen wurden (Suet. Cal. 20). Darauf spielt Iuvenal. 1, 42/4 an: et sic palleat . . . / aut Lugdunensem rhetor dicturus ad aram. Die Rededuelle fanden am jährlichen Stiftungsfest der Ara Romae et Augusti statt. Unter Nero wurde die Stadt durch eine Feuersbrunst zerstört. Aebutius Liberalis aus Lyon hatte darüber seinem Freunde, dem Philosophen Seneca, berichtet; Seneca nahm das Ereignis zum Anlaß, eine Epistel über die fortuna zu schreiben (ep. mor. ad Lucil. 91; er hat Liberalis die sieben Bücher De beneficiis gewidmet; zu Aebutius Liberalis s. Prosop. Imp. Rom.[2] A 111). Plinius der Jüngere wunderte sich, daß es in Lugdunum Buchhändler gebe u. seine Schriften dort verkauft würden (ep. 9, 11, 2; vgl. A. N. Sherwin-White in seinem Kommentar [Oxford 1966] 490 u. zum Adressaten Rosianus Geminus ebd. 402). Ausonius, grat. act. 7,31 (MG AA 5,2,23) bezeugt eine municipalis schola für Visontio (Besançon) u. Lugdunum. Für das 5. Jh. spendet der im 9. Jh. lebende Hericus v. Auxerre der Stadt hohes Lob (in seiner Vorrede zu den Miracula S. Germani, prol. 4 [PL 124, 1209f], von Norden, Kunstprosa 2,633[1] angeführt). Damals sei sie das ‚publicum citramarini orbis gymnasium' genannt worden u. ein Hort der disciplinae liberales gewesen (für das 2. Jh. s. u. Sp. 944). – In Vienna (Vienne), der Hauptstadt der Allobroger u. der Nebenbuhlerin des nahen Lugdunum, las man Martials Epigramme (vgl. Mart. 7, 88). Plinius der Jüngere, ep. 4, 22 rühmte die Redegewandtheit des ihm befreundeten Trebonius Rufinus, duumvir von Vienne. Vielleicht stammte dorther der von

Iuvenal. 7, 213f erwähnte Rhetor Rufus, den seine Schüler den Cicero der Allobroger genannt haben (vgl. L. Friedlaender in seiner Ausgabe zSt. [1895 bzw. 1967]). Zufällig hören wir durch eine Inschrift von einem Grammatiker (CIL 12, 1921). Im 5. Jh. lebte dort der Rhetor Sapaudus, in dessen Familie der Rednerberuf erblich war (vgl. Claud. Mam. ep. ad Sap.: CSEL 11, 205, 19f). – In der G. Lugdunensis besaß Augustodunum (Autun), die Hauptstadt der Häduer, den Ruhm einer Gelehrtenstadt. Tacitus, ann. 3, 43, 1 preist sie als nobilissimam Galliarum subolem, liberalibus studiis ibi operatam (vgl. Jullian 6,123f; E. Koestermann im Kommentar 1 [1963] zSt.; zum Rhetor Eumenius s. u. Sp. 936). – Die kaiserliche Residenzstadt Augusta Treverorum (Trier) war seit dem ausgehenden 3. Jh. ein kulturelles Zentrum (zu der Hochschule s. Rau, Art. Treveri: PW 6 A 2 [1937] 2338f; vgl. auch CIL 13, 3694). Kaiser Valentinian I, der selbst literarisch tätig war (vgl. Schanz-Hosius 4, 1, 9), verlegte 367 seinen Sitz nach Trier u. verhalf damit der Stadt zu ihrer letzten Blüte in der Antike. Symmachus hielt in Trier als Gesandter des röm. Senats verschiedene Panegyrici, u. hier übernahm Ausonius v. Burdigala (Bordeaux) die Erziehung des späteren Kaisers Gratian (vgl. Rau aO. 2343). – Durch die Commemoratio professorum Burdigalensium des Ausonius (MG AA 5, 2, 55/71) sind wir über das literarische Leben von Bordeaux in Aquitanien gut unterrichtet (vgl. Favez 223/33 u. u. Sp. 941). – Literarische Studien sind auch noch für folgende Städte durch einzelne Zeugnisse gesichert: Forum Iuli (Fréjus): L. Iulius Graecinus, der Vater Agricolas (Prosop. Imp. Rom.[2] I 344; s. u. Sp. 938); Santones (Saintes): Iulius Africanus, der bedeutende Rhetor der neronischen Zeit (Prosop. Imp. Rom.[2] I 120; vgl. I 119); Lemovices (Limoges): Blaesianus Biturix (Dessau 7764; s. u. Sp. 942); Durocortorum (Reims), von Fronto ‚et illae vestrae Athenae' genannt (dieses Fragment ist zuletzt herausgegeben worden von M. P. J. van den Hout, 1 [Leiden 1954] 240; der Gallier Consentius hat es in seinem grammatischen Traktat erhalten [5. Jh.]: GrLat 5, 349, 15; s. u. Sp. 955).
B. Nichtchristlich. I. Griechen. a. Literatur über G. Süd-G. war bereits den Griechen des 6. Jh. bekannt. Hekataios von Milet ging in seiner Periegese auf die Ligurer u. Kelten ein. Narbo wurde neben Massilia genannt (FGr-

Hist 1 F 53/8). Von Massilia aus unternahm
zur Zeit Alexanders d. Gr. Pytheas seine
Schiffsreise, die ihn über Gades u. die Säulen
des Herakles nach Britannien u. weiter bis
zum Eismeer führte (vgl. F. Gisinger, Art.
Pytheas nr. 1: PW 24 [1963] 314/66). Mit
seiner geographischen Schrift Τὰ περὶ τοῦ
ὠκεανοῦ steht er in einer alten örtlichen Tradition (Fragmentsammlung von H. J. Mette =
KlT 175 [1952]). Bereits 530 vC. entstand in
Massilia ein Periplus, der Vorlage für die
Ora maritima des Avienus wurde (vgl. Wak-
kernagel 2143; Gisinger aO. 314, 53f; zu
Avienus vgl. die Ausgabe von A. Schulten
[1922 bzw. 1955] 5/32 u. Norden, Urgeschichte
391/3). Über die Verfassung Massilias schrieb
Aristoteles (frg. 549 Rose). Polybios bereiste
die G. Narbonensis (vgl. K. Ziegler, Art.
Polybios: PW 21, 2 [1952] 1458/60 u. P.-M.
Duval: RevÉtAnc 58 [1956] 274; 67 [1965]
406). Poseidonios besuchte auf seiner Reise
nach Spanien auch die Griechenstadt u. ließ
sich von seinem dortigen gelehrten Gastfreund
Charmoleos gewiß auch über das Keltenland
unterrichten (vgl. Strab. 3, 4, 17 [165] =
FGrHist 87 F 58; Norden, Urgeschichte 69f.
501). Das Ergebnis seiner Erkundung spiegeln seine Historien wider durch die in ihnen
enthaltene Ethnographie der Kelten (FGr-
Hist 87 F 15/8. 55: Zeugnis für Autopsie. 56.
116; vgl. P.-M. Duval: RevÉtAnc 68 [1966]
346f). Zur Zeit des Augustus schrieb Timagenes von Alexandrien über die Kelten (eine
Spezialschrift ist wenig wahrscheinlich; vgl.
F. Jacoby im Kommentar 225 zu FGrHist 88
F 2). Timagenes gab diese gallische Ethnographie wohl in seiner Darstellung der Geschichte Cäsars. Von Timagenes scheint das
heute verlorene 103. Buch des Livius beeinflußt zu sein. Wieviel Strabon Timagenes für
sein 4. Buch über G. verdankt, ist umstritten
(vgl. E. Honigmann, Art. Strabon: PW 4
A 1 [1931] 103f; R. Laqueur, Art. Timagenes:
PW 6 A 1 [1936] 1069/71 u. W. Aly, Strabon
v. Amaseia = Antiquitas 1, 5 [1957] 281/309).
Ammianus zitiert Timagenes in seiner Beschreibung von G. (s. u. Sp. 937). Im 2. Jh.
nC. hielt sich Lukian als Wanderredner länger in G. auf. Wie er in seiner Prolalie Herakles 4/6 erzählt, ließ er sich von einem gebildeten Gallier das Bild des keltischen Gottes
Ogmios-Herakles deuten (vgl. R. Helm, Art.
Lukianos: PW 13, 2 [1927] 1725, 52f u. o.
Sp. 929).

b. Massilia. Die um 600 vC. von den Pho-
käern gegründete Kolonie Massilia (Marseille)
war das Tor der griech. Kultur zum Norden
von G. (vgl. Jullian 1⁴, 193/226. 383/443 u.
P.-M. Duval: RevÉtAnc 69 [1967] 316f).
Der Vocontier Pompeius Trogus (bei Iustinus 43, 4) schreibt über diese Stadt: adeoque
magnus et hominibus et rebus impositus est
nitor, ut non Graecia in Galliam emigrasse,
sed Gallia in Graeciam translata videretur.
Tacitus, Agr. 4, 3 rühmt sie als sedem ac magi-
stram studiorum (vgl. auch Strab. 4, 1, 5 [181];
Hirschfeld 60). Massilia galt bis ins 1. Jh. nC.
als sittenstrenge Stadt u. als ein bevorzugter
Studienplatz vornehmer junger Römer, der
mit Athen konkurrieren konnte (Strab. aO.;
Tac. ann. 4, 44). Agricola, der in Forum Iuli
geboren war, studierte in Massilia Philosophie ultra quam concessum Romano ac sena-
tori (Tac. Agr. 4, 3f). Vielleicht hielt sich
auch Petronius studienhalber in Massilia auf.
Sein Roman spielt wohl zu einem Teil in dieser
griech. Stadt (vgl. Apoll. Sid. carm. 23, 145/
57 Loyen; C. Cichorius, Römische Studien
[1922 bzw. 1961] 438/42 u. die Berichtigung
von Th. Birt: PhilolWochenschr 45 [1925]
95f). – Der älteste Schriftsteller aus G. dürfte
Euthymenes von Massilia sein (seine Datierung ist jedoch nicht gesichert; 6. Jh. ?). Von
seinem Periplus τῆς ἔξω θαλάσσης ist nur ein
einziges Fragment über die Nilquellen erhalten (vgl. F. Jacoby: PW 6, 1 [1907] 1509/11;
F. Lasserre: KlPauly 2 [1967] 467). – Von den
Homerausgaben, die nach einer Stadt benannt
wurden, in der sie für den Festvortrag oder
den Unterricht dienten (αἱ κατὰ τὰς πόλεις [sc.
ἐκδόσεις]), gab es auch eine aus der Stadt
Massilia (5. Jh. vC. oder jünger). Unter den alten
Editionen κατὰ πόλεις wird sie in den Scholien zu Homer am häufigsten zitiert; vgl. M.
Sengebusch, Homerica dissertatio prior: Homer, Ilias, hrsg. von W. Dindorf 1⁴ (1855) 188.
189f. 193. 197 u. R. Pfeiffer, History of
classical scholarship (Oxford 1968) 110. Den
Versen des Ausonius, ep. 18, 26/30 (MG AA
5, 2, 179) kann man entnehmen, daß noch im
4. Jh. nC. der griech. Grammatiker Harmonios,
der als Kollege des in Trier lehrenden Ursulus
bezeichnet wird, Homerkritik geübt hat. –
Möglicherweise entstand in Massilia auch ein
Gedicht vom Siege des Herakles über die
Ligurer (Wackernagel 2143, 60f). Der Ent-
deckungsreisende Pytheas wurde bereits erwähnt (s. o. Sp. 933). Inschriftlich sind ein
röm. Grammatiker Athenades, Sohn des Dioskurides, bezeugt sowie T. Flavius Nicostratus,

der als καθηγητής bezeichnet wird (IG 14 nr.
2434. 2454). Seneca der Ältere berichtet über
mehrere Rhetoren, die teils aus Massilia
stammten u. in Rom lebten, wie der griechisch
sprechende Agroitas (controv. 2, 6, 12), oder
die nach Massilia verschlagen worden waren,
wie Vulcacius Moschus, Schüler des Pergame-
ners Apollodoros (controv. 2, 5, 13; vgl. Tac.
ann. 4, 43), Pacatus u. Oscus (controv. 10
praef. 10; 7, 3, 8). Aelian. nat. anim. 5, 38
erwähnt einen Charmis aus Massilia, von dem
er eine Bemerkung über den Gesang der
Nachtigallen mitteilt (vgl. Prosop. Imp. Rom.²
C 720).

c. Das übrige G. Der Einfluß Massilias auf G. war
groß. Am Ende des 3. Jh. vC. wurde die griech.
Ansiedlung Γλανόν an der Stelle eines dem
Gotte Glan geweihten Heiligtums gegründet
(Glanum, heute Saint-Rémy de Provence;
vgl. M. Leglay: KlPauly 2 [1967] 806). Grie-
chische Weisheitslehrer (σοφισταί) wurden in
gallischen Städten privat u. öffentlich ange-
stellt (Strab. 4, 1, 5 [181]). – Griechisch schrieb
Favorinus von Arelate, der aber sein Leben
teils in der Verbannung auf Chios, teils in
Rom verbracht hat; vgl. die Ausgabe der
Fragmente von A. Barigazzi (Firenze 1966)
3/12. Sein Schüler Alexander v. Seleukeia,
Peloplaton genannt, soll ‚nach einigen‘, wie
Philostrat. v. Soph. 2,5 (2,82,11 f Kayser)
sagt, ἐν Κελτοῖς gestorben sein. – ‚Aemilius
Epictetus sive Hedonius grammaticus Graecus‘
ist durch eine Grabinschrift aus Trier bekannt
(aus der Zeit des Prinzipats; Dessau 7768; vgl.
Steinhausen 35). In Pommern an der Mosel
wurde das vier Verse umfassende, griechisch u.
lateinisch abgefaßte Dankepigramm des Griechen Tychikos an den keltischen Gott Lenus gefunden (Carm. Lat. Epigr. 850 = Dessau 4569;
vgl. E. Bickel: RheinMus 93 [1950] 287 f);
Steinhausen 35 f hält Tychikos für einen Kollegen des grammaticus Graecus, der auf dem
Schulrelief von Neumagen dargestellt ist (Abb.
2 ebd.). – Der Vater des Ausonius aus Vasates
(Bazas) in Aquitanien, der in Bordeaux als Arzt
wirkte, sprach besser Griechisch als Lateinisch
(Auson. epic. in patr. 2, 9 f [MG AA 5, 2, 33];
vgl. P. Goessler, Art. Vasates: PW 8 A 1
[1955] 436, 45 f). Ausonius selbst übersetzte
Epigramme der Anthologia Palatina u. dichtete griechische u. ‚makkaronische‘ Epigramme. – Die Hochschule von Bordeaux, die
Ausonius besucht hatte, verfügte über Rhetoren u. Grammatiker, die Griechisch u. Latein
lehrten (vgl. Auson. comm. prof.: MG AA 5,

2, 55/71; Favez 223/33). Einige von ihnen
standen in engerer Verbindung zu Kpel, so
T. Victor Minervius (Auson. comm. prof. 2,
4 [55]) u. Aemilius Magnus Arborius, der Onkel des Ausonius (s. u. Sp. 941). Der gallische
Redner Eumenius aus Augustodunum (Autun), von dem zumindest eine Rede in der
antiken Sammlung der XII Panegyrici Latini
erhalten ist, kam aus einer griech. Familie (s.
u. Sp. 940). – Die Kaiser Valens, Gratianus u.
Valentinianus setzten im Erlaß vom 23. V.
376 die Besoldung der Griechisch u. Lateinisch
lehrenden Rhetoren u. der geringer angesehenen Grammatiker in den volkreichsten
Städten von G. fest. Die Lehrer der Stadt
Trier sollten am höchsten dotiert werden (Cod.
Theod. 13, 3, 11; vgl. Steinhausen 27 f). Im
4. Jh. war der Anteil gebürtiger Griechen an
der Bildungsschicht von G. recht groß. Der
Einfluß der griech. Sprache ging erst im 5.
Jh. zurück; letzte Spuren sind noch im 6. Jh.
festzustellen (vgl. Courcelle, Lettres 246/53 u.
u. Sp. 945). – Die griech. Inschriften in G.
stammen vornehmlich aus der Provence, ferner aus Toulouse, Autun, Lyon u. anderen Orten (IG 14 nr. 2424/2537; darunter sind auch
Vers-Inschriften; vgl. Kaibel nr. 548. 579.
585. 590. [650.] 664. 674. 714. [715]. 1115 u.
a.); zu Funden griechischer Inschriften im
Rheinland vgl. Norden, Urgeschichte 38₁. 500
u. Kaibel nr. 683 (aus Bonn). – Griechische
Philosophen wurden gerne in Mosaiken oder
in Büsten dargestellt. Es handelte sich dabei
aber wohl mehr um eine Mode der Zeit; diese
darf nicht als Beweis dafür gewertet werden,
daß die Werke dieser griech. Philosophen gelesen wurden; vgl. Jullian 6, 139f₈. – Zu
erwähnen ist noch, daß Julian, als er im
Range eines Caesar G. gegen die einbrechen-
den Germanen verteidigte, in G. schriftstellerisch tätig war; vgl. J. Bidez, La vie de l'empereur Julien (Paris 1930 bzw. 1965) 172/6.

II. Römer. a. Literatur über G. In verschiedenen Werken der Prosa u. der Dichtung wurden während der ausgehenden Republik u.
der frühen Kaiserzeit die kriegerischen Auseinandersetzungen zwischen den Römern u.
den Galliern u. die Eroberung des Landes behandelt (vgl. P.-M. Duval: RevÉtAnc 60
[1958] 368). Fast vollständig untergegangen
sind die Dichtungen des M. Furius Bibaculus
(Annales belli Gallici: Frg. Poet. Lat. 81/3) u.
des P. Terentius Varro Atacinus (Bellum Sequa-
nicum: Frg. Poet. Lat. 99). Verloren ist auch
das 103. Buch des Livius, in dem Cäsars Helve-

tierkrieg u. der situs Galliarum beschrieben waren (vgl. die periocha 103; Norden, Urgeschichte 150); ebenfalls verschollen sind die Bella Germaniae des Plinius, in denen manche Nachricht über G. zu finden war (vgl. Norden, Urgeschichte 207/312). Im 4. Jh. wollte der wohl aus Trier stammende Protadius eine Geschichte von G. verfassen. Ihm schreibt i.J. 396 Symmachus, ep. 4, 18, 5f (MG AA 6, 1, 104): priscas Gallorum memorias deferri in manus tuas postulas. revolve Patavini scriptoris extrema quibus res Gai Caesaris explicantur, aut si inpar est desiderio tuo Livius, sume ephemeridem C. Caesaris decerptam bibliothecule meae, ut tibi muneri mitteretur. haec te origines situs pugnas et quidquid fuit in moribus aut legibus Galliarum docebit. enitar, si fors votum iuvet, etiam Plinii Secundi Germanica bella conquirere. tantisper esto contentus fide operis oblati (vgl. ep. 4, 36, 2 [111]). Von den genannten Werken ist nur noch das Bellum Gallicum Cäsars mit dem achten Buch von A. Hirtius vorhanden. Der Gallier Trogus Pompeius hat im 43. Buch seiner Universalgeschichte über Massilia, G. u. seine eigene Herkunft gesprochen (vgl. die Epitome des Iustinus u. Trog. Pomp. frg. 165 Seel). Pomponius Mela bietet eine Beschreibung von G. (2, 74/84; 3, 16/24). Erhalten ist auch die Rede des aus Lugdunum stammenden Kaisers Claudius vJ. 48 für das ius honorum des gallischen Adels (1528 in Lyon auf einer Bronzetafel gefunden: Dessau 212; vgl. Tac. ann. 11, 23/5 u. F. Vittinghoff: Hermes 82 [1954] 348/71). Im 4. Jh. faßte Ammianus Marcellinus, 15, 9/12 das Wissen seiner Zeit über G. zusammen, wobei er das griech. Werk des Timagenes benutzt hat (s. o. Sp. 933). Etwa gleichzeitig schrieb Ausonius Gedichte zum Lobe seiner Heimat. Im Ordo urbium nobilium verherrlichte er die Städte Trier, Arles, Toulouse, Narbonne, Bordeaux (MG AA 5, 2, 99. 100. 101/3) u. in der Mosella (ebd. 82/97) versuchte er im Anschluß an die röm. Lehrdichtung die Mosellandschaft mit südlichen Farben zu malen. Im 6. Jh. fand er in dem Christen Venantius Fortunatus, der aus einer Ortschaft bei Treviso stammte, aber sein Leben in G. verbracht hat, einen Nachfolger: Beschreibungen mehrerer Villen von Bordeaux: carm. lib. 1, 18/20 (MG AA 4, 1, 22f); 1, 21 (ebd. 24f): De Egircio flumine (Gers, Nebenfluß der Garonne); 3, 12 (ebd. 64f): De castello Nicetii episc. Trevirensis super Mosella; 10, 9 (ebd. 242/4): De

navigio suo (über seine Moselreise von Metz bis Andernach) u. a. Der Halbchrist Claudianus hat wahrscheinlich G. besucht (vgl. carm. min. 18: De mulabus Gallicis [MG AA 10, 295f]; dazu A. Cameron, Claudian [Oxford 1970] 391f). In seiner Invektive gegen den im aquitanischen Elusa geborenen mächtigen Eunuchen Rufinus geht Claudian kurz auf diese Gegend ein (adv. Ruf. 1, 123/33 [23]; vgl. Norden, Urgeschichte 186f).

b. Gallische Schriftsteller. 1. Erstes Jahrhundert vC. bis drittes Jahrhundert nC. Aus der seit der 2. Hälfte des 2. Jh. vC. römisch besiedelten Narbonensis stammt zumindest ein Dichter der vorchristl. Zeit: P. Terentius Varro, 82 vC. in Atax geboren (gest. vor 36 vC.); zu den Resten seiner Dichtungen vgl. Frg. Poet. Lat. 93/9 u. K. Büchner: Lex. d. Alt. Welt (1965) 3185. Sehr ungewiß hingegen ist, ob der Elegiendichter C. Cornelius Gallus (70/69 bis 26 vC.) in der Narbonensis geboren wurde. Früher deutete man die Angabe des Hieronymus, chron. zJ. 27 vC. (GCS 47, 164): Cornelius Gallus Foroiuliensis poeta . . ., in der Weise, daß man Forum Iulium in Fréjus suchte. Zu beachten ist aber, daß es zur Zeit der Geburt des Dichters überhaupt noch keinen Ort dieses Namens gegeben hat. Erst später hießen mehrere Orte Forum Iulium. Neben Fréjus gab es ein Forum Iulium bei Aquileja u. das von Cornelius Gallus selbst gegründete Forum Iulium in Ägypten (vgl. F. Bömer, Der Geburtsort des C. Cornelius Gallus: Gymnas 72 [1965] 8f u. H. Volkmann, Kritische Bemerkungen zu den Inschriften des Vatikanischen Obelisken: ebd. 74 [1967] 508). – Pompeius Trogus, ein Geschichtsschreiber der augusteischen Zeit, war ein Vocontier aus der G. Narbonensis. Seine Universalgeschichte in 44 Büchern ist nur noch in der Epitome des Iustinus erhalten; sein naturwissenschaftliches Werk De animalibus ist ebenfalls bis auf wenige Reste untergegangen (Sammlung der Fragmente von O. Seel [1956]). Trogus wird von Hieronymus, Augustinus u. Orosius mit Namen zitiert (Testim. 4/11 Seel; vgl. A. Klotz, Art. Pompeius nr. 142: PW 21, 2 [1952] 2300/13). – Der 38 nC. hingerichtete Vater des Agricola, L. Iulius Graecinus, schrieb zwei Bücher über den Weinbau (vgl. Schanz-Hosius 2, 791). Bereits im 1. Jh. nC. haben gallische Rhetoren in Rom hohe Anerkennung gewonnen (zu Agroitas aus Massilia s. o. Sp. 935). Marcus Aper (Prosop. Imp. Rom.² A 910) u. Iulius

Secundus (ebd. I 559) waren die Lehrer des Tacitus (dial. 2; vgl. Schanz-Hosius 2, 607). Im Dialogus de oratoribus hat ihnen Tacitus ein Denkmal gesetzt. Hier verteidigt Aper die Redekunst gegenüber der Dichtung (5, 3/10, 8); in einer zweiten Rede spricht er für die zeitgenössische Beredsamkeit gegen die antiqui oratores (16, 4/23, 6). Iulius Secundus, der auch im Dialogus des Tacitus als Gesprächsteilnehmer auftritt (zu der Frage, ob Secundus hier eine Rede gehalten hat, die heute verloren ist, vgl. R. Güngerich: Gnomon 43 [1971] 34), verfaßte eine Lebensbeschreibung des Iulius Africanus (Tac. dial. 14, 4; vgl. Schanz-Hosius 2, 675 u. o. Sp. 932). Er war mit Quintilian eng befreundet (Quint. inst. 10, 3, 12f). Sein Onkel war der zu seiner Zeit bekannte gallische Redner Iulius Florus (vgl. Gerth, Art. Iulius nr. 240: PW 10, 1 [1918] 589f). Weitere Namen gallischer Redner dieser u. etwas früherer Zeit überliefert Sueton, gramm. et rhet. bzw. Hieronymus im Chronikon (GCS 47): Votienus Montanus (z J. 27 nC.; vgl. H. Papenhoff: PW 9 A 1 [1961] 924; s. o. Sp. 930), Cn. Domitius Afer (zJ. 44 nC.; vgl. Schanz-Hosius 2, 674f u. o. Sp. 930), P. Clodius Quirinalis (zJ. 44 nC.; s. o. Sp. 930), Statius Ursulus (zJ. 56 nC.; s. o. Sp. 930) u. S. Iulius Gabinianus (zJ. 76 nC.; vgl. Gerth: PW 10, 1 [1918] 609 mit Hinweis auf Hieron. in Es. 8 praef. [CCL 73, 315]). Ferner ist Claudius Cossus, ein redegewandter helvetischer Gesandter, zu erwähnen (Tac. hist. 1, 69 z J. 69 nC.). – R. Syme versuchte nachzuweisen, daß das engere Vaterland des Tacitus eher die Narbonensis als die Transpadana war (vgl. S. Borzsák, Art. P. Cornelius Tacitus: PW Suppl. 11 [1968] 376/9; anders E. Koestermann, der für die Transpadana eintritt; vgl. Borzsák aO. 379/85). Apollinaris Sidonius, ep. 14, 1 (MG AA 8, 65) bemerkt zu seinem gallischen Freunde Polemius: Gaius Tacitus unus e maioribus tuis. – Dem 2. Jh. nC. gehört eine Inschrift an, die den Namen eines Philosophen überliefert (Dessau 7776, aus Wesseling bei Köln): Q. Aelius Egrilius Euaretus; er wird als Freund des Salvius Iulianus bezeichnet. Dieser bekannte röm. Jurist war zur Zeit des Kaisers Antoninus Pius Legat von Niedergermanien (vgl. Pfaff: PW 1 A 2 [1920] 2023/6; ferner Norden, Urgeschichte 500). – Aus dem 3. Jh. ist Iulius Titianus der Jüngere bekannt; er war der Erzieher des Sohnes des Kaisers Maximinus Thrax (235/8). Wie Ausonius, ep. 16, 1. 2,

74/81. 102; grat. act. 7, 31 (MG AA 5, 2, 174. 176. 23) mitteilt, hat Iulius Titianus äsopische Fabeln in lateinische Prosa übertragen u. war später, wohl infolge des Verlustes seines politischen Einflusses, an den Schulen von Besançon u. Lyon tätig (vgl. E. Diehl, Art. Iulius nr. 513: PW 10, 1 [1918] 843; Schanz-Hosius 3, 136f; Prosop. Imp. Rom.² I 605). Erwähnenswert ist die umfangreiche Inschrift aus Thorigniacum, die verschiedene Briefe der Statthalter von Lugdunum als Belege mitteilt (hrsg. von Th. Mommsen: Berlin-Leipzig 4 [1852] 235/53; Prosop. Imp. Rom.² C 955).

2. Viertes Jahrhundert nC. Wie in den übrigen röm. Provinzen war das 3. Jh. auch in G. arm an literarischen Schöpfungen. Erst am Ende des 3. u. am Anfang des 4. Jh. beginnt eine neue Blüte. Rhetoren u. Professoren der Hochschulen von Autun, Bordeaux, Toulouse u. Trier bestimmen das literarische Leben. Die Abhängigkeit des kulturellen Lebens vom Hofe des Kaisers zeigt die antike Sammlung der XII Panegyrici Latini (vgl. K. Ziegler, Art. Panegyrikos: PW 18, 3 [1949] 571/8 u. die Ausgabe von É. Galletier 1/3 [Paris 1949/55]). Diese von mehreren antiken Redaktoren zusammengestellte Sammlung von 12 Reden enthält als ältesten Bestand sieben Reden, die in den Jahren 289/312 in G., vermutlich meist in Trier (eine in Autun) vor den Kaisern Maximianus, Konstantius u. Konstantin gehalten worden sind (vgl. Galletier aO. 1,*9 f). Die Namen der Verfasser sind nur bei dreien der Reden mitgeteilt: Eumenius v. Autun u. Mamertinus; letzterer ist wohl nicht mit dem Konsul Mamertinus identisch, der iJ. 362 seine Dankrede vor Kaiser Julian gesprochen hat (nr. 3 der ergänzten Sammlung). Von den später hinzugefügten Reden gehören zwei ebenfalls gallischen Rhetoren: der Panegyricus des Nazarius v J. 321 (Hieron. chron. z J. 336 [GCS 47, 233] bemerkt: Nazarii rhetoris filia in eloquentia patri coaequatur) u. der Panegyricus des Latin(i)us Pacatus Drepanius vJ. 389 (s. u. Sp. 942). Die Verfasser dieser Panegyrici lassen ihre religiöse Überzeugung nicht deutlich hervortreten. Sie äußern einen gewissen aufgeklärten Monotheismus, der bei den christl. Kaisern jeden Anstoß vermied u. christlich gedeutet werden konnte. In ihrer Gesinnung stehen sie dem berühmtesten Rhetor von G. nahe, dem Gelegenheitsdichter Decimus Magnus Ausonius (gest. um 393); vgl. Stroheker nr. 51. Auch ihm dienten christliche

Äußerungen nur als Vorwand; vgl. P. de
Labriolle: o. Bd. 1, 1020/3; Chadwick 47/62;
M. Fuhrmann: KlPauly 1 (1964) 774/6; C.
Riggi, Il cristianesimo di Ausonio: Salesia-
num 30 (1968) 642/95; Clavis PL nr. 1387/421.
In seinen Gedenkblättern für seine Lehrer
(Commemoratio professorum Burdigalensium:
MG AA 5, 2, 55/71) gibt Ausonius Auskunft
über Namen u. Werke verschiedener gallischer
Rhetoren u. Grammatiker, die der Schule von
Bordeaux angehörten. Einige dieser Litera-
ten stammten aus alten keltischen Familien
(comm. prof. 5, 7/12; 6: Attius Patera u. sein
Sohn Delphidius; vgl. 11, 22/30; Favez 228₄ u.
Chadwick 31/5). Alle hingen wohl noch dem
heidnischen Glauben an. Einige waren auch
als Dichter tätig (comm. prof. 4, 3f; 6, 5/12.
20; 14, 5f; 22, 14f; 27, 3). Hervorzuheben sind
Tiberius Victor Minervius orator aus Bordeaux (vgl. Hieron. chron. zJ. 353 [GCS 47, 239];
W. Enßlin: PW 15, 2 [1932] 1808 nr. 5), Latinus Alcimus Alethius rhetor, vielleicht Lehrer Kaiser Julians (vgl. Schanz-Hosius 4, 1,
46f; Favez 231f), Luciolus rhetor, Attius Patera Pater rhetor u. sein Sohn Attius Tiro
Delphidius rhetor. Hieronymus, ep. 120 praef.
2 (CSEL 55, 472) schreibt der Christin Hedybia: maiores tui Patera atque Delphidius,
quorum alter . . . rhetoricam Romae docuit,
alter . . . omnes Gallias prosa versuque suo
inlustravit ingenio . . .; vgl. Hieron. chron.
zJ. 336. 355 (GCS 47, 233. 239). Nach dem
Tode des Delphidius, der Heide war, traten
seine Frau Euchrotia u. seine Tochter Procula
in enge Beziehungen zu dem Häretiker Priscillianus. Im J. 385 wurde Euchrotia zusammen mit Priscillianus u. anderen Gesinnungs-
genossen zum Tode verurteilt (Sulp. Sev.
chron. 2, 50, 8 [CSEL 1, 103]; vgl. O. Seeck,
Art. Delphidius: PW 4, 2 [1901] 2503f u.
Chadwick 35/46). Weiter gedenkt Ausonius
in der Commemoratio des Alethius Minervius rhetor, eines Sohnes des Latinus Alcimus Alethius, ferner des Leontius grammaticus, Lascivus genannt, u. dessen Bruder,
Iucundus, sowie anderer Grammatiker u.
Rhetoren (vgl. H. Bardon, La littérature latine inconnue 2 [Paris 1956] 288f). Seinen
Onkel Aemilius Magnus Arborius, der als
Rhetor in Kpel einen Sohn Konstantins unterrichtet hat, erwähnt Ausonius sowohl in
den Parentalia nr. 5 wie in der Commemoratio 17 (vgl. Favez 232 u. Stroheker nr. 27).
Dem Kreise um Ausonius gehörten ferner
Axius Paulus aus Bigerra in Aquitanien an,

der eine nicht mehr vorhandene Dichtung
Delirus verfaßt hat (Schanz-Hosius 4, 1, 33;
W. Kroll: PW Suppl. 3 [1918] 192), Tetradius
grammaticus aus Angoulème, Verfasser ver-
lorengegangener Satiren (W. Enßlin: PW 5
A 1 [1934] 1071f), der Grammatiker Ursulus
aus Trier (W. John: PW 9 A 1 [1961] 1067f)
u. Theon, Adressat mehrerer Briefe des Ausonius (ep. 4/7 [159/65]). Ein Freund des Ausonius u. des Symmachus (vgl. Symm. ep. 8,
12; 9, 61. 64 [MG AA 6, 1, 217. 253f]) war
auch der Redner Latin(i)us Pacatus Drepanius,
dessen Panegyricus auf Theodosius vJ. 389 erhalten ist (Schanz-Hosius 4, 1, 117/9; Stroheker nr. 271). Dieser Pacatus Drepanius ist wohl
nicht mit einem Pacatus gleichzusetzen, der
eine Schrift gegen Porphyrios' Κατὰ Χριστια-
νῶν veröffentlicht hat (Fragmente: PL Suppl.
4, 1199f; vgl. R. Hanslik: PW 18, 2 [1942]
2058/60, bes. 2058f u. Clavis PL nr. 1152a;
anders Courcelle, Lettres 211f; vgl. auch
Bardenhewer 3, 571₃. 4, 422). Wegen seiner
rednerischen Fähigkeiten u. seiner literarischen Werke hat Ausonius die Gunst der
Kaiser Valentinianus u. Gratianus erfahren
(Schanz-Hosius 4, 1, 9). So gelangte er iJ. 379
sogar zum Konsulat. Andere verdiente gallische Rhetoren haben gleichfalls Staatsämter
erhalten, zB. Exuperius (vgl. Auson. comm.
prof. 18, 12f; Stroheker nr. 142; Favez 230);
der gallische Redner Aprunculus wurde praeses der Narbonensis (Amm. Marc. 22, 1, 2;
Stroheker nr. 24). – Auch Inschriften geben
Kunde vom literarischen Leben in G., zB.
Carm. Lat. Epigr. 481 = Dessau 7764: artis
grammatices doctor morumque magister, /
Blaesianus Biturix, Musarum semper ama-
tor, / hic iacet . . . (mit Büste; bei Limoges gefunden); vgl. das Grabgedicht für den Flöten-
spieler Sidonius u. den Stenographen Xan-
thias aus Köln: Dessau 7756: qui carmen et
Musas amas . . . Die Inschrift Dessau 7752
bezeugt einen librarius (wohl als Schreiber zu
deuten) für Le Hallai bei Auch in Aquitanien
(vgl. CIL 12, 1592 aus Dea Augusta [Die]; 13,
2672: librarius mit Büste aus Augustodunum;
Jullian 6, 126₅). Apollinaris Sidonius erwähnt
mehrfach Buchhändler (bybliopola): ep. 2, 8, 2;
5, 15, 1; 9, 7, 1 (MG AA 8, 30. 88. 154). Wie
groß die Anerkennung war, die man der gallischen Rednerschule entgegenbrachte, beweisen folgende Worte des Symmachus, ep. 9, 88,
3 (MG AA 6, 1, 260), die er an einen uns nicht
mehr bekannten gallischen Rhetor richtete:
fatendum tibi est, amice: Gallicanae facundiae

haustus requiro ... quia praecepta rhetoricae
pectori meo senex olim Garumnae alumnus
inmulsit, est mihi cum scholis vestris per
doctorem iusta cognatio. quidquid in me est,
quod scio quam sit exiguum, caelo tuo debeo
(der Herausgeber O. Seeck *44f denkt an Ti.
Victor Minervius aus Bordeaux, der in Rom
Redelehrer war [s. o. Sp. 941]). In ep. 6, 34
(ebd. 162) erwähnt Symmachus seinen
Wunsch, für seine Verwandten einen gallischen Rhetor zum Lehrer zu gewinnen. Er
stand mit verschiedenen vornehmen Galliern
im Briefwechsel, so mit Aeonius (Stroheker
nr. 3), Ausonius (Stroheker nr. 51), Decimius
Hilarianus Hesperius, Sohn des Ausonius
(Stroheker nr. 188), mit S. Iulianus Rusticus
(Stroheker nr. 330), mit den Trierern Protadius (Stroheker 318; s. u. Sp. 944), Minervius
(Stroheker nr. 250) u. Florentinus (letzterem
hat Claudian das zweite Buch von De raptu
Proserpinae gewidmet; vgl. J. B. Hall in
seiner kommentierten Ausgabe [Cambridge
1969] 95/105 u. A. Cameron, Claudian [Ox-
ford 1970] 453/5; der Trierer Ursprung ist
nicht ganz sicher; vgl. Cameron aO. 492; ferner
Stroheker nr. 160). In den Jahren 369 u. 370
hat Symmachus in Trier vor Valentinianus
u. Gratianus als Sprecher des Senates verschiedene Festreden gehalten, die teilweise
noch vorliegen (vgl. Rau, Art. Treveri: PW
6 A 2 [1937] 2343, 20f). – Der bedeutendste
Schriftsteller aus dem Kreise des Ausonius
war Paulinus, der spätere Bischof von Nola in
Campanien. In seiner heidnischen Jugend war
er dem Dichter aus Bordeaux in enger Freundschaft verbunden. Aus dieser Zeit sind noch
einige dichterische Versuche vorhanden, u.a.
ein Auszug aus Suetons drei Büchern De regibus (carm. 1/3 [CSEL 30, 1/3]; carm. 4 ist von
Paulinus v. Pella; s. u. Sp. 954). Als Paulinus
dem Christentum näher trat, lockerte sich das
Band zu Ausonius. Zeugnis dieser inneren
Entfremdung ist sein Briefwechsel mit Ausonius, eine der wenigen aufrichtigen Urkunden
dieses sich meist hinter Masken u. Kompli-
menten versteckenden Jahrhunderts (vgl.
Fabre 156/70). Zu den Freunden des Paulinus,
die zwischen dem alten u. dem neuen Glauben
schwankten, zählte Iovius, der mit Paulinus
verwandt war u. in seinen Dichtungen heidnische Themen behandelt hat (Schanz-Hosius
4, 1, 262f; Fabre 171/5; Stroheker nr. 206).
Von derartigen Dichtungen ist außer dem
Carmen de reditu suo des Rutilius Claudius
Namatianus, der in der 2. Hälfte des 4. Jh.

wahrscheinlich in Toulouse geboren wurde,
fast nichts mehr erhalten (vgl. Stroheker nr.
252). Auch dieses Gedicht, in dem Rutilius
seine Rückkehr aus Rom in das von den Goten verwüstete G. iJ. 417 schildert, ist nur
verstümmelt überliefert (hrsg. von R. Helm
[1933]). In diesem Gedicht erwähnt er 1, 207/
12 einen redegewandten jungen Mann namens
Palladius, der aus G. gekommen war, um in
Rom die forensische Beredsamkeit zu studieren. Dieser Palladius ist wohl kaum mit dem
Agrarschriftsteller Palladius Rutilius Taurus
Aemilianus gleichzusetzen (vgl. Schanz-Hosius 4, 2, 191 u. Stroheker nr. 274; zu dem
Freundeskreis des Rutilius s. Schanz-Hosius
4, 1, 39f). Rutilius war auch mit Protadius
bekannt (red. 1, 541/58). Protadius stand im
Briefwechsel mit Symmachus u. plante, eine
Geschichte von G. zu schreiben (vgl. Stroheker
nr. 318; W. Enßlin: PW 23, 1 [1957] 907f u. o.
Sp. 937). – Die nur zum Lesen bestimmte
Komödie ‚Querolus‘, die nach der Vorrede
einem Rutilius gewidmet ist, hat wohl für G.
auszuscheiden (vgl. M. Schuster: PW 24
[1963] 869/72, der die Arbeiten von G. Ran-
strand, Querolusstudien [Stockholm 1951] u.
Ausgabe [Stockholm 1951], leider nicht berücksichtigt hat).

C. **Christlich. I. Griechen u. griechische
Sprachkenntnisse lateinischer Autoren.** Das
Christentum ist durch Griechen nach G. gebracht worden. Massilia wird auch hier die
Brücke gebildet haben. Die ältesten Zeugnisse
christlicher Schriftstellerei in G. waren griechisch abgefaßt. An der Spitze steht Irenaeus,
der in Kleinasien geboren wurde. Zur Zeit
des Marcus Aurelius war er Presbyter von
Lyon; 177/8 wurde er dort Bischof (zu seinen
Schriften s. Altaner-Stuiber 111/3). Erhalten
ist der griechisch geschriebene Bericht der
Gemeinden von Vienne u. Lyon über die dortige Christenverfolgung (177/8; vgl. Altaner-Stuiber 91; zu den ungesicherten Schlüs-
sen von J. Colin s. É. Demougeot: o. Sp. 892)
u. die griech. Grabschrift des Pektorios (3./4.
Jh.; Text IG 14, 2525 u. bei Dölger, IXΘΥΣ
1, 12f; 2, 507f; vgl. J. Engemann: o. Bd. 7,
1031f). – Von den gallischen u. den in G. lebenden Kirchenschriftstellern besaß Hilarius
v. Poitiers, der lange im Osten in der Verbannung weilte, gute Kenntnisse der griech.
Sprache. Johannes Cassianus, ‚natione Scytha‘ (Gennad. vir. ill. 61; wohl zu deuten:
‚aus der Dobrudscha‘; vgl. O. Chadwick, John
Cassian ²[Cambridge 1968] 9), sprach fließend

Griechisch. Trotzdem war sein Einfluß auf die Mönche von Lerinum bei Cannes in dieser Hinsicht nicht allzu groß (vgl. Courcelle, Lettres 212/21). Vincentius v. Lerinum scheint Griechisch verstanden zu haben (vgl. A. Jülicher in seiner Ausgabe [1925 bzw. 1968] *5); ebenso Eucherius v. Lyon; vgl. seine Instructiones: CSEL 31, 65/161. Gennadius v. Marseille benutzte die Schriften der griech. Kirchenväter u. war als Übersetzer tätig (vgl. Courcelle, Lettres 221/3 u. Bardenhewer 4, 595). Der christl. Neuplatoniker Claudianus Mamertus verstand mehr Griechisch als sein Freund, der oberflächliche Apollinaris Sidonius, der von Claudianus Mamertus rühmt (ep. 4, 11, 6 [MG AA 8, 63]): triplex bybliotheca quo magistro, / Romana, Attica, Christiana fulsit (vgl. W. Schmid: o. Bd. 3, 170 f). Dichter wie Claudius Marius Victorius u. Paulinus v. Pella wählten für ihre Dichtungen griechische Buchtitel (Alethia, Eucharisticos; Vorbild dafür war wohl Prudentius). – Geringe Kenntnisse des Griechischen besassen noch im 6./7. Jh. der unbekannte Verfasser des Aratus Latinus u. der sogenannte Barbarus Scaligeri; vgl. E. Maass, Commentariorum in Aratum reliquiae (1898 bzw. 1958) *39/*44 u. L. Traube, Vorlesungen u. Abhandlungen 2 (1911) 89.

II. Römer. a. Literarisch bedeutsame Städte u. Landschaften. Aus den ersten drei Jahrhunderten ist kein lateinisch schreibender christlicher Schriftsteller bekannt. Diese Tatsache ist nicht verwunderlich, da bis ins 2. Jh. die Sprache der gebildeten Christen in G. Griechisch war (s. o.) u. das 3. Jh., abgesehen von Nordafrika, sehr arm an Schriftstellern war. Vom 4. Jh. an übertrifft G. die übrigen Länder des weströmischen Reiches an literarischer Fruchtbarkeit. Die röm. Städte in G. behielten auch nach dem 4. Jh., in dem das Christentum zur Staatsreligion erhoben wurde, ihre Bedeutung für die Literatur. Söhne vornehmer Familien, die vielfach eine heidnisch-rhetorische Bildung erfuhren, teilweise auch hohe Staatsämter innehatten, traten zum Christentum über u. wurden Bischöfe oder Mönche, zB. Hilarius v. Poitiers, Eucherius v. Lyon, Paulinus v. Nola u. Apollinaris Sidonius. Die Griechenstadt Massilia wurde ein Zentrum der vom Orient ins Abendland eindringenden Mönchsbewegung. Anfang des 5. Jh. gründete Honoratus, der spätere Bischof von Arles, auf der Cannes benachbarten Insel Lerinum (Saint-Honorat) eine Mönchskolonie. Hervorragende Schrift-

steller dieses Kreises waren der Semipelagianer Vincentius v. Lerinum, Eucherius, der spätere Bischof von Lyon, der aus Britannien stammende Semipelagianer Faustus v. Riez u. Salvianus, der wahrscheinlich in Trier oder in Köln geboren wurde. Johannes Cassianus, der wohl kein Gallier war, sondern aus der Dobrudscha stammte, vermittelte durch seine Klostergründungen in Massilia (415) u. seine aszetischen Schriften die mönchischen Ideale des Ostens. Seine klassische Bildung verrät er besonders in De incarnatione Christi contra Nestorium haereticum durch Zitate aus Cicero, Vergil u. Persius (vgl. O. Abel, Studien zu dem gallischen Presbyter Joh. Cassianus, Diss. Erlangen [1904] 24 f. 25/31). Um Joh. Cassianus sammelte sich der Kreis der sog. Semipelagianer, die die Gnadenlehre des Augustinus einzuschränken suchten. Zu ihnen zählte auch der Literaturhistoriker Gennadius (vgl. Bardenhewer 4, 425 f. 478; O. Chadwick, John Cassian ²[Cambridge 1968] 127/32). In Massilia wirkten ferner Musaeus, der liturgische Bücher zusammengestellt hat, die heute verloren sind, der Mönch Prosper Tiro aus Aquitanien, der die Gnadenlehre des Augustinus gegen seine Mitbrüder verteidigt hat, der Dichter Claudius Marius Victorius sowie der Dichter u. Hagiograph Dinamius patricius; zeitweilig lebte dort Paulinus v. Pella (vgl. euchar. 516/38 [CSEL 16, 311]). – Im 4. u. 5. Jh. scheint das wirtschaftlich reiche Aquitanien seine literarische Blütezeit erreicht zu haben. Die Aquitanier galten als Meister in einer an klassischen Vorbildern geschulten Rhetorik (vgl. Sulp. Sev. dial. 1, 27, 2 [CSEL 1, 179]; Norden, Kunstprosa 2, 582 f). Neben dem bereits erwähnten Prosper Tiro, dem klassisch gebildeten Presbyter Eutropius, dem Rechenmeister Victori(n)us u. zahlreichen Dichtern, zB. Orientius, Paulinus v. Nola, Paulinus v. Pella, dem Enkel des Ausonius, sind unter ihnen Hilarius v. Poitiers (um 315/67) u. Sulpicius Severus (etwa von 363 bis 420/5) hervorzuheben. Hilarius ist der bedeutendste theologische Schriftsteller in G. Wie Paulinus v. Nola hatte er die heidn. Rhetorenschule besucht u. entstammte wahrscheinlich einer heidn. Familie (vgl. E. Boularand, La conversion de s. Hilaire de Poitiers: BullLitt-Eccl 62 [1961] 81/104). Als Bischof kämpfte er später für die Durchsetzung der Beschlüsse des Konzils von Nizäa. Über seine Wirkung bemerkt Sulpicius Severus, chron. 2, 45, 7 (CSEL 1, 99): illud apud omnes constitit unius

Hilarii beneficio Gallias nostras piaculo haeresis liberatas. Vom arianischen Kaiser Konstantius in die Provinz Asia verbannt, hat er dort die griech. Theologie kennengelernt. In seinem Hauptwerk De trinitate hat er, wie Hieronymus, ep. 70, 5, 3 (CSEL 54, 707) urteilt, die zwölf Bücher Quintilians in Stil u. Anzahl der Bücher nachgeahmt (vgl. H. Kling, De Hilario Pictaviensi artis rhetoricae ipsiusque, ut fertur, institutionis oratoriae Quintilianeae studioso, Diss. Freiburg [1909]; ferner A. L. Feder, Kulturgeschichtliches in den Werken des hl. Hil. v. P.: Stimmen aus Maria Laach 81 [1911] 30/45). Über ihn schreibt Hieronymus, ep. 58, 10 (CSEL 54, 539): Sanctus Hilarius Gallicano coturno adtollitur et, cum Graeciae floribus adornetur, longis interdum periodis involvitur et a lectione simpliciorum fratrum procul est (zu diesem Stilurteil vgl. P. Antin: RevBén 57 [1947] 82/8); vgl. Hieron. comm. in ep. Pauli ad Gal. 2 praef.: PL 26, 380f. Untergegangen ist seine Schrift Contra Dioscorum medicum ad praefectum Sallustium, in der er diesen sonst unbekannten Christengegner aus der Zeit des Kaisers Julian bekämpft hat (vgl. Bardenhewer 3, 386). Neben diesem Aquitanier steht der in der klassischen lateinischen Literatur gut bewanderte Sulpicius Severus (vgl. J. Schell, De Sulp. Sev. Sallustianae, Livianae, Taciteae elocutionis imitatore, Diss. Münster [1892]). In seinen Dialogi kennzeichnet er durch das, was er seinen Gesprächspartner mit dem absichtsvoll gewählten Namen Gallus sagen läßt, die keltische Bevölkerung in Sprache u. Sitte (zB. 1, 8 [CSEL 1, 160]: nam edacitas in Graecis gula est, in Gallis natura; vgl. Ch. Favez: Hommages M. Niedermann = Coll. Latomus 23 [1956] 122/7). – In Arles wirkten der Grammatiker u. Lehrer des Caesarius, Iulianus Pomerius, ein gebürtiger Mauretanier, u. verschiedene schriftstellerisch tätige Bischöfe, wie Honoratus, dessen Werke verloren sind, ferner Hilarius u. besonders Caesarius. In die Kirchengeschichte ist diese Stadt durch die Streitigkeiten ihrer Bischöfe um die Metropolitanrechte eingegangen (vgl. G. Langgärtner, Die G.politik der Päpste im 5. u. 6. Jh. = Theophaneia 16 [1964] u. Griffe 2, 146/64). In Arles ist auch Ennodius, der bekannte Bischof von Pavia, geboren. – In Lugdunum wirkten der Bischof Eucherius, der Hagiograph u. Dichter Constantius sowie der Rhetor Viventiolus. Lugdunum war auch die Geburtsstadt des Dichters Apollinaris Sido-

nius. – Ein Häduer aus der Gegend von Augustodunum (Autun) ist der älteste, noch namenlose, lateinische christl. Schriftsteller aus G. Er dichtete die Laudes Domini cum miraculo quod accidit in Aeduico (um 316/23; Clavis PL nr. 1386; vgl. Bardenhewer 3, 428f). In Autun schrieb Reticius am Anfang des 4. Jh. seine exegetisch merkwürdigen Schriften, die das Mißfallen des Hieronymus erregten (vgl. Bardenhewer 2, 663). – In Trier lebten während des 4. Jh. einige Jahre lang berühmte Kirchenschriftsteller. Athanasius verbrachte hier von Ende 335 oder Anfang 336 bis Ende 337 seine Verbannungszeit (seine Vita Antonii wurde in einer klosterartigen Gemeinschaft bei Trier gelesen [wohl in der Übersetzung des Evagrius v. Antiochien] u. warb erfolgreich für das mönchische Leben; vgl. Aug. conf. 8, 6, 15 u. G. Grützmacher, Hieronymus 1 [1901 bzw. 1969] 138). Ambrosius wurde wohl in Trier als Sohn des praefectus praetorio Galliarum geboren (vgl. Schanz-Hosius 4, 1, 317f) u. verlebte dort seine Kindheit (vgl. F. J. Dölger: ACh 3 [1932] 72). Laktanz hielt sich am Ende seines Lebens in Trier auf, nachdem er von Konstantin als Erzieher für dessen Sohn Crispus dorthin berufen worden war (Hieron. vir. inl. 80). Wahrscheinlich weilte auch Hieronymus bei seinem Aufenthalt in G. eine Zeitlang in der Kaiserstadt (vgl. Hieron. ep. 3, 5, 2; 5, 2, 3 [CSEL 54, 17. 22]; Grützmacher aO. 1, 136/9). Zur Hochschule von Trier vgl. Rau, Art. Treveri: PW 6 A 2 (1937) 2338.

b. Beziehungen von Galliern zu nichtgallischen Schriftstellern. Hieronymus korrespondierte von Bethlehem aus mit Männern u. Frauen aus G. (vgl. Grützmacher aO. 1, 87f u. 3 [1908 bzw. 1969] 228/34. 241/7). Gallier unter den Adressaten der Briefe des Hieronymus sind Paulinus v. Bordeaux, später Bischof von Nola (ep. 58; 53 u. 85; vgl. P. Courcelle: RevÉtLat 25 [1947] 250/80), Riparius, Priester (ep. 109), Minervius u. Alexander, Mönche (ep. 119), Rusticus, Mönch (ep. 125), Rusticus, vornehmer Laie (ep. 122), Hedybia (ep. 120; s. o. Sp. 941; sie hatte Hieronymus ein heute nicht mehr vorhandenes Commonitoriolum geschickt: ep. 120 praef. 1; zu dieser literarischen Gattung vgl. S. Prete, Il ‚Commonitorium‘ nella letteratura cristiana antica [Bologna 1962]) u. Algasia (ep. 121; Stroheker nr. 15); ep. 129 an Claudius Postumus Dardanus, praefectus praetorio Galliarum (Stroheker nr. 99); ep. 117 ad matrem et filiam in Gallia commorantes ist an zwei anonym bleibende Gallierinnen gerichtet; ep. 118 ist an einen vornehmen Mann namens Iulianus adressiert, den Stroheker nr. 207 für einen Gallier hält, Grützmacher aO. 3, 247f dagegen für einen Dalmatiner. Zu beachten ist besonders der Presbyter Vigilantius aus Calagurris in der Aquitania secunda. Zunächst ein Freund des Hieronymus, hat er sich später mit ihm nicht zuletzt wegen theologischer Meinungsverschiedenheiten verfeindet. Die Schriften des Vigilantius sind untergegangen; vgl. Hieron. ep. 61 (CSEL 54, 575/82); c. Vigil.: PL 23, 353/68; F. Cavallera, S. Jérôme 1 (Louvain 1922) 306/8. 310f; W. Enßlin: PW 8 A 2 (1958) 2132. – Augustinus stand mit verschiedenen Galliern in freundschaftlicher Verbindung, so mit Paulinus, dem Bischof von Nola (vgl. Fabre 9 u. Chadwick 79), u. mit Prosper Tiro v. Aquitanien u. dessen Freund Hilarius, der vielleicht aus Afrika nach Süd-G. gekommen war (vgl. die Briefe beider, die in der Korrespondenz des Augustinus erhalten sind: ep. 225f [CSEL 57, 454/81] u. die beiden Abhandlungen des Augustinus, De praedestinatione sanctorum liber ad Prosperum et Hilarium primus u. De dono perseverantiae liber ad Prosperum et Hilarium secundus: PL 44, 959/92; 45, 993/1034; vgl. Bardenhewer 4, 478. 533/41). Dem zuvor erwähnten Claudius Postumus Dardanus widmete Augustinus ebenfalls einen Brief (ep. 187 [CSEL 57, 81/119]). Der wahrscheinlich der Diözese Trier angehörende Mönch Leporius mußte wegen christologischer Irrlehren G. verlassen u. wurde wohl durch Augustinus dazu bewegt, seinen Irrtümern abzuschwören (vgl. Gennad. vir. ill. 59; Bardenhewer 4, 542f). – Leo I war als Archidiakon iJ. 440 in G. u. wurde von dort zum Papst gewählt (vgl. Caspar, Gesch. 1, 424f). Er war mit Prosper Tiro befreundet. Wie Gennadius, vir. ill. 84 mitteilt, soll Prosper in der Kanzlei Leos I in Rom die Briefe des Papstes gegen Eutyches verfaßt haben. Zahlreiche Schreiben der Päpste an einzelne oder mehrere gallische Bischöfe sind erhalten geblieben; vgl. zB. Damasus I (366/84), Decretale ad episcopos Galliae (Clavis PL nr. 1632); Innocentius I (401/17), ep. 2 an Bischof Victricius von Rouen, ep. 6 an Bischof Exuperius v. Toulouse; Zosimus (417/18), ep. ad Simplicium Viennensem (Clavis PL nr. 1646) u. ep. ad Remigium episcopum (Clavis PL nr. 1647; s. auch u. zur Collectio Arelatensis); Caelestinus I (422/32), ep. ad episcopos per Viennensem et Narbonensem provincias (Clavis PL nr. 1650),

ep. ad episcopos Galliarum (Clavis PL nr. 1652) u. die in der Collectio Arelatensis, einer Briefsammlung der Kirche von Arles aus der 2. Hälfte des 6. Jh., enthaltenen Briefe von den Päpsten Zosimus, Leo I, Hilarus, Gelasius, Symmachus, Hormisdas, Felix IV, Johannes II, Agapitus, Vigilius u. Pelagius I (Clavis PL nr. 1625). Aus späterer Zeit sind zwei Briefe des Papstes Pelagius II (578/90) an Aunarius von Auxerre zu nennen (Clavis PL nr. 1707) sowie zahlreiche Schreiben Gregors d. Gr. (vgl. die Ausgabe seiner Briefe: MG Ep. 2, 488 Reg.). Die Gallier Prosper Tiro u. Ennodius haben für Papst Leo I bzw. Symmachus I einzelne Briefe verfaßt; vgl. N. Ertl, Diktatoren frühmittelalterlicher Papstbriefe: ArchUrkundenForsch 15 (1938) 56/132, bes. 57/67; entsprechend verfaßte Alcimus Avitus im Auftrag des Burgunderkönigs Sigismund dessen Briefe; vgl. M. Burckhardt, Die Briefsammlung des Bischofs Avitus v. Vienne (1938) 82. 86f. 94f. – Die pelagianische Schrift De VII ordinibus ecclesiae (Clavis PL nr. 764) ist zu Anfang des 5. Jh. einem gallischen Bischof zugeschickt worden; vgl. Griffe 2, 313/22. – Arator übersandte iJ. 544 aus Italien ein Exemplar seiner Dichtung De actibus apostolorum dem redegewandten magister officiorum Parthenius, einem Enkel des Bischofs Ruricius v. Limoges (s. u. Sp. 958), der ihn mit heidnischer Literatur (Cäsars ‚Historiae‘) u. christlicher Dichtung bekannt gemacht hatte (vgl. ep. ad Parthen., bes. V. 39/48 [CSEL 72, 150/3]; Stroheker nr. 283). Im Begleitschreiben rühmte er auch Firminus, Bischof von Uzès, V. 93/6 (ebd. 153; Stroheker nr. 157).

c. Der Bestand der Literatur in G. Überblicken wir die vorhandene Literatur aus G., so sehen wir, daß die Autoren meist Bischöfe (vgl. L. Duchesne, Fastes épiscopaux de l' ancienne Gaule 1² [Paris 1907]; 2² [ebd. 1910]; 3 [ebd. 1915]), Mönche, bisweilen auch gelehrte Frauen u. Nonnen waren. Nur wenige Profanschriftsteller sind zu nennen, wie Marcellus, magister officiorum (um 400), Verfasser des noch erhaltenen Liber de medicamentis: CML 5 (1916); (vgl. Schanz-Hosius 4, 2, 278/82; Kind: PW 14, 2 [1930] 1498/503; Stroheker nr. 235) u. der Grammatiker Virgilius Maro v. Toulouse aus dem 6./7. Jh. (Epitomae et epistulae: Clavis PL nr. 1559; vgl. Courcelle, Lettres 252f). Zur Profanliteratur wird man auch die meisten Werke des Apollinaris Sidonius u. seiner Freunde rechnen müssen (s. u.

Sp. 954 f) sowie die des Ennodius (s. J. Fontaine: o. Bd. 5, 416/20). Hier ist auch auf juristische Texte, wie die Veteris cuiusdam iurisconsulti consultatio hinzuweisen (vgl. Schanz-Hosius 4, 2, 175 f; Stroheker 100 u. Riché 113 f). – In der Spätantike übertrifft kein anderes Land des westlichen Römerreichs G. in der Zahl dichterischer Talente. Hilarius v. Poitiers ist für uns der älteste lateinische Hymnendichter. Die Bibeldichtung haben der sonst nicht näher bekannte Cyprianus, Claudius Marius Victorius, Alcimus Avitus u. einige anonyme Dichter gepflegt (vgl. die von R. Peiper in seiner Ausgabe des Cyprianus Gallus mitgeteilten Dichtungen: CSEL 23, 212/26. 231/74; Clavis PL nr. 1425/9). Neben dem in vielen antiken Versmaßen glänzenden Apollinaris Sidonius steht Paulinus v. Nola mit seinen Preisliedern auf den hl. Felix v. Nola. Ferner sind zu nennen: Severus Sanctus *Endelechius, ein unbekannter Paulinus (Epigramma), Orientius, Prosper Tiro, Rusticius Helpidius Domnulus, Paulinus v. Pella, Paulinus v. Périgueux, der in G. lebende Venantius Fortunatus u. Eucheria (zu Sedulius s. u. Sp. 955). Dazu kommen noch Dichtungen unbekannter Verfasser wie das Carmen de divina providentia unter den Werken des Prosper (neue Ausgabe von M. P. McHugh = Patristic Studies 98 [Washington, D. C. 1964]), oder Gelegenheitsdichtungen wie ein Brief des Ruricius in Hendekasyllaben (ep. 2, 19 [CSEL 21, 403]). Mit untergegangenem Gut ist zu rechnen: Sulpicius Severus hat nach dem Zeugnis des Gennadius, vir. ill. 67 ein Genesisgedicht verfaßt, u. Claudianus Mamertus hat einen Hymnus gedichtet (Apoll. Sid. ep. 4, 3, 8; vgl. W. Schmid: o. Bd. 3, 171). Die meisten Dichtungen sollten missionarisch, theologisch, liturgisch oder erbaulich wirken. Gleiche Aufgaben hatte auch die Prosaliteratur (zu ihrem Stil vgl. Norden, Kunstprosa 2, 633/42). Neben den exegetischen Schriften eines Reticius v. Autun, Hilarius v. Poitiers, Eucherius v. Lyon u. seines Sohnes Salonius v. Genf, des Presbyters Vincentius (sein Psalmenkommentar ist verloren; vgl. Gennad. vir. ill. 80; Bardenhewer 4, 598 f) sind Streitschriften gegen Schismatiker u. Häretiker erhalten geblieben oder noch erkennbar (von Reticius v. Autun, Hilarius v. Poitiers, Phoebadius v. Agen, Joh. Cassianus u. Gennadius; die Schrift des Faustus v. Riez, Adversum Arianos et Macedonianos scheint verschollen zu sein; vgl. Bardenhewer 4, 585). Gegen die

Juden streiten Evagrius u. der aquitanische Presbyter Eutropius (zu diesem vgl. Courcelle, Histoire 316 f). Ferner hat die Auseinandersetzung um die Gnadenlehre des Augustinus u. die Irrtümer des Pelagius in Süd-G. eine umfangreiche Literatur hervorgerufen (s. o. Sp. 946). Die Mönchsbewegung fand in Johannes Cassianus ihren Wortführer u. in Martin v. Tours ihren Heiligen, um den sich zahlreiche Legenden rankten (vgl. die Vita S. Martini u. die Dialogi des Sulpicius Severus, die Dichtungen De vita S. Martini des Paulinus v. Périgueux u. des Venantius Fortunatus sowie De virtutibus S. Martini des Gregor v. Tours; vgl. auch die Laudatio S. Martini eines unbekannten Galliers des 6. Jh.: Clavis PL nr. 480; PL Suppl. 4, 602/4). – Die neue gesellschaftliche Bewegung des Mönchtums ließ auch eine neue literarische Gattung entstehen: die Klosterregel. Zahlreiche Beispiele sind erhalten geblieben (vgl. Clavis PL nr. 1840/76 passim). – Der Einfluß des Orients auf G. macht sich umgekehrt in den Reisen mancher Männer u. Frauen in das Hl. Land u. die Wüste, den Wohnort der Einsiedler, bemerkbar (Pilger von Bordeaux; Egeria, Itinerarium; Sulp. Sev. dial. 1; der gallische Bischof Arculfus [2. Hälfte des 7. Jh.] bei Adomnanus, De locis sanctis: CCL 175, 183/234, u. Iustus v. Lyon: ASS Sept. 1, 373). – Die Hagiographie ist in G. durch einige wichtige Werke vertreten. Den Typus bestimmt die Vita Martini des Sulpicius Severus. Ihr folgen die Vita S. Germani des Constantius v. Lyon, die Vita Honorati Arelatensis des Hilarius v. Arles, die Vita Hilarii Arelatensis des PsReverentius (vgl. S. Cavallin in seiner Ausgabe: Vitae SS. Honorati et Hilarii episcoporum Arelatensium [Lund 1952] 35), die Vita S. Caesarii, die die Bischöfe Cyprianus, Firminus, Viventius, der Presbyter Messianus u. der Diakon Stephanus verfaßt haben (Clavis PL nr. 1018) sowie die Passio SS. Tergeminorum u. die Passio S. Desiderii episcopi apud Lingonas des Warnaharius. Dazu kommen zahlreiche anonyme Heiligenleben: Clavis PL nr. 509. 989. 1049/51 (1052 Anm.). 1079. 1304 (vgl. Norden, Kunstprosa 2, 635). 1468. 2076/2146 (verloren ist zB. die Vita S. Brictii, des Bischofs von Tours, gest. 447; vgl. Norden, Kunstprosa 2, 637). – Auffallend ist die große Anzahl gallischer Briefschreiber. Größere Sammlungen sind von Faustus v. Riez, Apollinaris Sidonius, Ruricius v. Limoges, Alcimus Avitus u. Desiderius erhalten; verloren sind beispielsweise die

Briefe des Victricius v. Rouen (380/407; vgl. Bardenhewer 3, 403) u. des Honoratus v. Arles (vgl. Bardenhewer 4, 567). – Als Prediger ist Caesarius v. Arles hervorzuheben; vgl. C. F. Arnold, Caesarius v. Arelate u. die gallische Kirche seiner Zeit (1894). Ferner sind zu erwähnen die Akten gallischer Konzile aus den Jahren 314/695: CCL 148. 148a; vgl. Clavis PL nr. 1776/85 (86); Chronica Gallica: ebd. nr. 2259 (vgl. auch die Epitoma chronicae des Prosper Tiro mit wichtigen Nachrichten über G. in der Zeit von 379 bis 433: MG AA 9, 385/485, bes. 460/74; Bardenhewer 4, 537f); Geographica: Clavis PL nr. 2342f. Dazu kommen liturgische Schriften: ein Antiphonale: Clavis PL nr. 1936; ein Hymnarium: ebd. nr. 2010; Lectionaria: ebd. nr. 1947/59; Libri paenitentiales: ebd. nr. 1888/93; Martyrologia u. Kalendaria: ebd. nr. 2031. 2033f; Sacramentaria: ebd. nr. 1917/25 (/1928c); s. o. Sp. 924f; die Epistulae Austrasicae wurden am Ende des 6. Jh. in Metz zusammengestellt (einzelne Briefe werden im folgenden unter den Namen ihrer Verfasser aufgeführt): ebd. nr. 1055/67; der Titulorum Gallicanorum liber: ebd. nr. 997.

d. Die Schriftsteller. Ohne auf Vollständigkeit Anspruch zu erheben (das gilt besonders für Autoren, deren Schriften verloren sind), sei im folgenden ein Verzeichnis der bekannten christl. Schriftsteller aus G. in chronologischer Abfolge bis zum Jahr 700 vorgelegt. Außer den erhaltenen Schriften ist die Hauptquelle unserer Kenntnis die literaturgeschichtliche Skizze des Presbyters Gennadius von Marseille (467/80) De viris illustribus, eine Ergänzung der gleichnamigen Schrift des Hieronymus (hrsg. von C. A. Bernoulli [1895 bzw. 1968]). Nicht ohne Wert ist auch die Schrift des Gregor v. Tours, In gloria confessorum: MG Scr. rer. Mer. 1, 2, 294/370.

1. Dichter des 4. Jh. Anonymus Augustodunensis (um 316/23), Laudes domini: Clavis PL nr. 1386. – Der Halbchrist Ausonius (s. o. Sp. 940f). – Paulinus, Bischof v. Nola (geb. um 353/54 in Bordeaux, gest. 431 in Nola); Werke: Clavis PL nr. 202/5; Stroheker nr. 291; Fabre passim; Courcelle, Histoire 283/91 (zu bisher nicht beachteten Fragmenten) u. o. Sp. 943. – Hilarius, Bischof v. Poitiers (um 315/67), Hymnen: Clavis PL nr. 463 (464).

2. Prosaschriftsteller des 4. Jh. Reticius v. Autun (Anfang des 4. Jh.); nur wenige Fragmente sind erhalten: Clavis PL nr. 77f; vgl. Bardenhewer 2, 663f. – Hilarius, Bischof v.

Poitiers; Werke: Clavis PL nr. 427/62; vgl. Altaner-Stuiber 361/6 u. Hilaire et son temps. Actes du Colloque de Poitiers 1968 (Paris o. J.). – Phoebadius (Foebadius), Bischof v. Agen (gest. nach 392), Contra Arianos: Clavis PL nr. 473; vgl. Altaner-Stuiber 367. – Der sog. Pilger v. Bordeaux (333 nC.), Itinerarium: Clavis PL nr. 2324. – Sortes Sangallenses (Ende des 4. Jh.): Clavis PL nr. 536. – Zu den gallischen Adressaten des Hieronymus s. o. Sp. 948f.

3. Dichter des 5. Jh. Severus Endelechius Rhetor (um 400), De mortibus boum seu de virtute signi crucis: Clavis PL nr. 1456; vgl. W. Schmid: o. Bd. 5, 1/3. – Paulinus aus Süd-G. (um 408), Epigramma: Clavis PL nr. 1464. In seiner Heimat hatte das Heidentum noch großen Einfluß: V. 76/8 (CSEL 16, 506): Paulo et Solomone relicto / aut Maro cantatur Phoenissa aut Naso Corinna. / nonne cavis distent penetralia nostra theatris? / accipiunt plausus lyra Flacci et scaena Marulli. Die Mimen des Mimographen Marullus aus dem 2. Jh. wurden also noch um 400 in Süd-G. aufgeführt (vgl. W. Kroll, Art. Marullus nr. 5: PW 14, 2 [1930] 2053); zu Paulinus vgl. Bardenhewer 4, 636f u. R. Helm: PW 18, 4 (1949) 2359f. – Cyprianus (Anfang des 5. Jh.), Dichtungen: Clavis PL nr. 1423f; vgl. L. Krestan: o. Bd. 3, 477/81. – Orientius, Bischof v. Auch (?) (um 430/40), Commonitorium: Clavis PL nr. 1465; er beschreibt die Kriegsnöte in G., comm. 2, 165/84, bes. 184 (CSEL 16, 234): uno fumavit Gallia toto rogo (vgl. Bardenhewer 4, 640/2). – Prosper Tiro, Mönch in Marseille (420/50), De ingratis, Epigramme: Clavis PL nr. 517/9. 526 (unsicher ist seine Autorschaft für das Poema coniugis ad uxorem u. das Carmen de divina providentia: Clavis PL nr. 531f). – Claudius Marius Victorius (gest. um 425/50), Alethia: Clavis PL nr. 1455; vgl. Altaner-Stuiber 411f. – Rusticius Helpidius Domnulus (um 450), Dichtungen: Clavis PL nr. 1506f. – Paulinus v. Pella (376; gest. nach 455/9), Dichtungen: Clavis PL nr. 1472f; vgl. Stroheker nr. 292; Bardenhewer 4, 647/9; R. Helm: PW 18, 4 (1949) 2351/5 u. Courcelle, Histoire 293/302: Une prière de jeunesse de Paulin de Pella. Sein Gedicht Eucharisticos ist ein wichtiges kulturgeschichtliches Dokument. – Paulinus v. Périgueux (schrieb um 470), Dichtungen: Clavis PL nr. 1474/7; vgl. Bardenhewer 4, 650f. – C. Sollius Modestus *Apollinaris Sidonius, Bischof v. Clermont-Ferrand (432, gest. um 480/90), Dichtungen u. Briefe, hrsg. von

A. Loyen 1/3 (Paris 1960/70); vgl. Glossae in epistulas Apoll. Sidonii: PL Suppl. 3, 449/90; vgl. Stroheker nr. 358. Von den zahlreichen Freunden des Sidonius waren viele schriftstellerisch tätig; ihre Werke sind aber größtenteils untergegangen. L.-A. Chaix, S. Sidoine Apollinaire et son siècle 2 (Clermont 1866) 317 zählt 109 Personen auf; davon sind 60 Dichter, Rhetoren u. Literaten; vgl. ferner Schanz-Hosius 4, 2, 55/8. 267/72; Bardenhewer 4, 655/8 u. Loyen 56/94. Zu nennen sind u. a.: Victorius rhetor, Hesperius rhetor, Lampridius v. Bordeaux rhetor (Schanz-Hosius 4, 2, 55f), Leo, vir spectabilis aus Narbonne (ebd. 4, 2, 56. 57f; Stroheker nr. 212), Consentius v. Narbonne, Vater u. Sohn (ebd. 4, 2, 49. 56. 58; vgl. Stroheker nr. 95f); mit ihnen ist der Grammatiker Consentius vir clarissimus verwandt, dessen Ars noch erhalten ist (GrLat 5, 329/404; vgl. Schanz-Hosius 4, 2, 210/3; Loyen 80f setzt ihn jedoch mit Consentius maior gleich). Weiter zu nennen sind: Constantius v. Lyon, Hagiograph u. Dichter, dessen Vita Germani episcopi Autissiodorensis erhalten ist (hrsg. von R. Borius = SC 112 [1965]; vgl. ebd. 13/43 u. Stroheker nr. 97); Firminus, vornehmer Gallier, von Ennodius, ep. 1, 8, 1 (MG AA 7, 17) doctus auctor genannt (Stroheker nr. 156); Petrus (gebürtiger Norditaliker; vgl. Schanz-Hosius 4, 2, 56f. 58); Secundinus (Schanz-Hosius 4, 2, 57f; vgl. aber auch Clavis PL nr. 1101); Domnulus (Stroheker nr. 105; S. Cavallin, Le poète Domnulus: Sacris Eruditi 7 [1955] 49/66 hält ihn für identisch mit dem Dichter Rusticius Helpidius Domnulus [s. o. Sp. 954]). Vielleicht zählte auch der Rhetor Iulius Severianus zu den Bekannten des Sidonius; seine Praecepta artis rhetoricae sind erhalten (Schanz-Hosius 4, 2, 265f. 58). – Auspicius, Bischof v. Toul, Zeitgenosse des Sidonius, rhythmischer Brief: Clavis PL nr. 1056; Bardenhewer 4, 657f. – Dem 5. Jh. gehört noch ein anonymer Dichter an, der das Commonitorium des Orientius benutzt hat: Clavis PL nr. 1469. – Es ist ungewiß, ob Sedulius (425/50) aus Süd-G. oder aus Italien stammt; Dichtungen: Clavis PL nr. 1447/9; vgl. Altaner-Stuiber 411.

4. Prosaschriftsteller des 5. Jh. Victricius, Bischof v. Rouen (380/407), De laude sanctorum: Clavis PL nr. 481; vgl. Bardenhewer 3, 403. – Paulinus, Bischof v. Béziers (400/ 419); der Brief, den Idac. chron. zJ. 419 (MG AA 11, 20) erwähnt, ist verloren. – Eutropius, Presbyter aus Aquitanien (um 400), Werke:

Clavis PL nr. 565/7; vgl. Courcelle, Histoire 303/17, bes. 309f zur klassischen Bildung des Eutropius. – Sulpicius Severus, zunächst Rhetor, später Geistlicher (gest. um 420), Werke: Clavis PL nr. 474/7; Stroheker nr. 355; vgl. die Ausgabe der Vita S. Martini des Sulpicius von J. Fontaine = SC 133/5 (1967/9). – Leporius, Mönch (um 426), Libellus emendationis: Clavis PL nr. 515; vgl. O. Chadwick, John Cassian² (Cambridge 1968) 137f. – Honoratus, Bischof v. Arles (gest. um 428/29); seine Werke sind verloren; vgl. Stroheker nr. 196. – Evagrius, Mönch (um 430), Altercatio legis . . .: Clavis PL nr. 482. – Johannes Cassianus, Abt in Marseille (gest. um 430/5), Werke: Clavis PL nr. 512/4; vgl. Altaner-Stuiber 452/4 u. o. Sp. 946. – Vincentius, Mönch aus Lerinum (um 434), Werke: Clavis PL nr. 510f. In seinem Commonitorium 2, 3 (3 Jülicher) formulierte er den berühmt gewordenen Maßstab für die Unterscheidung von Rechtgläubigkeit u. Ketzerei: in ipsa item catholica ecclesia magnopere curandum est, ut id teneamus, quod ubique, quod semper, quod ab omnibus creditum est; hoc est etenim vere proprieque catholicum; vgl. Bardenhewer 4, 579/82 u. Altaner-Stuiber 454f. – Hilarius, Bischof v. Arles (um 429/40), Werke: Clavis PL nr. 500/5; vgl. nr. 1427; Stroheker nr. 193. – Eucherius, Bischof v. Lyon (428/50), Werke: Clavis PL nr. 488/94; Stroheker nr. 120. – Rusticus, Presbyter, Brief: Clavis PL nr. 496; vgl. Bardenhewer 4, 570f. – Prosper Tiro (420/50), Werke: Clavis PL nr. 516. 520/5. 527f. 2257; s. o. Sp. 954. – Salonius, Bischof v. Genf, u. sein Bruder Veranus, Bischof v. Vence (um 450), Söhne des Eucherius, Bischofs v. Lyon (s. o.), Werke: Clavis PL nr. 499; vgl. Bardenhewer 4, 578 u. Stroheker nr. 341 u. 406 sowie C. Curti, Due commentarii inediti di Salonio ai vangeli di Giovanni e di Matteo. Tradizione manoscritta, fonti, autore (Torino 1968); die Erstausgabe (Torino 1968). – Lupus, Bischof v. Troyes, u. Euphronius, Bischof v. Autun (Mitte des 5. Jh.), Brief: Clavis PL nr. 988; vgl. Bardenhewer 4, 573. – Polemius Silvius, Gallier (Mitte des 5. Jh.), Laterculus: Clavis PL nr. 2256; berücksichtigt gallische Verhältnisse (vgl. K. Ziegler: PW 21, 1 [1951] 1260/ 3; zur Notitia Galliarum vgl. Schanz-Hosius 4, 2, 130 u. É. Demougeot: o. Sp. 864f). – Victorius aus Aquitanien (Mitte des 5. Jh.), Werke: Clavis PL nr. 1662. 2282f; vgl. Bardenhewer 4, 541. – Agroecius (Agricius, Agrestius),

Bischof (Mitte des 5. Jh.), Werke: Clavis PL nr. 1463a. 1545. – Brief des Ravennius u. zahlreicher namentlich genannter gallischer Bischöfe an Papst Leo I: Clavis PL nr. 1656: ep. 99. – Leo, Bischof v. Bourges (um 453), Brief, verfaßt zusammen mit den Bischöfen Victorius u. Eustochius: Clavis PL nr. 483 (Echtheit nicht ganz gesichert); zu Eustochius s. Stroheker nr. 135. – Valerianus, Bischof v. Cimiez bei Nizza (gest. um 460), Werke: Clavis PL nr. 1002/4; literarisch hochstehend, mit Bemerkungen zur südgallischen Zeitgeschichte; vgl. Bardenhewer 4, 572f. – Musaeus, Presbyter in Marseille (gest. 461); vgl. Genn. vir. ill. 79; Schanz-Hosius 4, 2, 565; Bardenhewer 4, 431. 578f; Clavis PL nr. 1947. – Claudianus Ecdicius Mamertus, Priester in Vienna (gest. um 474), Werke: Clavis PL nr. 983f; vgl. W. Schmid: o. Bd. 3, 169/79. – Salvianus, Presbyter in Marseille (gest. um 480), Werke: Clavis PL nr. 485/7. Sein Werk De gubernatione Dei ist eine der wichtigsten kulturgeschichtlichen Quellenschriften der Zeit (vgl. Courcelle, Histoire 146/55). Er gibt ein düsteres Sittengemälde der römisch-gallischen Bevölkerung: er prangert den Reichtum u. die Unzucht der Aquitanier an (7, 7/26. 50) u. beklagt den Sittenverfall in der von den Barbaren zerstörten Stadt Trier (6, 72/89). – Faustus, Bischof v. Riez in der Provence (gebürtiger Brite, lebte in G. um 455/80), Werke: Clavis PL nr. 961/5 (966/75a; zu PsEusebius v. Emesa, collectio Gallicana: PL Suppl. 3, 545/709 vgl. Griffe 2, 323/35; wahrscheinlich ist Faustus der Verfasser der Predigten).–Ein anonymer Schüler des Faustus, Werke: Clavis PL nr. 979f. – Lucidus, Presbyter (um 475), Retractatio: CSEL 21, 165/8; vgl. Bardenhewer 4, 586. – Paulinus v. Bordeaux (?), Zeitgenosse des Faustus v. Riez, vielleicht identisch mit dem von Gennadius, vir. ill. 68 genannten Schriftsteller Paulinus, dessen Traktate verloren sind, Werke: Clavis PL nr. 981 (982); vgl. Bardenhewer 4, 588 u. R. Helm, Art. Paulinus nr. 12: PW 18, 4 (1949) 2359. – Gennadius, Presbyter in Marseille (gest. um 495/505), Werke: Clavis PL nr. 957/9; s. o. Sp. 946. – Porcarius, Abt v. Lerinum (um 485/90), Monita: Clavis PL nr. 1841. – Perpetuus, Bischof v. Tours (461/91); vgl. Clavis PL nr. 2029; sein Bericht über die Wunder des hl. Martin ist untergegangen; vgl. Stroheker nr. 295 u. Bardenhewer 4, 650f. – Honoratus, Bischof v. Marseille (483/94); seine Werke sind nicht mehr vor-

handen, es sei denn, er ist der Verfasser der von S. Cavallin herausgegebenen Vita Hilarii Arelatensis (Lund 1952) 35/40. 79/109 (Text); vgl. Clavis PL nr. 506 u. Bardenhewer 4, 571f. – Vincentius, gallischer Presbyter, war mit Gennadius bekannt; vgl. Genn. vir. ill. 80; Clavis PL nr. 198₀ s. v. spuria; Schanz-Hosius 4, 2, 566; Bardenhewer 4, 598f. – Dem 5. Jh. gehört vielleicht Vigilius Diaconus an, Regula orientalis: Clavis PL nr. 1840. – Es steht nicht fest, ob die Äbtissin Egeria (Aetheria), um 415/8, aus Süd-G. oder aus Nordspanien kommt, Itinerarium: Clavis PL nr. 2325; vgl. Altaner-Stuiber 245.

5. **Dichter des 6. Jh.** Alcimus Ecdicius Avitus, Bischof v. Vienne (gest. 518), Dichtungen: Clavis PL nr. 995f; vgl. Stroheker nr. 60 u. Bardenhewer 5, 337/45; die Gedichte seines Freundes Heraclius sind nicht mehr vorhanden (Stroheker 98 u. ebd. nr. 186). – Magnus Felix Ennodius, Bischof v. Pavia (geb. 473/4 in Arles, gest. 521 in Pavia), Dichtungen: Clavis PL nr. 1490f, wie die Prosawerke meist in Mailand geschrieben; vgl. Stroheker nr. 112 u. J. Fontaine: o. Bd. 5, 398/421. – Flavianus, Bischof v. Chalon-sur-Saône (gest. 591), Verse: Clavis PL nr. 2014. – Venantius Honorius Clementianus Fortunatus, Bischof v. Poitiers (geb. um 530 bei Treviso, gest. 601), Dichtungen: Clavis PL nr. 1033/7 (Zweifelhaftes: nr. 1045f); vgl. M. Schuster: PW 8 A 1 (1955) 677/95 u. u. Sp. 960. – Eucheria (6. Jh.), Epigramma: Clavis PL nr. 1479; vgl. Stroheker nr. 118. – Vgl. auch den Titulorum Gallicanorum liber (Clavis PL nr. 997) u. die Venantius Fortunatus zu Unrecht zugewiesenen Gedichte (Clavis PL nr. 1048). – Zu Dinamius s. u. Sp. 960.

6. **Prosaschriftsteller des 6. Jh.** Ruricius, Bischof v. Limoges (um 500), Briefe: Clavis PL nr. 985; vgl. Bardenhewer 4, 589/91 u. Stroheker nr. 327. In der Sammlung der Briefe des Ruricius befinden sich u. a. Schreiben der Bischöfe Graecus v. Marseille, Victorinus v. Fréjus, Euphrasius v. Clermont (Stroheker nr. 128) u. des Taurentius, eines vornehmen Laien (Stroheker nr. 382). – Iulianus Pomerius, Presbyter in Arles, von Geburt Mauretanier (um 500), Werke: Clavis PL nr. 998/8a; vgl. Bardenhewer 4, 599/601 u. W. Enßlin: PW 21, 2 (1952) 1876. – Sedatus, Bischof v. Nîmes (um 500), Werke: Clavis PL nr. 1005/7 (985); vgl. Bardenhewer 5, 377. – Licinius v. Tours, Melanius v. Rennes, Eustochius v. Angers, Bischöfe (um 511), Brief: Clavis PL

nr. 1000 a. – Alcimus Avitus, Prosaschriften: Clavis PL nr. 990/4; s. o. Sp. 958. Seine klassische Bildung erweist u. a. sein Brief an den Rhetor Viventiolus. Dieser hatte Alcimus Avitus einen Barbarismus in einer Predigt vorgeworfen. Diesem Tadel suchte der Bischof v. Vienne mit großer grammatischer u. prosodischer Gelehrsamkeit zu begegnen: ep. 57 (MG AA 6, 2, 85/7). – In der Sammlung seiner Briefe, die er an die Großen von Burgund, G., Italien u. bis in den Osten gerichtet hat, stehen verschiedene Schreiben seiner Bekannten, u. a. von seinem Bruder Apollinaris, Bischof v. Valence (Stroheker nr. 23), Victorius, Bischof v. Grenoble, u. Heraclius, dem Dichter u. Höfling des Burgunderkönigs Gundobad (Stroheker nr. 186); s. Clavis PL nr. 993. – Magnus Felix Ennodius, Prosaschriften: Clavis PL nr. 1487/9. 1492/1500; s. o. Sp. 958 (nr. 1502: Dictio in natali Laurentii episc. Med. ist von E. Dekkers unter die Spuria eingeordnet, wiewohl sie nur ein Exzerpt aus der echten Dictio 1/12 des Ennodius nr. 1488 ist; unrichtig auch PL Suppl. 3, 1264). – Viventiolus, Bischof v. Lyon (um 520), Briefe: Clavis PL nr. 1068 f. – PsTheophilus v. Antiochien (um 470/529), Evangelienkommentar: Clavis PL nr. 1001. – Caesarius, Bischof v. Arles (470/542), Werke: Clavis PL nr. 1008/17 b; vgl. Bardenhewer 5, 345/56; u. Stroheker nr. 80; seine Vita ist von seinen Schülern u. Freunden verfaßt: Cyprianus, Bischof v. Toulon (s. u.), Firminus, Bischof v. Uzès (Stroheker nr. 157), Bischof Viventius, Presbyter Messianus u. Diakon Stephanus (Clavis PL nr. 1018). – Troianus, Bischof v. Saintes (um 532), Brief: Clavis PL nr. 1074. – Remigius, Bischof v. Reims, geb. um 438 (gest. 533 [?]), Werke: Clavis PL nr. 1070/2; vgl. Bardenhewer 5, 356 f u. Stroheker nr. 322. – Leo, Bischof v. Sens (gest. 541), Brief: Clavis PL nr. 1075. – Cyprianus, Bischof v. Toulon (524/46), Werke: Clavis PL nr. 1020 f (1018); vgl. Bardenhewer 5, 356. – Aurelianus, Bischof v. Arles (546/51), Klosterregeln: Clavis PL nr. 1055. 1844/6; vgl. Bardenhewer 5, 356. – Mapinius, Bischof v. Reims (gest. um 550), zwei Briefe: Clavis PL nr. 1062, vgl. Bardenhewer 5, 357. – Rufus, Bischof v. Octodurus (Martigny a. d. Rhône; um 550), Brief: Clavis PL nr. 1065. – Nicetius, Bischof v. Trier (525/66), Briefe: Clavis PL nr. 1063 f; vgl. Bardenhewer 5, 367. – Germanus, Bischof v. Paris (um 555/76), Brief: Clavis PL nr. 1060; vgl. Bardenhewer 5, 377. – Ferreolus, Bischof v.

Uzès (gest. 581), Mönchsregel: Clavis PL nr. 1849; vgl. Bardenhewer 5, 367 u. Stroheker nr. 151. – Felix, Bischof v. Nantes (gest. 582), verfaßte mit sechs anderen Bischöfen einen Brief an die hl. Radegunde; Text bei Greg. Tur. hist. Franc. 9, 39 (MG Scr. rer. Mer. 1, 1, 460/3); vgl. Stroheker nr. 148. – Caesaria, Äbtissin (um 567), Brief: Clavis PL nr. 1054; vgl. Stroheker nr. 78. – Veranus, Bischof v. Cavaillon (gest. 589), Sententia: Clavis PL nr. 1022 (Zuschreibung ist ungewiß). – Georgius Florentius, gen. *Gregorius, Bischof v. Tours (538/94), Werke: Clavis PL nr. 1023/6; vgl. Stroheker nr. 183. – Marius, Bischof v. Avenches (gest. 594), Chronik: Clavis PL nr. 2268; vgl. H. Leclercq: DACL 10, 2, 2167/77; Bardenhewer 5, 378 u. Stroheker nr. 239. – Asclepiodotus, vir illustris u. Referendar König Guntrams (um 600), Verfasser von Staatsakten; vgl. Stroheker nr. 38. – Venantius Fortunatus, Prosaschriften: Clavis PL nr. 1038/44 a; s. o. Sp. 958. – Dinamius Patricius (gest. 601), Werke: Clavis PL nr. 1058. 2125; vgl. Stroheker nr. 108 u. Riché 229 f. 245 f. Sein Enkel mit dem Namen Dinamius schrieb nicht vor 605 das Epitaph für seine Großeltern: Clavis PL nr. 997 (vgl. Stroheker nr. 109). – PsBasilius Magnus (6. Jh. ?), De consolatione in adversis: Clavis PL nr. 999; vgl. Fischer 207. – Baudonivia, Nonne aus Poitiers (6./7. Jh.), Vita Radegundis: Clavis PL nr. 1053. – Aunacharius, Bischof v. Auxerre (gest. vor 603), Werke: Clavis PL nr. 1311. 2083. – Zu angeblichen Schriften des Eleutherius, Bischofs v. Tournai (5./6. Jh.), vgl. Clavis PL nr. 1004 a u. Bardenhewer 5, 356.

7. Schriftsteller des 7. Jh. Selbst im G. des 7. Jh. sind die literarischen Studien nicht ganz erloschen. Von Dichtungen hören wir nur gelegentlich. Verse sind von Theodofridus, dem Bischof v. Amiens (gest. nach 683), erhalten: Clavis PL nr. 2301; vgl. ebd. nr. 2347. – Ansbertus, Bischof v. Rouen (gest. 693), schrieb ein Carmen acrostichon: Clavis PL nr. 2089; seine Quaestiones ad Siwinum reclausum sind verschollen (vgl. E. Vacandard: Dict. hist. géogr. eccl. 3 [1924] 431/3). – Desiderius, Bischof v. Vienne (gest. 606), war der antiken Bildungstradition verpflichtet u. lehrte Grammatik. Papst Gregor I tadelte ihn deswegen heftig, indem er an ihn i J. 601 schrieb (ep. 11, 34 [MG Ep. 2, 303]) ‚in uno se ore cum Iovis laudibus Christi laudes non capiunt'; vgl. Stroheker nr. 102 u. R. van Doren, Art. Didier nr. 8: Dict. hist. géogr. eccl. 14

(1960) 410 f. – Ferner sind zu nennen: Warna-
harius, Hagiograph (um 614), Werke: Clavis
PL nr. 1308/10. – Sonnatius, Bischof v.
Reims (600/22), Statuta synodalia eccl.
Rem.: Clavis PL nr. 1312. – Venerandus,
Klostergründer (620/30), Brief: Clavis PL nr.
1305. – Desiderius, Bischof v. Cahors (gest.
650), Briefe: Clavis PL nr. 1303 (1304); vgl.
Stroheker nr. 103. Die Briefsammlung enthält im zweiten Teil Schreiben befreundeter
Gallier (vgl. die Aufzählung: Clavis PL nr.
1303), u. a. einen Brief des Eligius, Bischofs v.
Noyon (vgl. Clavis PL nr. 2096: Sermo des Eli-
gius u. G. Böing: LThK 3 [1959] 814). In der
Vita Desideri stehen drei Briefe seiner Mutter
Herchenefreda (zu ihr Stroheker nr. 187);
vgl. Clavis PL nr. 1304; CCL 117, 353/6. – Do-
natus, Bischof v. Besançon (gest. vor 660), Klosterregel: Clavis PL nr. 1860; vgl. U. Engel-
mann: LThK 3 (1959) 507. – Johannes I, Bischof v. Arles (659/68), Klosterregel: Clavis
PL nr. 1848. – Waldebertus, Abt v. Luxeuil
(629/70), Klosterregel: Clavis PL nr. 1863. –
Chrodebertus, Bischof v. Tours (653/74),
Brief: Clavis PL nr. 1307. – Audoenus, Bischof v. Rouen (610/84), Brief: Clavis PL nr.
2094 Anm.; vgl. A. M. Zimmermann: LThK
1 (1957) 1026. – Leodegarius, Bischof v. Autun (7. Jh.), Werke: Clavis PL nr. 1077f.
1865. – Defensor, Mönch der Abtei Ligugé bei
Poitiers (7. Jh.), Scintillarum liber: Clavis PL
nr. 1302. – Florentius, Presbyter aus der
Nähe von Vaison, Hagiograph (7. Jh.), Vita
S. Rusticulae: Clavis PL nr. 2136a. – Claudius, Abt von S. Oyan im Jura (gest. um 700),
Tractatoria Cameracensis: Clavis PL nr.
1312 b. – Zu anonymen u. zweifelhaften
Schriften gallischer Christen des 4. bis 7. Jh.
vgl. Clavis PL nr. 36. 465/72. 478/80. 484 (anders Fischer 156). 495. 497 f. 507 f. 529/35. 629.
711 b. 976 f. 1000. 1019/19 a. 1022 a. 1027/32.
1047. 1052. 1073. 1306. 1313. 1430. 1457.
1460. 1466 f. 1486. 1501 (zu 1502 s. o. Sp.
959). 1503. 1748. 1847. 2007.
e. Fälschungen. Fälscher des Mittelalters u.
der Neuzeit haben ihre Schriften teilweise als
Werke altchristlicher gallischer Autoren verbreitet. Mit der Aufdeckung dieser Pseudepi-
grapha hatte die Philologie bis in das 20. Jh.
zu tun; zu den beiden gefälschten Briefen des
Martialis v. Limoges vgl. H. Leclercq: DACL
9, 1, 1100; zu gefälschten Passionen gallischer
Heiliger vgl. ebd. 1101 u. L. Duchesne, Fastes
épiscopaux de l' ancienne Gaule 1²/3 (Paris
1907/15) passim; zu den Fälschungen des Ora-

torianers J. Vignier (1606/61) vgl. H. Rahner,
Die gefälschten Papstbriefe aus dem Nachlaß
von Jérôme Vignier (1935); ferner W. Speyer,
Die literarische Fälschung im heidnischen u.
christlichen Altertum = HdbAltWiss 1, 2
(1971) 321 f u. Register s. v. G.

J.-J. Ampère, Histoire littéraire de la France
avant Charlemagne² 1/2 (Paris 1867). – N. K.
Chadwick, Poetry and letters in early christian
Gaul (London 1955). – P. Courcelle, Les lettres
grecques en occident de Macrobe à Cassiodore²
(Paris 1948) 210/53; Histoire littéraire des gran-
des invasions germaniques³ (Paris 1964). – G.
Dottin, La langue gauloise (Paris 1920). – P.
Fabre, S. Paulin de Nole et l'amitié chrétienne
(Paris 1949). – Ch. Favez, Une école gallo-
romaine au IVᵉ siècle: Latom 7 (1948) 223/33.
– J. Fischer, Die Völkerwanderung im Urteil
der zeitgenössischen kirchlichen Schriftsteller
Galliens unter Einbeziehung des hl. Augustinus,
Diss. Würzburg 1943 (1948). – E. Griffe, La Gaule
chrétienne à l'époque romaine 1² (Paris 1964), 2²
(ebd. 1966), 3 (ebd. 1965). – O. Hirschfeld,
Kleine Schriften (1913). – A. Holder, Alt-cel-
tischer Sprachschatz 1/3 (1896.1904.1907 bzw.
Graz 1961/2). – C. Jullian, Histoire de la Gaule 1/8 (Paris 1920/6 bzw. Bruxelles 1964). – G.
Kaufmann, Rhetorenschulen u. Klosterschulen
oder heidnische u. christliche Kultur in G. während des 5. u. 6. Jh.: Histor. Taschenbuch, hrsg.
v. F. v. Raumer, 4. F. 10 (1869) 1/94. – A. Loyen,
Sidoine Apollinaire et l'esprit précieux en Gaule
aux derniers jours de l'empire (Paris 1943). –
E. Norden, Die antike Kunstprosa vom 6. Jh.
vC. bis in die Zeit der Renaissance 2³ (1915 bzw.
1958) 582/5. 631/42; Die germanische Urgeschichte in Tacitus Germania³ (1923 bzw. 1959).
– F. Prinz, Frühes Mönchtum im Frankenreich
(1965) 449/89. – P. Riché, Éducation et culture
dans l'occident barbare VIᵉ/VIIIᵉ siècles = Patrist. Sorbon. 4 (Paris 1962). – A. Riese, Das
rheinische Germanien in der antiken Litteratur
(1892). – J. Steinhausen, Die Hochschulen im
röm. Trier: Trier, Rhein. Verein f. Denkmalpflege
usw. (1952) 27/46. – K. F. Stroheker, Der senatorische Adel im spätantiken G. (1948 bzw. 1970). –
H. G. Wackernagel, Art. Massalia nr. 1: PW
14, 2 (1930) 2130/52, bes. 2143/6.   *W. Speyer.*

Gallia cisalpina s. Italien.

Gallienus.

A. Thronbesteigung u. dynastische Politik 963.
B. Mitregentschaft. I. Aufstände von Prätendenten 964. a.
Rheingrenze 964. b. Donaugrenze 965. c. Orient 965. – II.
Innenpolitik 965. – III. Militärische Ereignisse. a. Rheingrenze
966. b. Donaugrenze 966. – IV. Außenpolitik 966.
C. G. als Alleinherrscher. I. Innenpolitik. a. Militärreform 967.
b. Sozial- u. Wirtschaftspolitik 968. c. Usurpationen 969. –
II. Außenpolitik. a. Rheingrenze 970. b. Goteneinfälle 971.

A. Thronbesteigung u. dynastische Politik. Im J. 253 bedrohte der Perserkönig Sapor I den Osten des Reiches, Antiochien wurde zerstört, *Valerian übernahm persönlich den Oberbefehl über die Truppen, die mit der Verteidigung der Reichsgrenze betraut waren. Das ruhmlose Ende des alten Kaisers wurde später von der christl. Polemik als gerechte Vergeltung seiner Christenverfolgung gedeutet (Lact. mort. 5 [CSEL 27, 178f]). Im J. 259 geriet er in Gefangenschaft u. starb zu ungewisser Zeit als Sklave Sapors. G. wurde Alleinherrscher. Es war natürlich, daß er von den Unternehmungen seines Vaters abrückte, der nicht mehr imstande war, das imperium auszuüben. Nur so ist es zu verstehen, daß G. zu dem Zeitpunkt, als er offiziell das Verschwinden seines Vaters zugeben mußte, die Zählung seiner eigenen tribuniciae potestates u. seiner eigenen Siege vom Augenblick der Gefangennahme Valerians an neu beginnen ließ. Doch feierte er bereits 261 seinen 9. Sieg, nahm also die alte Zählung, die angesichts der bevorstehenden Dezennalien vorteilhafter war, wieder auf (Manni, Note gall. 113/37; dort auch das Quellenmaterial). Die Regierungszeit des G. ist also in drei Phasen zu gliedern: in die Periode der Mitregentschaft mit Valerian, in eine Zeit, die man als antivalerianisch bezeichnen kann u. in die letzte Phase, in welcher G. auf eine Stärkung des dynastischen Prinzips hinarbeitete u. so in gewissem Sinne dem Werk Valerians wieder neue Bedeutung verlieh. Im ganzen gliedert sich also die Regierungszeit des G. (von der Akklamation des Valerian iJ. 253 bis zur Ermordung des G. iJ. 268) in zwei Hauptperioden, die durch eine kurze Zwischenperiode von etwa zwei Jahren Dauer (259/61) voneinander getrennt sind. Das dynastische Prinzip, das im Laufe des tribunizischen Jahres 253/4 bereits von Valerian durch die Ernennung des G. zum Mitregenten angewandt wurde, fand neue deutliche Bestätigung in der Heranziehung der beiden Söhne des G., Valerian d. J. u. Saloninus, zur Mitregentschaft. Der erstere, bereits 257/8 Caesar (5. alexandr. Jahr), verschwand bald wieder aus dem politischen Leben; vor August 258 erhielt er das Prädikat ‚divus‘. Mindestens einige Monate zuvor war auch sein Bruder Saloninus zu derselben Würde erhoben worden. Vor dem 29. VIII. 258 u. vielleicht schon seit 257, dem Jahr, in dem er mit Regierungsfunktionen in Gallien erschien, war er Caesar. Doch auch er starb jung. Aufständische töteten ihn 260 (Manni, Note gall. 140f). Ein dritter Sohn des G., Marinianus, übernahm gegen Ende der Regierungszeit seines Vaters das Konsulat (268), war wohl aber noch zu jung, um als Caesar an der Regierung beteiligt zu werden (A. Alföldi, Numbering 266f; ders., Crisis 189; Manni, Impero 73). Die dynastische Politik der Kaiser Valerian u. G. scheiterte also noch vor der Ermordung des letzteren, da ein Erbe fehlte, der die Regierungsgeschäfte übernehmen konnte.

B. Mitregentschaft. I. Aufstände von Prätendenten. Seit dem Aufbruch Valerians in den Osten lastete die Regierungsverantwortung im Westen auf den Schultern des G. Das Imperium litt unter starkem Druck von außen u. Aufständen im Inneren. Diese Lage war keineswegs neu. Rhein- u. Donaugrenze waren bedroht von Kräften, die bereits seit langer Zeit gegen sie anstürmten, um den Übergang in Reichsgebiete zu erzwingen. Es handelte sich gerade um die Grenzstreifen, deren Schutz dem G. oblag. Zur Verteidigung der Rheinlinie wurde, wie erwähnt, Saloninus 257/8 nach Gallien entsandt, während sich G. selbst an die Donaufront begab, wo sich u.a. zuerst Ingenuus u. wenig später Regalianus gegen die Herrschaft Valerians erhoben hatten (vgl. u. Sp. 966).

a. Rheingrenze. Die am Rhein stehenden Truppen blieben G. treu ergeben bis zur victoria VII, wie aus den Legionsmünzen hervorgeht (Manni, Note gall. 137/52). Die Triumphe von 259 u. 260 beweisen übrigens, daß die rheinischen Legionen G. nach der Gefangennahme Valerians bis Ende 260 die Treue hielten, d.h. bis zum Beginn der Erhebung des M. Cassianius Latinius Postumus. Diese Revolte, die zeitlich auf die Gefangennahme Valerians u. auf den Gewinn einer neuen politischen Stellung durch G. folgte, kann als eine Rebellion des konservativen Senatorenstandes angesehen werden, der, traditionalistisch u. christenfeindlich, der Kriegspolitik der equites militares ablehnend gegenüberstand. Im übrigen war Postumus sicherlich Legat im Heer des Valerian gewesen, wenn seine Karriere ihn bereits bis zum Konsulat getragen hatte. Freilich handelte es sich dabei wohl nur um das Amt des consul suffectus (Manni, Note gall. 144).

b. Donaugrenze. An der Donau bekundeten folgende Legionen iJ. 259 zum 6. Mal ihre Loyalität gegenüber G.: leg. I Adiutrix, I Italica, II Adiutrix, II Italica, IV Flavia, V Macedonica, VII Claudia, X Gemina, die alle iJ. 260 auch zum 7. Mal als piae fideles bezeichnet wurden, ferner XI Claudia, XIII Gemina u. XIV Gemina; für diese drei Legionen ist die letztere Loyalitätsziffer freilich nicht gesichert. Wenn die von uns angegebene Datierung zu Recht besteht (Zweifel äußert Passerini, Legio 559), dürfen wir annehmen, daß die legiones VI piae VI fideles G. nach der Gefangennahme Valerians iJ. 259 noch für eine gewisse Zeit die Treue hielten. Die drei zuletzt genannten jedoch könnten zwischen Sommer 259 u. Sommer 260 von ihm abgefallen sein u. mit dem Rebellen Macrianus gemeinsame Sache gemacht haben. Mit der II Parthica (Kaiserliche Garde) u. der I Adiutrix (Pannonien) könnte die VIII Augusta (Standort: Argentoratum) bei der Niederwerfung der Donaurevolten von 258 (besonders derjenigen des Ingenuus u. des Regalianus) zusammengewirkt haben. Diese Legionen erreichen in der Tat nur die Loyalitätsziffer V piae V fideles.

c. Orient. Während der Anwesenheit Valerians im Osten, in der Zeit von 254, wenn nicht bereits seit 253 (zum Datum vgl. Manni, Note val. 28/32), bis 259, waren alle römischen Kräfte, die in diesem Raum standen, durch den Kampf gegen Sapor I gebunden. Die wichtigsten militärischen Ereignisse lassen sich aus orientalischen Zeugnissen u. aus numismatischen Befunden weit besser rekonstruieren als aus den griech.-röm. literarischen Quellen (ebd. 6/28). Die G.forschung wird hierdurch nur indirekt berührt. Es sei deshalb nur daran erinnert, daß das Datum der Gefangennahme Valerians nunmehr zweifelsfrei in die 1. Hälfte des J. 259 zu datieren ist. Dies geht aus der Tatsache, daß die Berechnung der tribuniciae potestates des G. genau mit dem tribunizischen Jahr 258/9 beginnt (Manni, Note gall. 132f), u. aus der Existenz einer neuen Zählung der Siege des G. hervor (ebd. 137f).

II. Innenpolitik. Eine selbständige Innenpolitik des G. ist natürlich vor Valerians Gefangennahme nicht bezeugt. Es ist zu vermuten, daß er sich auch auf diesem Gebiet an die Richtlinien des Senates gehalten hat, zu deren Befolgung ihn der Vater zwang. Unbeschränkter jedoch waren seine militärischen Befugnisse, wie aus der Legende ,Gallienus cum exercitu suo' auf Münzen hervorgeht, die das Bildnis Valerians tragen (Manni, Impero 18).

III. Militärische Ereignisse. a. Rheingrenze. An der Rheingrenze sind fünf Siege für G. aus der Zeit der Mitregentschaft unter Valerian gesichert. Er ließ sich in der Tat als Germanicus V proklamieren (Manni, Note gall. 147₃). Alle fünf gingen sicherlich der Revolte des Postumus voraus u. müssen daher noch vor den letzten Monaten des J. 260 angesetzt werden. Unter diesen Siegen war der letzte jener Triumph, den er über die Alamannen feierte. Man kann ihn in das J. 259 setzen u. mit dem 6. Sieg verbinden, da zu diesen Siegen gewiß auch noch eine victoria Dacica zu rechnen ist (s. dazu unten). Die victoria VI ist im übrigen der erste Sieg, den G. allein errang. Auf ihn werden zwei weitere folgen (in anderen Gegenden der Reichsgrenze), die als II u. III oder als VII u. VIII bezeichnet werden.

b. Donaugrenze. Die Feier eines dakischen Sieges gehört gewiß in das J. 257 (Manni, Note gall. 138₄). Danach zwangen die Erhebungen des Ingenuus u. Regalianus iJ. 258 G. zu persönlichem Einschreiten. Der Kontrolle des G. unterstand jedoch, wenigstens in einer ersten Phase der Entwicklung, nicht die Zone der Meerengen. Ihr Schutz oblag wahrscheinlich Generälen Valerians, wenn sich Valerian wirklich dieser Aufgabe mit Hilfe seiner Feldherren Successianus u. Felix annahm (Zos. 1, 31, 1f; 1, 34ff). Als freilich wenig sichere Daten können für diese Ereignisse die Jahre 254 u. 256 angenommen werden (Manni, Impero 32₁). Aufgrund dieser Daten können wir mit einer Verlagerung der Macht von Valerian auf G. zwischen 256 u. 257 rechnen. Nach diesem Zeitpunkt konnte Valerian dieser Zone keine Aufmerksamkeit mehr widmen, da seine Kräfte durch Sapor stark gebunden waren.

IV. Außenpolitik. G. hielt sich während der Zeit der Mitregentschaft an eine strikt defensive Politik, die mit dem Friedensprogramm der konservativen Senatspartei übereinstimmte. Um diese Politik durchzuführen, beugte er sich auch diplomatischen Kompromissen. Wenn Zos. 1, 30, 3 Recht hat, hat ihm bereits eine Übereinkunft mit einem Alamannenfürsten bemerkenswerte Vorteile eingetragen. Der Vertrag mit dem Markomannenkönig Attalus erbrachte ihm ferner den Wiedergewinn eines Teiles von Pannonia superior (Epit. Caes. 33, 1 [160 Pichlmayr]); er ist zu datieren vor dem Spanienzug der Franken (Eutrop. 9, 8, 2 [MG AA 2, 154]), der diese bis zur Eroberung von Tarraco i.J. 258 führte (vgl. Manni, Impero 21₂). Wahrscheinlich gestatteten die Übereinkünfte mit Alamannen u. Markomannen es G., sich den Franken entschlossener entgegenzustellen u. ihr Eindringen in römisches Gebiet zu begrenzen.

C. G. als Alleinherrscher. I. Innenpolitik. a. Militärreform. Mit Valerians Abtreten von der Bühne der aktiven Politik i.J. 259 begann für G. eine völlig neue politische Phase. Das J. 259 muß als ein Entscheidungsjahr gewertet werden, in welchem sich der Zerfall der Reichseinheit bereits deutlich abzeichnete. Das Ausscheiden Valerians befreite G. von den Fesseln, die der Vater ihm angelegt hatte. Da G. jedoch unmöglich zur gleichen Zeit dem Druck der Westgermanen (in das J. 259 fiel wohl der sechste Sieg des G. über die Alamannen, vgl. o. Sp. 966), der Ostgermanen (Skythen, d.h. Goten, vgl. u. Sp. 971) u. der Perser, die Valerian gefangen genommen hatten, begegnen konnte, war er gezwungen, die Initiative einigen Generälen zu überlassen, über welche er wohl nur noch eine nominelle Kontrolle ausübte. Der Konflikt mit dem Senatorenstand war andererseits sowohl Ursache als auch Wirkung der Militärreform, anläßlich derer er ‚senatum militia vetuit et adire exercitum' (Aur. Vict. Caes. 33, 34 [112 Pichlmayr]). Gleichviel, ob er ein besonderes Dekret erließ oder nicht, unter seiner Herrschaft begann mit Sicherheit die Scheidung von ziviler u. militärischer Gewalt in den Provinzen. – Die Militärreform brachte die Einrichtung eines neuen Kavalleriecorps mit sich, ferner häufigere Verlegungen von Truppenteilen (vexillationes) aus den verschiedenen Legionen auch in Bereiche, die von den heimischen Garnisonen weit entfernt lagen. Kein Senator übte von nun an den Befehl über Legionen oder vexillationes aus. An die Stelle der legati legionis senatorii traten praefecti legionis, die duces der Abteilungen wurden durch praepositi viri perfectissimi ersetzt. So wuchs die Macht der Berufsmilitärs, während der Senatorenstand völlig entmachtet wurde. In dieser neuen Lage wird der radikale politische Wandel deutlich, den G. bewirkt hat. Den Senatoren blieb nur die Regierung einiger Provinzen, freilich unter Beschränkung auf die zivile Verwaltung. Den Provinzgouverneuren fiel die Aufgabe zu, die Truppen mit allem, was sie benötigten, zu versorgen (vgl. Manni, Impero 54/61). – Etwa um die gleiche Zeit bauten selbst Städte, die in einiger Entfernung vom Limes lagen, ihre Befestigungsanlagen aus, so zB. Montana, Verona, Byzantium, Colonia Agrippina, Novaesium, Autumnacum, Niederbieber, Milet usw. (Manni, Impero 58₃). Ähnliches kann man auch bei den Städten vermuten, die den Titel coloniae Gallienianae trugen. Unter ihnen finden wir wieder Verona, Colonia Agrippina, Carthago, Falerii, Mediolanum, Thessalonike, Thibursicum Bure, Thugga (Manni, ebd.). Während so die Stellung der equites verstärkt wurde, sank die Bedeutung der Legionsquartiere in festen Garnisonen. Die Verteidigung wurde beweglicher, was sich von nun an als unentbehrlich erwies. – Doch auch die Geltung des Ritterstandes, der ihm zwar als notwendiges Gegengewicht gegen die ehrgeizige Politik der Senatoren diente, wurde dadurch gemindert, daß der Kaiser selbst einfachen Soldaten das Tragen eines Goldringes zugestand (zur Polemik in dieser Frage s. Manni, Impero 59₄). Die Innenpolitik des G. zielte also auf eine Nivellierung der Standesunterschiede hin. Über alle Stände herrschte nunmehr das militärische Oberkommando u. innerhalb dieser Gruppe der Befehlshaber der neu begründeten Kavallerieeinheiten. – Um die Unterstützung noch deutlicher zu machen, die er den equites im Augenblick einer sehr schweren Krise lieh, übernahm G. iJ. 261 gemeinsam mit dem praefectus praetorio L. Petronius Taurus Volusianus das Konsulat.

b. Sozial- u. Wirtschaftspolitik. Unter den Reskripten des G. u. des Valerian, die im Codex Iustinianus erhalten sind, seien besonders diejenigen hervorgehoben, die den Schutz der Familie u. die familiären Beziehungen i.a. (10, 65, 1f; 6, 25, 5; 9, 9, 16/8; 5, 3, 5; 17, 2 usw.; s. ferner Fragen der Mitgift 4, 29, 12; 1, 2, 15; 5, 18, 5; 4, 10, 2) sowie die Maßnahmen zugunsten von Soldaten (zB. 2, 50, 6; 6, 21, 13, beide aus dem J. 254 stammend) betreffen. Weitere Erlasse beziehen sich auf den Fiskus oder die Lebensmittelversorgung (10, 16, 2; 4, 62, 3). Die Häufung solcher Dokumente, nach deren Zeugnis G. an seine Aktivität auf diesem Gebiet in der Epoche der Mitregentschaft anknüpfte, beweist gerade ihr Ungenügen u. enthüllt ein großes Maß an Unordnung, die der Kaiser abzustellen versuchte. Die Bedrohlichkeit der Lage war besonders beunruhigend auf dem Gebiet der Veteranenfrage u. Familienpolitik. Ehebruch, Bigamie, Streitigkeiten über die Mitgift, die gewohnten Probleme aller stürmischeren Geschichtsepochen, waren an der Tagesordnung. (Weitere Dokumente bei Haenel 168/70. Unter ihnen verdienen die aus der Historia Augusta entnommenen jedoch keine besondere Aufmerksamkeit. Die übrigen sind zu stark verderbt, um daraus sichere Ergebnisse zu ziehen.) – In diesen Rahmen gehören auch die Maßnahmen, welche die Christen betreffen (s. u. Sp. 974 f). – Zur Wirtschaftspolitik ist vielleicht nur zu sagen, daß die Inflation anfangs wahrscheinlich als Mittel zu jener Zentralisierung der Macht ausgenutzt wurde, die für die Regierungszeit des G. charakteristisch ist. Die Bronzemünzen des Senats verschwanden u. die unabhängigen Münzstätten wurden fast vollkommen stillgelegt. Gold wurde nahezu sicher nur für militärische Erfordernisse geprägt. Zwar zogen die equites daraus Vorteil, doch immerhin gelang es so, die Inflation aufzuhalten. Der Aureus nahm wieder an Gewicht zu (Manni, Impero 77 f). Schwierig dürfte jedoch eine genaue Fixierung der einzelnen Phasen sein, die die Geschichte des Antoninianus durchlief (West, Gold 153 f). – Vielleicht stand die Welle von Erhebungen, die neben den Usurpationen das Imperium bis zu den ersten Jahren der Alleinherrschaft des G. erschütterte, in Zusammenhang mit den sozialen u. ökonomischen Problemen. Immerhin wurde Afrika vor 260 befriedet (R. Cagnat, L'armée romaine d'Afrique et l'occupation militaire de l'Afrique sous les Empereurs² [Paris 1913] 60/5), während Sizilien noch 261 unruhig war (Hist. Aug. v. Gall. 4, 9). Cagnat dachte für Afrika an Unzufriedenheit der Christen (aO.). O. Seeck sah in der sizilischen Erhebung eine Art Sklavenbewegung (GdU 1⁴ [1921] 588 f). In der Tat scheint das Ende der Christenverfolgung von 259 beide Annahmen zu bestätigen: 260 hatte die Unzufriedenheit der Christen aufgehört, doch bestand in Sizilien weiterhin der Großgrundbesitz fort.

c. Usurpationen. Nach der Gefangennahme des Valerian kam es zu einer Reihe von Usurpationen. Im Westen erhob sich M. Cassianius Latinius Postumus; im Osten regierte

(Fulvius) Macrianus (G. Barbieri, L'albo senatorio da Settimio Severo a Carino [Roma 1952] 404 nr. 15 f u. Agg. 654) für seine beiden Söhne T. Fulvius Iunius Macrianus u. T. Fulvius Iunius Quietus. L. Mussius Aemilianus rebellierte in Ägypten gegen G. (ebd. 408 nr. 22 u. Agg. 655). Auf der Balkanhalbinsel erhoben sich ein (Calpurnius) Piso Frugi Thessalicus (?) (Barbieri aO. 263 nr. 1501 u. Agg. 627) u. ein gewisser Valens (ebd. 311 f nr. 1735 u. Agg. 637). Von allen Prätendenten überlebten nur Postumus u. der erst später zum Aufrührer gewordene Aureolus den Kaiser. Den Aemilianus räumte Theodotus, ein General des G., aus dem Wege (Barbieri aO. 407 f nr. 21). Valens u. Piso, letzterer vielleicht ein Gesandter des Macrianus, verschwanden sehr bald wieder; Valens selbst bezwang Piso (Hist. Aug. v. Gall. 2, 2/4; v. tyr. trig. 19, 2/3; 21, 1. 3), war aber bereits entmachtet, als Aureolus (Barbieri aO. 401 f nr. 7) Macrianus eine vernichtende Niederlage zufügte, mit der dessen Usurpation endete. Im J. 261 hatte sich die Dreiteilung des Reiches gefestigt: Postumus herrschte in Gallien, Britannien u. Spanien, während G., dem Namen nach Herr des ganzen Reiches, an Odaenathus faktisch die Kontrolle über die Ostprovinzen u. Ägypten abgetreten hatte. Ganz ungewiß ist das Schicksal des Aureolus, der sich auf jeden Fall um 267 mit Postumus verbündete u. dessen Oberhoheit anerkannte (Manni, Impero 52/4). Schließlich sollen noch die Revolte des Celsus (Hist. Aug. v. tyr. trig. 29), die in Afrika nur neun Tage andauerte, u. diejenige des Trebellianus Erwähnung finden. Letzterer wurde von denselben Isauriern beseitigt, die ihn auf den Schild gehoben hatten. Diese Erhebungen sind vielleicht noch der Zeit des Valerian zuzurechnen (zu Afrika s. o. Sp. 969). Bloße Namen sind für uns Memor u. Cecrops, Rebellen, die sich in Ägypten nach Aemilianus erhoben (Manni, Impero 45).

II. Außenpolitik. a. Rheingrenze. Die Außenpolitik des G. wurde bedingt durch die Zerstückelung des Reiches. Postumus kontrollierte die Rheingrenze, Odaenathus bis zu seinem Tode (266) die Ostgrenze (Manni, Impero 34₁₄). G. war nicht in der Lage, wirksam für die Wiederherstellung der zentralen Autorität zu sorgen, weil er nicht zu gleicher Zeit erfolgreich den Rebellen Postumus u. die Germanen am Rhein, die sog. Skythen (Goten) u. ‚Borani', die in die Balkanhalbinsel

u. Kleinasien einfielen, sowie schließlich die Perser, die Druck auf die kleinasiatischen Provinzen ausübten, bekämpfen konnte. Die drei Grenzen seien also noch einmal getrennt betrachtet. Die Rheingrenze wurde seit Ende 260 von Postumus kontrolliert. Da Postumus, wie man mit Sicherheit weiß, den Kaiser überlebte, hatte G. hier keinen Erfolg. Der Streit zwischen dem Erben des Valerian u. dem gallischen Usurpator fiel in die Jahre 261/2, endete jedoch ohne greifbare Ergebnisse. Man muß also annehmen, daß es zu einem modus vivendi kam, der nunmehr anscheinend durch einen numismatischen Befund bestätigt wird. Die von Carson publizierte Münze mit der Inschrift ‚Internuntius deorum' ist vom Herausgeber, welcher Alföldis Chronologie folgt, auf 265 datiert worden (anders Manni, Impero 33 u. bereits Note gall. 150). Der Verlust des Niederrheins u. eines Teiles der agri decumates an Franken u. Alamannen ist der Verantwortung des Postumus zuzurechnen. Der Beiname Germanicus maximus, mit dem sich Postumus seit seinem zweiten Konsulat iJ. 261 brüstete (Manni, Note gall. 146₁), spiegelt wahrscheinlich nur einen teuer erkauften Friedensschluß mit den Germanen wider, dessen Ziel eine bessere Verteidigung gegen den Angriff des G. war. Man kann immerhin die Politik des Postumus als Fortsetzung derjenigen des Valerianus auch auf dem Gebiet der Außenpolitik verstehen.

b. Goteneinfälle. Nach der Intervention des G. auf der Balkanhalbinsel (Revolten des Ingenuus u. Regalianus) scheint an der Donaugrenze bis 261 eine gewisse Ruhe geherrscht zu haben. Im J. 261 standen die ‚Borani' u. die von den griech. Quellen Skythen genannten Goten erneut auf. Die Zweifel an der Historizität der Einfälle vor 267 sind nunmehr aufzugeben, wie eine von L. Robert publizierte Inschrift klar bewiesen hat (117/22 nr. 48). Es handelt sich um das Epitaph eines Soldaten, Serapas mit Namen, der im April 263 fiel: ἐλθόντα με ἀπὸ τῶν βαρβάρων διὰ μηνῶν ς'. Er hatte an einem Kampf teilgenommen, der 262 stattfand. Die von der Vita des Kaisers in der Historia Augusta angegebene Datenreihe 261 (4, 7), 262 (5, 6; 6, 1f), 264 (11, 1), 265 (12, 6), 267? (13, 9) ist somit anzuerkennen. Es handelt sich um kleinere Einfälle; sie hatten eher den Charakter von gelegentlichen Streifzügen als denjenigen von ernsthaften Feld-

zügen, die auf eine dauerhafte Eroberung von Territorien abzielten. Sie folgten einander fast jährlich bis zum Ende der Herrschaft des G. u. noch darüber hinaus. Von diesen Invasionen sei jene hervorgehoben, die G. iJ. 267, nachdem schon Athen unter Leitung des Historikers Dexippos Widerstand geleistet hatte, zu persönlichem Eingreifen zwang (Manni, Impero 36. 99/102). Im ganzen richteten diese Barbareneinfälle besonders in Kappadokien u. Bithynien großen Schaden an. Verschiedene Städte wurden vernichtet, unter ihnen Nikomedien. – Traurigen Ruhm erlangte auch die Plünderung des Artemistempels von Ephesus (262). In Europa litten Thrakien, Makedonien, die Provinz Achaia mit Thessalonike u. Athen Schäden. Das Problem wurde von G. nicht gelöst, da die Einfälle iJ. 268, dem Todesjahr des Kaisers, noch fortdauerten.

c. Ostgrenze. Die schwierige Lage, die nach der Gefangennahme des Valerian an der Ostgrenze entstand, ist verantwortlich für eine der merkwürdigsten Seiten der Politik des G.: Septimius Odaenathus verteidigte die röm. Interessen in diesem Bereich. Er war es, der Rache für Valerianus nahm u. als dux Romanorum u. imperator den Perserkönig Sapor schlug (Manni, Impero 37₂). G. erkannte die Autorität des Odaenathus bis zu seinem Tode an. So hatte der rex Palmyrenorum eine praktisch unabhängige Stellung. Im J. 262 fügte er Sapor eine schwere Niederlage zu, aufgrund derer G. den Titel Persicus maximus annahm (CIL 8, 22765 = Dessau 8923; vgl. Manni, Note gall. 151; ders., Impero 37₃). Einige Jahre darauf ging er geradezu zum Angriff über (264?; vgl. Manni, Impero 37₄). Vor allem lag den Palmyrenern viel am Zugang zu der wichtigen Karawanenstraße zum Persischen Golf. Die Umstände der Ermordung des Odaenathus, ob er einem Anschlag oder einem Racheakt erlag, weiß man nicht mit Gewißheit. Das wahrscheinliche Datum ist der Spätsommer 266 (Manni, Impero 34₁₄). Der Ort ist noch ungewisser. Georg. Sync.: 717 Dind. gibt Heraklea an, einen Ort, in dessen Nähe die Goten in jenem Jahr eine Niederlage zur See hinnehmen mußten; doch scheint die Nachricht eben von dieser zeitlichen Koinzidenz beeinflußt. Gewiß ist, daß das Ende des Odaenathus unmittelbar, oder fast unmittelbar, eine Verhärtung der Beziehungen zwischen G. u. Zenobia, der Witwe des Palmyreners, nach

sich zog; letztere übernahm als Vormund
ihrer Kinder die Macht. G. konnte sie offensichtlich nicht anerkennen u. entsandte den
praefectus praetorio Heraclianus in den
Osten. Der angeblich glückliche Ausgang seiner Expedition wurde mit der Wiederan-
nahme des Titels Persicus maximus durch
G. iJ. 266/7 feierlich begangen (vgl. PHerm
52, 34; 54, 22; 55, 15; 66, 16; 72, 2, 7; 73,
2, 4. 3, 6; 75, 5; 83, 2, 6. 3, 5; 119 A 2, 27.
3, 27. 4, 35. 5, 25. 6, 10. 7, 26; POx 1689, 42;
2030, 29; CPR 39, 25 – alle von 266/7 stammend; weitere von 267/8 kommen hinzu;
vgl. Manni, Impero 39). In Wahrheit aber
wurde das Unternehmen von Zenobia vereitelt; es gelang der Königin auf diese Weise,
ihre eigene Macht zu festigen. Der Orient
war für G. verloren u. konnte erst von Aurelian wiedergewonnen werden.

d. Gebietsverluste. Trotz der alacritas des G.,
die auf verschiedenen Münzen gefeiert wird
(Mattingly-Syd., Rom. Imp. Coin. 5, 1, 167
nr. 414; 169 nr. 545), waren die territorialen
Verluste bedeutend. Um 260 (u. also vielleicht schon unter Postumus) wurden die
heutigen Niederlande von den Franken besetzt. Sicher unter Postumus nahmen die
Alamannen einen Teil der agri decumates
in Besitz, ein Teil Rätiens ging verloren. Die
amissio Raetiae u. die amissio Daciae sind
jedoch, wenn sie als ganze G. zugeschrieben
werden, eine Fabel ohne fundamentum in re.
Die Tabula Peutingeriana, deren Archetyp
auf einen Zeitpunkt nach 260 zurückgeht
(Manni, Impero 30f), zeigt deutlich den
Grenzverlauf nach der Franken- u. Alaman-
neninvasion.

III. Religionspolitik. a. Heidentum des G.
Eine sehr wichtige Stellung kommt G. in der
Geschichte der Beziehungen zwischen der
kaiserlichen Regierung u. der christl. Kirche
zu. Ihm verdankt man das Ende der Verfolgung, die Valerian einige Jahre zuvor neu
begonnen hatte. Doch darf man nicht vergessen, daß G. selbst heidnischer pontifex
maximus blieb. Wie seine Vorgänger feierte
auch G. das goldene Zeitalter, den Iupiter
crescens, die Dii nutritores, die Pietas saeculi
(vgl. Manni, Impero 70f; dort auch Quellen-
angaben u. Literatur); er nahm die Proskynese entgegen u. trug das Diadem. Auch nach
259 ließ er sich dominus nennen. Kurz, er
zeigte eine Vorliebe für alle diejenigen religiösen Überlieferungen, die dazu dienen konnten, die Einzigkeit der Person des Kaisers zu

betonen. Doch war er auch anderen Seiten der
heidn. Religiosität gegenüber aufgeschlossen.
Gelegentlich seines Athenbesuches empfing er
nicht nur die Würde eines Archonten u. Aufnahme unter die Mitglieder des Areopags
(Hist. Aug. v. Gall. 3, 5), sondern ließ sich
wahrscheinlich auch in die eleusinischen Mysterien einweihen. Gerade diese Initiation zogen einige Gelehrte zur Erklärung für die
‚Galliena Augusta‘ der Münzen heran, auf
denen G. mit den weiblichen Zügen der Göttin
Demeter dargestellt ist (A. Alföldi, zuletzt in
Crisis 189; ders., Problem, bes. 189). Jüngst
freilich sah Rosenbach darin den Versuch der
Einführung eines Sonnenkultes durch G., der
erhellt werde durch die Schrift De sole des
Porphyrios. Es handle sich im wesentlichen
bei Demeter (wie auch bei den anderen Gottheiten, die im Rahmen der von G. bevorzugten Kulte wiederkehren) um Erscheinungsformen des einzigen Sonnengottes: die übrigen klassischen Götternamen seien nur seine
virtutes. Übrigens sieht auch Dorigo 16 im
Neuplatonismus u. a. eine theoretische Rechtfertigung der Einführung des Sonnenkultes
als Erneuerung der Staatsreligion. Man kann
also mit Rosenbach in der Religionspolitik
des G., die durch die Ermordung des Kaisers
zu einem jähen Ende kam, bevor sie konkretere Ergebnisse hervorbrachte, die Voraussetzung der Sonnenreligion Aurelians u.
sogar Konstantins sehen.

b. G. u. die Christen. Eusebius bezeugt h. e.
7, 13, daß G. nach der Gefangennahme seines
Vaters ein weiseres Verhalten zeigte als Valerian, indem er die Verfolgung abbrach. Eben
dadurch wurde es möglich, für Papst Six-
tus II, der am 6. VIII. 258 gestorben war,
einen Nachfolger zu finden. Am 22. VII. 259
wurde Dionysius gewählt. Die Kirchen, Fried-
höfe u. andere Güter, die eingezogen waren,
gab man den Christen zurück. Der Religions-
friede wurde so wiederhergestellt. Natürlich
waren die Maßnahmen des Kaisers in den Gebieten nicht anwendbar, die zu jenem Zeitpunkt nicht unter seiner Kontrolle standen.
So ist es nicht erstaunlich, wenn es im Bereich
der Erhebung des Macrianus noch zu Martyrien kam. Nach Euseb. h. e. 7, 15 wurde zB.
Marinus kurz vor seiner Beförderung zum
centurio von einem Kameraden angezeigt u.
daraufhin verurteilt. Gerade Macrianus wurde
von Eusebius beschuldigt, Valerian zu der
Verfolgung angestiftet zu haben (h. e. 7, 10,
6). Andererseits war die Stellung des Christen-

tums zum Militärdienst nur dann unversöhn-
lich, wenn der christl. Soldat vor die Entscheidung gestellt wurde, zwischen Dienst u.
Glauben zu wählen (Euseb. h. e. 6, 5. 41,
16. 22f; 7, 11, 20 usw.). Stellungnahmen wie
die des Tertullian (cor. 11) u. des Origenes
(c. Cels. 8, 73), die den Militärdienst überhaupt ablehnen, sind in der Tat als heterodox
anzusehen (vgl. E. Dinkler, Art. Friede: o.
Sp. 482f). Abzulehnen ist schließlich die Meinung jener Gelehrten, die, ausgehend von
Porph. v. Plot. 12, in Plotin das Werkzeug
sehen wollten, dessen sich G. bei der Bekämpfung des Christentums bediente. G. habe so
seine Zuflucht zu einem ‚Internisten‘ oder
besser ‚Chirurgen‘ genommen (A. Alföldi,
Crisis 188; Pugliese Carratelli, Crisi 61; vgl.
dazu Manni, Impero 62/5). Ohne weiteres wird
also die Begeisterung verständlich, mit welcher sich die Christen von Alexandrien nach
der Rückkehr ihres Bischofs Dionysius iJ.
261 zur neunten Anniversarfeier des Kaisers
rüsteten (vgl. auch Gagé, Commodien 360/2).
– Auch in Fragen der Religionspolitik drückte
sich also sein Geschick aus, Kompromisse zu
finden. Durch große Offenheit u. Toleranz
sicherte er sich die treue Anhängerschaft der
nunmehr eindrucksvollen Masse christlicher
Untertanen. Der alexandrinische Bischof Maximus (264/82) trat zB. auch in weltlichen
u. handelspolitischen Angelegenheiten als Repräsentant der alexandrinischen Christen auf
(Manni, Impero 61$_3$). Ein Wandel dieser kaiserlichen Politik, wie ihn der Versuch der
Einführung des Sonnengottes als einziger u.
oberster Gottheit bedeuten würde, ist nicht
belegt (s. o. Sp. 974). Die Religionspolitik des
G. hat also offenbar ein individuelles Gepräge,
auch wenn sie sich in einen großen Zusammenhang einfügt, der von den Severern bis zu
Konstantin reicht. Sie hat wohl einige, wenngleich unbedeutende Vorläufer, so zB. das
Schreiben Trajans, durch welches der Kaiser
den jüngeren Plinius von der Verpflichtung
befreite, von Amts wegen gegen mutmaßliche
Christen einzuschreiten (Plin. ep. 10, 97f).
Auch Commodus hatte eine tolerante Hal-
tung eingenommen (Euseb. h. e. 5, 21) u. die
Befreiung der nach Sardinien deportierten
Christen zugestanden (Hippol. ref. 9, 12).
Von Septimius Severus, der jedoch nach Hist.
Aug. v. Sev. 17 eine christl. Proselytenwer-
bung verbot, berichtet Tert. ad Scap. 4, 7
(CSEL 76, 14): ‚clarissimas feminas et claris-
simos viros ... sciens huius sectae esse non

modo non laesit, verum et testimonio exor-
navit et populo furenti in nos (sc. Christianos)
palam resistit‘. Gut bezeugt ist die Toleranz
des Alexander Severus (Hist. Aug. v. Sev. Alex.
22. 29. 43. 49. 51). Geradezu für einen Christen konnte man Philippus Arabs halten
(Hieron. vir. ill. 54). Doch nur G. scheint der
neuen Politik einen besonders feierlichen u.
geradezu offiziellen Charakter gegeben zu haben. Während seiner Regierungszeit wurde
die Notwendigkeit einer tiefgreifenden Entscheidung immer stärker. Sein Werk setzten,
wenn auch in unterschiedlichem Maß, Aurelian u. Konstantin fort (s. o. Sp. 974).
D. Ende des G. u. Urteil der Nachwelt. I. Das
Ende. Der Goteneinfall von 267 bezeichnet
den Beginn der Katastrophe des G. Zu persönlicher Intervention in Illyrien gezwungen,
schlug er den Gegner in die Flucht, ohne
die militärischen Operationen abschließen zu
können; denn Aureolus, einer seiner Generäle,
ging zu Postumus über u. erhob sich in Nord-
italien. Hier prägte er sogar Geld auf Rechnung des gallischen Usurpators (Alföldi,
Usurpator 197/212; Elmer 55f; zu Aureolus
i. a. vgl. Manni, Impero 52/4). Die Ereignisse
überstürzten sich. Der Kaiser fiel in der Nähe
von Mailand einer Verschwörung zum Opfer.
*Claudius wurde zum imperator proklamiert.
Doch gerade bei seinem Tode wurde die große
Popularität erkennbar, die G. genoß. Nach
Hist. Aug. v. Gall. 15, 1/3 konnte ein Aufstand der Soldaten nach der Ermordung des
G. nur durch die Verteilung von 20 aurei an
jeden einzelnen Soldaten verhindert werden
(vgl. auch Zos. 1, 41). Nur auf diese Weise
wäre auch die abolitio memoriae des ermordeten Kaisers durchzusetzen gewesen, die der
Senat bereits plante. Noch bezeichnender ist,
daß Claudius selbst, ‚vir sanctus ac iure
venerabilis et bonis omnibus carus, amicus
patriae, amicus legibus, acceptus senatui,
populo bene cognitus‘ (Hist. Aug. v. Gall. 15,
3), von Trebellius Pollio nicht in die Liste der
Verschwörer aufgenommen wurde (ebd. 14,
2). Der Verfasser der v. Gall. verzichtete so
darauf, dem Claudius ein zusätzliches ‚Verdienst‘ zuzurechnen, u. erkannte es statt dessen dem Heraclianus zu, den er wegen seiner
‚devotio erga rem publicam‘ (ebd. 14, 1)
feierte. Claudius, der Wert darauf legte, als
von G. selbst eingesetzter Erbe zu erscheinen
(Manni, Impero 71$_3$), mußte die Verschwörung ableugnen, um die Unterstützung der
Soldaten u. der Volksmassen zu erhalten.

Gegen den Willen des Senates setzte er die
Anerkennung der Apotheose des G. durch.

II. G. in der Geschichtsschreibung. Die Polemik, die die Person des G. betrifft, begann
unmittelbar nach seinem Tode. Die Senatoren frohlockten u. waren zur abolitio memoriae bereit. Ihnen standen die aufrührerischen
Soldaten gegenüber ‚cum spe praedae ac publicae vastationis imperatorem sibi utilem,
necessarium, fortem, efficacem ad invidiam
faciendam dicerent raptum‘ (Hist. Aug. v.
Gall. 15, 1). In der Tendenz der Geschichtsschreibung spiegeln sich diese beiden Fronten
wieder: die hellenistische Welt u. die Christen standen auf der Seite des G. Die senatorische Geschichtsschreibung, die das An-
denken des Valerian verteidigte, stand ihm
spürbar feindlich gegenüber u. scheute nicht
davor zurück, (in der ‚Kaisergeschichte‘) ihn
für alles Unglück, das seit 253 über das
Imperium hereinbrach, allein verantwortlich
zu machen. Ammianus Marcellinus vertrat
diese Anschauung noch zZt. des Kaisers
Julian (14, 1, 9; 18, 6, 3; 21, 16, 9f; 23, 5, 3;
30, 8, 8). Vom Werk des P. Herennios Dexippos, des bedeutendsten Historikers der ‚hellenistischen‘ Richtung jener Zeit, besitzen
wir leider nur spärliche Fragmente. Doch
reichen sie aus, um eine Vorstellung seines
geschichtlichen Denkens zu gewinnen. Die
Größe Roms beruht auf der Überlegenheit
seiner Disziplin gegenüber den Barbaren sowie auf seiner größeren Tapferkeit u. der besseren Naturveranlagung gegenüber den Griechen (φύσει καὶ ἀνδρείᾳ: frg. 31 [FHG 3,
687]; vgl. Manni, Impero 83, bes. Anm. 3).
G., der Athen seine Achtung vielfach bewiesen hatte, wurde von Dexippos sehr geschätzt. Von Dexippos hängt auch im wesentlichen die Vita des G. ab, die dem Trebellius
Pollio zugeschrieben wird. Gedanken, die unzweifelhaft von Dexippos stammen, wurden
im Sinne der Senatspartei in Zeugnisse um-
gefälscht, die gegen G. sprachen. Nicht anders
verfuhr auch der anonyme Verfasser der
von Enmann erschlossenen ‚Kaisergeschichte‘,
der seinerseits den Autor der sicher pseudepi-
graphen Tyranni triginta beeinflußt hat.
Eutrop. 9, 8, 1 (MG AA 2, 154) unterscheidet
im Anschluß an die ‚Kaisergeschichte‘ drei
Perioden im Leben des G., in deren erster er
‚imperium . . . feliciter . . . gessit‘. Gemeint
ist vor allem die Niederwerfung der Revolten
des Ingenuus u. Regalianus, die sich gegen
die Politik des Valerian richteten. Aurelius

Victor sagt ausdrücklich: ‚Eius filium Gal-
lienum senatus Caesarem creat, statimque
Tiberis adulta aestate diluvii facie inundavit.
Prudentes perniciosum reipublicae cecinere
adolescentis fluxo ingenio, quia Etruria ac-
citus venerat, unde amnis praedictus. Quod
equidem confestim evenit‘ (Caes. 32, 4 [108
Pichlm.]). Dieses Prodigium hinderte jedoch
Aurelius Victor nicht daran, noch 33, 1f
(108 P.) entschlossene u. tatkräftige Maßnahmen des G. zu vermerken. Wie Eutrop.
9, 8, 1 folgt auch Aurelius Victor hier der
‚Kaisergeschichte‘. Die ‚Epitome de Caesaribus‘ wird geradezu die Erinnerung an diese
erste Phase der Herrschaft des G. tilgen. Doch
beginnt ihr Verfasser, der auch ein Feind des
Valerian war (Epit. Caes. 32, 1/6 [159f
Pichlm.]), sich bereits von der Tendenz der
senatorischen Historiographie zu lösen. Wenigstens sein Verhältnis zu Valerian stand
wahrscheinlich unter dem Einfluß der christl.
Propaganda (vgl. Lact. mort. 5, 3/7 [CSEL
27, 178f]). Der gleichen Auffassung begegnet
man bei Paulus Orosius. Ihm genügte die
Wiederherstellung des Friedens mit der Kirche durch G. nicht, um den Kaiser von dem
Verdikt loszusprechen, das der Autor der
verlorenen ‚Kaisergeschichte‘ über ihn verhängte u. das auch der Tenor jener Gesamt-
schau war, die in Postumus u. Odaenathus
die wahren Retter des Imperiums sah (Oros.
adv. pag. 7, 22, 10. 12 [CSEL 5, 484]). Auch
der Heide Rufius Festus vertrat eine ähnliche Auffassung wie Orosius (brev. 23 [64
Eadie]). – Bereits in konstantinischer Zeit
zog der Verfasser des Panegyricus 5 Baehrens
(= 8 Galletier) die Regierung des G. zum
Vergleich heran: ‚minus indignum fuerat sub
principe Gallieno‘. – Die von Dexippos begründete Tradition wird weitergeführt von
Zosimos (1, 29/40) u. von dem Fortsetzer des
Cassius Dio, Petrus Patricius (Exc. Const.,
ed. U. Ph. Boissevain - C. de Boor - Th. Bütt-
ner-Wobst 1, 1, 3f nr. 1/3 = frg. 9. 10. 14
[FHG 4, 187. 189]; 1, 2, 392 nr. 10 = frg. 11
[ebd. 4, 187]; 4, 264/7 nr. 157/68 = frg. 1/8
[ebd. 4, 184/7]). Gewiß verbindet sich mit
dieser Form von Geschichtsschreibung auch
christliche tendenziöse Historiographie, wie
sie bei dem Byzantiner Georgios Synkellos u.
später bei Johannes Zonaras sichtbar wurde
(12, 22/5 [PG 134, 1061/74]). Doch sind wir
mit diesen Autoren bereits in eine Epoche gelangt, in der, abgesehen von spärlichen Ein-
zelfällen, die Geschichtsschreibung sehr un-

zuverlässig ist. Bereits Johannes v. Antiochien hatte für seine Notizen (Exc. Const. 3, 110f nr. 60/5 = frg. 150. 152/4 [FHG 4, 598f]) nur die gleichen Quellen ausgebeutet wie Eutropius u. Zosimos. Immerhin verfuhr er dabei noch geschickter als der vor Irrtümern strotzende Phantast Johannes Malalas. Zu erwähnen sind noch Jordanes (Rom. 217. 287; Get. 19, 106/21, 110) u., wegen spärlicher, aber phantastischer Nachrichten über G., Georgios Monachos (Exc. Const. 3, 176/90), Georgios Kedrenos (PG 121, 496 D: bemerkenswert wegen der Nachricht über die Einrichtung der ἱππικὰ τάγματα), Leo Grammaticus (PG 108, 1037/164) u. die von K. N. Sathas herausgegebene σύνοψις χρονική (Bibl. medii aevi 7 [1894] 38). – Leider sind die Chroniken des Porphyrios v. Tyros (FGrHist nr. 260) u. des Eusebius v. Caesarea verloren. Die wenigen erhaltenen Fragmente sind zu dürftig, um ein sicheres Urteil über den Einfluß dieser Werke auf die spätere Historiographie zu ermöglichen. Doch besitzen wir die Vita Plotini des Porphyrios u. als besonders kostbares Zeugnis für die Stellung des Christentums im 4. Jh. die Kirchengeschichte des Eusebius. Die Christen haßten Valerian, zeigten aber gegenüber G. zu dieser Zeit noch Dankbarkeit wegen seiner Toleranz. Das Verdikt, das die Epitome de Caesaribus u. Paulus Orosius über G. verhängen, ist noch nicht ausgesprochen. Es dürfte jedoch unmöglich sein, ein gesichertes Stemma der verschiedenen älteren Quellen zu entwerfen. – Unter den gänzlich verlorenen Werken, von denen nicht einmal G. betreffende Fragmente erhalten sind, befinden sich auch die 27 Bücher des Ephoros v. Cumae über G. (FGrHist nr. 212; s. aber den Komm. 630), ferner das Werk des Nikostratos, das über die Zeit von Philippus Arabs bis Odaenathus, vielleicht mit besonderer Anteilnahme an den Problemen des Orients, handelte (FGrHist nr. 98), sowie ein Geschichtswerk der Zenobia, falls es zutrifft, daß sie ein solches verfaßt hat (FHG 3, 665 = Hist. Aug. tyr. trig. 30, 22), vielleicht auch ein Werk des Philostratos, den Joh. Malalas zum J. 260/1 zitiert (FGrHist nr. 99). Von besonderem Interesse sind die Zeugnisse des 13. Buches der Oracula Sibyllina, das wohl ein Parteigänger des Odaenathus verfaßt hat (vgl. zB. die Benennung des Odaenathus als ἡλιόπεμπτος u. den klaren Ausdruck des orientalischen Standpunktes), u. besonders die große Inschrift der Zoroaster-Kaaba, die

Sapors Feldzug feiert (vgl. Manni, Note val. 6/28). In ihr ist offenbar jeder Mißerfolg des Perserkönigs unterdrückt. Vielleicht werden in derselben Absicht auch G. u. Odaenathus in den uns vorliegenden orientalischen Quellen niemals namentlich erwähnt (Tabari 31 N.; Chron. von Seert: PO 4, 220f; Lib. chaliph.: J. P. N. Land, Anecd. Syr. 1 [Leiden 1862] 117). Schließlich seien noch Fragmente des Rhetors Kallinikos v. Petra genannt (FGrHist nr. 281, Komm. 365). Unter den bedeutenden Inschriften, die in den letzten zwanzig Jahren gefunden wurden, sei besonders auf eine griech. verwiesen, die alle Zweifel bezüglich der in der v. Gall. erwähnten Goteneinfälle nach Kleinasien ausräumt (Robert 117/21 nr. 48; vgl. o. Sp. 971f; zu einer Liste der Inschriften u. wichtigsten Münzen s. Manni, Note gall.). Die selten verläßlichen chronographischen Quellensammlungen in den Bänden MG AA 9, 11 u. 13 werden hier nicht aufgeführt. Ferner muß aus Raummangel auf einen Katalog der Münzen u. Papyri verzichtet werden. Literaturhinweise sind der nachfolgenden Bibliographie zu entnehmen.

III. Ikonographie u. Kunst. Die Züge des Kaisers sind uns wohlbekannt. Eine größere Anzahl von Skulpturen hat sein Bildnis bewahrt (Bovini 115/65). Möglicherweise war G. auch der Inhaber des sog. Plotinsarkophags (H. Kähler, Rom u. sein Imperium [1962] 184f; E. Simon: JbInst 85 [1970] 211). Man hat diese Werke im Rahmen der künstlerischen u. kulturellen ‚Renaissance‘ der Zeit des G. zu verstehen gesucht. Der Einfluß der neuplatonischen Philosophie Plotins auf die bildende Kunst der Zeit ist jedoch alles andere als gesichert. Jüngst äußerte sich Gullini in gegenteiligem Sinne. Er gab der gallienischen Renaissance eine überzeugende historische Deutung, indem er ihre Motive durch engere Berührung u. gegenseitige Beeinflussung von römischen u. orientalischen Künstlern erklärte, die nach Rom übersiedelten.

Die Bibliographie berücksichtigt im wesentlichen nur die Literatur nach 1939.

A. ALFÖLDI, Der Usurpator Aureolus u. die Kavalleriereform des Gallienus: ZNum 37 (1927) 197/212 = Studien zur Geschichte der Weltkrise des 3. Jh. nC. (1967) 1/15; Das Problem des „verweiblichten“ Kaisers Gallienus: ZNum 38 (1928) 156/203 = Studien 15/57; The numbering of the victories of the emperor

G. and the loyalty of his legions: NumChron 5. Ser. 9 (1929) 218/79 = Studien 73/119; The crisis of the Empire (A. D. 249–270): CambrAncHist 12 (1939) 165/231 = Studien 342/74; The reckoning by the regnal years and victories of Valerian and G.: JournRomStud 30 (1940) 1/10 = Studien 210/27; Daci e Romani in Transilvania (Budapest 1940). – M. R. ALFÖLDI, Die constantinische Goldprägung in Trier: JbNum 9 (1958) 99; Zu den Militärreformen des Kaisers G.: Limes-Studien (Basel 1959) 13/8. – F. ALTHEIM, Die Soldatenkaiser (1939). – F. ALTHEIM - R. STIEHL, Die Araber in der alten Welt 3 (1966). – R. ANDREOTTI, L'usurpatore Postumo nel regno di Gallieno (Bologna 1939). – H. v. AULOCK, Die Münzprägung der kilikischen Stadt Mopsos: ArchAnz 1963, 271/6 nr. 81/7. – A. BELLEZZA, Interpretazione di un passo di Aurelio Vittore (Caes. 33, 34) sulla politica imperiale romana del III secolo: Atti Acc. Ligure di Sc. e Lett. 17 (1960) 149/70. – A. R. BELLINGER, The numismatic evidence from Dura: Berytus 8 (1943) 61/71. – G. M. BERSANETTI, Settima Zenobia e l'impero romano: Atti V Congr. Naz. Studi Rom. 2 (Roma 1940) 430/5; L'abrasione del nome del prefetto del pretorio C. Iulius Priscus in un'iscrizione palmirena e la rivolta di Iotapiano: Laureae Aquincenses 2 (1941) 265/8; Eracliano prefetto del pretorio di Gallieno: Epigraphica 4 (1942) 169/76; Un governatore equestre della Licia-Panfilia: Aevum 19 (1945) 384/90. – M. BESNIER, L'Empire Romain de l'avènement des Sévères au concile de Nicée (Paris 1937). – G. BOVINI, Gallieno. La sua iconografia e i riflessi in essa delle vicende storiche e culturali del tempo: Mem. Acc. Italia, Cl. di Sc. Mor. e Stor. 7, 2 (1941) 115/65. – P. BREZZI, Dalle persecuzioni alla pace di Costantino (Roma 1960). – A. CALDERINI, I Severi e la crisi dell'impero nel III secolo (Bologna 1949). – C. CARBONARA, La filosofia di Plotino (Padova 1938/9). – R. A. G. CARSON, Internuntius deorum: Actes du Congr. Intern. de Numism. Paris 2 (1957) 259/71. – C. DAICOVICIU, La Transylvanie dans l'antiquité (Bukarest 1938); Einige Probleme der Provinz Dazien während des 3. Jh.: Studii Classice 7 (1965) 235/50. – J. DEININGER, Die Provinziallandtage der röm. Kaiserzeit (1965). – R. DELBRUECK, Die Münzbildnisse von Maximinus bis Carinus (1940). – W. DORIGO, Pittura tardoromana (Milano 1966). – W. DURRY, Les cohortes prétoriennes (Paris 1938). – G. ELMER, Die Münzprägung der gall. Kaiser in Köln, Trier u. Mailand: BonnJbb 96 (1941) 1/106. – W. ENSSLIN, Zu den Kriegen des Sassaniden Schapur I: SbMünch 1947, 5. – B. M. FELLETTI MAJ, Iconografia romana imperiale da Severo Alessandro a M. Aurelio Carino (222–285 d.C.) (Roma 1958) 50/8 u. 214/51. – O. FIEBIGER, Inschriftensammlung zur Geschichte der Ostgermanen NF = DenkschrAkWien 70, 3 (1939) 43f

nr. 68. – O. FIEBIGER - L. SCHMIDT, Inschriftensammlung zur Geschichte der Ostgermanen = ebd. 60,3 (1917) 73/6 nr. 139/45. – J. FITZ, Ingénuus et Régalien (Bruxelles 1966). – P. DE FRANCISCI, Arcana Imperii 3, 1 (Milano 1948). – J. GAGÉ, Commodien et le moment millénariste du IIIe siècle (258-262 ap. J. C.): RevHistPhilRel 41 (1961) 355/78; Comment Sapor a-t-il triomphé de Valérien?: Syria 42 (1965) 343/88. – P. v. GANSBEKE, Les invasions germaniques en Gaule sous le règne de Postume et le témoignage des monnaies: RevBelgeNum 98 (1952) 5/30; La mise en état de la défense de la Gaule au milieu du IIIe siècle ap. J. C.: Latom 14 (1955) 404/25; Postume et Lélien gouverneurs de la Germanie inférieure?: RevBelgeNum 105 (1959) 25/32. – B. GEROV, La carriera militare di Macriano, generale di Gallieno: Athenaeum 43 (1965) 333/54. – H. GREGOIRE, Note sur l'édit de tolérance de l'empereur Gallien: Byzant 13 (1938) 587f; Les persécutions dans l'Empire Romain² (Bruxelles 1966). – E. GREN, Kleinasien u. der Ostbalkan in der wirtschaftlichen Entwicklung der röm. Kaiserzeit (1941). – E. GROAG, Die röm. Reichsbeamten von Achaia bis auf Diokletian (1939). – R. GROSSE, Römische Militärgeschichte von G. bis zum Beginn der Byzantinischen Themenverfassung (1920). – G. GULLINI, Maestri e botteghe in Roma da Gallieno alla Tetrarchia (Torino 1960). – G. HAENEL, Corpus legum ab imperatoribus Romanis ante Iustinianum latarum (1857) 167/70. – R. HARDER, Kleine Schriften (1960) 257/74. 283. 285f. – W. B. HENNING, The great inscription of Sāpūr I: BullSchOrStud 9 (1937/9) 823/45. – N. HIMMELMANN-WILDSCHÜTZ, Sarkophag eines gallienischen Konsuls: Festschrift F. Matz (1962) 110/24. – E. HOWALD - E. MEYER, Die röm. Schweiz (Zürich 1940). – H. KOLBE, Die Statthalter Numidiens von Gallien bis Konstantin (268-320) (1962). – E. KORNEMANN, Weltgeschichte des Mittelmeerraumes von Philipp II von Makedonien bis Muhammed (1949 bzw. 1967). – K. KRAFT, Der Helm des röm. Kaisers: Wiss. Abh. d. dt. Numismatikertages Göttingen (1959) 47/59. – J. LAFAURIE, La chronologie impériale de 249 à 285: BullSocAntFr 1965 (1966) 139/54. – L. LAFFRANCHI, Le monete legionarie dell'imperatore Gallieno e la sua terza grande vittoria: RivItNum 4, 1 (1941) 3/14; Su alcuni problemi storico-numismatici riferentisi agli imperatori gallo-romani: RivItNum 4, 2 (1942) 130/3. – P. LE GENTILHOMME, Les aurei du trésor découvert à Rennes en 1774. Essai sur la circulation de la monnaie d'or au IIIe siècle: RevNum 5, 6 (1943) 11/34; Variations du titre de l'Antoninianus au IIIe siecle: RevNum 6, 4 (1962) 141/66. – D. LEVI, Recensione a Berytus 8, 1: AmJPhil 46 (1945) 216/9. – G. LOPUSZANSKI, La date de la capture de Valérien et la chronologie des empereurs gaulois = Cahiers de l'Inst. Ét. Polon. en Belg. 9 (1951). – H. P. L'Orange, Apotheosis in ancient portraiture (Oslo 1947) 86/90. 144; Studies on the iconography of cosmic kingship in the ancient world (Oslo 1953) 141. 147. 155. – T. O. Mabbott, Eine Münze des Aureolus 262 nC.: GazNumSuisse 6 (1956) 49/51. – M. Macrea, Monetele si părăsirea Daciei: AnuarInstStud-ClasCluj 3 (1936/40) 280/90. – E. Manni, Genius populi Romani e genius aetatis aureae: RendicAccScIstBologna, Cl. Sc. Mor. 4, 2 (1939) 26/7; L'acclamazione di Valeriano: RivFilClass 75 (1947) 106/17; Note di epigrafia gallieniana: Epigraphica 9 (1947) 113/56; L'impero di Gallieno. Contributo alla storia del III secolo (Roma 1949); Note valerianee: Epigraphica 11 (1949) 3/32; Trebellio Pollione. Le vite di Valeriano e di Gallieno (Palermo 1951). – F. de Martino, Storia della costituzione romana 4 (1962/5) 277/849. – G. Mathew, The character of Gallienic renaissance: JournRomStud 33 (1943) 65/70. – S. Mazzarino: G. Giannelli - S. Mazzarino, Trattato di storia romana 2 (Roma 1956) 318/64. 405/8. – P. Meloni, L'amministrazione della Sardegna da Augusto all'invasione vandalica (Roma 1958); L'associazione nel cesarato di Valeriano iuniore e Salonino: Athenaeum 37 (1959) 135/47. – A. Momigliano, Il saggio di F. Creuzer su Gallieno: Contributo alla storia degli studi classici (Roma 1955) 382/4 = RivStorIt 5, 2 (1937) 73/5. – T. Nagy, Commanders of the legions in the age of G.: ActArchHung 1965, 289/300. – H. Nesselhauf, Die spätröm. Verwaltung der gall.-german. Länder: AbhBerlin 1938, 2, 50/5. – A. Th. Olmstead, The mid-third century: ClassPhil 37 (1942) 241/62. 398/420. – S. I. Oost, The Alexandrian seditions under Philip and G.: ClassPhil 56 (1961) 1/20. – L. Pareti, Storia di Roma e del mondo romano 6 (Torino 1961) 3/62. – A. Passerini, Le coorti pretorie (Roma 1939); Art. Legio: DizEp 4 (1949/50) 555/622. – C. Patti, Cronologia degli imperatori gallici: Epigraphica 15 (1953) 66/88. – M. Pavan, Ricerche sulla provincia romana di Dalmazia (Venezia 1958). – Th. Pekáry, Bemerkungen zur Chronologie des Jahrzehnts 250-260 nC.: Historia 11 (1962) 123/8. – H. E. Petersen, Senatorial and equestrian governors in the third century A. D.: JournRomStud 45 (1955) 47/57. – H.-G. Pflaum, Les procurateurs équestres sous le Haut-Empire romain (Paris 1950); La séparation des pouvoirs civil et militaire avant et sous Dioclétien: BullSocAntFr 1958, 78/9; Les carrières procuratoriennes équestres sous le Haut-Empire romain 1/3 (Paris 1960/1). – G. Pugliese Carratelli, La crisi dell'impero nell'età di Gallieno: ParPass 2 (1947) 48/73; Res gestae Divi Saporis: ebd. 2 (1947) 209/39. – L. de Regibus, La monarchia militare di Gallieno (Recco 1939). – L. Robert, Épi-

taphe de provenance inconnue: Hellenica 6 (Paris 1948) 117/22. – G. Rodenwaldt, Zur Kunstgeschichte der Jahre 220 bis 270: JbInst 51 (1936) 82/113; Römische Reliefs. Vorstufen zur Spätantike: ebd. 55 (1940) 12/43; Sarkophagprobleme: RömMitt 58 (1943) 1/26. – M. Rosenbach, Galliena Augusta. Einzelgötter u. Allgott im gallienischen Pantheon (1958). – M. Rostovtzeff, Res gestae Divi Saporis and Dura: Berytus 8 (1943) 17/60. – F. Sartori, Colonia Augusta Verona Nova Gallieniana: Athenaeum 42 (1964) 361/72. – Ch. Saumagne, ,Corpus Christianorum' 2: RevHistDroit 8 (1961) 257/70. – D. Schlumberger, L'inscription d'Hérodien: BullÉtOr 9 (1942/3) 35/50. – L. Schmidt, Geschichte der deutschen Stämme bis zum Ausgang der Völkerwanderung 1², Die Ostgermanen (1934) 209/18; 2, 2², Die Westgermanen (1940) 13/6. – H. Seyrig, Némésis et le temple de Maqam er-Rabb: Mélanges de l'Univ. St. Joseph 37 (1961) 259/70. – C. E. v. Sickle, Changing bases of the Roman imperial power in the third century A. D.: AntClass 8 (1939) 153/70. – A. Solari, L'impero romano⁴ (Genova 1947) 69/103. – M. Sprengling, Shahpuhr I the Great on the Kaabah of Zoroaster: AmJournSemLangLit 57 (1940) 341/420; 58 (1941) 169/71. – K. Stade, Il limes romano in Germania (Roma 1947). – J. Starcky, Palmyre (Paris 1952). – A. Stein, Die Präfekten von Ägypten in der römischen Kaiserzeit (Bern 1950). – R. Syme, Pollio, Saloninus and Salonae: ClassQ 31 (1937) 39/48. – J. Vogt, Die alexandrinischen Münzen (1924) 1, 202/9; 2, 150/8. – C. Vollgraff, Il limes romano nei Paesi Bassi (Roma 1938). – G. Walser, Zu den Ursachen der Reichskrise im 3. nachchristl. Jh.: ÉtSuissesHistGén 18/9 (1960/1) 142/61. – G. Walser - Th. Pekáry, Die Krise des röm. Reiches. Bericht über die Forschungen zur Gesch. des 3. Jh. (193-284 nC.) von 1939 bis 1959 (1962). – K. Wessel, Ein Philosophenrelief in den Staatlichen Museen zu Berlin: Altertum 1 (1955) 36/44. – L. C. West, Gold and silver coin standards in the Roman Empire (New York 1941) 11f. 151/65; The relation of the subsidiary coinage to gold under Valerianus and G.: Museum Notes 7 (1957) 95/123. – L. Wickert, Art. Licinius 84: PW 13, 1 (1926) 350/69.

E. Manni (Übers. H.-J. Horn).

Gallos.

Im engeren Sinne bezeichnet das Wort G. jeden Anhänger des orgiastischen Kultes der Dea Syria u. besonders der Kybele, der sich freiwillig seiner physischen Männlichkeit beraubt, um sich dem ausschließlichen Dienst der Göttin zu weihen. Soweit diese Handlung nicht aus privater Askese erfolgt, sondern kultisch bedingt ist, muß sie unter dem weiteren Gesichtswinkel der rituellen Entmannung betrachtet werden, welche Bezeichnung man auch immer für die Hierodulie der Eunuchen wählen oder welche Bedeutung man dem sakralen Eunuchentum zuschreiben mag. Unter *Kastration wird die unfreiwillige Entmannung u. die Kastration von Frauen u. Tieren zu besprechen sein; ferner sind dort die therapeutischen, kriminologischen, soziologischen u. asketischen Gesichtspunkte jener Handlung sowie die psychophysischen Umstände zu behandeln.

A. Nichtchristlich. I. Etymologie u. Bezeichnungen. a. Etymologie. Das Wort G. bezeichnet nach den Alten den entmannten Diener der Kybele (zu Attis = G. vgl. Iulian. or. 8 [5], 1. 3. 5. 9 [159 a/c. 161 c/162. 165. 168 c/ 169]; Cumont, G. 675. 682; Graillot 289 f; zu Kybele = Gallia [?] vgl. Will 205 f). Etymologisch soll die Bezeichnung vom phrygischen Fluß G. kommen, dessen Wasser, wie man glaubte, Wahnsinn verursachten (Callim. frg. 411 Pf.; Ovid. fast. 4, 363/6; Plin. n. h. 5, 147; Herodian. 1, 11, 2; Mart. Cap. 6, 687; Paul.-Fest. s. v. galli [84 Linds.]; vgl. v. Wilamowitz 196; Lafaye 1455; O. Waser, Art. G.: PW 7,1 [1910] 674, 17/39; Cumont, G. 675; Schwenn 2251; ThesLL 6, 2, 1686, 64/71; Hopfner 426; N. Maccarone: ArchGlottItal 30 [1938] 121; Bömer, Komm. 223). Daher wurde gallantes in der Bedeutung von bacchantes verwendet (zu gallare/-i s. ThesLL 6, 2, 1679, 84 f). Andere antike Autoren leiten G. vom König G. her. Dieser war nach einer bestimmten Fassung des Mythos von Pessinunt der Schwiegervater des Attis u. hat sich ganz wie dieser in einem von Agdistis hervorgerufenen Anfall von Wahnsinn entmannt (Alex. Polyhist.: FGrHist 273 F 74; Steph. Byz. s. v. γάλλος [198 Mein.]; vgl. ferner Pausan. 7, 17, 10/2; Arnob. nat. 5, 5/7. 13; Hepding 109/11. 118; Waser aO. 674; Graillot 289 f; Maass 456). Andere bringen das Wort in Verbindung mit den Galatern, die nach Phrygien eingefallen waren (Ovid. fast. 4, 361 f; Hieron. in Hos. 1, 4, 14 [CCL 76, 44]; vgl. Priap. 55, 6; Martial. 3, 24, 13; 11, 74, 2;

Cumont, G. 675; Graillot 292; ThesLL 6, 2, 1686, 71/6). Man behauptete sogar, G. sei mit gallus, dem Hahn, verwandt (Isid. orig. 12, 7, 50; ThesLL 6, 2, 1682, 44/6. 1685, 50/2. 1687, 48 f). Der Hahn ist bisweilen auf (Grab-) Steinen der Priester der Großen Mutter dargestellt: CIL 14, 385 (Archi-G.) u. 429 (vgl. Cook 2, 298 f; zur Rolle des Hahns s. A. Schober, Die röm. Grabsteine von Noricum u. Pannonien [Wien 1923] 56. 215 f; Gressmann 73; H. Herter, De Priapo = RGVV 23 [1932] 162 f. 283; Stocks 23 f; Clemen 51 f; R. Calza, Sculture rinvenute nel Santuario: MemPont-Acc 6 [1947] 215 f; Floriani Squarciapino 11 f; P. Romanelli: MonAccLinc 46 [1963] 326; Vermaseren 35 u. Taf. 21, 1). Wortspiele zwischen gallus u. G. begegnen bei Martial. 13, 63,1 f. 64,1 f; Iuvenal. 3, 90 f; Suet. Nero 45, 4; Vespa 82 [Anth. Lat. 199]; vgl. Maass 467/9; G. P. Shipp: ClassRev 50 [1936] 164 f; ebd. 51 [1937] 10; Clemen 51; E. L. Burge: Class-Philol 61 [1966] 111). Andere Erklärer bekannten hingegen ihre Ratlosigkeit in dieser Frage wie Quint. inst. 7, 9, 2; ThesLL 6, 2, 1685, 47/9 (vgl. Felletti Maj 576). Die modernen Gelehrten haben keineswegs einmütig alle antiken Erklärungsversuche verworfen. Für den Fluß G. entschieden sich Maass 456; Strathmann, Attis 894; Ernout-Meillet, Dict. etym.³ 474; Latte, Röm. Rel.² 259; für den König G. H. W. Stoll, Art. G. 1: Roscher, Lex. 1, 2, 1592 f (vgl. Lafaye 1455; Graillot 289 f) u. für die Galater Mommsen, RG 1, 869; Gressmann 91; Strathmann, Attis 894; andere glauben, das Wort sei kleinasiatischer Herkunft (Cumont, G. 675), wenn nicht assyrischer (Graillot 291; Maccarrone aO. 121/3) bzw. semitischer (Maccarrone aO. 121; Waser aO. 674). Nach anderer Deutung gehört es zu einer phrygisch-hethitischen Wurzel (A. H. Sayce: ClassRev 42 [1928] 161 f) oder einer phrygischen mit der Bedeutung ‚schneiden' (Maccarrone aO. 121; Walde-Hofmann, Wb. 1³, 581) oder ‚unfruchtbar, verschnitten' (M. Olsen: IdgForsch 38 [1917/20] 168 f). Das Wort hat sicher einen nichtgriech. Ursprung, da es erst in hellenistischer Zeit belegt ist (vgl. Cumont, G. 675; Felletti Maj 567 u. u. Sp. 998).

b. Bezeichnungen für G. Seit dem Ende der Republik scheint das Wort G. nicht mehr ausschließlich den entmannten Tempeldiener der Kybele zu bezeichnen (Hor. sat. 1, 2, 121; Quint. inst. 7, 9, 2; Martial. 1, 35, 15; 2, 45, 2; 3, 24, 13. 73, 2 f [?]. 81, 1; 7, 95, 15 [?];

11, 72, 2. 74, 2 usw.; Diog. Laert. 4, 43 von Arkesilaos [!]; Jos.ant.Iud. 4, 290; PGnom. 112, 244: Aegyptus 14 [1934] 89; vgl. Strab. 13, 4, 14 [630]). Seit dieser Zeit bezeichnet G. jeden Verschnittenen (Cumont, G. 675; Wissowa, Rel.² 320; Carcopino 244/7₁; Liddell-Scott s. v. γάλλος; Maass 456; ThesLL 6, 2, 1687, 50/66; Lambrechts-Bogaert 408). Damit stimmt zweifellos überein, daß man bisweilen den eigentlichen G. der Großen Mutter mit anderen Namen bezeichnet hat. Sehen wir hier einmal von allen verächtlichen Benennungen ab, so tragen die G. gelegentlich auch den theophoren Namen Attis (Hepding 139/41; Graillot 289; Gow, G. 92f; s. u. Sp. 994.1010; der Attis bei Catull. 63 dürfte ein G. sein u. nicht der mythische Prototyp des G.; vgl. Hepding 139/41; Graillot 73f; Willoughby 126; Klotz 351/3; Elder 395; Lambrechts, Fêtes 149f; Gow, G. 92) oder den Namen Κύβηβος (Graillot 289; Sayce aO. 161; Willoughby 127; James 168; Laroche 115₂) oder Βάκηλος (s. u. Sp. 997). Anderwärts wird in den Benennungen auf das Tun u. Treiben der G. angespielt. Sie erscheinen als Bettler (zu den [μητρ]αγύρται vgl. Dion. Hal. ant. 2, 19, 5; Babr. 141, 1; Anth. Pal. 6, 218, 1; Rapp, Kybele 1658; Graillot 22f. 291f; Gow, G. 88; s. u. Sp. 997f), als fanatici (Liv. 37, 9, 9; Iuvenal. 2, 112; Hist. Aug. v. Heliog. 7, 2; Prud. perist. 10, 1061; vgl. Liv. 38, 18, 9; Flor. epit. 2, 7, 4. 10 [125f Rossb.]; Apul. met. 8, 27, 4; Pass. Symphoriani 6 [127 Ruinart]; Graillot 301), als vates (Ambros. ep. 18, 30 [PL 16, 1021f]) u. vor allem als Diener der Großen Mutter u. ihres Kultes. In Verbindung mit der Göttin heißen sie famuli (Catull. 63, 68. 90; Cic. leg. 2, 22; Varro, Men. frg. 132 Buech.; Liv. 37, 9, 9; Val. Flacc. 3, 20; vgl. Aug. civ. D. 7, 24; Graillot 77. 288f; Bongi 58; Gatti 255; Bömer, Unters. 4, 23/7), ministri (Catull. 63, 68; Ovid. fast. 4, 243; Val. Flacc. 8, 242; Prud. perist. 10, 1075; Mar. Victorin. gramm.: 6, 154, 26 Keil; Mart. Cap. 6, 687; PsAug. quaest. test. 114, 11 [CSEL 50, 308]; Graillot 289₁; Bongi 58), mystae (Schol. Iuvenal. 6, 511 Wessner), vielleicht auch religiosi (Dessau 4168: religioso . . . capillato; vgl. Graillot 283/5; Cumont, Religions 23. 215) u. bestimmt deae comites (Ovid. fast. 4, 212; vgl. 185. 341; Lucret. 2, 612. 628; Maecen. frg. 6 [Frg. Poet. Lat. 102]; Paul.-Fest. s. v. galli [84 Linds.]) u. cultores (Suet. Otho 8, 5; Serv. Aen. 9, 115; Carm. ad sen. 8 [CSEL 23, 227]; Hieron. ep. 107, 10 [CSEL 55,

301]). In ihrer Beziehung zum Kult der Göttin bezeichnete man sie bisweilen mit dem Titel antistites (Lact. inst. 5, 9, 17; epit. 18 [23], 4 [CSEL 19, 427. 689]; Serv. Aen. 9, 115; PsAug. quaest. test. 114, 11; 115, 18 [CSEL 50, 308. 324]; vgl. Iuvenal. 2, 113; Apul. met. 9, 10, 3; CLE 111, 26; Dessau 4167) oder sacerdotes (Plin. n. h. 5, 147; 35, 165; Vett. Val. 2, 21; Lact. inst. 1, 17, 7; epit. 8, 6 [CSEL 19, 65. 682]; Firm. Mat. err. 3, 1; 4, 2; Prud. c. Symm. 2, 51; Paul. Nol. c. 32, 92; Hieron. in Hos. 1, 4, 14 [CCL 76, 44]; Carm. ad sen. 9 [CSEL 23, 227]; Schol. Iuvenal. 6, 511. 542 Wessner; vgl. Apul. met. 8, 29, 6; 9, 8, 1; Firm. Mat. math. 6, 30, 3. 31, 48; 7, 25, 4. 10; Graillot 289₁; Bongi 58).
II. Ursprung u. Entwicklung. a. Kulte des Alten Orients. Eunuchen als Hierodulen im Dienste einer Gottheit finden sich wohl zuerst in den Kulten altorientalischer Fruchtbarkeitsgöttinnen. Man findet Verschnittene bereits im sumero-akkadischen Kult der In-anna-Ischtar in Uruk (Gruppe, Myth. 1529/31; Graillot 11. 290; Browe 13f; Dhorme 211f. 218). Indessen fehlt der Beweis, daß in dieser Hinsicht die assyro-babylonische Religion, in der die G. nur eine ganz untergeordnete Stellung innehatten, den phrygischen Brauch der sakralen Entmannung beeinflußt hat (Lagrange 422f; Loisy, Mystères 98f). Man findet sie auch im phönizischen Kult der *Astarte (Graillot 290f; Browe 13f), zB. in Byblos (Baalat; vgl. W. Fauth, Art. Baal: KlPauly 1 [1964] 792f) u. auf Zypern. Im hellenistischen Kult dieser Göttin ist aber keine Spur rituellen Eunuchentums festzustellen (vgl. Nilsson, Rel. 2², 127. 130. 165; S. Moscati: RivCult-ClassMedioev 7 [1965] 756/60). Dieser Kult ist mit dem syrischen Kult der Atargatis-Dea Syria eng verwandt (vgl. Ch. Virolleaud: Eranos Jb. 6 [1938] 121/41; Lambrechts-Noyen 258f. 264/6. 275f; Fauth, Dea 1401; ders., Kybele 383; M. H. Pope: Haussig 251; AnnEpigr 1965 nr. 30 u. u. Sp. 988/93). Auch im Kult der Artemis von Ephesos haben die G. ihren Platz (s. u. Sp. 996f). Der jüdische Kult läßt sie hingegen nicht zu (vgl. Jos. ant. Iud. 4, 290; Schneider 764f; Browe 38; Hopfner 430f; ferner E. Roellenbleck, Magna Mater im AT [1949] 25/9. 71/8): das Betreten des Tempels ist im allgemeinen Eunuchen untersagt (Dtn. 23, 1; vgl. Sap. 3, 14; Jes. 56, 4f), wie es auch verboten ist, verschnittene Tiere zu opfern (Lev. 22, 24).
b. Kult der Atargatis-Dea Syria. 1. Nord-

syrien (vgl. zum Ganzen Lambrechts-Noyen
259/63). Das Tempelpersonal des Atargatis-
Heiligtums in Bambyke-Hierapolis zählte
unter seine Mitglieder auch entmannte Tem-
peldiener (Rapp, Kybele 1651; Fehrle 111;
Graillot 11. 190. 291; Frazer 269f; Lagrange
422; Browe 13f; Stocks 6; Hopfner 425f;
Goossens 36/9; Fauth, Dea 1402; W. Röllig:
Haussig 245). Lukian nennt sie γάλλοι (Dea
Syr. 15. 22. 27. 43. 50/2; vgl. Nöldeke 150;
Graillot 291; Bömer, Unters. 3, 87f), wobei
er sie übrigens von den eigentlichen Priestern
unterscheidet (Dea Syr. 42f; Lafaye 1458;
Goossens 37. 72. 129). Die Gegenwart dieser
G. kann im Orient überall da vorausgesetzt
werden, wo es einen Kult der Atargatis gab
(Cumont, G. 680; Licht 507f; zur Verbreitung
s. Fauth, Dea 1400f u. W. Röllig: Haussig
245). An den Festen, die am Frühlingsanfang
in Hierapolis gefeiert wurden, schnitten sich
die G. u. andere Tempeldiener unter der Begleitung von Sängern u. Musikanten die Arme
auf u. schlugen sich gegenseitig auf den
Rücken (vgl. Lucian. Dea Syr. 49f). Dieses
Treiben spielte sich außerhalb des Tempels ab.
Dabei kam es vor, daß der eine oder andere
junge Mann in einem Anfall religiösen Wahns
aus der versammelten Menge hervorstürzte,
sich auf der Stelle entkleidete u., nachdem er
das Schwert ergriffen hatte, das immer bereit
lag, sich unter Geschrei entmannte. Dann
rannte er durch die Stadt, das abgeschnittene
Glied in den Händen. Schließlich warf er es in
irgendein Haus, dessen Bewohner dem neuen
G. ein Frauenkleid u. Schmuck liefern mußten (Lucian. Dea Syr. 27. 51). Nach seinem
Tod trugen seine Mitbrüder den G. an einen
Ort vor der Stadt, wo sie den Leichnam mit
Steinen bedeckt zurückließen. Nach dieser
Verrichtung war ihnen der Zugang zum Tempel für sieben Tage verwehrt (Lucian. Dea Syr.
27. 52; vgl. ebd. 53; Lafaye 1458f; Wächter
60; Cumont, G. 679; Strathmann, Askese
247f; Stocks 30f; Clemen 54f; Goossens
40. 76; James 167). Die ursprüngliche Bedeutung der sakralen Entmannung dürfte
hier in einem Ritus bestanden haben, der der
Göttin die Fruchtbarkeit sicherte (Fehrle 111;
Clemen 55). Erst später wird man dem Ritus
eine asketische Deutung gegeben haben (Clemen 55f). Lucian. Dea Syr. 19/27 gibt eine
euhemeristische Erklärung wieder, die den
Ursprung wie den Sinn der Entmannung betrifft: Der junge Hofmann Kombabos war beauftragt worden, die Gemahlin des Assyrer-

königs, die schöne Stratonike, nach Hierapolis zu begleiten, um dort der Atargatis einen
Tempel zu errichten. Um dem Verdacht einer
verbotenen Liebe, deren er sicher später be-
schuldigt worden wäre, vorzubeugen, entmannte er sich am Abend vor seiner Abreise.
Seine Tugend wurde in der Folge sehr anerkannt. Seine besten Freunde folgten seinem
Beispiel, um ihn so menschlich zu trösten,
oder weil sie durch göttliche Eingebung zu
dieser Tat getrieben wurden (Nöldeke 150;
Strathmann, Askese 248; ders., Attis 894;
Gressmann 91f; Stocks 11/3; Clemen 38/40;
Hopfner 423/5; Goossens 35f; Licht 508f;
Fauth, Dea 1402; ders., Art. Kombabos:
KlPauly 3 [1969] 278). Diese Geschichte, die
in seleukidisch-hellenistischer Zeit u. vielleicht in Kreisen der Verehrer der Magna
Mater entstanden ist, macht aus Kombabos
den Prototyp des syrischen G. (Clemen 38/40).
Mögen auch κύβηβος (vgl. Κόμβαβος) u. γάλλος
nach griechischen Lexikographen gleichwer-
tig sein (Farnell 300; Hopfner 426f; Laroche
115; Fauth, Kombabos: aO. 278; ders.,
Kybele 384/6), so liefert diese Geschichte doch
nicht den eindeutigen Beweis für eine gemeinsame Herkunft der verschnittenen Anhänger der Atargatis u. derer der Kubaba-
Kybele (Laroche 114f; vgl. R. Eisler: Philol
68 [1909] 118/51. 161/209; Otten 95. 118; H.
E. del Medico: VIIIᵉ Congr. Intern. Arch.
Class. [Paris 1965] 502/4; E. v. Schuler:
Haussig 183f).
2. **Griechisch-römische Welt.** In der ersten
Zeit der Seleukiden drang der Kult der syrischen Göttin, durch orientalische Kaufleute
verbreitet, in die griechisch sprechende Welt
ein, wo er zunächst auf den ägäischen Inseln,
sodann in den Hafenstädten u. auf dem Festland Fuß faßte (Goossens 96/9. 137/9; Lambrechts-Noyen 263/77; Bömer, Unters. 3,
89/95; Nilsson, Rel. 2², 123/9. 640). Man hört
dort jedoch nie von entmannten Kultdienern.
Sogar aus der Zeit, in der der syrische Kult
von Delos unter der Leitung von Priestern
aus Hierapolis stand (128/7 bis 118/7 vC.;
vgl. Lambrechts-Noyen 271f), gibt es keine
Spur ihrer Anwesenheit. Der Kult war gründlich gräzisiert worden. Trotzdem ist zu beachten, daß die bettelnden syrischen G., wie
sie Lukian u. Apuleius im 2. Jh. nC. beschreiben (s. u. Sp. 991f), für ihr Treiben die Gegend zwischen Hypata u. Korinth (wichtiges
Zentrum der G.; vgl. Graillot 512) u. den
Landstrich von Beroia in Mazedonien inne-

hatten (Kultort der Atargatis seit dem Ende des 3. Jh. vC.; vgl. Lambrechts-Noyen 266). – In der röm. Welt breitet sich der Kult der Dea Syria zu Beginn des 2. Jh. vC. zunächst in Sizilien u. Italien aus; von dort dringt er bis zu der nördlichen Grenze des Reiches vor (Bömer, Unters. 3, 96/104). Diese Ausbreitung war eine Folge der massenhaften Einfuhr syrischer Sklaven, zu denen vom gleichen Jahrhundert an zahlreiche Kaufleute hinzukamen, sodann, während der Kaiserzeit, Soldaten, die in den Provinzen des Orients ausgehoben worden waren (Lehner 40/4; Cumont, Religions 97/100. 103/5; O. Floca: EphemDacorom 6 [1935] 214; Goossens 96/9. 137/9; Widengren 74; Fauth, Dea 1403; anders Bömer, Unters. 3, 84f. 107/9). Von den G. der Atargatis in Rom, wo die syrische Göttin auf dem Ianiculum ein Heiligtum hatte (wahrscheinlich aus neronischer Zeit; erwähnt unter Severus Alexander; vgl. MG AA 9, 1, 147, 23f; Cumont, Religions 98. 251; Goossens 138f; Latte, Röm. Rel.[2] 346), künden noch eine Grabinschrift (CIL 6, 32462: gallo Diasuriaes; Carcopino 259f) u. eine Porträtbüste des 3. Jh. nC. (Pietrangeli 19f nr. 28 Taf. 3). Die Frömmigkeit der syroröm. Anhänger mußte sich besonders infolge des Durchzugs von Scharen umherwandernder junger G. neu beleben (Cumont, G. 680f). Von diesen G. haben Lukian (asin. 35/41) u. Apuleius (met. 8, 24/31; 9, 4. 8/10) ein wenig schmeichelhaftes Bild entworfen: Geschminkt, eingehüllt in einen grellen Aufputz, schreiten sie in Prozessionen unter der Führung eines alten Eunuchen einher, wobei im Zuge eine prächtig gekleidete Statue ihrer Göttin mitgetragen wird. Sie vollziehen eine Anzahl aufsehenerregender Übungen, sie geißeln sich, zerschneiden sich den Leib, beichten (Schwenn 2281; R. Pettazzoni: Mélanges R. Dussaud 1 [Paris 1939] 197/202; ders., Essays on the history of religions: Numen Suppl. 1 [1954] 60/2. Kult der Kybele: 57/9; A. E. Wilhelm-Hooijbergh, Peccatum. Sin and guilt in ancient Rome, Diss. Utrecht [Groningen 1954] 81. 84. 89. 91), geben billige Orakel, bevor sie schließlich eine Kollekte veranstalten, die ihnen erlaubt, ihr ehrloses Leben weiterzuführen (Stengel 915/7; Strathmann, Askese 250; Cumont, Religions 96f; Poland 1472; Goossens 137f; Bömer, Unters. 3, 105/7). Ohne Zweifel beeinträchtigt in dieser Schilderung das Malerische die Genauigkeit; denn die G. begegnen ihrer

Göttin nicht ohne religiöse Scheu (Lucian. asin. 38; Apul. met. 8, 25, 3f. 28, 1. 30, 3). Im Westen mußte sich die Dea Syria damit zufriedengeben, im Schatten ihrer berühmteren Schwester (Apul. met. 9, 10, 3: deum mater sorori suae deae Syriae; vgl. Lucian. Dea Syr. 15; CIL 9, 6099), Kybele, zu leben, die sie sogar bisweilen in ihren Kult aufgenommen zu haben scheint (Preller-Jordan 396/9; Lafaye 1458; Schwenn 2279; Gressmann 71; Stocks 15; Goossens 37/44; Lambrechts-Noyen 258. 273. 276f; Turcan, Sénèque 31f; ders., Cybèle 45/54; vgl. Will 208f; I. Berciu - A. Popa: Latom 23 [1964] 475/7). Es kommt deshalb vor, daß die Diener des Kultes der Magna Mater den umherziehenden G. der syrischen Göttin das Gastrecht in ihrem eigenen Heiligtum anbieten (Apul. met. 9, 9, 4; 9, 10, 3; vgl. Lucian. asin. 41; Graillot 315). In jeder Weise ist die Ähnlichkeit zwischen den G. der Dea Syria u. jenen der Magna Mater (s. u. Sp. 1003f. 1015f. 1020f) auffallend: Schminken, geschmackloser Anzug, blutige Praktiken, Wahrsagen (Lafaye 1458; Graillot 313; Gressmann 74f; Bömer, Unters. 3, 87). Daher spricht Apul. met. 8, 30, 5 vom cantus Phrygius der syrischen Priester (vgl. Cic. div. 1, 114). Es ist bemerkenswert, daß weder Lukian noch Apuleius in ihrer zuvor erwähnten Beschreibung den Terminus γάλλος bzw. gallus verwenden u. daß Lukian im Gegensatz zu Apul. met. 8, 29, 6; 9, 8, 1 die G. nicht als Priester betrachtet (vgl. Dea Syr. 42f). Zu der Verwandtschaft zwischen den fanatici der mehr oder weniger romanisierten kappadozischen Göttin Mâ-*Bellona u. den kastrierten Dienern der Kybele (Musik u. orgiastische Tänze, freiwillige Selbstverletzungen, Prophetismus, umherziehendes Betteln, ‚Zusammengehen' der beiden Göttinnen, ‚Vereinigung' ihrer jeweiligen Hierodulen) vgl. Tibull. 1, 6, 43/56; Hor. sat. 2, 3, 223; Sen. v. beat. 26, 8; Lucan. 1, 565f; Val. Flacc. 7, 636: exsectos lacerat Bellona comatos; Martial. 12, 57, 11; Iuvenal. 4, 123/9; 6, 511f; Apul. met. 8, 25, 3; Tert. apol. 9, 10; pall. 4, 10 (CCL 1, 103; 2, 746); Min. Fel. 30, 5; Lact. inst. 1, 21, 16/8; epit. 18 (23) 4 (CSEL 19, 81. 689); Commod. instr. 1, 17, 6/17 (CCL 128, 14); Amm. Marc. 21, 5, 1; Carm. c. pag. 68 (Anth. Lat. 4); Hist. Aug. v. Comm. 9, 5; Aug. civ. D. 4, 34; CIL 6, 3674 = 30851; 9, 3146; 13, 7281; Dessau 3804; E. Saglio, Art. Bellona: DarS 1, 685f; Preller-Jordan 247f. 386f; A. Procksch, Art. Bellona: Roscher,

Lex. 1, 1, 776 f; Marquardt 1, 92/4; W. Drexler,
Art. Ma: Roscher, Lex. 2, 2215/24; E. Aust,
Art. Bellona: PW 3, 1 (1897) 255f; C. H.
Moore: TransAmPhilolAss 38 (1907) 115f;
Graillot 99f; Wissowa, Rel.² 348/50; Lehner
45f; A. D. Nock: JournHellStud 45 (1925) 89;
A. Hartmann, Art. Ma: PW 14, 1 (1928)
77/91; Gressmann 76/8; Hopfner 429; Calza
198/202; M. Guarducci: BullCom 73 (1949/50)
55/76; Lambrechts, Fêtes 153; de Sanctis
273/5; J. H. Waszink, Art. Bellona: o. Bd. 2,
127f; M. van Doren: Historia 3 (1954/5) 491f;
A. de Franciscis, Art. Bellona: EncArteAnt
2 (1959) 47; Bömer, Unters. 4, 47/53; W.
Eisenhut, Art. Bellona: KlPauly 1 (1964)
859; Obbink 28; A. García y Bellído, Les
religions orientales dans l'Espagne romaine
(Leiden 1967) 64/70; Latte, Röm. Rel.² 281f;
Turcan, Sénèque 32f.

c. Kult der Kybele. 1. Vorrömisches Phrygien
(zum Ganzen vgl. Goehler 1/4; Showerman
230/40; Pettazzoni 102/4; Barnett 21/4).
Seit welcher Zeit (6. Jh.: Gruppe, Myth.
1543) der Ritus der freiwilligen kultischen
Kastration in Phrygien ausgeübt wurde,
kann nicht mehr entschieden werden (James
168). Das Eunuchentum dürfte in jüngerer
Zeit aus dem syro-semitischen Raum in den
phrygischen Kult der Kybele eingeführt worden sein (Rapp, Kybele 1652. 1657; Hepding
127/30. 161f. 217f; Fehrle 110; Graillot 11.
231. 290/2; Nilsson, Rel. 2², 643. 645; Otten
119); denn bei den Thrakern, einem Bruder-
volk der Phryger, ist es unbekannt (Hepding
129. 213/5; Cumont, Religions 45/7; J. Friedrich, Art. Phrygia: PW 20, 1 [1941] 882/91;
Turchi, Religioni 76f; Obbink 11), u. in der
lydischen Fassung des Attis-Mythos kommt
es nicht vor (Nilsson, Rel. 2², 643; Otten 119;
vgl. Toutain, Légende 303/6). Nach anderen
Gelehrten, die besonders darauf hinweisen,
daß das Motiv der Kastration im Mythos des
*Adonis fehle (vgl. Lucian. Dea Syr. 15),
dürfte diese Form der Verehrung der Atargatis aus dem Kult der Muttergöttin kommen oder wenigstens aus kleinasiatischen
Gebräuchen herzuleiten sein (F. Cumont,
Art. Dea Syria: PW 4, 2 [1901] 2242; ders.,
G. 675. 679; Lagrange 422f. 437; R. Dussaud,
Les religions des Hittites et des Hourrites,
des Phéniciens et des Syriens: Mana 1, 2
[Paris 1945] 333/414, bes. 402; vgl. Nöldeke
151; Stocks 10. 13; C. Clemen: Pisciculi,
Festschrift F. J. Dölger [1939] 66f. 69;
Fauth, Dea 1402); hierbei habe der Kult der

Muttergöttin einen präphrygischen hethiti-
schen Brauch fortgesetzt (Cumont, G. 675;
Loisy, Cybèle 304/6; ders., Mystères 98/100;
Browe 13; Widengren 57; Obbink 22f; vgl.
Laroche 127). Das Zentrum der Verehrung
der kleinasiatischen Muttergottheit durch G.
findet sich in Pessinunt, wo der Oberpriester
des Heiligtums, zugleich Haupt des Kolle-
giums der G., Attis heißt (Ditt. Or. 315. 541;
Hepding 126; Farnell 300; Cumont, G. 675;
Graillot 316; Frazer 285; Schwenn 2261f;
Carcopino 308; Turchi, Religioni 79; Felletti
Maj 576; Lambrechts-Bogaert 408). Der
Oberpriester, der wenigstens ursprünglich
entmannt war (Prud. c. Symm. 2, 523; vgl.
Lambrechts-Bogaert 408), ist zugleich der
Priesterkönig des kleinen theokratischen Für-
stentums von Pessinunt (Strab. 12, 5, 3 [567];
ihm assistiert ein zweiter Priester namens
Βαττάκης: Hepding 126; Graillot 95₃; Picard,
Éphèse 158. 167f; Schwenn 2262). Dieses
Fürstentum hatte die Invasion des Kyros
überlebt (Lafaye 1455; Hepding 125f; Grail-
lot 19; Frazer 286f; Pettazzoni 113f; Touilleux 135; James 162). Der Kult hat orgiastisches Gepräge (Rapp, Kybele 1657; Schwenn
2259/61; Carcopino 152; Pettazzoni 104f;
Cumont, Religions 45/7; Bleeker 113/6;
dieser Zug fehlt bei der anatolischen Kubaba:
Laroche 127): Phrygische Musik (Tamburine,
Schellen, Flöten, Hörner, Schallbecken; vgl.
zB. Tibull. 1, 4, 70; Verg. Aen. 9, 618/20;
Lucian. dial. deor. 20 [12], 233f; Rapp,
Kybele 1658; Gruppe, Myth. 1539f; Graillot
301f; Robert 806/9; Barnett 19 u. u. Sp.
1016), Gesang u. ekstatische Tänze versetzen
in Raserei (Rapp, Kybele 1658; Hepding
128; Toutain, Cultes 84; Cumont, G. 679;
ders., Religions 25f; P. Boyancé: RevÉtAnc
37 [1935] 162f; Bongi 7; Bömer, Komm. 223).
Dieser Kult erlaubte jedoch nicht die sakrale
Prostitution (Rapp, Kybele 1657), welche
die Religion der Ischtar u. der Astarte kennzeichnet (Frazer 36/9; Dhorme 213; F. Nötscher, Art. Astarte: o. Bd. 1, 807; Bleeker
48f; D. O. Edzard: Haussig 85; W. Röllig:
Haussig 234; nicht bezeugt für die Dea
Syria, vgl. F. Cumont, Art. Dea Syria: PW
4, 2 [1901] 2242), wohl aber die rituelle Entmannung einiger seiner Diener, die sich auf
diese Art dem mythischen Attis anglichen
(Loisy, Cybèle 316f; Pettazzoni 105/7; Cumont, Religions 47; Schneider 763; Hopfner
389. 421; Turchi, Religioni 79; Licht 510;
Barnett 22; Fauth, Kybele 387f; s. auch

unten). Diese Selbstentmannung wird in allen
Landschaften Kleinasiens üblich gewesen
sein, wo man die Magna Mater verehrte
(Hepding 127; Cumont, G. 675; Gressmann
58f; Boyancé 148/50. 159). Durch diese Tat
werden die Anhänger unwiderrufbar dem
ausschließlichen Dienst der Göttin geweiht
(Cumont, Religions 23. 215; Turchi, Religioni
80f). Sie erlaubt der Göttin, ihre Gaben der
Fruchtbarkeit zu bewahren (Preller-Jordan
388; Fehrle 111; Cook 1, 394f; Schwenn 2256.
2258; Pettazzoni 106; H. J. Rose: ClassQuart
18 [1924] 11/6; Bömer, Komm. 223) u. versichert sie der keuschen Treue ihrer Hierodulen (Nock, Eunuchs 28/31; Cumont, Religions 47. 222; Schepelern 95f; E. Roellenbleck, Magna Mater im AT [1949] 76f;
Nilsson, Rel. 2², 656; Otten 119). Die Entmannung fand während der ekstatischen
Feste statt, die im Monat März die Erneuerung der Natur begleiteten (Frazer 277/80;
Cumont, Religions 47; Gressmann 101/4;
Loisy, Mystères 120; H. Rahner: Eranos Jb.
11 [1944] 366/8; Widengren 75; Obbink 20f;
s. u. Sp. 1003/5). Obwohl der Ritus zeitlich dem
Mythos, der nur die ätiologische Erklärung
gibt, vorausliegt (Cumont, G. 675; Frazer
265; Strathmann, Askese 236f; Lagrange
420; Loisy, Mystères 96; Hopfner 425;
Turchi, Religioni 79), wurde die Selbstentmannung der G. in der Antike (Ovid. fast.
4, 243f; Min. Fel. 22, 4; vgl. Schol. Stat.
Theb. 12, 224; Lact. inst. 1, 17, 7 [CSEL 19,
65]) als eine Art jährlich stattfindende liturgische Imitation des Prototyps *Attis angesehen (Rapp, Attis 716; Lafaye 1455; Hepding 178; Gruppe, Myth. 1542; Pettazzoni
111; Gressmann 95/7; Boyancé 153/8; Otten
119; Obbink 21f; Barnett 22). Attis hat sich
nach der sozusagen offiziell gewordenen Fassung des Kultmythos von Pessinunt (Ovid.
fast. 4, 221/46; Iulian. or. 8 [5], 5/7. 9. 11.
19 [165/8. 168c/169d. 170c/171d. 179]; Sallust. 4 [6/10 Nock]; Hepding 113f. 118/21)
entmannt, um sich selbst wegen seiner Untreue gegenüber der göttlichen Liebhaberin
Kybele zu bestrafen (zum Ganzen des Mythos: Rapp, Attis 715/20; ders., Kybele 1648f;
Showerman 240/9; Hepding 98/122; Toutain,
Légende 299/308; Pettazzoni 108/11; Cook 2,
294/302; Gressmann 95/7; Hopfner 421/3;
Licht 215f; Bleeker 116/9; Widengren 57;
Numminen 144f. 158/62; Obbink 17/21;
Vermaseren 31f; Barnett 22). Aus der Tatsache, daß nicht der Tod, sondern die Ent-

mannung des Attis der zentrale Kern des
phrygischen Mythos von Attis zu sein scheint
(Graillot 546f; Lagrange 420/3. 438/50;
Strathmann, Attis 893f; Widengren 57;
Obbink 18f. 21; im gegenteiligen Sinn: Hepding 217/9), läßt sich der Schluß ziehen, daß
der Entmannung der G. eine wesentliche Bedeutung im ursprünglichen Kult der Muttergöttin zukommt, wobei man freilich nicht
so weit gehen darf, diese höchste Ordination
als eine Einweihung in die sogenannten Mysterien von Phrygien zu betrachten (van
Doren 79f; Metzger 6f; Lambrechts, Attis
53/5. 73; Obbink 42; vgl. Loisy, Cybèle 313.
320; Barnett 24; s. Arnob. nat. 5, 20). Die
G. bekleiden in der wohlgeordneten Hierarchie des Kultes von Pessinunt einen niedrigeren Rang als die eigentlichen Priester
(Graillot 288f; Nock, Eunuchs 32; Nilsson,
Rel. 2², 645; Lambrechts-Bogaert 408f), obwohl ihr umherschweifendes Bettlerleben zur
Ausbreitung u. Faszination des Kultes sehr
beigetragen hat (Felletti Maj 576; Widengren
55f). In der Tat ist es sicher, daß die G. nicht
alle in Pessinunt, in Kyzikos oder sonstwo
eine feste Bleibe hatten (Hepding 127/30.
161f; vgl. H. v. Fritze: Nomisma 4 [1909]
33/42). Die meisten von ihnen führten ein
Leben umherziehender, eifernder Bettler, das
sie von Kleinasien bis zu den griech. Ländern
Europas führen sollte (Cumont, G. 678; ders.,
Religions 47; Graillot 312/6. 512; Schwenn
2251/3; Picard, Apprêts 6).

2. Griechische Welt. Das klassische Griechenland kannte bereits sakrales Eunuchentum.
Es scheint, daß Herodot (4, 67. 69) als erster
einen derartigen Brauch erwähnt, u. zwar bei
den Skythen (Graillot 477). Sodann verfügte
die *Artemis von Ephesos, eine gründlich
semitisierte Göttin (Graillot 290) oder vielmehr eine Göttin, die leicht mit anderen
Fruchtbarkeitsgöttinnen Kleinasiens u. des
Alten Orients zu identifizieren ist (Gruppe,
Myth. 1532/9; Gressmann 84f; Nilsson, Rel.
2², 497f; vgl. D. Tsontchev: RevArch 15
[1940] 202/9), über Eunuchenpriester, die
sehr verehrt wurden, Μεγάβυζοι genannt
(Xenoph. anab. 5, 3, 6; Strathmann, Askese
210; Picard, Éphèse 163/82. 222/8; Schneider
763; Hopfner 429; Licht 195. 510); vielleicht
waren auch sie umherwandernde Bettler
(Graillot 312f; dagegen: Picard, Éphèse 174;
betreffs weiblicher ‚G.': Picard, Éphèse 436/9;
ders.: RevÉtAnc 42 [1940] 276/80; Hopfner
435; ἀγύρται der Diana Pergeia: B. Pace:

Anatolian Studies W. M. Ramsay [Manchester 1923] 304 f); sie wurden nicht am Orte angeworben (Strab. 14, 1, 23 [641]; Fehrle 101. 111; Graillot 290; Maass 460; Gressmann 88 f; Browe 14; Ch. Picard: Eranos Jb. 6 [1938] 60. 80/3; Bömer, Unters. 3, 52/4). Weiterhin gab es auch Eunuchen, die mit dem Kult der Hekate von Lagina in Zusammenhang standen (J. Hatzfeld: BullCorrHell 44 [1920] 78/81 nr. 11 d. 84 nr. 16; Schneider 763; Bömer, Unters. 1, 138; 2, 188; A. Laumonier, Les cultes indigènes en Carie [Paris 1958] 364. 370. 405. 548. 727), wie auch im Kult der Deo-Demeter die Kastration vollzogen wurde (Clem. Alex. protr. 2, 15, 1; M.-J. Lagrange: RevBibl 36 [1927] 564; zur Identifikation von Dionysos u. Attis, die beide entmannt waren, vgl. Clem. Alex. protr. 2, 19, 4; Ch. Picard: ArchEphem 92/3 [1953/4] 1 f). Aber alles, was sich auf die rituelle Kastration der Phryger bezieht, wurde von den europäischen Griechen scharf abgelehnt (in Athen war die Entmannung untersagt: Etym. Magn. s. v. ἀφελής [176, 14/8 Gaisf.]) u. hat bei ihnen niemals richtig Wurzeln geschlagen (Goehler 4/6; Rapp, Kybele 1665; Showerman 249/53; Gruppe, Myth. 1552; Toutain, Légende 302/6; Hug 450 f; Pettazzoni 114/9; Klotz 351/3; Perret 350/2; Hopfner 428; Nock, Development 419; Licht 508. 511 f; James 167 f; vgl. Geffcken, Ausg. 23; D. A. van Krevelen: RhMus 97 [1954] 75/82). Daher begleitete Attis, mit dessen Gestalt die Entmannung verbunden war, die Große Mutter erst seit hellenistischer Zeit, als der Kult zum zweiten Mal in Griechenland propagiert wurde; aber auch dann wurde er nicht wirklich in den Kult integriert (v. Wilamowitz 194/6; Rapp, Attis 723 f; Gruppe, Myth. 1549/52; Farnell 289 f. 302/4; Eisele 626/30; Toutain, Cultes 76; Cumont, G. 676; Lagrange 436 f; Schwenn 2264/8; Gressmann 97; Bongi 9; Lambrechts, Attis 22 f. 66; Bömer, Unters. 4, 10/4; Obbink 25 f; Nilsson, Rel. 1³, 725/7; 2², 642 f; Fauth, Kybele 388). Gegenstand allgemeinen Gelächters sind die eifernden Bettelpriester der typisch phrygischen Kybele (Rapp, Kybele 1656; Bömer, Unters. 4, 14/8), die unter dem Namen Βάκηλοι bekannt sind (5./4. Jh.; IG 12, 3, 812; Athen. 4, 134 b [Antiphanes]; Anth. Pal. 7, 709, 2 f; Lucian. Sat. 12; Graillot 292 f; Maass 472/5) u. besonders unter dem Namen μητραγύρται (Athen. 6, 226 d; 12, 553 c [Antiphanes]; 12, 541 e [Klearch. Sol.]; Aristot.

rhet. 3, 2, 10; Plut. Cleom. 36, 4; Plut. Mar. 17, 5; Pyth. or. 25 [407 C]; Clem. Alex. protr. 7, 75, 2 [Menandr.]; Aelian. var. hist. 9, 8 usw.; vgl. Stengel 916 f; F. Poland, Art. Metragyrtai: PW 15, 2 [1932] 1471/3; sie waren nicht notwendig Eunuchen: Graillot 231; Nilsson, Rel. 2², 642 f). Den Spott gegen sie zeigen karikierende Statuetten (Mitte des 4. Jh.) u. die Komödie (Graillot 24; Picard, Apprêts 5/12). Auch weigerte man sich, ihrer rituellen Kastration einen religiösen Wert beizumessen (Rapp, Kybele 1665; Cumont, G. 676; Nilsson, Rel. 2², 642 f), wie aus verschiedenen Tatsachen hervorgeht. In Athen wurde um 500 ein Metragyrte, der überführt war, für die Verehrung der Großen Mutter geworben zu haben, gesteinigt u. in das Barathron geworfen (Iulian. or. 8 [5], 1 [159]; Graillot 22. 292; Bongi 7₁; A. A. Papagiannopoulos: Polemon 3 [1947/8] 94/6; Bömer, Kybele 136; Nilsson, Rel. 1³, 725/7). Herodot (4, 76) erwähnt in seiner Beschreibung der Feste der Großen Mutter von Kyzikos keine G. (Hepding 127 f; vgl. Loisy, Mystères 100; Nilsson, Rel. 2², 643₁). Bei den Vorbereitungen der Expedition nach Syrakus wurde iJ. 415 die von einem fanatischen Anhänger der Kybele am Altar der Zwölf Götter in Athen vollzogene Entmannung als das Vorzeichen eines Scheiterns betrachtet (Plut. Nic. 13; Lafaye 1455; Graillot 22 f. 291 f; Picard, Apprêts 9). In Eresos auf Lesbos verbot eine alte lex sacra den G., in das Metroon einzutreten (Farnell 303; Graillot 21. 374; Picard, Éphèse 223; Hopfner 428). In der Literatur hingegen, u. zwar in der alexandrinischen Dichtung, ist die exotische Ekstatik des Attis u. der sich entmannenden G. ein beliebtes Thema geworden (Hepding 139/41; Cumont, G. 675; Graillot 101). Der Begriff γάλλος begegnet literarisch erst gegen 250 vC.: Callim. frg. 761 Pf.; Diog. Laert. 4, 43 (Arkesilaos); Graillot 101. 292; nur wenige epigraphische Belege sind vorhanden: Ditt. Syll.³ 763 (46 vC.; vgl. 1115,8); CIL 6, 32462 (G. der Dea Syria); Lambrechts-Bogaert 404/14 (G. von Pessinunt zum Archi-G. ernannt?); vgl. Carcopino 258 f; A. D. Nock: JournRomStud 38 (1948) 156; Richard 53₆. Der alexandrinische Einfluß auf das berühmte 63. Gedicht Catulls scheint sicher zu sein (v. Wilamowitz 197/9; ders., Hellenistische Dichtung 2 [1924] 291/5; Graillot 101/3; Klotz 350/4; O. Weinreich, Catulls Attisgedicht: Mélanges F. Cumont [Bruxelles 1936] 463/500; Elder

394/403; A. Guillemin: RevÉtLat 27 [1949] 152/7; Herrmann 236f. 239; J. Bayet: EntrFondHardt 2 [Genève 1956] 12/4; P. W. Harkins: TransAmPhilolAss 90 [1959] 102/16; T. Oksala: Arctos 3 [1962] 199/213; Bömer, Kybele 139; E. Schaefer, Das Verhältnis von Erlebnis u. Kunstgestalt bei Catull [1966] 95/107; J. Granarolo, L'oeuvre de Catulle [Paris 1967] 53/60; versus galliambici/metroaci: ThesLL 6, 2, 1680, 16/47; Graillot 101/4; v. Wilamowitz 194/7; Bongi 11/3; Elder 396f). Wenngleich die herumwandernden Missionare der Großen Mutter in den griech. Ländern Europas mit Verachtung u. Widerwillen betrachtet wurden, ist es doch nicht unwahrscheinlich, daß das eindrucksvolle Beispiel ihrer freiwilligen Entmannung bei der Vorschrift der sakralen Enthaltsamkeit mitgewirkt hat, die dem Hierophanten von Eleusis geboten war. Die Inhaber dieses Priestertums haben sich vom 2. bis 5. Jh. nC. (Hieron. adv. Iov. 1, 49 [PL 23, 295 A]: usque hodie) mit Hilfe des Schierlings unfruchtbar gemacht (Orig. c. Cels. 7, 48; Hippol. ref. 5, 8, 40; Serv. Aen. 6, 661; vgl. Iulian. or. 8 [5], 13 [173d]; Hieron. ep. 123, 7 [CSEL 56, 80f]; adv. Iov. 1, 49; Fehrle 104/6; Strathmann, Askese 210f; Maass 432f; Browe 16; vgl. zu Keleai: Pausan. 2, 14, 1; Fehrle 104). Trotz des Ausdruckes gallica turma bei Ovid. am. 2, 13, 18 wird man nicht leicht auf denselben Einfluß die Gegenwart geweihter Eunuchen im Kult des Serapis zurückführen können (s. u. Sp. 1029).

3. Rom. Der Kult der Kybele wurde iJ. 205/4 vC. von Pessinunt (oder eher von Pergamon?) nach Rom übertragen (L. Bloch: Philol 52 [1893] 580/3; Aurigemma 31/3; E. Schmidt, Kultübertragungen = RGVV 8, 2 [1909] 23/9; de Sanctis 270f; M. van Doren: Historia 3 [1954/5] 488/97; vgl. dagegen Schepelern 202f). In Rom wurde der Kult bis zur Zeit des Kaisers Claudius I in zwei verschiedenen Formen ausgebildet, zwischen denen das röm. Gesetz klar unterschied (Dion.Hal. ant.2,19,3/5; Preller-Jordan 54/9; Goehler 7/28; Rapp, Kybele 1666/8; Showerman 221/9. 254/9. 265/8; Loisy, Cybèle 289f; Schwenn 2267/70; Pettazzoni 119/25; Hopfner 428f; Nock, Development 415/8; W. W. Hyde, Paganism to Christianity in the Roman Empire [Philadelphia 1946] 46/9; Lambrechts, Fêtes 141; de Sanctis 271f; Bleeker 112f; Widengren 56; Bömer, Unters. 4, 19f.

22; Obbink 26f; Fauth, Kybele 388f). Einerseits gab es den offiziellen Kult römischer u. aristokratischer Art (ludi Megalenses im April; vgl. zB. Preller-Jordan 56f; Marquardt 2, 270f; Aurigemma 42/9; A. Piganiol, Recherches sur les jeux romains [Strasbourg 1923] 87. 114. 143; E. Habel, Art. Ludi publici: PW Suppl. 5 [1931] 626/8; P. Boyancé: Latom 13 [1954] 337/42; Manganaro 42f). Dieser wandte sich an eine Magna Mater, die sich römischem Wesen angepaßt hatte (Marquardt 1, 92; Aurigemma 33/65; Carcopino 135f; G. E. Rizzo: BullCom 60 [1932] 92/100. 108f; A. Bartoli: MemPontAcc 6 [1947] 231/9; ders.: RendicPontAcc 29 [1956/7] 14f; R. Schilling: RevPhilol 75 [1949] 27/35; Strathmann, Attis 891; P. Lambrechts: BullSocBelgeAnthropolPréhist 62 [1951] 44/60; ders.: NouvClio 4 [1952] 251/9; van Doren 79. 83; de Sanctis 268/70; Felletti Maj 572; P. Romanelli: MonAccLinc 46 [1963] 221/8; vgl. Bömer, Kybele 132/8. 144f). Andererseits gab es den Privatkult nach phrygisch-orgiastischem Vorbild (Feste des März; für Ovid. fast. 3 unbekannt: Carcopino 152). Ihn überwachten (zumindest ursprünglich) ein Priester u. eine Priesterin aus Pessinunt (Dion. Hal. ant. 2, 19, 4; vgl. Sil. Ital. 17, 26; Serv. Aen. 12, 836; Paul.-Fest. s. v. Peregrina sacra [268, 30/3 Linds.]; Cumont, G. 676; Wissowa, Rel.² 320; Schwenn 2261; vgl. Schmidt aO. 23/6; Bömer, Komm. 228/30). In diesem Kulte spielte der entmannte Attis eine Rolle (de Sanctis 273; A. Bartoli: RendicPontAcc 29 [1956/7] 15f; Th. Köves: Historia 12 [1963] 321f; Romanelli aO. 261/5. 281/6; ders.: Hommages J. Bayet [Bruxelles 1964] 620/2), die man aber nicht überbewerten sollte (Showerman 261/4; ders.: TransAmPhilolAss 31 [1900] 46/59; Aurigemma 41f; Lambrechts, Attis 23f. 43f. 46. 66. 71). Dieser orgiastische Kult verlangte phrygische G. (Lucret. 2, 611; Sil. Ital. 17, 20/2; Hieron. in Hos. 1, 4, 14 [CCL 76, 44]; vgl. Arnob. nat. 5, 20; Preller-Jordan 59f; Goehler 40/3; Rapp, Kybele 1668; Lafaye 1456; Showerman 259/61. 272/6; Toutain, Légende 306f; Fehrle 110; Cumont, G. 676; Graillot 226. 287f; Maass 455f; Browe 16f; Strathmann, Attis 893; van Doren 84; James 172; Gow, G. 88; Widengren 60f; Richard 64/7), eine Institution, die die Römer jedoch in ihrem allgemeinen Widerwillen gegen das Eunuchentum (Hug 451; Cumont, Religions 48) verabscheuten (Cumont, G.

676; Herrmann 236f. 239; Bömer, Komm. 223; Numminen 157/62). Der gesamte phrygische Ritus (Eunuchentum u. bloße Teilnahme) ist der röm. Bevölkerung ausdrücklich untersagt (Dion. Hal. ant. 2, 19, 3/5; Lafaye 1457; Marquardt 2, 65/8; Cumont, G. 676; ders., Religions 49; Graillot 75/7; Carcopino 152; Willoughby 120; Browe 16f; Turchi, Religioni 81; Felletti Maj 572; James 172; Bömer, Kybele 132f. 135). Der Kult darf außerhalb des Tempelbezirks der Magna Mater auf dem Palatin, auf den er beschränkt ist (Rapp, Kybele 1668; Loisy, Mystères 84; Romanelli aO. 314/6), nur in ganz genau angegebenen Grenzen ausgeübt werden (Cumont, G. 678; Graillot 76f; Wissowa, Rel.² 320; Nilsson, Rel. 2², 641; Latte, Röm. Rel.² 260/2; s. u. Sp. 1014). Über die Organisation der phrygisch-röm. Gemeinschaft der G. ist wenig bekannt (Wissowa, Rel.² 320; Lambrechts, Fêtes 141f). Die G., die der Autorität eines phrygischen Priesterpaares unterstellt sind, bilden eine Art zweitrangige Priesterschaft (Cumont, G. 677; Graillot 77. 288f), deren Vorgänger, die sog. Metragyrten, Rom vielleicht schon vor der Einführung des Kybele-Kultes gekannt hat (Graillot 32f zu Liv. 25, 1, 8/12 [213 vC.]). Das Verbot des Eunuchentums wurde während des 2. Jh. streng aufrechterhalten. Noch iJ. 102 wurde ein Sklave, der sich zum G. gemacht hatte (Matri Idaeae se praecidit: Iul. Obseq. 44a [104]), aus Italien gejagt (Aurigemma 56; Graillot 98; Bömer, Kybele 136). Doch schon iJ. 77 wurde einem Freigelassenen, von dem es allgemein bekannt war, daß er G. war, u. der als ein solcher toleriert wurde (Matris Magnae gallus: Val. Max. 7, 7, 6), sein Recht als Erbe erst nach Einspruch vor einer höheren Instanz aberkannt (Aurigemma 56f; Graillot 98f; Browe 17; Bömer, Kybele 137; vgl. Cod. Theod. 16, 5, 17). Man kann daraus schließen, daß die Gemeinschaft der G. am Ende der Republik ihre Mitglieder aus den Reihen römischer Sklaven u. Freigelassener zu gewinnen beginnt (Preller-Jordan 387; v. Domaszewski 50/2; Graillot 99; Bömer, Unters. 4, 27/31; ders., Kybele 138. 144f; vgl. Tibull. 1, 4, 70). Übrigens respektiert das amtliche Rom in Kleinasien die Eunuchen der Göttin (Graillot 94; Gow, G. 89; Bömer, Unters. 4, 20/2; Latte, Röm. Rel.² 262; vgl. Bömer, Kybele 133/7), wie aus verschiedenen Vorfällen iJ. 190 (Polyb. 21, 6, 7; Liv. 37, 9, 9f) u. iJ. 189 vC. hervorgeht (Polyb.

21, 37, 5f; Liv. 38, 18, 9f; vgl. Val. Max. 1, 1, 1). Das röm. Volk seinerseits zeigte ein bemerkenswertes Interesse gegenüber dem Battakes von Pessinunt, der iJ. 103/2 nach Rom gekommen war (Diod. Sic. 36, 13; Plut. Mar. 17, 8/10; vgl. Dio Cass. 48, 43, 4/6; Graillot 95/8; Touilleux 135; T. R. S. Broughton: Historia 2 [1953/4] 210f; James 172; Bömer, Kybele 136; Latte, Röm. Rel.² 261). Die strengen Einschränkungen, die in Rom den phrygischen Kult einengten, wurden durch Kaiser Claudius I aufgehoben (Preller-Jordan 388; Marquardt 2, 68f; Showerman 269/72. 291/303. 304/6; Eisele 632/7; Bickel 59f; Schwenn 2271f; Loisy, Mystères 84; Turchi, Religioni 81; Felletti Maj 573; Nilsson, Rel. 2², 641; Widengren 56f; Obbink 28f; vgl. Bömer, Kybele 138/45; aus gentilizischen Gründen: T. Frank, Aspects of social behavior in ancient Rome [Cambridge, Mass. 1932] 49; Turcan, Sénèque 25f. 37; dank des Einflusses der Eunuchen am Hof: Graillot 115; Loisy, Mystères 84). Indem Claudius den Tag des ‚Arbor intrat‘ (22. III.) in den amtlichen Kalender einführte (Joh. Lyd. mens. 4, 59), erlaubte er den Römern, offen am phrygischen Zyklus der Märzfeste teilzunehmen, der später, wahrscheinlich unter Antoninus Pius, durch die Feier der Hilarien ergänzt werden sollte (25. III.; der vollständige Zyklus, 15./27. [28.?] III., ist im Kalender des Philocalus vJ. 354 nC. erwähnt: CIL 1², 260; Preller-Jordan 388/90; Goehler 49/51; Marquardt 2, 69/74; Showerman 276/80; Cumont, G. 676; Pettazzoni 127/31; Willoughby 122; Nock, Development 423; Calza 202/4; Gatti 258/62; Lambrechts, Fêtes 145/70; ders., Attis 8. 63; ders., Attis en het feest der Hilariën: MededelAmsterdam 30, 9 [1967] 229/32; van Doren 79; Beaujeu 317f; der ganze Zyklus schon seit Claudius: Carcopino 137/59; Pettazzoni 125/7; Gressmann 97/104; Ch. Picard: RevArch 43 [1954] 80/2; Bleeker 121/3; Widengren 58; Obbink 29/33; unter Claudius II: v. Domaszewski 55f). Die allmähliche Bestätigung des röm.-phrygischen Kultes hing jedoch mit den Maßnahmen zusammen, durch die das orgiastische Übermaß eingeschränkt werden sollte: Überwachung durch das Kollegium der XV viri (Lucan. 1, 599f; Stat. silv. 1, 2, 176f; Preller-Jordan 390; Goehler 46/8; Lafaye 1457; Marquardt 2, 99f; Turchi, Religioni 82f), amtliche Einsetzung eines Archi-G. (F. Cumont: RevHistRel 89 [1924] 260f; s. u. Sp.

1009f), die überwachte Ausbildung des Ritus des Tauroboliums (s. u. Sp. 1008) u. ferner Strafbestimmungen, die das Eunuchentum im allgemeinen betreffen. Das Eunuchentum wurde von den Kaisern Domitian, Nerva u. Hadrian verboten (Domitian: Stat. silv. 4, 3, 13; vgl. 3, 4, 68/82; Martial. 2, 60; 6, 2; 9, 5 [6], 4f; 9, 7 [8]; Suet. Dom. 7, 1; Dio Cass. 67, 2, 3; Philostr. v. Apoll. 6, 42; Euseb. Hieron. chron. zJ. 82 nC. [GCS 47, 190]; Amm. Marc. 18, 4, 5; Nerva: Dio Cass. 68, 2, 4; Dig. 48, 8, 6 [vJ. 97; vgl. A. Garzetti: Aevum 27 (1953) 550]; Hadrian: Dig. 48, 8, 4, 2. 8, 5; Lafaye 1456; Hitzig 1772; Aurigemma 57; Cumont, G. 676; ders., Religions 48; Carcopino 249; Maass 433/6; Hopfner 433; Goossens 38₁; Beaujeu 259; weitere Bestätigungen: Hitzig 1772; Hopfner 433f; Recht der Erlaubnis wird den Statthaltern überlassen: Iustin. apol. 1, 29; Hitzig 1772; Browe 28). Offen wurde das Eunuchentum nur bei der Selbstentmannung phrygischer G. geduldet (Cumont, G. 676; Carcopino 237/9. 310f; Momigliano 227; Richard 60f; Entmannung auf einem Bronzekontorniat des Vespasian: Cook 2, 299 u. Abb. 191). Dafür zahlen diese eine besondere Steuer (Schol. Hephaist. Alex. 140 Consbruch; Graillot 288), die vielleicht seit der Zeit des Claudius I erhoben wurde (Carcopino 310f; Momigliano 227). Die Selbstentmannung der G. fand am 24. III. statt während der Feier des Blutes, am Bluttag (Sanguem: CIL 1², 260; Goehler 38f; Hepding 158/65; Toutain, Cultes 83. 93; Graillot 126/9; Loisy, Cybèle 296/8; ders., Mystères 89/91. 96; Frazer 268/71; Strathmann, Askese 237f; Lagrange 430/3; Cumont, Religions 54; Schepelern 107. 112. 201; Gressmann 100; Stocks 30f; Lambrechts, Fêtes 146; Bömer, Komm. 227; Nilsson, Rel. 2², 644; Widengren 58). Einige junge Männer (Varro, Men. frg. 119; Epiphan. expos. fid. 10, 6 [GCS 37, 510]; Pass. Symphoriani 6 [127 Ruinart]; Hepding 72; Graillot 293; Loisy, Mystères 106; Köves aO. 329/35), die mit vollem Willen in den sog. Priesterorden der famuli der Göttin eintreten wollen (Aug. civ. D. 2, 7; Cumont, G. 677; Willoughby 125; Loisy, Mystères 93. 101. 106; Strathmann, Attis 892), schneiden sich, überreizt durch die Geißelungen u. die tobsüchtigen Tänze, die sie beim Klang berauschender phrygischer Musik solange ausüben, bis sie alle Empfindung verloren haben (Ovid. Ibis 453f; Sen. Ag. 689; ep. 108, 7; v. beat. 13, 3;

Iambl. myst. 3, 4; Hepding 158/60; Graillot 295/7; Cumont, Religions 25f; Willoughby 123; Hopfner 426; Strathmann, Attis 892; Felletti Maj 577; Vermaseren 42f), in der Öffentlichkeit (Lact. inst. 1, 21, 16 [CSEL 19, 81]; Carm. ad sen. 14 [CSEL 23, 227]; Aug. civ. D. 7, 26) ihr Geschlechtsglied ab. Diese vollständige Ablation (Hopfner 427) vollführte man nicht mit einem Stahlmesser (Bronze war vielleicht nicht ganz ausgeschlossen: vgl. Stat. Theb. 10, 171; 12, 227; Martial. 2, 45, 2; 3, 24, 10. 47, 2. 91, 8; 9, 2, 13; Iuvenal. 2, 116; Lucian. tragod. 113; Maneth. apot. 5, 179f; Anth. Pal. 6, 218, 1; Lact. inst. 5, 9, 17 [CSEL 19, 427]; PsCypr. sing. cler. 33 [CSEL 3, 3, 208f]; Claud. Eutr. 1, 280; Prud. perist. 10, 1075; Aug. civ. D. 7, 24; Graillot 296f; Cumont, Religions 225), sondern mit einem scharfen Stein oder einer gewetzten Scherbe samischer Töpferei (Stein: Catull. 63, 5; Ovid. fast. 4, 237; Plut. Nic. 13; Scherbe: Lucil. 7, 304f W.; Plin. n.h. 35, 165; Martial. 3, 81, 3; Iuvenal. 6, 514; Min. Fel. 24, 12; Lafaye 1455; Hepding 161; Wächter 117; Cumont, G. 677; Graillot 295/7; Maass 456f; vgl. CIL 3, 1952: forfices, Schere; dazu E. u. J. R. Harris, The oriental cults in Roman Britain [Leiden 1965] 109/12). Unrichtig dürfte die Annahme sein, daß in Rom der phrygische Brauch der Entmannung, widergespiegelt durch den phrygisch-römischen (Rapp, Attis 722f), sich zu einer eher symbolisch aufzufassenden Geste, lediglich ein wenig Blut zu vergießen, zurückgebildet habe (Rapp, Attis 722; ders., Kybele 1669; Wissowa, Rel.² 321f; Obbink 30; vielleicht Val. Flacc. 8, 241f) u. sich in echter Form nur in Phrygien (zB. Gal. 5, 12; s. u. Sp. 1030) u. in den entferntesten Landstrichen finde (Carcopino 247/9. 308f. 311; Obbink 30; Richard 60f). Es scheint kaum zweifelhaft, daß die Entmannung während der Kaiserzeit fast überall wirklich durchgeführt wurde, bisweilen unter dem Einfluß bestimmter Sternkonstellationen (Vett. Val. 2, 21; Firm. Mat. math. 3, 5, 24; 6, 30, 18; Maneth. apot. 4, 218/23; 6 [3], 538/40; Hopfner 427). Wir wissen jedenfalls, daß Juvenal, Tertullian, Minucius Felix u. andere die Kastration vom Sehen her kennen (Sen. superst. frg. 34 Haase; Iuvenal. 2, 115f; 6, 511/21 [s. Richard 55/67]; Clem. Alex. protr. 2, 15, 1; Tert. ad nat. 1, 10; adv. Marc. 1, 13 [CCL 1, 29. 454f]; Min. Fel. 22, 4; 24, 12; Hippol. ref. 5, 9; PsCypr. sing. cler. 33 [CSEL 3, 3, 208f]; Euseb. praep. ev.

6, 10, 44 [GCS 43, 1, 342]; vgl. Ambros. exhort.
virg. 3, 17 [PL 16, 356f]; Aug. sanct. virg. 25
[PL 40, 409]; Toutain, Cultes 83; F. Cumont:
RevHistRel 89 [1924] 261; A. D. Nock:
JournRomStud 38 [1948] 156; Beaujeu 317;
Richard 61/7). Demnach scheint es, daß die
Maßnahmen der Flavier u. Antoninen gegen
das Eunuchentum nicht die eigentliche
Selbstentmannung betroffen haben (vgl.
nichtsdestoweniger PsAug. quaest. test. 115,
17 [CSEL 50, 324]; Graillot 129; Goossens
38₁; Beaujeu 259₂). Ferner ist es wohl möglich, daß die Inschrift von Lectoure: CIL 13,
510 = Dessau 4127 vom 24. III. 239 sich auf
die Entmannung des G. Eutyches bezieht
(Graillot 129. 174; Lagrange 468. 470; Oppermann 19; R. Étienne, La chronologie des
autels tauroboliques de Lectoure: Gascogne
Gersoise [Auch 1959] 36. 41; Rutter 237f;
dagegen Carcopino 250; Bömer, Unters. 4, 35₄;
Latte, Röm. Rel.² 354₂, der sich auf Suppl-
EpigrGr 2 [1924] 518 stützt; zum Namen
Eutyches in Verbindung mit Attis vgl. CIL 3,
763). Gewiß ist die rituelle Verstümmelung
keineswegs nur in ferner Zeit oder in entlegenen Gebieten des röm. Reiches vorgekommen (Carcopino 247/9), sondern im 4. u. 5. Jh.
reichlich bezeugt (Arnob. nat. 5, 16f; Lact.
inst. 1, 17, 7. 21, 16; 5, 9, 17; epit. 8, 6; 18
[23], 4 [CSEL 19, 65. 81. 427. 682. 689];
Maneth. apot. 6, 297f; Firm. Mat. math. 3, 5,
24; 6, 30, 18; err. 8, 2; Schol. Nicand. alexiph.
v. 8; Serv. Aen. 9, 115; Iulian. or. 8 [5], 9.
13. 15 [168f. 173. 175]; IG 14, 2566 [?];
Prud. perist. 10, 1066/70; PsCypr. sing. cler.
33 [CSEL 3, 3, 208f]; Carm. ad sen. 14 [CSEL
23, 227]; Claud. Eutr. 1, 280; Hieron. in Hos.
1, 4, 14 [CCL 76, 44]; Epit. Caes. 23, 3; Hist.
Aug. v. Heliog. 7, 1f [s. Graillot 293; Schwenn
2272; Browe 17; Hopfner 429; Gow, G. 89;
Nilsson, Rel. 2², 653₁; Rutter 235]; Aug. civ.
D. 2, 7; 6, 7; 7, 24/8; PsAug. quaest. test.
115, 18 [CSEL 50, 324]; Paul. Nol. c. 19, 87;
Pass. Symphoriani 6 [127 Ruinart]; Cumont,
G. 677; Graillot 550f; Lehner 45; Loisy,
Mystères 92; Browe 17f). Handelt es sich um
ein Wiederaufleben des Eunuchentums in
Verbindung mit der Orientalisierung des
Hofs? (vgl. Graillot 231; Carcopino 249/52;
Hopfner 406/18; B. de Gaiffier: AnalBoll 75
[1957] 17/35; A. Cameron: Latom 24 [1965]
156f; in Karien noch im 8. Jh. ausgeübt:
Browe 15). Freilich wollten immer weniger
junge Leute G. werden, wie christliche Schrift-
steller versichern (PsAug. quaest. test. 115,

18 [CSEL 50, 324]; vgl. Martial. 3, 91, 1/12;
Carcopino 250f; Browe 17f). Die Entmannung, die beim Altar der Magna Mater vollzogen wird (Graillot 296), gleicht die G., nunmehr neue Attis, dem Parhedros der Kybele
an, den sie nachahmen (Maneth. apot. 5,
179f; Rapp, Attis 722; Cumont, G. 681; ders.,
Religions 47. 222; Graillot 129. 293). Zugleich
werden die G. durch die Entmannung endgültig der Göttin geweiht (Iuvenal. 2, 115f;
Prud. perist. 10, 1076; Epit. Caes. 23, 3; Aug.
civ. D. 7, 26f; vgl. Dessau 4167/70; Hepding
160; Cumont, Religions 23. 215). Sie sind hinfort unveräußerliches Eigentum der Göttin,
wie auch die Marke beweist, die ihnen mit
glühendem Eisen eingeprägt wird (Prud.
perist. 10, 1076/80; Tätowierungen, die man
bei der Bestattung mit goldenen Blättern bedeckt: ebd. 1081/5; Etym. Magn. s. v. γάλλος:
220, 19f Gaisf.; Hepding 162f. 177; F. J.
Dölger, Sphragis [1911] 41f; ders.: ACh 1
[1929] 66/72; Cumont, G. 678; ders., Religions 215; Graillot 182; Frazer 278; W. Heit-
müller: Ntl. Studien G. Heinrici [1914] 43₁.
47; Pettazzoni 111f; Schepelern 122f; Gressmann 94; Loisy, Mystères 104f; H. Lillie-
björn, Religiöse Signierung in der Antike, Diss.
Uppsala [1933] 17/20; Strathmann, Attis
892; J. Tondriau: Aegyptus 30 [1950] 60/2;
Widengren 59; im Kult der Atargatis: F. J.
Dölger: ACh 2 [1930] 297/300). Bisher herrscht
noch keine Übereinstimmung hinsichtlich der
Frage, welche Bedeutung u. welcher religiöse
Wert (Plin. n. h. 11, 261) der phrygischen Entmannung beizumessen ist (Willoughby 126f;
Obbink 23/5). Ursprünglich könnte es sich
dabei um einen Fruchtbarkeitsritus handeln
(vgl. Prud. perist. 10, 1069f; Cumont, G. 681;
Loisy, Cybèle 299/304; ders., Mystères 120;
Strathmann, Attis 894f; Ch. Picard: Numen
4 [1957] 14f; Bömer, Komm. 223; A. Blanco
Freijeiro: ArchEspArqueol 41 [1968] 96/100;
dagegen Nock, Eunuchs 25/9) oder um ein
Lösegeld für den ganzen Stamm oder um
einen Ersatz für Menschenopfer (vgl. Ovid.
fast. 4, 230; Firm. Mat. err. 3, 1; Graillot 129.
293f; Frazer 285/97; Lagrange 422f; dagegen: Strathmann, Attis 894f). Der Ritus
könnte ferner ein Opfer zur Tröstung u. Stärkung für Kybele sein (Arnob. nat. 5, 16; Firm.
Mat. err. 3, 1; Lact. epit. 8, 6 [CSEL 19, 682];
Paul. Nol. c. 19, 88; Graillot 294; Willoughby
124f) oder sogar eine von der furchtbaren
Göttin geforderte Sühne (Lucret. 2, 614/7;
Ovid. fast. 4, 221/44; Val. Flacc. 7, 635f; Min.

Fel. 24, 12; Firm. Mat. err. 3, 2f; Prud. perist. 10, 1071/5; Paul.-Fest. s. v. galli [84 Linds.]; Eisele 626; Perret 340f. 343/5; Hopfner 422; Boyancé 152/8; Numminen 144/57; A. Kirsopp Michels: Mélanges J. Carcopino [Paris 1966] 675/9; vgl. Loisy, Mystères 93/5; J. Przyluski, La Grande Déesse [Paris 1950] 187). Vielleicht sollte der Ritus auch die kultische Reinheit der Hierodulen sichern (Strathmann, Askese 210. 258f). Selbst wenn das schamlose Gebaren der G. der in spätrömischer Zeit behaupteten mystisch-asketischen Bedeutung der Entmannung zu widersprechen scheint (Cumont, G. 681; Strathmann, Askese 259; ders., Attis 894f; Loisy, Mystères 100f), so könnte diese Bedeutung zweifellos am besten erklären, weshalb die G. gänzlich u. ausschließlich gleichsam als Eigentum im Dienst der eifersüchtigen Göttin stehen (Gruppe, Myth. 1544/6; Graillot 294; Lagrange 470/2; Nock, Eunuchs 27/31; Bleeker 123f; Otten 119; vgl. Loisy, Cybèle 306/8). Die öffentliche Ausprägung des phrygisch-röm. Kultes der Magna Mater kannte während der Kaiserzeit zwei Formen für die Aufnahme von Gläubigen oder vielmehr zwei besondere Weisen, in denen sich die Bindung an den Kult äußert. Die erste, die für männliche Mitglieder, die in den Rang der G. aufgenommen werden wollten, verpflichtend war (zunächst wohl ausschließlich phrygisch-orientalischer Herkunft; vgl. Lucret. 2, 610/3; Rhet. Herenn. 4, 49, 62; Sen. ep. 108, 7; Ambros. ep. 18, 30 [PL 16, 1021f]; Widengren 60; P. Romanelli: Hommages J. Bayet [1964] 622; Richard 61/4; s. o. Sp. 1000), bestand in der Entmannung. Die zweite, die für Laien beiderlei Geschlechts wie auch insbesondere für Priester der Muttergöttin bestimmt war, bestand in dem Ritus des Tauroboliums (Preller-Jordan 390/4; Goehler 52/9; Marquardt 1, 108/10; Showerman 280/4; Hepding 196/201; Aurigemma 56/63; Toutain, Cultes 82/90; Graillot 153/74; Frazer 274/6; Lagrange 478; Schwenn 2275/9; Pettazzoni 107f. 131/5; Geffcken, Ausg. 6. 24f. 29. 159; Schepelern 114/6; Willoughby 132/5; Gressmann 109f; Loisy, Mystères 106f; Oppermann 16/21; J. Dey, Παλιγγενεσία. Ein Beitrag zur Klärung der religionsgeschichtlichen Bedeutung von Tit. 3, 5 = NtlAbh 17, 5 [1937] 65/81; Nock, Development 423/5; Calza 197; Bleeker 121; Nilsson, Rel. 2², 652f; Widengren 58f; Obbink 36/42; Rutter 237f; Duthoy 57/127; vgl. zB. CLE 111, 25/7; 1529 A 5f. B 5). Es handelt sich hier nicht um eine Einweihung im eigentlichen Sinne (außer vielleicht für die Frauen: Rutter 236/8. 242), sondern bis etwa 250 nC. um ein Opfer nach Art einer Weihe, die wiederholt werden kann (Oppermann 16. 19; Duthoy 108f). Weder der Ursprung des Tauroboliums noch seine ersten Beziehungen zum Kult der Kybele sind bisher klar bestimmt (Hepding 201; Toutain, Cultes 86/90; Willoughby 130; Loisy, Mystères 114; Oppermann 19f; Latte, Röm. Rel.² 354; Rutter 229/31; Duthoy 112/25). Folgendes scheint aber festzustehen: Der Ritus war im Kult der Magna Mater während der republikanischen Zeit unbekannt (C. H. Moore: AmJournArch 9 [1905] 71; Toutain, Cultes 84; Latte, Röm. Rel.² 353); er war mit den phrygischen Festen des März nicht verbunden (Toutain, Cultes 84/6; Loisy, Cybèle 319/26; Obbink 42); in Rom wurde er nicht auf dem Palatin, sondern im Phrygianum auf dem Vatikanischen Hügel ausgeführt (Lehner 46; Loisy, Mystères 104f; Pietrangeli 8; Beaujeu 315f; Latte, Röm. Rel.² 353). Die Einführung des Tauroboliums als öffentliches Opfer für das Heil des Kaisers geht nicht auf Claudius I zurück (dagegen Carcopino 154/9), sondern wahrscheinlich auf Antoninus Pius (erste Erwähnung: CIL 13, 1751 vJ. 160 nC. in Lyon; C. H. Moore: TransAmPhilolAss 38 [1907] 129/38; Wissowa, Rel.² 322/6; Schwenn 2272; Oppermann 20f; O. Floca: EphemDacorom 6 [1935] 206; Lambrechts, Fêtes 156/9. 169; Beaujeu 314f; Latte, Röm. Rel.² 353; Rutter 234), der dadurch den Kult der Kybele mit dem Kaiserkult geschickt verbunden hat (vgl. Carcopino 319; A. D. Nock: JournHellStud 45 [1925] 92; Willoughby 130; Lambrechts, Fêtes 157f; R. Étienne, La chronologie des autels tauroboliques de Lectoure: Gascogne Gersoise [Auch 1959] 36. 40f). Es ist nicht ausgeschlossen, daß das Taurobolium, das aus dem rituellen Abschneiden der Geschlechtsteile des Stieres bestand, als römischer Ersatz für das Opfer der Männlichkeit gedient hat, das die G. vollführten (Hepding 192; Gruppe, Myth. 1552/4; Graillot 232; Cook 1, 394; Schepelern 116. 125; Loisy, Mystères 109/11. 120; T. Frank, Aspects of social behavior in ancient Rome [Cambridge, Mass. 1932] 49; Oppermann 19; Nilsson, Rel. 2², 652f; Turchi, Religioni 81. 90f; Latte, Röm. Rel.² 260₁. 354₂; A. Blanco Freijeiro: ArchEspArqueol 41 [1968] 93; Rutter 235f; Duthoy 73. 108. 114).

d. Der Archi-G. der Kybele (vgl. die Titel ἀρχιβάκχος, -βασσαφή, -βουκόλος, -μύστης, -νεανίσκος in den Mysterien des Dionysos; dazu A. J. Festugière: RevBibl 44 [1935] 203f; oder jene Titel des ἀρχιδενδροφόρος, -μαγαρεύς [?], -μύστης, -νεώκορος, -ῥαβδούχισσα im Kult der Kybele; dazu Robert 799₄). Es ist unwahrscheinlich, daß der Titel Archi-G. (vgl. bes. ἱερογάλλος: R. Heberdey: Tituli Asiae Minoris 3,1 [Wien 1941] nr. 740; s. u. Sp. 1010f), wie Carcopino 241/308 zu beweisen versucht, eine röm. Bildung ex nihilo aus der Zeit des Kaisers Claudius I ist, die nur vom Namen her orientalisches Gepräge hat. Die Bezeichnung ist in der Tat schon am Anfang des 1. Jh. nC. in einer griech. Inschrift aus Kyme in der Äolis erwähnt (Mandros-Kult: J. Keil: JhÖsterrInst 14 [1911] Beibl. 133/40; vgl. Cumont, Religions 224; Schepelern 112; Momigliano 229; Gatti 255/7; Beaujeu 316) u. könnte sogar in Griechenland bis etwa auf das J. 450 vC. zurückgehen. Plinius (n. h. 35, 70) kennt das Bild eines Archi-G. des Malers Parrhasios (vgl. Lafaye 1457; Gatti 255/7; Beaujeu 316; R. Verdière: Latom 28 [1969] 502f); das hier von Plinius verwendete Wort archigallus (zu ersetzen durch artigamus: Carcopino 281/307; vgl. das Epitheton νεόγαμος: H. Chadwick: JournTheolStud 3 [1952] 90/2) stand vielleicht schon in seiner Vorlage, falls nicht Plinius selbst einen Fehler bei der Umschrift begangen hat (Momigliano 227/9). Die Einrichtung, die ihrem Ursprung u. ihrem Namen nach orientalisch ist (Cumont, Archi-G. 484; Graillot 142. 230; Momigliano 229; Felletti Maj 577), erlangte wahrscheinlich während der Regierung des Antoninus Pius in Rom eine offizielle Form, wie es das Datum der ersten lat. Inschriften, die über dieses Amt berichten, nahelegt (CIL 12,1782 von Tegna u. 13, 1752 von Lyon, 184 bzw. 190 nC.: Lambrechts, Fêtes 156f; CIL 14, 34f von Ostia, zwischen 169 u. 176 [richtiger: Lambrechts, Fêtes 157₁: um 200]; Goehler 39f; Gatti 255/7; Lambrechts, Fêtes 156/9. 169; Beaujeu 316f; Floriani Squarciapino 10; Rutter 234; Lambrechts-Bogaert 408. 410f). In dieser Epoche u. schon seit flavischer Zeit sind die religiösen Führer von Pessinunt, eher ἀρχιερεῖς als ἀρχιγάλλοι genannt, röm. Bürger u. ihr Amt ist erblich. Diese Tatsache dürfte die Kastration ausschließen (Rapp, Attis 724; Graillot 231f; Carcopino 312/8; Nilsson, Rel. 2², 645; Obbink 22; Lambrechts-Bogaert 408/11). Der Archi-G. ist der verehrungswürdige Hohepriester (Ovid. fast. 4, 339; Bömer,

Komm. 221) des offiziellen phrygisch-röm. Kultes (Liste [unten vervollständigt]: DizEp 1 [1894] 642; Cumont, Archi-G. 484; Graillot 234f; Carcopino 252/6; Bickel 55; Schwenn 2261f; Carcopino 239f; Momigliano 227; Felletti Maj 577; Nilsson, Rel. 2², 645; Floriani Squarciapino 15f). Der Archi-G. von Rom besitzt eine Art Metropolitanvorrang, wenn nicht sogar einen geistlichen Primat gegenüber seinen selbständigen Kollegen in anderen Orten (vgl. Tert. apol. 2 [CCL 1, 136]; C. H. Moore: TransAmPhilolAss 38 [1907] 132; Graillot 235; Carcopino 318f). Er trägt daher bisweilen den Titel sacerdos Phryx maximus (CIL 6, 508 vJ. 319; vgl. Prud. perist. 10, 1011: summus sacerdos; vgl. sacerdos maxima: CIL 6, 502. 2257; dagegen G. S. R. Thomas: RevBelgePhilol 49 [1971] 55/65) oder den Titel archigallus Matris Deum Magnae (CIL 6, 2183, wahrscheinlich 3. Jh.) oder den theophoren Namen Attis populi Romani (CIL 6, 2183; Rapp, Attis 724; Hepding 90; Graillot 142; Willoughby 120. 126; dagegen: F. Cumont: DizEp 1 [1894] 766). In Ostia (CIL 14, 34f. 385; dazu R. Calza, Sculture rinvenute nel Santuario: MemPontAcc 6 [1947] 215f nr. 7; um 200 nC.) ist der Archi-G. des Ortes besonders ausgezeichnet durch das Privileg, die Befreiung von bestimmten Steuern zu gewähren (Frg. Vat. 148: qui in Portu pro salute imperatoris sacrum facit ex vaticinatione archigalli excusatur; Carcopino 154/7; Latte, Röm. Rel.² 342₂; Rutter 234). In den Orten Italiens u. der Provinzen (Moore aO. 128/38; Toutain, Cultes 101/11; Lehner 44/7) scheint die Präsenz eines Archi-G. in unmittelbarem Zusammenhang mit der Bedeutung der jeweiligen städtischen Heiligtümer der Großen Mutter zu stehen (Toutain, Cultes 83; Graillot 234/6). Der Titel ist lateinisch für Tusculum bezeugt (CIL 6, 32466, wahrscheinlich 2./3. Jh.), für Tergeste (CIL 5, 488; 3. Jh.?), Capua (CIL 10, 3810; 4. Jh.?), Tain (Tegna: CIL 12, 1782; vJ. 184), Lugdunum (CIL 13, 1752; vJ. 190; vgl. 3566), Emerita (CIL 2, 5260; um 200?; vgl. A. García y Bellído, Les religions orientales dans l'Espagne romaine [Leiden 1967] 45. 48f), Salona (CIL 3, 2920a; um 200?) u. Mileve (CIL 8, 8203 = 19981; zwischen 222 u. 235). Griechisch trifft man ihn in Savatra in Galatien (W. M. Calder: MAMA 1 [Manchester 1928] 1 nr. 2; 2. Hälfte 2. Jh.?), in Termessos in Pisidien (nach 150; R. Heberdey: Tituli Asiae Minoris 3, 1 [Wien 1941] nr. 267. 578. 619. 740 [an letzterer

Stelle ἱερογάλλος]), in Pessinunt (um 200; K. Bittel: ArchAnz 82 [1967] 150; J. u. L. Robert: RevÉtGr 81 [1968] 525f; Lambrechts-Bogaert 404/14), in Hierapolis in Phrygien (um 200; Cumont, Archi-G., Suppl. 120; Graillot 235; Carcopino 255) u. in Dionysopolis (G. Mihailov, Inscriptiones Graecae in Bulgaria repertae 1 [Sofia 1956] 37f nr. 18; vgl. I. Stoian, Tomitana [Bukarest 1962] 119 nr. 1). Geht man von der durchsichtigen Etymologie des Titels Archi-G. aus, dann müßte der Archi-G. der hierarchische Leiter des Kollegiums der G. gewesen sein (Firm. Mat. math. 3, 5, 24 [?]; Serv. Aen. 9, 115; Cumont, Archi-G. 484; ders., G. 677; Lafaye 1458; Toutain, Cultes 93; Graillot 316; Momigliano 227; Nilsson, Rel. 2², 645; vgl. Carcopino 260; Lambrechts-Bogaert 409), wiewohl die G. nicht völlig in die Hierarchie des offiziellen Kultes der Muttergöttin während der Kaiserzeit eingegliedert waren (Graillot 230f; Carcopino 241f. 260). Der Archi-G. ist mit seinem Amt auf Lebenszeit betraut (CIL 3, 2920a; vgl. 13, 1751; Cumont, Archi-G. 484; Lafaye 1457f; Graillot 236; Carcopino 239f; Turchi, Religioni 81f; AnnEpigr 1965 nr. 209). Vielleicht hatte er einen festen Sitz (Lafaye 1458; Turchi, Religioni 81f; vgl. CIL 3, 2920a; 12, 1782; 13, 1752), der ihm durch die XV viri sacris faciundis von Rom aufgrund eines Antrages der örtlichen Behörden zugewiesen wurde (vgl. CIL 10, 3698; 13, 1751; Cumont, Archi-G. 484; Lafaye 1457; v. Domaszewski 53; Graillot 227/30; Wissowa, Rel.² 320f; Carcopino 239 f; Touilleux 135; de Ruyt 31; Turchi, Religioni 82f; Latte, Röm. Rel.² 261₅). Nach den literarischen Texten, welche entmannte Archi-G. erwähnen (Iuvenal. 6, 512/5; Firm. Mat. math. 3, 5, 24. 6, 22; 4, 13, 5; Serv. Aen. 9, 115; Schol. Iuvenal. 2, 116; 6, 513 Wessner; vgl. Tert. resurr. 16, 6 [CCL 2, 939]; Prud. c. Symm. 2, 51. 863f; vgl. Carcopino 242f), darf man vielleicht annehmen, daß es vor 150 nC. noch entmannte Archi-G. gab, vorausgesetzt, daß jene damals schon Kultvorsteher waren (Lafaye 1457; Graillot 230f; Gatti 255/7). Andernfalls müßte man vermuten, daß sie im Eifer der Polemik mit den Führern (Iuvenal. 6, 512f; Apul. met. 8, 26, 1/4; möglicherweise bezieht sich auch die eine oder andere griech. Inschrift auf derartige Archi-G.; ebenso zB. Firm. Mat. math. 3, 5, 24. 6, 22; Schol. Iuvenal. 2, 15; 9, 62 Wessner) herumziehender Scharen (s. u. Sp. 1016) bettelnder G. (Carcopino 243) oder des

Kollegiums der G. von Pessinunt verwechselt wurden (vgl. Lambrechts-Bogaert 410f). Schließlich könnte es auch sein, daß die Kastration im 4. Jh. gelegentlich wieder aufgenommen wurde (Graillot 231; Loisy, Cybèle 323; vgl. Carcopino 249/52; Pettazzoni 136/9; Geffcken, Ausg. 25. 29. 95. 159; H. Fuhrmann: Epigraphica 3 [1941] 106/8). Die Inschriften stellen die Archi-G. jedenfalls einheitlich als achtbare röm. Bürger dar (Rapp, Attis 724; DizEp 1 [1894] 641f; Cumont, Archi-G. 484; ders., G. 676; ders., Religions 51; Showerman 272f; Hepding 165; Graillot 232f; Wissowa, Rel.² 320; Carcopino 238f. 312/6; Momigliano 227; de Ruyt 32; Nock, Development 448; Turchi, Religioni 81f; Bömer, Komm. 223; Felletti Maj 577). Oft stammen sie von angesehenen Freigelassenen ab (Graillot 142. 232f; Wissowa, Rel.² 320; vgl. v. Domaszewski 50/2; Bömer, Unters. 4, 31/7); bisweilen sind sie verheiratet (CIL 6, 32466; vgl. die Inschrift von Saghir in Pisidien; um 200 nC. [Archi-G. der Artemis]: Cumont, Archi-G., Suppl. 120; Graillot 232; Carcopino 238f; de Ruyt 32; Gatti 255/7; Felletti Maj 577) u. demnach keineswegs notwendig entmannt (Min. Fel. 24, 12; Prud. perist. 10, 1011f. 1044; Lafaye 1457; Graillot 230/2; Carcopino 238f. 266f; de Ruyt 32; Bömer, Komm. 223; Nilsson, Rel. 2², 645; Widengren 60), selbst wenn wahrscheinlich unter ihnen im 4. Jh. noch Asiaten waren (CIL 6, 508; vJ. 319; Lafaye 1457). Am 15. III. führt der Archi-G. den Vorsitz bei der Feier des 'Canna intrat' (Joh. Lyd. mens. 4, 49; Hepding 147; Graillot 234). Am Tag des Blutes bringt er das Opfer (Taurobolium?) für das Heil des Kaisers dar (Tert. apol. 25, 5 [CCL 1, 136]; Cumont, Archi-G. 484; Hepding 165; Carcopino 139; Oppermann 19; Duthoy 68/71), wobei er noch eine Libation von seinem eigenen Blut gibt (Tert. apol. 25, 5; Min. Fel. 24, 12; vgl. Sen. Ag. 687; Rapp, Attis 722; DizEp 1 [1894] 641; Graillot 234; Wissowa, Rel.² 322; James 173; s. o. Sp. 1004). Am 25. III. nimmt er am Festzug der Hilarien teil (Graillot 134) u. am 27. III. verrichtet er die lavatio des Kybele-Bildes (vgl. Arnob. nat. 7, 32; Hepding 174; Graillot 139. 234; Schwenn 2256f. 2269; Bömer, Komm. 221; andere Aufgaben: Graillot 233/6; de Ruyt 33f). Er wird vom Kollegium der Dendrophoren um Rat gefragt (CIL 13, 1752; Graillot 233. 236) u. verkündet die vaticinatio bei der Darbringung des Tauroboliums (Frg. Vat.

148; CIL 8, 8203 = 19981; 12, 1782; 13,
1752; Cumont, Archi-G. 484; Toutain, Cultes
93f; Graillot 233. 236; Carcopino 154/6;
Oppermann 17f; Lambrechts, Fêtes 156/9;
Latte, Röm. Rel.² 355; Duthoy 66f. 82. 94f).
Der Archi-G., den man deutlich von den G.
zu unterscheiden hat (Carcopino 237/40. 257f)
wie auch von den Priestern der Großen Mutter
beiderlei Geschlechts (Goehler 43/6; Toutain,
Cultes 94f; Graillot 238/53; Nock, Eunuchs
27/9; Turchi, Religioni 83; Pietrangeli 8;
Bömer, Unters. 1, 11f; Widengren 61; Floriani
Squarciapino 15f; Latte, Röm. Rel.² 261₅.
355₄), ist uns in seinem Äußeren durch einige
literarische Texte u. die eine oder andere bildliche Darstellung bekannt (trotz der Meinung
von Cumont, Archi-G. 484; ders., G. 677
[richtiggestellt: ders., Religions 224]; Lafaye
1457f; Hepding 128f; Graillot 236/8; J. Keil:
JhÖsterrInst 18 [1915] 74f, stellen weder die
sog. Statue Montfaucon [Cook 2, 299f; E. Simon: Helbig, Führer 2⁴, 31f nr. 1183] noch das
Relief aus Lavinium im Kapitolinischen
Museum [s. u. Sp. 1022] einen Archi-G. dar:
Carcopino 237₂; de Ruyt 32f; Pietrangeli
20f; Felletti Maj 577; Gow, G. 89f; ders.,
Add. 144f). Ganz wie iJ. 103/2 vC. der Battakes von Pessinunt auf dem Forum erschien,
das Haupt mit einem goldenen Diadem be-
kränzt u. bekleidet mit einer langen Tunika,
die mit kostbarem Garn bestickt war (Diod.
Sic. 36, 13; Plut. Mar. 17, 9; Lafaye 1457;
Cumont, G. 677; Schwenn 2262; Touilleux
135; Felletti Maj 577), ist auch der Liegende
auf dem Sarkophag eines unbekannten alten
Archi-G. von Ostia (R. Calza - M. Floriani
Squarciapino, Museo Ostiense [Roma 1962]
22 nr. 18 nach orientalischer Art gekleidet
(Zeit: um 200 nach de Ruyt 34; 2. H. 3. Jh.
nach Felletti Maj 577; Gow, G. 90). Er trägt
ein Kleid mit langen Ärmeln, ferner Gürtel,
Hose u. gallische Sandalen sowie Ringe an der
linken Hand u. das Armband des Priesters
der Großen Mutter um das rechte Handgelenk
(occabus: CIL 10, 3698; 13, 1751). Das
Haupt ist geschmückt mit einer Mitra oder
einer phrygischen Mütze u. einem Kranz aus
Metall (vgl. Iuvenal. 6, 516; Prud. perist. 10,
1014; Bickel 55/8; G. Calza: Historia 6 [1932]
221/37; de Ruyt 29f. 33; F. Cumont, Recherches sur le symbolisme funéraire des Romains
[Paris 1942] 390f; Gatti 255/7; Felletti Maj
577; Gow, G. 90; Floriani Squarciapino 13f).
Den occabus u. den Kranz, Zeichen des Priestertums der Großen Mutter, sieht man auch

auf den zwei Reliefs, die einen Archi-G. von
Ostia bei der Ausführung seiner priesterlichen
Aufgaben darstellen (Touilleux 135; de Ruyt
29f; M.J.Vermaseren: Hermeneus 20 [1948/9]
60/2; Felletti Maj 577; Gow, G. 90; Widengren 61; Lambrechts, Attis 47f. 72). Dort
trägt der Archi-G. über seinen orientalischen
Kleidern das Opfergewand des röm. Magi-
strats (Prud. perist. 10, 1015; de Ruyt 33;
Felletti Maj 577). Die dargestellte Person, bei
der kaum zu entscheiden ist, ob sie ein Eunuch ist oder nicht (vgl. de Ruyt 33 u. Cumont
aO. 390; Iuvenal. 10, 512/5 u. Prud. perist.
10, 1044; s. Graillot 238; Carcopino 238), läßt
deutlich eine gewisse Würde erkennen. Auch
die Texte sprechen dem Archi-G. diese nicht
immer ab (vgl. Pers. 5, 186; Iuvenal. 6, 512f;
Prud. perist. 10, 1011/5; Graillot 236; Carcopino 238).

III. Anwesenheit u. Aufgaben der G. im Kult.
a. Kybelekult. Solange das offizielle Rom das
phrygische Element im Kult der Großen Mutter in den Hintergrund drängte, übten die G.
ihre Aktivität als ‚religiosi‘ nur im Inneren
des heiligen Bezirks der Kybele auf dem Palatin aus, wo die phrygische Musik u. die gel-
lenden Gesänge (Quint. inst. 11, 3, 51; Iuvenal.
3, 90f; die hymnologi dürften deshalb wohl
Kastraten sein: Graillot 255; vgl. Hopfner
399) ihrer zahlreichen Schar erklangen (Varro,
Men. frg. 149f; vgl. Cic. div. 1, 114; Iuvenal.
9, 23; Arnob. nat. 1, 41; Firm. Mat. math. 7,
25, 4; Aug. civ. D. 6, 7; Cumont, Religions
49f; Schepelern 109f; Perret 353f; Obbink
27f; s. o. Sp. 1001). Anfänglich zeigten sie sich
in der Öffentlichkeit nur an bestimmten Tagen, um Almosen zu sammeln (Graillot 76f;
Cumont, Religions 49) oder um an den Zeremonien u. Umzügen teilzunehmen (Frazer
266), deren Zahl u. Bedeutung durch die Einführung u. Vervollständigung des Festzyklus
der Großen Mutter unter Claudius u. Antoninus Pius bedeutend gestiegen war. Die G. trugen das Bild der Göttin auf ihren Schultern
(Dion. Hal. ant. 2, 19, 4; Ovid. fast. 4, 179/86;
vgl. ebd. 337/46; Carm. c. pag. 106f [Anth.
Lat. 4]: 4. IV., Eröffnung der ludi Megalenses; Graillot 140f; Nock, Eunuchs 32; Lambrechts, Fêtes 143f; Bömer, Komm. 220f)
oder folgten dem Wagen, auf dem es mitge-
führt wurde (Tibull. 1, 4, 68; vgl. Serv. georg.
1, 163; Carm. c. pag. 106f [Anth. Lat. 4]; vgl.
F. Bömer, Art. Pompa: PW 21, 2 [1952]
1949/53). Sie bereiteten sich für die alljährlichen Feiern der heiligen Woche des Attis

durch das Fasten des castus Matris Deum vor (besonders verzichteten sie auf Brot: Tert. ieiun. 2, 4; 16, 7 [CCL 2, 1258. 1275]; Arnob. nat. 5, 16; Iulian. or. 8 [5], 14/7 [174/7]; Sallust. 4 [10 Nock]; Hieron. ep. 107, 10 [CSEL 55, 300f]; adv. Iov. 2, 5. 17 [PL 23, 304 B. 326 B]; Carm. ad sen. 15/8 [CSEL 23, 228]; vgl. Commod. carm. apol. 696 [CCL 128, 98]; Marin. v. Procl. 19 [46 Boissonade]; Lafaye 1456; G. Wissowa, Art. Castus 4: PW 3, 2 [1899] 1780; Hepding 155/7. 182f; Wächter 84. 96. 107. 111; Graillot 119f; Loisy, Cybèle 295f; Frazer 272; Lagrange 427/30; P. R. Arbesmann, Das Fasten bei den Griechen u. Römern = RGVV 21, 1 [1929 bzw. 1966] 11f. 17. 83/6. 95; ders.: o. Bd. 7, 460f. 505f; Schepelern 90. 106f; Nilsson, Rel. 2², 644f; A. Brelich: StudMatStorRel 36 [1965] 27/42; P. Gerlitz: C. J. Bleeker, Initiation [Leiden 1965] 273f). Sie assistierten beim Festzug des ‚Arbor intrat‘ (15. III.; Martial. 5, 41, 1/3; 14, 204; Suet. Otho 8, 5; Arnob. nat. 5, 16f; Marquardt 2, 67f; Graillot 123; Schepelern 107; Calza 192f), u. zur Zeit der Trauer über Attis klagten sie beim Klang phrygischer Instrumente in langgezogenem Geschrei (22./24. III.; Diod. Sic. 3, 59; Sen. Ag. 688/90; Stat. Theb. 10, 170/5; Martial. 5, 41, 1/3; 14, 204; Suet. Otho 8,5; Arnob. nat. 5, 16f; Firm. Mat. err. 22, 1. 3; Serv. Aen. 9, 115; Claud. Eutr. 1, 277/9; Aegr. Perd. 30 [Anth. Lat. 808]; Hepding 149/55. 158/65; Graillot 120/6; Schepelern 107). Am Tage des Blutes (Sanguem) verwundeten sie sich, bis sie bluteten, während sich die Novizen unter ihnen entmannten (24. III.; Maecen. frg. 6 [Frg. Poet. Lat. 102]; Sen. Ag. 686/90; superst. frg. 34 Haase; Val. Flacc. 8, 241f; Stat. Theb. 10, 170/5; 12, 224/7; Martial. 11, 84, 3f; Arrian. tact. 33, 4; Lucian. tragod. 30/2. 113/5; Tert. apol. 25, 5; adv. Marc. 1, 13 [CCL 1, 136. 454f]; Min. Fel. 22, 4; 24, 12; Arnob. nat. 5, 17; Lact. inst. 1, 21, 16; epit. 18 [23], 4 [CSEL 19, 81. 689]; Iulian. or. 8 [5], 9 [168c/169]; Carm. ad sen. 19f [CSEL 23, 228]; Prud. perist. 10, 1059/75; Claud. Eutr. 1, 279f; Aug. civ. D. 2, 7; Paul. Nol. c. 19, 87f. 181f; Pass. Symphoriani 6 [127 Ruinart]; s. o. Sp. 1003f). Sie erschienen im karnevalsartigen Festzug der Hilaria (25. III.; Herodian. 1, 10, 5; Macrob. Sat. 1, 21, 10; Sallust. 4 [8 Nock]; Hepding 167/9; Graillot 131/6; Stocks 31f) u. begleiteten die Prozession der Großen Mutter am Tage der Lavatio (27. III.; Val. Flacc. 8, 239f; Stat. silv. 5, 1, 222/4; Sil. Ital. 8, 363;

Martial. 3, 47, 2; Arrian. tact. 33, 4; Prud. perist. 10, 154/60; Claud. b. Gild. 119; Amm. Marc. 23, 3, 7; Aug. civ. D. 2, 4; Pass. Symphoriani 2 [125 Ruinart]; Greg. Tur. glor. conf. 76 [MG Scr. rer. Mer. 1, 2, 343]; Hepding 133f. 172/6; Graillot 76. 136/40; Boyancé 150f; Felletti Maj 576). Jedoch sind nicht alle G. an die großen Heiligtümer gefesselt, wie man sie in Pessinunt, Kyzikos, Hierapolis in Phrygien oder Ostia findet (Graillot 316; s. o. Sp. 996). Während ihrer Prozessionen durch Städte u. Dörfer (Lucret. 2, 600/43; Catull. 63, 13/6; Tibull. 1, 4, 69; Dion. Hal. ant. 2, 19, 4; Martial. 3, 91, 2; Min. Fel. 24, 11; Maneth. apot. 6 [3], 295/9. 538/40; Aug. civ. D. 7, 26; Commod. instr. 1, 17, 6/12 [Bellona?]; Graillot 312/6; Carcopino 239. 309f; Perret 351/6; James 170f; Manganaro 36f; Widengren 62; Latte, Röm. Rel.² 259) sangen (Cic. div. 1, 114; Catull. 63, 24. 28; Quint. inst. 11, 3, 51; Iuvenal. 2, 111; 6, 515; Apul. met. 8, 26, 2. 27, 4; Arnob. nat. 1, 41) die Scharen (catervae: Lucret. 2, 611. 628; chori: Varro, Men. frg. 132; Prop. 3, 17, 36; 4, 7, 62; Sil. Ital. 17, 20; Iuvenal. 6, 512f; Apul. met. 8, 26, 2; Firm. Mat. err. 4, 2; cohors: Carm. c. pag. 66 [Anth. Lat. 4]; comites: Catull. 63, 15; Apul. met. 9, 9, 3; examina: Amm. Marc. 18, 4, 5; grex: Ovid. met. 3, 537; Martial. 3, 91, 2; turba: Sen. Ag. 688; superst. frg. 34 Haase; Martial. 11, 84, 4; vgl. ebd. 12, 57, 11; turma: Ovid. am. 2, 13, 18) herumziehender G. zu phrygischer Begleitmusik (Ovid. ars 1, 505f; Ibis 453/6; Dion. Hal. ant. 2, 19, 4f; Varro, Men. frg. 131f; Lucian. asin. 37; Apul. met. 8, 26, 5. 27, 3; Anth. Pal. 6, 51, 3/7; 6, 219, 10/20; Min. Fel. 24, 11; Maneth. apot. 6 [3], 538/40; Aug. civ. D. 7, 24; Schol. Iuvenal. 9, 62 Wessner; s. o. Sp. 994) Hymnen (in griech. Sprache: Serv. georg. 2, 394; Graillot 123; Nilsson, Rel. 2², 641; Latte, Röm. Rel.² 259), führten Tänze auf (Cic. Muren. 6, 13; Catull. 63, 26; Stat. Theb. 10, 173f; Flor. epit. 3, 19, 4; Apul. met. 8, 27, 3/5; Arnob. nat. 5, 16; Prud. perist. 10, 1063; Aug. civ. D. 7, 24; s. Graillot 280f; Tänze in Beziehung zum Lauf der Sonne: vgl. Lucian. salt. 17; Macrob. Sat. 1, 21, 9f; Graillot 212), geißelten sich (Maecen. frg. 6 [Frg. Poet. Lat. 102]; Plut. adv. Col. 33 [1127 C]; Lucian. tragod. 115; asin. 38; Apul. met. 8, 28, 2f), schlugen sich (Prop. 2, 22, 15f; Sen. Ag. 687; v. beat. 26, 8; Val. Flacc. 3, 20; Lucian. asin. 37; Apul. met. 8, 27, 5; Tert. apol. 23, 3 [CCL 1, 130]; Aug. civ. D. 7, 28), weissagten

(Lucan. 1, 566f; Iuvenal. 6, 517f; Schol.
Iuvenal. 6, 530. 532 Wessner; Apul. met. 8,
29, 2; 9, 8, 2/5; Firm. Mat. err. 4, 2; Ambros.
ep. 18, 30 [PL 16, 1021]; Prud. c. Symm. 2,
863f; Serv. Aen. 10, 220; s. Schwenn 2255),
empfahlen Heilmittel (Pers. 5, 186/8; Iuvenal.
6, 517/20; die G. bestimmter Zentren bildeten
eine sehr anerkannte Ärzteschaft: Herodt. 3,
48; vgl. Plin. n. h. 11, 261; s. Graillot 309/12.
399; Schwenn 2254f; Loisy, Mystères 91) u.
bettelten (IG 2², 1, 2, 1328 = Michel 1559;
Lucret. 2, 626f; Ovid. fast. 4, 350/2; ex Pont.
1, 1, 39f; Dion. Hal. ant. 2, 19, 2. 4f; Phaedr. 4,
4f; Iuvenal. 6, 518f; Lucian. asin. 35. 37;
Apul. met. 8, 28, 5; Babr. 141, 8f; Tert. apol.
13, 6 [CCL 1, 111]; Min. Fel. 24, 11; Maneth.
apot. 6, 299; Commod. instr. 1, 17, 12;
Carm. c. pag. 58f [Anth. Lat. 4]; Aug. civ. D.
7, 26; Goehler 48; Lafaye 1456; Graillot
301/16; Schwenn 2263; Nock, Eunuchs 32;
Latte, Röm. Rel.² 259). Jedoch war dieses
Betteln zu Ehren der Kybele (Lafaye 1456;
Graillot 312/6; Nock, Eunuchs 31; Manga-
naro 34f; Latte, Röm. Rel.² 259) ihnen ur-
sprünglich, wenigstens in Rom, nur an be-
stimmten Tagen erlaubt (Cic. leg. 2, 22. 40;
Stengel 917; Cumont, G. 678; Graillot 76f).
Falls sie aus dem eigentlichen Dienst der
Kybele ausscheiden, entsagen sie der weib-
lichen Kleidung ebenso wie den Insignien u.
den charakteristischen Instrumenten ihres
Ordens u. geben sie der Göttin zurück (Anth.
Pal. 6, 51. 94. 173. 234; vgl. Martial. 14, 204;
Graillot 300; Gow, G. 91f). Im öffentlichen
Kult scheint sich ihre Rolle insgesamt auf
zwar unerläßliche Aufgaben (vgl. Aug. civ.
D. 6, 7), aber doch nur Hilfsfunktionen beschränkt zu haben, die sie ausübten als bet-
telnde Brüder, Heuler (Carm. c. pag. 65 [Anth.
Lat. 4]: canes Megales), Tänzer, Geißler u.
Wahrsager (Graillot 301/16; Schwenn 2255.
2281; Carcopino 239; F. Cumont: RevHistRel
89 [1924] 262; Nock, Eunuchs 32f; van Doren
84; Nilsson, Rel. 2², 645). Ihre blutige ‚ewige‘
Weihe (Aug. civ. D. 7, 26), die sie endgültig
vom wahren röm. Priestertum ausschließt
(ohne sie außerhalb des Gesetzes zu stellen:
vgl. Carcopino 239. 241f. 260. 266f), trifft
manchmal ebenso auf entsetzten Respekt wie
auf verächtlichen Spott, aber niemals, wie es
scheint, auf Gleichgültigkeit (beispielsweise
ist von G. zu träumen ein schlechtes Vorzeichen u. kündigt venerische Krankheiten an:
Artemid. onir. 2, 69; 4, 37; Hopfner 404).

b. Mysterienkult der Großen Mutter u. des Attis. Zweifellos hat der Kult der Großen Mutter,
zumindest seit hellenistischer Zeit (s. Gruppe,
Myth. 1541f; M. Brueckner, Der sterbende
u. auferstehende Gottheiland in den orientalischen Religionen u. ihr Verhältnis zum Chri-
stentum² [1920] 23f; Schwenn 2274; Pettazzoni 116/8; R. Reitzenstein, Die hellenistischen Mysterienreligionen³ [1927 bzw. 1966]
108; F. Chapouthier: Mélanges Dussaud 2
[Paris 1939] 724; N. M. H. van der Burg,
᾽Απόρρητα-Δρώμενα-῎Οργια, Diss. Amsterdam
[1939] 96/122; L. Bouyer: RevSciencRel 27
[1953] 11/3; R. Pettazzoni: CahHistMond
2 [1954/5] 305f; P. Pokorný: ListFilol 10
[1962] 51f; Barnett 24), neben seinen öffentlichen phrygischen, röm. u. später phrygisch-
röm. u. taurobolischen Zügen auch Initiationsriten zugelassen in der Art regelrech-
ter Heilsmysterien (Anth. Pal. 6, 51, 1f;
Schol. Eutecnius Sophista v. 217f [s. Hepding 9]; Relief von Lebadeia: Nilsson, Rel.
2², Taf. 10, 3; IG 4, 659. 757; Ditt. Or.
540f; Iuvenal. 9, 23; Pausan. 2, 3, 4; 7, 17,
9 [?]; Iustin. apol. 1, 27, 4; SupplEpigrGr 6
[1932] 718; Kaibel 588). In diesen Mysterien
erfuhr die Rolle des Attis um das J. 200 nC.
eine deutliche Ausweitung (W. H. Buckler-
D. M. Robinson, Sardis 7, 1 [Leiden 1932] 38
nr. 17,6f; Clem. Alex. protr. 2, 15, 1; Hippol.
ref. 5, 7/9; Schol. Nicand. alexiph. v. 8; Firm.
Mat. err. 18, 1; 22, 1/4; Iulian. or. 8 [5], 9.
19 [168f. 179]; Marin. v. Procl. 33; Damasc.
v. Isid. 131 [176, 11f Zintzen]; Hepding 177/
205; Lambrechts, Fêtes 149/70; ders., Attis
53/9. 73f; van Doren 80; K. Prümm: Gregorianum 39 [1958] 422f; Nilsson, Rel. 2²,
642f. 645/51; Pokorný aO. 52/5; vgl. Ch.
Picard: RevArch 43 [1954] 80/2; Rutter 240).
Den höchsten Grad in den Mysterien scheinen die G. erreicht zu haben durch ihre Entmannung u. den Ritus, der in ihrem Fall
vielleicht schon im Laufe der Nacht zwischen
dem Tag des Blutes u. den Hilarien vollzogen
wurde (vgl. Herodt. 4, 76; Hepding 182. 201;
Graillot 293f; Willoughby 125; Loisy, Mystères 101f; Nilsson, Rel. 2², 645; Widengren
61). Die einfachen Mysten wurden wahrscheinlich (jetzt abgelehnt von A. D. Nock:
JournRomStud 38 [1948] 156f; ders.: Mnemos
5 [1952] 184₄; D. Fishwick: TransAmPhilolAss
97 [1966] 192₂) am 28. III. eingeweiht, dem
Tag des Initium Caiani, dessen Ritus in Rom
auf dem vatikanischen Hügel, dem Zentrum
des Tauroboliums, begangen wurde (Graillot
174f; Loisy, Mystères 104f). Jedoch kann

man weder die Beziehung zwischen den verschiedenen Formen der öffentlichen Liturgie für Kybele u. der Feier der Attismysterien noch die Unterscheidung zwischen den G. u. den übrigen Mysten durchschauen; ebenso dunkel bleibt die Einrichtung der Mysterien selbst (Arnob. nat. 5, 17; Aug. civ. D. 6, 7; PsAug. quaest. test. 114, 6 [CSEL 50, 305]; Graillot 175f; Loisy, Cybèle 311/26; Schwenn 2274f; Reitzenstein aO. 108; Bleeker 119/21; Nilsson, Rel. 2², 647; Widengren 59f; Duthoy 108f). Eindeutig ist freilich, daß die Mysterien jedem, der nach Erlösung suchte, offenstanden (Iustin. apol. 1, 27, 4; Firm. Mat. err. 22, 2; Aug. civ. D. 7, 24. 26; Hepding 201f; Toutain, Cultes 91f; Graillot 176f; Loisy, Cybèle 307f. 312f; Frazer 299/301; Lagrange 470/2. 476; Willoughby 127. 132/5; Börner, Komm. 222; Obbink 33/6). Nach der ersten Phase der Einweihung (sakrale Formel, Mahlzeit: Clem. Alex. protr. 2, 15, 3; Firm. Mat. err. 18, 1; Hepding 184/90; Graillot 177/82; Loisy, Cybèle 313/5; Schwenn 2274f; Cumont, Religions 65; Gressmann 105/9; J. Dey, Παλιγγενεσία. Ein Beitrag zur Klärung der religionsgeschichtlichen Bedeutung von Tit. 3, 5 = NtlAbh 17, 5 [1937] 81/6; Metzger 13f; Nilsson, Rel. 2², 647; Obbink 43f; vgl. P. Boyancé: RevÉtAnc 37 [1935] 161/4) trug man die virilia des neuen G., die wahrscheinlich schon unmittelbar nach der Ablation in den Kernos gelegt worden waren (Graillot 297; Nilsson, Rel. 2², 646; vgl. CIL 13, 510; nicht den Hunden vorgeworfen: Maneth. apot. 6 [3], 295/9; s. Hopfner 426), in einer Prozession (Kernophorie: Hepding 163f. 191/3; Strathmann, Attis 896; Gressmann 108f; Dey aO. 84; Nilsson, Rel. 2², 647f; Obbink 44) in das Adyton des Heiligtums (Schol. Nicand. alexiph. v. 8; Arnob. nat. 1, 41; Firm. Mat. err. 18, 1), um sie, nachdem sie gewaschen, gesalbt u. mit Leinwand umwickelt worden waren (vgl. Arnob. nat. 5, 7. 14), feierlich der Göttin darzubringen (Clem. Alex. protr. 2, 15, 2; Schol. Lucian. Iupp. trag. 8; Prud. perist. 10, 1068/70; Paul. Nol. c. 19, 186f; Pass. Symphoriani 6 [127 Ruinart]; Hepding 163f. 191/3; Graillot 297; Loisy, Cybèle 298f. 315/7; ders., Mystères 92f; A. J. Festugière: RevBibl 44 [1935] 383; Strathmann, Attis 892; Schepelern 118; Willoughby 126f; Nilsson, Rel. 2², 646). Die letzte Stufe der Einweihung bestand darin, daß der neue Myste, sei er G. oder einfacher Gläubiger (?), in das Hochzeitsgemach u. bzw.

oder die hl. Grotte der Kybele geführt wurde, soweit es sich dabei um einen vom Adyton unterschiedenen Raum handelte (Anth. Pal. 6, 173, 1. 220, 3; 9, 340, 4; Val. Flacc. 8, 241; Clem. Alex. protr. 2, 15, 3; Iulian. or. 8 [5], 5. 9. 11. 15 [165. 168cf. 170cf. 175]; vgl. Macrob. Sat. 1, 21, 10; Carm. c. pag. 47 [Anth. Lat. 4]; s. Hepding 193/8; Farnell 300; Graillot 182/4; Schwenn 2264. 2270; Willoughby 126f; Gressmann 109; Robert 810/2; Festugière aO. 382f. 393; Dey aO. 84f; Stocks 32/6; Calza 193/6; Ch. Picard: RevHistRel 135 [1949] 129/42; L. Deroy: Latom 10 [1951] 311/8; H. Chadwick: JournTheolStud NS 3 [1952] 90/2; Nilsson, Rel. 2², 648/51; Obbink 45). Dort wird ihm das feste Versprechen des Heils gegeben (Firm. Mat. err. 18, 1; 22, 1/4; Prud. perist. 10, 1065; Aug. civ. D. 7, 24. 26; Hepding 166f. 196/8; Graillot 184/7. 293/5; Lagrange 476f; Loisy, Mystères 101f; J. Prüssner, Sterben u. Auferstehen im Hellenismus u. Urchristentum, Diss. Greifswald [1930] 31/6; Chapouthier aO. 726/8; R. Thouvenot: PublServAntiqMaroc 8 [Rabat 1948] 145/53; Nilsson, Rel. 2², 649/51; Lambrechts, Attis 59f. 74; Pokorný aO. 53/5). Die virilia wurden danach, wie es scheint, begraben (vgl. Arnob. nat. 5, 7. 14; Hepding 164. 192; Cumont, G. 677; Graillot 297₅; Cook 2, 299). – Dem Fragment POxy 42, 3010 (2. Jh. nC.; hrsg. von P. J. Parsons: BullInstClassStud 18 [1971] 53/68), das aus einer Art griechischem Schelmenroman stammt, ist zu entnehmen, daß die Unterweisung der G. jeweils mündlich von G. zu G. erfolgte, ferner, daß sie vielfältige mysterienartige Initiationsformen (s. o. Sp. 1018) enthielt sowie Unterricht in femininer Lebensart (s. u.). Der Text des Papyrus stellt eine als μυστικός bezeichnete Person vor, bei dem es sich offensichtlich um einen ,volleingeweihten‘ G. handelt, der gerade seinem Schüler die intimsten Einzelheiten der Lebensführung eines G. enthüllt (s. o. Sp. 1016f). Die Szene gibt eine groteske Mischung von Mysterienreligiosität u. einer wohl homosexuellen Erotik wieder (vgl. Martial. 3, 91, 1/12; s. u. Sp. 1024 u. 1030).

c. Äußere Erscheinung. Durch ihre blutige Weihe, ihr Gehabe u. ihre Kleidung unterschieden sich die G. deutlich von den übrigen Dienern u. Gläubigen der Kybele. Die sakrale Effeminierung ließ sich, wie auch der phrygisch-orientalische Ursprung ihres Status, mit Sicherheit aus ihrer Physiognomie u. ihrer weibischen Lebensart erschließen (Ovid.

fast. 4, 185. 244. 342; Iuvenal. 2, 99; Arnob. nat. 2, 41; Firm. Mat. err. 4, 2; Aug. civ. D. 2, 7; 7, 26; PsAug. quaest. test. 114, 7 [CSEL 50, 306]; vgl. Cic. harusp. 21, 44; Verg. Aen. 9, 614/6; Lafaye 1456; Graillot 297/301; Carcopino 237f; Gressmann 92f; Bömer, Komm. 223; Herter 631/4; Widengren 62; Latte, Röm. Rel.² 259). Sie waren in lange, bunte Tuniken gekleidet (Anth. Pal. 6, 219, 3; Plaut. Poen. 1298. 1303; Varro, Men. frg. 119f. 132; Dion. Hal. ant. 2, 19, 5; Iuvenal. 2, 97; 6, 519; Apul. met. 8, 27, 1f; Carm. ad sen. 9 [CSEL 23, 227]; Arnob. nat. 2, 41; Firm. Mat. err. 4, 2; Cumont, G. 678; Graillot 297f; Carcopino 237f; Willoughby 127; Loisy, Mystères 93; Bömer, Komm. 223; Herter 621f. 630; Latte, Röm. Rel.² 259). Auf dem Kopf trugen sie eine Tiara, eine Mitra oder eine phrygische Mütze (Verg. Aen. 9, 616; Prop. 4, 7, 62; Iuvenal. 6, 516; Apul. met. 8, 27, 1; Min. Fel. 24, 11; Cumont, G. 678; Graillot 299; Bickel 56/8; Picard, Apprêts 7; Herter 631), u. sie trugen die gelbe gallische Fußbekleidung (Apul. met. 8, 27, 2; Carm. ad sen. 23 [CSEL 23, 228]; Graillot 298). Ihr langes, blondiertes Haar war kokett frisiert (Anth. Pal. 6, 51, 8; 6, 219, 2/4. 18; 6, 234, 1. 5f; 9, 340, 3; Plaut. rud. 377; truc. 610; Varro, Men. frg. 132 Buech.; Verg. Aen. 12,99f; Ovid. ars 1, 503; fast. 4, 238. 244; Iuvenal. 2, 96; Lucian. tragod. 114; Apul. met. 8, 24, 2. 27, 5; Arnob. nat. 2, 41; 5, 16; Firm. Mat. err. 4, 2; Dessau 4168; Aug. civ. D. 7, 26; PsAug. quaest. test. 114, 11 [CSEL 50, 308]; Hepding 130; Cumont, G. 678; ders., Religions 219; Graillot 284. 299f; Bickel 55f; Loisy, Mystères 93; Bömer, Komm. 228; Herter 632f; Latte, Röm. Rel.² 259). Sie enthaarten ihren Körper mit einem Bimsstein (Ovid. ars 1, 504; Martial. 5, 41, 6; Arnob. nat. 2, 41; Firm. Mat. err. 4, 2; Cumont, G. 678; Graillot 301). Mehr noch, sie schminkten ihr Gesicht (Iuvenal. 2, 93/5; Apul. met. 8, 27, 1; Arnob. nat. 2, 41; Firm. Mat. err. 4, 2; Aug. civ. D. 7, 26; Cumont, G. 678; Graillot 300; Carcopino 238), sie putzten sich mit wertvollem Schmuck (Anth. Pal. 7, 709, 3; Rhet. Herenn. 4, 49, 62; Iuvenal. 2, 85. 96; Arnob. nat. 2, 41; PsAug. quaest. test. 115, 18 [CSEL 50, 324]; Cumont, G. 678; Graillot 299; Gow, G. 90) u. trugen auf der Brust religiöse Abzeichen (τύποι; προστηθίδια), auf denen neben anderen Gottheiten des Kybelekultes ihr Urbild Attis dargestellt war (Herodt. 4, 76; Polyb. 21, 6, 7.

37, 5; Dion. Hal. ant. 2, 19, 4; Rapp, Kybele 1668; Hepding 128f; Cumont, G. 678; Graillot 298f; Carcopino 238; Stocks 19f; Lambrechts, Fêtes 141f; E. Will, Le relief cultuel gréco-romain [Paris 1955] 43. 49f; Gow, G. 89). Die bildlichen Darstellungen bestätigen zahlreiche Einzelheiten, die die Texte uns bereits gelehrt haben (Darstellungen der Agyrten: Poland 1473; Stengel 917). Neben der sog. Statue Montfaucon, die wegen der religiösen Embleme auf den Brustschildern wichtig ist (s. o. Sp. 1013), u. neben den Terrakotta-Figuren des 4. Jh. vC., die in karikierender Art einen G. zeigen, der seinen Unterleib entblößt (Picard, Apprêts Taf. 1), ist vor allem zu nennen ein schönes Relief (Grabrelief?) von Lavinium aus hadrianischer (E. Simon: Helbig, Führer 2⁴, 25f nr. 1176) oder antoninischer Zeit (Pietrangeli 20; Gow, G. 89) im Museo Capitolino (Graillot 236/8; Cook 2, 300f; Bickel 57f; Carcopino 237₂; Cumont, Religions 49 u. Taf. 2, 1; de Ruyt 32f; Pietrangeli 20f u. Taf. 21; Felletti Maj 577; Gow, G. Taf. 8, 1; Simon aO. 25f nr. 1176). Außer den erwähnten Einzelheiten hinsichtlich Physiognomie, Kleidung u. kultischem Schmuck ist hier der Lorbeerkranz hervorzuheben, den der G. (oder ist es eine Priesterin? s. de Ruyt 33) sich auf das Haar gesetzt hat. Ihn schmücken Medaillons mit Brustbildern des Attis u. des Zeus vom Ida. Beachtung verdienen ferner die Geißel auf dem Boden, an deren Riemen Knöchelchen befestigt sind, die cista mystica u. verschiedene phrygische Musikinstrumente (vgl. A. Schober, Die röm. Grabsteine von Noricum u. Pannonien [Wien 1923] 56. 213/6; Ch. Picard: RevArch 6, 26 [1946] 159/62; L. Eckhart: JbMusealvereinWels 11 [1964/5] 30). Zu Unrecht vermuten einige Forscher in den sog. Grabfiguren des Attis weinende G. (zB. E. Krüger: Festschrift A. Oxé [1938] 133).

IV. Beurteilung durch die Heiden. Die Reformen der Kaiser hatten den Kult der Großen Mutter aufgewertet u. ausgestaltet, so daß seine Existenz bis zum Ende des Altertums gesichert war (s. zB. Amm. Marc. 23, 3, 7; Aug. civ. D. 7, 26; Cod. Theod. 16, 10, 20, 2; vgl. ebd. 14, 8, 1; Showerman 306/13; Aurigemma 51/6. 64f; Schwenn 2273; Carcopino 149. 320/4; E. Josi: CRAcInscr 1950, 434f; ders.: RendicPontAcc 25/6 [1949/51] 4; Beaujeu 319f; Bömer, Komm. 223; ders., Unters. 4, 43; Felletti Maj 576). In diesem

Kult bedeutet die Gegenwart der G. ein orgiastisches Element, das jeden religiös Empfindenden, der auf der Suche nach Erschütterung oder Heil war, sehr beeindruckte (Lucret. 2, 608f. 622f; Claud. rapt. Pros. 2, 269; Aug. civ. D. 7, 24. 26; Lafaye 1458; C. H. Moore: TransAmPhilolAss 38 [1907] 129; Strathmann, Askese 260; H. Mattingly: ProcCambrPhilolSoc 136/8 [1927] 4f; Perret 340f. 343/5; de Ruyt 31; Bömer, Komm. 223; vgl. L. J. van der Lof: ZNW 53 [1962] 248/51). Daher hat ein Teil des Volkes den G. weder Hochschätzung noch Einfluß versagt (Lucret. 2, 624/8; Apul. met. 8, 28, 5. 30, 5; 9, 8, 1; Schol. Iuvenal. 6, 530 Wessner; Lafaye 1458; Graillot 318f. 421; Gressmann 94; Touilleux 140; Widengren 62). Dies ging so weit, daß sie im 3. Jh. die wichtigsten Repräsentanten des Kultes wurden (Graillot 316f). Andererseits suchte das philosophisch-religiöse Denken von Lukrez bis zu Sallust nach einer gelehrten symbolisierenden Deutung für die Entmannung (Lucret. 2, 614/7; Hippol. ref. 5, 7; Plotin. 3, 6, 19; Porphyr. cult. sim. frg. 7 Bidez = Euseb. praep. ev. 3, 11, 12 [GCS 43, 1, 137]; Arnob. nat. 5, 42; Iulian. or. 8 [5], 3/11. 13. 15/8 [161c/71. 173. 175/8]; Sallust. 4 [6/10 Nock]; Aug. civ. D. 6, 8; 7, 25f; Marin. v. Procl. 33; vgl. Herodian. 1, 10, 7; Macrob. Sat. 1, 21, 7/10; Carm. c. pag. 109 [Anth. Lat. 4]; Damasc. v. Isid. 131 [176f Zintzen]). Es gelang ihm jedoch nicht, die allgemeine Meinung des großen Publikums über die G. zu beeinflussen (Lafaye 1456; Showerman 284/90; Toutain, Légende 308; Cumont, G. 677; ders., Religions 66f; Graillot 546f; Schwenn 2282f; S. Martinelli: Mondo Classico 1, 4 [1931] 52/4; Hopfner 403/5; J. Pépin, Mythe et allégorie [Paris 1958] 341f. 385. 416/9. 437). Besonders die röm. Satiriker spotteten über die G. (zB. Plaut. rud. 377; truc. 602. 610f; Rhet. Herenn. 4, 49, 62; Hor. sat. 1, 2, 121; Sen. superst. frg. 34 Haase; Martial. 2, 45; 3, 91, 1/12; Iuvenal. 8, 176; 9, 60/2; Apul. met. 8, 28, 3. 29, 3/6. 30, 1; 9, 8, 1/6; 9, 9, 4f; s. Plut. Pyth. or. 25 [407 C]; Arrian. Epict. 2, 20, 17; Lafaye 1458; Cumont, G. 676; Graillot 546f; Carcopino 245/7. 251f; Nock, Eunuchs 32f; Willoughby 121; Picard, Apprêts 9/12; Bongi 14/7; Herrmann 239; Bömer, Komm. 223; Widengren 62; J.-P. Cèbe, La caricature et la parodie dans le monde romain [Paris 1966] 247/9; Richard 51/5). Die Verachtung, mit der die G. vor allem von den

lat. Satirikern überhäuft wurden, war die natürliche Folge der Tatsache, daß diese Diener eines wahnsinnigen Kultes (Catull. 63: Literatur s. o. Sp. 998f; Sen. superst. frg. 34 Haase; s. Turcan, Sénèque 27/36; vgl. Verg. ecl. 10, 22; Val. Flacc. 8, 241) sich unter dem Zwang eines Brauches phrygisch-orientalischer Effeminierung (vgl. Rhet. Herenn. 4, 49, 62; Verg. Aen. 4, 215/7; 9, 614/20; 12, 99f; Prop. 2, 13, 47f; Sen. v. beat. 13, 3; Graillot 317; Maass 455f; Hopfner 389/93; Herter 621f; I. Opelt, Die lat. Schimpfwörter u. verwandte sprachliche Erscheinungen [1965] 184. 195₁₂. 214₅₂) freiwillig entmannten. Ihren Ausdruck findet sie vor allem in der Feststellung oder dem Tadel, daß die G. künftig weder Mann noch Frau sind (Ovid. Ibis 455; Val. Max. 7, 7, 6; Artemid. onir. 2, 69; ἀνδρόγυνοι: Plut. amat. 13 [756 C]; semimares: Ovid. fast. 4, 183; semiviri: Varro, Men. frg. 132; Verg. Aen. 4, 215; 12, 99; Sen. ep. 108, 7; Stat. Achill. 2, 78 [364]; Sil. Ital. 17, 20; Martial. 3, 91, 2; 9, 20, 8; Iuvenal. 6, 513; Apul. met. 8, 28, 2 [8, 28, 3 u. Schol. Iuvenal. 6, 515 Wessner: effeminatus]; Lafaye 1455; Hug 449; Carcopino 245; T. Means: ClassPhilol 22 [1927] 101f; Bongi 33f; Bömer, Komm. 223; Opelt aO. 45). Infolge ihrer Kastration sind die G. zu physischer Impotenz verurteilt (Lucret. 2, 614/7; Catull. 63, 69; Martial. 3, 91, 5; 5, 41, 8; Firm. Mat. math. 6, 30, 3. 31, 48; 7, 25, 4. 10. 12f. 16) u. neigen zu charakterlicher Verweichlichung (molles: Ovid. fast. 4, 185. 243. 342; Ibis 456; Sen. Ag. 686; Martial. 5, 41, 2; Iuvenal. 6, 514; Turcan, Sénèque 27/30; Bömer, Komm. 220; Herter 622f). Zudem konnte ihre geschwächte männliche Natur (gallae: Callim. frg. 761 Pf.; Catull. 63, 12. 34; G. weiblich bestimmt: Anth. Pal. 6, 173, 1; Catull. 63, 15. 35. 68; Verg. Aen. 9, 617; Ciris 166 [?]; Apul. met. 8, 25, 4. 26, 1f. 4; Serv. Aen. 5, 610; v. Wilamowitz 198; Rapp, Kybele 1657f; Lafaye 1455; Cumont, G. 674; Hug 453f; Klotz 350/3; Bongi 58; Elder 399; Bömer, Komm. 223; Herter 641; Opelt aO. 44₆₅) sie nicht mehr von einem Abgleiten in völlige Triebhaftigkeit u. Verderbtheit abhalten (cinaedus: Plaut. Poen. 1318; Martial. 9, 2, 13; Suet. Aug. 68, 2; Apul. met. 8, 24, 2. 26, 2; Firm. Mat. math. 6, 31, 5; 7, 25, 4. 10. 12f; Schol. Iuvenal. 2, 15 Wessner; lurcho: Apul. met. 8, 25, 3; moechus: Plaut. truc. 610; Martial. 6, 2, 5f; spado: Martial. 5, 41, 1; 6, 2, 5f; s. ThesLL 5, 2, 1050, 30/47; L.Valmaggi: BollFilolClass 1 [1894/5] 257/9 u. F. Eusebio: ebd. 2 [1895/6] 19/21; Sittenlosigkeit: Schol. Hephaist. Alex. 194 Consbr.; Tibull. 1, 4, 67f; Ovid. met. 3, 537; Val. Max. 7, 7, 6; Martial. 3, 81. 91; 14, 204; Iuvenal. 2, 82/90. 110/6; 6, 513; Schol. Iuvenal. 2, 15; 6, 513 Wessner; Lucian. Dea Syr. 22; Apul. met. 8, 29/30, 1; 9, 10, 2; Lafaye 1455; Graillot 546f; Carcopino 245f; Browe 6/9; Hopfner 393/7; Herter 638; Vergleich von G. u. Priap: Martial. 1, 35, 14f; 11, 72, 1f; Priap. 55, 5f; s. H. Herter, De Priapo = RGVV 23 [1932] 221. 283. 314). Sie stehen demnach im Ruf schamloser Ausschweifung nach Art der gemeinsten Eunuchen (Cumont, G. 675; Graillot 317f; Schwenn 2262f; Maass 457f; Browe 16; Hopfner 386/9. 400; Herrmann 238; Herter 641).

B. Christlich. I. Textzeugnisse. Die christl. Schriftsteller bestätigen oder ergänzen zahlreiche Nachrichten der heidn. Texte über die G. der Großen Mutter. So verdeutlichen die frühchristl. Quellen, u. damit seien nur ihre bezeichnendsten Elemente hervorgehoben, unser Wissen über die Kastration in der frühen Kaiserzeit (s. o. Sp. 1003f), über die Bedeutung, die der sakralen Entmannung im Kult beigelegt wurde (s. o. Sp. 1006f), über die verschiedenen Etymologien der Bezeichnung G. (s. o. Sp. 985f) u. die verschiedenen Namen, die die G. wegen ihrer Aufgaben im Kult u. am Rande desselben bekommen haben (s. o. Sp. 986/8). Trotz der oft deutlich hervortretenden Apologetik ihrer Darlegungen sollte man doch nicht auf ihre Angaben verzichten, welche die Rolle der G. in der Liturgie der Großen Mutter betreffen (s. o. Sp. 1014f) oder den Charakter des Mysterienkults, den die Kybele-Religion teilweise mit ihrer Verbreitung im Westen erlangt hat (s. o. Sp. 1018/20). Auch Einzelheiten des Putzes u. der Kleidung der G. sowie die von einigen heidn. Autoren versuchten Allegorisierungen des blutigen Ritus blieben ohne die Zeugnisse der Christen teilweise im dunkeln (s. S. Jannaccone: Aevum 22 [1948] 68 f u. o. Sp. 1021 f. 1023). Einige christl. Zeugnisse erweisen sich auch noch insofern als besonders wertvoll, als sie die einzigen ihrer Art sind, die auf uns gekommen sind. Bei ihrer Beurteilung muß man aber vorsichtig sein, da hier keine heidn. Parallele einen Vergleich bietet. Wenn die eine oder andere Einzelheit sich als geradezu polemisch (zB. die Schwierigkeit in der Anwerbung von G. am Ende der Kaiserzeit; s. o. Sp. 1005)

oder sogar als Irrlicht erweist (zB. die eine oder andere Etymologie; s. o. Sp. 985f), so bieten andere Angaben doch ziemlich ausführliche Nachrichten nicht nur über den Inhalt von Kultgebräuchen (zB. die Aufgaben des Archi-G.: s. o. Sp. 1012f; die rituelle Tätowierung: s. o. Sp. 1006; die Einrichtung der Mysterien: s. o. Sp. 1018f), sondern sogar über deren Bestand selbst (im 4. u. 5. Jh.; s. o. Sp. 1005). Ferner tragen die christl. Zeugnisse bei zu einem tieferen Verständnis der Heilsbotschaft, die der Kybele-Kult schließlich seinen Mysten hat zukommen lassen (s. o. Sp. 1019f).

II. Parallelen u. Einflüsse. Trotz des liederlichen Verhaltens der G., das die heidn. Satiriker wie die christl. Polemiker anprangern, hat die sexuelle Enthaltsamkeit, die der Kult der Großen Mutter seinen Adepten in blutiger Form auferlegt, manchem Christen den radikalsten Weg zur Askese gewiesen (PsCypr. sing. cler. 33 [CSEL 3, 3, 208/10]). Indessen wäre es übereilt anzunehmen, daß die Kastration, der sich besonders eifrige Christen, vor allem orientalische Mönche (W. Bauer: Ntl. Studien G. Heinrici [1914] 236/9; F. Cumont: RevHistRel 89 [1924] 261; S. Martinelli: Mondo Classico 1, 4 [1931] 49/54; Browe 18/26; Hopfner 392; C. W. M. Cox: Anatolian Studies W. H. Buckler [Manchester 1939] 63/6; H. Chadwick, The sentences of Sextus [Cambridge 1959] 109/12; R. P. C. Hanson: VigChrist 20 [1966] 81f), unterzogen haben, ganz ausgesprochen unter dem Einfluß des Beispiels der G. ausgeführt wurde. In der Tat findet sich schon im NT (Mt. 19, 12: καὶ εἰσὶν εὐνοῦχοι οἵτινες εὐνούχισαν ἑαυτοὺς διὰ τὴν βασιλείαν τῶν οὐρανῶν; Bauer aO. 235/44; Strack-B. 1, 805/7; ThesLL 5, 2, 1049, 73/1050, 6; Schneider 765f; J. Blinzler: ZNW 48 [1957] 254/70; vgl. Job 31, 1; Sir. 9, 1/13; 41, 27; Mt. 5, 27/30; Mc. 9, 43/8; 1 Cor. 7, 1/17. 25/40; 2 Petr. 2, 14; s. zB. Iustin. apol. 1, 15; Ambros. exhort. virg. 3, 17 [PL 16, 356f]; Aug. sanct. virg. 25 [PL 40, 409]) eine ausreichende Motivation für die Selbstkastration bei den Christen. Auf dem Konzil von Nizäa mußte die Kirche, gestützt auf die rechtgläubige Deutung der Schrift u. geführt von den Forderungen christlicher Sittlichkeit, dieses Eunuchentum ausdrücklich verbieten (Const. apost. 8, 47 cn. 21/4; Hefele-Leclercq 1, 528/32; Nöldeke 151; Bauer aO. 239f; Hug 455; Maass 433/6; Schneider 766f; Browe 27/36; Hopfner 431f). Künftig billigte das Christentum, das seit jeher die mit dem heidn. Eunuchentum verbundene Verweichlichung abgelehnt hatte (1 Cor. 6, 9; 11, 4. 14/6; vgl. Dtn. 22, 5; 23, 1; Clem. Alex. strom. 2, 81, 3; Tert. spect. 23 [CCL 1, 247]; pud. 16 [CCL 2, 1312/15]; Hieron. ep. 22, 27, 8 [CSEL 54, 184] u. ö.; Herter 643/50), offiziell nur ein sog. spirituelles Eunuchentum (Athenag. suppl. 33f; Tert. monog. 3,1 [CCL 2, 1230f]; PsCypr. sing. cler. 33 [CSEL 3, 3, 208/10]; Ambros. exhort. virg. 3, 17 [PL 16, 356f]; Aug. sanct. virg. 25 [PL 40, 409]; Bauer aO. 236. 240/2; ThesLL 5, 2, 1051, 51/7; Browe 29/30; vgl. Nock, Eunuchs 27/31). Aber es ist bezeichnend, daß gerade in Phrygien, dem Ursprungsland sakraler Entmannung, die Sekte der Montanisten bis ins 5. Jh. die radikalsten Formen eines strengen Christentums geübt hat. Ihre Anhänger unterschieden sich durch Askese, Prophetentum, ekstatischen Enthusiasmus, Enthaltsamkeit u. Entmannung von den übrigen Christen (vgl. Hieron. ep. 41, 4 [CSEL 54, 314]: abscisum et semivirum ... Montanum; P. de Labriolle, La crise montaniste [Paris 1913] 20; Pettazzoni 139/41; Schepelern 89) u. zeigten sich eben darin den G. der Großen Mutter nah verwandt (Graillot 403f. 409; W. M. Calder: Anatolian Studies W. M. Ramsay [Manchester 1923] 69. 90f; Schepelern 10/33. 53/9. 89/91. 130/59; Goossens 38₁; die Eunomiani = spadones [Cod. Theod. 16, 5, 17] übten nicht die Kastration: vgl. Hopfner 430). Wenn auch der Kult der Kybele für die christl. Religion nicht ein so mächtiger Gegner war wie der Mithraskult, so beunruhigte doch der Einfluß, dessen sich das ‚Priestertum‘ der G. dank ihrer Askese, Prophetie, geistlichen Leitung u. Heilssakramente erfreute, die Kirchenschriftsteller ernsthaft (Eisele 622; Graillot 318f. 622; Lagrange 476f). Dafür bestand um so mehr Grund, als die Anhänger des Kybele-Kultes, der vielleicht unter dem Einfluß des Christentums seine Roheit abgelegt hatte (Graillot 543/6; H. Rahner: Eranos Jb. 11 [1944] 376/98; Metzger 10f; vgl. Loisy, Cybèle 324f), den bemerkenswerten Parallelismus zwischen ihrem Festzyklus für Kybele u. Attis u. der Feier der Passion u. Auferstehung Christi zu unterstreichen wußten (Farnell 301; Eisele 635; Graillot 545f; Cook 2, 303/7; F. J. Dölger: TheolRev 13 [1914] 181f; Frazer 305/10; Lagrange 477f; Schwenn 2280f; Pettazzoni 141; ders.: CahHistMond 2 [1954/

55] 309/12; Cumont, Religions 66f; Rahner aO. 352/61; Metzger 8/20; Widengren 77/80). Sie behaupteten, die Christen hätten dabei nur ihre Zeremonien am Bluttag u. an den Hilarien nachgeahmt (PsAug. quaest. test. 84, 3 [CSEL 50, 145]; F. Cumont: RevHistLitRel 8 [1903] 423/5; ders., Religions 66f; P. Courcelle: RechAugust 1 [1958] 162; ders.: VigChrist 13 [1959] 162). Entsprechend deuteten die Priester der Kybele die Ähnlichkeiten zwischen dem Reinigungsritus des Tauroboliums u. der christl. Taufe in ihrem Sinne (Firm. Mat. err. 27, 8; 28, 1; Carm. c. pag. 57/62 [Anth. Lat. 4]; Aug. in Joh. 7, 1, 6 [CCL 36, 69f]; Graillot 542f; Cumont, Religions 66; Rahner aO. 427/47; Rutter 242f). Ähnlich machten sie es mit dem Baum des Attis u. dem Baum des Kreuzes (Firm. Mat. err. 27, 1f; s. Rahner aO. 399/426), mit den phrygischen sakramentalen Mysterien u. jenen der Kirche (Firm. Mat. err. 18, 2. 8; 28, 1; Loisy, Cybèle 314f; Cumont, Religions 66; K. Prümm: Gregorianum 39 [1958] 413/9). In den Augen der christl. Schriftsteller waren dies aber nur Plagiate der Dämonen (Tert. ieiun. 16, 7 [CCL 2, 1275]; Firm. Mat. err. 18, 1f. 8; 22, 1/3; 27, 1. 4; Hieron. adv. Iov. 2, 17 [PL 23, 326]; in Hos. 1, 4, 14 [CCL 76, 44]; Aug. in Joh. 7, 1, 6 [CCL 36, 69f]; PsAug. quaest. test. 84, 3 [CSEL 50, 145]; Graillot 545; Nock, Development 443/7; Rahner aO. 373; S. Jannaccone: Aevum 22 [1948] 69f; L. Bouyer: RevSciencRel 27 [1953] 2; Metzger 15).

III. Das Urteil der Christen. Im Gegensatz zu den heidn. Schriftstellern, welche die G. vor allem wegen ihres Verhaltens im täglichen Leben angreifen, zeigen die christl. Autoren außerdem eine tiefe Abneigung gegenüber Kybele, der dea meretrix (Hieron. in Hos. 1, 4, 14 [CCL 76, 44]; PsAug. quaest. test. 115, 18 [CSEL 50, 324]; Fulg. myth. 3, 5), welche die Entmannung des schönen Jünglings Attis verschuldet hat, des Prototyps ihrer kastrierten Diener (Min. Fel. 22, 4; Arnob. nat. 4, 35; Lact. epit. 8, 6 [CSEL 19, 682]; Firm. Mat. err. 3, 1; Prud. perist. 10, 196/200; Hieron. in Hos. 1, 4, 14 [CCL 76, 44]; Paul. Nol. c. 32, 82/7; PsAug. quaest. test. 114, 7f. 11; 115, 18 [CSEL 50, 306. 308. 324]; Fulg. myth. 3, 5; Hepding 116; Hopfner 422). Ebenso verlachen sie ein göttliches Wesen, das zum Eunuchen gemacht worden ist (Theophil. Autol. 1, 9; 3, 8; Tert. apol. 15, 5 [CCL 1, 114]; Min. Fel. 22, 4; Greg. Naz.

or. 5, 32 [PG 35, 705 B]; Lact. inst. 1, 17, 7 [CSEL 19, 65]; Arnob. nat. 1, 41; 5, 42; Carm. c. pag. 109 [Anth. Lat. 4]; Prud. c. Symm. 2, 52; perist. 10, 200; Aug. civ. D. 7, 25). Nach ihrer Auffassung offenbaren die blutigen Praktiken des Kybelekultes nicht Religion, sondern unmenschlichste Grausamkeit (Min. Fel. 22, 4; PsCypr. sing. cler. 33 [CSEL 3, 3, 208/10]; Carm. ad sen. 14 [CSEL 23, 227]; Prud. perist. 10, 1065. 1089f; Aug. civ. D. 2, 7; 6, 7; 7, 24. 26; Pass. Symphoriani 6 [127 Ruinart]; s. schon Sen. superst. frg. 34 Haase = Aug. civ. D. 6, 10; Hepding 116; Strathmann, Attis 898f), deren symbolische Deutung derartig unwirksam ist (Lafaye 1456; Cumont, G. 677; J. Pépin, Mythe et allégorie [Paris 1958] 341f. 385. 416/9. 437), daß es sich als notwendig erweist, jede Form sakralen Eunuchentums abzuschaffen (Maßnahmen Abgars IX v. Edessa am Anfang des 3. Jh. gegen die Entmannung im Kult der Atargatis: Euseb. praep. ev. 6, 10, 44 [GCS 43, 1, 342]; Lafaye 1456; Nöldeke 151; Cumont, G. 680; Gressmann 94; Browe 13f; Hopfner 432f; Maßnahmen Konstantins gegen die Kastration zu Ehren des Serapis: Euseb. v. Const. 4, 25,2 [GCS 7, 126]; Hitzig 1772f; Fehrle 111; Browe 15f; Hopfner 429f; Herter 643). Mit noch größerem Nachdruck wenden sich die christl. Schriftsteller gegen die Unsittlichkeit des Kybelekultes im allgemeinen (Min. Fel. 24, 12; 28, 10; Arnob. nat. 5, 17. 20; Athan. c. gent. 26 [PG 25, 51f]; Firm. Mat. err. 4, 2f; Carm. ad sen. 8/14 [CSEL 23, 227]; Carm. c. pag. 76 [Anth. Lat. 4]; Aug. civ. D. 2, 4. 5. 7; 6, 7; 7, 24. 26. 28; Paul. Nol. c. 19, 88. 185/7; 32, 88/92; PsAug. quaest. test. 114, 6f. 11 [CSEL 50, 305f. 308]; Pass. Symphoriani 6 [127 Ruinart]; G. Laing: ClassJourn 13 [1917/8] 251f; Hopfner 418/20. 428; Jannaccone aO. 68; Strathmann, Attis 898f; Manganaro 36f) u. des blutigen mythischen Schicksals des Attis im besonderen. Dieses diente tatsächlich als Grundlage für die Kybele-Attis-Liturgie (Aristid. apol. 11, 5; Iustin. apol. 1, 27, 4; Theophil. Autol. 3, 8; Min. Fel. 22, 4; Arnob. nat. 1, 41; 5, 13. 16. 42; Lact. epit. 8, 6 [CSEL 19, 682]; Prud. perist. 10, 196/200; Aug. civ. D. 7, 25f), u. die Schauspieler schämten sich nicht, gerade die anstößigen Ereignisse szenisch darzustellen (Tert. ad nat. 1, 10, 47; apol. 15, 2. 5 [CCL 1, 29. 113f]; Hippol. ref. 5, 9; Arnob. nat. 4, 35; 5, 13. 42; 7, 33; Aug. civ. D. 2, 4; 6, 7; Hopfner 427; Strath-

mann, Attis 899). Die Haltung der Christen gegenüber den G. (s. schon den beißenden Spott des Paulus: Gal. 5, 12; die Deutung ist umstritten: s. Ch. Bruston: RevÉtGr 36 [1923] 193/6; P. Debouxhtay: RevÉtGr 39 [1926] 323/6; H. Lietzmann, An die Galater ³[1932] 38f; G. Stählin, Art. ἀποκόπτω: ThWb 3 [1938] 853/5) bestätigt in fast allen Punkten die Anklagen u. Spöttereien, welche die heidn. Gesellschaft bereits ausgesprochen hatte (F. Cumont: RevHistLitRel 8 [1903] 422f; ders., G. 676; Graillot 318f; Carcopino 245f. 251f; Maass 456; Browe 6/9. 16. 32f; Herter 642; Widengren 62; Turcan, Sénèque 26/38). Dabei betonten sie bisweilen vor allem den Widerspruch zwischen der angeblichen Heiligkeit des Kybele-Attis-Kultes u. dem Treiben seiner G. im täglichen Leben (Aug. civ. D. 6, 7; 7,26; vgl. Nock, Eunuchs 28/31). Nachdem die G. sich aus freiem Entschluß entmannt haben (abscisi, castrati, eunuchi, evirati, exsecti: Min. Fel. 24, 12; Arnob. nat. 5, 17; PsCypr. sing. cler. 33 [CSEL 3, 3, 208/10]; Firm. Mat. err. 4, 2; Aug. civ. D. 6, 7; 7, 24/6. 28; Paul. Nol. c. 19, 87; PsAug. quaest. test. 115, 18 [CSEL 50, 324]; Isid. orig. 12, 7, 50), sind sie nicht mehr Männer, aber sie sind auch nicht zu Frauen geworden (Lact. inst. 1, 21, 16; epit. 18 [23], 4 [CSEL 19, 81. 689]; Epiphan. expos. fid. 10, 6 [GCS 37, 510]; Firm. Mat. err. 4, 2; Euseb. v. Const. 3, 55, 3 [GCS 7, 103]; Prud. perist. 10, 1071/3; Aug. civ. D. 7, 24; PsAmbros. mor. Brachm.: PL 17, 1182 D). Ihre physische Impotenz (semiviri: Min. Fel. 22,4; Arnob. nat. 5, 13; Lact. inst. 1, 17, 7 [CSEL 19, 65]; Prud. perist. 10, 1068; Paul. Nol. c. 32, 88; Fulg. myth. 3,5) zwingt sie fortan zu einer Weichlichkeit des Leibes u. des Charakters (molles usw.: Jos. ant. Iud. 4, 290; Arnob. nat. 5, 17; Hieron. in Hos. 1, 4, 14 [CCL 76, 44]; Aug. civ. D. 2, 7; 6, 7; 7, 26. 28; PsAug. quaest. test. 114, 11 [CSEL 50, 308]), die notwendig zu ihrer sittlichen Verwahrlosung führt (cinaedi: Iustin. apol. 1, 27, 4; PsAug. quaest. test. 114, 7; 115, 18 [CSEL 50, 306. 324]; spadones: Prud. c. Symm. 2, 863; perist. 10, 200; PsCypr. sing. cler. 33 [CSEL 3, 3, 208/10]; vgl. Ambros. exhort. virg. 3, 17 [PL 16, 356f]; Aug. sanct. virg. 25 [PL 40, 409]; Cod. Theod. 16, 5, 17), deren getreuer u. allgemein bekannter Spiegel ihr schlechter Ruf ist (turpitudo, vilitas usw.: Iustin. apol. 1, 27, 4; Athan. c. gent. 26 [PG 25, 51f]; Arnob. nat. 5, 11. 17; Carm. c. pag. 65f. 76 [Anth. Lat. 4];

PsCypr. sing. cler. 33 [CSEL 3, 3, 208/10]; Carm. ad sen. 8/23 [CSEL 23, 227f]; Prud. c. Symm. 2, 521/3; Hieron. ep. 107, 10 [CSEL 55, 300f]; adv. Iov. 2, 5. 17 [PL 23, 304 B. 326 B]; in Hos. 1, 4, 14 [CCL 76, 44]; Aug. civ. D. 6, 7; 7, 26; Paul. Nol. c. 32, 92f; PsAug. quaest. test. 114, 7. 11 [CSEL 50, 306. 308]; PsAmbros. mor. Brachm.: PL 17, 1182 D). Besonders deutlich spricht sich die Ablehnung der kultischen Entmannung bei den Christen aus in ihrer Überzeugung, daß Gott Eunuchen geschaffen hätte, wenn er sie für seinen Dienst gewollt hätte (Min. Fel. 24, 12; vgl. Sext. Emp. Pyrrh. 3, 217; Firm. Mat. err. 4, 3). Da der Kult der Kybele die dämonische Verirrung erlaubt, gegen die Natur zu handeln, kann es sich dabei nur um eine Religion des Wahnsinns handeln (Min. Fel. 24, 13; Arnob. nat. 5, 16; Lact. inst. 1, 21, 16 [CSEL 19, 81]; Greg. Naz. or. 5, 32 [PG 35, 705 B]; Carm. ad sen. 19 [CSEL 23, 228]; Carm. c. pag. 30. 78. 89 [Anth. Lat. 4]; Prud. c. Symm. 2, 863f; perist. 10, 1061/75; Aug. civ. D. 2, 7; 7, 28; Paul. Nol. c. 19, 180/6; Pass. Symphoriani 6 [127 Ruinart]). Schon allein durch die Anwesenheit der G. ist der Kult von Grund auf verdorben (Arnob. nat. 5, 17; Aug. civ. D. 7, 26), so daß ihn die Christen nur verachten (Tert. apol. 25, 6 [CCL 1, 136]; Greg. Naz. or. 5, 32 [PG 35, 705 B]) u. ächten können (Firm. Mat. err. 8, 3; Aug. civ. D. 6, 7; Paul. Nol. c. 32, 89/93; vgl. Jos. ant. Iud. 4, 290). Allerdings traten bei den christl. Schriftstellern die heftigen Verwünschungen gegen die G. (Firm. Mat. err. 22, 3; Carm. c. pag. 64/6 [Anth. Lat. 4]) gelegentlich zurück hinter ein inständiges Bemühen, alle diejenigen zu bekehren, die der G.-Kult irregeleitet hatte (Firm. Mat. err. 4, 3; 18, 2. 8; 28, 1; Carm. ad sen. 1/5. 35/85 [CSEL 23, 227. 228f]; Greg. Tur. glor. conf. 76 [MG Scr. rer. Mer. 1, 2, 343f]). Im Gegensatz zu den Heiden scheinen die Christen also weniger an dem verderbten Leben der G. Anstoß genommen zu haben als an dem von Grund auf schlechten Kult der mater daemoniorum (F. J. Dölger: ACh 3 [1932] 153/76; 6 [1940] 72), der seine Diener durch die Forderung der Kastration unvermeidlich zu der schamlosesten Lebensführung anleitete.

S. AURIGEMMA, La protezione speciale della Gran Madre Idea per la nobiltà romana e le leggende dell'origine troiana di Roma: BullCom 37 (1909) 31/65. – R. D. BARNETT, Phrygia and the peoples of Anatolia in the Iron Age = CambrAncHist 2² (Cambridge 1967) ch. 30. – J. BEAUJEU, La religion romaine à l'apogée de l'empire (Paris 1955). – E. BICKEL, Beiträge zur röm. Religionsgeschichte: RhMus 72 (1917/8) 52/61. – C. J. BLEEKER, De moedergodin in de oudheid (Den Haag 1960). – F. BÖMER, P. Ovidius Naso, Die Fasten 2: Kommentar (1958); Untersuchungen über die Religion der Sklaven in Griechenland u. Rom 1/4 (1958/63); Kybele in Rom. Die Geschichte ihres Kults als politisches Phänomen: RömMitt 71 (1964) 130/51. – V. BONGI, Catullo, Attis (carme 63) (Firenze 1944). – P. BOYANCÉ, Une exégèse stoïcienne chez Lucrèce: RevÉtLat 19 (1941) 147/66. – P. BROWE, Zur Geschichte der Entmannung. Eine religions- u. rechtsgeschichtliche Studie, Diss. Breslau (1936). – G. CALZA, Il santuario della Magna Mater a Ostia: MemPontAcc 6 (1947) 183/205. – J. CARCOPINO, Attideia 1/2: MélArch 40 (1923) 135/59. 237/324 = Aspects mystiques de la Rome païenne (Paris 1941) 49/171. – C. CLEMEN, Lukians Schrift über die syrische Göttin (1938). – A. B. COOK, Zeus 1/2 (Cambridge 1914/25 bzw. New York 1964/5). – F. CUMONT, Art. Archi-G.: PW 2,1 (1895) 484; PW Suppl. 1 (1903) 120, 44/50; Art. G. 5: PW 7,1 (1910) 674/82; Les religions orientales dans le paganisme romain⁴ (Paris 1929). – E. DHORME, Religions de Babylonie et d'Assyrie: Mana 1,2 (Paris 1945) 1/330. – A. VON DOMASZEWSKI, Magna Mater in Latin inscriptions: JournRomStud 1 (1911) 50/6. – M. VAN DOREN, L'évolution des mystères phrygiens à Rome: AntClass 22 (1953) 79/88. – R. DUTHOY, The Taurobolium. Its evolution and terminology (Leiden 1969). – TH. EISELE, Die phrygischen Kulte u. ihre Bedeutung für die griech.-röm. Welt: NJbb 23 (1909) 621/37. – J. P. ELDER, Catullus' ,Attis': AmJournPhilol 68 (1947) 394/403. – L. R. FARNELL, The cults of the Greek states 3 (Oxford 1907). – W. FAUTH, Art. Dea Syria: KlPauly 1 (1964) 1400/3; Art. Kybele: ebd. 3 (1969) 383/9. – E. FEHRLE, Die kultische Keuschheit im Altertum = RGVV 6 (1910 bzw. 1966). – B. M. FELLETTI MAJ, Art. Cibele: EncArteAnt 2 (1959) 572/7. – M. FLORIANI SQUARCIAPINO, I culti orientali ad Ostia (Leiden 1962). – J. G. FRAZER, Adonis, Attis, Osiris 1³ = ders., The Golden Bough 4,1 (London 1914 bzw. 1919). – C. GATTI, Per la storia del culto della ,Magna Mater' in Roma: RendIstLomb 82 (1949) 253/62. – H. R. GOEHLER, De Matris Magnae apud Romanos cultu (1886). – G. GOOSSENS, Hiérapolis de Syrie. Essai de monographie historique, Diss. Louvain (1943). – A. S. F. Gow, The gallus and the lion, Anth. Pal. 6,217/20.237: JournHellStud 80 (1960) 88/93; Addendum on the statue of a gallus: ebd. 82 (1962) 144f. – H. GRAILLOT, Le culte de Cybèle, Thèse Paris (1912). – H. GRESS-

MANN, Die orientalischen Religionen im hellenistisch-röm. Zeitalter (1930). – H. W. HAUSSIG, Wörterbuch der Mythologie 1 (1965). – H. HEPDING, Attis, seine Mythen u. sein Kult = RGVV 1 (1903 bzw. 1967). – L. HERRMANN, Catulle et les cultes exotiques: NouvClio 6 (1954) 236/46. – H. HERTER, Art. Effeminatus: o. Bd. 4, 620/50. – H. HITZIG, Art. Castratio: PW 3,2 (1899) 1772f. – TH. HOPFNER, Das Sexualleben der Griechen u. Römer 1,1 (Prag 1938). – A. HUG, Art. Eunuchen: PW Suppl. 3 (1918) 449/55. – E. O. JAMES, The cult of the Mother-Goddess. An archaeological and documentary study (New York-London 1959). – A. KLOTZ, Zu Catull: RhMus 80 (1931) 342/56. – G. LAFAYE, Art. G.: DarS 2, 1455/9. – M. J. LAGRANGE, Attis et le christianisme: RevBibl 16 (1919) 419/80. – P. LAMBRECHTS, Les fêtes ‚phrygiennes‘ de Cybèle et d'Attis: BullInstHistBelgRom 27 (1952) 141/70; Attis. Van herdersknaap tot god (Bruxelles 1962). – P. LAMBRECHTS-R. BOGAERT, Asclépios, archigalle pessinontien de Cybèle: Hommages M. Renard 2 (Bruxelles 1969) 404/14. – P. LAMBRECHTS-P. NOYEN, Recherches sur le culte d'Atargatis dans le monde grec: NouvClio 6 (1954) 258/77. – E. LAROCHE, Koubaba, déesse anatolienne, et le problème des origines de Cybèle: Éléments orientaux dans la religion grecque ancienne (Paris 1960) 113/28. – H. LEHNER, Orientalische Mysterienkulte im röm. Rheinland: BonnJbb 129 (1924) 36/91. – H. LICHT, Sexual life in ancient Greece⁵ (London 1949). – A. LOISY, Cybèle et Attis: RevHistLitRel 4 (1913) 289/326; Les mystères païens et le mystère chrétien² (Paris 1930). – E. MAASS, Eunuchos u. Verwandtes: RhMus 74 (1925) 432/76. – G. MANGANARO, Il poemetto anonimo Contra paganos: NDidask 11 (1961) 23/45. – J. MARQUARDT, Le culte chez les romains 1/2 (Paris 1889/90). – B. M. METZGER, Considerations of methodology in the study of the mystery religions and early Christianity: HarvTheolRev 48 (1955) 1/20. – A. MOMIGLIANO, Archi-G.: RivFilolIstrClass 60 (1932) 226/9. – A. D. NOCK, Eunuchs in ancient religion: ArchRelWiss 23 (1925) 25/33; The development of paganism in the Roman Empire: CambrAncHist 12 (1939) 409/49. – TH. NÖLDEKE, Die Selbstentmannung bei den Syrern: ArchRelWiss 10 (1907) 150/2. – P. NUMMINEN, Severa Mater: Arctos 3 (1962) 143/66. – H. W. OBBINK, Cybele, Isis, Mithras. Oosterse godsdiensten in het Romeinse rijk (Haarlem 1965). – H. OPPERMANN, Art. Taurobolia: PW 5 A 1 (1934) 16/21. – H. OTTEN, Die Religionen des alten Kleinasien = HdbOrient 1,8,1 (Leiden 1964) 92/121. – J. PERRET, Le mythe de Cybèle (Lucrèce 2, 600/60): RevÉtLat 13 (1935) 332/57. – R. PETTAZZONI, I misteri. Saggio di una teoria storico-religiosa (Bologna 1924). – CH. PICARD, Éphèse et Claros. Recherches sur les sanctuaires et les cultes de l'Ionie du Nord (Paris 1922); Les apprêts de l'ordination du Galle, d'après une terre-cuite d'Odessa: RevHistRel 102 (1930) 5/12. – C. PIETRANGELI, Musei Capitolini. I monumenti dei culti orientali (Roma 1951). – E. PIMENTEL PINTO, As religiões orientais e o paganismo romano. O culto de Cibele-Atis: Revista de História 3,4 (1952) 79/87. – F. POLAND, Art. Metragyrtai: PW 15,2 (1932) 1471/73. – L. PRELLER-H. JORDAN, Römische Mythologie 2³ (1883). – A. RAPP, Art. Attis: Roscher, Lex. 1,1 (1884/90) 715/27; Art. Kybele: ebd. 2,1 (1890/7) 1638/72. – L. RICHARD, Juvénal et les galles de Cybèle: RevHistRel 169 (1966) 51/67. – L. ROBERT, Sur deux inscriptions grecques: Mélanges J. Bidez 2 (Bruxelles 1934) 793/812. – J. B. RUTTER, The three phases of the Taurobolium: Phoenix 22 (1968) 226/49. – F. DE RUYT, La nécropole romaine de l'Isola sacra et l'archigalle de Cybèle: ÉtClass 5 (1936) 25/34. – G. DE SANCTIS, Storia dei Romani 4,2,1 = Il pensiero storico 38,6 (Firenze 1953). – W. SCHEPELERN, Der Montanismus u. die phrygischen Kulte. Eine religionsgeschichtliche Untersuchung (1929). – J. SCHNEIDER, Art. Εὐνοῦχος: ThWb 2 (1935) 763/7. – K. SCHWENN, Art. Kybele: PW 11,2 (1922) 2250/98. – G. SHOWERMAN, The Great Mother of the gods: BullUnivWisconsin 1,3 (1901) 217/333. – P. STENGEL, Art. Agyrtes 2: PW 1,1 (1893) 915/7. – H. STOCKS, Studien zu Lukians ‚De Syria Dea‘: Berytus 4 (1937) 1/40. – H. STRATHMANN, Die Askese in der Umgebung des werdenden Christentums: Geschichte der frühchristl. Askese bis zur Entstehung des Mönchtums 1 (1914); Art. Attis: o. Bd. 1 (1950) 889/99. – P. TOUILLEUX, L'Apocalypse et les cultes de Domitien et de Cybèle (Paris 1935). – J. TOUTAIN, La légende de la déesse phrygienne Cybèle, ses transformations: RevHistRel 60 (1909) 299/308; Les cultes païens dans l'Empire Romain 1,2 (Paris 1911). – R. TURCAN, Cybèle et la déesse Syrienne. À propos d'un relief du Musée de Vienne (Isère): RevÉtAnc 63 (1961) 45/54; Sénèque et les religions orientales = Coll. Latomus 91 (Bruxelles 1967). – N. TURCHI, Fontes historiae mysteriorum aevi hellenistici² (Roma 1930) 217/50; Le religioni misteriche del mondo antico (Milano 1948). – M. J. VERMASEREN, The legend of Attis in Greek and Roman art (Leiden 1966). – TH. WÄCHTER, Reinheitsvorschriften im griech. Kult = RGVV 9,1 (1910). – G. WIDENGREN, Synkretistische Religionen: HdbOrient 1,8,2 (Leiden 1961) 43/82. – U. V. WILAMOWITZ, Die Galliamben des Kallimachos u. Catullus: Hermes 14 (1879) 194/201. – É. WILL, Nouvelle dédicace thasienne: BullCorrHell 64/5 (1940/1) 201/10. – H. R. WILLOUGHBY, Pagan regeneration. A study of mystery initiations in the Graeco-Roman world (Chicago 1929 bzw. 1960).

　　　　　　　　　　G. M. Sanders (Übers. W. Speyer).

Ganymed.

A. Nichtchristlich. Für solche Gesichtspunkte des Themas, die für die Fragestellung dieses Lexikons keine besondere Bedeutung haben, sei auf die Ausführungen von Weizsäcker-Drexler, Friedländer u. Sichtermann verwiesen. Das betrifft insbesondere: die Etymologie des Namens G. u. seiner latein. Entsprechung Catamitus (vgl. A. Pastorino, I. Firm. Mat., error. prof. rel. [Firenze 1956] zu 12,8) sowie deren appellative Verwendung für Lustknabe u. Mundschenk; die Herkunft, Entwicklung u. Lokalisierung des G.mythos u. seine literarische u. bildliche Darstellung vor der röm. Kaiserzeit; die Einführung des Adlers als Bote des Zeus (bzw. als Verhüllung des Göttervaters) in das mythische Geschehen u. die Frage, ob hierin eine Erfindung der Literatur oder der bildenden Kunst vorliegt; die Verwendung des G. als exemplum für Jünglingsschönheit u. Knabenliebe; das Motiv der Eifersucht Heras; die Frage, ob hinter der Aussage Homers, G. sei wegen seiner Schönheit entführt worden, bereits ein erotischer Sinn verborgen sei; die Übertragung des Bildmotivs der Adlerentführung in die Gandharakunst u. in den sassanidischen Bereich (vgl. A. Alföldi, Études sur le trésor de Nagyszentmiklos 4: CahArch 6 [1952] 43/53); schließlich die spärlichen Andeutungen für G.kulte (vgl. Ch. Picard: CRAcInscr 1944, 141₅).
I. G. in der Mythenkritik. a. Ablehnung des Anthropomorphismus. Wie in der paganen Mythenkritik allgemein die Grundlage für die späteren Angriffe der christl. Apologeten gelegt wurde, so auch in bezug auf Einzelgestalten wie G. u. auf Einzelmythen wie den vom Raub des G. Cicero lehnt in der Auseinandersetzung mit dem anthropomorphen *Götterbild die Dichter ab, die den Göttern von Hebe oder G. Nektar u. Ambrosia reichen lassen (nat. deor. 1, 112; Tusc. 1, 65); in der Erfindung des G.raubes hat Homer Menschliches auf die Götter übertragen (Tusc. 1, 65: divina mallem ad nos). Tusc. 4, 71 wendet sich Cicero dagegen, den Raub des G. im Sinne des amor amicitiae vergeistigt zu deuten (vgl. zB. Xenoph. symp. 8, 30).
b. Euhemeristische Erklärungen des G.raubes. In den Bereich des *Euhemerismus im weiteren Sinn gehören Versionen des G.mythos, die anstelle des Zeus einen anderen, irdischen Herrscher als Entführer des Knaben nennen u. damit den Mythos vermenschlichen. Als Entführer werden in den Quellen (vgl. Friedländer 740f) entweder Tantalos oder Minos genannt; Friedländer hat aufgezeigt, daß die beiden Versionen voneinander abhängig sind u. höchstwahrscheinlich Phanokles als Urheber dieser Deutungsrichtung des G.mythos anzusehen ist. In der christl. Überlieferung wurden solche Rationalisierungen natürlich gern aufgenommen (s. u. Sp. 1045).
c. G. in der Ablehnung von Apotheosemythen. Daß die Erwähnung des Zeuslieblings G. zu den Topoi der Angriffe gegen Mythen von der Vergöttlichung von Menschen u. Halbgöttern gehörte, läßt Lukians Dialog deor. conc. 8 erkennen: zwar will Zeus den G. von der Anklage des Momos ausgenommen wissen, doch wird gerade hierdurch besonders deutlich gemacht, daß G. zur inkriminierten Gattung zweifelhafter Götter u. göttlicher Liebespartner gehört (vgl. Lucian. Iupp. trag. 21; zum Ganzen R. Helm, Lucian u. Menipp [1906] 152/65; Cic. nat. deor. 3, 17/23 erwähnt in der Diskussion über vergöttlichte Menschen u. Halbgötter G. nicht; bei Xenophan. ap. Sext. Emp. adv. math. 9, 193 [VS 21 B 11] u. Cic. nat. deor. 1, 42; 2, 70 ist auf die Anführung von Einzelbeispielen für die ludibria deorum ganz verzichtet). Bei Nonnos wird G. in den Anklagen des Phthonos u. der Aphrodite, die den Himmel wegen der Halbgötter verlassen wollen, genannt (Dionys. 8, 94/6; 31, 251/7).
II. Katasterismos des G. Die Gleichsetzung des Aquarius mit G. bzw. eine Verstirnung des Jünglings erwähnen außer den bei Friedländer 740 genannten Quellen (Serv. Aen. 1, 28. 394; georg. 3, 304; Arat. Lat.: 235 Maas; Schol. Arat. 283 [396 Maas]) folgende Autoren: Ovid. fast. 1, 651; 2, 145; Hygin. fab. 224, 4; astron. 16; Ampel. 2, 11 = Nigid. Fig. frg. 99 (125 Swoboda); vgl. außerdem

das Horoskop des Titos Piteaios (F. Boll,
Sphaera [1903] 156₁); Anth. Lat. 1, 2, 795;
Mythogr. Vat. 3, 3, 5 (162 Bode); 3, 15,
11 (256 B.); Cod. Voss. fol. 48ᵛ (G. Thiele,
Antike Himmelsbilder [1898] 67. 115f Abb.
40); Remigius v. Auxerre in Mart. Capell.
8, 436, 17 (2, 260 Lutz). Die Deutung des
Wassermanns als G. ist nur eine unter vielen; für andere Versionen vgl. F. Boll - W.
Gundel: Roscher, Lex. 6, 974/7. Welchen
Einfluß der Katasterismos des G. auf die
Entwicklung der im folgenden zu bespre-
chenden Jenseitssymbolik hatte, ist unbekannt. Die Oinochoë, die G. im Stuckrelief
der Basilika an der Porta Maggiore trägt
(Sichtermann, G., Kat. nr. 380; vgl. S. 121₃₂₀;
s. u. Sp. 1039), dürfte eher auf das Mund-
schenkenamt des G. als auf seine Gleichsetzung mit dem Wassermann hinweisen, da
zum Bild des letzteren (nach späten Handschriften, vgl. H. Stern, Le calendrier de 354
[Paris 1953] 199 Taf. 22, 2; 24, 2; 37, 3. 5/7) das
umgestülpte Gefäß mit dem Wasserstrahl gehört (anders J. Carcopino, La basilique py-
thagoricienne de la Porte Majeure [Paris
1926] 360; Cumont 98; Sichtermann, G.
120₃₁₃).

III. G. als Jenseitssymbol. Der weit überwiegende Teil der erhaltenen literarischen Erwähnungen u. bildlichen Darstellungen des
G. bezieht sich auf seine Schönheit, seine
Eigenschaft als Geliebter u. Mundschenk des
Zeus (die später durch die Adlerentführung u.
die Tränkung des Adlers verhüllt wird; vgl.
Sichtermann, G. 32/6. 69f) u. die daraus abgeleitete exemplarisch-erotische Bedeutung
für Menschen. Keine der erhaltenen literarischen Erwähnungen von G.darstellungen der
bildenden Kunst läßt erkennen, daß den angeführten Bildern eine über die Darstellung
des Zeuslieblings hinausgehende symbolische
Bedeutung zugeschrieben wurde: Verg. Aen.
5, 252/7; Hygin. fab. 273, 15; Plin. n. h. 34,
79 (Leocharesgruppe); Iuvenal. 9, 22 (Statue
im Paxtempel: Friedländer 748); Theocr.
Adoniaz. 123f; Paus. 5, 24, 5; 5, 26, 2; Philostr. v. Apoll. 3, 27; Philostr. iun. imag. 9 (2,
401f Kayser: Knöchelspiel mit Eros; vgl.
Apoll. Rhod. Argon. 3, 114/27; B. Neutsch,
Spiel mit dem Astragal: Herbig 18/25);
Nonn. Dionys. 25, 429/50. Trotzdem muß
für eine kleine Zahl von G.darstellungen hellenistischer u. röm. Zeit auf Sepulkraldenkmälern angenommen werden, daß G. hier als
Symbol der Heroisierung oder Apotheose ver-

wendet wurde. Da dieser Bedeutungszusam-
menhang von Weizsäcker-Drexler u. Friedländer überhaupt nicht, von Sichtermann
(G. 35f. 65f; Ganimede 790) nur kurz u. ohne
Erwähnung der Textzeugnisse behandelt
wurde, sei er hier kurz erörtert. Eine Besprechung scheint auch deswegen angebracht,
weil die christl. Schriftsteller in fast aus-
schließlicher Beschränkung auf die Abwertung des erotischen Aspekts des G.mythos (s. u.
1044f) diesen für bestimmte weltanschauliche
Tendenzen der röm. Kaiserzeit bezeichnenden
Gesichtspunkt des Themas ganz übergehen.

a. Sepulkraldenkmäler mit G.darstellungen
(Denkmäler, deren Grabverwendung unsicher
ist, sind weggelassen [vgl. Sichtermann, G., Ka-
talog nr. (= Kat. nr.) 124. 275f. 282f u. van
Buchem Abb. 16]; die Anordnung wird nach
Kat. nr. gegeben, nur dort noch nicht erfaßte
Literatur genannt).

1. Hellenistische Denkmäler. α. Grabvasen.
Kat. nr. 366, Berlin, Antiquarium, Fragment
eines paestanischen Kraters. Schwanenkopf
mit Beischrift ΓΑΝΥΜΗΔΗΣ (vgl. Schauenburg 133).–Kat. nr. 370, Privatbesitz, Voluten-
krater. Entführung des G. durch einen Schwan
(vgl. Schauenburg 130/3). – Kat. nr. 373,
Ruvo, Slg. Fenicia, Schale. G. wird von einem
Schwan ergriffen (vgl. Schauenburg 133). Zur
sepulkral-symbolischen Deutung dieser Vasenbilder vgl. Schauenburg 134/7 u. seine
ebd. 131₁.₂ aufgeführten weiteren Arbeiten
zu unteritalischen Grabgefäßen. Wie die Ver-
tauschung des Adlers mit einem Schwan zu
erklären ist, bleibt fraglich.

β. Kapitell von hellenistischem Grabbau. Kat.
nr. 254, Tarent, Kalksteinkapitell von einem
Grabnaiskos. Ergreifung des G. durch den
Adler (vgl. E. v. Mercklin, Antike Figuralka-
pitelle [1962] 49. 57 nr. 158).

2. Deckenschmuck kaiserzeitlicher Grabbau-
ten. Kat. nr. 149, Este, Relieffragment von
der Decke eines Grabbaues in Baone. Entführung des G. durch den Adler (vgl. Sichtermann, Ganimede Abb. 980). – Kat. nr. 167,
Palmyra, Grab der ‚drei Brüder‘, Gemälde im
Mittelrund des Grabgewölbes. Entführung des
G. durch den Adler. Im gleichen Grab: Achill
auf Skyros, Viktorien mit Porträtclipei auf
Erdkugeln (vgl. C. H. Kraeling, Color photo-
graphs of the paintings in the tomb of the
brothers at Palmyra: Annal. Arch. de Syrie
11/2 [1961/2] 13/8). – Kat. nr. 176, Portogru-
aro, Relieffragment von Grabdecke. Entführung des G. durch den Adler (vgl. G. Brusin-

P. L. Zovatto, Monumenti romani e cristiani di Iulia Concordia [Pordenone 1960] 38 nr. 39). – Kat. nr. 380, Rom, unterirdische Basilika bei der Porta Maggiore, zentrales Stuckrelieffeld des Mittelschiffgewölbes. G., der eine Fackel u. eine Kanne (s. o. Sp. 1037) trägt, wird von geflügeltem Genius emporgetragen. Am gleichen Gewölbe: ein Leukippidenraub, Auffindung der Ariadne (bis auf Thyrsos des Dionysos zerstört), Attisfiguren, weitere mythologische, aber auch retrospektive Szenen (zuletzt: S. Aurigemma, La basilica sotterranea neopitagorica di Porta Maggiore in Roma [Roma 1961]; F. L. Bastet, Claudius oder Tiberius? Das große Hypogaeum bei der Porta Maggiore zu Rom: BullAntBesch 35 [1960] 1/24 [zur Datierung u. Deutung der Anlage als Grabraum]).
3. Sarkophage. Kat. nr. 147, Budapest, rechtes Eckfragment einer Sarkophagvorderseite. Entführung des G. durch den Adler. Pendant an linker Ecke: Leda mit dem Schwan. – Kat. nr. 180, Saint-Lo, Bleisarkophag aus Lieusant. Entführung des G. durch den Adler, zweimal dargestellt. – Kat. nr. 244, Paris, Louvre, Ergreifung des G. durch den Adler unter dem Porträtclipeus eines Jünglings. – Kat. nr. 246, Pisa, Ergreifung des G. durch den Adler unter dem Clipeus. – Kat. nr. 248, Rom, Via della Valle 45, Jahreszeitensarkophag. Ergreifung des G. durch den Adler unter dem Clipeusporträt eines bartlosen Mannes (vgl. G. M. A. Hanfmann, The Season Sarcophagus in Dumbarton Oaks 2 [Cambridge, Mass. 1951] 187 nr. A-6). – Rom, Hof des Palazzo Venezia, Ergreifung des G. durch den Adler unter dem Clipeus mit Knabenporträt (H. P. L'Orange, Studies in the iconography of cosmic kingship [Oslo 1953] 70. 101 Abb. 73; nicht bei Sichtermann). – Kat. nr. 263, Rom (verschollen), fünfgliedrig geteilter Sarkophag, zwischen Frauenporträt u. Eroten links Ergreifung des G. durch den Adler, rechts Leda mit dem Schwan. – Kat. nr. 301, Vatikan, Riefelsarkophag. Mittelfeld: G. tränkt den Adler. – Kat. nr. 341, Rom (verschollen), möglicherweise mit Kat. nr. 263 identisch.
4. Grabdenkmäler. Kat. nr. 94, Igel bei Trier, Bekrönung des Grabmals der Secundinier. Entführung des G. durch den Adler. Am gleichen Denkmal zahlreiche retrospektive Darstellungen u. weitere mythologische Bilder, u. a. Raub des Hylas u. Apotheose des Herakles. – Kat. nr. 128, Aquileia, Marmorrelief, Grabaufsatz. Entführung des G. durch den Adler. –

Kat. nr. 155, früher Grado, Kalksteingrabstele. Adler über einem Knaben mit Porträtzügen, der eine Girlande hält, die gleichzeitig als Blätterkelch dient (Entführung des G. ?). – Kat. nr. 337, Rom, Villa Albani, Grabaltar des Statius Asklepida. Im Rundgiebel des Deckels: G., der den Adler tränkt. – Kat. nr. 343, Steiermark, Grabrelief: G. tränkt den Adler. – Šempeter (Jugoslavien; St. Peter im Sanntale), Grabdenkmal der Ennii aus dem antiken Celeia (Noricum), Reliefdarstellung der Entführung des G. durch den Adler. Am gleichen Denkmal Entführung Europas durch den Stier (J. Klemenc, Rimske izkopanine v Šempetru [Ljubljana 1961] 41/6 Abb. 33/41; J. M. C. Toynbee, Death and burial in the Roman world [London 1971] 173; nicht bei Sichtermann).
b. Grabinschriften mit G.erwähnung. Hatte noch Drexel (128 ff) hinsichtlich des Jenseitsbezugs von Darstellungen der Igeler Säule (Kat. nr. 94) festgestellt, die symbolische Ausdeutung der Mythen sei bisher nur aus den Denkmälern, nicht aus der gleichzeitigen Literatur erschlossen, so wies bereits Cumont (500 [Additions]) auf eine Grabinschrift in Ravenna hin, in der die Eltern einen als immaturus Verstorbenen als nostrum . . . raptum Ganymedem anredeten u. den Wunsch äußerten: iremus properes ad nostrum immaturu[m] tuendum (Carm. lat. epigr. suppl. 1994 Buecheler-Lommatzsch; Lit. zur mors immatura bei: J. ter Vrugt-Lentz, Mors immatura [Groningen 1960]; E. Griessmair, Das Motiv der mors immatura in den griech. metrischen Grabinschriften [Innsbruck 1966]). Boyancé kam auf die Verwendung des G. als Unsterblichkeitssymbol bei Behandlung des Epitaphs des Eutychos aus Albano Laziale zu sprechen (275/89). Er brachte dieses Denkmal eines immaturus ebenso wie W. Seston (L'épitaphe d'Eutychos et l'héroisation par la pureté: Homm. J. Bidez-F. Cumont [Bruxelles 1949] 314/22) wegen des auf ihm dargestellten u. in der Inschrift erwähnten Adlers des Zeus (Διὸς πάρεδρος ἀετὸς ἥρπασέ με) mit der Entrückung des G. in Verbindung. Doch obwohl die in Bild u. Text zum Ausdruck gebrachte Verwandlung des Eutychos in einen Stern an den Katasterismos des G. erinnern mag (s. o. Sp. 1036 f; Seston aO. 318 meint allerdings, der Stern über dem Kopf des Knaben könne nur derjenige der Dioskuren sein), kann die Beziehung des Denkmals zu G. nicht als gesichert gelten, da Eutychos zu Pferde reitend dargestellt ist u. der Adler in allgemei-

nerem Sinne Tier der Apotheose ist (so auch
H. Herter: JbAC 4 [1961] 153₄₅; auch der den
Tod ankündigende Adler bei Artemid. onir. 2,
20 braucht nicht der Adler des G. zu sein).
Boyancé brachte für die Bedeutung des G.
als Jenseitssymbol weitere Belege bei: in einer Grabinschrift des Jahres 139 nC. aus
Aezani werden dem Verstorbenen die Worte in
den Mund gelegt: Ζεύς με νέον Φρύγιον Γα[ν]υ-
[μ]ήδ[η]ν [ἡφάνισε]ν (Epigr. gr. 380 Kaibel);
in einer Inschrift aus Smyrna wird dem Verstorbenen die Rolle des himmlischen Mund-
schenks der Götter zugeschrieben (ebd. 312).
Schließlich kann man in diesem Zusammenhang auch noch das dichterische Epigramm
des Ausonius auf Glaucias heranziehen (epigr.
62: aut Persephonae Cinyreius ibis Adonis,
aut Iovis Elysii tu Catamitus eris) u. auf die
Regeln des PsDionysius für Grabreden verweisen (ars rhet. 1, 6, 5 [6, 282 Usener-Rade-
macher]), in denen als Beispiel für den Trostgedanken, daß die Götterlieblinge jung sterben (hierzu vgl. R. Lattimore, Theı_es in
Greek and Latin Epitaphs [Urbana 1948] 259;
zuletzt: Griessmair aO. 101 f), G., Tithonos u.
Achilles genannt werden (Parallelen bei R.
Kassel, Untersuchungen zur griech. u. röm.
Konsolationsliteratur = Zetemata 18 [1958]
84). Als Inhalt der Bevorzugung aufgrund der
θεοφιλία nennt PsDionysius zwar nur die Bewahrung vor irdischen Übeln, doch implizieren die von ihm genannten Beispiele, unter
denen G. sicher nicht zufällig die erste Stelle
einnimmt, wohl auch die Vorstellung eines
glücklichen Zustandes im Jenseits.

c. Deutung. Auf die umstrittene Frage, wie
weit hinter Äußerungen der soeben zitierten
Art konkrete *Jenseitsvorstellungen stehen
oder lediglich vage Wunsch-, Hoffnungs- u.
Trostgedanken (die denen vieler Menschen
unserer Zeit entsprächen), kann hier nicht eingegangen werden (vgl. zuletzt Griessmair aO.
92₃; H. Brandenburg: RömQS 63 [1968] 49/
86, bes. 53₉). Doch darf man wohl, auch wenn
unter den G.darstellungen im Grabbereich
kein Denkmal erhalten ist, dessen bildliche
Darstellung durch eine entsprechende Inschrift gedeutet wird (wie dies zB. beim oben
erwähnten Eutychos-Grabmal der Fall ist),
aus den angeführten Texten schließen, daß
wenigstens ein Teil der genannten sepulkralen
G.darstellungen Hinweise auf eine Heroisierung oder ‚Privatapotheose' (Begriffsbildung:
H. Leclercq, Art. Apothéoses privées: DACL
1,2,2626/31 mit älterer Literatur; F. Matz,

Ein röm. Meisterwerk [1958] 127. 130. 142)
des Verstorbenen geben sollte (Cumont 97/
9; Boyancé 286/9; van Buchem 47/9; Schauenburg 134/7). Dies dürfte besonders für
G.darstellungen auf solchen Denkmälern zutreffen, die für immaturi bestimmt waren,
für G.bilder, die mit weiteren symbolisch
zu deutenden mythischen Darstellungen verbunden sind (Heraklesapotheose, Hylas-,
Europa- oder Leukippidenraub, Attis), oder
für solche, bei denen der Verstorbene mit
G. identifiziert ist (Grabstele in Grado). Für
diese auf das Jenseits bezogene Sinngebung
besteht kein wesentlicher Unterschied darin,
ob die Vergöttlichung des G. durch die Darstellung des Raubes oder seines Ergebnisses,
des durch die Adlertränkung ausgedrückten
Lebens im Olymp, zum Ausdruck gebracht
wurde (zur Adlertränkung u. ihrer Lokalisierung im Olymp vgl. R. Herbig, G. u. der
Adler: Herbig 1/9).

d. Weitere Denkmäler. 1. Allgemeines. Trotz
der soeben dargelegten Deutung kann nicht
genug davor gewarnt werden, die tiefere
Sinngebung einzelner epigraphischer u. literarischer Zeugnisse u. die symbolische Deutung einzelner Grabdarstellungen auf die
Mehrzahl erotisch-genrehafter Literaturer-
wähnungen oder die mehr oder weniger deko-
rative Verwendung gleicher Motive auf anderen Sepulkraldenkmälern oder gar im Alltags-
bereich auszudehnen; vgl. die kritischen Ausführungen von H. Brandenburg: JbInst 82
(1967) 195/245; RömQS 63 (1968) 49/86, bes.
52₈ gegen die verfehlte Deutung der Darstellungen auf dem Mosaik aus Boscéaz (zu denen
auch G. gehört) durch M. Renard: Mélang.
J. Carcopino (Paris 1966) 803/18; auch die
Richtigkeit der symbolischen Deutung des
‚Affen-G.' bei Apuleius (met. 11, 8) durch R.
Merkelbach, Roman u. Mysterium in der Antike (1962) 108₃. 212 ist noch fraglich.

2. ‚Las Incantadas' aus Saloniki. Die Frage
der Deutung der G.darstellung eines der Pfei-
lerreliefs der ‚Incantadas' im Louvre (Kat.
nr. 173; zuletzt: L. Guerrini, ‚Las Incantadas'
di Salonicco: ArchClass 13 [1961] 40/70; dies.,
Art. Incantadas, Las: EncArteAnt 4 [1961]
124/6) muß offen bleiben, zumal nicht bekannt
ist, welchem Zweck die mit den Reliefs geschmückte Architektur einst diente u. welche
mythischen Gestalten außer den noch vorhandenen dargestellt waren. Neben G. blieben
erhalten: einer der Dioskuren (vgl. Ch. Picard,
Dioscure à la protomé chevaline: BullCorr-

Hell 82 [1958] 435/65, bes. 448f); Aura (so
P. Perdrizet, L',Incantada' de Salonique:
MonPiot 31 [1930] 51/90 auf S. 71; könnte
dies eine der Leukippiden sein?); girlanden-
tragende Viktoria (im Typ der Eckviktorien
der Sarkophage mit dem Leukippidenraub
der Dioskuren in Florenz u. im Vatikan: Robert, Sark. Rel. 3, 2 Taf. 57f). Auf der Gegenseite finden sich: Leda mit dem Schwan (als
Pendant zu G. auf dem gleichen Pfeiler);
Ariadne; Dionysos; Mänade. Die lakonische
Feststellung Frau Guerrinis: ,Nessun legame
di contenuto tra le otto figure' (ArchClass 13
[1961] 59) darf als übertrieben angesehen
werden, auch wenn die Deutung dieser Darstellungen noch fraglich bleibt.

3. G.darstellungen auf Prunkrüstungen. Auch
für die Deutung von Darstellungen des G.-
raubes auf kaiserzeitlichen Schildbuckeln,
Gesichtshelmen u. Pferde-Kopfschutzplatten
erlaubt der gegenwärtige Stand der Forschung
keine eindeutige Aussage (Kat. nr. 157f. 160.
184/7. 197f; R. Münsterberg, Bronzereliefs
vom Limes: JhÖsterrInst 6 [1903] 69/78;
J. Keim - M. Klumbach, Der röm. Schatzfund
von Straubing [1951]; Römer am Rhein, Ausstell.-Kat. Köln ²[1967] 201/4; Römer in Ru-
mänien, Ausstell.-Kat. Köln [1969] 122 nr.
C 55 = Sichtermann, Kat. nr. 158). Als gesichert darf gelten, daß die fraglichen Prunkrüstungen des oberen u. unteren Donaugebie-
tes, auf denen außer G. u.a. die Dioskuren,
Mars (bisweilen von einem schlangenbeinigen
Giganten getragen [ebd. 122 nr. C 56]), Mi-
nerva, Herakles, kranztragende Adler u. Vik-
torien (ebd. 122 nr. C 56), Seethiasosfiguren,
Gorgoneia u. Schlangenpaare dargestellt sind,
nicht für den Kampf, sondern für festliche
Reiterspiele gedacht waren (H. Klumbach:
Gymnas 58 [1951] 71/6; Klumbach 87). Der
Anlaß dieser Kampfspiele ist bisher nicht mit
Gewißheit festgestellt worden (Klumbach 90:
Bestattungs- u. Erinnerungsfeiern am Grabe).
Die Klärung der Verwendung dieser Rüstungen dürfte jedoch für die Beantwortung der
Frage nach der Deutung der Darstellungen
unerläßlich sein. Den ersten Deutungsver-
such für die G.darstellungen machte Münsterberg (aO. 77): ,In dem Adler des Zeus mußte
der römische Soldat fast notwendig den Repräsentanten des siegreichen römischen Heeres sehen, in G. demnach den besiegten Feind, der hier vom Adler entrafft wird
...'. Nun könnte man zur Stützung dieser
Deutung späte euhemeristische Versionen des

G.mythos anführen, in denen der Adler als
Zeichen der Legion erklärt wurde, mit deren
Hilfe G. geraubt wurde (s.u. Sp. 1046).
Noch einige andere neben G. auf den Rüstungen dargestellte Motive verweisen auf den
Sieg (Mars über dem Giganten, kranztragende
Adler u. Viktorien). Trotzdem bleibt es unwahrscheinlich, daß das Bild des Götterlieb-
lings tatsächlich in negativer Ausdeutung auf
den Tod des Gegners bezogen worden ist, da
es (wie o. Sp. 1041f besprochen) in der kaiserzeitlichen Grabsymbolik in positiver Weise
verwendet wurde. Letztere Verwendung legt
nahe, auch für die G.darstellungen dieser Rüstungen eine positive Bedeutung zu vermuten
(vgl. Klumbach 90f). Doch wäre eine auf die
Heroisierung gefeierter Toter bezogene Symbolik dieser G.bilder nach Ansicht des Verf.
nur dann gesichert, wenn als Anlaß der Reiterspiele, bei denen die Rüstungen getragen
wurden, tatsächlich Totenfeiern nachgewiesen werden könnten (in diesem Fall wären
dann zB. die außer G. häufig dargestellten
Dioskuren nicht nur als schützende Reiter-
heroen zu verstehen, sondern sie hätten ebenfalls eine auf die Heroisierung der Toten bezogene Bedeutung).

B. Christlich. I. G. in der Anprangerung der
ludibria deorum. Den christlichen Apologeten
diente G. beim Nachweis der Nichtigkeit der
paganen Götter durch Aufzählung ihrer
Schandtaten als Repräsentant des ἔρως παιδι-
κός (zum Ganzen vgl. J. Geffcken, Zwei
griech. Apologeten [1907] 67; A. Pastorino, I.
Firm. Mat. error. prof. rel. [Firenze 1956] 127).
Bei Behandlung der Liebesabenteuer des Göttervaters wird entweder G. unmittelbar den
sterblichen Frauen gegenübergestellt, die
Zeus liebte (zu G. in der Diskussion über den
Wert von Frauen- u. Knabenliebe bei paganen
Autoren vgl. Achill. Tat. 2, 36, 3; F. Wilhelm:
RheinMus 57 [1902] 55/75, bes. 67), oder es
werden die verschiedenen Tiere aufgezählt,
in die sich Zeus als Liebhaber verwandelte,
wobei durch die Adlermetamorphose (die
selbst auch wieder in Umschreibung erwähnt
werden konnte, vgl. Fulg. myth. 1 praef.
20 [11 Helm]) auf G. angespielt wird: Aristid.
apol. 9, 6 (13 Geffcken); Tatian. or. 10
(PG 6, 828); Iustin. apol. 1, 22. 25 (1, 69. 76
v. Otto); PsIustin. or. gent. 2 (2, 8 v. Otto);
Clem. Alex. protr. 2, 33, 5; 2, 37, 1/3; Lact.
inst. 1, 10, 12 (CSEL 19, 36; G. als Höhepunkt der Unzucht des Zeus); epit. 10 (ebd.
683); PsClem. hom. 5, 13/15 (PsClem. recogn.

10, 20/3 scheint der Vorwurf der Knabenliebe
ebenso wie Tert. ap. 10, 3 zu fehlen, denn die
G.Stelle 22, 3 ist spätere Einfügung; vgl. F.
Buecheler, Kl. Schriften [1927] 2, 68f); Pru-
dent. contra Symm. 1, 69/71; Arnob. adv. nat.
4, 26; 5, 22; Firm. Mat. error. 12, 2; Athan.
c. gent. 11; August. civ. D. 4, 25; 7, 26 (Gegenüberstellung des einen G. des Zeus u. der
vielen *molles* der Magna Mater); Theodrt.
cur. 3, 98; 7, 8; Basil. Seleuc. or. 27, 1 (PG
85, 312); Joh. Damasc. v. Barl. Joas. 245 (PG
96, 1113); ASS Oct. 11, 474. Die Schändlichkeiten der Götter, unter denen der G.my-
thos als Höhepunkt gilt, wurden ohnedies nur
erfunden, um menschlichen Lastern eine gewisse Berechtigung zu geben; deshalb glauben die Sittenlosen gern an sie u. nehmen
Zeus u. G. zum Vorbild: Min. Fel. Oct. 23, 7;
Firm. Mat. error. 12, 2; PsTert. exsecr. gent.
6 (CCL 2, 1414); Greg. Naz. c. Iul. 1, 122
(PG 35, 661); c. 1, 10, 831/6 (PG 37, 740);
Evagr. Schol. h. e. 1, 11 (PG 86, 2452).

II. G. in Stellungnahmen gegen die Apotheose
von Menschen. Die Namen der Götter sind
nur solche von Menschen (Theoph. Ant.
ad Autol. 1, 9 [76/8 Bardy; Knabenliebe des
Zeus ohne namentliche Nennung des G. er-
wähnt]). So wird G. in der Stellungnahme der
Väter gegen die Apotheose von Menschen, besonders die des Antinous, zitiert: Clem. Alex.
protr. 4, 49, 1/3 (vgl. Euseb. praep. ev. 2, 6,
8); Tert. nat. 2, 10, 11; 2, 15, 1 (gegen die Verstirnung von Sterblichen); Euseb. praep. ev.
5, 34, 6; Theodrt. cur. 3, 31; Excerpta
de sentent. 261 (FHG 4, 23f; vgl. J. Straub,
Die Himmelfahrt des Julianus Apostata:
Gymnas 69 [1962] 318).

III. Euhemeristische Deutungen des G.my-
thos. Auch die bereits von heidnischen Autoren vorgetragenen euhemeristischen Erklärungen des G.raubes (s. o. Sp. 1036) wurden
von den christl. Schriftstellern wiederholt; die
Zuschreibung an irdische Herrscher ermöglichte es dann (etwa im Nachweis der Priorität der atl. Weisen gegenüber den griechischen), das Geschehen chronologisch einzuordnen: Clem. Alex. strom. 1, 21, 136, 5; Lact. inst.
1, 23, 3 (CSEL 19, 93); Euseb. chron. prooem.
(GCS 47, 13); chron. ad a. 1358 (ebd. 51b;
Raub durch Tantalos; vgl. Hieron. interpr.
chron. Euseb. [PL 27, 222]). Den Raub durch
Tantalos erwähnen weiterhin: August. civ. D.
18, 13; Oros. hist. adv. pagan. 1, 12, 4f (CSEL
5, 61); Joh. Malal. chron. 4 (PG 97, 161; Hinweis auf Didymus als Quelle); Suda s. v. Ἴλιον

(2, 632 Adler); Eustath. 1205, 10 zu Il. 20, 219
(Raub durch Tantalos oder Minos); Fulgentius
schildert (myth. 1, 20, 57f [31 Helm]; vgl. Mythogr. Vat. 2, 198 [139f Bode]) Zeus als irdischen Herrscher, der G. unter dem Feldzeichen des Adlers raubt (hierzu vgl. Mythogr.
Vat. 3, 3, 4f [161f Bode]; Lact. inst. 1,
11, 19 [s. auch unten]). Bei Joh. Malal. aO.
u. in der Suda aO. wird die Erfindung des
Adlerraubes auf den schnellen Tod des G.
zurückgeführt; Eustath. aO. schreibt, der
Raub des G. deute den ἄωρος θάνατος des Knaben an.

IV. G. in der Ablehnung allegorischer Mythen-
auslegung. Für sein Argument gegen die allegorische Mythenerklärung der Heiden, daß
diese nur dann gerechtfertigt sei, wenn sie auf
alle Mythen u. alle Einzelmomente eines Mythos anwendbar wäre, führt Arnobius als Beispiel für Mythen, die nicht allegorisch gedeutet werden könnten, u. a. die Entführung des
G. an (adv. nat. 5, 44; vgl. J. Pépin, Mythe et
allégorie [Aubier 1958] 423/8). Für Laktanz
ist der Mythos vom G.raub eines unter vielen
Beispielen, die zeigen, daß diese Mythen nicht
etwa gänzlich von Dichtern erfunden sind,
was die Voraussetzung für die Möglichkeit
allegorischer Deutung wäre, sondern daß
ihnen irdische historische Ereignisse zugrunde
liegen, deren Details dichterisch ausge-
schmückt wurden. Die Entführung durch den
Adler ist ein solcher poeticus color: der Adler
war entweder das Zeichen der beim Raub beteiligten Legion oder das Schutzzeichen des
Schiffes, auf das G. gebracht wurde (inst.
1, 11, 19; vgl. epit. 11; Pépin aO. 438/41;
auch bei Epiphan. ancorat. 105 [PG 43, 207]
wird der Adler als Schiffszeichen erklärt).

V. Gnostische Deutung des G. Daß es gno-
stisch-christliche Lehren gab, die neben anderen Mythen auch den G.mythoι allegorisch
deuteten u. in ihre Lehre einbezogen, erwähnt
Hippolyt (ref. 5, 14, 10): in der Lehre des Gnostikers Iustinus entsprach G. dem Adam, der
Adler dem Naas, einem der mütterlichen
Engel (ebd. 5, 26, 34).

VI. Appellativer Gebrauch usw. Die Gewohnheit, einen schönen Knaben als G. bzw.
Catamitus zu bezeichnen, führt Augustinus
fort (util. cred. 17 [CSEL 25, 1, 21/3]); als
Parallele dazu, daß man die geheime Bedeutung der hl. Schriften mit einführender Hilfe
aufsuchen müsse, verweist Augustinus auf
Versuche, den Catamitus Bucolicorum, cui
pastor durus effluxit (also wohl Corydon:

Verg. bucol. 2) auf einen tieferen Sinn hin zu interpretieren. Als Inbegriff der Schönheit erscheiʋ t G. bei Eusebius (praep. ev. 8, 14, 7 mit Berufung auf Il. 20, 234 f).

VII. Ablehnung von G.darstellungen. Tatian polemisiert im ‚Künstlerkatalog': Τίνος δὲ χάριν διὰ Λεωχάρους Γανυμήδη τὸν ἀνδρόγυνον, ὥς τι σπουδαῖον ἔχοντες κτῆμα, τετιμήκατε; (or. 34). Zur Interpretation vgl. M. Delcourt, Hermaphroditea = Coll. Latomus 86 (Bruxelles 1965) 67. Ihre Ansicht, das Wort τετιμήκατε, das sicher mehr als bloße Bewunderung bedeutet, weise auf die oben (Sp. 1041f) behandelten Jenseitsvorstellungen hin, bleibt allerdings bloße Vermutung. Theodoret nennt bei der Ablehnung von Götterbildern auch Darstellungen des Zeus als Adler κατὰ τοῦ Γανυμήδους λυττῶντα (cur. 3, 81). Aus seiner apologetischen Frage, wenn man sage, die Dichter hätten die Mythen erfunden, warum man dann Darstellungen davon machen lasse u. ihnen Kult erweise, darf man natürlich nicht auf G.kulte schließen. Cyrill v. Alexandrien lehnt den Vorschlag ab, man solle Bilder der Schändlichkeiten der Götter, darunter auch Zeus u. G., zur Abschreckung an die Wand malen (c. Iul. 6 [PG 76, 800]).

VIII. ‚Christliche' G.darstellungen. Aus dem bisher Dargelegten ergibt sich, daß G.darstellungen im christl. Bereich nicht zu erwarten sind. Zwar führte J. Klinkenberg ein Mosaik der Katakombe von S. Sebastiano als Beispiel dafür an, daß das Motiv ‚selbst christlichen Grabdenkmälern nicht fremd sei' (BonnJbb 108/9 [1902] 118 mit Bezug auf P. S. Bartoli, Gli antichi sepolcri [Roma 1704] Taf. 110; vgl. Sichtermann, G. 86: G.entführung, Kat. nr. 181: ‚Mosaik, christl.'). Doch handelt es sich hierbei um einen Cameo mit Darstellung der Adlertränkung, der wohl wegen des Fundortes irrtümlicherweise als christlich angesehen wurde, u. der als Mosaik galt, weil Bartoli bemerkte, der Cameᴐ sei ‚fatto in materia di musaico', also eine Glaspaste.

P. Boyancé, Funus acerbum: RevÉtAnc 54 (1952) 275/89. – H. J. H. van Buchem, Puer pileatus: BullAntBeschav 33 (1958) 39/49. – Ph. Bruneau, Ganymède et l'aigle. Images, caricatures et parodies animales du rapt: BullCorrHell 86 (1962) 193/228. – F. Cumont, Recherches sur le symbolisme funéraire des Romains (Paris 1942) 97/9. 500. – F. Drexel, Die Bilder der Igeler Säule: RömMitt 35 (1920) 83/142. – P. Friedländer, Art. G.: PW 7, 1 (1910) 737/49. – R. Herbig (Hrsg.), G. = Heidelberger Beitr. zur Kunstgesch. (1949). – H. Klumbach, Der G. von Schwarzenacker: MittHistVerPfalz 58 (1960) 82/91. – K. M. Phillips, Subject and technique in hellenistic-roman mosaics. A Ganimede mosaic from Sicily: ArtBull 42 (1960) 243/62. – K. Schauenburg, G. in der unteritalischen Vasenmalerei: Opus Nobile, Festschrift U. Jantzen (1969) 131/7. – H. Sichtermann, G. Mythos u. Gestalt in der antiken Kunst (o.J. [1953]); Art. Ganimede: EncArteAnt 3 (1960) 788/90. – P. Weizsäcker - W. Drexler, Art. G.: Roscher, Lex. 1, 2 (1886/90) 1595/1603.

J. Engemann.

Garten.

A. Nichtchristlich. I. Griechisch 1048. II. Römisch 1053. III. Orientalisch 1055. IV. Jüdisch 1056.

B. Christlich 1057.

A. Nichtchristlich. I. Griechisch. Das geläufigste griech. Wort für G. ist κῆπος, das aber auch Blumenkübel u. Blumentopf bedeuten kann; daneben ist ἕρκος (zunächst nur die Umzäunung) lediglich der umzäunte G. u. παράδεισος der parkartige G. von großen Ausdehnungen, in dem Wild gehegt u. gejagt werden kann (Xenoph. inst. 1, 3, 4; oec. 4, 20; exped. 1, 2, 7; hist. Graec. 4, 1, 15f). Rein dichterische Bezeichnungen sind ἀλωή u. ὄρχατος. – Wie die Funde von Hagia Triada beweisen, gab es schon in vorhomerischer Zeit in Kreta schöne, durch Kanäle wohlbewässerte, mit Bäumen u. Blumen bepflanzte Nutz- u. Zier-G. (P. Demarque, Die Geburt der griech. Kunst [1965] 137. 149. Abb. 174. 177. 191f. 194. 198). Die große Vorliebe Homers für G. ist in der Antike wiederholt hervorgehoben worden. In der Ilias wird von Tydeus gerühmt, daß er viele Obst- u. Gemüse-G. besitze (Il. 14, 123). Die Glanzstücke sind aber die Schilderungen der G. des Laertes u. des Antinoos in der Odyssee. Der erstere ist mit Dornsträuchern umzäunt u. mit gutgepflegten Obstbäumen u. vielerlei Gemüse hervorbringenden Beeten ausgestattet (Od. 24, 222/56. 336/43). Hier trifft Odysseus seinen mit Liebe im G. arbeitenden Vater u. erinnert sich seiner Jugend u. der Freude, die er selbst an diesem G. hatte (vgl. auch Od. 4, 737). Der G. des Antinoos ist geradezu ein Muster-G. mit seltenem Obst, Ölbäumen, Weinstöcken u. vielen Blumen. Kräuter u. Blüten erfüllen ihn beständig mit Duft, u. zwei frische Quellen bewässern ihn (Od. 7, 112/32). Andere G. sind Il. 21, 257 u. Od. 24, 358 wenigstens genannt. In den folgenden Jahrhunderten begegnen weitere prächtige G., vor allem die fabelhaften großen G. des Midas u. die G. der Sappho auf Lesbos (Sappho frg. 2 L.-P. [Aphrodite-Heiligtum]). Erste Andeutungen auf Bildern finden sich auf korinthischen u. chalkidischen Gefäßen, so bei Timonides, bei dem Phrynosmaler auf einer Londoner weißgrundigen Schale u. auf der Würzburger Amasisamphora aus dem 5. Jh. (E. Buschor, Griech. Vasen [1940] 67 Abb. 78; 83 Abb. 94; 85 Abb. 97; 122 Abb. 139; 192 Abb. 211f). Diese Darstellungen haben meist mythische Bezüge, vor allem deuten sie die G. der Hesperiden an. Erst aus dem Hellenismus besitzen wir eingehende Beschreibungen griechischer G., was natürlich mit der zunehmenden Naturfreudigkeit dieser Epoche zusammenhängt. Die große Mannigfaltigkeit der in diesen G. gezogenen Baum-, Blumen- u. Gemüsesorten ist vor allem in Theophrasts Pflanzengeschichte aufgezählt. Theophrast besaß selbst einen großen G., in dem er unablässig botanische Studien trieb u. den er in seinem Testament der peripatetischen Schule vermachte. – Zu den G.gemüsen gehörten Dill, Senf, Gurken, Gewürzkräuter, Zwiebeln, Lattich. Die beliebtesten Blumen u. G.bäume waren Malven, Oleander, Myrte, Buchsbaum, Veilchen, Levkojen, Lilien vieler Arten, Narzissen, Krokus, Hyazinthen, Goldlack u. Lorbeer; die Rosenzucht war besonders auf Rhodos u. in der Gegend von Philippi berühmt (Theophr. hist. plant. 6, 1/4; Athen. 15, 682b; Anth. Pal. 9, 610; Plin. n. h. 21, 17 u. ö.). Rosen züchtete man sogar so, daß man sie im Winter blühend haben konnte (Anth. Pal. 6, 345). Da man auf Schatten besonders großen Wert legte, erreichte die Aufzucht einheimischer wie fremder Bäume einen sehr hohen Stand. Die Obstkultur wurde in besonderen Obst-G. gepflegt. Zu den alten griech. Obstbäumen, Apfel u. Birne, traten seit dem Alexanderzug Kirsche u. Pfirsich; auch Zitrusfrüchte mögen schon hie u. da angebaut worden sein, doch sind die Einzelheiten ungewiß. Viele G. wurden mit Rücksicht auf die Bienenzucht angelegt u. waren mit honigreichen Blüten bepflanzt. Von den G. für Heilpflanzen waren die des Königs Attalos III von Pergamon (gest. 133) am berühmtesten, doch fanden sich solche auch in der Nähe jeder medizinischen Schule u. jedes Kurortes. Treibhäuser u. Treibvorrichtungen für Blumen u. Früchte kannte man

in Athen schon früh (Athen. 9, 372b). Im Zier-G. legte man kleine Teiche, künstliche Inseln, Grotten, beschnittene Hecken u. seit der hellenistischen Zeit auch Springbrunnen an u. stellte Statuen aller Art auf. Als Umfriedungen dienten in älterer Zeit Mauern aus Feldsteinen, später Hecken u. Zäune (Anth. Pal. 9, 414. 547; Athen. 6, 269b). So charakterisiert Artemidoros einen G. richtig als πολλά σπέρματα u. πρόσκαιρος ἐργασία (onir. 4, 11 [250, 21 Pack]). Die gesamte Terminologie zum antiken G.wesen findet sich bei Pollux (1, 228/37); besonders anschauliche Schilderungen von schönen G. geben Theocr. 7, 135/47; Aristaen. ep. 1, 3; Geopon. 10; Alciphr. frg. 6, 1/9; Nonn. Dion. 3, 181/414; Achill. Tat. 1, 15; Longus 4, 1; Greg. Nyss. ep. 20, 2/20 (8, 2, 68/72 Pasquali). Eine große Rolle spielen in der Literatur die Liebes-G. (Anth. Pal. 9, 666; 16, 202; Aristaen. ep. 1, 3), in denen Eros die Liebenden zusammenführt. – Von den historischen G. sind am berühmtesten der große Park in Daphne bei Antiochia mit vielen alten Bäumen u. zahlreichen Springbrunnen (Strab. 16, 2, 6 [750]) u. das Paneion in Alexandria mit einem künstlichen Berg, einem Aussichtsturm, einem G. mit Gebirgspflanzen u. einem beschrifteten botanischen G., der auch den wissenschaftlichen Arbeiten der Gelehrten am Museum diente (Athen. 5, 196d). Eine Gegend besonderer G.kultur war seit alten Zeiten Kyrene, das Pindar bereits schlechthin als G. bezeichnet (Pyth. 5, 22; 9, 53); mit Stolz zeigen noch kyreneische Münzen der Ptolemäerzeit dort gezüchtete Blumen (Catalogue of the Greek coins in the British Museum 7: The Ptolemies [London 1883] 107 nr. 38/41). Von den wissenschaftlichen Versuchs-G. sind nochmals die G. des Attalos III in Pergamon zu nennen, die eine besondere Abteilung für Giftpflanzen hatten (Plut. Demetr. 20). – Religiöse Bedeutung hat der G. schon in mykenischer Zeit gehabt, denn auf Goldringen finden sich oft Darstellungen von kultischen Handlungen in G. (G. Karo, Religion des ägäischen Kreises = Bilderatl. 7 [1925] nr. 75/7. 80. 84). In der gesamten griech. Welt gehören zu den bedeutendsten Tempeln gepflegte Tempel-G. (zB. Paus. 2, 1, 7; Strab. 8, 3, 12; 6, 22 [343. 380]); ein Silberteller von Corbridge zeigt einen solchen Tempel-G. mit kleinen Tempelchen, Altären, Blumen, Bäumen u. zahmen Tieren (T. Dohrn, Spätantikes Silber aus Britannien: MittInst 2 [1949] 67). Die schönsten G.

besitzt natürlich Aphrodite (Aristaen. ep. 1, 10; Lucian. imag. 4, 6); auch die G. des Pan werden besonders hervorgehoben; einen von ihnen deutet eine Münze von Caesarea Philippi an (Anth. Pal. 6, 42; Catalogue of the Greek coins in the British Museum 20: Galatia, Cappadocia and Syria [London 1899] 299 nr. 5). Athen hatte eine ‚Aphrodite in den G.‘ (Plin. n. h. 36, 16 u. ö.) u. einen ‚G. der Musen‘ (IG 2, 2, 1095f), in dem die duftenden Kräuter hervorgehoben werden. Die Artemis- u. Nymphentempel zeichneten sich durch reiche Blumen-G. aus (Strab. 8, 3, 12 [343]); auch Daphne bei Antiochia sollte ein G. Apollons u. der Artemis sein (Strab. 16, 2, 6 [750]). In Kos verpachtete man die Tempel-G. u. ihren Ertrag zu Gunsten des Tempels (Ditt. Syll.³ 621, 10; vgl. 734, 12. 70. 76). Häufig wurden G. von frommen Verehrern einem Tempel geschenkt; so schenkte Xenophon iJ. 380 der Artemis einen Obst-G. bei Skillos (exped. 5, 13, 12). Zumindest stellte man in den G., auch den profanen, ein Götterbild auf, mit Vorliebe Dionysos, Pan, Priapos u. andere Naturgötter. Im Mythos sind die Götter oft G.besitzer, so Okeanos (schon Aristoph. nub. 271), Apollon u. die Hesperiden. Schutzgötter der G. sind für die Blumen-G. an erster Stelle Dionysos-Anthios u. Hermes, für die Gemüse-G. Priapos (Anth. Pal. 9, 314. 318; 16, 255). Die Frage, wieweit Adonis-G. nur die in Töpfen oder Scherben gezogenen Pflänzchen sind oder wirkliche Kult-G. für Adonis, ist noch nicht geklärt (Sulze 2, 44/50; 3, 72/91; Baumgartner 122/48 u. vor allem die wichtige Inschrift: Syria 5 [1924] 333/6; vgl. J. Leipoldt: Bilderatl. 9/11 [1926] *14f u. Abb. 105/9; s. auch F. Nötscher: o. Bd. 1, 95). Es ist möglich, daß der G.hoftyp des Adonishofes (αὐλὴ Ἀδώνιδος) aus einem säkularisierten Kult-G. entstanden ist. Eine allegorische Auslegung verglich die Blüten des Adonisgärtchens in der tönernen Schale mit der Seele im Leib (Plut. ser. num. vind. 17 [560 C]). Da eine eindeutige religionsgeschichtliche literarische Überlieferung fehlt, läßt sich nur aus den archäologischen Denkmälern vermuten, daß der Sinn der Adonisgärtchen mystisch-sakral eine Wiederholung des Sterbens u. Auferstehens des Gottes sein soll: wie aus dem Blut des toten Adonis Blumen sprießen, so auch aus dem Gärtchen. Die Ambivalenz wird jedoch dadurch deutlich, daß diese Blumen rasch verwelken, der Tod des Gottes sich also ständig wiederholt (anders G. Wagner,

Das religionsgeschichtliche Problem von Römer 6, 1/11 = AbhTheolANT 39 [1962] 199/211). Den Adonisgärtchen verwandt sind die gelegentlich als Osirisgärtchen bezeichneten Osiris-Kornmumien, von denen das Museum in Kairo ein gutes Beispiel besitzt: wie aus dem Leib des toten Osiris Korn wächst, so auch Getreide, das in einer Form gesät wurde, die der Osirismumie gleicht. Hier ist der Sinn eindeutig. Abhängigkeit der beiden G.formen voneinander besteht kaum. Zu den Osirisgärten vgl. Th. Hopfner, Plutarch, Über Isis u. Osiris 2 (Prag 1941 bzw. Darmstadt 1967) 22. 181f. 190. 250/62. Endlich wird der schönste Teil des Totenreiches mindestens seit den Zeiten Pindars als G. vorgestellt. Die Asphodelos-Wiese gehört zu ihm, überhaupt ist das Elysium ein duftender Rosen-G. mit immerblühenden Blumen, Bäumen u. wunderbaren Früchten (Pind. Ol. 2, 77/84; frg. 129; Tibull. 1, 3, 61f; Ovid. amor. 2, 6, 49/58; Stat. silv. 5, 1, 257; Claudian. rapt. Pros. 2, 284/306). Diese G. tragen die schönsten Duftpflanzen, u. eine Wolke von Rosenduft umhüllt sie. Daher werden ideale G. auch gern mit dem Elysium verglichen (Eustath. Macremb. 1, 4 [3f Hilberg]). Weil Proserpina aus diesem G. gegessen hat, darf sie nicht für immer zur Erde zurückkehren, wird aber dafür Herrin dieses G. (Aristoph. ran. 448f; Ovid. met. 5, 535; Serv. georg. 1, 39; Mythogr. Vat. I 7 [Scr. rer. myth. Lat. 1, 3 Bode]; Mythogr. Vat. II 100 [ebd. 108]). Eine Vorausdeutung auf diesen G. des Totenreiches sollte der Grab-G. sein. – Eine Rolle spielten die G. auch für die Philosophie. Im J. 388 vC. kaufte Platon die durch Kimon in einen G. umgewandelten Geländestücke der Akademie, die bis zJ. 529 nC. im Besitz der Platoniker blieben, der einzige G., von dem wir wissen, daß er in fast tausend Jahren den Besitzer nicht wechselte. Allerdings hatte Sulla bei der Plünderung Athens die berühmten alten Bäume umhauen lassen. Aristoteles u. die Peripatetiker philosophierten im G. des Lykeion, u. nach seinem Weggang aus Athen erwarb sich Aristoteles ein G.grundstück in Chalkis. Theophrast lehrte in seinem G. u. machte dort Pflanzenstudien. Alle aber übertraf der G.philosoph schlechthin, Epikur. Im J. 306 kaufte er seinen von Lukrez, Cicero u. Plinius gerühmten G., in den sich die Philosophen, vor dem Lärm des Lebens geborgen, zurückziehen konnten (Hieron. adv. Iov. 2, 36 [PL 23, 349]). – In der stoischen Bilder-

sprache wurde die Philosophie mit einer Art
G. verglichen: die Logik gleiche dem ihn umgebenden Zaun, die Physik dem Boden u. den
Bäumen u. die Ethik dem Ertrag an Früchten (Diog. L. 7, 40; abgelehnt von Poseidonios: Sext. Emp. adv. math. 7, 19). – Die
G.arbeit wurde meist von Gärtnern besorgt;
deren Bedeutung geht schon daraus hervor,
daß es im Griechischen nicht weniger als sechs
Wörter für Gärtner gibt: κηπεύς, κηπουρ-
γός, λαχανηλόγος, φυτοεργός/φυτουργός, φυτοκό-
μος, φυτοσκάφος. Sein Werkzeug u. seine Kleidung sind sehr einfach: er trägt feste Schuhe
u. ein Gewand, das die Dornen nicht zerreißen
können, vor der Sonne schützt ihn ein Fell-
hut; seine wichtigsten Geräte sind Spaten,
Hacke, Rechen u. Sichel. Die Literatur zeichnet ihn sehr sympathisch: mit großer Liebe
veredelt er Bäume, zieht Gräben, damit die
Pflanzen immer Wasser haben, freut sich
selbst über die Blumen seines G. u. ist fromm,
weiht den Göttern Blumen u. Früchte (zB.
Anth. Pal. 6, 21. 102; 7, 321; 9, 4 u. ö.). Symbolisch ist bei den Griechen der G. das Bild
für Geborgenheit u. Schutz, weil die zarten
Pflanzen in ihm geschützt werden (Soph.
Trach. 144/6).

II. Römisch. Der Römer hat eine tiefe Liebe
zum G. u. G.bau, wenn auch in erster Linie
zum Nutz-G. (Cic. Cato 15, 24; Anth. Lat.
635). Ein G. ist viel wichtiger als eine Woh-
nungseinrichtung (Martial. 2, 50). Schon an
der Burg des Tarquinius Superbus soll sich
ein G. befunden haben (Liv. 1, 54, 6). Im
republikanischen Rom war der G. das Feld
des Armen; die Hausfrau besorgte ihn u.
legte an erster Stelle Gemüsebeete an, doch
brachte es schon die Bienenzucht mit sich,
daß auch Blumen gezogen wurden; auch eine
Abteilung für Heilpflanzen hatten wohl die
meisten röm. G. – Bei den röm. landwirtschaftlichen Schriftstellern gibt es eine Fülle
von Vorschriften über den G.bau, vor allem
über die genauen Tage, an denen gepflanzt
oder gesät werden sollte. – Den Höhepunkt erreichte die röm. G.kunst am Ausgang der
Republik u. in den beiden ersten Jh. der
Kaiserzeit. Damals entstanden die großen,
zT. riesigen privaten u. öffentlichen Parks
mit vorzüglicher Bewässerung, beschnittenen
Hecken, einem reizvollen Nebeneinander von
Kunst-G. u. einer Nachahmung von Natur-
landschaften, oft an berühmte Landschaften
angelehnt, wie etwa die Nachahmung des
Tempetales oder des Nilarms von Canopus im

Park der Villa des Hadrian. Pavillons aller
Stile, Marmorbänke u. viele marmorne oder
bronzene Statuen wurden von seltenen, oft
importierten Bäumen u. Blumen umgeben;
zahme Tiere fehlten in keinem von ihnen. Die
kaiserlichen G., die G. Lukulls u. Sallusts
auf dem G.hügel (collis hortorum), dem Monte
Pincio, die G. des Maecenas, Pallas u. Epa-
phroditos am Esquilin, die des Agrippa auf
dem Marsfeld, die der Agrippina auf dem
rechten Tiberufer u. die Domitians sind die
bekannten Beispiele in Rom. Scipio soll als
erster einen G. in diesem Stil angelegt haben,
ihm folgte Lukull (Cic. rep. 1, 9; Lael. 25).
Dazu kamen die zahllosen kaiserlichen u.
privaten Villen-G. in allen Teilen des Reiches, für die pompejanische u. campanische
Wandgemälde ebensogute Beispiele bieten
wie die Mosaiken von Syrien, Afrika u. selbst
Germanien; einige der pompejanischen G.-
bilder mögen heilige Haine darstellen (K.
Schefold, Pompejanische Malerei. Sinn u.
Ideengeschichte [1952]; ders., Origins of
Roman landscape painting: ArtBull 42 [1960]
87/96; ders., Vergessenes Pompeji [1962]).
Auf den Wandbildern des Lucretius Fronto
in Pompeji sieht man sie mit kleinen Pavillons, auf dem barberinischen Mosaik von
Praeneste mit über Wasserläufe gespannten
Weinlauben; auf den Villenmosaiken von
Afrika, Gallien u. Germanien sind alle Villen
von solchen G. umgeben (E. Schmidt, Studien zum barberinischen Mosaik in Palestrina [1920]; E. Pernice, Die hellenist. Kunst
in Pompeji 6 [1938]; C. H. Dawson, Romano-
campanian mythological landscape painting
[New Haven 1944]; S. Aurigemma: Rend-
PontAcc 30 [1957/8] 41). Besonders schön ist
die große G.szene aus der Villa der Livia in
Primaporta mit kleinen Altären, Bäumen aller
Art u. blühenden Büschen; die Dichter rühm-
ten die Villen-G. von Tibur u. Sorrent (Hor. c.
1, 7, 11; Stat. silv. 1, 3, 15). Alle aber wurden
übertroffen von den Parkanlagen der Villa
Hadrians. Das Gegenstück zu diesem großen
G. war die gärtnerische Ausstattung der
Peristylhöfe, die eine röm. Erfindung sind,
denn der griech. Peristylhof hat keine G.an-
lagen, sondern ist ein gepflasterter Hof. In
Rom wurden die kaiserlichen Peristyl-G. zu
den Stätten der öffentlichen Empfänge
(Philostr. v. Apollon. 7, 39). Klein-G. legte
man gelegentlich auf Flachdächern an (Sen.
ep. 122, 8). Wer sich nicht einmal einen der
seit Plautus oft bezeugten winzigen Haus-G.

leisten konnte, besaß wenigstens ein paar
Blumentöpfe. G. zu gewerblichen Zwecken
waren u. a. die in Pompeji gefundenen Han-
delsgemüsegärtnereien am Haus des Pansa;
Baumschulen, deren Pflanzen verkauft wurden, nennt Plinius (vgl. das gesamte 17. Buch).
In solchen Anstalten ebenso wie in den großen
Parks hatte man fahrbare Treibhäuser, die
man immer in die beste Sonne fuhr (Plin. n. h.
19, 64). – Die religiöse Bedeutung des röm. G.
unterscheidet sich von der des griech. nur dadurch, daß es im römischen viel mehr Schutzgötter der G. gab: Mater Matuta, *Flora,
Pomona, Silvanus. Dem derben röm. Empfinden entsprach es, den Priapus-Kult so
primitiv wie möglich in die G. einzuführen.
Der ‚ruber hortorum custos‘, ein ‚rigidus
deus‘ aus Holz mit einer Sichel in der Hand u.
einem übergroßen Phallos wehrt Diebe ab
u. sorgt für Fruchtbarkeit (Priap. nr. 1.
4/6. 9. 20 Buecheler; vgl. Buchheit 63_2. 96/9).
Das schönste röm. Beispiel für die Vorstellung
vom G. im Jenseits ist das sog. Kinderpara-
dies vom Grab der Octavia Paulina in Rom;
hier spielen die verstorbenen Kinder zwischen
großen bunten Blumen (J. Leipoldt - W.
Grundmann, Umwelt des Urchristentums 3^2
[1967] Abb. 310). Die häufige Erwähnung der
G. bei Vergil stammt wohl, soweit sie religiösen Charakter hat, aus Homer u. den
griech. Mythographen, soweit sie säkular ist,
aus röm. landwirtschaftlichen Schriftstellern
(Verg. Aen. 6, 893/9; R. T. Bruère, The gar-
den motive in Virgil's 4th georgic: TrProc-
AmPhilolAss 71 [1940] *30f). – Selten ist die
erotische Bedeutung von hortus; vgl. ThesLL
6, 3, 3018, 71/6.

III. Orientalisch. Die ägyptische G.kunst hat,
entsprechend der ägyptischen Frömmigkeit,
besonders an Totenstätten schöne G. angelegt,
zT. mit hervorragenden Bewässerungsanlagen
(Strab. 17, 1, 10 [795]). Am berühmtesten war
der G. im Abaton des Osiris bei Philae (vgl. H.
Junker, Das Götterdekret über das Abaton =
DenkschrWien 56,4 [1913]). Doch haben die
Pharaonen u. vor allem ihre Damen auch
viele Zier- u. Nutz-G. für Duft- u. Gewürz-
pflanzen angelegt; am bekanntesten ist der
Transport von arabischen Duftpflanzen in
Blumenkübeln auf Schiffen durch die Königin Hatschepsut für ihre G.; die Darstellung
aus ihrem Totentempel befindet sich heute im
Museum in Kairo (M. Werbrouck, Le temple
de Hatshepsout à Deir el Bahari [Bruxelles
1948]). – Auch die babylonischen Könige ha-

ben große G. besessen. Am berühmtesten sind
die von Nebukadnezar II angelegten sog. hän-
genden G. der Semiramis, die die Griechen zu
den Weltwundern rechneten. Es ist jedoch
möglich, daß sie, wie aus einem Zeugnis des
Berossos (Jos. ant. Iud. 10, 226 = c. Ap. 141 =
FGrHist 680 F 8a) hervorzugehen scheint,
erst eine medische Schöpfung sind. Sicher bezeugt sind Duft-G. als wesentlicher Bestandteil der babylonischen Kultur. Assyrische
Reliefs zeigen öfter G.darstellungen; am bekanntesten ist eines der Reliefs von Kujund-
schik im Britischen Museum mit dem baum-
reichen G. Assurbanipals. Zu den Balsam-G.
von Jericho vgl. Strab. 16, 2, 40 (763); Diod.
Sic. 2, 48; 19, 96; Jos. ant. Iud. 14, 54; 15, 96.
Dagegen ist die antike Überlieferung über die
Balsam-G. der Arabia felix zumindest stark
übertrieben, da die südarabischen Duftstoffe
meist nur Transitware aus Indien u. Ostafrika
waren. Immerhin dürfte es sich nicht um reine
Legende handeln; sicher sind auch in Arabien
Duftpflanzen angebaut worden, wenn auch in
viel geringerer Menge, als die Antike glaubte
(Diod. Sic. 3, 46; Plut. Anton. 36; Paus. 9, 28,
3; Plin. n. h. 12, 111/35; Tac. hist. 5, 6 u. ö.). –
Die eigentlichen G.künstler des Ostens aber
waren die Perser; das Wort Paradies ist ein
persisches Lehnwort (pairidaēza-, eigentl.
rundes Gehege; vgl. Jeremias). Die Könige
legten sie zT. als riesige Wildparks an, in
denen sie jagen konnten; die persischen Adligen ahmten sie nach. Wollte man einen Menschen besonders ehren, nannte man einen G.
nach ihm (Plut. Alc. 24). Von indischen G.
erzählen die griech. Romanschriftsteller in
Verbindung mit dem Alexanderzug zT. wahre,
zT. sicher übertriebene Geschichten. – Religionsgeschichtlich muß noch angemerkt werden, daß auch Buddhas Erleuchtung in der
gesamten buddhistischen Literatur u. Kunst
in einen G. versetzt wird u. daß der Islam nicht
nur die weltliche persisch-griechisch-röm.
G.kunst übernahm, sondern viele schöne Beschreibungen von dem Paradies-G. in der
Dichtung geschaffen hat.

IV. Jüdisch. Das AT spiegelt in bezug auf die
G. deutlich die Einflüsse seiner Umwelt wi-
der. Wie in Ägypten u. Babylonien legten die
israelitischen Könige u. die Reichen ihre
Lust-G. an, wobei sie oft die Grundstücke der
Armen mit Zwang an sich rissen u. ganze
Häuserreihen in G.land verwandelten (1 Reg.
21; Neh. 3, 15; Koh. 2, 5; Sus. 4; vgl. auch
Jos. ant. Iud. 8, 174; persische Einflüsse Esth.

1, 5). Plinius nennt als palästinensische Besonderheit Balsam-G. (n. h. 12, 111/7). – Rabbinische Naturfeindlichkeit, aber nicht die
Furcht vor dem Blumenduft war es wohl, die
die Vorschrift erließ, in Jerusalem keine G. anzulegen, u. nur dem Tempel einen G. erlaubte
(b Baba Qamma 82 b). Wie für alles andere haben die Rabbinen auch für jede Arbeit im G.
kasuistische Gesetze aufgestellt u. viel darum
gestritten, welche G.arbeit man am Sabbath
noch tun dürfe u. welche nicht; dabei gingen
die einzelnen Meinungen sehr weit auseinander (Beispiele: b Erub. 2, 3; b Baba Bathra
1, 2. 6). – Religiöse Bedeutung hatte der G.
im AT negativ da, wo die Propheten in ihm
einen heidnischen Kult-G. vermuteten (Jes.
65, 3; 66, 17). Für die atl. Ur- u. Endge-
schichte gehört der Mythos vom G. Eden zum
Zentralsten. Gott, der auch sonst als Gärtner
symbolisiert wird (4 Macc. 1, 29), hat ihn
selbst gepflanzt (Gen. 2, 8f) u. geht in ihm
spazieren (ebd. 8; vgl. auch zB. 4 Esr. 3, 6).
In der späteren, zT. griechisch beeinflußten,
jüd. Überlieferung ist er vor der Entstehung
der Erde angelegt u. wird am Ende der Welt
wiederkommen; dann werden die Gerechten
ihn besitzen (Orac. Sibyll. 3, 86; 4 Esr. 8, 52).
Dieser G. ist vielfach allegorisiert worden: er
bedeutet die Gerechtigkeit (Hen. aeth. 32, 3f)
oder die Gemeinde der Frommen (Ps. Sal.
14, 3f). Auch das allgemeine Wort G. wird im
jüd. Schrifttum vielfach bildlich gebraucht,
so für Wohltaten (Sir. 40, 14), Gottesfurcht
(Sir. 40, 28) u. bei den Rabbinen im Anschluß
an das Hohelied u. an Philo als Symbol für
die Frau (P. Courcelle, Recherches sur les confessions de S. Augustin [Paris 1950] 121 f u. o.
Sp. 1055). Besonders Philo braucht das Wort
ständig in mancherlei Bedeutung (C. Siegfried, Philo von Alexandria [1875] 185. 271 f.
340. 345. 350. 366. 382). Eine ganz besondere
Symbolbedeutung hat der G.zaun; als Zaun
ums Gesetz bedeutet er die gesamte rabbinische Tradition (Pirqe Ab. 1, 1). Als solcher
spielt er auch in der Dekorationskunst der Synagoge eine große Rolle (C. H. Kraeling, The
synagogue = The excavations at Dura-Europos, Final report 8, 1 [New Haven 1956] 37₁₁).
B. Christlich. Drei Stellen des NT rückten den
G. in den Gesichtskreis der Christen: ein
Jesusgleichnis hatte die Welt G. Gottes genannt (Lc. 13, 19), in einem G. war Jesus verhaftet worden (Joh. 18, 1. 26) u. in einem G.
als Auferstandener gesehen u. sogar für den
Gärtner gehalten worden (Joh. 20, 15). Diese

drei Stellen u. die Vorstellung vom Paradies-
G. haben stark auf die altchristl. Kunst u.
Literatur eingewirkt, u. zwar in folgenden
Typen: 1) Die Orans im G. (zB. Cubic. S.
Caecilia, S. Maria in Campitelli, Saturninus-
Sarkophag; O. Wulff, Altchristl. u. byzantin.
Kunst 1 [1914] Taf. 4; W. F. Volbach-M. Hir-
mer, Frühchristl. Kunst [1958] Taf. 8). 2) Oft
nur dekorativ gemeinte G.szenen, zuweilen
in Erinnerung an die G.gräber (Mosaiken von
S. Constanza, Krypten von S. Callisto, äußere
Zone des Kuppelmosaiks im Baptisterium der
Orthodoxen in Ravenna, Praetextat-Kata-
kombe), zuweilen mit einfacher Übernahme
eines antiken Motivs wie des Eros im G.
(Domitilla-Katakombe; Wulff aO. Abb. 40f.
44. 49. 85; Volbach-Hirmer aO. Taf. 35. 141).
3) Christus oder Engel im G. (Katakomben
von Alexandria, S. Constanza, Sarkophag von
S. Vitale; Wulff aO. Abb. 76/8. 291. 297;
Volbach-Hirmer aO. Taf. 161). 4) Jesus in
Gethsemane (Lipsanothek von Brescia, hier
im Stil des 4. Jh. durch zwei Bäume angedeutet; Volbach-Hirmer aO. Taf. 89). 5) Susanna im G. (J. Wittig, Die altchristl. Skulpturen im Museum der Deutschen National-
stiftung am Campo Santo in Rom = RömQS
Suppl. 15 [1906] nr. 31). 6) Jonas im G. unter
der Kürbislaube (Volbach-Hirmer aO. Taf.
4f u.ö.). 7) Verschiedene Formen des *Paradieses (Lit. zB.: Apc. Petr. 15f [Hennecke-
Schneem. 2, 482]; 5 Esr. 18f; Paulin. Nol. ep.
32, 12; bildende Kunst: El Bagauat; Erschaffung des Paradieses in der Cotton-Bibel;
S. Constanza; Wulff aO. Abb. 77f. 266; Volbach-Hirmer aO. Taf. 6. 43). Die Seligen
wandeln in diesem G. oder diskutieren als
Philosophen in ihm. Das Paradies als Aufenthaltsort der Seligen mit Christus zusammen: Lc. 23, 43, in das der Christ unmittelbar
nach dem Tod kommt, doch ist der Vers in der
Geschichte der Exegese nicht unwiderspro-
chen geblieben; als Bild für den göttlichen
Raum, in den der Ekstatiker versetzt wird:
2 Cor. 12, 4. In Apc. 2, 7 findet sich nicht die
Vorstellung vom wiederkehrenden Paradies,
wie oft fälschlich behauptet wird, sondern wie
aus ἐστίν deutlich hervorgeht, ähnlich wie Lc.
23, 43, die von einem beständig existierenden
Paradies. In der Symbolik ist entweder Christus der geistige G., in den wir aus dem
unfruchtbaren Land unseres alten Lebens
hinübergepflanzt werden (Clem. Alex. strom.
6, 1, 2, 4), oder das Leben des Christen ist ein
blühender G. (ebd. 7, 15, 91, 6), oder die

christl. Ehe ist ein G., in dem die Kinder die Blumen sind (Clem. Alex. paed. 2, 8, 71, 1). Die Kirche ist ein G., der als Abbild des Paradieses auf Erden erscheint (J. Rinna, Die Kirche als Corpus Christi mysticum [1940] 98; L. Koenen, P. Colon. Inv. 1170: ZPapyrEpigr 4[1969]41f). Antike Vorstellungen werden gern übernommen: Tertullian stellt den nützlichen Obst-G. des Alkinoos dem überflüssigen Rosen-G. des Midas gegenüber (pall. 2, 7 [CCL 2, 738]), Ambrosius behauptet, Platon habe den G. des Hohenliedes gepflückt (bono mort. 5, 19 [CSEL 32, 1, 720]; vgl. W. Theiler, Diotima neuplatonisch: ArchGeschPhilos 50 [1968] 29/47, bes. 38f). In der allegorischen Auslegung des Hohenliedes hat das Bild von der Braut als hortus conclusus eine vierfache Auslegung erfahren: der hortus conclusus ist entweder die Kirche (Cypr. ep. 69, 2; 74, 11) oder der jungfräuliche Leib Mariens (Petr. Chrysol. s. 98 [PL 52, 475 C]) oder die Christin ganz allgemein (ILCV 845, doch unsicher), ferner, in Verbindung mit Lc. 13, 19, das Herz Marias, in das Christus seinen Samen einsät (Aug. tract. in Joh. 121, 3 [PL 35, 1957]). Zu Maria als hortus conclusus vgl. noch Aldhelm. virg. 40 (MG AA 15, 292, 5). Die Christen halten sich gern im G. auf u. wandeln dort in Gesprächen wie die Philosophen (Aug. conf. 8, 12; Paul. Silent.: Anth. Pal. 9, 663f). Vornehme Asketen beschäftigen sich gern mit G.bau (Pallad. hist. Laus. 61 [157 Butler]; Euseb. h. e. 2, 17, 5). Kloster-G. sollen für die Ungebildeten angelegt werden, die sich nicht mit theologischen Studien befassen können (Cassiod. inst. 1, 28, 6f. 29, 1 [71/3 Mynors]). – Von der profanen christl. G.kultur zeugen die byzantinischen Prunk-G., Darstellungen von Klein-G. auf koptischen Textilien, ferner die zahlreichen G.bilder der Ikonoklasten (G. B. Ladner: Traditio 16 [1960] 436/50). – Die Adonisgärtchen werden von Gregor von Nazianz als Bild für geschmückte Frauen verwendet (c. 1, 2; 29, 53). – Zu Segensgebeten für G. u. G.früchte vgl. A. Franz, Die kirchl. Benediktionen im Mittelalter 2 (1909 bzw. 1960) 16; 1, 361/81.

K. ALLEN, The treatment of nature in the poetry of the Roman republic (Madison, Wisc. 1899). – M. T. BALL, Nature and the vocabulary of nature in the works of St. Cyprian (Washington, D. C. 1946). – W. BAUMGARTNER, Zum Nachleben der Adonis-G. auf Sardinien u. im übrigen Mittelmeergebiet: SchweizArchVolksk 43 (1946) 122/48. – G. BENDINELLI, Il concetto

dell'oltretomba nel monumento sepolcrale di Octavia Paulina: Angelos 1 (1925) 122/5. – A. BIESE, Die Entwicklung des Naturgefühls bei den Griechen u. Römern (1882). – J. BILLEN, Baum, Anger, Wald u. G. in der mittelhochdeutschen Heldenepik, Diss. Münster (1965). – W. BOECK, Alte G.kunst (1939). – A. BROCK-UTNE, Der Gottes-G. (1936). – V. BUCHHEIT, Studien zum Corpus Priapeorum = Zetemata 28 (1962). – W. CAPELLE, Der G. des Theophrast: Festschrift F. Zucker (1954) 45/82. – O. COMES, Darstellung der Pflanzen in den Malereien von Pompeji (1895). – E. R. CURTIUS, Europäische Literatur u. lateinisches Mittelalter² (Bern 1954) 202/6. – H. R. FAIRCLOUGH, The attitude of the Greek tragedians towards nature (Toronto 1897); Love of nature among the Greeks and Romans (New York 1963). – L. FRIEDLAENDER, Darstellungen aus der Sittengeschichte Roms 1/4⁹ (1919/21). – A. GEIKIE, The love of nature among the Roman poets (London 1912). – M. GOTHEIN, Geschichte der G.kunst 1 (1926). – M. P. GRIMAL, Les jardins romains² (Paris 1969). – O. GRUPPE, Art. Herakles: PW Suppl. 3 (1918) 1067/77. – K. HECKSCHER, Art. G.: Bächtold-St. 3, 304/7. – V. HEHN, Kulturpflanzen u. Haustiere in ihrem Übergang aus Asien nach Griechenland u. Italien sowie in das übrige Europa⁸ (1911 bzw. 1963). – E. HYAMS, A history of gardens and gardening (New York 1971). – J. JEREMIAS, Art. παράδεισος: ThWb 5 (1954) 763/71. – J. KROLL, Elysium = AGForschNordrhWestf 2 (1953) 7/35. – G. LAFAYE, Art. hortulanus u. hortus: DarS 3, 276/93. – E. LANGLOTZ, Aphrodite in den G. (1954). – H. LECLERCQ, Art. Jardin, jardinière, jardiniers: DACL 7, 2, 2156/9. – M. LURKER, Der Baum in Glauben u. Kunst (1960). – E. MARTINENGO-CESARESCO, The outdoor life in Greek and Roman poets (London 1911). – OLCK, Art. G.bau: PW 7, 1 (1910) 768/841. – R. PAGENSTECHER, Über das landschaftliche Relief bei den Griechen: SbHeidelberg 1919, 10, 1. – V. PÖSCHL - H. GÄRTNER - W. HEYKE, Bibliographie zur antiken Bildersprache (1964). – C. RANCK, Geschichte der G.kunst (1909). – O. SCHISSEL, Der byzantinische G. u. seine Darstellung im gleichzeitigen Roman: SbWien 221, 2 (1942). – C. SCHNEIDER, Geistesgeschichte des antiken Christentums 1 (1954) 413/30; Kulturgeschichte des Hellenismus 1 (1967) 147/55. – G. SCHÖNBECK, Der locus amoenus von Homer bis Horaz, Diss. Heidelberg (1962). – E. SCHRÖDINGER, Nature and the Greeks (Cambridge 1954). – A. SEIDENSTICKER, Waldgeschichte des Altertums 2 (1868). – W. SPEYER, Naucellius u. sein Kreis = Zetemata 21 (1959) 53f. – R. STRÖMBERG, Griechische Wortstudien. Untersuchungen zur Benennung von Tieren, Pflanzen, Körperteilen u. Krankheiten (Göteborg 1944). – H. SULZE, Ἀδώνιδος κῆποι: Angelos 2 (1926) 44/50; ebd. 3 (1928)

72/91. – W. Theiler, Zur Geschichte der teleologischen Naturbetrachtung bis auf Aristoteles[2] (1965). – D. B. Thompson, Ancient gardens in Greece and Italy: Archaeology 4 (1951) 41/7. – R. Wäntig, Haine u. G. im griech. Altertum (1893).   *C. Schneider.*

Gastfreundschaft.

A. Allgemeine Grundlagen. I. Freund-Feind-Ambivalenz 1061. – II. Motive für Gewährung der G. a. Besondere Qualifikationen des Fremden 1064. b. Gegenseitigkeitsprinzip 1065. c. Nächstenliebe 1066.

B. Nichtchristlich. I. Israel u. Judentum. a. Begriffliche Trennung von Volksangehörigen u. Fremden 1067. b. Fremdengesetze 1068. c. Begründung der G. 1070. d. Verdienstlichkeit 1070. e. Gefahren der G. 1070. f. Musterbeispiele 1071. g. Zunehmende Isolierung 1072. h. Brüdergemeinschaften 1072. – II. Ägypten 1073. – III. Das vorislamische Arabien. a. Praxis 1074. b. Motive 1075. c. Rechtsverhältnisse 1076. d. Fortwirken im Islam 1076. – IV. Homerische Zeit. a. Adelsethik 1077. b. Schutzflehender u. Gast 1078. c. Pflichten des Gastherrn u. des Gastes 1079. d. Der mittellose Gast 1081. e. Zeremoniell 1081. – V. Griechisch-römische Welt. a. Private G. 1. G. als Zeichen der Gesittung 1082. 2. Arme als Gastgeber 1083. 3. G. als Verpflichtung des Reichtums 1083. 4. Philosophische Lehren über G. 1085. 5. G. in Tragödie u. Komödie 1086. 6. Erkennungszeichen 1087. 7. Verletzung der G., gebotene Rücksichten 1088. 8. Rechtsverhältnisse 1091. 9. Politische G. 1092. b. Staatliche G. 1. Formen 1092. 2. Staatliche Gesetze u. Verträge 1093. 3. G. für Theoren 1094. 4. Proxenie 1094. 5. Verpflichtung der Bürger verbündeter Staaten 1096. 6. Hospitium als Patronatsverhältnis 1096. 7. Hospitium publicum ohne Patronatsverhältnis 1097. 8. Zeichen 1098. 9. G. für Gesandte u. Staatspersonen 1099. 10. Parochie 1101. 11. Militärische Einquartierung 1101. 12. Ansiedlung der foederati u.ä. 1103.

C. Christlich. I. NT. a. G. als Form der Nächstenliebe 1103. b. G. im Leben Jesu 1105. c. Apostolische Zeit 1105. – II. Kirchliche Tradition. a. Bis Ende des 2. Jh. 1107. b. 3. Jh. 1109. c. 4. bis 5. Jh. 1. Im Orient 1110. 2. Lateinische Quellen 1112. – III. Mönchtum. a. Im Osten 1115. b. Im Westen 1117. c. Fortlebendes Mönchsideal 1118. – IV. Laien 1118.

A. Allgemeine Grundlagen. I. Freund-Feind-Ambivalenz. Rechtsnormen u. sittliche Verhaltensregeln gelten grundsätzlich nur innerhalb der eigenen sozialen Gruppe. Ein *Fremder ist rechtlos (zu seiner Rechtslage vgl. Gaudemet-Fascher 312/4. 324). Zugleich aber gilt er gerade in primitiven Kulturen als potentieller Träger unbekannter u. unheimlicher Kräfte. Seine Ankunft kann Befleckung, Tod oder Verseuchung, Unheil aller Art bedeuten. Die erste in magisch-religiösem Denken sich ergebende Reaktion aus dieser Angst ist Abwehr u. Feindseligkeit. – Ist man seiner eigenen Überlegenheit sicher (dieses Gefühl steigert sich zuweilen so weit, daß nur Angehörige der eigenen Lebensgemeinschaft als Menschen angesehen werden), dann wird der Fremde getötet oder auf andere Weise eliminiert (Dorsingfang-Smets 60/2). Meistens aber ist diese Sicherheit nicht gegeben: man kennt die Macht nicht genau, die der Fremde mitbringt. Sind seine Geister mächtiger, dann würde die Tötung oder auch bloß unfreundliche Behandlung des Fremden die Rache u. das Unheil erst recht auf die eigene Gemeinschaft herabziehen. Es ist deshalb besser, ihn günstig zu stimmen u. auf solche Weise unschädlich zu machen. Die G. ist somit von ihrem Ursprung her in religiöser Scheu begründet; in ihr erweist sich religiöse Scheu als der Faktor, der die primitive Menschheit vor gegenseitiger Ausrottung bewahrt u. die Interkommunikation der Gruppen ermöglicht. Die Stellung des ankommenden Fremden bleibt ambivalent: er ist einerseits unheimlicher Feind, andererseits respektvoll zu behandelnder Gast. Das Wort Gast bezeichnet eben diesen komplexen Begriff; es ist im Kreis der idg. Sprachen (Urform *ghostis) nur dem Germanischen u. dem Lateinischen eigen, außerdem erscheint es im Slavischen, möglicherweise aus dem Germanischen entlehnt (Walde, Wb.[3] 1, 663f; dagegen V. Pisani: Die Sprache 7 [1961] 101$_6$). Spuren der alten Zwielichtigkeit zeigen sich im Germanischen zB. darin, daß der Gott Odin als der unheimliche, unerkannte Wanderer mit dem altnordischen Wort gestr (Gast) bezeichnet wird, wenn er als ungebetener Ankömmling bei den Menschen einkehrt (vgl. W. Golther, Hdb. d. german. Mythologie [1895] 341/4). Die lat. Grammatiker haben ausdrücklich vermerkt, daß hostis, im 1. Jh. vC. längst eingeschränkt auf den Begriff ‚Feind der eigenen politisch-sozialen Gruppe, des Volkes', im Altlateinischen gesagt worden sei vom Angehörigen einer fremden Gruppe schlechthin, auch dem friedlich verkehrenden, im Hinblick darauf, daß er nicht nach römischem Recht, sondern dem ihm eigenen Rechte lebte (Varro l.l. 5, 3: multa verba aliud nunc ostendunt, aliud ante significabant, ut hostis. nam tum eo verbo dicebant peregrinum, qui suis legibus uteretur, nunc dicunt eum, quem tum dicebant perduellem; vgl. Cic. off. 1, 37; Paul.-Fest. s.v. hostis [91 Lindsay]). Ansatzpunkt ist die Erklärung des Wortgebrauchs im Zwölftafelgesetz, das u.a. bestimmt: adversus hostem aeterna auctoritas esto (gegenüber einem Nichtbürger behält der röm. Bürger für alle Zeit die rechtliche Macht, den Eigentumsanspruch an einer im Besitz des Fremden befindlichen Sache geltend zu machen; vgl. R. Bierzanek, Quelques remarques sur le statut juridique des étrangers à Rome: Iura 13 [1962] 96/101). Das röm. Recht schützt konsequenterweise das Recht des eigenen Bürgers, dem Fremden wird die usucapio

(Ersitzung) versagt, indem der Eigentumsanspruch des Bürgers als unverjährbar erklärt wird. Unhaltbar ist jedoch die These, die von der Annahme ausgeht, daß der natürliche Zustand des Verhältnisses zwischen einander fremden Gruppen die Feindschaft, der Krieg sei, hostis also ursprünglich ‚Feind' bedeutet habe, u. daß dann, nachdem durch Freundschaftsverträge der Kriegszustand beendet worden sei, der jetzt zum Freund gewordene Fremde die Bezeichnung hostis beibehalten habe (Mommsen, StR 3, 590 f. 598 f; dagegen Heuss 3/18; de Martino 11/24). Das Verhalten gegenüber dem fremden Ankömmling ist auch in den gesellschaftlichen Urformen keineswegs immer feindlich, sondern in jedem Einzelfall offen, je nachdem ob religiöse Motive oder Nützlichkeitserwägungen dafür sprechen, sich mit dem Fremden gut zu stellen oder nicht. Vor der Wirkung eventuell vorhandener magischer Kräfte des Fremden schützt man sich am besten, indem man ihn zeitweilig in den eigenen sakralen Verband integriert (G. Mensching: Hdb. d. Soziologie [1956] 848). Das kann nach einer Art Quarantäne geschehen. Im germanischen Bereich gilt der Rechtssatz: Zwei Tage Gast, vom dritten Tag an Hausgenosse (J. Grimm, Deutsche Rechtsaltertümer 1⁴ [1899] 551/3). Schon Versklavung statt Tötung bedeutet eine Integration des Fremden, noch mehr die freundliche Gewährung der G. Indem der Fremde die G. annimmt, verzichtet er seinerseits darauf, seine Kräfte gegen das Wohl der ihn Aufnehmenden wirksam werden zu lassen; er ordnet sich dem Oberhaupt der Gruppe freiwillig unter. Diesen Sachverhalt gibt die lat. Bezeichnung des Gastgebers als hospes exakt wieder (etym. *hosti-pot-s [pot- = der Mächtige, der Herr], d.h. ‚der Gewalt hat über den Fremden'). – Fürs Altlateinische ist somit auszugehen von einem antithetischen Begriffspaar hostis = der Fremde, der im günstigen Falle zum freundlich Aufgenommenen wird, u. hospes = der aufnehmende Gastgeber als Gastherr. Erst unter dem Einfluß der griech. Kultur, wo diese beiden Aspekte nicht geschieden werden, geht das Lateinische dazu über, hospes für den Gast wie für den Gastgeber gleicherweise zu verwenden; für hostis bleibt, nachdem die Bedeutung des friedlichen Fremden von hospes übernommen ist, nur noch die verengte Bedeutung des Fremden als Feind übrig. Im Germanischen bleibt die ambivalente, aber in der Praxis überwiegend freundliche Bedeutung des Wortes Gast erhalten. Die antiken Schriftsteller heben die G. der Germanen als einen charakteristischen Zug hervor, der besonders auffiel (Caes. b. Gall. 6, 23, 9; Tac. Germ. 21). Die Aufnahme des Gastes erfolgt unter bestimmten, von Gruppe zu Gruppe verschiedenen Riten, die teils den Zweck haben, die vom Fremden mitgebrachten schädlichen Kräfte unwirksam zu machen (zB. Exorzismen, Reinigungszeremonien für denjenigen, der Zuflucht sucht, weil er von einer anderen Gruppe infolge einer Schuld ausgestoßen worden ist), teils die Eingliederung in die eigene Lebensgemeinschaft bewirken sollen (zB. Hinführen des Fremden auf einen bestimmten Sitzplatz, gemeinsames Essen); beide Zwecke vereinigt zB. die Blutsbrüderschaft: Das fremde Blut des Ankömmlings wird gewissermaßen mit dem Blut des Aufnehmenden ausgewechselt u. der Fremde wird so zum Mitglied der Gruppe, die durch Blutsverwandtschaft miteinander verbunden ist (Dorsingfang-Smets 61/3). Ganz gelingt freilich das Unschädlichmachen der fremden Kräfte durchaus nicht immer: Der fluchbeladene Gast, der, auch ohne es zu wollen, Unheil über das Haus des Gastgebers bringt, ist ein weit verbreitetes literarisches Motiv (D. Korzeniewski, Zum Prolog der Stheneboia des Euripides: Philol 108 [1964] 62 f). Nach der Integration gilt der Gast als Mitglied der Familie des Gastherrn; dieser ist verantwortlich für die Handlungen des Gastes. Ein Unrecht, das dem Gast angetan wird, ist zugleich ein Unrecht gegen den Gastherrn, der die Rolle des Patrons übernimmt. Der Gastherr hat das Recht, für seinen Gast die Sühne zu fordern, u. er beerbt ihn, wenn der Gast während des Aufenthaltes bei ihm stirbt.

II. Motive für Gewährung der G. a. Besondere Qualifikationen des Fremden. Was auf seiten des Fremden dessen Aussichten auf freundliche Aufnahme verbessert, sind zunächst alle Indizien, die auf den Besitz geheimer Kräfte schließen lassen. Zauberpriester, Medizinmänner, aber auch Musiker, Schmiede, Trommler u. andere Träger spezieller Kunstfertigkeiten werden auch von solchen Stämmen respektiert, die sonst für Fremde unzugänglich sind. Auf einer etwas höheren Stufe spielt aber auch schon der Schutz des Schwachen, von dem keine Gefahr zu befürchten ist, eine Rolle. Gerade die Schwäche des Schutzflehenden wird dann zum Grund, ihm freund-

lich zu begegnen. Oft werden Frauen als Gesandte zu fremden Stämmen geschickt, bei
denen Männer feindlich abgewehrt werden.
Die beste Gewähr aber bietet eine persönliche
Beziehung. Als solche gilt eine, wenn auch
noch so entfernte, Verwandtschaft. Es ist daher in primitiven Kulturen sehr wichtig, seine
Genealogie möglichst weit zurück zu kennen,
um sich notfalls darauf berufen zu können.
Gemeinsamkeit des Namens oder des Totems
vermag an Stelle der Verwandtschaft zu treten. Die frühere Bekanntschaft mit einem
Mitglied der Gruppe bedeutet eine vorzügliche Einführung: der eingeborene Diener, dem
ein Forscher es zu verdanken hat, daß er zu
dessen Stamm Zutritt findet, ist ein oft genanntes Beispiel. Geschenke dienen dazu, die
Bekanntschaft zu schließen u. zu erhalten.
Schließlich kommen auch Nützlichkeitserwägungen zum Zuge. Kaufleute werden bei
den Gruppen, die fremde Waren zu erwerben
wünschen, geschützt. Der Handel führt zum
Gegenseitigkeitsprinzip u. davon ausgehend
zu Vereinbarungen u. Verträgen, welche die
primitive Isolation der Gruppen überwinden
(Dorsingfang-Smets 61/72).

b. Gegenseitigkeitsprinzip. Gegenüber den so-
zialgeschichtlich archaischen Zuständen, die
sich im germanischen u. altlateinischen Wortschatz spiegeln u. deren wesentliche Züge
schon im altindischen Rigveda erkennbar
sind (P. Thieme, Der Fremdling im Rigveda = Abh. f.d. Kunde d. Morgenl. 23, 2
[1938]), weist die griech. Sprache eine
fortgeschrittene Stufe hin. Dem Griechen
fehlt das idg. Erbwort *ghostis. Die Versuche,
griech. ξένος mit *ghostis in Verbindung zu
bringen (zB. A. Juret: RevÉtLat 16 [1938]
68), sind gescheitert u. angesichts der begrifflichen Verschiedenheit dessen, was beide
Wörter ausdrücken, im Ansatz verfehlt. Bereits die älteste Überlieferung, das Griechisch
der mykenischen Zeit, kennt in der Form
ke-se-nu-wo das Wort ξένος (aus ξένϝος, vgl.
ke-se-nu-wi-ja = ξένϝια ‚Gastgeschenke‘;
Frisk, Griech. etym. Wb. 2, 333f). Das Wort
bedeutet von Anfang an undifferenziert den
aufgenommenen Gast ebenso wie den Gastgeber, d.h. es setzt einen entwickelten Verkehr zwischen den einzelnen sozialen Gruppen
voraus, der ein gegenseitig gleich starkes Interesse an Schonung u. freundlicher Behandlung entstehen läßt. Die religiöse Motivation
wird überlagert vom utilitaristisch-ethischen
Motiv der Vergeltung. Der Fremde wird des-

wegen gut aufgenommen, weil man selber,
wenn man in die Fremde reist, sich gute Aufnahme erhofft. Der Unterschied zwischen auf-
genommenem Gast u. aufnehmendem Wirt
ist unter solchem Gesichtspunkt belanglos, da
beide Partner diese Rollen abwechselnd zu
spielen haben. Wer einen Fremden freundlich
bewirtet, erwirbt einen Anspruch darauf, daß
jener Fremde ihn später, falls er in dessen
Heimat kommt, ebenso gastlich aufnimmt.
Die Sprache bedarf eines Ausdrucks, der die
Teilhaber eines derartigen Partnerschaftsver-
hältnisses bezeichnet, u. hat ihn im Wort
ξένος gefunden, das auch im Neuphrygischen
belegt zu sein scheint. Offen bleibt, ob die Griechen das Wort aus dem Kreise der kleinasiatischen Sprachen entlehnt haben, oder ob das
neuphrygische Wort (Vokativ ξευνε, unsicher)
aus dem Griechischen entlehnt ist. Das idg.
Wort *ghostis war seinem Begriffsinhalt nach
völlig ungeeignet, die Gleichheit der Partner
im Verhältnis von Gastfreunden auszudrük-
ken. Nachdem allerdings in der Entwicklung
der griech.-röm. Kultur das Gegenseitigkeitsprinzip sich durchsetzte in einer Weise, die
sogar bis zu juristisch formulierten Ansprüchen der Partner führte, übernahm die lat.
Sprache die Begriffsstruktur von griech.
ξένος, indem hospes durch Bedeutungser-
weiterung als Lehnübersetzung für ξένος
fungierte (s.o. Sp. 1063). Bereits am Ende des
3. Jh. vC. bedeutet auch lat. hospes Gast u.
Gastgeber zugleich.

c. Nächstenliebe. Im Unterschied zur griech.-
röm. Welt beruht die G. im ägyptisch-orien-
talischen Raum stärker auf dem religiös-
ethischen Gebot, dem Notleidenden zu helfen,
u. zwar zunächst dem Angehörigen der eigenen Gruppe. Doch sehr früh wird das Gebot
der Barmherzigkeit umfassend u. auf den
Fremden ausgedehnt. Gerade in den Wüsten-
gebieten des Vorderen Orients hängt das
Überleben des Wanderers davon ab, daß er
an den Lagerstätten der Beduinen Zuflucht
findet. Von da ausgehend ist die Regel, jedem
Menschen die unmittelbar notwendige Hilfe
zu gewähren, Bestandteil der gemeinorientalischen Weisheitstradition geworden. Sie
führt nicht selten zu Konfliktsituationen,
so in Ägypten, wo als Reaktion auf lange
Fremdherrschaft u. Unterdrückung die Politik
fremdenfeindlich ist, im Gegensatz zur weiterhin gelehrten Ethik. Besonders akut aber
wird die Antinomie im Volk Israel. Der Bun-
desschluß mit Jahwe, der das Volk konstitu-

iert, kann nur durch ständiges Bemühen um kultische u. ethnische Reinheit, das bedeutet soziale Abgrenzung gegenüber der erst kanaanäischen, später mesopotamischen u. schließlich hellenistischen Umwelt, gewahrt werden. Umgekehrt aber ergibt sich aus der intensiven Ethisierung der Jahwe-Religion, die mit der Rezeption der gemeinorientalischen Tradition in gleicher Richtung zusammengeht, die Ausdehnung des von Jahwe geforderten guten Verhaltens auf alle Menschen, auch auf die Fremden. Der Widerspruch durchzieht das ganze AT u. in bestimmten Epochen ist die Fremdenfeindlichkeit stärker als die *Nächstenliebe.

B. Nichtchristlich. I. Israel u. Judentum. a. Begriffliche Trennung von Volksangehörigen u. Fremden. Das hebräische Volk lebt in den alten Traditionen der Mildtätigkeit u. G., wie sie in Ägypten sichtbar sind. Im religiösen u. ethischen Zusammenhang mit dem mosaischen Gesetz erhalten sie eine eigene Prägung. Das AT bejaht klar die Unterscheidung zwischen dem Einheimischen ('ezrāḥ, tôšāb) u. dem Fremden (gēr, nokrî), der im Lande wohnt, ohne darin geboren zu sein (Gen. 23, 4). Im Griechischen entsprechen προσήλυτος, πάροικος, ἀλλογενής, im Lateinischen alienigena, alienus, colonus, peregrinus. Als Abraham nach dem Verlust Saras die Söhne des Het um ein Grab für ihre Bestattung bittet, beruft er sich darauf, daß er, wenn auch Fremder, so doch ein Gast (gēr wᵉtôšāb) ist, der unter ihnen wohnt (Gen. 23, 4/6), d.h. aufgenommen im Nachbarland zur Niederlassung, doch ohne die Rechte der Eingeborenen. Der Unterschied ist nicht bloß leeres Wort. Er macht sich bemerkbar in einer Trennung, derzufolge der Einheimische mit dem Fremden nicht frei verkehren, noch der eine des andern Haus betreten kann, ohne sich Befleckung zuzuziehen. Petrus spielt darauf an, als er bei seiner Ankunft beim noch heidnischen Centurio Cornelius sich verpflichtet glaubt, mit einer Art Entschuldigung vor der versammelten Menge in Erinnerung zu rufen, daß ,es einem Juden durchaus verboten ist, mit einem Fremden zu verkehren u. bei ihm einzukehren' (Act. 10, 27f). Ein handgreifliches Beispiel bietet die Bewirtung der Brüder bei Joseph, der durch die Gunst des Pharao vom hebräischen Sklaven zum ägyptischen Haushofmeister aufgestiegen ist: Man bedient ihn gesondert, die Brüder gesondert u. gesondert auch die Ägypter, die in seinem Hause essen, weil ,die

Ägypter nicht ihre Mahlzeit zusammen mit den Hebräern einnehmen dürfen; sie verabscheuen solches'. Es ist eine Ausnahme, daß Joseph den Gästen Ehrenbissen von seiner Schüssel überbringen läßt, wobei die Benjamins ,fünfmal größer sind als die aller anderen' (Gen. 43, 32/4). Noch das Evangelium spielt an auf die Feindschaft zwischen Juden u. Samaritern (Joh. 4, 9). So hartnäckig ist das bis zur Skrupelhaftigkeit getriebene Vorurteil, daß Iudc. 19, 11f der Levit, der mit seiner Konkubine, erschöpft von der Reise, um eine Unterkunft besorgt ist, die Anregung des Dieners, in der Not die Stadt der Jebusiter aufzusuchen u. dort zu übernachten, von sich weist: ,Wir werden nicht in eine Stadt von Fremden gehen, die keine Israeliten sind'.

b. Fremdengesetze. Dennoch zeigt sich, mit jener Zwiespältigkeit, die auch im heidnischen Bereich den Fremden zugleich als Feind u. als Gast sieht, die hebräische Gesetzgebung durchaus fremdenfreundlich. Eine Reihe von Vorschriften bezeugt die Wertschätzung, die er genießen soll. Man soll nicht nur nicht ungerecht sein gegen ihn (Jer. 7, 6; Sach. 7, 10; Hes. 22, 7) u. ihn nicht belästigen (Ex. 23, 9; das ist nur die negative Kehrseite der Erfüllung des göttlichen Gebots), sondern ihm auch Hilfe gewähren: ,Teile dein Brot mit dem Hungrigen; führe Arme u. Umherirrende in dein Haus; siehst du einen nackt, bekleide ihn' (Jes. 58, 7). Einem Fremden die G. zu versagen, wäre unverschämter Geiz (Job 31, 32; vgl. Gen. 19, 2; Ex. 2, 19f u.a.). Der Fremde, der in Israel Kinder gezeugt hat, soll wie ein eingeborener Israelit gelten u. am Erbbesitz teilhaben (Hes. 47, 22f); man soll ihn lieben wie sich selbst (Lev. 19, 34). In Ps. 23, 5 erscheint der Herr als der großzügige Gastgeber, der den Tisch bereitet für den, dem er Obdach gewährt im Angesicht seiner Feinde, die nichts gegen ihn vermögen. Er schützt den Fremden (Ps. 146, 9), er tritt für ihn vor Gericht ein gegen seine Unterdrücker (Mal. 3, 5). Der Gast ist zwar in Israel heilig wie Witwen u. Waisen, die häufig neben ihm genannt werden, aber man behandelte ihn oft schlecht (Sir. 29, 23/8), begegnete ihm mit Argwohn u. murrte wider ihn (Sir. 11, 34). Ihn zu beleidigen ist jedoch eine schwere Sünde, deren Jahwe durch den Mund des Jeremias (22, 3) sein Volk anklagt; bei Hes. 22, 7 sagt Jahwe: ,Bei dir tut man dem fremden Gast Gewalt an'. Unter den Verheißungen an Abraham steht, neben der einer Nachkommenschaft, das Vorrecht, daß sie Jahwes Stammesgäste sein werden in einem Land, das nicht das ihre ist (Gen. 15, 13). Im übrigen ist das Gesetz dem Fremden günstig (vgl. Gaudemet-Fascher 312/4); es räumt ihm die Gleichheit vor dem Richter ein (Ex. 12, 49; Lev. 24, 22; Num. 15, 15; Dtn. 1, 16; 24, 17; 27, 19). Die Zufluchtstätten stehen ihm nach unfreiwillig begangenem Totschlag ebenso offen wie dem Hebräer (Num. 35, 15; Jos. 20, 9). Idumäer u. Ägypter können nach drei, Ammoniter u. Moabiter nach zehn Generationen eingebürgert werden. Als Arbeiter darf der Fremde am selben Tage seinen Lohn fordern (Dtn. 24, 14f). Er darf sich als Sklaven verkaufen, aber auch selber Sklaven besitzen (Lev. 25, 45. 47). An den Früchten, die nach der Ernte auf dem Felde bleiben, hat er ebenso Anteil (Lev. 19, 10; Dtn. 24, 19/21) wie an den Schmäusen, die man bei Zahlung des Zehnten u. an Festtagen abhält (Dtn. 14, 28f; 16, 11. 14; 26, 11f; Tob. 1, 8). Ihm ist gestattet, was dem Hebräer verboten ist, vom Fleisch verendeter Tiere zu essen (Dtn. 14, 21) u. auf Zins zu leihen (Dtn. 23, 21). Bei der Verteilung der Ländereien darf er mit das Los ziehen (Hes. 47, 22f). Wer den Fremden aufnimmt, soll seine Entscheidungsfreiheit achten u. keinen Druck auf ihn ausüben. Die von jedem Rassenvorurteil freie Haltung des jüd. Gesetzgebers Moses rühmt Jos. c. Ap. 2, 209f: ‚Beachtung verdient, welches Maß von Billigkeit gegenüber Fremden unser Gesetzgeber verlangt hat. Er dürfte die besten Maßnahmen getroffen haben, daß wir weder die Bräuche der Vorfahren mißachten, noch uns denen, die mit uns zusammen zu leben wünschen, feindselig zeigen. Liebevoll nimmt er die auf, die unter unsern Gesetzen leben wollen, in der Überzeugung, daß diese Gemeinschaft nicht nur von Stammesverwandtschaft, sondern von der freiwilligen Gemeinsamkeit der Sitten abhängt'. – Im religiösen Bereich unterliegt der Fremde in Israel denselben Pflichten hinsichtlich des Verbots der Gotteslästerung, des Götzendienstes, der Entheiligung des Sabbats (Lev. 17, 10; 18, 26; 20, 2f; 24, 16; Hes. 14, 7f; Ex. 20, 10; Dtn. 5, 14). Zum Paschamahl kann er durch die Beschneidung die Zulassung erlangen (Ex. 12, 48f). Niemand hindert ihn, im Tempel zu beten: Salomo bittet im Einweihungsgebet zu Gott, er möge die Gebete des nokrî ebenso wie die des Israeliten erhören (1 Reg. 8, 41). Das steht in völligem Gegensatz zu griechisch-römischer

Auffassung, nach der die bloße Anwesenheit eines Fremden die Kulthandlung durch Befleckung unwirksam macht (N. D. Fustel de Coulanges, La cité antique [Paris 1864 bzw. 1952] 36).

c. *Begründung der G.* Begründet wird die herkömmliche Fremdenfreundlichkeit damit, daß die Hebräer selber einst Sklaven in Ägypten gewesen sind (Dtn. 16, 12; 24, 18) u. Fremde in jenem Lande (Ex. 22, 21; 23, 9; Lev. 19, 34; Dtn. 10, 19; 23, 8). Ein weiteres Motiv ist die Dankbarkeit gegenüber denen, die sie einst bei sich aufgenommen haben. Eine besondere Rolle spielen die jährlichen Wallfahrten nach Jerusalem, während deren der Pilger unter der großen Masse froh ist, ein Lager u. einen gedeckten Tisch zu finden. Eine spiritualisierende Auffassung sieht im Israeliten den Gast (gēr) Gottes (Lev. 25, 23). Jahwe hat ihm ein Land zu Lehen gegeben, das ihm nicht wirklich zu eigen ist; er ist ein Fremder, ein Durchreisender wie seine Vorfahren, ein Gast auf einer kurzen irdischen Wanderschaft (Ps. 39, 13; 1 Chron. 29, 15), dessen Tage entfliehen wie der Schatten. Die Hilfe, die er dem Fremden gewährt, die Güte, die er ihm erweist, erwartet er als Vergeltung von Gott für sich selbst (Ps. 119, 19).

d. *Verdienstlichkeit.* Die Fürsorge für den Gast findet ihren Lohn auf verschiedene Weise: Sarah empfängt die Verheißung einer baldigen Nachkommenschaft trotz ihres Alters (Gen. 18, 9/15); Lot wird errettet vor der rasenden Menge, die sein Haus belagert, dann vor dem Untergang Sodoms (Gen. 19, 9/24); der Witwe von Sarepta vermehrt sich wunderbar Mehl u. Öl (1 Reg. 17, 16); die Sunamitin erfährt die Auferweckung ihres Sohnes (2 Reg. 4, 18/37). Doch vor allem ist G. ein Mittel, sich der Gegenwart Gottes zu versichern. Die Rabbinen sehen in ihr die sicherste Garantie für das Jenseits. ‚Wer G. gerne übt, dem gehört das Paradies' (Jalkut Re'ubeni 42, 2). ‚Einen Wanderer aufnehmen ist besser, als wenn dir eine Erscheinung der š°kinā (Gegenwart Gottes) zuteil wird' (Schevuoth 35, 2; vgl. Ch. Schoettgen, Horae hebraicae et talmudicae in universum Novum Testamentum 1 [1733] 220; vgl. ebd. 564f; zitiert bei Lesêtre, Hospitalité 763).

e. *Gefahren der G.* Die G. soll dennoch nicht unterschiedslos u. ohne Überlegung geübt werden. Sie kann sonst zur Last für beide Teile werden. Die Weisheitsregeln lehren: ‚Führe nicht einen jeden in dein Haus, denn

zahlreich sind die Nachstellungen des Listi-
gen' (Sir. 11, 29). ‚Gib dem Fremden Zutritt
u. das Durcheinander beginnt: Du bist nicht
mehr Herr im eigenen Hause' (Sir. 11, 34).
‚Besser ein Leben in Armut in einer Hütte als
herrliche Gastmähler in einem fremden Hause.
Ob du viel besitzest oder wenig, sei zufrieden
u. begib dich nicht in die schmähliche Rolle
eines Fremden. Ein trauriges Leben ist es,
von Haus zu Haus zu ziehen, u. wo du als
Fremder ohne Bürgerrecht wohnst, wagst du
nicht den Mund aufzutun, du bist ein Fremder, du kostest die Beschämung u. bekommst
obendrein harte Worte: ʻKomm her, Fremder,
deck den Tisch; hast du etwas, gib zu essen.
Pack dich, Fremder, mach Platz für einen
Würdigeren. Mein Bruder kommt zu Besuch,
ich brauche mein Haus.ʼ Es ist hart für einen
Verständigen, sich die G. vorwerfen zu lassen,
wie ein Schuldner behandelt zu werden' (Sir.
29, 22/8).

f. **Musterbeispiele.** Beispiele der G. im AT
sind: 1) Abraham, der unter der Eiche von
Mamre die drei Fremden begrüßt u. ihnen
freundliche Dienste erweist (Gen. 18, 1/8; vgl.
Dalman 134/40). Dieses Beispiel hat am stärksten fortgewirkt, in Predigt u. Literatur ebenso wie in der Ikonographie (vgl. V. Monachino, La carità cristiana in Roma = Roma cristiana 10 [Bologna 1968] Abb. 3 nach S. 64). –
2) Lot, der die zwei himmlischen Boten, die
ihm am Tor Sodoms begegnen, in sein Haus
bittet u. ihnen zuliebe sein Leben u. die Jungfräulichkeit seiner Töchter aufs Spiel setzt
(Gen. 19, 1/8; vgl. Dalman 141). Beide Beispiele sind sprichwörtlich u. werden von den
Kirchenschriftstellern unzählige Male zitiert.
– 3) Die Witwe von Sarepta, die Elias beim
Reisiglesen antrifft, u. die trotz äußerster Armut nicht zögert, ihn in ihr Haus zu führen u.
mit ihrem wenigen zu bewirten (1 Reg. 17,
8/16). – 4) Die Sunamitin, die Elisaeus an
ihren Tisch lädt u. ihren Mann bittet, ihn in
seinem Hause wohnen zu lassen (2 Reg. 4,
8/10). – 5) Mika, der einen Leviten ohne Obdach drängt, sich in seinem Hause niederzu-
lassen (Iudc. 17, 7/13). – 6) Der Greis vom
Gebirge Ephraim, der in Gibea wohnt: abends
von der Arbeit heimkehrend bemerkt er einen
Leviten, der mit Diener, Konkubine u. zwei
erschöpften Reiteseln vergeblich eine Unterkunft sucht. Er bietet seine G. an, nimmt sie
in sein Haus u. sorgt für sie u. die Tiere. Vor
dem Hintergrund des darauffolgenden Verbrechens der Einwohner von Gibea an den

Fremden, einer, wie es heißt, seit dem Auszug
aus Ägypten noch nie dagewesenen Scheuß-
lichkeit, hebt sich die nicht nur den Fremden,
sondern auch deren Reittieren gewährte G.
als eine edle Tat besonders ab (Iudc. 19, 15/30;
vgl. Dalman 142). – 7) Job kann sich rühmen,
daß bei ihm nie ein Fremder draußen zu schlafen brauchte u. daß seine Tür den Reisenden
immer offen stand (Job 31, 32).

g. **Zunehmende Isolierung.** Die politische u.
gesellschaftliche Entwicklung führt nach der
babylonischen Gefangenschaft zu einer Verhärtung: Der Fremde wird in gewisser Weise
wieder, was er von Natur aus war, ein Fremdkörper im Volk, mit dem man keinen Umgang haben soll. Er ist fortan gehalten, unter
Androhung des Ausschlusses aus der Gemeinschaft, sich zum Judentum zu bekehren, wenn
er Bürgerrecht genießen will (Neh. 10, 31).
Mehr u. mehr schließen sich die Israeliten
in nationaler Isolierung ab (Esr. 9, 11 f), eine
Haltung, die Tacitus (hist. 5, 5, 1 f) als besonders charakteristisch empfindet: ‚Sie hegen einen feindseligen Haß gegen alle anderen Völker'. In ihr zeigt sich ein Selbsterhal-
tungstrieb mit dem Wunsch, den Eindringlingen, deren Übergriffe peinlichst erfahren
werden, eine Schranke zu setzen, dem Götzendienst zu wehren, das religiöse Erbe unversehrt zu erhalten. Trotz solcher Einschränkungen bereitet das AT durch seine Haltung
gegenüber dem Fremden auch in diesem Falle
das NT in wesentlichen Zügen vor.

h. **Brüdergemeinschaften.** Die gesetzestreue
Gemeinde der Frommen, an welche sich die sog.
Damaskusschrift wendet, hält streng an den
alten Regeln der G. fest: ‚. . . jeder seinen
Bruder zu lieben wie sich selbst, des Elenden
u. des Armen u. des Fremdlings sich anzunehmen u. ein jeder zu suchen die Wohlfahrt seines Bruders, u. daß keiner treulos handle an
dem, der Fleisch von seinem Fleisch ist' (CD
6, 20/7, 1 [Die Texte aus Qumran, hrsg. von
E. Lohse (1964) 79]; vgl. Jes. 58, 7). CD 14,
12/5 (97 Lohse) heißt es: ‚Und dies ist die Ordnung der Vielen, um alle ihre Belange festzu-
setzen: den Lohn von wenigstens zwei Tagen
je Monat sollen sie in die Hände des Aufsehers
u. der Richter abgeben. Davon soll man den
Waisen geben, u. davon soll man den Elenden
u. Armen unterstützen u. (weiterhin) für den
Greis, der im Sterben liegt, u. für den Mann,
der heimatlos ist, u. für denjenigen, der in ein
fremdes Volk gefangen weggeführt wird . . .ʻ.
Hier erweist sich die Lebendigkeit alter Tra-

ditionen im 1. Jh. vC. Auch in diesen Kreisen gilt Abraham als das große Vorbild der G., wie das außerkanonische Testament des Abraham zeigt (1091/6 Riessler): Der Erzengel Michael, von Gott ausgesandt, ihm sein nahes Ende anzukündigen, ist der letzte Gast, an dem Abraham alle Ehren in vollendeter Weise vollzieht u. den er schließlich als einen der drei Engel erkennt, denen er an der Eiche von Mamre die Füße gewaschen hatte. - Über die herkömmlichen Regeln der G. hinaus geht die Gütergemeinschaft der Essener, die nach der Schilderung von Jos. b. Iud. 2, 125 auf ihren Reisen nichts mitnehmen, denn in jeder Stadt befindet sich ein Schaffner (κηδεμών), der jedem der Brüder aus dem Gemeindebesitz alles, wessen er an Nahrung, Kleidung u. sonstigen Dingen bedarf, stets zur Verfügung hält. Bei den Christen führt dieser Gedanke der Brüdergemeinschaft zu ähnlichen Formen im klösterlichen Mönchtum (s. u. Sp. 1116 f).

II. Ägypten. Die Mildtätigkeit gehört in Ägypten seit ältesten Zeiten zu den höchsten Tugenden; vgl. L. Speleers, Art. Égypte: DictB Suppl. 2 (1934) 847/51. Der Schreiber Anii lehrt um 1400 vC. seinen Sohn: ‚Iß nicht Brot, wenn ein anderer Mangel leidet u. du ihm nicht die Hand mit dem Brote reichst‘ (Erman, Lit. 299; vgl. H. Brunner: Ägyptologie = Hdb. d. Orientalistik 1, 1, 2² [1970] 130f). Die Formel ‚Ich habe dem Hungernden Brot gegeben u. dem Dürstenden Wasser (bzw. Bier), dem Nackten Kleider, dem Schifflosen eine Fähre‘ kehrt stereotyp wieder (vgl. Speleers aO. 850 u. F.W.v. Bissing, Altägyptische Lebensweisheit [Zürich 1955] 149. 151. 153). Daß diese Haltung nicht nur dem Angehörigen gegenüber gelehrt wird, zeigt die Lehre des Amenemope aus der späten Ramessidenzeit (vgl. Brunner aO. 132/4): ‚Weise nicht einen Fremden von deinem Ölkrug ab, so verdoppelt er sich vor deinen Brüdern. Gott liebt den, der den Geringen erfreut, mehr als den, der den Vornehmen ehrt!‘ (v. Bissing aO. 90). Die Gottheit gibt das Vorbild der Güte im Demotischen Weisheitsbuch (PInsinger) aus der Ptolemäerzeit oder vielleicht noch der Perserzeit (vgl. Brunner aO. 136): ‚Er läßt den Fremdling, der von auswärts kommt, wie den Einheimischen leben‘ (v. Bissing aO. 118). Daß die Menschen diese Tugend üben, ist aber nicht selbstverständlich. Dasselbe Weisheitsbuch warnt davor, seine Heimat zu verlassen, mit nachdrücklicher Schilderung aller Unbill, der man in der Fremde

ausgesetzt ist, ohne Recht, auf bloßes Mitleid angewiesen (ebd. 114f). Zu der dem Reisenden freundlichen Moral steht die staatliche Politik in einem deutlichen Gegensatz. Zwar hatte Psammetich I im 7. Jh. vC. griechische Söldner in Dienst genommen, als er Ägypten nach einer langen Zeit der Abwehrkämpfe gegen fremde Herrscher aus Nubien u. Assyrien im saïtischen Reich einigte, u. die Kolonie Naukratis im Nildelta als Handelsniederlassung der Milesier zugelassen. Doch das Mißtrauen gegen die Fremden blieb. Das Statut, welches im 6. Jh. Naukratis durch den Pharao Amasis erhielt, gab der Kolonie zwar eine Monopolstellung für den ägyptischen Handel mit der griech. Welt, machte sie aber auch zur einzigen Kontaktstelle zwischen Ägyptern u. Griechen. Die Fremden wurden so streng aus dem Landesinnern ferngehalten, daß Ägypten in der griech. Literatur weithin im berechtigten Ruf der Fremdenvertreibung steht. In ptolemäischer Zeit wird die alteinheimische Tradition der G. überlagert von griechischen Sitten u. schließlich in der Araberzeit von den Lehren des Islam, in welchem sich als der Religion eines Wüstenvolkes der Sinn für G. besonders ausgeprägt findet. So ist in der Reihe der im Nilland herrschenden Kulturen die Sitte der G. ununterbrochen lebendig geblieben (vgl. W. S. Blackman, The Fellāḥīn of Upper Egypt [London 1927]; H. H. Ayrout, Moeurs et coutumes des Fellahs [Paris 1938]).

III. Das vorislamische Arabien. a. Praxis. Bei den altarabischen Beduinenstämmen gehörte die G. (ḍiyāfa, qirā) zu den Haupttugenden des ehrenhaften Mannes, wie wir aus der vorislamischen arabischen Poesie u. den von islamischen Gelehrten später gesammelten Nachrichten über das Beduinentum wissen. Freigebigkeit gegenüber dem Gast (ḍaif), die oft bis zur Verschwendung ging, war ethische Pflicht für den einzelnen wie für den ganzen Stamm. In ihren Lobgedichten erwähnen die Dichter fast immer, wie die Zelte des Gerühmten den Reisenden offenstehen, wie großzügig er seine Gäste bewirtet u. fette Kamele für sie schlachtet. Der großzügige Gastgeber wird mit der Regenwolke oder dem Meer verglichen, was in einem Land, wo Wasser die höchste Erquickung bedeutet, verständlich ist. Es ist eine Frage der Ehre, wie man seinen Gast behandelt. Wenn die Dichter die Ehre ihres eigenen Stammes preisen, so rühmen sie auch seine vorbehaltlose G. Andererseits wurden in der Spottpoesie einzelne Männer u. Stämme wegen ihrer angeblichen Ungastlichkeit u. ihres Geizes verhöhnt. Bei Nacht wurden auf Hügeln weithin sichtbare Feuer angezündet, um etwaigen Gästen den Weg zum Zeltlager anzuzeigen, oder man band rings um den Lagerplatz Hunde an, die durch ihr Gebell fremden Reisenden die Richtung weisen sollten. Man traf keine Auswahl unter den Gästen u. fragte sie nicht, wer sie seien, woher sie kämen u. wohin sie reisten; jeder Fremde war willkommen. Es galt als unfein, sein Zelt an einer entlegenen Stelle des Lagers zu errichten, so daß es der fremde Gast nicht leicht finden konnte. Auch der Arme war zur G. verpflichtet; man schlachtete für den Gast selbstlos sein einziges Kamel. Zuweilen errichtete man für ihn ein eigenes Zelt. Auch sein Reittier wurde versorgt. Das ungeschriebene Gesetz der G. war bei den Beduinen so wirksam, daß man fürchtete, bei anderen Stämmen in schlechten Ruf zu geraten, wenn man es nicht befolgte. Die Furcht vor Tadel u. Schande u. das Streben nach Ruhm waren in der beduinischen Gesellschaft wesentlich dafür maßgebend, daß man den eigenen Ruin nicht scheute, um Gästen seine Freigebigkeit zu beweisen. Das Musterbild des gastfreundlichen Mannes der vorislamischen Zeit war für die ganze Unterhaltungs- u. Bildungsliteratur (Adab) des islamischen Mittelalters Ḥātim aṭ-Ṭā'ī, ein Dichter des 6. Jh., der in grenzenloser Freigebigkeit sein Eigentum bis zur völligen Verarmung für seine Gäste hingab u. dessen Name bei den Arabern bis heute sprichwörtlich gebraucht wird, um einen großzügigen Menschen zu bezeichnen. – Die Regeln des beduinischen Gastrechtes hatten auch in den städtischen Siedlungen Altarabiens offenbar Geltung; für Mekka u. Medina haben wir dafür aus frühislamischer Zeit Zeugnisse.

b. Motive. Die Gründe für die soziale Institution der G. in einer Nomadengesellschaft sind klar: Der einzelne oder die Gruppe sind ohne den schützenden Rückhalt ihres Stammes wehrlos u. rechtlos. Nur die Zugehörigkeit zu einem Stamm garantierte Sicherheit für Leben u. Eigentum. Wenn ein Araber den Aufenthalt bei seinem Stamm aufgab, war er Überfällen u. Plünderungen ausgesetzt oder er konnte Stämmen begegnen, die von seinem eigenen Stamm Blutrache forderten u. denen er daher ein willkommenes Opfer war. Dazu kamen die Gefahren, die durch Sonnenhitze u. Knappheit des Wassers u. der Nahrung verursacht wurden. Der sichere Tod drohte jedem, der sich, freiwillig oder von seinem Stamm ausgestoßen, auf eine Wüstenreise begab. Jeder konnte in die gleiche Lage geraten wie der fremde Gast u. auf die G. anderer angewiesen sein. Das Gastrecht milderte die Gefahr für das Leben des einzelnen in der Wüste u. setzte der allgemeinen Rechtlosigkeit Grenzen.

c. Rechtsverhältnisse. Sobald zwischen Gast u. Gastgeber ein Schutzverhältnis (ǧiwār) bestand, folgte daraus auch Schutz vor Verfolgern u. Sicherung des persönlichen Eigentums. Wenn der schutzflehende Gast von der Speise des Wirts gegessen oder eine entsprechende Formel gesprochen hatte, auch wenn er nur dessen Zeltstricke berührt oder andere symbolische Handlungen ausgeführt hatte, war er als Schützling (ǧār; vgl. hebräisch gēr) unverletzlich. Während sonst Diebstahl nicht als ehrenrührig galt, war das Eigentum des ǧār geschützt. Es galt als schimpflich, den Gast oder den Gastgeber zu bestehlen. Das ǧiwār-Verhältnis erforderte es, daß man auch den Frevler, der sich schutzflehend an den Stamm wandte, nicht an seine Feinde auslieferte. Die Gewährung des Asylrechtes stand auch den Frauen zu, an die sich besonders der Flüchtende wandte; wenn die Frau ihn in ihr Zelt aufnahm, war ihr Mann zu seinem Schutz verpflichtet, was oft für ihn u. den Stamm gefährlich war, wenn den Gast Bluträcher verfolgten. Das Schutzverhältnis konnte zeitlich begrenzt oder von Dauer sein. Ganze Gruppen u. Stämme konnten in ein Schutzverhältnis zu einem anderen Stamm treten. Mehrere jüdische Stämme in Medina, die nicht stark genug waren, um selbständig zu sein, waren in vorislamischer Zeit ein solches Schutzverhältnis mit den beiden in der Stadt ansässigen arabischen Stämmen eingegangen. Es entsprach vorislamischen Anschauungen, daß Mohammed, als er sich von seinem eigenen Stamm in Mekka, den Ḳurais̆, trennen wollte, um mit seinen Anhängern nach Medina auszuwandern, vorher einen Schutzvertrag mit den zwei arabischen Stämmen in Medina schließen mußte, der ihm Sicherheit für Leib u. Leben gewährleistete. Nach der islamischen Eroberung mußten sich die zum Islam bekehrten Nichtaraber gemäß vorislamischem Brauch einem arabischen Stammesverband als Klienten (Mawālī) anschließen.

d. Fortwirken im Islam. Die G. als sittliche

Pflicht wurde wie auch andere Ideale des vor-islamischen Beduinentums in die Kultur des Islams übernommen. In der islamischen Ḥa-dīth-Literatur, in der die Sunna, d.h. der Brauch Mohammeds u. seiner Gefährten, als Vorbild für alle späteren Gläubigen dargestellt wird, finden sich viele Aussprüche, durch welche die G. zur ethischen Pflicht gemacht wird (vgl. A. J. Wensinck, Art. ḍaif u. ḍiyāfa: Concordance et indices de la tradition musulmane 3 [1955] 527/9). Damit ging sie in die gesamte städtische Kultur der islamischen Welt ein; Ungastlichkeit u. Geiz wurden seit jeher als Laster verspottet, wie zB. das ,Buch der Geizhälse' (Kitāb al-buḫalā') von al-Ǧāḥiẓ aus dem 9. Jh. zeigt. – Bei den Beduinen der Neuzeit sind die vorislamischen Anschauungen u. Bräuche in den wesentlichen Punkten konstant geblieben; ausführliche Berichte hierüber findet man zB. bei H. R. P. Dickson, The Arab of the desert² (London 1951) 118/22; A. Jaussen, Coutumes des Arabes au pays de Moab (Paris 1948) 79/93. 208/20. 348/50 u. A. Musil, The manners and customs of the Rwala Bedouins (New York 1928) 455/70.

IV. Homerische Zeit. a. Adelsethik. Die G., wie sie in den homerischen Gedichten geübt wird, gehört in den Bereich der Adelsethik. Die Gegenseitigkeit, wie sie der Begriff ξένος voraussetzt (s.o. Sp. 1065f), ist nur innerhalb des Kreises derjenigen garantiert, die durch Besitz in der Lage sind, Gegenrecht zu halten. Selbst der Sauhirt Eumaios, der dem heimgekehrten Odysseus, ohne ihn zu erkennen, als einem Fremden vorbildliche G. erweist, erhält einen adeligen Stammbaum. Er ist ein entführter Königssohn, den phoinikische Händler als Sklaven verkauft haben (Od. 15, 412/84). Edle Art ist nach den Vorstellungen einer Adelsgesellschaft angeboren, nicht anerzogen. Der Dichter muß, da seine Zuhörer von einem Sklaven solches nicht erwarten, die Handlungsweise des Eumaios auf diese Weise motivieren. G. auf der Grundlage der Gegenseitigkeit herrscht auch unter Göttern: Hephaistos ist nach seinem Sturz aus dem Himmel von der Meergöttin Thetis aufgenommen worden; darum empfängt er sie in seinem Haus mit den Ehren einer Gastfreundin (Il. 18, 405/8). Die Adelsfamilien sind über die Stammesgrenzen hinweg durch Heiraten verbunden, so daß Angehörige dieser Schicht außerhalb ihrer Heimat nur in eingeschränktem Sinne als fremd gelten, deutlich unterschieden von den in vollem Sinne fremden Barbaren. Den-

noch werden die Grenzen des Kreises, zwar noch nicht in der Ilias, wohl aber in der Odyssee, nach zwei Dimensionen schon überschritten, indem einerseits auch an Barbaren der Appell zur G. gerichtet wird, andererseits dem Angehörigen der unteren sozialen Schicht, dem Bettler, wenigstens ein gewisser Anspruch auf Schonung des Lebens u. des Leibes zugestanden wird. Odysseus warnt den unzivilisierten Wilden Polyphem (Od. 9, 269/71): ,Doch scheue, bester Mann, die Götter. Wir sind Schutzflehende, u. Zeus Xenios ist der Schirmherr der Schutzsuchenden u. Fremden, er, der den mit Scheu zu behandelnden Fremden beisteht'. Der Fremde ist αἰδοῖος, Gegenstand religiöser Ehrfurcht. Das Nützlichkeitsprinzip der Gegenseitigkeit hat also die religiöse Motivierung keineswegs verdrängt; sie wird sogleich aktiviert, wenn die Situation eine Berufung auf Gegenseitigkeit nicht zuläßt. Der Wilde freilich verachtet eine solche Bindung grundsätzlich mit für griechische Ohren lästerlichen Reden: ,Ein Narr bist du, Fremder, oder von weither kommst du, daß du mich aufforderst, Götter zu fürchten oder zu achten. Wir Kyklopen kümmern uns um keinen Zeus u. keinen Gott, denn wir sind bei weitem die Stärkeren' (ebd. 273/6). Im Gegensatz zu dieser Selbstcharakterisierung des Unmenschentums ist für den Griechen die Freundlichkeit gegenüber dem Fremden ein heiliges Gebot feststehender Sitte (θέμις: Il. 11, 779), über das Zeus als ξένιος wacht (Il. 13, 624f u.ö.).

b. Schutzflehender u. Gast. Genau zu unterscheiden ist die Situation des Schutzflehenden von der des Gastes. Der letztere hat, sobald er die Wohnstatt des Gastherrn betreten hat, einen höheren moralischen Anspruch auf Hilfe. Daß in der Ilias der Schutzflehende auf dem Schlachtfeld, wenn er den Sieger mit der üblichen Geste des Umfassens der Knie um Gnade bittet, kaum je erhört wird (6, 45/65; 10, 454f; 11, 130/47; 20, 463/9; 21, 64/105), während in der Odyssee (14, 276/9) der Besiegte als Sklave am Leben bleiben darf, beruht nicht allein auf dem archaischeren Charakter der Ilias. Es bleibt vielmehr außerhalb des Hauses dem Belieben des Mächtigen überlassen, ob dem Schutzflehenden Gnade zuteil wird oder nicht. Ist der Schutzflehende hingegen unter dem Dach des um Hilfe Angegangenen zugleich Gast geworden, ändert sich die Lage zu seinen Gunsten. Obwohl er auch jetzt keinen durchsetzbaren Rechtsanspruch hat, kann der Hausherr ihn nicht abweisen, ohne die gute Sitte zu verletzen u. göttlichen Zorn herauszufordern. Die Ilias beginnt mit einem Verstoß gegen das ungeschriebene Gesetz, in solchem Falle den Bittenden freundlich zu behandeln. Der Priester Chryses erscheint, angetan mit den Insignien seiner Würde, bei Agamemnon, um seine gefangene Tochter loszukaufen. Obwohl die übrigen Achaier den durch das Priestertum noch verstärkten Anspruch des Bittenden auf ehrfurchtsvolle Behandlung anerkennen (Il. 1, 22f), weist Agamemnon ihn schnöde ab. Der Gott Apollon straft die Mißachtung schwer am ganzen Volke. Antithetisches Gegenstück zu diesem Fehlverhalten am Anfang ist die versöhnliche Szene des Schlußbuches. Achill achtet u. erhört den unter göttlichem Schutz in sein Zelt gelangten Priamos, nimmt von ihm das Lösegeld an u. gibt ihm seinen toten Sohn Hektor heraus. Er ehrt ihn darüber hinaus als Gast mit den symbolischen Zeichen der G.: Anbieten des Sitzes (24, 522), gemeinsames Mahl (601), Nachtlager (635). So erfüllt er ehrfürchtig die Gebote des Zeus, die ihm freilich über das allgemeingültige Gebot der G. hinaus noch eigens als Botschaft zugegangen sind (560/70). Die erste Begegnung der beiden vergleicht Homer mit der typischen Situation des Erscheinens eines schuldbeladenen Schutzflehenden im Hause: ‚Wie wenn schwere Schuld einen Mann geschlagen hat, der in seiner Heimat einen Menschen getötet u. zu einem fremden Stamm entkommen ist, ins Haus eines reichen Mannes, u. erschrecktes Staunen erfaßt alle, die ihn erblicken' (480/2). Der Schutzflehende findet Aufnahme auch dann, wenn er schuldbefleckt aus seiner eigenen Gemeinschaft ausgestoßen ist. So wird Phoinix, flüchtig vor der Anklage des versuchten Vatermordes, Hausgenosse des Peleus (Il. 9, 447/83).

c. Pflichten des Gastherrn u. des Gastes. Der Aufnehmende sorgt in solchem Falle für die kultische Reinigung des Schutzbefohlenen u. übernimmt die Garantie für sein Wohl. Mord am Gast ist entsetzlicher Frevel gegen die Götter (Od. 21, 27/9). Proitos tötet seinen Gast Bellerophon auch dann nicht, als er ihn für den Verführer seiner Frau hält, sondern schickt ihn mit einem ‚Uriasbrief' fort (Il. 6, 167f) zu einem Gastfreund in der Fremde. Tydeus genießt als Gesandter in der Feindesstadt Theben Gastrecht. Erst als er die Stadt verlassen hat, versucht man ihn nach Über-

schreiten der Gemeindegrenze aus dem Hinterhalt zu töten (Il. 4, 384/98; 5, 804f). Schon in der Ilias steht Gesandten u. Herolden das Gastrecht in besonderem Maße zu (1, 334; 11, 769/81). Im übrigen reichen die Verpflichtungen der G. über den Aufenthalt des Gastes im Hause hinaus. Glaukos macht es Hektor zum Vorwurf, daß er die Leiche des Gastfreundes Sarpedon nicht aus der Schlacht geborgen habe (Il. 17, 150f). Der Gastfreund Eetion kauft den in Sklaverei geratenen Priamossohn Lykaon frei u. schickt ihn zu seinen Angehörigen zurück (Il. 21, 42/5). Das Streben nach rascher Integrierung des Fremden u. nach seiner Unterwerfung unter die Gewalt des Gastherrn ist in der homerischen Adelsgesellschaft sehr gemildert. Man bittet den Gast, möglichst lange zu bleiben, ohne daß man ihn die Hausgewalt spüren läßt, die dieser freilich seinerseits taktvoll achtet. Oineus hält Bellerophon 20 Tage als Gast bei sich zurück (Il. 6, 217); Menelaos bittet Telemachos, bis zum 11. oder 12. Tage zu bleiben (Od. 4, 588); Aiolos bewirtet Odysseus einen ganzen Monat, um sich von ihm alles, was er wissen will, berichten zu lassen (Od. 10, 14). Denn der Gastgeber darf vom weitgereisten Gast eine ausführliche Erzählung interessanter Begebenheiten als Gegenleistung erwarten. Beim Abschied werden Geschenke u. Gegengeschenke (ξένια) ausgetauscht, wenn nicht eine besondere Notlage den Gast zum allein Beschenkten werden läßt. Auf den Adelsburgen werden solche Gastgeschenke gehütet als Zeugnisse der dauernden Verbundenheit mit den auswärtigen Familien, u. je weiter das so dokumentierte Netz der G. reicht, desto vornehmer darf ein Geschlecht sich fühlen. Das durch einmal gewährte G. begründete Gegenseitigkeitsverhältnis vererbt sich auf die Nachkommen. Oft ist bei Homer die Rede von einem ‚Gastfreund vom Vater her' (ξεῖνος πατρώιος: Il. 6, 215/31; Od. 1, 175f. 187; 17, 522). Solche ererbte Bindung wird nicht einmal durch Krieg aufgehoben. Als Diomedes u. Glaukos einander auf dem Schlachtfeld begegnen, will Diomedes wissen, wer der Feind ist, u. Glaukos nennt ihm stolz seinen Stammbaum. Daraus erkennt Diomedes, daß beider Väter durch G. verbunden waren. Die sich daraus ergebende Folge ist, daß sie als Gastfreunde nicht miteinander kämpfen, sondern sich die Hände schütteln u. Geschenke tauschen, indem Glaukos seine goldene Rüstung hingibt für die eherne des Diomedes (Il. 6,

232/6). Es gehört zur Ethik des Adels, daß in solchem Falle der ungleiche Wert der Gaben (Homer sagt ausdrücklich, die eine sei hundert, die andere bloß 9 Rinder wert) großzügig übersehen wird.

d. Der mittellose Gast. Die G. hört auch nicht auf, wenn ein Angehöriger der Adelsgesellschaft in äußerste Not geraten u. zu keiner Gegenleistung imstande ist. Der nackte Schiffbrüchige Odysseus tut keine Fehlbitte, als er am Strande des Phäakenlandes die Königstochter Nausikaa um Hilfe anfleht. Aber er versäumt nicht, durch seine Rede zu zeigen, daß er ein Edelmann u. kein Bettler ist. Nausikaa bestätigt es in ihrer Zusage der Hilfe ausdrücklich: ,Fremder, da du weder einem unedlen noch unverständigen Manne gleichsiehst . . .‘ (Od. 6, 187). Der Nichtadelige kann nicht mit gleicher Zuversicht auf gute Behandlung rechnen. Er ist als Bettler (πτωχός) der Verachtung ausgesetzt, obwohl der Zeus des Odyssee-Dichters beide, Fremde von Stande u. Bettler (ξεῖνοί τε πτωχοί τε: 6, 207f; 14, 56/8) in gleicher Weise schützt. Odysseus erfährt, als er im Bettlergewande unerkannt in sein Haus zurückkehrt, schnöde Abweisung durch den Junker Antinoos. Obgleich Odysseus sich ihm gegenüber darauf als verarmter Edelmann ausgibt, wirft ihm Antinoos sogar den Schemel an den Kopf. Damit hat der hochmütige junge Mann aber das für Homers Gesellschaft verbindliche Maß des Verhaltens überschritten u. zieht sich den Tadel seiner Tischgenossen zu: ,Antinoos, das war nicht edel, nach dem armen Vagabunden zu werfen. Unglücksmensch, wenn er nun vielleicht gar ein Gott vom Himmel ist? Götter in der Gestalt von fernher kommenden Fremden, vielfältig sich verwandelnd, wandern oft umher durch die Stadtgemeinden hin u. üben Aufsicht über Frevelmut u. über gutes Benehmen der Menschen‘ (17, 412/87).

e. Zeremoniell. Die festen Formen, unter denen die Aufnahme eines Gastes vor sich geht, schildert Homer ausführlich bei der Ankunft des Odysseus am Hofe des Alkinoos (7, 133ff). Der Schutzflehende naht sich dem thronenden Königspaar, umschlingt bittend die Knie der Königin, spricht Segenswünsche für den König, dessen Haus u. Volk, u. läßt sich dann am Herd, der heiligen Stätte, nieder. Da Alkinoos kein absoluter Monarch ist u. das Aufnahmegesuch des Fremden eine Sache ist, die das Volk betrifft, ergreift nicht er, sondern der älteste seiner Ritter die Initiative u. tritt

für Gewährung der G. ein. Darauf begrüßt Alkinoos den Gast, indem er ihn bei der Hand faßt u. ihn zu einem silbernen Sessel führt. Es wird ihm Wasser zum Waschen der Hände gereicht, dann wird er mit Speise u. Trank bewirtet. An sich wäre jetzt die Erkundigung nach Namen u. Herkunft des Fremden zu erwarten. Homers Phäakenkönig wahrt ein Übermaß an taktvoller Zurückhaltung, während an anderer Stelle der Barbar Polyphem unhöflich sofort als erstes mit dieser Frage herausplatzt (9, 252). Am anderen Tag läßt Alkinoos zu Ehren des Gastes ein Opferfest feiern. Ein Sänger verschönt die Feier mit einem Lied über die Taten des Odysseus. Jetzt erst, da der unbekannte Gast Zeichen innerer Bewegung zeigt, ergibt sich aus dem besorgten Mitempfinden des Gastgebers die Nachfrage, zartfühlend eingekleidet in eine Sinndeutung der G. selbst. Der König gebietet dem Sänger einzuhalten, ,damit wir alle in gleicher Weise uns freuen, nicht allein die Gastgeber, sondern auch der Gast: so entsteht der schönere Einklang. Denn des Gastes, des zu ehrenden, wegen ist all das aufgeboten, das Geleit u. die Freundesgeschenke, die wir ihm gerne geben. Wert wie ein Bruder ist der Gast u. der Schutzflehende für einen Menschen, wenn er auch nur im geringsten ein fühlendes Herz hat. Darum verhehle mir auch du nicht länger mit vorsichtiger Schlauheit, was ich dich frage. Ein Mißklang käme in unser Fest, wenn du nicht redest. Sag, mit welchem Namen nannten dich in der Heimat Vater u. Mutter u. die Bewohner deiner Stadt u. des Landes ringsum?‘ (8, 542/51). Jetzt stellt sich der Fremde vor: er ist Odysseus. Und es folgt, vom Dichter durch das Hinausschieben der Szene bewußt aufgespart, die mit Spannung erwartete Erzählung des Gastes von seinen Irrfahrten. Mit ihr gibt er seinerseits, was die Gastgeber von ihm erwarten dürfen. Beim Abschied wird dem besonders geehrten Gast, der sich nach dem Empfang reichlicher Gastgeschenke mit Segenswünschen bedankt, das Geleit gegeben (13, 38/69). Dieser Zug wird bei den Phäaken gesteigert, indem sich die Fahrt der Flotte anschließt, welche Odysseus nach Ithaka bringt.

V. Griechisch-römische Welt. a. Private G. 1. G. als Zeichen der Gesittung. Sowohl in Griechenland wie unter griechischem Kultureinfluß im römischen Reich orientiert sich die Idee der G. dauernd an den von Homer gesetzten Normen. Noch im 4. Jh. nC. zitiert

Kaiser Julian Homer, nach dessen Vorbild
sich die Heiden richten sollen, um der christl.
Wohltätigkeit etwas Ebenbürtiges entgegen-
zusetzen (ep. 84). Hesiod stellt denjenigen,
der einen Schutzflehenden oder Fremden
übel behandelt, auf dieselbe Stufe wie den,
der das Weib seines Bruders verführt, Waisen
betrügt, den alten Vater beschimpft (op. 327/
34). Immer bleibt Gastfreundlichkeit eines der
Hauptkriterien, an denen man edles, vorneh-
mes Wesen erkennt.

2. Arme als Gastgeber. G. ist nicht notwendig
an Reichtum gebunden. Homers gastfreundlicher Sauhirt Eumaios hat in der Literatur
zahlreiche Nachfolger, Menschen in beschei-
densten Verhältnissen, die dennoch mit allem,
was sie haben, ihre freundliche Gesinnung beweisen. Wie bei Homer belohnt sie das
Schicksal mit der Ehre, oft, ohne es zu wissen,
einen besonders ausgezeichneten Gast bewirten zu dürfen. Kallimachos hat zwei solche
Gestalten berühmt gemacht: Molorchos, der
Hirt von Kleonai bei Nemea, ‚arm an Besitz,
aber reich an Herzenswärme‘ (Schol. Stat.
Theb. 4, 160), will für Herakles, der vor dem
Kampf mit dem nemeischen Löwen bei ihm
einkehrt, seinen einzigen Widder opfern (Callim. aet. 3 frg. 54/9 Pf.). Das hochbetagte
Mütterchen Hekale, die vor keinem Wanderer
die Hütte verschlossen hält, nimmt einen vom
Gewitterregen durchnäßten Jüngling auf, teilt
ihr kärgliches Mahl mit ihm u. bereitet ihm
ein einfaches Nachtlager. Es ist der Held u.
Königssohn Theseus, der zum Kampf mit
dem marathonischen Stier ausgezogen ist (Callim. frg. 230/377 Pf.). Die Verse, mit denen
Kallimachos die Gastlichkeit der Hekale verklärt hat, klingen nach in Ovids Erzählung
von Philemon u. Baucis (met. 8, 618/724). Die
Gäste dieses greisen Ehepaars erweisen sich
als die Götter Jupiter u. Merkur, die auf
Erden wandeln, um die Menschen zu prüfen.
Tausend Hartherzige haben sie gefunden, bis
die beiden Alten ihnen freundliches Obdach
u. eine schlichte, mit liebevoller Sorgfalt zu-
bereitete Mahlzeit anbieten. Zum Lohne werden sie von der strafenden Sintflut verschont,
welche die Ungastfreundlichen vertilgt, u.
am Ende eines glücklichen Lebens in einer
Apotheose in heilige Bäume verwandelt. Sie
sind Gastfreunde der Götter geworden u. erfahren die Gegenseitigkeit: cura deum di sint,
et, qui coluere, colantur (724).

3. G. als Verpflichtung des Reichtums. Für
den Besitzenden gehört die G. zu den gesellschaftlichen Pflichten, die er um seines Rufes
willen zu erfüllen hat. Je großzügiger er sich
erweist, desto höher steigt sein Ansehen. Der
xenophontische Sokrates nennt die Pflichten
des reichen Mannes in folgender Reihenfolge:
große Opfer für die Götter, glanzvolle G. für
viele Fremde, reichliche Leistungen für Mitbürger u. Staat (Xen. oec. 2, 5). Unter den
Ersten des griech. Adels, die Anfang des
6. Jh. vC. sich am Hof des Kleisthenes in
Sikyon als Freier um seine Tochter versammeln, erwähnt Herodot (6, 127) den Sohn
eines Euphorion, der, wie man in Arkadien
erzähle, die Dioskuren in seinem Hause aufgenommen habe u. seitdem G. gegenüber
allen Menschen übe. – In den Demokratien
pflegen die angesehenen Familien diese Tradition weiter. Solon spricht, noch ganz im
Sinne der Adelsethik: ‚Glücklich, wer liebe
Kinder um sich hat u. einhufige Pferde u.
Hunde zur Jagd u. einen Gast aus der Fremde‘ (frg. 13 Diehl = Theogn. 1253f, zitiert bei
Plat. Lys. 212 E). Kallias, der Stiefsohn des
Perikles u. reichste Mann Athens, hat sich
durch übertriebene G. finanziell ruiniert (K.
Swoboda, Art. Kallias 3: PW 10, 2 [1919]
1619f). Zum vornehmen griech. Haus gehören
Anbauten für Gäste, wie Vitr. 6, 7, 4 aus-
führt: ‚Links u. rechts (vom Peristyl oder
Männersaal) werden kleine Behausungen ge-
baut mit eigenen Eingangstüren, bequemen
Speise- u. Schlafräumen, damit die ankommenden Gastfreunde nicht im Peristyl, sondern in den Gastwohnungen untergebracht
werden. Denn sobald die Griechen von feinerer
Lebensart u. reich genug waren, pflegten sie
für eintreffende Gäste Speise- u. Schlaf-
zimmer einzurichten, sowie Kammern mit
Vorrat, u. am ersten Tage pflegten sie sie zur
Tafel zu laden, am folgenden schickten sie
ihnen Geflügel, Eier, Gemüse, Obst u. sonstige
Erzeugnisse der Landwirtschaft auf ihre Zimmer. Darum nannten die Maler, wenn sie das,
was man so den Gästen überbringen ließ, in
ihren Stilleben malten, dies ‚xenia‘ (Gastgeschenke). Auf diese Weise fühlten sich die
Gäste wie zu Hause, da sie in diesen Gastwohnungen die Freigebigkeit des Gastgebers
genossen, aber doch für sich bleiben konnten.‘
Die Rolle, welche die G. als Statussymbol
spielt, zeigt sich unverkennbar darin, wie
Hochstapler sie vorzutäuschen suchen. Theophrast schließt das Charakterbild des ἀλαζών
mit der Pointe: ‚Er wohnt in einem Miethaus,
behauptet aber gegenüber allen, die seine

Verhältnisse nicht kennen, es sei das Haus seiner Väter; nur beabsichtige er, es zu verkaufen, denn für seine vielen Gäste werde es längst viel zu klein' (char. 23, 9). Eine ausführliche Schilderung, wie ein solcher Angeber seine komische Rolle spielt, gibt Rhet. Her. 4, 50, 63 f nach unbekannter griechischer Quelle. Zu den Prahlereien Trimalchios gehört es, daß sogar der bekannte Scaurus, obwohl er vom Vater her einen Gastfreund mit einer Villa am Strand hat, lieber bei ihm hat einkehren wollen (Petron. 77, 5). – Unausbleiblich ruft das Prestigebedürfnis der Reichen, die Gäste bei sich haben wollen, unter den weniger Bemittelten eine Klasse von Menschen hervor, die davon leben, als Gäste eingeladen zu werden: die Parasiten. Im Gegensatz zu der Sitte, daß unter Gleichgestellten jeder Teilnehmer einen Beitrag (συμβολή) zum Gastmahl leistet, ist der Parasit ἀσύμβολος, ein Gast, der nichts mitbringt außer Witz zur Unterhaltung u. der auf Kosten des Gastgebers freigehalten wird. Der Komiker Diphilos zeichnet die Situation treffend mit der Parodie einer Euripides-Stelle (Synoris frg. 73, 7 Kock = Athen. 6, 51 [247 a/c]): (Euripides) liebte die Parasiten, spricht der doch: ,Denn ein Mann, der alles zum Leben hat, u. nicht mindestens drei Parasiten freihält, der sei verdammt, Heimkehr in seine Vaterstadt sei ewig ihm versagt.' – Der heißhungrige, stets durstige Parasit mit seinen albernen Späßen u. kriecherischen Schmeicheleien wird zur typischen Rolle der Komödie u. durch sie von Athen nach Rom verpflanzt (E. Wüst - A. Hug, Art. Parasitos 2: PW 18, 4 [1949] 1381/405).

4. Philosophische Lehren über G. Diese Auswüchse schmälern nicht die allgemeine Hochschätzung der G. Zum großzügigen Lebensstil eines freigeborenen Mannes (ἐλευθεριότης) gehören nach peripatetischer Lehre u. a. die Menschenfreundlichkeit u. die Eigenschaft, mitfühlend u. ein echter Freund der Freunde, der Gäste u. des Schönen zu sein (vgl. PsAristot. virt. 1250 b 34. 1251 b 35; E. A. Schmidt, Aristoteles über die Tugend [1965] 136/8). Bei den Stoikern wird die G. (φιλοξενία), definiert als die Kunst des Umgangs mit Gästen, dem Oberbegriff der ἀγάπη untergeordnet (SVF 3, 72, 1). In stoischer Tradition steht Cicero, wenn er die Ungastlichkeit definiert als eine die Vernunft überwältigende, tief eingewurzelte u. verhärtete falsche Vorstellung, daß man den Kontakt mit einem Fremden unbe-

dingt vermeiden müsse (Tusc. 4, 27). In seiner Soziallehre hebt er die Verpflichtung des Besitzes hervor: ,Man muß in allen Dingen nicht nur an sich denken, sondern auch an die anderen. Das gilt speziell für das Haus eines angesehenen Mannes. Es muß zahlreiche Gäste aufnehmen können u. eine Menge von Besuchern aller Art fassen. Daher soll man auf Geräumigkeit achten' (off. 1, 139). Im Anschluß an den Aristotelesschüler Theophrast weist er der privaten G. der Vornehmen eine Funktion im Staat zu: ,Mit Recht hat Theophrast die G. gerühmt. Es bringt hohe Ehre, meine ich, wenn die Häuser vornehmer Personen vornehmen Gästen offenstehen. Es hebt auch das Ansehen des Staates, wenn Fremde in unserer Stadt auf solches Entgegenkommen rechnen dürfen. Für jemanden, der mit ehrbaren Mitteln politischen Einfluß zu gewinnen wünscht, ist es von unschätzbarem Vorteil, durch seine Gastfreunde in auswärtigen Staaten Einfluß u. Beziehungen zu haben' (off. 2, 64). Das klassische Beispiel für diese politische Wirkung der G., auf das die Philosophen sich hätten berufen können, ist Herodots Erzählung vom älteren Miltiades (6, 34). Die thrakischen Dolonker erhalten vom Orakel in Delphi, an das sie sich in Kriegsnot gewandt haben, die Weisung, sich den ersten, der ihnen G. erweisen werde, als Koloniegründer in ihre Heimat mitzunehmen. Sie ziehen durch das Land der Phoker u. Boioter, ohne einen Gastfreund zu finden. In Athen sitzt Miltiades vor seinem Hause u. lädt die vorüberziehenden Fremden ein. Die auf diese Weise begründete G. mit den Thrakern legt die Grundlage des athenischen Einflusses in diesen Gebieten. – In den Gedankenkreis der philosophischen Diatribe hellenistischer Zeit gehört die unter dem Namen des alten Gesetzgebers Charondas gegebene Regel, in Zeus ξένιος den über alle Menschen eingesetzten κοινὸς θεός zu achten, der ein Wächter ist über G. u. Ungastlichkeit (Stob. 4, 2 [4, 151 W.-H.]). Zur Wertung der G. in der Philosophie der Kaiserzeit vgl. Stählin 5₃₁.

5. G. in Tragödie u. Komödie. Euripides zeichnet in der Tragödie Alkestis den Admetos als Muster eines Gastfreunds. Obwohl der ankommende Herakles, als er das Haus Admets in Trauer sieht, anderswo Unterkunft suchen will, nötigt ihn Admet zu bleiben u. verheimlicht ihm, daß es seine Gattin ist, die begraben wird. Der Gast soll unbekümmert Speise u. Trank genießen, Trauer u.

Klage werden geflissentlich von den Gä-
stezimmern ferngehalten. Selbst der nicht
mehr ganz nüchterne Herakles ist, als er
die Wahrheit erfährt, erschüttert ob so viel
Edelsinn. – In der Komödie sieht der Gastgeber seine Aufgabe darin, dem jungen
Gastfreund dabei behilflich zu sein, die Geliebte durch Überlistung des Nachbarn zu
befreien: der senex Periplectomenus in
Ephesus läßt im Miles gloriosus des Plautus
die Trennwand zum Nachbarhaus heimlich
durchbrechen, damit sein Gast, der junge
Athener Pleusicles, mit seinem vom Nachbarn,
dem miles, aus Athen entführten Mädchen
zusammenkommen kann. Er begeht somit
dem Gast zuliebe eine vom Gesetz ausdrücklich als τοιχωρυχία qualifizierte Straftat, für
die nach attischem Recht die Todesstrafe
droht (J. H. Lipsius, Das Attische Recht 1
[1905] 78). Über die G. erteilt er seinem
Schützling folgende Lehren, als dieser die
Befürchtung ausspricht, die Großzügigkeit
des Gastgebers zu überfordern: ‚Du bist ein
Tor! Was man Kosten hat für ein böses Weib
oder für einen Feind, das sind wirklich Kosten. Aber was man für einen rechten Gast, für
einen Freund aufwendet, das ist Gewinn, u.
ebenso, was man für den Dienst der Götter
aufwendet an Kosten, ist für den verständigen Mann ein Nutzen. Dank der Macht der
Götter habe ich genug, um dich bei mir als
Gastfreund anständig aufzunehmen. Iß, trink,
gönne dir mit mir das Vergnügen u. fülle dir
dein Herz mit Freude' (Plaut. mil. 672/7).
Demgegenüber spricht Pleusicles die gängigen
Gegenargumente aus: ‚Es ist mir wirklich
schon beinah zu viel, was ich dir an Aufwand
zugemutet habe. Denn kein Gast kann bei
einem so guten Freund einkehren, daß er
nicht, wenn er drei Tage lang geblieben ist,
allmählich unerwünscht würde. Wenn er aber
erst einmal zehn Tage lang da ist, dann ist's
eine ganze Ilias von Konflikten. Und wenn
selbst der Hausherr nichts dagegen hat, so
murren doch die Sklaven' (ebd. 740/4).

6. Erkennungszeichen. Die Dauerhaftigkeit
eines einmal geschlossenen G.verhältnisses
u. die Vererbung der Bindung auf die Nachkommen, dazu die Übertragbarkeit auf die
durch die Partner einander empfohlenen
Freunde, besteht wie zu Homers Zeiten. Bei
dem vergrößerten Personenkreis werden Erkennungszeichen nötig, mit denen der die G.
beanspruchende Fremde sich ausweist (σύμβο-
λα, tesserae hospitales). Nach der Etymologie

von σύμβολον handelt es sich ursprünglich um
zwei aneinander passende Hälften (eines zerbrochenen Ringes oder eines ähnlichen Ge-
genstandes), deren Zusammenhalten den Echt-
heitsbeweis erbringt. Begriff u. Funktion des
Symbolon als Ausweis der G. erklärt das
Scholion zu Eur.Med. 613 (2, 175 Schwartz).
Wie Gastfreunde, die einander nie gesehen
haben, weil der eine Partner schon der Sohn
dessen ist, mit dem die G. geschlossen wurde,
sich mit Hilfe des Symbolon (lat. tessera
hospitalis) erkennen, zeigt die Szene bei
Plaut. Poen. 1039/54. – Die älteste Form der
an der Bruchstelle aneinanderpassenden Hälften eines auseinandergebrochenen Stückes
wird schon früh abgelöst durch Stücke in
gleicher Ausführung, die nicht mehr immer
symmetrisch zu sein brauchen. Sie sind an-
gefertigt aus dauerhaftem Material, wie Bein,
Elfenbein, Metall, oft in Form einer Hand,
oder zweier ineinandergelegter Hände, eines
Tierkopfes u. ä., versehen mit einer Inschrift.
Erhaltene Stücke: IG 14, 279 Elfenbein-
täfelchen, G. des Karthagers Himilco mit dem
sizilischen Griechen Lyson u. dessen Nachkommen; 2432 Bronzehand, staatliche G.
zwischen der Stadt Massalia (?) u. dem kelt.
Stamm der Velaunii; CIL 1², 23 Widderkopf
aus Bronze, G. mit der Familie der Atilii
Sarrani; 611 Bronzefisch, hospitium publicum zwischen Fundi u. der Patronatsfamilie
der Claudii; 828 Delphin aus Bronze, Deutung als tessera hospitalis wahrscheinlich;
1764 Widderkopf aus Bronze, G. zwischen
einem Römer Manlius u. einem Marser Staio-
dius (vgl. F. Münzer, Röm. Adelsparteien
[1920] 51); 2825 Delphin mit der Inschrift:
h⟨ospitium⟩ f⟨acit⟩ quom Elandorian. – Der
symbolische Akt des Zerbrechens der tessera
hebt die G. auf (Plaut. cist. 503).

7. Verletzung der G., gebotene Rücksichten.
Der Bruch der G. wird zwar nicht vom Gesetz bestraft, gilt aber als verabscheuenswerte
sittliche Verfehlung, welche die Rache der
Götter herbeiruft. – Piso, das Haupt der Verschwörung gegen Nero, weigert sich, seine
Villa zum Ort der Ermordung des Kaisers
werden zu lassen; denn wäre der getötete
Gast auch ein noch so schlechter Herrscher,
der Mord bliebe als unauslöschlicher Makel
am Gastgeber haften (Tac. ann. 15, 52, 1). Der
römerfreundliche Sohn des Calavius, bei dem
Hannibal in Capua als Gastfreund wohnt,
gibt den Plan, Hannibal zu ermorden, auf, als
ihn der Vater beschwört, nicht den Tisch des

Gastmahls mit dem Blut des Gastes zu beflecken (Liv. 23, 8f). Der Vorwurf des Mordes am Gast steckt auch hinter dem erlogenen Kompliment ‚tibi hospitale pectus‘, mit dem Horaz epod. 17, 49 auf den von der Hexe Canidia in ihrem Hause verübten Ritualmord (epod. 5) anspielt. – Dem griech. Zeus ξένιος entspricht in Rom der Iuppiter hospitalis. Die Tatsache, daß dieser keinen Kult hat, zeigt, daß es sich um eine dem griech. Vorbild nachgestaltete Vorstellung handelt. Mehr römischer Religiosität entspricht die Pluralität der di hospitales als die G. schützende Mächte (ThesLL 6, 3033, 82/3034, 1). Doch sind auch sie keine Kultgottheiten. Die Lares können zwar die Rolle von di hospitales übernehmen, sind aber nicht einfach mit ihnen zu identifizieren. Erst in der späten Kaiserzeit weiht ein Kohortenpräfekt in Britannien einen Altar an Iuppiter, die di deaeque hospitales u. die Penaten zum Dank für seine Errettung (CIL 7, 237). – Nur äußerst schwerwiegende Schuld des Partners gibt das Recht, die G. zu kündigen. Es charakterisiert ein vollendetes Paar von Schurken, wenn in der Komödie der Gast, der seinen Gastgeber, den Kuppler, zu einem Betrug angestiftet hat, diesen in dem Augenblick im Stich läßt, wo der zur Verantwortung gezogene Kuppler an seinen Rechtsbeistand appelliert: ‚Gastfreund!‘ – ‚Ich bin dein Gastfreund nicht! Fort mit deiner G.!‘ – ‚So mißachtest du mich?‘ (Plaut. rud. 883f). – Doch sogar der skrupellose Verres bleibt, obwohl er sich gerne bei einem anderen Bürger, dessen Tochter er begehrt, einquartieren möchte, dennoch bei seinem Gastfreund Ianitor wohnen, weil er keinen ausreichenden Vorwand findet, das Verhältnis zu lösen (Cic. Verr. 2, 1, 64). Immer noch gilt die Anschauung, daß selbst Krieg das private G.verhältnis fortbestehen läßt. Nach der Eroberung Trojas verschonen die Griechen nur zwei Trojaner, Aeneas u. Antenor, vetusti iure hospitii (Liv. 1, 1, 1). Der Römer Crispinus ist überrascht, als im Hannibalkrieg sein Gastfreund, der Campaner Badius, ihn zum Zweikampf herausfordert u. die G. aufkündigt. Nur nach langem Widerstreben nimmt er den Kampf an (Liv. 25, 18, 4/15; Val. Max. 5, 1, 3). Die gegenteilige Wertung ist ungewöhnlich. Nep. Timoth. 4, 3 berichtet, daß sich unter den Gastfreunden, die eigens nach Athen gereist waren, um dem Feldherrn Timotheos in einem Prozeß beizustehen, auch der thessalische Tyrann Iason

von Pherai befunden habe. Dennoch habe Timotheos auf Geheiß der Athener später einen Krieg gegen ihn geführt: patriae sanctiora iura quam hospitii esse duxit. Dieser angebliche Kriegszug ist unhistorisch (G. Stählin, Art. Iason 3: PW 9, 1 [1914] 775), vom Biographen erfunden, um den Patriotismus seines Helden über alle Maßen zu steigern. – Hat man an einem Orte seinen früheren Gastfreund, so wäre es für diesen eine tödliche Beleidigung, wenn man bei nächster Gelegenheit anderswo Unterkunft suchte. Cäsar, der in Verona Catulls Vater zum Gastfreund hatte, nahm, auch nachdem der Sohn ihn mit Schmähversen schwer beleidigt hatte, weiterhin bei jenem Quartier, sooft er nach Verona kam (Suet. Iul. 73), u. lud den Dichter noch am selben Tage, an dem dieser Abbitte geleistet hatte, an seine Tafel. Eine witzige Schilderung der Unannehmlichkeiten, die sich aus solchen Rücksichten ergeben können, gibt Apuleius (met. 1, 21/6): Lucius erfährt an der ersten Schenke beim Stadttor, daß sein Empfehlungsschreiben ihn an einen Geizhals in ärmlichem Hause verweist. Aber selbstverständlich klopft er dennoch dort an, wird von der einzigen Magd zunächst als Pfandleihkunde angesprochen, dann aber dem Herrn gemeldet u. empfangen. Der ist gerade beim Essen, der Ankömmling wird an ein leeres Tischchen gesetzt. Nachdem der Hausherr den Empfehlungsbrief gelesen hat, muß ihm die Hausfrau ihren Sitz als den Ehrenplatz einräumen, der Gastgeber weist ihm mit höflichen Worten ein Zimmer an. Das Bad muß er außer Hause aufsuchen. Als er noch immer hungrig zurückkommt, bittet ihn die Magd zum Hausherrn; doch statt des erwarteten Essens verwickelt ihn dieser in ein langes Gespräch, erkundigt sich nach allem, so lange, bis der Gast vor Erschöpfung nicht mehr zu sprechen vermag. Am anderen Tag wird er auf einem Spaziergang in der Stadt überraschend von einem vornehmen Ehepaar erkannt; die Frau erweist sich als seine Tante u. lädt ihn in ihr sehr schönes Haus ein. Aber Lucius weiß, was sich gehört: ‚Das sei ferne von mir, liebe Tante, daß ich meinen Gastfreund Milo ohne ernsten Grund zur Klage verlasse! Doch gewiß, soweit es ohne Verletzung meiner Pflichten geschehen kann, will ich mein Möglichstes tun. Sooft sich wieder ein Anlaß zur Reise hierher ergibt, werde ich nie versäumen, bei dir einzukehren‘ (2, 2f). Die allgemeine Verbreitung der privaten G. ist der Hauptgrund dafür, daß im griechisch-römischen Bereich Hotel- u. Gastgewerbe auf einem sehr niedrigen Stand bleiben, wie im Orient noch bis ins 20. Jh.; die bessere Kundschaft fehlt fast ganz, weil sie über genügende G.beziehungen verfügt.

8. Rechtsverhältnisse. Unentbehrlich ist die G. für den Handelsverkehr infolge der prinzipiellen Rechtlosigkeit des Fremden. Noch bis weit in die historische Zeit hinein gilt die Wegnahme fremden Eigentums auf hoher See als straffrei. Im 5. Jh. vC. bestimmt der Staatsvertrag zwischen Oianthea u. Chaleion (IG 9, 1, 333 = Solmsen-Fraenkel 45): ‚Fremde Güter vom Meer weg fortzunehmen, unterliegt keinen Repressalien, ausgenommen aus dem Stadthafen.‘ Rechtsschutz gibt es nur innerhalb des gemeindlichen Territoriums. Bezeichnenderweise drückt das Griechische diesen Begriff mit dem Wort ἀσυλία negativ aus: ‚Die Situation, in der das συλᾶν, das gewaltsame Fortführen des Fremden u. seiner Habe, nicht statt hat' (Szanto, Art. Ἀσυλία: PW 2, 2 [1896] 1879/81). Ein Bürger der Stadt muß für den Fremden bei Rechtshandlungen eintreten u. vor Gericht für ihn sprechen. Er hütet für den Gastfreund Vermögenswerte, die dieser in seinem Gewahrsam zurückgelassen hat (Plaut. Bacch. 250/76). Wo die Auslandsbeziehungen staatlich geregelt werden, können eigene Behörden für Rechtsstreitigkeiten von Fremden eingesetzt werden: ξενοδίκαι (zu unterscheiden von ξενοκρίται: ‚von auswärts herbeigerufenen Richtern') sind bezeugt in Athen (IG 1², 342, 38. 343, 89; 2/3², 144 Aa 8. i 8), Oianthea (IG 9, 1, 333, 10 = Solmsen-Fraenkel 45), Troizen (IG 2/3², 46 A 11. 27. B 31), Phokis (IG 9, 1, 32. 38), Medeon (Ditt. Syll.³ 647, 40). Oianthea gibt dem Fremden, falls die zwei Fremdenrichter zu keinem gemeinsamen Urteil kommen, das Recht, Zusatzgeschworene in ungerader Zahl (9 oder 15) zu benennen, mit Ausschluß des Proxenos seines Staates u. seines persönlichen Gastfreundes, da diese gebunden sind, seine Partei zu ergreifen (Ed. Meyer, Forschungen zur alten Gesch. 1 [1892] 313f). – In Rom ist für Rechtsstreitigkeiten mit peregrini (d.h. Angehörigen solcher fremder Staaten, mit denen Rom einen Rechtshilfevertrag geschlossen oder ihnen als Unterworfenen die fides zugesagt hat) für das Verfahren in iure der praetor peregrinus zuständig. Der die Entscheidung fällende Gerichtshof

sind die recuperatores. In klassischer Zeit scheint der peregrinus die Prozeßfähigkeit vor dem Recuperatorengericht selbst besessen zu haben. Doch blieb es üblich, daß ein röm. Gastfreund als patronus seine Sache zu führen übernahm (L. Wenger, Art. Recuperatio: PW 1 A 1 [1914] 414, 48/415, 2).

9. Politische G. Ganz allgemein hat der Gastfreund am Ort die Interessen des fremden Gastfreundes zu vertreten. Diese Pflicht reicht dann, wenn der auswärtige Gastfreund ein Herrscher ist, in den Bereich des Politischen. Der Athener Alkmeon unterstützt die Gesandten, die der König Kroisos zum delphischen Orakel schickt; Kroisos lädt ihn an seinen Hof ein u. gibt ihm mit königlicher Großzügigkeit Gastgeschenke (Herodt. 6, 125). Ein Kaufmann Themison aus Thera ist Gastfreund des kretischen Stadtkönigs Etearchos von Oaxos (Herodt. 4, 154). In späterer Zeit ist G. zwischen Privatleuten u. Königen oft bezeugt (Lysias 19, 25/7; Plat. Men. 78 D; Demosth. or. 18 [cor.] 51. 82; Diog. Laert. 2, 51; Paus. 3, 8, 4; 6, 12, 3; Liv. 37, 54, 5). Nicht selten sind es die Gastfreunde, die es einem Eroberer ermöglichen, die Stadt, in der sie dessen Partei vertreten, durch Verrat im Handstreich zu nehmen, zB. Paus. 7, 10, 2f; Diod. Sic. 20, 31, 4. In der Römerzeit nehmen vor allem die G. zwischen den Honoratioren griechischer Städte u. dem röm. Statthalter einen politischen Charakter an, der sie in die Nähe des durch ein hospitium publicum zwischen der ganzen Stadtgemeinde u. einem einflußreichen Römer begründeten Patronatsverhältnisses (s. u. Sp. 1096) rückt. Cicero empfiehlt seinem Bruder hierbei größte Zurückhaltung: man soll die Griechen zwar alle mit Freundlichkeit behandeln, wenn sie an einen herantreten, aber nur die auserwählt Besten sich durch hospitium u. amicitia verbinden (Cic. ad Q. fr. 1, 16).

b. Staatliche G. 1. Formen. Die G.verhältnisse zwischen Privatleuten u. auswärtigen Herrschern oder Feldherren führen, wenn der Herrscher oder Feldherr nicht als Person, sondern als Repräsentant seines Staates betrachtet wird, in den Bereich der staatlichen G. Beide Gesichtspunkte können vereint auftreten. Livius (30, 13, 11) stellt nebeneinander die hospitia privata, welche den röm. Feldherrn Scipio u. den Numiderkönig Syphax persönlich verbinden (begründet 28, 18, 2), u. die publica foedera, die sie als Vertreter ihrer Staaten geschlossen haben. Für die staatliche G. ergeben sich folgende mögliche Fälle: a) ein Bürger vertritt in seiner Gemeinde die Interessen eines auswärtigen Staatswesens; b) der Staat gewährt einem einzelnen Ausländer Gastrecht; c) zwei Staaten verpflichten sich, bestimmten Gruppen ihrer Staatsangehörigen generell gegenseitig G. zu gewähren. Im letzten Falle hat sich hinsichtlich der zu berücksichtigenden Gruppen in Griechenland ein Gewohnheitsrecht herausgebildet. Plat. leg. 12, 952 D / 953 E nennt vier Gruppen: Kaufleute, für die man außerhalb der Mauern in der Nähe der Stadt Marktplätze, Häfen u. staatliche Herbergen einrichten soll. Die Behörden haben darauf zu achten, daß diese Fremden keine unerwünschten neuen Sitten einführen u. daß ihnen gerechtes Recht gesprochen wird. Die zweite Gruppe sind die Festbesucher (θεωροί). Sie sollen ihre Unterkünfte bei den Tempeln erhalten; Priester u. Tempeldiener sollen dafür sorgen, daß sie zu sehen u. zu hören bekommen, weswegen sie gekommen sind, u. sollen bis zu einem Streitwert von 50 Drachmen Richter sein in sie betreffenden Streitigkeiten. Die dritte Gruppe bilden die Gesandten fremder Staaten. Sie werden in den Häusern der obersten militärischen Kommandanten beherbergt. Die vierte, an Zahl geringste Gruppe ist die der Gelehrten, die, mindestens 50 Jahre alt, kommen, um Erkenntnisse von vortrefflichen Einrichtungen im Ausland zu sammeln u. darüber in ihrer Heimat zu berichten. Sie sollen unaufgefordert Zutritt finden bei den Reichen u. Gelehrten der Stadt. Nicht berücksichtigt hat Platon in seinem Staatsmodell weitere Gruppen, denen Gastrecht gewährt zu werden pflegt: Politische Verbannte, einzeln oder in Gruppen, genießen in den Städten G., in denen sie Zuflucht suchen. Bürger einer Tochterstadt gelten öfter von Staats wegen als Gäste in ihrer Mutterstadt (zB. IG 9, 1, 334 = Solmsen-Fraenkel 44: Recht der als Kolonisten nach Naupaktos auswandernden hypoknemidischen Lokrer in ihrer Mutterstadt) u. umgekehrt (zB. Staatsverträge 3 nr. 408: Isopolitie der Milesier in der Tochterstadt Olbia). Solchen Fremden wird auch der Zugang zu den staatlichen Kulten zugestanden, von denen Nichtbürger normalerweise streng ausgeschlossen sind; für Altrom zitiert Paul. Fest. s. v. exesto (72 Lindsay) den bei bestimmten Kulthandlungen üblichen Heroldsruf: hostis, vinctus, mulier, virgo exesto.

2. Staatliche Gesetze u. Verträge. In der Praxis sind die Satzungen der einzelnen Staaten sehr verschieden. Sparta läßt zwischen dem 6. u. 2. Jh. vC. Fremde nur in ganz beschränktem Umfang u. unter strengster Aufsicht zu, wie es auch den eigenen Staatsangehörigen private Reisen ins Ausland verbietet. In Athen dagegen verkehrt der Fremde völlig frei, nur die politischen Rechte der Bürger bleiben ihm u. seinen Kindern versagt. – Zwischenstaatliche Verträge können den Bürgern der Vertragsstaaten eine bevorzugte Rechtsstellung einräumen, zB. in den Verträgen zwischen Knossos u. Tylissos (Staatsverträge 2 nr. 148) u. zwischen Naryka u. den Ostlokrern (Staatsverträge 3 nr. 472 A 5), wo die Verweigerung der G. gegenüber den Begünstigten beidemal mit einer Geldstrafe belegt wird. Neben der Einräumung politischer Rechte u. dem Heiratsrecht (ἐπιγαμία, conubium) spielen Handelsrechte (commercium) die Hauptrolle, zB. in den Verträgen Roms mit Karthago (Polyb. 3, 22/6). Schon im frühesten Vertrag aus dem 1. Jahr der Republik, 508 vC., werden die Bezirke abgegrenzt, innerhalb deren das Recht freien Handels eingeräumt wird.

3. G. für Theoren. Eine sämtliche griechische Staaten bindende Verpflichtung war die Unverletzlichkeit der Besucher der panhellenischen Spiele u. der Festgesandten, die vorher die Einladung in die einzelnen Städte überbrachten. Da auch für lokale Feste einladende Gesandte u. Festbesucher zahlreich unterwegs waren, spielte diese Gruppe von Reisenden (θεωροί) in Griechenland eine sehr wichtige Rolle. Die meisten Städte beauftragten einen ihrer Bürger, ihnen offizielle G. in seinem Haus zu gewähren. Der Gastgeber (ξενοδόκος) erhielt in dieser speziellen Funktion den Ehrentitel θεωροδόκος verliehen, entweder von seiner Stadt oder als Dank von der Gemeinde oder dem Heiligtum, dessen Festboten er beherbergt hatte (L. Ziehen, Art. Theoroi: PW 5 A 2 [1934] 2239/44). Auch nach römischer Auffassung genossen Festbesucher besonderen Schutz. Livius (1, 9, 13) läßt die Väter sich über den Raub der Sabinerinnen besonders deswegen beklagen, weil das Unrecht ihnen als zum Feste eines Gottes eingeladenen Gästen per fas ac fidem zugefügt worden sei.

4. Proxenie. Mit seinem Amt näherte sich ein Theorodokos dem umfassenderen Aufgabenkreis eines Proxenos, d. h. jenes o. Sp. 1093 genannten Bürgers, der in gewisser Weise eine Rolle spielt, die der eines Konsuls im

heutigen zwischenstaatlichen Verhältnis entspricht. Vom modernen Konsul unterscheidet ihn, daß er in jedem Falle nicht vom ausländischen Staat entsandt ist, sondern Bürger des Ortes sein muß, wo er wirkt, u. daß er dort nicht Immunität oder Amtsrecht genießt, auch keiner Bestätigung durch die Behörden des Ortes bedarf. Daß er sich der Angehörigen eines auswärtigen Staates annimmt, ihnen in seinem Hause G. gewährt, ihre u. die Interessen ihres Staates bei den Behörden seiner Heimat vertritt, beruht meist auf alten familiären Beziehungen zu regierenden Geschlechtern des ausländischen Staates, die sich wie jede G. vom Vater auf den Sohn vererben. So ist zB. Alkibiades Proxenos der Spartaner in Athen aus einer auf seine frühen Vorfahren zurückreichenden Tradition. Selbstverständlich wählt sich der zu vertretende ausländische Staat einen einflußreichen u. angesehenen Mann zum Proxenos, so daß der Titel eine Ehre u. Anerkennung bedeutet, die für den materiellen Aufwand entschädigt (athenischer Volksbeschluß über die Ernennung zum Proxenos: Staatsverträge 2 nr. 183; vgl. 3 nr. 419, 27/40 u. nr. 568). Seinen besonderen Dank drückt der Staat, für dessen Belange der Proxenos erfolgreich eingetreten ist, oft durch Verleihung von Ehrenrechten u. durch Ehreninschriften aus. Ins 6. Jh. vC. gehört die Inschrift auf dem Kenotaph des auf See ums Leben gekommenen Menekrates von Oianthea, die ihm die Gemeinde auf Korkyra als ihrem Proxenos u. δάμου φίλος gesetzt hat (IG 9, 1, 867 = Friedlaender, Epigr. 26). Die Institution der Proxenie ist zu dieser Zeit schon voll ausgebildet. In hellenistischer Zeit wird der Titel mehr u. mehr auch nur ehrenhalber verliehen. Stellten sich ausnahmsweise Gesandte eines fremden Staates ein, die noch keinen Proxenos am Orte hatten, so entledigten sich die Behörden ihrer Verpflichtung zur Aufnahme der Fremden, indem sie die Last als Leiturgia einem der Bürger übertrugen. Nur vielbesuchte Heiligtümer, wo an den großen Festen die Häuser der Bürger den Fremdenstrom unmöglich fassen konnten, u. Städte mit sehr regen Auslandsbeziehungen errichteten ein eigenes Unterkunftshaus (ξενών, ἐστιατόριον). In Athen werden Gesandtschaften zum Essen ins Prytaneion geladen (Staatsverträge 2 nr. 139, 14 f; 264, 13/6; 304, 9/12; 309, 30/4; 3 nr. 445 c 9; 476, 63 f), ebenso in Milet (Staatsverträge 3 nr. 537, 43 f; 538 A 12; 539, 55 f). Insoweit der Proxenos als Rechtsanwalt die

Fremden vor den Gerichten seiner Stadt zu vertreten hatte, konnten seine Pflichten durch Rechtssanktionen fundiert werden. Das Gesetz von Oianthea (IG 9, 1, 333 = Solmsen-Fraenkel 45) setzt für einen Proxenos, der seine Mandanten nicht ordnungsgemäß vertritt, den doppelten Streitwert als Strafe fest (Meyer aO. 312 f; Monceaux passim). Die Institution der Proxenie findet sich auch außerhalb Griechenlands. So wird Alorcus, Karthager in der Armee Hannibals, aber publice Saguntinis amicus atque hospes (Liv. 21, 12, 6), für die Saguntiner als Proxenos tätig, indem er ihnen die letzten Friedensbedingungen Hannibals überbringt.

5. Verpflichtung der Bürger verbündeter Staaten. Zum mindesten moralisch verpflichtet ein hospitium zwischen zwei Städten nicht nur die Proxenoi, sondern jeden Bürger. Darum hält der Rhetor Cestius Pius in einer Schul-Deklamation über das Thema, der attische Maler Parrhasios habe sich von Philippos, dem Eroberer des mit Athen verbündeten Olynth, einen Gefangenen als Sklaven gekauft, um ihn als Modell zu foltern, den Verfechtern der freien Verfügungsgewalt über den Sklaven entgegen: ‚Ich habe ihn gekauft, sagt er. Nein, wenn du ein Athener bist, so hast du ihn freigekauft‘ (Sen. contr. 10, 5, 4). Eine derartige Rechtsbestimmung, daß, wer einen Bürger der befreundeten Stadt wissentlich als Sklaven kauft, ihn ohne Entschädigung freigeben muß, enthalten die Verträge zwischen Milet u. Knossos (Staatsverträge 3 nr. 482, 18/25) u. zwischen Delphi u. Pellana (ebd. 558 I B 6 f).

6. Hospitium als Patronatsverhältnis. Während in Griechenland ein Freundschaftsvertrag (φιλία), der auch die G. (ξενία) mitbetraf, in der Regel zwischen Staaten mit gleichberechtigter Souveränität geschlossen wurde, wirkte sich im Westen das politische Übergewicht Roms zunehmend auch da aus, wo der andere Vertragspartner nominell eine freie Stadt oder eine Gemeinde römischen oder latinischen Rechts war. Der Charakter des hospitium publicum wurde dadurch verändert: so wie ein freier römischer Bürger niedrigen Standes sich als cliens an einen Mächtigen anzuschließen pflegte, indem er ihn zu seinem patronus erwählte, suchten auch die municipia, coloniae u. liberae civitates einen patronus als Vertreter ihrer Interessen in Rom zu gewinnen, indem sie ihn zu ihrem hospes ernannten. Die zahlreichen inschrift-

lichen tabulae oder tesserae hospitales seit
dem 1. Jh. vC. u. in der Kaiserzeit sind fast
ausschließlich solche Patronatsurkunden. Die
Wahl des patronus erfolgt durch den Ge-
meinderat, wie das Stadtrecht der Lex Ur-
sonensis (CIL 1², 594, 301, 4) ausdrücklich
festhält, mit Stimmenmehrheit: (ne) hospitium tessera[s]ve hospitalis cum quo fi⟨at⟩
nisi de maioris partis decurionum sententia.
Der patronus nimmt die Wahl als eine Ehrung
an. Der Vorgang wird in den Urkunden mit
den stereotypen Formeln bezeichnet: hospitium fecit (iunxit, renovavit) cum ...; tesse-
ram hospitalem fecit cum ...; hospitium tesseramque hospitalem cum ... fecit (Marchetti 1058/61; ThesLL 6, 3033, 71/7. 3038,
29/57). Die beiderseitigen Akte trennen genauer zB. die Inschriften CIL 8, 68 (unter
Augustus) u. 69 (unter Nero). Von der Gemeinde heißt es: hospitium fecerunt ..., pa-
tronum cooptarunt; von dem Gewählten, daß
er die Gemeinde in fidem clientelamque suam
recepit. Seltener wird hospitium tesseramque
facere vom patronus gesagt (zB. CIL 1², 755:
hospitium tesseram⟨que hospitalem quom⟩ si-
natu populoque Cur⟨ubitano fecit⟩). Ausschlaggebend für die Wahl zum patronus sind
persönliche oder familiäre Verbundenheit;
man wählt zB. den Feldherrn, der in der Provinz große Erfolge errungen hat, u. dessen
Nachkommen (die Marcelli waren Patrone
von Städten Siziliens, vgl. W. Dahlheim,
Struktur u. Entwicklung des röm. Völker-
rechts [1968] 42₄₅; Pompeius in Spanien), einen verdienten Statthalter, Angehörige einer
in der Gegend begüterten Familie, die Mitglieder des röm. Senats sind. Eine Gemeinde
kann mehrere patroni haben. Sie alle genießen
als Lohn für ihr Eintreten zugunsten der Gemeinde die üblichen Ehrenrechte: öffentliche
Empfänge bei der Ankunft in der Gemeinde,
Bewirtung, Geschenke, Opfer zu ihren Ehren,
Inschriften u. Statuen für besondere Verdienste. In Notlagen erweist sich die Gegenseitigkeit des Verhältnisses, indem auch die
Gemeinde sich für ihren hospes publicus einsetzt. Wie Gastfreunde im Krieg den Kampf
gegeneinander vermeiden, so erläßt auch Oktavian, als in der Auseinandersetzung mit
Kleopatra u. Antonius die Bürger ganz Italiens ihm den Treueid leisten, den Einwohnern
von Bologna diesen Eid, weil die Stadt in
einem alten Klientelverhältnis zu den Antonii steht (Suet. Aug. 17, 2).

7. **Hospitium publicum** ohne Patronatsver-

hältnis. Seltener als die klientelähnlichen Verhältnisse ist die Verleihung des hospitium
publicum durch die röm. Gemeinde (bzw. den
Senat) an auswärtige Gemeinden oder Einzelpersonen. Für das erstere gibt es nur zwei
Zeugnisse: Nach dem Galliersturm von 490
verleiht der Senat den Bürgern von Caere das
hospitium publicum zum Dank dafür, daß
diese die mit den sacra populi Romani geflohe-
nen Vestalinnen gastfreundlich aufgenommen
u. so die Kontinuität des röm. Staates durch
Fortsetzung des Staatskultes gesichert hatten
(Liv. 5, 50, 3). In vorcäsarischer Zeit begründet wurden populi Romani hospitium atque
amicitia der Häduer, auf die sich Diviciacus
vor Cäsar beruft (Caes. b. Gall. 1, 31, 7).
Außerhalb Roms ist der bekannteste G.ver-
trag zwischen zwei Geschlechtsverbänden
(gentilitates) in lat. Sprache der 27 nC. in Erneuerung eines alten hospitium abgefaßte
Vertrag der Desonci mit den Tridavii aus
Nordspanien (CIL 2, 2633), iJ. 152 erweitert
auf Einzelpersonen aus anderen gentes. Häufiger kommt es vor, daß Rom einen einzelnen
zum hospes publicus ernennt, um ihm für
Verdienste zu danken. Als die röm. Gesandten,
die ein Weihgeschenk an Apollo nach Delphi
bringen sollen, von den liparischen Seeräu-
bern gekapert werden, wie es anerkanntes
Recht gegenüber fremden Kauffahrern ist,
behandelt sie der oberste Magistrat der Insel,
Timasitheos, als er den Zweck der Reise erfährt, nach griechischer Sitte als Theoren,
indem er ihnen G. von Staats wegen u. sicheres
Geleit nach Delphi u. zurück nach Rom gewährt. Der Senat verleiht ihm seinerseits das
hospitium u. ehrt ihn mit Geschenken (Liv.
5, 28, 2/5). Das ist der früheste bekannte Fall
aus dem 5. Jh. vC.

8. **Zeichen.** Offizielles Zeichen der staatlichen
G. ist die Gewährung von munera (Ehren-
gaben = ξένια), loca (Unterkunft = τόπος)
lautiaque (Unterhalt = παροχή). Das Wort
lautia, altlateinisch dautia, ist etymologisch
nicht sicher zu deuten (Walde, Wb.³ 1, 324f
u. 777; S. Timpanaro, Note a interpreti Vir-
giliani antichi: RivFilolIstrClass 95 [1967] 432/
42); es erscheint immer nur in formelhafter
Verbindung mit loca (ThesLL 7, 2 s.v.). Der
makedonische Höfling Onesimus, der seinen
König Perseus vergeblich vom Krieg mit Rom
zurückzuhalten versucht hatte u. dann zu den
Römern übergegangen war, wird vom Senat
in den Rang eines socius erhoben; damit verbunden ist die Gewährung von locus u. lautia,

d. h. die staatliche G., u. das Ehrengeschenk eines Landgutes u. eines Stadthauses in Tarent (Liv. 44, 16, 7). Alle drei Begriffe erscheinen in dem erhaltenen Originaltext des Senatsbeschlusses aus dem J. 78 vC. zugunsten dreier griechischer Schiffskapitäne, die Rom im Bundesgenossenkrieg wertvolle Dienste geleistet hatten, Asklepiades von Klazomenai, Polystratos von Karystos u. Meniskos von Milet. Sie werden als viri boni u. amici des röm. Volkes mit einer Reihe von erblichen Privilegien in ihren Rom unterworfenen Heimatstädten ausgestattet; in Rom erhalten sie u. a. das Recht, sich mit ihren Anliegen unmittelbar an den Senat zu wenden. Ohne daß das Wort hospitium gebraucht wird, ist dieses doch sachlich gemeint insofern, als der quaestor urbanus beauftragt wird, munusque eis ex formula, locum lautiaque zu besorgen (CIL 1², 588, 8 [= 22f des griech. Textes]; vgl. Gallet 242/93. 387/425 u. de Martino 20/4). Die Weise, wie der Text des Senatsbeschlusses aufgebaut ist, läßt erkennen, daß die amicitia der allgemeinere Oberbegriff ist, das hospitium dagegen in eine Reihe mit anderen Vergünstigungen gehört, die einem amicus populi Romani eingeräumt werden können.

9. G. für Gesandte u. Staatspersonen. Neben der Verleihung der dauernden Eigenschaft eines hospes publicus sind naturgemäß die Fälle zahlreich, in denen außer befreundeten Herrschern u. Angehörigen ihrer Familien (Val. Max. 5, 1, 1 d/f) vor allem Gesandte auswärtiger Staaten vorübergehend für die Dauer ihrer Mission Gäste des röm. Staates sind. Das älteste literarische Zeugnis ist eine Parodie, welche das übliche hospitium für Gesandte voraussetzt: Plaut. Amph. 153/62 läßt den Sklaven Sosia als Überbringer einer Nachricht bei Nacht in die Stadt kommen. Er fürchtet, von der Polizei aufgegriffen, in den Kerker geworfen u. auf diese Weise ,auf Staatskosten untergebracht zu werden' (ita peregre adveniens hospitio publicitus accipiar). Es ist das hospitium pugneum, der Empfang mit Faustschlägen (296), den er sich erwartet. Zweifellos spiegeln sich in diesen Reden Sosias römische, nicht griechische Verhältnisse (E. Fraenkel, Elementi plautini in Plauto [Firenze 1961] 172f). Während Gesandte befreundeter Nationen in der Regel bereits einen Römer zum Gastfreund haben, der sie in seinem Hause beherbergt, werden Gesandte feindlicher Staa-

ten nicht über das pomerium, die sakrale Stadtgrenze, hereingelassen. Der Senat bekundet das ihnen entgegengebrachte Mißtrauen dadurch, daß die villa publica, in welcher sie als Gesandte locum et lautia (aber keine munera) erhalten, außerhalb des pomerium liegt u. die ihnen gewährte Audienz in den ebenfalls außerhalb liegenden Bellonatempel verlegt wird (Liv. 30, 21, 12; 33, 24, 5). Zu den Dingen, die einem hospes auf jeden Fall zustehen, gehört die Pflege im Krankheits- u. Bestattung im Todesfall, ebenso der Schutz seiner unbestrittenen Rechte. Der Wert der munera, mit denen darüber hinaus befreundete Gäste zu ehren sind (silbernes u. goldenes Geschirr u. ä., nicht Bargeld) ist durch Bestimmungen festgelegt (munus ... ex formula = ξένια ... κατὰ τὸ διάταγμα heißt es im SC de Asclepiade 8 = griech. 26 [Bruns, Fontes 1, 179; s. o. Sp. 1099); Livius nennt meist 2000 As (de Martino 22₂₆).

10. Parochie. Wenn Rom das traditionelle Gastrecht von Ausländern, die im offiziellen Auftrag ihrer Staaten u. Gemeinden reisten, gewissenhaft respektierte, so forderte es umgekehrt von den unterworfenen oder verbündeten Gemeinden, den Munizipien u. Kolonien, streng, daß römische Beamte u. Militärpersonen auf ihren Reisen von ihnen gastlich aufgenommen u. versorgt wurden. Ein parochus oder xenoparochus übte die Pflichten des Gastgebers im Auftrag des Gemeinderates aus; die Ratsmitglieder waren dafür verantwortlich u. wurden bei Beschwerden zur Rechenschaft gezogen. Darüber hinaus war jeder vermögende Bürger zur Aufnahme verpflichtet. Von Mißbräuchen ist oft die Rede. Schon iJ. 190 vC. wirft Cato dem gewesenen Konsul Thermus vor, er habe die zehn Vorsteher einer ligurischen Gemeinde auspeitschen lassen, weil sie ihm für zu wenig gute Verpflegung gesorgt hätten (Gell. 10, 3, 17). Gaius Gracchus klagt über einen Konsul, der den Quästor von Teanum Sidicinum habe peitschen lassen, weil das Männerbad nicht rasch genug geräumt worden sei, als die Frau des Konsuls dort ein Bad zu nehmen gewünscht habe. Ähnliches habe sich ein Prätor in der Latinerstadt Ferentinum geleistet (Gell. 10, 3, 3). Verres quartiert als Legat einen Mann seines Gefolges bei einem der vornehmsten Bürger von Lampsakos ein u. weist dessen Beschwerde, daß er als Gäste Prätoren u. Konsuln, aber nicht untergeordnete Gehilfen eines Legaten aufzunehmen

verpflichtet sei, in unbilliger Weise ab, weil
er sich einen Weg öffnen will, die Tochter jenes Bürgers zu entehren (Cic. Verr. 2, 1, 64/9).
Die Lex Iulia repetundarum aus Cäsars Kon-
sulatsjahr 59 vC. legte schließlich die Leistungen fest, die unentgeltlich gefordert werden
durften: Obdach, Wasser u. Feuerung, Salz
(Hor. sat. 1, 5, 45f) u. Heu für die Reit- u.
Zugtiere (Cic. Att. 5, 16, 3; vgl. F. Zucker,
Art. Parochos: PW 18, 4 [1949] 1670/84).
Mehr als kleine Gastgeschenke darf darüber
hinaus ein Statthalter oder Amtsträger in der
Kaiserzeit nicht annehmen, kaufen nur, was
für den laufenden Unterhalt verbraucht wird
(Ulp.: Dig. 1, 16, 6, 3). Feiern u. Lobreden bei
seiner Ankunft in einer Stadt soll er jedoch
nicht ablehnen (ebd. 1, 16, 7 pr.).

11. Militärische Einquartierung. Bis in die
ersten drei Jh. der Kaiserzeit handelt es sich
bei den als hospites aufgenommenen staatlichen Reisenden nur selten um militärische
Einquartierung. Die röm. Truppen wurden
in Lagern untergebracht, nur ausnahmsweise
kamen sie in die Stadt. So nahmen nach der
Schlacht von Cannae die Bürger von Canu-
sium u. Venusia die ihres Lagers beraubten
Reste des röm. Heeres auf, u. Liv. 22, 52, 7;
54, 2/4 berichtet von einem Wettstreit der G.
zwischen beiden Städten, in welchem sich die
Canusinerin Busa hervortat. Ähnliches wiederholt sich in derartigen Katastrophenfällen.
Verwundete nach Schlachten können nicht
anders als durch G. in nahegelegenen Städten
versorgt werden, soweit nicht die Truppe seit
dem 1. Jh. nC. in den festen Standlagern an
der Reichsgrenze über eigene Krankenan-
stalten (valetudinaria) verfügt. Im Bürgerkrieg Cäsars zieht eine meuternde Legion aus
dem Lager Varros fort u. nimmt, von den
cäsarianisch gesinnten Bürgern von Hispalis
herzlich empfangen, in der Stadt Quartier
(Caes. b. civ. 2, 20, 4f). Doch erst als die
Heere in größerem Umfang von den Grenzen
abgezogen werden, gewinnt das hospitium
militare in den Städten Bedeutung. Dem
Quartiermeister, der dem Heer vorausreist u.
die Namen der aufzunehmenden Soldaten an
die Haustüren schreibt, bleibt die Dienst-
gradbezeichnung mensor oder metator (ursprünglich der Geometer, der das Abstecken
u. Einteilen [metiri oder metari] eines Feld-
lagers durchführt), das Quartier selbst heißt
metatum (byzantinisch μητᾶτον). Die Gesetzgebung der Kaiser erläßt seit dem 4. Jh. genaue Vorschriften, gesammelt im Cod. Theod.

7, 8/11 u. Cod. Iust. 12, 40f. Sie beziehen sich
auf die militia, d.h. den gesamten, sowohl zivilen wie militärischen Staatsdienst, der Anspruch auf das hospitium gibt, grundsätzlich
gegenüber jedermann in der Weise, daß der
Aufnehmende den dritten Teil seines Hauses
dem aufgenommenen Staatsbeamten zur Verfügung stellen muß. Nach einem Gesetz des
J. 398 (Cod. Theod. 7, 8, 5 = Cod. Iust. 12,
40, 2) werden drei Anteile festgelegt, worauf
der Aufnehmende zuerst einen für sich wählen darf, dann der Aufgenommene wählt u.
der verbliebene Anteil automatisch dem Aufnehmenden zufällt. Nur die obersten Staatsbeamten vom Range der illustres dürfen von
ihrem Quartiergeber die Hälfte des Hauses
fordern. Nicht verlangt werden darf, was über
die Gewährung des Obdaches hinausgeht, da
die Verpflegung aus den staatlichen Magazi-
nen der annona geliefert wird. Die Gesetze
schließen ausdrücklich aus die Stellung von
Kissen, Öl u. Holz (Cod. Theod. 7, 9, 1/3 u.
Cod. Iust. 12, 41, 1). Beamte u. Offiziere
unter dem Rang von illustres haben auch
keinen Anspruch auf ein eigenes Bad (Cod.
Theod. 7, 11, 1f). Daß die Verpflichtung zur
Aufnahme von Einquartierung eine molestia
sei, wird vom Gesetzgeber nicht geleugnet, u.
daher bleibt ein bewußt sehr eng begrenzter
Kreis von Personen durch Privileg davon verschont: das Kaiserhaus selbst mit allen seinen
Besitzungen, die höchsten staatlichen Wür-
denträger u. ihre Familien für das von ihnen
selbst bewohnte Haus (consulares et patricii
sogar für drei, einfache consulares für zwei
Häuser, allerdings uneingeschränkt nur zu
Lebzeiten des Amtsinhabers), die Senatoren,
die Funktionäre der für die Armee arbeitenden Staatsbetriebe (fabricenses), die Haupt-
ärzte, Lehrer der Sprache u. Literatur, der
Philosophie u. der Wissenschaften sowie der
Malerei (Char.: Dig. 50, 4, 18, 30; Cod. Iust.
12, 40, 8), die christl. Kleriker (Cod. Iust. 1,
3, 1; befreit sind sie selbstverständlich nur
vom staatlichen munus hospitis recipiendi,
dem Einquartierungszwang. Das kirchliche
Gebot der hospitalitas gilt gerade für sie in
erster Linie, u. der Staat unterstützt sie dabei
durch zahlreiche Privilegien; s. *Herberge),
Soldaten u. Veteranen (Char.: Dig. 50, 4, 18,
29). Nicht belegt werden dürfen, abgesehen
von Verkaufsläden, in denen Soldaten Pferde
nur einstellen können, wenn keine andere
Möglichkeit zur Verfügung steht (Cod. Iust.
12, 40, 2, 1), die Amtsgebäude der iudices

(Cod. Theod. 7, 8, 6) u. die Synagogenherbergen der Juden (Cod. Theod. 7, 8, 2).

12. Ansiedlung der foederati u. ä. Diese Gesetzgebung gibt das Modell für die Behandlung der in der Völkerwanderung sich auf Reichsboden ansiedelnden Fremdvölker. Da sie als Hilfstruppen der Armee gelten, werden sie auf der Rechtsgrundlage des hospitium militare den röm. possessores zugewiesen, die ihnen ein Drittel ihres Haus- u. Grundbesitzes zur Verfügung stellen müssen. Der Römer bleibt rechtlicher Eigentümer, der ihm zugewiesene hospes hat an dem ihm als sors angewiesenen Drittel nur den Nießbrauch. Für den Ostgotenkönig Theoderich bekräftigt sein Geheimsekretär Cassiodor, daß alles streng ordnungsgemäß zugegangen sei. Ein barbarus, der sich ohne von einem zuständigen Beamten ausgestellten Quartierschein (pittacium) in den Besitz eines einem Römer gehörenden Grundstücks gesetzt hat, muß unverzüglich räumen, sofern inzwischen nicht die 30 jährige Verjährungsfrist abgelaufen ist (Cassiod. var. 1, 18, 2f). Das Werk des praefectus praetorio Liberius, der die Aktion geleitet hatte, rühmt Cassiodor als völkerverbindende Tat, über deren Wirkungen Römer wie Goten glücklich seien: durch die Abtretung eines Teiles habe der Römer sich einen Verteidiger seines Bodens gewonnen u. damit den Besitz gesichert (ebd. 2, 16, 5). In dem Maße, als die Völkerwanderungsstämme seßhaft wurden, verwandelte sich nach u. nach ihre Stellung, indem andersartige u. weitergehende Bestimmungen der nationalen Volksrechte die Regeln des röm. hospitium militare ablösten u. auch die hospites durch Ersitzung, Kauf u. andere Rechtsakte zu wirklichen Eigentümern des Bodens wurden (F. Lot, Du régime de l'hospitalité: RevBelgePhilHist 7 [1928] 975/1011).

C. Christlich. I. NT. a. G. als Form der Nächstenliebe. Die G. wird eng verbunden mit dem großen Gebot der Liebe (vgl. *Nächstenliebe). Der Gast wird jetzt zur Verkörperung Christi. ‚Ich habe Hunger gehabt u. ihr habt mich gespeist, ich habe gedürstet u. ihr habt mich getränkt, ich bin ein Fremder gewesen u. ihr habt mich aufgenommen' (Mt. 25, 35), sagt Jesus zu den Gerechten, u. auf deren Frage, wann das gewesen sei, antwortet er: ‚Was ihr einem von diesen geringsten unter meinen Brüdern getan habt, das habt ihr mir getan' (Mt. 25, 40). Für Jesus ist die G. nicht nur Sache des Mitgefühls, sondern erste Vorbe-

dingung des Heils. Dagegen verstoßen, heißt das Heil gefährden u. sich die Pforte zum Himmel verschließen. Denen, die Jesus in der Person des Nächsten aufgenommen haben, wird das Himmelreich verheißen, den andern die Hölle (Mt. 25, 46). Dasselbe gilt für die Aufnahme der Boten des Evangeliums: ‚Wer den aufnimmt, den ich sende, nimmt mich auf, u. wer mich aufnimmt, nimmt den auf, der mich gesandt hat'. In diesem Satz ist also nicht nur Jesus, sondern der Vater selbst mit eingeschlossen, der mit Jesus eins ist (Joh. 13, 20). Glücklich wird der wachsame Knecht genannt, der am jüngsten Tage dem Herrn, wenn er klopft, die Türe auftut. Dann verkehren sich die Rollen, der Herr wird ihn an seinem Tische bedienen, ihm den Platz anweisen u. ihn sein Mahl teilen lassen (Lc. 12, 3; Apc. 3, 20). Die Jünger setzen die Tradition fort. Bei ihnen verbindet sich im Hinblick auf die G. die zwingende Kraft der Lehre Christi u. des AT. Paulus wünscht im Brief an die Römer, sie sollten sich der Bedürfnisse der Heiligen annehmen u. sich eifrig zeigen, ihnen G. zu gewähren (Rom. 12, 13). ‚Vergeßt nicht die G.' (Hebr. 13, 2). Die Form wird klar umrissen: Die G. soll man üben mit frohem Herzen u. ohne Murren (1 Petr. 4, 9). Jeder unter den Christen ist zu ihr verpflichtet, speziell aber die Bischöfe, die Diakone, welche die Kirchengüter u. Spenden der Gläubigen verwalten, die Witwen, die nur dann mit Gemeindefunktionen betraut werden, wenn sie außer durch ihr Alter sich empfehlen durch gute Werke, G. geübt, die Füße der Heiligen gewaschen, den Bedrängten geholfen, Gutes auf jegliche Weise getan haben (1 Tim. 5, 10). G. ist andererseits das Stichwort, das die Neubekehrten aus dem Heidentum daran erinnert, daß sie, einst Fremde u. Gäste, jetzt Kinder u. Miterben Christi sind. Als Heiden waren sie ‚ohne Christus, ausgeschlossen aus der Stadt Israels, fremd dem Bunde der Verheißung', jetzt sind sie ‚nicht mehr Fremde u. Gäste, sondern Mitbürger der Heiligen u. des Hauses Gottes' (Eph. 2, 12/21). Darum lädt Paulus die, denen er das Evangelium verkündet, ein, den Begriff der Volksgebundenheit aufgehen zu lasen in der wahren christl. Einheit (Gal. 3, 28; Rom. 10, 12), womit er über jüdische Anschauungen hinausgeht. Die G. findet ihren Lohn in sich. ‚Gott ist nicht ungerecht, daß er vergäße, was ihr getan habt, u. die Barmherzigkeit, die ihr in seinem Namen gezeigt

habt, da ihr den Heiligen gedient habt u.
noch dient' (Hebr. 6, 10). Unvermutete Vorzüge kommen hinzu; die G. verbirgt unter
schlichtem Äußern glückliche Überraschun-
gen. Es ist das, was man das Mysterium der
G. genannt hat (vgl. Daniélou 345). ‚Um
ihretwillen haben manche, ohne es zu wissen,
Engel beherbergt' (Hebr. 13, 2), wobei deutlich auf Abraham u. Lot angespielt wird
(s. o. Sp. 1071).

b. G. im Leben Jesu. Christus hat während
seines irdischen Lebens mehrfach G. genossen.
Zwar hat er nach seinem eigenen Wort keinen
Platz, wo er sein Haupt hinlegen könne (Mt.
8, 20), doch er weist Einladungen auf seinen
Wegen zur Verkündung des Evangeliums
nicht ab. In Kapharnaum geht er nach Verlassen der Synagoge als Gast ins Haus von
Simon u. Andreas (Mt. 8, 14; Lc. 4, 38), begleitet von Jakobus u. Johannes (Mc. 1, 29).
Der Zöllner Matthaeus gibt, als er die Aufforderung Christi zur Nachfolge erhält, am
selben Tage ihm zu Ehren ein Gastmahl (Mt.
9, 10; Mc. 2, 15; Lc. 5, 29). In Jericho kündet
er selbst sich Zachaeus als Gast an, u. dieser
steigt freudig vom Baume herunter u. führt
ihn in sein Haus (Lc. 19, 5/7). In den Tagen
vor der Passion ist das Haus von Lazarus,
Martha u. Maria in Bethanien sein bevorzugter Aufenthalt (Joh. 12, 1/8); im Hause des
Pharisäers Simon des Aussätzigen findet das
Gastmahl der Freunde statt (Mt. 26, 6/13;
Lc. 7, 36/50). Die Lehre, die er Simon erteilt,
zeigt den Wert, den er auf die Einzelheiten
legt, in denen sich die Gesinnung der G. zeigt:
Fußwaschung, Kuß, Salbung (Lc. 7, 44/6).
Der Auferstandene wird von den Jüngern in
Emmaus gebeten, die Nacht bei ihnen zu
bleiben (Lc. 24, 29), u. er erweist die Realität
seiner Auferstehung, indem er mit den Jüngern Fisch u. Honig ißt (Lc. 24, 41/3).

c. Apostolische Zeit. Die G. ist ein wichtiger
Faktor bei der Ausbreitung des Evangeliums.
Jesus selbst hat den Aposteln genau vorgeschrieben, wie sie die G. in den Dienst ihrer
Mission stellen sollen (Mt. 10, 11/5; Mc. 6, 8/
13; Lc. 9, 2/6; 10, 4/16): In dem Dorf, der
Stadt, die sie betreten, lassen sie sich ein ehr-
bares Haus nennen, in dem sie wohnen. Beim
Betreten des Hauses entbieten sie den Friedensgruß, u. wenn sein Besitzer ein Sohn des
Friedens ist, ‚wird der Friede auf dem Hause
ruhen', andernfalls kehrt er auf die, die ihn
entbieten, zurück. Sie sollen im selben Hause
bleiben, nicht von Haus zu Haus wechseln.

Verweigert man ihnen Aufnahme u. Gehör, so
sollen sie weggehen, ‚indem sie den Staub von
ihren Füßen schütteln'. Allgemein gilt, daß
jeder Missionar das Recht hat, von der Gemeinde seinen Unterhalt zu empfangen (Marty 291). Davon macht Paulus reichlich Gebrauch. Wenn er sich gezwungen sieht, einen
Ort, wo seine Predigt kein Echo findet, zu verlassen, sind ihm eifrige u. ergebene Christen
Trost u. Stütze. Zu den bekanntesten gehören Aquila, ein Jude aus Pontos, u. dessen
Frau Priscilla. Sie sind aus Rom, vertrieben
durch das Edikt des Claudius, nach Korinth
übergesiedelt. Dort trifft Paulus mit ihnen
zusammen, u. da Aquila wie Paulus von Beruf Zeltmacher ist, bleibt Paulus bei ihnen u.
arbeitet (Act. 18, 1/3). Sie begleiten ihn auf
seiner Reise bis Ephesos, wo sie den Prediger
Apollos aus Alexandrien zu sich nehmen, um
ihm den Weg Gottes noch genauer zu erklären,
als er ihn bisher kennt (Act. 18, 24/6). Paulus läßt sie später, als sie sich wieder in
Rom niedergelassen haben, grüßen als ‚die
Mithelfer in Christo Jesu, die für mein Leben
ihren eigenen Kopf aufs Spiel gesetzt haben'
(Rom. 16, 3f). In Philippi wohnt Lydia, die
reiche Purpurhändlerin aus Thyateira, einer
durch ihre Färbereiindustrie bekannten Stadt
der Provinz Asia (CIG 2, 3496/8), wohl eine
Witwe. Sie läßt sich taufen u. bittet Paulus u.
Silas in ihr Haus; sie zwingt ihnen G. geradezu auf (Act. 16, 14f. 40). Sonst hält Paulus
daran fest, den Gastgebern nicht die Last
seines Unterhalts zuzumuten, sondern sich
durch seiner Hände Arbeit zu ernähren (Act.
20, 34; 1 Cor. 4, 12; 1 Thess. 2, 9; 2 Thess.
3, 8). Am Schluß des Römerbriefs übermittelt
er die Grüße des Gaius, ‚seines u. der ganzen
Kirche Gastgebers' (Rom. 16, 23). Einen
Gaius lobt auch 3 Joh. 5/8: ‚Du tust ein Werk
des Glaubens in dem, was du tust für die
Brüder u. sogar für die Fremden, die Zeugnis
abgelegt haben von deiner Liebe vor der ganzen Gemeinde; du wirst gut tun, indem du sie
für die Reise in einer Gottes würdigen Weise
versiehst. Denn um seines Namens willen
sind sie fortgegangen, ohne etwas anzunehmen
von den Heiden. Wir also sind verpflichtet,
solche Leute aufzunehmen, um so mitzuwir-
ken im Dienste der Wahrheit'. Es handelt
sich ohne Zweifel um die Aufnahme wandern-
der Missionare. Geklagt wird dann über einen
Diotrephes, der diese G. verweigert (ebd. 9f).
Bei Karpos in der Troas hat Paulus seinen
Mantel, Bücher u. Pergamente zurückgelas-

sen, die er sich nachbringen läßt (2 Tim. 4, 13). In Thessalonike beherbergt ihn u. Silas ein Jude mit dem gräzisierten Namen Jason, u. dieser Gastgeber bürgt für sie, als die Gegner sie vor den Behörden anklagen (Act. 17, 5/9). Auf seiner 5. Reise nach Jerusalem begeben sich Paulus u. seine Begleiter, in Caesarea angekommen, in das Haus des Evangelisten Philippos, eines der Sieben, u. bleiben mehrere Tage bei ihm (Act. 21, 8). Dann begleiten einige Jünger sie von Caesarea nach Jerusalem u. stellen ihnen ihren dortigen Gastgeber vor, Mnason aus Cypern, einen langjährigen Jünger, u. die Brüder in Jerusalem bereiten ihnen einen herzlichen Empfang (Act. 21, 15/17). Auch Petrus hat überall seine Gastfreunde. In Lydda wohnt er bei den Glaubensgenossen (Act. 9, 32), in Joppe bei einem Gerber Simon (Act. 9, 43; 10, 32). Dort empfängt er die Boten des Centurio Cornelius, beherbergt sie eine Nacht (Act. 10, 23) u. folgt ihnen nach Caesarea, wo Cornelius ihn aufnimmt u., nachdem er die Taufe empfangen hat, ihn bittet, mehrere Tage zu bleiben (Act. 10, 48). Seinen ‚geliebten Bruder‘ u. ‚treuen Mithelfer im Herrn‘ Tychikos empfiehlt Paulus mehrmals den Gemeinden, zu denen er ihn schickt (Eph. 6, 21f; Col. 4, 7f; 2 Tim. 4, 12). Diese wenigen Streiflichter eröffnen den Blick auf die warme Atmosphäre der Brüderlichkeit, in der die G. eine der wichtigsten Formen der Agape darstellt.

II. Kirchliche Tradition. a. Bis Ende des 2. Jh. Die Didache (12) gibt Anweisungen für die G.: ‚Jeder, der im Namen des Herrn kommt, soll Aufnahme finden‘. Ist es ein Durchreisender, soll man ihn unterstützen, so gut man kann; er darf, wenn nötig, zwei oder drei Tage bleiben; bleibt er länger, so soll er in seinem Beruf arbeiten u. seinen Unterhalt verdienen. Hat er keinen Beruf, muß nach Wegen gesucht werden, zu vermeiden, daß ein Christ auf Kosten der Gemeinde müßig geht. Will er sich dem nicht fügen, so ist er einer, der mit Christus Geschäfte machen will (χριστέμπορος). Anders, wenn ein echter Prophet oder Lehrer sich in der Gemeinde niederlassen will (ebd. 13). Er hat, nach dem Wort des Herrn (Mt. 10, 10), Anspruch auf seinen Unterhalt u. soll die ἀπαρχή von allen Erträgen erhalten (vgl. Bardy 71). – Clemens kommt in seinem ersten Brief an die Korinther, die als Einwohner der verkehrsreichsten Hafenstadt Griechenlands mehr als andere in die Lage kamen, für Reisende zu sorgen, schon am Anfang auf den Ruf ihrer Gastlichkeit zu sprechen (1, 2). Die Beispiele Abrahams, Lots u. der Dirne Rahab, die für ihren Glauben u. ihre G. von Gott belohnt wurden, sollen sie darin bestärken (10, 7/12, 8). Den Katalog der Laster, welche er die Brüder abzulegen ermahnt, schließt die Ungastlichkeit ab (35, 5: ἀφιλοξενίαν; zu verwerfen ist die von der lat. Übersetzung inhumilitatem vorausgesetzte Lesart φιλοδοξίαν, offenbar nur Verbesserungsversuch für die Korruptel φιλοξενίαν; vgl. Chadwick). Ignatius von Antiochien, der die röm. Christengemeinde anredet als die, welche ‚den Vorsitz führt in der Liebe‘ (Rom. inscr.; zu den verschiedenen Deutungen dieses Ausdrucks s. J. A. Fischer, Die Apostolischen Väter³ [1959] 129f), hat diese Liebe auf dem Transport als Gefangener von Syrien nach Rom besonders in Form der G. erfahren. Die Gemeinden in Kleinasien nehmen ihn auf nicht nur wie einen Durchreisenden, u. die Brüder kommen von weit her, um ihn zu sehen (Rom. 9, 3; vgl. Riddle 144). – Wenn Aberkios von Hieropolis in seiner Grabschrift den von der reinen Jungfrau gefangenen Fisch erwähnt, den ihm überall, wo er auf seinen weiten Reisen hinkam, der Glaube gereicht hat (12/4; s. Th. Klauser: o. Bd. 1, 13/6 [Text u. Kommentar]), so ist darunter primär die Eucharistie zu verstehen, jedoch wohl auch die irdische Speise, die er durch die G. der Christen empfing (vgl. Bardy 73). Dionysios von Korinth hebt in seinem Brief an den röm. Bischof Soter neben der traditionellen Hilfstätigkeit der röm. Gemeinde für die Brüder in aller Welt die G. Soters hervor, der für das Wohl der Ankommenden sorgt u. wie ein liebender Vater seinen Kindern ihnen Zuspruch gibt (Euseb. h. e. 4, 23, 10; Harnack, Miss. 1⁴, 186/9. 207f). – Im Hirten des Hermas erscheint die G. im Katalog der guten Werke (mand. 8, 10) besonders hervorgehoben. Die Sünder, die den Glauben nicht verleugnet u. die Diener Gottes freudig als Gäste aufgenommen haben, sind nicht verloren (sim. 8, 10, 3). Auf dem 10. Berge schaut Hermas vereint die Bischöfe u. die Gastfreundlichen (sim. 9, 27, 2); die Gleichstellung zeigt den hohen Rang, den die G. unter den Pflichten der Bischöfe einnimmt (R. Joly: SC 53 [1958] 344 zSt.). Unter den Apologeten spricht Justin im Anschluß an die Eucharistiefeier von Kollekten, die der Bischof (hier als ‚Vorsteher‘ bezeichnet) verteilt an die Waisen, Witwen, Kranken, sonstige Bedürftige, Gefangene u.

Fremde auf der Durchreise (apol. 1, 67). Aristides (apol. 15, 7) rühmt die G. als Tugend aller Christen: ‚Wenn sie einen Fremden sehen, führen sie ihn hinein unter ihr Dach u. freuen sich über ihn wie über einen wirklichen Bruder'. Meliton von Sardes hat ein heute nicht mehr vorhandenes Buch Περὶ φιλοξενίας geschrieben (Euseb. h. e. 4, 26, 2). Zur Praxis der christl. Laien s. u. Sp. 1118.

b. 3. Jh. Clemens von Alexandrien gibt der G. eine spiritualistische Grundlage. Das Logion ‚Du hast deinen Bruder gesehen, du hast deinen Gott gesehen' (strom. 1, 94, 5; 2, 70, 5f [GCS 52, 60. 150]; vgl. A. Resch, Agrapha = TU 30² [1906 bzw. 1967] nr. 144) wird an der zweiten Stelle zum Grund der Nächstenliebe, in deren Rahmen die G. eingeordnet wird (strom. 2, 41, 3/6 [ebd. 134]): ‚ξένοι (Gäste) sind diejenigen, ὦν ξένα τὰ κοσμικά (denen die Dinge dieser Welt fremd sind) ... Die G. ist befaßt mit dem, was nützlich ist für die Gäste, Gäste (ξένοι) aber sind die bei uns weilenden Gäste (ἐπίξενοι), bei uns weilende Gäste sind die Freunde, Freunde aber sind die Brüder' (vgl. J. Ruwet, Les agrapha dans les œuvres de Clément d'Alexandrie: Biblica 30 [1949] 141f). Die G. wird damit Ausdruck der brüderlichen Gemeinschaft unter denen, die als Träger des gleichen Geistes geeint sind, so daß sie im Bruder Gott erkennen. Tertullian lehnt die Ehe einer Christin mit einem Heiden ab, weil sie dadurch verhindert wäre, G. zu üben gegenüber Brüdern aus der Fremde (uxor. 2, 4, 3 [CCL 1, 389]). Cyprian gibt vom Ort aus, wo er sich vor der Verfolgung versteckt hält, Anweisung, für Witwen, Kranke u. Arme zu sorgen. ‚Doch auch den Fremden, wenn einige bedürftig sind, gebt Unterstützung aus meinem Privatvermögen, das ich bei unserem Amtsbruder Rogatianus zurückgelassen habe' (ep. 7 [CSEL 3, 2, 485]). Genaue Anweisung für die Behandlung von Besuchern gibt die Didascalia apostolorum (versio Lat. 29, 3/30, 14 [47f Tidner]): Laien, ob Männer oder Frauen, werden nach ihrem Stand u. ihrer Rechtgläubigkeit befragt, Priester u. Bischöfe von ihren Amtsbrüdern in gleichen Ehren aufgenommen, Bischöfe um eine Ansprache an die Gemeinde gebeten. Doch darf der Bischof nicht den Ankommenden zuliebe Lesung oder Gottesdienst unterbrechen, sondern die Brüder sollen dafür sorgen, daß ihnen ein Platz angeboten wird. Armen u. Alten, ob vom Ort oder aus der Fremde, soll der Bischof von ganzem Herzen einen Platz anbieten, u. wenn er selbst auf dem Boden sitzen müßte. Ein Hymnus (PAmh. 1, 23/8, Ende 3./Anfang 4. Jh.) empfiehlt: ‚Gott gebot, die Fremden u. Armen zu nähren; sei gastlich, damit du dem Feuer der Hölle entfliehst' (Strophe 14, ed. E. Preuschen: ZNW 2 [1901] 75; H. Leclercq, Art. Hymnes: DACL 6, 2, 2853f. 2858). Laktanz (inst. 6, 12 [CSEL 19, 524f]) sieht, einig mit den heidn. Philosophen in der Anerkennung der sozialen Bedeutung der G., den Fehler der Heiden darin, daß bei ihnen Nützlichkeit u. Gegenseitigkeit bestimmend seien, was mit dem Theophrastzitat aus Cic. off. 2, 64 (s. o. Sp. 1086) belegt wird. Christliche G. ist uneigennützig u. gilt den Bedürftigen, welche die Wohltat nicht materiell zu vergelten imstande sind.

c. 4. bis 5. Jh. 1. Im Orient. Mit dem Ende der Verfolgungszeit nimmt die christl. G. einen mächtigen Aufschwung, dessen äußeres Zeichen der Bau von *Herbergen ist, die der Ausübung der Caritas dienen. Die Idee der G. bleibt ein zentrales Thema der großen Kirchenschriftsteller. Basilius sieht in den einheimischen Krähen, welche den durchziehenden Störchen das Geleit geben u. sie kämpfend gegen Feinde verteidigen, ein Musterbeispiel natürlicher G. zur Lehre für ‚die Ungastlichen, die ihre Türen verschließen u. den Fremden nicht einmal ein Obdach in kalter Winternacht gewähren' (in hexaem. hom. 8, 5 [PG 29, 176 B/C]). In sein bischöfliches Gebet schließt er eine Fürbitte ein für die Brüder, die auf Reisen sind (ep. 155 [2, 80 Courtonne]). Die Worte setzt er in die Tat um. Gregor v. Nazianz (laud. Bas. 35f [PG 36, 544f]) schildert, wie er während einer Hungersnot die öffentliche Speisung der Armen organisiert, ein zweiter Joseph, aber ohne daß er durch seine Wohltaten sich Ägypten erkauft: Basilius übt die Philanthropie uneigennützig. In derselben Rede (63 [577 C]) preist er die ‚neue Stadt', die Herbergen u. karitativen Anstalten, die Basilius vor den Toren Caesareas erbaut hat. In seinen Gedichten rühmt Gregor v. Nazianz die G. mit den Versen: ‚Die Ehre des Schöpfers ist es, den Menschen zu lieben; die Ehre dessen, der sich selbst zum Bettler gemacht hat, ist die Fürsorge für die Bettler. Gastlich ist, wer sich bewußt bleibt, selbst ein Gast zu sein' (c. moral. 34, 164/6 [PG 37, 957]). – Später tritt Johannes Chrysostomos nicht weniger eifrig für die G. ein. Theodoret hat in den von Photios (bibl. 273) exzerpierten Reden ihn gepriesen als den unübertroffenen Gastgeber, der allen alles geworden ist. Nur die Parteilichkeit seines Feindes Akakios von Beroia brachte es fertig, sich gegen ihn zu wenden mit dem Vorwurf, Johannes habe ihm ein zu schlechtes Quartier angewiesen u. durch diese Kränkung seinen Zorn herausgefordert (Pallad. dial. 6 [PG 47, 21]). Dagegen beschreibt Palladios, wie Johannes als Bischof voll Mitleid den aus Ägypten vertriebenen Mönchen Unterkunft bei der Anastasiakirche anweist u. sorgt, daß fromme Frauen ihnen zu essen bringen (ebd. 7 [24f]), u. er nimmt ihn ausführlich in Schutz, indem er zeigt, wie er trotz asketischer Lebensführung u. Vermeidung des Tafelluxus dennoch die wahre G. der Patriarchen geübt habe (12f [39/47]). In den Predigten des Johannes ist die G. ein immer wieder behandeltes Thema. Seinen Bischof Flavianus von Antiochien preist der junge Joh. Chrysostomos als ein Muster der G., da er das Haus seiner Väter so sehr allen, die fremd u. um der Wahrheit willen verfolgt sind, geöffnet hat, daß es mehr den Armen gehört als ihm selbst (in Gen. s. 1, 4 [PG 54, 585f]). Die um 388 in Antiochien gehaltene zweite Predigt über Lazarus läßt den Reichen deshalb Lazarus in Abrahams Schoß schauen, weil er selbst, trotz seines Reichtums, Abrahams Beispiel der G. verschmäht hat; so ist er jetzt fern von ihm (5f [PG 48, 988/90]). Eine Genesis-Predigt gipfelt in dem breit ausgeführten Lob des Beispiels der G. Abrahams (in Gen. hom. 41, 3f [PG 53, 378f]). In Hebr. hom. 33, 3 (PG 63, 227) fordert er von den Christen nicht bloß Aufnahme der Fremden (ξενοδοχία), sondern Liebe zu ihnen (φιλοξενία). Die 44. Predigt zu den Act. hebt das Beispiel des reichen Publius hervor, der auf Malta die Schiffbrüchigen drei Tage bei sich aufnimmt u. versorgt, zum Lohne aber die Heilung des kranken Vaters erfährt (PG 60, 374). Es darf in der G. keinen Unterschied der Person geben. Wer angesichts des Beispiels der armen Witwe, die ihr Letztes hergab, um Elias zu bewirten, sich hinausreden möchte: ‚Bring auch mir einen Propheten, u. ich werde ihn mit demselben Wohlwollen aufnehmen‘, dem wird gesagt: ‚Ich bringe dir den Herrn des Propheten‘, Christus in der Gestalt des Hungernden u. Obdachlosen (in Hel. et vid. 9 [PG 51, 346]; vgl. in Act. 45, 3 [PG 60, 318]; in 1 Cor. 20, 6 [PG 61, 169f]). Das Beispiel der Witwe zeigt, daß es allein auf die Gesinnung

ankommt (in 2 Cor. 19, 4 [PG 61, 534/6]; in Gen. hom. 42, 6f [PG 54, 393/5]). Jeder, auch der Ärmste, kann nach seinem Vermögen gastfreundlich sein. Die Vita der Olympias (1 [BHG nr. 1374]), der Freundin des Johannes Chrysostomos, nennt an erster Stelle unter denen, die ins Reich Christi eingehen, diejenigen, welche die G. geübt haben, den Höhepunkt (τὴν κορωνίδα) aller vollkommenen Handlungen. Ein anonymer Biograph nennt Epiphanius von Salamis als den nach Johannes dem Almosengeber großzügigsten Helfer der Armen, Fremden u. Schiffbrüchigen. So zeichnet ihn auch Sozom. h. e. 7, 27, 2 (GCS 50, 342). Eine ihm zugeschriebene Predigt (PG 43, 445f) läßt Joseph von Arimathia um den Leib Christi bitten, des Armen, des Obdachlosen, des Fremden, dem alle Liebe u. Fürsorge zuzuwenden ist. Die G. der Bischöfe Palästinas rühmt die Pilgerin Egeria bei mehreren Gelegenheiten. In Alexandrien genießen die jüngere Melania u. ihre Begleiter die G. des Patriarchen Theophilos (F. M. Abel, St. Cyrille d'Alexandrie dans ses rapports avec la Palestine: Kyrillina [Kairo 1947] 206; V. Melaniae 34 [SC 90, 190₂]). Akakios hält in Beroia seine Bischofswohnung Tag u. Nacht für jedermann offen (Sozom. h. e. 7, 28, 2 [GCS 50, 344]). Es sind dies nur einzelne Beispiele für die allgemeine Hochschätzung der G.

2. Lateinische Quellen. Im Westen ersetzt Ambrosius Ciceros Lehre von der Freigebigkeit durch die Lehre von der christl. Wohltätigkeit, die mit Überlegung geübt werden soll, nicht verschwenderisch gegenüber Zudringlichen, nicht kärglich gegenüber wirklich Bedürftigen (off. 2, 69/85 [PL 16, 128/34]). G. ist, unabhängig von ihrem religiösen Wert, eine publica species humanitatis. Ein Diener Gottes gewinnt Ansehen, wenn er G. übt wie Abraham u. Lot. Im Gast kann Christus selbst zugegen sein, da er in den Armen ist (off. 2, 102/7 [PL 16, 138/40]). Das Beispiel des Priesters Abimelech, der David trotz angedrohter Todesstrafe G. gewährt, zeigt, welch hohes Gut diese ist, u. mahnt, den wahren David, Christus, immer aufzunehmen (in Lc. 5, 35f [CCL 14, 148]). Die den Aposteln gewährte G. bringt Frieden ins Haus u. tilgt die Sünden der Bewohner. Doch sollen die Apostel das Haus, in das sie gehen, mit Bedacht auswählen, nicht dagegen soll der Gastgeber wählen, wen er aufnimmt, damit nicht die G. selbst dadurch gemindert werde (in Lc.

6, 66 [197]). Am Beispiel Abrahams erweist sich der Wert der G. Wir sind alle auf Erden Pilger für eine bestimmte Zeit u. wandern bald aus dieser Welt. Hüten wir uns, daß nicht, wenn wir hartherzig u. nachlässig gegen Fremde gewesen sind, uns dort die Aufnahme unter die Heiligen versagt werde. Nicht deine Reichtümer begehrt der Fremde, sondern deine Freundlichkeit. Jesus verheißt dem, der dem Gast einen Trunk kühlen Wassers reicht, himmlischen Lohn (de Abr. 1, 5, 32/7 [CSEL 32, 1, 527/30]; D. Gorce, Saint Ambroise [Namur 1967] 45/8). Im Brief an die Gemeinde von Vercelli empfiehlt er allen die G., ebenfalls mit Hinweis auf Abraham, Lot u. Rahab (ep. 63, 105 [PL 16, 1269f]); der neugewählte Bischof Vigilius soll seine Gläubigen ermahnen, daß bei der Aufnahme des Gastes nicht reiche Gaben, sondern bereitwilliger Dienst zum Zeichen von Frieden u. brüderlicher Eintracht verlangt werden (ep. 19, 6 [1025f]). Witwen werden zur G. aufgerufen (vid. 1, 4f [PL 16, 248 B/C]), vor allem aber die Bischöfe (de Abr. 1, 5, 32 [CSEL 32, 1, 527]) nach dem Gebot des Paulus 1 Tim. 3, 2; Tit. 1, 7. Ambrosius verwendet, als er Bischof wird, sein eigenes Gold u. Silber für die Armen (Paulin. v. Ambr. 38 [106 Pellegrino]), er läßt Meßkelche zerschlagen, um mit dem Gold Gefangene loszukaufen (off. 2, 136/43 [PL 16, 148/50]), ebenso wie später Augustin (Possid. v. Aug. 24 [124f Pellegrino]) u. Gregor d. Gr. (ep. 7, 13. 35 [MG Ep. 1, 456. 483f]) handeln; der Cod. Iust. 1, 2, 21 sieht für diesen Fall eine Ausnahme vom Veräußerungsverbot für Kirchengut vor. Das Gold der Kirche ist nicht dazu da, gehortet zu werden, sondern um die Not der Bedürftigen zu lindern. Einladungen außer Hause empfiehlt Ambrosius den Klerikern abzulehnen, damit sie selber den vorsprechenden Fremden jederzeit zur Verfügung stehen (off. 1, 86 [PL 16, 53]), u. wird in dieser Haltung zum Vorbild für Augustin (Possid. v. Aug. 27 [138 Pellegrino]). Sein Haus steht jedermann jederzeit offen (Aug. conf. 6, 3, 3). Auch Hieronymus mahnt den Priester Nepotianus: ‚An deinem bescheidenen Tisch sollen Arme u. Fremde u. mit ihnen Christus zu Hause sein. Einem Kleriker, der Geschäfte macht u. aus einem Armen zu einem Reichen geworden ist, gehe aus dem Wege wie der Pest‘. Einschränkend fügt er hinzu: ‚Unter deinem bescheidenen Dach sollen selten oder nie Frauen ein- u. ausgehen‘ (ep. 52, 5, 3f [CSEL 54, 422f]).

Von Augustins G. berichtet Possidius, daß er nach der Tischlesung mit den Gästen ein Gespräch geführt, aber streng darauf geachtet habe, daß nicht über Abwesende schlecht geredet wurde (v. Aug. 22, 6f [122 Pellegrino]). Augustinus selbst berichtet von der Schwierigkeit, das von ihm gewünschte klösterliche Leben zu vereinen mit der Pflicht, die er als Bischof fühlte, alle Ankommenden u. Zureisenden stets freundlich aufzunehmen (s. 355, 2 [PL 39, 1570]). Der Fremde, den wir aufnehmen, ist unser Weggefährte, denn wir sind auf Erden alle nur Pilger. Der ist ein Christ, der erkennt, daß er auch im eigenen Hause u. in seiner Heimat ein Fremder ist (s. 111, 2, 2 [PL 38, 642f]). Obwohl nach Lc. 10, 41f Maria das Unvergängliche, Martha die vergänglichen (denn in der ewigen Welt wird es keine Armen u. Fremden mehr geben; vgl. Joh. Cass. conl. 1, 8/13) Werke der G. gewählt hat, wird doch nur ihr Werk, nicht aber der Lohn für ihr Tun vergehen; auch sie verdient Nachahmung (s. 179, 3/4 [PL 38, 967f]). Am Brotbrechen ist der Herr erkannt worden u. nur denen, die ihn zu Gast geladen hatten, hat er sich zu erkennen geben wollen. Darum übe G., wer Christus begegnen will (s. 235, 3; 236, 3 [PL 38, 1118f. 1121]). Weil im Gast Christus uns entgegentritt, soll niemand hochmütig sein: Der Empfangende ist mehr als der Geber (s. 239, 2/7 [PL 38, 1127/30]). Als iJ. 411 die Donatisten zum Religionsgespräch nach Karthago kommen, fordert Augustin auf, auch ihnen als den getrennten Brüdern um Christi willen G. zu gewähren u. den Lohn dafür nicht von den Menschen, sondern von Gott zu erwarten (s. 357, 5 [PL 39, 1585f]). Maximus v. Turin greift in seiner Predigt über die G. (s. 21, 2 [CCL 23, 79f]) das Beispiel Abrahams in traditioneller Weise auf. Sidonius Apollinaris empfiehlt dem Volk einen neuen Bischof mit dem Hinweis auf die humanitas, die er Bürgern, Klerikern u. Fremden, hoch u. niedrig, im Übermaß erweist: sein Brot ißt vor allem der, der zu keiner Gegenleistung imstande ist (ep. 7, 9, 19 [3, 58 Loyen]). Entsprechend betrachtet Papst Gregor d. Gr. den Mangel an G. als Hindernis für die Erhebung zum Bischofsamt (ep. 14, 11 [MG Ep. 2, 430, 15f]). Den Bischof Marinianus in Ravenna läßt er sehr entschieden vermahnen, nachdem er erfahren hat, daß alte Bettler von ihm keine Wegzehrung erhalten haben (ep. 6, 63 [1, 439f]), u. als er ihn zur Erholung nach schwerer Krankheit nach

Rom einlädt, bittet er ihn, für die Zeit der Abwesenheit einen Vertreter zu bestellen, der die Pflichten der G. erfüllt (ep. 11, 21 [2, 282]). Neu ordinierte Bischöfe erhalten die Weisung, daß von allen Einkünften der vierte Teil dem Bischof propter hospitalitatem atque susceptionem zur Verfügung stehen soll, je ein weiteres Viertel den Armen, dem Klerus, dem Unterhalt der Kirchenbauten (ep. 11, 56a [2, 333, 10]). Er selbst hatte täglich von den Langobarden vertriebene Flüchtlinge zu Gast (Joh. Diac. v. Greg. 2, 22 [PL 75, 95]). Eine Predigt zur Emmaus-Geschichte (in Ev. hom. 23, 1 [PL 76, 1182 D]) läßt ihn das Lc.-Wort 24, 29 ,u. sie nötigten ihn' paraphrasieren: ,Man soll die Fremden zur Bewirtung nicht nur einladen, sondern mit Gewalt ziehen'. Er fügt die Wundergeschichte eines gastfreien Hausvaters an, dem der Herr selbst erschienen u. plötzlich entschwunden war (2 [1183 B]); eine ähnliche Geschichte erzählt der Biograph von ihm selbst (Joh. Diac. v. Greg. 2, 22f [PL 75, 95f]).

III. Mönchtum. a. Im Osten. Mit der Ausbreitung des Mönchtums ist die der G. eng verbunden; die Mönche werden gewissermaßen ihre speziellen Träger. Pachomius pflanzt in Schenesit, dem Ort, an dem er sich aufgrund der Vision vor seiner Taufe niederläßt, Gemüse u. einige Palmen für sich, für die Armen aus den Dörfern u. für die Fremden, die zu Schiff oder zu Fuß daherkommen (V. Memphitica 7, zitiert bei Ladeuze 158). Der Urform seiner Gemeinschaft gibt er eine Regel, nach der jeder einzelne einen besonderen Teil des Ertrags seiner Arbeit abzuliefern hat für die gemeinsame Ernährung u. für die G., die den Fremden gewährt wird (L. Th. Lefort, Les vies coptes de S. Pachôme [Louvain 1943] 3, 14f). ,Wenn jemand an die Türe des Klosters klopfte, war er wach u. eilte ihm entgegen u. antwortete ihm sogleich' (V. Pachom. 22 interpr. Dionys. Exig. [PL 73, 243 C]). Der Einsiedler Antonius läßt sich, nachdem er sich in die innere Wüste zurückgezogen hat, ein wenig Saatgetreide geben, um sich selbst zu versorgen; für seine Besucher baut er auch Gemüse an, um ihnen eine Erquickung reichen zu können (Athanas. v. Ant. 50 [PG 26, 916 C]). In seiner Rede an die ägyptischen Mönche zählt er die unvergänglichen Güter auf; am Schluß der Reihe steht betont die G., ,denn wenn wir sie üben, werden wir dereinst im Lande der Seligen freundliches Willkommen finden' (ebd. 17 [869 B]). Eph-

räm legt in seinem Testament den Brüdern ans Herz, in der Ankunft eines Gastes die Ankunft Gottes selbst zu sehen; sie sollten den ankommenden Fremden nicht als Gast, sondern als Glied ihrer Gemeinschaft betrachten (Opera graeca ed. J. S. Assemani 2 [Romae 1743] 244). Neilos legt vor allem die Demut gegenüber dem Gast ans Herz. Wenn wir ,die Werke unserer Hände in den Schatz der G. einbringen', erweisen wir dem Bruder nicht eine Gnade, sondern tragen eine Schuld ab, indem wir ihn wie Lot anflehen, die G. anzunehmen. Geringschätzung des Gastes auf der einen, das Gefühl, unfreundlich behandelt worden zu sein, auf der anderen Seite sind der Tod der G. u. das Werk böser Dämonen (ad Eulog. 25/8 [PG 79, 1125/32]). Evagrios Pontikos nennt den Fremden u. den Armen die Augensalbe Gottes: wer sich um sie kümmert, wird bald das Licht wiedererlangen (sent. 14f [PG 40, 1269 A]). Der Abt Isaias gibt Verhaltensregeln für den Gast u. den Gastgeber, die gegenseitig in Bescheidenheit u. Rücksicht einander alle Liebe erweisen sollen (or. 3, 3 [PG 40, 1110f]). Isidor von Pelusion findet harte Worte für den ungastlichen Pförtner der Mönche von Pelusion, der sich eher wie ein Hund u. menschenfeindlicher Wolf betragen habe (ep. 1, 150 [PG 78, 284]). Für die wahren Mönchsväter ist G. die oberste Regel, ihretwegen unterbrechen sie auch das Fasten u. opfern den eigenen Willen den Gästen zuliebe auf (Verba senior. 13, 1/5. 7/10 [PL 73, 943/5]). Keine Skrupel sollen die Freigebigkeit hemmen (ebd. 6 u. 14 [944. 946f]). Auch eine Klosterordnung hat zurückzutreten: Als Alexander, der Begründer der Akoimeten, auf seinen Missionsreisen bei einem Kloster anklopft, welchem sein Bruder vorsteht, den er seit 30 Jahren nicht mehr gesehen hat, bittet ihn der Pförtner, zu warten, bis er dem Abt gemeldet habe. Alexander läßt sich das nicht gefallen; er folgt dem Pförtner sogleich, um festzustellen, ob der Abt diesen rüge. Sein Bruder erkennt ihn u. bittet ihn fußfällig um Vergebung. Aber Alexander hält eine Strafpredigt, weil hier das Beispiel Abrahams u. das Gebot Christi mißachtet worden ist u. läßt sich nicht bewegen, auch nur einen Tag zu bleiben, sondern schüttelt den Staub von seinen Füßen u. geht (V. Alex. 37 [ASS Ian. 2, 308]). Ein Einsiedler der skythischen Wüste belehrt seine Besucher, die sich rühmen, das Alte u. Neue Testament auswendig gelernt u. abgeschrieben zu haben u.

so streng gefastet zu haben, daß auf dem Herd Gras gewachsen ist, daß all das nichts bedeutet, weil darob die G. vernachlässigt worden ist (Verba senior. 10, 94 [PL 73, 929f]; vgl. Gorce, Part 56f). Von den zwei reichen Brüdern Paësios u. Isaias entäußert sich der eine seines Vermögens durch fromme Stiftungen, der andere behält es u. baut ein Kloster, wo er jeden Fremden, Kranken, Alten u. Armen aufnimmt u. am Sonntag u. Sabbat drei Tische für die Armen deckt. Beide Wege werden für gleichwertig befunden (Pallad. h. Laus. 14 [37f Butler]). Auf die Frage des Germanus, ob die immerwährende Kontemplation des Mönchs durch die Besucher nicht unmöglich gemacht werde, antwortet Moyses, daß sie für den Menschen im Fleische wohl unmöglich sei, daß aber das Reich Gottes im Innern der Seele liege, u. dies sei die Freude im Hl. Geiste, von der Paulus Rom. 14, 17 spreche (Joh. Cass. conl. 1, 12f). Für die Praxis befolgt Moyses folgendes Verfahren, um das Fasten zu halten u. doch mit einem Gast das gemeinsame Mahl halten zu können: Von den zwei Brötchen, welche seine tägliche Nahrung bilden, ißt er zur neunten Stunde nur eines. Kommt tagsüber ein Gast, so ißt er das zweite in dessen Gesellschaft, u. so wird ihm der Besuch ein Fest, nicht ein Grund zur Betrübnis wegen der nicht eingehaltenen Regel. Stellt sich kein Besucher ein, so kann er das zweite Brot am Abend allein essen (ebd. 2, 26).

b. Im Westen. Im Westen ist es Hieronymus, der Paulinus, den späteren Bischof von Nola, ermahnt, ,den Armen u. den Brüdern die Wohltaten der Unterstützung mit eigenen Händen auszuteilen'. Das Beispiel der Kasse des Judas zeige, wie wenig auf Menschen Verlaß ist. Mönche, die dauernd von Geld reden, sind vielmehr Krämer: ,Außer Nahrung, Kleidung u. unmittelbaren Bedürfnissen sollst du niemandem etwas geben, damit nicht die Hunde das Brot der Kinder verschlingen' (ep. 58, 6, 2/4 [CSEL 54, 535f]). Er warnt ihn, sein Vermögen für kostspielige Kirchenbauten zu verwenden: ,Der wahre Tempel Christi ist die Seele des Gläubigen, ... in ihr nimm Christus als Gast auf. Was nützt es, wenn die Wände von Edelstein funkeln u. Christus im Armen Hungers stirbt?' (ebd. 7 [536]). Für Paulinus spielt der Gedanke der G. eine so beherrschende Rolle, daß er sich selbst in Nola als Gast des Heiligen fühlt, dessen Reliquien er am Ort verehrt: Felix ist sein ,Haus-

meister' (domnaedius: ep. 5, 15; 18, 3; 28, 6; 29, 13; 32, 10 [CSEL 29, 34. 130. 246. 260. 286]; c. 23, 109 [CSEL 30, 198]). Den Freund Sulpicius Severus beglückwünscht er zu der Gnade, daß Gott dadurch, daß die Reliquien des Clarus in seine Kirche gelangt sind, ihm den Heiligen als ständigen Gast geschenkt habe (ep. 32, 6 [280]). Unter den Vorschriften für das Mönchsleben nennt Hieronymus auch: ,Diene den Brüdern, wasche die Füße der Gäste' (ep. 125, 15, 2 [CSEL 56, 134]). Von sich selbst u. seinem Kloster in Bethlehem sagt er: ,Uns liegt im Kloster die G. am Herzen. Alle, die zu uns kommen, nehmen wir mit der frohen Miene der Menschenliebe auf ... Nur die Häretiker nehmen wir nicht auf, während ihr (d. h. Rufinus u. die Seinen) nur diese allein aufnehmt. Unsere Regel aber ist, die Füße der Ankommenden zu waschen u. nicht, ihr Wohlverhalten zu kritisieren' (adv. Rufin. 3, 17 [PL 23, 491 A/B]; vgl. Kötting, Fußwaschung 769f). Erklärte Feinde des Glaubens sind auch sonst meist ausgeschlossen. An Demetrias empfiehlt Hieronymus jedenfalls eine Bevorzugung der Glaubensbrüder (ep. 130, 14 [CSEL 56, 193f]). Das Gebot der G. verpflichtet jeden Christen, die Bischöfe jedoch in besonderem Maße: ,Ein Laie wird, wenn er einen oder zwei oder ein paar beherbergt, der G. genüge tun, ein Bischof ist unmenschlich, wenn er nicht alle aufnimmt' (in Tit. 1, 8 [PL 26, 602 C]).

c. Fortlebendes Mönchsideal. Die Hochschätzung der G. schlägt sich in den großen Mönchsregeln des 6. Jh., der Regula Magistri (65. 72. 79. 84) u. der Regula Benedicti (53), nieder (vgl. Gorce, Part). Die Werke der Barmherzigkeit, darunter die G., stehen dem Mönchsideal nicht entgegen, vielmehr erfüllt sich in ihnen der apostolische Auftrag. Die Tugend der G. ist ein ursprünglicher Bestandteil des Mönchtums, unentbehrlich zur inneren Vervollkommnung des Mönchs (J. M. Leroux, Monachisme et communauté chrétienne d'après Jean Chrysostome: Théologie de la vie monastique [Paris 1961] 188).

IV. Laien. Zeugnisse für die nicht geringe karitative Aktivität der Laien im Bereich der G. sind naturgemäß seltener u. stehen meist in Beziehung zur Stiftung von Xenodochien (*Herberge) durch Angehörige des Kaiserhauses oder Privatpersonen. Unter den Kaiserinnen beginnt die Tradition der Wohltätigkeit mit Helena, der Mutter Konstantins (Euseb. v. Const. 3, 43f [GCS 7, 96]). Flacilla,

Gemahlin von Theodosius I, versieht persönlich Pflegerinnendienste in den Xenodochien (Theodrt. h. e. 5, 19, 2f [GCS 44, 314]). Ähnlich begnügen Eudoxia, die Gemahlin des Arcadius, deren Tochter Pulcheria, die Schwester des Theodosius II u. dann Gemahlin seines Nachfolgers Marcianus, u. Eudokia, die Gemahlin des Theodosius II, sich nicht mit der Rolle von Stifterinnen, sondern üben persönlich fromme Werke (E. Marin, Les moines de Constantinople depuis la fondation de la ville jusqu' à la mort de Photius (330–898) [Paris 1897] Reg. s. v. Pulcheria; L.-H. Vincent - F. M. Abel, Jérusalem 2/3 [Paris 1926] Reg. s. v. Eudocie). Außerhalb des Hofes tritt in Kpel besonders hervor die Witwe Olympias, die Helferin des Joh. Chrysostomos. Ihren großen Reichtum stellt sie so rückhaltlos in den Dienst der Nächstenliebe, daß Johannes sie ermahnen muß, mit den Gütern, die Gott ihr gegeben habe, verantwortungsbewußt umzugehen (Sozom. h. e. 8, 9, 2f [GCS 50, 361f]). Rückblickend aus der Verbannung rühmt er ihre G.: ‚Denke zurück, wie du von früher Jugend an bis zum heutigen Tag nie aufgehört hast, den hungernden Christus zu speisen, den dürstenden zu tränken, den nackten zu kleiden, den fremden zu beherbergen, den kranken zu pflegen, den gefangenen zu besuchen. Denke an das Meer deiner Nächstenliebe, dessen Schleusen du so geöffnet hast, daß es in gewaltigem Strome sich bis an die Grenzen des Erdkreises ergossen hat. Denn nicht nur hat dein Haus jedem Ankommenden offengestanden, überall zu Wasser u. zu Lande haben viele die Ehrerbietung genießen dürfen, die ihnen durch deine G. zuteil wurde' (ep. 8, 10a [198 Malingrey; vgl. ebd. 22]). Auf seiner Reise ins Exil erfährt Joh. Chrysostomos mehrfach die Hilfe gastfreundlicher Menschen. In Caesarea verschafft ihm Seleukia, trotz der Feindseligkeit des Ortsbischofs Pharetrios u. seiner Mönche, die den Fieberkranken aus der Fremdenherberge der Stadt vertrieben haben, ein Obdach in ihrem Landhaus vor der Stadt u. bietet die Bauern ihrer Güter auf, um ihn zu schützen. Nur durch äußerste Drohungen u. wider Willen gibt sie schließlich Pharetrios nach (ep. ad Olymp. 9, 2a/3b [222/8 Malingrey]). In Kukusos stellt ihm Dioskoros ein Landhaus zur Verfügung u. sorgt, unterstützt von anderen Grundherren, dafür, daß der verbannte Patriarch nicht unter dem Winter zu leiden hat (ebd. 9, 4a [232]). In Ankyra lobt

Palladius die Witwe Magna, die alles, was sie erübrigen kann, für den Unterhalt der Xenodochien, der Armen, der durchreisenden Bischöfe aufwendet (h. Laus. 67 [163 Butler]). Indessen reichen die ersten Berichte über die Ausübung der G. durch christliche Laien bis ins 2. Jh. zurück. So wurde in Alexandrien der junge Origenes, nach dem Martyrium des Vaters mit sechs kleineren Geschwistern verwaist, von einer reichen Frau in ihr Haus aufgenommen. Diese beherbergte zur selben Zeit noch ‚einen Mann, der in den Kreisen der alexandrinischen Häretiker damals berühmt war' (Euseb. h. e. 6, 2, 12/5). Aufschlußreich für die weite Offenheit, die in den frühen Christengemeinden gegenüber Fremden herrschte, ist Lukians Bericht über den Scharlatan Peregrinos Proteus. Nachdem er Verbindung mit den Christen gesucht u. schließlich ins Gefängnis geraten ist, sorgen nicht nur die Ortsansässigen, ohne nach seinem Leumund zu forschen, in jeder Weise für den vermeintlichen Glaubensgenossen, sondern aus mehreren Städten Asiens kommen Abgesandte der Gemeinden, um ihm zu helfen (Lucian. mort. Peregr. 13). Manche Märtyrer werden verehrt unter dem Titel ‚Gastfreunde der Heiligen', so der zetarius palatii (Oberaufseher des Speisesaals) Castulus. Er hatte in seiner Wohnung zuoberst im Kaiserpalast verfolgte Brüder versteckt gehalten (ASS Mart. 3, 610/2; BHL 1647f). Im Westen geben die röm. Freunde des Hieronymus, Fabiola u. der Senator Pammachius, das leuchtendste Beispiel im Dienste der Armen, Kranken u. Reisenden, für die ein Hospiz im Tiberhafen gebaut wird (Hieron. ep. 64; 77; 78; vgl. D. Gorce, Art. Fabiola: DictHistGE 16 [1967] 319f). Gregor d. Gr. berichtet in einem Brief an Fantinus, den defensor Siciliae, daß die Einwohner der Stadt Lilybaeum, die sich eine Gewissenspflicht daraus machen, G. zu üben, mit dem Ortsbischof ein Abkommen getroffen haben: Der Bischof nimmt die Fremden auf, u. die Gemeinde steuert einen bestimmten Betrag für die Kosten bei (ep. 9, 198 [MG Ep. 2, 187]). Das ist bezeichnend für den institutionellen Charakter der G. in der alten Kirche; sie wird gewährt von der ganzen Gemeinde unter Leitung ihres Oberhauptes (Daniélou 344).

E. Amélineau, Essai sur l'évolution historique et philosophique des idées morales dans l'Égypte ancienne (Paris 1895) 339/58. — C. van Arendonk, Art. Ḥātim al-Ṭāʾī: EncIslam 3²

(1971) 274f. – E. BADIAN, Foreign clientelae (264–70 B.C.) (Oxford 1958). – H. BÄCHTOLD-STÄUBLI, Art. Besuch, besuchen: Bächtold-St. 1 (1927) 1172/7. – G. BARDY, La théologie de l'église de s. Clément de Rome à s. Irénée (Paris 1945). – I. BENZINGER, Hebräische Archäologie⁵ (1927) 133f. – A. BERTHOLET, Kulturgeschichte Israels (1919); franz. Übersetzung v. J. Marty (Paris 1929) 135f. 200/11. 261. – J. M. BESSE, Les moines d'Orient antérieurs au concile de Chalcédoine (Paris 1900) 473/83. – M. BETH, Art. Fremder: Bächtold-St. 3 (1930/1) 75/8; Art. G.: ebd. 307/12; Art. Ungastlichkeit: ebd. 8 (1936/7) 1415f. – P. BIERZANEK, Sur les origines du droit de la guerre et de la paix: RevHist 38 (1960) 94/121. – G. BONET-MAURY, Art. Hospitality, Christian: ERE 6 (1913) 804/6. – S. BRASSLOFF, Der röm. Staat u. seine internationalen Beziehungen (Wien 1928). – F. BUHL, Das Leben Muhammeds, dtsch. v. H. H. Schaeder (1930 bzw. 1961) 36/8. – R. CAGNAT, Art. Hospitium militare: DarS 3 (1899) 302f. – H. CHADWICK, Justification by faith and hospitality: StudPatr 4 = TU 79 (1961) 281/5. – E. CURTIUS, Die G.: Althertum u. Gegenwart 1² (1877) 203/18. – G. DALMAN, Arbeit u. Sitte in Palästina 6 (1939 bzw. 1964) 129/45. – J. DANIÉLOU, Somme théologique de l'hospitalité: Vie Spirituelle 85 (1951) 339/47. – A. DORSINGFANG-SMETS, Les étrangers dans la société primitive: RecSocBodin 9 (1958) 59/73. – B. FARÈS, L'honneur chez les Arabes avant l'Islam (Paris 1932) 94/8. 120f. – M. I. FINLEY, Die Welt des Odysseus (1968). – P. FREZZA, Le forme federative: StudDocHistIur 4 (1938) 363/428; 5 (1939) 161/201. – J. GAGÉ, Coup de dés du roi de Véies ou tessères des legati romains?: RevÉtLat 35 (1957) 233f. – L. GALLET, Essai sur le sénatus-consulte ,de Asclepiade et sociis': RevHist 16 (1937) 242/93. 387/425. – J. GAUDEMET, L'étranger dans le monde romain: StudClass 7 (1965) 37/47; Institutions de l'antiquité (Paris 1967) Reg. s.v. étranger, hospitalité, hospitium. – J. GAUDEMET - E. FASCHER, Art. Fremder: o.Sp. 306/47. – G. GHEDINI, Lettere cristiane dai papiri greci del III e IV secolo (Milano 1923) 129/30. – D. GORCE, Les voyages, l'hospitalité et le port des lettres dans le monde chrétien des IVᵉ et Vᵉ siècles, Thèse Poitiers (1925) 137/89; La part des Vitae patrum dans l'élaboration de la règle bénédictine (Maredsous 1929). – L. HARMAND, Le patronat sur les collectivités publiques (Paris 1957). – J. HELLEGOUARC'H, Le vocabulaire latin des relations et des partis politiques sous la république (Paris 1963) 50/3. – K. F. HERMANN - H. BLÜMNER, Lehrbuch der griech. Privatalterthümer⁵ (1882) 490/6. – A. HEUSS, Die völkerrechtlichen Grundlagen der röm. Außenpolitik in republikanischer Zeit = Klio Beih. 31 (1933). – O. HILTBRUNNER, Art. ξενοδοχεῖον, xenodochium: PW 9 A 2 (1967) 1487/1503; Der

Mensch in der Fremde: Gehört - Gelesen 18 (1971) 213/20. – R. IHERING, Die G. im Alterthum: Dt. Rundschau 51 (1887) 357/97. – G. JACOB, Altarabisches Beduinenleben² (1897) 59f. 85/8. 211. 218f. – M. JOHNSTON, Hospites venturi: ClassJourn 28 (1932/3) 197/206. – C. KIRCH, Enchiridion fontium historiae ecclesiasticae antiquae⁵ (1941) Reg. s.v. epistulae, hospitalitas, litterae. – B. KÖTTING, Peregrinatio religiosa (1950) 372/86; Art. Fußwaschung: o.Sp. 743/77. – H. O. KRÖNER, Furcht vor Einquartierung: Chiron 1 (1971) 215/8. – P. LADEUZE, Étude sur le cénobitisme pakhômien pendant le IVᵉ siècle et la première moitié du Vᵉ (Louvain-Paris 1898). – L. LALLEMAND, Histoire de la charité 2 (Paris 1903). – J. LECERF, Art. Dakhīl, Ḍayf u. Djiwār: EncIslam 2² (1965) 100. 189. 558. – H. LECLERCQ, Art. Hôpitaux, hospices, hôtelleries: DACL 6, 2, 2748/70; Art. Infirmiers: ebd. 7, 1, 546f; Art. Litterae commendatitiae et formatae: ebd. 9, 2, 1571/6; Art. Tessère: ebd. 15, 2, 2059/62. – CH. LÉCRIVAIN, Art. Hospitium: DarS 3 (1899) 294/302. – R. LEONHARD, Art. Hospitium: PW 8, 2 (1913) 2493/8. – H. LESÊTRE, Art. Caravansérail: DictB 2 (1912) 250/6; Art. Hospitalité: ebd. 3 (1912) 760/4. – M. MARCHETTI, Art. Hospitium: DizEp 3 (1922) 1044/60. – J.-A. MARTIGNY, Dictionnaire des antiquités chrétiennes² (Paris 1877) s.v. hospitalité. – F. DE MARTINO, Storia della costituzione Romana 2² (Napoli 1964). – J. MARTY, Sur le devoir chrétien de l'hospitalité aux trois premiers siècles: RevHistPhilRel (1939) 288/95. – TH. MOMMSEN, Das röm. Gastrecht: Röm. Forschungen 1 (1864) 326/54. – P. MONCEAUX, Les proxénies grecques (Paris 1886). – C. F. v. NAEGELSBACH - G. AUTENRIETH, Homerische Theologie³ (1884) 268/76. – E. NEUHÄUSLER - A. AUER, Art. G.: LThK 4 (1960) 526/8. – R. NUMELIN, The beginnings of diplomacy (London-Kopenhagen 1950). – G. RATZINGER, Geschichte der kirchlichen Armenpflege² (1884) 25/8. 132f. – D. W. RIDDLE, Early Christian hospitality: JournBiblLit 57 (1938) 141/54. – M. J. ROUET DE JOURNEL - J. DUTILLEUL, Enchiridion asceticum. Loci ss. patrum et scriptorum ecclesiast. ad ascesim spectantes⁴ (1947) Reg. s.v. hospitalitas. – G. F. SCHOEMANN - J. H. LIPSIUS, Griechische Alterthümer 2⁴ (1902) 21/9. – I. SEIPEL, Die wirtschaftsethischen Lehren der Kirchenväter (Wien 1907). – P. A. SISTI, L'ospitalità nella prassi e nell'insegnamento della Bibbia: Liber annuus 17 (1967) 303/34. – W. ROBERTSON SMITH, Kinship and marriage in early Arabia² (London 1903) 48/51. – Die Staatsverträge des Altertums 2 = H. BENGTSON, Die Verträge der griech.-röm. Welt von 700 bis 338 vC. (1962); dass. 3 = H. H. SCHMITT, Die Verträge der griech.-röm. Welt von 338 bis 200 vC. (1969). – G. STÄHLIN, Art. ξένος, ξενία: ThWb 5 (1954) 1/36. – E. TÄUBLER, Imperium romanum (1913)

402/17. – A. DE VOGÜÉ, ‚Honorer tous les hommes'. Le sens de l'hospitalité bénédictine: RevAscMyst 40 (1964) 129/38. – A. J. B. WACE - F. H. STUBBINGS, A companion to Homer (London 1962) 442. 449. 451. 523. – J. WELLHAUSEN, Reste arabischen Heidentums² (1897) 193/5.

A. B I h. II. IV. V: *O. Hiltbrunner;* B I a/g. C: *D. Gorce (übers. O. Hiltbrunner);* B III: *H. Wehr.*

Gasthaus s. Herberge.

Gastmahl s. Deipnonliteratur o. Bd. 3,658/66; Mahl.

Gattung, literarische s. Literaturgattungen.

Gaza.

A. Nichtchristlich. I. Geographische Lage 1123. – II. Geschichte 1123. – III. Heidnische Kulte u. Monumente. a. Tempel u. andere Bauten 1124. b. Malerei 1125. – IV. Verhältnis zu Israel u. Spätjudentum 1126. – V. Geistiges Leben 1127. B. Christlich. I. Einführung des Christentums 1127. – II. Geistiges Leben 1129. – III. Christliche Monumente. a. Die Eudoxiana 1131. b. Andere Kirchen 1131. c. Klöster 1132. – IV. Inschriften u. Kleinfunde 1133.

A. Nichtchristlich. I. Geographische Lage. Die moderne Stadt G. liegt über 2 km von der Küste des Mittelmeers entfernt auf einem Hügel, der sich etwa 30 m über die Ebene erhebt (Plan der modernen Stadt, deren Straßenführung die Linien der alten Stadtmauern sowie die Spuren der alten quadratischen Straßenanlage erkennen läßt, bei G. Gatt, Art. G.: DictBibl 3 [1912] 124). Im Altertum verband eine gerade, durch Sanddünen führende Straße G. mit seinem Seehafen Maiuma (G. Hölscher, Art. Maiuma 1: PW 14, 1 [1928] 610). Die Gegend ist wasserreich, die Vegetation üppig. Die Stadt selbst verfügt auch in neuer Zeit über eine große Anzahl von Brunnen, die die Wasserversorgung selbst in der von April bis November während trockenen Jahreszeit sicherstellen (vgl. H. Grégoire - M.-A. Kugener, Marc le Diacre, Vie de Porphyre évêque de G. [Paris 1930] 134 zu Marc. Diac. v. Porph. 80). Von Beginn der historischen Zeit an war G. stets wichtiges Handelszentrum u. militärisch bedeutsam; denn G. bildete den südlichsten Halteplatz an der Land- u. Wasserroute, die Ägypten mit Palästina verband, u. zugleich den westlichen Endpunkt der Karawanenstraße aus dem Osten, die über Beersheba dem Meerhafen zustrebte.

II. Geschichte. G. war eine der fünf Hauptstädte des Philisterlandes (vgl. Stark 218;

O. Eissfeldt, Art. Philister: PW 19, 2 [1938] 2390/401). Das AT handelt ausführlich über G. in der Geschichte von Samson (Iudc. 16, 1/30). G. bekam im 6. Jh. eine persische Besatzung, später wurde die Stadt von Alexander d. Gr. belagert u. erobert (Arrian. anab. 2, 26). Im 2. Jh. vC. war G. ein orientalisches ‚Ethnos' wie Judaea; aber wohl um 180 wurde hier eine hellenisierte Korporation gebildet, die sich ‚Demos der Seleukeer in G.' nannte (E. Bickermann, Der Gott der Makkabäer [1937] 61 f). Schweren Schaden nahm die Stadt in den Kriegen zwischen Ptolemaeus IX u. Alexander Iannaeus (1 Macc. 11, 61 f; 13,43/8; Jos. ant. Iud. 13, 364); kurz vorher war sie zur Polis erhoben worden (Jos. ebd.; vgl. Hill 144 nr. 6f). Zerstört iJ. 96 vC. durch die Truppen des Alexander Iannaeus, wurde die Stadt erst 57 vC. auf Veranlassung des Aulus Gabinius, des Statthalters von Syrien, wieder aufgebaut (Jos. ant. Iud. 14, 88). Unter römischer Herrschaft blühten G. u. das benachbarte Askalon durch intensiven Handel, besonders durch die Ausfuhr hochwertigen palästinensischen Weines nach Ägypten u. Syrien (Expos. tot. mundi 29. 32 [GLM 110f]; A. A. Vasiliev, Expositio totius mundi. An anonymous geographic treatise of the 4th cent. A. D.: SemKondak 8 [1936] 11. 22). Die Bevölkerung war vermutlich in christlicher Zeit stark hellenisiert (vgl. H. Usener, Der hl. Theodosius [1890] *8).

III. Heidnische Kulte u. Monumente. a. Tempel u. andere Bauten. Die bildliche Darstellung der Stadt G. auf der Mosaikkarte von Madaba (6. Jh.) ist zT. erhalten (M. AviYonah, The Madaba mosaic map with introd. and comm. [Jerusalem 1954] 74 Taf. 9 nr. 115). Der erhaltene Ausschnitt zeigt zwei mit Kolonnaden gesäumte Straßen, die sich im Zentrum der Stadt auf einem weiten, offenen Platz kreuzen, offensichtlich dem Tetrapylon, wo eine berühmte Statue der Aphrodite über einem Altar thronte (Marc. Diac. v. Porph. 59/61). Im Südwestteil der Stadt zeigt das Mosaik eine große Basilika mit einer Portikus. Ein mächtiges halbkreisförmiges Gebäude, umgeben von Kolonnaden, ist offensichtlich ein Theater oder Nymphaeum. Auch der kreuzförmige Bau der Kirche der Eudoxia (s. u. Sp. 1131) ist dargestellt. Ein Hippodrom wird im 4. Jh. literarisch bezeugt (Hieron. v. Hilarion. 20 [PL 23, 38 A/39 A]). Die meisten Häuser in G., zum mindesten im 4. u. 5. Jh. nC., waren aus ungebrannten Ziegeln erbaut

(Marc. Diac. v. Porph. 21). Hauptgottheit des heidn. G. war Marna oder Marnas, eine einheimische semitische Gottheit (*Baal). Die Bewohner von G. hielten Marnas für identisch mit dem kretischen Zeus (K. Preisendanz, Art. Marna, Marnas: PW 14, 2 [1930] 1899/906; Grégoire-Kugener aO. *47/*54). Sein Tempel, das heidn. Hauptheiligtum in G., erscheint auf einer Münze Hadrians (Hill 146 Taf. 15 nr. 10f); das läßt vermuten, daß der Tempel auf Veranlassung Hadrians gebaut wurde, als er G. besuchte. Das kreisförmige, von einer hohen Kuppel überwölbte Marneion war umgeben von zwei konzentrischen Portiken (Marc. Diac. v. Porph. 75; E. B. Smith, The dome. A study in the history of ideas [Princeton 1950] 14/6). Zur Zerstörung des Marneions s. u. Sp. 1129. Über ein Marneion in Ostia s. M. Floriani Squarciapino, Culti orientali ad Ostia (Leiden 1962) 63/5. – Marcus Diaconus berichtet, außer dem Marneion habe G. öffentliche Heiligtümer des Helios, des Apollo (bestand schon iJ. 96 vC.: Jos. ant. Iud. 13, 364), der Aphrodite (Statue am Tetrapylon, s. o. Sp. 1124), Kore, Hekate, ein Heroon u. ein Tychaion besessen, ebenso Statuen u. Heiligtümer in Privathäusern (Marc. Diac. v. Porph. 64; vgl. Grégoire-Kugener aO. *54/6). Zur Frage, welcher Gottheit das Heroon geweiht war, s. die Fußnote bei Grégoire-Kugener aO. 126f zu Marc. Diac. v. Porph. 64. – Näheres über die Hafenstadt Maiuma u. das Problem etwaiger Beziehungen zum gleichnamigen syrischen Fest bei K. Preisendanz-J. Jacoby, Art. Maïumas 1: PW 14, 1 (1928) 610/3; vgl. auch Floriani Squarciapino aO. 64.

b. Malerei. Eine Serie monumentaler Wandgemälde, die Theseus, Ariadne, Phaedra u. Hippolytos u. Szenen aus der Ilias darstellten, waren Gegenstand einer erhaltenen Ekphrasis des Prokopios v. G. (P. Friedländer, Spätantiker Gemäldezyklus in G. = StudTest 89 [1939]; vgl. G. Downey, Art. Ekphrasis: o. Bd. 4, 938f). Eine Tabula mundi, welche die zum Kosmos gehörigen Naturkräfte u. göttlichen Personifikationen darstellte, wurde später in eine christl. Komposition umgestaltet; sie wird beschrieben in einer metrischen Ekphrasis des Johannes v. G. (P. Friedländer, Johannes v. G. u. Paulus Silentiarius. Kunstbeschreibungen justinianischer Zeit [1912]; G. Krahmer, De tabula mundi ab Ioanne Gazaeo descripta, Diss. Halle [1920]; vgl. Downey aO. 939f). Ein

Mosaik, das einem Teil dieser Tabula mundi ähnelt, wurde bei den Ausgrabungen in Antiochia am Orontes gefunden (G. Downey, John of G. and the mosaic of Ge and Karpoi: R. Stillwell, Antioch-on-the-Orontes 2, The excavations 1933/6 [Princeton 1938] 205/12; D. Levi, Antioch mosaic pavements 1 [Princeton 1947] 260. 263f; G. M. A. Hanfmann, The seasons in John of Gaza's Tabula mundi: Latom 3 [1939] 11/8).

IV. Verhältnis zu Israel u. Spätjudentum. Obwohl G. schon im 13. Jh. vC. von den Philistern erobert wurde, haben die Israeliten die Stadt als zu ihrem Territorium gehörig angesehen (vgl. Jos. ant. Iud. 15, 47; vgl. auch die Samson-Geschichte Iudc. 16, 1/30; 1 Sam. 6, 17). In einigen Fällen haben die Israeliten auch um den Besitz der Stadt gekämpft (Iudc. 1, 18; 1 Reg. 5, 4; 2 Reg. 18, 2; 1 Macc. 11, 61). Trotz dieser unklaren u. oft gespannten Verhältnisse wird es in G. eine Gemeinde von jüdischen Händlern u. Handwerkern gegeben haben, da G. wegen seiner maritimen Lage u. als Ausgangspunkt der Straße nach Petra große wirtschaftliche Bedeutung besaß. Daß auch die Straße von Jerusalem nach G. sehr verkehrsreich war, kann man aus Act. 8, 26 schließen. Wann die jüd. Gemeinde in G. sich soweit gefestigt hatte, daß sie eine Synagoge errichtete, wissen wir nicht. Aber Reste einer Synagoge des 6. Jh. sind 1966 gefunden u. seit 1967 weiter ausgegraben worden. Sie hatte trotz des Zweiten Gebotes einen mit Mosaikbildern reich geschmückten Boden. Eine griech. Stifterinschrift im nördlichen Seitenschiff des Baus sagt, daß die Holzhändler Manaamos u. Isouos iJ. 508/9 die offenbar schon länger bestehende ‚hochheilige Stätte' mit Mosaiken geschmückt haben. Das Mosaik des Seitenschiffs zeigt, innerhalb von Weinrankenwindungen, Tiere u. Vögel. Ein Mosaik im Mittelschiff stellt König David mit Nimbus sitzend beim Saitenspiel dar; um ihn herum sieht man, wie auf den bekannten Orpheus-Mosaiken, verschiedene Tiere. Daß aber nicht Orpheus, sondern David gemeint ist, zeigt eindeutig die hebräische Beischrift des Namens David. Auf alle Fälle kann die Gemeinde im 6. Jh. nicht unvermögend gewesen sein (vgl. A. Ovadiah, Excavations of the ancient synagogue at G.: IsraelExplJourn 19 [1969] 193/8; H. Stern, Un nouvel Orphée-David dans une mosaïque du VIᵉ s.: CRAcInscr 1970, 63/79).

V. Geistiges Leben. Lassen schon die eben genannten Monumente auf ein hohes kulturelles Niveau der Stadt schließen, so liefert Libanios dafür ein ausdrückliches Zeugnis; er spricht mit Hochachtung von dem rhetorischen Unterricht, den man in G. erteile (or. 55, 33f). Solche Pflege der Rhetorik setzt natürlich voraus, daß G. in seinen Mauern eine breite Schicht von griechisch sprechenden Gebildeten beherbergte.

B. Christlich. I. Einführung des Christentums. Das Christentum wurde vielleicht durch den ‚Diakon‘ Philippus nach G. gebracht, der an der Straße von Jerusalem nach G. mit dem Eunuchen der Königin von Aethiopien zusammentraf u. nach dessen Taufe an weiteren Orten des philistäischen Küstenstreifens von Askalon bis Caesarea missionierte (Act. 8, 26/40; Harnack, Miss.⁴ 622₄). Wenn damals das Christentum in G. wirklich seine ersten Anhänger gewonnen haben sollte, blieb es jedenfalls lange einflußlos; denn die Stadt war noch lange Zeit überwiegend heidnisch. Hier hat die Aristokratie wie überall besonders zäh am Heidentum festgehalten (Marc. Diac. v. Porph. 27; vgl. 41; zu den Bischöfen von G. u. Maiuma s. M. Le Quien, Oriens Christianus 3 [Paris 1740 bzw. Graz 1958] 603/26). Als Porphyrios iJ. 395 Bischof wurde, soll es 280 Christen in der Stadt gegeben haben (Marc. Diac. v. Porph. 19; zu der Ernennung des Porphyrios zum Nachfolger des Aeneas nach dem Tode des letzteren s. F. Diekamp, Analecta patristica. Texte u. Abhandlungen zur griech. Patristik [Roma 1938] 36). Die im Hafen Maiuma ansässige christl. Gemeinde war zahlreicher; einen Grund dafür bildete vielleicht die Anwesenheit einer großen Zahl ägyptischer Weinhändler (Marc. Diac. v. Porph. 58). Eine Anzahl von Christen aus G. erlitt zusammen mit dem blinden Bischof Silvanus im Verlauf der diokletianischen Verfolgungen in G. oder anderswo das Martyrium (Euseb. h. e. 8, 13, 5; mart. Pal. 3, 1/3; 8, 8; 13, 4/8; vgl. Passio sanctorum sexaginta martyrum: AnalBoll 23 [1904] 289/307). Silvanus wurde von Eusebios auch deswegen bewundert, weil er als Prediger vor der Gemeinde Teile der Hl. Schrift so sicher auswendig vortrug wie jemand, der aus der Bibel vorlas (Euseb. mart. Pal. 13, 8). Das Überwiegen der Christen in Maiuma könnte der Grund gewesen sein, warum Konstantin Maiuma zur Stadt erhob u. zu einem Bischofssitz machte (Euseb. v. Const.

4, 38). Er nannte die Stadt zu Ehren seiner Schwester Constantia u. machte sie von G. unabhängig (ebd.). Bischof Asklepios v. G., ein Anhänger des Athanasius, war auf dem Konzil v. Nizäa iJ. 325 anwesend (E. Honigmann: Byzant 11 [1936] 429/49 Taf. 1f nr. 179). Die Bewohner von G. gewährten Kaiser Julian tatkräftige Hilfe für sein Programm einer Restauration des Heidentums. Heidnische Bewohner griffen Christen an u. töteten die drei Brüder Eusebios, Nestabos u. Zenon (Sozom. h. e. 5, 9, 1/5). Ihre Reliquien wurden von einem anderen Zenon aufbewahrt, der als Bischof von G. unter Theodosius ein Heiligtum für die drei Märtyrer außerhalb der Stadt erbauen ließ (Sozom. h. e. 5, 9, 6/9). Zur Zeit Julians verbrannten seine Anhänger auch die Kirche von G. (Ambros. ep. 40, 15 [PL 16, 1154]). Weil Maiuma vorwiegend christlich war u. sich gegen Julian auflehnte, stellte dieser den Hafen erneut unter die Herrschaft von G. (Sozom. h. e. 5, 3, 7). Bei dieser Gelegenheit erhielt die Stadt ihren alten Namen Maiuma wieder (vgl. Hieron. v. Hilarion. 3 [PL 23, 31]). Sozomenos (h. e. 5, 3, 6) beschreibt die Rivalität, die auf kirchlichem Gebiet zwischen den beiden Städten herrschte. Nach dem Kirchenfrieden zog die Wüste im Süden von G. Einsiedler an. Der bekannteste ist der hl. Hilarion (gest. 371), der in der Nähe von G. geboren wurde. Als er sein heiligmäßiges Leben aufnahm, zog er sich an einen Ort der Wüste zurück, der etwa sieben Meilen südlich der Stadt gelegen war. Dort lebte er, bis er nach Zypern zog, wo er starb (Hieron. v. Hilarion. 3 [PL 23, 31]; BHG³ 248). – Im J. 382 besuchte Paula in Begleitung von Hieronymus G. (Hieron. ep. 108, 11 [CSEL 55, 318]). Hieronymus berichtet von einem Rennfahrer, der in seinem Wagen von einer Lähmung durch einen Dämon befallen u. vom hl. Hilarion geheilt wurde (v. Hilarion. 16 [PL 23, 36]; vgl. F. J. Dölger, Der hl. Hilarion u. der heidn. Rennfahrer aus G.: ACh 1 [1929] 212/4; ders., Ein christl. Rennstallbesitzer aus Maiuma beim hl. Hilarion: ebd. 215/20). Weiterhin beschreibt er ein Wagenrennen in G. zwischen einem heidn. u. einem christl. Wagenlenker; der Sieg des Christen wurde als eine von Christus bewirkte Niederlage des Gottes Marnas gedeutet (v. Hilarion. 20 [PL 23, 38]; vgl. Dölger aO. 215/20). Erst mit der Ankunft des Bischofs Porphyrios iJ. 395 soll die Umwandlung von G. in eine christl. Stadt begonnen haben; die Geschichte dieses Prozesses wird bis in die Einzelheiten in der von einem seiner Schüler, Marcus Diaconus, verfaßten, aber im 6. oder 7. Jh. überarbeiteten Biographie des wohl origenistischen Bischofs erzählt (vgl. Gigante; Beck 404; Diekamp aO. 17). Unterstützt von Arcadius u. Eudoxia erreichte Porphyrios, daß iJ. 402 die heidn. Tempel durch kaiserliche Truppen zerstört wurden, wobei die christl. Bevölkerung mithalf. Ausführlich wird die Zerstörung des Marneion geschildert; dabei werden sogar die Brennmaterialien aufgezählt, die man benötigte, um das Gebäude in Brand zu setzen (Marc. Diac. v. Porph. 66/70). Hieronymus erklärt in seinem Jesaja-Kommentar, daß die Zerstörung des Marneion für die Unterdrückung des Heidentums u. die Förderung des Christentums von ähnlicher Bedeutung gewesen sei wie die Zerstörung des Serapeion in Alexandria iJ. 391 (in Jes. 17, 2f [CCL 73, 268]; ep. 107, 2f [CSEL 55, 292]; vgl. Sozom. h. e. 7, 15). Im Sommer 637 kam G. in arabische Hand. Eine Reihe von Besatzungssoldaten erlitt den Märtyrertod (A. Guillou, Prise de G. par les Arabes au 7ᶜ s.: BullCorrHell 81 [1957] 393/404).

II. Geistiges Leben. Das kulturelle Niveau von G., das Libanios bezeugt (s. o. Sp. 1127), ist durch die Christianisierung der Stadt nicht beeinträchtigt worden. Die Überlieferung freilich, daß der doch wohl noch dem 3. Jh. zuzurechnende christl. Dichter Commodian aus G. stammt, ist fragwürdig (s. L. Krestan: o. Bd. 3, 248; vgl. Altaner-Stuiber, Patrol. 181); jedenfalls hat Commodian nicht griechisch, sondern lateinisch geschrieben. Aber von der Herrschaft Zenons (474/91) an haben wir ein lückenloses Bild des lokalen literarischen Schaffens; man pflegt die Beziehungen vor allem zu Alexandria, aber auch zu Antiochia u. Byzanz u. sorgt für vorzüglichen Unterricht in der Rhetorik u. in den anderen Disziplinen (K. Seitz, Die Schule von G., Diss. Heidelberg [1892]; Christ-Schmid-Stählin 2, 2, 1029/33. 1483/5; G. Downey, The Christian schools of Palestine. A chapter in literary history: HarvLibrBull 12 [1958] 297/319). Wir hören von Zosimos v. G., Verfasser von Kommentaren zu Lysias u. Demosthenes; wir hören weiter von dem Sophisten Aeneas v. G., der in Alexandria studiert hatte, sodann von Zacharias Scholastikos v. G., der Bischof von Mytilene wurde u. eine Kirchengeschichte in seinem heimischen Syrisch

verfaßte, das in G. neben dem Griechischen gesprochen wurde. Das hervorragendste u. wichtigste Mitglied der Schule von G. ist Prokopios v. G., der ebenfalls in Alexandria studiert hatte. Er schrieb über christliche wie heidnische Themen u. bietet damit das treffende Beispiel für einen neu sich bildenden Typus des christl. Gelehrten u. Lehrers (förderlich die neue Ausgabe seiner Briefe u. Reden von A. Garzya - R.-J. Loenertz [1963]; vgl. H. Hunger, On the imitation [μίμησις] of antiquity in Byzantine literature: DumbOPap 23/4 [1969/70] 20). Zu seiner Rolle als ,Katenenschmied' vgl. Bardenhewer 5 (1932 bzw. 1962) 86/9. Die Annahme, daß er ein Werk gegen den Neuplatoniker Proklos verfaßt habe, läßt sich nicht aufrechterhalten (ebd. 89f). Schüler u. Nachfolger des Prokopios als Leiter der Schule war Chorikios, Verfasser rhetorischer Arbeiten sowie bemerkenswerter Beschreibungen der Kirchen des hl. Stephanos u. des hl. Sergios (s. u. Sp. 1131 u. G. Downey: o. Bd. 4, 939), über die gleich noch einmal zu sprechen sein wird. Die metrische Ekphrasis des Johannes v. G. über die Tabula mundi wurde bereits erwähnt (s. o. Sp. 1125). Timotheos v. G. verfaßte Schriften über Zoologie u. Syntax; er verkörpert die zeitgenössische Auffassung vom Gelehrten als Polyhistor. Der Historiker Prokopios v. Caesarea war einer der bemerkenswertesten Gelehrten, die durch die literarische Ausbildung in G. entscheidend geprägt wurden. – Schon oben wurde angedeutet, daß G. in der Spätantike kulturell besonders stark von Alexandria beeinflußt war; dafür bieten speziell die Briefe des Prokopios v. G. viele Belege. Häufige Festspiele, die in G. stattfanden, lockten Besucher an, die den landschaftlichen Reiz der Stadt genießen u. den literarischen Größen der Stadt bei der Darbietung ihrer Werke im Theater lauschen wollten. Die kaiserliche Regierung hielt diese Spiele für so wichtig, daß sie finanzielle Beihilfen zur Deckung der Unkosten bewilligte (Choric. laud. Marc. 2, 63/75). Die gepflegte Atmosphäre der Stadt wird in dem Bericht des Antoninus v. Piacenza berührt, der um 570 in G. weilte (itin. 33 [CCL 175, 145]): G. autem civitas splendida deliciosa, homines honestissimi omni liberalitate decori, amatores peregrinorum. Als Bischof von Maiuma wirkte um 750 Kosmas, mit dem Beinamen ,der Melode', der wohl zusammen mit Johannes Damascenus Mönch in der Laura des Sabas bei Jerusalem gewesen war. Er kommentierte die Dichtungen Gregors v. Nazianz u. verfaßte Lieder für Herren- u. Marienfeste (Nachweise bei Beck 515 f).

III. Christliche Monumente. a. Die Eudoxiana. Nach der Zerstörung des Marneion beschlossen der Bischof u. seine Gemeinde, an dieser Stelle eine Kirche zu errichten; für den Bau wurden Gelder verwandt, die die Kaiserin Eudoxia zu diesem Zweck dem Bischof überlassen hatte. Es kam zu einer Debatte darüber, ob die Kirche denselben kreisförmigen Grundriß haben sollte wie der Tempel. Die Frage wurde entschieden durch einen Brief der Kaiserin, der einen Bauplan in Kreuzform enthielt (Marc. Diac. v. Porph. 75). Als Architekten berief der Bischof Rufinos v. Antiochia, ‚einen zuverlässigen u. sachverständigen Mann‘ (ebd. 78). Die Bausteine wurden herangeschafft aus einem Steinbruch an einem Hügel im Osten der Stadt, der Aldioma genannt wurde. Eudoxia schickte 32 Marmorsäulen aus Karystos, weiß oder hellgrau mit grünen Adern (ebd. 79. 84). An der Kirche, zu Ehren der Kaiserin ‚Eudoxiana‘ genannt, wurde fünf Jahre gebaut. Zu Ostern 407 wurde sie eingeweiht. Der Bau war geräumiger, als manche Leute es in jener Zeit für notwendig hielten; doch der Bischof beharrte darauf, daß diese Größe wegen des von ihm erwarteten Wachstums der christl. Gemeinde erforderlich sei (ebd. 92 f). Für die Baukosten der Kirche spendete Eudoxia zwei centenaria (ebd. 53 mit der Fußnote von Grégoire - Kugener). Die Kaiserin ordnete auch die Errichtung einer Herberge für Reisende an u. schenkte der Kirche Altargerät (ebd.).

b. Andere Kirchen. Bevor Porphyrios Bischof von G. wurde, hatte G. nur eine einzige Kirche, die ‚Eirene‘ hieß (Marc. Diac. v. Porph. 18). Außerhalb der Stadtmauern gab es im Westen der Stadt einen ‚Gebetsplatz‘ u. eine ‚Alte Kirche‘, die als ein Bau des Bischofs Asklepas galt. Vor der Stadt befand sich auch die Grabstätte des Märtyrers Timotheos, der unter Diokletian in G. den Märtyrertod erlitten hatte (Euseb. mart. Pal. 3, 1). Hier ruhten ferner die Märtyrer Maior u. Thea (Marc. Diac. v. Porph. 20). Im frühen 6. Jh. beschreibt Chorikios v. G. die Kirchen des hl. Stephanos u. des hl. Sergios einschließlich ihrer Ausstattung (G. Millet, L'Asie mineure, nouveau domaine de l'histoire de l'art: RevArch 4, 5 [1905] 93/109; ders.:

Syria 7 [1926] 142/51; R. W. Hamilton, Two churches at G., as described by Choricius of G.: PalExplQuart 1930, 178/91; F.-M. Abel, G. au 6ᵉ siècle d'après le rhéteur Chorikios: RevBibl 40 [1931] 5/31; E. B. Smith, The dome. A study in the history of ideas [Princeton 1950] 38/40. 155/7; zum Sergios-Heiligtum s. A. Grabar, Martyrium 2 [Paris 1946] 384 s. v. G.). Das von Grabar ebd. 1, 74. 292 (vgl. Taf. 38, 2) zu G. gerechnete Heiligtum des hl. Viktor der Mosaikkarte von Madaba lag in Wirklichkeit in Maiuma, wie Antonin. Placent. itin. 33 (CCL 175, 145) ausdrücklich sagt. Für das Mosaik einer Kirche in Chellal, datiert 561, vgl. S. Reinach, Répertoire des peintures grecques et romaines (Paris 1922) 365, 2; E. R. Goodenough, Jewish symbols in the Greco-Roman period 3 (New York 1953) Abb. 911. Ein Vergleich der Mosaiken in der Synagoge von Maon u. der Kirche in Chellal zeigt, daß beide aus derselben Werkstatt in G. stammen (vgl. M. Avi-Yonah, La mosaïque juive dans ses relations avec la mosaïque classique: Act. coll. intern. sur la mosaïque gréco-romaine 1963 [Paris 1965] 328).

c. Klöster. Hieronymus (v. Hilarion. 14 [PL 23, 35 C]) nennt das Kloster des Hilarion nahe bei G. das erste dieser Gegend, die sich allmählich zu einem Zentrum des klösterlichen Lebens (Chitty 14) entwickelte. Noch i J. 570 zeigte man ad secundum miliarium Gazae das Grab des Hilarion (Antonin. Placent. itin. 33 [CCL 175, 145]). In der Nähe des Klosters des Hilarion baute der Scholastikos Dionysios v. G. für den von ihm bewunderten prinzlichen Asketen Petrus aus Iberien u. dessen Begleitung etwa i J. 484 die nötigen Zellen (R. Raabe, Petrus der Iberer [1895] 95 f; vgl. E. Schwartz, Johannes Rufus, ein monophysitischer Schriftsteller = SbHeidelberg 1912, 16, 19/22). Ein anderes Kloster, dem Seridos als Abt vorstand u. das sich in Thawata, wenige Kilometer südlich von G., in der Nähe des antiken Gerara, befand, kennen wir aus der Mosaikkarte von Madaba u. aus den asketischen u. pastoralen Schriften zweier Mitglieder der Klostergemeinschaft, Barsanuphios (gest. um 540) u. Johannes ‚der Prophet‘ (gest. um 530): PG 86, 1, 891/902; PO 31, 3 (1966); s. H. Dörrie - H. Dörries, Art. Erotapokriseis: o. Bd. 6, 342/70; vgl. Evagr. h. e. 4, 33; S. Vailhé: EchOr 7 (1904) 268/76; 8 (1905) 14/25. 154/60. Besser bekannt ist ihr Schüler Dorotheos v. G., der im frühen 6. Jh. ins Kloster des Seridos eintrat

u. später (nach 540) sein eigenes Kloster zwischen G. u. Maiuma gründete. Eine Reihe von Briefen sowie ein Buch mit Anleitungen zu geistlichen Übungen für seine Mönche sind erhalten (Oeuvres spirituelles, hrsg. v. L. Regnault - J. de Préville = SC 92 [1963]); ebenso die Vita eines seiner Jünger, des Knaben Dositheos (ebd. 123/45). Das Kloster des Dorotheos spielt eine Rolle in der von Johannes Moschos (prat. spirit. 166) erzählten Geschichte von dem Briganten u. Mörder, der in der Laura des Phirminos in der judäischen Wüste Mönch geworden war. Um ihn den Nachforschungen der Polizei zu entziehen, schickte Phirminos den Mann in ein hinreichend weit entferntes Kloster, eben in das Kloster des Dorotheos bei G. u. Maiuma.

IV. Inschriften u. Kleinfunde. Man fand eine Anzahl griechischer Inschriften, meist christliche, hauptsächlich auf Grabsteinen: Ph. Le Bas - W. H. Waddington, Voyage archéologique (Paris 1870/1) nr. 1904; J. Germer-Durand: RevBibl 1 (1892) 239/49; 2 (1893) 203/6; 3 (1894) 248/50; ders.: EchOr 8 (1905) 12; C. Clermont-Ganneau, Archaeological researches in Palestine during the years 1873/4, 2 (London 1896) 398/437; Archimandrit Antonios: Nea Sion 13 (1913) 918f; die meisten Inschriften wiederholt bei Leclercq, G. 705/20. Über Kleinfunde berichtet Reitler.

F.-M. Abel, Histoire de la Palestine 2. De la guerre juive à l'invasion arabe (Paris 1952) 362/5. – W. Aly, Art. Prokopios v. G.: PW 23, 1 (1957) 259/72. – J. Balázs, A Gazai iskola Thukydides-tanulmányai bzw. Gli studi tucididei della scuola di G. (Budapest 1940; ungarisch u. italienisch). – H. G. Beck, Kirche u. theologische Literatur im byzantinischen Reich = HdbAltWiss 12,2,1 (1959). – J. Benzinger, Art. G.: PW 7,1 (1910) 880/6. – D. J. Chitty, The desert a city. An introduction to the history of Egyptian and Palestinian monasticism under the Christian empire (Oxford 1966). – C. Colpe, Art. G.: KlPauly 2 (1967) 705f. – H. Diels, Über die von Prokop beschriebene Kunstuhr von G. = AbhBerlin 1917, 7. – G. Downey, G. in the early 6th century (Norman, Okl. 1963; ohne Belege). – M. Gigante, Sul testo della vita di Porfirio di Marco Diacono: Studi medievali A. di Stefano (Palermo 1956) 227/9. – G. F. Hill, Catalogue of the Greek coins of Palestine (London 1914) 143/68. – H. Leclercq, Art. G.: DACL 6,1,695/720; Art. Porphyre de G.: ebd. 14,1,1464/504. – M. A. Meyer, History of the city of G. (New York 1907). – R. Reitler, Kleinfunde aus G.: ZDPV 77 (1961) 87/92. – S. Sikorski, De Aenea Gazaeo

= AbhBreslau 9,5 (1909). – K. B. Stark, G. u. die philistäische Küste (1852). – V. Tcherikover, Hellenistic civilisation and the Jews (Philadelphia 1961) 95f.

G. Downey (Übers. Th. Klauser).

Gebärden s. Gesten.

Gebet I.

A. Nichtchristlich. I. Griechisch. a. Typologisches u. Frühzeit. 1. Allgemeine Übersicht 1135. 2. Homer 1139. b. Klassische u. hellenistisch-römische Zeit. 1. Religiöse Praxis u. Poesie 1141. 2. Philosophie 1145.

II. Römisch 1152. a. Terminologie 1153. b. Typen. 1. Carmina 1153. 2. Vota 1153. 3. Devotio 1154. 4. Dedicatio, consecratio, evocatio 1154. c. Form 1154. 1. Göttername 1155. 2. Beinamen 1155. 3. Grußformeln 1155. 4. Gegenstand 1156. d. Vortragsweisen. 1. Schriftliche Formulierungen 1156. 2. Vorsprechen des Textes 1156. 3. Leises Beten 1156. 4. Ausschluß bestimmter Personen 1157. e. Stil 1157. f. Gebärden 1158. 1. Erheben der Hände 1158. 2. Mit den Händen Berühren 1158. 3. Kußhand 1159. 4. Verhüllen des Hauptes 1159. 5. Drehung 1159. 6. An die Brust Schlagen 1160. 7. Sitzen 1160. 8. Kniefall 1160. 9. Springen, Tanzen 1161. g. Zeiten 1162.

III. Jüdisch. a. Altes Testament 1162. 1. Wortschatz 1162. 2. Formeln u. Formen 1165. 3. Gegenstand 1166. 4. Ort 1166. 5. Zeit 1167. 6. Haltung u. Gesten 1167. 7. Kleidung u.ä. 1167. b. Qumrân 1168. c. Philo 1168.

B. Christlich. I. Neues Testament. a. Wortschatz. 1. Wortgruppe εὔχεσθαι 1169. 2. Andere Bezeichnungen 1170. b. Gebet Jesu. 1. Überlieferte Gebetsworte 1171. 2. Berichte über das Gebet Jesu 1171. 3. Das Neue im Gebet Jesu 1172. 4. Gebet Jesu u. atl. Gebetsordnung 1172. 5. Gebetsunterweisung u. Gebetsmahnung Jesu 1172. c. Urgemeinde 1174. d. Paulinische Briefe 1175. e. Johanneisches Schrifttum 1185.

II. Entfaltung der biblischen Elemente in der Evangelisation 1188. a. Nachapostolische Schriften. 1. Didache 1188. 2. Barnabasbrief 1190. 3. Hirt des Hermas 1190. 4. Ignatiusbriefe 1192. 5. Polykarp 1194. 6. Erster Clemensbrief 1194. b. Märtyrer 1196. c. Apokryphen 1199. 1. Evangelien 1199. 2. Apostelgeschichten 1199. 3. Oden Salomons 1204.

III. Grundlegung der Tradition 1207. a. Clemens v. Alexandrien 1207. 1. Begriffsbestimmung 1207. 2. Bitte u. Dank 1211. 3. Bitte u. Fürbitte 1213. 4. Praxis 1213. b. Origenes 1217.

IV. Gebetspraxis 1219. a. Zeiten 1219. b. Texte 1222. c. Ort 1224. d. Gebetsrichtung 1225. e. Bräuche u. Riten vor dem Gebet. 1. Waschungen 1226. 2. Ablegen der paenula 1228. f. Gesten. 1. Stehen 1228. 2. Kniebeuge 1228. 3. Sitzen 1229. 4. Verhüllen des Hauptes 1230. 5. Erheben des Hauptes u. Aufblick zum Himmel 1230. 6. Erheben u. Ausstrecken der Hände 1231. 7. Bekreuzigung der Stirn u. der Augen 1232. 8. Friedenskuß nach dem gemeinsamen Gebet 1234.

V. Spezielle Abhandlungen über das Gebet, vor allem über das Vaterunser 1234. a. Tertullian u. Cyprian 1234. 1. Tertullian 1235. 2. Cyprian 1235. b. Origenes 1235. c. Nachwirken des Origenes im Mönchtum 1238. d. Nachwirken des Origenes in Lehre u. Predigt 1240. 1. Griechen 1240. 2. Lateiner 1242. 3. Ausklang u. Übergang 1247.

VI. Stundengebet der Mönche 1248.

VII. Die christl. Gebetsformen in systematischer Übersicht 1250. a. Öffentliches (liturgisches) Gebet. 1. Herrenmahl 1250. 2. Lehr- u. Lesegottesdienst 1251. 3. Agape 1252. 4. Sakramentale Riten 1253. 5. Offizium (Tagzeitengebet) 1253. b. Privates Gebet 1253. 1. Vaterunser u. Psalterium 1254. 2. Stoßgebet 1254. 3. Fluch- u. Rachegebet 1255. 4. Paradigmengebet 1255.

Beten u. G. sind als Haltung u. Handlung, als innerer Akt u. als dessen Ausdrucksgestalt, eine allgemein menschliche Lebensäußerung, mögen sie spontan formuliert werden oder nach bestimmten Vorstellungen u. Regeln geschaffen sein. Sie findet sich in den Religionen der sog. Primitiven ebenso wie in den späteren Großreligionen der verschiedenen Hochkulturen auf ihren verschiedenen Entwicklungsstufen. Sie ist auch dort vorhanden, wo einer Sprache für die Sache u. deren Erscheinungsformen die Wörter fehlen, die dem ‚Beten‘ u. ‚G.‘ der Antike oder des Christentums entsprechen. Wesenseigen ist allem Beten das Verlangen nach einem lebendigen Verkehr mit dem höheren Wesen. Dieses Verlangen erstreckt sich im ganzen Umfang von einem nicht näher zu bestimmenden Erlebnis bis zur wirklichen u. inneren Vereinigung mit Gott. Mit der Entwicklung kosmologischer, politischer u. sozialer Ordnungssysteme u. der ihnen entsprechenden Riten u. sakralrechtlichen Normen kann das G. in der Verflechtung religiöser Erscheinungen stärker hervortreten u. immer mehr zum ‚zentralen Phänomen der Religion, dem Feuerherd aller Frömmigkeit‘ werden (Heiler 1) oder aber auch zurücktreten u., an die Peripherie gedrängt, zur Randerscheinung werden, ohne jedoch jemals völlig zu verschwinden.

A. Nichtchristlich. I. Griechisch. a. Typologisches u. Frühzeit. 1. Allgemeine Übersicht. Es ist schwierig, aufgrund der erhaltenen Texte das G. als sprachlich-religiöses Phänomen eindeutig zu bestimmen. Als G. läßt sich die an eine Gottheit gerichtete konkrete Bitte ebenso definieren wie der Hymnus, der in ritualisierter Form u. für eine typische, wiederkehrende Situation Danksagung u. Lobpreis für vorangegangene Leistungen der Gottheit mit der Bitte um Segen verbindet, der Fluch, der Unsegen herabfleht, u. der Eid, der unter bestimmten Bedingungen für den Schwörenden Unsegen erbittet. Eine kultische Handlung (δρώμενον) kann alle diese G.typen begleiten. Auch den traditionell-formelhaften, nach Kulthandlungen (Opfer, Prozession, Tanz u.a.) u. Göttern spezialisierten Ausrufen wie ἰὴ παιάν u.a. kommt G.-charakter zu, insofern damit eine bestimmte, als anwesend gedachte oder herbeigewünschte Gottheit in ihrer Eigenschaft als Segensspender angeredet wird (vgl. die Übersicht bei Stengel, Kult.² 72/80 sowie Nilsson, Rel. 1², 157/60). Schwierig ist es endlich, eine Grenze zu ziehen, bis zu der Ausrufe als G. gelten dürfen, in denen Götter, göttliche Mächte, Heroen (Totenkultempfänger), aber auch

Stätten, Abstrakta oder Gegenstände in der 2. Person apostrophiert werden (V. Langholf, Die G. bei Euripides u. die zeitliche Folge der Tragödien = Hypomnemata 32 [1971] 9/14). G.charakter haben sie insofern, als die apostrophierten Personen oder Gegenstände um Beistand, als Zeugen oder dergleichen angerufen, also als Machtträger verstanden werden. – Den fließenden Übergängen zwischen allen diesen Typen entspricht es, daß man die dem Sachbereich zugehörigen Wörter nicht einfach auf sie verteilen kann. Das wichtigste unter ihnen, εὔχομαι, bedeutet auch ‚mit Nachdruck u. Anspruch auf Gültigkeit etwas aussprechen oder behaupten‘ (Il. 2, 82 u.ö.), u. die Bedeutung ‚beten‘ ist vermutlich das Ergebnis einer schon in der homerischen Sprache bezeugten Spezialisierung, die auf den geprägten, wiederholbaren Bestandteilen jedes G.textes beruht. Αἰτέω (αἰτέομαι) sowie λίσσομαι, die das Bitten u. Flehen bezeichnen, können sowohl auf das G. wie auf die an einen Menschen gerichtete Bitte angewendet werden, ebenso δέομαι, während ἱκετεύω auf die Situation des Schutzflehenden oder Asylsuchenden beschränkt, προσκυνέω primär auf einen Gestus bezogen ist, der nicht nur u. nicht notwendigerweise das G. begleitet. Ὄμνυμι ist zwar nur in der Bedeutung ‚schwören‘ belegt, aber ἀράομαι begegnet in frühen (homerisch-poetischen) u. dialektischen Texten nicht nur als ‚fluchen‘, sondern auch als ‚beten‘, u. der Apollonpriester Chryses trägt die Berufsbezeichnung ἀρητήρ (Il. 1, 11), was sich auf seine professionelle Fähigkeit, die rechten G. zu sprechen, nicht auf sein Fluch-G. in der Ilias-Handlung bezieht (vgl. Il. 7, 58; zu den drei Wortgruppen εὔχομαι, ἀράομαι, λίσσομαι vgl. Corlu). – Daß G.texte ganz oder teilweise fixiert werden, hängt mit der engen Verbindung zwischen G., Kult u. Magie zusammen. Nur das ‚richtige‘ Wort u. die ‚richtige‘ Handlung rufen die erwünschte Reaktion der als Machtträger überlegenen, nur partiell erkennbaren Gottheit hervor, während verkehrtes Verhalten nicht nur das Ziel, mit der Gottheit Verbindung aufzunehmen, verfehlt, sondern darüber hinaus den Beter in Gefahr bringen kann. Bei den Griechen der archaisch-klassischen Zeit haben sich die letztgenannten Motive (im Gegensatz zu den Römern) relativ wenig ausgewirkt, so daß sich in Kult u. Literatur weithin freie G.formulierungen nachweisen lassen. Die Poesie steht darum nicht nur in ihren Anfängen Kult u. G. sehr nahe, sondern hat auf beides mit ihren späteren sprachlich-stilistischen Errungenschaften immer wieder eingewirkt (Nilsson, Rel. 1², 158). Das zeigt der inschriftlich erhaltene, zweifellos der Kultpraxis zugehörige G.hymnus aus dem entlegenen Palaikastro (Kreta), in dem altertümliche Segenswünsche u. Göttervor-stellungen in einer freien, nur durch poetische Technik regulierten Sprache ausgedrückt sind (K. Latte, Griech. u. röm. Religiosität: Kl. Schriften [1968] 48/59). Kultsprachliche Details, die der Umgangs- oder Literatur-sprache, der sie ursprünglich entstammen, völlig fremd geworden sind, gibt es im Grie-chischen nur ausnahmsweise. Vielleicht liegt das daran, daß die griech. Religion in ihren frühen Phasen den göttlichen Mächten be-sondere Spontaneität zuschrieb (Latte aO. 59). – In manchen Punkten unterliegen frei-lich auch griechische G.texte dem Zwang zur Typisierung. Der Betende muß den richtigen Namen seines Gegenübers kennen u. ausspre-chen. Angesichts der partiellen Unerkennbar-keit u. der Unberechenbarkeit göttlichen Wesens u. der Vielgestaltigkeit des Erschei-nens u. Wirkens der Götter liegt es darum nahe, möglichst alle sinnvollen Epiklesen, die aus ihrer Genealogie, ihren Taten oder be-vorzugten Aufenthaltsorten genommen sind, zu häufen (Il. 1, 451/3; vgl. Norden, Agnost. 144f). Diese Häufung, bisweilen durch For-meln wie ‚wer du auch immer sein magst' ab-geschlossen, ist ein durchgehendes Motiv des G.- u. Hymnusstils u. wird auch literarisch, gelegentlich sogar scherzhaft, ausgewertet (Callim. Iov. 1ff). – Daß der Adressat des G. sich wirklich angesprochen fühlt, wird auch durch die preisende Erwähnung seiner frühe-ren Taten bewirkt, die darüber hinaus das Wohlwollen des Gottes auf den dankbaren Beter lenkt. Besonders schön ist die literari-sche Ausgestaltung dieses Motivs bei Sappho (frg. 1 Lobel-Page; vgl. Il. 1, 451), weil hier die der Dichterin ehedem erwiesene, ganz persönliche u. die gegenwärtig erbetene paral-lele Wohltat mit großer Phantasie geschildert werden. Die Hymnendichtung lebt weithin von der breiten Nacherzählung früherer, all-gemein bekannter Taten des angeredeten Gottes, an den sich der Beter mit seiner ab-schließenden Bitte wendet (zB. Hymn. Hom. Dem. 490/5). – Ein weiterer Topos des G., der dazu dient, das Wohlwollen des Ange-redeten auf den Beter zu lenken, besteht im

Verweis auf die Gegenseitigkeit der Leistun-gen. Der Beter beruft sich entweder auf seine vorangegangenen Leistungen (Opfer, Weihun-gen u. ä.) zugunsten der Gottheit (zB. Il. 1, 40f; Weihepigramme bei P. Friedländer, Epi-grammata. Greek inscriptions in verse from the beginnings to the Persian wars [Berkeley-Los Angeles 1948] 35/7) oder stellt derartiges als Lohn für die Erfüllung seiner Bitte in Aussicht (Il. 6, 305/10). Ein solches Ge-lübde kann bezeichnenderweise mit demselben Wort benannt werden (εὐχή, εὐχωλή) wie das G. selbst (Il. 1, 93; Pind. Pyth. 9, 89). – Die Beachtung der Topoi, die das ritualisierte G. im Rahmen gentilizischer oder gemeindlicher Kultübung vorsieht, bewahrt den Beter da-vor, mit seinem Vorbringen Ansprüche des Gottes zu mißachten oder sonstwie die Ehre des Gottes zu schmälern; denn der etablierte Kult begründet an sich schon die Überein-stimmung zwischen Kultgenossen unterein-ander einerseits sowie zwischen ihnen u. dem Kultempfänger andererseits. Wer sich allein mit einem persönlichen Anliegen an eine Gott-heit wendet, setzt sich einem gefahrvolleren Umgang mit dem Numinosen aus. Dieser er-höhten Gefahr begegnet er mit der Versiche-rung vollkommener Hingabe, so wie die ein-same Danae im Gedicht des Simonides (frg. 543 Page) den möglicherweise frevelhaften Charakter ihrer Bitte an Zeus im G. hinge-bungsvoll einräumt. Die homerischen Helden, besonders diejenigen, die wie Odysseus ein sehr persönliches Verhältnis zu einer bestimm-ten Gottheit unterhalten, beten demgegen-über mit viel größerer Direktheit u. Unbe-kümmertheit (zB. Il. 6, 476/81). Dieser Un-terschied hat sicherlich nicht nur literarische Gründe, sondern spiegelt einen Wandel in den Auffassungen vom Wesen u. Wirken der Götter wider, der sich in nachhomerischer Zeit, vor allem im späten 7. u. 6. Jh. vC. unter der Einwirkung der Dichter (Hesiod), des Seelen- u. Unsterblichkeitsglaubens (Orphik) u. der delphischen Theologie vollzog. Einmal werden die Götter zu Hütern von Recht u. Sittlichkeit unter den Menschen; man darf von ihnen nichts Unsittliches erbitten, selbst wenn man ihren rituell fixierten Ansprüchen genügt u. sie traditionellerweise zu Freunden hat (vgl. die delphische Geschichte: Herodt. 6, 86). Es genügt nicht mehr die kultische Reinheit des Beters, die sittliche muß hinzu-kommen, wie es andeutungsweise schon die Odyssee formuliert (14, 406). Außerdem vertieft sich das Gefühl für die Inkommensurabilität zwischen Gott u. Mensch, die gerade der einzelne, vor allem wenn er durch Macht u. Erfolg geblendet ist, zu vernachlässigen geneigt ist (Kroisos, Polykrates, Xerxes bei Herodot). Die fromme, kritiklose Scheu vor dem oft nach menschlichen Maßstäben unbegreiflichen u. ungerechten Handeln der Götter (Soph. Ai. 121/6; Trach. 1278f) muß dann auch im G. zum Ausdruck kommen, wie eben in dem oben erwähnten G. der Danae. – Das wachsende Gefühl für die Unbegreiflichkeit des von den Göttern gelenkten Menschenschicksals drückt sich auch im G.inhalt aus. Eindeutig bestimmbaren Werten aus der archaischen Adelsgesellschaft wie Gesundheit, Reichtum, Ansehen, Sorgenlosigkeit u.a. (Scol. anon. 7 Page; Theogn. 255f; Solo frg. 1 Diehl; vgl. Aristot. eth. Eud. 1214 a 15) steht die bei Herodot (1, 31) berichtete delphische Geschichte von Kleobis u. Biton gegenüber: die Herapriesterin, von der Kindesliebe ihrer Söhne gerührt, erbittet von der Göttin für sie das Beste u. findet sie beim Verlassen des Tempels entschlafen. – Die engere Beziehung, die man zwischen dem sittlichen Verhalten des Menschen u. dem Handeln der Götter annimmt, verstärkt andererseits auch das Vertrauen in die Be- u. Umstimmbarkeit der Götter durch das G. Diese wird zwar auch in späten Teilen des Epos gelegentlich behauptet (Il. 9, 497), doch steht sie ganz im Schatten der Vorstellung von einem großen, unentrinnbaren, als Διὸς βουλή zu interpretierenden Determinationszusammenhang (Il. 1, 5; 21, 99/113), demgegenüber Opfer u. G. relativ wirkungslos bleiben (Il. 22, 167/85).

2. Homer. Wegen der Bedeutung der homerischen Epen für die Folgezeit ist eine gesonderte Betrachtung ihrer Hinweise auf das G. angebracht (ausführlich: P. J. Th. Beckmann, Das G. bei Homer, Diss. Würzburg [1932]). In ihnen begegnet bereits eine differenzierte G.sprache, die ein getreuer Spiegel der Stellung ist, die den Griechen in der Religionsgeschichte insgesamt zukommt (vgl. Heiler 191; Corlu). Das Wort εὔχεσθαι muß in den homerischen Epen als allgemeinster Ausdruck für die Anrufung der Götter gelten u. ist meist Bitt-G. in Notlagen aller Art: εὔχεσθαι θεοῖς (Il. 3, 296). Not u. Mangel, ferner die konkreten Anliegen der homerischen Welt in Krieg u. Seefahrt bestimmen die G. an die Götter, die menschlich empfunden u. menschenähnlich vorgestellt werden. So las-

sen sie sich auch durch G. umstimmen, vor allem, wenn diese mit Opfern verbunden sind. Hektors G. für seinen kleinen Sohn (Il. 6, 476/81) gilt in diesem Zusammenhang als ein gewisser Höhepunkt der homerischen G.texte (vgl. H. Greeven: ThWb 2, 777, 18f u. C. F. v. Nägelsbach, Homerische Theologie² [1861] 211/27, bes. 223). Was die Unterscheidung zwischen εὔχεσθαι u. προσεύχεσθαι betrifft, an der noch bis hin zu den christl. Autoren (s. u. Sp. 1169) festgehalten worden ist, gilt allerdings, daß ‚beten‘ u. ‚geloben‘ Spezialisierungen der Allgemeinbedeutung ‚mit Nachdruck feststellen‘, ‚laut verkünden‘, ‚prahlen‘ sind, die bei Homer bereits die Überhand gewinnen, während in späterer Zeit fast nur noch die Bedeutung ‚geloben‘ neben ‚beten‘ auftritt, wie etwa Plat. Phaedo 58 b (s. dazu Citron). Auch rituelle Züge zeigen sich bei Homer keimhaft in einer ausführlichen Anrede an die Gottheit u. in den ihr verliehenen Epitheta, bei deren Beurteilung wegen der poetischen Stilgesetze jedoch größte Sorgfalt notwendig ist (vgl. Greeven aO. 777, 3/5); ferner in eingehenden Begründungen der vorgetragenen Bitte mit der Formel εἰ δή ποτε, ‚hab’ ich Dir je‘, um fortzufahren τόδε μοι κρήηνον, ‚so gewähre mir dies‘ (Il. 1, 40f; vgl. 1, 453/5: ‚Wie du mich früher erhörtest, so gewähre auch jetzt . . .‘) sowie in den Vorstellungen von lautem u. leisem Beten (etwa Il. 7, 194/6). Gerade an rituelle Vorschriften wie die über rein gewaschene Hände knüpfen sich bei Homer sittliche Gebote: den Betenden darf nicht nur kein Verbrechen u. keine Blutschuld belasten (Od. 14, 406), sondern er muß darüber hinaus im Gehorsam zur Gottheit stehen: ‚Wer den Göttern gehorcht, den erhören sie gern‘ (Il. 1, 218). Das Gefühl der Abhängigkeit von den Göttern, aber auch das Vertrauen, sie in jeder Lebenslage zur Seite zu wissen, eine Lebendigkeit, die auch da, wo alltägliche Ereignisse mit G. verbunden werden, das G. vor magischer oder ritueller Erstarrung bewahrt, macht die mit εὔχεσθαι bezeichnete Anrufung bei Homer zum Typ des Bitt-G., der bis an die Schwelle des ntl. Schrifttums u. darüber hinaus lebendig bleibt, auch wenn die Wortstatistik für εὔχεσθαι ständige Verluste an die Komposita aufweist u. der Bedeutungsinhalt mit Beten u. G. keineswegs erschöpft ist. So begegnet uns in einer für das Spannungsfeld zum biblischen Griechisch nicht unwichtigen Bedeutung εὔχεσθαι auch als ‚geloben‘, zB.

Il. 4, 119f: ‚Er gelobte dem Apoll (εὔχετο
᾿Απόλλωνι), ein festliches Opfer darzubringen'
(vgl. Il. 4, 101; Od. 17, 50). Εὐχή ist bei Homer nur einmal gebraucht (Od. 10, 526);
statt dessen findet sich in gleicher Bedeutung
εὐχωλή, wobei im Einzelfall oft nicht sicher zu
entscheiden ist, ob es ‚Gelübde' oder ‚Bitte'
meint (zB. Il. 1, 65. 93; Od. 11, 34; 13, 357).
Il. 9, 499/501 (‚durch Rauchopfer u. wohlge-
fällige Gelübde [oder G.: εὐχωλῆς] . . . vermögen die Menschen die Götter umzustimmen,
unter flehentlichem Bitten [λισσόμενοι], wenn
einer gefehlt hat') steht neben εὐχωλή das für
das Bitt-G. im eigentlichen Sinne charakteristische λίσσομαι, das, wie auch λιταί, sich
zwar im Wortschatz des ntl. Griechisch nicht
findet, aber auf anderem Wege Eingang in die
christl. G.sprache fand (s. u. Sp. 1193). Während Not u. Mangel, Schutz u. andere Anliegen in der homerischen Dichtung als G.mo-
tive wohl bezeugt sind, trifft dies für die Motive des Lobes u. Dankes weniger häufig zu.
Die schwachen, an das Wort μέλπειν geknüpften Ansätze (vgl. Il. 1, 474) sind selten
u. verschwinden im folgenden ganz. – Die wichtigsten G.gesten sind das Emporheben der
Hände (Il. 1, 450; 3, 318; 5, 174; 19, 254;
Od. 13, 355) u., wenn sich das G. an chthonische Mächte richtet, das Stampfen oder
Schlagen des Bodens (Il. 9, 568; vgl. Ohm
251/66. 371/400; W. K. C. Guthrie, The Greeks
and their gods [London 1958] 222).

b. Klassische u. hellenistisch-römische Zeit.
1. Religiöse Praxis u. Poesie. Über die G.sit-
ten dieser Periode unterrichten uns darstel-
lende (Geschichtsschreibung u. ä.), wohl auch
parodistische (Komödie) Texte sowie Reste
außerliterarischer, unmittelbar auf den Kult
bezogener Dokumente, die sich vor allem
inschriftlich erhalten haben (Kultsatzungen,
Hymnen u. ä.). Sie zeigen, daß G. u. Opfer als
Bestandteile des gemeindlichen Kultes eine
konstante u. wichtige Rolle im öffentlichen
Leben spielen, u. zwar unabhängig von den
Wandlungen individueller Religiosität. Der
antike Staat war nicht zuletzt Kultgemein-
schaft, u. in der Beteiligung an der Verehrung
der Götter drückt sich die Loyalität des einzelnen gegenüber dem Gemeinwesen aus.
Das gilt für die griech. Poleis auch dann noch,
als sie längst aus souveränen Gebilden zu
Selbstverwaltungseinheiten mit eigenständi-
gem sozialen Leben geworden sind. Öffentliche Angelegenheiten von einigem Gewicht
sind stets vom G. an die Götter der Stadt be-

gleitet. Diese vielfach bezeugte Gepflogenheit steht auch hinter der großartigen
Eingangsformulierung der demosthenischen
Kranzrede (or. 18, 1). Auch das später übliche
G. für den Herrscher kommt aus dieser Wurzel (zB. Apul. met. 11, 17). – Entsprechend
der religiösen Tendenz der alten Tragödie, die
den Götterglauben in allen Möglichkeiten
seiner Entwicklung vom naiven Vertrauen
über den Zweifel bis zur Ablehnung darstellt,
findet man dort ebenfalls die verschiedensten
Formen des G. u. der G.haltung. Neben den
herkömmlichen G.motiven u. ihren Formen bei
Bitte u. Fürbitte stehen vor allem, schon bei
Solon (frg. 1, 3/6 Diehl, anders aber 7f) vorbereitet, sittliche Werte als Gegenstand des G.,
wozu auch die Bitte um Bewahrung vor dem
Bösen gehört. Vgl. Eur. Med. 635/40: ‚Mich
schmücke züchtiger Sinn (σωφροσύνα), der
Götter schönste Gabe stets! / Möge zu feind-
lichem Groll, unersättlichem Zwiste doch
niemals / Mein Gemüt die mächtige Kypris
(Aphrodite) entflammen / Andrer Frauen
wegen . . .' (Übers. J. Donner - R. Kannicht,
Euripides 2 [1958]); Aeschyl. suppl. 625/93,
daraus 634/8: ‚Nimmer dem Feuer gebe preis
Pelasgias Land, / Der tanzfeindlich brüllt,
der gierge Ares, der / Auf fremden Äckern
mäht Menschen als Frucht der Ernte!'
(Übers. O. Werner, Aischylos [1959]). Diese
Texte verweisen allerdings den Ausleger auf
eine sorgfältige typologische Unterscheidung
zwischen Anrufen u. Wünschen einerseits,
die an eine in der betreffenden Gesellschaft
nicht eindeutig als Gottheit bekannte dritte
Person gerichtet sind, u. den eigentlichen G.
andererseits, die in der zweiten Person eindeutig bestimmbare göttliche Partner ansprechen. – Wenn der Toten- u. Heroenkult auch
zeigt, daß das G. an Verstorbene bzw. Tote
älter ist als Homer, so bezeugt die homerische
Dichtung es doch nie unmittelbar. Ihr gegenüber ist darum das G., das Verstorbene anruft, wie Aeschyl. choeph. 127/9, als Typ u.
Formel neu: ‚Und ich (Elektra), gießend dies
heilge Naß den Toten aus, / Ich sag u. rufe:
'Vater! (Agamemnon) ach, erbarm dich mein'
. . .' (Übers. O. Werner aO.). – Gipfel des
Betens ist das Empfinden, daß nur das G.
allein weiterhilft, wie Eur. El. 195/7: (Chor:)
‚Ach mit Klagen ja nicht: / Nur mit G. zu den
Göttern / Wirst du heitere Tage dir bereiten'
(Übers. Donner - Kannicht aO.). – Griechi-
schem Geist entspricht es ferner vollkom-
men, wenn das Maß u. die Bescheidenheit die

letzte Norm des G. ist, wie bei Aeschyl. suppl.
1059: μέτριον νῦν ἔπος εὔχου ‚Drum bring
maßvoll dein G. vor!‘ (Übers. Werner aO.;
vgl. Soph. frg. 327 N.²), ein Motiv, das bei
den Philosophen wiederkehrt. Freilich zeigen
sich beim jüngsten der Tragiker, der zwar die
innige, freundschaftlich-familiäre Vertrautheit mit den Göttern kennt, aber auch als
‚Philosoph der Aufklärung‘ spricht (vgl. W.
Nestle, Euripides, der Dichter der griech.
Aufklärung [1901] 4), Zweifel an der Erhörung (Troi. 1280f): ‚Götter! Doch warum
zu Göttern flehn? Sie hören ja schon lange
nicht mehr meinen Ruf‘ (Übers. Donner-
Kannicht aO.). Jedoch muß man beachten,
daß diese u. ähnliche Aussagen auf sehr verschiedene Charaktere des dramatischen Dialogs verteilt sind, also nicht immer als Bekenntnis des Dichters selbst verstanden werden dürfen. – Bei den Gesten des Händeauf-
hebens wird ebenso wie beim Schlagen u.
Stampfen das dramatische Stilelement nicht
immer leicht vom religiösen Gestus zu unterscheiden sein (vgl. Aeschyl. Pers. 683: κέκοπ-
ται πέδον [‚der Erdboden ist mit Schlagen
erfüllt‘; zur Deutung des Verses s. D. Korzeniewski: Helikon 7 (1967) 54f]; Eur. Troi.
1306: χερσὶ γαῖαν κτυποῦσα δισσαῖς ‚mit beiden
Händen mache ich die Erde erdröhnen‘). –
Ein das religiöse Empfinden späterer Zeiten
befremdender Zug ist die öffentliche Parodie-
rung des Religiösen, wie sie vor allem in der
alten Komödie auf die Bühne kam. Darunter
finden sich natürlich auch G.parodien, die
aber nicht ohne den Zusammenhang, in dem
sie stehen, beurteilt werden dürfen (W. Horn,
G. u. G.parodie in den Komödien des Aristophanes = ErlBeitrSprachKunstwiss 38
[1970]; Kleinknecht). Sie haben insofern
ihren Wert, als sie noch ihr echtes Gegenstück
erkennen lassen. Daneben enthält die Komödie aber auch durchaus echte G. (Horn aO.
57/62). – Seit dem Ausgang des 5. Jh., d.h.
mit der wachsenden Mobilität größerer Be-
völkerungsteile innerhalb des Mittelmeer-
beckens, verstärkt sich der Zug zu solchen Göttern, die weniger dem Gemeinwesen als dem einzelnen ihre Hilfe leihen.
Am Anfang dieser Entwicklung steht das
Aufkommen des Asklepios-Kultes (die G.
gesammelt bei E. J. u. L. Edelstein, Ascle-
pius 1 [Baltimore 1945] test. 576/86; dazu
ebd. 2, 65/138) sowie die zunehmende Hinwendung zu Schutzgöttern einzelner Personen oder freier Vereine (Hermes, Musen u.a.).

In denselben Zusammenhang gehört die Ausbreitung alter (griechischer) u. neuer (orientalischer) Mysterienkulte, denen man sich aus
freien Stücken ohne Rücksicht auf seine Herkunft zuwendet (M. P. Nilsson, Greek piety
[Oxford 1948] 150/61). In ihnen gilt zwar
nicht das betende Reden, sondern das Schweigen als Höhepunkt des religiösen Lebens
(vgl. Reitzenstein, Poim. 338; Schmidt 55/71;
Heiler 289; O. Casel, De philosophorum
Graecorum silentio mystico [1919 bzw. 1967]).
Aber das G. behält doch seinen Platz u. Wert.
Von ihren Kult-G. ist kaum etwas erhalten.
Wenn man die mit äußerster rhetorischer
Raffinesse gestalteten G. bei Apuleius (met.
11, 2. 25) als Beispiele werten darf, so drückt
sich darin ein sehr persönliches Verhältnis
zur Mysteriengottheit aus, echte vertrauende
Hingabe. Ein ähnlich starkes religiöses Gefühl zeigt sich in den schönen Eulogien des
Corpus Hermeticum, die man gebetete Philosophie nennen könnte (1, 31f; 5, 10f; 13,
16/20; Asclep. 41; s. A. D. Nock-A.-J. Festugière, Corpus Hermeticum 1 [Paris 1960]
27₇₉). Ihnen sind formal ähnlich manche G.
aus dem Bereich der Magie, für die aber die
beschwörenden Imperative charakteristisch
sind (Beispiele bei Reitzenstein, Poim. 15/
30). – Zeugen für das in der spät- u. nachklassischen Zeit sich entfaltende rege persönliche G.leben sind auch die Helden der Romanliteratur von Chariton bis Heliodor oder
der Rhetor Aristeides. Man wendet sich mit
ganz persönlichen Anliegen u. unabhängig
vom Kult an Gottheiten, in deren besonderem
Schutz man sich weiß u. deren Fürsorge man
auch Tote anempfehlen kann (Cumont, Or.
Rel. 93). Diese Erscheinungen gibt es in der
nachklassischen Zeit durchaus neben dem
Glauben an die blinde Tyche oder den uner-
bittlichen Astralzwang, die das G. häufig,
aber nicht immer (Cumont, Or. Rel. 148/77),
sinnlos erscheinen lassen, u. neben skepti-
scher Religionskritik. Es ist fraglich, ob
man dieser Religionskritik auch die G.paro-
dien zurechnen kann, denn der religiösen
Mentalität nicht nur des antiken Menschen
scheint es eigen, trotz oder gerade wegen der
persönlichen Gläubigkeit das Religiöse paro-
dieren zu können (Kleinknecht 116/22;
Horn aO. 138/41). Daneben griff man auch
zurück auf primitive Vorstellungen vom
magischen Zwang, den das fixierte G.wort
auf Götter u. Dämonen ausübt. Dies zeigt
sich vor allem in *Fluchtafeln, magischen

Papyri u. anderen Zaubertexten (Theocr. 2;
PGM; Th. Schermann, Spätgriechische Zau-
ber- u. Volks-G. [1919]). Angesichts dieser
großen Variationsbreite religiöser Phänomene in hellenistisch-römischer Zeit läßt sich
nur sagen, daß Zeugnisse für ein individuelles G.leben in der Kaiserzeit häufiger werden
u. für die ganze Periode mindestens bei den
Gebildeten mit einem ständigen Einfluß philosophischer Lehren auf das G. zu rechnen ist.
2. Philosophie. α. G.kritik. Die philosophische
Reflexion auf das G. setzt mit der Kritik an
der konventionellen G.praxis ein, weil diese
sich auf irrige Anschauungen vom Wesen u.
Wirken der Gottheit stützt (Xenophan.: VS
21 B 11. 15 u.a.). Konsequentes Nachdenken
über die zu fordernde Vollkommenheit solcher
Götter, die als Partner der Menschen anzusehen sind, führt die Philosophen entweder
zur Leugnung der Existenz der Götter (einige
Sophisten; vgl. Thrasym.: VS 85 B 8) oder
zur Überzeugung, die Götter bzw. der höchste
Gott habe keine Beziehung zu den Menschen
(Atomisten, Aristoteles, Epikur), oder zur
Annahme der Transzendenz u. reinen Geistig-
keit eines höchsten Gottes, demgegenüber
die Götter der Volksreligion als niedere Wesen, wohl auch als nichtexistent angesehen
werden (Platon, Pythagoreer), oder zu einer
pantheistischen Position, nach der die Gottheit ein den Kosmos u. die vernünftige Sittlichkeit durchwaltendes, gegebenenfalls materiell gebundenes Prinzip ist u. alle Vorstellungen von göttlichen Personen nur Hilfskon-
struktionen des begrenzten menschlichen
Verständnisses darstellen (Stoa). Aus jeder
dieser Positionen ergibt sich eine jeweils
andere Auffassung vom Sinn des G. – Früh
schon setzt die Kritik an der Form des G. ein,
wie bei Heraklit (VS 22 B 5): ‚Und sie beten
auch zu den Götterbildern da, wie wenn einer
mit Gebäuden eine Unterhaltung pflegen
wollte, weil man nicht Götter erkennt u.
Heroen als das, was sie sind‘ (Übers. Diels-
Kranz). Diese Kritik wendet sich dann auch
dem Inhalt u. besonders dem Gegenstand des
G. zu. Das G. um irdische Glücksgüter tritt
zurück oder wird skeptisch in Frage gestellt,
wie PsPlat. Alcib. 2: ‚(141a) Ebenso wirst du
auch unter den jetzt lebenden Menschen viele
finden, die nicht etwa im Zorne, wie jener
(Oedipus), noch wissentlich sich Böses erflehen, sondern in der Meinung, es sei etwas
Gutes. ... (142e) Wenigstens scheint mir,
Alkibiades, jener Dichter ein vernünftiger

Mann gewesen zu sein, welcher, wie ich denke,
manche unverständige Freunde hatte, u. weil
er sie das tun u. um das beten sah, was in
Wahrheit nicht das Beste war, es ihnen aber
doch zu sein schien, ein für diese alle passendes G. dichtete, welches etwa folgendermaßen
lautet: (143a) Zeus Obwalter, das Gute gewähr' uns, ob wir's erflehen / Oder ob nicht,
– u. ob wir's erflehen, das Böse versag' uns!'
(Übers. F. Susemihl: Platon, Sämtliche Werke 2 [Heidelberg oJ.]). Eine ähnliche Haltung findet sich auch bei Euripides u. läßt
das Bewußtsein der Abhängigkeit des Menschen von den Göttern schwinden, wie Hippol. 1102/21 zeigt. Die hier sich offenbarende
Aufklärung wird schon beim gleichen Dichter
zur Skepsis; in der popularphilosophischen
Paränese führt sie zur Ablehnung des Kults
u. des G. um Glücksgüter aller Art. Diese G.
haben die Lebensanschauung u. das Lebens-
ziel ihrer Verfasser zum Inhalt, die sie in
zahlreichen Muster-G. formulieren, in denen
die Lehre zusammengefaßt wird. Ihre Verwirklichung ist Gegenstand des G., aber man
erwartet sie eher von der eigenen Kraft als
von der Hilfe der Götter, wie Seneca es ausspricht: ‚Quid ergo? expiationes procuratio-
nesque quo pertinent, si immutabilia sunt
fata?' permitte mihi illam rigidam sectam
tueri eorum, qui excipiunt ista et nihil esse
aliud quam aegrae mentis solatia existimant.
Fata aliter ius suum peragunt nec ulla commo-
ventur prece; non misericordia flecti, non
gratia sciunt: cursum irrevocabilem ingressa
ex destinato fluunt (nat. quaest. 2, 35, 1f).
Die konkreten G.wünsche treten dann vor
allgemeineren zurück. Angeblich fordert
schon Pythagoras, man solle in seinen G.
einfach nur um ‚alles Gute' bitten, ohne es
im einzelnen zu nennen (Diod. Sic. 10, 9, 8).
Die heraklitische G.kritik wird drastischer
gefaßt: non sunt ad caelum elevandae manus
nec exorandus aedituus, ut nos ad aurem
simulacri, quasi magis exaudiri possimus,
admittat: prope est a te deus, tecum est, intus
est (Sen. ep. 41, 1). An Stelle des naiven Aufblicks zu dem als Mensch vorgestellten, gegenwärtigen Gott tritt die blinde Ergebung
in die unveränderliche Weltgesetzlichkeit des
Schicksals (Sen. nat. quaest. 2, 35/8). –
Schließlich wird in der Spätantike die Frage,
ob es überhaupt erlaubt sei zu beten, zum
philosophischen Problem (vgl. Maxim. Tyr.
5: εἰ δεῖ εὔχεσθαι ‚Ob man beten darf'); es
findet seinen Niederschlag in Traktaten, die

sich nicht mit Unrecht auf Xenophanes, die Pythagoreer u. die Stoiker berufen können (vgl. Schmidt 1/74). Wenn Seneca u. Epiktet zwar an den äußeren Riten festhalten wollen, wozu Sen. frg. 38f Haase ausdrücklich bemerkt, sie seien tamquam legibus iussa non tamquam diis grata, so führt gerade diese Haltung dazu, daß das G. seinen Charakter als Bitte verliert u. ‚nicht mehr eine Bitte um Nicht-Gegenwärtiges' ist, sondern ‚ein Gespräch (ὁμιλία καὶ διάλεκτος) mit den Göttern über das Gegenwärtige' wird (Maxim. Tyr. 5, 8 [63 Hobein]). – Während die Traktate über das G. in der peripatetischen, epikureischen u. stoischen Literatur großenteils noch als Resultat verschiedenartiger religionswissenschaftlicher Bemühungen aufgefaßt werden können, greift die Kritik auch zu einem volkstümlichen Ausdrucksmittel, das freilich in der Literatur gelegentlich einen hohen Rang erlangte, der G.parodie (s. o. Sp. 1143f). In ihr wird nicht nur eine Vielzahl von Typen ausgebildet, sondern sie bedient sich auch gewisser Formeln, die sich von Aristophanes bis weit in die patristische Literatur hinein verfolgen lassen, wie Kleinknecht (197₁. 211f) herausgestellt hat. – In der philosophischen Diskussion dient schon von Platon an (zB. resp. 5, 450 d. 456 b; 6, 499 c; 7, 540 d) die Wortgruppe εὐχή im Sinne etwa des deutschen ‚ein frommer Wunsch' als polemische Bezeichnung einer die Wahrheit u. Realität verfehlenden Aussage (Sext. Emp. adv. math. 7, 401: εὐχῇ μᾶλλον ἔοικεν ἢ ἀληθείᾳ ‚Das scheint eher ein frommer Wunsch zu sein als Wahrheit'; vgl. 8, 353 u.ö.).

β. Platon u. Aristoteles. In einem seiner frühesten Dialoge hat Platon die Inkommensurabilität aller zwischenmenschlichen Beziehungen einerseits u. des Verhältnisses des Menschen zur Gottheit andererseits aporetisch erläutert u. dabei die konventionelle Frömmigkeitspraxis wegen ihrer beiden Elemente des ἀποδιδόναι (Opfer) u. αἰτεῖν (G.) als Kaufmannskunst apostrophiert (Euthyphr. 14c). Dennoch gibt es im Corpus Platonicum viele traditionelle Elemente: Ergebung in den Willen der Götter (ἐὰν θεὸς ἐθέλῃ ‚wenn Gott will'; Phaedo 69d. 80d; Theaet. 151d), Rühmen ihrer Leistungen, u.a. Opfer, G. u. überhaupt der ganze Kult der Götter sind das Schönste, Beste u. Förderlichste für ein glückseliges Leben (leg. 4, 716d). So stehen denn auch Kult u. G. ganz im Vordergrund der Einrichtungen, die Platon für einen guten

Staat vorschlägt (leg. 3, 700b; 7, 821d. 823d; 10, 885b u.ö.). Ob sich hier das Vorbild des Sokrates auswirkt, der nach allen zuverlässigen biographischen Zeugnissen fest im religiösen Leben seiner Vaterstadt verwurzelt war, ob es sich um die pythagoreisierende Sublimierung der G.praxis handelt (Bickel, G. leben 553), oder ob derartige Passagen vor allem aus der literarischen Gestaltung der Dialogszenen zu verstehen sind, läßt sich schwer entscheiden. Wichtiger aber sind andere, neue inhaltliche Elemente, die das G. am Ende des Phaedrus (279b/c) gleichsam in nuce enthält: ‚O lieber Pan u. all' ihr anderen Götter hier! Verleihet mir, schön zu werden im Innern; was ich aber von außen her habe, daß es dem Inneren befreundet sei! Für reich aber möge ich den Weisen achten. Des Goldes Fülle aber möge mir werden in solchem Maße, in welchem es ein anderer weder führen noch tragen könnte als der Weise. Bedürfen wir noch weiter etwas, o Phaidros ? Denn für mich ist damit genug erbeten!' (Übers. L. Georgii: Platon, Sämtliche Werke 2 [Heidelberg oJ.]). Der innere Mensch aber ist selbst göttlich, insofern sein λογιστικόν (Vernunft) aus der transzendenten, immateriellen Welt der Urbilder stammt, zu der er durch methodisches Bemühen um Erkenntnis aufzusteigen vermag. Schon Xenophanes (VS 21 B 1) hatte das G. um Weisheit anstelle anderer, äußerer Vorzüge gefordert. Das G. des Philosophen steht also in engster Beziehung zu seinem ganz in eigener Verantwortung stehenden Wahrheitsstreben. Demokrit (VS 68 B 234) hatte das G. um Gesundheit getadelt, weil die Menschen durch eigene Anstrengung, nämlich durch rechte Lebensführung, gesund sein könnten. Diese Relation verlagert sich bei Platon auf die höchste, die intellektuelle Stufe der menschlichen Existenz. – Aristoteles, der Platons Entwurf einer eigenen, wahrhaft seienden Welt transzendenter Urbilder zwar ablehnt, betont doch die Unbeweglichkeit, den allem Handeln u. Wirken fremden Charakter der letzten, göttlichen Ursache des als Einheit verstandenen Kosmos (met. 10, 1064 a 37; 11, 1072 a 26). Das einzige Fragment seiner verlorenen Schrift ‚Über das G.' (49 Rose; vgl. W. Jaeger, Aristoteles² [1955] 163f) belehrt uns, daß Gott reiner νοῦς (Geist) oder sogar ἐπέκεινά τι τοῦ νοῦ (etwas, was sogar noch jenseits des Geistes ist) sei. Damit vermittelt nur die reine noetische Tätigkeit des Menschen, jedoch kein irgendwie geartetes

Handeln u. auch kein Bitten oder Fordern den Zugang zum Göttlichen. G. u. Bemühen um Gotteserkenntnis fallen zusammen. Dies ist die Fortbildung eines platonischen Gedankens (Tim. 90 c), der eine lange Wirkungsgeschichte gehabt hat (Cic. nat. 1, 43; Epict. 2, 14, 11 u.a.). G. u. Religion spielen bei Aristoteles in den erhaltenen Schriften, die vom Tun des Menschen handeln, gar keine Rolle (Heiler 212), es sei denn, daß der Kult, zu dem auch das G. gehört, als wichtiger Faktor staatlichen Lebens anerkannt u. die G.-praxis der Menschen in Rechnung gestellt wird (pol. 1257 b 16; 1332 a 29). So exemplifiziert Aristoteles auch mangelndes sittliches Urteilsvermögen daran, daß die Menschen um das Gute schlechthin anstatt um das für sie speziell Gute zu beten pflegen (eth. Nic. 5, 1129 b 5). – Auch für die frühe Akademie ist natürlich die Sorge um die Seele das Ziel allen Bemühens. Die sie bestimmenden religiösen Tendenzen drücken sich darin aus, daß die Texte nicht selten vom G. an die Götter reden (zB. PsPlat. Eryx. 398 e).

γ. Epikur u. Stoa. Die Götter Epikurs, die in vollkommener Eudaimonie ohne Sorge um Naturgeschehen u. Menschenwelt dahinleben, sind keine Partner für das G. der Menschen. Fromm ist es lediglich, sie in ihrem Wesen zu erkennen u. für die eigene Lebensgestaltung zum Vorbild zu nehmen (frg. 386f Usener). Der kosmologische Entwurf der Stoa dagegen sieht in der ordnenden u. gestaltenden Kraft der feinsten Materie (Feuer, πνεῦμα), die den ganzen Kosmos durchdringt u. in den Sternen sowie der vernünftig denkenden Menschenseele die größte Verdichtung u. Wirksamkeit erreicht, das einzige göttliche Prinzip, zu dem man auch beten kann. Freilich ist die von ihm hergestellte Ordnung vernünftig u. unverbrüchlich, also weder vom Zufall (Epikur) noch durch personale Intentionen (Volksreligion) bestimmt. Das Ziel des Betens kann also nur dasselbe sein wie das des Bemühens um rationale Einsicht in den Weltlauf, nämlich Herstellung der bewußten Übereinstimmung des eigenen Denkens u. Handelns mit der als notwendig, gut u. unabänderlich erkannten kosmisch-natürlichen Ordnung. Daß diese Auffassung vom G. mit echtem religiösen Empfinden verknüpft sein kann, zeigt der schöne G.hymnus des Kleanthes (SVF 1, 537; vgl. U. v. Wilamowitz, Hellenist. Dichtung 2 [1924] 257/61; M. Pohlenz, Die Stoa 1³ [1964] 109/13). Daß Kleanthes die göttliche Kraft,

die in seiner Vernunft dem betenden Menschen selbst in besonderem Maße eignet (Sen. ep. 41, 1: prope est a te deus, tecum est, intus est), unter dem Namen des Zeus anruft, rechtfertigt sich aus der stoischen Lehre, nach der alle Religionen Resultate eines, wenn auch vielfach verzerrten, natürlichen Wissens vom Wesen des Kosmos sind, die Verehrung u. Anrufung der göttlich-vernünftigen Lebenskraft dieses Kosmos unter dem Namen göttlicher Personen also eine für die noch unvollkommene menschliche Einsicht legitime Form der Frömmigkeitsübung darstellt, der sich auch der Weise, der die wahre Bedeutung eines Mythos oder einer Göttergestalt erkennt u. durch allegorische Interpretation anderen verständlich machen kann, ohne Bedenken anschließen darf. Im stoisch-akademischen Synkretismus des späten Hellenismus u. der Kaiserzeit, etwa bei Poseidonios, Seneca, Epiktet u. Mark Aurel, erleichtert diese Tradition die Anrede an sehr persönlich aufgefaßte Götter, die man recht erkennen, deren Fürsorge man preisen u. deren Güte man im Umgang mit den Mitmenschen nachahmen soll, auch in stoischem Kontext (Sen. ep. 95, 47/50; Epict. 1, 14; beides nach Poseidonios), der auf diese Weise zur Ausdrucksform sehr persönlicher Religiosität werden kann (Epict. 1, 16; Marc. Aurel. 5, 7f; Pohlenz aO. 338/40. 352f). Inhalt allen Betens kann für den Stoiker immer nur die Homologie sein, d.h. die freudig-dankbare Zustimmung zur Weltordnung als der denkbar besten (Sen. nat. quaest. 2, 35), die durch die Erfüllung eines speziellen, von der πρόνοια (Vorsehung) nicht vorgesehenen Wunsches nur, u. zwar gerade für den Beter, zum Schlechten verändert werden könnte. Dies kommt in dem andern G. des Kleanthes trefflich zum Ausdruck, das bei Epiktet nach mehrmaliger Anspielung im Enchiridion (53, 1) zitiert ist u. von Seneca (ep. 107, 11) ins Lateinische übersetzt wurde: ‚Führ' du mich, Zeus, u. du, Pepromene (Schicksal), wohin der Weg mir ist von euch bestimmt! Ich folg euch ohne Zaudern. Sträub' ich mich, so handle ich schlecht – u. folgen muß ich doch!' (Pohlenz aO. 106; Heiler 206).

δ. Popularphilosophie u. philosophische Heilslehren. Während in der älteren Popularphilosophie, besonders bei den Kynikern, der Appell an den Leistungswillen des Menschen ganz im Vordergrund steht, ist die kaiserzeitliche vielfach vom Platonismus bestimmt u.

berücksichtigt die Götter der traditionellen Religion, räumt infolgedessen auch dem G. seinen Platz ein. Für Plutarch, der selbst Priester war, ist der G.kontakt mit Göttern etwas Selbstverständliches, obwohl er die richtige, d. h. philosophisch vernünftige Gotteserkenntnis (also nicht die Unterwerfung unter einen göttlichen Willen) als Grundlage der Frömmigkeit betrachtet u. ihm die allegorische Interpretation alter u. neuer Überlieferung von den Göttern im Sinn philosophisch einsichtiger Kosmologie geläufig ist (Is. et Os. 351 DE; superst. 1 [164 E] u. ö.). Das Problem, ob u. wie Beten richtig u. sinnvoll sei, wenn man mit einem guten u. vollkommenen Weltregiment der Götter rechnet, ist Gegenstand einer popularphilosophischen Rede des Platonikers Maximos v. Tyros (5). Sinn des Betens ist hier nicht mehr das Erbitten einzelner Gaben, sondern die Zwiesprache mit den Göttern, was sich stoischen Anschauungen nähert. – Ganz anders liegen die Dinge in jenen Heilslehren, die ein Konglomerat von Philosophemen meist platonischer Herkunft als Inhalt einer überrationalen, aus der jenseitig-immateriellen Lichtwelt stammenden Offenbarung vermitteln. Da die Befreiung aus der Bindung an die Materie u. damit das Göttlichwerden des Menschen nicht mehr als Resultat unablässigen Bemühens um vernünftige Erkenntnis angesehen, sondern von der Aufnahme einer transrationalen, der Diskussion nicht unterliegenden Heilsbotschaft abhängig gemacht wird (M. P. Nilsson, Greek piety [Oxford 1948] 124/50), ist es sinnvoll, die oder den Aussender der Botschaft um übernatürliche Erkenntnis u. Erleuchtung, um Reinigung u. Befreiung anzuflehen. Das Corpus Hermeticum u. die Fragmente der Chaldäischen Orakel enthalten darum zahlreiche G.texte, die nicht selten Motive traditioneller Kultfrömmigkeit aufnehmen (A.-J. Festugière, La révélation d'Hermès Trismégiste 3 [Paris 1953] 97/118). Auch in Philostrats Vita des Apollonios von Tyana, dessen ‚Philosophie‘ überrationaler Herkunft ist u. sich in Wundertaten dokumentiert, spielen G. eine beträchtliche Rolle (1, 11. 33; 4, 40), was nicht ausschließt, daß der Inhalt der G. den Maximen genuin philosophischer Ethik entspricht. Ähnliches gilt für G. u. Aussagen über das Beten, die sich im Carmen Aureum u. den Orphischen Hymnen finden. – In der nachplotinischen Phase macht sich dieses Verständnis von Philoso-

phie auch im neuplatonischen Schulbetrieb immer stärker geltend, parallel zum Eindringen der Theurgie (E. R. Dodds, Die Griechen u. das Irrationale [1970] 152/6). So gibt es zahlreiche Zeugnisse vom G.leben späterer Neuplatoniker, zB. in der Isidor-Vita des Damaskios. Hier begegnen Motive wie das Einswerden von Mensch u. Gott im G. u. das Schweigen als Ausdruck dieses Einswerdens (epit. 39f [64f Zintzen]; vgl. Reitzenstein, Poim. 338), von der Macht des G. über die Naturvorgänge, die den Brahmanen als Vertretern verehrungswürdiger βάρβαρος φιλοσοφία zugeschrieben wird (vgl. ebd. epit. 67 [96/8 Z.]), vom G. als Element der Wundertat (ebd. epit. 69 [98 Z.]) u.a. Plotin versteht dagegen das G. als Vorbereitung für die philosophische Reflexion auf das Wesen Gottes (5, 1, 6) u. betont, daß es den Weltlauf nicht ändern kann (3, 2, 8 u.ö.). – Auch Hierokles (Joh. Stob. 1, 3, 53 [1, 63, 8/19 W.]) lehrt, daß der Glaube an die Möglichkeit einer Sinnesänderung bei den Göttern mit dem Vertrauen auf ihr gutes Weltregiment nicht zu vereinigen sei. Demgegenüber verweist der Neuplatoniker Sallust (16 [28/30 Nock]) auf die enge Verbindung von G. u. Opfergabe u. erklärt, daß durch das G. menschliche κακία (Bosheit) geheilt u. der Sinn der Gottheit verändert werde (14 [26/8 N.]). Porphyrios weiß einerseits, daß jeder Verkehr mit der Gottheit die sittliche, also selbst erworbene, in der Gewandung symbolisierte Reinheit der Menschen (abst. 2, 45f) u. die rechte Erkenntnis des göttlichen Wesens (Marc. 11) voraussetzt. Andererseits heißt es aber, daß kein Mensch Gottes Denken nachvollziehen kann, daß er also auf Rückschlüsse aus den göttlichen Werken angewiesen ist (abst. 3, 11), so daß Beten u. Erkennen Gottes nicht mehr zusammenfallen (s. H. P. Esser, Untersuchungen zu G. u. Gottesverehrung der Neuplatoniker, Diss. Köln [1967]).

II. Römisch. Das Besondere der röm. Religion liegt darin, daß sie ihren archaischen Charakter unter völlig veränderten sozialen u. kulturellen Bedingungen bewahrt hat. Daher stammt ‚die Peinlichkeit u. Kompliziertheit des Rituals‘ (Wissowa, Rel.² 34) u. die ‚Genauigkeit, mit der man den Kreis umschreibt, für den Opfer u. G. gelten sollen. . . . Die Sorgfalt, mit der hier die Absicht der Handlung formuliert wird, verrät ebenso die bewußte Richtung auf das nächste Ziel, die dem Denken des Römers eigentümlich ist,

wie die ich-bezogene Nüchternheit einer
Bauernreligion' (Latte, Röm. Rel.² 47). So
begegnet uns bei den Römern eine Fülle von
G.formeln, die die sakralrechtlich scharf umrissene mündliche Erklärung öffentlicher
gottesdienstlicher Handlungen darstellen. G.,
die Ausdruck einer persönlich geprägten Religiosität sind, finden sich in Rom in vorklassi-
scher u. klassischer Zeit selten. ‚Auch der
Bauer band sich an einen festen Wortlaut'
(Latte, Röm. Rel.² 392), wofür Cato agr. 134,
2 ein Beispiel von prägnanter Kürze überliefert: Iupiter, te hoc ferto obmovendo
bonas preces precor, uti sis volens propitius
mihi liberisque meis domo familiaeque meae
mactus hoc ferto. Einen gewissen Höhepunkt
bildet Catull. 76, 17/26. Ein besonderes Studium fordern noch immer die vielen u. viel-
artigen G. in Vergils Aeneis.

a. Terminologie. Als Sammelbegriff für alle
G.formen können prex sowie precatio, pre-
cari u. alle ihre verbalen u. substantivischen
Komposita gelten, die in der Hauptsache die
vielgestaltige Begriffs- u. Ausdruckswelt des
Betens bezeichnen. Ihr fast vollständiges
Verzeichnis findet sich bei Appel; sehr wichtig ist auch die Besprechung der Klassifikation
u. der Terminologie bei G. B. Pighi, La religione romana (Torino 1967) 55/63; vgl. J.
Bayet, Histoire politique et psychologique
de la religion romaine (Paris 1957) 129.

b. Typen. 1. Carmina. Ältestes Genus dieser
Art sind die carmina (s. J. Quasten: o. Bd.
2, 901/10), die gebundene Spruchrede, die
stets dann verwendet wurde, wenn es galt,
Zaubersprüche, Eidesformeln, Bündnisverträge u. G. bei öffentlichem u. privatem Anlaß laut herzusagen (s. dazu besonders Pighi
aO. 57). Eines der ältesten röm. Sprachdenk-
mäler ist das carmen der Arvalbrüder, ein
Hilferuf an die Flurgeister um Bewahrung
vor Seuche u. Ruin jeder Art unter fünfmali-
ger Aufforderung zum Tanz.

2. Vota. Unter den carmina sind von großer
Bedeutung die vota, die ‚rechtsverbindliche
Feststellung dessen, was der Gelobende er-
bittet, als auch dessen, was er für den Fall
der Gewährung darzubringen sich verpflich-
tet' (Wissowa, Rel.² 382). Das votum ist ein
Vertrag, ‚aber die gleiche Form begegnet
auch bei anderen Völkern (zB. Gen. 28, 20).
Sie ist also an sich nichts spezifisch Römisches.
Es ist richtig, daß man im Lateinischen juri-
stische Ausdrücke verwendet' (Latte, Röm.
Rel.² 46). Für die vota quinquennalia vgl. G.

Dumézil, La religion romaine archaïque (Paris 1966) 531f; s. auch Appel 9. Die vota werden angewendet vor den kriegerischen Entscheidungen auf dem Schlachtfeld (vgl. Liv.
10, 19, 17f: Bellona, si hodie nobis victoriam
duis, ast ego tibi templum voveo) oder wenn
das Gemeinwesen durch Naturkatastrophen
wie Erdbeben, Orkane u. Seuchen bedroht ist.

3. Devotio. Eine besondere Art des votum
stellt die devotio dar, bei der sich ein Kämpfer den Göttern der Unterwelt weiht, indem er sich in den Kreis der zu vernichtenden
Menschen einschließt (vgl. K. Winkler - A.
Stuiber: o. Bd. 3, 849/62; W. Speyer: o. Bd.
7, 1210f). Der Inhalt der bei der devotio vorgetragenen Bitten rückt diese freilich eher
aus dem Genus der G. in das der Flüche u.
Verfluchungen (vgl. Speyer aO.; Appel 52/
84) oder aber in das der Ergebenheitsfor-
meln.

4. Dedicatio, consecratio, evocatio. Auch der
Inhalt der dedicationes wird in G.form ausgesprochen (s. Apul. met. 11, 16: navem ...
summus sacerdos ... solemnissimas preces
de casto praefatus ore ... nuncupavit dedi-
cavitque; vgl. auch die preces dedicantium
publicae bei Appel 11f. 56. 58). Im öffentlichen Staatsakt wird die dedicatio zur consecratio, deren Ausdrucksgestalt gleichfalls als
carmen (vgl. Appel 14f) oder precatio (Cic.
Mur. 1: illa sollemnis comitiorum precatio con-
sularibus auspiciis consecrata) bezeichnet
wird. Carmina u. vota sind schließlich jene
G.formeln, die als evocatio zwar ein feststehender Begriff des röm. Sakralrechts sind,
zu der sich aber ähnliche Riten u. Formeln
auch anderwärts durch die Religionsgeschichte belegen lassen (s. F. Pfister, Art. Evocatio:
o. Bd. 6, 1160/5). Zu diesen Formeln gehören
eine Fülle von Verben, die sich an die abwesende oder anwesende Gottheit richten oder
mit denen sie herbeigerufen wird, zB. salu-
tare, affari, profari, alloqui, orare, adorare,
exorare, appellare, compellare, ciere, vocare
u. andere mehr (s. die Aufzählung bei Appel
70f u. Bayet aO. 129), meist mit lauter Stimme, aber auch im Ton der täglichen Umgangssprache (vgl. Appel 71) u. mit Worten,
die gleichzeitig auch Riten u. Gebärden ausdrücken, mit denen das G. begleitet wird,
wie zB. implorare, supplicare, adorare (vgl.
Appel ebd.).

c. Form. Der Aufbau der G. (hierzu ist vor
allem das von Norden, Agnost. 141f gesam-
melte Material zu vergleichen) erstreckt sich

von den aus den ältesten u. alten Zeiten stammenden Kurzformeln, die vielfach noch im röm. Lustspiel weiterleben (s. Appel 72), bis zu künstlichen, weit ausgebauten rhetorischen Gebilden.

1. Göttername. Erstes Glied ist meist der Göttername. Die Meinung, es sei notwendig zu wissen, wer im G. angesprochen wird, mischt sich zT. noch mit alten magischen Anschauungen, daß Kenntnis u. Aussprache des Namens Gewalt über die Benannten verleiht. Wenn der Name unbekannt ist, greift man zu Umschreibungen, die es der Gottheit selbst anheimstellen, mit welchen Namen sie angeredet zu werden wünscht: Dis pater Veiovis Manes, sive vos quo alio nomine fas est nominare (Macrob. Sat. 3, 9, 10; s. Appel 114; bes. Latte, Röm. Rel.² 63), oder zu allgemeinsten Anreden, am häufigsten unter Verwendung der Wörter quicumque u. quisquis (Verg. Aen. 4, 576f: sequimur te, sancte deorum,/quisquis es; andere Beispiele nennt Appel 78). Vorsichtsklauseln scheinen in jedem Falle angebracht, die sich auf den Namen oder auch das Geschlecht der Gottheit beziehen u. gleichzeitig Verzeihung für das Übersehen einer Gottheit aus Unkenntnis erflehen. Darum wendet man sich auch gern an alle Himmelsbewohner gemeinsam (Ovid. met. 6, 262: dique o communiter omnes; weitere Beispiele bei Appel 84). Die Hinweise Nordens auf die ‚altertümliche Struktur‘ solcher G. u. die daran anknüpfenden Untersuchungen (Agnost. 143ff) haben freilich ergeben, daß es sich hier nicht um etwas ursprünglich oder spezifisch Römisches handelt, sondern um eine griechische G.form, wie solche in frühen u. späten Zeiten vielfach von den Römern übernommen wurden.

2. Beinamen. Eng mit dem Namen verbunden ist der Glaube an bestimmte der Macht einzelner Gottheiten unterstellter Wirkungsbereiche (Beispiele bei Appel 86f; s. auch Latte, Röm. Rel.² 47 über die ‚ausdrückliche Zweckbegrenzung‘ im Verkehr des Römers mit seinen Göttern) u. die Entwicklung bestimmter, diesem Bereich entsprechender Beinamen u. Epitheta (Appel 94/109).

3. Grußformeln. Dem Namen, der durch Cognomen u. Epitheta näher gekennzeichnet ist, werden schlichte Grußformeln (salve, saluto), Anrufungen (adesto! veni! tu praesens succurre! aspice et veni! exaudi!) hinzugefügt, die meist mit Anbetungs-, Beschwörungs-, Bitt- u. Dankformeln verbunden werden, in sie übergehen oder sich dazu verdichten (parce! pacem ac veniam peto, esto benignus! vgl. Appel 118/55).

4. Gegenstand. Meist wird im G. auch der erbetene Gegenstand anschaulich, das Gut, das der Betende erfleht, zB. die pax deorum (Appel 120), deren venia, favor u. gratia. Diese Wörter werden nicht nur später benutzt, um christliche G.inhalte wiederzugeben, sondern sie stehen, wie Appel (122) mit Recht bemerkt, auch deren Ethos nahe. Neben solche mehr allgemein formulierte G.inhalte tritt dann auch die Abwehr des Bösen (averte!), seine Vertreibung (pelle procul! removete! arcete!) oder auch die Errettung aus seiner Gewalt (eripe!), ferner die Bitte, Böses nicht zuzulassen (ne sinatis) als G.inhalt, u. schließlich die zahllosen Hilferufe (preces iuvandi) oder auch die Formel fer opem!, die oft mit dem Herbeirufen (subveni! succurre!) verbunden wird.

d. Vortragsweisen. 1. Schriftliche Formulierungen. Um den einwandfreien Vortrag des G. zu sichern, bedient man sich schriftlicher Formulierungen, die um so notwendiger werden, als deren Inhalt den Vortragenden oft unverständlich geworden ist (vgl. Quint. inst. 1, 6, 40: Saliorum carmina vix sacerdotibus suis satis intellecta). Die in den Satzungen der Arvalbrüder genannten libelli (libellis acceptis carmen descindentes tripodiaverunt in verba haec [26 Henzen; vgl. 33]) finden sich darum auch in vielen anderen Ritualien (vgl. Appel 206f; Latte, Röm. Rel.² 62). Jede Modernisierung des Textes wurde verworfen (Quint. inst. 1, 6, 41: sed illa mutari vetat religio et consecratis utendum est), da sie die Formel ebenso entwertet wie ein Versprechen oder Stocken (Cic. har. resp. 23: si aedilis verbo aut simpuvio aberraverit, ludi sunt non rite facti; vgl. Plin. n.h. 28, 10f; s. Wissowa, Rel.² 13).

2. Vorsprechen des Textes. Der möglichst großen Sicherheit diente auch der Brauch, die verba precationis vorzusprechen (praeire verba, praeire precationis carmen u. andere Termini, vgl. Appel 207 u. F. J. Dölger, Vorbeter u. Zeremoniar: ACh 2 [1930] 241/51), die sodann in lauter u. feierlicher Rede wiederholt wurden: voce clara (Liv. 10, 36, 11); sollemni satis est voce movere preces (Ovid. fast. 6, 622), die sich im Zauberspruch zu lautem Schreien steigert (vgl. Schmidt 59/61).

3. Leises Beten. Dem lauten, noch mit Vor-

stellungen magischer Gewalt verbundenen Beten steht das leise G. gegenüber, das entweder vom begleitenden G.gestus oder der G.haltung gefordert wird, wie die vox flebilis (vgl. Verg. Aen. 11, 482: et maestas alto fundunt de limine voces; Vipstanus Messalla [Tac. hist. 3, 25, 2 = HistRomReliqu 2, 115]: voce flebili precabatur piatos patris manes, neve se ut parricidam aversarentur), oder das der Inhalt nahelegt, der manchmal aus Scham, gelegentlich wegen seiner Schändlichkeit schweigend vorgebracht werden muß (vgl. Schmidt 57; Appel 210), ein Schweigen, das stets deutlich von dem aus echt religiösen bzw. mystischen Motiven zu unterscheiden ist.

4. Ausschluß bestimmter Personen. Der Geheimhaltung u. Sicherheit, aber auch der ans Magische grenzenden Bindung (legum dictio) der Gottheit durch den Priester oder Augur (Serv. Aen. 3, 89: et est species ista augurii, quae legum dictio appellatur; legum dictio autem est, cum condicio ipsius augurii certa nuncupatione verborum dicitur) dient der Ausschluß bestimmter Personen von gottesdienstlichen Handlungen, vor allem der Sklaven (Serv. Aen. 8, 179: in sacris enim Herculis nec servi intererant nec liberti; andere Beispiele s. Appel 82f; zum ganzen Problem: F. Bömer, Untersuchungen über die Religion der Sklaven in Griechenland u. Rom = Abh-Mainz 1963, 10, 81/100), sowie der Frauen u. Gefangenen, für deren Ausschluß gleichfalls bestimmte festgesetzte Formeln in Gebrauch kamen, wie exesto! extra esto! (s. Paul.-Fest. 72 Lindsay: exesto, extra esto. sic enim lictor in quibusdam sacris clamitabat: hostis, vinctus, mulier, virgo exesto; scilicet interesse prohibebatur).

e. Stil. Rituelle Erstarrung u. sichere Formulierung des G.inhaltes u. der damit verbundenen Formeln bedeutet jedoch nicht Ausschluß jeder Entwicklung oder gar Einförmigkeit. Unter griechischem u. jüdischem Einfluß entstehen auch im G.stil der Römer zur Anrede an die Gottheit u. deren Namen gehörige Prädikationen, die Norden untersucht u. unterschieden hat. Für den Du-Stil der Prädikationen, für den er Beispiele von Lukrez bis in die Zeit der nachaugusteischen Dichtung mitteilt (Agnost. 143/63), ist allerdings sorgfältig zu unterscheiden zwischen echter G.literatur (zB. Verg. Aen. 8, 293/6: ... tu nubigenas, invicte, bimembris, / Hylaeumque Pholumque, manu, tu Cresia mac-

tas / prodigia et vastum Nemeae sub rupe leonem. / te Stygii tremuere lacus, te ianitor Orci / ...) u. den aus der archaischen u. hellenist. Poesie eingedrungenen Formen (vgl. das G. an Isis bei Apul. met. 11, 25: te superi colunt ..., tu rotas orbem ... tibi respondent sidera ..., tuo nutu spirant flamina ... tuam maiestatem perhorrescunt aves ...). Letztere werden auch bei Lukrez nachgeahmt, dem ältesten Beispiel der Du-Prädikation in der lat. Poesie (1, 1/8: Aeneadum genitrix, ... / te, dea, te fugiunt venti, te nubila caeli / ... tibi ... tellus / summittit flores, tibi rident aequora ...; vgl. Norden, Agnost. 150), u. in der Dichtung der Neoteriker, wie Catulls gelegentlich streng stilisierende Hymnen zeigen (zB. 34, 13/7, im Hymnus auf Diana), manchmal auch leicht parodiert wie in der Messala-Ode des Horaz (c. 3, 21; Norden, Agnost. 148). Griechischen u. orientalischen bzw. jüdischen Vorbildern entstammen die Prädikationen des Er-Stils, der in enger Beziehung zur *Epiklese steht, sowie die Partizipial- u. Relativprädikationen, die erst nach umfassenden Um- u. Einschmelzungsprozessen Eingang in die christl. G.formeln finden (vgl. H. Rheinfelder: Jb-LiturgWiss 11 [1931] 20/34), aber auch schon in römischen Formeln auf charakteristische Weise begegnen, so Verg. Aen. 11, 785/8 (vgl. Norden, Agnost. 173f).

f. Gebärden. Die meisten G.gebärden der Römer sind nicht typisch römisch. Wir nennen hier nur die üblichsten.

1. Erheben der Hände. Wie bei den Griechen (s. o. Sp. 1141. 1143) war auch bei den Römern das Erheben der ausgestreckten Hände der alltäglichste u. einfachste G.gestus (Verg. Aen. 3, 176f: tendoque supinas / ad caelum cum voce manus, d.h. so, daß die Handflächen dem Himmel zugewandt sind).

2. Mit den Händen Berühren. Wie es schon bei den Griechen Brauch war (Il. 14, 272; andere Beispiele bei Ohm 241), berührte man mit den Händen die Erde (Macrob. Sat. 2, 9, 12: cum Tellurem dicit, manibus terram tangit; cum Iovem dicit, manus ad caelum tollit), das Götterbild (vgl. Plaut. rud. 559f: quid illuc, opsecro, negoti quod duae mulierculae / hic in fano Veneris signum flentes amplexae tenent; Val. Flacc. 8, 203: haeserat auratae genibus Medea Minervae) u. den Altar (Verg. Aen. 4, 219f: talibus orantem dictis arasque tenentem / audiit omnipotens). Dabei ist auch hier zunächst eher an allgemein mensch-

liche Gebärden der Verehrung u. Liebe zu
denken u. an das Verlangen nach der Lebensgemeinschaft mit der Gottheit (vgl. Ohm 241)
als an Magie u. Fetischismus (Appel 192f),
die sich freilich im Laufe gewisser Verfallser-
scheinungen mit den natürlichen Haltungen
vermischen (Ohm 255/67).

3. Kußhand. Als Ersatz des Kusses, der im
religiösen Leben ebenso große Aussagekraft
hat wie im allgemein menschlichen Bereich,
spielt im G. die Kußhand eine bedeutende
Rolle (vgl. Sittl 180/3); auch sie kann als
‚allgemeine Übung des röm. Kulturbereiches'
gelten (s. Dölger, Sol sal. 17), für die adorare
u. adoratio als gültige Termini in Gebrauch
sind (Plin. n.h. 28, 25: in adorando dex-
tram ad osculum referimus totumque corpus
circumagimus, quod in laevum fecisse Galliae religiosius credunt; weitere Beispiele bei
Appel 199 u. Dölger, Sol sal., Reg. s.v. Kußhand; W. Kroll, Art. Kuß: PW Suppl. 5
[1931] 518f).

4. Verhüllen des Hauptes. Typisch römische
Sitte war es, mit verhülltem Haupt zu beten
(capite velato oder operto). Als das mythische
Vorbild für diese Sitte galt Aeneas (vgl. dazu bes. Verg. Aen. 3, 405: purpureo velare
comas adopertus amictu; daneben Ovid. fast.
3, 363, über den anderen ‚röm. Urvater',
Numa: caput niveo velatus amictu). Wie
Munro in seiner Anm. zu Lucr. 5, 1198 (s.
auch Bailey zSt.) hervorhebt, betrachten die
Griechen Dionysios v. Halikarnassos u. Plutarch diese Sitte als ungewöhnlich.

5. Drehung. Ebenfalls eine typisch röm. Sitte
scheint die Drehung des Körpers sofort nach
Beendigung des G. zu sein; sie pflegte nach
rechts (dextrovorsum) stattzufinden. Die
deutlichste Beschreibung gibt Munro in seiner Anm. zu Lucr. 5, 1199 (vertier ad lapi-
dem): ‚the suppliant approached in such a
way as to have the statue of the god on his
right and then after praying wheeled to the
right so as to front it, and then prostrated
himself'. Die vollständigste antike Beschreibung bei Suet. Vit. 2, 5: capite velato circum-
vertensque se, deinde procumbens; vgl. weiter Plaut. curc. 69f: Phaedromus: quo me
vortam nescio. Palinurus: si deos salutas,
dextrovorsum censeo (der letzte Vers fast
sicher von Plautus zu seinem Original hinzugefügt); Liv. 5, 12, 16; Val. Flacc. 8, 243;
Plut. Numa 14,3; Marc. 6,6. – H. J. Rose
(JournRomStud 13 [1923] 86) hat das so erklärt, ‚daß man die möglicherweise erschei-

nende Gottheit zu sehen fürchtet' (zitiert bei
Latte, Röm. Rel.² 41₃, der sich hierzu zustimmend äußert).

6. An die Brust Schlagen (vgl. o. Bd. 2, 652f).
Mit den Angehörigen fast aller Religionen haben die Römer den Gestus gemeinsam, mit der
Hand an die Brust zu schlagen, der allerdings
nicht immer religiös zu verstehen ist, sondern
als unterstreichender Hinweisgestus erklärt
werden kann, wenn der Beter beim Vortrag
sich selbst nannte, so bei Gelübden (Macrob.
Sat. 3, 9, 12: cum votum recipere dicit, manibus pectus tangit). Neben dem An-die-Brust-
Schlagen findet sich gelegentlich auch der
Gestus der percussio capitis (Tibull. 1, 2, 86:
et miserum sancto tundere poste caput).

7. Sitzen. Auch das Sitzen kann nach einem
Bericht bei Macrob. Sat. 1, 10, 21 als G.ge-
bärde gelten: huic deae (gemeint ist Ops)
sedentes vota concipiunt terramque de indu-
stria tangunt, demonstrantes ipsam matrem
terram esse mortalibus adpetendam. Ursprünglich schlichter Ausdruck ‚inniger Beziehung zu Gott' (Ohm 335) u. leichtere Möglichkeit, die Mutter Erde, zu der man betet,
zu berühren, wie der Macrobiustext zeigt,
schleichen sich doch in diesem Zusammenhang auch zauberische u. magische Vorstellungen ein (vgl. Heim, Incant. 479. 496. 533).
Obwohl auch Gründe der Zweckmäßigkeit
(Beschäftigung, Bequemlichkeit, Erschöpfung, Pädagogik, Ethik) ein Sitzen innerhalb
von kultischen Feiern u. Einzelakten verständlich machen, entwickelt sich das Sitzen
doch vom schlichten Gestus zum stilisierten
Ritus (vgl. Dölger, Sol sal. 313); vor allem
begegnet dies rituelle Sitzen im Totenkult
(vgl. Th. Klauser, Die Cathedra im Totenkult
der heidn. u. christl. Antike [1927 bzw. 1971]),
in dem auch die Sitzgelegenheiten, wie die
Kathedra oder scamna u. subsellia, symbolische Bedeutung erlangen (zu den Typen der
röm. Sitzmöbel vgl. Klauser aO. 9f).

8. Kniefall. Das unter Kniefall vorgetragene
G. will vor allem die ‚erbarmungswürdige
Situation u. die dementsprechende Haltung
des Bittenden' (A. Dihle, Art. Demut: o. Bd.
3, 741) kennzeichnen u. ist deshalb oft mit
dem Worte supplex verbunden (Ovid. fast. 2,
438: suppliciter posito procubuere genu; Tibull. 1, 2, 85: non ego [dubitem] tellurem genibus perrepere supplex; andere Hinweise bei
Appel 201), wobei Umarmung der Knie, Berührung des Altares u. ähnliche Gesten eine
nicht geringe Rolle spielen (Plaut. rud. 695:

aram amplexantes hanc tuam lacrumantes, genibus nixae). Gelegentlich wird der Kniefall
auch zum Knierutschen (Beispiele bei Appel
201f; Ohm 357), für das Dio Cass. 43, 21, 2
ein aufsehenerregendes Beispiel berichtet: als
beim Triumphzug die Achse seines Wagens
brach, rutschte Cäsar auf den Knien die Stufen
zum Kapitol hinauf. Dasselbe soll Claudius getan haben (ebd. 60, 23, 1). Die in den orientalischen Riten, vor allem aber bei der Initiation
in die Isismysterien übliche προσκύνησις (vgl.
Quasten 48. 65; Horst 1/171; s. o. Sp. 1136)
wird jedoch zur Kußhand ‚entschärft‘ (s.
Horst, Register 3 s.v. Kußhand; vgl. Dihle
aO. 742). Von Lukrez (6, 51/3) stammen die
jegliche Prostratio ablehnenden Verse: mor-
tales, pavidis cum pendent mentibus saepe /
et faciunt animos humilis formidine divum /
depressosque premunt ad terram. Er hat der
lat. Welt die Philosophie *Epikurs übermittelt u. gibt mit seiner Ablehnung der Prosky-
nese-Prostratio die Schulmeinung Epikurs
wieder (Horst 162; Prümm, Hdb. 160f).
9. Springen, Tanzen. Wenn bei Naturvölkern
die Gesten des Hüpfens, Springens u. Tan-
zens spontaner Ausdruck religiösen Lebens
sind, so dienen sie bei den röm. Kollegien der
Salier, deren Namen schon die antiken Autoren vom Tanz ableiten (vgl. Liv. 1, 20, 4:
[Salios] per urbem ire canentes carmina cum
tripudiis sollemnique saltatu; Wissowa, Rel.²
555 mit weiteren Belegen; Geiger, Art. Salii
1: PW 1 A 2 [1920] 1874/94), u. denen der
Arvalbrüder zur Begleitung u. Unterstützung
des Vortrags der carmina (vgl. CIL 4, 2104 e
31: ibi sacerdotes clusi succincti libellis acceptis carmen descindentes tripodiaverunt), die
entweder bei den althergebrachten Kriegs-
tänzen oder den Flurumgängen vorgetragen
werden. Während die Prozessionen an den
Ambarvalien u. Robigalien sowie die rituellen Tänze der Salier u. Arvalbrüder, besonders das tripudium, zum altröm. Ritual gehören, sind die Tanzbewegungen des Jung-
frauenchores als gestus der supplicatio Teil
der von den Griechen übernommenen Riten
(vgl. Liv. 27, 37, 7 [207 vC.]: decrevere item
pontifices, ut virgines ter novenae per urbem
euntes carmen canerent [Wissowa, Rel.² 426f;
Dölger, Sol sal. 95]; das carmen war in diesem Fall von Livius Andronicus gedichtet
worden). Magische Elemente können sich in
diese Tänze leicht einfügen, wie schon der
Sühneumlauf der Luperci zeigt (Ovid. fast.
2, 267/452; bes. 283f: cur igitur currant et

cur – sic currere mos est – / nuda ferant posita
corpora veste, rogas?). Auch die *Ekstase
drückte sich vielfach im Tanz aus. Aber die
Römer bewiesen ihm gegenüber eher Zurückhaltung als Beifall; sie sahen in ihm eine
Entartung des Schreitens in Prozession u.
Umgang (*Amburbale), wie schließlich die
Gleichsetzung ludere = saltare (so schon
Naev. frg. com. 102 Ribbeck²: Lares ludentes;
ludiones als Benennung für Tänzer bei Liv.
7, 2, 4, wo die ältere Terminologie angeführt
wird) zeigt, zu der sich bei den Griechen in
der Bedeutungsgleichheit von χορεύειν =
βακχεύειν eine Parallele findet (s. Latte, Salt.
102).
g. Zeiten. Allgemeinmenschliche Gegebenheiten u. Motive zum G. bestimmen auch bei
den Römern die G.zeiten. So kennen sie bei
Sonnenauf- u. -untergang das Morgen- u.
*Abend-G. u. veranlassen Aussaat u. Ernte sie
zu bestimmten Festen u. Feiern. Einen bedeutenden Platz unter den Motiven zum G.
nimmt die Mahlzeit ein, die darum neben anderen Riten auch zu zahlreichen Formen des
Tisch-G. u. Tischsegens führt. Typisch römische Formen des G. gibt es in diesem Zusammenhang nicht.
III. Jüdisch. a. Altes Testament. Im Vergleich zur griech.-röm. Antike findet sich im
Sprachgebrauch des AT kein Wort, das der
vielfältigen u. ausgedehnten Verwendung der
Wörter εὐχή u. εὔχεσθαι u. deren Wortver-
bindungen gleichkäme. ‘tr u. hitpallēl, die
der Wortbedeutung dieser Stämme am nächsten stehen, werden nur spärlich verwendet.
Das von ‘tr gebildete Substantiv ‘ātār, das
Hes. 8, 14 den ‚Opferduft‘ des Weihrauchs
bezeichnet, bedeutet zwar zuerst ‚zu Gott
beten‘ oder ‚bei ihm Fürbitte einlegen‘, (vgl.
Gen. 25, 21; Ex. 8, 26; 10, 18; Iudc. 13, 8 im
Qal; Ex. 8, 4f. 24f; 9, 28; 10, 27 Hiphil),
während das zu hitpallēl gehörige Substantiv
tᵉfillāh als Überschrift über manchen Psalmen steht u. diese als ‚G.‘ kennzeichnet (vgl.
Ps. 17. 86. 90.101.142; Ps. 72, 20 wird die bis
dahin reichende Psalmensammlung als tᵉfillāh Davids bezeichnet). Beide Wörter werden
schließlich Fachausdrücke für Beten u. G.
(Greiff 16/23) u. bezeichnen das G. innerhalb
u. außerhalb der Liturgie u. in seinen verschiedenen Vortragsweisen.
1. Wortschatz. Diesen verhältnismäßig seltenen Wörtern für Beten im eigentlichen
Sinne steht eine sehr große Zahl von lebendig-
konkreten Wörtern gegenüber, die zwar ‚Be-

ten' bedeuten können, darüber hinaus aber eine große Anzahl anderer gleichbedeutend konkreter Handlungen des gläubigen Israeliten bezeichnen.

α. Reden. Zunächst treten ganz allgemein die Verben des Redens u. Sprechens für Beten u. G. ein. Im Reden u. Sprechen gewinnt das G. Gestalt (vgl. Jos. 24, 27; Ps. 5, 2; 19, 15; 54, 5).

β. Schreien, Weinen, Stöhnen. Das Wort steigert sich jedoch zum Rufen u. Schreien (Ps. 21, 12; 88, 14) oder es äußert sich in Seufzen, Stöhnen u. Weinen, Wörter, die gleichfalls in der Bedeutung von Beten auftreten (zB. Ex. 2, 23; Lament. 1, 21; Ps. 6, 7; 31, 11; 38, 10; 102, 6). Damit ist nicht nur das Seufzen u. Stöhnen gemeint, das die G.rufe begleitet, sondern das G. selbst wird so genannt (Ps. 55, 18; 77, 4), ebenso wie das laute Weinen (Ps. 6, 9) u. die Tränen, die der Beter vergießt (Ps. 119, 28; vgl. Job 16, 20). Wenn der atl. Beter die Leiden seines Herzens oder seine Sorge vor Gott ausbreitet (zB. 1 Sam. 1, 15), so ist dies keineswegs bildlich gemeint oder bedeutet eine Verlagerung aus dem Lebensbereich in das Gedankliche, sondern es bezeichnet vielmehr eine Steigerung: er schüttet sein Herz vor Gott aus (Ps. 69, 9; Lament. 2, 19; vgl. Greiff 5/16. 23/5).

γ. Preisen, Rühmen. Besonders häufig begegnen für das G. Wörter des Preisens, Lobpreisens u. Rühmens u. kennzeichnen dieses als Preis- u. Dank-G. Im Gesamtzusammenhang des G.wortschatzes ist unter diesen Wörtern hallēl das wichtigste. Preisen sollen die Menschen Gottes Namen (Ps. 113, 1) u. sein Wort (Ps. 56, 6). Die in Ps. 104, 35 u.ö. stehende Form ist liturgisch u. gewinnt als solche erstrangige Bedeutung. Sich Gottes (Ps. 34, 4; Jes. 41, 16; 45, 25) oder seines Namens (Ps. 105, 3) rühmen wird dann gleichbedeutend mit Gottes Lobpreis. tᵉfillāh (Lobpreis u. Preiswürdigkeit Gottes) als Psalmenüberschrift offenbart den letzten Sinn der Psalmen-G., von denen wieder einige in ihrem Lob die Taten Gottes in der Geschichte berichten (Westermann, Loben 61/6; ders., Psalter 61/8), andere das Geschehen in der Gegenwart beschreiben (ebd. 69/77). Nicht nur der Herr u. seine Taten als Macht-, Wunder-, Güte- u. Treueerweis (vgl. Ps. 9, 12; 71, 17; 92, 3) werden rühmend gepriesen (Ps. 71, 16), sondern in seinen Werken hat Gott ein preisendes Gedenken gestiftet (Ps. 111, 4). Darum heißt Gott preisen, seinen Namen

groß machen u. verherrlichen (Ps. 34, 4; 69, 31; Ex. 15, 2; Ps. 30, 2 u.ö.) ein Beten, das auch weiter ausholend mit ‚Gelübde erstatten' (= Gott den lobenden, dankenden Lobpreis abstatten; Ps. 61, 9) oder mit ‚seinen Lobpreis hören lassen' (Ps. 66, 8), ‚Gottes Lob in seinem Munde sein lassen' (Ps. 34, 3) bezeichnet wird. – Eng mit diesen lebendig-konkreten G.äußerungen verwandt sind auch alle Ausdrücke für Jubeln u. Frohlocken, die nicht etwa nur der näheren Kennzeichnung des G. dienen, sondern mit diesem identisch sind. Der dem Hebräischen eigentümliche Parallelismus zeigt auch hier, daß die stimmlichen Äußerungen des Rufens (Ps. 9, 15; 14, 7), Schreiens (Jes. 26, 19; 35, 2; 52, 8f; Jer. 31, 12; Ps. 5, 12), ja sogar des Wieherns (Jes. 12, 6; 24, 14; 54, 1; Jer. 31, 7) mit dem Jubelruf des G. identisch sind (Jes. 52, 9; Ps. 98, 4 u.ö.). Darum gehören auch die meisten Wörter des Singens (Ex. 15, 1. 21; Ps. 137, 3f) u. Musizierens sowie alle Wörter, die das Spielen auf Instrumenten bezeichnen, zum Wortschatz des G. (vgl. J. Hermann: ThWb 2, 785, 1/34).

δ. Huldigen, Segnen. Eine Kraft besonderer Art entwickelt das Wort bērak = segnen, huldigen, die sich vor allem in der Haus- u. Synagogalliturgie entfaltet. In seiner Substantivform bᵉrākāh wird es terminus technicus für das Lob-G. überhaupt. Durch das Beispiel Jesu im NT erlangt es höchste Bedeutung u. entwickelt sich bald als ‚Segen' zu einer G.gestalt u. G.handlung besonderer u. selbständiger Art (vgl. A. Stuiber: o. Bd. 6, 900/8; Westermann, Segen 31/66).

ε. Murmeln, Sinnen. Den Wörtern, die das G. bezeichnen, verwandt sind schließlich auch die Ausdrücke hāgāh u. śīaḥ, die das halblaute Murmeln u. Sinnen, oft auch Reden u. Preisen u. Klagen bedeuten (vgl. E. v. Severus, Das Wort meditari im Sprachgebrauch der Hl. Schrift: Geist u. Leben 26 [1953] 365/ 75).

ζ. Haltungen. Die konkrete Lebendigkeit atl. Betens führt schließlich dazu, daß Ausdrücke, die zunächst G.haltungen u. -gesten bezeichnen, die Bedeutung Beten u. G. annehmen. Das gilt zB. vom Begrüßungsgestus, mit dem man sich einmal oder häufig ehrfurchtsvoll niederwarf: hištaḥᵃwāh = προσκυνεῖν (Greiff 35f; Horst 51/4), vom Knien (Ps. 95, 6; 2 Chron. 6, 13) u. auch vom Stehen (1 Sam. 1, 9. 26; Jer. 18, 20; vgl. Herrmann aO. 785, 35/786, 45; Greiff 34/7 u. u. Sp. 1167).

2. Formeln u. Formen. Das atl. G. hat viele seiner Formen mit dem alten Orient gemeinsam, vor allem in der Poesie u. ihrer Rhythmik. Stärker als die aus den Stilformen gewonnenen Unterscheidungen von Hymnus u. G., die im AT nur selten sauber zu treffen sind, bestimmt der Inhalt die Formen. Lob u. Klage entwickeln darum die G. als Bitt-, Buß-, Dank- u. Lob-G. Viele Elemente sind diesen Formen gemeinsam, so die Anrede Jahwes, die unmittelbar anschließende, an eine oder eine Vielzahl von Großtaten Jahwes erinnernde Prädikation, die oft zur Verlängerung der G.texte beiträgt, ferner der Hauptteil, der solche Großtaten beschreibt u. preist oder Not u. Klage vor Jahwe ausbreitet, u. das besondere Anliegen, d.h. die Bitte, die Schuldbekenntnis, Schuldvergebung oder auch das Gelöbnis anschließt. Prosastücke u. Poesie gleichen sich oft, auch dann, wenn es, wie zB. im G. Salomons (1 Reg. 8, 23), zu einer kasuistischen Aufzählung aller Möglichkeiten kommt, in die der mit u. an seinem Volke handelnde Gott dieses führen könnte, G.formeln, die in alter Zeit noch selten scheinen (vgl. Num. 6, 24/6 sowie Dtn. 26, 3. 5/10; vgl. P. Merendino, Das deuteronomische Gesetz, Diss. Bonn [1966] 347/81). – Nachdem Bibellesung u. Bibelerklärung im synagogalen Gottesdienst mit G. verbunden worden waren, entwickelten sich auch die großen G.formeln, die sich im nachchristlichen Judentum in ihrem Rang behaupteten u. auch ihren Einfluß auf die christl. Liturgie ausübten. Als G. schlechthin (tᵉfillāh) gilt das Achtzehnbitten-G. (šᵉmōneh ʿeśrēh), ein G. aus 18 Lobsprüchen, das in einzelnen Bestandteilen in die vorchristl. Zeit zurückreicht, seit etwa 100 nC. aber seine endgültige Fassung erhalten hat. Es ist dreimal am Tage zu verrichten (Greiff 132/5; Elbogen 27/60). – Der Hallel, die im allgemeinen die Ps. 113/8 umfassende Gruppe von Lobliedern, war besonders festlichen Anlässen vorbehalten, wie dem Schlachten der Paschalämmer am 14. Nisan, dem Paschamahl selbst (Ps. 113 oder Ps. 113 u. 114 nach dem Füllen des zweiten Bechers, 114 bzw. 115 nach dem letzten Becher), dem 15. Nisan, dem 1. Pfingsttag, dem Laubhütten- u. dem Tempelweihefest (Greiff 74f; Finkelstein). – Das für den Morgen u. Abend vorgeschriebene Schema (šᵉmaʿ = höre) nach Dtn. 6, 4 wird heute eher als Bekenntnisformel denn als G. betrachtet (Greiff 124/32; Elbogen 16/26). –

Schließlich treten zu diesen Formeln noch zahlreiche, auf die Heiligung aller Lebensbereiche hingeordnete Segenssprüche, die sich in der synagogalen Liturgie ebenso wie in den christl. Ritualien lebendig erhalten haben (vgl. J. Hennig: ArchLiturgWiss 10, 2 [1968] 355/74). Zum ‚Amen' als akklamatorischer Bekräftigung des vom Gottesdienstleiter gesprochenen G. durch die Gemeinde s. A. Stuiber, Art. Amen: JbAC 1 (1958) 152/9.

3. Gegenstand. Der theologische Ort der vielfältigen u. reichen G.inhalte des AT ist in erster Linie durch die Selbstoffenbarung Jahwes, des Herrn u. Gottes Israels, der keine Götter neben sich kennt u. duldet, bestimmt (Ex. 3, 6); der von ihm mit den Stammvätern geschlossene Bund (vgl. Gen. 31, 42. 53; 32, 10; 48, 15 u.ö.) u. die darin Wirklichkeit werdende Erwählung des Volkes Israel findet in der Bundesschließung ihren höchsten u. endgültigen Ausdruck (Ex. 19/24). Erwählung u. Bund sind deshalb der die Gesamtgeschichte Israels durchwirkende Inhalt des G. Alles, was das Menschenleben an Werten u. Gütern umschließt, kann als Bundesgabe u. darum als Heilszeichen Gegenstand des G. sein. Die sich in manchen Psalmen findende Bitte um Erfüllung des Gottesbundes in der dauernden Gemeinschaft mit Gott (Ps. 32. 51. 103) steigert sich besonders nach dem Exil zu einer sich wiederholenden Bitte um die Vergebung der Sünden, das Heil u. die Huld Gottes u. die ewig währende Gottzugehörigkeit, die das höchste Glück darstellt (Ps. 16. 73).

4. Ort. Nach dem Zeugnis des AT verrichtet man G. besonders an den Orten der Gotteserscheinungen u. den dort errichteten Altären (Gen. 12, 8; 13, 4; 28, 16), zu denen man auch pilgert (1 Sam. 1, 2; 2 Sam. 15, 7). Nach der politischen Einigung der Stämme werden der Tempel u. sein Altar der bevorzugte G.ort (vgl. Jes. 56, 7), gegen deren Mythisierung die Propheten allerdings gelegentlich unerbittlich zu kämpfen haben (vgl. Jer. 7, 4/7; Greiff 27/34). Auch ließ sich die Stellung des Tempels als einziger zentraler Kultort nie streng aufrechterhalten, da es zum Bau von Diasporatempeln (zB. Elephantine) u. zur Errichtung der Synagogen für die Belehrung u. die Liturgiefeier des Sabbats in den Einzelgemeinden kam (vgl. die zusammenfassenden Erwähnungen im NT, zB. Lc. 4, 44; s. S. Schrage: ThWb 7, 798/839). Sein persönliches G. verrichtet der Israelit in seinem Hause, besonders in dem vom Lärm des Alltags ab-

geschirmten Obergemach (vgl. Tob. 3, 11; Judt. 8, 5; Dan. 6, 11).

5. Zeit. In ntl. Zeit betet der Israelit zur Zeit des Sonnenaufganges, am Nachmittag, zur Zeit des Nachmittagsbrandopfers (etwa um 15 Uhr) u. bei Sonnenuntergang. Ursprünglich nur ein Brauch der sog. Standmannschaften im Rahmen ihres Dienstes, wurden diese G.zeiten vor allem durch pharisäische Initiative auf das ganze Jahr ausgedehnt u. allen Gliedern der Familie bzw. des Hauses zur Pflicht gemacht. Älteste G.zeit ist das Nachmittags-G. (Esr. 9, 5; Dan. 9, 21; Judt. 9, 1), bei dem die t^efillāh gesprochen wurde. Indem man das morgens u. abends rezitierte š^ema' durch die t^efillāh erweiterte, entwickelte sich auch dieses Bekenntnis in Verbindung mit dem G. zur G.stunde (vgl. Jeremias 67/80). Aus den Psalmen, die Tageszeiten des G. erwähnen (Ps. 55, 18) oder die selbst ein G. für bestimmte Tagesstunden sind (Ps. 4 ein Abend-G., Ps. 5 ein Morgen-G.), darf man nicht auf einen Brauch oder ein Gebot dreimal täglichen Betens in Israel schließen.

6. Haltung u. Gesten. Neben den schon erwähnten Gesten der Begrüßung (vgl. o. Sp. 1164), dem Knien u. Stehen u. dem Weinen hat das Judentum mit fast allen Religionen das Zum-Himmel-Schauen (2 Chron. 20, 12; Ps. 25, 15; Ps. 122, 1) als G.gestus gemeinsam. Man wandte sich ferner in die Richtung Jerusalems (1 Reg. 8, 44; Dan. 6, 11), vor allem betete man wie im ganzen Orient u. im antiken Mittelmeerraum mit ausgespannten u. erhobenen Händen (Ex. 9, 29. 33; Ps. 28, 2; 63, 6; 119, 48; 141, 2; 143, 6; Job 11, 13; Lament. 2, 19). Gerade der Gestus des Händeausspannens u. -erhebens wird vielfach gleichbedeutend mit Beten (Ps. 141, 2; Jes. 1, 15; Job 11, 12; Sir. 48, 20). Als charakteristisch für das G. im biblischen Judentum des AT muß freilich die o. Sp. 1164 genannte Proskynese gelten, auch was ihren Einfluß auf die christl. G.gesten betrifft (Heiler 98/109; Greiff 34/43; Ohm 256f. 281. 324. 364).

7. Kleidung u. ä. Während das Judentum der nachbiblischen Zeit große u. kleine G.mäntel kennt, erwähnt die Bibel solche nicht. Doch gehört es zu den Gewohnheiten der Israeliten, sich an heiliger Stätte der Schuhe u. Sandalen zu entledigen (Ex. 3, 5; 12, 11; Jos. 5, 15), ein Brauch, in den auch das Motiv der kultischen Reinheit hineinspielt u. der auch in den Sitten des Alltags zu den Normen der Höflichkeit gehört (vgl. Lc. 7, 38). Als Gestus der

Trauer haben die Israeliten mit manchen Völkern des Alten Orients die Sitte gemeinsam, die Kleider zu zerreißen, was im AT jedoch auch oft das G. begleitet (Joel 2, 13; 1 Macc. 11, 71), ja mit diesem sogar gleichgesetzt wird (vgl. Ohm 452. 453f). Die bei Mt. 23, 5 genannten φυλακτήρια, G.riemen, Kapseln, Quasten, gehen auf die pharisäische Auslegung der Ex. 13, 9. 16; Dtn. 6, 8; 11, 18 gegebenen Vorschriften zurück. Sie haben zT. apotropäischen Charakter. Besonders häufig waren sie in Qumrân. In die dort gefundenen φυλακτήρια ist auch häufig der Text des Dekalogs eingeschlossen, ein Brauch, der zZt. Jesu üblich war (vgl. K. G. Kuhn, Phylakterien aus der Höhle 4 von Qumrân [1957]; Schürer 2, 567f; G. Langer, Die jüd. G.riemen [1931]).

b. Qumrân. Qumrân betont infolge seiner Distanz zum Tempel u. dessen Kult das G. stärker als das übrige palästinensische Judentum zZt. Jesu. Dabei ergibt sich in der Festsetzung bestimmter G.zeiten für das G. in Gemeinschaft u. die Tageszeiten vielfach eine gewisse Nähe zu Bräuchen des christl. Mönchtums. Grundstruktur der qumrânischen G.-ordnung ist das Sonnenjahr der Qumrângemeinde; hinzu treten heilige Tage als Gedächtnisfeier u. die Tageszeiten. Die Gemeinderegel kennt nur zwei G.zeiten täglich u. steht damit Jub. 6, 14 näher als Dtn. 6, 11, wie auch Philo, vit. contempl. 27 bezeugt (vgl. besonders 1 QS 9, 26 c/10, 10). Theologisch ist das G. in Qumrân vor allem als Lobpreis (Hodajoth) bestimmt. b^erākāh oder t^efillāh sind die bevorzugten Wörter für G.; doch ist t^efillāh in den Texten kaum nachzuweisen. In Qumrân finden sich auch Belege für die Anschauung, ,daß die himmlische Liturgie das Modell für die irdische Liturgie' sei, u. sogar der Text einer ,Engelliturgie' (J. Strugnell: VetTest Suppl. 7 [1960] 318/45). Kernstück des Morgen- u. Abend-G. waren das š^ema' u. der Dekalog.

c. Philo. Philo von Alexandrien kommt als einem Hauptvermittler zwischen der mittelplatonischen u. der jüd. Überlieferung einerseits u. zwischen diesen beiden u. der christl. Überlieferung andererseits besondere Bedeutung zu. Wenn die Annäherung von jüdischer Theologie u. griechischer Philosophie in dem geographisch, kulturell u. ökonomisch einzigartig vorbestimmten Raume Ägyptens auch längst begonnen hatte, so findet sie in Philo doch ihren konsequenten Systematiker (vgl.

Hieron. vir. ill. 11; H. A. Wolfson, Philo [Cambridge, Mass. 1947]; M. Hadas, Hellenistische Kultur [1963] 93). In den Gedanken u. Lehren Philos über das G. herrscht jüdisches Empfinden vor, u. dieses bewahrt ihn vor philosophischen Spekulationen oder rein erkenntnismäßig gewonnenen Theorien. Die Skala seiner Aussagen u. Mahnungen erstreckt sich in großer Breite von der äußeren u. inneren Verfassung des Beters bis zum Gegenstand des G. u. dessen Gestalt. Wer das Heiligtum zum Beten u. Opfern betritt (εὔχεσθαι καὶ θύειν), muß nicht nur äußerlich rein sein, sondern vor allem in der Gesinnung (quod deus s. imm. 8). Diese muß vom Bewußtsein eigener Schuld erfüllt sein (vgl. fug. 80) u. weniger um die äußeren Güter bitten als um die höchsten Werte der Weisheit u. inneren Freiheit flehen (vgl. spec. leg. 2, 17: „. . . ermahnen, Gott mit G. u. Opfer um Gnade zu bitten, damit sie die erforderliche Heilung für ihre seelischen Krankheiten finden, von denen sie kein Mensch zu heilen vermag' [Übers. Heinemann]; vgl. congr. 7). Vollendung des G.lebens ist freilich für Philo die Danksagung, in der alle Arten des G. (ὕμνοι, εὐδαιμονισμοί, εὐχαί) u. Opfers (θυσίαι; spec. leg. 1, 224) enthalten sind (vgl. mut. nom. 222). Die biblische Gottesvorstellung herrscht in allen diesen u. vielen anderen Äußerungen Philos vor. Zu seinen Nachrichten über die G.feiern bei den Therapeuten s. o. Sp. 1168.

B. Christlich. I. Neues Testament. a. Wortschatz. 1. Wortgruppe εὔχεσθαι. Wie schon oben Sp. 1140 erwähnt, erweitert das NT das griech. εὔχεσθαι, εὐχή vor allem durch die Präposition πρός. Προσεύχεσθαι u. προσευχή können nun als umfassendster Ausdruck für Beten u. G. gelten u. werden in den ntl. Schriften so häufig gebraucht, daß εὔχεσθαι u. εὐχή daneben fast verschwinden (so εὔχεσθαι nur sechsmal in Act., Paulus u. 3 Joh., εὐχή dreimal in Act. u. Jac.). In der Hauptsache begegnen beide Wörter ohne nähere Bestimmung u. sind in dieser Verwendung bereits durch die LXX (dort Übersetzung von hitpallēl) vorbereitet. Προσεύχεσθαι bedeutet zunächst den allgemeinen Tatbestand des Betens (Mt. 6, 5/7; 14, 23; 26, 23; Mc. 1, 35; 6, 46; Lc. 1, 10; 5, 16; 22, 40; Act. 1, 24; 6, 6; 1 Cor. 11, 4f; 14, 14b; Jac. 5, 13. 18), nur selten ein Bitten (Lc. 22, 42; Col. 1, 3; 2 Thess. 1, 11); dementsprechend bezeichnet προσευχή den G.akt (Lc. 22, 45; Rom. 1, 10), das Beten als Gewohnheit (Apc. 5, 2; 8, 3f;

1 Petr. 3, 7) u. die G.stätte (Act. 16, 13. 16), eine Verwendungsweise, die in der Literatur meist auf jüdischen Einfluß zurückweist (eine Ausnahme s. jedoch IG 4², 1, 106 I 27). Am häufigsten ist der Gebrauch von προσεύχεσθαι in den lukanischen Schriften, deren Verfasser unter den Synoptikern darum mit guten Gründen als der Evangelist des G. schlechthin bezeichnet werden kann (vgl. Hamman, Prière 1, 144).

2. Andere Bezeichnungen. Neben προσεύχεσθαι u. προσευχή treten im NT noch Verben, die vielfach an die atl. G.sprache anknüpfen u. deren Gehalt sinngemäß entfalten.

α. Αἰτεῖν. Fast gleichmäßig in allen Evangelien begegnet αἰτεῖν (αἰτεῖσθαι), seltener bei Paulus, überhaupt nicht in den Pastoralbriefen, in Hebr. u. Apc. Es bedeutet bitten u. erbitten, gelegentlich dringlich fordern (Mt. 5, 42), ist jedoch so allgemeinen Inhalts, daß es parallel mit προσεύχεσθαι (Mc. 11, 24; Col. 1, 9), ἐρωτᾶν (1 Joh. 5, 16), γονυπετεῖν (Eph. 3, 13f) gebraucht wird. Einen feinen Unterschied deutet die Tatsache an, daß αἰτεῖν nie vom Beten u. Bitten Jesu selbst gebraucht wird.

β. Δεῖσθαι. Es wird im NT neben wenigen Fällen religiös neutraler Bedeutung (bitten: Act. 8, 24; 21, 39; lockendes Bitten u. Flehen: 2 Cor. 5, 20; 8, 4; 10, 2; Gal. 4, 12) vor allem im Sinne inniger Bitte an den Vater u. Jesus verwendet. Dies gilt in äußerer Notlage (Lc. 5, 12; 9, 38), noch mehr jedoch in innerer. Der Unterschied zu den anderen Wörtern liegt im Inhalt des G., nicht jedoch in dessen Dauer u. Dichte.

γ. Προσκυνεῖν u. ä. Γονυπετεῖν, τὰ γόνατα τιθέναι oder κάμπτειν sowie προσκυνεῖν werden im NT als Gestus der Verehrung u. Anbetung (Mc. 15, 19: τὰ γόνατα τιθέναι in Verbindung mit προσκυνεῖν, bei dem jedoch die Bedeutung des Handkusses vorherrschend erhalten bleibt [s. o. Sp. 1161]) verwendet, der das G. begleitet u. die Dringlichkeit des Flehens unterstreicht, zB. von Jesus in der Passionsgeschichte Lc. 22, 41: θεὶς τὰ γόνατα, oder in der fast gleichen Wendung Act. 9, 40 u. ö.

δ. Εὐλογεῖν u. ä. Schließlich wird Beten u. G. im NT mit Worten ausgesprochen, die den Segen Gottes auf einen Menschen oder eine Sache herabrufen (εὐλογεῖν Lc. 9, 16 [in Cod. D mit προσηύξατο ausgetauscht]; 24, 51; Mc. 8, 7; Hebr. 7, 1. 6), ferner mit danken (εὐχαριστεῖν), das im NT mit 3 Ausnahmen (Lc. 17, 16; Act. 24, 3 u. Rom. 16, 4) ausschließlich dem Dank an Gott vorbehalten ist u. besonders in den beiden Formen des Dank-G. vor der Mahlzeit jüdischer Sitte entsprechend (Strack-B. 1, 685/7) verwendet wird (Mc. 8, 6; vgl. Mt. 15, 36; Act. 27, 35; Rom. 14, 6; 1 Cor. 10, 30) u. beim Herrenmahl gebräuchlich ist (Lc. 22, 17. 19; 1 Cor. 11, 24; vgl. Mc. 14, 23 u. Mt. 26, 27). Auch loben (αἰνεῖν) ist hier in entfernterem Sinnzusammenhang zu nennen, der im NT stets die besondere Bedeutung mit einschließt, daß es sich um das in G., Lobspruch oder Hymnus dichterisch artikulierte Lob Gottes handelt (Mt. 21, 26; Lc. 2, 13. 20; 18, 34; 19, 37 f; Act. 2, 47; 3, 8 f; Rom. 15, 11; Eph. 1, 3/14; Phil. 1, 11). Vgl. A. Stuiber, Art. Eulogia: o. Bd. 6, 900/28.

b. Gebet Jesu. 1. Überlieferte Gebetsworte. Aus dem Leben Jesu, wie es in der Verkündigung der biblischen Gemeinden geschildert wird, sind uns nur wenige G.worte des Herrn erhalten. Es sind zunächst die G.rufe der Passionsberichte (Mc. 14, 36; vgl. Mt. 26, 39 u. Lc. 22, 42), die zT. jedoch atl. Psalmrufe sind (Mc. 15, 34; vgl. Mt. 27, 46 = Ps. 22, 2 oder Lc. 23, 46 = Ps. 31, 6), oder das nur bei Lc. 23, 34, jedoch nicht in allen Hss., bezeugte G. Jesu um Vergebung für seine Henker. Auch das bei Joh. 12, 27 f mitgeteilte G. gehört in den Zusammenhang der Passionsberichte. Ein spätes Zeugnis dieser G.rufe im Passionsereignis, vor allem des Gethsemane-G. Mc. 14, 36, findet sich als Nachhall Hebr. 5, 7. Neben diesen G.rufen stehen die bei Mt. 11, 25 f (vgl. Lc. 10, 21 f) berichteten Jubelrufe u. das mit der Lazaruserweckung überlieferte Dank-G. Joh. 11, 41 f.

2. Berichte über das Gebet Jesu. Neben diesen wenigen G.texten aus dem Munde Jesu findet sich jedoch in den biblischen Berichten eine solche Vielzahl von Erzählungen über die Tatsache, daß Jesus betete, daß J. Jeremias zusammenfassend u. vereinfachend formulieren konnte, es gebe ‚kaum ein wichtigeres Ereignis im Leben Jesu, das nicht mit einem G. zusammenhängt' (Das G.leben Jesu: ZNW 25 [1926] 131). Das gilt von seiner Taufe (Lc. 3, 21) u. den Zeiten vor den großen Zeichen, in denen er seine Gottesherrlichkeit offenbart u. den Menschen Hilfe bringt u. mit denen er seine Verkündigung begleitet (Mc. 1, 35. 40/5 vgl. Lc. 5, 16; Mc. 6, 46 vgl. Mt. 14, 23). Das G. begleitet auch die wichtigsten persönlichen Entscheidungen Jesu für sich oder für seine Jünger (Lc. 6, 12; 9, 18.

28 f; 22, 44; 23, 34). Oft ist vom G. Jesu in Einsamkeit die Rede, zu dem er sich von der Menge des Volkes u. dem vertrauten Kreis der Jünger zurückzieht (vgl. Mc. 1, 35; 6, 46 par.; Lc. 3, 21; 5, 16; 6, 12; 9, 18. 28 f). Aber die von Johannes aufgezeichnete Überlieferung zeigt, daß dieses Sich-Zurückziehen nicht wesentlich ist, sondern vielmehr die Tatsache, daß Jesus immer u. überall mit seinem Vater spricht (vgl. Joh. 12, 27 f) u. sich dabei auch nicht einer besonderen G.-terminologie bedient (Joh. 11, 41; 17, 1), wenn damit auch der Gestus des Aufblickens zum Himmel verbunden ist (ebd.).

3. Das Neue im Gebet Jesu. Das neue Element dieser in der biblischen Gemeinde überlieferten Texte u. Berichte vom G. Jesu ist, daß die bereits für das AT charakteristische Haltung der Antwort auf den lebendigen, den Menschen anrufenden u. zu ihm sprechenden Gott, der Charakter des Dialogs wie selbstverständlich in die G.sprache aufgenommen wird, aber ebenso von der Innigkeit des Vater-Sohn-Verhältnisses getragen ist. Es ist durch das der Kindersprache entnommene, in jüdischen G. jedoch nie bezeugte Wort ‚Abba' gekennzeichnet (Jeremias 56. 58. 67. 78. 163). Es ist die eigenste Redeweise Jesu (vgl. H. Emonds, Art. Abt: o. Bd. 1, 45/55).

4. Gebet Jesu u. atl. Gebetsordnung. Der geschilderte Befund der ntl. Texte legt die Frage nahe, in welcher Weise das G. Jesu mit der liturgischen G.ordnung des AT u. ihren Zeiten verbunden war. Naturgemäß ergeben sich für ihre Beantwortung nur an Gewißheit grenzende Wahrscheinlichkeitsschlüsse (Jeremias 75), denn die Verkündigung der ntl. Christengemeinde ist an dieser Frage nur wenig interessiert. Die Hinweise auf das Mc. 1, 35 berichtete G. Jesu vor Sonnenaufgang, das G. Jesu am Abend nach Mc. 6, 46 u. die Hinweise bei Lc. 18, 9/14 u. Mt. 6, 5 zeigen vor allem, daß Jesus in der Überlieferung der atl. G.zeiten steht, u. in der Frage Lc. 10, 26 f wird deutlich, wie sehr ihm auch ihr Inhalt vertraut ist. Der Ausdruck ‚liturgische Erbfolge' (Jeremias 76. 80) scheint jedoch sehr stark, wenn wir beobachten, wie Jesus u. die ntl. Gemeinde trotz Beibehaltung der drei überlieferten G.zeiten (Act. 3, 1; Did. 8, 3) sich auch von der atl. G.ordnung lösen. Diese Entwicklung wird vor allem deutlich in der G.unterweisung u. G.mahnung Jesu.

5. Gebetsunterweisung u. Gebetsmahnung

Jesu. α. Vaterunser. In der G.unterweisung Jesu fordert das Vaterunser (Lc. 11, 2/4; vgl. Mt. 6, 9/13) besondere Beachtung. In der Gottesanrede dieses den Jüngern als besonderes Kennzeichen ihrer Gemeinschaft u. ihres Gottesverhältnisses übergebenen G. (Lc. 11, 1) wird das ursprünglich Neue des Betens Jesu deutlich (s.o.). Daß die Jünger in die mit dieser Anrede ausgesprochene Sohnesstellung einbezogen werden, gibt diesem G. im Leben der einzelnen Christen wie der Gemeinde seine einzigartige Vorrangstellung. Aus ihr ist wohl auch zu erklären, daß bereits die synoptische Überlieferung des Vaterunser-Textes in ihrer Verschiedenheit Spiegel judenchristlichen (Mt.) bzw. heidenchristlichen (Lc.) Gemeindebrauches ist. Die Wiederholung der Vateranrede in der G.lehre des Paulus (vgl. Rom. 8, 15. 26; Gal. 4, 6; Eph. 6, 18) zeigt, wie durch sie das christl. G. zum G. der Glaubenden im eigentlichen Sinne wird. Sie macht das Vaterunser zum bevorzugten G. der Liturgie als Bestandteil der eucharistischen Feier u. im Zusammenhang der Taufliturgie; es wird in Verkündigung, Katechese u. in der theologischen Literatur aller Gattungen wiederholt u. immer neu ausgelegt. Es wird zum Muster-G. der Christen schlechthin. Als G.formel geht es in das Gesamt des christl. Betens ein (vgl. Ott 92f. 111/23).

β. Allgemeines. Das Vaterunser ist zwar Gipfelpunkt der G.unterweisung Jesu, ist aber sowohl bei Lc. 11, 1/13 wie bei Mt. 6, 5/15 nur Element einer allgemeinen Unterweisung über das rechte Beten, die auch den Inhalt der Gleichnisse im selben Zusammenhang (Lc. 11, 9/13; vgl. Mt. 7, 7/11) u. weiterer Belehrungen über das G. bildet. Die Akzentverschiebungen innerhalb der G.unterweisungen beider Evangelisten haben zu umfangreichen u. lebhaften Auseinandersetzungen in der exegetischen Literatur aller Zeiten geführt (vgl. Ott 102/12). Wie immer die Verschiedenheiten auch zu erklären sein mögen, das Wesentliche der Vateranrede u. der Kindschaftsbeziehung im G. Jesu u. seiner Jünger wird gerade durch diese Unterschiede deutlich. Sie begründet auch die Stellungnahme Jesu gegen das heidn. ,Viele-Worte-Machen' (Mt. 6, 7; Lc. 11, 2) u. bewahrt den eschatologischen Kern jedes christl. Betens. Die Vatergüte Gottes ist der tiefste Grund dafür, daß die Jünger auf die Erhörung ihrer G. hoffen dürfen (Mt. 7, 7/11); sie ist auch Grund für das Gleichnis von der G.erhörung, das sich bei Lc. 11, 5/13 an die Übergabe des Vaterunsers (Lc. 11, 1/4) anschließt, u. für die Mahnung, allzeit zu beten, die als Thema an den Anfang von Lc. 18 gestellt ist. In engstem Zusammenhang mit den eschatologischen Ereignissen wiederholt Lukas die inhaltlich gleichen Mahnungen in geringfügig abweichender Formulierung 21, 32/6. Das Schwinden der Naherwartung des Herrn akzentuiert die Äußerungen im Matthäus- u. Markus-Evangelium im Sinne der Einschränkung auf das unablässige G., in dem auch die Bitte um irdische Gaben gegenüber Mt. 6, 31/3 bei Lc. 12, 29/31 deutlich zurücktritt. Von diesen Gedanken führen auch einige zur paulinischen G.lehre. Mag die Mahnung zu unablässigem G. 1 Thess. 5, 17 (vgl. Rom. 12, 12 u. Phil. 4, 6) auch einen ,völlig anderen Sinn' haben als bei Lukas, so zeigt sich doch bei beiden das Gemeindeleben als Mutterboden der in ihren Schriften niedergelegten Lehre (vgl. Ott 139/43).

c. Urgemeinde. Im gottesdienstlichen Leben der Urgemeinde leben atl. Gattungen u. Formeln, vor allem Hymnen u. Psalmen des AT, fort. Das zeigt sich deutlich an den Lobgesängen Lc. 1, 46/55 u. 68/79, die eine enge Verbindung zwischen dem jüd. u. dem frühchristl. Gottesdienst aufweisen. Erwähnt werden solche Lieder Col. 3, 16 u. Eph. 5, 18f; ihre von der jüd. Stiltradition mitbestimmte Gestalt begegnet uns auch in den Hymnen u. Liedern der Johannesapokalypse, über deren Gemeindecharakter hier nichts ausgesagt werden soll. Erst recht gilt das von den bei Paulus verwendeten Segensformeln sowie bei den der hebräischen bzw. aramäischen Ursprache belassenen Formeln, wie amen, halleluja, abba u. die für unser Verständnis nicht eindeutig zu bestimmende Akklamation maranatha, die Apc. 22, 20 mit ’Αμήν, ἔρχου κύριε ’Ιησοῦ (Komm, Herr Jesus) übersetzt erscheint. In Act. ist der Name Jesu ebenso wie für die Taufe auch für das G. das wesentliche Element, da die Gemeinde sich in diesem Namen versammelt (vgl. Mt. 18, 20) u. da sich getreu der synagogalen Überlieferung an ihm die allgemeinen Glaubensbekenntnisse u. Doxologien entzünden, aus denen sich wiederum G. im eigentlichen Sinne entwickeln können. – In Act. begegnen uns zunächst nur drei solcher G.texte: bei der Wahl des Matthias (1, 24), ferner das G. um die Befreiung des Petrus (4, 24/30) u. das G. des Stephanus (7, 59f). – Wenn die Bezeichnung καρδιογνώστης (Herzenskenner), mit dem die Apostel sich in ihrem G. 1, 24 an den Κύριος wenden, auch nur als frühchristlich gilt, so ist die damit bezeichnete Eigenschaft Gottes doch in gleicher Weise dem atl. Beter vertraut (vgl. J. Behm: ThWb 3, 616). Sonst ist in diesem G. nach Form u. Inhalt alles in größtmöglicher Dichte ausgesprochen. – Deutlicher wird die atl. Gewohnheit (von der sich die Urgemeinde allmählich zu entfernen beginnt) in der Anrede ‚Herr, der du gemacht hast den Himmel u. die Erde‘ (Act. 4, 24; vgl. Ex. 20, 11; Ps. 145, 6; Jes. 37, 16; Jer. 32 [LXX: 39], 17; Apc. 10, 6), in der Verwendung atl. G.worte u. durch den im Sinne des AT hergestellten Zusammenhang mit den im AT gegebenen Verheißungen u. Heilsfügungen. Das ntl. Element dagegen wird vor allem durch die παρρησία deutlich (um sie wird für das Wort der Verkündigung gebetet [Act. 4, 29]) u. dadurch, daß man unter dem hl. Gottesknecht, auf den man sich beruft, ausdrücklich Jesus versteht (Act. 4, 30). Doch spricht gerade bei diesem G. manches für eine literarische Fassung, u. der schlecht überlieferte Text von Act. 4, 25 hat schon in der Frühkirche zu mancherlei Konjekturen u. Konstruktionen Anlaß gegeben (Hamman, Prière 1, 174₆). Stärker als Worte offenbaren die in v. 31 geschilderten Ereignisse, die den Zusammenhang mit 2, 1/41 herstellen, den neuen Charakter des apostolischen G. – Demgegenüber ist das Act. 7, 59f mitgeteilte G. des Stephanus ein eindeutig durch die Heilswerke Jesu bestimmtes persönliches Jesus-G.

d. Paulinische Briefe. Ebenso selten wie in Act. finden wir G.texte in den Briefen des Paulus u. seines Schülerkreises. Paulus berichtet, daß er bittet u. dankt; er fordert zum G. auf u. spricht vom G., aber er überliefert keine G.texte, es sei denn, man würde die schon genannten Formeln amen, halleluja, maranatha oder die in den Briefen in literarischer Form ausgesprochenen Friedens- u. Segenswünsche als G. ansehen. Ein zusammenhängendes, systematisiertes Bild des G.lebens bei Paulus läßt sich daher nicht zeichnen, wenngleich die G.berichte bei Paulus G.texte enthalten oder wenigstens auf sie zurückgehen, u. er in den G.gesten u. G.zeiten Erbe der synagogalen Gewohnheiten ist u. in deren Überlieferung steht. Wenn wir auch annehmen dürfen, daß Paulus im Gottesdienst wie im persönlichen G. die griech. Sprache gebraucht hat (vgl.

Harder 31), so ist die Wortwahl seiner G.berichte u. -wünsche doch der Welt des AT entnommen. Das gilt von der Beziehung, die zwischen der Wurzel brk in den atl. Texten u. εὐλογία u. εὐχαριστία bzw. deren Verbalformen bei Paulus besteht (vgl. A. Stuiber, Art. Eulogia: o. Bd. 6, 904/16); es gilt aber auch von längeren Texten, welche ‚die Struktur des berichtenden Lobpsalmes‘ nicht verleugnen können, wie der Römerbrief (nach Westermann, Loben 86f). – Den G.formen des Judentums u. der Antike entspricht es, wenn Paulus bei Bitt-G. mit einem Nebensatz (final oder infinitivisch) den Gegenstand des G. ausdrückt; so Rom. 15, 31: ἵνα ῥυσθῶ; 1 Cor. 14, 13: ἵνα διερμηνεύῃ; vgl. 2 Cor. 12, 8; Eph. 6, 19; Phil. 1, 9; Col. 1, 9; 4, 3. 12; 2 Thess. 1, 11; 3, 12 u. 2 Cor. 13, 7: μὴ ποιῆσαι ὑμᾶς κακὸν μηδέν. Bei Dank-G. bevorzugt er präpositionale Verbindungen mit ἐπί (zB. Phil. 1, 5: ἐπὶ τῇ κοινωνίᾳ ὑμῶν; vgl. 1 Thess. 3, 9; 2 Cor. 9, 15) oder ὅτι, wie etwa Rom. 1, 8: ὅτι ἡ πίστις ὑμῶν καταγγέλλεται ἐν ὅλῳ τῷ κόσμῳ (vgl. 6, 17 u. 1 Cor. 1, 8. 14; 2 Cor. 8, 17; 1 Thess. 2, 13; 3, 9). Er bedient sich schließlich auch der im Briefstil der Zeit bekannten Wendung μνείαν ποιεῖν, sei es im Sinne der Fürbitte (vgl. 1 Thess. 1, 2f: μνείαν ποιούμενοι ἐπὶ τῶν προσευχῶν ἡμῶν ἀδιαλείπτως μνημονεύοντες κτλ.) oder des Dankes (Rom. 1, 9 ἀδιαλείπτως μνείαν ὑμῶν ποιοῦμαι; vgl. BGU 2, 632, 5: μνείαν σου ποιούμενος παρὰ τοῖς [ἐν]θάδε θεοῖς). Daß Paulus die in seinen G.berichten gebrauchten Wörter für Bitten, Danken usw. auch in seinen G. selbst verwendet hat, ist ein erlaubter Schluß. Das dürfte etwa gelten für αἰτεῖσθαι, δεῖσθαι, προσεύχεσθαι, ἐπικαλεῖν, παρακαλεῖν u. a. In dieser G.sprache ist überall das vorgefundene Material u. die vorgegebene Form beherrschend, wenn auch notwendig die atl.-jüd. u. die hellenist. Prägung zu unterscheiden sind. Viele Wörter wie εὐλογεῖν u. εὐχαριστεῖν sind darum ‚nicht nach ihrer profangriechischen Bedeutung‘ zu verstehen, sondern als ‚Semitismen zu betrachten‘ (s. Stuiber aO. 900), wobei freilich das persönliche Element eine Rolle spielt, was besonders bei den paulinischen (u. apokalyptischen) Hymnen zu beachten ist. Die für die gottesdienstlichen Formen in weitestem Umfang geltende Feststellung, daß die Auseinandersetzung mit der Antike nicht im Bereich der Formenwelt u. Stilelemente stattfindet, gilt auch hier. Inhalt der Hymnen jedoch ist das Christusereignis, dem der Beter sich lobpreisend u.

danksagend im Sinne des atl. brk zuwendet u. zu dem er sich im G. bekennt (vgl. 1 Cor. 12, 3). Daher kann man ohne Schwierigkeit u. Umdeutung der Texte den auch bei Paulus übernommenen Hymnen Rom. 11, 33/5; Phil. 2, 5/11; Col. 1, 15/7 mit Harder (47) ein δόξα τῷ Χριστῷ voransetzen, durch das sie zum G. werden, eine Stilprägung, die in den Hymnen der Apc. noch deutlicher zutage tritt. Das Christusbekenntnis im Lobpreis bringt darum auch das Bitt-G. in den Mahnungen des Paulus in engste Beziehung zum Dank-G., ja formt es zu diesem. Das Bekenntnis ‚Jesus ist der Herr' ist der atl. Überlieferung wie den hellenist. Religionen der Umwelt gegenüber das entscheidend Neue. Als G. formt es sich in der Anrufung des Namens Jesu, eine Wendung, die im Joelzitat 3, 5 der Apostelrede Act. 2, 21 (vgl. 1 Cor. 1, 2; Act. 8, 14) eindeutig ihre Herkunft aus der Geisteswelt des AT im griechischen Sprachgebiet offenbart. Dieses Bekenntnis macht in Zukunft jedes G., gleichviel in welchen Formen es auftritt, zum christlichen G. Es bedingt den wesentlichen Unterschied des christl. G. von den enthusiastischen *Hymnen, *Glossolalien u. anderen Erscheinungen, deren Ziel es ist, ‚sich selbst aufzuerbauen' (ἑαυτὸν οἰκοδομεῖ: 1 Cor. 14, 4). Dieses Bekenntnis, das als *Akklamation in der Liturgie die Gemeinde charakterisiert, proklamiert die Herrschaft Gottes über die ganze Welt u. scheidet damit die Gemeinde Christi ebenso von den popularphilosophischen Schulen wie von den Mysterienkulten. Darum gibt es bei Paulus das G. nie als Ausdruck einer metaphysisch gerichteten Aufstiegsbewegung, es ist nie eine Denkbemühung, Gott begrifflich zu umreißen, u. nie der Versuch, in sorgfältigen Unterscheidungen die Nützlichkeit oder die Schädlichkeit einzelner G.inhalte zu reflektieren, es ist vielmehr wesentlich G. διὰ Ἰησοῦ Χριστοῦ (Rom. 1, 8; 5, 11; 7, 25; Col. 3, 17) u. steht so in der Überlieferung der in den Evangelien niedergelegten Gemeindeverkündigung. Paulus artikuliert das bei den Synoptikern in Gleichnissen (vgl. o. Sp. 1173 f) ausgesprochene Gottesverhältnis im G. als ein solches διὰ Χριστοῦ, das in den sorgfältig stilisierten Reden bei Joh. 14, 13f; 15, 16; 16, 24. 26 als G. ἐν τῷ ὀνόματί μου begegnet. Um den Sinn des διά näher zu kennzeichnen, muß bemerkt werden, daß diese Redewendung formelhaften Charakters, die über die röm. Sakramentare bis in die neusprachlichen Agen-

den weiterlebt, bei Paulus nur bei Dank-G. verwendet wird (vgl. Rom. 1, 8: εὐχαριστῶ; ähnlich ebd. 5, 11: καυχώμενοι ἐν τῷ θεῷ διὰ τοῦ κυρίου ἡμῶν Ἰησοῦ u. ebd. 7, 25: χάρις τῷ θεῷ διὰ Ἰησοῦ Χριστοῦ τοῦ κυρίου ἡμῶν; Col. 3, 17 wieder εὐχαριστοῦντες . . . δι' αὐτοῦ). Darin liegt ein wesentlicher Unterschied zu dem aus römischen G.texten nur im Bitt-G. u. als Beschwörungsformel verwendeten per (vgl. Appel nr. 71. 75. 78/80, die fast alle mit Zauberworten verbunden sind) u. zu den in den Papyri verwendeten Zauber- u. Beschwörungsformeln (zB. ὁρκίζω σε κα[τὰ τοῦ μ]εγάλου Ἀπόλλωνος [PGM 1, 42]). Auch Vergleiche mit den in LXX auftretenden Wendungen ἐρωτᾶν διὰ θεοῦ bzw. τοῦ κυρίου (1 Reg. 22, 13. 15; 2 Reg. 5, 19) werden durch den sachlich völlig anders bestimmten Zusammenhang der Gottesbefragung, die antiken Orakelbefragungen verwandt ist, ausgeschlossen. Wenn sich bei Philo das Problem stellt, wodurch man Gott danken müsse (quod deus s. imm. 7: ‚Denn wem anders soll man danken als Gott? Und wodurch [διὰ τίνων], wenn nicht durch seine Gaben?' [Übers. H. Leisegang]; plant. 126: ‚Gott aber kann man seine Dankbarkeit nicht abstatten durch die [δι' ὧν] von der Menge für richtig gehaltenen Mittel: Bauten, Weihgeschenke, Opfer.' [Übers. I. Heinemann]), das er mit dem Hinweis auf die von Gott geschenkten Hymnen zu beantworten sucht, wenn Jos. ant. Iud. 8, 112 Salomon beten läßt: ‚Ich sage dir also Dank durch die Stimme' (δι' αὐτῆς, sc. τῆς φωνῆς [2, 201, 1 Niese]), u. schließlich im Corpus Hermeticum 13, 20 die pantheistisch gefärbte Weisung begegnet σὺ εἶ ὁ θεός. ὁ σὸς ἄνθρωπος ταῦτα βοᾷ διὰ πυρός, δι' ἀέρος, διὰ γῆς, διὰ ὕδατος, διὰ πνεύματος, διὰ τῶν κτισμάτων σου (2, 208, 18/20 Nock-Festugière), so ist klar, daß die Formel bei Paulus nicht nur ‚das neue G.', das eigentlich 'christliche' G.' meint (so Harder 182), sondern ebenso Ausdruck der Bindung an den geschichtlichen Jesus ist, zu dem er sich 1 Cor. 15, 3/5 bekennt, wie Abgrenzung dieses Bekenntnisses gegen die Anhänger mythischer Gestalten, gegen enthusiastische Selbsterlösungserlebnisse u. die synkretistische Vermischung philosophischer u. religiöser Gedanken, Gefahren, die sich im Bilde der jungen Gemeinde von Korinth deutlich abzeichnen. – Eng mit der Formel διὰ Ἰησοῦ Χριστοῦ hängen die für das Verständnis der paulinischen G.theologie so wichtigen Stellen Rom. 8, 15. 26 u. Gal. 4, 6 zusammen, die wir schon aus Anlaß der Vater-Anrede erwähnten (s. o.Sp. 1173). Dort wird jedoch das G. als Wirkung des Sohnschaftsgeistes beschrieben. Obwohl noch manche Ausleger in beiden Aussagen Unterschiede feststellen möchten, nehmen die meisten (s. Ott 140 gegen W. Bieder, G.wirklichkeit u. G.möglichkeit bei Paulus: TheolZs 4 [1948] 22/40, bes. 25) an, daß Zusammenhang u. Sinn beider Stellen gleich ist: das πνεῦμα betet in den Gläubigen; ohne πνεῦμα, das schon im anthropologischen Sinn die Gottoffenheit des Menschen bezeichnet, gibt es kein G. (Rom. 8, 26). Während nun Harder (161; s. auch o.Sp. 1145/7) im οὐκ οἴδαμεν (wir wissen nicht) einen Ausdruck der ‚der gesamten antiken Welt eignenden G.aporie‘ sieht, ordnet die Exegese heute die paulinische Aussage in die den Römerbrief thematisch beherrschende Lehre von der δικαιοσύνη θεοῦ (der Gerechtigkeit Gottes) ein (so J. Schniewind, Nachgelassene Reden u. Aufsätze [1952] 81/103), wie sich besonders aus Rom. 8, 26 b ergibt, wo die ἀσθένεια (Schwachheit) als der jede menschliche δικαιοσύνη kennzeichnende Zustand bestimmt wird, der dem Menschen das Betenkönnen versagt. Darum gibt Paulus auch auf das καθὸ δεῖ (wie es sich gebührt) keine Antwort im Sinne einer anschließenden lehrhaften Unterweisung; denn das G. ist Rom. 8 nicht Ausdruck menschlichen Vermögens, sondern ein Reden des Geistes, der geschenkt ist wie der Glaube. Das πνεῦμα ist die Lebenskraft, die den Vaterruf in denen lautwerden läßt, in denen sie wohnt (οἰκεῖ ἐν ὑμῖν [Rom. 8, 11]), die sie treibt (ἄγονται [Rom. 8, 15f]). Das heißt allerdings nicht, daß wir das κράζειν des πνεῦμα so verstehen dürfen, daß der Beter Paulus ‚einfach Durchgangsstation göttlicher Kräfte‘ wäre (hier hat Bieder aO. 39 recht gesehen), sondern das Rufen des πνεῦμα geschieht aus dem personalen u. liebenden Glauben, der Gabe des Vaters ist. Das συναντιλαμβάνεσθαι des πνεῦμα (Rom. 8, 26) macht den Beter zum antwortenden Beter u. veranschaulicht die Personwürde des glaubenden u. liebenden Christen. Der von Paulus Rom. 8, 15 u. Gal. 4, 6 gebrauchte Ausdruck κράζειν muß als ntl. Weiterführung (u. Erfüllung) des schon in den Psalmen verwendeten Wortes verstanden werden, die den von der Profangräzität her bekannten Verwendungsbereich im Dämonischen u. Enthusiastischen ausschließt (vgl. W. Grundmann: ThWb 3, 899). Das kerygmatische, aus der rabbinischen Litera-

tur stammende Element ist bei Paulus gewiß nicht zu übersehen, wie auch die Verwendung des Wortes bei Johannes zeigt, aber Einzelheiten bis zur Verwendung in der Liturgie lassen sich nur andeuten, nicht jedoch zwingend folgern (vgl. o.Sp. 1171). Rom. 8, 15 u. Gal. 4, 6 sind aber einzigartiger Ausdruck für das von Paulus als Gabe des πνεῦμα verstandene G., das für das in Christus geoffenbarte u. erwiesene Heil dankt u. den einzelnen u. die Gemeinde in Fürbitte u. Lobpreis verbindet; das G. als Rede des πνεῦμα υἱοθεσίας (Geist der Sohnschaft) in uns führt darum notwendig zu einem Leben in Freiheit, das in seinem Vollzug vom πνεῦμα bestimmt ist (vgl. Gal. 5, 25) u. baut durch die Frucht des πνεῦμα (vgl. Gal. 5, 22f) die Gemeinde auf, die sich durch die Gerechtigkeit, die Freude u. den Frieden in ihrer Mitte als der geistgewirkte Herrschaftsbereich Gottes erweist (vgl. Rom. 14, 17). Hier ist ein wesentlicher Unterschied zu Lc. festzustellen, der dem bei Paulus fehlenden G. um das πνεῦμα ἅγιον Aufmerksamkeit schenkt. Der große Zusammenhang paulinischer Theologie wird sodann auch in den Mahnungen 1 Thess. 5, 1/11. 16/18 deutlich, in denen das dem προσεύχεσθε (betet) zugeordnete ἀδιαλείπτως (unablässig) parallel dem πάντοτε (allezeit) u. ἐν παντί (in allem) bei den Imperativen χαίρετε (freuet euch) u. εὐχαριστεῖτε (danket) entspricht, das nur mit dem vom Apostel bezeugten Verharren in Danksagung u. Bitte (Rom. 1, 9ff; 1 Cor. 1, 4; Eph. 1, 16; Phil. 1, 3/11; 3, 14; 2 Thess. 1, 3. 11) u. aus der Erwartung des Herrn (Eph. 6, 14/9) zugleich verstanden werden darf. So sehr Paulus auch hier Erbe bestimmter G.haltungen des AT u. der Synagoge ist (vgl. Ps. 1, 2 u. Ps. 118, 97; ferner Ps. 87, 2 u. 33, 2), so sind diese Mahnungen doch vom Christusgeheimnis bestimmt u. von diesem her auszulegen u. sorgfältig von dem lukanischen Gleichnis (Lc. 11, 8) u. der G.paränese Lc. 21, 36 zu trennen. Erst recht gilt dies von der Entfaltung, welche diese Paulusworte in der Auslegung der Väterliteratur fanden (s. u. Sp. 1237. 1246). Die von Harder (8. 24. 126/9) aufgewiesene Problemstellung, die später Kerkhoff (31/44) kurz zusammengefaßt hat, zeigt, wie sehr die Lebendigkeit des Briefschreibers Paulus u. der Reichtum seiner Persönlichkeit dem Versuch widerstehen, seine Terminologie ausschließlich in einer bestimmten Richtung, sei es in der des atl. Erbes, sei es in der des antiken Briefstils u. der Analogien

aus Berufs-, Gruppen- u. Sondersprachen festzulegen. Maßgebend bleibt die Wirklichkeit
des πνεῦμα, die sich in Leben u. Lehre des Apostels offenbart, den vorliegenden Stoff in seiner
Sprache u. in seinem Denken durchdringt u.
ihn in der Verwendung umschichtet, christianisiert u. Neues schafft. Diese allgemeine
Feststellung wird durch andere von Paulus
verwendete Wörter meist bildhaften Charakters bestätigt, zB. durch die Rom. 12, 12
gebrauchte Wendung τῇ προσευχῇ προσκαρτε-
ροῦντες (beharrlich im G.; vgl. 13, 6; Col.
4, 2), die auch in der Apostelgeschichte häufig
ist u. ebenso im Bilde von der geistlichen
Waffenrüstung Eph. 6, 18 ihren Platz hat.
Προσκαρτερεῖν gewinnt hier seinen theologischen Sinn in Parallele zu ἀδιαλείπτως über
‚die Analogie aus dem Sprachgebrauch des
Berufslebens hinaus‘ (Kerkhoff 39 f). Weniger
einheitlich wird in solchem Zusammenhang
die Rom. 15, 30 gebrauchte Wendung συν-
αγωνίσασθαί μοι ἐν ταῖς προσευχαῖς ὑπὲρ ἐμοῦ
(zusammen mit mir kämpfen in den G. für
mich) ausgelegt. Ott (142) möchte darin weder das ‚israelitische Bild vom G.kampf‘ (so
O. Michel, Der Brief an die Römer¹² [1963]
373) aufgegriffen sehen, noch einen ‚unmittelbaren Bezug auf das Bild des ‘Kampfes’‘ gelten lassen, da viele Belege die Bedeutung von
συναγωνίζεσθαι auf ein allgemeines ‚jemandem
helfen, beistehen‘ festlegen. Da es aber in
Rom. 15, 30 um eine ganz bestimmte, nämlich die mit dem Judentum auch kämpferisch
geführte geistige Auseinandersetzung geht,
scheint es mir weder von dem durch J. H.
Moulton - G. Milligan (The vocabulary of the
Greek Testament [London 1949] 601) ausge-
wiesenen Wortbestand her noch von der
Kraft des Motivs im Römerbrief u. auch im
Epheserbrief her möglich, diesen Bezug aufzugeben (vgl. H. Conzelmann: Das Neue Testament deutsch 6 [1963] 135; H. Schlier, Brief
an die Epheser⁴ [1963] 300/2). Schließt sich
doch gerade bei Paulus ‚die Möglichkeit auf,
daß ein Kämpfer in die Bresche tritt für alle
u. alle für einen kämpfen‘ (E. Stauffer: ThWb
1, 139). – Dunkel u. daher vielfältigen u. zT.
weit auseinandergehenden Auslegungen ausgesetzt blieb bis heute jene Stelle, in der Paulus die Korinther zu ihrer eigenen Urteilsfin-
dung über das Verhalten der Frauen beim G.
aufruft: ‚Urteilt bei euch selbst: Gehört es
sich, daß eine Frau unverhüllt zu Gott betet?‘ (1 Cor. 11, 13; übers. H. Conzelmann)
u. dazu kurz vorher (11, 10) als Begründung

anführt: ‚Darum muß die Frau eine Macht
auf dem Haupte haben, wegen der Engel‘
(übers. Conzelmann). Auch Harder (160)
sieht den Grund für die Frage des Apostels
‚in einer bestimmten Schicklichkeitsauffas-
sung‘, bringt aber die Begründung mit altjüdischen, stoischen u. anderen antiken Elementen in Verbindung, vor allem auch mit der
Auffassung, Paulus erblicke ‚in den Engeln die
Mächte, die das G. verhindern können‘ (ebd.
159). So sehr die von Harder im einzelnen angeführten Belege zutreffen mögen (152/61),
so geht seine Schlußfolgerung, daß ‚Paulus
das antike Problem der G.gewißheit‘ teile, an
dieser Stelle doch zu weit (161). Daß die
‚Engel grundsätzlich abgetan‘ seien u. sich
‚doch trennend zwischen Gott u. den Menschen stellen‘ (160f), kann nicht als Meinung
des Apostels angenommen werden. Gewiß
weisen sich 1 Cor. 11, 11f deutlich als ‚ein
Niederschlag von Diskussionen aus‘ (vgl. H.
Conzelmann, Der erste Brief an die Korin-
ther¹¹ [1969] 223), in denen Paulus die korinthische Gemeinde auffordert, bei der bereits
eingebürgerten Sitte, beim G. eine Kopfbedeckung zu tragen, zu bleiben (ebd. 225). Die
Begründung ist wohl keine andere, als daß
die Engel alles sehen u. im Kult anwesend sind
u. darum durch ungeziemendes menschliches
Verhalten nicht verletzt werden dürfen, wie
später auch Basilius (virg. 34) unter Berufung auf 1 Cor. 11, 10. 13 argumentieren wird,
ohne daß man seine u. anderer Schriftsteller
der alten Kirche Ansichten über erotische
Begierden der Engel zu teilen braucht (vgl.
J. Michl, Art. Engel IV: o. Bd. 5, 126. 166).
Auch G. Kittel möchte eher an die jüd.
‚Begleit‘-Engel-Vorstellung denken (ThWb
1, 85) als an antike Einflüsse. – In ähnlicher
Weise ist im thematischen Zusammenhang
mit dem G. Zurückhaltung in der Auslegung
von 1 Cor. 5, 4f geboten, wo gleichfalls korinthische Gemeindeprobleme beurteilt werden. So sehr man mit gutem Recht auf terminologische Ähnlichkeiten mit Defixions-
formeln hinweisen kann, die aus der Antike
über das Judentum sich im Wortschatz des
Paulus bemerkbar machen, so sehr auch der
Sinn der Handlung klar ist, der mit den von
Paulus verwendeten Wörtern παραδοῦναι τῷ
σατανᾷ (dem Satan übergeben: 1 Cor. 5, 5) bezeichnet wird (s. W. Speyer, Art. Fluch: o. Bd.
7, 1245), so reicht die Stelle doch wohl nicht
aus, sie mit Harder (122/4) als ‚ganz eigenartige Form von G.‘ zu interpretieren. – Auf

dem gleichen Hintergrund des spannungs-
reichen Gemeindelebens von Korinth ist
schließlich zu erklären, was Paulus 1 Cor.
14, 13/6 über das ‚Beten mit dem Geist' (τῷ
πνεύματι) u. das ‚Beten mit dem Verstand'
(τῷ νοΐ) darlegt. Es geht ihm um die Verwirklichung seiner Lehre ‚in allen Gemeinden', daß
Gott ein Gott des Friedens, nicht aber der
Unordnung ist (vgl. 14, 33). Auch das ekstatische Reden muß deshalb ein verständliches
Reden sein, damit in der gottesdienstlichen
Versammlung alles ‚anständig u. in Ordnung'
geschehe (14, 40). Das ‚Beten mit dem Verstand' schließt die Wirkungen u. Kräfte des
‚Geistes' nicht aus, will aber die Mißstände
eindämmen, die sich in Korinth durch den
Überschwang ekstatischer Schwärmer ergeben hatten u. das Gemeindeleben störten.
Paulus beabsichtigt hier nicht, eine theologische Aussage durch anthropologische Unterscheidungen zu stützen, sondern es geht
ihm um die Erbauung der Gemeinde (vgl. 14,
26), der nur der Einklang des ‚Betens mit
dem Geist' mit dem ‚Beten mit dem Verstand' dient. – Weniger einer Tendenz, systematisch eine Lehre vom G. zu entwickeln,
als vielmehr der gleichen Absicht, der rechten Ordnung u. einer vom Christusereignis
geprägten Frömmigkeit zu helfen, dient auch
die später in den Kommentaren vielfach ein-
geengte Vorschrift, die im ersten Brief an
Timotheus (2, 1f) gegeben wird: ‚Zualler
erst ermahne ich dich nun, Bitte (δέησις), G.
(προσευχή), Fürbitte (ἔντευξις) u. Danksagung (εὐχαριστία) zu verrichten für alle
Menschen...' Sie ist durch die Vielzahl ihrer
Termini wie die dem G. vorgezeichnete Absicht ohne Zweifel als Grundlage theoretischer Abhandlungen dienlich, aber vom Verfasser des Briefes kaum in diesem Sinne gemeint. Daß die Bedrohung der Gemeinde,
wie aus 1 Tim. 1, 3/11 hervorgeht, mehr von
außen als von innen kommt, ist dabei für das
Thema G. ebensowenig wesentlich wie die
Frage, ob er mehr das Verhalten im Gottesdienst oder über dessen Bereich hinaus auch
die christl. Lebensführung meint. Die Vier-
zahl der verwendeten Ausdrücke scheint als
‚Pleonasmus' allerdings zu gering gekennzeichnet (so N. Brox: RegensbNT 7, 2 [1969]
122f. 174/6), vielmehr soll die Einheit des
christl. Betens nach allen Seiten hin umschrieben u. in ihrer Richtung auf alle Menschen ohne jede Einschränkung deutlich werden (vgl. J. Jeremias: Das Neue Testament

deutsch 9⁸ [1962] 15). Die von Origenes im
Anschluß an 1 Tim. 2, 1f vorgenommenen
Unterscheidungs- u. Abgrenzungsversuche
(orat. 14, 2/6 [GCS 3, 330, 21/333, 25]) bestätigen diese Interpretation, da Origenes seinen
Versuch trotz guter semantischer Bemerkungen nicht überzeugend zu begründen vermag.
Dieser entspricht aufgrund der orat. 14, 3/5
(ebd. 331, 12/333, 10) angeführten Beispiele
eher seiner Gewohnheit, synonyme Ausdrücke
der Schrift stufenförmig anzuordnen (vgl. Völker, Vollkommenheitsideal 203), als daß er ihre unterschiedliche Bedeutung aus der Schrift
tatsächlich hätte ableiten können, wobei jedoch das eigentliche Ordnungsprinzip nicht
deutlich wird (vgl. Hamman, Prière 2, 304). Es
lag jedoch in der Schrift De oratione gar nicht
in seiner Absicht, eine systematische G.lehre
zu entwickeln, worin Völker, Vollkommenheitsideal 208₁ zuzustimmen ist, u. deshalb
wird man auch über dem Stufenbau die Einheit
nicht vergessen dürfen. Noch weiter hat sich
von dem ursprünglichen Sinn der Mahnung
an Timotheus Joh. Cassianus (conl. 9, 9/12
[CSEL 13, 2, 259/62]) entfernt, weil er zwar
das Wort εὐχή von seiner Bedeutungsgeschichte her legitim mit votum in Verbindung
bringt, die Stelle 1 Tim. 2, 1f aber damit noch
mehr aus dem Gemeindezusammenhang rückt
u. sie außerdem eindeutiger als Origenes in
stufenförmigem Aufbau entwickelt. – Nach
den semantischen Untersuchungen von Citron
zu σπένδεσθαι, σπένδειν, εὔχεσθαι ist die Frage
erlaubt, ob an den beiden Stellen Phil. 2, 17
u. 2 Tim. 4, 6 εὔχεσθαι durch σπένδεσθαι (ein
[Trank]opfer darbringen; hier übertragen gebraucht) ersetzt worden sei. Eine unmittelbare Schlußfolgerung dieser Art scheint vorerst nicht möglich. Allerdings bereiten sich
hier Anschauungen vor, die unter dem Einfluß philosophischen u. gnostischen Vokabulars das ganze Leben als G. betrachten u. in
solches verwandeln (Clem. Alex. strom. 7, 73,
1 [GCS 17, 52, 21/5]: ‚das ganze Leben ist dem
Gnostiker G.'). Solchen Gedankengängen nähert sich auch der Brief an die Hebräer, der
13, 15f die aus der prophetischen Kritik des
AT bekannten Mahnungen aufgreift (vgl.
Hos. 14, 3 [LXX]; Ps. 49, 14. 23 [LXX]) u. für
die Einheit von gottesdienstlichem u. sozialem Leben mit seiner Liebestätigkeit eintritt,
wie dies für die spätere christliche Gemeinde
charakteristisch wird (vgl. B. Reicke, Diakonie, Festesfreude u. Zelos in Verbindung
mit der altchristl. Agapenfeier [Uppsala 1951]

35/7). – Auch die zunächst allgemeinen G.-mahnungen, mit denen der judenchristl. Verfasser des Jakobusbriefes (5, 13/8) sich an seine Hörer (in einer gottesdienstlichen Versammlung?) wendet, zielen auf das den Christen in allen Lebenslagen begleitende, ja diese bestimmende G. Das Jac. 5, 14f genannte Beispiel kennzeichnet dies konkret u. zutreffend; v. 16f stützt diese Haltung paradigmatisch im Sinne rabbinischer Schriftauslegung. Dieser Brief zeigt insofern jedoch auch hellenistischen Einfluß, als er ‚am meisten von einer Diatribe' an sich hat (s. H. I. Marrou, Art. Diatribe: o. Bd. 3, 999), was Jac. 5, 13 besonders zutage tritt (s. Marrou aO. 1000 u. M. Dibelius, Der Brief des Jakobus[10] [1959] 232).

e. Johanneisches Schrifttum. Wie immer auch zukünftig die form- u. redaktionsgeschichtlichen Probleme des johanneischen Schrifttums, besonders die Frage der Tradentenschichten, einer Lösung näher gebracht werden, der Wortschatz des vierten Evangeliums ist deutlich ein anderer als der des synoptischen u. des paulinischen Schrifttums. Bei Johannes fehlen die Wörter προσεύχεσθαι u. προσευχή ebenso wie δεῖσθαι u. δέησις, ἐπικαλεῖν u. παρακαλεῖν u. εὐλογεῖν. Der in den Abschiedsreden deutlich gottesdienstliche u. insbesondere eucharistische Akzent auf eine hörende christl. Gemeinde hin bewirkte wohl im vierten Evangelium den Ersatz des εὐλογεῖν der Synoptiker durch εὐχαριστεῖν. Diese liturgische Prägung setzt sich verstärkt in den Johannesbriefen fort u. findet ihre Parallelen in der Didache, wobei die Probleme gegenseitiger Abhängigkeit u. Durchdringung bis zur Stunde noch ungeklärt sind (vgl. Betz 20f. 34), eher jedoch für eine Entfaltung von Ansätzen der Didache im vierten Evangelium sprechen. Der Jesus des Johannesevangeliums verwendet dort, wo er betet, einfach Wörter des Redens u. Sprechens, nämlich ἐρωτᾶν, aber auch schlicht εἰπεῖν (11, 41; 18, 1) u. λαλεῖν (17, 1). Nur die begleitenden Gesten, vor allem das Erheben der Augen, qualifizieren dieses Sprechen als G. (11, 41). Kennzeichnend bleibt allerdings der abgrenzende Unterschied, daß Johannes den für das Beten Jesu gebrauchten Ausdruck ἐρωτᾶν nie für die Jünger verwendet (für diese αἰτεῖν; vgl. 16, 26, wo beide Termini einander gegenübertreten). Mit Recht bemerkt Hamman (Prière 1, 387), daß damit weniger formale Unterschiede deutlich gemacht werden, als vielmehr der Sinn des G., die Übereinstimmung

des Sohnes mit dem Vater, ausgedrückt wird. Darum ist das G. eng mit den σημεῖα (Wundern) verbunden, aber daraus kann nicht geschlossen werden, die G. Jesu seien allein für seine Zuhörerschaft (gewissermaßen als G. ‚zum Fenster hinaus') bestimmt. Diese Erklärung verbietet sich auch von den G. des johanneischen Jesus her, wie sie 11, 41 bzw. 12, 27f; 17, 1/26 formuliert sind. Die Versuche von C. H. Dodd, The interpretation of the fourth gospel[7] (1965) 420/2 bzw. H. Greeven, G. u. Eschatologie (1931) 199/201, hier einen Einfluß hermetischer Literatur nachzuweisen, vermochten bisher nicht zu überzeugen. Solange die Forschungslage ungeklärt bleibt, verspricht der Standpunkt R. Schnackenburgs (Das Johannesevangelium 1 [1965] 103; ders., Zur Herkunft des Johannesevangeliums: BiblZs 14 [1970] 1/23), ‚die verschiedenen Beziehungsmöglichkeiten im Auge zu behalten', eher eine dem Gegenstand entsprechende Beurteilung. So schließt gerade der im vierten Evangelium überall begegnende Pneumabegriff ein hellenistisch-spiritualistisches Verständnis der für die Auffassung vom G. wichtigen Stelle Joh. 4, 23 aus, wie es etwa bei Philo (quod det. pot. insid. 21; v. Moys. 2, 108; plant. 108) vorliegt. Vielmehr wird das Jesuswort von den Menschen, die den Vater im Geist u. in der Wahrheit anbeten, eindeutiger von den Qumrântexten her beleuchtet (vgl. 1 QH 7, 6f; 12, 11f; 13, 18f; 14, 25; 16, 6f. 11f; 17, 17. 26 bzw. 16, 7ff u. 1 Q pHab 7, 11f). Der christologische Bezug des Jesuswortes schließt das in der Gnosis gelehrte mystische Verständnis des Gottesdienstes aus (vgl. Od. Sal. 20, 2/5 [2, 600f Hennecke-Schneem.]) u. begründet seinen ekklesialen u. sakramental-pneumatischen Charakter (vgl. E. C. Hoskyns, The fourth gospel[2] [1951] 245). Das Wort an die Samariterin zeigt also, wie Christus dem Menschen die Anbetung ermöglicht u. damit das Neue u. Entscheidende. Allerdings wird damit die Beziehung zur antiken Umwelt des vierten Evangeliums nicht verdeutlicht, wenn man vom Ansatzpunkt der Ortsfrage im Gespräch am Jakobsbrunnen absieht. Darum bietet die Stelle auch für den Inhalt der verwendeten Wörter der Gruppe προσκυνεῖν wichtige Anhaltspunkte, insofern damit weder ‚beten' noch ‚kultisch verehren' allein bezeichnet wird. Die in der biblischen Gemeinde herrschende u. an das Heilswerk Christi anknüpfende Auffassung von Gottes-

verehrung u. Gottesdienst ist vielmehr maßgebend. Das bedeutet zwar gegenüber der
Bedeutungsbreite, die aus dem altorientalischen Königszeremoniell bis zur antiken
Briefffloskel hin sich entwickelt hat (vgl. F. J.
Dölger, Sol sal. 437 s. v. προσκυνεῖν; H. Greeven: ThWb 6, 759/67), eine gewisse Einschränkung, die jedoch auch durch die reiche
Verwendung des Ausdrucks in der Apokalypse (vgl. Apc. 4, 10; 5, 14; 7, 11; 11, 16;
19, 4) bestätigt wird, u. zwar für den himmlischen Gottesdienst wie auch für die Haltung
der Gottesfürchtigen auf der Erde (Apc. 11,
1; 14, 7). Freilich wird auch der Gegensatz
zum ‚προσκυνεῖν im Geist u. in der Wahrheit'
an jener Stelle deutlich, wo προσκυνεῖν von
den Anbetern des Drachens u. des Tieres ausgesagt wird (Apc. 13, 4. 8. 12. 15; 14, 9. 11;
16, 2; 19, 20; 20, 4). Die Proskynese ‚im
Geist u. in der Wahrheit' schafft sich schließlich in der Apokalypse ihre eigene literarische
Form in den sie begleitenden Hymnen, welche
diese Art Anbetung vielfältig zum Ausdruck
bringen u. zugleich mit Einflüssen des Alten
Orients die in der Antike u. im Christentum
entwickelten Herrscherakklamationen mit-
bestimmen (vgl. Th. Klauser, Art. Akklamation: o. Bd. 1, 216/27). Für die Deutung
des Wortes an die Samariterin bleibt jedoch
der Zusammenhang mit der gesamten Verkündigung des vierten Evangeliums maßgebend, in welcher der sich hier offenbarende
Jesus, als Weg, Licht u. Leben bezeichnet,
seine Jünger zum Vater führen will, da in
ihm die Stunde des wahren Gottesdienstes
gekommen ist. Stärker als durch terminologische Zusammenhänge wird darum der Sachverhalt der ‚Anbetung im Geist u. in der
Wahrheit' durch das in Joh. 17, 1/26 formulierte G. gedeutet. Die G.auffassung des vierten Evangeliums wird gestützt u. bestätigt
durch Entsprechungen mit den dem Verfasser
dieses Evangeliums zugeschriebenen Briefen;
vgl. 1 Joh. 3, 21 f mit Joh. 14, 13 f; 15, 7; 16,
23. 26. Deutlich wird dies auch durch den
damit im Zusammenhang stehenden Begriff
παρρησία (Freimut, Zuversicht; vgl. 1 Joh. 3,
21; 5, 14). Kennzeichnend ist ferner, wie die
Grundanschauung auch im Sonderfall der
Fürbitte durchgehalten wird (1 Joh. 5, 16)
u. das in Christus geschenkte Heil nun dem
Christen gewährt, was im AT den Patriarchen, Moses oder manchen Propheten vorbehalten scheint (vgl. Gen. 18, 27/33; Ex. 32,
11/4. 31 f; Amos 7, 1/6; Jer. 37, 3; 42, 4). Auch

in diesen Gedankengängen wird G. u. G.er-
hörung durch das Christusereignis wesentlich
von ähnlich klingenden Äußerungen gnostischer Schriften unterschieden. Sicher nimmt
der Verfasser der Johannes zugeschriebenen
Briefe ebenso wie der des vierten Evangeliums auf gnostische Denkart Bezug, jedoch
läßt sich diese nicht genau charakterisieren.
Mögen unter diesem Gesichtspunkt einzelne
Forscher die Gemeinsamkeit des dem Apostel
Johannes zugeschriebenen Evangeliums u.
der unter seinem Namen stehenden Briefe
verschieden begründet u. abgeleitet haben,
grundsätzlich werden die Einheit der theologischen Gedanken u. der Verkündigung heute
nicht bezweifelt. Das gilt besonders auch für
die Theologie des G. Sie gehört zu jenen
Quellen der Kraft, welche die Christen in der
nachapostolischen Zeit in gleicher Weise be-
fähigte, die Botschaft Christi zu verkündigen
wie sich mit der Welt, aus der sie kamen u. in
die sie hineingingen, auseinanderzusetzen.

II. Entfaltung der biblischen Elemente in der
Evangelisation. Die Verkündigung des Evangeliums vollzieht sich in den ersten Generationen der nachapostolischen Zeit naturgemäß
zunächst in einer Entfaltung der biblischen
Elemente, die in einem vielschichtigen Vorgang zT. ein Beibehalten der atl. Inhalte u.
Formen des G. bedeutet, wie es sich in der
palästinensischen u. syrischen Umwelt vieler
Gemeinden erhalten hat. Andererseits weisen
gerade diese auch Tendenzen der Loslösung
vom AT auf, die sich vielfach, wie schon in
den paulinischen u. johanneischen Schriften,
nicht ohne Polemik vollzieht. Schließlich
sieht sich die Evangelisation auch der antiken
Welt in vollem Umfang den in den Hellenismus eingegangenen Strömungen gegenüber
u. muß sich mit den Problemen der Unterscheidung u. Anpassung auseinandersetzen.
Das alles hat seinen Niederschlag entweder
in Schriften gefunden, die primär der Ordnung des Gemeindelebens dienen oder aber
als Äußerungen einzelner Persönlichkeiten
dessen Echo sind.

a. Nachapostolische Schriften. 1. Didache.
Eine der ersten Urkunden dieser Vorgänge
ist die als Διδαχὴ τῶν δώδεκα Ἀποστόλων
(Zwölfapostellehre; vgl. J. Schmid, Art. Didache: o. Bd. 3, 1009/13) überlieferte Schrift.
Die Vorschläge zu ihrer Datierung u. Einordnung in einen bestimmten literarischen
Raum nach ihrer Herkunft u. Lokalisierung
werden bis zur Stunde immer noch lebhaft

diskutiert, sind aber in Einzelfragen bereits plausiblen Lösungen näher gebracht (vgl. zuletzt Betz 10/39). Schon die einleitenden Kapitel kennzeichnet eine vielschichtige ideengeschichtliche Verwurzelung des Werkes in alttestamentlichem, qumrânischem u. antikem, insbesondere frühgriechischem Denken (zum Judentum vgl. Daniélou 38/40; zu Qumrân vgl. F. Nötscher, Gotteswege u. Menschenwege in der Bibel u. in Qumrân = BonnBiblBeitr 15 [1958] 87f; ebd. 17 [1961] 45f; zum frühgriech. Denken O. Becker, Das Bild des Weges im frühgriech. Denken [1935]). Das wird von den Did. 8 gegebenen Vorschriften über das G. bestätigt, die G. u. Fasten so miteinander verbinden, daß nicht nur die Weiterführung der Rede Jesu Mt. 6, 5/18 deutlich ist, sondern daß in Did. 8, 3 auch das Vaterunser den Platz des šᵉmōneh-'eśrēh einnimmt. Die im AT fixierte Zeitangabe weicht freilich jetzt einer allgemeinen nach freier Wahl (Did. 8, 3: dreimal am Tage). Obwohl es sich bei dieser Aufforderung um privates G. handelt (vgl. Th. Klauser in seiner Ausgabe der Didache = FlorPatr 1 [1940] 22 zSt.), hat sie nicht nur die späteren Vaterunser-Kommentare (s. u. Sp. 1235/8 zu Origenes), sondern wahrscheinlich sogar Anordnungen für das liturgische Stunden-G. beeinflußt (s. u. Sp. 1219/22. 1248f). Das gleiche gilt auch von der Frömmigkeitshaltung überhaupt (vgl. Stadlhuber 129/83). Auch die dem Vaterunser angefügte Doxologie steht noch in der jüdisch-christl. Überlieferung (vgl. A. Stuiber, Art. Doxologie: o. Bd. 4, 217). Schließlich besteht die formal u. sachlich judenchristl. Prägung auch für die in Did. 9 u. 10 mitgeteilten G., die als ‚verchristlichte Weiterbildungen' jüdischer bᵉrākôt anzusehen sind (vgl. Betz 22 u. A. Stuiber, Art. Eulogia: o.Bd. 6, 909/14). Zwar schließt dies hellenistische Anklänge nicht aus, da solche bereits in der jüd. Diasporatheologie vorlagen, verleiht ihnen jedoch nur sekundären Rang, der kaum mehr bedeutet als eine Gräzisierung des atl.-jüd. Ausdrucksmaterials. Zur wiederholt erörterten Frage nach dem Verhältnis von Eucharistiefeier u. Agape u. der Abwertung von Eucharistie- zu Agape-G. (vgl. Betz 37f) können wir an dieser Stelle auf Stuiber aO. verweisen. Die gleichfalls zahlreich auftretenden *Akklamationen (amen, hosanna, maranatha) sind vor allem eschatologisch zu verstehen u. Ausdruck einer enthusiastischen G.haltung (vgl. Betz 34f; Th.

Klauser, Art. Akklamation: o.Bd. 1, 223/7; A. Stuiber, Art. Amen: JbAC 1 [1958] 153/9).

2. Barnabasbrief. Die unter dem Namen Epistula Barnabae (10/34 Funk-Bihlmeyer) in der altchristl. Literaturgeschichte bekannte Schrift weist trotz mancher verwandter Züge zur Didache u. trotz der gemeinsamen Verwurzelung im judenchristlichen Erbe keinen erwähnenswerten Beitrag zum Thema G. auf (vgl. J. Schmid, Art. Barnabas: o. Bd. 1, 1214f).

3. Hirt des Hermas. Ein in vielen Teilen nach wie vor dunkles u. doppeldeutiges Werk der jüdisch-christl. Theologie u. ihres Schulbetriebs ist der Hirt des Hermas. Obwohl der Verfasser der unter diesem Namen vereinigten apokalyptischen Schriften oft vom Beten spricht u. es formelhaft erwähnt (vgl. ἠρξάμην προσεύχεσθαι: vis. 2, 1, 2 [GCS 48, 5, 5]; vis. 3, 1, 2 [7, 20]; vis. 5, 1 [22, 6]), ist es leicht übertrieben, ihn ‚homme de prière' (Hamman, Prière 2, 66) zu nennen. Diesen Mann des christl. Alltags u. des christl. Durchschnitts beschäftigen vielmehr die in seiner Umwelt vorkommenden Probleme der Moral u. Buße. Sein G. jedoch gipfelt im Preisen u. Danken (vis. 4, 1, 4 [GCS 48, 19, 13f]; vgl. sim. 5, 1, 1; 7, 5; 9, 14, 3 [52, 2; 65, 6; 88, 13]). Die Belehrungen, die dem Hermas durch die ‚Kirche' oder den Engel seiner Gesichte zuteil werden, enthalten freilich Ansatzpunkte einer Lehre vom G., wenn sie Voraussetzungen der G.erhörung in der ταπεινοφροσύνη (demütige Gesinnung: vis. 3, 10, 6 [17, 9]), der μακροθυμία (Geduld, Langmut: mand. 5, 2, 3 [30, 21/4]), in der Freiheit von jeglicher διψυχία (Zweifel: mand. 9, 1 [36, 12]) u. von anderen Fehlhaltungen (ματαιώματα τοῦ αἰῶνος, Eitelkeiten der Welt: mand. 9, 4 [36, 20]; λύπη, Traurigkeit, die Schwester des Zweifels u. des Zornes: mand. 10, 1f [38, 1/39, 10] u. στενοχωρία, Angst: mand. 10, 2, 6 [39,12]) sehen. Die Verbindung von G. u. Fasten (sim. 5, 1/6 [52, 1/58, 3]) führt atl. Brauch (vgl. Jer. 14, 12; Neh. 1, 4; 9, 1; Joel 1, 14; 2, 12. 15) ebenso weiter wie der Bezug zum Almosen (Sir. 7, 10; Tob. 12, 18). G. u. Fasten ist allerdings im Pastor Hermae (sim. 5, 1, 1f) mit der bemerkenswerten Verwendung des Ausdrucks statio verbunden, der hier erstmals als ein Ausdruck der christl. Latinität bezeugt ist, bevor man von einer solchen im Sinn des späteren Fachausdrucks sprechen kann. Er ist mit jener Terminologie der röm. Verwaltungssprache

in den Osten gelangt (vgl. Ch. Mohrmann,
Statio: VigChr 7 [1953] 221/45; vgl. bes. 222/
4. 229), die dort auch in das Spannungsfeld
jüdisch-synagogaler u. hellenistisch-popular-
philosophischer Strömungen gerät. Das ist
auch für den Text des Hermas kennzeichnend. Dabei ist mit Mohrmann daran festzuhalten, daß es sich bei Hermas um eine private
G.- u. Fastenübung handelt, die zu den Buß-
praktiken der Zeit gehört (aO. 224f). Diese
ist auch in der engen Beziehung zur Frage der
Sündenvergebung begründet, die Hermas beschäftigt u. ihn ὁμολογεῖν u. ἐξομολογεῖσθαι
ebenso mehrdeutig verwenden läßt (vgl.
mand. 10, 3, 2 [GCS 48, 39, 18] sowie vis. 3, 1,
5 [8, 11] u. sim. 9, 23, 4 [94, 16]) wie die Bibel
(vgl. O. Michel: ThWb 5, 199/220). Die liturgische Sinngebung scheint mir freilich bei
Hermas weniger deutlich, als Hamman
(Prière 2, 68) annehmen möchte. Wenn Hermas im Zusammenhang mit der Armut u.
dem Dienst an Witwen u. Waisen wiederholt
vom G. spricht (vgl. sim. 2, 6f; 9, 26, 2 [49,
6/10; 95, 14/8], wo er die Diakone erwähnt),
so handelt es sich auch hier primär nicht um
liturgische Gegebenheiten, als vielmehr um
das Bestreben, asketische Mahnungen im
Gesamt des christl. Lebens zu sehen, wobei
das judenchristl. Element auch in der Verwandtschaft mit dem Jakobusbrief (mit Jac.
1, 8 etwa in der Kennzeichnung des Zweifels;
mit 1, 11f; 2, 1/9; 5, 1/6 in der des Reichtums
bzw. der Armut; mit 5, 13 im Hinblick auf
die Traurigkeit; mit 1, 27 hinsichtlich der
θρησκεία καθαρά [der reinen Gottesverehrung])
deutlich ist. Unter den von Hermas berichteten
G.gesten begegnet vor allem das τιϑέναι τὰ
γόνατα (das Kniebeugen: vis. 1, 1, 3; 2, 1, 2;
3, 1, 5 [GCS 48, 1, 12; 5, 4f; 8, 10f]). Für die
G.richtung bringen Hermas' Schriften nach
F. J. Dölgers Vermutung ‚eines der ältesten
Zeugnisse für die christl. G.richtung nach
Osten' (Sol sal. 136). Während Dölger diese
Sitte aus den in vis. 1, 1, 4; 1, 2, 2 u. 1, 4, 1/3
(1, 14; 2, 23/5; 4, 16/23) geschilderten Vorgängen schließt, stellte Peterson (265/70) sie
noch in einen weiteren Zusammenhang hellenistischer Vorstellungen, die Dölgers Vermutungen für die Aufnahme der G.ostung
unter die christl. G.sitten zur Zeit des Hermas
bestätigen. Dölger hat sie in seiner Monographie Sol salutis in der ganzen Breite des
Stoffes, wie ihn das christl. Altertum bietet,
ja sogar bis zu deren Ausläufern im Hoch-
mittelalter geschildert (vgl. Sol sal. 257).

Nicht zuzustimmen ist der in vollem Umfang
ablehnenden Stellungnahme Petersons (273),
‚daß die Fragestellung: G. u. Sitzen, die man
von Tertullian bis Dölger an den Text (nämlich vis. 5, 1 [GCS 48, 22, 6]; Anm. d. Verf.)
herangebracht hat, ohne Fundament ist'.
Selbst wenn die von Peterson gegebene Interpretation neue Gesichtspunkte zur Beantwortung der Frage nach dem Sinn des Sitzens
beiträgt, so zeigt die von F. J. Dölger (Das
Niedersitzen nach dem G.: ACh 5 [1936] 116/
37) auf breitester Grundlage dargestellte ‚Auseinandersetzung zwischen Christentum u.
Heidentum im häuslichen u. liturgischen G.-
brauch' (ebd. 116), zu welchen Mißverständnissen die Hermasstelle schon in der Frühkirche Anlaß gab. Die Neuaufnahme der
Fragestellung Tertullians (orat. 16 [CCL 1,
265f]) durch Dölger ist darum nicht müßig,
sondern auch in ihrem negativen Ergebnis
eine notwendige Klarstellung: Tertullian
lehnt den Brauch ab, was aber keineswegs
heißt, daß er von ihm richtig gedeutet
wurde.

4. Ignatiusbriefe. Neben Schriften ausgeprägt judenchristlichen Charakters, bei denen
die hellenist. Elemente gleichfalls als jüdisch-
hellenistisch zu kennzeichnen sind, machen
sich in der fortschreitenden Ausbreitung des
Christentums verstärkt Tendenzen bemerkbar, der Verkündigung der christl. Botschaft
auch mit jenen Elementen neue Impulse zu
verleihen, die von der hellenist. Antike geboten wurden. Die sog. Apostolischen Väter bezeichnen in dieser Entwicklung einen ersten
Höhepunkt in der Verwendung literarischer
Gattungen, in Bildern u. Vergleichen aus der
Rhetorik, in den Kategorien der Philosophie
u. vor allem der Ethik. Entgegen dem üblichen Brauch, der den ersten Klemensbrief
unter den Apostolischen Vätern bevorzugt
behandelt, empfiehlt es sich für unser Thema,
die Gruppe der Ignatiusbriefe, deren religionsgeschichtlichen Zusammenhang Schlier sorgfältig erforschte, zunächst zu betrachten.
Trotz später angebrachter Korrekturen besteht im allgemeinen sein Urteil zu Recht, in
diesen Briefen ein in Syrien beheimatetes, die
Anschauungen jüdisch-christlicher Taufsek-
ten berührendes u. den gnostischen Richtungen verschiedener Herkunft nicht fremdes
Christentum zu sehen (Schlier 175/81). Obwohl K. Baus von der Zeit, in der diese Briefe
entstanden, feststellte, daß ‚der zentrale
Rang, den der Herr dem G. im Frömmig-

keitsleben seiner Jünger zugewiesen hatte,
... unangetastet blieb' (Von der Urgemeinde
zur frühchristl. Großkirche [1962] 168), findet
sich in den Briefen des Ignatius kein einziger
formulierter G.text. Seine Briefe enthalten
jedoch fast in jedem Satz Anspielungen,
Empfehlungen u. Wünsche einer Persönlichkeit, die ständig betet u. sich vom G. seiner
u. aller Gemeinden getragen weiß. Paulus u.
dessen Wortschatz verpflichtet, mahnt er
zum G. ohne Unterlaß für die anderen Menschen (Ignat. Eph. 10, 1; vgl. 1 Thess. 5, 17
u. 1 Tim. 2, 1; vgl. ad Polyc. 1, 3 u. 1 Thess.
5, 17), bittet er ständig, seiner u. seiner Kirche
im G. zu gedenken (Magn. 14, 1; vgl. Trall.
13, 1; Rom. 9, 1) u. empfiehlt sein Schicksal
Gott im G. (Rom. 8, 3). Dem G. der Gemeinde
sei es zu verdanken, daß die Kirche in Antiochien in Frieden lebt (Philad. 10, 1; vgl.
Smyrn. 11, 1; ad Polyc. 7, 1). Ihm sind die
G.arten der εὐλογία, d.h. also der biblischen
bᵉrākāh vertraut (s. Eph. 1, 3: εὐλογητὸς γὰρ
ὁ χαρισάμενος); er kennt das δοξάζειν Ἰησοῦν
(Smyrn. 1, 1; vgl. das δοξάζειν τὸ ὄνομα:
Philad. 10, 1; Eph. 1, 1: τὸ πολυαγάπητόν σου
ὄνομα, ein jüdisches Element!), u. G.termino-
logie fließt ständig in seine Gruß- u. Ab-
schiedsformeln ein (vgl. Eph. 21. 1: ... von
wo ich euch schreibe, dem Herrn dankend;
vgl. Smyrn. 10, 1). Er liebt es, Bilder aus der
Welt der Musik zu gebrauchen (vgl. Eph.
4, 1; Magn. 1, 2; Rom. 2, 2), die einen vor-
sichtigen Schluß auf die Gesangspraxis der
Gemeinde im Gottesdienst zulassen (vgl. Dölger, Sol sal. 125f; Quasten 114), über die jedoch keine Sicherheit erlangt werden kann
(Hamman, Prière 2, 95 geht hier wohl etwas
zu weit). Auf die Fürbitte setzt er gemäß Mt.
18,19f großes Vertrauen u. baut darauf vor
allem, wenn die προσευχή als G. des Bischofs
u. der ganzen Kirche (Eph. 5, 2) geschieht.
Das G. ist ihm Kraft zur Vollendung (vgl.
Philad. 5, 1: euer G. wird mich für Gott voll-
enden; vgl. Trall. 12, 1; Magn. 14, 1). Als
Fürbitte soll das G. helfen, zu Gott zu gelangen (Rom. 8, 3; vgl. Eph. 1, 2), u. er benutzt
für das Bitt-G. jenes im NT nicht belegte,
aber schon bei Homer verwendete Wort
λίσσω bzw. λιτανεύω, das bis in die Gegenwart
in der christl. Latinität u. als deren Lehnwort
in den Volkssprachen als Litanei weiterlebt
(Rom. 4, 2). Ignatius spricht von allen diesen
Formen u. Möglichkeiten des G. in engster
Beziehung zur Gemeinde u. unterstreicht
manchmal noch diesen ekklesialen Bezug.

Die formal an Paulus (Eph. 4, 3/6) anschließende Forderung: ‚Ein G., Ein Flehen, Ein
Sinn, Eine Hoffnung, Ein Tempel, Ein Opfer-
altar, Ein Jesus Christus' sucht er mit Blick
auf Johannes (5, 19; 8, 28; 10, 30; 12, 49)
theologisch zu begründen (Magn. 7, 2). Gelegentlich ist in ähnlich lautenden Mahnungen wenigstens eine Andeutung gottesdienstlicher Versammlungen nicht auszuschließen
(vgl. Eph. 5, 2; 13, 1; Philad. 6, 2; 10, 1). Die
Reflexion über die Einheit von persönlichem
G. u. Liturgie beginnt bei Ignatius in der dem
Bischof selbstverständlichen Sorge um die
Einheit der Gemeinde (vgl. Eph. 13, 1;
Smyrn. 7, 1).

5. Polykarp. Unter den Adressaten der
Ignatiusbriefe nimmt der Bischof Polykarp
von Smyrna (geb. ca. 70 nC.) als Zeuge der
Glaubensüberlieferung zwar eine hochge-
achtete Stellung ein, zum Thema des G. sind
seine Äußerungen jedoch mehr als ein Echo
zu werten, das die überlieferten Jesus- u.
Pauluswort im Briefschreiber wecken. Er
erinnert sich der Vaterunserbitten Mt. 6, 12/
5 (Polyc. ep. 6, 2 u. 7, 2), er mahnt die Witwen, unablässig zu beten (ebd. 4, 3). G., Wachen u. Fasten bilden für ihn eine Einheit
(ebd. 7, 2; vgl. 1 Petr. 4, 7 u. Mt. 6, 13). Das
gleiche gilt von den im Geiste von 1 Tim. 2, 2
gegebenen Mahnungen ep. 12, 3: pro omnibus
sanctis orate. Orate etiam pro regibus et
potestatibus et principibus atque pro perse-
quentibus et odientibus vos (Mt. 5, 44) et
pro inimicis crucis (Phil. 3, 18) eqs.

6. Erster Clemensbrief. Der Brief des Polykarp bringt schließlich ca. 60mal Zitate u.
Anklänge an das älteste außerkanonische
Zeugnis christlichen Gemeindelebens, den
ersten Clemensbrief. Die Eigenart dieses Ge-
meindeschreibens, seine Verpflichtung dem
AT, der jüdisch-hellenist. Synagoge, aber
auch der hellenist. Umwelt u. der röm. Liturgie gegenüber ist zuletzt soweit wie möglich
durch Peterson (129/36), A. Stuiber (Art.
Clemens Romanus I: o. Bd. 3, 188/97) u. O.
Knoch (Eigenart u. Bedeutung der Eschatologie im theologischen Aufriß des ersten
Clemensbriefes = Theophaneia 17 [1964] 39/
101) zusammenfassend dargestellt worden.
Der Redaktor, der im Stile der jüd. Erbau-
ungsliteratur schreibt (vgl. 1 Clem. 4, 1/12;
9, 3f; 10, 1/7; 11, 1/3; 12, 1/7) u. dennoch
häufig das typisch stoische Vokabular benutzt, der die Gnosis u. ihre Vorstellungswelt kennt u. überdies den Briefen des apo-

stolischen Zeitalters nahe steht, formt hier
eine charismatische ‚Mahnrede', νουθέτησις,
die er mit typologischer Auslegung anreichert
u. in einem als G. formulierten Höhepunkt
ausklingen läßt. Bereits der Christushymnus
36, 2 u. vor allem das große Schluß-G. 59,
2/61, 3 haben seit v. d. Goltz (192/232) wiederholt im Mittelpunkt der Auseinandersetzungen
gestanden (vgl. Knoch aO. 56/64), die sich
vor allem um die Frage der Aufnahme frei
formulierter christlicher G. in die Liturgie
oder die Verwendung liturgischer Vorlagen
im Gemeindebrief bewegten. Sie haben für das
Problem, in welcher Weise die antiken G.-
formeln in die Texte des 1. Clemensbriefes
Eingang gefunden haben, weniger Bedeutung als der Umstand, daß uns vor allem 1
Clem. 59/61 ein Text vorliegt, der als besonders glückliches Beispiel für die Integration
biblischer Motive, hellenistischer Vorstellungen u. römischen Denkens gelten kann (vgl.
R. Padberg, Gottesdienst u. Kirchenordnung
im [ersten] Klemensbrief: ArchLiturgWiss
9, 2 [1966] 367/74). Ob hier biblische u.
christliche Frömmigkeit sich antiken Stoffes
u. seiner Ausdrucksmittel bedient haben oder
christliche u. biblische Elemente in die antike
Formelwelt eingedrungen sind u. sie als Fer-
ment umgestaltet haben, wird im einzelnen
nicht endgültig festzustellen sein. So wie 1
Clem. 20 ‚mit stoischen Elementen' aufgefüllt ist (Knoch aO. 63), ist es denkbar, daß
in die Verse 60, 4/61, 3 außer den biblischen
u. ntl. Elementen auch ‚Teile eines antiken
G.schemas' aufgenommen sind (vgl. F. J.
Dölger, Zur antiken u. frühchristl. Auffassung
der Herrschergewalt von Gottes Gnaden:
ACh 3 [1932] 118f; Knoch aO. 62₂₇) u. damit
eine Umprägung des vielschichtigen antiken
u. biblischen Brauches (vgl. das reiche Material bei A. Strobel, Zum Verständnis von
Rm 13: ZNW 47 [1956] 67/93) vorgenommen
worden ist. Daß hier nicht nur eine liturgische
Vorlage Verwendung fand, sondern das G.
1 Clem. 61, 1/3 wiederum als liturgisches G.
charakterisiert werden muß, das als ‚Allgemeines G.' in die christl. liturgische Überlieferung eingegangen ist (vgl. R. Knopf, Die
Lehre der zwölf Apostel. Die zwei Klemens-
briefe=HdbNT Erg.-Bd. [1923] 137/48) u.
jüngst als G.typ eine Wiederbelebung in der
röm. Liturgie erfahren hat, wird um so verständlicher, wenn der erste Clemensbrief
weniger als Brief eines Verfassers, als vielmehr als Brief der ἐκκλησία zu Rom, als

Adressat weniger die ἐκκλησία zu Korinth,
sondern die ‚ganze ἐκκλησία in der Diaspora'
anzusehen ist (vgl. Peterson 135). Daß das
G., dessen einzelne Charakteristika im theologischen Sinne hier nicht zu beschreiben sind,
in diesem Gemeindeschreiben auf weite
Strecken zum Thema wird, ist mit Recht als
eine besonders bedeutende Tatsache hervorzuheben, die für die frühchristl. Literaturgeschichte u. das geschichtliche Werden der
Liturgie nicht unterschätzt werden darf. Zur
Doxologie bei Clemens vgl. A. Stuiber: o. Bd.
4, 215f.

b. Märtyrer. Biblisches Denken u. dessen
Vorstellungswelt formen auch die Elemente
eines G.typs, der im AT schon vorkommt (vgl.
2 Macc. 6, 30; 7, 6), im NT kräftige Triebe
zeitigt, in der Frühkirche seine eigentliche
Blüte erreicht u. seither nie mehr erloschen
ist: das Märtyrer-G. Die Vielfalt der literarischen Genera, in denen es begegnet, die Vielzahl der verwendeten Formen, die der Bibel u.
antiken Vorbildern entlehnt sind, sowie die
dogmengeschichtlichen Kämpfe, die in die
Formulierungen hineingespielt haben, erschweren eine eindeutige Gruppierung der
Texte, obwohl H. W. Surkau (Martyrien in
jüdischer u. frühchristl. Zeit [1938] 135) für
bestimmte Bereiche u. Zeiten mit Recht die
Gleichheit der Formgesetze im AT u. in der
Frühkirche betont hat. So lebt in der Frage
Apc. 6, 10: ‚Herr, du Heiliger u. Wahrhaftiger,
wie lange richtest du nicht u. rächst nicht
unser Blut ?' nicht nur die eschatologische
Spannung der Verfolgungszeit u. nicht nur die
Frage der Gegner Jesu aus dem Evangelium
des gleichen Verfassers auf (so Hamman,
Prière 1, 371₄), sondern auch die Frage der
Volks- u. Einzelklage in den Psalmen: ‚Wie
lange noch ?' (vgl. Ps. 80, 5; Ps. 13, 2f; zum
Thema s. Westermann, Psalter 29/42; 47/60)
weiter, die freilich in der Folgezeit hinter den
von Lc. 23, 46 überlieferten Worten Jesu, die
wieder Ps. 31, 6 enthalten u. von Stephanus
(Act. 7, 59) aufgenommen werden, zurücktreten: ‚In deine Hände gebe ich vertrauens-
voll meinen Geist' (vgl. dazu Mart. Pionii
21, 9 [56, 29 Knopf-Krüger-Ruhbach] u.
Mart. Cononis 6, 4 [66, 28f Knopf etc.] u.a.).
Auch die Bitte Jesu ‚Vater, vergib ihnen, denn
sie wissen nicht, was sie tun' (Lc. 23, 34; vgl.
Mt. 5, 44) kehrt wieder bei Euseb. h. e. 2, 23,
16 (Jacobus) u. in der Prägung des Stephanus (‚Herr Jesus, rechne ihnen diese Sünde
nicht an': Act. 7, 60) ebd. 5, 2, 5 (Märtyrer

von Lugdunum). Besonders häufig begegnen uns als G. der Märtyrer Lobpreisung u. Danksagung, in denen der biblische Typ der bᵉrākôt, der εὐλογία u. εὐχαριστία, in länger formulierten G. oder kurzen Akklamationen, die bei weitem häufiger sind, wiederkehrt. So spricht Carpus (Mart. Carpi 41 [10, 34 Knopf etc.]): εὐλογητὸς εἶ, κύριε Ἰησοῦ Χριστέ κτλ.; von Justinus u. seinen Gefährten heißt es Mart. Iustini 6, 1: δοξάζοντες τὸν θεόν (17, 28 Knopf etc.), eine Wendung, die gleichbedeutend u. gleichwertig mit εὐλογεῖν gebraucht wird (s. A. Stuiber, Art. Doxologie: o. Bd. 4, 211); Euplius beginnt sein Sterbe-G. mit dem Ruf: Gratias tibi, Christe! u. wiederholt ihn öfter (Act. Eupli 2, 2 [438, 20 Ruinart; 102, 25 Knopf etc.]). Auch die Scilitaner (Pass. SS. Scilitanorum 15 [29, 26f Knopf etc.]) u. die Bischöfe Cyprian u. Felix rufen schlicht Deo gratias bzw. Deus, gratias tibi (Act. Cypriani 4, 3 [63, 29 Knopf etc.]; Pass. Felicis 6, 1 [91, 25f Knopf etc.]), eine Akklamation, die für das alltägliche Leben u. die Sterbestunde zur Gewohnheit wird (weitere Beispiele bei K. Baus, Das G. der Märtyrer: TriererTheolZs 62 [1953] 19/32, bes. 27; Hamman, Prière 2, 147. 158; zum Fortleben im Alltag vgl. Bened. reg. 66, 3 [CSEL 75, 156]). Daß zu diesem Ruf, wie zu sämtlichen Doxologien, auch in den Märtyrer-G. fast stets ein Amen tritt, dem Brauch entsprechend aber nie isoliert, bestätigt, was wir über die Verwendung dieser Schlußformel wissen (vgl. Mart. Polycarpi 14, 3 [5, 30 Knopf etc.]; Mart. Pionii 21, 9 [56, 29 Knopf etc.]; vgl. A. Stuiber, Art. Amen: JbAC 1 [1958] 153/9, bes. 154f). Daß Pionius das Amen nach stillem G. spricht, ändert diesen Befund kaum. Neben diese knappen u. ihren wenig zahlreichen Motiven nach schlichten G. der Märtyrer tritt selten ein G., das die Spuren einer Redaktion oder den Einfluß stetigen Umgangs mit gottesdienstlichen Formeln aufweist. Dazu gehört das im Mart. Polycarpi 14 verzeichnete ‚Abschieds-G.' des Bischofs (5, 18/30 Knopf etc.), das mit einer εὐλογία beginnt, die deutlich von Joh. 12, 27 u. 5, 12 inspiriert ist, u. mit einer an liturgische Formeln erinnernden Doxologie schließt: ‚Jesus Christus, ʻdurch den dir mit ihm u. dem Heiligen Geiste Ehre sei jetzt u. in alle Ewigkeit'.' Die Märtyrer danken allerdings nicht allein u. preisen Gott, sie rufen um Hilfe, wie Agathonike: ‚Herr, Herr, Herr, hilf mir, denn zu dir habe ich mich geflüchtet' (nach Ps. 142,

9; Mart. Carpi 46 [11, 7f Knopf etc.]), sie beten für ihre Gemeinden u. Brüder mit Ausdrücken, die liturgisch akzentuiert sind: ‚Nimm mein Blut an als Spende u. Opfergabe für alle, die in Bedrängnis sind' (Mart. Theodoti 21; Übersetzung nach Baus, Märtyrer aO. 27), so wie in der Passio der Märtyrer von Abitine immer wieder die Rufe wiederkehren ‚Subveni! rogo, Christe, da sufferentiam!' (P. Franchi de' Cavalieri, Note agiografiche 8 = StudTest 65 [1935] 57; weitere Texte s. bei Hamman, Prière 2, 158; Baus, Märtyrer aO. 57). In diesen Berichten ist das Entscheidende für den G.typ die Entwicklung des ‚Stoß-G.' in den Rufen Deo gratias u. der Akklamation im tu- bzw. te-Stil (bes. häufig in den Acta Saturnini, Dativi etc. 5. 6. 7. 8. 9. 10. 11. 13. 14 [416/9 Ruinart]) u. die lebendige Form der Christusanrede, die im ntl. Beten verwurzelt ist u. in der schlichten Volksfrömmigkeit bis in die Neuzeit ebenso weiterlebt wie bei typischen Vertretern einer gelehrten Frömmigkeit. Das zeigt das Beispiel des Origenes, der, entgegen seiner theoretischen Ablehnung im Traktat De oratione (15, 1/16, 1), in den Schluß-G. seiner Predigten durchaus in der Linie solcher Volksfrömmigkeit steht (vgl. die in diesem Zusammenhang am häufigsten zitierte Stelle in Lc. hom. 15 [GCS 49, 94]: oremus et ipsum parvulum Jesum, quem alloqui et tenere desideramus in bracchiis. cui est gloria et imperium in saecula saeculorum. Amen. Weitere Beispiele s. u. Sp. 1217f; vgl. dazu B. Fischer, Die Psalmenfrömmigkeit der Martyrerkirche [1949] 10f). Die G. der Märtyrer sind darum typisch für G.arten, die im Leben der Kirche nicht mehr ausstarben, für den Stil einer oratio ad Christum (s. Fischer aO. 10ff; vgl. ders., Die Psalmenfrömmigkeit der Regula Benedicti 2: LiturgMöncht 5 [1950] 64/79). Daß die Passiones als literarische Martyriumsberichte, zT. mit liturgischer Verwendung, bestimmte Eigenarten stärker akzentuieren, zeigt zB. die Verwendung von Ps. 33, 1 in mehreren Passiones (vgl. Pass. Nestoris 7 [ASS Febr. 3, 634 F]; Pass. Theodori 6 [ASS Nov. 4, 35 B]; weitere Hinweise bei H. Delehaye, Les passions des martyrs et les genres littéraires² [Bruxelles 1966] 196 mit Anm. 2/4). – Alle diese G. wurden mit den aus dem NT vertrauten Gebärden u. Gesten begleitet: die Märtyrer blicken zum Himmel auf (Mart. Polycarpi 14, 1 [5, 18 Knopf etc.]; Act. Felicis 6 [91, 25 ebd.]; Mart. Pionii 21, 2 [56, 15 ebd.]); sie beugen die Knie (Euseb. h.e. 2, 23, 16; Act.

Eupli B 3, 3 [102, 34 Knopf etc.]; Act. Cypriani 5, 2 [63, 33 f ebd.]), beten in Proskynese hingestreckt auf den Boden (ebd.) u. heben die Hände gegen Osten (Act. Phileae 3, 4 [115, 32 f ebd]).

c. Apokryphen. Schon in den kanonischen Schriften des NT begegnet uns die Auseinandersetzung des Christentums mit religiösen u. philosophischen Anschauungen, die in der Welt der Antike lebendig waren, als das Christentum seinen Weg nach dem Westen antrat (vgl. C. H. Barrett - C. Colpe, Die Umwelt des NT [1959] 91 f). Zum Teil beeinflußten diese Kräfte das Entstehen der ntl. Schriften selbst (vgl. R. Schnackenburg, Zur Herkunft des Johannesevangeliums: BiblZs 14 [1970] 1/23). Ihr Wettbewerb mit dem sich ausbreitenden Christentum ist die Voraussetzung für die Fülle der apokryphen Schriften, die in Auseinandersetzung u. Durchdringung entstehen u. sich zumeist an den literarischen Genera des NT orientieren.

1. Evangelien. Das G. spielt in den apokryphen Evangelien eine sehr verschiedenartige Rolle, teils als Variante zu authentischen Bibelworten, wie in dem von Hieronymus überlieferten Wort aus dem Nazaräerevangelium ‚Unser morgiges (d. h. zukünftiges) Brot gib uns heute' (1, 95 Hennecke - Schneem.) zu Mt. 6, 11 (vgl. Lc. 11, 3) u. im Fragment des Petrusevangeliums 5, 19: ‚Meine Kraft, o Kraft, du hast mich verlassen!' (ed. H. B. Swete 10, 1; vgl. 1, 122 H. - Sch.), teils in Wiederholungen, die mit atl. u. ntl. Zitaten u. Anklängen angereichert sind. So besonders in den Kindheitsgeschichten Mariens u. Jesu, für die vor allem die gnostischen Kreise Interesse zeigen (vgl. Protoev. Jac. 2, 4 [1, 280 H. - Sch.] nach Gen. 21, 1/3; Protoev. Jac. 6, 3 [282] nach 1 Sam. 2, 1; Gen. 30, 23 [vgl. Lc. 1, 25]; Ps. 42, 11; 102, 9; Prov. 11, 30; 13, 2; Protoev. Jac. 19, 2 [287] nach Lc. 2, 30. 32). Atl. Preisungen u. Gottesanreden kehren wieder (Protoev. Jac. 2, 4 [280]: Gen. 21, 1/3; Protoev. Jac. 6, 3 [282]: Lc. 1, 25). Wenn Jesus mit seinen Jüngern spricht, häufen sich Akklamationen wie ‚Ehre sei dir, Herr!' ‚Alleluja' (Ev. Barthol. 4, 69 f [371]). Die große Wertschätzung des G. drückt die im Protoev. Jac. 1, 4 (280) enthaltene Variante zu Joh. 4, 34 aus: ‚Das G. soll mir Speise u. Trank sein'.

2. Apostelgeschichten. Während der Ertrag der apokryphen Evangelien für das Thema des G. als spärlich bezeichnet werden muß, ergibt sich schon aus der Eigenart der apokryphen Apostelgeschichten als ‚volkstümliche Erzählungen' (so R. Söder, Die apokryphen Apostelgeschichten u. die romanhafte Literatur der Antike [1932 bzw. 1969] 216; vgl. Hennecke-Schneem. 2, 111) für breitere Schichten u. mit zT. romanhaftem Charakter, daß sich in ihnen ein reicherer Niederschlag des Betens der Christen mit deutlicheren Spuren einer Beeinflussung durch Heidentum u. Gnosis findet. Biblische u. liturgische Anklänge, hymnische u. lyrische Stilformen erschweren freilich oft die eindeutige Beurteilung. In den Johannesakten zeigt sich, daß die romanhafte Exposition der Handlung auch die G.texte beeinflußt. Werden sie meist dem Apostel Johannes persönlich in den Mund gelegt (vgl. Act. Joh. 22. 41. 85. 108. 109 [AAA 2, 1, 163. 170 f. 193. 206/8]), so markieren sie die großen Wunderzeichen u. stehen, in deutlicher Anlehnung an das kanonische Johannesevangelium, inhaltlich u. im Handlungsvollzug zu diesen in Beziehung (Act. Joh. 22. 75 [Totenerweckung; 163. 187 f]; 41 [Zerstörung des Artemistempels; 170 f]) oder sind Eucharistie-G. (Act. Joh. 85. 109 [193. 207 f]). Obwohl vielfach mit Formeln des Alltags eingeleitet (vgl. Act. Joh. 22: εἶπε πρὸς κύριον [163, 6 f]), sind sie keineswegs spontan, sondern bedienen sich stilisierter Formen wie zB. der nominalen Apposition (Act. Joh. 41 [170, 31/171,12]: ὁ θεὸς ὁ . . . ὑπάρχων. ὁ . . . ἀθετούμενος. ὁ ὑπερβαλών . . . . ὁ . . . ἐλέγξας), einer Redeweise, die als Vorstufe für die feierliche relativische Prädikation zu gelten hat (vgl. o. Sp. 1157 f u. H. Rheinfelder, Zum Stil der lat. Orationen: JbLiturgWiss 11[1931] 26). Diese findet sich Act. Joh. 75 (187, 23/5): ὁ θεός, οὗ τὸ ὄνομα δοξάζεται . . . . ὁ θεός, οὗ τὸ θέλημα τελειοῦται . . .; pathetisch gesteigert u. gehäuft ebd. 79 (190, 15/9): drei dativisch konstruierten Gliedern des G. folgen zwei akkusativische u. ein imperativischer Schlußsatz. Zum Stil der Acta gehören auch die Εἷς Θεός-Akklamationen, die in Act. Joh. 42 (171, 12) von der Volksmenge in Ephesos berichtet werden, u. für die Peterson zahlreiche Parallelen aus den Akten des Paulus u. der Thekla (38 [AAA 1, 264, 11 f]), den Akten des Andreas u. Matthias (33 [AAA 2, 1, 116, 14 f]), des Petrus (26 [AAA 1, 73, 35 f]) u. vielen anderen zusammengestellt hat (Peterson, HTh 183/9); sie behaupten sich im christl. Osten bis ins 10. Jh., im Westen bis in die Passiones der Merowingerzeit (ebd. 188).

Wie sehr solche G. zum Hymnus gesteigert werden können, zeigt der in Act. Joh. 94f (AAA 2, 1, 197,17 / 198,13) enthaltene Hymnus, der unter mehreren Gesichtspunkten Beachtung verdient: er bringt einleitend sechsmal die Wiederholung der Akklamation δόξα σοι (bzw. σου) u. nach je drei von ihnen das respondierende 'Αμήν, das dann im folgenden jeden Vers des Hymnus beschließt. Peterson wollte darin eher einen Ausdruck der Zahlensymbolik sehen als einen Anklang an den Stil der Akklamation (HTh 321). F. J. Dölger stellte den Kehrreim mit Recht in einen größeren, vom Morgengottesdienst bestimmten Zusammenhang (Sol sal. 132f). Hier sind besonders deutlich greifbar die gnostischen Elemente, die im Manichäismus bzw. Priszillianismus weiterleben u. nicht nur in textlichen Anklängen zum Ausdruck kommen, sondern auch im Gestus des Händereichens (zur Gliederung vgl. D. I. Pallas,'Ο ὕμνος τῶν Πράξεων 'Ιωάννου κεφ. 94–97: Mélanges O. et M. Merlier 2 [Athen 1956] 221/64; zu den Zitaten bei Augustinus s. Hennecke-Schneem. 2, 126f. 153₂; zum Gestus in einem manichäisch-chinesischen Traktat s. Peterson, HTh 139). Daß es sich hier um die für diese Literatur typische Mischung biblischer, jüdischer u. hellenistischer Stilelemente handelt, ist freilich nicht nur für den Stil von Bedeutung, sondern auch für die in diesem zum Ausdruck gebrachte Gottesvorstellung. Aber man geht wohl zu weit (vgl. Hamman, Prière 2, 183), darum dieses G. aus dem Bereich des christl. G. überhaupt auszuscheiden. Wir haben vielmehr hier die für die Volksfrömmigkeit dieser Zeit kennzeichnende Mischung antiker u. christlicher Elemente vor uns, für die eine von der Dogmatik übernommene Klassifizierung im Sinne von rechtgläubig oder häretisch kaum angebracht ist (zum Hymnus vgl. J. Kroll, Die christl. Hymnodik bis zu Clemens v. Alexandreia, Progr. Braunsberg [1921 bzw. 1968] 59/67). – In Act. Paul. 28 (AAA 1, 256, 2/4) begegnet auch das G. für Verstorbene um die Versetzung an den Ort der Gerechten, was soviel bedeutet wie Leben in Ewigkeit (29 [256, 10/257, 1]), wobei Thekla sich unmittelbar an Christus wendet (vgl. 31 [258, 3], wo nach dem Hamburger Papyrus der Acta Pauli S. 5, 12 [ed. C. Schmidt (1936) 40] Thekla den Ruf ausstößt: ‚Rette uns, o Gott, rette, du Gott des Menschen, der mit den Bestien kämpfen muß'). Das andauernde G., um das der Apostel in seinen Gemeinde-

briefen bat, ist in den apokryphen Apostelakten durch beharrliche Fürbitte der Gemeinde für ihn verwirklicht S. 6,6/9 (Schmidt aO. 44). Diese Formeln u. vor allem der in den zahlreichen liturgischen G. der apokryphen Apostelakten vorhandene unmittelbare G.-ruf zu Christus hat zwischen J. A. Jungmann u. den älteren, vor allem der religionsgeschichtlichen Schule angehörenden Forschern zur Auseinandersetzung darüber geführt, ob das G. zu Christus nicht aus dieser vielschichtigen Literatur in die Liturgie der Großkirche aufgenommen worden sei, wo man sich in den ersten Jahrhunderten einmütig an die Regel gehalten habe, sich ‚durch Christus, den Hohenpriester, an Gott zu wenden, an Gott, der immer wieder als Vater Jesu Christi bezeugt wird' (J. A. Jungmann, Die Stellung Christi im liturgischen G.² = Liturgiegesch. Quellen u. Forsch. 19/20 [1962] 146). Gewiß bleibt es ‚ein gewagtes Unternehmen', die ‚in diesen Schriften enthaltenen Christus-G. aus der katholischen Kirche herzuleiten' (Jungmann aO. *15), aber der Vorgang ist nicht mit den Kategorien der Herleitung u. Entnahme allein zu fassen. Es gibt das Phänomen des liturgischen ‚Nachhalls', u. es gibt die Tatsache, daß liturgische Formeln, sobald sie aus ihrem Zusammenhang gerissen werden, der Möglichkeit des Mißverständnisses u. der Verfälschung bis zur Verballhornung in magischen Formeln ausgesetzt sind. Die aus der Praedicatio Petri von Clem. Alex. strom. 6, 5, 41 angeführte Auffassung von den Christen als Drittem Geschlecht neben Heiden u. Juden (s. Hennecke-Schneem. 2, 62) ist eine der interessantesten Möglichkeiten, die von der antiken Christenheit selbst in der Auseinandersetzung mit Griechen u. Juden ins Auge gefaßt wurde. Unleugbar ist der liturgische Mutterboden etwa in dem G. anaphorischen Charakters, das in den Johannesakten 85 im Zusammenhang der Drusiana-Erzählung enthalten ist, mit seinen Formeln δοξάζομέν σου τὸ ὄνομα ..., δοξάζομέν σε..., αἰνοῦμέν σου τὸ ἀγαθὸν ὄνομα, ... εὐχαριστοῦμέν σε ..., εὐχαριστοῦμέν σου..., εὐχαριστοῦμέν σοι... (vgl. AAA 2, 1, 193, 1/12), wobei jedoch eine Fixierung einzelner Abhängigkeiten kaum möglich ist, mag man sich auch an diese oder jene Ausdrucksweise von Didache 10 (wie Hamman, Prière 2, 185 hervorhebt) erinnern. Andererseits zeigen sich hier die ersten Anzeichen einer Entfremdung vom regeltreuen liturgischen Formeltyp, die uns dann in den Thomasakten in ausgeprägter Form im G. der Geheilten begegnet (Act. Thom. 59 [AAA 2, 2, 176, 16/177, 1]), während in den Worten des Apostels zunächst größere Nähe zu den ntl. Paulustexten spürbar wird (vgl. Joh. 1, 14 u. Rom. 8, 29 mit AAA 2, 2, 177, 5), die dann in Reflexionen über Herrenworte übergehen, welche sich naturgemäß an Jesus selbst wenden (Act. Thom. 61 [AAA 2, 2, 177, 18/178, 12]). Hier begegnet uns das G. als eine Form meditativer Antwort auf die Worte des Herrn. Ähnlich ist wohl auch die Anknüpfung der Thomas-G. in den Act. Thom. (10 [AAA 2, 2, 114, 5]; 144 [251, 10]; 167 [281, 6]) an das bei Joh. 20, 28 überlieferte Thomaswort ‚Mein Herr u. mein Gott' zu verstehen, obwohl man sie kaum als häufig (vgl. Hamman, Prière 2, 209) bezeichnen kann. Die G., mit denen in den Thomasakten liturgische Akte eröffnet werden, wie die Spendung des Ölsakraments u. der Eucharistie, tragen epikletischen Charakter u. werden durch Wiederholen der Rufe in sinnbildlicher Zahl gegliedert (‚Komm . . .': 27 [AAA 2, 2, 142, 13/20]; 50 [166, 7/17]). Wie in den Johannesakten steigern sich auch in den Thomasakten die G. zu Hymnen. Bemerkenswert ist bei ihnen, wie sich je nach der Version die gnostischen Töne verstärken (syrisch) oder abschwächen (griechisch). Diese Stücke, unter denen besonders die beiden Lieder 6f u. 109/13 (Hochzeitslied [AAA 2, 2, 109, 1/110, 20] u. Perlenlied [ebd. 219, 20/224, 20]) hervorragen, ermöglichten es der Forschung, die Herkunft aus den verschiedenen gnostischen Elementen zu klären u. der Datierung einigermaßen nahe zu kommen (Übersicht von G. Bornkamm bei Hennecke‑Schneem. 2, 302/5). Sie zeigen überdies den bedeutsamen hin u. her fließenden Vorgang der Gnostifizierung biblisch‑christlicher Texte u. umgekehrt, bei dem vielfarbigen Geweben vergleichbare Gebilde entstehen, in denen sich der ideelle Gehalt durchdringt, Stilelemente mischen u. überraschende Ähnlichkeiten sich ebenso finden wie bezeichnende Unterschiede. Das Ganze aber entfaltet doch einen ‚eigenartigen Zauber', dem ‚sich schwerlich einer wird entziehen können' (Jonas 326) u. der diesen Texten ein Weiterleben sichert, das in bestimmten Motiven weit in die Sagen‑ u. Dichterwelt des abendländischen Mittelalters hineinreicht (vgl. ebd. 327). Im Perlenlied wie im Poimandres singt der Mensch auf dem Gipfel des Aufstiegs dem Vater bzw. dem väterlichen Prinzip den Lobpreis u. betet ihn an,

nachdem er ihm ‚aus ganzer Seele u. aus ganzer Kraft' eine in neunmaliger ἅγιος-Akklamation gegliederte εὐλογία dargebracht hat, die gleichfalls in einer solchen zusammengefaßt wird (Poimandres 1, 30/2 [1, 17, 21/18, 10; 19, 7 Nock-Festugière]; vgl. Act. Thom. 113 [AAA 2, 2, 224, 12. 17f]: ‚Ich neigte mein Haupt u. betete an den Glanz des Vaters . . . Alle seine Diener singen mit wohlklingenden Stimmen einen Hymnus'). Die von Dölger betonte Begegnung ‚christlicher Kultur' u. ‚antiker Kultur' (vgl. Sol sal. 78₃) umgreift ebenso den Wortschatz wie Gesten u. Gebärden (zB. Act. Joh. 42 [AAA 2, 1, 172,1/5]: Eleison-Ruf u. Kniebeuge; 43 [172, 6]: Emporstrecken der Hände; Act. Paul. 24 [AAA 1, 252, 3]: Kniebeuge; 22 [250, 8f] u. 34 [260, 4]: Ausbreiten der Hände in Kreuzform; Mart. Paul. 4 [115, 14]: Emporstrecken der Hände; Act. Xanthippae et Polyxenae 28 [M. R. James, Apocrypha anecdota (Cambridge 1893) 78, 16]: Ausbreiten der Hände in Kreuzform). Auch die G.richtung nach Osten u. die meist in einer Zahlensymbolik nach einer bestimmten Schematik 3×3, 3×5 oder 2×5, 2×10, oder $10+1$ u. $2 \times 10+1$ wiederholten Akklamationen gehören hierher (vgl. Peterson, HTh 323 zu 225). Die Scheidung der Geister im Verhältnis der Christen zu wahrer u. falscher Gnosis u. deren vielfältigen Ausdrucksformen ist darum auch das bevorzugte Feld der Begegnung u. Auseinandersetzung von Antike u. Christentum in der Theorie des G. in der aufblühenden altchristl. Literatur. Zu gleicher Zeit kristallisieren sich jene Elemente christlichen Betens heraus, die bis in die Neuzeit als unverlierbar gelten. Schließlich entstehen die Hochformen liturgischer, vor allem eucharistischer G., welche die Folgezeit nachhaltig beeinflussen.

3. **Oden Salomons.** Weit ergiebiger sind jedoch die unter dem Namen Oden Salomons zusammengefaßten Dichtungen für Themen, Texte u. Gesten des G. Auch ihre literarische Einordnung hat durch die Funde von Qumrân neues Licht erfahren. Seitdem die Oden Salomons durch die Forschungen von Jonas (6. 327f) fast einhellig unter die Schriften des ‚christlich-griechischen' Bereichs der ‚christlich-gnostischen Schriften' eingeordnet worden sind, haben nicht nur die lebhafte Diskussion um die ursprüngliche Sprache der Salomon-Oden (vgl. A. Adam, Die ursprüngliche Sprache der Salomo-Oden: ZNW 52 [1962] 141/56), sondern vor allem auch die

Spezialuntersuchungen zu den Beziehungen
zwischen den Oden u. Qumrân unsere Kenntnisse vielfach bereichert. Die von Daniélou
(41/3) u. Hamman (Prière 2, 36/50, bes. 37.
42) zunächst nur angedeuteten Zusammenhänge sind seit der Arbeit J. Carmignacs
(Les affinités qumrâniennes de la onzième
ode de Salomon: RevQumrân 3 [1961] 71/
102) u. durch weitere Untersuchungen dieses
u. anderer Forscher in der gleichen Zeitschrift
u. durch die Arbeiten von B. Thiering (Journ-
SemStud 8 [1963] 189/209) u. G. Morawe
(Aufbau u. Abgrenzung der Loblieder von
Qumrân. Studien zur gattungsgeschichtlichen
Einordnung der Hodajôth [1961]) geklärt
worden. So deutlich die Verwandtschaft der
Oden mit den hodajôth Qumrâns ist, so behalten doch gewisse allgemeine Kennzeich-
nungen ihr Recht, zB. daß die Oden atl. Elemente des Betens nach Stoff, literarischen
Gattungen der Lehrdichtung, der Gemeinde-
psalmen u. der prophetischen Hymnen weiterentwickeln. Das gleiche gilt von der Gleich-
artigkeit der Schau des bedrängten einzelnen
Menschen im AT u. des vom NT verkündig-
ten Erlösers (vgl. R. Abramowski, Der Christus der Salomooden: ZNW 35 [1936] 44/69,
bes. 66). Die von F. J. Dölger für eine spätere
Zeit gekennzeichneten ‚Versuche, den Be-
sitzstand der eigenen Liturgie gegen Judentum u. Heidentum abzugrenzen u. zu sichern‘
(Sol sal. 320) sind darum bereits ein Merkmal
der Verwurzelung im atl. Bestand u. der
christl. Weiterentwicklung, wie sie uns in den
Texten dieser Poesie begegnen. So etwa im
Vergleich Od. Sal. 14, 1f: ‚Wie die Augen des
Sohnes zum Vater hin, / so sind meine Augen,
o Herr, allzeit hin zu dir; / weil bei Dir meine
Brüste u. meine Freude sind‘ (Übersetzung
nach Abramowski aO. 46) u. Ps. 122, 1/3: ‚Zu
Dir erhob ich meine Augen, der Du in dem
Himmel wohnst, / siehe wie die Augen der
Knechte auf die Hände ihrer Herren, / wie die
Augen der Magd auf die Hände ihrer Herrin,
/ so schauen unsere Augen nach dem Herrn,
unserem Gott, / bis er sich unser erbarmt:
Erbarme Dich unser, o Herr, erbarme Dich
unser.‘ Was die Ode u. den Psalm inhaltlich
verbindet, findet auch in der Übereinstim-
mung des Gestus seine Bestätigung, dessen
Weiterleben in den Äußerungen der christl.
Schriftsteller F. J. Dölger unter dem Stichwort ‚Sursum corda u. der Aufblick zum
Himmel‘ (Sol sal. 301/20) überzeugend belegt hat (vgl. auch J. Haussleiter, Art. Er-

hebung des Herzens: o.Bd. 6, 11f). Inhaltliche u. formale Übereinstimmung scheinen
mir zu Ps. 122 deutlicher als die gesuchte
Entsprechung des Aufbaus der Ode 14 zum
Vaterunser, die R. Abramowski festzustellen
meinte (aO. 46). Weitere Belege des gekennzeichneten Verhältnisses zur Psalmendich-
tung, den hodajôt Qumrâns u. christlichen
G.rufen sind im Erbarmungsruf Od. Sal. 42,
15 gegeben, den wir ungeachtet des eschatologischen Charakters dieser Stelle im Zusammenhang der Erbarmensrufe der Psalmen zu
sehen haben (vgl. die Zusammenstellung bei
Dölger, Sol sal. 85f). Die Elemente aus biblischer u. antiker Formenwelt werden im einzelnen nicht nachzuweisen sein, doch bieten
Texte wie Od. Sal. 42, 15 ein Beispiel, wie
diese Formeln zur Einheit verschmelzen, die
für spätere christliche Liturgien charakteristisch ist. Auch der am Schluß aller Oden
wiederkehrende Ruf ‚Hallelujah‘ gehört zu
den Formeln, die nicht nur von der Forschung
der Gegenwart für diese Einheit angeführt
werden können, sondern schon in der christl.
Frühzeit in diesem Sinne verstanden wurden,
wie Eusebius u. Hieronymus zeigen (vgl. Dölger, Sol sal. 131), ohne daß man sich dabei der
Deutung moderner Vortragsweisen kirchlicher Gesänge durch O. Casel (bei Dölger, Sol
sal. 131[4]) anschließen muß. Es war wiederum
die scharfsinnige Methode F. J. Dölgers, der
uns in den vielschichtigen Entwicklungsprozeß solcher Texte Einblick gewährt hat (Sol
sal. 75/103), nicht ohne die notwendigen Warnungen vor Unter- bzw. Überbewertung dieses oder jenes Elements auszusprechen (vgl.
ebd. 102). Wie sehr die Oden Salomons aus
dem Glauben an das Heilswerk Christi schöpfen, zeigen neben den genannten Texten u.
den Gesten des Aufblicks zum Himmel u. des
Händeausstreckens (Od. Sal. 27, 1) jene, die
besonders das Kreuz bzw. das Holz nennen,
wie 42, 1/3. Den Zusammenhang von G.-
ostung u. Erheben der Hände in Kreuzesform
hat nach Dölger (Sol sal. 319f) noch Peterson
(15/35) unter Beiziehung von ntl. Apokryphen
u. anderen Quellen der altchristl. Literatur
untersucht u. dabei betont, daß es sich in den
Texten der Salomo-Oden um mehr als ‚ein
bloßes Bild‘ u. ‚literarische Texte als Analogien‘ handelt (ebd. 22[11]). Die in den Oden vorhandene Tauftypologie (Hamman, Prière 2,
44/50) bestätigt die Meinung Petersons, ‚einen
kultischen Brauch‘ (Peterson 22[11]) als Voraussetzung des Textes anzunehmen. Kenn-

zeichen dieser G. bleibt eine deutlich aus der religiösen Erfahrung des christl. Lebens stammende Frische u. der Versuch, diese Erfahrung für ein vertieftes geistliches Leben fruchtbar zu machen.

III. Grundlegung der Tradition. Die Gedanken der Antike über das G. u. ihr Beten zwingen die Christen, ihre eigenen Vorstellungen vom G. u. Beten stets neu u. vertiefend zu durchdenken. Dieser Prozeß vollzieht sich in Abgrenzung u. Auseinandersetzung, jedoch auch in einer Anpassung, die terminologische Übernahmen ebenso mit sich bringt wie gedankliche.

a. Clemens v. Alexandrien. Für alle diese Vorgänge bietet geographisch, geschichtlich u. religionsgeschichtlich Ägypten besonders geeignete Voraussetzungen. Schon Philo kündigt mit platonisch klingenden Formeln, deren Inhalt freilich jüdisch interpretiert wird (vgl. Völker, Fortschritt 331/3), Methoden u. Gedankengänge der christl. Lehrer Alexandriens an, deren erste große Gestalt Clemens Alexandrinus ist (L. Früchtel: o. Bd. 3, 182/8), der an Philos ‚Hineindeutung der griech. Philosophie in das AT Behagen' findet (ebd.183), so daß uns deutliche Parallelen zwischen beiden begegnen. Die verschiedene Beurteilung der clementinischen Lehren u. die daran geknüpften Meinungen über sein ‚Innenleben' (vgl. Dibelius 32) zeigen die Schwierigkeit, Clemens eindeutig zu interpretieren.

1. Begriffsbestimmung. Wie die meisten theologischen Fragen behandelt Clemens auch das G. im Zusammenhang der Beziehung zur Gnosis u. trifft dort eine seither oft wiederholte Wesensbestimmung des G. als einer ὁμιλία πρὸς τὸν θεόν, eines Gesprächs mit Gott (strom. 7, 39, 6; vgl. 7, 40, 3 [GCS 17, 30, 15f. 30f]). Der Ausdruck ὁμιλία enthält ein in der Profangräzität ebenso wie im NT vorkommendes wichtiges Element für das G.: das der Begegnung, des Umgangs u. des Verkehrs durch die Sprache; vgl. dazu Lc. 24, 15 sowie Act. 20, 11. Deutlich wird dies schon vor Clemens im Mart. Polycarpi 2, 2 ausgesprochen, wo es von Christus heißt: παρεστὼς ὁ κύριος ὡμίλει αὐτοῖς (1, 25 Knopf-Krüger-Ruhb.; die Übersetzung H. Rahners, ‚daß ... der Herr neben ihnen steht u. mit ihnen heimliche Zwiesprache hält' [Die Martyrerakten des 2. Jh. (1941) 24] ist zwar im Wortlaut nicht in dieser Eindeutigkeit gegeben, trifft aber sachlich das Richtige). Auch der Hermetische Traktat 12, 19 (1, 181, 20/4

Nock-Festugière) hebt gerade dieses ὁμιλεῖν als eine Auszeichnung hervor, die von seiten Gottes allein dem Menschen unter den Lebewesen gewährt wird. Diese ὁμιλία πρὸς τὸν θεόν ist für Clemens der vorzüglichste Weg zum höchsten Ziel des christl. Gnostikers, der θεωρία, der geistigen Gottschau, die deshalb sein ganzes Leben begleiten, ja ‚umspannen' muß (vgl. Völker, Gnostiker 411). Es ist freilich kennzeichnend, daß Clemens das Entscheidende dieser ὁμιλία eher in der Annäherung des Menschen an Gott sieht als in der Antwort, die der Mensch Gott gibt, der ihn anspricht, ihm zuspricht u. die Gemeinschaft mit ihm aufnimmt. Daher betont Clemens in den Worten ‚um diesen kühnen Ausdruck zu wagen' (strom. 7, 39, 6 [GCS 17, 30, 15]) die Distanz, die er trotz der im Terminus ὁμιλία liegenden Vertraulichkeit, ja Intimität, gewahrt wissen will. Die Beurteilung des Clemens, die E. de Faye (Clément d'Alexandrie. Étude sur les rapports du christianisme et de la philosophie grecque au 2ᶜ s.² [Paris 1906 bzw. Frankfurt 1967] 308) gibt, wird von Völker entschieden abgelehnt. Diese Ablehnung ist zwar unter gewissen Gesichtspunkten berechtigt, jedoch hat Völker selbst das Fehlen dieser Antworteigenschaft zu wenig beachtet. Auch die von ihm für seine Beurteilung in Anspruch genommenen Bemerkungen v. d. Goltz' (261) u. F. J. Winters (Die Ethik des Clemens von Alexandrien [1882] 217) sagen darüber nichts (Völker, Gnostiker 411₁; 411₂ ein Hinweis auf W. Gass, Geschichte der christl. Ethik 1 [1881] 76f, dem Völker mit gewisser Zurückhaltung zustimmt). Stellen wir in Rechnung, daß Clemens das G. primär in seiner allerdings wesentlichen Beziehung zur Gnosis behandelt, daß ihm eine gewisse Sakramentenfremdheit eignet (s. L. Früchtel, Art. Clemens Alexandrinus: o. Bd. 3, 187), daß seine Gedankengänge vielfach apologetisch u. tendenziös gefärbt sind, u. daß die Theorie bei ihm gegenüber der Praxis des Betens u. den sie erläuternden Beispielen ein starkes Übergewicht hat, so ist klar, daß aus seinen Äußerungen kaum mehr als ‚Annahmen' zu gewinnen sind. Jedoch trifft Clemens neben der schon erwähnten Begriffsbestimmung des G. als ὁμιλία πρὸς τὸν θεόν weitere Unterscheidungen u. Abgrenzungen, die spätere Generationen theoretisch u. praktisch beeinflussen. Zu diesen gehört die Unterscheidung zwischen mündlichem, d.h. lautem G., u. innerem G., die allerdings nicht systematisch einander im gleichen Kontext gegenübergestellt, sondern vom Thema des ‚G. zu jeder Zeit' bestimmt werden. So sagt Clem. Alex. strom. 6, 102, 1 (GCS 52, 483, 6f): ‚Nun betet der Gnostiker auch im Gedanken zu jeder Zeit, da er durch die Liebe eng mit Gott verbunden ist', u. führt das Thema in lockerer Anlehnung an ntl. Worte weiter aus. Strom. 7, 39, 6 (GCS 17, 30, 17f) sagt er: ‚Wenn wir ... schweigend zu ihm sprechen, so rufen wir laut in unsern Herzen.' Die ständige Gegenwart Gottes macht schließlich das ganze Leben des Gnostikers zum Festtag, dessen Ausdruck u. Gestalt das den ganzen Tag durchwirkende G. ist (strom. 7, 35, 6 [GCS 17, 27, 27/28, 4]). Aber nur einmal (5, 16, 7 [GCS 52, 336, 18]) findet sich ein Anklang an das hier naheliegende paulinische Wort 1 Thess. 5, 17. Die Darlegungen des Clemens haben nicht eine Theorie des G. zum Ziel, sondern sind von der apologetischen Tendenz bestimmt, den gegen die Christen erhobenen Vorwurf eines unfrommen, ja gottlosen Lebens zu widerlegen (vgl. Völker, Gnostiker 414; vgl. 415₃). Das hindert freilich nicht, daß seine Anschauungen weiter wirken u. vor allem über Origenes, der sich wieder enger an Bibelworte anschließt, in die G.literatur des Mönchtums eingehen (vgl. Völker, Vollkommenheitsideal 207f [s. auch u. Sp. 1237f]; ders., Gnostiker 419/22). Das zeigt vor allem die Einwirkung auf Evagrius, von dem wieder Joh. Cassianus u. Joh. Climacus, Hesychius vom Batos-Kloster (Sinai), Diadochus v. Photike, Maximus Confessor u. a. beeinflußt sind (vgl. Völker, Scala 230/46). Bei Evagrius begegnen uns die den clementinischen nahe verwandten Definitionen des G. als ὁμιλία (orat. 3 [unter dem Namen des Nilus; PG 79, 1168 C] συνομιλεῖν; 34 [1173 D] προσομιλεῖν; 54 [1177 D] ὁ ἀγαπῶν τὸν θεόν, τούτῳ ὡς πατρὶ ἀεὶ συνομιλεῖ); womit Joh. Cass. conl. 9, 18, 1 (CSEL 13, 2, 265, 27/266, 2) fast wörtlich übereinstimmt: Haec itaque supplicationum genera sublimior adhuc status ac praecelsior subsequetur, qui contemplatione dei solius et caritatis ardore formatur, per quem mens in illius dilectionem resoluta atque reiecta familiarissime deo uelut patri proprio peculiari pietate conloquitur. Bei der Empfehlung des lauten G. erinnert Clemens an den pythagoreischen Rat, laut zu beten, weil die Zeugenschaft vieler garantiere, ‚daß die G. gerecht seien' (strom. 4, 171, 1 [GCS 52, 324, 8f]). Diese Auffassung vertritt

auch Origenes in einer Numerihomilie, wo er sich mit 1 Cor. 14, 15 befaßt: Cum autem quis clara voce, et verbis cum sono prolatis, quasi ut aedificet audientes, orationem fundit ad Deum, hic spiritu orat (in Num. hom. 10, 3 [GCS 7, 73, 27/74,1]), während das stille, nicht hörbar formulierte G. den Verdacht magischer Praktiken oder dämonischer Einflüsse wachruft (vgl. zum ganzen Fragenkomplex Dölger, Sol sal. 308₂). Diese Stellungnahme hindert Clemens jedoch nicht, das stille G. zu empfehlen. Die schon oben herangezogene Stelle strom. 7, 39, 6 (GCS 17, 30, 17) betont dies. Die 7, 43, 3/8 (32, 23/33, 5) gegebene Erweiterung liefert dazu eine Art sprachphilosophischer u. theologischer Überlegung als Begründung: ‚Wenn uns aber die Sprache u. das Wort gegeben sind, damit wir einander verstehen können, wie sollte da Gott nicht die Seele selbst u. das Denken hören, da ja schon eine Seele eine andere Seele u. ein Geist einen anderen Geist vernimmt? Deshalb hat es Gott nicht nötig, erst die Äußerungen in den mannigfachen Sprachen abzuwarten, wie das bei den menschlichen Dolmetschern der Fall ist, sondern er kennt unmittelbar die Gedanken aller Menschen; u. was uns die Stimme kundtut, das sagt Gott unser Denken, von dem er schon vor der Schöpfung wußte, daß es uns in den Sinn kommen werde. Es ist also möglich, das G. auch ohne das gesprochene Wort zu Gott zu senden, wenn man nur in seinem Inneren entsprechend der unverrückbaren Hinwendung zu Gott alle seine Geisteskraft auf die Stimme des Geistes sammelt' (Übers. O. Stählin: BKV² 20, 49). Ohne Begründungen dieser Art, vielmehr in deutlicher Anlehnung an den Tadel des ‚Wortemachens' der Pharisäer, weisen auch die Lateiner das laute Beten u. das G. auf der Straße zurück, wobei Tertullian sich nicht scheut, das Daemonium oraculi Pythii nach Herodt. 1, 47 zu zitieren: Sono etiam vocis subiectos oportet, aut quantis arteriis opus est, si pro sono audiamur! Deus autem non vocis, sed cordis auditor est, sicut conspector. Daemonium oraculi Pythii: Et mutum, inquit, intellego et non loquentem exaudio. Dei aures sonum expectant? (orat. 17, 3f [CCL 1, 266, 6/11]; die Herodotstelle lautet: καὶ κωφοῦ συνίημι καὶ οὐ φωνεῦντος ἀκούω). Im Hinblick auf Jonas 2, 2/10 ironisiert Tertullian nach Mt. 6, 5 die Pharisäer, die ‚in publico' beten (orat. 17, 5 [267, 15f]). Wie in anderen Fällen zeigt sich dann auch Cyprian in seinem Traktat De dominica oratione (4 [CSEL 3, 1, 268f]) als Gefolgsmann Tertullians. Für Clemens jedoch darf sicher im Hinblick auf die spätjüd. u. urchristl. Überlieferung gelten, daß das Schweigen in allen Typen u. Formen des G. einen anderen Charakter hat als in den hellenist. Kulten u. deren Mystik. Es ist, wie die o. Sp. 1208f angeführte Stelle strom. 7, 39, 6 zeigt, ein Schweigen der ehrfurchtsvollen Distanz, es ist ferner kein gedankliches Schweigen, so oft in seinen Äußerungen auch die Wörter νοῦς u. ἔννοια vorkommen, sondern ein G., in dem das πνευματικὸν πᾶν sich Gott nähert, um mit ihm eine im Sein begründete u. sich im Leben auswirkende Gemeinschaft einzugehen. Dafür braucht Clemens die Formel vom δι' εὐχῆς συνεῖναι σπεύδων θεῷ (,bestrebt, mit Gott vereinigt zu sein': strom. 7, 40, 3 [GCS 17, 30, 30f]). Wenn Joh. Cassianus u. erst recht spätere Schriftsteller häufig den Terminus contemplatio für θεωρία verwenden, so besteht bei Clemens immer noch die Notwendigkeit, die philosophischen Einflüsse mitzubedenken (zur καταληπτικὴ θεωρία strom. 7, 13, 1 [10, 6/16] vgl. E. Zeller, Die Philosophie der Griechen 3, 1⁵ [1923 bzw. 1963] 83₂); man muß sich davor hüten, spätere Entwicklungen schon bei ihm anzunehmen. Es ist darum besser u. klarer, bei ihm den Terminus ‚Schau' zu verwenden als von ‚Kontemplation' zu sprechen. Im Wachsen der Gemeinschaft mit Gott stehen das äußere, mündlich verrichtete u. laut gesprochene G. u. das im Innern vollzogene geistige G. in einer Wechselwirkung, die an jeder einzelnen Stelle gesondert festzustellen u. zu interpretieren ist.

2. Bitte u. Dank. Die Unterscheidung von mündlichem G. u. innerem G. begegnet bei Clemens auch, wenn er vom Bitt-G. u. Dank-G. spricht. Als Kennzeichen des Bitt-G. hebt er strom. 7, 49, 6 (GCS 17, 37, 9f) besonders den mündlichen Vollzug hervor; maßgebend ist dafür, daß der Herr im Evangelium lehrte (vgl. Mt. 6, 9/13), um was wir beten sollen. Auch der Rat strom. 7, 49, 2 (36, 31f), alle G. ehrbar u. zusammen mit ehrbaren Menschen zu verrichten, ist sinnvoll nur vom lauten u. mündlichen G. zu verstehen. Die Grenzen zwischen dem mündlich laut formulierten G. u. dem stillen u. geistigen sind hier ebenso fließend wie die zwischen dem Bitt- u. Dank-G. Wichtig jedoch ist, daß Clemens diese Unterscheidung macht u. sich dafür auf die Schrift beruft. Mit dem Satz: ‚Unsere ganze Schrift ist aber voll von Berichten, wie Gott

die G. der Gerechten erhört u. jede einzelne Bitte erfüllt' (strom. 6, 29, 3 [GCS 52, 444, 27/9]) tritt er für das Bitt-G. ein u. sieht als dessen Gegenstand vornehmlich geistige Werte u. Güter an (strom. 6, 77, 3 [470, 5f]), aber ohne die materiellen auszuschließen (vgl. 7, 38, 4 [GCS 17, 29, 27f]). Dabei gibt er den Gütern der Seele als den wahren Werten den Vorzug (strom. 7, 44, 3 [33, 13]). Deutlich kennzeichnet er den Aufstieg vom G. des Neubekehrten um den Glauben, über das G. des Fortgeschrittenen um ‚die Vollkommenheit der Liebe' (1 Joh. 4, 17) zum G. des Gnostikers, der den Gipfel erreicht hat, um die Theoria, die Fähigkeit des vollkommenen Schauens, daß sie sich mehren u. dauernd bleiben möge, so wie der gewöhnliche Mensch um beständige Gesundheit betet (strom. 7, 64, 3f [GCS 17, 34, 24/8]). Die Tatsache, daß Gott das Erbetene manchmal nicht geben wird, wenn die Betenden dessen nicht würdig sind, u. daß er das Gute gibt, auch ohne darum angefleht zu werden, macht das G. weder überflüssig noch schränkt sie es nur auf das Dank-G. ein. Strom. 7, 41, 5/7 (31, 15/22) sucht dieser Problematik durch den Hinweis auf das Beispiel des Herrn u. seine Worte (Joh. 17, 4. 20. 23) gerecht zu werden. Immer wieder betont Clemens freilich das Dank-G. (zB. strom. 7, 79, 2. 80, 4. 83, 3 [56, 17/9. 57, 18f. 59, 22]). Wenn er dabei einmal auf das Dank-G. bei Tisch verweist (6, 90, 1 [GCS 52, 477, 2/5]), so bedeutet dies wohl noch nicht, daß es sich um eine ‚allgemein christliche Tischsitte' handelt, wie Völker meint (Gnostiker 416). Clemens sieht einen Gipfel der Vollkommenheit darin, sich mittels der von Gott geschenkten Sprache zur Dankbarkeit gegenüber dem Geber von Geschenk u. Genuß zu bekennen (strom. 7, 36, 1. 4 [GCS 17, 28, 5/7. 17/23]). Alle diese Meinungen sind jedoch auch allgemeine Anschauung platonischer u. popularphilosophischer Kreise. Vor allem aber ist es Philo, mit dem Clemens hierin übereinstimmt, wie Völker über Stählin hinaus für strom. 6, 113, 3 (GCS 52, 488, 29/489, 4) richtig gesehen hat (Völker, Gnostiker 547₂ möchte, angeregt durch die Wendung ἀεὶ εὐχαριστοῦσα, der die nachfolgenden Begriffe zugeordnet sind, aus den Worten ‚durch heiliges Opfer, durch seliges G., lobend, rühmend [ὑμνοῦσα], preisend [εὐλογοῦσα], Psalmen singend' eine Beziehung zum Gottesdienst herauslesen. Jedoch wird man mehr als Anklänge darin nicht finden können). Der eigent-

liche Höhepunkt des G.lebens bleibt freilich
die im geistigen G. gewährte Schau: durch
das G. bei Tag u. Nacht wird der Gnostiker
in die unvergängliche ϑεωρία eingeordnet
(strom. 7, 49, 4 [GCS 17, 37, 6f]).
3. Bitte u. Fürbitte. Als Bitt-G. ist das G. bei
Clemens auch Fürbitte, u. dies vor allem für
den Nächsten. Weil der christl. Gnostiker den
Schöpfer ehrt, gilt von ihm, daß er den Mitmenschen liebt, Mitleid mit ihm hat u. für
ihn betet wegen seiner Unwissenheit (strom.
7, 62, 3 [GCS 17, 45, 2/4]). Das Heil des Nächsten, u. gerade auch des Nichtchristen, ohne
eigenen Lohn zu erbitten, ist ihm die ,könig-
lichste Bitte' (strom. 4, 136, 1 [GCS 52, 308,
16/20]). Er weiß, daß er von Gott alles in der
Hoffnung auf Gewährung erbitten darf, da
Gott alles vermag, was er will (strom. 7, 41, 4
[GCS 17, 31, 13/5]). In seinem Beten ist er
wie einer, der schon hat u. doch noch bittet
(7, 44, 5 [33, 16/20]).
4. Praxis. α. Zeit. So groß die Bedeutung dieser Lehren des Alexandriners in ihrer Verwurzelung im Denken Philos u. der antiken
Philosophie u. in ihren Nachwirkungen ist,
so hat er doch auf ganz anderem Gebiet
noch einen neuen Beitrag für das Beten
der Christen in der Folgezeit geliefert u. entscheidende Impulse gegeben. Sie liegen in
einer Neueinteilung der G. in Gruppen u.
deren Verbindung mit bestimmten Tagesstunden. Erstmals kommt der Versuch auf, Zahl
u. Zeit der G. mit bestimmten Ereignissen
der Heilsgeschichte zu begründen u. damit
auch einer Symbolik den Weg zu weisen. Obwohl Clemens betont, daß für den wahren
Gnostiker ,jede Zeit heilig sei' (strom. 7, 43, 1
[GCS 17, 32, 18]), eine Anschauung, die Origenes (orat. 31, 4) übernimmt, u. so sehr auch
nach Clemens ,der ganze Tag u. die ganze
Nacht' der ,Erfüllung der Gebote des Herrn
in Wort u. Tat' dient (strom. 7, 80, 3 [57, 13/
6]) u. er gerade dadurch über die überlieferte
Gewohnheit des G. am Morgen, Mittag u.
Abend hinausgeht (ebd.), so setzt er diese
Haltung des G. ,das ganze Leben hindurch'
(strom. 7, 40, 3; vgl. 7, 35, 1 [30, 30; 27, 13])
doch ausdrücklich gegen das G. um die
,dritte, sechste u. neunte Stunde' ab (strom.
7, 40, 3 [30, 29]), meint aber, diese Dreizahl
mit ihren Zeitabständen denen überlassen zu
sollen, die ,die selige Dreizahl der heiligen
Wohnungen kennen' (strom. 7, 40, 4 [31, 1f]),
eine Ausdrucksweise, die nicht allein mit seinen Vorstellungen von den platonischen

Haupttugenden zusammenhängt (vgl. strom.
2, 96, 2 [GCS 52, 165, 12]; dazu Völker, Gnostiker 290), sondern auch anspielt auf die
Dreizahl der Wohnungen, die der Würdigkeit
der Gläubigen entsprechen (strom. 6, 114, 1/4
[489, 6/16]) u. für die auch eine trinitarische
Deutung angenommen werden kann (obwohl
Völker eine solche nicht in Betracht zieht).
Es ist aus seinen Worten auch nicht ersichtlich,
ob er mit dieser Angabe auf bestimmte in der
Apostelgeschichte zeitlich fixierte Begebenheiten hinweisen wollte (vgl. Act. 2, 15; 3, 1;
10, 9), sondern es kann nur festgestellt werden, daß es nach dieser Angabe in Alexandrien
zwar nicht allgemein, aber in bestimmten
Kreisen Brauch war, zur dritten, sechsten u.
neunten Stunde zu beten. Diese Stunden spielen auch in der röm. Tageseinteilung eine besondere Rolle, worauf Tertullian hinweist,
der ihre Bedeutung nicht nur im röm. Tag,
sondern auch in der Schrift hervorhebt (orat.
25, 1 [CCL 1, 272]: ... tertia, sexta, nona,
quas sollemniores in Scripturis inuenire est;
das belegt er mit Act. 2, 15; 10, 9f u. 3, 1f).
Er findet in diesen Schrifthinweisen die Tageseinteilung des menschlichen Alltags bestätigt (ieiun. 10, 3 [CCL 2, 1267, 28/31]: in-
signiores in rebus humanis, quam diem distri-
buunt, quae negotia distinguunt, quae publice resonant, ita et sollemniores fuisse in
orationibus divinis, was belegt wird durch
Hinweis auf Daniel [Dan. 6, 11] u. die Apostel). Für Tertullian sind die G. am Morgen
u. Abend des Tages legitimae orationes, quae
sine ulla admonitione debentur ingressu lucis
et noctis (orat. 25, 5 [CCL 1, 272, 16/273, 17]).
Wenn sich auch eine gegenseitige Beeinflussung zwischen Clemens u. Tertullian nicht erweisen läßt, so beleuchten die Texte doch
einander. Das Morgen- u. Abend-G. entspricht römisch-hellenistischem Brauch, das
G. zur dritten, sechsten u. neunten Stunde
judenchristlicher Überlieferung. Clemens fand
die Beobachtung dieser G.zeiten in gewissen
Kreisen Alexandriens vor; Tertullian lieferte
ihre biblische Begründung. – Diesen fünf
G.zeiten fügt Clemens noch die des Nacht-G.
hinzu. Auch sie reicht in apostolische Zeit u.
Überlieferung zurück (Act. 16, 25), aber es
lassen sich viele ähnliche Gewohnheiten aus
privatem u. kultischem Bereich aus der
griech.-röm. Welt (vgl. die kurze, aber ausreichende Zusammenfassung bei Baumstark
18/26), dem jüd. Raum u. den Bräuchen von
Qumrân nachweisen. Gerade von Qumrân

kann gesagt werden, daß seine Bräuche wenigstens für das G. um Mitternacht die erste
christl. Generation beeinflußt haben können,
ohne daß damit über das Ausmaß solcher
Einflüsse mehr behauptet werden soll (vgl.
J. A. Jungmann: ZKathTheol 75 [1953] 216).
Clemens spricht nun zwar an manchen Stellen vom G. zur Nachtzeit, doch bedürfen diese
vielfach einer strengeren Interpretation, als
dies durch Baumstark (19$_{29}$) geschehen ist.
So spricht Clemens von den G. ,vor dem Schlafengehen, aber auch wiederum in der Nacht'
(strom. 7, 49, 4 [GCS 17, 37, 5f]). Paed. 2, 44,
2 (GCS 12, 184, 5/7) ist vom G. vor dem Ein-
schlafen die Rede. Auch paed. 2, 77, 1 (204,
17/9) kann wohl nur als Nacht-G. vor dem
Schlafengehen, nicht aber als G. während der
Nacht bzw. ,nächtliches G.' interpretiert werden, wie Völker (Gnostiker 411f) will. Eindeutiger ist die Stelle paed. 2, 79, 2 (205, 33f):
,Deshalb müssen wir uns auch in der Nacht
oft von unserem Lager erheben u. Gott preisen'. Auch hier kann Tertullian als Gewährsmann für einen ähnlichen Brauch herangе-
zogen werden, wenn er ux. 2, 5, 2 (CCL 1,
389, 16f) fragt: latebisne tu, ... cum etiam
per noctem exurgis oratum? Et non magiae
aliquid uideberis operari? Merkwürdig bleibt,
daß in den von Hippolyt abhängigen Apostolischen Konstitutionen (8, 32, 18 u. 8, 34,1
[1, 539. 541 Funk]) das nächtliche G. fehlt.
Gegenüber solchen Überlegungen, die schon
eine gewisse Kasuistik in die Auseinandersetzung bringen, sind die Begründungen
Clem. Alex. paed. 2, 79, 1 (GCS 12, 205, 32f)
nur an der Schrift (Lc. 12, 35/7) u. an der
nüchternen Maxime, ein schlafender Mensch
sei genauso unnütz wie ein toter (Plat. leg.
7, 808b; Plut. quaest. conv. 8, 7, 4 [728C])
orientiert. Allerdings leitet er gerade aus dem
wiederholten Erheben zum G. des Nachts die
Engelgleichheit der Betenden ab, da die Engel als die ,Wachenden' gelten (zum hier be-
rührten Gedanken- u. Bilderkreis vgl. O.
Stählin zSt. = BKV² 8, 88$_1$). Bei Clemens finden wir schließlich auch erstmals den Versuch,
das G. ,ununterbrochen das ganze Leben hindurch' mit Ps. 118, 164 zu begründen (strom.
7, 35, 1 [GCS 17, 27, 9/12]). Dieser Versuch
wird hier zwar ganz allgemein unternommen
u. zielt weder auf privates noch auf öffentliches G. zu einer bestimmten Tageszeit, aber
er begründet eine gewisse Tradition, als deren
Hauptvertreter für das öffentliche Stunden-
G. der Mönche wohl Joh. Cassianus (inst. 3, 4, 3

[CSEL 17, 39, 21f]) u. Benedikt v. Nursia
(reg. 16, 1 [CSEL 75, 64]) zu gelten haben.
Nicht zitiert findet sich dagegen bei Clemens
Ps. 118, 62, den Benedikt zur Begründung
der Vigiliae braucht (reg. 16, 4 [CSEL 75, 65])
u. den Origenes (orat. 12 [GCS 3, 325, 15]) verwendet.

β. Gesten. Wenn wir auch von Clemens von
Alexandrien kaum Proben wirklichen Betens
erhalten, abgesehen von den plötzlichen u.
eher zufälligen Verwendungen des G.stils
paed. 1, 84, 3f (GCS 12, 139, 20/9), in den er
,schwungvoll u. hymnisch' fällt (Völker, Gnostiker 412$_6$), so verdanken wir ihm doch einen
wichtigen Hinweis auf die Einheit inneren
Betens u. äußerer G.haltung, der für die G.-
gebärde charakteristisch ist. In strom. 7, 40,
1 (GCS 17, 30, 19/25) ist ihm das Erheben des
Hauptes u. das Ausstrecken der Hände zum
Himmel nicht nur die alte G.haltung mit
,Weltgeltung' (vgl. Ohm 323), sondern sie ist
leibhaftiger Ausdruck des ,Strebens des Geistes in die geistige Welt'. Während Clemens
hier von platonischen Gedankengängen beeinflußt ist (vgl. Plat. Phaedr. 246B/C zum
Ausdruck ,beflügelte Seele'; Plat. Phaedo
114B/C u. Crat. 400C zu ,verachtend die Fessel des Fleisches'), finden sich die gleichen
Anschauungen bei Origenes (orat. 31, 2 [GCS
3, 396, 2/6]) ohne diese Bezugnahme (zum
Topos ,Flügel der Seele' s. P. Courcelle: o. Sp.
29/65). Für Clemens v. Alexandrien ist bezeichnend, daß er das Stehen zu einem ,sich
auf die Fußspitzen Stellen' steigert (τούς τε
πόδας ἐπεγείρομεν) u. ihm durch den Hinweis
auf das gemeinsame Sprechen des G.schlusses
einen fast rituellen Charakter verleiht (strom.
7, 40, 1 [GCS 17, 30, 20f]). Für die Auseinandersetzung zwischen antiker u. christlicher
Geisteshaltung in dieser Frage ist jedoch bemerkenswert, daß ein Verweis auf Mc. 11,25
(ὅταν στήκετε προσευχόμενοι), der hier als Begründung hätte dienlich sein können, fehlt.
Auch die von Jesus Mt. 6, 5 getadelten Heuchler werden ebensowenig genannt wie der im
Gleichnis Lc. 18, 11 als beim Beten stehend
beschriebene Pharisäer. Der christl. Lehrer
weiß sich also hier der antiken Haltung un-
reflektiert u. ohne Gegensatz verbunden.
Auch die von zeitgenössischen u. späteren
Kirchenschriftstellern getroffenen Unterscheidungen u. Begründungen für das Stehen
oder Knien an bestimmten Tagen (vgl. das
Irenäusfragment Quaestiones et responsa ad
orthodoxos 115 [F. J. Dölger: ACh 2 (1930)

145₁₅]), etwa im Angedenken an die Auferstehung Jesu, fehlen. Es muß die Zurückhaltung betont werden, die Clemens der Gestik gegenüber allgemein zeigt. Er spricht nicht von der Kniebeuge, im Gegensatz zu Origenes, der sie wenigstens in seiner In Num. hom. 5, 1 als Beispiel erwähnt (GCS 30, 26, 16: nam quod, verbi gratia, genua flectimus orantes) u. sich damit als Sohn seiner griechischen Heimat zeigt (vgl. Ohm 348 unter Hinweis auf O. Walter, Kniende Adoranten auf attischen Reliefs [JhÖsterrInst 13 (1910) 241]; zum Spott des Theophrast u. Polybios s. Sittl 177). Auch vom Kreuzzeichen, das bei den späteren Autoren als G.gestus eine bedeutende Rolle spielt (s. u. Sp. 1232/4), spricht Clemens kaum. In strom. 7, 79, 5/7 (GCS 17, 56, 28/57, 5) wird zwar das Kreuzzeichen im Zusammenhang des G.themas genannt, doch reicht diese Stelle nicht aus, vom Kreuzzeichen als begleitendem G.gestus zu sprechen, zumal dort Lc. 14, 27 im Sinne des ‚allem Entsagen' (Lc. 14, 33) gedeutet wird. Das von Clemens in den Excerpta ex Theodoto erwähnte Kreuzzeichen gehört gleichfalls nicht zur G.gestik (vgl. Dölger, Beiträge IV, 11).

b. Origenes. Anders als bei Clemens begegnen uns in den Homilien u. Schriftkommentaren des als Theologen bedeutenderen Alexandriners Origenes G., die zeigen, daß das G. für Origenes das ‚Herzstück der Frömmigkeit' ist, u. die sein Vollkommenheitsideal wiedergeben (vgl. Völker, Vollkommenheitsideal 199f). Er hat als Lehrstück außerdem den Traktat De oratione (GCS 3, 295/403) verfaßt. Für die G. des Origenes sowie für sein gesamtes theologisches Denken u. Forschen ist seine Arbeit an der Bibel ausschlaggebend. Die Bitte um den Aufschluß u. die Erkenntnis ihrer Geheimnisse ist darum Inhalt seines Betens: ipse igitur nobis Dominus, ipse sanctus Spiritus deprecandus est, ut omnem nebulam omnemque caliginem, quae peccatorum sordibus concreta visum nostri cordis obscurat, auferre dignetur (in Lev. hom. 1, 1 [GCS 29, 281, 18/21]). Die zahlreichen spontanen G. des Origenes um Weisung zum echten Schriftverständnis (vgl. in Lev. hom. 5, 5 [345, 15/8]: Dominum meum Jesum invocare me oportet, ut quaerentem me faciat invenire et pulsanti aperiat, ut inveniam in scripturis ‚clibanum', ubi possim coquere sacrificium meum, ut suscipiat illud Deus) sind der eine Grundbestandteil dieses Betens, während ihr anderer die ebenso spontane u. per-

sönliche Antwort auf den lebendigen Anruf durch den Herrn in der Schrift ist. Dieses Element findet seinen schönsten Ausdruck in den Schluß-G. der Homilien (vgl. etwa in Gen. hom. 2, 6 [GCS 29, 38, 27/39, 3]: Omnipotentis tamen Dei misericordiam deprecemur, qui nos ,non solum auditores verbi' sui faciat, sed ,factores', et inducat super nostras quoque animas diluvium aquae suae et deleat in nobis, quae scit esse delenda, et vivificet, quae iudicat esse vivificanda per Christum Dominum nostrum et per spiritum suum sanctum. Ipsi gloria in aeterna saecula saeculorum. Amen). Andere Schlüsse dieser Art s. in Gen. hom. 3, 7 (50, 11/5); ebd. 15, 7 (135, 24/136, 3); in Ex. hom. 1, 4 (149, 12/6); in Lev. hom. 1, 4 (288, 4/20); ebd. 6, 6 (370, 4/11); in Num. hom. 22, 4 (GCS 30, 210, 3/9); in Jesu Nave hom. 24, 3 (451, 11/4); in Hes. hom. 10, 5 (GCS 33, 423, 9/19); in Lc. hom. 15 (GCS 49, 94). Dem Typ u. Gehalt nach gleichen diesen G. auch solche innerhalb der großen Kommentare wie z B. in Is. hom. 5, 2 (GCS 33, 264, 26/265, 4): Jesu veni, sordidos habeo pedes, propter me fiere servus, mitte aquam tuam in pelvim tuam, veni, lava pedes meos. Scio temerarium esse, quod dico, sed timeo comminationem dicentis: si non lavero pedes tuos, non habebis partem mecum. Ideo lava pedes meos, ut habeam partem tecum. Vgl. ähnlich in Jer. hom. 5, 2 (GCS 6, 31, 18/33, 6); in Cant. hom. 2, 8 (GCS 33, 53, 21/54, 10); in Cant. 2 (164, 26/165, 15). Es sind auch ntl. Texte, die Origenes zu G. dieser Art veranlassen, wie zB. in Num. hom. 18, 4 (GCS 30, 175, 1/4) das Zitat Eph. 4, 8; vgl. Völker, Vollkommenheitsideal 199. Obwohl die Homilie, für deren Einführung als Form der Schrifterklärung Origenes bahnbrechend gewirkt hat, reichlich zu einer Auseinandersetzung mit der Antike Gelegenheit bietet, findet sie sich bei Origenes weder im Sinne der Ablehnung von Volksbräuchen noch als Zurückweisung popularphilosophischer Anschauungen. Auch seine seltenen Rügen von Mißbräuchen (Zusammenstellung bei P. Koetschau: BKV² 48 [1926] *58) berühren dieses Gebiet nicht. Es wird deutlich, daß Origenes ,nicht von der Philosophie ausgegangen' ist u. daß ,sich nicht zum wenigsten in seinen G.' die lebendige Realität Gottes für ihn zeigt (vgl. Hal Koch, Pronoia u. Paideusis [1932] 320, trotz seiner W. Völker entgegengesetzten Position). Auch die liturgischen Anklänge, die sich bei Origenes feststellen lassen u. sich auch in apologetisch bestimmten Werken finden (vgl. die bei Hamman, Prière 2, 322 f zusammengestellten Zitate aus Contra Celsum), werden nicht in diesem Sinne von ihm ausgenutzt. Zum Traktat De oratione s. u. Sp. 1235/8.

IV. Gebetspraxis. Schon lange bevor Origenes seinen Traktat De oratione schrieb, hatten andere Anweisungen über das G. gegeben u. Lehrstücke über das G. verfaßt. Mag diesen unter religionspsychologischen Gesichtspunkten auch nur ‚sekundäre Bedeutung‘ zukommen (Heiler 36), so gilt dies nicht für die Auseinandersetzung der Christen mit ihrer antiken Umwelt, wie die Äußerungen von Clemens über die G.zeiten u. G.gesten zeigen (s. o. Sp. 1213/7).

a. Zeiten. Hippolyts Traditio apostolica (zu G.zeiten u. deren Symbolik s. o. Sp. 1213f) erwähnt erstmals das ‚G. zum Hahnenschrei‘ u. verbindet damit eine Sinndeutung, in der die Passionsgeschichte Jesu eine bedeutende Rolle spielt. Ihre Thematik ist auf antijüdische Emotionen der Christen dieser Zeit abgestellt: Et circa galli cantum exurgens, similiter. Illa enim hora gallo cantante fili Istrahel Chr(istu)m negauerunt, quem nos per fidem congnouimus (Hippol. trad. 41 [SC 11², 132, 11/6]). Die Passionsthematik ist jedoch der Paschatheologie entsprechend auch mit österlicher Lichtsymbolik verknüpft: sub spe luminis aeterni in resurrectione mortuorum, spectantes diem in ha⟨n⟩c (ebd. [17/20]). Diese Texte können ohne Zwang unter der Leitidee des österlichen Heilsereignisses gesehen werden, zumal das gallicinium auch für den Beginn der Taufwasserweihe maßgebend ist (vgl. R. J. Z. Werblowsky, On the baptismal rite according to St. Hippolytus: Studia patristica 2 = TU 64 [1957] 98). Die in den G.zeiten Terz, Sext u. Non hervortretende Passionsthematik (Hippol. trad. 41 [126]) wird schließlich durch Bemerkungen über das Kreuzzeichen abgeschlossen (42 [134/6]). Trad. 41 (128) bringt das G. zur neunten Stunde mit dem descensus ad inferos in Verbindung u. führt wiederum die Gedanken bis zur Stunde ad gallicantum weiter, in der wir die Auferstehung erwarten (s. o.). Mag das G. ‚beim ersten Hahnenschrei‘ in der talmudischen Schilderung des Laubhüttenfestes nicht mehr bedeuten als die erste Morgenstunde, so kennzeichnet sie doch nach Plinius (n. h. 10, 21) den Anfang der vierten Nachtwache nach römischer Stundenrech-

nung, die sich in der gesamten hellenist. Welt durchsetzte. Die von Hippolyt an Mt. 26, 57/75 geknüpfte Symbolik lebt jedoch in der ambrosianischen Hymnendichtung u. durch sie in den Hymnen des Stunden-G. bis zur Reform des 2. Vatikanischen Konzils weiter (vgl. zum ganzen Fragenkomplex Dölger, Sol sal. 19₂ 123 f; zum ambrosianischen Hymnus Aeterne rerum conditor s. A. S. Walpole, Early Latin hymns [Cambridge 1922 bzw. Hildesheim 1966] 27/30). Noch im monastischen Stunden-G. blieb in östlichen u. westlichen Liturgiebereichen die ‚Zeit des Hahnenschreis‘ als G.zeit beliebt (vgl. Baumstark 151). Bald sehen wir jedoch die Angaben der Quellen in gewisser Widersprüchlichkeit. Während in den von Hippol. trad. abhängigen Kirchenordnungen (vgl. Const. apost. 8, 34, 1/7 [1, 540 Funk]) das gallicinium als G.zeit erwähnt wird, fehlt der Hinweis auf die Verurteilung des Herrn; in dem um 400 im syrischen Raum entstandenen Testamentum Domini wird das gallicinium nicht mehr genannt, da das G. auf einen späteren Zeitpunkt ‚ad auroram‘ verlegt wird, was wieder mit einer Vorverlegung des Gemeindegottesdienstes in frühere Morgenstunden in Zusammenhang gebracht werden muß (Test. Dom. 2, 24 [145 Rahmani]). Eine noch spätere von Hippol. trad. abhängige Kirchenordnung, die nur arabisch erhaltenen Canones Hippolyti, empfiehlt cn. 27 (218 Riedel) ‚die Zeit, wo der Hahn kräht‘, als G.zeit für öffentliches u. privates G., begründet dies nach Mt. 25, 6 bzw. Mc. 13, 35 u. fügt die Zeit ‚wenn der Hahn kräht‘ als Zeit der Parusie Jesu in die Begründungen ein. Die weite Streuung der von Hippolyt abhängigen Ordnungen läßt den Schluß zu, daß es sich um allgemein geltende Anschauungen u. Normen des frühkirchlichen Lebens handelt (vgl. Stadlhuber 148/54). In der weiteren Anordnung von Hippol. trad. über Katechesen des Morgens u. die mit G. abgeschlossenen Agapen des Abends (vgl. Hippol. trad. 41 [124] bzw. 25 [100]) sieht J. A. Jungmann (ZKathTheol 75 [1953] 216) mit Recht den Ansatz zu den beiden G.zeiten, denen wir im 4. Jh. an fast allen Bischofskirchen begegnen. Die Didascalia u. die Apostolischen Konstitutionen zeigen um 380 die genaue Regelung für den Abend u. Morgen (Const. apost. 2, 59, 1f; 8, 34/8 [1, 171. 540/8 Funk]), wobei bestimmte Psalmen für die jeweilige G.stunde hervortreten. Eusebius v. Cäsarea (gest. 339 nC.) u. andere Kirchenhistoriker (Belege bei Stadlhuber

162/4) berichten von diesen morgendlichen u. abendlichen G.zeiten, die deutlicher ‚im Mittelpunkt des Interesses' stehen als die ‚apostolischen Stunden tagsüber' (ebd. 162), wobei wir hier erstmals eine Reaktion der heidn. Spätantike auf den kirchlichen Brauch insofern beobachten, als nach dem Bericht des Sozomenos (h. e. 5, 16, 2 [GCS 50, 217, 3f]: G. für bestimmte Stunden u. Tage angeordnet) Kaiser Julian (361/3 nC.) die G.formen der verfallenden Staatskulte nach christlichem Vorbild neu zu ordnen versuchte. Dies konnte um so mehr geschehen, als das ‚allgemeine Bild hellenistisch-römischen Frömmigkeitslebens' (Baumstark 168f) seine Morgen- u. Abend-G. (Hor. c. 4, 5, 37/40) sowie öffentliche u. private Begrüßungen der Götter (Sen. ep. 95, 47) u. Lares compitales (Hor. s. 2, 3, 281/4) aufwies. Entsprechendes kannte auch der Isisdienst (Apul. met. 11, 27). Theodoret v. Cyrus (ep. 145: PG 83, 1377C), Epiphanius (de fide 23, 8 [GCS 37, 525, 1f]) u. Basilius (hex. 4, 7 [PG 29, 93C]) bezeugen zur Genüge diese G.zeiten mit ihren Psalmi matutini oder vespertini, wie dies im Abendland auch von Ambrosius für Mailand (vgl. V. Monachino, La cura pastorale a Milano, Cartagine e Roma nel secolo IV [Roma 1947] 61/5), für Afrika von Augustinus (ep. 29, 3 [CSEL 34, 1, 115, 6/11] u. 29, 11 [122, 9] bzw. serm. 11, 7 Denis [1, 49, 10 Morin]; conf. 5, 9), für Gallien von Hilarius v. Poitiers (tract. in Ps. 64, 2 [CSEL 22, 244]) u. für Italien von Paulinus v. Nola (ep. 18, 5 [CSEL 29, 132, 14/20]) belegt werden kann. Daß auch das Volk diese Gottesdienste der Matutinorum rege besuchte, können wir tadelnden Vorhaltungen an Mönche (vgl. Joh. Cass. conl. 21, 26 [CSEL 23, 601, 7/19]) u. Kleriker (Cod. Iust. 1, 3 [‚De episcopis et clericis'], 42, 10; s. S. Bäumer - R. Biron, Histoire du Bréviaire 1 [Roma 1905 bzw. 1967] 266₂) ebenso entnehmen wie den eindringlichen Einladungen des Caesarius v. Arles (540 nC.; serm. 72, 1 [CCL 103, 3/4]) u. anderer Bischöfe (vgl. J. A. Jungmann, Liturgisches Erbe u. pastorale Gegenwart [1960] 180/3). Wenn die Traditio apostolica ihre Passionsthematik mit Lichtgedanken verbindet u. sie mit dem Osterereignis verknüpft (Hippol. trad. 41 [SC 11, 128]: emisit verbum suum inluminantem eos . . ., unde incipiens dormire principium alterius diei faciens imaginem resurrectionis compleuit), so ist doch von einer Lichtsymbolik im eigentlichen Sinne noch nicht zu sprechen. Die Stärke, mit der sich

diese jedoch in den von ihr abhängigen Schriften u. bei den Autoren insgesamt entwickelt, zeigt die Fülle des antiken Materials an, das sich hier zur Christianisierung darbot (vgl. die Belege für öffentliche u. private Lichtfeiern bei Dölger, Sonne; ders., Lumen Christi: ACh 5 [1936] 1/46). Bereits die Apostolischen Konstitutionen berichten an verschiedenen Stellen (2, 59, 1f; 8, 35, 2. 37, 2; 7, 48, 1/4 [1, 171. 544. 456/8 Funk]) in Verbindung mit Ps. 140, ebenso wie Test. Dom. 2, 11 (135 Rahmani) u. Can. Hippol. 32 (221 Riedel), über Ansätze u. Weiterentwicklung offizieller u. halböffentlicher Lichtfeiern. Auch Tertullian nennt Kreuzzeichen u. G. im Zusammenhang des Lichthereinbringens (cor. 3, 3 [CCL 2, 1043]; apol. 39, 18 [1, 153]) u. spricht orat. 25, 5 (1, 272f) vom G. bei Beginn des Tageslichtes u. der Nacht (exceptis utique legitimis orationibus, quae sine ulla admonitione debentur ingressu lucis et noctis). Aber diese Stellen reichen nicht aus, um von einem Lucernarium zu sprechen. Ebenso zeigen die Darlegungen Cyprians (domin. orat. 35 [CSEL 3, 1, 293, 5/7]: recedente item sole ac die cessante necessario rursus orandum est. nam quia Christus sol uerus est et dies uerus, sole ac die saeculi recedente quando oramus et petimus, ut super nos lux denuo ueniat, Christi precamur adventum) nicht deutlich, ob es sich ‚um fest formuliertes Licht- u. Abend-G. handelt' (Dölger, Lumen Christi: aO. 29), aber sie machen die Lebendigkeit der Vorstellung von Christus als ‚Sonne der Gerechtigkeit' (Mal. 4, 2 [3, 20 LXX]) u. ihren Einfluß auf die christl. Frömmigkeit klar (Dölger ebd. 29f). Wie sehr Oster- u. Parusiefrömmigkeit darin zur Einheit werden, zeigt Cyprian domin. orat. 36 (294, 5/14) sowie das Weiterleben solcher Elemente in der abendländischen Hymnendichtung, zB. im Nonnenkloster des Caesarius (gest. 542) im Hymnus Christe, qui lux es et dies (Caes. Arel. reg. virg. 66 [2, 123, 4 Morin]; zitiert bei W. Bulst, Hymni Latini antiquissimi LXXV [1956] 163f), bis zu Luther u. modernen Stunden-G.

b. Texte. Das Bemühen, G.zeiten vorzuschreiben oder wenigstens beispielhaft nahezulegen, führt naturgemäß dazu, G.texte für solche Zeiten zu fixieren. Obwohl das Vaterunser schon in Apostolischer Zeit genannt wird, u. zwar in der Vorschrift Did. 8, 2f (s. o. Sp. 1189), begegnen wir ihm als G.text bestimmter Stunden sonst nicht. Die Redensart ‚oratio legitima et ordinaria' bei Tertullian (orat. 10 [CCL 1, 263]; vgl. fug. 2, 5 [2, 1138]; ieiun. 15, 6 [2, 1274]) legt zwar das tägliche Beten des Vaterunsers nahe u. bezeugt die Hochschätzung dieses G. als reuera in oratione breuiarium totius Euangelii (orat. 1, 6 [1, 258]; zur Bedeutung von breuiarium vgl. Sen. ep. 39, 1: quae nunc vulgo breviarium dicitur, olim cum latine loqueremur, summarium vocabatur), aber sie erlaubt nicht, mehr herauszulesen. Auch für Cyprian ist das Vaterunser oratio publica et communis (domin. orat. 8 [CSEL 3, 1, 271, 9]); er spricht von der cottidiana sanctificatio (ebd. 12 [275, 4]), die durch diese amica et familiaris oratio geschieht (ebd. 3 [268, 9]), die ebenso pacifica et simplex et spiritualis (ebd. 8 [271, 22]) ist u. diebus ac noctibus darzubringen sei (ebd. 12 [275, 18f]). Aber es gilt die gleiche einschränkende Feststellung: das Vaterunser hat zwar seinen festen Platz im Ablauf der G.zeiten u. wird in der künftigen Entwicklung als Tauferinnerung noch stärker hervorgehoben (vgl. J. A. Jungmann, Liturgisches Erbe u. pastorale Gegenwart [1960] 262f), aber es kann keineswegs als einziger G.text gelten, noch darf an Aneinanderreihungen im Sinne spätmittelalterlicher Vaterunser-G. als ‚Ersatzpsalter‘ gedacht werden. Daß die Bestimmung der Regel Benedikts (13, 12,4 [CSEL 75, 62f]) eine ferne Nachwirkung von Did. 8, 2f sei, ist nicht mehr als eine Vermutung. Den eigentlichen Grundstock der G.texte der verschiedenen G.stunden bilden zunächst biblische Lesetexte, zu denen anfangs auch die Psalmen im Rahmen der Prophetenlesung gehören (vgl. R. Knopf, Das nachapostolische Zeitalter [1905] 245). Die von Paulus in Col. 3, 16 u. Eph. 5, 19 zugleich mit ὕμνοι u. ᾠδαί empfohlenen ψαλμοί sind nicht ohne weiteres mit den biblischen Psalmen nach heutigem Verständnis gleichzusetzen, was auch für Clemens v. Alexandrien festzuhalten ist (strom. 7, 49, 4 [GCS 17, 37, 4]). Auch daß die Psalmen 4 u. 5 nach jüdischem Vorbild als Abend- bzw. Morgen-G. gewählt wurden, ist nur zu vermuten. Tertullian nennt noch keine einzelnen Texte, sondern spricht nur davon, daß Abend- u. Morgen-G. sich gleichen sollen u. ihre Texte de scriptis diuinis uel de proprio ingenio gewählt werden sollen (apol. 39, 18 [CCL 1, 153]). Manche Äußerungen der Autoren der nachkonstantinischen Periode setzen jedoch die Kenntnis bestimmter Psalmen als Bestandteil des öffentlichen oder privaten G. am Morgen u. Abend voraus. So nennen die Apostolischen

Konstitutionen 8, 35, 2 (1, 544, 4 Funk) Ps. 140 als ἐπιλύχνιος ψαλμός, ‚Psalm zur Zeit des Lichtanzündens‘ (vgl. 2, 59, 2 [1, 171 Funk]) u. Ps. 62 als Morgenpsalm (ebd.), wie auch PsAthanas. virg. 20 (55, 13/56, 4 v. d. Goltz) u. Joh. Chrys. in Ps. 140, 1 (PG 55, 427) diese sich verfestigende Überlieferung bis zu Joh. Cass. inst. 3, 3, 10 (CSEL 17, 38, 6f) u. zur Regula Benedicti (12, 3 [CSEL 75, 59]) bezeugen. J. A. Jungmann (Christliches Beten in Wandel u. Bestand [1969] 34) steht nicht an, dem durchschnittlichen Kirchenbesucher des 4. Jh. die Kenntnis einer gleichen Anzahl von Psalmen (bes. 140 u. 62, aber auch 22, 50, 90 u. 103) zuzuschreiben, wie sie der Kirchenbesucher unserer Zeit an Kirchenliedern besitzt.

c. Ort. Clemens v. Alexandrien (strom. 7, 43, 1 [GCS 17, 32, 17]) u. Origenes (orat. 31, 4 [GCS 3, 397, 19/22]) ebenso wie Tertullian (orat. 1, 4 [CCL 1, 257]) messen zwar im Anschluß an Mt. 6, 6f dem Orte des G. keine große Bedeutung bei, zumal ja nach Clemens der vollkommene Gnostiker der Überzeugung ist, daß ‚jeder Ort, wo wir an Gott denken, … heilig ist‘ (strom. 7, 43, 1 [GCS 17, 32, 17/20]) u. der Gnostiker ‚an jedem Ort betet‘ u. ‚unter allen Verhältnissen‘ (strom. 7, 49, 6f [37, 11. 13]), wobei Clemens sich auf Mt. 6, 5f u. 1 Tim. 2, 8 beruft (vgl. Orig. orat. 31, 4 [GCS 3, 397, 19/22] u. Cyprian. domin. orat. 4 [CSEL 3, 1, 268, 22f]), aber die Diskussion über den Ort des G. nimmt schließlich doch einen immer breiteren Raum ein. Anlaß dazu bietet die religiös bestimmte Rolle des Daches (s. A. Hermann, Art. Dach II: o. Bd. 3, 536/57; vgl. Peterson 2f), wofür auch biblische Beispiele geltend gemacht werden wie Dtn. 6, 11 u. Act. 1, 13 u. 10, 9f; gelegentlich werden geöffnete Fenster u. Türen als Ersatz angenommen (Orig. orat. 32 [400, 21/401, 9]). Wenn aber gerade Origenes (orat. 31, 4 [397, 19/22]) dafür eintritt, daß man ‚im eigenen Hause womöglich die sozusagen heiligste Stelle auswählen soll‘ (orat. 31, 4 [397, 24/398, 1]), so geht es ihm dabei nicht nur um die von Hippolyt u. Tertullian bereits erwogenen Fragen des Ehelebens (s. o. Sp. 1215; Orig. ebd. [398, 8/13]), sondern um einen Ort der Gnade, wie er durch einen breit ausgeführten Vergleich mit der Gemeindeversammlung (ἐκκλησία: ebd. 31, 5/7 [398, 14/400, 20]) zeigt. Für einen solchen Ort des privaten G. gibt es freilich bereits das Vorbild des röm. Lararium, einer Nische in der Wand mit den Figu-

ren der Hausgötter oder auch nur mit einem
Gemälde, wo der häusliche Gottesdienst ver-
richtet wurde. Wie immer die tendenziösen
Nachrichten der Historia Augusta über die
Bilder im Lararium des Alexander Severus
(Hist. Aug. v. Alex. Sev. 29, 2) zu interpre-
tieren sind, die Tatsache des Lararium selbst
ist kaum zu bezweifeln (vgl. Baumstark 169;
A. Hug, Art. Lararium: PW 12, 1 [1924] 794f
u. Boehm, Art. Lares: ebd. 817).

d. Gebetsrichtung. Der Pastor Hermae ist eine
der ersten christl. Quellen über die G.richtung
nach Osten (vgl. Dölger, Sol sal. 136f; o. Sp.
1190f), wenig später folgen die Paulusakten
(AAA 1, 115, 13), die Tertullian bapt. 17, 5
(CCL 1, 291f) ironisiert. Er polemisiert ebenfalls nat. 1, 13, 1 (1, 32, 13/5) über das gleiche
Thema gegen Nichtchristen u. entwickelt ähnliche Gedanken im Apologeticum (16, 9
[1, 116, 40/3]), die zeigen, ,wie festgewurzelt
die G.ostung in den christl. Gemeinden des
2. Jh. war' (Dölger, Sol sal. 142), ohne daß
Tertullian hier eine Unterscheidung zwischen
öffentlicher gottesdienstlicher Feier oder privater Andacht macht oder sich um eine besondere Begründung des Brauches oder seiner
Ablehnung bemüht. Wenn er adv. Val. 3, 1
(2, 754, 16/755, 1) den Sonnenaufgang figura
Christi nennt, so geschieht dies ohne Zusammenhang mit der Frage der G.ostung.
Clemens v. Alexandrien führt strom. 7, 43, 6f
(GCS 17, 32, 33/33, 3) neben einer Anspielung
auf 2 Cor. 4, 6 u. Mt. 4, 16 zur Begründung für
die christl. G.ostung den antiken Brauch an,
daß der Beter vor dem Götterbild des Tempels
stehend nach Osten schaut, wie es schon
Vitruv (4, 5, 1) für die Anlage des Tempels
fordert (vgl. Dölger, Sol sal. 144/8; die dort
143f herangezogene Stelle Clem. Alex. paed.
2, 61, 3/62, 1 [GCS 12, 194, 13/20] wurde
von Dölger textlich mißverstanden u. gehört
nicht in diesen Zusammenhang). Origenes geht
über Clemens hinaus. Seine Begründung der
G.ostung mit den Lichtaussagen Jesu bei Joh.
1, 4. 9; 8, 12; 9, 5 (comm. in Joh. 1, 24 [GCS
10, 30, 29/31, 28]), mit der allegorischen Ausdeutung des Sonne-Mond-Verhältnisses auf
Christus u. die Kirche (vgl. Dölger, Sol sal.
159; ders., Sonne 102; H. Rahner, Griech.
Mythen in christl. Deutung [1957] 126) u. mit
Zach. 6, 12 LXX (in Iudc. hom. 8, 1 [GCS
30, 509, 13/7]) findet einen gewissen Höhepunkt in orat. 32 (GCS 3, 400, 21/401, 9). Alle
Stellen, die in diesen Zusammenhang gehören,
sind von Dölger, Sol sal. 157/70 eingehend

untersucht u. interpretiert worden. Wenn
Origenes die Ostung auf Christus u. die
Apostel zurückführt, freilich mit Begründungen, die mit Rücksicht auf die Arkandisziplin
nicht offen dargelegt werden (vgl. Dölger, Sol
sal. 169f zu Orig. in Num. hom. 5, 1 [GCS
30, 26, 14/27, 3]), so kehrt diese Begründung
in der syrischen Doctrina Apostolorum 3 wieder (s. Dölger, Sol sal. 172) u. wird mit
Parusieerwartungen aus dem Osten verbunden (vgl. weitere Stellen bei Peterson 7/35),
während bei Basilius spir. 27, 66 (PG 32,
189C) die G.ostung als Ausdruck der Para-
diesessehnsucht begegnet (vgl. Dölger, Sol
sal. 232; zum Ganzen ebd. 220/42). Wenn
Peterson (8) angesichts des von Dölger unter
Hinweis auf die kirchenrechtliche Überlieferung (Sol sal. 178) zusammengetragenen Materials meint, ,man müsse das Problem des
christl. G. nach dem Osten von dem weitverbreiteten religionsgeschichtlichen Brauch des
G. nach dem Osten überhaupt ablösen u. es als
einen Diskussionspunkt in der jüdisch-christl.
Auseinandersetzung sehen', so gilt zwar, daß
diese Diskussion wegen der darin auftretenden
Kreuzestheologie ihren besonderen christlich-
jüdischen polemischen Akzent hat, daß aber
andererseits der Zusammenhang zur Religionsgeschichte erhalten bleiben muß. Die von
Dölger, Sol sal. 44 wiedergegebene u. interpretierte Stelle des Flavius Josephus (b. Iud.
2, 8, 9) ist charakteristisch für die zwischen
Spätjudentum u. Hellenismus fließenden
Grenzen, ohne daß die speziell christlich-jüdi-
schen Gegensätze sich auswirken. Auch die
essenische Lieblingsidee, bei der G.ostung an
Num. 24, 17 anzuknüpfen (vgl. Daniélou 397f),
u. ihr Weiterleben in koptischen Apokryphen
(vgl. F. Robinson, Coptic apocryphal Gospels
[Cambridge 1896] 165) beweist nicht das
Gegenteil. Das Phänomen des Judenchristentums ist nicht isoliert, sondern innerhalb der
vielfach hellenistisch bestimmten Vorstellungen der antiken Welt zu betrachten.

e. Bräuche u. Riten vor dem Gebet. 1. Waschungen (s. auch *Fußwaschung; *Handwaschung). Clemens v. Alexandrien bezeichnet Waschungen vor dem G. unabhängig vom
Zeitpunkt als jüdisch, führt jedoch auch
Zeugnisse des klassischen Griechentums an,
deren Ursprung er freilich auch auf Moses
zurückführt. Er bespricht sie nicht innerhalb
einer besonderen G.thematik (strom. 4, 141, 4
[GCS 52, 310, 29f]), sondern behandelt sie im
Zusammenhang mit der Frage des Verhält-

nisses des wahren Gnostikers zur Sünde u. Sündelosigkeit. Ähnlich wie Hippolyt u. Tertullian möchte Clemens die Vielzahl jüdischer Bräuche ebenso wie abergläubische u. magische Vorstellungen durch den Hinweis auf die Taufe überwinden (vgl. strom. 5, 39, 3/40, 4 [353, 7/354, 4]; 4, 158, 1/4 [318, 12/20]). Tertullian stellt nüchtern fest, daß der Christ selbstverständlich jede Unsauberkeit beseitigt ob aliquod conuersationis humanae inquinamentum, verurteilt jedoch den Aberglauben derer, qui superstitiose curant ad omnem orationem, etiam cum a lauacro totius corporis ueniunt, aquam sumentes, mit dem Hinweis: satis mundae sunt manus, quas cum toto corpore in Christo semel lauimus (orat. 13, 1 f [CCL 1, 264f]). Die bereits im folgenden Abschnitt deutlich ausgesprochene antijüdische Polemik (orat. 14 [1, 265]) wird bapt. 15, 3 (1, 292) noch verschärft. Obwohl die Traditio apostolica Hippolyts sich der Bedeutung der Taufe durchaus bewußt ist, schreibt sie die Handwaschung vor dem Morgen- u. Mitternachts-G. vor (trad. 41 [SC 11, 124]: lavent manus suas et orent deum; ebd. [128]: exurgens laua manus tuas aqua et ora), eine Anweisung, die Can. Basilii 28 auf das Morgen-G. beschränkt u. mit dem Hinweis auf den Schmutz der Schlafmatte begründet wird (W. Riedel, Die Kirchenrechtsquellen des Patriarchats Alexandrien [1900 bzw. 1968] 246; vgl. auch Hanssens 159 über die Begründung dieser Vorschrift u. ihre Beziehung zur Speichelsalbung). Waschungen können im frühchristlichen Brauch in gleicher Weise an antike u. jüdische Sitte anknüpfen. Gerade in der christl. Wasserweihe kommt das allgemein menschliche Grundverhältnis zum Wasser als Träger der Reinigungskraft zum Ausdruck (vgl. J. D. C. Fisher, The consecration of the water in the early rite of baptisme: Studia patristica 2 = TU 64 [1957] 41/6). Justinus erwähnt darum die Waschungen im bekannten Axiom von der Nachäffung christlicher Sakramente durch die Dämonen apol. 1, 62 (FlorPatr 2, 100f). Clem. Alex. spricht strom. 5, 9, 5 (GCS 52, 332, 5/13) unter Berufung auf Platon vom Wasser als einem kosmischen Reinigungselement (vgl. dazu religionsgeschichtlich M. Eliade, Die Religionen u. das Heilige [1954] 223f). Für Rom bezeugt Ovid G.ostung u. Händewaschung bei der Parilienfeier in wenigen Worten zusammengefaßt: haec tu conversus ad ortus / Dic quater et vivo perlue rore manus (fast. 4, 777f; vgl.

Appel 184/6). Zur Fülle der Waschungen im Judentum vgl. A. Oepke, Art. λούω, ἀπολούω, λουτρόν: ThWb 4, 297/309 u. F. Hauck, Art. νίπτω, ἄνιπτος: ebd. 945/7; zu Qumrân s. H. Haag: ArchLiturgWiss 10, 1 (1967) 92/8. Auch Tertullian spricht vom Wasser als kosmischem Element, das bei der Weltschöpfung seinen Dienst als materia perfecta, laeta et simplex leistete (bapt. 3, 2 [CCL 1, 278]), u. er stellt dem christl. Gebrauch des Wassers die heidn. Praktiken gegenüber (ebd. 5, 1 [280]). Zum Ersatz der Waschung durch die Speichelsalbung s. o. Sp. 1227, u. zu den Riten des Anhauchens u. Ausspuckens, die kaum mehr als G.gesten zu bezeichnen sind, vgl. K. Thraede, Art. Exorzismus: o. Bd. 7, 89/91.

2. Ablegen der paenula. Unter die Bräuche, die Tert. orat. 15 (CCL 1, 265) ausdrücklich ablehnt, gehört das Ablegen der paenula vor dem G. Über diesen Brauch ist uns nur wenig bekannt (Plotin. 1, 6, 7: ἱματίων ἀπόθεσις beim Hinaufschreiten zum Allerheiligsten des Tempels, das dann häufig übertragen wird auf den Aufstieg der Seele zu Gott; s. E. des Places, Oracles chaldaïques [Paris 1971] frg. 116 mit Erläuterungen). Aristophanes parodiert ihn in seinen ‚Wolken' (zB. 498; vgl. G. F. Diercks, Kommentar zu de oratione [Bussum 1947] zSt. [158]). Tertullian verurteilt ihn als superstitio, die ein gentilibus adaequare bedeutet, läßt darüber hinaus jedoch keine weiteren Schlüsse zu.

f. Gesten. 1. Stehen. S. o. Sp. 1216.

2. Kniebeuge. Während Clemens v. Alexandrien die Kniebeuge gar nicht, Origenes sie nur beiläufig erwähnt (s. o. Sp. 1217), gibt Tertullian dafür genaue Anweisungen. Er sieht sie für das erste G. am Tage als geziemend an (orat. 23, 3 [CCL 1, 272]), an Fast- u. Stationstagen erhebt die Kniebeuge das G. zur deprecatio u. satisfactio (23, 4 [1, 272]), mit Ausnahme der Herrentage u. des spatium pentecostes gilt sie als normale G.haltung (vgl. 23, 2 [1, 271f] u. cor. 3, 4 [2, 1043]). Der Schlußabschnitt von De oratione zeigt sie als selbstverständlich: Orant etiam angeli omnes, orat omnis creatura, orant pecudes et ferae et genua declinant (29, 4 [1, 274, 31f]). Gegenüber den meist praktischen u. am liturgischen Jahr orientierten Anweisungen sieht Origenes orat. 31, 3 (GCS 3, 396, 21/397, 4) in der Kniebeuge u.a. den Bußakt, durch den man Vergebung der Sünden u. Heilung von Gott erlangen will. Ausdrücklich ist es ihm dabei um die biblische Begründung, die Demut u. Unter-

ordnung zu tun, um die ‚geistige Kniebeuge‘,
welcher der Vorzug vor äußeren Übungen zu
geben ist. Die Bedeutung der Kniebeuge als
Sündenbekenntnis u. Anrufung der göttlichen
Barmherzigkeit wird von Basilius spir. 27
(PG 32, 192 C) wiederholt. Er verbindet sie
ganz mit der Auferstehungssymbolik u. begründet damit auch das Stehen beim G. (27
[192 A/C]; zu Augustinus s. u. Sp. 1245).
3. Sitzen. α. Beim Beten. In den Großreligionen
fernöstlicher Kulturen ist das Sitzen beim G.
charakteristisch (vgl. Ohm 331/4) u. meist
Ausdruck für das Versenktsein in Gott u. für
die Sammlung. Im AT wird es nur selten berichtet, zB. von Moses während der Amale-
kiterschlacht Ex. 17, 12, wo es freilich nur
Anzeichen der Ermüdung ist, u. von David
(2 Sam. 7, 18; 1 Chron. 17, 16), ohne daß
daraus weitere Folgerungen gezogen werden
können. Von Origenes wird das Beten im
Sitzen u. Liegen als eine Ausnahme bei Krankheiten gestattet (orat. 31, 2 [GCS 3, 396,
15/20]). Immerhin kann dabei auch der Einfluß pythagoreischer Theologenweisheit mit-
gespielt haben, wie Dölger (ACh 5 [1936] 137)
zu Tert. orat. 16 (CCL 1, 265f) mit Hinweis
auf Plut. quaest. Rom. 25, 270 D anmerkt.
β. Nach dem Beten. Tertullian nahm an dem
von einigen Christen geübten Brauch, sich
nach dem Beten zu setzen, argen Anstoß
(orat. 16 [1, 265f]). Daß sich diese Leute auf
Herm. vis. 5, 1 beriefen, wo es heißt, daß
Hermas sich nach dem Beten auf sein Bett
gesetzt habe, hält er für kindisch. Vor allem
aber sei der Brauch deshalb zu tadeln, weil es
eine Sitte der Heiden sei, die sich nach der
Verehrung ihrer sigillaria (kleine Götterbilder
im Haus) hinzusetzen pflegten. Über den Sinn
dieser Sitte war man sich schon in der Antike
nicht mehr klar (vgl. die Deutungen bei Plut.
Numa 14, 3/6; quaest. Rom. 25, 270 D), noch
weniger können die modernen Forscher eine
sichere Erklärung bieten (s. F. J. Dölger, Das
Niedersitzen nach dem G. Ein Kommentar zu
Tertullians De oratione 16: ACh 5 [1936]
116/37; ders., Sol sal. 249₂ zitiert noch Apophth.
Patr. Arsen. 30 [PG 65, 97 C], wo das Sitzen
nach überlangem, erschöpfendem G. zur Erholung dient. Eine völlig andere Erklärung
der Stelle Herm. vis. 5, 1 gibt Peterson 272/4;
er sieht im Sitzen des Hermas aufgrund des
Kontextes u. paralleler Belege die Bereitschaft
zum Empfang einer Offenbarung; vgl. Ohm
338f). Th. Klauser, Die Cathedra im Totenkult der heidn. u. christl. Antike² (1971) 34

weist darauf hin, daß dieser Brauch wohl
nicht mit dem Sitzen beim Grabkult in ur-
sächlichen Zusammenhang gebracht werden
darf.
4. Verhüllen des Hauptes. Tertullian (apol.
30, 4 [CCL 1, 141]) u. Cyprian (laps. 2 [CSEL
3, 238, 5]) lehnen die in der Religionsgeschichte
verschiedentlich bezeugte u. auch von den
Römern berichtete Verhüllung des Hauptes
ab (F. J. Dölger, Der Exorzismus im altchristl.
Taufritual [1909] 101/5; Ohm 427/32). Cyprian
(laps. 2 [CSEL 3, 238, 5]) braucht das scharfe
Wort impium sceleratumque velamen. Der
Christ braucht weder über sein caput denuda-
tum zu erröten (Tert. aO.), noch ziemt es sich,
die frons cum signo Dei pura (Cyprian aO.)
zu verhüllen. Die velatio capitis soll, wie die
von Wissowa, Rel.² 331₁ u. Appel 190f gesammelten Beispiele zeigen, schädliche u. ab-
lenkende Einflüsse von außen abwehren. Man
bedient sich dazu des galerus (Mütze, Kappe;
vgl. ThesLL 6, 2, 1677, 65/1678, 27) oder
zieht den ‚rückwärtigen Zipfel des Gewandes‘
über den Kopf (s. Dölger, Sol sal. 51; vgl.
58. 78). Während die beiden angeführten
christl. Texte in Antithese zu antikem Brauch
sich für das entblößte Haupt des Mannes auf
1 Cor. 11, 4/7 berufen können, u. der Gegensatz zum heidnischen Brauch im Vergleich zu
den religionspsychologisch vielschichtigen Begründungen (vgl. Ohm 450) als einfachstes
Motiv angenommen werden kann, gilt für die
Frau unter Berufung auf 1 Cor. 11, 5 das
strenge Gebot, das Haupt zu verhüllen, das
Tert. orat. 20 u. 21 (CCL 1, 268) ausspricht u.
virg. vel. 8 (2, 1217f) unterstreicht. Ob freilich seine Mahnung ebd. 15, 1 (2, 1224): con-
fugit ad uelamen capitis quasi ad galeam,
quasi ad clypeum, qui bonum suum protegat
adversus ictus temptationum, aduersus iacula
scandalorum als Erinnerung an das antike
flammeum zu gelten hat (vgl. Ohm 429),
scheint offen bleiben zu müssen.
5. Erheben des Hauptes u. Aufblick zum
Himmel (s. B. Kötting, Art. Blickrichtung:
o. Bd. 2, 429/33). Dieser G.gestus begegnet in
fast allen Religionen (s. o. Sp. 1167. 1216; Ohm
163/8; Dölger, Sol sal. 301/20). Die zur Begründung angeführten anthropologischen u.
theologischen Auffassungen der Antike bieten
den christl. Schriftstellern im Anschluß an das
AT u. NT Stoff zur Auseinandersetzung, in
der auch das Zöllnergleichnis Lc. 18, 10/4 von
Bedeutung ist. So ist zwar für Tertullian
selbstverständlich, daß die Gläubigen ihr G.

sursum suspicientes ... manibus expansis verrichten (apol. 30, 4 [CCL 1, 141]), zumal sogar die Tiere ihren Atem schnaubend gegen Himmel blasen (orat. 29, 4 [1, 274]), aber Übertreibungen, die wohl vorkamen, legten ihm nahe zu mahnen, daß das G. nach dem Vorbild des Zöllners Lc. 18, 13 ne vultu quidem in audaciam erecto zu verrichten sei (orat. 17, 1 [1, 266]). Cyprian greift diese Einschränkung auf (domin. orat. 6 [CSEL 3, 269, 24f]). Origenes berichtet (orat. 31, 1 [GCS 3, 395, 13/27]), daß manche es vorziehen, beim Beten durch die Tür zum Himmel zu blicken, auch wenn diese nicht an der Ostseite des Hauses liegt, statt sich zwar nach Osten zu wenden, dafür aber auf die Wand schauen zu müssen, die keine Öffnung hat. Von Laktanz wird der alte weitverbreitete Topos aufgenommen, daß der Mensch im Gegensatz zum Tier eigens dazu aufrecht geschaffen wurde, damit er den Himmel betrachten könne (ira 7, 5; 14, 2 [CSEL 27, 78. 105]; s. die Sammlung zahlreicher Belege u. Literaturangaben bei A. S. Pease, Cicero de natura deorum [1958 bzw. 1968] 2, 914f zu Cic. nat. 2, 140; S. O. Dickermann, De argumentis quibusdam apud Xenophontem, Platonem, Aristotelem obviis e structura hominis et animalium petitis, Diss. Halle [1909] 92/101), u. Verstand u. Sprache erhalten habe, um die Erhabenheit seines Herrn zu verkünden. Auch in der Kunst wurde seit dem Alexanderbild des Lysippos vor allem der Herrscher mit zum Himmel erhobenen Augen dargestellt, was die christl. Kunst dann für die Darstellung der Heiligen übernommen hat (s. Kötting aO. 431/3).

6. Erheben u. Ausstrecken der Hände. Dieser Gestus ist religionsgeschichtlich Allgemeingut (vgl. Ohm 252/6; Sittl 187; o. Sp. 1158. 1216). Er bedeutet zuerst die Gebärde des Bettlers, ist aber im Judentum ebenso wie in der Antike gleichbedeutend mit Beten ganz allgemein (vgl. o. Sp. 1158; Ohm 260; für das AT s. zB. Ex. 9, 29. 33; Ps. 27, 2; 142, 6; Job 11, 13; Sir. 51, 19; Jes. 1, 15; für das rabbinische Judentum vgl. Strack-B. 1, 78; 2, 261; Greiff 35). PsAristot. mund. 6 (400a 16) weist diese Gebärde als für das Heidentum selbstverständlich u. alltäglich aus. Die frühchristl. Praxis u. Theorie knüpft für diesen Gestus an 1 Tim. 2, 8 an, wie bereits 1 Clem. 29, 1 zeigt (s. J. A. Fischer, Die apostol. Väter [1959] 61[160a], wo dazu auf M. A. Bellis, ‚Levantes puras manus' nell'antica letteratura cristiana: RicStorRel 1 [1954] 9/39 ver-

wiesen wird). Das G. mit ausgebreiteten Händen begann für den Christen mit der Taufe (vgl. Tert. bapt. 20, 5 [CCL 1, 295]: cum de illo sanctissimo lauacro noui natalis ascenditis et primas manus apud matrem [sc. ecclesiam] cum fratribus aperitis, petite de patre ...) u. endete bei seinem Sterben, wie eine zwar legendenhafte, aber charakteristische Erzählung bei Tert. an. 51, 6 (CCL 2, 857f) zeigt: (Eine Verstorbene) ad primum halitum orationis (sc. presbyteri) manus a lateribus dimotas in habitum supplicem conformasse rursumque condita pace situi suo reddidisse. Wie selbstverständlich die Geste für Tertullian ist, zeigt die Bemerkung apol. 30, 4 (1, 141): illuc sursum suspicientes Christiani manibus expansis ... precantes sumus ... Schon früh wird in diesem Gestus die Kreuzform empfunden, literarisch faßbar zuerst bei der Deutung von Ex. 17, 11: Moses auf dem Berge betend während der Schlacht. Sie wird von Ep. Barn. 12, 2 an immer wieder aufgenommen (Iustin. dial. 90; Tert. adv. Marc. 3, 18, 6 [1, 235/6], wörtlich übereinstimmend mit adv. Iud. 10, 10 [2, 1377]; weitere Belege bei J. C. Th. Otto, Iustini opera 1, 2 [1777] 330[10]). Justin sieht in der Ähnlichkeit der menschlichen Gestalt mit dem Kreuz (aufrechte Haltung u. Ausbreiten der Arme) den Wesensunterschied des Menschen zum Tier (apol. 1, 55; vgl. Tert. idol. 12, 2 [2, 1112]). Auch Tert. nat. 1, 12, 7 (1, 31); Min. Fel. 29, 8 werden die erhobenen Hände mit der Kreuzform verbunden. Darüber hinaus weitet Tert. orat. 14 (1, 265) diesen Gedanken aus auf die Nachbildung des Leidens des Herrn u. verbindet ihn idol. 12, 2 (2, 1112) mit dem Jesuswort vom Aufsichnehmen des Kreuzes (Mt. 10, 38). Auch sieht er darin den Ausdruck der Bereitschaft zum Martyrium (apol. 30, 7 [1, 142]). Alle diese Deutungen sind typisch für den Versuch, dem antiken Gestus nachträglich einen christl. Sinn zu geben u. ihn an wesentlichen Stellen in die christl. Vorstellungswelt zu integrieren. Wie sehr dies gelungen ist, zeigt das Fortleben dieser G.haltung von der Märtyrerzeit über die spätantike christl. Dichtung (zB. Prud. perist. 6, 106/8 [CSEL 61, 359]) u. das Mittelalter bis in die Neuzeit (vgl. Ohm 262f u. dessen Hinweis auf R. Guardini; zum Ganzen vgl. *Orans).

7. Bekreuzigung der Stirn u. der Augen. Die Bedeutung des stehenden u. liegenden Kreuzes als ‚allgemeinste(m) Zeichen für 'Mal'' (s. Dölger, Beiträge II 29 sowie o. Sp. 1217 u.

*Kreuz) u. die daraus abgeleiteten Sitten der Tätowierung u. der religiösen Brandmarkung in der Antike (vgl. F. J. Dölger: ACh 1 [1929] 66/72; ders., Beiträge I 5/19, bes. 5₁; ferner W. Michaelis, Zeichen, Siegel, Kreuz: TheolZs 12 [1956] 513/21) ermöglichten den Christen nicht nur die ‚Verchristlichung' zahlloser Kunstschöpfungen durch Einzeichnen eines stehenden oder liegenden kleinen Kreuzes (F. J. Dölger: ACh 2 [1930] 281/96), sondern legten ihnen auch die Bekreuzigung von Stirn u. Augen nahe. Sie ist ‚zeichnende Gebärde' (Ohm 293). Schon die von Clemens Alex. mit dem Kreuzzeichen verbundene Sinndeutung in Anlehnung an Lc. 14, 27 u. 2 Cor. 4, 10 (strom. 7, 79, 7 [GCS 17, 57, 2/5]), erst recht die von Dölger (Beiträge IV 11) interpretierte Stelle der Excerpta ex Theodoto (42, 1 [GCS 17, 120]) zeigen, daß die Bekreuzigung schon früh eng mit dem Aufnahmeakt in der christl. Gemeinde in Verbindung gebracht wurde, ja als dieser selbst zu sehen ist. Daher ist nicht nur die Verdrängung heidnischer oder abergläubischer Bräuche durch das Kreuzzeichen zu verstehen (vgl. Dölger, Beiträge I 7), sondern auch der apotropäische, asketisch-spirituelle Sinnzusammenhang dieses christl. Brauches. Die Bekreuzigung ist darum für Tertullian nicht nur Gestus zu Beginn oder Ende des G., sondern zu jeder Tätigkeit (cor. 3, 4 [CCL 2, 1043]; vgl. Dölger, Beiträge I 5/8). Die Bekreuzigung erfolgt auf die Stirn, die einerseits für den ganzen Menschen in seiner Würde steht, andererseits des besonderen Schutzes bedarf. Ihre Bekreuzigung ist darum Teil des Initiationsrituals (Zeugnisse von Clem. Alex. bis zu liturgischen u. literarischen Texten des 5. Jh. bei Dölger, Beiträge IV 11/7; zu den verschiedenen Rezensionen der Traditio apostolica Hippolyts u. ihren einschlägigen Texten vgl. Hanssens 161f) u. erhält von diesem ihre Beziehung zur Segnung der Sinne mit der Eucharistie (vgl. F. J. Dölger: ACh 3 [1932] 231/44). Die Ausdehnung des Bekreuzigungsgestus von der Stirne auf die Augen u. den Mund ist vor allem von dieser Segnung her zu verstehen (vgl. Dölger ebd.). Betrachtungs- u. Verwendungsmöglichkeiten des Gestus erfahren noch eine Bereicherung durch die Übertragung der Symbolik des Osterlamms, dessen Blut die Israeliten vor dem Todesengel schützte, auf das Kreuzzeichen (vgl. dazu die verschiedenen Textrezensionen der Traditio apostolica Hippolyts bei Hanssens 161f), wie Dölger an vielen Texten gezeigt hat (vgl. Beiträge I 16/8 u. IV 13). Ostersymbolik, Initiationsriten u. die Bekreuzigung als Einleitungsgestus beim Sprechen des Symbolums (vgl. Dölger, Beiträge IV 5/9) verdichten sich schließlich zu einer einzigartigen Gestalt der im Kreuzzeichen andauernden Verlebendigung des Tauferlebnisses. Diese Sicht schließt die Problematik der Auseinandersetzung u. Anpassung zwischen Antike u. Christentum keineswegs aus. Der Hinweis Dölgers auf die dem Bilde bei Clem. Alex. paed. 2, 129, 4 (GCS 12, 234) zugrundeliegende ophthalmologische Praxis der Antike erläutert gut die Vorstellungswelt, von der die Christen des 2. Jh. mühelos zur Bezeichnung der Sinne mit der Eucharistie u. dem Kreuzzeichen gelangen konnten.

8. Friedenskuß nach dem gemeinsamen Gebet. Der religionsgeschichtlich vielfach bezeugte ‚Kuß im Vollsinn des Wortes u. Gestus' (vgl. K. M. Hofmann, Philema Hagion [1938]; Ohm 209/17) u. in seiner Ersatzform als Kußhand (vgl. o. Sp. 1159; Ohm 217f) wird im *Friedenskuß die eigentlich christl. Gestalt dieser Gebärde, die auch die meist im Orient u. Judentum begegnende Form als Grußgestus übersteigt. Von Justin an (apol. 1, 65, 2) ist der Kuß am Schluß des G. bezeugt, u. zwar sowohl für den gemeindlichen Gottesdienst wie auch für das private häusliche Leben (Tert. orat. 18 [CCL 1, 267]; Orig. comm. in Rom. 10, 33 [PG 14, 1382f]). Ausführlich darüber K. Thraede, Art. Friedenskuß: o. Sp. 512/5.

V. Spezielle Abhandlungen über das Gebet, vor allem über das Vaterunser. Die Stellung des Vaterunsers in der Schrift u. in der Liturgie war Anlaß dafür, daß sich viele christliche Autoren in ihren Abhandlungen über das G. eng an das Vaterunser anlehnten oder ihm sogar eine spezielle Erklärung widmeten. Außerdem geben die liturgischen Ordnungen Anweisungen über das Beten des Vaterunsers, u. es sind in ihnen Paraphrasen des Vaterunsertextes enthalten (umfangreichste Textsammlung von F. X. Vivès, Expositio in orationem dominicam iuxta traditionem patristicam et theologicam [Roma 1903]; populäre u. handliche Ausgabe der patrist. Texte in französischer Sprache bei Hamman, Pater).

a. Tertullian u. Cyprian. Die praxisbezogene Art beider Autoren bewirkt, daß die Auseinandersetzung mit der Antike vor allem auf dem Gebiet der Bräuche, Gesten u. Haltungen sich abspielt.

1. Tertullian. Der Traktat Tertullians über das G. zeigt jedoch, bei allen Einschränkungen, die von der neuesten Forschung an seiner Rolle als Sprachschöpfer gemacht wurden (vgl. Ch. Mohrmann, Études sur le latin des chrétiens 2 [Roma 1961] 235/46), wie sich anstelle von prex u. anderen Termini das nicht mehr umgangssprachliche oratio u. orare für G. durchgesetzt hat u. zum Terminus technicus geworden ist (vgl. ebd. 26; 102₉ ältere Literatur). Anderseits erklärt gerade die Verwendung des Vaterunsers als ‚das erste G. der Täuflinge in der Gemeinschaft der Brüder‘ (s. die Arbeit F. J. Dölgers unter dieser Überschrift: ACh 2 [1930] 142/56), warum die meisten der G.gesten innerhalb des Initiationsrituals genannt u. begründet u. in Übereinstimmung oder Gegensatz mit antiken Bräuchen gesehen werden. Belege aus der Schrift u. deren Auslegung dienen vor allem der Sinngebung des G. im Alltagsleben des Christen.

2. Cyprian. Von Tertullian angeregt u. ganz von der Taufspiritualität bestimmt, atmet der Traktat De dominica oratione Cyprians vor allem die pastoral ausgerichtete Denkart des Bischofs. Das Brauchtum tritt gegenüber Tertullian etwas zurück, gute Werke werden in ihrem Zusammenhang mit dem G. betont (vgl. etwa domin. orat. 19. 20. 23. 24 [CSEL 3, 281f. 284f]), Cyprian erinnert an die liturgische Praxis (vgl. ebd. 18 [280] zum Eucharistieempfang); Friede u. Einheit der Kirche sind für den Gemeindebischof erstes u. wichtigstes Anliegen, Themen, mit denen sich De dominica oratione an die Schrift De catholicae ecclesiae unitate anschließt u. die darum auch die Datierung der G.schrift auf Ende 251/Anfang 252 nahelegen (vgl. H. Koch, Cyprianische Untersuchungen [1926] 136/9). Weniger apologetisch oder defensiv als vielmehr aus seelsorglicher Haltung sind die Mahnungen zu verstehen, mit denen Cyprian auf Spannungen zu den Bräuchen der Antike zu sprechen kommt (domin. orat. 2/6).

b. Origenes. Der rund 20 Jahre vor der Schrift Cyprians geschriebene Traktat des Origenes, De oratione, ist klar gegliedert (vgl. P. Koetschau: GCS 2, LXXV/LXXXI) u. beginnt nach bewährter philologischer Methode mit einem kurzen Hinweis auf Wortschatz u. Bedeutungswandel: orat. 3, 2/4 (GCS 3, 304, 16/307, 3) spricht Origenes von der profangriech. Bedeutung von εὐχή ‚Gelübde‘, eine Bedeu-

tung, die ihm nicht nur bekannt ist, sondern die zu seiner Zeit noch lebendig ist. In 4 (307, 4/308, 2) behandelt er die Entwicklung von εὐχή zu προσευχή. Die grundlegend biblische Richtung des Verfassers kommt darin zum Ausdruck, daß er seine Einteilung der G. von 1 Tim. 2, 1 übernimmt, die er dann 14, 3/5 (331, 12/333, 10) erläutert. Er zieht dafür vor allem biblische Beispiele heran (zu δέησις Ex. 32, 11; Dtn. 9, 18; Esth. 4, 17; zu προσευχή Dan. 3, 25; Tob. 3, 1f; Hab. 3, 1f; Jon. 2, 2/4; zu ἔντευξις Jos. 10, 12; Iudc. 16, 20; Rom. 8, 26; zu εὐχαριστία Lc. 10, 21; vgl. Mt. 11, 25). Seine Theologie des G. entfaltet sich an den Fragen nach dem ‚Du‘ des Beters u. nach der Mittlerschaft Christi. Darauf sucht Origenes nicht nur in De oratione (bes. 15, 1/4 [333,26/336,4]) eine Antwort, sondern auch c. Cels. 5, 4 (vgl. 8, 26. 67). Sie wird auch in dem neu entdeckten ‚Gespräch des Origenes mit Heraklides‘ 4 (SC 67, 62/4) unterstrichen. Auch seine Bildersprache u. deren theologischer Gehalt (orat. 22, 4 [348,18/349,15]), Motive wie das der Wüstenwanderung (vgl. in Ex. hom. 3, 3 [GCS 29, 165,13/171,3]) u. der Betrachtung des christl. Lebens als eine Vorwegnahme des Ewigen Lebens (das ‚andere Ufer‘, vgl. in Mt. 11, 5 [GCS 40, 40,29/43,4]; zum Ganzen der hier erwähnten Motive s. H. U. v. Balthasar, Parole et mystère chez Origène [Paris 1957] 17/24) werden von der Nachwelt aufgegriffen. Abgesehen von den genannten philologischen Bemerkungen u. den oben schon behandelten Fragen des G.ortes, der G.richtung u. der G.gesten läßt sich in De oratione eine unmittelbare Auseinandersetzung oder ein Einfluß antiker G.theorien nicht nachweisen. Das gilt auch da, wo Origenes das Leben der Jünger Jesu betont über alles Beispiel der griech. Philosophen stellt (vgl. c. Cels. 2, 46 [GCS 2, 168, 10/2]). Das apologetische Bemühen, den Einwand, das G. sei überflüssig, auszuräumen, hindert Origenes zwar daran, eine systematische G.lehre zu entwickeln, läßt aber eine Reihe von Ansätzen zu, deren sich später vor allem neuplatonische Autoren bedienen. So kennt Origenes ohne Zweifel wie Clemens (strom. 7, 46, 1/9 [GCS 17, 34, 20/35, 12]) im G.leben einen Aufstieg, Abstufungen u. Intensitätsgrade, die sich aus seinen G.arten ablesen lassen (vgl. orat. 14, 2 [GCS 3, 331, 4/11]); aber diese sind noch nicht als Stufensysteme im Sinne der später zahlreich entwickelten ‚Leitern‘ ausgebildet (vgl. H. Koch, Kannte Origenes G.stufen?: Theol-

QS 87 [1905] 592/6; Völker, Vollkommenheitsideal 202/11). Origenes verleugnet den Einfluß des Clemens nicht, aber er ist eindeutiger
an der Bibel orientiert. In der schon für
Clemens wichtigen Frage nach der Verwirklichung der paulinischen Mahnung zum G.
ohne Unterlaß gemäß 1 Thess. 5, 17 (vgl.
G. Békés, De continua oratione Clementis
Alexandrini [Roma 1942]) gibt Origenes besonders für die Entwicklung im Mönchtum einen
wirksamen Impuls, indem er orat. 12, 2 (GCS
3, 324, 25/325, 5) feststellt: ‚'Ohne Unterlaß'
aber betet, wer mit seinen notwendigen Werken das G., u. mit dem G. die geziemenden
Handlungen verbindet, da auch die Werke
der Tugend oder die Ausführung der (göttlichen) Gebote mit in den Bereich des G. einbezogen werden. Denn nur so können wir das
Gebot: 'Betet ohne Unterlaß' (1 Thess. 5, 17)
als ausführbar verstehen, wenn wir das ganze
Leben des Frommen ein einziges, großes, zusammenhängendes G. nennen würden. Ein
Teil dieses 'großen G.' ist auch das, was man
gewöhnlich 'G.' nennt, welches nicht seltener
als dreimal an jedem Tage verrichtet werden
muß' (Übers. P. Koetschau: BKV² 48, 43f).
Damit wird ‚deutlich die untere Grenze für
das abgesteckt, was noch als immerwährendes
G. im Sinne der Schrift zu verstehen wäre'
(A. Schoenen, Das immerwährende G.:
LiturgMöncht 27 [1960] 75; vgl. ebd. 72/86).
Origenes weist damit dem späteren Mönchtum
den praktischen Weg zur Verwirklichung des
Ideals, das Clemens bereits für den christl.
Gnostiker aufstellt (gut ausgewähltes Material
von Athanas. v. Anton. 3 [PG 26, 845 A] bis
Bened. reg. 4, 56 [CSEL 75, 32] bei Schoenen
aO. 78/80; vgl. A. de Vogüé, Orationi fre-
quenter incumbere. Une invitation à la
prière continuelle: RevAscMyst 41 [1965]
467/72). Bened. reg. 4, 55 [32] hält dabei noch
den für die Lehre des Origenes bezeichnenden
Zusammenhang mit der Bibellesung fest. In
dieser Überlieferung macht die von Antonius
erzählte Eigenschaft, ‚sein Gedächtnis habe
ihm die Bücher ersetzt', einen bestimmten
Vorstellungszusammenhang der Antike deutlich (s. Th. Klauser, Art. Auswendiglernen:
o. Bd. 1, 1030/9, bes. 1038), während die von
Abt Isaak bei Joh. Cass. conl. 10, 10 (CSEL
13, 297, 2/302, 18) überlieferte Lehre vom
immerwährenden G. mit Ps. 69, 2 nicht ohne
Bedeutung für den Zusammenhang von litur-
gischem Gottesdienst u. persönlichem G. ist
(vgl. auch M. J. Marx, Incessant prayer in the

Vita Antonii: B. Steidle, Antonius Magnus
Eremita [Roma 1956] 108/35). Ein weiterer
Zusammenhang von Clemens u. Origenes ist
durch den Gedanken von der Gemeinschaft
mit Gott im G. gegeben (vgl. strom. 7, 49, 4
[GCS 17, 37, 6]), den Origenes außer orat.
9, 2 (GCS 3, 319, 4/8) noch in Joh. 32, 27
(GCS 10, 472, 12/31) in fast wörtlicher Übereinstimmung hervorhebt, u. den er gleichfalls
unmittelbar oder über *Evagrius Ponticus
(A. u. C. Guillaumont: o. Bd. 6, 1088/107,
bes. 1105f) an Johannes Cassianus u. durch
diesen weiter an die Mönchsspiritualität vermittelt (vgl. S. Marsili, Giovanni Cassiano ed
Evagrio Pontico [Roma 1936] 65/73; ferner die
Definition des G. als συνουσία καὶ ἕνωσις ἀνθρώ-
που καὶ θεοῦ [Umgang u. Vereinigung des
Menschen mit Gott] bei Joh. Clim. scal. 28
[PG 88, 1129 A] u. die Verweise auf Parallelen
bei diesem, Evagrius u. Maximus Confessor
bei Völker, Scala 231₁; Nilus v. Ancyra kennt
diesen Einigungsgedanken gleichfalls, ist dabei jedoch weniger von Origenes bestimmt als
von Basilius u. Chrysostomus; vgl. V. Warnach, Zur Theologie des G. bei Nilus v.
Ankyra: Perennitas, Festschrift Th. Michels
[1963] 65/90, bes. 88f. 89₃). Inwieweit die
letztgenannten Mönchsschriftsteller unmittelbar oder über Origenes von Clemens abhängen,
läßt sich heute kaum eindeutig aufhellen.
Sicher stehen Origenes u. die von ihm beeinflußten Autoren dem Evangelium näher als
Clemens, dessen Gnostikerideal philosophischen Anschauungen vom G.zustand verhaftet bleibt (vgl. die wichtigen terminologi-
schen Beobachtungen von Hausherr, Noms
144f). Evagrius Ponticus verdankt Clemens
auch seine Begriffsbestimmung von Liebe als
Element der Gnosis, die in der θεωρία (Gottschau) ihren Höhepunkt erreicht (zu den ver-
wickelten Abhängigkeitsverhältnissen vgl. zusammenfassend Hausherr, Noms 146₄₇).
c. Nachwirken des Origenes im Mönchtum.
Evagrius entwickelt ähnlich wie Origenes im
Anschluß an 1 Tim. 2, 1 seine G.lehre. Er umschreibt die dort genannten Ausdrücke in
Definitionen, unter denen besonders die
oratio pura (s. cap. pract. A 14 [PG 40,
1225 A]; vgl. Hausherr, Leçons 36f) für die
Folgezeit Bedeutung gewinnt, da sie für Evagrius mit der θεωρία als εἰρηνικὴ κατάστασις
(Seelenzustand des Friedens) identisch ist (s.
cap. pract. A 52 [PG 40, 1233 B]; vgl. Hausherr, Leçons 91; ders., Noms 147). Hier systematisiert Evagrius in einer Stufenlehre, die

sich schließlich durch die Gleichsetzung der
seelischen Haltung mit der ontologischen
Ordnung von Engeln, Menschen u. Dämonen
dem Origenismus annähert, weshalb Evagrius auch iJ. 553 verurteilt wird. In dieser
Systematik wird die προσευχή zum προοίμιον
. . . τῆς ἀΰλου καὶ ποικίλης γνώσεως (Anfang der
geistigen u. mannigfaltigen Erkenntnis; vgl.
Nilus orat. 85 [PG 79, 1185 B/C]; Hausherr,
Leçons 115/7) u. schließlich über die gemein-
schaftlich vollzogene Psalmodie gestellt, eine
Alternative, die später bei Johannes Climacus
eine Rolle spielt (vgl. Völker, Scala 237), beim
Chrysostomusschüler Nilus jedoch zugunsten
der Psalmodie entschieden wird (vgl. Warnach aO. 84). Ein Überblick über die verschiedenen G.arten von Origenes, orat. 14, 2 bis zu
Maximus Confessor einschließlich Joh. Cass.
conl. 9, 11/5, wie ihn die Forschungen Völkers
über die προσευχή bei Johannes Climacus ermöglichen (Scala 230/46), zeigt nicht nur die
Lehre des Sinaiten ‚als kompliziertes Gebilde,
das Anregungen verschiedenster Herkunft in
sich vereinigt‘ (ebd. 231), sondern weist auch
die Entwicklungslinien im einzelnen auf, die
von Clem. Alex. strom. 7 über Orig. orat. zu
den Centurien u. Briefen des Evagrius u. von
diesem zu Johannes Cassianus, vor allem dessen conl. 9 u. 10, u. zu den großen Gestalten
der Apophthegmata u. des palästinensischen
Mönchtums (Barsanuphius, gest. um 540, u.
Dorotheus, gest. 566) führen. Zugleich mit
den Mönchsschriftstellern Nilus v. Ancyra
(gest. um 430) u. Marcus Eremita (gest. nach
430) u. durch den Bischof Diadochos v. Photike (Mitte 5. Jh.) werden hier die Voraussetzungen für die spätere byzantinische Mystik u. die monastische Spiritualität des Mor-
gen- u. Abendlandes geschaffen. Die besonders von Diadochos empfohlene μονολόγιστος
εὐχή (eine den Geist ganz ausfüllende immer
wiederholte kurze G.formel; Diad. Phot.
perf. spir. 59 [SC 5, 119, 4/11]), die bei den
Vätern der Wüste als κρυπτὴ μελέτη (Vollzug
dieses G. so, daß er von anderen nicht bemerkt werden kann, also still u. ohne Bewegung der Lippen [zur Bedeutung des Begriffs s. Hausherr, Noms 167/75]; vgl. Poimen: PG 65, 361 C; dazu Hausherr, Noms
196 mit weiteren Verweisen u. Anmerkungen
zu Poimen) bereits beliebt war, hat ihre
Voraussetzung wieder in dem bei Marcus Eremita im Mittelpunkt stehenden G. als μνήμη
θεοῦ bzw. μνήμη κυρίου Ἰησοῦ (Erinnerung an
Gott bzw. Jesus, ‚Jesus-G.‘; vgl. Völker, Scala

243; Warnach aO. 88₂₉; Hausherr, Noms 238),
das auch für viele sittliche Voraussetzungen
bzw. Haltungen maßgebend wird, die das unablässige G. erfordert (vgl. Völker, Scala
244/77), u. das für die Bedeutung der ständig
geübten G.formel bis in die Gegenwart wichtig bleibt (vgl. E. von Severus, Das Glut-G.
[1966] 110₅).

d. Nachwirken des Origenes in Lehre u. Predigt. Obwohl Lehrer u. Prediger wie Joh.
Chrysostomos auch in der Entwicklung von
G.kurzformeln u. des Jesus-G. eine Bedeutung
haben, die auch zur Kritik echter u. unechter
Texte beiträgt (vgl. Hausherr, Noms 198/
202), ist die Linie von Orig. orat. über Cyrill
von Jerusalem u. Gregor v. Nyssa zu Joh.
Chrysostomos ebenso bedeutsam (Zusammenstellung bei Walther 22/72).

1. Griechen. α. Cyrillus v. Jerusalem. Bei Cyrill begründet vor allem der liturgische Ort der
Katechesen eine andere Akzentsetzung u.
trotz deutlich spürbarer Autorität des Origenes doch eine gewisse Selbständigkeit, die
ebenso übertriebene Allegorese wie weitge-
spannte Spekulationen vermeidet. Inwiefern
vom ‚Einfluß seiner antiochenischen Schulung‘ (Walther 31) gesprochen werden kann,
muß wohl offen bleiben. Liturgiegeschichtlich bleibt der Hinweis Dölgers wichtig, daß
Cyrill kein anderes Vaterunser der Neugetauften erkennen läßt als das in der eucharistischen Liturgie (ACh 2 [1930] 149₂₃ₐ).

β. Gregor v. Nyssa. Die 5 Homilien Gregors v.
Nyssa (orat. dom.) sind besonders durch J.
Daniélou, Platonisme et Theologie mystique²
(Paris 1954) in einen größeren theologischen
Zusammenhang gestellt worden, der den
Überlieferungsstrom von Clemens v. Alexandrien über Origenes zu Gregor deutlich
macht. Die Zusammengehörigkeit von παρρησία (Freimut) u. προσευχή (G. als Zutritt zu
Gott, πρόσοδος: orat. dom. 2 [PG 44, 1137 B/
1140 A]), die in diesen Homilien besonders
herausgestellt wird (Daniélou aO. 11. 112/5),
lebt weiter bis zu Autoren der Neuzeit (zB.
C. Marmion u. A. Stolz; vgl. Daniélou aO.
112). Die Termini εὐχή u. προσευχή erklärt
Gregor orat. dom. 2 (PG 44, 1137 C/1140 A)
wie Origenes orat. 4. Auch sonst finden sich
zahlreiche, wenn auch eher formale (Walther
49), Übereinstimmungen mit Origenes u. Cyrillus. Inhaltlich bestehen zahlreiche Beziehungen zu Evagrius Ponticus, die später auch
bei Maximus Confessor festzustellen sind (vgl.
Hausherr, Leçons 139₁₈; E. von Ivánka, Plato

Christianus [1964] 293). Obwohl Gregor der antiken Geisteswelt stark verpflichtet u. vom Platonismus beeinflußt ist, nimmt die Auseinandersetzung mit der antiken G.theorie u. G.praxis kaum einen größeren Raum ein u. wird allgemein philosophisch u. theologisch eher in anderen Werken als in seinen Ansprachen De oratione dominica geführt. Wohl finden wir bei ihm eine tiefgehende Begründung der G.ostung (orat. dom. 5: PG 44, 1184 BC; vgl. Dölger, Sol sal. 233), in der er mit seinem älteren Bruder Basilius (spir. 27, 66 [PG 32, 189 C/192 A]) übereinstimmt u. in der die Rückkehr zum Paradiese das beherrschende Motiv ist.

γ. Joh. Chrysostomos. Die gleiche Übereinstimmung in der Begründung der G.ostung ist zwischen Basilius u. Joh. Chrysostomos gegeben (Joh. Chrys. in Dan. 6, 10 [PG 56, 226f]; s. Dölger, Sol sal. 234). An nicht weniger als 38 Belegen aus seinen Schriften läßt sich zeigen, daß Joh. Chrysostomos die Auslegung des Origenes, des Cyrillus u. Gregors gekannt hat (Walther 50. 51f. 69). Anderswo erweist er sich jedoch als völlig unabhängig (Walther 71). Pastoral bestimmte Zusammenhänge, wie der von G. u. *Almosen (W. Schwer: o. Bd. 1, 304f; O. Plassmann, Das Almosen bei Joh. Chrysostomus, Diss. Bonn [1961]) sind für ihn charakteristisch. Sie werden auch in den von A. Wenger neu herausgegebenen Taufkatechesen bestätigt (Joh. Chrys. cat. bapt. 7, 24/8 [SC 50, 241/3]), die allerdings nicht vom G. des Vaterunsers nach der Taufe sprechen, das Joh. Chrysostomos in Col. hom. 6, 4 erwähnt (PG 62, 324; vgl. A. Wenger: SC 50, 99; freilich sind dazu die einschränkenden Bemerkungen Dölgers: ACh 2 [1930] 149f zu beachten). Das Verhältnis von Joh. Chrysostomos zu Origenes beleuchtet gut die allgemeine Entwicklung; sie ist einerseits nachhaltig durch den Alexandriner, anderseits durch das Bestreben, ihn zu korrigieren, bestimmt. Wenn dessen Einfluß zwar im Verlauf des Streites um seine Lehren abnimmt, so wird er doch durch Repristination seiner Gedanken gelegentlich immer neu wirksam (vgl. dazu Walther 119/23). Das wird besonders bei jenen Autoren deutlich, die, obwohl sie das Vaterunser in Abhandlungen kommentieren u. sich anderweitig zum Thema des G. äußern, keine systematische G.lehre entwickeln, u. bei denen, wie etwa bei Maximus Confessor, die mit ‚Kappadoziern u. Alexandrinern ... gemeinsamen Züge‘ mit

Entlehnungen aus Evagrius Ponticus u. eigenen Gedanken zu einem Ganzen verwoben werden (vgl. Völker, Maximus 450/60). – Die Schriftkommentatoren sind nicht nur in der exegetischen Methode strenger als die Prediger, sondern auch in den dogmatischen, vor allem den christologischen Streitpunkten zu größerer Eindeutigkeit veranlaßt (vgl. Walther 80/2 zu Cyrill. Alex.).

2. Lateiner. α. Ambrosius. Neben die griech. Autoren u. Prediger treten die Lateiner, bei denen sich zwar der unmittelbare oder mittelbare Einfluß des Origenes auf ihre Gedanken u. deren Darstellung nicht immer feststellen läßt, allgemein aber unverkennbar ist, wie bei Ambros. sacr. 5, 4 u. 6, 5 (CSEL 73, 66. 80f) die Apparate zur Stelle zeigen. Bei Ambrosius ist ungleich bedeutsamer das durch die Untersuchungen von K. Baus (Das G. zu Christus beim hl. Ambrosius [1952]; ders., Das Nachwirken des Origenes in der Christusfrömmigkeit des hl. Ambrosius: RömQS 49 [1954] 21/55) u. Dassmann klargestellte Nachwirken des Origenes im Gesamtwerk des Kirchenlehrers. Er ‚verdankt die Welt seiner Christusfrömmigkeit bis in Einzelheiten hinein‘ Origenes (Baus, Nachwirken aO. 54). Besonders die Christusanrede in den von ihm selbst formulierten G. (nach ebd. 45 sind es 96) ist von Origenes her bestimmt. Sie sind ‚mehr oder weniger ausgeprägt sowohl inhaltlich wie oft auch formell übereinstimmend im homiletischen Nachlaß des Origenes wiederzufinden‘ (ebd. 46f). Wenn Ambrosius sich in seinen Predigten u. Abhandlungen zu alttestamentlichen Themen zunächst stark an Philo orientiert, später sich aber ‚immer mehr an Origenes, den Lehrer der christl. Vollkommenheit‘ anschließt (Dassmann 46), so bedeutet dies die Einwirkung eines ganz bestimmten Stroms der jüd.-griech. Antike auf ihn, durch den ihm jedoch auch neuplatonische Elemente vermittelt wurden (vgl. Dassmann 110f). Zum Problem der ‚Ablehnung oder Übernahme‘ des philosophischen Erbes s. gleichfalls Dassmann 28/44, der das Kleanthes-G. (s. o. Sp. 1149f) der G.aufforderung des Ambrosius Cain et Ab. 2, 2, 9 (CSEL 32, 1, 386, 1/6) gegenüberstellt, um dessen Haltung zu kennzeichnen (Dassmann 33/5). Für das G.thema ist die Gegenüberstellung wenig ergiebig, wie auch die ‚Nähe der Gedanken u. Frömmigkeitsmotive‘ in neupythagoreisch-platonischen Anschauungen, unmittelbar übernommen oder von Philo vermittelt, zum G.thema

kaum etwas beiträgt (vgl. Dassmann 42f).
Die Bezeichnung ‚gebetete Dogmatik' charakterisiert eher den Theologen als den Beter
Ambrosius (ebd. 88), der vor allem seine
Schriftauslegungen vor dem Volke gern in G.
ausklingen u. uns Zeugen seines spontanen
Betens werden läßt, sich mit theoretischen
Äußerungen aber zurückhält. Die Innigkeit
dieser G. wird durch apologetische Tendenzen ebenso selten beeinträchtigt wie die Lebendigkeit durch theologische Spekulationen
(vgl. Baus, Nachwirken aO. 46). Sie wird
vielmehr aus der Fülle des in der geistlichen
Lesung gesammelten Reichtums genährt, wie
In Ps. 118 expos. 22, 27/34 (CSEL 62, 502/5)
besonders schön zeigt. Nur selten werden
seine Aufforderungen, diebus et noctibus den
Namen des Herrn anzurufen (ebd. 7, 30 [145,
4f]), durch Ablehnung antiker Bräuche unterstrichen, wie Abr. 2, 11, 81 (CSEL 32, 1, 633,
4/6): et infans revocandus a peccato est, ne
idolatriae polluatur contagio et ne adorare
adsuescat idolum et exosculari simulacrum
(vgl. Dölger, Sol sal. 12), wobei ‚adorare' hier
gleichbedeutend mit ‚küssen' ist. Bei Ambrosius finden sich die schon erwähnten (s. o. Sp.
1219f), weiter entwickelten Gedanken zur Motivierung des G. beim ersten Hahnenschrei,
etwa hex. 5, 24, 88 (CSEL 32, 1, 201f), ferner
die Vorstellung vom Beten des Symbolums als
des großen Phylakterion, mit der er weniger
abwehrt als vielmehr positiv antike Zauberpraktiken überwindet (virg. 3, 4, 20 [FlorPatr
31, 71, 14/18]; vgl. Dölger, Sol sal. 109). Zur
Bedeutungsgeschichte u. zum Wortgebrauch
vgl. In Ps. 118 expos. 22, 5 (CSEL 62, 491,
1/20), wo Ambrosius in der Verwendung der
Wörter oratio u. prex einen Stand der Entwicklung kennzeichnet, der für beide Ausdrücke eine weitgehende Annäherung, wenn
nicht sogar Synonymität zeigt.

β. Augustinus. Auch Augustinus hat sich in
Katechesen u. Ansprachen an das Volk mit
der Erklärung des Vaterunsers u. mit dem
G.thema in vielfältiger Weise befaßt (serm.
56/9 [PL 38, 379/402]; vgl. Hamman, Pater
124/53; ferner Aug. de serm. Dom. 2, 3, 10/12,
39 [CCL 35, 100/30]; Hamman aO. 154/69). Dazu treten eine Fülle spontaner Äußerungen seines eigenen G.lebens u. seelsorgliche Ratschläge für seine Korrespondenten. Zu seiner
Stellung innerhalb der Tradition u. seiner
Abhängigkeit von den früheren griech. u. lat.
Vaterunser-Kommentaren s. A. Mutzenbecher: CCL 35, XIII/XVII. Sicher scheint,

daß Augustinus Cypr. domin. orat. gekannt
u. benutzt hat (Mutzenbecher aO. XVI₆; F.
van der Meer, Augustinus der Seelsorger³
[1958] 378 spricht von ‚inspiriert'). Das Werk
war in der Kirche von Karthago noch wohlbekannt u. wurde verwendet (s. Aug. ep. 215,
3 [CSEL 57, 390, 4f]; vgl. ep. 130, 11, 21/12,
23 [CSEL 44, 63, 4/67, 9]). Wie weit Augustinus mit Tertullians u. Origenes' Traktaten
De oratione vertraut war, ob die von ihm entwickelte Aufstiegstheologie u. die Vorstellung von der im Vaterunser grundgelegten
Scala Anregungen von Gregor v. Nyssa (orat.
dom. 2 u. 5: PG 44, 1137 B. 1177 A) oder von
Ambrosius (sacr. 5, 18/20; 6, 11/24 [PL 16,
469f. 476/80]) erhalten hat, ist nicht mit gleicher Sicherheit zu sagen (vgl. Mutzenbecher
aO. XVIf). Aber die ep. 130 an Proba kann
nach dem Anlaß ihres Entstehens, der Grundabsicht ihrer Antwort auf die gestellte Frage
u. ihrer Erbauungstendenz fast als Parallele
zu Orig. orat. gelten (vgl. die kurze Charakteristik nach Ähnlichkeit u. Unterschieden bei
Baus 322f). Die Christusinnigkeit im Beten
des Augustinus verbindet ihn mit der des
Ambrosius (Baus 335), ist von dieser beeinflußt u. hat damit auch Elemente der Frömmigkeit des Origenes in sich aufgenommen.
Das von Augustinus in De sermone Domini in
monte angewandte u. kunstvoll verwirklichte
Kompositionsprinzip der Siebenzahl hat auch
zu der bemerkenswerten Neuerung der Aufgliederung des Vaterunsers in 7 Bitten geführt. Von ihnen spricht Augustinus erstmals
(Mutzenbecher aO. XI f, Literatur ebd. XII₁/₄).
Wenigstens in De serm. Dom. ist die Auslegung des Vaterunsers miteinbezogen in das
im Gesamtwerk angewendete ‚neuplatonische
Prinzip der einheitlichen Exegese (εἷς σκόπος)'
(Mutzenbecher aO. XI unter Verweis auf A.
Kerrigan, St. Cyril of Alexandria, interpreter
of the Old Testament = AnalBibl 2 [Roma
1952] 87/94). Daß der G.stil Augustins, bes.
in den Confessiones, von hermetischen bzw.
neuplatonischen Formen beeinflußt ist, hat
W. Theiler, Die Vorbereitungen des Neuplatonismus (1930) 128/33 gezeigt (vgl. ders., Porphyrios u. Augustin = Schriften der Königsberger Gelehrten-Gesellschaft 10, 1 [1933] 2
u. ö.). Aber so kennzeichnend formale u. stilistische Berührungspunkte sein mögen, entscheidend u. unterscheidend ist die überragende Christozentrik, die Baus (329) an mehr als
150 Christus-G. untersucht hat. Diese lassen
sich in vier Gruppen anordnen: 1) die rheto

risch geprägten Christusanreden; 2) Akklamationen u. Lobrufe, die von Christus in der dritten Person reden; 3) die Kurzformeln u. Stoß-G., deren Praxis ,bei den Brüdern in Ägypten' Augustinus ausdrücklich erwähnt u. billigt (ep. 130, 10, 20 [CSEL 44, 62, 7/9]); 4) ausführlich u. persönlich formulierte G. (Baus zählt etwa 40 u. bringt 336/9 eine Auswahl). Während Augustinus in diesem Zusammenhang sein Wissen von platonischem u. neuplatonischem Geistesgut eher zurückstellt u. prunkendes Zitieren nicht liebt (serm. 242, 5/8 [PL 38, 1135/8]), so haben doch manche seiner Psalmenauslegungen die neuplatonische Schau der Seele, die Bild u. Gleichnis Gottes ist, zur Voraussetzung (en. in Ps. 26, 2, 8; 42, 6; [CCL 38, 158f. 479, 21f]). Auch in seiner sympathischen Stellung zum Gesang der Kirche zeigt sich gelegentlich neuplatonisches Erbe (catech. rud. 25, 47 [CCL 46, 171, 42/4]). Vor allem aber zwingt ihn das Volk, an das er sich in seiner Bischofskirche in Verkündigung u. Predigt wendet, sich mit spätantiken Elementen im gottesdienstlichen Verhalten auseinanderzusetzen. Das betrifft vor allem die Gestik. Das Bild der Gemeinde wird außerordentlich lebendig, wenn Augustinus jemanden zu Wort kommen läßt, dem vom vielen Beten die Knie abgewetzt sind (in Joh. 3, 21 [CCL 30, 30, 23f]: genua mihi trita sunt in orationibus), wenn er vom Neigen des Hauptes spricht, vom An-die-Brust-Schlagen u. von den Prostrationen (en. in Ps. 137, 2; 140, 18 [CCL 40, 1979, 12/5. 2038, 6/8]; serm. 19, 2; 90, 9; 135, 7; 311, 13; 332, 4 [PL 38, 133. 565. 749. 1419. 1463]; cur. mort. 7 [PL 40, 597]). Oft muß er dabei Übertreibungen u. gelegentlich auch eine sinnwidrige, weil aus Mißverständnissen der Schrift erwachsene Praxis tadeln (vgl. en. in Ps. 31, 2, 11; 137, 2 [CCL 38, 233, 20/6; 40, 1979, 12/5]; serm. 67, 1; 332, 4 [PL 38, 433. 1463]), etwa aus der falschen Deutung des Wortes confiteri. Den hohen Rang des Vaterunsers bei Augustinus zeigt nicht nur ep. 130, sondern auch die Stellung des Vaterunsers im Katechumenat (vgl. die sermones 56/9 [PL 38, 377/402]; Hamman, Pater 125/53) u. seine Bezeichnung als sacramentum (serm. 228, 3 [PL 38, 1102]). Der Ausdruck oratio wird dabei von Augustinus als Art in der Gattung prex verwendet u. gelegentlich geradezu zum Terminus für die oratio dominica, vgl. serm. 56, 1 (PL 38, 378): symbolum pertinet ad fidem, oratio ad precem. Deutlich grenzt Augustinus

das G. der Christen ab von der bei den Manichäern üblichen Sitte, vor der Sonne Haupt u. Körper zu verneigen (c. Faust. 20, 6; 14, 11 [CSEL 25, 1, 540, 12f; 411, 22/4]), wozu Dölger (Sol sal. 29) an den Brauch indischer Asketen erinnert, die gleichsam heliotrop wie die Sonnenblume ihre G.richtung nach dem jeweiligen Sonnenstand wählen. Augustinus sagt c. Faust. 20, 5 (540, 3f): ad cuius (sc. solis) gyrum vestra oratio circumvolvitur (vgl. haer. 46 [PL 42, 38]). Augustinus ist mit seiner Begründung der G.ostung in De serm. Dom. 2, 5, 18 (CCL 35, 108, 382f) zwar nicht so eindeutig der erste abendländische Zeuge für diesen Brauch vor 500 nC., wie Dölger, Sol sal. 255 meinte (Mutzenbecher verweist mit Recht zu dieser Stelle auf Tert. nat. 1, 13, 1 u. apol. 16, 10 [CCL 1, 32, 13/5. 116, 43/6]), aber seine Äußerungen zur G.ostung sind besonders in Verbindung mit den von ihm am Schluß seiner Predigten verwendeten convertere- u. conversi-Formeln (Dölger, Sol sal. 331/3) wichtig, da sie die Formel ,nach Osten schauet' ersetzen. Das G. tritt uns schließlich in der Korrespondenz Augustins als selbstverständliches Element seines persönlichen Lebens entgegen, ohne daß der Blick auf die Gemeinde u. ihre Praxis seine Äußerungen beeinflußt, wie etwa in der schlichten Bemerkung ep. 3, 4 (CSEL 34, 24): haec mihi dixi; deinde oraui, ut solebam, atque dormiui (vgl. zu diesen u. ähnlichen Bemerkungen u. zu den G. für die ihm anvertrauten Menschen Ch. Morel, La vie de prière de Saint Augustin d'après sa correspondance: RevAscMyst 23 [1947] 222/58). – Die Auslegung von 1 Thess. 5, 17 gibt Augustinus in ep. 130, 9, 18 (CSEL 44, 60, 5/61, 13) die Möglichkeit, den Nutzen fester G.zeiten u. -formeln besonders herauszustellen. Die Stelle stimmt fast wörtlich mit der später als augustinische Nonnenregel so sehr geschätzten ep. 211, 7 (CSEL 57, 361, 7/14) überein, deren Mahnungen noch in der Benedictusregel nachwirken (Bened. reg. 52, 1/3 [CSEL 75, 122]; zum Verhältnis der ep. 211 zu den Augustinusregeln s. Altaner-Stuiber, Patrol. 434f). Insgesamt kann von Augustins G.theologie wohl mit Recht gesagt werden, daß die bei Origenes gegebenen Ansätze von ihm nicht einfach wiederholt, sondern vertieft wurden, wie besonders in den Kommentaren zu Johannes deutlich wird (vgl. A. de Bovis, Le Christ et la prière, selon s. Augustin dans les commentaires sur s. Jean: RevAscMyst 25 [1949] 180/93; zur Weiterführung dieser Arbeit so-

wie der von Ch. Morel aO. s. vor allem
Baus).

γ. Hieronymus. In gleicher Weise wie bei
Ambrosius u. Augustinus lebt schließlich die
‚Jesusfrömmigkeit‘ des Origenes bei Hieronymus weiter, die Baus mit Recht neben bestimmten Elementen der Volksfrömmigkeit,
insbesondere der Martyrer-G., ‚unbedenklich als den Mutterboden . . . des hieronymianischen Christus-G.‘ bezeichnet (K. Baus,
Das G. zu Christus beim hl. Hieronymus:
TriererTheolZs 60 [1951] 178/88). Soweit diese
Texte von den Psalmen gespeist werden u.
an sie anknüpfen (Baus aO. 182), ist von ihnen
für die Auseinandersetzung mit antiker Theorie u. Praxis des G. kein reicher Ertrag zu erwarten, zumal die Ausführungen des Hieronymus sich nicht an eine Volksgemeinde wenden,
sondern an kleine Zirkel u. monastische Gemeinschaften. Hieronymus erwähnt adv.
Rufin. 1, 19 (PL 23, 432 AB) Kußhand u.
caput submittere als Anbetungsgestus (vgl.
Dölger, Sol sal. 18).

3. Ausklang u. Übergang. Am Ende der aufgezeigten Entwicklung im Altertum stehen
zwei Schriftsteller, die die Theologie u. Askese
des MA wesentlich beeinflußt haben. Ihr Beitrag zur Tradition des G.lebens ist freilich
unterschiedlich.

α. PsDionysius Areopagita. Nach den Untersuchungen von W. Völker, Kontemplation u.
Ekstase bei Pseudo-Dionysius Areopagita
(1958) ist auch dieser einflußreiche Autor,
besonders in seinen Äußerungen über das G.,
stärker an die Auffassungen der Alexandriner
heranzurücken als an Proclus (dagegen H.
Koch u. J. Stiglmayr; s. Völker aO. 3/8).
Wenn PsDionysius auch keine zusammenhängende Lehre über das G. entwickelt hat,
so ist es Völker doch gelungen, an seinen Gewohnheiten u. an von ihm gebrauchten Bildern die Ahnenreihe aufzuzeigen, die von Clemens Alex. über die kappadokischen Väter, vor
allem über Gregor v. Nyssa, zu ihm führt (ebd.
67/70, Ausführungen, die auch dem folgenden
zugrunde liegen). PsDionysius äußert sich vor
allem zum Sinn des G. überhaupt u. zur Berechtigung der Fürbitte; das G. ist ihm wesentlich Vereinigung mit Gott (div. nom. 3, 1
[PG 3, 680 B/D]), während er vom G. um die
Vergebung der Sünden nicht spricht. Das besagt aber nicht, daß er es nicht gekannt u. gepflegt hätte; denn er spricht nur dann u. soweit vom G., wie es im Kontext angebracht
ist. So läßt auch ep. 8, 6 (1097 D) darauf

schließen, daß ihm die G.zeiten bekannt waren, wenn er auch nur vom regelmäßigen
mitternächtlichen G. des hl. Carpus berichtet.
Auch teilt er den bei Christen (u. Heiden)
weitverbreiteten Brauch, eine Abhandlung
mit einem G. zu beginnen (zB. cael. hier. 1, 2;
eccl. hier. 1, 2; div. nom. 3, 1; myst. theol. 1, 1
[PG 3, 121 A. 373 B. 680 B. 997 A]).

β. Maximus Confessor. Die neueste Forschung
hat auch bei Maximus Confessor den Zusammenhang mit den christl. Autoren u. sein
Verhältnis zu den Neuplatonikern deutlicher
geklärt. H.-I. Dalmais hat das in seiner Studie
Un traité de théologie contemplative. Le
commentaire du Pater de s. Maxime le Confesseur: RevAscMyst 29 (1953) 123/59 für den
Vaterunser-Kommentar getan, dessen philologische Eingangsbemerkungen zu εὐχή u.
προσευχή bereits auf Origenes zurückweisen,
vermutlich sogar eine bewußte Nachahmung
darstellen (so Dalmais aO. 132). H. U. von
Balthasar (Kosmische Liturgie² [1961]) analysiert das Abhängigkeitsverhältnis von Maximus zu Evagrius u. Origenes noch weit
über Dalmais hinaus (zur προσευχή vgl. ebd.
328f. 450f). Die Dürftigkeit der Äußerungen
des Areopagiten über das G. läßt von vornherein vermuten, daß sich in der G.lehre des
Maximus kaum ein Einfluß von seiner Seite
nachweisen läßt; um so mehr tritt seine Abhängigkeit einerseits von den Alexandrinern
u. Kappadokiern, andererseits von Evagrius
hervor. Trotz des Traktats über das Vaterunser bietet Maximus keine systematische
G.theorie, aber das G. selbst ist doch ein zentrales Element, das sein ganzes sittliches Streben u. praktisches Wirken durchdringt. Dabei sind seine Äußerungen über das G. oft von
der konkreten Lebenssituation bestimmt, die
so geartet war, daß das Bitt-G. vor dem
Dank-G. sehr im Vordergrund steht, ganz im
Gegensatz zu den Alexandrinern. Doch darf
man daraus nicht einfach auf eine entsprechende Wertung schließen (ausführliche Darstellung bei Völker, Maximus 450/60). Es hat
seine Berechtigung, Maximus hier als letzten
zu nennen, denn er faßt noch einmal die vorhergehende christl. Tradition zusammen u.
gibt sie in der von ihm geschaffenen Gestalt
maßgebend der neuen Epoche weiter (Völker,
Maximus 490/506).

VI. Stundengebet der Mönche. Der auf bestimmte Tag- u. Nachtstunden verteilte G.
gottesdienst, der sich allmählich entwickelte,
bestand ursprünglich hauptsächlich aus dem

‚G. des Herrn', dem dann vor allem die Psalmen hinzugefügt wurden, deren atl. Sammlung ähnlich wie im Judentum allmählich zum G.buch der Kirche wurde. Später rundeten noch Lesungen aus der hl. Schrift, Hymnen u. stoßgebetartige, oft den Psalmen entnommene Anrufungen (zB. Deus, in adiutorium meum intende, Ps. 37, 23) dieses G. seinem Inhalt nach ab. Es erreichte seinen vollen Ausbau erst in den Klöstern des 4. bis 7. Jh. Bestimmende Faktoren seiner Ausgestaltung waren die G.traktate der Alexandriner, die Praxis des G. in der Gemeinde u. die von den Mönchen sehr wörtlich genommene Mahnung zum immerwährenden G. Dieses vielschichtige Gebilde des Stunden-G. reicht von der Idealvorstellung des Durchbetens des gesamten Psalteriums ‚uno die' (bzw. auch in Einer Nacht), wofür man sich auf die Mönchsväter berief (Vitae patr. 3, 6; 5, 4, 57 [PL 73, 742 AB. 871 C]), bis zur benediktinischen Norm, die das Psalterium auf eine Woche verteilt (Bened. reg. 18, 25 [CSEL 75, 74]), eine Praxis, die bis in die Neuzeit maßgebend blieb (vgl. Baumstark 156/66). Die antiken Nachtfeiern gehören zwar mit der nächtlichen G.liturgie des jüd. Tempelkultes u. dem Stunden-G. des Regelbuchs von Qumrân zu den religionsgeschichtlichen Voraussetzungen des Stunden-G. (vgl. o. Sp. 1168; Baumstark 21/6), diese Elemente werden jedoch in den monastischen Grundgestalten des Stunden-G. u. in dessen Struktur von Pachomius an kaum noch wirksam (vgl. O. Heiming, Zum monastischen Offizium von Kassianus bis Kolumbanus: ArchLiturgWiss 7, 1 [1961] 89/156, dort auch bis dahin erschienene Literatur), es sei denn dadurch, daß die ältesten Vigilfeiern in den Gemeinden, d. h. die von Epiphanie u. Ostern, mittelbar oder unmittelbar auf das monastische Stunden-G. einwirkten (s. Baumstark 26/143; zur Motivation einzelner G.zeiten s. o. Sp. 1219/22). Trotz des ‚Schimmers antiker Form', der auf dem Stehen des Mönches vor dem Gott der Bibel auch nach der Benediktregel noch ruht (vgl. Bened. reg. 19, 1/7 [CSEL 75, 74f]), läßt die Regel des Benedikt, schon weil sie aus christlichen Quellen schöpft (s. bes. Cyprian. domin. orat. 4; vgl. den Apparat Hansliks [CSEL 75] zSt.), antike Elemente selbständig neben den biblischen nicht zu (vgl. H. U. v. Balthasar, Herrlichkeit. Eine theologische Ästhetik 3, 1 [1965] 300f). Die Spiritualität u. das Stunden-G. Benedikts werden

durch ihre Auswahl der patristischen Elemente entscheidend für deren Weitervermittlung an das MA u. ihr Fortleben bis in die Neuzeit (zur Geschichte des Stunden-G. bis heute s. J. Pascher, Art. Brevier: LThK 2 [1958] 679/82).

VII. Die christl. Gebetsformen in systematischer Übersicht. Der oben gebotene Überblick konnte natürlich nur die wichtigsten Entwicklungslinien verfolgen; das Detail mußte meistens beiseite bleiben. Nun hat sich aber die Auseinandersetzung sicher gerade im Bereich der Einzelheiten zugetragen. Daher soll im folgenden der Versuch gemacht werden, alle frühchristlichen G.formen an ihrem ‚Sitz im Leben' aufzusuchen. Dabei soll wenigstens andeutungsweise die Herkunft aller Einzelerscheinungen nachgewiesen u. so die Grundlage für weitere Untersuchungen im Sinne unseres Generalthemas geschaffen werden.

a. Öffentliches (liturgisches) Gebet. 1. Herrenmahl. Die dominierende G.form dieses zentralen Kultakts ist die ‚Eucharistia' (εὐχαριστία), die Danksagung für die Großtaten Gottes im Bereich der Schöpfung u. Erlösung. Zum Schema der Eucharistia gehören folgende Elemente: der einleitende Dialog zwischen Bischof u. Gemeinde, durch den sich der Bischof Sicherheit darüber verschafft, daß die Gemeinde seinen G.worten aufmerksam folgt; die ‚Anamnese', in der Bischof u. Gemeinde bekunden, daß sie entsprechend der Aufforderung Jesu (1 Cor. 11, 25) seines Leidens u. seiner Auferstehung gedenken; die ‚Epiklese', die Herabrufung des Hl. Geistes auf Brot u. Wein; die ‚Fürbitten' für Lebende u. Tote; das Gedächtnis der Heiligen; die ‚Doxologie'; das akklamatorische ‚Amen' der Gemeinde. Dieses Schema des Eucharistie-G. hatte sich in Anlehnung an jüdische Muster schon in frühester Zeit herausgebildet. Den vollen Wortlaut hatte der als Charismatiker gedachte Bischof zu improvisieren. An die Stelle des improvisierten Textes trat später ein vorformulierter. Der Schlußakt des Herrenmahls, die Kommunion, wird vorbereitet durch das ‚G. des Herrn', durch den das ‚osculum pacis' einleitenden Friedenswunsch des Bischofs mit der akklamatorischen Antwort der Gemeinde (Pax Domini sit semper vobiscum. Et cum spiritu tuo) u. durch den die Brotbrechung begleitenden u. daher bis zu deren Ende wiederholten kurzen Hymnus ‚Agnus Dei, qui tollis . . .'. Die von der Speisung der Teilnehmer in Anspruch genommene Zeit der Kommunion wird ausgefüllt durch den antiphonischen Gesang passender Psalmen. Der Kommunion folgen ein Dank-G., ein Segnungs-G. („oratio super populum') u. der mit der Akklamation „Deo gratias' beantwortete Entlassungsruf des Diakons („Ite missa est'). – Die folgenden Hinweise wollen der Orientierung über die Vorgeschichte der soeben aufgezeichneten G.formen dienen. Zur „Eucharistia' vgl. A. Stuiber, Art. Eulogia: o.Bd. 6, 900/28. Zur Epiklese s. J. Laager: o.Bd. 5, 577/99; P. Dinesen: StudTheol 16 (1962) 42/107. Zu den Fürbitten s. Art. Gebet II. Zur Doxologie s. A. Stuiber: o.Bd. 4, 210/26. Zum Amen s. A. Stuiber: JbAC 1 (1958) 152/9. Zur charismatischen Improvisation der Eucharistia s. vorerst v. d. Goltz 177/83. Zur Akklamation s. Th. Klauser: o.Bd. 1, 216/33. Zum „Deo gratias' s. A. Stuiber, Art. Eulogia: o.Bd. 6, 918f. Zum Psalmengesang s. vorerst B. Fischer, Die Psalmenfrömmigkeit der Märtyrerkirche (1948) u. ders., Zum Problem einer christl. Interpretation der Psalmen: TheolRev 67 (1971) 5/12. Zum Hymnus s. J. Kroll, Die christl. Hymnodik bis zu Clemens v. Alexandreia, Progr. Braunsberg (1921 bzw. 1968). Zum „G. des Herrn' s. Viller-Rahner 292. 295 u. o. Sp. 1234/45. Zum Ganzen s. J. A. Jungmann, Missarum sollemnia⁵ (1962); A. Baumstark, Liturgie comparée³ (Chevetogne 1953).

2. Lehr- u. Lesegottesdienst. Bis etwa Mitte des 2. Jh. war dieser heute dem Herrenmahl unmittelbar vorausgehende Teil der Liturgie eine selbständige Veranstaltung. Ihr Vorbild war auch diesmal die Synagoge. Da auch Nichtgetaufte teilnehmen durften, das gemeinsame G. von Getauften u. Nichtgetauften aber verpönt war, mußte der Wortgottesdienst auf Lesung u. Unterweisung beschränkt bleiben. Erst nach der Entlassung der Katechumenen konnte die Gemeinde ihr G. verrichten; daher hieß es „G. der Gläubigen'. Es bestand aus einer größeren Anzahl von Fürbitten, die jeweils durch die Angabe der Intention u. durch die Aufforderung zum stillen G. („Oremus', „Flectamus genua') eingeleitet, durch eine zusammenfassende, vom Bischof laut vorgetragene Formel (Collecta, Oratio) u. eine Doxologie („Per Dominum nostrum . . .') abgeschlossen wurde. Muster dieses G. war das Achtzehnbitten-G. der Synagoge. Die christl. Nachbildung fiel den Kürzungsbestrebungen der Päpste Gelasius I u. Gregor I zum Opfer. Gelasius ersetzte sie am Ende des 5. Jh. durch eine einfachere, litaneiartige Formel, die im Osten verbreitet war: der Diakon nannte die jeweilige G.intention (zB. „Pro immaculata Dei vivi ecclesia'); die Gemeinde antwortete mit dem akklamatorischen G.ruf „Kyrie eleison'. Außerdem verlegte Gelasius die neue G.form in den Anfang des Wortgottesdienstes; Nichtgetaufte waren ja damals kaum noch vorhanden. Abermals war es der Wunsch nach Kürzung der Dauer der Liturgie, der Gregor I veranlaßte, im Formular des Gelasius auch noch die Intentionsangabe zu streichen, so daß jetzt bloß noch die Kyrie eleison-Rufe übrig blieben. Zwischen die Kyrie eleison-Rufe u. die Collecta wurde vielleicht schon um 500 vom römischen Bischof an Weihnachten der aus dem Griechischen übersetzte Hymnus „Gloria in excelsis Deo' eingeschaltet; er blieb bis ins Mittelalter dem Papst reserviert. Der Einzug des Klerus wurde vielleicht bereits im 4. Jh. von einem antiphonischen Psalmengesang begleitet, dem Introitus, der ursprünglich wohl als Ehrung des Bischofs gedacht war. Psalmengesang wurde auch zwischen die Lesungen eingeschoben (Graduale). – Zur Geschichte des „G. der Gläubigen' s. Th. Klauser, Kleine abendl. Liturgiegeschichte (1965) 53/7. Zur Kyrie-eleison-Akklamation s. F. J. Dölger, Sol sal. 60/103. Zum „Gloria' vgl. *Hymnus. Zum Psalmengesang s. *Psalm. Zur Litanei s. *Litanei. Zum Still-G. bei Heiden u. Christen s. Schmidt 55/71; über das Still-G. der Juden s. Elbogen 73f. 242 u.ö.

3. Agape. Das Herrenmahl war anfangs ebenso wie das letzte Abendmahl Jesu eine Sättigungsmahlzeit. Disziplinäre Schwierigkeiten haben wohl schon in der frühen nachapostolischen Zeit dazu geführt, daß man die Sättigungsmahlzeit als „Liebesmahl' der Gemeinde (Agape) verselbständigte, das eigentliche Herrenmahl auf den Morgen verlegte u. es auf den Genuß eines Stückleins Brot u. eines Schlucks Wein beschränkte. Die Agape wurde in der Zeit des Lichtanzündens begonnen. Unter der Einwirkung von religiösen Akten, die schon in der griech.-röm. u. jüd. Welt das abendliche Lichtanzünden begleiteten (s. o.Sp. 1222), entwickelte sich auch auf christlicher Seite ein Lichtritus, der in einer „Eucharistia' des Bischofs für das Licht gipfelte; diese Danksagung begann auch diesmal mit einem Dialog u. endete mit einer

Doxologie u. dem ‚Amen‘ der Gemeinde. Das Liebesmahl selbst wurde durch ein Tisch-G. eingeleitet u. durch ein G. nach dem Mahl beschlossen, aber wohl auch durch Psalmengesang, Hymnen usw. unterbrochen. Es wäre möglich, daß der Hymnus Φῶς ἱλαρόν (W. Christ-M. Paranikas, Anthologia Graeca carminum christianorum [1871 bzw. 1963] 40) für diese abendliche Lichtfeier gedichtet worden ist. – Hauptquelle ist Hippol. trad. 25/9 (SC 11², 100/8). Einen Kommentar zum Lichtsegen lieferte F. J. Dölger, Lumen Christi: ACh 5 (1936) 1/43; vgl. auch A. Stuiber, Art. Eulogia: o. Bd. 6, 919f. Zum Tisch-G. der Agape s. ebd. 913f. Zum Zeitpunkt von Agape u. Eucharistiefeier s. W. Rordorf, Der Sonntag (Zürich 1962) 234/68.

4. Sakramentale Riten. Unter diesen sind die Initiationsakte (Taufe mit confirmatio) u. die Ordinationen (Bischofs- u. Presbyterweihe) die wichtigsten. Die Taufe begann mit der Zubereitung des Taufwassers (Reinigung von dämonischen Einflüssen durch Exorzismen, Heiligung durch Eucharistia u. Epiklese des Hl. Geistes). Es folgte die Vorbereitung des Täuflings (Reinigung durch Exorzismen u. Apotaxis, Bindung an Gott durch Glaubensbekenntnis u. Taufgelöbnis). In der ursprünglich der Taufe unmittelbar angeschlossenen confirmatio bildete den Schwerpunkt die Epiklese, die den Hl. Geist auf den Neugetauften herabrief; die anschließende Handauflegung u. Salbung sollten die Epiklese unterstreichen. Die Bischofs- u. die Presbyterweihe begannen mit einem Still-G. u. hatten ihren Höhepunkt in einer durch Handauflegung unterstrichenen Epiklese (vgl. Hippol. trad. 3. 7 [SC 11², 42/6. 56/8]). – Zu Taufe u. confirmatio s. F. J. Dölger, Das Sakrament der Firmung historisch-dogmatisch dargestellt (Wien 1906); ders., Der Exorzismus im altchristl. Taufritual = Studien z. Gesch. u. Kultur des Altertums 3, 2/3 (1909); ders., Sphragis. Eine altchristl. Taufbezeichnung = ebd. 5, 3/4 (1911); ders., Sonne. Zur Priesterweihe vgl. vorerst B. Kleinheyer, Die Priesterweihe im röm. Ritus = TrierTheolStud 12 (1962).

5. Offizium (Tagzeitengebet). S. o. Sp. 1219/20. 1248/50.

b. Privates Gebet. Das persönliche G., das an jedem Ort verrichtet werden kann, weil Gott überall gegenwärtig ist, gewinnt innerhalb der christl. Frömmigkeit eine andere Bedeutung als außerhalb des Christentums. Denn jetzt beruht es nicht mehr auf einer philosophi-schen Reflexion über Gottes u. des Menschen Wesen u. ihrer Beziehung zueinander, sondern ist gestaltet nach dem Vorbild der ganz intimen Anrede an Gott, wie sie das G. Jesu auszeichnet. Darin geht das Beten Jesu noch über das des atl. Beters hinaus, der sich auch schon in einer sehr subjektiven u. individuellen Weise an Gott wendet. Dazu kommt, daß auch Jesus selbst, der ja als Mensch dem Beter gefühlsmäßig näher steht, im G. angesprochen wird, eine Entwicklung, die darauf hinausläuft, daß sich das private Beten schließlich zumeist an die Heiligen richtet. – Es sind mancherlei persönliche G. aus dem Altertum erhalten, von den rhetorisch u. inhaltlich erhabenen etwa eines Augustinus bis zu denen einfacher Menschen, die sich an schlichte G.formeln aus der Hl. Schrift halten, die sie immer wiederholen.

1. Vaterunser u. Psalterium. Der wichtigste G.text war das Vaterunser, das ‚Herren-G.‘, weil es nach Ausweis der Hl. Schrift von Christus selbst formuliert ist. Man hat es schon frühzeitig als Kurzform des ganzen Evangeliums bezeichnet. Indem man seine Worte erklärte, führte man es in das christl. Beten überhaupt ein. Entgegen aller scheinbar so idealen philosophischen Kritik am ‚Materialismus‘ des G. der breiten Masse (s. o. Sp. 1145/7. 1222f) fand hier das Bitt-G. des einfachen Menschen seine Rechtfertigung: ‚Gib uns heute unser tägliches Brot‘. – Des weiteren bot sich schon früh das ‚G.buch des AT‘, die Psalmen, mit ihren reichen Formulierungen für alle Lebenslagen als Fundgrube für das persönliche Beten an. Vaterunser u. Psalterium waren die Klammern, die privates u. öffentliches, persönliches u. liturgisches G. miteinander verbanden.

2. Stoßgebet (orationes . . . raptim . . . iaculatae: Aug. ep. 130, 20 [CSEL 44, 62f]). Eine Notsituation drängt den Frommen dazu, mit einem ganz knappen G. Gott oder seine Heiligen um schnelle Hilfe anzugehen. Dies G. wird meist rein innerlich gesprochen; aber es kann auch vernehmlich werden, so etwa, wenn der Märtyrer Pionius fleht: ‚Herr, nimm meine Seele auf‘ (Mart. Pionii 21 [56, 29 Knopf etc.]). – Als die Theoretiker der christl. Vollkommenheitslehre nach Mitteln suchten, welche die ständige Verbindung der Seele mit Gott bewirken konnten, entdeckten sie auch die Bedeutung ständig wiederholter Stoß-G. für die Erreichung ihres Ideals. Das Not-G. war keine Erfindung des Christen-

tums; es war überall bekannt u. geübt (vgl. Heiler 38/69). Über das Stoß-G. in der christl. Vollkommenheitslehre s. Viller-Rahner 192 u. 301.

3. Fluch- u. Rachegebet. Diese Erscheinungsform des G. war schon in der griech.-röm. u. in der jüdischen Welt bekannt. G. dieser Art setzte man gern auch auf Grabsteine u. unterstrich ihren G.charakter durch zwei eingemeißelte Hände. Beispiel der Formulierung: Ἥλιε ἐκδίκησον („Helios, strafe!‘; vgl. P. Moraux, Une imprécation funéraire à Néocésarée [Paris 1959] 27). Man scheint G. dieser Art, auf Papyrus geschrieben, auch den Toten mit ins Grab gegeben zu haben. Wie stark man auch in christlichen Kreisen an die Wirksamkeit solcher Rache- u. Fluch-G. glaubte, zeigt ihre Verwendung in den häufigen Exorzismen (s. K. Thraede, Art. Exorzismus: o. Bd. 7, 91/3 [liturgische Exorzismus-G.]. 109/11 [volkstümliche]) u. etwa Aug. serm. 322 (PL 38, 1443). – Eingehende Erörterung dieses G.typus mit vielen Beispielen bei G. Björck, Der Fluch des Christen Sabinus (Uppsala 1938). Die Kirche hat diesen G.typus schon früh in ihr Exkommunikations-Ritual aufgenommen (s. W. Speyer, Art. Fluch: o. Bd. 7, 1251/66).

4. Paradigmengebet. Im AT wird in Not-G. öfter auf Beispiele wunderbarer Errettung hingewiesen, die zu der Hoffnung zu berechtigen scheinen, daß Gott auf ähnliche Weise den Beter befreien werde. Eleazar beruft sich in einem G. auf die Errettung des israelitischen Volkes am Roten Meer u. aus der von Sanherib drohenden Gefahr, auf die Rettung der drei Jünglinge aus dem Feuerofen, Daniels aus der Löwengrube u. des Jona aus dem Bauch des Seeungeheuers (3 Macc. 6, 4/9). Verwandte G. findet man 4 Macc. 18, 11/3 u. Apc. Sophon. 9, 1 (172 Rießler). Da eine ähnliche Beispielreihe auch in der Mischna (Taanit 2) u. sogar in einem für Unglückszeiten gedachten Zusatz zum šᵉmōneh ῾eśrēh begegnet, darf man annehmen, daß das Paradigmen-G. (diese Bezeichnung stammt von A. Baumstark) im 1. Jh. vor oder nach Christus in der jüd. Welt ausgebildet worden ist. Daß die frühe Christenheit diesen G.typus übernommen hat, geht einerseits aus literarischen Zeugnissen (PsCypr. or. 1. 2 [CSEL 3, 3, 144/51]), andererseits aus den Reflexen in der frühchristl. Kunst hervor (vgl. etwa Th. Klauser: Frühchristl. Sarkophage in Bild u. Wort, hrsg. von F. W. Deichmann, Bilder J.

Märki-Boehringer, Text Th. Klauser = Antike Kunst Beih. 3 [Olten 1966] 16f). Der Umstand, daß das Paradigmen-G. als ‚commendatio animae‘ im christl. Ritual noch heute weiterlebt (L. Gougaud, Étude sur les ‚Ordines commendationis animae‘: EphLit 40 [1935] 3/27), könnte zu der Vermutung führen, daß dieser G.typus auch schon bei den Juden vorwiegend am Bett eines Sterbenden oder von diesem selbst verrichtet wurde u. daher auch in die Grabmalerei u. Grabplastik Eingang fand, weil ja die Grabdenkmäler vorzugsweise den Toten zu Gott sprechen lassen. – Grundlegend schrieb über das Paradigmen-G. K. Michel. Beispiel einer vom Paradigmen-G. ausgehenden Denkmälerinterpretation s. bei Klauser aO. 21f.

G. Appel, De Romanorum precationibus = RGVV 7, 2 (1909). – A. Baumstark, Nocturna laus² = Liturgiegesch. Quellen u. Forsch. 32 (1967). – K. Baus, Die Stellung Christi im Beten des hl. Augustinus: TriererTheolZs 63 (1954) 321/39. – J. Betz, Die Eucharistie in der Didache: ArchLiturgWiss 11 (1969) 10/39. – E. Bickel, Platonisches G.leben: ArchGeschPhilos 14 (1908) 535/54; Lehrbuch der Geschichte der röm. Literatur² (1961). – E. Brandt, Gruß u. G. Eine Studie zu Gebärden in der minoisch-mykenischen u. frühgriech. Kunst (1965). – W. Burkert, Homo necans. Interpretationen altgriechischer Opferriten u. Mythen (1972). – A. Citron, Semantische Untersuchungen zu σπένδεσθαι, σπένδειν, εὔχεσθαι (Winterthur 1965). – A. Corlu, Recherches sur les mots relatifs à l'idée de prière, d'Homère aux tragiques (Paris 1966). – J. Daniélou, La théologie du Judéo-Christianisme (Tournai 1958). – E. Dassmann, Die Frömmigkeit des Kirchenvaters Ambrosius v. Mailand. Quellen u. Entfaltung = Münster. Beitr. z. Theologie 29 (1965). – O. Dibelius, Das Vaterunser. Umrisse zu einer Geschichte des G. in der alten u. mittleren Kirche (1903). – F. J. Dölger, Beiträge zur Geschichte des Kreuzzeichens I: JbAC 1 (1958) 5/19; II: JbAC 2 (1959) 15/29; IV: JbAC 4 (1961) 5/17; Die Sonne der Gerechtigkeit u. der Schwarze² (1971). – I. Elbogen, Der jüd. Gottesdienst in seiner geschichtlichen Entwicklung³ (1931). – L. Finkelstein, The Birkat HaMazon: JewQuartRev 19 (1928/9) 211/62. – H. Fluck, Skurrile Riten in griech. Kulten, Diss. Freiburg (1931). – E. von der Goltz, Das G. in der ältesten Christenheit (1901). – A. Greiff, Das G. im AT = Atl. Abh. 5, 3 (1915). – A. Hamman, La prière 1/2 (Tournai 1959/62); Le Pater expliqué par les Pères² (Paris 1962). – J. M. Hanssens, La liturgie d'Hippolyte, ses documents, son titu-

laire, ses origines et son caractère = OrChrist-
Anal 155 (Roma 1959). – G. Harder, Paulus u.
das G. = Ntl. Forsch. 10 (1936). – I. Hausherr,
Les leçons d'un contemplatif. Le traité de
l'oraison d'Évagre le Pontique (Paris 1960);
Noms du Christ et voies d'oraison = OrChrist-
Anal 157 (Roma 1960). – F. Heiler, Das G.
Eine religionsgeschichtliche u. religionspsycho-
logische Untersuchung[5] (1969). – J. Horst,
Proskynein. Zur Anbetung im Urchristentum
nach ihrer religionsgeschichtlichen Eigenart =
Ntl. Forsch. 3, 2 (1932). – J. Jeremias, Abba.
Studien zur ntl. Theologie u. Zeitgeschichte
(1966). – H. Jonas, Gnosis u. spätantiker Geist
1. Die mythologische Gnosis[3] (1964). – R. Kerk-
hoff, Das unablässige G. Beiträge zur Lehre
vom immerwährenden Beten im NT (1954). –
H. Kleinknecht, Die G.parodie in der Antike =
TübBeitrAltWiss 28 (1937 bzw. 1967). – K.
Latte, De saltationibus Graecorum capita
quinque = RGVV 13, 3[2] (1967); Die Religion
der Römer u. der Synkretismus der Kaiserzeit
= Religionsgeschichtl. Lesebuch 5[2] (1927). – J.
Leipoldt, G. u. Zauber im Urchristentum:
ZKG 54 (1935) 1/11 = Von den Mysterien
zur Kirche (1961) 104/15. – K. Michel, G. u.
Bild in frühchristl. Zeit = Studien über christl.
Denkmäler 1 (1902). – J. Nielen, G. u. Gottesdienst im NT[2] (1963). – T. Ohm, Die G.gebärden
der Völker u. das Christentum (Leiden 1948). –
W. Ott, G. u. Heil. Die Bedeutung der G.parä-
nese in der lukanischen Theologie = StudANT
12 (1965). – E. Peterson, Frühkirche, Judentum u. Gnosis (1959). – E. des Places, La
prière des philosophes grecs: Gregorianum 41
(1960) 253/72. – J. Quasten, Musik u. Gesang in
den Kulturen der heidn. Antike u. christl. Frühzeit = Liturgiegesch. Quellen u. Forsch. 25
(1930). – G. Rohde, Die Kultsatzungen der röm.
Pontifices = RGVV 25 (1936). – H. Schlier,
Religionsgeschichtliche Untersuchungen zu den
Ignatiusbriefen = ZNW Beih. 8 (1929). – H.
Schmidt, Veteres philosophi quomodo iudica-
verint de precibus = RGVV 4, 1 (1907). – C.
Sittl, Die Gebärden der Griechen u. Römer
(1890). – J. Stadlhuber, Das Stunden-G. der
Laien im christl. Altertum: ZKathTheol 71
(1949) 129/83. – S. Sudhaus, Lautes u. leises
Beten: ArchRelWiss 9 (1906) 185/200. – W.
Völker, Das Vollkommenheitsideal des Origenes = Beitr. zur hist. Theol. 7 (1931); Fortschritt u. Vollendung bei Philo v. Alexandrien
= TU 49, 2 (1939); Der wahre Gnostiker nach
Clemens Alexandrinus = TU 57 (1952); Maximus Confessor als Meister des geistlichen Lebens
(1965); Scala Paradisi. Eine Studie zu Joh. Climacus u. zugleich eine Vorstudie zu Symeon
dem Neuen Theologen (1968). – G. Walther,
Untersuchungen zur Geschichte der griech. Va-
terunser-Exegese = TU 40, 3 (1941). – C. Westermann, Das Loben Gottes in den Psalmen[3]
(1963); Der Psalter (1967); Der Segen in der Bibel
u. im Handeln der Kirche (1968).

E. von Severus

REGISTER

ZU

BAND VIII

STICHWÖRTER

Gallia cisalpina s. Italien
Gallienus: Eugenio Manni 962
Gallos: Gabriel Michel Sanders 984
Ganymed: Josef Engemann 1035
Garten: Carl Schneider 1048
Gastfreundschaft: Otto Hiltbrunner, Denys
    Gorce, Hans Wehr 1061

Gasthaus s. Herberge
Gastmahl s. Deipnonliteratur (o. Bd. 3, 658/66),
    Mahl
Gattung, literarische s. Literaturgattungen
Gaza: Glanville Downey 1123
Gebärden s. Gesten
Gebet I: Emmanuel von Severus 1134

MITARBEITER

Altendorf, Hans Dietrich (Bern):
    Galerius
Bauer, Johannes Baptist (Graz):
    Fluß I (Naturelement)
Bertram, Georg (Gießen):
    Galilaea
Courcelle, Pierre (Paris):
    Flügel (Flug) der Seele I
Demougeot, Émilienne (Montpellier):
    Gallia I
Dihle, Albrecht (Köln):
    Furcht (Gottes)
Dinkler, Erich (Heidelberg):
    Friede
Dinkler–von Schubert, Erika (Heidelberg):
    Fluß II (ikonographisch), Friede
Downey, Glanville (Bloomington):
    Gaza
Engemann, Josef (Bonn):
    Ganymed
Fascher, Erich (Berlin):
    Fremder
Funke, Hermann (Mannheim):
    Furie
Gaudemet, Jean (Paris):
    Fremder
Gorce, Denys (Grenade-sur-l'Adour):
    Gastfreundschaft
Hadot, Pierre (Limours):
    Fürstenspiegel
Haußleiter, Johannes † (Halle/Saale):
    Fruitio Dei
Hiltbrunner, Otto (Münster):
    Gastfreundschaft
Kajanto, Iiro (Helsinki):
    Fortuna
Klauser, Theodor (Bonn):
    Galilaea
Kötting, Bernhard (Münster):
    Fuß, Fußwaschung

Langlois, Pierre (Le Vésinet):
    Fulgentius
Manni, Eugenio (Palermo):
    Gallienus
Michel, Otto (Tübingen):
    Freude
Mundle, Wilhelm † (Marburg):
    Furcht (Gottes)
Nestle, Dieter (Marburg):
    Freiheit
Preisendanz, Karl † (Heidelberg):
    Fluchtafel (Defixion)
Sanders, Gabriel Michel (Gent):
    Gallos
Schneider, Carl (Speyer):
    Garten
Severus, Emmanuel von (Maria Laach):
    Gebet I
Speyer, Wolfgang (Köln-Bonn):
    Gallia II (literaturgeschichtlich)
Thraede, Klaus (Regensburg):
    Flügel (Flug) der Seele II (Briefmotiv), Fort-
    schritt, Frau, Friedenskuß
Thür, Gerhard (Wien):
    Folter (juristisch)
Treu, Kurt (Berlin):
    Freundschaft
Vergote, Jozef (Heverlee-Leuven):
    Folterwerkzeuge
Walzer, Richard (Oxford):
    Galenos
Waszink, Jan Hendrik (Leiden):
    Fronto, Furcht (Gottes)
Weber, Manfred (Köln):
    Frosch
Wehr, Hans (Münster):
    Gastfreundschaft

NACHTRAGSARTIKEL IM JAHRBUCH FÜR ANTIKE UND CHRISTENTUM

Abecedarius	JbAC 3	(1960)	S. 159	Klaus Thraede
Aeneas	JbAC 4	(1961)	S. 184/6	Ilona Opelt
Aethiopia	JbAC 1	(1958)	S. 134/53	Günter Lanczkowski
Aischylos	JbAC 5	(1962)	S. 191/5	Ilona Opelt
Ambrosiaster	JbAC 13	(1970)	S. 119/23	Alfred Stuiber
Amen	JbAC 1	(1958)	S. 153/9	Alfred Stuiber
Anredeformen	JbAC 7	(1964)	S. 167/82	Henrik Zilliacus
Aphrahat	JbAC 3	(1960)	S. 152/5	Arthur Vööbus
Apophoreton	JbAC 3	(1960)	S. 155/9	Alfred Stuiber
Arator	JbAC 4	(1961)	S. 187/96	Klaus Thraede
Aristophanes	JbAC 5	(1962)	S. 195/9	Ilona Opelt
Ascia	JbAC 6	(1963)	S. 187/92	Fernand De Visscher
Barbar	JbAC 10	(1967)	S. 251/90	Ilona Opelt – Wolfgang Speyer
Büchervernichtung	JbAC 13	(1970)	S. 123/52	Wolfgang Speyer
Consilium, Consistorium	JbAC 11/12	(1968/69)	S. 230/48	Wolfgang Kunkel
Constans	JbAC 2	(1959)	S. 179/84	Jacques Moreau
Constantinus II	JbAC 2	(1959)	S. 160/1	Jacques Moreau
Constantius I	JbAC 2	(1959)	S. 158/60	Jacques Moreau
Constantius II	JbAC 2	(1959)	S. 162/79	Jacques Moreau
Erbrecht	JbAC 14	(1971)	S. 170/84	Walter Selb
Euripides	JbAC 8/9	(1965/66)	S. 233/79	Hermann Funke

Diese Artikel werden später in einem Supplementband des Reallexikons für Antike und Christentum zusammengefaßt.